TES DU ROYAUME DE FRANCE.

DE PARIS A	Lieues
Lucon ‡	108
Luxembourg	74
LION ‡	100
Magny ‡	114
Mans ‡	44
Mante	10
Marienbourg	46
Marsal	80
Marseille ‡	155
Mason ‡	90
Maubeuge	50
MAYENCE ‡	106
Mayenne	50
Meaux ‡	10
Melun	10
Mende ‡	112
Menin	53
METZ ‡	68
Meulan	8
Mezieres	50
Mirepoix	152
Monaco	184
MONS	45
Montreuil	48
Montargis	24
Montauban ‡	128
Monbeliart	94
Montelimart	125
Mont Louis	172
Mont Medy	67
Montpellier ‡	150
Mont Royal	100
Mont St. Michel	80
Mortagne	30
Moulins	65
MÜNICH	
Namur ‡	58
NANCY	74
Nantes ‡	82
Narboñe ‡	166
Nemours	18
Nevers ‡	54
Nice ‡	180
Niort	104
Nismes ‡	140
Nogent Sur S.	22
Noyon ‡	22
NURMBERG	
Oleron	120
Orange	134
ORLEANS ‡	30
Pamiers ‡	150
Perigueux ‡	100
Peronne	30
Perpignan ‡	176
Phalsbourg	92
Philippe Ville	53
Philisbourg	52
Pignerol	155
Poitiers ‡	86

DE PARIS A	Lieues
Pt. a Mousson	70
Pt. St. Esprit	132
Port Louis	140
Port de Sette	158
PRAGUE	
Quesnoy	43
Quimpercor	128
Re Isle	130
Rennes ‡	72
Rheims ‡	35
Rethel	43
Richelieu	78
Rieux ‡	150
Riez ‡	163
Riom	78
la Rochelle ‡	116
Rocroix	54
Rodez ‡	127
Rouanne	84
ROUEN ‡	29
Saar Louis	79
St. Brieux ‡	138
St. Bretrand ‡	160
St. Claude	96
St. Dizier	55
St. Etienne	102
St. Germain	5
St. Iean d'Ang.	108
St. Iean de Mor. ‡	134
St. Iean P. de Pt.	154
St. Leger ‡	158
St. Malo ‡	80
St. Menehoud	49
St. Omer ‡	51
St. Pierre le M.	60
St. Pol de Leon ‡	126
St. Pons ‡	160
St. Quentin	31
St. Tropez	169
Saintes ‡	95
Salces	173
Salins	85
Sarbourg	88
Sarbrick	84
Sarlat ‡	108
Sarlouis	79
Saverne	94
Saumur	54
Schlestat	99
Sedan	53
Sees ‡	38
Senez ‡	152
Sens ‡	26
Senlis ‡	10
Sisteron ‡	144
Soissons ‡	22
Spire ‡	109
Stenay	56
STRASBOURG ‡	100
STUTGARD	
Tarascon	144
Tarbes ‡	160
Thionville	73
Thouars	84
THOULOUSE ‡	137
Tonnere ‡	42
Toul ‡	70
Toulon ‡	164
Tours ‡	62
Tournay ‡	48
Treguier ‡	118
TREVES ‡	82
Troyes ‡	34
Tulle ‡	97
TURIN ‡	160
Valence ‡	118
Valencieñes	43
Valogne	79
Vannes ‡	104
VENISE	
Verdun ‡	57
Versailles	4
Vezelay	47
VIEÑE en A ‡	
Vienne ‡	104
Villerscoterest	16
Vitry le Fr.	48
Viviers ‡	128
Vitray	65
Ulm	
Vzes ‡	137
Ypres ‡	56

Couverture :
Conques, Aveyron
Slide/Repérant
Page 7 :
Molières, Dordogne
Slide/Repérant
Page 11 :
Collonges-la-Rouge, Corrèze
Slide/Repérant
Page 133 :
Plan d'une ferme vers 1455, Somme
Tallandier/Archives nationales

Tous droits réservés
© MOLIÈRE 1997, Paris
ISBN : 2.907.670.73.5
Dépôt légal 3e trimestre 1997
Imprimé en Italie

Crédit photographique :
Slide/Repérant : *1, 7, 11, 12/13, 14/15, 16/17, 20/21, 28/29, 38/39, 40/41, 42/43, 46/47, 48/49, 52/53, 54/55, 56/57, 58/59, 60/61, 66/67, 72/73, 74, 76/77, 78/79, 80/81, 83, 84/85, 86/87, 88/89, 90/91, 92/93, 96/97, 100/101, 106/107,* ***Slide/Cartier :*** *95,* ***Slide/Cash :*** *129,* ***Slide/Dubonnet :*** *68,* ***Slide/Dune :*** *62/63, 70/71, 98/99,* ***Slide/Flash :*** *136,* ***Slide/Huitel :*** *108/109, 110/111,* ***Slide/Koechlin :*** *69,* ***Slide/Pétri :*** *44/45,* ***Slide/Roignant :*** *36/37,****Slide/Sénolf :*** *26/27, 34/35,*
Eparzier : *18/19, 30/31, 104/105,*
Le Figaro Magazine/Lechenet : *22/23, 94, 112,*
Gsell : *24/25, 51, 64/65,*
Pix/Marcou : *32/33,*
Pix/Gautier : *102/103,*
Tallandier/Archives nationales : *133.*
Texte : *Suzanne Madon*
Collaboration : *F. B.*

VILLAGES de FRANCE

Suzanne Madon

VILLAGES de FRANCE

Préface

Denis Tillinac

EDDL

PRÉFACE

Le plus beau voyage du monde n'exige qu'une voiture automobile, une carte Michelin et le goût de la poésie ; c'est une dérive à terme indéfini sur nos routes départementales entre les mille villages, les mille visages contrastés d'une beauté tantôt secrète et tantôt rutilante.

Quand Riquewihr se découvre entre ses vignes à l'ombre bleutée du mont Sainte-Odile, quand Roussillon surgit sur son piton rouge, quand apparaît entre ses gorges le profil de l'abbatiale de Conques, les frontières du temps sont abolies, celles de la réalité s'estompent, on entre dans le royaume magique de nos imageries d'enfant. Les villages de ces "pays" chers à Fernand Braudel tissent la trame polychrome d'une tapisserie où les styles, sertis dans les décors de la géographie, reflètent la diversité inouïe de la "doulce France". Ils suggèrent les heurs et malheurs d'une ruralité qui agonise, sans le souvenir de laquelle nous ne serions que des fétus livrés aux vents délétères de la modernité. Ils suggèrent, aussi, le bon goût de feu nos bourgeoisies de campagne.

C'est l'Histoire de France qui défile lorsque le promeneur, négligeant les lieux absurdement communs du tourisme international, commémore les âges féodaux entre les murs de basalte noir de Salers, la foi ardente devant l'église de Talmont, face à l'estuaire, la saga de la Résistance sur l'île de Sein. Sur les hauteurs de Vézelay souffle l'esprit : il se repose dans l'Auge des vaches bicolores, des pommiers et des herbages de Beuvron. En somme il s'agit d'une invocation exotique au génie le plus humble d'un peuple qui avait dans le cœur le sens du beau et de l'intimité. A-t-il perdu le secret de cette grâce harmonieuse qui émane de chaque encoignure ? On peut le craindre.

Faute d'une esthétique contemporaine qui cesserait de nous attrister – le mot est faible – je ne connais pas de meilleure pédagogie que de montrer aux enfants de citadins et de banlieusards ces maisons blotties autour d'un clocher, d'un donjon ou d'un monastère, bâties à mains nues par des hommes qui célébraient spontanément ce que nous recherchons en vain : les noces du trivial et du sublime. On se lasse de tout, parce qu'on nous montre tout, mais le dernier enchantement est à portée de toute convoitise.

Denis TILLINAC

SOMMAIRE

PRÉFACE : Denis TILLINAC 9

NORD - PICARDIE - CHAMPAGNE - ARDENNE 12-17
Nord, Pas-de-Calais, Aisne, Oise, Somme, Ardennes, Aube, Marne, Haute-Marne

ALSACE - LORRAINE 18-23
Bas-Rhin, Haut-Rhin, Meurthe-et-Moselle, Meuse, Moselle, Vosges

NORMANDIE - ILE-DE-FRANCE 24-31
Calvados, Manche, Orne, Eure, Seine-Maritime, Paris, Seine-et-Marne, Yvelines, Essonne, Hauts-de-Seine, Seine-Saint-Denis, Val-de-Marne, Val-d'Oise

BRETAGNE - PAYS DE LA LOIRE 32-39
Côtes-d'Armor, Finistère, Ille-et-Vilaine, Morbihan, Loire-Atlantique, Maine-et-Loire, Mayenne, Sarthe, Vendée

CENTRE - POITOU - CHARENTES 40-45
Cher, Eure-et-Loir, Indre, Indre-et-Loire, Loir-et-Cher, Loiret, Charente, Charente-Martitime, Deux-Sèvres, Vienne

BOURGOGNE - FRANCHE-COMTÉ 46-53
Côte-d'Or, Nièvre, Saône-et-Loire, Yonne, Doubs, Jura, Haute-Saône, Territoire de Belfort

AUVERGNE - LIMOUSIN 54-63
Allier, Cantal, Haute-Loire, Puy-de-Dôme, Corrèze, Creuse, Haute-Vienne

RHÔNE-ALPES 64-73
Ain, Ardèche, Drôme, Isère, Loire, Rhône, Savoie, Haute-Savoie

AQUITAINE 74-81
Dordogne, Gironde, Landes, Lot-et-Garonne, Pyrénées-Atlantiques

MIDI-PYRÉNÉES 82-91
Ariège, Aveyron, Haute-Garonne, Gers, Lot, Hautes-Pyrénées, Tarn, Tarn-et-Garonne

LANGUEDOC - ROUSSILLON 92-99
Aude, Gard, Hérault, Lozère, Pyrénées-Orientales

PROVENCE - CÔTE-D'AZUR 100-107
Alpes-de-Haute-Provence, Hautes-Alpes, Alpes-Maritimes, Bouches-du-Rhône, Var, Vaucluse

CORSE 108-111
Corse Sud, Haute-Corse,

LES VILLAGES DANS LA LITTÉRATURE FRANÇAISE 113-128

BIBLIOGRAPHIE 132

Nord Picardie Champagne Ardenne

La région du Nord reflète une histoire complexe où se mêlent les grandes heures du duché de Bourgogne, de l'empire de ***Charles Quint*** et des Pays-Bas espagnols. Entre les plaines de Flandre, bordées par la mer du Nord, les collines de l'Artois et les bocages du Hainaut et de l'Avesnois, les témoignages de cette multiplicité abondent. "La Champagne et la Flandre sont au Moyen Age les seuls pays qui puissent rivaliser pour l'histoire avec l'Italie. La Flandre a son Villoni dans Froissart, et dans Commynes son Machiavel", écrivait ***Michelet***. On pourrait ajouter à ces noms ceux d'***Adam de la Halle***, né à Arras, d'***Antoine Watteau*** et de ***Jean-Baptiste Carpeaux***, tous deux valenciennois ou d'***Henri Matisse***, né au Cateau-Cambrésis. *Sous le soleil de Satan*, comme d'autres œuvres de ***Georges Bernanos***, a l'Artois pour cadre, tandis que ***Marguerite Yourcenar*** évoque son enfance dans les *Archives du Nord*.

Le cœur des grandes villes comme Lille, Arras, Béthune ou Douai, continue de vivre à l'ombre d'un beffroi, autour d'une Grand-Place. Ces places bordées de maisons à pignons, aux façades ouvragées, superbes exemples du gothique flamand, datent pour la plupart de l'âge d'or des drapiers du Nord. Elles accueillent encore les traditionnelles kermesses qui ponctuent depuis des siècles la vie de la région, autour de mannequins géants symbolisant chacun une cité. D'autres traditions se perpétuent : on fabrique toujours à Calais une dentelle fine, et à Cambrai de savoureuses "bêtises". Les maisons de village sont généralement basses, faites de briques rouges ou ocres, parfois blanchies à la chaux. Si les mines sont aujourd'hui abandonnées, leur présence marque encore les paysages du Nord. Aux environs de Lens, les terrils, où la végétation renaît, dominent de longues rues bordées de corons.

Parfondeval

Les deux tours de brique rouge et l'arc signalant l'entrée de l'église évoquent le long passé belliqueux de la région. Ici, au nord de l'Aisne, entre l'Oise et la Sambre, nous sommes en Thiérache, dont le sol fertile excita souvent les convoitises.

Bergues, à quelques kilomètres de Dunkerque, se presse dans ses remparts médiévaux cernés de douves en eau qui furent renforcés par ***Vauban***. Le beffroi, les canaux qui longent le village et le moulin du XVIIIe siècle dressé un peu plus loin, à Pitgam, affichent clairement son caractère de cité flamande.

Un caractère que l'on retrouve à Cassel, plus au sud. Bâti sur une butte, le village a conservé autour de sa place pavée de beaux hôtels, dont celui qui abrita l'état-major du ***maréchal Foch*** en 1915. Vers Steenvoorde, plusieurs moulins, sur les dizaines que comptait autrefois ce pays de vent, ont résisté au temps.

La Côte d'Opale, portant les hautes falaises des caps Blanc-Nez et Gris-Nez, étire ses dunes de sable fin jusqu'à la Somme. Les stations de Wimereux, Hardelot ou Le Touquet abritent de belles villas, entre mer et forêt, et de longues plages qui attirent les amateurs de char à voile autant que les baigneurs.

Après le port d'Étaples, Montreuil surplombe la Canche. Les remparts qui l'enserrent et la citadelle, élevés au Moyen Age, ont été remaniés plusieurs fois, les troupes de ***Charles Quint*** les ayant pratiquement anéantis. On découvre la belle vallée voisine depuis la promenade des remparts et, dans le bourg, l'abbatiale Saint-Saulve, des ruelles pavées, les maisons aux volets colorés de teintes vives de la rue Clape-en-Bas. ***Victor Hugo*** choisit Montreuil pour réhabiliter Jean Valjean. C'est en Artois que le roi ***Henri V d'Angleterre*** remporta une victoire décisive pendant la guerre de Cent Ans, lorsque les luttes entre Bourguignons et Armagnacs aboutirent à l'écrasement des troupes françaises à Azincourt, en 1415. Un musée permet de suivre toutes les étapes de la bataille sur les lieux mêmes où elle se déroula.

"L'histoire de l'antique France semble entassée en Picardie. La royauté, sous Frédégonde et Charles le Chauve, résidait à Soissons, à Crépy, Verberie, Attigny. La république fut poussée par les mains picardes dans sa course effrénée, de Condorcet en Camille Desmoulins, de Desmoulins en Gracchus Babœuf. La plupart de nos grands artistes, Claude Lorrain, Poussin, Lesueur, Goujon, Mansart, Lenôtre, David, appartiennent aux provinces septentrionales" s'enthousiasmait ***Michelet***.

Le Crotoy et Saint-Valery-sur-Somme encadrent une baie magnifique. Le domaine de Marquenterre, gagné sur les marais, abrite un vaste parc ornithologique, tandis que ses abords servent de pâture aux moutons de prés-salés. Entre Abbeville et Péronne, la vallée de la Somme, aux eaux paresseuses, est ponctuée d'étangs poissonneux et de marais. Aux abords d'Amiens, les marais ont été transformés en petites parcelles sillonnées de canaux, les hortillonnages, sur lesquelles on cultive primeurs, fruits et fleurs depuis le Moyen Age. La région, riche en souvenirs de l'histoire ancienne ou moderne – des épisodes décisifs des deux guerres mondiales s'y sont déroulés – l'est aussi en églises et en abbayes. La vaste cathédrale d'Amiens est un remarquable témoignage du gothique, comme la collégiale d'Abbeville, à la façade flamboyante superbement sculptée. Saint-Riquier, Corbie ou Bray-sur-Somme conservent également un beau patrimoine religieux. Dans la vallée de l'Authie, Lucheux est couronné par les vestiges d'un château dressant encore deux tours en poivrière.

Gerberoy

Ce délicieux village intelligemment restauré est connu pour la profusion de ses fleurs au printemps. Mais ce paysage hivernal, entre chien et loup, propose une vision plus authentique de Gerberoy, jadis ville close et théâtre de nombreux affrontements depuis Guillaume le Conquérant.

Saint-Quentin, la grande ville de l'Aisne, a vu naître ***Quentin de La Tour***, le plus célèbre des pastellistes français. Il laissa des portraits étonnants de naturel de tous les grands noms de son époque (***Madame de Pompadour***, ***d'Alembert***, ***Voltaire***, ***Rousseau***...). "Je descends au fond d'eux-mêmes à leur insu, je les emporte tout entiers" expliquait-il.

A l'est, entre l'Oise et la Sambre, s'étend la Thiérache, couverte de bocages et de pâturages. On y fabrique un fromage réputé, né il y a neuf cents ans du savoir-faire des moines de Maroilles. Sur cette terre qui vit passer maints envahisseurs, ce ne sont pas des châteaux mais des églises que l'on fortifia pour s'en protéger. Entre Guise et Parfondeval, de nombreux villages ont conservé ces solides monuments à tourelles, mâchicoulis et donjons, le plus souvent construits de briques. C'est le cas de Plomion, Jeantes, Renneval ou Dohis, qui abrite aussi de belles maisons anciennes à pans de bois et façades de torchis. A Parfondeval, l'église fortifiée et le village qui lui fait écrin arborent toutes les teintes chaudes de la brique, du rouge au brun.

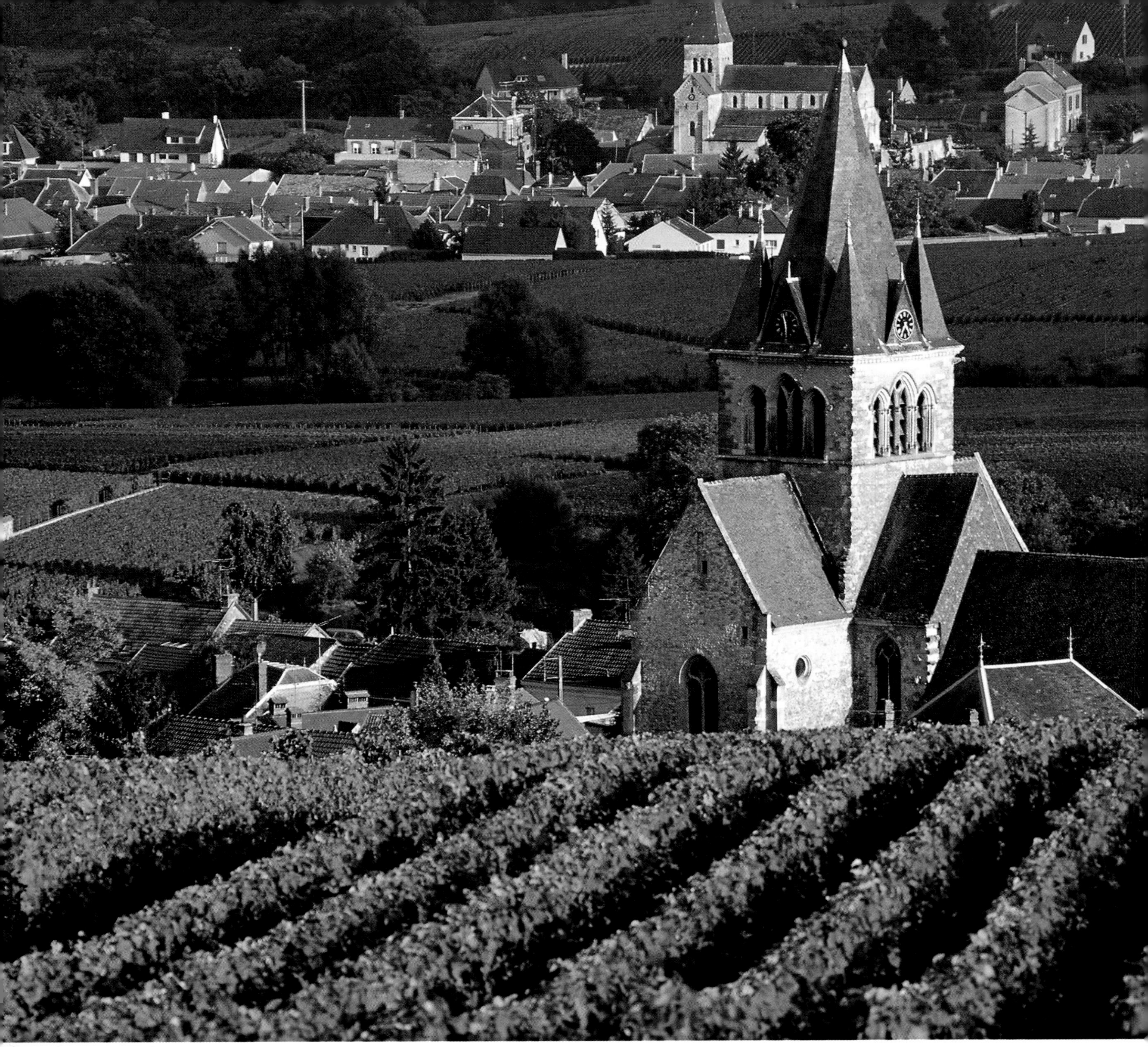

Au sud de Soissons, Longpont conserve les vestiges d'une abbaye cistercienne du XIIe siècle, remaniée au XVIIIe siècle. On pénètre dans le village qui borde la forêt de Retz par une porte fortifiée surmontée de tourelles. Car cette abbaye prospère, convoitée par les Anglais, les Normands et les Bourguignons, dut se mettre à l'abri de fortifications. Au cœur de la même forêt, Villers-Cotterêts est célèbre au moins à deux titres. ***François I**[er]* y signa en 1569 une ordonnance qui remplaçait le latin, jusque-là employé dans les actes administratifs et judiciaires, par la langue française ; il jetait en même temps les fondements de l'état civil, confié aux prêtres jusqu'à la Révolution. Villers-Cotterêts est aussi la ville natale d'***Alexandre Dumas***, qui y vécut jusqu'à vingt ans avant de commencer sa carrière littéraire à Paris. Un autre écrivain célèbre a vu le jour à quelques kilomètres. ***Racine*** naquit à la Ferté-Milon en 1639. La petite ville qui domine l'Ourcq fut fréquentée également par ***Jean de La Fontaine*** qui venait y rejoindre sa fiancée. Luimême, né sur les bords de la Marne à Château-Thierry, y reviendra souvent tout au long de sa vie.

Proche de la Normandie, Gerberoy fut autrefois le théâtre des luttes entre Anglais, Normands et Français. Les remparts de ce joli village de l'Oise aux rues fleuries évoquent ces périodes tourmentées.

Avec ses rues pavées, ses vieilles halles, ses maisons portant parfois des colombages et son jardin en terrasse aménagé sur l'emplacement de la forteresse, Gerberoy compte parmi les plus beaux villages classés. En lisière de la forêt de Compiègne, Pierrefonds abrite, près d'un lac aux allures romantiques, un château fort entièrement reconstruit par ***Viollet-le-Duc*** pour ***Napoléon III*** qui en fit une résidence impériale.

“Il n'est pas de ville ou de bourgade en Champagne qui n'ait son originalité” écrivait ***Hugo***. Sur le chemin qui menait les commerçants des Flandres à l'Italie, deux centres très actifs, la Champagne connut au Moyen Age une grande prospérité.

Reims et Épernay sont aujourd'hui les capitales du vin le plus réputé au monde, abritant les caves les plus prestigieuses. Le vin de Champagne était déjà apprécié depuis des siècles lorsqu'on découvrit à la fin du XVIIe le principe de la double fermentation, secret de cette mousse si particulière. ***Dom Pérignon***, prieur de l'abbaye d'Hautvillers, dans la Montagne de Reims, fut longtemps crédité de cette invention ; si, à présent, on en doute, son nom reste indissociable de l'histoire du champagne. Ici encore, on retrouve les maisons à colombages qui illustrent une Renaissance florissante. Elles ornent les quartiers anciens des villes, comme Troyes, particulièrement préservée, mais aussi des villages tels Saint-Amand-sur-Fion, Puellemontier ou Chaource, berceau d'un fromage réputé. A l'est de Troyes, en Champagne humide, les pans de bois décorent également des églises, comme celles de Lentilles, élevée au XVIe siècle, et de Bailly-le-Franc, plus simple mais tout aussi belle. Les villages surgissent ici au milieu du bocage, cernés de prairies et de bois.

Plus au nord, les collines de l'Argonne évoquent les sombres journées de la Révolution : Varennes, où la famille royale fut arrêtée après avoir été reconnue au relais de Sainte-Menehould. L'Argonne vécut également des temps forts de la Première Guerre mondiale.

Au début du XIIe siècle, ***Bernard de Fontaine***, futur ***saint Bernard***, fonde une abbaye cistercienne qui connaîtra un rayonnement exceptionnel à Clairvaux, proche de Bar-sur-Aube, patrie de ***Gaston Bachelard***. A quelques kilomètres, le village de Colombey-les-Deux-Églises est lié au souvenir du ***général de Gaulle*** qui s'y retira à la fin de sa vie dans sa propriété de La Boisserie. Langres, aux abords de la Bourgogne, vit naître ***Denis Diderot*** dans une famille de couteliers.

Au nord de Reims, les Ardennes furent de tout temps une terre de passage exposée aux invasions. Le château de Bouillon, les fortifications de Rocroi ou le château fort de Sedan en témoignent. Au fil des routes, les ombres de ***Paul Verlaine*** et d'***Arthur Rimbaud*** se profilent souvent. ***Verlaine*** vécut à Juniville et à Coulommes, deux villages proches de Rethel, où il enseigna l'anglais, et de Roche, où ***Rimbaud*** écrivit *Une saison en enfer*. Charleville-Mézières, ville natale de ***Rimbaud*** où il est inhumé, est devenu un lieu de pèlerinage pour tous les admirateurs du poète “aux semelles de vent”.

Ville-Dommange et Sacy

La perspective de ces deux villages champenois constitue l'un des éléments traditionnels du paysage agricole français. Avec leurs coteaux verdoyants et leurs habitations soigneusement regroupées sous la silhouette familière d'un clocher autrefois rassembleur, la vie rurale semble pouvoir conserver sa pérennité.

Alsace Lorraine

Hunawihr

En automne, la route des vins explose dans un chatoiement de couleurs où dominent les ors et les rouges des vignobles. L'Alsace ne produit pas moins de sept vins d'origine contrôlée, rouges et blancs confondus. On remarque dans ce village l'imposante église fortifiée où s'abritaient autrefois les habitants en cas de conflit. L'enceinte, étonnant hexagone, est antérieure de deux siècles à la construction de l'église : elle remonte au XIVe siècle. L'importance égale accordée à l'architecture de l'église et de la mairie, toutes deux contemporaines, illustre les bonnes relations du clergé et de l'État en Alsace.

"Le Rhin le Rhin est ivre où se mirent les vignes" écrivait ***Apollinaire*** dans ses poésies rhénanes, évoquant encore la légende de sa belle Loreley, "sorcière blonde aux yeux pleins de pierreries". Le fleuve qui forme aujourd'hui la frontière naturelle entre l'Allemagne et la France a toujours nourri l'imagination des hommes des deux rives. ***Hölderlin*** et ***Alexandre Dumas*** ont chanté eux aussi sa beauté, comme ***Erckmann*** et ***Chatrian*** dans les *Contes des bords du Rhin* ou les *Romans nationaux*. Au début du XXe siècle, les albums de ***Hansi***, *Les Clochers dans les vignes* ou *L'Histoire d'Alsace racontée aux enfants*, exaltaient à leur tour cette terre longtemps convoitée par les deux pays riverains. De nombreux villages alsaciens ont sauvegardé le charme des siècles passés, dans un écrin de vignes opulentes, de bois et de vergers.

Strasbourg, métropole active où siège le Conseil de l'Europe, a conservé intact le quartier de la "Petite France", construit en bordure de canal et autrefois habité par les tanneurs. Son équivalent à Colmar a été baptisé la "Petite Venise" bien que, comme pour la plupart des maisons alsaciennes, les façades se parent ici de colombages aux dessins variés.

De Wissembourg au nord, à Mulhouse au sud, l'Alsace déroule une succession de paysages, entre la plaine du Rhin à l'est, les collines sous-vosgiennes à l'ouest, poursuivies par les fameux "ballons" autour de Guebwiller, et les hauteurs boisées du Sundgau au sud.

Les villages qui jalonnent la route des vins d'Alsace sont parmi les plus pittoresques. De Marlenheim à Thann, s'égrenant sur les départements du Bas-Rhin et du Haut-Rhin, ils ponctuent de leurs clochers des vignobles produisant des vins blancs réputés. Les maisons à colombages aux façades éclatantes de blancheur ou colorées de teintes douces, soigneusement entretenues, les rues et les balcons abondamment fleuris donnent à ces villages une allure pimpante, comme s'ils venaient d'éclore.

On y rencontre parfois des vestiges de fortifications, rappelant qu'au cours de son histoire la région fut revendiquée par les souverains français et germaniques mais aussi par le duché de Bourgogne. Près de la jolie ville d'Obernai, Bœrsch a conservé dans ses remparts une place pavée ornée d'un puits Renaissance ouvragé. A Mittelbergheim, de vieilles maisons se pressent autour de deux églises, l'une catholique, l'autre protestante. Autre cité close, Dambach-la-Ville s'étend au pied d'une colline. La place centrale entourée de façades à pans de bois et l'hôtel de ville, à pignons en gradins, en font un bel exemple de la Renaissance alsacienne.

Un peu au sud, à Bergheim, les tours rondes des fortifications élevées au XIVe siècle par les ***Habsbourgs*** protègent encore les belles maisons des viticulteurs. Après Ribeauvillé, où l'on perpétue la traditionnelle fête du vin, en septembre, le petit village d'Hunawihr abrite un centre d'élevage de cigognes. Puis, au cœur du vignoble où s'élabore le riesling, vient Riquewihr, dominé par le fin clocher de son église. La ville, fortifiée au XIIIe siècle, conserve une double enceinte. L'une des portes de l'enceinte intérieure, le Dolder, haute tour mêlant pierres et colombages qui abrite un musée d'histoire locale, est devenue son symbole. On y accède par la Grand-Rue, bordée par de belles maisons médiévales et Renaissance et percée de ruelles et de passages. Fontaines, anciennes enseignes d'artisans ou de vignerons, balcons de bois aux balustrades ouvragées et poutres de façades sculptées ponctuent les rues avoisinantes.

Dans la vallée de la Weiss, Kaysersberg, le "mont de l'Empereur" était dès l'époque romaine un point de passage stratégique entre Rhin et Gaule. Les ruines d'un château médiéval dominent la ville qui a gardé tout son cachet. Les vieilles maisons à colombages et à encorbellements, aux toits hauts et fortement inclinés, sont parfaitement conservées. C'est ici que naquit, en 1875, ***Albert Schweitzer***.

D'abord pasteur de Strasbourg, il fit des études de médecine et fonda un hôpital à Lambaréné, au Gabon, pendant la Première Guerre mondiale, pour s'y installer définitivement quelque temps plus tard. Prix Nobel de la Paix en 1952, il laissa des écrits philosophiques et des études de musicologie.

Aux abords de Colmar, les jolies maisons de Niedermorschwihr et de Turckheim sont souvent, comme à Riquewihr et dans bien d'autres villages, flanquées d'oriels, balcons vitrés qui décorent les façades. Des oriels que l'on retrouve à Éguisheim, superbe village bâti en rond autour d'une ancienne forteresse et cerné par les ruines de la "route des cinq châteaux".

En dehors de ces hauts lieux viticoles, d'autres villages sont tout aussi séduisants, tels Hunspach, Zutzendorf, Lorentzen ou Buswiller, bâti de vastes fermes s'organisant autour d'une cour. Sewen s'élève près du ballon d'Alsace, de la vallée de la Doller et de ses lacs. Hirtzbach, dans la vallée de l'Ill, Grentzingen, aux maisons ocres ou, plus au sud, Ferrette, ancienne capitale du Sundgau, offrent les mêmes façades à colombages bordant des places et des rues très agréables. Les châteaux d'Alsace réservent des trésors et, souvent construits sur des hauteurs, comme ceux du Haut-Barr et du Haut-Kœnisgbourg, offrent des panoramas magnifiques sur les alentours.

S'étendant entre le versant ouest des Vosges et la Champagne, en une succession de crêtes et de plaines, la Lorraine est parcourue par des rivières qui forment aussi ses départements : Meurthe, Moselle et Meuse. La Lorraine, comme l'Alsace, fut l'objet de maints affrontements au cours de son histoire. Verdun et bien d'autres lieux les commémorent. Bar-le-Duc fut pendant la Première Guerre mondiale le point de départ de la "Voie sacrée", qui permettait de ravitailler Verdun. La ville a conservé dans sa partie haute, autour de la place Saint-Pierre, de belles maisons anciennes, dominées par l'église Saint-Étienne. Metz fut le berceau de ***Paul Verlaine***. Sa situation de carrefour, au confluent de la Seille et de la Moselle, lui a valu d'être un centre d'échanges important dès l'époque gallo-romaine puis la capitale de l'Austrasie. La ville compta quantité d'églises dont restent, parmi d'autres, la cathédrale Saint-Étienne, aux vitraux magnifiques et Saint-Pierre-aux-Nonnains, remaniée plusieurs fois mais ses fondations remontent au IVe siècle. Les ducs de Lorraine choisirent pour capitale Nancy, en plein cœur de leurs terres, au XIIIe siècle. La ville se développa ensuite jusqu'aux somptueux aménagements qu'y fit ***Stanislas Leszczynski*** au XVIIIe siècle, dont la place fermée par les célèbres grilles de ***Jean Lamour***. L'École de Nancy, sous l'impulsion de ***Gallé***, fut un creuset de l'Art nouveau au début du XXe siècle, comme Lunéville avait été un haut lieu de la faïencerie. Épinal conserve, près de sa basilique, un ensemble de maisons de chanoinesses et une ancienne place bordée d'arcades. Son nom évoque la fabrique d'images créée par ***Jean-Charles Pellerin*** il y a deux cents ans; ces illustrations connurent un grand succès tout au long du XIXe siècle et enchantent encore par leurs dessins et leurs couleurs naïves.

Moins typiques par leur habitat que les villages alsaciens, les villages lorrains fourmillent de témoignages du passé. Hattonchâtel, dressé sur les Côtes de Meuse, fut fondé par un évêque de Verdun au IXe siècle. Juxtaposée à l'église, une tour de l'ancienne forteresse a échappé au démantèlement ordonné par ***Richelieu***. L'église, flanquée d'un cloître, abrite une statue de la Vierge et des retables remarquables. Hattonchâtel accueille en août une fête de la mirabelle, le fruit roi de la région avec les myrtilles. Un peu au sud, Saint-Mihiel vit naître au début du XVIe siècle le sculpteur ***Ligier Richier***, dont les œuvres émaillent la Lorraine. L'église Saint-Étienne de Mihiel abrite une superbe *Mise au tombeau* qui lui est due.

C'est à Vaucouleurs que ***Jeanne d'Arc*** obtint du gouverneur du roi quelques compagnons d'armes pour se lancer dans sa croisade contre les Anglais. Son village natal, Domrémy, conserve le souvenir de son épopée, notamment dans la basilique du Bois-Chenu, élevée à l'endroit où ***Jeanne*** aurait entendu l'appel divin.

Un peu à l'est s'élève une butte, entre Sion et Vaudémont, que ***Maurice Barrès*** baptisa la "Colline inspirée". Lieu de culte depuis l'époque celte, cette colline qui domine le plateau lorrain fut pendant les guerres franco-allemandes un symbole d'espoir et de rassemblement pour beaucoup de Lorrains.

Marville

Ce paisible village lorrain est situé dans une région essentiellement agricole. Il était autrefois la première ville du nord de la Meuse. Les Romains avaient d'ailleurs baptisé Major Villa cette agglomération située en haut d'un promontoire qui contrôle les vallées de l'Othair et du Gédon. Du XIIIe siècle à la seconde moitié du XVIIe siècle, Marville bénéficia d'un statut de ville libre qui attira les marchands prospères et la présence des régiments espagnols, à partir de 1560, n'entama pas ce statut privilégié. Au contraire, les Espagnols construisirent de très belles maisons Renaissance que l'on peut encore admirer aujourd'hui. Louis XIV reprit la région et fit abattre les murs d'enceinte de Marville. L'église Saint-Nicolas est un beau spécimen de l'art gothique du XIVe siècle, même si sa construction fut entamée au siècle précédent et enrichie à la Renaissance. Dominant Marville, le cimetière de la chapelle Saint-Hilaire est un véritable trésor d'art funéraire.

Près de Nancy, la basilique de Saint-Nicolas-de-Port a toujours eu un rayonnement particulier : elle renferme une relique du saint sans doute le plus cher au cœur des Lorrains et des enfants. ***Saint Nicolas***, auquel on attribue la résurrection de trois enfants, se confond dans l'imaginaire des pays nordiques avec le Père Noël. Certaines villes lorraines organisent le 6 décembre des processions au cours desquelles l'effigie de ***saint Nicolas*** parcourt les rues. Saint-Nicolas abrite une autre curiosité, plus prosaïque : un musée de la brasserie.

En Moselle, près de la frontière luxembourgeoise, des villages médiévaux ont conservé une partie de leurs fortifications. Rodemack, la "Carcassonne lorraine" est encore toute ceinturée de murailles du XVe siècle abritant des rues étroites. On y découvre, outre la forteresse, une jolie chapelle et des croix votives, simples calvaires ornant une place ou un carrefour. Sierck-les-Bains est une halte sur la Moselle pour tous les amateurs de navigation fluviale. Les vestiges de ses fortifications médiévales, les ruines du château, et des maisons aux façades du XVIIIe siècle ont heureusement échappé aux destructions qu'elle subit durant la guerre.

Proche de la frontière allemande et du château de Falkenstein, Bitche s'étend au pied de sa citadelle de grès rouge. Cette région du parc naturel des Vosges du Nord est depuis le XVIe siècle le berceau de cristalleries. Les maîtres verriers de Saint-Louis-lès-Bitche créent toujours des pièces dont la finesse est réputée, comme ceux de Baccarat, entre Lunéville et Saint-Dié.

Le département des Vosges perpétue une autre tradition, celle de la papeterie. Près d'Épinal, la papeterie d'Arches a cinq siècles d'existence. Elle appartint à ***Beaumarchais*** qui utilisa le papier d'Arches pour imprimer en Allemagne, à Kehl, face à Strasbourg, les œuvres complètes de ***Voltaire*** alors frappées d'interdiction en France. Les Vosges du sud, autour de Gérardmer, offrent dans un écrin de forêt de superbes paysages ponctués de lacs, de cascades et de torrents. Une eau omniprésente que l'on retrouve, plus au sud, dans les nombreuses stations thermales de la région. Vittel, Contrexéville ou Plombières évoquent l'atmosphère particulière de ces lieux de cure et de délassement. Bourbonne-les-Bains était déjà fréquenté des Romains, comme Plombières. Très prisés dès le Moyen Age, les thermes de Plombières connurent un essor considérable sous ***Napoléon III***, qui aimait y séjourner.

Riquewihr

Riquewihr, lové au cœur du vignoble alsacien, est le pays du riesling, l'un des vins blancs les plus prestigieux. Maisons à colombages ou à balcons de bois ouvragés et fleuris, fontaines et enseignes à l'ancienne bordent sa rue principale. La tour du Dolder, l'un des lieux symboliques de la ville, faisait partie de l'enceinte élevée au XIIIe siècle. Elle abrite aujourd'hui un musée d'histoire locale.

Normandie Ile-de-France

"Paris, Rouen, Le Havre sont une même ville dont la Seine est la grand-rue (...). La Seine marche, et porte la pensée de la France, de Paris, vers la Normandie, vers l'océan, l'Angleterre et la lointaine Amérique", écrivait ***Jules Michelet***. Les liens entre la Normandie et l'Ile-de-France ont une longue histoire, depuis le IIIe siècle avant notre ère, lorsque la Seine était un passage obligé sur la route de l'étain que l'on allait chercher outre-Manche. A partir du IXe siècle, c'est par la Seine également que les drakkars vikings pénètrent le pays jusqu'à Paris. Souvenirs plus heureux, les précurseurs de l'impressionnisme – notamment ***Camille Corot*** et ***Eugène Boudin***, né à Honfleur – se sont employés à saisir la lumière de la côte normande et des rives verdoyantes du fleuve. ***Pissarro***, ***Sisley***, ***Monet***, ***Seurat***, ***Signac***, ***Van Dongen***... la liste des peintres qui les ont suivis est aussi riche que celle des motifs offerts à leur palette. Paysages de campagne, jeux de l'eau et du ciel, plages, bateaux ou canotiers : l'atmosphère de leurs tableaux évoque l'univers de ***Maupassant***, qui a souvent dépeint dans ses nouvelles la Normandie et ses habitants, comme de nombreux autres artistes.

Les villes et les villages normands, profitant d'un terrain plat, se sont étirés en longueur dans les régions de vastes prairies ; dans des régions plus vallonnées, ils se sont essaimés dans le damier des bocages. Si l'on se représente les maisons normandes traditionnelles parées de colombages, ce qui est souvent le cas, elles ne le sont pas toutes. Le sol offrant un choix de matériaux différents, en bord de mer ou dans les terres (calcaire et galets des côtes, schiste, granit ou argile), les Normands ont utilisé tous ces éléments pour bâtir monuments et habitations, donnant à leurs constructions autant de variété qu'en ont les paysages. Le bois, abondant, a été également l'un des principaux composants, pour les murs des maisons, comme le chaume pour les toitures. Puis l'ardoise a remplacé le chaume, et la brique s'est substituée au bois, encore largement présent dans les colombages des façades.

Très touchée par la Seconde Guerre mondiale, la Normandie a malgré tout conservé ou restauré une grande partie des joyaux de son patrimoine architectural. Abbayes et forteresses, églises et manoirs, petits ports et villages pittoresques émaillent un paysage où mer et campagne, bocages et vastes champs se marient harmonieusement.

Barfleur

Pénétrer en Normandie par Barfleur, à la pointe orientale du Cotentin, c'est reprendre le chemin des envahisseurs normands. C'est aussi suivre l'épopée de Guillaume le Conquérant, puisque c'est dans ce port, jadis le plus important de la côte, qu'il partit à la conquête de l'Angleterre. Barfleur est aujourd'hui un petit port de pêche et de plaisance dont les maisons de granit, typiques du Cotentin, évoquent les solides traditions normandes.

Au nord, la Haute-Normandie, dans le rayonnement de Rouen, est partagée par la Seine entre pays de Caux et pays d'Auge. Au sud, la Basse-Normandie, dans la mouvance de Caen, couvre la "Suisse normande" et la presqu'île du Cotentin. A la frontière picarde, le pays de Bray, réputé pour ses fromages et son cidre, tranche étonnamment par sa verdure avec son voisin, le pays de Caux, terre de craie baignée par la Manche. Le pays de Caux déroule ses falaises blanches, baptisées Côte d'Albâtre, du Tréport jusqu'au Havre.

Tout au long, ports et stations balnéaires se succèdent : Dieppe, Varengeville, Veules-les-Roses... jusqu'à Etretat, aussi célèbre pour le spectacle saisissant qu'elle propose que par les aventures du gentleman Arsène Lupin, que ***Maurice Leblanc*** a situées dans la fameuse "aiguille". Plus loin, Fécamp, où vécut ***Maupassant***, abrite un musée des terre-neuvas ; tandis que Le Havre, à l'embouchure de la Seine, cinquième port en Europe par son activité, est la patrie de ***Bernardin de Saint-Pierre*** et de ***Raymond Queneau***.

En remontant le fleuve, là où commencent ses méandres, Villequier a consacré un musée à ***Victor Hugo***. C'est ici que sa fille ***Léopoldine*** et son mari se noyèrent quelques mois après leur mariage.

Deux des plus célèbres abbayes de France s'élèvent très près, dans le parc naturel de la forêt de Brotonne : Saint-Wandrille, abbaye bénédictine qui conserve les vestiges d'un cloître magnifique, et Jumièges, dont l'impressionnante nef a résisté au temps. Toutes deux, fondées au VIIe siècle, furent des foyers de rayonnement importants au Moyen Age. Puis, sur une autre boucle de la Seine, vient Rouen, ville natale de ***Corneille***, ***Fontenelle*** et ***Flaubert***, que ***Maupassant*** décrit dans les *Contes de la bécasse* : "Rouen, la ville aux églises, aux clochers gothiques, travaillés comme des bibelots d'ivoire ; en face, Saint-Sever, le faubourg aux manufactures, qui dresse ses mille cheminées fumantes sur le grand vis-à-vis des mille clochetons sacrés de la vieille cité". Ce mélange d'activité intense et de monuments remarquables est toujours présent dans la ville actuelle, qui conserve, autour de l'une des plus belles cathédrales gothiques, un quartier ancien superbement restauré. A l'est, dans la vaste forêt de Lyons, s'abrite un très beau village normand, autrefois résidence des rois d'Angleterre : Lyons-la-Forêt. ***Maurice Ravel*** aimait y séjourner.

C'est là qu'il a composé une partie de son œuvre. On peut y voir encore la maison de ***Benserade***, le poète qui écrivit des livrets avec ***Lully*** pour la cour de ***Louis XIV***. Toujours dans un méandre de la Seine, Les Andelys sont dominés par les ruines du Château-Gaillard, forteresse élevée par ***Richard Cœur de Lion*** au XIIe siècle. Plus loin, près de Vernon, le village de Giverny, malgré sa petite taille, est mondialement connu pour la maison et les jardins de ***Monet***, où l'on retrouve au printemps toutes les couleurs de sa palette. Le peintre choisit de s'installer dans cette maison rose et verte, enfouie dans les fleurs, aux confins de la Normandie et de l'Ile-de-France vers 1880. Il y mourut entouré des siens en 1926.

Au sud de la Seine, commence le pays d'Auge, rayonnant autour de Lisieux, sa capitale. C'est la Normandie des pâturages et des vergers, un pays de bocage où se conservent les secrets du cidre, du calvados, du livarot, du pont-l'évêque et du camembert. Grandes fermes et beaux manoirs s'égrènent autour des villes et des villages. Parmi les plus attachants et les plus pittoresques, comme Crèvecœur-en-Auge ou Saint-Germain-de-Livet, Beuvron-en-Auge est sans doute le plus réputé. Ses maisons à tuiles claires, du XVIIe siècle pour les plus anciennes, se groupent autour de la place des halles. Leurs façades, ornées de colombages aux dessins variés, composent un ensemble plein de charme qui attire chaque week-end une foule de promeneurs et d'acheteurs en quête de produits régionaux ou d'antiquités. Le pays d'Auge possède aussi une abbaye célèbre, celle du Bec-Hellouin, fondée au XIe siècle à proximité de la côte.

Cette "Côte Fleurie" est le domaine de stations balnéaires très fréquentées, des Parisiens notamment, depuis le Second Empire. Honfleur évoque les tableaux d'***Eugène Boudin*** et des peintres de l'école de Barbizon, ou de peintres anglais qui traversèrent la Manche pour trouver l'inspiration. Puis viennent Trouville et son sable fin, Deauville, la plus mondaine, Houlgate et ses villas aux écrins de verdure, et enfin Cabourg, où tout rappelle que ***Proust***, habitué de son Grand-Hôtel, la décrivit sous le nom de Balbec dans sa *Recherche du temps perdu*.

On entre en Basse-Normandie par le pays d'Ouche, domaine des bois et de l'élevage, autrefois animé par les forges. Les ferronniers de Conches-en-Ouche proposent encore leurs réalisations artisanales. Le Perche normand, lui, consacré au cheval depuis des décennies, est émaillé de grands manoirs souvent transformés en fermes.

Au sud de Caen, la "Suisse normande" se fait plus vallonnée, et l'Orne déroule ses méandres dans un paysage de bocage. L'abbaye aux Hommes et l'abbaye aux Dames, les deux merveilles de Caen, rappellent les amours de ***Guillaume le Conquérant*** et de son épouse, ***Mathilde***. Pour admirer la célèbre tapisserie qui porte le nom de la reine ***Mathilde***, on s'enfonce, en Bessin, dans la presqu'île du Cotentin, où les souvenirs du débarquement allié pendant la Seconde Guerre mondiale marquent les plages et l'arrière-pays autour de Sainte-Mère-l'Eglise et d'Arromanches.

Beuvron-en-Auge

Après les maisons à colombages d'Alsace, celles de Normandie. Ces similitudes d'architecture, à la même latitude, à l'ouest et à l'est de la France, témoignent de la prospérité d'une classe de notables et de marchands à la Renaissance.

Paysages et maisons se teintent ici d'une nuance qui évoque déjà la Bretagne, comme à Barfleur, petite station balnéaire aux maisons de granit, qui fut un lieu de prédilection du peintre ***Signac***. Saint-Sauveur-le-Vicomte, au cœur de la presqu'île, vit naître ***Barbey d'Aurevilly***, dandy et brillant pamphlétaire qui s'attacha à créer une école normande.

Le Cotentin, grand producteur de lait, de cidre et de poiré, est aussi le domaine des agneaux de prés-salés élevés près de la baie du Mont Saint-Michel. Selon un adage longuement débattu, "le Couesnon, en sa folie, a mis le mont en Normandie". Breton ou normand, le Mont Saint-Michel marque en tout cas traditionnellement la frontière entre les deux régions.

L'Ile-de-France ne peut pas rivaliser avec la Normandie en ce qui concerne la préservation de ses villages. L'explosion démographique, l'extension de l'agglomération parisienne et l'implantation de complexes industriels leur ont laissé peu de place. Dans les environs de la capitale, les souvenirs liés à l'histoire du royaume sont plus nombreux que les témoignages de son ancienne vie rurale. Châteaux et parcs somptueux s'y trouvent à profusion (Versailles, Saint-Germain-en-Laye, Saint-Cloud, Vaux-le-Vicomte, Champs-sur-Marne...). Mais il faut s'éloigner de plus en plus pour découvrir les rues pittoresques d'un village. Le Vexin, la vallée de Chevreuse, le Val d'Oise, la Beauce et la Brie en conservent malgré tout, eux aussi imprégnés du souvenir des artistes qui les ont fréquentés, comme des paysans et des artisans qui les ont fait naître.

Le Vexin égrène entre les vallées de l'Epte, de la Viosne et de la Seine des villages aux solides maisons de pierre, entourés de vastes champs de céréales. Moussy, Guiry, Wy... cernant leurs belles églises, voisinent avec manoirs et petits châteaux tels ceux de Vétheuil, La Roche-Guyon, Vigny ou Villarceaux, encore habité par l'ombre de ***Ninon de Lenclos***.

A Auvers-sur-Oise, c'est le souvenir de ***Van Gogh*** que font revivre les rues, l'église et les champs qu'il a peints. En 1890, ***Van Gogh*** s'installe à l'auberge du village, face à la mairie, et peint sans relâche les paysages et les personnages d'Auvers, jusqu'à son suicide quelques mois plus tard. Valmondois et Hérouville, deux villages proches d'Auvers, inspirèrent également les peintres comme ***Cézanne*** ou ***Pissarro***, qui avait recommandé ***Van Gogh*** au docteur ***Gachet***, et s'installa à Pontoise quelque temps.

La vallée de Chevreuse offre elle aussi des sites pleins de charme. Dans un décor de bois et de vallons, les bords de l'Yvette, de la Bièvre et de l'Essonne se sont hérissés de demeures élégantes. Dans cette région où l'on cultive les céréales et le cresson, des villages vivent encore autour de leurs vieilles halles. Vers 1850, des peintres élirent domicile à Barbizon, bourg paisible d'agriculteurs, qui accéda dès lors à la célébrité.

Saint-Céneri-le-Gérei

Nous sommes au cœur des Alpes Mancelles et le beau clocher roman rappelle la très vieille vocation religieuse de ce site boisé. Les ermites ont toujours manifesté une prédilection pour les sites naturels les plus attrayants : aussi n'est-il pas étonnant qu'au VIIe siècle un ermite ait, ici, arrêté sa course, avant d'être rejoint par d'autres moines. Ils élevèrent un monastère qui disparut lors des invasions normandes. A l'époque romane, une église fut reconstruite, celle dont nous apercevons le clocher.

Pages suivantes

Lyons-la-Forêt

Cerné d'une vaste forêt, Lyons s'est construit autour d'un château du XIIe siècle. Seuls subsistent quelques vestiges des remparts de cette résidence du fils de Guillaume le Conquérant, le roi d'Angleterre Henri Ier Beauclerc. Celui-ci enleva le trône à son frère aîné, Robert Courteheuse, s'emparant du même coup du duché normand. Les rues de Lyons, bordées de maisons à colombages, ont souvent accueilli Maurice Ravel qui aimait y séjourner et y composa une partie de son œuvre.

Théodore Rousseau, ***Millet*** et ***Diaz*** s'y installèrent. D'autres, comme ***Corot***, ***Daumier*** ou ***Daubigny*** y firent de fréquents séjours. Les artistes de Barbizon n'ont pas créé de style spécifique, mais leur façon de peindre la nature "sur le motif" les a réunis sous l'appellation d'"école de Barbizon". Autour de l'ancienne auberge du Père Ganne, qui accueillait les peintres de passage, les ruelles sont aujourd'hui transformées en village-musée. La région a inspiré les artistes. On trouve à quelques kilomètres la chapelle de Milly-la-Forêt, décorée par ***Jean Cocteau***, et Moret-sur-Loing, joliment reflété par la rivière, où ***Sisley*** choisit de finir ses jours. Au nord-est, la vallée du Grand-Morin sépare la Brie française de la Brie champenoise. Ici, de grosses fermes à cours carrées ponctuent les champs de céréales et les prairies. C'est le domaine du fameux fromage, fabriqué autour de Melun, Meaux et Coulommiers. Des villages comme Vaudoy-en-Brie ou Voulton conservent des maisons rurales et des témoignages du passé (fontaines ou vestiges de colombiers). Le château de Ferrières fut le cadre d'une tentative d'armistice, en 1870, tandis que celui de Guermantes inspira ***Proust***.

Auberge depuis 1610
La Licorne
Hotel
Restaurant

Bretagne Pays de la Loire

Le patrimoine breton mêle les vestiges immémoriaux des mégalithes, les traces omniprésentes de la culture celtique et maints témoignages d'une terre convoitée pendant des siècles. Les châteaux et les églises, comme les simples maisons de villages ont été pour la plupart modelés dans le granit et le schiste de la région, coiffés de l'ardoise de la Montagne Noire. Entre grands ports et forêts, entre villes universitaires et cultures maraîchères, la Bretagne regorge de bourgs encore emplis des légendes qui se mêlent intimement à son histoire.

Aux confins de l'Ille-et-Vilaine et du Morbihan, le premier charme de Paimpont est précisément la mythique forêt de Brocéliande qui lui sert d'écrin. Chaque nom de rue ou de lieu évoque ici l'épopée du roi ***Arthur***, de ***Merlin*** et de la fée ***Viviane***, le combat perpétuel des forces du bien et du mal. Le château de Trécesson, le chaos du Val sans Retour, les sources et les mégalithes sont peuplés de récits où dragons et vaillants chevaliers s'affrontent depuis le Moyen Age.

Cette ambiance médiévale se retrouve dans les quartiers anciens de Rennes, Fougères, Dinan ou Dol, groupés autour de leurs cathédrales. A Vitré, la vieille ville a elle aussi conservé de belles maisons à pans de bois le long de rues médiévales enserrées dans les anciens remparts, au pied du château coiffé de tours en poivrières. Très proche, le château des Rochers fut la propriété de ***Madame de Sévigné***, qui y rédigea une correspondance détaillée sur les événements locaux et ses habitudes dans ses terres bretonnes. ***Chateaubriand***, né à Saint-Malo, décrit dans ses *Mémoires* les années d'enfance passées à Combourg. Le château familial est aujourd'hui ouvert à la visite, tel que l'avait connu le poète.

Dans les Côtes-d'Armor, le cœur de Moncontour est un bel exemple de cité médiévale préservée, aux ruelles fleuries à l'abri des vestiges des remparts du XIe siècle, démantelés sur ordre de ***Richelieu***.

Locronan

Les solides maisons de granit bordant la place du village témoignent de l'époque où le chanvre tissé ici fournissait en voilerie la Compagnie des Indes et les marines anglaise, espagnole ou hollandaise. L'église Saint-Ronan, du XVe siècle, domine la place de sa tour carrée, flanquée de la chapelle du Penity, du XVIe siècle. Cette chapelle renferme le gisant du saint patron de la ville, saint Ronan, qui y aurait introduit la culture du lin. Locronan est un lieu de pardon important, comme Sainte-Anne-la-Palud ou, plus loin, Sainte-Anne-d'Auray. Le culte de sainte Anne est très répandu en Bretagne, parfois confondu avec le souvenir d'Anne de Bretagne.

Sur la côte d'Émeraude, toute dentelée, ports, plages et falaises offrent des univers bien différents, dont le point commun est l'horizon d'une mer entre bleu et vert, jalonnée de chapelets d'îlots. A Saint-Malo, gorgé des souvenirs de son passé corsaire, succède Dinard, l'élégante station très britannique. Puis Saint-Briac, Saint-Jacut, Le Guildo, le cap Fréhel, Erquy... mènent à la côte du Trégor, d'où partaient jadis les pêcheurs d'Islande, les terre-neuvas. Près de Paimpol, on embarque à la pointe d'Arcouest pour l'île de Bréhat. Partagé entre les landes et les rochers au nord et le bourg au sud, Bréhat est un petit monde sans voitures et sans immeubles. Le long des ruelles du village, les maisons s'enfouissent sous les pins parasols et les figuiers, les hortensias et les mimosas au parfum méditerranéen. Bréhat est faite du granit rose qui a donné son nom à une somptueuse partie de la côte. Entre Perros-Guirrec et Trébeurden, la pierre façonnée par le vent et la mer prend des formes étranges. Dans les terres, de nombreux villages ont conservé des chapelles anciennes abritant des joyaux de l'art religieux. Celle de Kerfons renferme un jubé du XVe siècle magnifiquement sculpté. Près de Guingamp, l'église de Loc Envel, sous sa voûte en carène renversée, renferme des sablières polychromes et un décor très ouvragé. Comme souvent en Bretagne, la beauté de l'ensemble tient surtout au travail des matériaux, souvent du bois confié aux architectes et aux ébénistes de marine.

Les enclos paroissiaux sont l'un des grands trésors du patrimoine religieux et architectural de Bretagne. Saint-Thégonnec, Guimiliau, Plougastel... on en dénombrerait près de soixante-dix, essentiellement dans le Finistère. Tous ont été construits entre le XVe et le XVIIe siècles, celui de La Martyre étant le plus ancien du Léon. Les enclos comportent toujours un cimetière entourant l'église, un ossuaire et un calvaire, le tout ceint d'un mur. Leur ampleur et la richesse de leur décoration surprennent, dans des villages qui sont souvent de petite dimension.

Au large de la côte des Abers, l'archipel d'Ouessant s'égrène en mer d'Iroise, redoutée par les navigateurs pour ses récifs et ses courants dangereux. Le vent y est si violent que seuls poussent quelques arbustes, entre les prés quadrillés par des murets de pierre où paissent des moutons. Les maisons d'Ouessant, basses et construites dos au vent, arborent souvent des volets peints en bleu. On retrouve cette tradition sur l'île de Sein. Non loin de la rade de Brest, Le Faou tient son nom du mot breton signifiant "hêtre". Le bois transitait autrefois par ce port actif, aujourd'hui largement envasé. Les maisons à encorbellement du XVIe siècle se groupent autour d'une belle église à clocher ajouré.

L'un des plus pittoresques villages bretons est sans doute Locronan, qui fut le fief des tisserands de la Renaissance jusqu'au XIXe siècle. Le pays bigouden a gravé son histoire maritime dans la pierre : à Penmarch, poissons et bateaux décorent la façade des églises. La pointe de Penmarch porte l'un des phares les plus puissants de France. Aux alentours, les dentellières du pays bigouden perpétuent la tradition des hautes coiffes de dentelle, désormais réservées aux jours de fête.

Bordant une rivière encore jalonnée par quelques moulins, dominée par le Bois-d'Amour, Pont-Aven poursuit sa tradition de ville d'art, avec ses très nombreuses galeries de peinture. ***Gauguin*** vint y rejoindre vers 1886 une communauté d'artistes séduits par la beauté des lieux. Sa présence ne fit qu'augmenter le renom et le nombre des membres de l'"école de Pont-Aven", qu'un musée présente près de l'auberge qui les accueillait.

Face à Lorient, pleine des souvenirs de la grande aventure de la Compagnie des Indes, l'île de Groix déploie ses vallons, ses hautes falaises et ses criques sablonneuses. L'église de Groix est surmontée d'une girouette qui rappelle la vocation de l'île durant des générations : le coq habituel est remplacé par un thon. Beaucoup plus vaste, Belle-Ile la bien nommée émerge à quelques milles de la presqu'île de Quiberon. Le Palais, Sauzon ou, sur la "Côte sauvage", Port-Donnant et Port-Goulphar abritent les bateaux des plaisanciers. Les grottes creusées dans les falaises, "rouges comme du feu, brunes avec des lignes blanches" émerveillèrent ***Flaubert***, tandis que les "aiguilles" de Port-Coton, rochers émaillant la mer, inspirèrent ***Monet***. Les deux petites sœurs de Belle-Ile, Houat et Hoëdic, dressent de petites maisons blanches au détour de rues sinueuses.

Rochefort-en-Terre

Au sud des landes de Lanvaux, Rochefort-en-Terre couronne une butte, cerné par les vestiges de ses remparts. Le village conserve un château remanié plusieurs fois, de vieilles halles et quelques maisons Renaissance. Mais plus que des monuments, le charme vient ici d'un vieux puits, du modeste calvaire de l'église, d'une moisson de détails glanés au détour de ses rues fleuries.

Avant-poste du pays nantais, la Grande Brière fut autrefois un golfe émaillé d'îles. Comblé par les alluvions de la Loire, ce golfe est devenu marais, patiemment asséché par les hommes, et les îles sont devenues villages. Si les canaux ne sont plus aujourd'hui le seul moyen d'y circuler, c'est en barque que la Brière se découvre dans tous ses charmes. L'île de Fedrun, centre administratif du parc de Brière, a conservé beaucoup de ses maisons à toit de chaume aux murs blanchis à la chaux, dans un lacis de canaux.

Nantes, aujourd'hui capitale des Pays de la Loire, fut pendant des siècles lié à l'histoire bretonne, accueillant en alternance avec Rennes la résidence des ducs de Bretagne. En pays de Retz, Pornic étage joliment ses maisons sur une colline qui domine la baie de Bourgneuf. Fermant la baie au sud, l'île de Noirmoutier, reliée au continent par un pont qui franchit un étroit goulet, est en territoire vendéen. Marais salants, pins et mimosas, plages et petits ports composent ses paysages.

Saint-Jean-de-Monts, Saint-Gilles-Croix-de-Vie et les Sables-d'Olonne présentent de longues plages de sable. Au large, l'île d'Yeu fut autrefois occupée par des Bretons auxquels elle doit certains noms de lieux commençant par "Ker". Port-Joinville, où le ***maréchal Pétain*** fut détenu à la fin de sa vie, a une longue tradition de port thonier. Le Grand-Phare, à l'ouest, offre un panorama sur la Côte sauvage aux schistes déchiquetés.

Un peu au nord de Fontenay-le-Comte apparaît l'église de Vouvant. Nous sommes déjà proches de l'Anjou, "une province qui semble avoir conservé de ses anciens maîtres des prédilections italiennes", disait ***Flaubert***. Une province qui inspira à ***du Bellay***, né au château de la Turmelière, près de Liré, les fameux vers :

"Plus que le marbre dur me plaît l'ardoise fine,
Plus mon petit Liré que le mont Palatin,
Et plus que l'air marin la douceur angevine."

L'Anjou respire la douceur de vivre, avec ses vignobles, ses vergers, ses jardins étagés sur une colline dominant un cours d'eau, parfois piquetés de cyprès au parfum méditerranéen. Angers presse sur les bords du Maine ses vieilles rues aux maisons Renaissance. Au sud, Saint-Florent-le-Vieil, dans les Mauges, ou Montjean-sur-Loire possèdent aussi de beaux quartiers anciens, accrochés à flanc de coteau en bordure du fleuve. Plus loin, Saumur est aussi réputée pour ses vins que pour son école d'équitation et de cavalerie. ***Balzac*** y situa *Eugénie Grandet.*

Sein

Posée à fleur d'eau au large de la pointe du Raz, l'île de Sein est séparée du continent par l'une des passes les plus dangereuses de France. Selon la légende, le petit îlot aurait été dans un passé lointain le lieu de sépulture des druides. Son abord difficile, sa terre nue de toute végétation et les raz de marée qui l'ont plusieurs fois balayé expliquent peut-être cette réputation. L'érection du phare d'Ar Men qui signale, à l'ouest, la longue bande d'écueils de la chaussée de Sein nécessita à la fin du XIXe siècle une trentaine d'années de travaux, sans cesse interrompus par de violentes tempêtes. Cette vue du port n'a pourtant rien de tourmenté. Mais sous leurs toits d'ardoise les maisons de granit, souvent blanchies à la chaux, parfois colorées de teintes vives, se serrent autour de rues étroites pour lutter contre le vent toujours présent.

CHEZ BRUNO

A Montreuil-Bellay, c'est un affluent de la Loire, le Thouet, que dominent la vieille ville et son château, autrefois possession des ancêtres du poète. Assez proche, l'abbaye de Fontevraud conserve les gisants des ***Plantagenêts***, dont celui d'***Aliénor d'Aquitaine*** venue finir ici son existence mouvementée. Fondée au XIe siècle, l'abbaye eut pour particularité d'avoir à sa tête une abbesse, dirigeant à la fois les communautés d'hommes et de femmes. Une sœur de ***Madame de Montespan*** en eut notamment la charge.

Entre Angers et Laval, la vallée de la Mayenne est ponctuée de villages, manoirs et châteaux perchés offrant de jolies vues, tels la Jaille-Yvon ou Daon. Château-Gontier fut fondé par ***Foulques Nerra***, seigneur belliqueux qui tentait de se racheter en s'imposant de durs châtiments corporels et en couvrant la région de constructions. A Trappe-du-Port-du-Salut, le fameux fromage fut longtemps fabriqué par des moines.

Laval, hérissé de clochers et de tours, autour de son château médiéval, fut un centre de la chouannerie durant la Révolution. ***Ambroise Paré***, chirurgien d'***Henri II*** et de ses fils, naquit dans les environs. C'est aussi la patrie du ***Douanier Rousseau*** et d'***Alfred Jarry***, père d'Ubu, personnage qui inspira les pataphysiciens. Sur les rives boisées de l'Erve, aux confins de la Sarthe, Saulges possède des grottes habitées à l'époque préhistorique. Un peu au sud, Asnières, bordant la Vègre, s'étend autour d'un vieux moulin, d'un château du XVIIe siècle et d'une église renfermant de belles peintures murales. Sur la Sarthe, l'abbaye de Solesmes fut fondée au XIe siècle par ***Geoffroy de Sablé***. Les pères bénédictins de Solesmes ont depuis quelques décennies joué un grand rôle dans le renouveau du chant grégorien. Parcé, Malicorne ou Noyen... égrenés le long de la Sarthe, quantité de villages paressant au fil de l'eau abritent des maisons anciennes, à découvrir au détour de rues ornées de vieux puits, d'églises aux sculptures émouvantes ou de tourelles agrémentant une façade.

Au-delà du Mans et de son vieux quartier, où vécut ***Scarron***, Pont-de-Gennes occupe un site pittoresque sur les bords de l'Huisne. Saint-Calais, autour de son église à façade italienne, conserve de vieux lavoirs le long des quais de l'Anille. Avant de sillonner le Vendômois, le Loir lui aussi offre des rives vallonnées et verdoyantes, où s'abritent villages, manoirs, églises et châteaux pleins de charme.

Vouvant

Vouvant s'élève entre bocages et forêt sur la boucle d'une petite rivière, la Mère, dans un écrin de remparts. Sa belle église romane, ses ruelles bordées de maisons blanchies à la chaux et son site pittoresque lui ont valu d'être répertorié parmi les plus beaux villages de France. Vouvant devrait son château – dont il ne reste qu'une tour – aux sortilèges de Mélusine, dont on retrouvera les traces en Poitou. La fée aurait également construit en une nuit les châteaux de Tiffauges, qui évoque le troublant Gilles de Rais, et de Pouzauges, autre possession du seigneur vendéen.

Centre Poitou-Charentes

Souvigny

En Sologne, nous approchons du centre de la France et cette vue de Souvigny semble une évocation heureuse et intemporelle du paysage rural français. Des habitations soignées de part et d'autre de la voie principale, l'ombre protectrice d'un clocher, une mairie coquette, un café où l'on s'appelle par son prénom : cette conception nostalgique peut prendre forme ici, mais il ne faut pas oublier que nous sommes dans une région privilégiée, la Sologne, fière de sa magnifique forêt giboyeuse, où l'ombre romantique du Grand Meaulnes plane avec élégance.

Depuis la plaine beauceronne au nord, en passant par le Berry, ponctué d'étangs et de bois, jusqu'à la Touraine, pays de craie et de vigne, la région du Centre, qui abrite les somptueux châteaux de la Loire, conserve aussi des villages séduisants.

A Illiers-Combray, la maison de tante Léonie, chère à ***Proust***, est aujourd'hui un musée consacré à l'écrivain. Sur le cours du Loir aussi, Cloyes inspira ***Émile Zola*** pour son roman *La Terre*.

En bordure du canal du Berry, le château de Mehun-sur-Yèvre fut la propriété de ***Jean de Berry***, qui commanda aux frères ***Limbourg*** le manuscrit enluminé *Les Très Riches Heures du duc de Berry*. Au sud de Bourges, le château de Meillant a mieux résisté au temps, comme ceux d'Ainay-le-Vieil, au beau décor Renaissance et de Culan, à l'aspect plus défensif.

Les landes et les forêts de Sologne évoquent "le pays qu'on ne voit qu'en écartant les branches", celui du Grand Meaulnes d'***Alain-Fournier***, né à La Chapelle-d'Angillon, et du Raboliot de ***Maurice Genevoix***, mi-bourguignon, mi-solognot. Un pays où les maisons anciennes sont faites de briques souvent disposées en épis ou de torchis comblant des colombages.

Au sud de Bourges, qui abrite le palais Jacques-Cœur, élevé par le grand argentier de ***Charles VII***, se niche un minuscule village, Apremont-sur-Allier. Il fut entièrement restauré au début du siècle par ***Eugène Schneider***, originaire du Creusot. Un château remodelé plusieurs fois et un parc floral ajoutent au charme de ses maisons aux pierres dorées.

Nohant abrita l'enfance de ***George Sand*** et fut toujours pour elle un refuge, où elle reçut ***Chopin***, ***Balzac*** ou ***Dumas***. On peut suivre à travers le Berry tous les lieux qu'elle décrivit dans ses romans : le château de Saint-Chartier, le moulin d'Angibaud, Neuvy-Saint-Sépulcre, La Châtre, où le musée de la Vallée noire lui est consacré. Un autre musée l'évoque dans la vallée de la Creuse, à Gargilesse-Dampierre.

Gargilesse dresse ses vieilles maisons bordées de murets fleuris le long des berges d'une rivière, dans un écrin de bois. Le calme et la simplicité de ce village séduisirent celle qui écrivait "J'aime mieux une ortie dans mon pays qu'un beau chêne dans tout autre". C'est à la villa Algira que ***George Sand*** fit de fréquents séjours durant les vingt dernières années de sa vie. Plusieurs de ses romans dépeignent ce lieu, tel *Les Beaux Messieurs de Bois-Doré*. Des peintres également vinrent y chercher l'inspiration, comme ***Claude Monet*** ou ***Théodore Rousseau***.

Très proche, Saint-Benoît-du-Sault fut le siège d'un prieuré bénédictin. Le village étagé en aplomb de la vallée du Portefeuille conserve des ruelles médiévales et une partie de ses remparts.

Aux abords de la Loire, la douceur berrichonne est encore accentuée par le fleuve aux eaux calmes : "Le vent est tiède sans volupté, le paysage léger, gracieux, mais d'une beauté qui caresse sans captiver, qui, en un mot, a plus de bon sens que de grandeur et plus d'esprit que de poésie : c'est la France", écrivait ***Gustave Flaubert***.

Aux abords de Chinon, cerné de vignobles, Candes s'adosse à une falaise calcaire qui abrita les premiers habitants du site. Les anciennes maisons troglodytiques sont aujourd'hui devenues les hangars à bois ou les caves du village. Les maisons de Candes, comme les châteaux de la Loire, arborent des murs blancs, faits du tuffeau de la région. L'église romane s'élève à l'endroit où se serait éteint ***saint Martin***, l'évangélisateur de la région. Situé au confluent de la Loire et de la Vienne, Candes fut autrefois un port actif. La rue du Bas conserve les demeures des mariniers.

Né près de Chinon, à la Devinière, ***Rabelais*** imagina l'abbaye de Thélème, paradis dont la devise est "Fais ce que voudras" sur les bords de la Loire. Et ***Ronsard***, né au château de la Possonnière, célébra son Vendômois natal dans plusieurs poèmes.

Tout au long du Loir, bordé de rives verdoyantes ou de falaises blanches de tuffeau, des villages ont conservé ruelles médiévales et superbes vestiges. Ceux des puissantes tours du château de Lavardin dominent un village classé. A Montoire, la chapelle Saint-Gilles est ornée de fresques magnifiques, comme celles de Saint-Jacques-des-Guérets et d'Areines. D'autres villages, tels Troo ou Les Roches-l'Évêque, conservent des maisons troglodytiques creusées dans la pierre tendre des falaises.

"Donnant ses légistes au Nord, ses troubadours au Midi, le Poitou est lui-même comme sa Mélusine, assemblage de natures diverses, moitié femme et moitié serpent" écrivait ***Michelet***. Entre l'océan et le cœur du pays, le Poitou et les Charentes mêlent églises romanes et villages où s'élaborent le cognac et les fromages de chèvre ; les ports, dans le sillage de La Rochelle, conservent leurs quartiers pittoresques où se dégustent les huîtres de Marennes.

Poitiers, la capitale, conserve de multiples témoignages de son passé. A quelques kilomètres du Futuroscope, symbole des techniques les plus avancées, la vieille ville accumule vestiges romains, ruelles médiévales et un nombre considérable d'églises, dont Notre-Dame-la-Grande, l'un des plus beaux exemples du style roman poitevin.

A Lusignan, sur les bords de la Vonne, un vaste jardin à la française abrite le château des seigneurs du même nom. S'il ne reste que peu de chose de leur demeure, leur légende hante encore les lieux. Les ***Lusignan***, dont certains furent au Moyen Age rois de Chypre et de Jérusalem, seraient nés des amours d'un de leurs ancêtres avec la fée ***Mélusine***. Aux confins du Berry et du Poitou, Angles se reflète dans les eaux de l'Anglin. La ville basse s'étale au-delà d'un vieux pont de pierre, vers le quartier Sainte-Croix, tandis que la ville haute, coiffée de tuiles et d'ardoises, escalade un coteau jusqu'au promontoire où veillent les ruines du château. Ce fut au XVe siècle la patrie du cardinal ***La Balue***, secrétaire d'État de ***Louis XI***, qui aurait importé d'Italie les "fillettes", ces cages où le roi retenait ses prisonniers. ***La Balue*** les expérimenta.

Candes-Saint-Martin

Ce très beau et très ancien village est construit en tuffeau blanc, la pierre tendre de la région qui blanchit en vieillissant. Ici, l'on respire la douceur tourangelle, dans la campagne "ample et nourrie, riche à l'œil et bien portante" dont parlait Flaubert. Saint Martin serait mort, en 397, à l'emplacement de l'église romane que l'on aperçoit ici. Sa dépouille fut transportée à Tours. Ce voyage se déroulait en plein hiver, mais la légende veut que les arbres aient reverdi sur son passage. Le miracle engendra un pèlerinage important, suivi par une foule d'anonymes comme par les rois.

C'est aussi le berceau des "ajoureuses" d'Angles qui, brodant lingerie fine, nappes et napperons, fournirent autrefois la cour puis, plus tard, les grands paquebots. Un peu au nord, Descartes abrite un musée consacré à l'illustre philosophe. Clin d'œil du destin, la ville de celui qui vécut longtemps en Hollande s'appelait La Haye avant d'être rebaptisée en son honneur.

Dans la vallée de la Gartempe, Saint-Savin fut autrefois le siège d'une puissante abbaye. Il en reste l'église abbatiale, abritant de superbes peintures murales de l'époque romane. Très proche, Chauvigny conserve les vestiges de plusieurs châteaux, qui défendaient au Moyen Age cet éperon rocheux sur les bords de la Vienne. Civray s'étend de part et d'autre de la Charente, autour de l'église romane Saint-Nicolas, à la façade richement sculptée.

Au Moyen Age, on battait monnaie à Melle, grâce aux mines de plomb argentifère des bords de la Béronne. La ville a hérité de son passé de centre économique trois églises romanes.

En Saintonge, Aulnay abrite une église dont la façade et les chapiteaux intérieurs portent de belles sculptures. En plus des sujets religieux, on y remarque de nombreux animaux, dont un âne musicien, rappelant que le "baudet du Poitou", une race d'âne résistante, fit la prospérité de la région jusqu'au XIXe siècle. Villebois-Lavalette, au sud de l'Angoumois, fut fortifié par les ***Lusignan***. La forteresse fut remplacée par un château du XVIIe siècle qui domine le village couvert de tuiles, aux belles maisons anciennes. Un peu au sud, à Aubeterre-sur-Dronne, de nombreuses maisons sont taillées dans la craie de la falaise voisine.

Des rues pavées et fleuries descendent jusqu'à la rivière et jusqu'à une église du XIIe siècle d'un type rare : l'église monolithe Saint-Jean, creusée directement dans la roche.

"Angoulême est une vieille ville, bâtie au sommet d'une roche en pain de sucre... Personne n'ignore la célébrité des papeteries d'Angoulême" écrivait ***Honoré de Balzac***. Autre tradition ancienne, le cognac est distillé en Charente depuis trois siècles. Les quais de Cognac, ville natale de ***François Ier***, sont bordés par les chais des plus grands producteurs. Saint-Sauvant, aux environs de Saintes, servait de halte aux pèlerins de Compostelle, comme Saint-Jean-d'Angély ou Aulnay. Perché sur un piton, le village a conservé son église fortifiée du XIIe siècle et ses ruelles aux maisons basses.

On y sent déjà la douceur de la côte atlantique et des îles. En été, Saint-Sauvant se pare de roses trémières, comme Talmont, campé sur une presqu'île qui domine l'estuaire de la Gironde. Le joyau de Talmont, l'église Sainte-Radegonde, est consacré à la reine franque qui fonda une abbaye près de Poitiers. La beauté du site, les maisons blanches aux volets de couleurs vives, le charme du port en font l'un des villages les plus attachants de la côte. On retrouve les mêmes maisons un peu au nord, à Mornac-sur-Seudre, où les cabanes bariolées des ostréiculteurs bordant les chenaux, les ateliers d'artisans composent un village attrayant. Mornac vivait autrefois du sel, comme Brouage, le grand centre salin de la région au XVIIe siècle. Les remparts élevés pour protéger la ville lors du siège de La Rochelle sont aujourd'hui une promenade, d'où l'on aperçoit les îles d'Aix et d'Oléron. Ile minuscule, Aix n'est accessible qu'en bateau. Tout rappelle ici que ***Napoléon*** passa dans cette île ses dernières heures de liberté avant de se rendre aux Anglais.

L'île d'Oléron, toute proche, accueillit ***Aliénor d'Aquitaine*** à la fin de sa vie, avant son installation à Fontevraud. Possession des ducs d'Aquitaine, convoitée par la France et l'Angleterre, Oléron fut ensuite dotée d'une citadelle par ***Richelieu***. A Saint-Pierre-d'Oléron, on retrouve le souvenir d'un Rochefortais célèbre, ***Pierre Loti***, qui s'y fit inhumer. Les pinèdes et les plages de l'île, la douceur de son climat réchauffé par le Gulf Stream en font un lieu de villégiature recherché. Séparée d'Oléron par le pertuis d'Antioche, l'île de Ré est comme elle reliée au continent par un pont gigantesque. "L'île blanche" fut aussi l'objet de rivalités entre la France et l'Angleterre et sa capitale, Saint-Martin, fortifiée par ***Vauban***. Dans des paysages de marais salants et de parcs à huîtres, les ports de La Flotte-en-Ré et d'Ars conservent des ruelles pittoresques.

Au nord de La Rochelle, le Marais poitevin s'étend le long de la Sèvre Niortaise, entre Vendée et Deux-Sèvres. A l'ouest, le "marais desséché" est consacré aux cultures et aux pâturages. A l'est, le "marais mouillé", baptisé "Venise verte", est le domaine des canaux que l'on découvre à bord de yoles dans un écrin d'arbres, autour de Coulon, sa capitale. Les villages de maraîchins, tels Damvix ou La Garette, groupent leurs maisons sur des îlots, une barque amarrée devant chacune. A quelques kilomètres de Niort, on trouve ainsi un monde où la voiture n'existe pratiquement pas.

La Cotinière

La diversité de la France constitue l'une de ses richesses et, curieusement, dans cette région où la nature ne se livre à aucun excès de relief ou de climat, se côtoient la bonhomie de Souvigny, l'exceptionnelle richesse artistique de Candes et les deux visages de la Cotinière sur l'île d'Oléron. La Cotinière est, en effet, le premier port crevettier de France, mais c'est aussi, en été, le rendez-vous d'un tourisme d'accès facile.

Bourgogne Franche-Comté

La Bourgogne allie à l'opulence de ses vignobles des prairies où paissent les bœufs du Charolais, le secret des bocages et des forêts, des buttes calcaires et des vallées parcourues par de tranquilles rivières. "La France n'a pas d'élément plus liant, plus capable de réconcilier le Nord et le Midi", écrivait ***Michelet***. Ici, en effet, la douceur du climat, la forme et la couleur des toitures, s'ornant parfois de tuiles et de génoises, annoncent déjà l'approche du sud. En Franche-Comté, climat et nature se font plus rudes. Les pentes sont plus abruptes, les gorges, comme celles du Doubs, plus profondes, la forêt plus épaisse. Pays de montagne, le Jura comprend un domaine skiable, des lacs et des eaux vives comme les sources du Lison, le saut du Doubs ou les cascades du Hérisson. Et en bonne région française, la Franche-Comté possède ses fromages : cancoillotte, vacherin, morbier, et sans doute le plus connu, le comté, élaboré depuis des siècles dans des coopératives appelées "fruitières".

L'histoire a lié ces deux provinces, si proches et si différentes, durant des siècles. Appelée comté de Bourgogne au IXe siècle, même après avoir marqué son indépendance en modifiant son nom, la Franche-Comté fut fréquemment unie aux États bourguignons, au gré des traités ou des mariages, jusqu'au XVe siècle. Toutes deux ont toujours été des terres convoitées et des régions d'échanges entre Méditerranée et Allemagne, Italie, Suisse et nord de la France.

Ces deux régions partagent également une longue tradition, celle de la vigne. Bien que les vignobles du Jura soient aujourd'hui beaucoup moins étendus que ceux de la "vineuse Bourgogne", leur réputation est aussi prestigieuse. Et, en Bourgogne comme en Franche-Comté, les sites et les villages préservés réservent des trésors tant pour les amateurs de nature que pour les amateurs d'art.

Sous ***Charles le Téméraire***, dernier duc de Bourgogne avant que ***Louis XI*** n'annexe le duché au domaine royal, la Bourgogne avait donc étendu ses possessions à la Franche-Comté mais également à une partie de la Flandre et de la Hollande. La puissance des ducs bourguignons et la richesse de leurs terres se lisent encore dans les paysages. Elles ont permis à l'art roman bourguignon de se déployer dans toute sa splendeur, et de s'étendre bien au-delà de son berceau. Ce rayonnement accompagnait celui de l'abbaye de Cluny, qui essaima partout en France et au-delà, en Espagne et en Italie du XIIe au XIVe siècle.

Vézelay

Lorsqu'au XIIe siècle un moine fixa l'itinéraire recommandé aux pèlerins en route vers Saint-Jacques-de-Compostelle, les étapes principales dans le sud de la France en étaient Le Puy, Arles et Vézelay. Couronnant un damier de champs, le village de Vézelay, sous ses toits de tuiles brunes, s'est construit autour de sa vaste basilique. Lorsque le futur saint Bernard vint prêcher la deuxième croisade au XIIe siècle, Vézelay devint l'un des hauts lieux de la chrétienté en Occident. La basilique Sainte-Madeleine était très endommagée lorsque Viollet-le-Duc entreprit sa restauration en 1840 : les travaux durèrent une vingtaine d'années. L'ampleur, la simplicité émouvante du bâtiment, chargé d'une longue histoire, et le charme des ruelles en pente qui y conduisent font de ce village du Morvan une halte à ne pas manquer.

L'ampleur des bâtiments, la délicatesse des sculptures qui les ornaient, leur étonnante expressivité, créèrent un style clunisien qui marque les différents édifices élevés dans le sillage de l'abbaye mère. Parmi eux Paray-le-Monial, La Charité-sur-Loire ou Vézelay, merveilles du patrimoine religieux, en témoignent. Mais nombre d'églises aussi émouvantes, si elles sont moins connues, parsèment la Nièvre, l'Yonne, la Côte-d'Or et la Saône-et-Loire. Celles de Charlieu, de Chapaize, d'Anzy-le-Duc ou, à proximité, de Semur-en-Brionnais, un village de pierres ocres cerné de vignes, constituent de remarquables exemples de l'art roman.

"La Bourgogne est le pays des orateurs", écrivait encore ***Michelet***. Parmi eux figure ***saint Bernard***, né près de Dijon. Moine de Cîteaux, autre foyer important de l'histoire de la foi, il fut le premier abbé de Clairvaux avant de devenir un guide spirituel écouté des papes et des rois.

Lorsqu'il prêcha la deuxième croisade en présence du roi ***Louis VII*** à Vézelay, en 1146, l'abbaye existait déjà depuis près de trois siècles ; mais c'est alors qu'elle prit tout son essor. Abbaye et village couronnent une colline cernée de bois et de champs. Pour atteindre la basilique Sainte-Madeleine, on emprunte

Blanot

Proche de Cluny, Blanot a conservé l'un des nombreux prieurés nés dans la mouvance de la grande abbaye médiévale. Ses vieilles maisons ont gardé le charme des villages anciens du Mâconnais, entourés de vallons portant des vignobles ou des pâturages. A proximité, il faut visiter les grottes préhistoriques dont le circuit mène jusqu'au mont Saint-Romain, d'où l'on a une superbe vue sur la région, le château de Berzé et Brancion, vieux village bâti entre deux ravins au site pittoresque.

des rues escarpées, bordées d'anciennes maisons de vignerons et de belles demeures aux portes sculptées. On aperçoit souvent au bas des façades des fenêtres éclairant de grandes salles souterraines, où l'on accueillait jadis la foule des pèlerins. Ces pèlerins d'autrefois ont laissé la place aux fidèles venus se recueillir dans un lieu encore empreint de spiritualité mais aussi aux amateurs de vieilles pierres. Les ruelles de Vézelay, ponctuées de puits, de petits jardins, de quelques tourelles, semblent sereines malgré l'affluence des visiteurs au printemps ou en été.

Un autre orateur célèbre, ***Bossuet***, est né à Dijon, ancienne capitale du duché. Montbard, près de l'abbaye cistercienne de Fontenay, est la patrie de deux naturalistes : ***Daubenton*** et ***Buffon***. Celui-ci fit aménager un parc dans la ville et, à quelques kilomètres, une forge où il se livrait à ses expériences.

En Mâconnais, on peut suivre le souvenir de ***Lamartine***. Mâcon, sa ville natale, lui a consacré un musée. A Milly, on visite la maison de son enfance, qui lui inspira des vers attendris :

"Là mon cœur en tout lieu se retrouve lui-même !
Tout s'y souvient de moi, tout m'y connaît, tout m'aime!"

Le château de Saint-Point, autre minuscule village où il aimait séjourner, a conservé intact le décor que le poète retrouvait entre deux voyages.

Sans épuiser la liste des Bourguignons célèbres et amoureux de leur terre natale, on ne peut oublier ***Colette***, née en Puisaye, à Saint-Sauveur, ou plus récemment ***Maurice Genevoix*** et ***Henri Vincenot***. Trois noms qui évoquent l'amour des mots mais aussi celui des nourritures terrestres. Rien de plus naturel en Bourgogne, où le nom des villes et des villages fait à lui seul rêver les œnophiles débutants ou chevronnés. Les grands crus des côtes de Nuits et des côtes de Beaune se déploient entre Gevrey-Chambertin, Vougeot, Vosne-Romanée, Nuits-Saint-Georges, Aloxe-Corton, Beaune, Pommard... Autant de patronymes mythiques.

A cette liste incomplète, il faudrait ajouter Chablis, plus au nord, et les vignobles du Mâconnais, autour de Pouilly, de Fuissé et de Chasselas. Près de ces lieux qui respirent le "bon vivre", la roche de Solutré, curieux promontoire dominant le damier des vignes, s'élève à cinq cents mètres d'altitude. Le panorama qu'elle offre au regard est aussi vertigineux que son histoire. Un musée, installé à son pied, permet de découvrir des vestiges archéologiques : ce fut un territoire de chasse fréquenté depuis les temps préhistoriques.

Mailly-le-Château, Arcy-sur-Cure, Seignelay, Noyers-sur-Serein ou Flavigny-sur-Ozerain... On ne peut citer tous les villages de charme des terres bourguignonnes. Noyers, bordé par une rivière au patronyme apaisant, dévoile un remarquable ensemble de maisons anciennes. Colombages et sculptures sur bois ornent des ruelles qui s'entrelacent autour des places du Marché-au-Blé ou de la Petite-Étape-aux-Vins. Flavigny, comme Noyers, a conservé une partie de ses remparts. Autour de son ancienne abbaye, les façades médiévales et Renaissance se parent d'escaliers en colimaçon, de gargouilles et de linteaux sculptés. Les anciennes maisons de vignerons, bâties sur de vastes caves, ont été reconverties en fermes depuis la disparition de la vigne aux environs.

La Franche-Comté s'étend en une longue bande qui longe la frontière suisse jusqu'au Rhône. Elle couvre le territoire de Belfort, le Doubs, le Jura et la Haute-Saône. A Belfort, aux confins des Vosges et du Jura, une dépression naturelle, la "trouée", a servi maintes fois de passages à des envahisseurs ; le célèbre lion sculpté par ***Bartholdi*** symbolise sa résistance pendant la guerre de 1870. Besançon, capitale de l'ancienne Comté, a une longue tradition de ville horlogère. On y fabriqua des montres dès le XVIIe siècle, en plus des fameuses horloges comtoises. C'est la patrie de ***Charles Fourier***, créateur des phalanstères, et des frères ***Lumière***, précurseurs du cinéma. ***Claude Nicolas Ledoux***, après avoir imaginé la "ville idéale" des salines d'Arc-et-Senans, construisit à Besançon le premier théâtre où tous les spectateurs pouvaient s'asseoir. ***Pasteur***, né à Dole, passa son enfance à Arbois et y revint régulièrement jusqu'à la fin de sa vie. Quant à Saint-Claude, siège d'une importante abbaye au Moyen Age, c'est depuis la fin du XVIIIe siècle la capitale française de la pipe.

Un peu plus au sud, touchant presque la frontière suisse, Ferney fut pendant une vingtaine d'années le refuge de ***Voltaire*** qui, en "patriarche", développa la petite ville où il reçut de nombreuses visites et écrivit inlassablement. La ville s'appelle aujourd'hui Ferney-Voltaire.

La présence de la vigne dans le Jura remonterait au moins à cinq mille ans ; c'est en tout cas l'un des plus anciens vignobles de France, cité par ***Pline le Jeune*** dès le Ier siècle. ***Philippe le Bel*** introduisit à la cour ses vins, plus tard fort appréciés par de fins connaisseurs comme ***François Ier***, ***Henri IV*** et ***Rabelais***, qui en loua les saveurs. Aujourd'hui, le vignoble ne couvre plus qu'une bande de terres étroite, entre Arbois, Château-Chalon, L'Étoile et Saint-Amour. Mais le vin jaune et le vin de paille, qui nécessitent des années d'élaboration, ou les vins rouges d'Arbois n'en ont que plus de prix aux yeux des amateurs. La plupart des villages francs-comtois ont donc longtemps vécu au rythme des vendanges. Parmi eux, quelques-uns des plus beaux se situent aux abords de l'Ognon, de la Loue ou du Lison. Les vignes disparues ont été remplacées par des jardins et des plantations de cerisiers qui leur font au printemps un écrin plein de charme.

Au nord de la forêt de Chaux, Pesmes fut une place forte défendant l'ouest de la Comté ; elle a conservé quelques vestiges de son enceinte. Ses ruelles fleuries, aux façades ornées de fenêtres à meneaux, se déploient autour d'une église d'origine romane, sur un plateau qui domine l'Ognon.

Lods s'élève à flanc de coteau, près de la source de la Loue, petit affluent du Doubs au cours sinueux. Les vignes et les vignerons de Lods ont disparu mais leurs solides maisons aux caves voûtées bordent encore les rues escarpées. Ce village paisible, aux façades couvertes de verdure sous des toits de tuiles plates, aux rues fleuries et ponctuées de fontaines autour d'une église à fin clocher, abrite d'ailleurs un musée de la vigne et du vin. Un pittoresque pont de pierre enjambe la rivière qui fait les délices des amateurs de pêche à la truite. La Loue, ses méandres, ses chutes d'eau et sa vallée verdoyante ont souvent inspiré les peintres, et parmi eux l'un des plus grands noms de la peinture réaliste : ***Gustave Courbet***, né à Ornans dans une famille de vignerons. L'artiste dessina et peignit inlassablement sa terre natale, où il revint fréquemment jusqu'à son exil en Suisse après les déboires que lui valut sa participation à la Commune. Dans *L'Enterrement à Ornans*, ***Courbet*** représentait cinquante personnages de la ville ; mais les paysages et les hommes de sa région figurent dans bien d'autres œuvres, tels *Le Château d'Ornans*, *La Source de la Loue* ou *Les Cribleuses de blé*. Un musée consacré à son œuvre occupe sa maison natale. A Ornans, plusieurs ponts traversent la Loue. Les beaux hôtels renaissants ou classiques, les petits jardins, les maisons, parfois bâties sur pilotis et s'ouvrant sur l'eau par une véranda, composent une oasis aux allures presque vénitiennes en plein cœur des forêts jurassiennes.

Depuis les bords de la Loue, Mouthier-Haute-Pierre escalade les flancs d'une colline, dans un site particulièrement séduisant. Quelques bâtiments d'un ancien prieuré de bénédictins ont été restaurés et transformés en habitations. Nozeroy, entre les sapins centenaires de la forêt de la Joux et la source de l'Ain, fut le fief d'une grande famille comtoise, les ***Chalon***. Leur château, aujourd'hui en ruines, fut le théâtre de fêtes somptueuses et accueillit des hôtes illustres, comme ***Charles le Téméraire***.

Près de Château-Chalon, au pied d'une falaise calcaire de plus de deux cents mètres de haut, Baume-les-Messieurs s'abrite dans la verdure d'une plaine, en bordure de la Seille. Comme Baume-les-Dames, plus au nord, le lieu tiendrait son nom d'un mot celte signifiant grotte. Sous le cirque de Baume s'ouvrent, en effet, des grottes dont les salles tapissées de belles concrétions atteignent parfois quatre-vingts mètres de hauteur. Le minuscule village, serré autour de son clocher, est né d'une abbaye fondée au VIe siècle par un moine venu d'Irlande, ***saint Colomban***. Quelques siècles plus tard, ce sont douze religieux de Baume-les-Moines qui allèrent fonder l'abbaye de Cluny. Reconstruite à partir du XIIe siècle par une riche confrérie bénédictine, l'abbaye originelle des humbles moines de Baume fut rebaptisée Baume-les-Messieurs. L'église abbatiale conserve la sépulture de ***Jean de Watteville***, abbé de Baume au XVIIe siècle. Les frasques de ce soldat devenu moine sont dignes d'un roman de cape et d'épée. Contraint de fuir la France après un duel, il se serait réfugié à Constantinople puis, devenu gouverneur de Morée, aurait obtenu le titre d'abbé de Baume grâce à une sombre machination. Légende ou réalité, cette histoire révèle l'importance qu'avait alors l'abbaye.

Lods

Lods, bâti à flanc de coteau dans la vallée de la Loue, riche en villages de charme, fut longtemps voué à la culture du Poulsard, l'un des plus fameux cépages jurassiens. Les vignes et les vignerons de Lods ont disparu, mais ses rues escarpées ont conservé leurs vieilles maisons aux façades couvertes de verdure sous des toits de tuiles plates. A quelques kilomètres, le séduisant village d'Ornans a consacré un musée au plus célèbre de ses enfants, Gustave Courbet.

Pages suivantes

Baume-les-Messieurs

Au cœur du Jura, Baume-les-Messieurs s'inscrit dans la verdure d'une plaine, au pied d'une haute falaise. Le village est né d'une abbaye fondée au VIe siècle par un moine irlandais, saint Colomban, qui parcourut la Bourgogne avant de poursuivre son œuvre fondatrice au-delà des Alpes. Ce sont des religieux de Baume-les-Moines qui fondèrent l'abbaye de Cluny en 910. Reconstruite entre le XIIe et le XVIe siècles par une riche confrérie bénédictine, l'abbaye de Baume fut rebaptisée Baume-les-Messieurs. Les bâtiments furent transformés en maisons d'habitation sous la Révolution et le cloître démoli. Mais l'église et d'anciennes cellules remaniées évoquent ce qu'était le décor des bénédictins.

Auvergne Limousin

Seule région volcanique de France, l'Auvergne est née de deux bouleversements géologiques. Aux volcans anciens, aux formes arrondies par l'érosion, se sont ajoutés des à-pic coupés de plaines, façonnés par la suite, lors de la formation des Alpes et des Pyrénées.

Au sud de Clermont-Ferrand, la chaîne des Puys peut atteindre plus de mille mètres d'altitude. C'est le domaine des skieurs, comme à Super-Besse, le domaine des chalets et des hameaux de montagne vivant traditionnellement de l'élevage et des produits laitiers.

Au nord, le relief s'abaisse doucement jusqu'à l'Allier. C'est une région de cultures riches et de vigne, autour de Saint-Pourçain. Le saint-pourçain, à la fois vin et fromage, rappelle la longue liste des produits du terroir auvergnat : saint-nectaire, fourme d'Ambert, cantal, bleu d'Auvergne, murol... D'autres noms évoquent des activités artisanales implantées depuis des siècles dans la région, comme Thiers la coutellerie ou la région du Velay la dentelle. La nature volcanique du sol a également doté l'Auvergne d'innombrables sources dont les eaux ont des propriétés thérapeutiques diverses selon les roches qu'elles traversent avant de surgir. Les stations thermales abondent dans cette région : Vichy, Châtelguyon, Le Mont-Dore, La Bourboule... Chaudes-Aigues, comme son nom l'indique, possédant les eaux les plus chaudes.

En parcourant l'Allier, le Puy-de-Dôme, le Cantal et la Haute-Loire, on rencontre en alternance des bourgs ouverts, tel Condat, ou des villages fortifiés, tel Auzon, le plus souvent perchés sur une hauteur. Beaucoup se caractérisent par la pierre sombre de leurs façades, car les volcans qui ont modelé l'Auvergne ont également donné à ses bâtisseurs un matériau inconnu partout ailleurs en France : la lave. Salers, développé autour du château des comtes de Salers, dut s'entourer de remparts pour se défendre des Anglais et des grandes compagnies qui, désœuvrées à la fin de la guerre de Cent Ans, dévastaient cruellement les campagnes. Une partie de ces défenses élevées au XVe siècle subsiste encore. Les élégants hôtels qui bordent la Grand-Place, ornés de tourelles, de fenêtres à meneaux et de portes ouvragées, datent de la Renaissance, lorsque la haute bourgeoisie investit le lieu, devenu bailliage des Hautes-Montagnes d'Auvergne, au XVIe siècle.

Turenne
Au sud de Brive-la-Gaillarde, Turenne étage ses toits d'ardoise sous les imposants vestiges du château des La Tour d'Auvergne. Cette famille évoque deux figures marquantes de l'histoire huguenote : le duc de Bouillon sous Henri IV, et son fils, le grand Turenne, qui se rapprocha de Louis XIV après avoir participé à la Fronde. Autrefois siège d'une vicomté, Turenne a conservé la maison du Grenier à Sel, qui abritait les états généraux, et de nombreux bâtiments des XVe et XVIe siècles, souvent flanqués de tourelles.

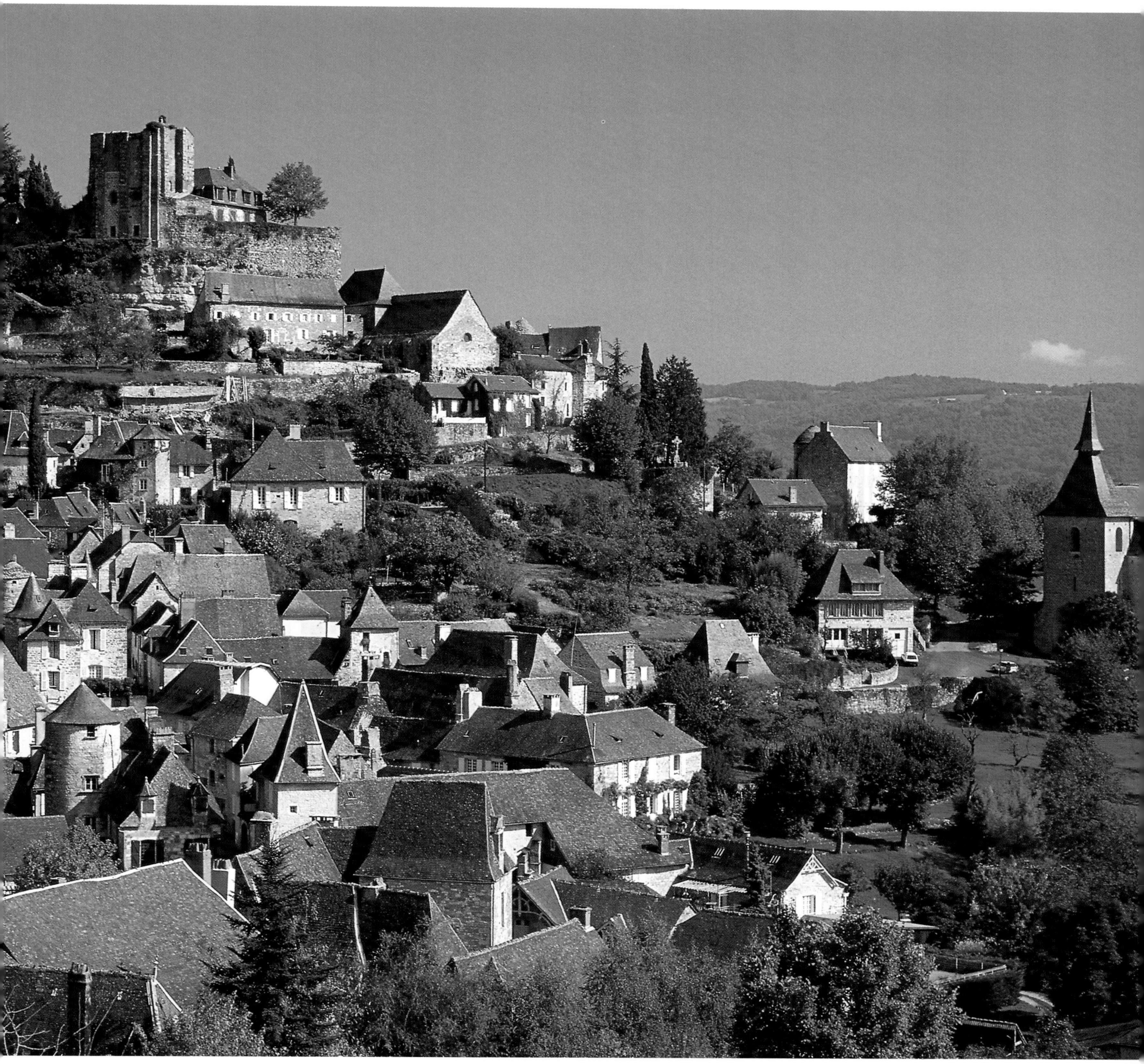

Près de la fontaine centrale, une statue de ***Tyssandier-d'Escous*** rappelle qu'en améliorant la race des vaches à robe rouge, au XIXᵉ siècle, celui-ci contribua à la réputation et à la fortune de la ville. L'église à porche roman abrite de magnifiques tapisseries d'Aubusson, capitale limousine de cet art depuis le XVᵉ siècle.

Dans ce «pays froid sous un ciel déjà méridional, où l'on gèle sur les laves» dont parle ***Michelet***, construit à 950 mètres d'altitude, la neige recouvre souvent les pâturages alentour en hiver. Usson, construit lui aussi sur une butte, à l'est d'Issoire, affiche la même couleur noire du basalte, mais ses toits sont couverts de tuiles.

Ce fut l'une des forteresses de la Basse-Auvergne, dont le château passait pour être imprenable. On peut d'ailleurs lire sur l'une des portes de la ville : "Garde le traître et la dent" (Ne crains que le traître et la famine). Le quartier bas abrite d'anciennes maisons de vignerons car Usson vécut longtemps du vin, avant de se tourner vers l'élevage et la culture. Les rues étroites montent jusqu'à une église romane, puis vers les vestiges du château, qui fut rasé sur ordre de ***Richelieu*** au début du XVIIe siècle. Il avait accueilli ***Marguerite de Valois***, la turbulente reine ***Margot*** qui, éloignée de la cour par son frère ***Henri III***, y fut retenue une vingtaine d'années. Un emprisonnement qui laissa cependant l'incorrigible ***Margot*** donner des fêtes mémorables.

Châteldon, à l'orée de la Montagne bourbonnaise, à l'est de Vichy, conserve d'autres maisons de vignerons, à balcons de bois, bien que la vigne ait disparu, et de belles demeures médiévales. Un peu au nord, à Châtel-Montagne, on peut encore admirer une émouvante église romane, tandis que le prieuré de bénédictins installé au XIIe siècle a disparu.

L'Auvergne est riche en témoignages romans, comme l'église Saint-Austremoine d'Issoire, l'une des plus vastes et des plus remarquables, ou plus modestes, comme les églises de Saint-Menoux, de Saint-Saturnin ou d'Arlempdes. L'église d'Ébreuil, sur les bords de la Sioule, renferme de précieuses fresques médiévales. Celle d'Orcival, dans le massif des Monts-Dore, fut fondée par les moines de La Chaise-Dieu, important centre spirituel du Moyen Age. Son rayonnement s'explique en partie par le fait que l'un de ses moines devint pape sous le nom de ***Clément VI***. A Souvigny, roman et gothique se sont mêlés dans l'église Saint-Pierre-et-Saint-Paul. Ce fut le premier prieuré créé par l'abbaye de Cluny, au Xe siècle, sur des terres que lui avait cédées un ancêtre des Bourbons, ***Aymard***, lieutenant du duc d'Aquitaine. La cathédrale de style gothique flamboyant de Moulins, capitale du Bourbonnais, abrite dans ses murs un joyau de la peinture du XVe siècle, un triptyque attribué au "maître de Moulins".

La cathédrale d'inspiration orientale du Puy-en-Velay renferme quelques chefs-d'œuvre de l'art religieux. Mais la chapelle Saint-Michel-d'Aiguilhe, plantée sur un piton de lave en retrait de la ville est sans doute l'image la plus étonnante de la région. Une autre aiguille de lave, le rocher Corneille, proche, porte une gigantesque statue de Notre-Dame-de-France, coulée en fonte sous ***Napoléon III***. La capitale auvergnate, Clermont-Ferrand, est dominée par les flèches d'une cathédrale gothique, dont la pierre noire est éclairée par de magnifiques vitraux à dominantes rouge et bleue. En revanche, la basilique Notre-Dame-du-Port constitue l'un des plus beaux exemples de l'art roman en Auvergne. Sa crypte abrite une Vierge noire qui fait l'objet d'un culte depuis des siècles. Parmi les Clermontois illustres figure ***Blaise Pascal***, tandis que ***Teilhard de Chardin*** a vu le jour à quelques kilomètres, au château de Sarcenat.

Les châteaux d'Auvergne sont aussi variés que ses paysages. Le village de Murol, entre le Mont-Dore et Saint-Nectaire, est dominé par les vestiges d'un château fort aujourd'hui animé par des reconstitutions historiques. Médiéval également, le château de Chouvigny surplombe des gorges superbes. Ce fut la demeure des ***La Fayette***, dont le célèbre général, né au château de Chavaniac-Lafayette. Lapalisse, domaine du maréchal resté lié dans la tradition aux lapalissades, fut reconstruit à la Renaissance par des architectes florentins.

Salers

Salers fait partie des villages de Haute-Auvergne bâtis en roche volcanique et couronnés de lauzes. Développé autour du château comtal, Salers mêle une certaine austérité de style – les habitations sont conçues pour résister à des hivers rigoureux – et tous les ornements de la Renaissance : tourelles, toits en poivrière et fenêtres à meneaux. La cité, prospère dès le Moyen Age, est réputée pour une race bovine à laquelle elle a donné son nom, comme pour le fameux cantal produit dans la région.

Pages suivantes

Collonges-la-Rouge

Collonges dresse ses façades de grès rouge dans un écrin de vignes, de noyers et de châtaigniers. Les castels et les hôtels Renaissance qu'elle abrite furent les demeures des fonctionnaires de la vicomté de Turenne aux XVe et XVIe siècles. Le charmant village eut un rôle défensif pendant les guerres de Religion, qui transparaît dans la puissante tour carrée de son église.

Les hautes tours en poivrière du château de Val, proche de Bort-les-Orgues, s'élèvent sur un îlot entouré d'un lac. Sa silhouette intacte et le charme du site ont inspiré des cinéastes qui en ont fait le décor de films de cape et d'épée. Du XVe siècle aussi, le château d'Anjony, aux pierres de basalte rouge, domine la vallée de la Doire. Le château d'Effiat fut bâti au XVIIe siècle par le père de ***Cinq-Mars***, proche de ***Louis XIII*** qui fut exécuté pour avoir comploté contre ***Richelieu***. L'épisode est retracé dans les salles de ce beau château classique. Celui de Parentignat, près d'Issoire, cerné d'un parc à l'anglaise, date du début du XVIIIe siècle.

On ne peut quitter l'Auvergne sans évoquer ***Henri Pourrat***, auteur de *Gaspard des montagnes*, né à Ambert. Il y eut pour ami ***Alexandre Vialatte***, traducteur de ***Kafka***, écrivain et chroniqueur. Originaire du Limousin, ***Vialatte*** passa une grande partie de sa vie à Ambert et célébra l'Auvergne dans de nombreux écrits. Ambert, d'ailleurs, figure en bonne place dans l'œuvre de ***Jules Romains***, *Les Copains*.

Entre Gartempe et Vienne, Dordogne et Vézère, le Limousin du nord est un pays de bocages, humide, aux vallées profondes. Aux abords des Charentes, à l'ouest, il se couvre de prairies d'élevage, tandis qu'au sud, vers le Périgord, on trouve déjà, sous un climat adouci, noyers, champs de maïs, truffières et élevages d'oies. En bordure de l'Auvergne, à l'est, le plateau des Millevaches est un pays de landes et de sources.

Le Limousin a pour emblème une feuille de châtaignier. Jusqu'à la fin du XIXe siècle d'immenses châtaigneraies fournissaient à sa population la base de l'alimentation et tous les produits tirés du bois, notamment la fabrication de tonneaux. Dès la fin du Moyen Age, lorsqu'il fallut réparer les ravages de la guerre de Cent Ans et que les villes prirent un nouvel essor, la Creuse fournit à la France entière une main-d'œuvre importante dans les métiers du bâtiment. L'activité étant réduite en Limousin, ses maçons se dispersèrent dans tous les grands centres urbains. Aux alentours de Limoges, à Saint-Yrieix-la-Perche, on découvrit au milieu du XVIIIe siècle des gisements de kaolin. Cette matière première donna le jour à la grande tradition de la région : le travail de la porcelaine. De grandes fabriques s'installèrent bientôt dans la capitale limousine, et la porcelaine prit le relais des émaux qu'on y confectionnait depuis le Moyen Age. Né à Limoges, ***Renoir*** débuta là comme peintre sur porcelaine.

Le Limousin est jalonné de forteresses contant la longue rivalité des ducs d'Aquitaine et des rois de France. La route Richard-Cœur-de-Lion permet de découvrir les témoignages de ces époques belliqueuses.

Blesle

L'étonnante richesse architecturale de Blesle rappelle sa longue histoire. Elle commence avec la femme du comte d'Auvergne Bernard II, surnommé Plantevelue. La comtesse Ermengarde fonda une abbaye de bénédictines vers 870 et ce site isolé devint le centre d'une activité intense. A la Renaissance, Blesle était une bourgade prospère et l'abbaye fut classée abbaye royale. Les dames, qui devaient posséder quatre quartiers de noblesse, eurent droit au titre d'abbesse et de comtesse et jouirent de revenus très confortables et d'un mode de vie relativement souple.

A la limite de la Haute-Vienne, la forteresse de Rochechouart abrite aujourd'hui un musée d'Art contemporain. Ses bâtiments mêlent harmonieusement différents styles, du XIIIe au XVIIIe siècle.

Coussac-Bonneval dresse ses tours en poivrière autour d'une cour d'inspiration italienne. Il fut habité au XVIIIe siècle par un téméraire seigneur de Bonneval, qui finit ses jours à Constantinople avec le titre de pacha.

Un peu au sud, Ségur-le-Château fut le berceau des vicomtes de Limoges. Ses ruines dominent un village aux rues sinueuses, bordées de maisons à tourelles, à fenêtres à meneaux et façades ouvragées. Le château de Montbrun, fidèle à sa réputation de citadelle imprenable, résista à l'assaut de ***Richard Cœur de Lion***. Son donjon carré, la partie la plus ancienne, flanqué de quatre tours rondes, se reflète dans un miroir d'eau. Tout près, s'élève le château de Châlus. Situé aux confins du Poitou et de la Haute-Vienne, Châlus avait une importance stratégique capitale. C'est en tentant de s'en emparer que ***Richard***, fils d'***Aliénor d'Aquitaine***, fut blessé mortellement en 1199.

Au cœur de la Corrèze, Ventadour conserve les ruines d'une autre forteresse médiévale importante. Le donjon du XIIIe siècle a résisté au temps ; il couronne un piton rocheux dans un site spectaculaire. Ce fut l'un des lieux âprement disputés durant la guerre de Cent Ans, mais le nom évoque surtout le troubadour du XIIe siècle, ***Bernard de Ventadour***. Ce chantre de l'amour courtois dut s'exiler pour échapper aux foudres de châtelains contrariés par son succès auprès des femmes.

La région de Limoges abrite aussi quelques hauts lieux fréquentés autrefois par les pèlerins cheminant vers Compostelle. Le plus souvent, on venait s'y recueillir dans un monastère fondé par un saint quelques siècles plus tôt. C'était le cas à Solignac, créé au VIIe siècle par ***saint Éloi***, le trésorier de ***Dagobert***. Saint-Léonard-de-Noblat conserve une belle église romane, érigée sur l'emplacement du monastère de ***saint Léonard***, populaire patron des prisonniers. A Saint-Germain-les-Belles, on éleva un hôpital destiné exclusivement aux pèlerins au XIVe siècle ; l'église fortifiée date de la même époque. Plusieurs des plus beaux villages de France inscrits au patrimoine émaillent le Limousin, tels Treignac, Saint-Robert, Curemonte ou Collonges-la-Rouge. Treignac, bordant la Vézère, escalade une butte au milieu de sous-bois. Un peu au sud, Saint-Robert abrite une abbatiale romane, vestige d'un prieuré bénédictin. Curemonte, aux confins de la Corrèze et du Lot, aujourd'hui presque inhabité, conserve un étonnant ensemble de châteaux et d'églises, témoignant de son importance économique dans les siècles passés. A quelques kilomètres de Collonges-la-Rouge, le village de Turenne couronne une butte d'où l'on découvre les vallonnements verdoyants du Massif Central et la vallée de la Dordogne.

Les ruines d'un château coiffent le village aux demeures médiévales de calcaire blanc, la place du Foirail et la maison du Grenier à Sel. Le château appartenait à la famille ***La Tour d'Auvergne***, dont les deux plus illustres représentants furent le ***duc de Bouillon***, l'un des chefs du parti protestant sous ***Henri IV***, et son fils.

Lavoûte-Chilhac

Le village s'étire dans les gorges de l'Allier, dans les plaines fertiles des Limagnes. Lavoûte abrite une abbaye de bénédictines. Un peu au nord, Brioude possède la plus vaste église romane d'Auvergne, et aussi l'une des plus belles, qui fut au Moyen Age un grand centre de pèlerinage.

Henri de La Tour d'Auvergne, après la Fronde, se rangea aux côtés de ***Louis XIV*** dont il devint l'un des plus fidèles maréchaux. D'autres villages, s'ils ne sont pas classés, n'en ont pas moins de charme, comme Moutier-d'Ahun, construit autour d'une unique rue, dans un décor de collines coupées par la Creuse.

Un peu au nord, Guéret fut la patrie de ***Marcel Jouhandeau***, qui en fit un portrait acide sous le nom de Chaminadour. A Bellac, au contraire, un monument honore l'enfant du pays, ***Jean Giraudoux***. L'écrivain diplomate évoqua sa patrie avec plus de tendresse dans *Suzanne et le Pacifique*.

Rhône-Alpes

De la Loire à l'Ardèche, la région Rhône-Alpes glisse, après les sommets alpins, vers des paysages méditerranéens. "Le Rhône est le symbole de la contrée, son fétiche, comme le Nil est celui de l'Égypte" écrivait ***Michelet***. Et c'est sur ses rives, là où il rejoint la Saône, que s'est installée la métropole lyonnaise. Capitale de la Gaule romaine, Lyon bénéficia dès cette époque de sa position de carrefour naturel, au croisement de cinq grandes voies romaines. La colline de la Croix-Rousse portait la ville gauloise, tandis que sur l'autre rive de la Saône, s'élevaient le forum, le théâtre et le capitole romains, sur les pentes de Fourvière. Évangélisé très tôt, Lyon se couvre au Moyen Age d'églises et d'abbayes sous l'impulsion de son archevêché. La Renaissance est une période de plein essor, illustrée notamment par les sonnets de la "Belle Cordière", ***Louise Labé***, et de ***Maurice Scève***, considéré comme un précurseur des poètes de la Pléiade. C'est d'ailleurs à Lyon que ***Rabelais*** publie *Pantagruel* et *Gargantua*.

Le travail de la soie ajoute encore au développement de la cité commerçante. "Dans les terribles bouleversements des premiers siècles du Moyen Age, cette grande ville ecclésiastique ouvrit son sein à une foule de fugitifs. Cette population n'avait ni champs ni terres, rien que ses bras et son Rhône ; elle fut industrielle et commerçante" écrivait encore ***Michelet***. Les traboules de la Croix-Rousse étaient alors le domaine des tisserands. Cette imbrication de cours et de passages résonnant du bruit des métiers fut le point de départ de la révolte des canuts en 1831, lorsque les nouveaux métiers imaginés par ***Jacquard*** rendirent leur situation précaire. C'est aujourd'hui l'un des endroits les plus pittoresques de la vieille ville, comme le quartier Saint-Jean, la place des Terreaux et la place Bellecour. Lyon fut aussi le berceau du cinéma à la fin du XIXe siècle, avant que les ***frères Lumière*** ne présentent leur invention à Paris.

Les gorges de la Loire forment une longue plaine bordée à l'ouest par les monts de la Madeleine et du Forez, à l'est par ceux du Beaujolais et du Lyonnais, au sud par le mont Pilat.

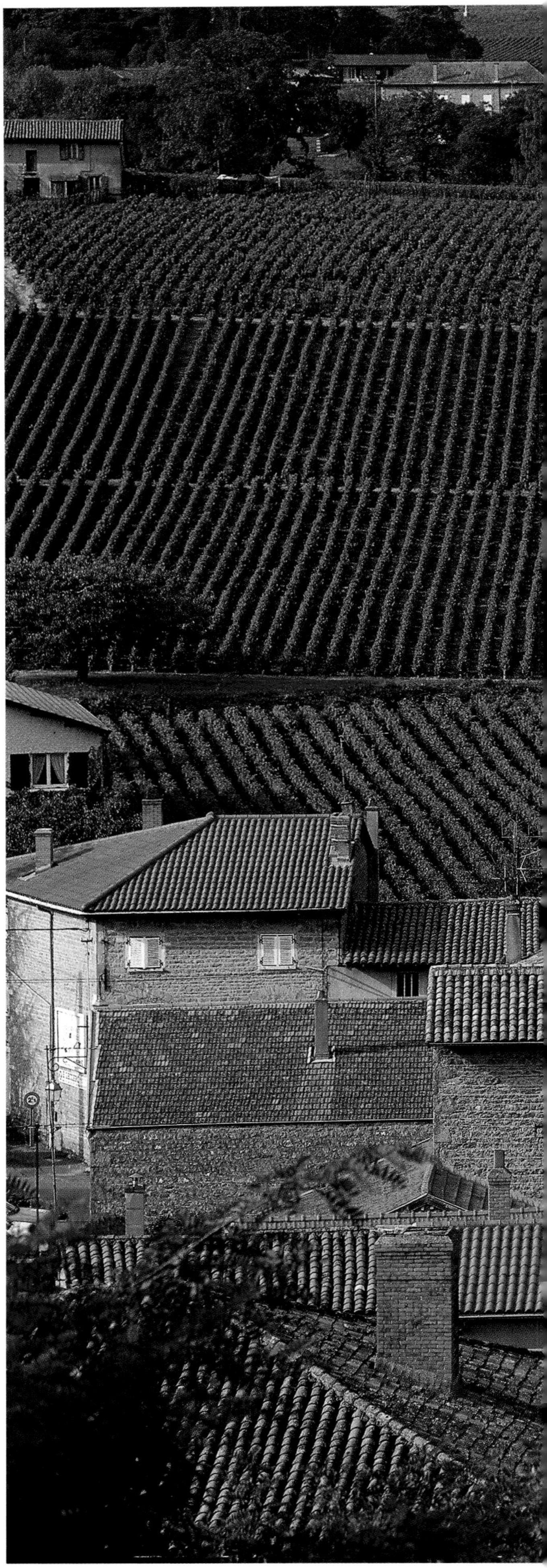

Saint-Julien

Au cœur du Beaujolais, le clocher de Saint-Julien domine un paysage de vignobles, source du "troisième fleuve de la région": le vin. Le physiologiste Claude Bernard y vit le jour au début du XIXe siècle. Sa demeure abrite aujourd'hui un musée consacré à ses recherches.

Sa capitale, Saint-Étienne, s'est d'abord développée grâce au bassin houiller qui l'entoure, en se spécialisant dans la fabrication d'armes blanches. En 1885, la création de la Manufacture française d'armes et de cycles de Saint-Étienne, diffusant par le biais du fameux catalogue "Manufrance" toute la gamme des produits manufacturés, devint le moteur économique de la ville, jusqu'à sa disparition un siècle plus tard. La ville compte aujourd'hui l'un des plus intéressants musées d'art moderne en France. Roanne s'est davantage orienté vers l'industrie textile. Son port sur la Loire exportait déjà ses propres productions vers le nord par le canal de Briare, quand un aménagement du fleuve lui permit d'exporter aussi celles de Saint-Étienne au XVIIIe siècle.

Le village d'Ambierle se niche sur la Côte roannaise, dans des vignobles produisant un vin rosé, à proximité de Saint-Haon-le-Châtel qui conserve quelques belles maisons Renaissance. Plus au sud, Saint-Maurice-sur-Loire s'étage sur les bords du fleuve, sous les ruines d'un château médiéval. Saint-Bonnet-le-Château, au sud du Forez, compte parmi ses activités une spécialité peu répandue : celle des jeux de boules. Jadis fortifiée, la ville s'organise autour d'une collégiale de style gothique, flanquée de vieilles maisons. Le tracé des remparts offre un beau panorama sur les environs. A Sainte-Croix-en-Jarez, entre Saint-Étienne et Vienne, les bâtiments d'une chartreuse, vendus à la Révolution, abritent aujourd'hui un village miniature. Dans l'enceinte rectangulaire à l'allure de forteresse, deux cours reliées par un passage sont bordées d'habitations et de petits jardins.

Le Rhône a donné son nom au département voisin, qui s'étend au nord-ouest de Lyon. S'étirant le long de la Saône, le Beaujolais fut planté de vignes dès l'époque romaine. Parmi les villages connus de tous les œnologues (Juliénas, Fleurie, Brouilly...), Vaux-en-Beaujolais aurait servi de modèle à ***Gabriel Chevallier***, d'origine lyonnaise, pour son savoureux *Clochemerle*. Ponctuant les vignes à flanc de coteau, les maisons beaujolaises coiffées de toits de tuiles romaines dressent leur pierre légèrement grise au nord, tandis qu'au sud le "pays des pierres dorées" est bâti dans un calcaire ocre. Certains villages ont conservé des vestiges de fortifications, comme Charnay ou Ternand.

Pérouges

Peu de cités ont su préserver leur cachet avec autant de bonheur. La place de la Halle au cœur du village, la rue des Rondes, qui suit le tracé circulaire des remparts, ou la rue des Princes, qui abrite la maison des Princes de Savoie, offrent de superbes témoignages du Moyen Age et de la Renaissance. Certaines maisons ont conservé au rez-de-chaussée les éventaires de pierre où les commerçants et les artisans d'autrefois proposaient leurs marchandises. Les façades de galets, ornées de colombages ou d'encorbellements, et les ruelles pavées de Pérouges ont souvent servi de décor à des films historiques. L'illustre grammairien Vaugelas y vit le jour en 1585.

Hauteluce

Le village se presse autour de l'un des plus beaux clochers à bulbe du Beaufortain. Au nord-est d'Albertville, Hauteluce bénéficie des pistes des Saisies, une station largement consacrée au ski de fond créée à 1 600 mètres d'altitude.

On pénètre encore à Oingt par la porte de Nizy. Les maisons du village, élevées sur de vastes caves, bordent des ruelles parfois réservées aux piétons. L'une d'entre elles, la Maison commune, date du XVe siècle. L'église fut autrefois la chapelle d'un château dont il ne reste que des ruines. Depuis Oingt, la vue porte sur les monts de Tarare, où le village de Chamelet se love dans la vallée de l'Azergues sous la flèche de son beau clocher aux tuiles vernissées. Les rues, parfois coupées d'escaliers, abritent aussi des halles du XVIe siècle et un donjon du XVe siècle. Entre la Saône et l'Ain, la Dombes égrène ses bois et ses étangs. ***François Ier*** en fit une principauté qui ne revint à la couronne de France qu'en 1762. Son ancienne capitale, Trévoux, construite sur une boucle de la Saône, garde les traces de son prestigieux passé. Près du palais du Parlement, du XVIIe siècle, s'élèvent des hôtels dont l'un porte le nom de la ***Grande Mademoiselle***, duchesse de Montpensier et cousine de ***Louis XIV***. Plus au nord, Châtillon-sur-Chalaronne, dont les belles maisons fleuries bordent une rivière paisible, eut pour curé ***saint Vincent-de-Paul***.

Les cinéastes ont souvent choisi Pérouges pour évoquer les siècles passés. *Les Trois mousquetaires* ou *Monsieur Vincent*, parmi beaucoup d'autres films, ont pour décor ses rues pavées et tortueuses, remarquablement préservées. Lové en rond sur une colline, entre Dombes et Bresse, Pérouges aurait été fondé par une colonie venue d'Italie, avant même l'occupation romaine. La ville subit les assauts des souverains du Dauphiné et la convoitise des princes de Savoie. Au XVIIe siècle, devenue française, Pérouges se défit de ses fortifications. Seule la rue des Rondes, qui les longeait, en rappelle aujourd'hui l'existence, ainsi que deux portes d'accès. Beaucoup des maisons de Pérouges datent des XVe et XVIe siècles, époque où le travail du chanvre faisait la prospérité de ses habitants. Certaines ont pourtant été abandonnées ou détruites au XIXe siècle, lorsque l'apparition du tissage industriel fit diminuer le nombre des tisserands. Au début du XXe siècle, la constitution du Comité du Vieux Pérouges, dont faisait partie ***Édouard Herriot***, alors maire de Lyon, permit heureusement de faire classer le site.

La Bresse, aussi réputée pour ses fromages que pour la qualité de ses volailles, conserve des fermes très particulières. Coiffées de toits à quatre pans, elles sont surmontées par de hautes cheminées sarrasines, en forme de clocheton. Ces cheminées alimentaient des foyers qui ne s'adossaient pas à une paroi mais s'ouvraient sous un manteau de protection au centre d'une pièce, entourés d'une sorte de fossé où la famille se groupait pour se réchauffer. Les villages de Saint-Triviers-de-Courtes, Grandval ou Vernoux en possèdent de beaux exemples.

En Haute-Savoie, du Chalais au Faucigny, les Préalpes, coupées de vallées profondes, offrent des paysages d'une beauté étonnante, abritant notamment le plus haut point des Alpes, le Mont Blanc. La région fut habitée dès la Préhistoire, comme le vieil Annecy, sur les bords du lac, ancienne capitale du comté de Genevoix. La cathédrale Saint-Pierre vit officier ***saint François de Sales*** et le jeune ***Jean-Jacques Rousseau*** fuyant Genève, à l'âge de seize ans, rencontra ***Madame de Warens*** à Annecy avant de s'installer dans sa propriété de Chambéry. Dans *La Nouvelle Héloïse*, ***Rousseau*** décrira la beauté des pays de montagnes : "L'horizon présente aux yeux plus d'objets qu'il semble n'en pouvoir contenir : enfin, ce spectacle a je ne sais quoi de magique, de surnaturel, qui ravit l'esprit et les sens ; on oublie tout, on ne sait plus où l'on est". Comme Thonon-les-Bains et Évian, importantes stations climatiques, Yvoire s'élève au bord du lac Léman. Village fortifié, Yvoire fut un port de bateliers avant d'être un haut lieu touristique. La douceur du climat, les rues, les places et les balcons fleuris en font un havre de charme. Abondance, domaine du ski et de la randonnée, abrita l'un des premiers prieurés de la région dès les premières années du XIIe siècle, devenu par la suite une abbaye. Le cloître a conservé de magnifiques fresques. Châtel, au milieu des alpages, est cerné de hauts sommets, comme Samoëns, joli village dominé par une collégiale du XVIe siècle. Les maisons de Sixt-Fer-à-Cheval éparpillent leurs toitures d'ardoises autour d'un torrent descendu des glaciers, sous une haute falaise boisée.

Hauteluce

Paradis des skieurs sous son manteau de neige, Hauteluce devient en été celui des randonneurs. Et celui des amateurs de fromages savoyards, tels la tome ou le beaufort.

A proximité de Chamonix et de la mer de Glace, Argentière se presse autour d'une église surmontée d'un clocher à bulbe, typique de ces régions alpines. A Thônes, proche d'Annecy, une place à arcades bordée de vieilles maisons et ornée d'une jolie fontaine se niche au cœur de la ville. Plus au sud, Talloires surplombe le lac d'Annecy dans un cadre magnifique que les bénédictins avaient choisi il y a mille ans pour y construire une abbaye.

La Savoie produit le fameux fromage de Beaufort mais aussi le reblochon et la tome de Savoie. Beaufort-sur-Doron abrite les vestiges de deux châteaux et une belle église baroque. Hauteluce possède l'un des plus beaux clochers du Beaufortain. Conflans, près d'Albertville, au confluent de l'Isère et de l'Arly, conserve du rôle de pôle commercial qu'elle joua au XVIIe et XVIIIe siècles de belles maisons et une remarquable église baroque. Le village perché, qui s'est étendu ensuite dans la plaine, a gardé le cachet de ses façades colorées, ponctuant des rues et des places ornées de fontaines ouvragées et fleuries. A proximité de la frontière italienne, Bonneval-sur-Arc s'élève en bordure du parc national de la Vanoise, comme Bessans, qui abrite de superbes sanctuaires baroques et Aussois, dominant la vallée de l'Arc.

Sur un méandre de l'Isère, Grenoble s'étend entre les massifs du Vercors et de la Chartreuse et la chaîne de Belledonne. ***Fantin-Latour*** et ***Stendhal*** y virent le jour. Ce dernier évoque sa jeunesse grenobloise dans *La Vie d'Henri Brulard.* Vieille ville universitaire, Grenoble accueille également un centre d'échanges internationaux, l'Europole. Un téléphérique relie le cœur de la ville au fort de la Bastille, couronnant un promontoire que l'on peut atteindre à pied par le jardin des Dauphins, escaladant ses flancs abrupts. Les maisons aux façades colorées alignées le long des quais de l'Isère, la jolie place Grenette et des rues piétonnes bordées d'immeubles anciens, de larges avenues laissant apparaître les sommets environnants forment un ensemble plein de charme. Si les villes ne peuvent être bâties à la campagne, Grenoble est bel et bien une ville construite dans l'écrin des montagnes.

Au nord, le fort du Saint-Eynard offre sur la région un panorama où se dessinent les cimes du Mont Blanc. Plus loin, le couvent de la Grande Chartreuse veille depuis le XIe siècle, niché dans la forêt. Ce fut le premier monastère fondé par ***saint Bruno***.

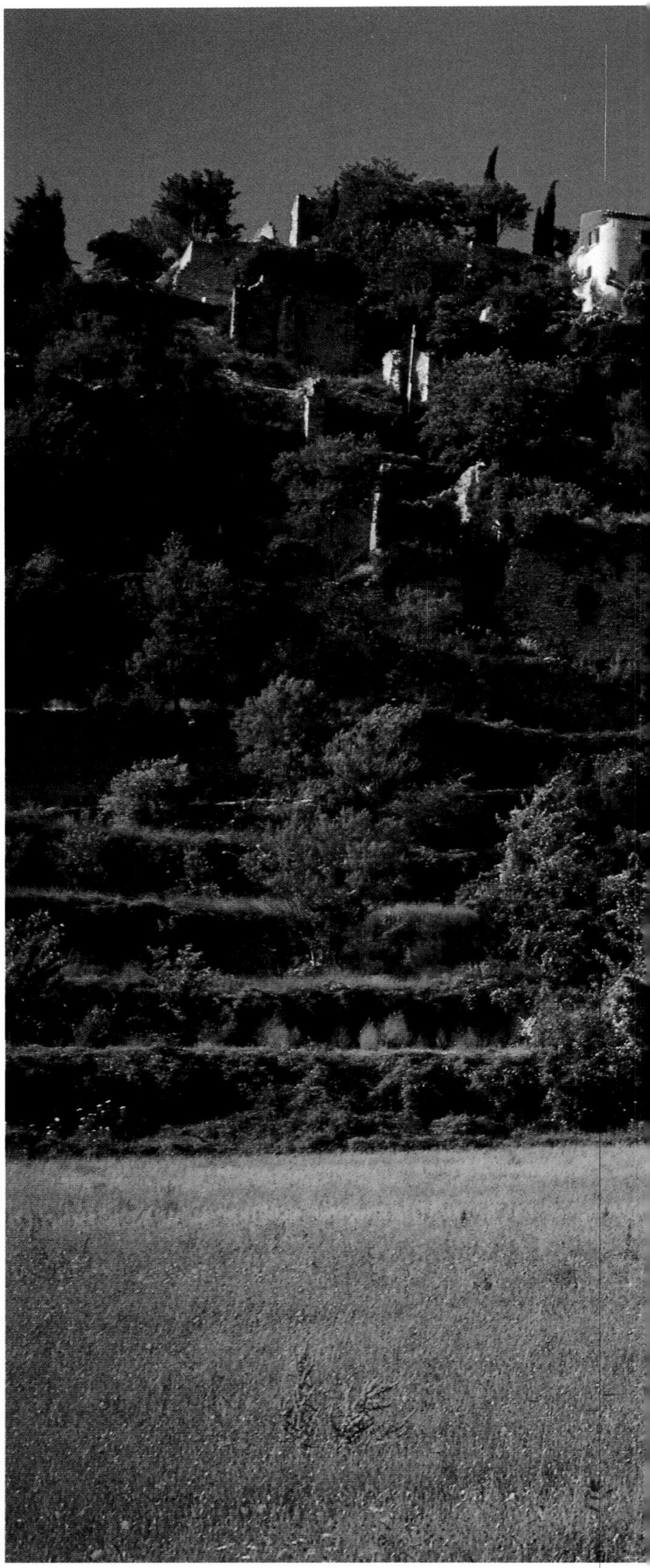

Montbrun-les-Bains

A l'extrême sud de la Drôme, presque provençales, les maisons trapues de Montbrun se dressent à proximité des flancs calcaires du mont Ventoux dans un havre de verdure. Le village accueille une foire à la lavande en automne. Il était déjà fréquenté par les Romains qui venaient y prendre les eaux pour soigner rhumatismes et maladies des bronches.

Le nom désignera aussi l'ordre religieux créé dans ces lieux isolés. Au XVIIIe siècle, les moines de la Grande Chartreuse élaborèrent un élixir à usage médical, toujours fabriqué par les chartreux, à Voiron, mais consommé aujourd'hui pour le plaisir. Plus de cent plantes et résines entreraient dans la composition de ce breuvage, dont le secret n'a jamais franchi les portes des distilleries. Le massif du Vercors, au sud, évoque l'un des grands maquis de la Résistance pendant la

Seconde Guerre mondiale. Ce massif calcaire entaillé par des gorges vertigineuses, truffé de grottes et couvert d'une épaisse forêt, ne fut longtemps fréquenté que par des bergers. Il est désormais connu par tous les amateurs de nature et de sites préservés. Villard-de-Lans, station d'été et d'hiver réputée, s'élève près des gorges de la Bourne, torrent qui sillonne des paysages aux à-pic impressionnants jusqu'à Pont-en-Royans. Ce joli village bâti sur le roc fournissait autrefois la bure nécessaire à l'habillement des chartreux. A l'est de Grenoble, le massif de l'Oisans abrite trois sommets avoisinant 4 000 mètres : les Écrins, le Pelvoux et la Meije. C'est le domaine des stations de sports d'hiver par excellence, telles Chamrousse, Les Deux-Alpes et L'Alpe-d'Huez. La Grave groupe ses maisons au pied des pics et des glaciers de la Meije. Quelques maisons à colombages ornent ce village où ***Balzac*** aurait jadis trouvé l'inspiration pour son *Médecin de campagne*.

Après ces hauts sommets, la Drôme paraît bien méditerranéenne. Au nord de Valence, à Hauterives, s'élève le curieux Palais idéal conçu à la fin du XIXe siècle par le ***Facteur Cheval***. Pierre à pierre, ce facteur édifia pendant une trentaine d'années un monument hérissé de minarets et sculpté de mille détails, qui rappelle par sa naïveté et son exubérance les peintres de l'école naïve. A une vingtaine de kilomètres de Montélimar, Le Poët-Laval, le "mont dans la vallée", dresse ses maisons de calcaire aux toits plats, parfois flanquées de tours rondes. Ici apparaissent la lavande et les essences du Midi, comme les haies de cyprès qui protègent les habitations. L'ordre des chevaliers de Malte y fonda au Moyen Age une commanderie qui fit prospérer la ville. En Tricastin, Grignan est connu pour avoir accueilli souvent ***Madame de Sévigné***, qui venait y rendre visite à sa fille. Le village est couronné par le superbe château Renaissance aux façades finement ouvragées où la marquise s'éteignit. De la terrasse, le panorama s'étend jusqu'au mont Ventoux et aux Alpilles. La Garde-Adhémar offre également une vue pleine de charme, du haut de sa falaise qui porte une belle église romane à clocher ajouré. Les rues pavées mènent aux vestiges d'un château Renaissance, tandis qu'un jardin botanique présente des plantes aromatiques régionales. Saint-Paul-Trois-Châteaux, aux rues ombragées, a consacré un musée au trésor du Tricastin : la truffe. Le sud de la Drôme possède une autre spécialité gastronomique, l'olive, cultivée dans la région depuis plus de cinq mille ans. Une soixantaine de communes se consacrent aujourd'hui à l'élaboration de l'huile d'olive vierge, entre Nyons et Buis-les-Baronnies. Nyons, village médiéval escarpé aux belles pierres ocres, accueille en février une grande fête qui clôt les différentes étapes de la fabrication.

L'Ardèche recouvre l'ancien Vivarais, dont la capitale, Viviers, conserve de beaux hôtels des XVIe et XVIIe siècles. Si tous les écoliers savent que la Loire prend sa source au mont Gerbier-de-Jonc, tous ne se rappellent pas que ce mont est ardéchois. Proches de Valence au nord, les vestiges du château de Crussol couronnent un éperon rocheux. Ce formidable promontoire offre un panorama magnifique. Au nord de Privas, jadis grand bastion protestant, Antraigues se perche aussi sur une hauteur comme, plus au sud, Balazuc surplombe l'Ardèche, groupé autour du château et de l'église romane. Les gorges de l'Ardèche sont aujourd'hui l'un des sites les plus visités de la région. Encaissée dans des défilés profonds, la rivière sinueuse se fait parfois torrent. Ses rives caillouteuses, qu'il faut découvrir depuis les routes en corniche ou en kayak pour les plus téméraires, proposent des haltes pleines de charme comme Vogüé, proche d'Aubenas.

Le Poët-Laval

Toujours dans la Drôme, Le Poët-Laval conserve de son passé de cité médiévale fortifiée une allure un peu austère. Il abrite les vestiges d'une commanderie de Malte. Les ruelles voisines, étroites pour lutter contre le mistral, coupées de passages voûtés, ornées de médaillons et de linteaux sculptés avaient été abandonnées au siècle dernier. Le village, aujourd'hui classé dans son ensemble, revit grâce à des artisans séduits par la beauté de ce site, proche de Montélimar.

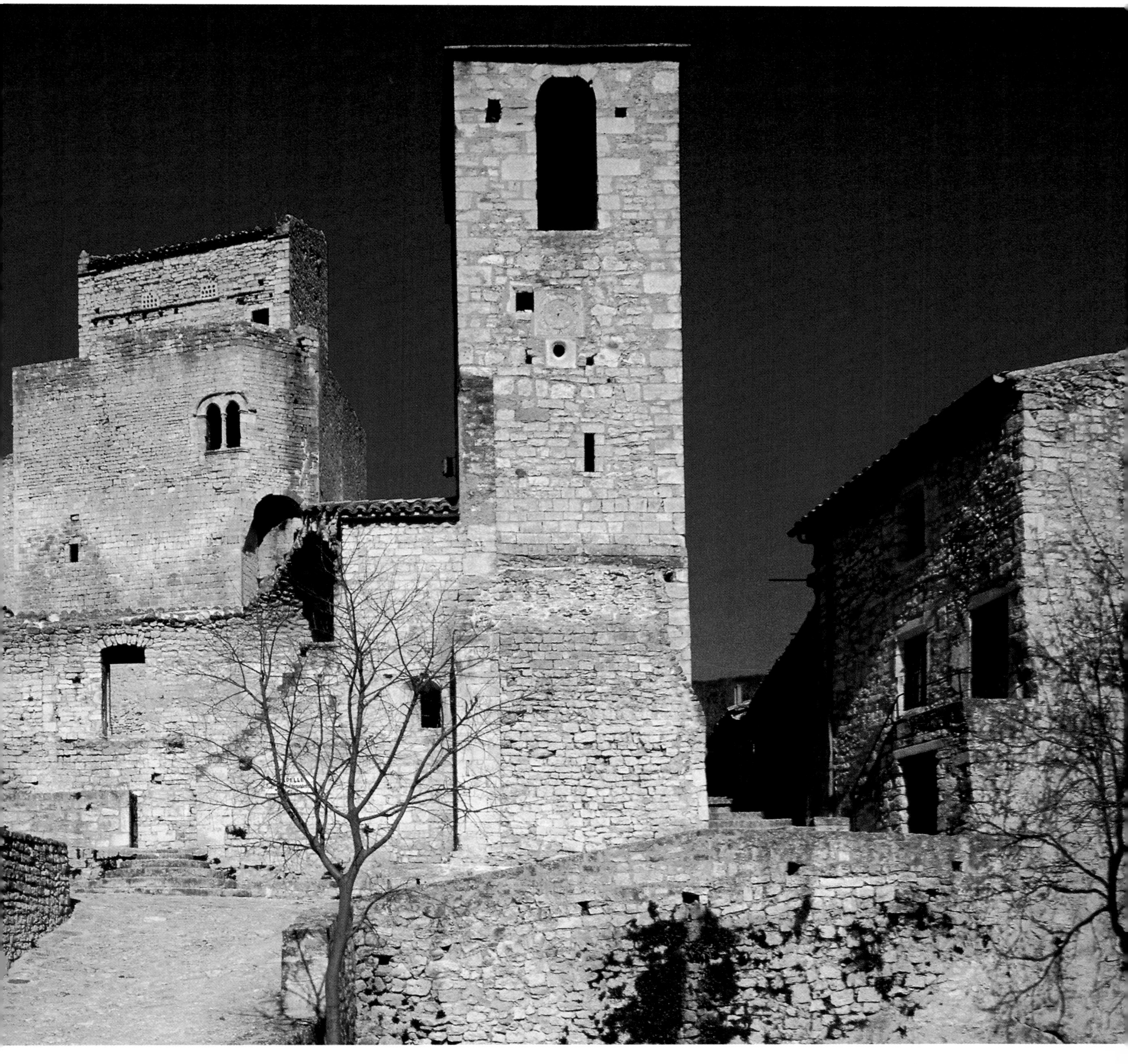

Un peu à l'est, Alba-la-Romaine fut une cité prospère sous le règne d'***Auguste***. Les vestiges des thermes, du théâtre et du forum gallo-romains ont été mis au jour. Une nouvelle ville fortifiée, dont beaucoup de ruelles et de passages voûtés ont subsisté, fut élevée au Moyen Age. Certaines maisons, comme le château massif qui couronne la ville, sont construites dans le basalte d'un massif volcanique tout proche. Le village de Saint-Montan domine les gorges de la Sainte-Baume dans un site superbe. L'ancienne citadelle s'accroche au bord d'un ravin, étageant ses maisons sous la silhouette d'une forteresse en ruines.

Aquitaine

L'Aquitaine est souvent identifiée à la région de Bordeaux, sa capitale, ou à l'ancienne Guyenne, possession anglaise du milieu du XIIIe siècle jusqu'au milieu du XVe siècle. L'Aquitaine administrative recouvre aujourd'hui cinq départements qui, au-delà de leur histoire commune, ont des spécificités bien marquées. La Dordogne évoque tous les charmes du Périgord : des vallons coupés de rivières que veillent des châteaux ; des villages aux pierres dorées coiffés de hauts toits de tuiles brunes ; les truffes, les foies gras et les confits que l'on y élabore depuis des générations. Le Lot-et-Garonne, couvert de vergers où la prune est reine, cultive aussi le tabac, des céréales et des primeurs que l'on retrouve sur les marchés d'Agen, de Marmande ou de Villeneuve-sur-Lot. Les Landes étirent au nord leur long cordon de sable et de dunes bordant des forêts de pins avant de se bosseler de collines au sud. La Gironde déroule ses vignobles piquetés de domaines où l'on produit les vins les plus prestigieux. Les Pyrénées-Atlantiques s'étendent entre Béarn et Pays Basque, entre vallonnements et sommets enneigés.

Le Périgord est lui-même une mosaïque de paysages. Au nord, le Périgord vert, sillonné par la Dronne, l'Auvézère et une multitude de ruisseaux, est le pays de l'arbre et de l'eau. Aux environs de Périgueux, le Périgord blanc alterne plateaux calcaires et vallées couvertes de prairies. A l'est, autour de Sarlat, le Périgord noir, traversé par la Dordogne et la Vézère, se hérisse de reliefs. Les abords de Bergerac, domaine de la vigne, ont été baptisés Périgord rouge. Comme toutes les terres du sud-ouest qui furent le terrain des luttes franco-anglaises, la Dordogne a ses bastides. La création la plus ancienne, Villefranche-du-Périgord, fut érigée par les Français en 1250. Les remparts ont disparu mais la place cernée d'arcades a conservé de belles halles couronnées d'une imposante charpente de bois. Entre les solides maisons qui l'entourent, on voit encore des andrones, espaces aménagés pour éviter la propagation des incendies. La plus récente, Saint-Barthélemy, fut dressée à l'ouest par les Anglais en 1316.

Les Anglais élevèrent encore Saint-Aulaye, à la frontière saintongeaise, Vergt et Beauregard, au sud de Périgueux, puis à l'est de Bergerac Lalinde, bordant la Dordogne et Molières, dominé par la puissante tour carrée de son église. Parmi les bastides françaises, Monpazier a conservé intacte sa place à couverts, au cœur du plan parfaitement rectangulaire de la vieille ville. Au XVIe siècle, ce fut un point fort de la révolte des Croquants, soulèvement paysan qui toucha le Limousin, le Périgord et le Quercy évoqué par ***Eugène Leroy*** dans son roman *Jacquou le Croquant*. Les Croquants se manifestèrent aussi à Domme. Dominant la Dordogne, cernée de champs et de bois, cette bastide a adopté un plan triangulaire pour s'adapter au plateau qui la supporte. La promenade des falaises offre des vues magnifiques sur les environs, tandis qu'au centre de la ville on accède, par la belle halle à balcon de bois, à des grottes qui servirent de refuge à la population durant les périodes de troubles.

Mais les bastides ne sont pas les seuls ornements de la Dordogne. Saint-Jean-de-Côle, proche du château de Puyguilhem, reflète dans les eaux de sa rivière un magnifique ensemble : maisons à colombages, un vieux pont en dos-d'âne, une halle flanquée d'une curieuse église romano-byzantine. Un peu au sud, Brantôme se love dans une boucle de la Dronne. L'abbaye, fortement remodelée depuis, aurait été fondée par ***Charlemagne*** au VIIIe siècle. Son clocher-campanile du XIe siècle passe pour être le plus vieux de France. Une grotte voisine offre un spectacle rare : ses parois ont été entièrement sculptées de scènes du Jugement Dernier. Toujours sur la Dronne, Bourdeilles se masse au pied du château qui appartint à ***Pierre de Bourdeille***, mémorialiste du XVIe siècle plus connu sous le nom de ***Brantôme***. Saint-Léon-sur-Vézère se presse autour du donjon de son ancien château. La vallée de la Vézère, ponctuée de châteaux et de villages accrochés à ses rives, recèle quelques-uns des plus grands sites préhistoriques. Les grottes de Lascaux, proches du joli village de Montignac, Les Eyzies-de-Tayac ou Bara-Bahau en sont les fleurons. Le gouffre de Proumeyssac abrite de superbes concrétions.

Beynac

En Périgord, la vallée de la Dordogne fut une zone frontière entre les influences anglaise et française à l'époque médiévale. Les hautes falaises dominant la rivière aujourd'hui si paisible se sont ainsi hérissées de forteresses, tel le château de Beynac. Les seigneurs de Beynac, favorables au parti français, s'opposèrent pendant tout le Moyen Age aux Cazenac, seigneurs de Castelnaud favorables aux Anglais, dont les vestiges s'élèvent sur la rive opposée. Le village blotti entre la roche et l'eau arbore la belle couleur ocre des pierres de la région.

Le donjon crénelé du château de Beynac domine la Dordogne depuis un éperon rocheux où le village vient s'appuyer. La Roque-Gageac étire ses maisons le long de la Dordogne, tandis que la falaise boisée qui domine le village supporte le château. Aux environs, le château de Fénelon abrita l'enfance de celui qui s'attira plus tard les foudres de ***Bossuet*** et de ***Louis XIV*** par son adhésion au quiétisme et la liberté d'esprit qu'il mit dans son rôle de précepteur du duc de Bourgogne. Le château de Monbazillac élève ses tours blanches au cœur du vignoble qui produit un célèbre vin liquoreux. Bergerac, très proche, évoque un double souvenir, celui du bouillonnant personnage d'***Edmond Rostand***, mêlé à l'ombre du véritable ***Cyrano de Bergerac***, auteur de *l'Histoire comique des États et Empires de la Lune*.

L'Agenais fut également hérissé de bastides qui ont parfois perdu leur allure défensive, telles Tournon-d'Agenais ou Durance. Les remparts de Puymirol, fondé par le comte de Toulouse ***Raymond VII***, furent rasés sous ***Louis XIII***. Vianne a, en revanche, conservé une grande partie de son enceinte. Monflanquin, l'une des nombreuses bastides fondées par ***Alphonse de Poitiers***, frère de ***saint Louis***, comme Villeréal ou Lavardac, couronne une colline.

En Armagnac, Poudenas, joli village où la Gélise forme une cascade, fut doté d'une forteresse au Moyen Age. Remaniée à la Renaissance, elle est aujourd'hui entourée d'un parc planté d'essences rares qui ajoute son charme aux vieilles bâtisses et au moulin qui borde la rivière.

Plantée de pins au XIXe siècle pour stabiliser l'avance des dunes qui bordent l'Atlantique, les Landes offrent de longues plages dont les rouleaux sont appréciés par les amateurs d'émotions fortes. Stations balnéaires et étangs ponctuent la côte, entre Mimizan, Hossegor et Capbreton. La tradition des courses de vaches landaises se perpétue à Mont-de-Marsan, comme à Dax, station thermale prisée depuis l'époque gallo-romaine. Ici encore, les bastides anglaises font face aux bastides d'origine française. Villeneuve-de-Marsan, la capitale de l'Armagnac où s'élabore la fameuse eau-de-vie, a conservé près de l'église fortifiée une tour crénelée qui serait antérieure à la construction de la bastide. A Saint-Justin, la place à couverts, une tour de défense et l'église bordant une rue pavée rappellent le village médiéval, paré ici et là de quelques fenêtres à meneaux.

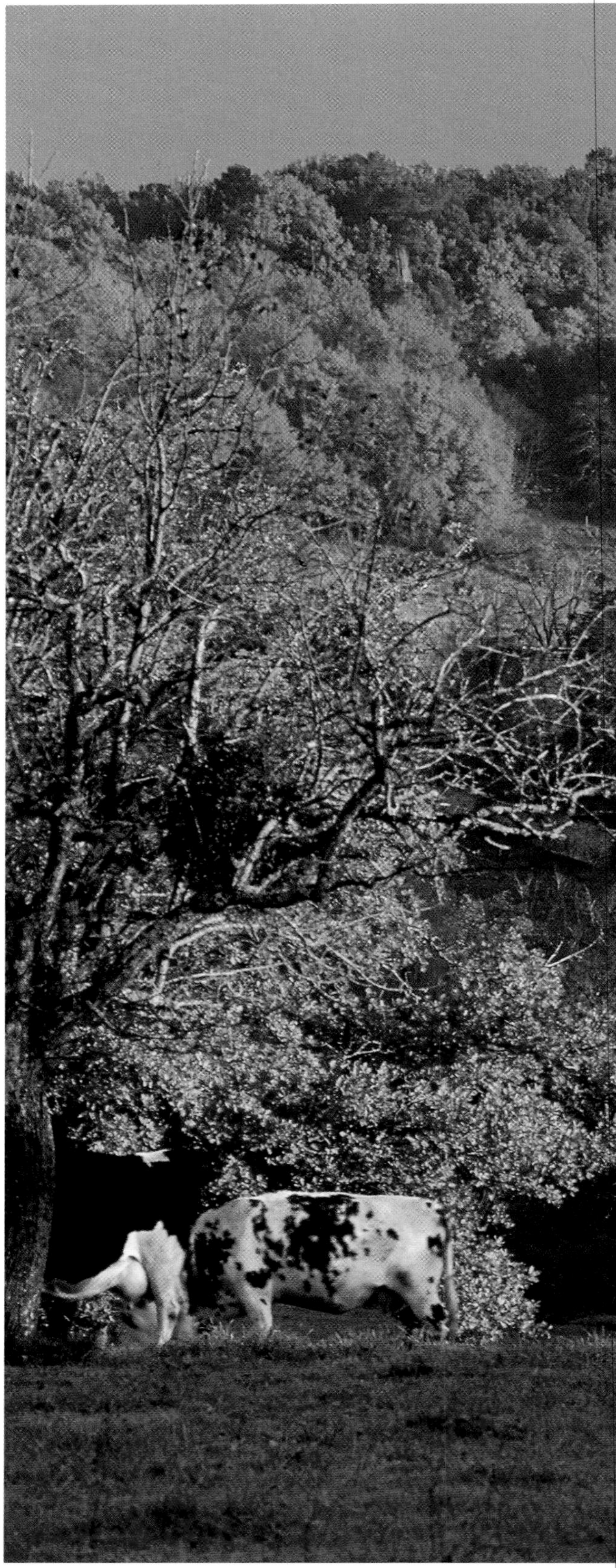

Molières

Cette vue du village périgourdin ne laisse rien deviner de son histoire tumultueuse. Le site appartenait à la puissante abbaye de Cadouin lorsqu'on y éleva une bastide au XIIIe siècle. Mais la population ne se développa guère, encore diminuée par la guerre de Cent Ans puis les guerres de Religion qui y firent rage. Dans son écrin de verdure et de pierres dorées, Molières coule aujoud'hui des jours paisibles, sous le clocher carré de son église, particulièrement imposant.

"La Garonne passe la vieille Toulouse, le vieux Languedoc romain et gothique, et, grandissant toujours, elle s'épanouit comme une mer en face de la mer, en face de Bordeaux", écrivait ***Michelet***. Le profond estuaire de la Gironde baigne le Médoc. L'Entre-Deux-Mers, entre Garonne et Dordogne, le Sauternais qui le prolonge au sud et la région de Saint-Émilion au nord évoquent des appellations plus réputées les unes que les autres. Saint-Émilion est également une charmante ville, qui s'épanouit autour de la place du

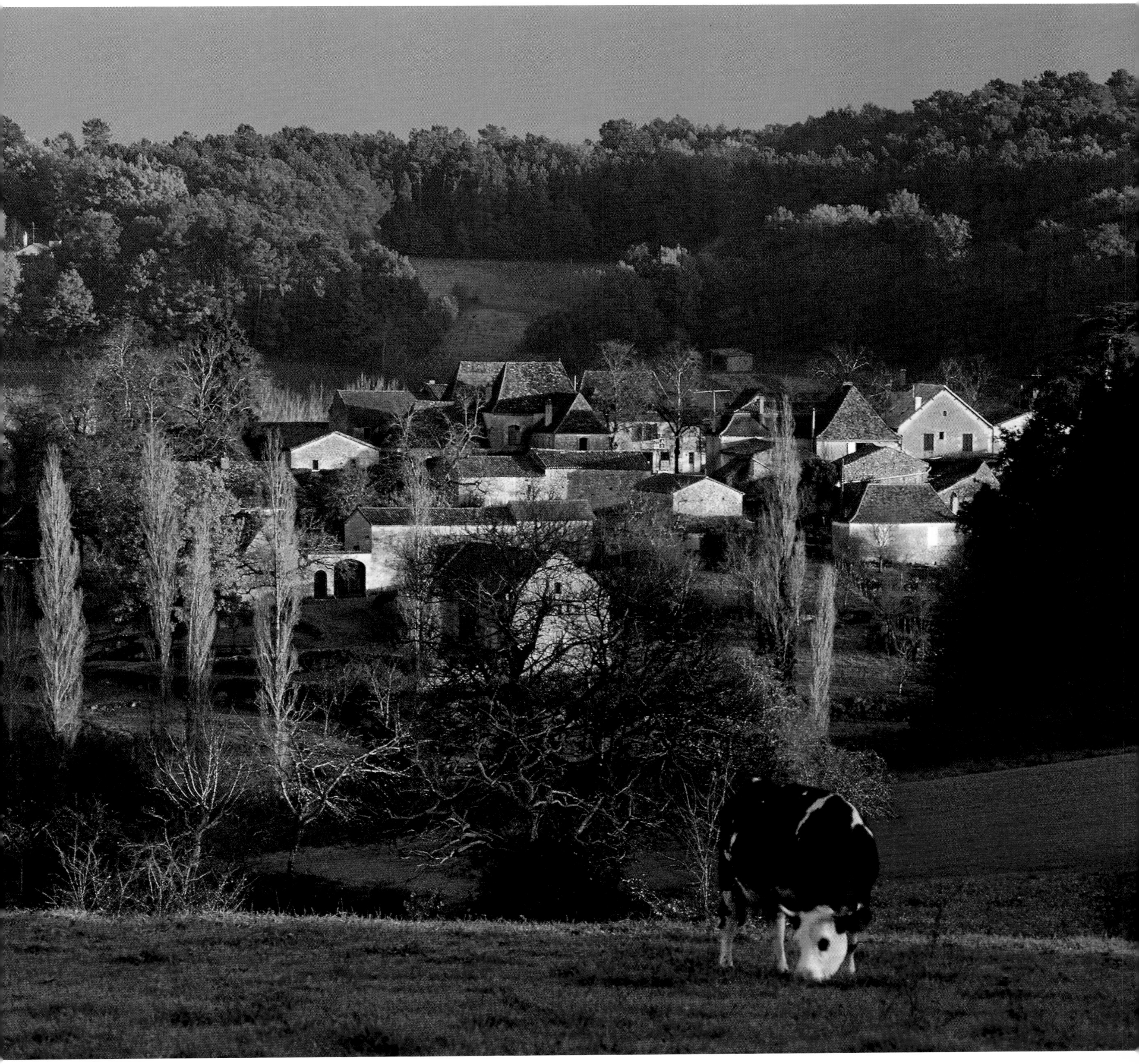

Marché, dans un écrin de remparts. On y aurait cultivé la vigne dès avant notre ère. L'une des rares églises souterraines de France, le Château-du-Roi, une collégiale et des cloîtres renforcent le charme de ses vieilles rues. Le Médoc est émaillé de prestigieux domaines surgissant dans les vignes, dont certains ouvrent leurs chais à la visite : Château-Lafite, Château-Mouton-Rothschild, Château-Beychevelle, Château-Margaux... Le village de Sauveterre-de-Guyenne, en Entre-Deux-Mers, ramène à la route des bastides.

L'exportation des vins de Bordeaux fut toujours le moteur de l'économie de la région. L'esplanade des Quinconces ou les beaux immeubles de la place de la Bourse rappellent que les négociants de la ville durent également une partie de leur fortune au commerce avec les Antilles au XVIIIe siècle, après avoir pratiqué le commerce triangulaire. Autour du bassin d'Arcachon, c'est l'élevage des huîtres que l'on développe depuis des siècles, comme à Andernos, à Gujan-Mestras ou au Cap-Ferret.

Domaine du vin et de la gastronomie, le Bordelais est aussi celui des beaux esprits. ***Montaigne*** naquit à quelques kilomètres de Saint-Émilion et fit ses études à Bordeaux. Il se retira à la fin de sa vie durant une dizaine d'années dans son domaine de Montaigne pour entreprendre l'écriture des *Essais*. L'auteur des *Lettres persanes* et de *L'Esprit des lois*, ***Montesquieu***, vit le jour au château de La Brède, au sud de Bordeaux. Bordeaux fut aussi le berceau de l'écrivain ***François Mauriac***.

Au sud de l'Adour commencent les Pyrénées-Atlantiques. De Bayonne à Pau, de Bidache au col de Somport ou au col du Pourtalet, paysages et villages offrent de multiples facettes, entre une côte dentelée par l'océan, une campagne vallonnée et la haute montagne. L'"Euskadi", le Pays Basque, affirme dans sa traduction française son identité de pays à part entière. Ignorant les Pyrénées, il couvre trois régions en France (Labourd, Basse-Navarre et Soule), et quatre en Espagne (Biscaye, Guipuzcoa, Alava et Navarre).

Partagé par les hasards de l'histoire entre deux royaumes, le Pays Basque a conservé pour devise "Quatre plus trois font un". La langue, dont l'origine laisse les linguistes perplexes, est restée la même des deux côtés de la frontière, comme le fameux jeu de pelote, les danses traditionnelles tel le fandango, ou l'importance de l'"etche", la maison identifiée à la famille, objet de tous les soins. Les deux couleurs du drapeau basque, le vert et un rouge-brun, teintent les pans de bois qui ornent la plupart des habitations.

On retrouve ces couleurs à Bayonne, capitale du Labourd, sur les hautes et étroites façades qui ornent les quais de la Nive. Saint-Jean-de-Luz vit, en 1660, l'union de ***Louis XIV*** et de l'infante d'Espagne, prévue par le traité des Pyrénées. A l'abri d'une rade profonde, le port s'est livré au cours des siècles à toutes les pêches : baleiniers, morutiers, sardiniers et thoniers s'y sont succédé. Ciboure, la "Tête de pont", faisant face à Saint-Jean-de-Luz sur l'autre rive de la Nive, est la ville natale de ***Maurice Ravel***. La beauté de la ville et du site, défendu par le fort de Socoa, séduisit peintres et artistes, comme ***Pierre Benoit*** qui y finit ses jours. Hendaye se campe sur la Bidassoa, formant la frontière entre l'Espagne et la France. La rivière porte le plus petit condominium du monde, l'île des Faisans, gouvernée en alternance tous les six mois par les deux pays. Dans les terres, les façades d'Espelette, capitale du piment, se couvrent en automne de chapelets de fruits rouges que l'on fait sécher au soleil. Aïnhoa, proche du poste-frontière de Dancharia, fut fondé par les prémontrés comme étape sur la route de Saint-Jacques-de-Compostelle. Ses belles maisons blanchies à la chaux et parées de colombages s'ornent parfois de poutres maîtresses portant une inscription ou une date.

Dans la vallée de la Joyeuse, La Bastide-Clairence présente les mêmes maisons blanches à colombages verts et rouges. La capitale de la Basse-Navarre, Saint-Jean-Pied-de-Port, fut la résidence des seigneurs d'***Albret***. Ses maisons se reflètent dans les eaux de la Nive, certaines présentant des façades de grès rouge, comme l'église forteresse Notre-Dame. A proximité des vignobles d'Irouléguy, Saint-Étienne-de-Baïgorry se dresse dans la vallée des Aldudes, les Pyrénées lui faisant une magnifique toile de fond. Après les toits de tuiles, les maisons de la Soule se couvrent d'ardoise. Pays de montagne, la Soule abrite des gorges impressionnantes, telles celles de Kakouetta et d'Holçarté. Mauléon, sa capitale, à l'ombre du château fort qui la domine, est depuis des siècles un centre de production d'espadrilles et de chaussures. Larrau, cerné de pâturages, Sainte-Engrâce et sa belle église romane, ou Arette-Pierre-Saint-Martin et ses pistes de ski, réservent de somptueux paysages. Tout comme Pau, capitale béarnaise qui fut le berceau d'***Henri IV***, offre un panorama magnifique sur les montagnes d'où se détache le pic du Midi d'Ossau.

Labastide-d'Armagnac

La place rectangulaire de Labastide-d'Armagnac, longée de couverts aux belles boiseries, aurait inspiré les architectes de la place des Vosges à Paris. Quelques maisons à colombages s'y dressent encore. Parmi toutes les bastides nées des luttes franco-anglaises aux XIIIe et XIVe siècles, celle-ci, élevée à l'est de Mont-de-Marsan, est l'une des mieux conservées, autour de son imposante église fortifiée.

Pages suivantes

Aïnhoa

Aïnhoa, la "Bonne source", est le type même du village-rue. Autrefois étape sur la route de Saint-Jacques-de-Compostelle, c'était également un grand lieu d'échanges commerciaux entre Bayonne et Pampelune. Les maisons blanchies à la chaux présentent des pans de bois verts ou rouges, les couleurs du drapeau basque. Les toits asymétriques, courants dans la province du Labourd, protègent les façades des pluies et du vent d'ouest dominant ; le cimetière jouxtant l'église abrite les disques de pierre des stèles discoïdales typiques du Pays Basque.

Midi-Pyrénées

Du nord au sud, la région Midi-Pyrénées recouvre huit départements aux paysages bien distincts, menant des plateaux du Lot aux Pyrénées, "la formidable barrière de l'Espagne", selon ***Michelet***, en passant par Toulouse, sa dynamique capitale

Les villages aux pierres dorées du Lot, les manoirs isolés flanqués de tours carrées et de pigeonniers se fondent entre forêts, vignes et champs. Beaucoup portent les hautes toitures de tuiles brunes agrémentées de lucarnes typiques de la région, comme on en trouve à Carennac, très beau village classé. Un peu au sud, après le gouffre de Padirac, Autoire déroule un mélange de maisons à colombages et de vastes bâtisses dans un cirque boisé. Près de la grotte de Presque, dentelée de concrétions, Saint-Céré s'étend autour de la place du Mercadial bordée de maisons anciennes qui ont conservé tout leur cachet.

A l'ouest de Gramat, Rocamadour semble défier les lois de la pesanteur, couronné par sa basilique et ses chapelles. Escaladant les flancs abrupts des gorges de l'Alzou, la ville s'étage jusqu'au sommet en un tableau saisissant. Le site fut dès le XIIe siècle un lieu de pèlerinage important, lorsqu'on y découvrit le corps miraculeusement conservé d'un ermite, ***saint Amadour***, à l'emplacement de l'actuelle chapelle Notre-Dame. Le culte de Notre-Dame de Rocamadour s'étendit, et rois, saints ou pèlerins anonymes vinrent honorer la Vierge noire de la basilique Saint-Sauveur. Lors de la croisade contre les Albigeois, les hérétiques que l'on voulait amender devaient monter à genoux les deux cent seize marches qui relient le village aux sanctuaires. Ravagé pendant la guerre de Cent Ans puis lors des guerres de Religion, Rocamadour connut un long moment d'abandon jusqu'à ce que les évêques de Cahors entreprennent sa restauration, au XIXe siècle. C'est aujourd'hui l'un des sites les plus visités de la région.

Dominé par un robuste château, Lacapelle-Marival conserve un beau quartier médiéval tandis que, dans la vallée du Célé, les maisons d'Espagnac-Sainte-Eulalie composent un ensemble pittoresque autour d'une église au curieux clocher de bois et de briques coiffé d'un toit octogonal.

Les bords du Lot sont parsemés de villages où chaque ruelle offre un détail à voir : fontaine, lavoir, pigeonnier ou four à pain. Près de Fumel, une route mène à travers bois jusqu'à Bonaguil, minuscule hameau couronné par un château fort. Construite à une époque où l'on n'élevait plus que des châteaux d'agrément, la forteresse qui dresse son donjon en forme de navire à l'écart des grandes routes n'a jamais eu à se défendre contre le moindre assaut.

Celle de Saint-Cirq-Lapopie a, en revanche, souvent excité les convoitises. Elle résista à ***Richard Cœur de Lion*** mais fut démantelée par ***Louis XI*** trois siècles plus tard, avant d'être investie par les huguenots. A l'abri de ses fortifications, les artisans, des tourneurs sur bois surtout, formaient la majeure partie de la population dès le Moyen Age. Depuis quelques années, ce sont leurs successeurs et des artistes qui ont largement contribué à restaurer les maisons à encorbellements, ornées de balcons fleuris et cernées de petits jardins qui bordent les ruelles pavées.

Dans le Rouergue, le Lot poursuit sa route dans le département de l'Aveyron, émaillé de villages surplombant des gorges magnifiques. Conques domine l'Ouche, près de son confluent avec le Dourdou. Autour de la somptueuse église Sainte-Foy, vestige d'une abbaye bénédictine qui eut un rayonnement important au Moyen Age, se tisse un lacis de rues pentues, ponctuées de petites places et bordées de maisons de granit ou de schiste aux teintes ocrées. Entraygues-sur-Truyère, un peu à l'est, ou Estaing, où un pont gothique enjambe le Lot, conservent également d'anciennes maisons ravissantes.

Saint-Cirq-Lapopie

La "perle du Quercy" accroche ses maisons à un rocher escarpé qui domine la vallée du Lot. Sa position stratégique lui valut une succession d'assauts durant la guerre de Cent Ans et les guerres de Religion. Mais tous ont préservé sa richesse artistique, reflet de cinq siècles d'histoire. Sous la silhouette de l'église massive, les maisons à encorbellements, aux balcons fleuris, bordent aujourd'hui de paisibles ruelles pavées qui s'emplissent chaque été de visiteurs. Potiers, tisserands et peintres font revivre ce village où les noms évoquent encore les artisans qui l'animaient autrefois, telles les rues Pelissaria (des pelletiers) ou Peyroleria (des chaudronniers).

Les façades d'Estaing allient le schiste, le grès et les galets du Lot, autour d'un château Renaissance. Aux confins de l'Aveyron et de la Lozère, Saint-Côme-d'Olt, beau village fortifié, est dominé par le clocher en vrille de son église. Sainte-Eulalie-d'Olt, très proche, fut peuplée de drapiers et de tanneurs. Tous deux doivent beaucoup de leur charme, et leur nom, au Lot, que l'on appelait autrefois "Olt".

Au sud de Villefranche-de-Rouergue, Najac s'étire sur une corniche surplombant l'Aveyron. Les ruines de son château fort et son église gothique résonnent du souvenir des luttes entre catholiques et cathares et des rivalités franco-anglaises. Malgré cela, Najac conserve beaucoup de demeures du XVIe siècle. Plus à l'est, une partie du plateau du Larzac fut d'abord cédée à l'ordre des Templiers au XIIe siècle puis aux chevaliers de Malte. Ils y élevèrent un village fortifié, La Couvertoirade. Les puissantes murailles enserrent des maisons couvertes de lauzes ou de tuiles, construites dans le calcaire de cette région aride. A l'extérieur, une lavogne, petite mare où s'abreuvent les moutons, rappelle que les habitants du village étaient autrefois pour la plupart des bergers.

Capitale du Tarn, où trônent la cathédrale Sainte-Cécile, toute de briques, et le palais de la Berbie, Albi fut au XIIIe siècle le cadre de luttes sanglantes entre catholiques et cathares. Au début du XIIIe siècle, le roi de France prenait les armes contre son puissant vassal ***Raimond VII***. Le comte de Toulouse était accusé de sympathie pour la doctrine cathare qui s'était répandue sur ses terres. La croisade contre les cathares fut confiée, en 1209, à ***Simon de Montfort***. Celui-ci livra la région à ses mercenaires, pillant et massacrant, jusqu'à écraser les troupes de ***Raimond VII*** au Muret, en 1213. ***Montfort*** se proclama lui-même comte de Toulouse, avant d'être assassiné en 1218. ***Raimond VII*** reprit alors le titre et, pour protéger ses sujets, décida d'élever une nouvelle bastide. Ce fut Cordes, perché sur le puech de Mordagne, à quelques kilomètres au nord d'Albi. Devenue plus tard la résidence de chasse des seigneurs du Languedoc, la ville s'agrandit et fut à la Renaissance un lieu de fêtes, où le commerce prospérait. D'élégantes demeures s'élevèrent le long de la Grand-Rue, voisine de maisons de briques et de torchis, bordant les ruelles tortueuses et escarpées du village.

Carennac

Dans la vallée de la Dordogne, Carennac fut doté au Xe siècle d'un prieuré qui accueillit Fénelon durant une quinzaine d'années. Répertorié par l'association des plus beaux villages de France, Carennac avait déjà séduit Fénelon qui écrivait : "Cet heureux coin de la terre me plaît et rit à mes yeux".

Pages suivantes

Conques

Dominant la vallée de l'Ouche, Conques doit l'ampleur et la beauté de l'église Sainte-Foy à une abbaye bénédictine qui fut au Moyen Age un haut lieu religieux. L'église à trois clochers, d'un très pur style roman, semble aujourd'hui disproportionnée dans ce petit village cerné de forêts mais Sainte-Foy accueillait jadis les pèlerins cheminant vers Compostelle. Elle conserve l'un des plus beaux trésors d'orfèvrerie, dont le joyau est un reliquaire, une statue de bois recouverte d'or et incrustée de pierres précieuses, appelé la "Majesté de Sainte-Foy". Les maisons de Conques, faites de granit ou de schiste, parfois revêtues de colombages ou d'un mortier ocré et couvertes de hauts toits de lauzes, aux bords un peu relevés ont conservé tout le cachet de la cité médiévale.

Les façades aux tons roses, les fenêtres à ogives et à colonnettes, les galeries en étage, laissent flotter un léger parfum d'Italie sur la "ville aux cent ogives". Au cœur du village, la vieille halle évoque l'animation des marchés d'autrefois. On y vendait le cuir et les étoffes travaillés sur place, le pastel et le safran produits dans la région. Cordes s'assoupit ensuite durant de longues années. C'est un peintre, ***Yves Brayer***, qui suscita son réveil au XXe siècle, suivi

par de nombreux artisans et artistes qui ont rendu son animation au village dont le joli nom est en réalité Cordes-sur-Ciel. Au sud d'Albi, Lautrec a toujours eu une vocation de ville commerçante, comme en témoigne la belle place des halles cernée de maisons à encorbellements sur piliers de bois. Ancienne place forte dominant la plaine de Castres, elle ne conserve qu'une porte des fortifications élevées au Moyen Age, et produit, depuis des siècles, un ail rose réputé.

Gaillac se campe sur le Tarn, au cœur de vignobles qui produisent une large gamme de vins, dont des vins blancs réputés. Un peu au nord, Puycelci semble posé sur la forêt de Grésigne. La place forte, érigée sur un plateau, émerge des arbres dans son corset de remparts ceignant des maisons des XVe et XVIe siècles. Penne, autre forteresse médiévale, domine l'Aveyron depuis un piton rocheux qui offre une vue splendide sur les environs.

A proximité, dans le Tarn-et-Garonne, les vieilles maisons de Bruniquel se serrent autour d'un château qui, selon la légende, fut élevé par ***Brunehaut***, fille d'un roi wisigoth devenue reine d'Austrasie. Saint-Antonin-Noble-Val mêle des habitations du Moyen Age au XVIIIe siècle, autour d'une rare demeure du XIIe siècle convertie en musée. Les mêmes rues étroites tissent la ville de Caylus, dressée sur un affluent de l'Aveyron, dans la jolie vallée de la Bonnette. Montauban, ville natale du dessinateur ***Ingres***, lui a consacré un musée dans l'ancien palais épiscopal, construit dans la brique qui donne sa couleur chaude à cette partie du sud-ouest. La bastide fut déclarée place de sûreté protestante en 1570. Aux environs, d'autres bastides offrent encore des rues médiévales organisées autour de vieilles halles, tels Puylaroque, lové sur une colline, Montpezat-de-Quercy et sa superbe place à couverts, Lauzerte, perché sur un éperon, Auvillar et son port sur la Garonne, ou Caussade, devenu un grand centre de chapellerie.

En Armagnac, les bastides fleurirent tout au long du XIIIe siècle jusqu'au milieu du XIVe, au gré des besoins économiques et politiques, notamment des rivalités franco-anglaises nées du mariage d'***Aliénor d'Aquitaine*** avec ***Henri II d'Angleterre***. Entre Mont-de-Marsan, en territoire aquitain, et Auch, capitale du Gers, les deux camps créèrent ainsi des villes fortifiées sur les routes menant du pays toulousaín à la Guyenne.

A l'est, Saint-Clar l'Anglaise se dresse entre Miradoux, Fleurance et Montfort, de création française. Au nord, les Anglais élevèrent Fourcès, entièrement circulaire, face à Montréal, de plan rectangulaire, l'une des plus anciennes bastides françaises et aussi l'une des plus belles. A l'ouest, vers la Guyenne, un front serré fait se côtoyer Mauvezin, Labastide-d'Armagnac, Saint-Gein, Monguilhem et Lias, anglaises, et Saint-Justin, Monclar, Villeneuve-de-Marsan, Rondebœuf et Maguestau, françaises.

Au sud, les créations françaises, plus espacées, sont légion : Plaisance, Bassoues, Marciac, Miélan, Mirande, Pavie, Aujan, Villefranche, Cologne... Tous ces villages, à l'abri de leurs murs d'enceinte, ont conservé leur aspect médiéval. Autour de belles halles à couverts, qui protégeaient hommes et marchandises des intempéries, les ruelles se parent de superbes maisons à colombages, d'églises à l'allure défensive, souvent flanquées d'un clocher octogonal.

Entouré de coteaux où mûrit un raisin parfumé, le chasselas, Moissac abrite l'un des hauts lieux de l'art roman français. L'abbaye de Moissac, passée dans le giron de Cluny au XIe siècle, eut dès lors un rayonnement considérable dans tout le sud-ouest. L'église Saint-Pierre révèle son importance. Le portail méridional est un chef-d'œuvre de l'art roman, comme le cloître adjacent, aux proportions harmonieuses, fermé par soixante-seize arcades aux chapiteaux finement sculptés.

Les Hautes-Pyrénées évoquent les pics, les cols, les gaves et les lacs, une nature préservée, telle qu'elle apparaît dans la réserve de Néouvielle. Proche de la frontière espagnole, le cirque de Gavarnie fait partie de ces sites grandioses qui ont inspiré bien des artistes, "Ce que j'ai vu de plus beau", écrivait ***Flaubert***". Lourdes est mondialement connu pour son pèlerinage. Mais cette région abrite aussi de petites stations thermales et des villages qui méritent d'être découverts.

Argelès-Gazost, parmi ses chalets à hauts toits, conserve le casino et les belles résidences que l'on éleva au XIXe siècle pour les curistes. A proximité, Saint-Savin conserve une remarquable église romane et offre une vue superbe sur les environs depuis une terrasse proche de la place. Cauterets, dont les eaux thermales ont la réputation de tout guérir, s'élève dans un site magnifique, cerné de torrents, de chemins de montagne et, l'hiver, de pistes skiables.

Cordes

Au XIIIe siècle, Philippe Auguste confia à Simon de Montfort la charge de réprimer la doctrine cathare, considérée comme hérétique par l'Eglise catholique, qui s'était répandue sur les terres du comte de Toulouse. Raimond VII, devant les pillages et les massacres perpétrés par les mercenaires de Montfort, décida la construction d'une nouvelle bastide pour protéger ses sujets : il éleva Cordes, à quelques kilomètres au nord d'Albi. La ville prospéra à la Renaissance et se couvrit des élégantes demeures qui font sa beauté. Après un long temps d'abandon, artisans, dentellières, brodeuses, peintres et sculpteurs ont ranimé aujourd'hui les belles ruelles tortueuses et escarpées.

Luz et Saint-Sauveur, station thermale rendue célèbre par les séjours de l'***impératrice Eugénie*** au XIXe siècle, et Barèges, où ***Madame de Maintenon*** vint prendre les eaux, jouissent des mêmes horizons et des mêmes activités. Le domaine skiable de Barèges est relié à celui de La Mongie, la grande station pyrénéenne, tandis que plus à l'est, les chalets de Saint-Lary se sont implantés dans la vallée d'Aure.

Ancienne capitale du Pays des Quatre-Vallées (d'Aure, de Barousse, de Neste et de Magnoac), Arreau est parcourue par de petits torrents qui longent des maisons à encorbellements et à colombages, dont la célèbre maison du Lys à façade Renaissance. Les Romains exploitaient ses gisements de fer et de cuivre, à proximité des carrières de marbre de Campan et de Sarrancolin. Un peu au nord, Bagnères-de-Bigorre fut le berceau des *pyrénéistes*.

La Haute-Garonne, dominée par Toulouse, ancienne capitale des Wisigoths riche des vestiges de sa longue histoire, abrite un site à la curieuse destinée, Saint-Bertrand-de-Comminges. Fondée au Ier siècle par ***Pompée***, la ville qu'on a surnommée le "Mont-Saint-Michel des terres" compta jusqu'à 60 000 habitants avant d'être pratiquement abandonnée jusqu'au XIIe siècle. L'évêque de Comminges, futur ***saint Bertrand***, fit alors élever la cathédrale Sainte-Marie, agrandie plus tard par le futur pape ***Clément V***. La cathédrale, flanquée d'un cloître dont les arcades laissent voir l'horizon des montagnes, renferme de magnifiques boiseries sculptées par les maîtres toulousains du XVIe siècle. Le village se serre sous sa massive silhouette, couronnant une colline, cerné de champs, de vignes et de cyprès, tandis qu'à l'extérieur des remparts s'étendent les vestiges romains. Le palais épiscopal élevé par les évêques de Saint-Bertrand trône toujours dans le petit bourg d'Alan. Plus à l'est, sur les coteaux du Volvestre, Montesquieu et Rieux conservent maisons et églises anciennes. A Rieux, où deux vieux ponts franchissent l'Arize, la tour octogonale de la cathédrale, à étages ajourés, est l'une des plus belles du style toulousain. Saint-Félix-Lauragais, dominant la plaine, regorge de vestiges autour de son château : des pans de remparts, des halles du XIVe siècle, des moulins, aujourd'hui désarmés, et des maisons à colombages, restaurées par les artisans qui animent le village. Le premier concile cathare s'y serait tenu en 1167.

Aurignac

Le village se détache sur la toile de fond colorée des Pyrénées. Il abrite les vestiges d'un donjon médiéval qui offre un panorama magnifique sur les environs. Mais ce n'est pas la beauté du site qui a fait la célébrité de ce bourg de Haute-Garonne. L'aurignacien désigne une période du paléolithique depuis que l'on a mis au jour ici des os et des outils taillés, peu de temps avant la découverte de l'homme de Cro-Magnon, leur contemporain, aux Eyzies-de-Tayac en Dordogne.

En Midi-Pyrénées, c'est bien sûr l'Ariège, bordant le Languedoc, qui recèle les témoignages cathares les plus nombreux et les plus impressionnants. Aux environs de Foix, les châteaux qui abritèrent les Parfaits et leurs disciples abondent. Ils se dressent souvent sur des pics rocheux, nids d'aigle spectaculaires surveillant les routes, comme Roquefixade, Lordat ou

Montségur, symbole de la fin du catharisme. En 1244, ses derniers partisans, réfugiés à Montségur, furent délogés de leur abri et amenés jusqu'au bûcher où tous périrent, emportant le secret d'un mystérieux trésor qu'ils auraient eu le temps de dissimuler. Mirepoix, haut lieu cathare également, abrite aujourd'hui de belles maisons à colombages autour d'une place à couverts.

Noyée à la fin du XIIIe siècle par la rupture du barrage retenant les eaux du lac de Puivert, la cité fut reconstruite un peu en retrait de l'Hers, petite rivière que l'on retrouve à Camon. Une légende attribue la création de Camon à ***Charlemagne***. C'est en tout cas autour d'un monastère fondé au VIIIe siècle que se développa le village cerné de remparts, joliment étagé sous son château.

Languedoc Roussillon

"C'est une bien vieille terre que ce Languedoc. Vous y trouvez partout les ruines sous les ruines ; les Camisards sur les Albigeois, les Sarrasins sur les Goths, sous ceux-ci les Romains, les Ibères," écrivait ***Michelet***. Depuis le Roussillon, qui couvre à peu près les Pyrénées-Orientales, en passant par les reliefs de l'Aude, les plaines de l'Hérault et du Gard, jusqu'aux contreforts cévenols de la Lozère, une longue histoire s'inscrit dans la pierre. Les Romains, les Wisigoths et les Sarrasins y ont tous laissé la trace de leur culture. Plus tard, la frontière fut longtemps incertaine entre la France et l'Espagne, faisant de la Catalogne un monde un peu à part, dans sa langue et ses traditions. Le mouvement cathare, comme les calvinistes, y trouva un large écho. Peut-être la rigueur de ces doctrines s'harmonisait-elle particulièrement avec ces terres baignées dans la chaleur méditerranéenne mais aux paysages rudes, à la beauté austère plus que douce. Chacune de ces régions présente des habitations d'un type différent. Maisons de montagne, couvertes de toits de lauzes, maisons de calcaire des Causses ou maisons de vignerons, toutes ont leurs formes, leurs teintes et leurs charmes particuliers.

A quelques kilomètres de l'Espagne, dans un cirque de la vallée du haut Tech, Prats-de-Mollo se serre autour de la Maison des rois d'Aragon, non loin de la place del Rey. Les fortifications de la ville haute, ceignant de belles rues médiévales, furent renforcées au XVIIe siècle par ***Vauban***. C'est lui encore qui fonda Mont-Louis, après le traité des Pyrénées par lequel l'Espagne cédait le Roussillon à la France, partageant la Cerdagne entre les deux pays. La formidable forteresse bâtie à 1 600 mètres n'eut jamais à prouver son efficacité, pas plus que Villefranche-de-Conflent, au contraire encaissé dans une vallée profonde au confluent de deux rivières. Le village rectangulaire, déjà abrité par de hautes murailles, fut lui aussi renforcé par ***Vauban*** à la même époque. Ce corset sévère a préservé les rues étroites, bordées de façades qu'embellissent parfois fenêtres à meneaux et vieilles enseignes. La façade de l'église Saint-Jacques, au portail de marbre rose que l'on retrouve en colonnettes sur certaines maisons, et des échauguettes de brique ajoutent leur note de couleur à cet ensemble pittoresque. C'est de Villefranche que part le "petit train jaune" qui sillonne la Cerdagne pour le seul plaisir des visiteurs.

La Roque-sur-Cèze

La Cèze, petit affluent cévenol du Rhône, présente en amont de La Roque des gorges magnifiques. Le village, piqueté de cyprès, se blottit autour d'une belle chapelle romane sur une butte qui domine la rivière.

Deux magnifiques abbayes médiévales s'élèvent à proximité du mont Canigou, culminant à près de 3 000 mètres ; les Catalans en ont fait leur "Olympe". Les églises de Saint-Martin-du-Canigou et de Saint-Michel-de-Cuxa sont toutes deux couronnées par une tour carrée et crénelée, dans un site somptueux. Sur les contreforts du mont, Castelnou surplombe un piton rocheux, ceint par des remparts du XIIIe siècle. Les ruelles, bordées de maisons aux pierres ocres, sont aussi pentues que celles d'Eus – que l'on prononce Eousse –, près de Prades. Ici, les escaliers raides et les rues pavées de galets dévalent une soulane (un versant exposé au soleil), dans un écrin de vignes plantées en terrasses. Au sommet, l'église du XVIIIe siècle voisine avec les ruines des fortifications qui protégeaient jadis un château des comtes de Cerdagne. Les maisons couvertes de tuiles, faites du granit qui leur sert de socle, s'étagent jusqu'à la vallée où s'élève une belle chapelle romane.

Gruissan

Au sud de Narbonne-Plage, Gruissan s'est bâti en couronne autour du rocher qui porte la tour Barberousse. Bordant un étang et un marais, le village de pêcheurs est relié à la mer par un chenal. Ses maisons typiquement méditerranéennes, blotties les unes contre les autres, ont le charme des vieux villages languedociens. Une station balnéaire, moins séduisante, a été élevée en partie sur pilotis à proximité, ainsi qu'un port de plaisance.

La Côte Vermeille, entre Argelès et Cerbère, à la frontière espagnole, est aussi réputée pour ses embouteillages en été que pour la beauté des paysages qu'elle révèle. Entre le massif des Albères et la Méditerranée, ports et plages se succèdent le long d'une côte découpée. Collioure en est l'un des plus beaux exemples. C'était au début du XXe siècle le rendez-vous de nombreux peintres, dont ***Derain***, ***Picasso*** ou ***Foujita***. Le dôme rose de l'église Saint-Vincent, surplombant le bleu de la mer, et le vieux quartier du Mouré inspirent encore artistes et visiteurs. Aux environs de Banyuls, les collines se couvrent de vignobles qui donnent un vin doux, comme celui de Rivesaltes, au nord de Perpignan.

Plus au nord, dans les Corbières, garrigues et vignes alternent, couvrant l'Aude jusqu'à Narbonne. Là se niche un petit village rendu célèbre par un conte d'***Alphonse Daudet***, qui s'était lui-même inspiré du félibre ***Joseph Roumanille***. Cucugnan n'est pas en Provence mais en plein pays cathare, entre Quéribus et Peyrepertuse. Le donjon de Quéribus, protégé par trois enceintes, se dresse sur un piton d'où l'on peut apercevoir la Méditerranée, à quelque trente kilomètres. Peyrepertuse fut l'une des plus formidables citadelles qui défendirent, au gré de l'histoire, le nord du royaume espagnol ou le sud de la France, après son rachat par ***saint Louis***. Perchée sur une crête des Hautes-Corbières, la forteresse forme un gigantesque vaisseau de pierre d'où la vue est vertigineuse. Bien d'autres sites cathares aussi spectaculaires émaillent la région, comme Puilaurens ou le château de Termes, dont la chute fut un épisode décisif dans la croisade de ***Simon de Montfort***.

Lagrasse, un peu au nord, soutint en revanche le parti catholique. Une abbaye s'y était élevée dès le VIIIe siècle. Une légende attribue sa fondation à ***Charlemagne***, ce qui reste douteux ; elle connut en tout cas un fort développement jusqu'au XIIIe siècle. Le village, qui s'est étendu sur l'autre rive de l'Orbieu, conserve des restes de remparts du XIVe siècle, des maisons et des halles de la même époque. Les venelles qui abritent aujourd'hui beaucoup d'artisans sont ornées çà et là de fontaines, de fenêtres à meneaux et de poutres sculptées embellissant des façades de calcaire coiffées de tuiles.

A l'ouest de Carcassonne, Bram, petite place forte médiévale construite en rond autour de son église, comptait beaucoup de tenants du catharisme. ***Simon de Montfort*** y déploya une cruauté qu'il voulait exemplaire : il fit crever les yeux des prisonniers, leur fit couper les oreilles et le nez. La cité de Carcassonne est un superbe témoignage des constructions médiévales, à l'abri de ses fameuses tours. ***Viollet-le-Duc*** a beaucoup, trop pour certains, contribué à sa restauration. De même Narbonne, qui offre quelques beaux vestiges autour de la cathédrale Saint-Just.

Un peu au sud de Béziers commence le département de l'Hérault. Minerve abritait au Moyen Age le château des comtes du Minervois, région de vignoble en bordure de la Montagne Noire. Campé au confluent de deux rivières sur un éperon aride, en un site tourmenté, le village dut capituler devant les troupes de ***Simon de Montfort***, qui avaient réussi à le priver d'eau en détruisant son unique puits. Les maisons solides, hautes et à toits plats, sont toujours dominées par la "candela", le donjon de l'ancien château. L'église romane renferme de précieux et rares vestiges du Ve siècle.

Au cœur des monts de l'Espinouse, La Salvetat-sur-Agout, bien que perché aussi, est cerné de pentes plus douces. Le village fut créé autour d'un prieuré au XIe siècle. Il conserve des vestiges de remparts et de vieilles maisons couvertes d'ardoise, comme Fraisse, un peu plus loin sur l'Agout.

Saint-Guilhem-le-Désert, à l'est de Lodève, est à juste titre l'un des villages les plus visités de la région. Coulée de maisons ocres aux toits de tuiles, Saint-Guilhem s'étire entre des falaises arides dans la gorge étroite du Verdus, petit affluent de l'Hérault. L'ancienne Gellone doit son nom actuel à ***Guillaume***, comte de Toulouse et duc d'Aquitaine. En 804, séduit par la beauté austère et l'isolement du site, il fonde un monastère où il se retire quelques années plus tard pour terminer sa vie dans le recueillement. Mais ***Guillaume d'Orange***, petit-fils de ***Charles Martel*** et compagnon de ***Charlemagne***, s'est d'abord illustré dans l'art de la guerre – notamment face aux Sarrasins – comme le relate une chanson de geste. La popularité de son fondateur et la présence dans ses murs d'une relique de la Croix, offerte par l'empereur, font la renommée de l'abbaye.

Bram

Ce village de l'Aude s'élève à mi chemin entre Castelnaudary et Carcassonne. Il doit son plan parfaitement concentrique et ses rues étroites enserrant l'église à sa vocation de place forte au Moyen Age. Paisible bourg du Lauragais, il fut le cadre de terribles luttes au XIIIe siècle, aux pires heures de la répression des cathares.

Villefranche-de-Conflent

Contrairement à la plupart des sites fortifiés des Pyrénées, Villefranche n'occupe pas une hauteur mais une vallée encaissée, dont le village défendait l'accès dès le XIe siècle. Les fortifications, renforcées au XVIIe siècle par Vauban, enserrent un bel ensemble de maisons médiévales, à proximité de Saint-Martin-du-Canigou et de Saint-Michel-de-Cuxa, les deux hauts lieux mystiques de la région.

Pages suivantes

Saint-Guilhem-le-Désert

Ce très beau village, proche de Lodève, s'est développé, comme beaucoup autrefois, autour d'une abbaye, construite au IXe siècle. Il doit son nom à son fondateur, Guillaume, comte de Toulouse et duc d'Aquitaine. Saint-Guilhem abritait autrefois beaucoup de sériciculteurs. Ce sont aujourd'hui des artistes et des artisans qui ont investi ses rues aux maisons ocrées, dédale de pierre et de végétation ancré dans un paysage magnifique.

Après les troubles du Xe siècle, elle se développe brillamment, étendant son influence et ses possessions tandis que le village prospère. Les pèlerins du Moyen Age y font étape sur la route de Compostelle ; à la même époque, entre le XIe et le XIIIe siècle, on attache au monastère puis au village le nom de ***Guillaume***.

En 1569, Saint-Guilhem est investi par les protestants. L'abbaye, déjà en déclin depuis la pratique des commendes, est désertée. Elle est restaurée et retrouve son rayonnement à la fin des guerres de Religion puis les bâtiments sont démantelés sous la Révolution. Bien que les vestiges conventuels soient inscrits à l'inventaire des Monuments historiques dès 1840, c'est au milieu du XXe siècle seulement que l'on entreprend leur mise en valeur. Saint-Guilhem devient alors un rendez-vous des amateurs de sites spectaculaires et de ruelles pittoresques. Les hauteurs environnantes permettent de découvrir l'ensemble des terrasses et toitures s'étageant sous l'église et son cloître. Au long des rues étroites et des traverses, les maisons médiévales allient la robustesse de l'architecture cévenole aux ornements Renaissance : chapiteaux sculptés, fenêtres à meneaux ou portes aux linteaux ouvragés. Le village fut longtemps voué à la sériciculture.

L'élevage du ver à soie fut également répandu dans les Cévennes, comme à Saint-Jean-du-Gard, jolie petite ville des bords du Gardon. Si l'Aude est imprégnée du souvenir des luttes entre cathares et croisés, les Cévennes furent longtemps un lieu de conflit entre catholiques et camisards, nom donné aux protestants cévenols. Avant même la révocation de l'Édit de Nantes qui interdit leur culte en 1685, les nombreux réformés de la région furent victimes de persécutions, jusqu'aux terribles "dragonnades" organisées par ***Louis XIV***. Les places de sûreté protestantes autorisées depuis près d'un siècle furent particulièrement touchées, tels Mas-Soubeyran ou Mialet. L'un des chefs des camisards naquit près d'Alès, au Mas-Soubeyran, où un musée évoque cette période sombre. Mialet, tout proche, conserve de vieilles maisons à l'allure solide, construites sur trois niveaux à l'époque où ses habitants élevaient des vers à soie. Le dernier étage leur était réservé, les hommes vivaient en-dessous, et le bas était occupé par l'étable et les réserves.

Racine séjourna dans sa jeunesse à Uzès, dans les Garrigues. Sa famille l'avait confié à un parent vicaire pour tenter de le détourner d'une carrière théâtrale.

Bien plus tard, ***André Gide*** vint y passer des vacances chez sa grand-mère paternelle. Près d'Uzès, la vallée de la Cèze possède de jolis villages comme Lussan, où l'on filait également autrefois la laine et la soie.

En remontant vers l'Auvergne, on passe dans les Cévennes lozériennes, bordées à l'ouest par les Grands Causses. Ces vastes plateaux calcaires où paissent les

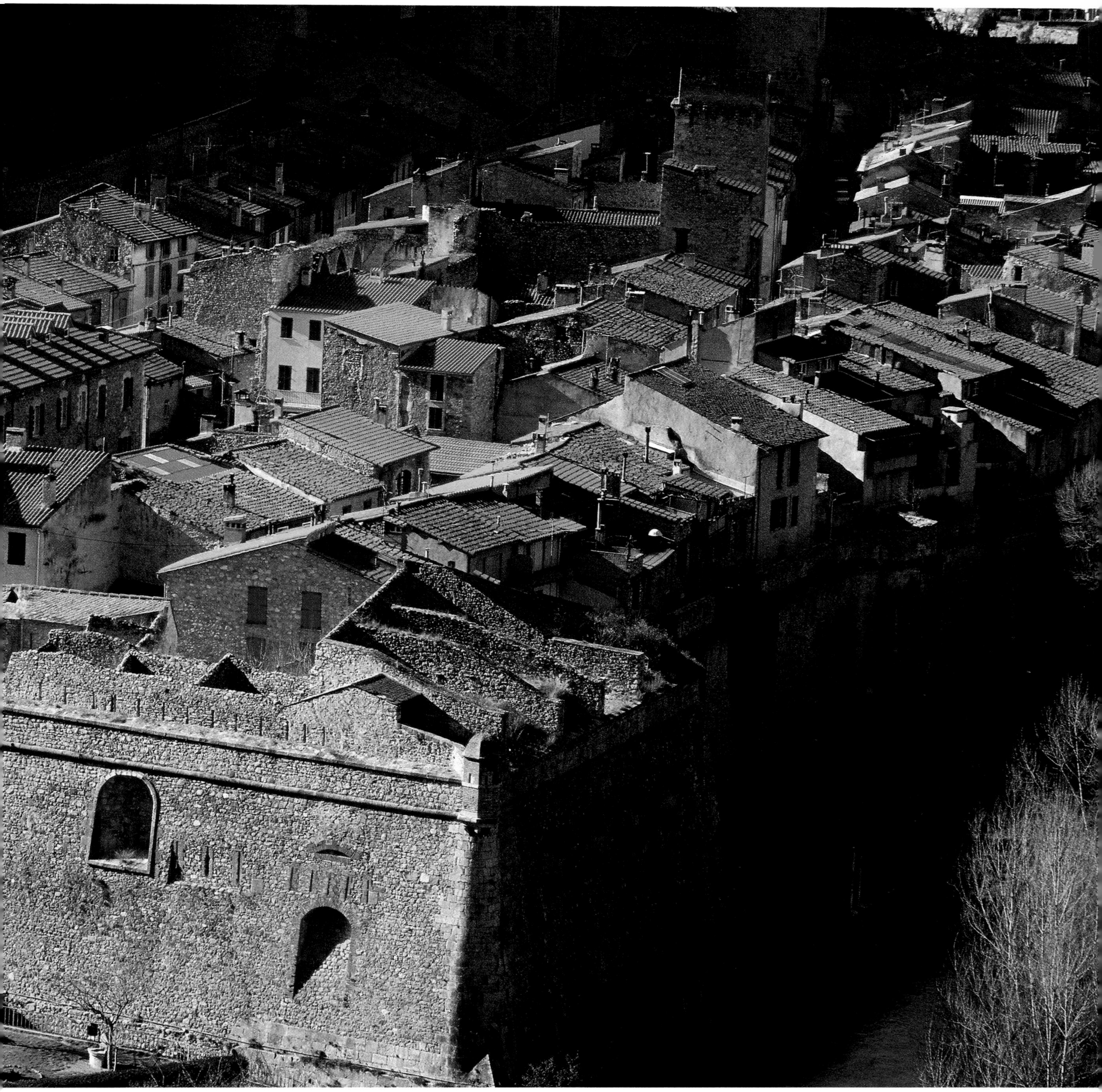

brebis dissimulent des merveilles tels les grottes de Dargilan ou l'aven Armand, aux concrétions fantasmagoriques. A l'est, le mont Lozère déploie ses reliefs, où les maisons se sont fondues dans le granit qui forme par endroit des chaos étonnants. Si la Lozère est le département le moins peuplé de France, elle ajoute à la beauté de ses paysages celle de villages comme La Canourgue ou Sainte-Énimie, construite sur les pentes abruptes des gorges du Tarn. ***Énimie***, sœur de ***Dagobert***, aurait fondé un monastère à proximité, dans le Gévaudan, après avoir été guérie de la lèpre par les eaux miraculeuses d'une source. Sur les bords du Lot, Mende, la seule grande ville de la région, a conservé de jolies ruelles anciennes autour de sa cathédrale.

Provence
Côte d'Azur

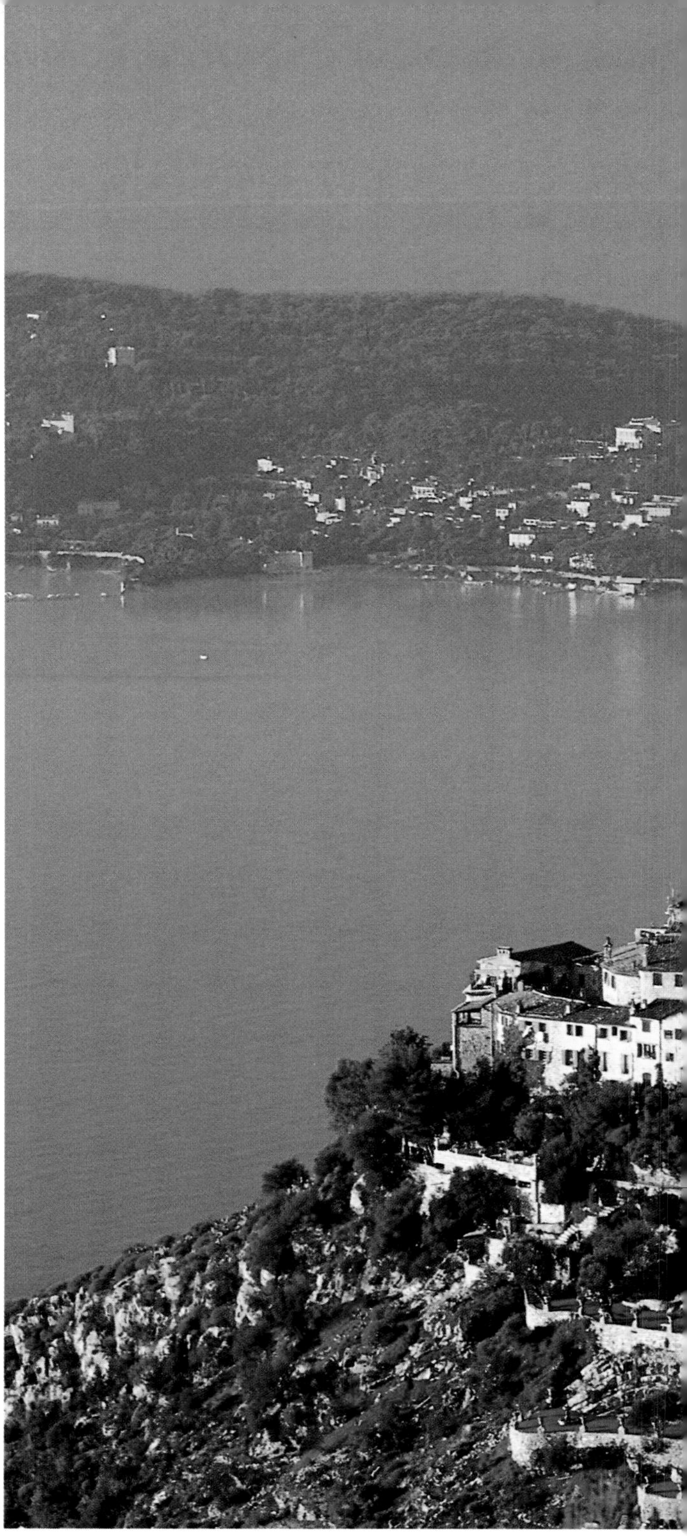

Èze

Au cœur de la Riviera, entre Nice et Menton, le village domine la Méditerranée de quatre cents mètres de haut. Un sentier descendant jusqu'à la mer porte le nom de Frédéric Nietzsche, qui écrivit ici une partie de son Zarathoustra. Nous devons la beauté de ces villages perchés à la prudence des bâtisseurs d'autrefois. Il s'agissait, alors, de construire hors d'atteinte des pirates qui dévastaient la côte.

"La Provence a visité, a hébergé tous les peuples. Et ils n'ont plus voulu se rembarquer. Le Grec, l'Espagnol, l'Italien (...) ont préféré les figues fiévreuses de Fréjus à celles d'Ionie ou de Tusculum", écrivait ***Michelet***. Creuset où se sont mêlés tous les peuples méditerranéens, la Provence s'est nourrie de siècle en siècle de leur diversité. Elle est d'ailleurs, par son histoire, sa géographie, son relief, sa végétation et ses constructions, beaucoup plus complexe qu'on ne l'imagine généralement. C'est d'abord un bouquet de couleurs : blanc des pierres, des maisons et des garrigues, rouge des tuiles, bleu du ciel, argent des oliviers, jaune des mimosas, mauve de la lavande. Puis viennent les arômes, ceux des fleurs que les parfumeurs de Grasse transforment en fragrances, et des herbes qui relèvent la cuisine méridionale : thym (appelé ici farigoule) ou romarin. Elle évoque des collines brûlant sous le soleil, des villages baignés par le chant des cigales et l'accent des personnages de ***Pagnol***. Mais la Provence est aussi un univers de montagne, celui des Alpes, d'une mer mythique, la Méditerranée, ourlée de plages et de criques, et des vastes étendues de la Camargue. Ici, les bastides, mas ou cabanons, faits de pierres sèches ou crépis d'ocre et couronnés de tuiles romaines, n'offrent que de petites ouvertures aux assauts du soleil et du mistral. Les haies de cyprès qu'on aperçoit de loin en loin tentent elles aussi d'enrayer la force de ce vent, qu'on appelle tramontane dès qu'il passe la frontière languedocienne.

Dans leur variété, les paysages provençaux ont en commun une âme façonnée par le climat et les hommes de la Méditerranée. "Ce n'est pas sans raison que la littérature du Midi, au XIIe et au XIIIe siècle, s'appelle la littérature provençale. On vit alors tout ce qu'il y a de subtil et de gracieux dans le génie de cette contrée. Mais la Provence entière (...) s'est rencontrée dans ***Mirabeau***, le col du taureau, la force du Rhône", écrivait encore ***Michelet***.

La cour des comtes de Provence et, au XVe siècle, celle du ***roi René*** particulièrement, fut le lieu de tous les raffinements. Aix a conservé de son rôle de capitale provençale de beaux hôtels, bordant des rues et des places à découvrir au hasard d'une promenade. ***Mirabeau*** fut député de la ville "aux mille fontaines", où naquirent ***Vauvenargues*** et ***Paul Cézanne***, qui y passa sa jeunesse. C'est au collège d'Aix qu'il prit sous sa protection un nouveau venu, ***Émile Zola***. Une longue amitié suivit, et une précieuse correspondance. ***Cézanne*** revint fréquemment en Provence, parcourant les bords de l'Arc et la Montagne Sainte-Victoire. Il en a laissé des représentations célèbres, dont les ocres rouges devraient leur vérité à la terre qu'il prélevait sur la colline pour la mélanger à ses couleurs.

A l'ouest, après Marseille et l'étang de Berre, se déploient le delta du Rhône et la plaine de Camargue, née des alluvions charriées par le fleuve. Domaine des gardians, des manades et des chevaux, la Camargue offre une flore et une faune étonnantes. Chaque année en mai, le pèlerinage des Saintes-Maries-de-la-Mer attire des foules, dont beaucoup de Gitans venus rendre hommage à leur protectrice, ***Sara***. En compagnie de ***Marie Jacobé*** et ***Marie Salomé***, ***Sara***, dérivant sur un bateau sans voiles ni rames, aurait miraculeusement échoué sur ce rivage. On commémore l'événement par des cérémonies et des processions où apparaissent les costumes d'Arles, grande ville des portes de la Camargue. Un peu à l'est, la chaîne des Alpilles découpe ses crêtes arides, ses flancs blancs de calcaire parsemés de pins.

Après Fontvieille et le moulin de ***Daudet***, les Baux-de-Provence apparaissent sur un éperon rocheux. Le village, aujourd'hui presque désert, s'est construit à l'ombre d'une vaste forteresse dont les ruines dégagent une atmosphère fantomatique. Habité dès le néolithique, le site était en lui-même une place forte, avant qu'une puissante famille provençale n'y dresse une citadelle au Moyen Age. Les seigneurs des Baux étendaient leur domination sur des dizaines de villes au XIe siècle. Leurs ambitions sans bornes firent mener aux habitants une vie mouvementée, allant de batailles en sièges jusqu'au XVe siècle. Les Baux passèrent alors aux mains du ***roi René*** qui y installa une cour d'amour réputée puis, la Provence étant devenue une possession du roi de France, le village put enfin connaître des jours paisibles.

Après Beaucaire et Tarascon, deux noms qui évoquent encore les récits de ***Daudet***, on atteint Avignon, que l'écrivain décrit dans les *Lettres de mon moulin*. "Qui n'a pas vu Avignon du temps des Papes n'a rien vu. C'étaient le tic-tac des métiers à dentelles, les petits marteaux des ciseleurs de burettes, les tables d'harmonie qu'on ajustait chez les luthiers, les cantiques des ourdisseuses ; par là-dessus le bruit des cloches, et toujours quelques tambourins qu'on entendait ronfler, là-bas, du côté du pont."

Au nord du Comtat Venaissin, les ruelles de Séguret, proche des Dentelles de Montmirail, offrent une jolie promenade parmi ses maisons anciennes et ses fontaines. Comme, au pied du mont Ventoux, Malaucène et sa vieille église. Le mont Ventoux, montagne de craie balayée par le mistral, fut dans l'antiquité un lieu de culte dédié au dieu du vent. La beauté aride du site a séduit ***Pétrarque***, qui se lança dans l'ascension de ses deux mille mètres.

Au XIXe siècle, ***Fabre***, un entomologiste, passa sa vie entière à étudier la flore particulièrement variée qui couvre ses pentes. Le panorama saisissant qu'offre le sommet du mont Ventoux rappelle quelques lignes d'une nouvelle de ***Daudet***, *Les Étoiles* : "Si vous avez jamais passé la nuit à la belle étoile, vous savez qu'à l'heure où nous dormons, un monde mystérieux s'éveille dans la solitude et le silence. Tous les esprits de la montagne vont et viennent librement." Au fil des saisons, les abords du mont s'animent de la même façon depuis des siècles : la transhumance des brebis au printemps, les lignes bleu-mauve des champs de lavande en été, les vendanges des côtes du Ventoux en automne, la cueillette des olives en hiver. Les villages de Brantes, Bédoin et Flassan échelonnent leurs maisons aux pierres ocres, leurs clochers, leurs petites places ombragées sur ses contreforts.

Au nord du plateau d'Albion, Montbrun-les-Bains, bien qu'appartenant à la Drôme, présente tous les caractères d'un village provençal. Depuis le sommet d'une colline dominée par les ruines d'un château, ses maisons s'étagent jusqu'à la plaine, piquée de cyprès. Le seigneur de Montbrun fut au XVIe siècle un protestant convaincu, qui fut exécuté pour s'être livré à des représailles contre les catholiques après la Saint-Barthélemy. Montbrun est aujourd'hui un havre de verdure dans cette région aride.

Roussillon

Au nord du Luberon, Roussillon domine le Val des Fées, cerné par les carrières d'ocre qui ont fait sa réputation. Toutes les nuances de l'ocre, du jaune pâle au rouge, colorent les façades du petit village aux maisons serrées. Passages voûtés et ruelles escarpées, tout ici inspire à flâner à l'abri du soleil provençal.

Mélange de forêt et de rocaille, le Luberon regorge de villages perchés sur un éperon rocheux, dressés dans un paysage où le pin, le micocoulier, le cèdre et l'olivier voisinent avec le thym, la lavande et le romarin des garrigues. La pierre un peu rosée des maisons, les rues sinueuses aux passages voûtés, les

parfums y distillent entre soleil et ombre tout le charme de la Provence. Ainsi Oppède-le-Vieux, Lourmarin, Ansouis et Lacoste, dont le ***marquis de Sade*** fut châtelain. A Ménerbes, s'étirant en longueur sur son promontoire, de belles maisons et quelques magnifiques hôtels entourent une citadelle qui fut très disputée durant les guerres de Religion. Depuis la vieille église, on peut apercevoir Gordes, accroché au rebord du plateau du Vaucluse. Gordes, construit autour d'un château d'origine médiévale, couronne une falaise. Ce château, remanié au XVIe siècle, avait séduit le peintre ***Vasarely***, concepteur du cinétisme.

Depuis les années 1960, ses salles abritent un musée consacré à son œuvre. Vestige des anciennes murailles, un chemin de ronde permet d'embrasser du regard la plaine qui s'étend au pied du village, d'Apt à Cavaillon, et le mont Ventoux. Sériciculteurs et tisserands animaient autrefois la ville tandis que, aux alentours, on cultivait l'olivier et la garance; de cette dernière, on extrait une teinture rouge.

Un peu au sud s'élève le village des bories. Ces petites cabanes de pierres sèches, rondes, en forme de cônes, rectangulaires ou carrées ont servi, selon les époques, de refuge pendant les périodes de troubles, d'abri de passage aux bergers ou de remises. Elles sont répandues dans tout le sud de la France et dans le Lubéron notamment, mais les bories de Gordes ont la particularité de se présenter comme une vaste ferme. A l'intérieur d'une cour fermée, chacune a sa fonction déterminée : maison, four à pain ou dépendance. A quelques kilomètres se dresse l'un des chefs-d'œuvre de l'art cistercien, l'abbaye de Sénanque. ***Pétrarque*** vécut longtemps à proximité d'une autre merveille, naturelle celle-là, la résurgence de Fontaine-de-Vaucluse ; il ne pouvait se résoudre à s'éloigner de son impossible amour, ***Laure***, dont beaucoup de ses poèmes célèbrent la beauté. Les façades de Roussillon, un peu à l'est, se parent de toute la gamme des couleurs de l'ocre, du jaune au rouge. Les carrières des environs exportent largement leur production hors de la région.

Entre la vallée de la Durance et l'aride montagne de Lure, le minuscule village de Lurs fut autrefois la résidence d'été des évêques de Sisteron. C'était alors une ville active, animée par les artisans et les bergers. Aujourd'hui, une Rencontre internationale d'Arts graphiques se tient chaque été à Lurs, aux belles maisons à encorbellements et aux petites places ombragées. Les romans de ***Giono***, né à Manosque, sont imprégnés des paysages sauvages qui l'entourent – roches calcaires, ponctuées d'oliviers, de thym et de lavande – écrasés de soleil en été et parcourus par le mistral en permanence.

Moustiers-Sainte-Marie fut très renommé au XVIIIe siècle pour ses faïenceries. On peut admirer des pièces anciennes dans une superbe crypte aménagée en musée, ou visiter les boutiques et ateliers qui perpétuent la tradition. Fondé par une colonie de moines au Ve siècle, Moustiers est veillé par la chapelle Notre-Dame-de-Beauvoir, bâtie sur la falaise qui domine le village.

Simiane-la-Rotonde

La "rotonde" qui couronne Simiane est le vestige d'un château du XIIe siècle. Elle sert aujourd'hui de cadre à un festival de musique ancienne chaque été. Accrochées au flanc d'une colline, les rues du village s'ornent de portes ouvragées, d'entrées voûtées, de petites fenêtres aux volets clos sur le soleil provençal, tandis qu'alentour lavande et oliviers évoquent les paysages des romans de Giono.

Le chemin qui y mène permet de découvrir toute la beauté de ce site. Le lit d'un torrent coupe la falaise en deux ; tendue d'un bord à l'autre, une chaîne ornée d'une étoile aurait été posée là en remerciement par un chevalier à son retour de Terre Sainte. Des ponts enjambant le torrent qui court dans le village, des rues

étroites et des passages voûtés, des façades enduites de chaux, une église au clocher ajouré de fenêtres géminées... Moustiers possède tous les attraits du village-labyrinthe, posé entre une muraille minérale et la douceur de la campagne. Après avoir été la villégiature d'hiver des aristocrates au XIXe siècle, la Côte d'Azur s'est couverte de constructions contestables au milieu du XXe siècle. Il fallait héberger les touristes venus goûter en masse les joies de la "Grande bleue". Mais la côte, et l'arrière-pays surtout, conservent heureusement des villages, des ports, et des plages de charme.

La corniche des Maures permet de découvrir Le Lavandou, petit port au nom parfumé, la belle plage de Pampelonne, proche de Ramatuelle, où repose ***Gérard Philipe*** ou Saint-Tropez, devenue Saint-Trop' lorsque, après ***Colette*** et ***Cocteau***, les artistes en firent leur lieu de ralliement dans les années 1950.

Une autre route en corniche sillonne le massif de l'Esterel, entre Saint-Raphaël et Cannes. Des pinèdes escaladent ses reliefs tourmentés, bien que peu élevés, plongeant dans la mer en pointes et calanques. Autour de Juan-les-Pins et d'Antibes, les villes et les villages plantés sur les collines embaumées de mimosas ont accueilli

une multitude de peintres. A Antibes, le musée Picasso présente les œuvres que le peintre réalisa dans la région et les céramiques qu'il créait à Vallauris. On peut retrouver au musée de la Photographie de Mougins, où il vécut également, de nombreux portraits de ***Picasso*** et des visiteurs qu'il recevait. A Cagnes-sur-Mer, la propriété où ***Renoir*** passa les dernières années de sa vie abrite aujourd'hui ses œuvres. Saint-Paul, près de Vence, est célèbre pour son musée d'art moderne, la fondation Maeght, installée dans un bâtiment rose et blanc sur la colline des Gardettes. Dans le village, l'auberge de la Colombe d'Or fut le rendez-vous des peintres depuis les années 1920 : ***Signac***, ***Soutine***, ***Chagall*** et bien d'autres y sont passés. Ses murs sont tapissés de leurs toiles, à côté des photographies de toutes les célébrités des lettres ou du cinéma qui ont fréquenté ces lieux.

Plus loin dans les terres, les ruelles en pente pavées de galets de Seillans ont séduit ***Max Ernst***, qui y séjourna et y peignit. On retrouve ici le charme des villages perchés, comme à Gattières ou, plus à l'est, à Gourdon, véritable nid d'aigle près des gorges du Loup. Tourrette-sur-Loup, entre Grasse et Vence, s'est spécialisé dans la culture de la violette. Le village fortifié est lui aussi peuplé d'artisans et d'artistes séduits par un cadre merveilleux. Ces pitons rocheux étaient autrefois prisés pour la protection qu'ils offraient contre les attaques armées, aujourd'hui, ils le sont pour leur sérénité.

L'arrière-pays niçois regorge d'autres villages étonnants, tel Coaraze et sa place décorée de cadrans solaires dessinés par des artistes, dont ***Cocteau***. Lucéram, avec ses escaliers raides, ses venelles ombragées rafraîchies par des fontaines, est bâti tout en hauteur. Pour gagner de l'espace, sur le rocher étroit qui lui sert de socle, on a souvent construit des pièces enjambant la rue au niveau du premier étage, les "pontis". Sospel, sur les rives de la Bévéra ; Peille, village médiéval bâti à flanc de colline ; Peillon, où se dresse parmi les calades la chapelle des Pénitents blancs, aux belles fresques du XVe siècle ; Sainte-Agnès, au pied d'une falaise de calcaire rose... ces villages, pourtant proches de la côte, ont su éviter les ravages du tourisme.

Dans les terres, vers l'Italie, le Mercantour étire ses sommets jusqu'à plus de 2 000 mètres. Un parc national y abrite une faune et une flore de montagne particulièrement riches, dans un décor de cirques, de lacs et de torrents. La vallée des Merveilles, aux environs du mont Bégo, abrite quantité de gravures rupestres datant pour les plus anciennes de l'âge du Bronze. Au nord, le Queyras abrite le plus haut village d'Europe, Saint-Véran. Ses maisons de montagne anciennes, des chalets de bois construits à 2 000 mètres d'altitude, comportent une galerie à fourrage. Ses abords, domaine d'excursions l'été, se transforment l'hiver en pistes de ski.

Gordes
Les rues sinueuses de Gordes, aux maisons trapues, abritaient autrefois des sériciculteurs. Aux abords, parmi le thym, la lavande et le romarin des garrigues, on cultivait l'olivier et la garance. Depuis les années 1960, le château médiéval abrite un musée consacré à Vasarely, qui fut séduit par le site. Des vestiges du chemin de ronde, on admire la plaine qui s'étend au pied du village, d'Apt à Cavaillon, et le mont Ventoux.

Corse

La Corse, fragment de montagne qui surgit de la Méditerranée, culminant au nord à plus de 2 700 mètres, offre des paysages extraordinaires dont les reliefs coupés de vallées s'abaissent progressivement vers l'est et le sud. Des routes sinueuses à flanc de montagne, maquis, vignes, oliviers et pinèdes, une côte découpée de criques bordées de sable fin, des villages comme suspendus au bord de précipices... l'"île de beauté" ne pouvait porter meilleur surnom que le sien.

L'île fut très tôt l'objet de convoitises. Les Phéniciens y établissent des comptoirs, puis Étrusques et Carthaginois s'y succèdent avant que les Romains ne s'y implantent. Au début de notre ère, Rome y exile certains indésirables, ce sera notamment le sort de ***Sénèque***. Après une longue période d'invasions diverses, la Corse échoit à Pise au XIe siècle. Mais la république de Pise doit partager son autorité avec Gênes qui obtient, en 1284, la domination sur toute l'île. Cette prépondérance génoise durera près de cinq siècles, malgré de nombreux conflits. Les prétentions vénitiennes, aragonaises et françaises, mêlées à la volonté d'indépendance des insulaires, occasionnent jusqu'au XVIe siècle des troubles permanents. Intégrée à la Couronne de France en 1557, la Corse revient à Gênes deux ans plus tard. Après avoir retrouvé une paix relative, le pays reste marqué par ces siècles de luttes et, au XVIIIe siècle, la guerre d'Indépendance éclate, opposant Génois, Français et Corses. En 1735, les Corses se proclament indépendants sous la direction d'un triumvirat. La France reprend sa conquête, jusqu'à ce que, en 1768, les Génois lui cèdent l'île. Malgré une forte résistance menée par ***Pascal Paoli***, la Corse prend le statut de département français en 1790. ***Paoli*** rentre d'exil pour tenter de nouveau d'obtenir l'indépendance en s'alliant avec l'Angleterre. Le royaume "anglo-corse" mis en place est en réalité sous domination anglaise. Les espoirs d'indépendance sont une fois de plus déçus et la France retrouve sa domination sur l'île tandis que le général ***Bonaparte***, qui faillit naître italien à un an près, commence sa brillante carrière. Les divisions ne s'effacent pas pour autant, et les insurrections sont encore nombreuses jusqu'au début du XIXe siècle.

Piana
Ici, ce village apparaît dans toute la sérénité d'un site protégé entre mer d'azur et végétation parfumée, mais Piana est surtout célèbre pour la beauté de ses calanques, malgré tout auréolées d'une légende diabolique. Amoureux éconduit d'une bergère qui aurait repoussé ses avances avec l'aide de son mari, Satan aurait matérialisé sa colère sous forme de rochers gigantesques, pétrifiant, entre autres, le berger, la bergère et leur chien. Saint Martin, alerté par le vacarme, accourut et pria : le ciel l'écouta et envoya une gigantesque vague qui devint le golfe de Porto.

Jusqu'à nos jours, des mouvements séparatistes ne cesseront de réclamer l'indépendance. La Corse a été partagée en 1975 en deux départements, Haute-Corse et Corse-du-Sud. En 1982, elle a acquis le statut particulier de collectivité territoriale.

Le Cap Corse, au nord, présente à l'ouest des massifs déchiquetés plongeant dans la mer ; à l'est, un rivage plus rectiligne et plus bas. Centuri-Port niche dans une anse de la côte ouest ses maisons de pêcheurs aux murs crépis de couleurs douces. Plus au sud, Nonza couronne un éperon rocheux aux pentes vertigineuses.

L'église est consacrée à ***sainte Julie***, patronne de la Corse, qui naquit à Nonza. Les vestiges d'une tour génoise dominent le site ; ce genre de tours ponctue tout le littoral corse, si souvent exposé aux intrusions.

On retrouve à Saint-Florent, au sud du cap, une citadelle génoise érigée au XVe siècle. Le petit port construit au fond d'un golfe cerné de montagnes abrite l'une des plus belles églises romanes de style pisan. Sur la côte opposée, bordant la mer Tyrrhénienne, les maisons d'Erbalunga émergent à peine de l'eau, pressées les unes contre les autres.

Au sud du Cap Corse, Bastia, la plus grande ville, a conservé le charme du vieux port dont elle est née, autour du quartier de la "Terra-Vecchia".

Les collines pierreuses des Agriates étaient autrefois cultivées par les habitants du Cap Corse. De cette époque restent les "paillers", des cabanes de pierres sèches qui leur servaient de granges et ont ensuite abrité des bergers. C'est aujourd'hui le domaine du maquis, le "désert" que ***Pierre Benoit*** a décrit dans son roman *Le Désert des Agriates*, sillonné de sentiers qui évoquent la Corse de *Colomba*.

La Balagne fut dès le Moyen Age une région fertile et prospère. Le port de L'Ile-Rousse fut créé au XVIIIe siècle par ***Pascal Paoli***. La place qui porte son nom, ombragée de platanes, est aujourd'hui le cœur d'une station balnéaire fréquentée.

Algajola a conservé ses fortifications et sa citadelle, comme Calvi, à la longue et riche histoire. L'animation de la longue plage bordée de pins et le port de plaisance installé dans une baie magnifique ont pris le relais de la pêche à la langouste.

Escaladant les collines de l'arrière-pays, les villages perchés abondent en Balagne. L'un des plus remarquables est Sant'Antonino. Maisons et rochers de granit s'y confondent le long de ruelles pavées de galets, taillées parfois en escalier. Les habitations, comme c'est souvent le cas dans ces villages qui ne pouvaient s'étendre, ont été rehaussées au fur et à mesure des besoins de la famille, formant de hautes façades où viennent s'inscrire des passages voûtés. Speloncato, très proche, offre les mêmes rues pittoresques, comme Cateri ou Feliceto.

Au cœur de l'île, dans la montagne, Ghisoni s'étire dans une vallée d'accès difficile, à l'abri du Kyrie Eleison et du Christe Eleison, deux rochers nimbés de légende. Un peu au sud, sur les pentes du Monte Renoso, domaine des skieurs en hiver, des bergeries rappellent que les fromages de chèvre et de brebis, dont le fameux *brocciu*, sont des fleurons de la table corse. Aléria, sur la côte est, fut la capitale de la province romaine, après avoir été une cité phocéenne puis carthaginoise. Elle abrite d'importants vestiges antiques.

En Corse du Sud, le vaste golfe de Porto-Vecchio est cerné par des sites archéologiques, comme ceux d'Arraggio et de Torre. Plus loin dans les terres, l'oppidum de Cucuruzzu se dresse près de la forêt de Bavella, escaladant des collines d'où se détachent les aiguilles de Bavella. Les villages de Quenza et Zonza, aux solides maisons de montagne, ont pour toile de fond ces rocs de granit aux formes étranges atteignant 1 600 mètres. A l'extrême sud, Bonifacio dresse ses falaises face aux côtes sardes. La vieille ville, abritée par une citadelle, presse autour de rues étroites ses maisons ornées de blasons, flanquées d'escaliers sans rampe selon la tradition corse, et se protégeant du soleil derrière des volets colorés. Sartène a le même cachet médiéval, dans un lacis de passages voûtés. La région est riche en mégalithes, dont les alignements de Pallaggiu qui en comptent une centaine. Mais le grand site préhistorique de l'île est Filitosa, mêlant aux menhirs et aux dolmens des pierres sculptées de figures humaines. Cette région est aussi le berceau de la vigne corse cultivée dès avant notre ère entre Propriano et Cargèse.

Ajaccio, bien sûr, évoque ***Bonaparte***, dont la maison natale et le musée Napoléonien retracent l'épopée. Le porphyre rouge des îles Sanguinaires émerge face à la pointe de la Parata. Plus loin, il forme le Capo Rosso, bordant le golfe de Porto, classé patrimoine mondial par l'Unesco. Aux environs de Piana, le rivage se hérisse d'aiguilles rouges ou roses, modelées par l'érosion. Ce sont les "calanche", l'un des plus somptueux paysages de l'île, que surplombent le joli village de Piana et son église à campanile génois.

Lumio

Au cœur d'une région de hautes collines, Lumio domine le golfe de Calvi, capitale de la Balagne du nord que l'on a surnommée le "jardin de la Corse". Cerné d'oliviers, le village offre des points de vue magnifiques à quelques kilomètres du Monte Cinto, le plus haut sommet de l'île culminant à 2 710 mètres. Certains voient dans l'étymologie de Lumio le mot latin lumen : lumière, ce qui accréditerait l'hypothèse d'un temple dédié à Apollon, dieu du soleil et de la lumière, dans les soubassements de la petite église romane San Pietro et San Paolo, située à proximité du village.

La récolte des noix, en Corrèze.

Maurice BARRÈS

La magie des lieux

Il est des lieux qui tirent l'âme de sa léthargie, des lieux enveloppés, baignés de mystère, élus de toute éternité pour être le siège de l'émotion religieuse. L'étroite prairie de Lourdes, entre un rocher et son gave rapide ; la plage mélancolique d'où les Saintes-Maries nous orientent vers la Sainte-Baume ; l'abrupt rocher de la Sainte-Victoire tout baigné d'horreur dantesque, quand on l'aborde par le vallon aux terres sanglantes ; l'héroïque Vézelay, en Bourgogne ; le Puy de Dôme, les grottes des Eyzies, où l'on révère les premières traces de l'humanité ; la lande de Carnac, qui parmi les bruyères et les ajoncs dresse ses pierres inexpliquées ; la forêt de Brocéliande pleine de rumeur et de feux follets, où Merlin par les jours d'orage gémit encore dans sa fontaine ; Alise-Sainte-Reine et le mont Auxois, promontoire sous une pluie presque constante, autel où les Gaulois moururent aux pieds de leurs dieux ; le mont Saint-Michel, qui surgit comme un miracle des sables mouvants ; la noire forêt des Ardennes, tout inquiétude et mystère, d'où le génie tira, du milieu des bêtes et des fées, ses fictions les plus aériennes ; Domremy enfin, qui porte encore sur sa colline son Bois Chenu, ses trois fontaines, sa chapelle de Bermont, et près de l'église la maison de Jeanne. Ce sont les temples du plein air. Ici nous éprouvons soudain le besoin de briser de chétives entraves pour nous épanouir à plus de lumière. Une émotion nous soulève ; notre énergie se déploie toute, et sur deux ailes de prière et de poésie s'élance à de grandes affirmations.

Tout l'être s'émeut, depuis ses racines les plus profondes jusqu'à ses sommets les plus hauts. C'est le sentiment religieux qui nous envahit. Il ébranle toutes nos forces. Mais craignons qu'une discipline lui manque, car la superstition, la mystagogie, la sorcellerie apparaissent aussitôt, et des places désignées pour être des lieux de perfectionnement par la prière deviennent des lieux de sabbat. C'est ce qu'indique le profond Goethe, lorsque son Méphistophélès entraîne Faust sur la montagne du Hartz, sacrée par le génie germanique, pour y instaurer la liturgie sacrilège du Walpugisnachtstraum.

D'où vient la puissance de ces lieux ? La doivent-ils au souvenir de quelque grand fait historique, à la beauté d'un site exceptionnel, à l'émotion des foules qui du fond des âges y vinrent s'émouvoir ? Leur vertu est plus mystérieuse. Elle précéda leur gloire et saurait y survivre. Que les chênes fatidiques soient coupés, la fontaine remplie de sable et les sentiers recouverts, ces solitudes ne sont pas déchues de pouvoir. La vapeur de leurs oracles s'exhale, même s'il n'est plus de prophétesse pour la respirer. Et n'en doutons pas, il est de par le monde infiniment de ces points spirituels qui ne sont pas encore révélés, pareils à ces âmes voilées dont nul n'a reconnu la grandeur. Combien de fois, au hasard d'une heureuse et profonde journée, n'avons-nous pas rencontré la lisière d'un bois, un sommet, une source, une simple prairie, qui nous commandaient de faire taire nos pensées et d'écouter plus profond que notre cœur ! Silence ! Les dieux sont ici. Illustres ou inconnus, oubliés ou à naître, de tels lieux nous entraînent, nous font admettre insensiblement un ordre de faits supérieurs à ceux où tourne à l'ordinaire notre vie.

La Colline inspirée, Plon, 1913.

Nicolas BOILEAU

Haute-Isle, près La Roche-Guyon

Oui, Lamoignon, je fuis les chagrins de la ville.
Et contre eux la campagne est mon unique asile.
Du lieu qui m'y retient veux-tu voir le tableau ?
C'est un petit village, ou plutôt un hameau,
Bâti sur le penchant d'un long rang de collines,
D'où l'œil s'égare au loin dans les plaines voisines.
La Seine, au pied des monts que son flot vient laver,
Voit du sein de ses eaux vingt îles s'élever,
Qui, partageant son cours en diverses manières,
D'une rivière seule y forment vingt rivières.
Tous ses bords sont couverts de saules non plantés,
Et de noyers, souvent du passant insultés.
Le village, au-dessus, forme un amphithéâtre :
L'habitant ne connaît ni la chaux ni le plâtre,
Et dans le roc, qui cède et se coupe aisément,
Chacun sait de sa main creuser son logement.
La maison du seigneur, seule, un peu plus ornée,
Se présente au dehors, de murs environnée ;
Le soleil en naissant la regarde d'abord,
Et le mont la défend des outrages du Nord.
C'est là, cher Lamoignon, que mon esprit tranquille
Met à profit les jours que la Parque me file :
Ici, dans un vallon bornant tous mes désirs,
J'achète à peu de frais de solides plaisirs.
Tantôt, un livre en main, errant dans les prairies,
J'occupe ma raison d'utiles rêveries.
Tantôt, cherchant la fin d'un vers que je construis,
Je trouve au coin d'un bois le mot qui m'avait fui.
Quelquefois, aux appâts d'un hameçon perfide,
J'amorce en badinant le poisson trop avide ;
Ou, d'un plomb qui suit l'œil, et part avec l'éclair,
Je vais faire la guerre aux habitants de l'air.
Une table, au retour, propre et non magnifique,
Nous présente un repas agréable et rustique :
Là, sans s'assujettir aux dogmes de Broussain,
Tout ce qu'on boit est bon, tout ce qu'on mange est sain ;
La maison le fournit, la fermière l'ordonne ;
Et, mieux que Bergerat, l'appétit l'assaisonne.
O fortuné séjour ! ô champs aimés des cieux !
Que pour jamais, foulant vos prés délicieux,
Ne puis-je ici fixer ma course vagabonde,
Et, connu de vous seuls, oublier tout le monde !

Epître VI, 1683.

Pierre BORDAS

En Haute-Corrèze

De mes premiers souvenirs, ce qui me reste le plus en mémoire, ce sont les vacances scolaires lorsque parents, frères et sœurs revenions en Corrèze, dans la grande maison que mon grand-père avait fait construire. Nous y retrouvions des cousins de notre âge, nos parties habituelles de pêche et de chasse, les randonnées cyclistes, les poursuites à travers champs.

Ussel-Neuvic-Égleton constitue pour moi un triangle sacré et magique. Il me plaît de venir de ce coin de terre où j'ai passé mes plus belles heures. C'est un pays pauvre, plein de rudesse, puissamment vallonné : forêts et taillis, croupes de bruyère, pacages d'herbes folles bordés de fougères et de genêts y alternent ; des landes découvertes et herbeuses, où poussent des bouleaux aux troncs blancs et aux feuilles tremblantes, lui donnent une sérénité mélancolique. Des villages anciens groupent des maisons lourdes, aux toits de chaume ; ils portent des noms qui semblent venus d'un autre monde : Péllasiauve, Auchebis, Pinchelimore, Combressol, Ambouérime, Lestauvert. Au fond de l'horizon, au nord-ouest, le mur bleu des monts d'Auvergne. Dans les creux des vallées, des ruisseaux ou des rivières aux eaux légères ; frémissantes de truites, elles se faufilent parfois entre d'énormes rochers arrondis. Au cours de mes voyages (nombreux lorsque j'étais commissaire à la Transat), j'ai rencontré souvent des apatrides ; cent fois, je les ai entendus me confier : « Vous ne connaissez pas votre bonheur d'avoir une patrie. Une patrie, c'est un père et une mère réunis dans la même personne ». J'idéalise sans doute la Corrèze, ma terre sainte, en me laissant envahir par la nostalgie de mes années vertes. Rêve, réalité ou souvenir enjolivé, je la retrouve en ce moment, telle que je l'aime, vivace et lumineuse.

Mon grand-père Bordas avait bourlingué avant de se fixer à Palisse. Dès l'âge de quatorze ans, comme presque tous les garçons du pays, il était parti chercher fortune : les uns se plaçaient comme marchands de drap, les autres comme garçons de café ; lui avait loué ses bras et son savoir agricole en Belgique, en Hollande, puis en Allemagne. À son retour, il avait constitué « un bien » d'un seul tenant, au centre du bourg, en réunissant quelques parcelles éparses : un champ où poussaient le blé (à la vérité, du seigle), qui servait à faire le pain, du blé noir pour nourrir la volaille et les cochons, et pour confectionner les galettes que nous appelions des « pompes », des pommes de terre enfin, destinées aux hommes et aux bêtes. Voisinait, contigu, un pré toujours vert, irrigué par des « serres » (réservoirs) où se déversait aussi le purin de l'écurie ; bâtie en contre-haut du pré, elle abritait, outre les cochons, quatre ou cinq vaches. Chacune donnait un veau par an, que l'on allait vendre à la foire de Neuvic. Pâturait, là aussi, une ânesse quelque peu ombrageuse, que nous n'osions pas trop approcher, la Polka.

Au-dessus de l'écurie, une bâtisse, qui me paraissait immense, ouvrait sur la route. On y engrangeait le blé en gerbe et le foin chargé de toutes les senteurs de l'été et de l'automne. Ce parfum, tout ensemble fort et subtil, qui nous enivrait, et que je retrouve, en l'évoquant ici, combien d'enfants de cette fin de siècle l'auront-ils connu ? Mon grand-père, beau garçon particulièrement costaud, avait bénéficié, quand il était rentré au pays, du prestige d'avoir voyagé, mais aussi d'avoir amassé un petit magot, qui lui avait permis de se constituer son petit domaine. Il avait épousé l'institutrice du pays, ma grand-mère, une des premières maîtresses d'école, installées par Jules Ferry, le créateur, dans les années 1880, de l'école laïque, gratuite et obligatoire pour tous.

L'édition est une aventure, Éditions de Fallois, 1997.

Alphonse DAUDET

L'Alsace

Comment s'appelaient-ils tous ces jolis villages alsaciens que nous rencontrions espacés au bord des routes ? Je ne me rappelle plus aucun nom maintenant, mais ils se ressemblent tous si bien surtout dans le Haut-Rhin, qu'après en avoir tant vus à différentes heures, il me semble que je n'en ai vu qu'un ; la grande rue, les petits vitraux encadrés de plomb, enguirlandés de houblon et de roses, les portes à claire-voie où les vieux s'appuyaient en fumant leurs grosses pipes, où les femmes se penchaient pour appeler les enfants sur la route... Le matin, quand nous passions, tout cela dormait. A peine entendions-nous remuer la paille des étables ou le souffle haletant des chiens sous les portes. Deux lieues plus loin, le village s'éveillait. Il y avait un bruit de volets ouverts, de seaux heurtés, de ruisseaux emplis ; lourdement les vaches allaient à l'abreuvoir en chassant les mouches avec leurs longues queues. Plus loin encore, c'était toujours le même village, mais avec le grand silence des après-midi d'été, rien qu'un bourdonnement d'abeilles qui montaient en suivant les branches grimpantes jusqu'au faîte des chalets, et la mélopée traînante de l'école. Parfois, tout au bout du pays, un petit coin non plus de village, mais de province, une maison blanche à deux étages avec une plaque d'assurance toute neuve et reluisante, des panonceaux de notaire ou une sonnette de médecin. En passant on entendait une valse au piano, un air un peu vieilli tombant des persiennes vertes sur la rue ensoleillée. Plus tard, au crépuscule, les bestiaux rentraient, on revenait des filatures. Beaucoup de bruit, de mouvement. Tout le monde sur les portes, des bandes de petits blondins dans la rue, et les vitres allumées par un grand rayon du couchant, venu on ne sait d'où.

Ce que je me rappelle encore avec bonheur, c'est le village alsacien, le dimanche matin, à l'heure des offices ; les rues désertes, les maisons vides avec quelques vieux qui se chauffent au soleil devant leur porte ; l'église pleine, les vitraux colorés par ces jolis tons mourants et roses qu'ont les cierges au grand jour, le plain-chant entendu par bouffées au passage, et un enfant de chœur en soutane écarlate traversant lestement la place, tête nue, l'encensoir à la main, pour aller chercher du feu chez le boulanger...

Quelquefois aussi nous restions des journées entières sans entrer dans un village. Nous cherchions les taillis, les chemins couverts, ces petits bois grêles qui bordent le Rhin et où sa belle eau verte vient se perdre dans les coins de marécage tout bourdonnant d'insectes. De loin en loin, à travers le mince réseau des branches, le grand fleuve nous apparaissait chargé de radeaux, de barques toutes pleines d'herbages coupés dans les îles, et qui semblaient elles-mêmes de petites îles éparpillées, emportées par le courant. Puis c'était le canal du Rhône au Rhin avec sa longue bordure de peupliers joignant leurs pointes vertes dans cette eau familière et comme privée, emprisonnée d'étroites rives. Çà et là, sur la berge, une cabane d'éclusier, des enfants courant pieds nus sur les barres de l'écluse, et, dans les jaillissements d'écume, de grands trains de bois qui s'avançaient lentement en tenant toute la largeur du canal. Après, quand nous avions assez de zigzags et de flâneries, nous reprenions la grand-route droite et blanche, plantée de noyers aux ombres fraîches et qui monte vers Bâle, la chaîne des Vosges à sa droite, le Schwartzwald de l'autre côté.

Contes du Lundi, 1873.

Alphonse DAUDET

Le phare des Sanguinaires

Figurez-vous une île rougeâtre et d'aspect farouche ; le phare à une pointe, à l'autre une vieille tour génoise où, de mon temps, logeait un aigle. En bas, au bord de l'eau, un lazaret en ruine, envahi de partout par les herbes ; puis, des ravins, des maquis, de grandes roches, quelques chèvres sauvages, de petits chevaux corses gambadant la crinière au vent ; enfin là-haut, tout en haut, dans un tourbillon d'oiseaux de mer, la maison du phare, avec sa plate-forme en maçonnerie blanche, où les gardiens se promènent de long en large, la porte verte en ogive, la petite tour de fonte, et au-dessus la grosse lanterne à facettes qui flambe au soleil et fait de la lumière même pendant le jour... Voilà l'île des Sanguinaires. C'était dans cette île enchantée qu'avant d'avoir un moulin j'allais m'enfermer quelquefois, lorsque j'avais besoin de grand air et de solitude.

Ce que je faisais ? Ce que je fais ici, moins encore. Quand le mistral ou la tramontane ne soufflaient pas trop fort, je venais me mettre entre deux roches au ras de l'eau, au milieu des goélands, des merles, des hirondelles, et j'y restais presque tout le jour dans cette espèce de stupeur et d'accablement délicieux que donne la contemplation de la mer. Vous connaissez, n'est-ce pas, cette jolie griserie de l'âme ? On ne pense pas, on ne rêve pas non plus. Tout votre être vous échappe, s'envole, s'éparpille. On est la mouette qui plonge, la poussière d'écume qui flotte au soleil entre deux vagues... cette perle d'eau, ce flocon de brume, tout excepté soi-même... Oh ! que j'en ai passé dans mon île de ces belles heures de demi-sommeil et d'éparpillement !

Les jours de grand vent, le bord de l'eau n'étant pas tenable, je m'enfermais dans la cour du lazaret, une petite cour mélancolique, toute embaumée de romarin et d'absinthe sauvage, et là, blotti contre un pan de vieux mur, je me laissais envahir doucement par le vague parfum d'abandon et de tristesse qui flottait avec le soleil dans les logettes de pierre, ouvertes tout autour comme d'anciennes tombes.

Vers cinq heures, le porte-voix des gardiens m'appelait pour dîner. Je prenais alors un petit sentier dans le maquis grimpant à pic au-dessus de la mer, et je revenais lentement vers le phare, me retournant à chaque pas sur cet immense horizon d'eau et de lumière qui semblait s'élargir à mesure que je montais.

Là-haut c'était charmant. Je vois encore cette belle salle à manger à larges dalles, à lambris de chêne, la bouillabaisse fumant au milieu, la porte grande ouverte sur la terrasse blanche et tout le couchant qui entrait... Les gardiens étaient là, m'attendant pour se mettre à table. Il y en avait trois, un Marseillais et deux Corses, tous trois petits, barbus, le même visage tanné, crevassé, le même *pelone* (caban) en poil de chèvre, mais d'allure et d'humeur entièrement opposées. Le Marseillais, industrieux et vif, toujours affairé, toujours en mouvement, courait l'île du matin au soir, jardinant, pêchant, ramassant des œufs de *gouailles*, s'embusquant dans le maquis pour traire une chèvre au passage ; et toujours quelque aïoli ou quelque bouillabaisse en train. Les Corses, eux, en dehors de leurs service, ne s'occupaient absolument de rien ; ils se considéraient comme des fonctionnaires, et passaient toutes leurs journées dans la cuisine à jouer d'interminables parties de scopa, ne s'interrompant que pour rallumer leurs pipes d'un air grave et hacher avec des ciseaux, dans le creux de leurs mains, de grandes feuilles de tabac vert...

Lettres de mon moulin, 1869.

Gustave FLAUBERT

En Corse

A Vico on commence à connaître ce que c'est qu'un village de la Corse. Situé sur un monticule, dans une grande vallée, il est dominé de tous les côtés par des montagnes qui l'entourent en entonnoir : le système montagneux de la Corse à proprement parler, n'est point un système ; imaginez une orange coupée par le milieu, c'est là la Corse. Au fond de chaque vallée, de temps en temps un village, et pour aller au hameau voisin il faut une demi-journée de marche et passer quelquefois trois ou quatre montagnes. La campagne est partout déserte ; où elle n'est pas couverte de maquis, ce sont des plaines, mais on n'y rencontre pas plus d'habitations, car le paysan cultive encore son champ comme l'Arabe : au printemps il descend pour l'ensemencer, à l'automne il revient pour faire la moisson ; hors de là il se tient chez lui sans sortir deux fois par an de son rocher où il vit sans rien faire, paresseux, sobre et chaste. Vico est la patrie du fameux Théodore dont le nom retentit encore dans toute la Corse avec un éclat héroïque ; il a tenu douze ans le maquis, et n'a été tué qu'en trahison. C'était un simple paysan du pays, que tous aimaient et que tous aiment encore. Ce bandit-là était un noble cœur, un héros. Il venait d'être pris par la conscription et il restait chez lui attendant qu'on l'appelât ; le brigadier du lieu, son compère, lui avait promis de l'avertir à temps, quand un matin la force armée tombe chez lui et l'arrache de sa cabane au nom du roi. C'était le compère qui dirigeait sa petite compagnie et qui, pour se faire bien voir sans doute, voulut, le mener rondement et prouver son zèle pour l'État en faisant le lâche et le traître. Dans la crainte qu'il ne lui échappât il lui mit les menottes aux mains en lui disant : « Compère, tu ne m'échapperas pas », et tout le monde vous dira encore que les poignets de Théodore en étaient écorchés. Il l'amena ainsi à Ajaccio où il fut jugé et condamné aux galères. Mais après la justice des juges, ce fut le tour de celle du bandit. Il s'échappa donc le soir même et alla coucher au maquis ; le dimanche suivant, au sortir de la messe, il se trouva sur la place, tout le monde l'entourait et le brigadier aussi, à qui Théodore cria du plus loin et tout en le mirant : « Compère, tu ne m'échapperas pas ». Il ne lui échappa pas non plus, et tomba percé d'une balle au cœur, première vengeance. Le bandit regagna le maquis d'où il ne descendait plus que pour continuer ses meurtres sur la famille de son ennemi et sur les gendarmes, dont il tua bien une quarantaine. Le coup de fusil parti il disparaissait le soir et retournait dans un autre canton. Il vécut ainsi douze hivers et douze étés, et toujours généreux, réparant les torts, défendant ceux qui s'adressaient à lui, délicat à l'extrême sur le point d'honneur, menant joyeuse vie, recherché des femmes pour son bon cœur et sa belle mine, aimé de trois maîtresses à la fois. L'une d'elles, qui était enceinte lorsqu'il fut tué, chanta sur le corps de son amant une ballata que mon guide m'a redite. Elle commence par ces mots : « Si je n'étais pas chargée de ton fils et qui doit naître pour te venger, je t'irais rejoindre, à mon Théodore ! »

Son frère était également bandit, mais il n'en avait ni la générosité ni les belles formes. Ayant mis plusieurs jours à contribution un curé des environs, il fut tué à la fin par celui-ci qui, harassé de ses exactions, sut l'attirer chez lui, et sauta dessus avec des hommes tenus en embuscade. La sœur du bandit, attirée par le bruit de tous ces hommes qui se roulaient les uns sur les autres, entra aussitôt dans le presbytère. Le cadavre était là, elle se rua dessus, elle s'agenouilla sur le corps de son frère, et agenouillée, chantant une ballata avec d'épouvantables cris, elle suça longtemps le sang qui coulait de ses blessures.

Il ne faut point juger les mœurs de la Corse avec nos petites idées européennes. Ici un bandit est ordinairement le plus honnête homme du pays et il rencontre dans l'estime et la sympathie populaire tout ce que son exil lui a fait quitter de sécurité sociale. Un homme tue son voisin en plein jour sur la place publique, il gagne le maquis et disparaît pour toujours. Hors un membre de sa famille, qui correspond avec lui, personne ne sait plus ce qu'il

est devenu. Ils vivent ainsi dix ans, quinze ans, quelquefois vingt ans. Quand ils ont fini leur contumace ils rentrent chez eux comme des ressuscités, ils reprennent leur ancienne façon de vivre, sans que rien de honteux ne soit attaché à leur nom. Il est impossible de voyager en Corse sans avoir affaire avec d'anciens bandits, qu'on rencontre dans le monde, comme on dirait en France. Ils vous racontent eux-mêmes leur histoire en riant, et ils s'en glorifient tous plutôt qu'ils n'en rougissent ; c'est toujours à cause du point d'honneur, et surtout quand une femme s'y trouve mêlée, que se déclarent ces inimitiés profondes qui s'étendent jusqu'aux arrière petits-fils et durent quelquefois plusieurs siècles, plus vivaces et tout aussi longues que les haines nationales.

Quelquefois ils font des serments à la manière des barbares, qui les lient jusqu'au jour où la vengeance sera accomplie. On m'a parlé d'un jeune Corse dont le frère avait été tué à coup de poignard ; il alla dans le maquis à l'endroit où on venait de déposer le corps, il se barbouilla de sang le visage et les mains, jurant devant ses amis qu'il ne les laverait que le jour où le dernier de la famille ennemie serait tué. Il tint sa parole et les extermina tous jusqu'aux cousins et aux neveux.

J'ai vu aujourd'hui, à Isolacio, chez le capitaine Lausaler où je suis logé, un brave médecin des armées de la République dont le fils s'est enfui en Toscane et qui lui-même a été obligé de quitter le village où il habitait. Sa fille s'était laissé séduire par le père de l'enfant qui néanmoins reconnaissait son fils, mais il refusait de lui donner son nom en se mariant avec la pauvre fille. Il joignit même l'ironie à l'outrage en assurant qu'il allait bientôt faire un autre mariage et en ridiculisant en place publique la famille de sa maîtresse, si bien qu'un jour le fils de la maison a vengé l'honneur de son nom, comme un Corse se venge, en plein soleil et en face de tous. Pour lui, il s'est enfui sur la terre d'Italie, mais son père et ses parents, redoutant la vendetta, ont émigré dans le Fiumorbo. (...)

On retrouve en Corse beaucoup de choses antiques : caractère, couleur, profils de têtes. On pense aux vieux bergers du Latium en voyant ces hommes vêtus de grosses étoffes rousses ; ils ont la tête pâle, l'œil ardent et couleur de suie, quelque chose d'inactif dans le regard, de solennel dans tous les mouvements ; vous les rencontrez conduisant des troupeaux de moutons qui broutent les jeunes pousses des maquis, l'herbe qui pousse dans les fentes du granit des hautes montagnes ; ils vivent avec eux, seuls dans les campagnes, et le soir quand on voyage, on voit tout à coup leurs bêtes sortir d'entre les broussailles, çà et là sous les arbres, et mangeant les ronces. Éparpillés au hasard, ils font entendre le bruit de leurs clochettes qui remuent à chacun de leurs pas dans les broussailles. A quelque distance se tient leur berger, petit homme noir et trapu, véritable pâtre antique, appuyé tristement sur son long bâton. A ses pieds dort un chien fauve. La nuit venue, ils se réunissent tous ensemble et allument de grands feux que du fond des vallées on voit briller sur la montagne. Toutes les côtes chaque soir sont ainsi couronnées de ces taches lumineuses qui s'étendent dans tout l'horizon. J'ai vu dans toutes les forêts que j'ai traversées de grands pins calcinés encore debout, qu'ils allument sans les abattre pour passer la nuit autour de ces bûches de cent pieds. Ils reçoivent le baudet qui vient tranquillement se réchauffer à leur feu et ils attendent ainsi le jour tout en dormant ou en chantant. J'ai été surtout frappé de la physionomie antique du Corse dans un jeune homme qui nous a accompagnés le lendemain jusqu'à Guagno. Il était monté sur un petit cheval qui s'emportait à chaque instant sous lui ; son bonnet rouge brun retombait en avant comme un bonnet de la liberté. Une seule ligne seulement, interrompue par un sourcil noir faisant angle droit, s'étendait depuis le haut du front jusqu'au bout du nez ; bouche mince et fine, barbe noire et frisée comme dans les camées de César ; menton carré : un profil de médaille romaine.

Par les Champs et par les Grèves, 1847/1848.

Jean GIONO

Dans le Dauphiné

Mens est un bourg un peu plus gros que nos villages, parce qu'il est installé à l'aise dans une cuvette mollement courbée et que la terre y est plus facile et de meilleure volonté qu'ici. Il a dû y avoir, là, d'abord, quelques gros paysans (car ça commence toujours par nous). Les récoltes devaient être trop importantes pour ces familles-là. Elles devaient avoir à manger de reste et les artisans sont venus. Ça a été tout de suite une entente de plain-pied et bien amicale car, de la même façon qu'il faut du blé (et entendons-nous une fois pour toutes, quand je dis : blé, je veux dire nourriture, tout ce qui nourrit ; mais je dis ce mot intentionnellement car, tout le monde a vu des tas de blé et je veux dire ainsi dans ce petit mot de trois lettres « fourmillement de nourriture » comme les tas de blé dans lesquels il y a des millions et des millions de grains) donc, de la même façon qu'il faut du blé, il faut des souliers, des vestes de drap, des fers pour les chevaux, des serrures pour les portes, des châles pour les femmes et pour les filles, des faiseurs d'outils, des gens qui travaillent la matière, des artisans, et même celui qui joue de l'accordéon ou de la flûte, qui crée quelque chose. Et je parle précisément de celui-là pour qu'on sache que, moi, paysan, je peux apprécier aussi le travail de l'esprit (celui qui ne se voit pas, comme dirait le courtier). Et j'en ai plus besoin que tout le monde, et c'est d'ailleurs pour ça que j'accueille à ma table avec tant de joie - et que toute ma famille est là pour l'accueillir et le fêter- le chanteur ou celui qui joue d'un instrument de musique, ou bien le poète. Et nous avons par exemple des bergers qui ont le don de raconter des histoires ; eh bien, nous les aimons. Nous avons parfois, dans nos confréries paysannes, des fermiers ou de petits propriétaires qui ont ce que nous appelons « la tête héroïque » et ceux-là font des poésies, ils les écrivent sur de petits bouts de papier et ils les récitent, ou bien on les fait réciter aux enfants pour les baptêmes et les mariages. Nous apprécions beaucoup tous ces hommes-là, nous les écoutons volontiers parler, car tout n'est pas gai, même dans la plus paisible des joies, et l'on a parfois besoin de quelques paroles un peu alcoolisées. Et nous parlions des baptêmes ! C'est là qu'on a besoin de chansons et de musiques ! Quand la commère porte l'enfant à travers les champs, comme pour lui faire voir tout le grand domaine - je veux parler de ce domaine sans limite qui appartient à tous les enfants - la commère a mis ses petits souliers, et l'on dirait qu'elle ne sait plus marcher dans les labours. Alors là, quand on a un violon qui chante, ou une flûte ou tout ce que vous voudrez, piston ou clarinette, ça fait rudement bien au grand soleil avec tous ces pas soudain accordés qui font comme une danse de gros oiseaux - à cause des grandes couleurs des costumes de dimanche. Et pour les mariages, puisqu'on parle de danses ? Toutes ces jupes à fleurs, tous ces cotillons blancs pleins de festons, toute cette crème de linges blancs sous les jupes des femmes et barattée par les belles jambes des femmes, à ras de l'herbe, sous les châtaigniers pendant que la musique joue. Et vous me direz : « Ce sont des musiciens de villages » mais nous vous dirons : « Nous accepterions les autres. Et ce serait peut-être plus honorable, et plus profitable - pour ce qui est de la grande santé - à tous ces célèbres musiciens de travailler en pensant à notre générosité de cœur au lieu de travailler pour une ville comme Paris qui est ce que nous pourrions appeler une ville de lésine. »

Et pour la mort - les mystères - quand quelqu'un s'assoit sur la chaise à côté de celle où vous êtes abattu. Puis il se met à parler et l'espérance revient dans votre cœur, comme la révolution printanière du blé.

Artisans de toutes les sortes, il faut des créateurs.

Ainsi, peu à peu, à la place des quelques femmes il y a eu le bourg qui est une agglomération de créateurs. Il est encore composé de ça, maintenant. Quand nous avons

besoin de souliers ou de vestes ; c'est là que nous allons les faire faire. Et nous savons que, de préférence, il faut aller chez ce tailleur qui est près de la vieille halle car il a comme un don pour tailler le velours, et jamais une veste ne pèse ou ne gêne ; alors que si on va chez celui qui habite en face la gendarmerie on n'est jamais sûr qu'il fasse quelque chose d'honnête ; parfois ça va ; d'autres fois il n'y a rien à faire, les vestes sont dures à porter comme si elles étaient en marbre (ce qui prouve que ça n'est pas si facile que ça de faire une veste et que c'est vraiment un don - très précieux - car, justement, celui qui est si habile, c'est un ivrogne, et quand il travaille il est comme fou, et l'autre c'est un monsieur très bien. Alors, il faut bien croire que c'est très précieux de savoir faire les vestes. N'y arrive pas qui veut).

Mais toi, courtier, qu'est-ce que tu fais dans ce bourg dont les vieilles rues sont si douces quand le soir tombe ? Ayant été construites pour le travail artisanal, pour la paix artisanale. Pour nous qui habitons la campagne, notre charrette nous attend, là-bas sur le cours, et le cheval est attaché au tronc d'un tilleul. Il va falloir rentrer. Nous passons dans ces rues, et elles ont une douceur que tu ne peux pas imaginer. Parce qu'elles sont seulement éclairées par les boutiques ; avec ces différentes lumières que demandent les corps de métier. La lampe rouge du cordonnier, avec son gros abat-jour sur lequel il a collé en ombre chinoise de petits bonshommes découpés dans les images du journal : ministres, généraux, évêques. Il leur a donné des poses ridicules. Nous nous arrêtons pour le regarder, lui qui bat son cuir ou coud sa trépointe. Puis, de là, il y a un long morceau d'ombre non éclairé où l'on devine des portes de maisons. Là-dedans habitent nos collègues les paysans de la petite ville et les ouvriers qui travaillent aux carrières de glaise. Après, vient la lueur blanche de la boutique du quincaillier avec tous ses reflets de fer-blanc. On l'entend, lui, là-bas au fond de son atelier, en train de marteler ce que nous savons être des seaux à puits. Et nous pouvons dire pour qui ils sont, et dans quel puits ils vont descendre, et quelle eau ils remonteront et quels bras tireront la chaîne. C'est peu de chose mais ça nous lie à beaucoup de choses. Nous voyons le tailleur assis sur sa planche -justement celui qui est un peu fou - et il tire son bras en l'air avec le fil au bout des doigts, et ainsi, avec sa grosse bouche ouverte sous ses moustaches rousses il a l'air d'être très étonné de ce qui est sur ses genoux. Puis il a abaissé son bras, et, non, il est en train de coudre. Ainsi, tout le long de cette rue sombre, si douce à notre cœur de paysan et à notre solitude paysanne dont nous ne pouvons jamais complètement guérir, nous recevons l'amicale salutation de la camaraderie artisanale. Et nous arrivons à ta boutique à toi. Car tu t'es installé dans l'ancienne boutique d'un coiffeur. Tu as simplement enlevé l'enseigne et à la place de ce qui était l'indication d'un métier, tu as mis ton nom. Tu as gratté les vitres, tu as mis dessus : « Courtage, commissions » et des tas d'autres choses, et puis tu as passé à moitié ces vitres au blanc de savon pour qu'on ne voie pas ce qu'il y a derrière. Et dans la partie qui est restée claire on voit descendre le fil de la lampe électrique. Alors, si nous nous approchons et si nous regardons par-dessus le blanc de savon, nous voyons que la boutique est vide. Il y a seulement une table sous la lampe et, sur la table, des papiers, des bottins, un appareil de téléphone et parfois toi, en train d'écrire.

Les vraies richesses, Grasset, 1937.

Victor HUGO

La Champagne

C'est une puissante et robuste province que la Champagne. Le comte de Champagne était le seigneur du vicomte de Brie, laquelle Brie n'est elle-même, à proprement parler, qu'une petite Champagne, comme la Belgique est une petite France. Le comte de Champagne était pair de France et portait au sacre la bannière fleurdelisée. Il faisait lui-même royalement tenir ses états par sept comtes qualifiés pairs de Champagne qui étaient les comtes de Joigny, de Rethel, de Braine, de Roucy, de Brienne, de Grand-Pré et de Bar-sur-Seine.

Il n'est pas de ville ou de bourgade en Champagne qui n'ait son originalité. Les grandes communes se mêlent à notre histoire ; les petites racontent toutes quelque aventure. Reims, qui a la cathédrale des cathédrales, Reims a baptisé Clovis après Tolbiac. Troyes a été sauvé d'Attila par saint Loup, et a vu en 878 ce que Paris n'a vu qu'en 1804, un pape sacrant en France un empereur, Jean VIII couronnant Louis le Bègue ; c'est à Attigny que Pépin, maire du palais, tenait sa cour plénière d'où il faisait trembler Gaifre, duc d'Aquitaine ; c'est à Andelot qu'eut lieu l'entrevue de Gontran, roi de Bourgogne, et de Childebert, roi d'Austrasie, en présence des leudes ; Hincmar s'est réfugié à Épernay ; Abailard, à Provins ; Héloïse, au Paraclet ; il a été tenu un concile à Fismes ; Langres a vu dans le Bas-Empire triompher les deux Gordiens, et, dans le Moyen Age, ses bourgeois détruire autour d'eux les sept formidables châteaux de Changey, de Saint-Broing, de Heuilly-Coton, de Gobons de Bourg, de Humes et de Pailly ; Joinville a conclu la ligue en 1584 ; Châlons a défendu Henri IV en 1591 ; Saint-Dizier a tué le prince d'Orange ; Doulevant a abrité le comte de Moret ; Bourmont est l'ancienne ville forte des Lingons ; Sézanne est l'ancienne place d'armes des ducs de Bourgogne ; Ligny-l'Abbaye a été fondée par saint Bernard, dans les domaines du seigneur de Châtillon, auquel le saint promit, par acte authentique, autant d'arpents dans le ciel que le sire lui en donnait sur la terre ; Mouzon est le fief de l'abbé de Saint-Hubert, qui envoyait tous les ans au roi de France « six chiens de chasse courants et six oiseaux de proie pour le vol » ; Chaumont est le pays naïf où l'on espère être diable à la Saint-Jean pour payer ses dettes ; Château-Porcien est la ville que le roi ne pouvait ni vendre ni aliéner ; Clairvaux avait sa tonne comme Heidelberg ; Villenauxe avait la statue de la reine Pédauque ; Arconville a encore le tas de pierres du Huguenot, que chaque paysan grossit d'un caillou en passant ; les signaux de Mont-Aigu répondaient à vingt lieues de distance à ceux de Mont-Aimé ; Vassy a été brûlée deux fois, par les Romains en 211, et en 1544 par les Impériaux, comme Langres par les Huns en 351 et par les Vandales en 407, et comme Vitry par Louis VII au douzième siècle et par Charles Quint au seizième. Sainte-Menehould est cette noble capitale de l'Argonne, qui, vendue par un traître au duc de Lorraine, Charles II, ne s'est pas livrée ; Carignan est l'ancienne Ivoi ; Attila a élevé un autel à Pont-le-Roi ; Voltaire a eu un tombeau à Romilly.

Vous le voyez, l'histoire locale de toutes ces villes champenoises, c'est l'histoire de France ; en petits morceaux, il est vrai, mais pourtant grande encore.

La Champagne garde l'empreinte de nos vieux rois. C'est à Reims qu'on les couronnait. (...) La Champagne garde la trace de Napoléon. Il a écrit avec des noms champenois les dernières pages de son prodigieux poème.

Le Rhin, 1838.

Alphonse de LAMARTINE

Milly, près de Mâcon

Pourquoi le prononcer ce nom de la patrie ?
Dans son brillant exil mon cœur en a frémi ;
Il résonne de loin dans mon âme attendrie,
Comme les pas connus ou la voix d'un ami.
Montagnes que voilait le brouillard de l'automne,
Vallons que tapissait le givre du matin,
Saules dont l'émondeur effeuillait la couronne,
Vieilles tours que le soir dorait dans le lointain,

Murs noircis par les ans, coteaux, sentier rapide,
Fontaine où les pasteurs accroupis tour à tour
Attendaient goutte à goutte une eau rare et limpide,
Et, leur urne à la main, s'entretenaient du jour,

Chaumière où du foyer étincelait la flamme,
Toit que le pèlerin aimait à voir fumer,
Objets inanimés avez-vous donc une âme
Qui s'attache à notre âme et la force d'aimer ?

La vie a dispersé, comme l'épi sur l'aire,
Loin du champ paternel les enfants et la mère,
Et ce foyer chéri ressemble aux nids déserts
D'où l'hirondelle a fui pendant de longs hivers !
Déjà l'herbe qui croît sur les dalles antiques
Efface autour des murs les sentiers domestiques,
Et le lierre, flottant comme un manteau de deuil,
Couvre à demi la porte et rampe sur le seuil ;
Bientôt peut-être... ! écarte, ô mon Dieu ! ce présage !
Bientôt un étranger, inconnu du village,
Viendra, l'or à la main, s'emparer de ces lieux
Qu'habite encore pour nous l'ombre de nos aïeux,
Et d'où nos souvenirs des berceaux et des tombes
S'enfuiront à sa voix, comme un nid de colombes
Dont la hache a fauché l'arbre dans les forêts,
Et qui ne savent plus où se poser après !

Harmonies poétiques et religieuses, 1830.

Prosper MÉRIMÉE

Vézelay

La petite ville de Vézelay est bâtie sur un rocher calcaire qui s'élève abruptement au milieu d'une vallée profonde, resserrée par des collines disposées en amphithéâtre. On découvre d'assez loin les maisons sur une pente rapide, qu'on prendrait pour les degrés d'un escalier, des restes de fortifications en terrasse, et surtout l'église, qui, placée sur le point culminant de la montagne, domine tous les environs. Je venais de traverser des bois bien plantés, par une route commode, au milieu d'une nature sauvage, que l'on admire sans être distrait par les cahots. Le soleil se levait. Sur le vallon régnait encore un épais brouillard percé çà et là par les cimes des arbres. Au-dessus apparaissait la ville, comme une pyramide resplendissante de lumière. Par intervalles, le vent traçait de longues trouées au milieu des vapeurs, et donnait lieu à mille accidents de lumière, tels que les paysagistes anglais en inventent avec tant de bonheur. Le spectacle était magnifique, et ce fut avec une prédisposition à l'admiration que je me dirigeai vers l'église de la Madeleine.

La première vue du monument me refroidit un peu. La façade offre une ancienne restauration gothique, maladroitement ajoutée aux parties basses, qui appartiennent au style roman. La tour de gauche a été renversée par les protestants en 1569 ; pendant la Révolution, les bas-reliefs des tympans ont été détruits ; et pour que le XIXe siècle ne le cède pas au vandalisme, on vient d'élever au-dessus de la tour qui reste une espèce d'observatoire octogone, en forme de tente, de l'aspect le plus ridicule.

D'après ce qui reste, il est facile de se faire une idée de cette façade, telle qu'elle était lors de la construction primitive : trois portes principales cintrées, avec des archivoltes et des tympans richement sculptés, étaient précédées d'une montée de quelques gradins. Deux tours carrées, médiocrement élevées, encadraient la façade, et se réunissaient par une galerie, dont quelques parties subsistent encore dans la tour de droite. Au-dessus de cette galerie, suivant toute apparence, s'élevait un fronton triangulaire.

Plus tard, c'est-à-dire vers la fin du XIIIe siècle, les tours ont été exhaussées d'un étage, et percées de longues ogives trilobées ; ce n'est, je crois, qu'à la fin du XIVe siècle qu'on a remplacé le gâble roman par une espèce de grand fronton à jour, qui n'a jamais été terminé, et qui produit un effet d'autant plus pitoyable que la démolition de la tour de gauche le laisse isolé, comme un chambranle de fenêtre, qui resterait debout séparé des murailles qui l'encadraient. Ce fronton est en forme d'ogive, et surmonté d'une accolade ou ogive à contre-courbe. Quatre meneaux perpendiculaires, de style anglais, le divisent, et donnent lieu à cinq fenêtres en ogive, trilobées, d'inégale grandeur, disposées de manière à former un groupe pyramidal. Des statues colossales s'adossent à ces meneaux. Au-dessus sont d'autres fenêtres bouchées, ou plutôt des niches, plus larges et moins hautes, trilobées aussi, où d'autres statues figurent comme autant de soldats dans leurs guérites. Tout cela est enchâssé dans le grand chambranle ogival dont j'ai parlé. Bien que cette construction soit massive, elle n'a l'air rien moins que solide, ce qui augmente encore l'impression désagréable qu'elle produit. Souvent dans les édifices gothiques on voit réunie à une prodigieuse hardiesse l'apparence de la solidité, et c'est la perfection. Ici, tout au contraire, la base du fronton est à jour et le haut est plein, ce qui me semble un contresens, du même genre qu'une pyramide placé sur sa pointe. On craint que l'équilibre naturel ne se rétablisse par un changement du centre de gravité, c'est-à-dire que le portail ne vous tombe sur la tête.

Voyage dans le Midi de la France, 1835.

Jules MICHELET

Présentation de la France

Le vrai point de départ de notre histoire doit être une division politique de la France, formée d'après sa division physique naturelle. L'histoire est d'abord toute géographie. Nous ne pouvons raconter l'époque féodale ou provinciale (ce dernier nom la désigne aussi bien), sans avoir caractérisé chacune des provinces. Mais il ne suffit pas de tracer la forme géographique de ces diverses contrées, c'est surtout par leurs fruits qu'elles s'expliquent, je veux dire par les hommes et les événements que doit offrir leur histoire. Du point où nous nous plaçons, nous prédirons ce que chacune d'elles doit faire et produire, nous leur marquerons leur destinée, nous les doterons à leur berceau.

Et d'abord contemplons l'ensemble de la France, pour la voir se diviser d'elle-même.

Montons sur un des points élevés des Vosges, ou, si vous voulez, au Jura. Tournons le dos aux Alpes. Nous distinguerons (pourvu que notre regard puisse percer un horizon de trois cents lieues) une ligne onduleuse, qui s'étend des collines boisées du Luxembourg et des Ardennes aux ballons des Vosges ; de là, par les coteaux vineux de la Bourgogne, aux déchirements volcaniques des Cévennes et jusqu'au mur prodigieux des Pyrénées. Cette ligne est la séparation des eaux. Du côté occidental, la Seine, la Loire et la Garonne descendent à l'Océan ; derrière s'écoulent la Meuse au nord, la Saône et le Rhône au midi. Au loin, deux espèces d'îles continentales, la Bretagne, âpre et basse ; simple quartz et granit, grand écueil placé au coin de la France pour porter le coup des courants de la Manche ; d'autre part, la verte et rude Auvergne, vaste incendie éteint avec ses quarante volcans.

Les bassins du Rhône et de la Garonne, malgré leur importance, ne sont que secondaires. La vie forte est au nord. Là s'est opéré le grand mouvement des nations. L'écoulement des races a eu lieu de l'Allemagne à la France dans les temps anciens. La grande lutte politique des temps modernes est entre la France et l'Angleterre. Ces deux peuples sont placés front à front comme pour se heurter ; les deux contrées, dans leurs parties principales, offrent deux pentes en face l'une de l'autre ; ou si l'on veut, c'est une seule vallée dont la Manche est le fond. Ici, la Seine et Paris ; là, Londres et la Tamise. Mais l'Angleterre présente à la France sa partie germanique ; elle retient derrière elle les Celtes de Galles, d'Écosse et d'Irlande. La France, au contraire, adossée à ses provinces de langue germanique (Lorraine et Alsace), oppose un front celtique à l'Angleterre. Chaque pays se montre à l'autre par ce qu'il a de plus hostile.

L'Allemagne n'est point opposée à la France, elle lui est plutôt parallèle. Le Rhin, l'Elbe, l'Oder vont aux mers du Nord, comme la Meuse et l'Escaut. La France allemande sympathise d'ailleurs avec l'Allemagne sa mère. Pour la France romaine et ibérienne, quelle que soit la splendeur de Marseille et de Bordeaux, elle ne regarde que le vieux monde de l'Afrique et de l'Italie, et d'autre part le vague Océan. Le mur des Pyrénées nous sépare de l'Espagne, plus que la mer ne la sépare elle-même de l'Afrique. Lorsqu'on s'élève au-dessus des pluies et des basses nuées jusqu'au port de Vénasque, et que la vue plonge sur l'Espagne, on voit bien que l'Europe est finie ; un nouveau monde s'ouvre : devant, l'ardente lumière de l'Afrique ; derrière, un brouillard ondoyant sous un vent éternel.

Tableau de la France, 1833.

Denis TILLINAC

Auriac, novembre 1989

Il pleut, le vent hurle dans la gorge ; les gris du ciel, des murs, des toits de lauzes se confondent.

C'est un village posé sur le plateau de Xaintrie (« terre des saints » en celte selon certains érudits, « terre des lointains » selon d'autres), aux marches de l'Auvergne et du Limousin, enclos par les gorges de la Dordogne et de la Maronne. « Pays improbable », avait écrit Jean-Paul Kauffmann dans *Le Matin*, après son premier séjour. (...)

Il l'avait découverte en hiver, et aimée pour ce qu'elle est : un fouillis de verdure semé de clochers trapus, saturée d'humidité, offrant partout au regard les lignes des monts d'Auvergne bleutées au couchant, chapeautées de neige jusqu'à Pâques. Il était revenu souvent, seul ou en famille. Il me parlait beaucoup du Liban. Une fierté empreinte de tristesse m'a envahi en lisant le texte de sa première cassette : il évoquait Auriac entre quelques lieux privilégiés, symboles du bonheur perdu. Aussi le jour de ses retrouvailles avec le village restera-t-il pour moi historique. À chacun sa chronologie.

Je viens de traverser la place. Presque tous les volets sont clos. Le schiste ici rase les pâquerettes : la nécessité de l'exil est inscrite dans notre géologie. Depuis des lustres, les gens du plateau font leur malle pour aller gagner leur pain. Ils ouvrent un bistrot à Paris, un négoce de meubles dans l'Est. Ou bien ils passent les concours pour en finir avec la peur de manquer. Chaque village a ses antennes dans la capitale, un port d'attache ailleurs. Parodions Vialatte : le Massif central produit des volcans, des fromages, des avants de rugby, des hommes politiques et des immigrés.

Surtout des immigrés. Une Corrèze *bis* s'est épanouie à Paris autour de l'Hôtel de Ville et de l'agence Havas dont les locataires, Jacques Chirac et Pierre Dauzier, ne sont pas oublieux de leurs origines. Comme tous les membres de la diaspora, ils reviennent aux vacances. Pendant deux mois, nos maisons de famille sont ouvertes ; les Auriacois de Genève, d'Anvers, de Monaco, de Lyon, de Charleville, du Havre, de Bellême et de la région parisienne se retrouvent devant les cantous pour commémorer les étés de jadis chez les grand-mères - ces femmes en noir, veuves de 14-18, aperçues par Malraux devant les tombes de leurs morts.

À l'automne, le village renoue avec sa langueur. Ceux qui restent regardent la télé, appellent au téléphone la fille postière à Villetaneuse, le fils agent du fisc ou prof de gym à Béthune. Débute pour eux une longue plage de solitude, ponctuée d'enterrements : les jeunes sont partis à la ville, les vieux partent au cimetière, précédés de deux draps de velours noir tenus aux quatre coins par les voisins, accompagnés par les gens du bourg et de ses hameaux. Chaque hiver emporte deux ou trois témoins de la France d'autrefois ; mon enfance s'éloigne d'autant.

L'Occident rural agonise dans l'indifférence. Sur cette place de l'église, il y avait encore, quand j'étais gosse, deux boulangers, un boucher, un forgeron, un cordonnier, un restaurant, un sabotier qui faisait aussi des quilles de bois, et la boule pour les dégommer. J'ai connu les jours de batteuse où tous les hommes du village se retrouvaient autour du monstre, tantôt dans une ferme, tantôt dans une autre. J'ai même vu battre le blé au

fléau, comme faisaient les paysans de Jacques Callot. Les vieux ne parlaient que le patois (pardon : l'occitan) ou un français malhabile traduit du patois. « Tu es crugne », déplorait ma grand-mère ; ça voulait dire, à peu de chose près, que j'avais le spleen.

Chacun possédait quelques vaches, que des enfants menaient au pacage à la tombée du jour. Car il y avait encore des enfants à demeure, plusieurs classes dans l'école et un instit qui consignait les loupiots à l'heure du caté pour embêter le curé.

Mon village est mort en trente ans - les « trente glorieuses » des manuels d'économie. L'épicière- boulangère dont la verve animait la place du village vient de fermer boutique. Restent l'autre épicerie, dans le haut du bourg, dont les tenanciers n'ont plus vingt ans, et, autour du clocher, un bistrot où les retraités viennent boire leur mélancolie.

Restent des pierres pour attester que des hommes ont bivouaqué ici depuis la préhistoire. Obélix a planté un menhir dans une forêt de chênes, les Romains ont baptisé l'endroit avec le concours du suffixe celte (ac). Les bénédictins ont édifié un prieuré et un gros donjon que les huguenots puis les sans-culottes raccourcirent. La féodalité a creusé des souterrains. Ils resserviront à la prochaine guerre civile. La plupart des maisons datent du second Empire, époque faste pour l'agriculture. Le monument aux morts signale un déficit de virilité à partir de 1918 : trente-cinq disparus. Sans compter les estropiés. Quatre morts en 40, un seul en Algérie, un autre en Indochine, mais le mal démographique était fait. La IVe République a semé dans les hameaux des écoles de ciment aujourd'hui inutiles, la Ve a établi un lotissement autour d'un plan d'eau, et une salle des fêtes, où l'hiver on tape la belote et organise les poules au gibier. L'été, les jeunes du camping la transforment en discothèque. Ceux qui restent au village ou y remontent le week-end sont juste assez nombreux pour former une équipe de foot. Il m'arrive encore de faire le onzième, c'est tout dire.

Paris, la province, un village : trois univers distincts, trois façons de vivre pour un Occidental, trois repères pour un écrivain. Ça donne du champ ; ça permet d'apprécier sur place ce qu'on gagne au loto du changement, ce qu'on y perd, et ce qui reste au bout du compte. On voit la « modernité » par les trois bouts de la lorgnette. A Paris, elle fanfaronne ; en province, elle chemine à pas comptés ; au village, elle pose des télés dans les cantous, des Hollandais dans les campings. Les mots n'ont pas le même.poids, ni les idées la même résonance. Il faut savoir traduire les uns, convertir les autres. C'est toute une gymnastique. Corrézien à Paris, villageois ou parigot à Tulle, citadin à Auriac : je réunis trois ethnologues dans ma personne. Ils se sont mutuellement vaccinés contre le bucolisme, le provincialisme et le parisianisme.

S'il est vrai que tout écrivain a un compte à régler avec le temps, j'ai des regrets à profusion pour arroser mes racines. S'il faut se décentrer pour savoir qui on est, dans quel monde on vit et avec quoi il rime, mes valises sont toujours prêtes. Les Corréziens vadrouillent par nécessité. On peut voyager loin quand la cagnotte affective est placée à la banque d'un paysage intime. Où qu'on aille, quoi qu'il advienne, elle ne risque aucune dévaluation, et l'« identité » n'est sujette à aucune caution. En vérité, on s'en désintéresse. On sait de quoi l'on procède et sous quel caveau s'achèvera la comédie : la question du « moi » perd beaucoup de son acuité. Autant de gagné...

La Corrèze et le Zambèze, Robert Laffont, 1990.

Alfred de VIGNY

La Touraine

Connaissez-vous cette contrée que l'on a surnommée le jardin de la France, ce pays où l'on respire un air si pur dans les plaines verdoyantes arrosées par un grand fleuve ? Si vous avez traversé, dans les mois d'été, la belle Touraine, vous aurez longtemps suivi la Loire paisible avec enchantement ; vous aurez regretté de ne pouvoir déterminer, entre les deux rives, celle où vous choisirez votre demeure, pour y oublier les hommes auprès d'un être aimé. Lorsque l'on accompagne le flot jaune et lent du beau fleuve, on ne cesse de perdre ses regards dans les riants détails de la rive droite. Des vallons peuplés de jolies maisons blanches qu'entourent des bosquets, des coteaux jaunis par les vignes ou blanchis par les fleurs du cerisier, de vieux murs couverts de chèvrefeuilles naissants, des jardins de roses d'où sort tout à coup une tour élancée, tout rappelle la fécondité de la terre ou l'ancienneté de ses monuments, et tout intéresse dans les œuvres de ses habitants industrieux. Rien ne leur a été inutile : il semble que, dans leur amour d'une aussi belle patrie, seule province de France que n'occupa jamais l'étranger, ils n'aient pas voulu perdre le moindre espace de son terrain, le plus léger grain de son sable. Vous croyez que cette vieille tour démolie n'est habitée que par des oiseaux hideux de la nuit. Non. Au bruit de vos chevaux, la tête riante d'une jeune fille sort du lierre poudreux, blanchi sous la poussière de la grande route ; si vous gravissez un coteau hérissé de raisins, une petite fumée vous avertit tout à coup qu'une cheminée est à vos pieds ; c'est que le rocher même est habité, et que des familles de vignerons respirent dans ses profonds souterrains, abritées dans la nuit par la terre nourricière qu'elles cultivent laborieusement pendant le jour. Les bons Tourangeaux sont simples comme leur vie, doux comme l'air qu'ils respirent, et forts comme le sol puissant qu'ils fertilisent. On ne voit sur leurs traits bruns ni la froide immobilité du Nord, ni la vivacité grimacière du Midi ; leur visage a, comme leur caractère, quelque chose de la candeur du vrai peuple de saint Louis ; leurs cheveux châtains sont encore longs et arrondis autour des oreilles comme les statues de pierre de nos vieux rois ; leur langage est le plus pur français, sans lenteur, sans vitesse, sans accent ; le berceau de la langue est là, près du berceau de la monarchie.

Mais la rive gauche de la Loire se montre plus sérieuse dans ses aspects : ici, c'est Chambord que l'on aperçoit de loin et qui, avec ses dômes bleus et ses petites coupoles, ressemble à une grande ville de l'Orient ; là, c'est Chanteloup, suspendant au milieu de l'air son élégante pagode. Non loin de ces palais, un bâtiment plus simple attire les yeux du voyageur par sa position magnifique et sa masse imposante : c'est le château de Chaumont. Construit sur la colline la plus élevée du rivage de la Loire, il cache ce large sommet avec ses hautes murailles et ses énormes tours ; de longs clochers d'ardoise les élèvent aux yeux, et donnent à l'édifice cet air de couvent, cette forme religieuse de tous nos vieux châteaux, qui imprime un caractère plus grave aux paysages de la plupart de nos provinces. Des arbres noirs et touffus entourent de tous côtés cet ancien manoir, et de loin ressemblent à ces plumes qui environnaient le chapeau du roi Henri ; un joli village s'étend au pied du mont, sur le bord de la rivière, et l'on dirait que ses maisons blanches sortent du sable doré.

Cinq Mars, 1826.

Les cabanes du Breuil, en Dordogne.

LA FRANCE DIVISÉE EN SES DOUZE ANCIENS GOUVE

Isle de France
Picardie
Champagne
Bourgogne
Dauphine
Provence
Languedoc
Guienne
Orleanois
Bretagne
Normandie
Lionnois

Les 12. Anciens Gouvernem.ts du Royaume ainsi quils furent assemblez aux Etats du Royaume en 1614.

1 l'Isle de France

a Pour Gouverneur le Duc d'Etrées. c'est la plus belle et la plus riche Province du Royaume le Bonheur quelle a d'estre Le Sejour du Roy, et de toute la Cour, et d'avoir Paris pour sa Capitale, la residence de la plus part des beaux Esprits du Royaume, en dit assez pour comprendre son avantage sur les autres Provinces.

l'Isle de France & pour sa Capital	Paris Arch.
Brie Francoise	Lagni
Hurepois	Melun
Gatinois	Nemours
Mantois	Mante
Vexin Francois	Pontoise
Beauvaisis	Beauvais
Valois	Crepi
Soissonnois	Soissons
Laonnois	Laon

7 Le Languedoc

a Pour Gouverneur le Duc du Maine: c'est une des plus considerables Provinces du Royaume, on y vit aisément et a bon marché parce que les bleds, les bons fruits, et les vins exquis y abondent: toute sorte de Gibier s'y trouve en abondance: il y a quantité de mines [illegible] metalliques; le Pastel dont on se sert pour les teintures luy est particulier.

Toulousan	Toulouze
Albigeois	Albi
Lauragais	Castelnaudary
Comté de Foix	Foix
Roussillon	Perpignan
Quartier de	Narbonne
Quartier de	Besiers
Quartier de	Nismes
Vivarois	Viviers
Cevennes	Mande
Velay	Puy

2 La Picardie

a Pour Gouverneur le Duc d'Elbeuf. cette Province n'a jamais eté aliénée du domaine de la Couronne. Elle est abondante en grains et en fruits. Les peuples y sont francs, civils, courageux, officieux, mais sujets à se mettre en colere un peu trop facilement. Il y a aussy dans cette Province beaucoup de Noblesse et de bons Soldats.

Amienois	Amiens
Soissonnois	Soisson (a present reunie a l'Isle de Fran.)
Laonnois	Laon
Ponthieu	Abeville
Vimeux	St. Valery
Boulonnois	Boulogne
Senterre	Peronne
Vermandois	St. Quentin
Tierache	Guise
Pays Reconquis	Calais

8 La Guienne

a Pour Gouverneur le Duc de Chevreuse. cette Province par elle même est tres riche et plus encore par le Comerce que la Garonne y attire. Les etrangers y apportent leurs Marchandises et puis chargent leurs vaisseaux de vins que cette Province fournit en quantité. L'air y est assez doux, et le terroir assez fertile, en bleds; les côtes sont Steriles n'etant que des bruieres et des landes qui servent de pâturage.

Guienne propre	Bourdeaux
Bazadois	Bazas
Agenois	Agen
Condomois	Condom
Xaintonge	Xaintes
Perigord	Perigueux
Limosin	Limoges
Quercy	Cahors
Rouergue	Rhodez

3 La Champagne

a Pour Gouverneur le Prince de Rohan. c'est une tres belle Province abondante en bléd et en betail: on célébre ses vins qui sont recherchez pour les tables des Princes et des Grands Seigneurs Il y a de tres belles plaines abondantes en pâturage et du côté du Nord, de grandes forests qui entretiennent toute sorte de gibier.

la Champ.e propre	Troye
Remois	Reims
Parthois	St. Dizier
Rethelois	Rhetel
Vallage	Joinville
Bassigni	Langres
Senonois	Sens
Brie Champenoise	Provins Meaux
Princ.te de Sedan	Sedan

9 l'Orleanois

a Pour Gouverneur le Marquis d'Antin. Il est abondant en vins dont il fournit Paris et beaucoup de villes du Royaume. c'est un des plus agreables pais de la France et le Gouvernement le plus étendu. Orleans qui est sa capitale s'est rendue fameuse par le siége que les Anglois en formerent en 1417. et par le secours qu'elle receut de Jeanne d'Arc dite la pucelle d'Orleans.

Orleanois prop.e	Orleans
La Beauce	Chartres
Le Bloisois	Blois
Le Perche	Nogent
Le Maine	Le Mans
l'Anjou	Angers
Le Poitou	Poitiers
l'Aunis	La Rochelle
Angoulmois	Angoulesme
Touraine	Tours
Le Gatinois	Montargis
Berri	Bourgs
Nivernois	Nevers
Les Isles d'	Oleron & de Rez &c.

4 La Bourgogne

a Pour Gouverneur le Duc de Bourbon. Elle est considerable par sa grandeur, et sa fertilite, ayant plus de 50. lieues du Septentrion au midi. On la nome ordinairement la mere des bleds et des vins: ses pâturages nourrissent un grand nombre de bestiaux. Elle a de quoy faire bonne chasse dans ses forêts: Il y a aussi des mines de fer.

Dijonnois	Dijon
Autunois	Autun
Chalonnois	Chalons
Pais des Mont.ne	Châtillon
Auxois	Semeur
Auxerrois	Auxerre
Charolois	Charoles
Briennois	Semur
Maconnois	Macon
Bresse	Bourg
Bugey	Bellay
Bailliage de Gex	Gex
Principauté de Dombes	Trevoux

10 La Bretagne

a Pour Gouverneur le Comte de Toulouze c'est une Province assez fertile; elle a des grains, du chanvre et un peu de vins des fruits en quantite. Il y a aussy beaucoup de bestiaux, et beaucoup d'excellens poissons, On y voit les meilleurs ports de toute la France qui y entretient le commerce et l'abondance de toutes choses, On y fait un grand commerce de beure, de toile, de cordage et de Sel.

Divisées par Eveschez sçav.	
Ev. de Rennes	Rennes
Ev. de Nantes	Nantes
de St. Malo	St. Malo
de Dol	Dol
de St. Brieux	St. Brieux
de Treguier	Treguier
de St. Paul	St. Paul
de Quimper	Quimper
de Vannes	Vannes

5 Le Dauphiné

a Pour Gouverneur le Duc de la Feuillade. c'est une des belles Provinces du Royaume, on y est laborieux; on cultive tout jusqu'au haut des montagnes où il croit des plantes excellentes. Dans les vallees il y a du bléd, du vin, et des fruits en abondance; il y a dans les forets de toute sorte de gibier. on divise cette Province en haut et Bas Dauphiné

Gresivaudan	Grenoble
Diois	Die
Les Baronies	Le Buys
Gapencois	Gap
Ambrunois	Ambrun
Brianconnois	Briançon
Viennois	Vienne
Valentinois	Valence
Tricastin	St. Paul

11 La Normandie

a Pour Gouverneur le Duc de Luxembourg. Elle est une des belles Provinces de France, Excepté le vin toutes les choses de la vie y sont autant qu'on le peut souhaiter. Il en est sorti de grands hommes dans toute sorte de Professions; la terre y est fertile en bleds, en pâturages, en chanvre, en bois et en fruits au deffaut du vin on y boit du cidre et de la biere les Normans peuples de Danemark et Norwegue s'y etablirent en 912.

Archeveschê de Rouën	
Vexin Norm.	Rouen
Roumois	Quillebeuf
Caux	Diepe
Brai	La Ferté
Ev. de Lisieux	Lisieux
Ev. de Baieux	Baieux
Ev. de Coutance	Coutance
E. d'Avranche	Avranche
Ev. de Seez	Seez
Ev. d'Evreux	Evreux

6 La Provence

a Pour Gouverneur le Duc de Vendôme. Elle est fertile en bons vins, en huile, en safran, en figues, amandes, citrons, oranges, et grenades. Tout y est fertile, excepté quelques montagnes où il y a ordinairement de bons pâturages: les fruits y sont delicieux. Il y a des salines qui sont d'un grand revenu, les rivieres abondent en poissons, le gibier y est commun.

Diocése d'Aix	Aix
Diocése de Riez	Riez
de Senez	Senez
de Digne	Digne
d'Arles	Arles
de Marseille	Marseille
de Toulon	Toulon
de Frejus	Frejus
de Grace	Grace
de Vence	Vence
de Glandeve	Glandeve
de Cisteron	Cisteron
d'Apt	Apt
Com.t Venaissin	Avignon
Princ.te d'Orange	Orange

12 Le Lionnois

a Pour Gouverneur le Duc de Villeroy. c'est sans contredit le plus beau païs du Monde, il y a abondamment tout ce qui peut contribuer aux comoditez et même aux delices de la vie. Lion est une tres belle ville. On regarde l'Hôtel de ville comme un des plus beaux ouvrages d'architecture qui soit dans l'Europe; ses Eglises, ses Palais et ses places sont Magnifiques.

Le Lionnois propre	Lion
Forest	Montbrison
Beaujolois	Beaujeu
Bourbonnois	Moulins
Auvergne	Clermont
La Marche	Guere

NEMENTS, ET EN SES VINGT QUATRE NOUVEAUX.

nouveaux Gouvernements formés en partie des Anciens et des Conquestes de la France.

N°	Description	Gouvernement	Capitale
13	plus belle ville du ur Gouverneur le ures et Contient s ... 12. Faubourgs eres ... 656. Rues x ... 50000. Maisons 2000000. d'Ames 200000. Hommes pro= presa porter les armes	Pour la nouriture de tant de peuples on tue tous les ans environ 50000. Porcs 10000. Vaches 50000. Beuf 200000. Veaux 400000. Moutons	On compte encore dans cette grande Ville 25. places publiques 17. Portes
14	**nté de Foix** verneur le Marq.[is] x. ses habitans y ux privileges; ils sont eux: bons soldats et ent prompts.	Le Comte de Foix a pour Capitale	Foix
15	**et la Basse Navarre** verneur le Duc de Ces deux Provinces un Gouvernement: n'est fertile que par aire et l'industrie de ns.	Le Bearn La Basse Navarre	Pau St. Jean de Pie[d] de Port
16	**gne et l'Angoulmois** uverneur le Duc deux Provinces ne Gouvernement et es en vins et en bléds.	Saintonge Angoulmois	Saintes Angouleme
17	**'Aunis** uverneur le Comte c'est un Païs de peti= e. il est cependant e et fort peuplé. La ille fameuse en est le.	l'Aunis	La Rochelle
18	**e Poitou** uverneur le Marq.[is] e. c'est une belle Pro= euse par les Batailles ric Roy des Gots contre les Anglois en 1356.	Le Poitou a pour Capitale	Poitiers
19	**vre de Grace** uverneur le Duc de s. cette place est en e qui renferme dans rnement partie du aux.	Pais de Caux en Partie	Havre
20	**ne et le Perche** uverneur le Marq.[is] ques. c'est un Païs de fruits, et ou il y a de bêtail et quelque le fer.	Le Maine a pour Capital Le Perche a pour Capital	Mans Mortagne
21	**Nivernois** uverneur le Duc de Cette Province est con= par sa bonté et la de son terroir et par qu'elle tire de la le Loire.	Le Nivernois a pour Capital	Nevers
22	**Bourbonnois** uverneur le Marq.[s] iere. C'est un beau res fertile Les Bains on si connus dans sont en cette Pro= vince.	Le Bourbonois a pour Capital	Moulins
23	**Auvergne** uverneur le Duc de C'est une des bel= nces de France. la bas= gne est la plus fer plus agreable. En c'est un bon Païs	l'Auvergne a pour sa Capitale	Clermont
24	**Limousin** uverneur le March: ick C'est un païs de Le terroir n'est pas ais les habitans trou= randes resources dans voir faire.	Le Limosin a pour sa Capitale	Limoge

N°	Description	Gouvernement	Capitale
25	**Le Marche** Dans le G.[d] du Lionnois a pour Gouverneur le Marquis de St. Germain Beaupre, c'est un païs fertile arrosé de plusieurs rivieres.	Le Comté de Marche a pour Capital	Gueret
26	**Le Berri** a Pour Gouverneur le Comte d'Aubigné Cette Province est arrosée de petites rivieres qui en font un assez bon Païs: il y a beaucoup de pâturage et de bêtail.	Le Berri a pour Capital	Bourg.[es]
27	**La Touraine** a Pour Gouverneur le Marquis d'Angeau. C'est une si belle Province qu'on l'apelle le Jardin de la France on célèbre ses bons: fruits: il y a beaucoup de blé et de grand.[s] vignobles.	La Touraine a pour Ville Capitale	Tours
28	**l'Anjou** a Pour Gouverneur le Comte d'Armagnac. ce Païs est beau les Romains l'aimerent beaucoup on y voit encore de leurs ouvrages: la Loire et la Sarre l'arrosent ...	l'Anjou a pour Capitale	Angers
29	**Le Saumurois** a Pour Gouverneur le Comte de Cominge. Il y a dans cette Province tout ce qui peut faire l'agrément de la vie les Etrangers s'y plaisent beaucoup.	Le Saumurois a pour Capitale	Saumur
30	**La Flandre** a Pour Gouverneur le Marechal de Boufflers. C'est une des plus belles et des plus riches Provinces de l'Europe et un des bons païs du Monde.	a Pour Ville Capitale	l'Isle
31	**Dunquerque** a Pour Gouverneur le Comte de Medavi. Cette ville tient rang entre les Gouvernemens des Provinces: elle fut retirée des Anglois en 1662. et depuis tres regulierement fortifiée.	Capital de ce Gouvernement	Donquerque
32	**Metz et Verdun** ne sont qu'un Gouvernement dont le Marq.[s] de Ioyeuse est Gouverneur. Metz s'est rendue fameuse par le Siege qu'elle soutint vigoureusement contre Charles 5. an 1552.	Les deux Villes Principal.[es] sont	Metz Verdun
33	**Toul** a Pour Gouverneur le Marq.[is] de l'Hôpital, c'est un fort grand Diocése qui fait un Gouvernement.	Capitale de ce Diocese	Toul
34	**l'Alsace** a Pour Gouverneur le Duc de Mazarin, c'est une Province très fertile, arrosée de plusieurs rivieres, les blés, les vins, les fruits et le bêtail y abondent.[s]	l'Alsace a pour Capitale	Strasbourg
35	**La Franche Comté** a Pour Gouverneur le Maréchal de Duras. Cette Province produit des bléds et des vins en abondance.	La Capital de cette Province est	Besançon
36	**Le Roussillon** a Pour Gouverneur - - - - - - - - - - - - - - C'est un païs de Montagne et de pâturage.	La Capitale est	Perpignan

Remarque

Il n'est pas necessaire de donner des Instructions pour comprendre cette carte, puis que l'on voit en y Jetant les yeux chaque Gouvernement separé avec les Provinces, les Comtez et les Villes qui en dependent, elle est comme la Suivante tirée de l'Etat de la France de 1700

Paris
Comté de Foix
Bearn
Saintonge et Angoulmois
Aunis
Poitou
Le Havre de Grace
Maine
Nivernois
Bourbonois
L'Auvergne
Limosin
LeMarche
Berri
Touraine
Anjou
Saumurois
Flandre
Dunquerque
Metz et Verdun
Toul
Alzace
Franche Comté
Roussillon

BIBLIOGRAPHIE

ASSOCIATION DES PLUS BEAUX VILLAGES DE FRANCE, *Les plus beaux villages de France : guide officiel de l'association*, Sélection du Reader's Digest, 1997.
BARRES Maurice, *La Colline Inspirée,* Plon, 1913.
BÉLY Lucien, *Connaître les Cathares*, éditions Sud-Ouest, 1995.
BIEHN Michel, *Couleurs de Provence,* Flammarion, 1996.
BOILEAU Nicolas, *Epitre VI,* 1683.
BONNEVILLE Marc, *Lyonnais-Beaujolais*, éditions Bonneton, 1991.
BONNIGAL Daniel, *Rivières de Flandres, Artois, Picardie, Champagne*, éditions Pirogue, 1992.
BORDAS Pierre, *L'édition est une aventure*, Editions de Fallois, 1997.
BRIAT, GRIMAUD, DE OLIVEIRA, VARENNES, *L'Auvergne*, éditions Ouest-France, 1990.
CHAPELOT Jean, FOSSIER Robert, *Le village et la maison au Moyen Age*, Hachette, 1979.
COUDERC Jean-Marie, *Beaux villages de Touraine*, CLD, 1993.
DAUDET Alphonse, *Les Lettres de mon Moulin,* 1869, *Contes du Lundi,* 1873.
DEBRAYE Henry, *En Touraine*, Arthaud, 1931.
DUBOURG Jacques, *Connaître les bastides du Périgord*, éditions Sud-Ouest, 1993.
FLAUBERT Gustave, *Par les champs et par les grèves.*
FOSSIER Robert, *Terres et villages d'Occident au Moyen Age*, Publications de la Sorbonne, 1992.
GIONO Jean, *Les vraies richesses*, Grasset, 1937.
GRANDIN Michel, *Villages de France : histoire et portraits*, éditions F. Bourin-Julliard, 1991.
HUGO Victor, *Le Rhin,* 1838.
HENRY Marianne, *Villages de Bretagne*, éditions Rivages, 1985.
LAMARTINE Alphonse de, *Harmonies poétiques et religieuses*, 1830.
LANSARD Catherine, DUDOUR Dominique, *Rhônes-Alpes*, Edisud, 1996.
LEBEGUE Antoine, *Poitou-Charentes*, Hachette, 1995.
LE ROY Claude, *Promenade en Normandie sur les pas de Chateaubriand*, éditions C. Corlet, 1995.
MARTIN-DEMEZIL Jean, *Trésors du Val de Loire*, Arthaud, 1987.
MÉRIMÉE Prosper, *Voyage dans le Midi de la France,* Louis Hauman, 1835.
MICHELET Jules, *Tableau de la France*, 1833.
MOURLES Nathalie, *Guide de charme des villages de France*, Rivages, 1997.
ORSINI Jean-Xavier, *Corse : île de montagne*, Vilo, 1997.
PEYROLLES Pierre, *Les plus beaux villages de France*, Minerva, 1994.
PIALLOUX Georges, *Connaître le Pays Basque*, éditions Sud-Ouest, 1989.
RENOUARD Michel, *Promenade en Bretagne*, éditions Ouest-France, 1994.
REPÉRANT Dominique, *Villages de France*, éditions du Chêne, 1990.
RICHARD, PAUTOU, *Alpes du Nord et Jura*, éditions du CNRS, 1983.
ROSSIGNOL Gilles, *Le guide de la Champagne : Ardennes, Aube, Marne, Haute-Marne*, La Manufacture, 1995.
SIEGFRIED Andre, *Tableau politique de la France de l'Ouest.*
SELLIN Loïc, *J'aime la Bourgogne*, éditions Atlas, 1996.
TILLINAC Denis, *La Corrèze et le Zambèze*, Robert Laffont, 1990.
VIDAL DE LA BLACHE Paul, *La France de l'Est : Lorraine, Alsace, 1917*, La Découverte, 1994.
VIGNY Alfred de, *Cinq Mars*, 1826.
WEILL Francis, *Des rives du Doubs aux Dentelles du Midi*, éditions Cêtre, 1989.
COLLECTIF, *Languedoc-Roussillon*, Hachette, 1997.
COLLECTIF, *Les plus beaux villages de France*, Sélection du Reader's Digest, 1994.

Un des premiers plans de ferme, dans la Somme, 1455.

LES ROUTES EXACTES DES PO

Le Nombre des Lieux qu' il y a de Paris aux Principal les Villes du Royaume etc:

DE PARIS A		Lieües
Abbeville		38
AIX, en Pr:	‡	150
Alais	‡	140
Albi	‡	140
Alencon		38
Alet	‡	158
Amboiſe		57
Ambrun	‡	140
AMIENS		28
AMSTERDAM		
ANGERS	‡	64
ANGOULESME	‡	110
Apt	‡	145
AUGSBOURG	‡	
ARRAS	‡	40
Argentan		40
Arles	‡	145
Arlon		78
Arnay le Duc		65
AVIGNON	‡	138
Avranches	‡	62
Aurilhac		112
Auch	‡	145
Autun	‡	65
Auxerre	‡	40
Auxonne		72
Ayre	‡	48
Bappaumes		34
Barbezieux		96
Bar le Duc		58
Barraux		120
Bar sur Aube		42
Bar sur Seine		30
Baſle	‡	106
Bastogne		85
Bayeux	‡	62
Bayonne	‡	142
Bazas	‡	124
Beaucaire		144
Beaune		72
Beauvais		16
Befort		120
Belley		112
Belle Isle		106
Berg S.t Winox		56
BERLIN		
BESANCON	‡	82
Bethune		45
Beziers		160
Bich		95
Blanc		65
Blavet		140
Blaye		106
Blois	‡	46
Bouchain		40
Bouillon		56
Boulogne	‡	52
BOURDEAUX	‡	110
Bourg		92
BOURGES	‡	52
Breſt		120
Briancon		140
Brie C. Robert		6
Brioude		92
Brisach		108
Broüage		106
BRUSELLE		60
Caen		56
Cahors	‡	118
Calais		60
Cambray	‡	37
Carcaſſone	‡	158
Carentan		72
Castres	‡	150
Caudebec		34
Chaalons	‡	39
Challon	‡	78
Chambor		45
Charlemont		52
Chartres	‡	19
Ch.r Roux		62
Ch.r Thierry		22
Chastelleraud		78
Chaumont en B.		50
Cherbourg		84
Cisteron	‡	140
CLERMONT	‡	80
Collioure		180
Colmar		104
COLOGNE	‡	90
Compiegne		17
Condom	‡	135
Cornuaille	‡	128
Coutance	‡	76
Crepy		13
Dammartin		8
Dax	‡	132
Die	‡	125
Dieppe		40
Digne	‡	148
DIJON		66
Dole	‡	75

DE PARIS A.		Lieues
Douay		44
Dourlens		35
DRESDEN		
Dreux	‡	16
Dunkerke		60
Düſſeldorp		
Elna	‡	176
Epernay		32
Estampes		13
Evreux	‡	19
Falaise		44
Fescamp		48
la Fleche		54
Foix		152
Fontaine Bleau		14
Francfort		
Frejuls	‡	169
Fribourg		112
GAND	‡	65
Gap	‡	140
GENEVE	‡	105
Gex		104
Glandeves	‡	170
Grace	‡	172
Granville		68
Gravelines		58
Gray		74
GRENOBLE	‡	118
Gueret		80
Guise		34
Ham		26
Hambourg		
HANOVER		
Harfleur		43
Havre de Grace		45
HEIDELBERG		
Hesdin		42
Hombourg		90
Honfleur		40
Huningue		112
Ioigny		33
Ipres	‡	55
Issoire		86
Issoudun		59
Landau		105
Landrecy		40
Langres	‡	57
Laon	‡	29
Lavaur	‡	136
Lectour	‡	136
Leipsick		
Liege	‡	72
Lille		50
Limoges	‡	83
Lisieux	‡	34
Loches		64
Lodeve	‡	132
Lombez	‡	146
LONDRES	‡	92
Longwye		68
Loudun		78

Pour la Commodité et la Surete' des Voyageurs, car celuy qui demande beaucoup s'egare le plus souvent et se retarde.

aux depens TOB. CONR. LOTTER, Geogr. à Augsbourg.

D MAP PAGES

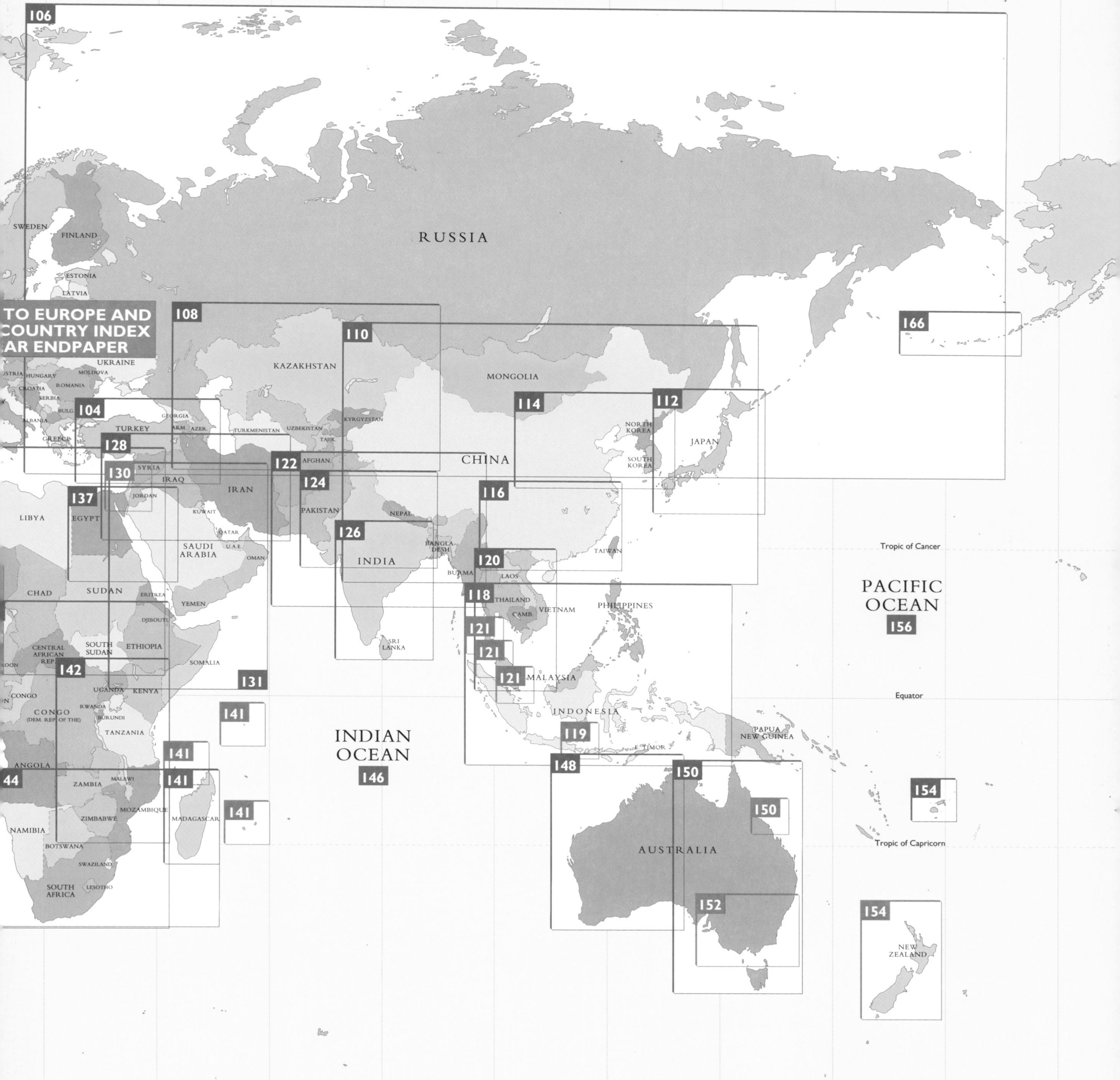

106
RUSSIA
SWEDEN
FINLAND
ESTONIA
LATVIA
TO EUROPE AND
COUNTRY INDEX
AR ENDPAPER
108
110
166
KAZAKHSTAN
MONGOLIA
UKRAINE
MOLDOVA
HUNGARY
ROMANIA
CROATIA
SERBIA
BULG.
ALBANIA
GREECE
104
TURKEY
GEORGIA
ARM.
AZER.
TURKMENISTAN
UZBEKISTAN
KYRGYZSTAN
TAJIK.
114
112
NORTH KOREA
SOUTH KOREA
JAPAN
128
CHINA
130
SYRIA
IRAQ
IRAN
122
AFGHAN.
124
PAKISTAN
116
JORDAN
137
EGYPT
LIBYA
KUWAIT
QATAR
U.A.E.
SAUDI ARABIA
OMAN
NEPAL
126
INDIA
BANGLA-DESH
TAIWAN
120
BURMA
LAOS
Tropic of Cancer
PACIFIC OCEAN
156
CHAD
SUDAN
ERITREA
YEMEN
118
THAILAND
CAMB.
VIETNAM
PHILIPPINES
DJIBOUTI
CENTRAL AFRICAN REP.
SOUTH SUDAN
ETHIOPIA
121
121
SOMALIA
142
131
121
MALAYSIA
UGANDA
KENYA
CONGO
CONGO (DEM. REP. OF THE)
RWANDA
BURUNDI
TANZANIA
141
INDONESIA
Equator
INDIAN OCEAN
146
119
PAPUA NEW GUINEA
141
E. TIMOR
ANGOLA
44
ZAMBIA
MALAWI
141
148
150
154
MOZAMBIQUE
ZIMBABWE
MADAGASCAR
141
150
NAMIBIA
BOTSWANA
AUSTRALIA
Tropic of Capricorn
SWAZILAND
SOUTH AFRICA
LESOTHO
152
154
NEW ZEALAND

MAP SYMBOLS

ADMINISTRATION

- International boundaries
- International boundaries (undefined or disputed)
- Internal boundaries
- National parks
- **PERU** Country names
- KENT Administrative area names

International boundaries show the *de facto* situation where there are rival claims to territory

PHYSICAL FEATURES

- Perennial streams
- Intermittent streams
- Sand deserts
- Intermittent lakes
- Swamps and marshes
- Permanent ice and glaciers
- ▲ 8848 Elevations in meters
- ▼ 8500 Sea depths in meters
- 1134 Height of lake surface above sea level in meters

OXFORD

NEW CONCISE

WORLD ATLAS

OXFORD

NEW CONCISE

WORLD ATLAS

FIFTH EDITION

THE EDITORS would like to thank **Richard Chiles** and the staff at
NPA Satellite Mapping, Edenbridge, Kent, UK (www.npa.cgg.com)
for sourcing and processing the satellite imagery that appears in the atlas.

Philip's,
a division of Octopus Publishing Group Limited,
Carmelite House, 50 Victoria Embankment, London EC4Y 0DZ
An Hachette UK Company

Cartography by Philip's

Published in North America by
Oxford University Press
198 Madison Avenue
New York, NY 10016

www.oup.com/us

OXFORD UNIVERSITY PRESS Oxford is a registered trademark of Oxford University Press

Library of Congress Cataloging-in-Publication Data available

ISBN 978–0–19–026541–0

Printing (last digit): 9 8 7 6 5 4 3 2 1

Printed in Malaysia

USER GUIDE

The reference maps which form the main body of this atlas have been prepared in accordance with the highest standards of international cartography to provide an accurate and detailed representation of the Earth. The scales and projections used have been carefully chosen to give balanced coverage of the world, while emphasizing the most densely populated and economically significant regions. A hallmark of Philip's mapping is the use of hill shading and relief coloring to create a graphic impression of landforms: this makes the maps exceptionally easy to read. However, knowledge of the key features employed in the construction and presentation of the maps will enable the reader to derive the fullest benefit from the atlas.

MAP SEQUENCE

The atlas covers the Earth continent by continent: first Europe; then its land neighbor Asia (mapped north before south, in a clockwise sequence), then Africa, Australia and Oceania, North America, and South America. This is the classic arrangement adopted by most cartographers since the 16th century. For each continent,

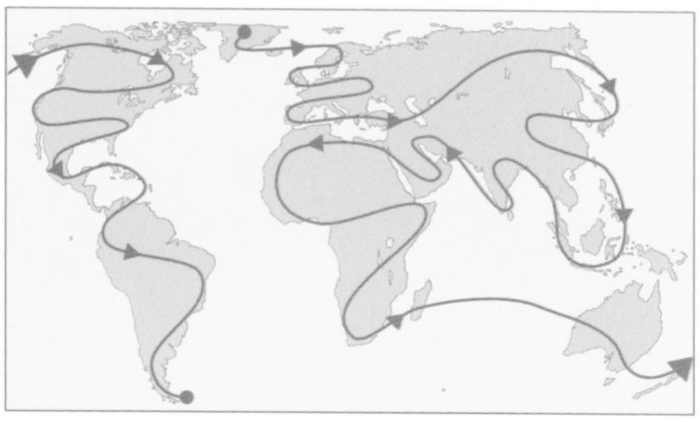

there are maps at a variety of scales. First, physical relief and political maps of the whole continent; then a series of larger-scale maps of the regions within the continent, each followed, where required, by still larger-scale maps of the most important or densely populated areas. The governing principle is that by turning the pages of the atlas, the reader moves steadily from north to south through each continent, with each map overlapping its neighbors.

MAP PRESENTATION

With very few exceptions (for example, for the Arctic and Antarctica), the maps are drawn with north at the top, regardless of whether they are presented upright or sideways on the page. In the borders will be found the map title; a locator diagram showing the area covered; continuation arrows showing the page numbers for maps of adjacent areas; the scale; the projection used; the degrees of latitude and longitude; and the letters and figures used in the index for locating place names and geographical features. Physical relief maps also have a height reference panel identifying the colors used for each layer of contouring.

MAP SYMBOLS

Each map contains a vast amount of detail which can only be conveyed clearly and accurately by the use of symbols. Points and circles of varying sizes locate and identify the relative importance of towns and cities; different styles of type are employed for administrative, geographical, and regional place names to aid identification. A variety of pictorial symbols denote landforms such as glaciers, marshes, and coral reefs, and man-made structures including roads, railroads, airports, and canals. International borders are shown by red lines. Where neighboring countries are in dispute, for example in parts of the Middle East, the maps show the *de facto* boundary between nations, regardless of the legal or historical situation. The symbols are explained on the front endpaper of the atlas.

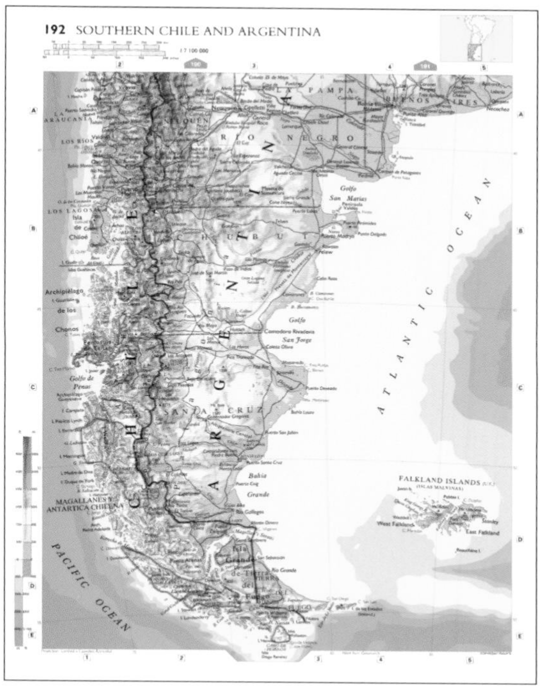

MAP SCALES

1:16 000 000
1 inch = 252 statute miles

The scale of each map is given in the numerical form known as the "representative fraction." The first figure is always one, signifying one unit of distance on the map; the second figure, usually in millions, is the number by which the map unit must be multiplied to give the equivalent distance on the Earth's surface. Calculations can easily be made in centimeters and kilometers, by dividing the Earth units figure by 100 000 (i.e. deleting the last five 0s). Thus 1:1 000 000 means 1 cm = 10 km. The calculation for inches and miles is more laborious, but 1 000 000 divided by 63 360 (the number of inches in a mile) shows that 1:1 000 000 means approximately 1 inch = 16 miles. The table below provides distance equivalents for scales down to 1:50 000 000.

LARGE SCALE

1:1 000 000	1 cm = 10 km	1 inch = 16 miles
1:2 500 000	1 cm = 25 km	1 inch = 39.5 miles
1:5 000 000	1 cm = 50 km	1 inch = 79 miles
1:6 000 000	1 cm = 60 km	1 inch = 95 miles
1:8 000 000	1 cm = 80 km	1 inch = 126 miles
1:10 000 000	1 cm = 100 km	1 inch = 158 miles
1:15 000 000	1 cm = 150 km	1 inch = 237 miles
1:20 000 000	1 cm = 200 km	1 inch = 316 miles
1:50 000 000	1 cm = 500 km	1 inch = 790 miles

SMALL SCALE

MEASURING DISTANCES

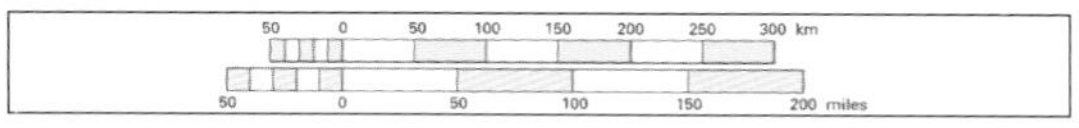

Although each map is accompanied by a scale bar, distances cannot always be measured with confidence because of the distortions involved in portraying the curved surface of the Earth on a flat page. As a general rule, the larger the map scale (that is, the lower the number of Earth units in the representative fraction), the more accurate and reliable will be the distance measured. On small-scale maps such as those of the world and of entire continents, measurement may only be accurate along the "standard parallels," or central axes, and should not be attempted without considering the map projection.

MAP PROJECTIONS

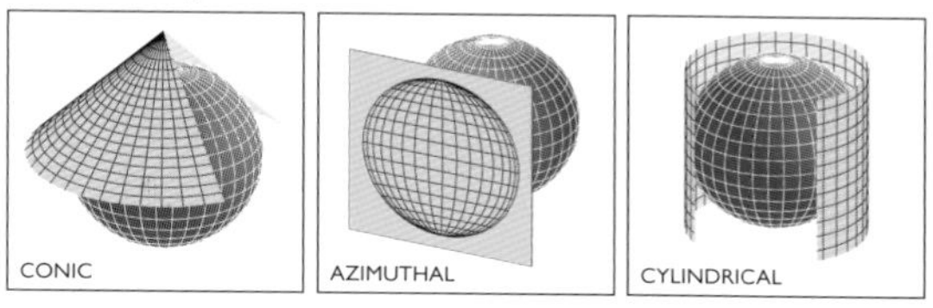

Unlike a globe, no flat map can give a true scale representation of the world in terms of area, shape, and position of every region. Each of the numerous systems that have been devised for projecting the curved surface of the Earth on to a flat page involves the sacrifice of accuracy in one or more of these elements. The variations in shape and position of land masses such as Alaska, Greenland, and Australia, for example, can be quite dramatic when different projections are compared. For this atlas, the guiding principle has been to select projections that involve the least distortion of size and distance. The projection used for each map is noted in the border. Most fall into one of three categories – conic, azimuthal, or cylindrical – whose basic concepts are shown above. Each involves plotting the forms of the Earth's surface on a grid of latitude and longitude lines, which may be shown as parallels, curves, or radiating spokes

LATITUDE AND LONGITUDE

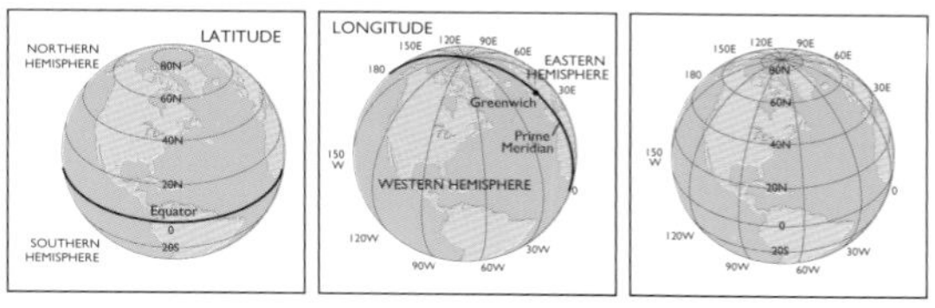

Accurate positioning of individual points on the Earth's surface is made possible by reference to the geometrical system of latitude and longitude. Latitude *parallels* are drawn west–east around the Earth and numbered by degrees north and south of the equator, which is designated 0° of latitude. Longitude *meridians* are drawn north–south and numbered by degrees east and west of the *prime meridian*, 0° of longitude, which passes through Greenwich in England. By referring to these coordinates and their subdivisions of minutes (1/60th of a degree) and seconds (1/60th of a minute), any place on Earth can be located to within a few hundred yards. Latitude and longitude are indicated by blue lines on the maps; they are straight or curved according to the projection employed. Reference to these lines is the easiest way of determining the relative positions of places on different maps, and for plotting compass directions.

NAME FORMS

For ease of reference, both English and local name forms appear in the atlas. Oceans, seas, and countries are shown in English throughout the atlas; country names may be abbreviated to their commonly accepted form (for example, Germany, not The Federal Republic of Germany). Conventional English forms are also used for place names on the smaller-scale maps of the continents. However, local name forms are used on all large-scale and regional maps, with the English form given in brackets only for important cities – the large-scale map of Russia and Northern Asia thus shows Moskva (Moscow). For countries which do not use a Roman script, place names have been transcribed according to the systems adopted by the British and US Geographic Names Authorities. For China, the Pin Yin system has been used, with some more widely known forms appearing in brackets, as with Beijing (Peking). Both English and local names appear in the index, the English form being cross-referenced to the local form.

CONTENTS

World Statistics

Countries 8
Cities 9
Climate 10–11
Physical Dimensions 12–13

Images of Earth

London, United Kingdom 16
Amsterdam, Netherlands 17
Rome, Italy 18
Athens, Greece 19
Islamabad and Rawalpindi, Pakistan 20
Jakarta, Indonesia 21
Hong Kong/Shenzhen, China 22
Tokyo, Japan 23
Cairo, Egypt 24
Nairobi, Kenya 25
Johannesburg, South Africa 26
Cape Town, South Africa 27
Sydney, Australia 28
Auckland, New Zealand 29
Vancouver, Canada 30
Québec, Canada 31
New York City, USA 32
Chicago, USA 33
Salt Lake City, USA 34
New Orleans, USA 35
Mexico City, Mexico 36
Panama Canal, Panama 37
Maracaibo, Venezuela 38
Brasilia, Brazil 39

Ocean Seafloors

Arctic Ocean Seafloor 41
Atlantic Ocean Seafloor 42–43
Pacific Ocean Seafloor 44–45
Indian Ocean Seafloor 46
Southern Ocean Seafloor 47

World Maps

The World: Physical 50–51
1:84 000 000

The World: Political 52–53
1:84 000 000

Arctic Ocean 54
1:31 100 000

Antarctica 55
1:31 100 000

Atlantic Ocean 56
1:45 000 000

Greenland 57
1:11 100 000

Europe

Europe: Physical 58
1:17 800 000

Europe: Political 59
1:17 800 000

Scandinavia 60–61
1:5 300 000
Iceland 1:5 300 000
Færoe Islands 1:5 300 000

Denmark and Southern Sweden 62–63
1:2 200 000

Ireland 64
1:1 800 000

Scotland 65
1:1 800 000
Orkney Islands 1:1 800 000
Shetland Islands 1:1 800 000

England and Wales 66–67
1:1 800 000
Isles of Scilly 1:1 800 000

British Isles 68
1:4 400 000

Netherlands, Belgium and Luxembourg 69
1:2 200 000

Northern France 70–71
1:2 200 000

Southern France 72–73
1:2 200 000

Central Europe 74–75
1:4 400 000

Germany and Switzerland 76–77
1:2 200 000

Austria, Czech Republic and Slovak Republic 78–79
1:2 200 000

Hungary, Romania and the Lower Danube 80–81
1:2 200 000

Poland and the Southern Baltic 82–83
1:2 200 000

Baltic States, Belarus and Ukraine 84–85
1:4 400 000

The Volga Basin and the Caucasus 86–87
1:4 400 000

Western Spain and Portugal 88–89
1:2 200 000

Eastern Spain 90–91
1:2 200 000
Menorca 1:2 200 000

Northern Italy, Slovenia and Croatia 92–93
1:2 200 000

Southern Italy 94–95
1:2 200 000

The Balkans 96–97
1:2 200 000

Southern Greece and Western Turkey 98–99
1:2 200 000

The Balearics, the Canaries and Madeira 100
1:900 000 / 1:1 800 000

Malta, Crete, Corfu, Rhodes and Cyprus 101
1:900 000 / 1:1 200 000

Asia

Asia: Physical 102
1:44 400 000

Asia: Political 103
1:44 400 000

Turkey and Transcaucasia 104–105
1:4 400 000

Russia and Northern Asia 106–107
1:17 800 000

Kazakhstan and Central Asia 108–109
1:8 900 000

China and the Far East 110–111
1:13 300 000
Hong Kong, Macau and Shenzhen 1:890 000

Japan 112–113
1:4 400 000
Ryukyu Islands 1:4 400 000

Northern China and Korea 114–115
1:5 300 000

Southern China and Taiwan 116–117
1:5 300 000
Hainan 1:5 300 000

Indonesia and the Philippines 118–119
1:11 100 000
Java and Madura 1:6 700 000
Bali 1:1 800 000

Mainland Southeast Asia 120–121
1:5 300 000
Ko Phuket 1:900 000
Ko Samui 1:900 000
Pinang 1:900 000
Singapore 1:900 000

South Asia 122–123
1:8 900 000

Northern India, Pakistan and Nepal 124–125
1:5 300 000
Jammu and Kashmir 1:5 300 000

Southern India and Sri Lanka 126–127
1:5 300 000
Lakshadweep Islands 1:5 300 000
Andaman and Nicobar Islands 1:5 300 000

The Middle East 128–129
1:6 200 000

The Near East 130
1:2 200 000

Arabia and the Horn of Africa 131
1:13 300 000

Africa

Africa: Physical 132
1:37 300 000

Africa: Political 133
1: 37 300 000

Northern Africa 134–135
1:13 300 000
Azores 1:13 300 000
Cape Verde Islands 1:8 900 000

Morocco, Algeria and Tunisia 136
1: 7 100 000

Egypt 137
1: 7 100 000

West Africa 138–139
1:7 100 000

Central and Southern Africa 140–141
1:13 300 000
Seychelles 1:2 200 000
Réunion 1:2 200 000
Mauritius 1:2 200 000
Comoros 1:7 100 000
Madagascar 1:13 300 000

East Africa 142–143
1:7 100 000

Southern Africa 144–145
1:7 100 000

Indian Ocean 146
1:45 000 000

Australia and Oceania

Australia and Oceania: Physical and Political 147
1:44 400 000

Western Australia 148–149
1:7 100 000

Eastern Australia 150–151
1:7 100 000
Whitsunday Islands 1:2 200 000
Tasmania 1:7 100 000
Torres Strait 1:7 100 000

Southeastern Australia 152–153
1:3 500 000

New Zealand – North Island 154
1:3 100 000
Fiji 1:5 300 000

New Zealand – South Island 155
1:3 100 000
Tahiti and Moorea 1:900 000
Chatham Islands 1:3 100 000

Pacific Ocean 156–157
1:48 000 000

North America

North America: Physical 158
1:31 100 000

North America: Political 159
1:31 100 000

Canada 160–161
1:13 300 000
Northern Canada 1:13 300 000

Western Canada 162–163
1:6 200 000

Eastern Canada 164–165
1:6 200 000

United States 166–167
1:13 300 000
Hawai'i 1:13 300 000
Alaska 1:13 300 000

United States – West 168–169
1:6 250 000

Central and Southern California and Western Washington 170–171
1:2 200 000

United States – Midwest and Northeast 172–173
1:6 250 000

Northeastern United States 174–175
1:2 200 000

United States – South 176–177
1:6 250 000

Southeastern United States 178–179
1:2 200 000

Mexico 180–181
1:7 100 000

Central America and the West Indies 182–183
1:7 100 000
Jamaica 1:2 700 000
Guadeloupe 1:1 800 000
Martinique 1:1 800 000
Puerto Rico 1:2 700 000
Virgin Islands 1:1 800 000
St Lucia 1:890 000
Barbados 1:890 000

South America

South America: Physical 184
1:31 100 000

South America: Political 185
1:31 100 000

South America – North 186–187
1:14 200 000
Trinidad and Tobago 1:2 200 000

Peru and the Central Andes 188
1:7 100 000

Northeastern Brazil 189
1:7 100 000

Central South America 190–191
1:7 100 000

Southern Chile and Argentina 192
1:7 100 000

Index to World Maps 193–288

WORLD STATISTICS: COUNTRIES

This alphabetical list includes the principal countries and territories of the world. If a territory is not completely independent, the country it is associated with is named. The area figures give the total area of land, inland water, and ice. The population figures are 2014 estimates where available. The annual income is the Gross Domestic Product per capita (PPP) in US dollars. The figures are the latest available, usually 2014 estimates.

Country/Territory	Area km^2 *Thousands*	Area $miles^2$ *Thousands*	Population *Thousands*	Capital	Annual Income US $
Afghanistan	652	252	31,823	Kabul	2,000
Albania	28.7	11.1	3,020	Tirana	11,100
Algeria	2,382	920	38,814	Algiers	14,300
American Samoa (US)	0.20	0.08	55	Pago Pago	8,000
Andorra	0.47	0.18	85	Andorra La Vella	37,200
Angola	1,247	481	19,088	Luanda	8,200
Anguilla (UK)	0.10	0.04	16	The Valley	12,200
Antigua & Barbuda	0.44	0.17	91	St John's	22,600
Argentina	2,780	1,074	43,024	Buenos Aires	22,100
Armenia	29.8	11.5	3,061	Yerevan	7,400
Aruba (Netherlands)	0.19	0.07	111	Oranjestad	25,300
Australia	7,741	2,989	22,508	Canberra	46,600
Austria	83.9	32.4	8,223	Vienna	45,400
Azerbaijan	86.6	33.4	9,686	Baku	17,900
Azores (Portugal)	2.2	0.86	246	Ponta Delgada	15,197
Bahamas	13.9	5.4	322	Nassau	25,100
Bahrain	0.69	0.27	1,314	Manama	51,400
Bangladesh	144	55.6	166,281	Dhaka	3,400
Barbados	0.43	0.17	290	Bridgetown	16,200
Belarus	208	80.2	9,608	Minsk	18,200
Belgium	30.5	11.8	10,449	Brussels	41,700
Belize	23.0	8.9	341	Belmopan	8,100
Benin	113	43.5	10,161	Porto-Novo	1,900
Bermuda (UK)	0.05	0.02	70	Hamilton	86,000
Bhutan	47.0	18.1	734	Thimphu	7,700
Bolivia	1,099	424	10,631	La Paz/Sucre	6,200
Bosnia-Herzegovina	51.2	19.8	3,872	Sarajevo	9,800
Botswana	582	225	2,156	Gaborone	16,000
Brazil	8,514	3,287	202,657	Brasília	15,200
Brunei	5.8	2.2	423	Bandar Seri Begawan	77,700
Bulgaria	111	42.8	6,925	Sofia	17,100
Burkina Faso	274	106	18,365	Ouagadougou	1,700
Burma (Myanmar)	677	261	55,746	Rangoon/Naypyidaw	4,800
Burundi	27.8	10.7	10,396	Bujumbura	900
Cabo Verde	4.0	1.6	539	Praia	6,300
Cambodia	181	69.9	15,458	Phnom Penh	3,300
Cameroon	475	184	23,131	Yaoundé	3,000
Canada	9,971	3,850	34,835	Ottawa	44,500
Canary Is. (Spain)	7.2	2.8	1,682	Las Palmas/Santa Cruz	19,900
Cayman Is. (UK)	0.26	0.10	55	George Town	43,800
Central African Republic	623	241	5,278	Bangui	600
Chad	1,284	496	11,412	Ndjaména	2,600
Chile	757	292	17,364	Santiago	23,200
China	9,597	3,705	1,355,693	Beijing	12,900
Colombia	1,139	440	46,245	Bogotá	13,500
Comoros	2.2	0.86	767	Moroni	1,700
Congo	342	132	4,662	Brazzaville	6,600
Congo (Dem. Rep. of the)	2,345	905	77,434	Kinshasa	700
Cook Is. (NZ)	0.24	0.09	10	Avarua	9,100
Costa Rica	51.1	19.7	4,755	San José	14,900
Croatia	56.5	21.8	4,471	Zagreb	20,400
Cuba	111	42.8	11,047	Havana	10,200
Curaçao (Netherlands)	0.44	0.17	147	Willemstad	15,000
Cyprus	9.3	3.6	1,172	Nicosia	28,000
Czech Republic	78.9	30.5	10,627	Prague	28,400
Denmark	43.1	16.6	5,569	Copenhagen	44,300
Djibouti	23.2	9.0	810	Djibouti	3,000
Dominica	0.75	0.29	73	Roseau	10,700
Dominican Republic	48.5	18.7	10,350	Santo Domingo	12,800
East Timor	14.9	5.7	1,202	Dili	6,800
Ecuador	284	109	15,654	Quito	11,400
Egypt	1,001	387	86,895	Cairo	11,100
El Salvador	21.0	8.1	6,126	San Salvador	8,000
Equatorial Guinea	28.1	10.8	722	Malabo	32,600
Eritrea	118	45.4	6,381	Asmara	1,200
Estonia	45.1	17.4	1,258	Tallinn	26,600
Ethiopia	1,104	426	96,633	Addis Ababa	1,500
Falkland Is. (UK)	12.2	4.7	3	Stanley	55,400
Faroe Is. (Denmark)	1.4	0.54	50	Tórshavn	30,500
Fiji	18.3	7.1	903	Suva	8,200
Finland	338	131	5,269	Helsinki	40,500
France	552	213	66,259	Paris	40,400
French Guiana (France)	90.0	34.7	250	Cayenne	8,300
French Polynesia (France)	4.0	1.5	280	Papeete	26,100
Gabon	268	103	1,673	Libreville	21,600
Gambia, The	11.3	4.4	1,926	Banjul	1,700
Georgia	69.7	26.9	4,936	Tbilisi	7,700
Germany	357	138	80,997	Berlin	44,700
Ghana	239	92.1	25,758	Accra	4,200
Gibraltar (UK)	0.006	0.002	29	Gibraltar Town	43,000
Greece	132	50.9	10,776	Athens	25,800
Greenland (Denmark)	2,176	840	58	Nuuk	38,400
Grenada	0.34	0.13	110	St George's	11,800
Guadeloupe (France)	1.7	0.66	406	Basse-Terre	7,900
Guam (US)	0.55	0.21	161	Agana	28,700
Guatemala	109	42.0	14,647	Guatemala City	7,500
Guinea	246	94.9	11,474	Conakry	1,300
Guinea-Bissau	36.1	13.9	1,693	Bissau	1,400
Guyana	215	83.0	736	Georgetown	6,900
Haiti	27.8	10.7	9,997	Port-au-Prince	1,800
Honduras	112	43.3	8,599	Tegucigalpa	4,700
Hungary	93.0	35.9	9,919	Budapest	24,300
Iceland	103	39.8	317	Reykjavik	42,600
India	3,287	1,269	1,236,345	New Delhi	5,800
Indonesia	1,905	735	253,610	Jakarta	10,200
Iran	1,648	636	80,841	Tehran	16,500
Iraq	438	169	32,586	Baghdad	14,100
Ireland	70.3	27.1	4,833	Dublin	46,800
Israel	20.6	8.0	7,822	Jerusalem	33,400
Italy	301	116	61,680	Rome	34,500
Ivory Coast (Côte d'Ivoire)	322	125	22,849	Yamoussoukro	2,900
Jamaica	11.0	4.2	2,930	Kingston	8,700
Japan	378	146	127,103	Tokyo	37,800
Jordan	89.3	34.5	7,930	Amman	11,900
Kazakhstan	2,725	1,052	17,949	Astana	24,100
Kenya	580	224	45,010	Nairobi	3,100
Kiribati	0.73	0.28	104	Tarawa	1,600
Korea, North	121	46.5	24,852	Pyŏngyang	1,800
Korea, South	99.3	38.3	49,040	Seoul	35,400
Kosovo	10.9	4.2	1,859	Pristina	8,000
Kuwait	17.8	6.9	2,743	Kuwait City	71,000
Kyrgyzstan	200	77.2	5,604	Bishkek	3,400

Country/Territory	Area km^2 *Thousands*	Area $miles^2$ *Thousands*	Population *Thousands*	Capital	Annual Income US $
Laos	237	91.4	6,804	Vientiane	5,000
Latvia	64.6	24.9	2,165	Riga	23,900
Lebanon	10.4	4.0	5,883	Beirut	17,900
Lesotho	30.4	11.7	1,942	Maseru	2,900
Liberia	111	43.0	4,092	Monrovia	900
Libya	1,760	679	6,244	Tripoli	16,600
Liechtenstein	0.16	0.06	37	Vaduz	89,400
Lithuania	65.2	25.2	3,506	Vilnius	26,700
Luxembourg	2.6	1.0	521	Luxembourg	92,400
Macedonia (FYROM)	25.7	9.9	2,092	Skopje	13,200
Madagascar	587	227	23,202	Antananarivo	1,400
Madeira (Portugal)	0.78	0.30	268	Funchal	25,800
Malawi	118	45.7	17,377	Lilongwe	800
Malaysia	330	127	30,073	Kuala Lumpur/Putrajaya	24,500
Maldives	0.30	0.12	394	Malé	12,400
Mali	1,240	479	16,456	Bamako	1,600
Malta	0.32	0.12	413	Valletta	31,700
Marshall Is.	0.18	0.07	71	Majuro	3,200
Martinique (France)	1.1	0.43	386	Fort-de-France	14,400
Mauritania	1,026	396	3,517	Nouakchott	3,400
Mauritius	2.0	0.79	1,331	Port Louis	17,900
Mayotte (France)	0.37	0.14	213	Mamoudzou	4,900
Mexico	1,958	756	120,287	Mexico City	17,900
Micronesia, Fed. States of	0.70	0.27	106	Palikir	3,200
Moldova	33.9	13.1	3,583	Kishinev	4,800
Monaco	0.001	0.0004	31	Monaco	78,700
Mongolia	1,567	605	2,953	Ulan Bator	10,200
Montenegro	14.0	5.4	650	Podgorica	15,200
Montserrat (UK)	0.10	0.39	5	Brades	8,500
Morocco	447	172	32,987	Rabat	7,700
Mozambique	802	309	24,692	Maputo	1,100
Namibia	824	318	2,198	Windhoek	10,800
Nauru	0.02	0.008	9	Yaren	5,000
Nepal	147	56.8	30,987	Katmandu	2,400
Netherlands	41.5	16.0	16,877	Amsterdam/The Hague	47,400
New Caledonia (France)	18.6	7.2	268	Nouméa	38,800
New Zealand	271	104	4,402	Wellington	35,000
Nicaragua	130	50.2	5,849	Managua	4,800
Niger	1,267	489	17,466	Niamey	1,000
Nigeria	924	357	177,156	Abuja	6,100
Northern Mariana Is. (US)	0.46	0.18	51	Saipan	13,600
Norway	324	125	5,148	Oslo	65,900
Oman	310	119	3,220	Muscat	44,100
Pakistan	796	307	196,174	Islamabad	4,700
Palau	0.46	0.18	21	Melekeok	15,100
Panama	75.5	29.2	3,608	Panamá	20,300
Papua New Guinea	463	179	6,553	Port Moresby	2,400
Paraguay	407	157	6,704	Asunción	8,400
Peru	1,285	496	30,148	Lima	12,000
Philippines	300	116	107,668	Manila	7,000
Poland	323	125	38,346	Warsaw	24,400
Portugal	88.8	34.3	10,814	Lisbon	26,300
Puerto Rico (US)	8.9	3.4	3,621	San Juan	16,300
Qatar	11.0	4.2	2,123	Doha	144,400
Réunion (France)	2.5	0.97	841	St-Denis	6,200
Romania	238	92.0	21,730	Bucharest	19,400
Russia	17,075	6,593	142,470	Moscow	24,800
Rwanda	26.3	10.2	12,337	Kigali	1,700
St Kitts & Nevis	0.26	0.10	52	Basseterre	20,300
St Lucia	0.54	0.21	163	Castries	11,100
St Vincent & Grenadines	0.39	0.15	103	Kingstown	10,900
Samoa	2.8	1.1	197	Apia	5,200
San Marino	0.06	0.02	33	San Marino	55,000
São Tomé & Príncipe	0.96	0.37	190	São Tomé	3,100
Saudi Arabia	2,150	830	27,346	Riyadh	52,800
Senegal	197	76.0	13,636	Dakar	2,300
Serbia	77.5	29.9	7,210	Belgrade	12,500
Seychelles	0.46	0.18	92	Victoria	24,500
Sierra Leone	71.7	27.7	5,744	Freetown	2,100
Singapore	0.68	0.26	5,567	Singapore City	81,300
Slovak Republic	49.0	18.9	5,444	Bratislava	27,700
Slovenia	20.3	7.8	1,988	Ljubljana	29,400
Solomon Is.	28.9	11.2	610	Honiara	1,800
Somalia	638	246	10,428	Mogadishu	600
South Africa	1,221	471	48,376	Cape Town/Pretoria	12,700
Spain	498	192	47,738	Madrid	33,000
Sri Lanka	65.6	25.3	21,866	Colombo	10,400
Sudan	1,886	728	35,482	Khartoum	4,500
Sudan, South	620	239	11,563	Juba	2,000
Suriname	163	63.0	573	Paramaribo	16,700
Swaziland	17.4	6.7	1,420	Mbabane	7,800
Sweden	450	174	9,724	Stockholm	44,700
Switzerland	41.3	15.9	8,062	Berne	55,200
Syria	185	71.5	17,952	Damascus	5,100
Taiwan	36.0	13.9	23,360	Taipei	43,600
Tajikistan	143	55.3	8,052	Dushanbe	2,700
Tanzania	945	365	49,639	Dodoma	1,900
Thailand	513	198	67,741	Bangkok	14,400
Togo	56.8	21.9	7,351	Lomé	1,500
Tonga	0.65	0.25	106	Nuku'alofa	5,000
Trinidad & Tobago	5.1	2.0	1,224	Port of Spain	31,300
Tunisia	164	63.2	10,938	Tunis	11,400
Turkey	775	299	81,619	Ankara	19,600
Turkmenistan	488	188	5,172	Ashkhabad	14,200
Turks & Caicos Is. (UK)	0.43	0.17	49	Cockburn Town	29,100
Tuvalu	0.03	0.01	11	Fongafale	3,200
Uganda	241	93.1	35,919	Kampala	1,800
Ukraine	604	233	44,291	Kiev	8,200
United Arab Emirates	83.6	32.3	5,629	Abu Dhabi	65,000
United Kingdom	242	93.4	63,743	London	37,700
United States of America	9,629	3,718	318,892	Washington, DC	54,800
Uruguay	175	67.6	3,333	Montevideo	20,500
Uzbekistan	447	173	28,930	Tashkent	5,600
Vanuatu	12.2	4.7	267	Port-Vila	2,500
Vatican City	0.0004	0.0002	0.842	Vatican City	
Venezuela	912	352	28,868	Caracas	17,900
Vietnam	332	128	93,422	Hanoi	5,600
Virgin Is. (UK)	0.15	0.06	28	Road Town	42,300
Virgin Is. (US)	0.35	0.13	104	Charlotte Amalie	14,500
Yemen	528	204	26,053	Sana'	3,900
Zambia	753	291	14,639	Lusaka	4,100
Zimbabwe	391	151	13,772	Harare	2,000

WORLD STATISTICS: CITIES

This list shows the principal cities with more than 850,000 inhabitants. The figures are taken from the most recent census or estimate available, usually 2014, and as far as possible are the population of the metropolitan area or urban agglomeration. The list includes Metropolitan Statistical Areas from the United States Census Bureau. All the figures are in thousands. Local name forms have been used for the smaller cities (for example, Antwerpen).

AFGHANISTAN	
Kabul	4,635
ALGERIA	
Algiers	2,594
Oran	858
ANGOLA	
Luanda	5,506
Huambo	1,269
ARGENTINA	
Buenos Aires	15,180
Córdoba	1,511
Rosario	1,381
Mendoza	1,009
San Miguel de Tucumán	910
ARMENIA	
Yerevan	1,044
AUSTRALIA	
Sydney	4,505
Melbourne	4,203
Brisbane	2,202
Perth	1,861
Adelaide	1,256
AUSTRIA	
Vienna	1,753
AZERBAIJAN	
Baku	2,374
BANGLADESH	
Dhaka	17,598
Chittagong	4,539
Khulna	1,022
BELARUS	
Minsk	1,915
BELGIUM	
Brussels	2,045
Antwerpen	994
BOLIVIA	
Santa Cruz	2,107
La Paz	1,816
Cochabamba	1,240
BRAZIL	
São Paulo	21,066
Rio de Janeiro	12,902
Belo Horizonte	5,716
Brasília	4,155
Fortaleza	3,880
Recife	3,739
Pôrto Alegre	3,603
Salvador	3,583
Curitiba	3,474
Campinas	3,047
Goiânia	2,285
Belém	2,182
Manaus	2,025
Vitória	1,636
Santos	1,539
São Luís	1,437
Maceió	1,266
Joinville	1,219
Florianópolis	1,180
Natal	1,167
João Pessoa	1,093
Teresina	959
BULGARIA	
Sofia	1,226
BURKINA FASO	
Ouagadougou	2,741
BURMA (MYANMAR)	
Rangoon	4,802
Mandalay	1,167
Naypyidaw	1,030
CAMBODIA	
Phnom Penh	1,731
CAMEROON	
Yaoundé	3,066
Douala	2,943
CANADA	
Toronto	5,993
Montréal	3,981
Vancouver	2,485
Calgary	1,337
Ottawa	1,326
Edmonton	1,272
CHAD	
Ndjamena	1,260
CHILE	
Santiago	6,507
Valparaíso	907
CHINA	
Shanghai	23,741
Beijing	20,384
Chongqing	13,332
Guangzhou, Guangdong	12,458
Tianjin	11,210
Shenzhen	10,749
Wuhan	7,906
Chengdu	7,556
Dongguan, Guangdong	7,435
Nanjing, Jiangsu	7,369
Hong Kong	7,314
Foshan	7,036
Hangzhou	6,391
Shenyang	6,315
Xi'an, Shaanxi	6,044
Suzhou, Jiangsu	5,472
Harbin	5,457
Qingdao	4,566
Dalian	4,489
Xiamen	4,430
Zhengzhou	4,387
Jinan, Shandong	4,032
Shantou	3,949
Kunming	3,780
Changchun	3,762
Changsha	3,761
Zhongshan	3,691
Ürümqi	3,499
Taiyuan, Shanxi	3,482
Hefei	3,348
Fuzhou, Fujian	3,283
Shijiazhuang	3,264
Nanning	3,234
Wenzhou	3,208
Ningbo	3,132
Wuxi, Jiangsu	3,049
Guiyang	2,871
Tangshan	2,743
Lanzhou	2,723
Changzhou, Jiangsu	2,584
Nanchang	2,527
Zibo	2,430
Huizhou	2,312
Jinxi	2,268
Weifang	2,195
Yantai	2,114
Shaoxing	2,076
Luoyang	2,015
Huai'an	2,000
Nantong	1,978
Baotou	1,957
Xuzhou	1,918
Haikou	1,903
Hohhot	1,785
Yangzhou	1,765
Linyi	1,706
Taizhou, Zhejiang	1,648
Handan	1,634
Daqing	1,621
Liuzhou	1,619
Yinchuan	1,596
Jiangmen	1,572
Anshan	1,559
Zhuhai	1,542
Xiangyang	1,533
Datong	1,532
Jilin	1,520
Qiqihar	1,452
Putian	1,438
Yancheng	1,436
Quanzhou	1,395
Jining, Shandong	1,385
Chaozhou	1,333
Huainan	1,327
Xining	1,323
Cixi	1,303
Hengyang	1,301
Fushun	1,298
Tai'an	1,220
Taizhou, Jiangsu	1,184
Zhanjiang	1,149
Anyang	1,140
Qinhuangdao	1,109
Baoding	1,106
Lianyungang	1,099
Zhuzhou	1,083
Yiwu	1,080
Benxi	1,070
Mianyang	1,065
Rizhao	1,062
Zhenjiang	1,050
Suqian	1,050
Nanchong	1,050
Guilin	1,040
Jinzhou	1,035
Zaozhuang	1,028
Yingkou	1,026
Chifeng	1,018
Nanyang	1,011
Xiangtan	1,010
Puning	1,005
Baoji	1,001
Pingdingshan	995
Xinyang	991
Zhangjiakou	983
Huaibei	981
Ruian	973
Jiaxing	970
Jinhua	970
Dongying	967
Jingzhou	964
Yueyang	962
Jueyang	909
Fuyang	893
Jixi	890
Mudanjiang	851
COLOMBIA	
Bogotá	9,765
Medellín	3,911
Cali	2,646
Barranquilla	1,991
Bucaramanga	1,215
Cartagena	1,092
Cúcuta	851
CONGO	
Brazzaville	1,888
Pointe-Noire	969
CONGO (DEM. REP. OF THE)	
Kinshasa	11,587
Lubumbashi	2,015
Mbuji-Mayi	2,007
Kananga	1,169
Kisangani	1,040
COSTA RICA	
San José	1,170
CUBA	
Havana	2,137
CZECH REPUBLIC	
Prague	1,314
DENMARK	
Copenhagen	1,268
DOMINICAN REPUBLIC	
Santo Domingo	2,945
ECUADOR	
Guayaquil	2,709
Quito	1,726
EGYPT	
Cairo	18,772
Alexandria	4,778
EL SALVADOR	
San Salvador	1,098
ETHIOPIA	
Addis Ababa	3,238
FINLAND	
Helsinki	1,180
FRANCE	
Paris	10,843
Lyon	1,609
Marseilles	1,605
Lille	1,027
Nice	967
Toulouse	938
Bordeaux	891
GEORGIA	
Tbilisi	1,147
GERMANY	
Berlin	3,563
Hamburg	1,831
Munich	1,438
Cologne	1,037
GHANA	
Kumasi	2,599
Accra	2,277
GREECE	
Athens	3,052
GUATEMALA	
Guatemala City	2,918
GUINEA	
Conakry	1,936
HAITI	
Port-au-Prince	2,440
HONDURAS	
Tegucigalpa	1,123
San Pedro Sula	852
HUNGARY	
Budapest	1,714
INDIA	
Delhi	25,703
Mumbai	21,043
Kolkata	14,865
Bengaluru	10,087
Chennai	9,890
Hyderabad	8,944
Ahmedabad	7,343
Pune	5,728
Surat	5,650
Jaipur	3,461
Lucknow	3,222
Kanpur	3,021
Nagpur	2,675
Coimbatore	2,549
Calicut	2,476
Indore	2,441
Kochi	2,416
Thrissur	2,329
Malappuram	2,216
Patna	2,210
Kannur	2,153
Bhopal	2,102
Vadodara	1,975
Agra	1,966
Thiruvananthapuram	1,965
Vishakhapatnam	1,935
Nashik	1,779
Vijayawada	1,760
Ludhiana	1,716
Rajkot	1,599
Madurai	1,593
Meerut	1,550
Varanasi	1,541
Jamshedpur	1,451
Srinagar	1,429
Kollam	1,410
Raipur	1,374
Aurangabad	1,344
Jabalpur	1,337
Asansol	1,313
Allahabad	1,295
Jodhpur	1,284
Amritsar	1,265
Ranchi	1,262
Dhanbad	1,255
Tiruppur	1,230
Kota	1,163
Chandigarh	1,134
Bhilainagar-Durg	1,129
Bareilly	1,111
Tiruchchirapalli	1,106
Mysore	1,082
Guwahati	1,042
Aligarh	1,037
Moradabad	1,023
Hubli-Dharwad	1,020
Salem	1,003
Bhubaneswar	999
Solapur	986
Jalandhar	954
INDONESIA	
Jakarta	10,323
Surabaya	2,853
Bandung	2,544
Medan	2,204
Semarang	1,630
Makassar	1,489
Palembang	1,455
Batam	1,391
Pekanbaru	1,121
Denpasar	1,107
Bogor	1,076
Bandar Lampung	965
Padang	903
Samarinda	865
Malang	856
IRAN	
Tehran	8,432
Mashhad	3,014
Esfahan	1,880
Karaj	1,807
Shiraz	1,661
Tabriz	1,572
Ahvaz	1,216
Qom	1,204
Kermanshah	896
IRAQ	
Baghdad	6,643
Mosul	1,694
Arbil	1,166
Basra	1,019
As Sulaymaniyah	1,004
IRELAND	
Dublin	1,169
ISRAEL	
Tel Aviv-Yafo	3,608
Haifa	1,097
ITALY	
Rome	3,718
Milan	3,099
Naples	2,202
Turin	1,765
Palermo	853
IVORY COAST (CÔTE D'IVOIRE)	
Abidjan	4,860
JAPAN	
Tokyo–Yokohama	38,001
Osaka–Kobe	20,238
Nagoya	9,406
Fukuoka–Kitakyushu	5,510
Sapporo	2,571
Hiroshima	2,173
Sendai	2,091
Kyoto	1,470
JORDAN	
Amman	1,155
KAZAKHSTAN	
Almaty	1,523
KENYA	
Nairobi	3,915
Mombasa	1,104
KOREA, NORTH	
Pyongyang	2,863
KOREA, SOUTH	
Seoul	9,774
Busan	3,216
Incheon	2,685
Daegu	2,244
Daejeon	1,564
Gwangju	1,536
Suwon	1,099
Yongin	1,048
Changwon	1,039
Seongnam	968
Goyang	942
Ulsan	904
KUWAIT	
Kuwait City	2,779
KYRGYZSTAN	
Bishkek	865
LEBANON	
Beirut	2,226
LIBYA	
Tripoli	1,126
MADAGASCAR	
Antananarivo	2,610
MALAWI	
Lilongwe	905
MALAYSIA	
Kuala Lumpur	6,837
Johor Bahru	912
MALI	
Bamako	2,515
MEXICO	
Mexico City	20,999
Guadalajara	4,843
Monterrey	4,513
Puebla	2,984
Toluca	2,164
Tijuana	1,987
León	1,807
Ciudad Juárez	1,390
Torreón	1,332
Querétaro	1,267
San Luis Potosí	1,147
Mérida	1,068
Mexicali	1,034
Aguascalientes	1,031
Cuernavaca	993
Chihuahua	941
Saltillo	932
Tampico	920
Morelia	914
Acapulco	900
Veracruz	880
MONGOLIA	
Ulan Bator	1,377
MOROCCO	
Casablanca	3,515
Rabat	1,967
Fès	1,172
Marrakesh	1,134
Tangier	982
MOZAMBIQUE	
Maputo	1,187
Matola	937
NEPAL	
Katmandu	1,183
NETHERLANDS	
Amsterdam	1,091
Rotterdam	993
NEW ZEALAND	
Auckland	1,344
NICARAGUA	
Managua	956
NIGER	
Niamey	1,090
NIGERIA	
Lagos	13,123
Kano	3,587
Ibadan	3,160
Abuja	2,440
Port Harcourt	2,343
Benin City	1,496
Onitsha	1,109
Kaduna	1,048
Aba	944
NORWAY	
Oslo	986
PAKISTAN	
Karachi	16,618
Lahore	8,741
Faisalabad	3,567
Rawalpindi	2,506
Gujranwala	2,122
Multan	1,921
Hyderabad	1,772
Peshawar	1,736
Islamabad	1,365
Quetta	1,109
Bahawalpur	913
PANAMA	
Panamá	1,673
PARAGUAY	
Asunción	2,356
PERU	
Lima	9,897
Arequipa	850
PHILIPPINES	
Manila	12,946
Davao	1,630
Cebu	951
Zamboanga	936
POLAND	
Warsaw	1,722
PORTUGAL	
Lisbon	2,884
Porto	1,299
PUERTO RICO	
San Juan	2,463
ROMANIA	
Bucharest	1,868
RUSSIA	
Moscow	12,166
St Petersburg	4,993
Novosibirsk	1,497
Yekaterinburg	1,379
Nizhniy Novgorod	1,212
Samara	1,164
Kazan	1,162
Omsk	1,162
Chelyabinsk	1,157
Rostov	1,097
Ufa	1,070
Volgograd	1,022
Krasnoyarsk	1,008
Perm	982
Voronezh	911
RWANDA	
Kigali	1,257
SAUDI ARABIA	
Riyadh	6,370
Jedda	4,076
Mecca	1,771
Medina	1,280
Dammam	1,064
SENEGAL	
Dakar	3,520
SERBIA	
Belgrade	1,182
SIERRA LEONE	
Freetown	1,007
SINGAPORE	
Singapore City	5,619
SOMALIA	
Mogadishu	2,138
SOUTH AFRICA	
Johannesburg	9,399
Cape Town	3,660
Durban	2,901
Pretoria	2,059
Port Elizabeth	1,179
Vereeniging	1,155
SPAIN	
Madrid	6,199
Barcelona	5,258
SUDAN	
Khartoum	5,129
SWEDEN	
Stockholm	1,486
SWITZERLAND	
Zürich	1,246
SYRIA	
Aleppo	3,562
Damascus	2,566
Homs	1,641
Hamah	1,237
TAIWAN	
Taipei	2,666
T'aichung	1,225
Kaohsiung	1,523
TANZANIA	
Dar es Salaam	5,116
THAILAND	
Bangkok	9,270
Samut Prakan	1,814
TOGO	
Lomé	956
TUNISIA	
Tunis	1,993
TURKEY	
Istanbul	14,164
Ankara	4,750
Izmir	3,040
Bursa	1,923
Adana	1,830
Gaziantep	1,528
Konya	1,194
Antalya	1,072
Diyarbakir	926
Kayseri	904
UGANDA	
Kampala	1,936
UKRAINE	
Kiev	2,942
Kharkov	1,441
Odessa	1,010
Dnepropetrovsk	957
Donetsk	934
UNITED ARAB EMIRATES	
Dubai	2,415
Sharjah	1,279
Abu Dhabi	1,145
UNITED KINGDOM	
London	10,313
Birmingham	2,515
Manchester	2,646
Glasgow	1,223
Liverpool	870
UNITED STATES OF AMERICA	
New York	19,950
Los Angeles	13,131
Chicago	9,537
Dallas–Fort Worth	6,811
Houston	6,313
Philadelphia	6,035
Washington, DC	5,950
Miami	5,828
Atlanta	5,523
Boston	4,684
San Francisco	4,516
Phoenix–Mesa	4,399
Riverside-San Bernardino	4,381
Detroit	4,295
Seattle	3,610
Minneapolis–St Paul	3,459
San Diego	3,211
Tampa–St Petersburg	2,871
St Louis	2,801
Baltimore	2,771
Denver	2,697
Pittsburgh	2,361
Charlotte	2,335
Portland	2,314
San Antonio	2,278
Orlando	2,268
Sacramento	2,216
Cincinnati	2,137
Cleveland	2,065
Kansas City	2,054
Las Vegas	2,028
Columbus	1,967
Indianapolis	1,954
San Jose	1,920
Austin	1,883
Nashville	1,758
Virginia Beach–Norfolk	1,707
Providence	1,604
Milwaukee	1,570
Jacksonville	1,395
Memphis	1,342
Oklahoma	1,320
Louisville	1,262
Richmond	1,246
New Orleans	1,241
Hartford	1,215
Raleigh	1,215
Birmingham	1,140
Salt Lake City	1,140
Buffalo	1,134
Rochester	1,083
Grand Rapids	1,017
Tucson	997
Tulsa	961
Fresno	955
Worcester	927
Albuquerque	903
Omaha	895
Albany	878
New Haven	862
Honolulu	848
URUGUAY	
Montevideo	1,707
UZBEKISTAN	
Tashkent	2,251
VENEZUELA	
Caracas	2,916
Maracaibo	2,196
Valencia	1,734
Maracay	1,166
Barquisimeto	1,039
VIETNAM	
Ho Chi Minh City	7,298
Hanoi	3,629
Can Tho	1,175
Haiphong	1,075
Da Nang	952
YEMEN	
Sana'	2,962
Aden	882
ZAMBIA	
Lusaka	2,179
ZIMBABWE	
Harare	1,501

WORLD STATISTICS: CLIMATE

Rainfall and temperature figures are provided for more than 70 cities. As climate is affected by altitude, the height of the weather station for each city is shown in meters beneath its name. For each location, the top row of figures shows the total rainfall or snow in millimeters, and the bottom row the average temperature in degrees Celsius; the total annual rainfall and average annual temperature are at the end of the rows. The map opposite shows the city locations.

CITY	JAN.	FEB.	MAR.	APR.	MAY	JUNE	JULY	AUG.	SEPT.	OCT.	NOV.	DEC.	YEAR
EUROPE													
Athens, Greece	62	37	37	23	23	14	6	7	15	51	56	71	402
107 m	10	10	12	16	20	25	28	28	24	20	15	11	18
Berlin, Germany	42	33	41	37	54	69	56	58	45	37	44	55	571
55 m	–1	0	4	9	14	17	19	18	15	9	5	1	9
Istanbul, Turkey	87	71	63	43	33	25	24	24	44	71	85	107	655
14 m	5	6	7	11	16	20	23	23	20	16	12	8	14
Lisbon, Portugal	111	110	69	54	44	16	3	4	33	62	93	103	702
77 m	11	12	14	16	17	20	22	23	21	18	14	12	17
London, UK	54	40	37	37	46	45	57	59	49	57	64	48	593
5 m	4	5	7	9	12	16	18	17	15	11	8	5	11
Málaga, Spain	61	51	62	46	26	5	1	3	29	64	64	62	474
33 m	12	13	16	17	19	29	25	26	23	20	16	13	18
Moscow, Russia	39	38	36	37	53	58	88	71	58	45	47	54	624
156 m	–13	–10	–4	6	13	16	18	17	12	6	–1	–7	4
Odessa, Ukraine	57	62	30	21	34	34	42	37	37	13	35	71	473
64 m	–3	–1	2	9	15	20	22	22	18	12	9	1	10
Paris, France	56	46	35	42	57	54	59	64	55	50	51	50	619
75 m	3	4	8	11	15	18	20	19	17	12	7	4	12
Rome, Italy	71	62	57	51	46	37	15	21	63	99	129	93	744
17 m	8	9	11	14	18	22	25	25	22	17	13	10	16
Shannon, Ireland	94	67	56	53	61	57	77	79	86	86	96	117	929
2 m	5	5	7	9	12	14	16	16	14	11	8	6	10
Stockholm, Sweden	43	30	25	31	34	45	61	76	60	48	53	48	554
44 m	–3	–3	–1	5	10	15	18	17	12	7	3	0	7
ASIA													
Bangkok, Thailand	8	20	36	58	198	160	160	175	305	206	66	5	1,397
2 m	26	28	29	30	29	29	28	28	28	28	26	25	28
Beirut, Lebanon	191	158	94	53	18	3	3	3	5	51	132	185	892
34 m	14	14	16	18	22	24	27	28	26	24	19	16	21
Colombo, Sri Lanka	89	69	147	231	371	224	135	109	160	348	315	147	2,365
7 m	26	26	27	28	28	27	27	27	27	27	26	26	27
Harbin, China	6	5	10	23	43	94	112	104	46	33	8	5	488
160 m	–18	–15	–5	6	13	19	22	21	14	4	–6	–16	3
Ho Chi Minh, Vietnam	15	3	13	43	221	330	315	269	335	269	114	56	1,984
9 m	26	27	29	30	29	28	28	28	27	27	27	26	28
Hong Kong, China	33	46	74	137	292	394	381	361	257	114	43	31	2,162
33 m	16	15	18	22	26	28	28	28	27	25	21	18	23
Jakarta, Indonesia	300	300	211	147	114	97	64	43	66	112	142	203	1,798
8 m	26	26	27	27	27	27	27	27	27	27	27	26	27

CITY	JAN.	FEB.	MAR.	APR.	MAY	JUNE	JULY	AUG.	SEPT.	OCT.	NOV.	DEC.	YEAR
ASIA (continued)													
Kabul, Afghanistan	34	60	68	72	23	1	6	2	2	4	19	22	313
1,815 m	–3	–1	6	13	18	22	25	24	20	14	7	3	12
Karachi, Pakistan	13	10	8	3	3	18	81	41	13	<3	3	5	196
4 m	19	20	24	28	30	31	30	29	28	28	24	20	26
Kolkata, India	10	31	36	43	140	297	325	328	252	114	20	5	1,600
6 m	20	22	27	30	30	30	29	29	29	28	23	19	26
Manama, Bahrain	8	18	13	8	3	0	0	0	0	0	18	18	81
5 m	17	18	21	25	29	32	33	34	31	28	24	19	26
Mumbai, India	3	3	3	3	18	485	617	340	264	64	13	3	1,809
11 m	24	24	26	28	30	29	27	27	27	28	27	26	27
New Delhi, India	23	18	13	8	13	74	180	172	117	10	3	10	640
218 m	14	17	23	28	33	34	31	30	29	26	20	15	25
Omsk, Russia	15	8	8	13	31	51	51	51	28	25	18	20	318
85 m	–22	–19	–12	–1	10	16	18	16	10	1	–11	–18	–1
Qazaly, Kazakhstan	10	10	13	13	15	5	5	8	8	10	13	15	125
63 m	–12	–11	–3	6	18	23	25	23	16	8	–1	–7	7
Shanghai, China	48	58	84	94	94	180	147	142	130	71	51	36	1,135
7 m	4	5	9	14	20	24	28	28	23	19	12	7	16
Singapore	252	173	193	188	173	173	170	196	178	208	254	257	2,413
10 m	26	27	28	28	28	28	28	27	27	27	27	27	27
Tehran, Iran	46	38	46	36	13	3	3	3	3	8	20	31	246
1,220 m	2	5	9	16	21	26	30	29	25	18	12	6	17
Tokyo, Japan	48	74	107	135	147	165	142	152	234	208	97	56	1,565
6 m	3	4	7	13	17	21	25	26	23	17	11	6	14
Ulan Bator, Mongolia	3	3	3	5	10	28	76	51	23	5	5	3	208
1,325 m	–26	–21	–13	–1	6	14	16	14	8	–1	–13	–22	–3
Verkhoyansk, Russia	5	5	3	5	8	23	28	25	13	8	8	5	134
100 m	–50	–45	–32	–15	0	12	14	9	2	–15	–38	–48	–17
AFRICA													
Addis Ababa, Ethiopia	3	3	25	135	213	201	206	239	102	28	3	0	1,151
2,450 m	19	20	20	20	19	18	18	19	21	22	21	20	20
Antananarivo, Madag.	300	279	178	53	18	8	8	10	18	61	135	287	1,356
1,372 m	21	21	21	19	18	15	14	15	17	19	21	21	19
Cairo, Egypt	5	4	4	1	1	0	0	0	0	1	4	6	26
116 m	13	15	18	21	25	28	28	28	26	24	20	15	22
Cape Town, S. Africa	15	8	18	48	79	84	89	66	43	31	18	10	508
17 m	21	21	20	17	14	13	12	13	14	16	18	19	17
Jo'burg, S. Africa	114	109	89	38	25	8	8	8	23	56	107	125	709
1,665 m	20	20	18	16	13	10	11	13	16	18	19	20	16

CITY	JAN.	FEB.	MAR.	APR.	MAY	JUNE	JULY	AUG.	SEPT.	OCT.	NOV.	DEC.	YEAR
AFRICA (continued)													
Khartoum, Sudan	3	3	3	3	3	8	53	71	18	5	3	0	158
390 m	24	25	28	31	33	34	32	31	32	32	28	25	29
Kinshasa, Congo (D.R.)	135	145	196	196	158	8	3	3	31	119	221	142	1,354
325 m	26	26	27	27	26	24	23	24	25	26	26	26	25
Lagos, Nigeria	28	46	102	150	269	460	279	64	140	206	69	25	1,836
3 m	27	28	29	28	28	26	26	25	26	26	28	28	27
Lusaka, Zambia	231	191	142	18	3	3	3	0	3	10	91	150	836
1,277 m	21	22	21	21	19	16	16	18	22	24	23	22	21
Monrovia, Liberia	31	56	97	216	516	973	996	373	744	772	236	130	5,138
23 m	26	26	27	27	26	25	24	25	25	25	26	26	26
Nairobi, Kenya	38	64	125	211	158	46	15	23	31	53	109	86	958
820 m	19	19	19	19	18	16	16	16	18	19	18	18	18
Timbuktu, Mali	1	0	0	1	4	16	54	74	29	4	0	0	183
301 m	22	24	28	32	34	35	32	30	32	31	28	23	29
Tunis, Tunisia	64	51	41	36	18	8	3	8	33	51	48	61	419
66 m	10	11	13	16	19	23	26	27	25	20	16	11	18
Walvis Bay, Namibia	3	5	8	3	3	3	3	3	3	3	3	3	23
7 m	19	19	19	18	17	16	15	14	14	15	17	18	18
AUSTRALIA, NEW ZEALAND AND ANTARCTICA													
Alice Springs, Aust.	43	33	28	10	15	13	8	8	8	18	31	38	252
579 m	29	28	25	20	15	12	12	14	18	23	26	28	21
Christchurch, NZ	56	43	48	48	66	66	69	48	46	43	48	56	638
10 m	16	16	14	12	9	6	6	7	9	12	14	16	11
Darwin, Australia	386	312	254	97	15	3	3	3	13	51	119	239	1,491
30 m	29	29	29	29	28	26	25	26	28	29	30	29	28
Mawson, Antarctica	11	30	20	10	44	180	4	40	3	20	0	0	362
14 m	0	−5	−10	−14	−15	−16	−18	−18	−19	−13	−5	−1	−11
Perth, Australia	8	10	20	43	130	180	170	149	86	56	20	13	881
60 m	23	23	22	19	16	14	13	13	15	16	19	22	18
Sydney, Australia	89	102	127	135	127	117	117	76	73	71	73	73	1,181
42 m	22	22	21	18	15	13	12	13	15	18	19	21	17
NORTH AMERICA													
Anchorage, USA	20	18	15	10	13	18	41	66	66	56	25	23	371
40 m	−11	−8	−5	2	7	12	14	13	9	2	−5	−11	2
Chicago, USA	51	51	66	71	86	89	84	81	79	66	61	51	836
251 m	−4	−3	2	9	14	20	23	22	19	12	5	−1	10
Churchill, Canada	15	13	18	23	32	44	46	58	51	43	39	21	402
13 m	−28	−26	−20	−10	−2	6	12	11	5	−2	−12	−22	−7
Edmonton, Canada	25	19	19	22	43	77	89	78	39	17	16	25	466
676 m	−15	−10	−5	4	11	15	17	16	11	6	−4	−10	3
Honolulu, USA	104	66	79	48	25	18	23	28	36	48	64	104	643
12 m	23	18	19	20	22	24	25	26	26	24	22	19	22
Houston, USA	89	76	84	91	119	117	99	99	104	94	89	109	1,171
12 m	12	13	17	21	24	27	28	29	26	22	16	12	21

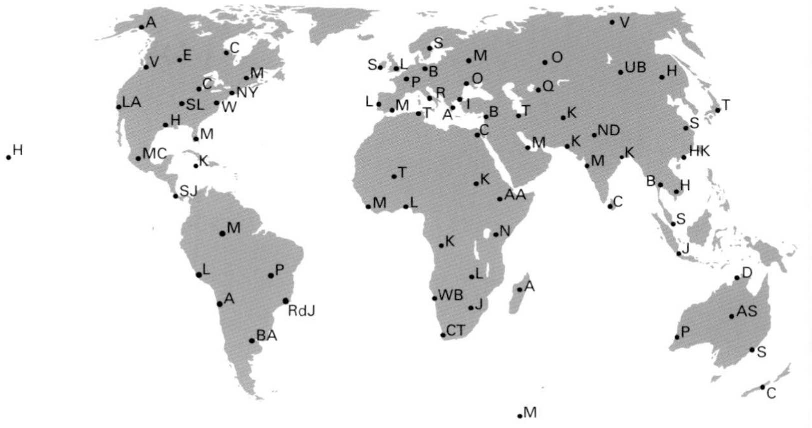

CITY	JAN.	FEB.	MAR.	APR.	MAY	JUNE	JULY	AUG.	SEPT.	OCT.	NOV.	DEC.	YEAR
NORTH AMERICA (continued)													
Kingston, Jamaica	23	15	23	31	102	89	38	91	99	180	74	36	800
34 m	25	25	25	26	26	28	28	28	27	27	26	26	26
Los Angeles, USA	79	76	71	25	10	3	3	3	5	15	31	66	381
95 m	13	14	14	16	17	19	21	22	21	18	16	14	17
Mexico City, Mexico	13	5	10	20	53	119	170	152	130	51	18	8	747
2,309 m	12	13	16	18	19	19	17	18	18	16	14	13	16
Miami, USA	71	53	64	81	173	178	155	160	203	234	71	51	1,516
8 m	20	20	22	23	25	27	28	28	27	25	22	21	24
Montréal, Canada	72	65	74	74	66	82	90	92	88	76	81	87	946
57 m	−10	−9	−3	−6	13	18	21	20	15	9	2	−7	6
New York City, USA	94	97	91	81	81	84	107	109	86	89	76	91	1,092
96 m	−1	−1	3	10	16	20	23	23	21	15	7	2	11
St Louis, USA	58	64	89	97	114	114	89	86	81	74	71	64	1,001
173 m	0	1	7	13	19	24	26	26	22	15	8	2	14
San José, Costa Rica	15	5	20	46	229	241	211	241	305	300	145	41	1,798
1,146 m	19	19	21	21	22	21	21	21	21	20	20	19	20
Vancouver, Canada	154	115	101	60	52	45	32	41	67	114	150	182	1,113
14 m	3	5	6	9	12	15	17	17	14	10	6	4	10
Washington, DC, USA	86	76	91	84	94	99	112	109	94	74	66	79	1,064
22 m	1	2	7	12	18	23	25	24	20	14	8	3	13
SOUTH AMERICA													
Antofagasta, Chile	0	0	0	3	3	3	5	3	3	3	3	0	13
94 m	21	21	20	18	16	15	14	14	15	16	18	19	17
Buenos Aires, Arg.	122	123	154	107	92	50	53	63	78	139	131	103	1,215
27 m	23	23	21	17	13	9	10	11	13	15	19	22	16
Lima, Peru	3	3	3	3	5	5	8	8	8	3	3	3	41
120 m	23	24	24	22	19	17	17	16	17	18	19	21	20
Manaus, Brazil	249	231	262	221	170	84	58	38	46	107	142	203	1,811
44 m	28	28	28	27	28	28	28	28	29	29	29	28	28
Paraná, Brazil	287	236	239	102	13	3	3	5	28	127	231	310	1,582
260 m	23	23	23	23	23	21	21	22	24	24	24	23	23
Rio de Janeiro, Brazil	125	122	130	107	79	53	41	43	66	79	104	137	1,082
61 m	26	26	25	24	22	21	21	21	21	22	23	25	23

WORLD STATISTICS: PHYSICAL DIMENSIONS

Each topic list is divided into continents and within a continent the items are listed in order of size. The bottom part of many of the lists is selective in order to give examples from as many different countries as possible. The order of the continents is as in the atlas, Europe through to South America. The world top ten are shown in square brackets; in the case of mountains this has not been done because the world top 30 are all in Asia. The figures are rounded as appropriate.

WORLD, CONTINENTS, OCEANS

THE WORLD	km²	miles²	%
The World	509,450,000	196,672,000	–
Land	149,450,000	57,688,000	29.3
Water	360,000,000	138,984,000	70.7
Asia	44,500,000	17,177,000	29.8
Africa	30,302,000	11,697,000	20.3
North America	24,241,000	9,357,000	16.2
South America	17,793,000	6,868,000	11.9
Antarctica	14,100,000	5,443,000	9.4
Europe	9,957,000	3,843,000	6.7
Australia and Oceania	8,557,000	3,303,000	5.7
Pacific Ocean	155,557,000	60,061,000	46.4
Atlantic Ocean	76,762,000	29,638,000	22.9
Indian Ocean	68,556,000	26,470,000	20.4
Southern Ocean	20,327,000	7,848,000	6.1
Arctic Ocean	14,056,000	5,427,000	4.2

SEAS

PACIFIC	km²	miles²
South China Sea	2,974,600	1,148,500
Bering Sea	2,268,000	875,000
Sea of Okhotsk	1,528,000	590,000
East China and Yellow Sea	1,249,000	482,000
Sea of Japan	1,008,000	389,000
Gulf of California	162,000	62,500
Bass Strait	75,000	29,000

ATLANTIC	km²	miles²
Caribbean Sea	2,766,000	1,068,000
Mediterranean Sea	2,516,000	971,000
Gulf of Mexico	1,543,000	596,000
Hudson Bay	1,232,000	476,000
North Sea	575,000	223,000
Black Sea	462,000	178,000
Baltic Sea	422,170	163,000
Gulf of St Lawrence	238,000	92,000

INDIAN	km²	miles²
Red Sea	438,000	169,000
Persian Gulf	239,000	92,000

MOUNTAINS

EUROPE		m	ft
Elbrus	*Russia*	5,642	18,510
Dykh Tau	*Russia*	5,203	17,070
Shkhara	*Russia/Georgia*	5,201	17,064
Koshtan Tau	*Russia*	5,152	16,903
Kazbek	*Russia/Georgia*	5,047	16,558
Pushkin	*Russia/Georgia*	5,033	16,512
Katyn Tau	*Russia/Georgia*	4,979	16,335
Shota Rustaveli	*Russia/Georgia*	4,860	15,945
Mont Blanc	*France/Italy*	4,808	15,774
Monte Rosa	*Italy/Switzerland*	4,634	15,203
Dom	*Switzerland*	4,545	14,911
Liskamm	*Switzerland*	4,527	14,852
Weisshorn	*Switzerland*	4,505	14,780
Tebulos	*Russia/Georgia*	4,492	14,737
Taschorn	*Switzerland*	4,490	14,730
Matterhorn/Cervino	*Italy/Switzerland*	4,478	14,691
Mont Maudit	*France/Italy*	4,465	14,649
Bazar Dyuzi	*Russia/Azerbaijan*	4,462	14,639
Grandes Jorasses	*France/Italy*	4,208	13,806
Jungfrau	*Switzerland*	4,158	13,642
Barre des Ecrins	*France*	4,102	13,458
Gran Paradiso	*Italy*	4,061	13,323
Piz Bernina	*Italy/Switzerland*	4,049	13,284
Eiger	*Switzerland*	3,970	13,025
Grossglockner	*Austria*	3,797	12,457
Mulhacén	*Spain*	3,478	11,411
Etna	*Italy*	3,323	10,902
Zugspitze	*Germany*	2,962	9,718
Olympus	*Greece*	2,917	9,570
Galdhøpiggen	*Norway*	2,469	8,100
Ben Nevis	*UK*	1,344	4,408

ASIA		m	ft
Everest	*China/Nepal*	8,850	29,035
K2 (Godwin Austen)	*China/Kashmir*	8,611	28,251
Kanchenjunga	*India/Nepal*	8,598	28,208
Lhotse	*China/Nepal*	8,516	27,939
Makalu	*China/Nepal*	8,481	27,824
Cho Oyu	*China/Nepal*	8,201	26,906
Dhaulagiri	*Nepal*	8,167	26,795
Manaslu	*Nepal*	8,156	26,758
Nanga Parbat	*Kashmir*	8,126	26,660
Annapurna	*Nepal*	8,078	26,502
Gasherbrum	*China/Kashmir*	8,068	26,469
Broad Peak	*China/Kashmir*	8,051	26,414
Xixabangma Feng	*China*	8,012	26,286
Gayachung Kang	*Nepal*	7,897	25,909
Himalchuli	*Nepal*	7,893	25,896
Disteghil Sar	*Kashmir*	7,885	25,869
Nuptse	*Nepal*	7,879	25,849
Kangbachen	*Nepal*	7,858	25,781
Khunyang Chhish	*Kashmir*	7,852	25,761
Masherbrum	*Kashmir*	7,821	25,659
Nanda Devi	*India*	7,817	25,646
Rakaposhi	*Kashmir*	7,788	25,551
Batura	*Kashmir*	7,785	25,541
Namche Barwa	*China*	7,782	25,531
Kamet	*India*	7,756	25,447
Soltoro Kangri	*Pakistan*	7,742	25,400
Gurla Mandhata	*China*	7,728	25,354
Trivor	*Pakistan*	7,720	25,328
Kongur Shan	*China*	7,719	25,324
Jannu	*Nepal*	7,710	25,295
Tirich Mir	*Pakistan*	7,690	25,229
K'ula Shan	*Bhutan/China*	7,543	24,747
Pik Imeni Ismail Samani	*Tajikistan*	7,495	24,590
Demavend	*Iran*	5,604	18,386
Ararat	*Turkey*	5,165	16,945
Gunong Kinabalu	*Malaysia (Borneo)*	4,101	13,455
Yu Shan	*Taiwan*	3,952	12,966
Fuji-San	*Japan*	3,776	12,388

AFRICA		m	ft
Kilimanjaro	*Tanzania*	5,895	19,340
Mt Kenya	*Kenya*	5,199	17,057
Ruwenzori (Margherita)	*Uganda/Congo (D.R.)*	5,109	16,762
Meru	*Tanzania*	4,565	14,977
Ras Dashen	*Ethiopia*	4,533	14,872
Karisimbi	*Rwanda/Congo (D.R.)*	4,507	14,787
Mt Elgon	*Kenya/Uganda*	4,321	14,176
Batu	*Ethiopia*	4,307	14,130
Guna	*Ethiopia*	4,231	13,882
Toubkal	*Morocco*	4,165	13,665
Irhil Mgoun	*Morocco*	4,071	13,356
Mt Cameroun	*Cameroon*	4,070	13,353
Amba Ferit	*Ethiopia*	3,875	13,042
Pico del Teide	*Spain (Tenerife)*	3,718	12,198
Thabana Ntlenyana	*Lesotho*	3,482	11,424
Emi Koussi	*Chad*	3,415	11,204
Mt aux Sources	*Lesotho/South Africa*	3,282	10,768
Piton des Neiges	*Réunion*	3,069	10,069

OCEANIA		m	ft
Puncak Jaya	Indonesia	4,884	16,024
Puncak Trikora	Indonesia	4,730	15,518
Puncak Mandala	Indonesia	4,702	15,427
Mt Wilhelm	Papua New Guinea	4,508	14,790
Mauna Kea	USA (Hawai'i)	4,205	13,796
Mauna Loa	USA (Hawai'i)	4,169	13,678
Aoraki Mt Cook	New Zealand	3,753	12,313
Mt Popomanaseu	Solomon Islands	2,439	8,002
Mt Orohena	French Polynesia (Tahiti)	2,241	7,352
Mt Kosciuszko	Australia	2,228	7,310

NORTH AMERICA		m	ft
Mt McKinley (Denali)	*USA (Alaska)*	6,168	20,237
Mt Logan	*Canada*	5,959	19,551
Pico de Orizaba	*Mexico*	5,610	18,405
Mt St Elias	*USA/Canada*	5,489	18,008
Popocatépetl	*Mexico*	5,452	17,887
Mt Foraker	*USA (Alaska)*	5,304	17,401
Iztaccihuatl	*Mexico*	5,230	17,159
Mt Lucania	*Canada*	5,226	17,146
Mt Steele	*Canada*	5,073	16,644
Mt Bona	*USA (Alaska)*	5,005	16,420
Mt Blackburn	*USA (Alaska)*	4,996	16,391
Mt Sanford	*USA (Alaska)*	4,949	16,237
Mt Wood	*Canada*	4,840	15,880
Nevado de Toluca	*Mexico*	4,690	15,387
Mt Fairweather	*USA (Alaska)*	4,663	15,298
Mt Hunter	*USA (Alaska)*	4,442	14,573
Mt Whitney	*USA*	4,418	14,495
Mt Elbert	*USA*	4,399	14,432
Mt Harvard	*USA*	4,395	14,419
Mt Rainier	*USA*	4,392	14,409
Blanca Peak	*USA*	4,372	14,344
Longs Peak	*USA*	4,345	14,255
Tajumulco	*Guatemala*	4,220	13,845
Grand Teton	*USA*	4,197	13,770
Mt Waddington	*Canada*	4,019	13,186
Mt Robson	*Canada*	3,954	12,972
Chirripó Grande	*Costa Rica*	3,819	12,529
Pico Duarte	*Dominican Rep.*	3,175	10,417

SOUTH AMERICA		m	ft
Aconcagua	*Argentina*	6,962	22,841
Ojos del Salado	*Argentina/Chile*	6,863	22,615
Monte Pissis	*Argentina*	6,793	22,287
Nevado Huascarán	*Peru*	6,768	22,205
Cerro Bonete	*Argentina*	6,759	22,175
Cerro Llullaillaco	*Argentina/Chile*	6,739	22,110
Cerro Mercedario	*Argentina/Chile*	6,720	22,047
Yerupaja	*Peru*	6,632	21,758
Nevado de Tres Cruces	*Argentina/Chile*	6,620	21,719
Tupungato	*Argentina/Chile*	6,570	21,555
Sajama	*Bolivia*	6,520	21,391
Coropuna	*Peru*	6,425	21,079
Illimani	*Bolivia*	6,402	21,004
Ausangate	*Peru*	6,384	20,945
Nevado de Cachi	*Argentina*	6,380	20,932
Cerro del Toro	*Argentina*	6,380	20,932
Siula Grande	*Peru*	6,356	20,853
Chimborazo	*Ecuador*	6,267	20,561
Incahuasi	*Argentina/Chile*	6,218	20,400
Alpamayo	*Peru*	5,947	19,511
Cerro Galan	*Argentina*	5,912	19,396
Cotapaxi	*Ecuador*	5,896	19,344
Pico Cristóbal Colón	*Colombia*	5,775	18,947
Pico Bolivar	*Venezuela*	4,981	16,342

ANTARCTICA	m	ft
Vinson Massif	4,897	16,066
Mt Kirkpatrick	4,528	14,855
Mt Markham	4,349	14,268

OCEAN DEPTHS

ATLANTIC OCEAN	m	ft	
Puerto Rico (Milwaukee) Deep	8,604	28,232	[7]
Cayman Trench	7,680	25,197	[10]
Gulf of Mexico	5,203	17,070	
Mediterranean Sea	5,121	16,801	
Black Sea	2,211	7,254	
North Sea	660	2,165	
Baltic Sea	463	1,519	
Hudson Bay	258	846	

INDIAN OCEAN	m	ft
Java Trench	7,450	24,442
Red Sea	2,635	8,454
Persian Gulf	73	239

PACIFIC OCEAN	m	ft	
Mariana Trench	11,022	36,161	[1]
Tonga Trench	10,882	35,702	[2]
Japan Trench	10,554	34,626	[3]
Kuril Trench	10,542	34,587	[4]
Mindanao Trench	10,497	34,439	[5]
Kermadec Trench	10,047	32,962	[6]

PACIFIC OCEAN (continued)	m	ft	
Peru–Chile Trench	8,050	26,410	[8]
Aleutian Trench	7,822	25,662	[9]

ARCTIC OCEAN	m	ft
Molloy Deep	5,608	18,399

SOUTHERN OCEAN	m	ft
South Sandwich Trench	7,235	23,737

LAND LOWS

		m	ft
Caspian Sea	*Europe*	–28	–92
Dead Sea	*Asia*	–422	–1,384
Lake Assal	*Africa*	–156	–512
Lake Eyre North	*Oceania*	–16	–52
Death Valley	*North America*	–86	–282
Laguna del Carbón	*South America*	–105	–344

RIVERS

EUROPE		km	miles
Volga	*Caspian Sea*	3,700	2,300
Danube	*Black Sea*	2,850	1,770
Ural	*Caspian Sea*	2,535	1,575
Dnieper	*Black Sea*	2,285	1,420
Kama	*Volga*	2,030	1,260
Don	*Black Sea*	1,990	1,240
Pechora	*Arctic Ocean*	1,790	1,110
Oka	*Volga*	1,480	920
Belaya	*Kama*	1,420	880
Dniester	*Black Sea*	1,400	870
Vyatka	*Kama*	1,370	850
Rhine	*North Sea*	1,320	820
Northern Dvina	*Arctic Ocean*	1,290	800
Desna	*Dnieper*	1,190	740
Elbe	*North Sea*	1,145	710
Vistula	*Baltic Sea*	1,090	675
Loire	*Atlantic Ocean*	1,020	635

ASIA		km	miles	
Yangtse	*Pacific Ocean*	6,380	3,960	[3]
Yenisey–Angara	*Arctic Ocean*	5,550	3,445	[5]
Huang Ho	*Pacific Ocean*	5,464	3,395	[6]
Ob–Irtysh	*Arctic Ocean*	5,410	3,360	[7]
Mekong	*Pacific Ocean*	4,500	2,800	[9]
Amur	*Pacific Ocean*	4,442	2,760	
Lena	*Arctic Ocean*	4,402	2,735	
Irtysh	*Ob*	4,250	2,640	
Yenisey	*Arctic Ocean*	4,090	2,540	
Ob	*Arctic Ocean*	3,680	2,285	
Indus	*Indian Ocean*	3,100	1,925	
Brahmaputra	*Indian Ocean*	2,900	1,800	
Syrdarya	*Aral Sea*	2,860	1,775	
Salween	*Indian Ocean*	2,800	1,740	
Euphrates	*Indian Ocean*	2,700	1,675	
Vilyuy	*Lena*	2,650	1,645	
Kolyma	*Arctic Ocean*	2,600	1,615	
Amudarya	*Aral Sea*	2,540	1,578	
Ural	*Caspian Sea*	2,535	1,575	
Ganges	*Indian Ocean*	2,510	1,560	
Si Kiang	*Pacific Ocean*	2,100	1,305	
Irrawaddy	*Indian Ocean*	2,010	1,250	
Tarim–Yarkand	*Lop Nur*	2,000	1,240	
Tigris	*Indian Ocean*	1,900	1,180	

AFRICA		km	miles	
Nile	*Mediterranean*	6,695	4,160	[1]
Congo	*Atlantic Ocean*	4,670	2,900	[8]
Niger	*Atlantic Ocean*	4,180	2,595	
Zambezi	*Indian Ocean*	3,540	2,200	
Oubangi/Uele	*Congo (D.R.)*	2,250	1,400	
Kasai	*Congo (D.R.)*	1,950	1,210	
Shaballe	*Indian Ocean*	1,930	1,200	
Orange	*Atlantic Ocean*	1,860	1,155	
Cubango	*Okavango Delta*	1,800	1,120	
Limpopo	*Indian Ocean*	1,770	1,100	
Senegal	*Atlantic Ocean*	1,640	1,020	
Volta	*Atlantic Ocean*	1,500	930	

AUSTRALIA		km	miles
Murray–Darling	*Southern Ocean*	3,750	2,330
Darling	*Murray*	3,070	1,905
Murray	*Southern Ocean*	2,575	1,600
Murrumbidgee	*Murray*	1,690	1,050

NORTH AMERICA		km	miles	
Mississippi–Missouri	*Gulf of Mexico*	5,971	3,710	[4]
Mackenzie	*Arctic Ocean*	4,240	2,630	
Missouri	*Mississippi*	4,088	2,540	

NORTH AMERICA (continued)		km	miles
Mississippi	*Gulf of Mexico*	3,782	2,350
Yukon	*Pacific Ocean*	3,185	1,980
Rio Grande	*Gulf of Mexico*	3,030	1,880
Arkansas	*Mississippi*	2,340	1,450
Colorado	*Pacific Ocean*	2,330	1,445
Red	*Mississippi*	2,040	1,270
Columbia	*Pacific Ocean*	1,950	1,210
Saskatchewan	*Lake Winnipeg*	1,940	1,205
Snake	*Columbia*	1,670	1,040
Churchill	*Hudson Bay*	1,600	990
Ohio	*Mississippi*	1,580	980
Brazos	*Gulf of Mexico*	1,400	870
St Lawrence	*Atlantic Ocean*	1,170	730

SOUTH AMERICA		km	miles	
Amazon	*Atlantic Ocean*	6,450	4,010	[2]
Paraná–Plate	*Atlantic Ocean*	4,500	2,800	[10]
Purus	*Amazon*	3,350	2,080	
Madeira	*Amazon*	3,200	1,990	
São Francisco	*Atlantic Ocean*	2,900	1,800	
Paraná	*Plate*	2,800	1,740	
Tocantins	*Atlantic Ocean*	2,750	1,710	
Orinoco	*Atlantic Ocean*	2,740	1,700	
Paraguay	*Paraná*	2,550	1,580	
Pilcomayo	*Paraná*	2,500	1,550	
Araguaia	*Tocantins*	2,250	1,400	
Juruá	*Amazon*	2,000	1,240	
Xingu	*Amazon*	1,980	1,230	
Ucayali	*Amazon*	1,900	1,180	
Uruguay	*Plate*	1,610	1,000	

LAKES

EUROPE		km²	miles²
Lake Ladoga	*Russia*	17,700	6,800
Lake Onega	*Russia*	9,700	3,700
Saimaa system	*Finland*	8,000	3,100
Vänern	*Sweden*	5,500	2,100

ASIA		km²	miles²	
Caspian Sea	*Asia*	371,000	143,000	[1]
Lake Baikal	*Russia*	30,500	11,780	[8]
Tonlé Sap	*Cambodia*	20,000	7,700	
Lake Balkhash	*Kazakhstan*	18,500	7,100	
Dongting Hu	*China*	12,000	4,600	
Aral Sea	*Kazakhstan/ Uzbekistan*	6,800	2,620	
Issyk Kul	*Kyrgyzstan*	6,200	2,400	
Koko Nur	*China*	5,700	2,200	
Poyang Hu	*China*	5,000	1,900	
Lake Khanka	*China/Russia*	4,400	1,700	
Lake Van	*Turkey*	3,500	1,400	

AFRICA		km²	miles²	
Lake Victoria	*East Africa*	68,000	26,300	[3]
Lake Tanganyika	*Central Africa*	33,000	13,000	[6]
Lake Malawi/Nyasa	*East Africa*	29,600	11,430	[9]
Lake Chad	*Central Africa*	25,000	9,700	
Lake Bangweulu	*Zambia*	9,840	3,800	
Lake Turkana	*Ethiopia/Kenya*	8,500	3,290	
Lake Volta	*Ghana*	8,480	3,270	
Lake Kariba	*Zambia/Zimbabwe*	5,380	2,150	
Lake Albert	*Uganda/Congo (D.R.)*	5,300	2,050	
Lake Nasser	*Egypt/Sudan*	5,250	2,030	
Lake Mweru	*Zambia/Congo (D.R.)*	4,920	1,900	
Lake Kyoga	*Uganda*	4,430	1,710	
Lake Tana	*Ethiopia*	3,620	1,400	
Lake Cabora Bassa	*Mozambique*	2,750	1,070	
Lake Rukwa	*Tanzania*	2,600	1,000	
Lake Mai-Ndombe	*Congo (D.R.)*	2,300	890	

AUSTRALIA		km²	miles²
Lake Eyre	*Australia*	8,900	3,400
Lake Torrens	*Australia*	5,800	2,200
Lake Gairdner	*Australia*	4,800	1,900

NORTH AMERICA		km²	miles²	
Lake Superior	*Canada/USA*	82,350	31,800	[2]
Lake Huron	*Canada/USA*	59,600	23,010	[4]
Lake Michigan	*USA*	58,000	22,400	[5]
Great Bear Lake	*Canada*	31,800	12,280	[7]
Great Slave Lake	*Canada*	28,500	11,000	[10]
Lake Erie	*Canada/USA*	25,700	9,900	
Lake Winnipeg	*Canada*	24,400	9,400	
Lake Ontario	*Canada/USA*	19,500	7,500	
Lake Nicaragua	*Nicaragua*	8,200	3,200	
Lake Athabasca	*Canada*	8,100	3,100	
Smallwood Reservoir	*Canada*	6,530	2,520	
Reindeer Lake	*Canada*	6,400	2,500	
Nettilling Lake	*Canada*	5,500	2,100	

SOUTH AMERICA		km²	miles²
Lake Titicaca	*Bolivia/Peru*	8,300	3,200
Lake Poopo	*Bolivia*	2,800	1,100

ISLANDS

EUROPE		km²	miles²	
Great Britain	*UK*	229,880	88,700	[8]
Iceland	*Atlantic Ocean*	103,000	39,800	
Ireland	*Ireland/UK*	84,400	32,600	
Novaya Zemlya (N.)	*Russia*	48,200	18,600	
Spitsbergen	*Norway*	39,000	15,100	
Novaya Zemlya (S.)	*Russia*	33,200	12,800	
Sicily	*Italy*	25,500	9,800	
Sardinia	*Italy*	24,000	9,300	
Nordaustlandet	*Norway*	15,000	5,600	
Corsica	*France*	8,700	3,400	
Crete	*Greece*	8,350	3,200	
Sjælland	*Denmark*	6,850	2,600	

ASIA		km²	miles²	
Borneo	*South-east Asia*	744,360	287,400	[3]
Sumatra	*Indonesia*	473,600	182,860	[6]
Honshu	*Japan*	230,500	88,980	[7]
Sulawesi (Celebes)	*Indonesia*	189,000	73,000	
Java	*Indonesia*	126,700	48,900	
Luzon	*Philippines*	104,700	40,400	
Mindanao	*Philippines*	101,500	39,200	
Hokkaido	*Japan*	78,400	30,300	
Sakhalin	*Russia*	74,060	28,600	
Sri Lanka	*Indian Ocean*	65,600	25,300	
Taiwan	*Pacific Ocean*	36,000	13,900	
Kyushu	*Japan*	35,700	13,800	
Hainan	*China*	34,000	13,100	
Timor	*South-east Asia*	33,600	13,000	
Shikoku	*Japan*	18,800	7,300	
Halmahera	*Indonesia*	18,000	6,900	
Ceram	*Indonesia*	17,150	6,600	
Sumbawa	*Indonesia*	15,450	6,000	
Flores	*Indonesia*	15,200	5,900	
Samar	*Philippines*	13,100	5,100	
Negros	*Philippines*	12,700	4,900	
Bangka	*Indonesia*	12,000	4,600	
Palawan	*Philippines*	12,000	4,600	
Panay	*Philippines*	11,500	4,400	
Sumba	*Indonesia*	11,100	4,300	
Mindoro	*Philippines*	9,750	3,800	

AFRICA		km²	miles²	
Madagascar	*Indian Ocean*	587,040	226,660	[4]
Socotra	*Indian Ocean*	3,600	1,400	
Réunion	*Indian Ocean*	2,500	965	
Tenerife	*Atlantic Ocean*	2,350	900	
Mauritius	*Indian Ocean*	1,865	720	

OCEANIA		km²	miles²	
New Guinea	*Indonesia/Papua NG*	821,030	317,000	[2]
New Zealand (S.)	*Pacific Ocean*	150,500	58,100	
New Zealand (N.)	*Pacific Ocean*	114,700	44,300	
Tasmania	*Australia*	67,800	26,200	
New Britain	*Papua New Guinea*	37,800	14,600	
New Caledonia	*Pacific Ocean*	19,100	7,400	
Viti Levu	*Fiji*	10,500	4,100	
Hawai'i	*Pacific Ocean*	10,450	4,000	
Bougainville	*Papua New Guinea*	9,600	3,700	
Guadalcanal	*Solomon Islands*	6,500	2,500	
Vanua Levu	*Fiji*	5,550	2,100	
New Ireland	*Papua New Guinea*	3,200	1,200	

NORTH AMERICA		km²	miles²	
Greenland	*Atlantic Ocean*	2,175,600	839,800	[1]
Baffin Island	*Canada*	508,000	196,100	[5]
Victoria Island	*Canada*	212,200	81,900	[9]
Ellesmere Island	*Canada*	212,000	81,800	[10]
Cuba	*Caribbean Sea*	110,860	42,800	
Newfoundland	*Canada*	110,680	42,700	
Hispaniola	*Dominican Rep./Haiti*	76,200	29,400	
Banks Island	*Canada*	67,000	25,900	
Devon Island	*Canada*	54,500	21,000	
Melville Island	*Canada*	42,400	16,400	
Vancouver Island	*Canada*	32,150	12,400	
Somerset Island	*Canada*	24,300	9,400	
Jamaica	*Caribbean Sea*	11,400	4,400	
Puerto Rico	*Atlantic Ocean*	8,900	3,400	
Cape Breton Island	*Canada*	4,000	1,500	

SOUTH AMERICA		km²	miles²
Tierra del Fuego	*Argentina/Chile*	47,000	18,100
Falkland Islands (East)	*Atlantic Ocean*	6,800	2,600
South Georgia	*Atlantic Ocean*	4,200	1,600
Galapagos (Isabela)	*Pacific Ocean*	2,250	870

IMAGES OF EARTH

Boston, on the curved bay in the north of the image, is the cultural, intellectual and commercial focus of New England. Now the tenth largest city in the United States, it was the scene of momentous events of the American Revolution. To the south and east of Boston, is the peninsula of Cape Cod, shaped like a spinnaker sail thrusting out into the Atlantic Ocean. The beaches of the peninsula, and the islands to the south, are a summer haven for thousands of tourists. Moving westward around the coast leads to the bays and inlets (with the historic city of Providence at their apex) which are the defining feature of the state of Rhode Island. [Map page 173]
Source: RapidEye/NPA Satellite Mapping

16 LONDON, UNITED KINGDOM

The River Thames snakes from Chelsea Bridge in the west to Tower Bridge in the east in this image covering both the West End and the City of London. Despite having a population in excess of 10 million people, there are still many parks and open spaces around the city center. St James's Park and Green Park, together with Buckingham Palace and its gardens, can be seen at center left of the image, and, on the western edge, parts of Hyde Park and Regent's Park can also be seen. Just below the page title, at top center, the newly developing area around Kings Cross and St Pancras railroad stations can be seen. In addition, the low sun shows clearly the shadows of The Shard and the chimney of Tate Modern as well as the many high-rise buildings in the City. [Map page 67]
Source: GeoEye/NPA Satellite Mapping

As both the capital and the largest city in the Netherlands, with over 1 million inhabitants, Amsterdam is a major commercial and cultural center. Its name is derived from its position at the mouth of the River Amstel, flowing in from the south. The urban area is split by the Nordzeekanaal, which connects the Ijsselmeer to the North Sea. There is also the important Rijnkanaal, which links it with the major inland waterways of Europe via the River Rhine. The ancient core of the settlement is to the south, where the concentric rings of the famous canal system can be seen. This network is evidence of city planning to accommodate and service a fast-rising population in the 17th century. [Map page 69]
Source: RapidEye/NPA Satellite Mapping

18 ROME, ITALY

One of the great cultural centers of the world, the city of Rome (in the center of this image) lies on the west coast of the Italian Peninsula, 15 miles (24 km) inland from the Tyrrhenian Sea. It was established at the lowest crossing point of the River Tiber and was the center of an extensive European and North African empire as early as the 1st century BC. The importance of the city was maintained by the establishment of the city as the center of the Catholic Church and the home of the Pope in the Vatican City, to the west of the river. The capital of Italy, with a population of almost 4 million people, Rome retains its place as a major tourist destination. [Map page 93]
Source: USGS Landsat/NPA Satellite Mapping

The metropolitan area of Athens, including its port of Piraeus, is home to nearly a third of the total population of Greece. The capital of the country, it was a powerful city state in the era of Ancient Greece, some 2,500 years ago. At the bottom left of the image is part of the Peloponnese Peninsula, connected to the mainland by the Isthmus of Corinth. To shorten the sailing time around the peninsula, the Corinth Canal was excavated at the end of the 19th century and can be seen here as a fine blue line. [Map page 98]
Source: USGS Landsat/NPA Satellite Mapping

20 ISLAMABAD AND RAWALPINDI, PAKISTAN

This image shows part of the Pothohar Plateau in northern Pakistan, with the Margalla Hills to the north. The purple area to the south of the image is the city of Rawalpindi – the grid-like street pattern to the north of it is the country's capital, Islamabad. After independence in 1947, Islamabad gradually superseded Karachi, the old colonial capital. The capital was moved for a time to Rawalpindi whilst the new city was designed and established, after 1960. It is still being developed and the combined population of both settlements is now over 4 million inhabitants, with Islamabad acting as the administrative center of the country. The city of Abbottabad is at the top right of the image. [Map page 124]
Source: USGS Landsat/NPA Satellite Mapping

On the north coast of Java, Jakarta is the capital city of Indonesia and, with a population of over 10 million, it is one of the world's largest urban agglomerations. Formerly known as Batavia, it was the center of the trading empire of the Dutch East India Company. The city sprawls out from its colonial heart that has Javanese, Chinese and Arab quarters, through modern residential suburbs, to the shanty towns that form the fringes of the urban area. This image, taken in the wet season, shows the blurring of the line between land and sea in the north. Slumbering under the cloud cover in the center bottom of the image, are the twin volcanic peaks of Gede-Pangrango. The surrounding national park provides a welcome contrast to the densely populated cities of Java. [Map page 118]
Source: USGS Landsat/NPA Satellite Mapping

22 HONG KONG/SHENZHEN, CHINA

This image covers one of the most dynamic areas in the world, Hong Kong, with Shenzhen to its north. Hong Kong became a major port and international financial center during the period of British rule and retains a special status as a Special Administrative Region (SAR) with a high degree of economic autonomy, including the retention of the Hong Kong dollar. To its north Shenzhen was established by China as a Special Economic Zone (SEZ) in 1979, to attract foreign industry and investment. This has proved very successful and communications between the two have also improved, as can be seen by the sinuous Shenzhen Bay Bridge, at center left in this image. [Map page 117]
Source: RapidEye/NPA Satellite Mapping

At the head of Tokyo Bay, the capital city forms the center of one of the world's most densely populated areas. With its satellites of Kawasaki and Yokohama, the population of over 34 million people makes this metropolitan area the world's largest "megacity." Owing to the shortage of space for expansion, much development takes place on areas reclaimed from the sea, such as Haneda International Airport, visible at the mouth of the Tama River, toward the southwest of the image. The area is prone to earthquakes, and in 1923 the Great Kanto Earthquake devastated the city, killing 143,000 people. Consequently, modern buildings are reinforced to withstand seismic activity. [Map page 113]
Source: RapidEye/NPA Satellite Mapping

24 CAIRO, EGYPT

The largest city in Africa, with almost 19 million inhabitants, Cairo evolved in a strategic location on the eastern bank of the River Nile just below its delta, 100 miles (165 km) from the Mediterranean Sea. This image clearly shows the differences between the arid desert areas to the southeast and southwest, the fertile lands of the Nile flood plain, and the urban area itself. Air pollution from vehicle emissions and industry is a major concern in this rapidly expanding metropolitan area. To ease congestion, three metro lines have been built. The shadows of the Pyramids on the Giza Plateau can be seen at the bottom left of the image, showing the modern city's links with Ancient Egypt. [Map page 137]
Source: RapidEye/NPA Satellite Mapping

Nairobi sits at around one degree south of the equator, at an altitude of 5,580 ft (1,700 m), in the East African Highlands. It was founded as a construction camp on the Uganda railroad in the 1890s, and rose to replace Mombasa as the capital of Kenya (then British East Africa) in 1907. Despite its proximity to the equator, the altitude and prevailing climate favor temperate zone crops, livestock and dairy farms. Nairobi National Park, lying south of the city, is a game reserve that attracts many visitors in search of the safari experience. The darker green area in the top left of the image is the southern end of the Aberdare National Park. The rougher landscape to the southwest of the city is part of the Ngong Hills that were home to many early colonial settlers. [Map page 142]
Source: USGS Landsat/NPA Satellite Mapping

26 JOHANNESBURG, SOUTH AFRICA

With a population of 9.4 million people, Johannesburg is the most populous city in South Africa. Its location on the Highveld is close to the place where gold was discovered in 1886. As the commercial, rail and financial center of Witwatersrand, it has boomed from its origins as a mining camp. Gold is still mined, and the workings and spoil heaps appear as white scars on the landscape in the image. A blot of another kind on the landscape, were the segregated townships of the apartheid era built to house non-whites: Soweto to the southwest of Johannesburg being one of the largest. Jo'burg, or Jozi, as the city is more commonly called, is undergoing something of a rejuvenation and the business center reflects the growing prosperity of the economy. [Map page 145]
Source: USGS Landsat/NPA Satellite Mapping

The city of Cape Town sits at the northern end of the Cape Peninsula beneath Table Mountain – the port facilities are clearly visible in this image. It developed from the first settlement in the 17th century, founded by the Dutch East India Company, because of its safe north-facing harbor, looking across Table Bay toward Robben Island. The urban area now spreads to the east of the peninsula down to False Bay. As well as being the second largest city in South Africa, after Johannesburg, Cape Town is also the seat of the National Parliament and is the country's legislative capital. To the west of the port can be seen the oval shape of the Cape Town Stadium. [Map page 144]
Source: RapidEye/NPA Satellite Mapping

Sydney is the largest city in Australia, with a population of over 4.5 million inhabitants. It was founded at the end of the 18th century at Sydney Cove on the south shore of Port Jackson, the northern of the two enclosed bays seen here. It has since spread inland along the valley of the Parramatta River and to the south, to Botany Bay. The image covers the main central business district from the Sydney Harbour Bridge down to the runways of Australia's busiest airport, Sydney Kingsford Smith. On the Pacific coast, at the southern end of the pointed peninsula, the white sands and sheltered bay of Bondi Beach can be seen. As the financial and commercial center for the whole country, the city has a vibrant cultural life. [Map page 153]
Source: RapidEye/NPA Satellite Mapping

Situated at the northern end of North Island, the city of Auckland was founded by the Maoris on the narrow isthmus at the top left of this image. It has since grown to become the largest settlement in the country. This is a landscape that has been shaped by volcanic forces – the dark circular shape to the east of the city is Rangitoto Island, the now-extinct remains of a volcano that erupted from the sea some 600 years ago. At the bottom of the image is the town of Hamilton. [Map page 154]
Source: USGS Landsat/NPA Satellite Mapping

30 VANCOUVER, CANADA

On the north side of the Fraser River delta, the settlement grew up in the second half of the 19th century around its fine, natural harbor. It developed as the western railhead of the Canadian Pacific Railroad and is now the terminus of the Trans-Canada Highway, which crosses on the easternmost of the two road bridges visible here to the north. Vancouver is the largest cargo port in Canada. The larger metropolitan area of the city is home to over 2.5 million people. Downtown Vancouver is at the southern end of the peninsula which projects northward and separates Vancouver Harbour from Burrard Inlet. The wooded area at the northern end is Stanley Park, which is connected to West and North Vancouver via the Lions Gate Bridge. [Map page 162]
Source: RapidEye/NPA Satellite Mapping

Québec was founded as a trading post in 1608, at the narrowest point of the St Lawrence River, just to the southwest of the Île d'Orléans, and is one of the oldest cities in North America. Strategically, the city controlled the movement of shipping between the Atlantic Ocean and the Great Lakes, and consequently developed fortifications on the cliffs of Cape Diamond, 320 ft (97 m) above the river. The port is 850 miles (1,370 km) from the Atlantic, 1,495 miles (2,404 km) from Duluth, and 1,400 miles (2,252 km) from Chicago. It has a population of over 750,000 people and is the capital city of the French-speaking province of the same name. [Map page 165]
Source: RapidEye/NPA Satellite Mapping

This image covers parts of New York City (to the east) and Jersey City (to the west). Flowing from the north, the Hudson River divides them, and the elongated island of Manhattan with Central Park at its heart is clearly visible. It is the center of the most densely populated metropolitan area in the United States, with a population in excess of 20 million people. To the southeast is the end of Long Island, on which the suburbs of Brooklyn and Queens are situated. Southwest of Manhattan are two small islands: the first is Ellis Island, where the early immigrants first disembarked, and beyond that is Liberty Island, where the famous Statue of Liberty is located. [Map page 175]
Source: RapidEye/NPA Satellite Mapping

Situated on the southwestern shore of Lake Michigan, Chicago is the center of the third largest metropolitan area in the United States, with a population of over 9.5 million people. The central area of the agglomeration, known by some as "Chicagoland," can be seen on the lake shore. It developed as a major transport focus for the Midwest, with complex road and rail networks radiating out to its rich agricultural hinterland. It also developed as a large port, trading these commodities on a global scale. Chicago boasts the seventh busiest airport in the world, O'Hare International, which handles over 70 million passengers a year and which can be seen toward the northwest of the city. [Map page 172]
Source: USGS Landsat/NPA Satellite Mapping

34 SALT LAKE CITY, USA

Salt Lake City with a population of 1.1 million people, is the largest town and the state capital of Utah. It stretches between the southwestern shore of the Great Salt Lake (top left), southward toward the smaller Utah Lake. The settlement was founded in 1847 by Brigham Young and his Mormon followers as their headquarters. It subsequently played an important role as a trading center during the California gold rush and has important transcontinental road and rail links. Tourism is an important industry and the 2002 Winter Olympic Games were held in the city and the nearby Wasatch Mountains, seen to the east. [Map page 168]
Source: USGS Landsat/NPA Satellite Mapping

Sometimes called "The Crescent City," the settlement is situated between the south bank of Lake Pontchartrain (the largest in this view) and the Mississippi River. The latter can be seen meandering to the south of the city on its way to the delta, which lies to the southeast. In August 2005 the flood control system, which was constructed in the early 20th century, failed in the face of the category 5 Hurricane Katrina, which breached two dams and flooded and destroyed parts of the city, making many homeless. The wetlands to the south are themselves being eroded, since less silt is being deposited at the mouth to reinforce the delta. [Map page 177]
Source: USGS Landsat/NPA Satellite Mapping

36 MEXICO CITY, MEXICO

With a population of over 22 million people for the continuous metropolitan area visible here, Mexico City is one of North America's most important commercial centers. It was originally founded by the Aztecs in 1325, on an island in Lake Texcoco, which has dried up over time. The city sits in a valley some 7,350 ft (2,240 m) above sea level. The relentless growth of the urban area has resulted in both air pollution and water-supply problems. To the southeast of the city can be seen three towering snow-covered volcanic peaks. The southernmost of these is Popocatépetl, an active volcano 17,887 ft (5,452 m) high, which has two glaciers near its summit. [Map page 181]

Source: USGS Landsat/NPA Satellite Mapping

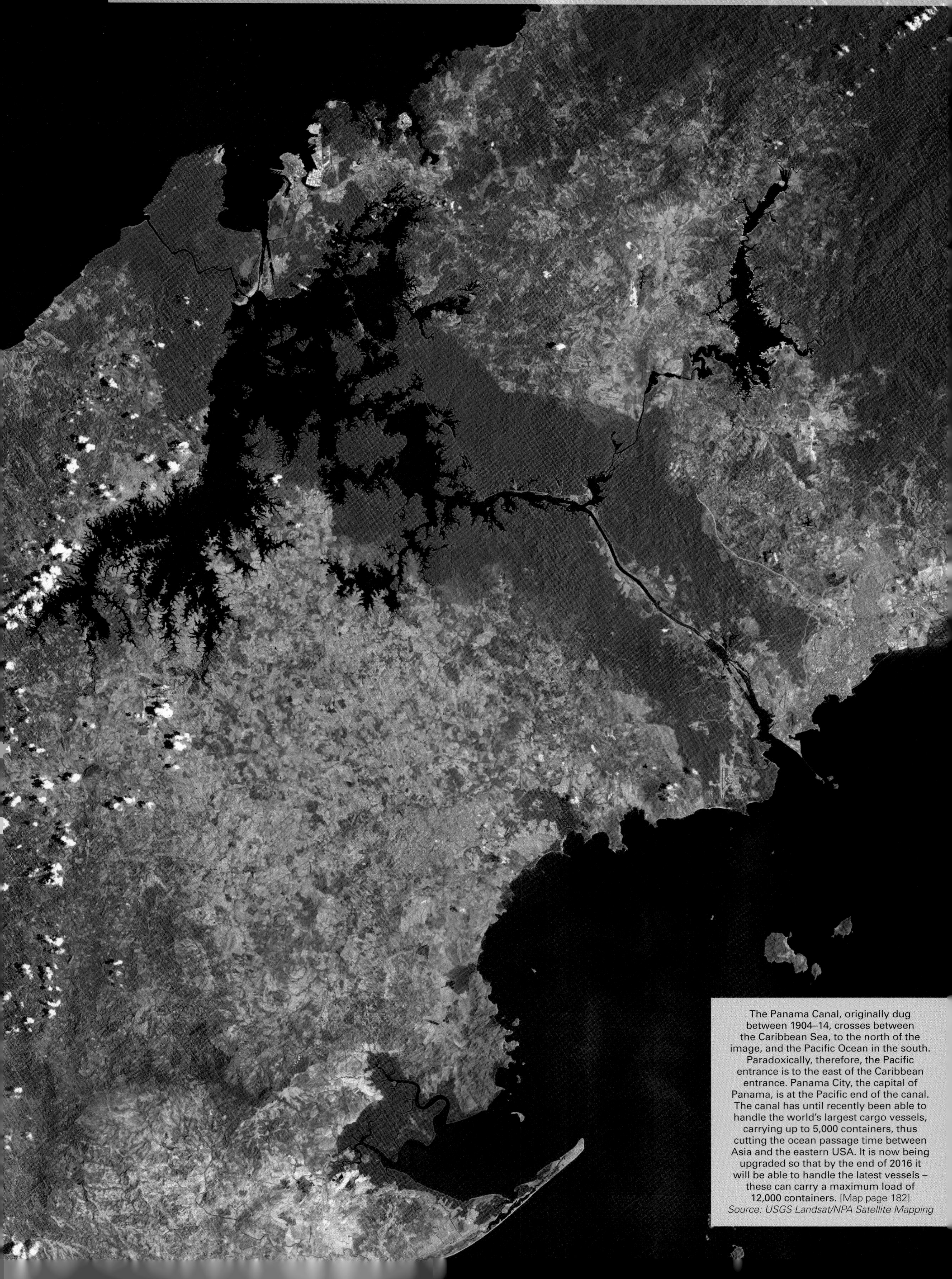

The Panama Canal, originally dug between 1904–14, crosses between the Caribbean Sea, to the north of the image, and the Pacific Ocean in the south. Paradoxically, therefore, the Pacific entrance is to the east of the Caribbean entrance. Panama City, the capital of Panama, is at the Pacific end of the canal. The canal has until recently been able to handle the world's largest cargo vessels, carrying up to 5,000 containers, thus cutting the ocean passage time between Asia and the eastern USA. It is now being upgraded so that by the end of 2016 it will be able to handle the latest vessels – these can carry a maximum load of 12,000 containers. [Map page 182]
Source: USGS Landsat/NPA Satellite Mapping

38 MARACAIBO,VENEZUELA

Waters from the perfect curve of the Gulf of Venezuela, in the north of the image, are funneled through the narrows of Tablazo Strait into Lake Maracaibo which is just seen opening outward in the south. The city of Maracaibo, sitting on the western shore of the strait, is the second largest city in Venezuela and acts as a major entrepôt for the oil industry based around the Maracaibo basin to the south. With excessive humidity, and mean annual temperatures of over 28°F (82°C), it is one of the hottest cities in South America, although, through foreign investment, it has become a modern, thriving city with colonial architecture and beautiful parks to attract the visitor. [Map page 183]
Source: USGS Landsat/NPA Satellite Mapping

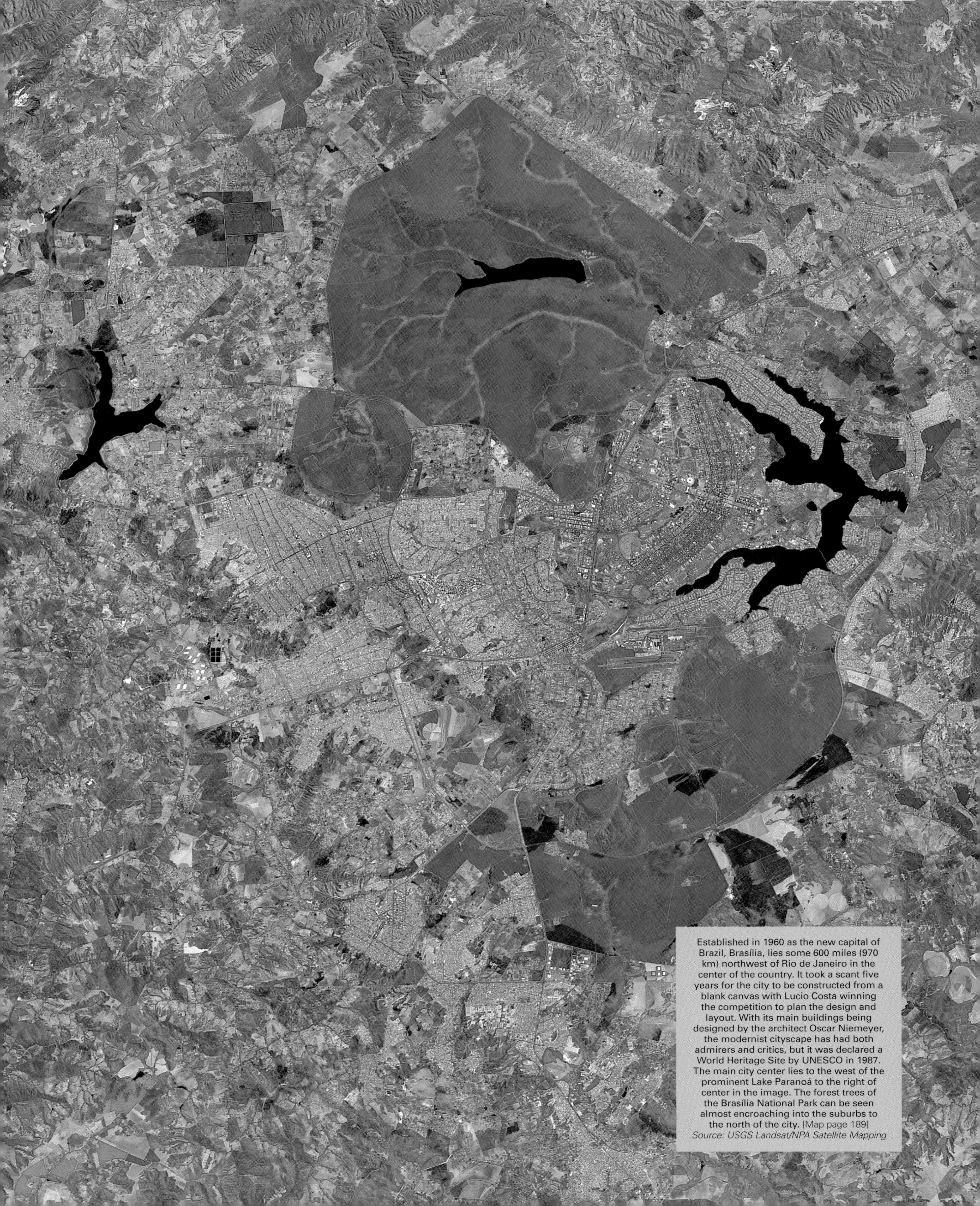

Established in 1960 as the new capital of Brazil, Brasília, lies some 600 miles (970 km) northwest of Rio de Janeiro in the center of the country. It took a scant five years for the city to be constructed from a blank canvas with Lucio Costa winning the competition to plan the design and layout. With its main buildings being designed by the architect Oscar Niemeyer, the modernist cityscape has had both admirers and critics, but it was declared a World Heritage Site by UNESCO in 1987. The main city center lies to the west of the prominent Lake Paranoá to the right of center in the image. The forest trees of the Brasília National Park can be seen almost encroaching into the suburbs to the north of the city. [Map page 189]
Source: USGS Landsat/NPA Satellite Mapping

OCEAN SEAFLOORS

– GREAT BARRIER REEF, AUSTRALIA –
First explored by Captain James Cook in 1770 and lying just off the east coast of Queensland, the Great Barrier Reef is composed of some 2,900 individual reefs and over 900 islands, a few of which are shown on this image. Designated a UNESCO World Heritage Site and protected as a Marine Park, this fragile environment is home to over 1,500 species of fish and 400 species of coral, as well as turtles, whales, and many species of birds.
[Map page 150]

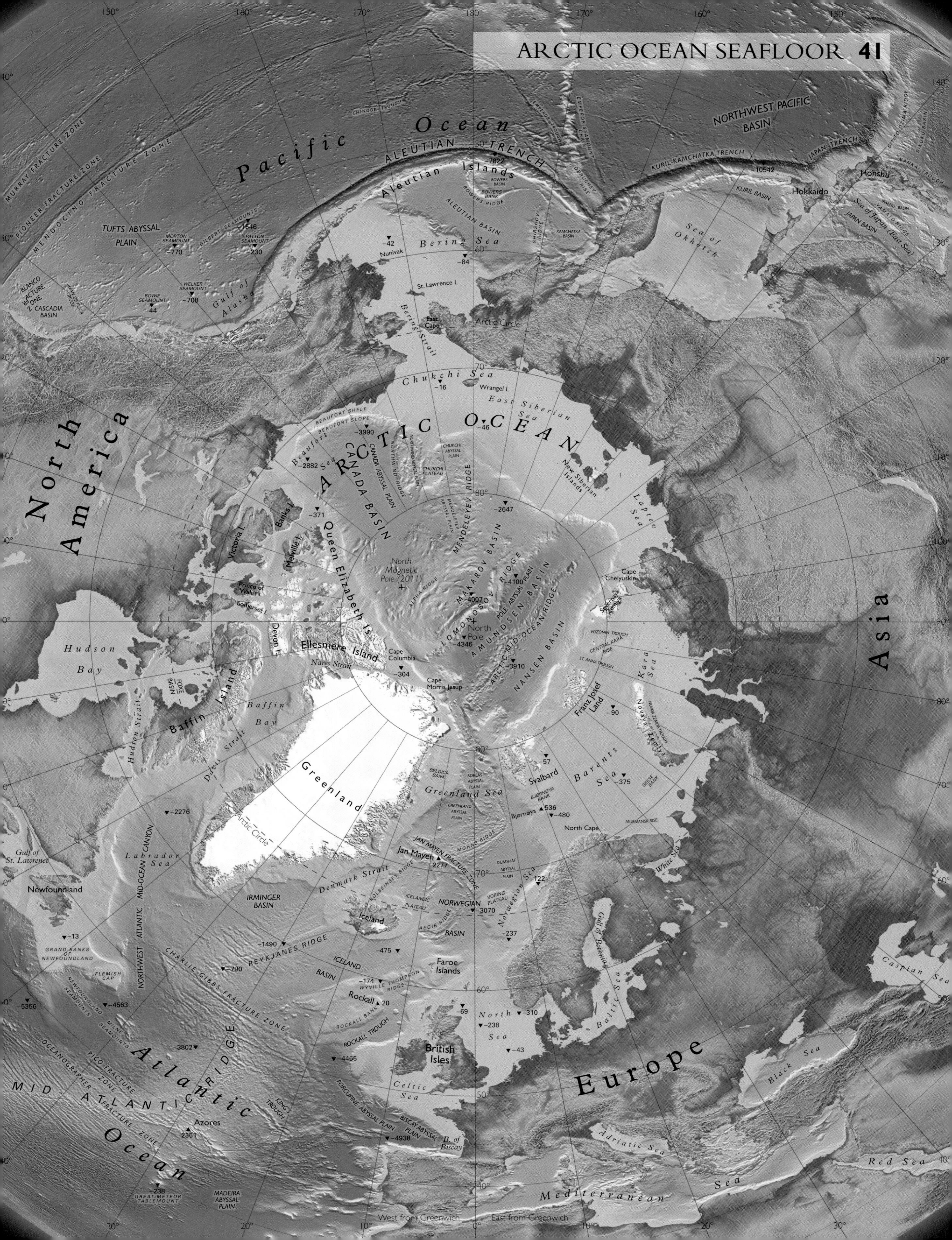
Pacific Ocean
NORTHWEST PACIFIC BASIN
ALEUTIAN TRENCH
Aleutian Islands
KURIL-KAMCHATKA TRENCH
JAPAN TRENCH
Honshu
Hokkaido
KURIL BASIN
Sea of Japan (East Sea)
Sea of Okhotsk
BOWERS BASIN
BOWERS RIDGE
ALEUTIAN BASIN
SHIRSHOV RIDGE
KAMCHATKA BASIN
CHINOOK TROUGH
EMPEROR SEAMOUNTS
MURRAY FRACTURE ZONE
PIONEER FRACTURE ZONE
MENDOCINO FRACTURE ZONE
TUFTS ABYSSAL PLAIN
MORTON SEAMOUNT
GILBERT SEAMOUNTS
PATTON SEAMOUNT
WELKER SEAMOUNT
BOWIE SEAMOUNT
CASCADIA BASIN
Gulf of Alaska
Bering Sea
Nunivak
St. Lawrence I.
Bering Strait
East Cape
Arctic Circle
Chukchi Sea
Wrangel I.
East Siberian Sea
ARCTIC OCEAN
BEAUFORT SHELF
BEAUFORT SLOPE
Beaufort Sea
CANADA BASIN
CANADA ABYSSAL PLAIN
NORTHWIND RIDGE
CHUKCHI ABYSSAL PLAIN
CHUKCHI PLATEAU
MENDELEYEV RIDGE
New Siberian Islands
Laptev Sea
North America
Banks I.
Victoria I.
Melville I.
Queen Elizabeth Is.
Prince of Wales I.
Somerset I.
Devon I.
Ellesmere Island
Cape Columbia
Nares Strait
North Magnetic Pole (2011)
ALPHA RIDGE
MAKAROV BASIN
LOMONOSOV RIDGE
POLE ABYSSAL PLAIN
AMUNDSEN BASIN
North Pole
ARCTIC MID-OCEAN RIDGE
NANSEN BASIN
Cape Chelyuskin
Severnaya Zemlya
VOZONIN TROUGH
CENTRAL KARA RISE
ST. ANNA TROUGH
Kara Sea
Franz Josef Land
Novaya Zemlya
Asia
Hudson Bay
FOXE BASIN
Baffin Island
Baffin Bay
Hudson Strait
Davis Strait
Cape Morris Jesup
Greenland
Arctic Circle
BELGICA BANK
BOREAS ABYSSAL PLAIN
Greenland Sea
GREENLAND ABYSSAL PLAIN
Svalbard
Barents Sea
BJØRNØYA BANK
Bjørnøya
GEESE BANK
North Cape
MURMANSK RISE
White Sea
MOHNS RIDGE
JAN MAYEN FRACTURE ZONE
Jan Mayen
DUMSHAF ABYSSAL PLAIN
VØRING PLATEAU
Norwegian Sea
NORWEGIAN BASIN
Denmark Strait
KOLBEINSEY RIDGE
ICELANDIC PLATEAU
AEGIR RIDGE
Iceland
Labrador Sea
NORTHWEST ATLANTIC MID-OCEAN CANYON
IRMINGER BASIN
Gulf of St. Lawrence
Newfoundland
GRAND BANKS OF NEWFOUNDLAND
FLEMISH CAP
REYKJANES RIDGE
ICELAND BASIN
WYVILLE THOMPSON RIDGE
Faroe Islands
Rockall
ROCKALL BANK
ROCKALL TROUGH
CHARLIE-GIBBS FRACTURE ZONE
NEWFOUNDLAND SEAMOUNTS
MILNE SEAMOUNTS
Atlantic Ocean
MID-ATLANTIC RIDGE
PICO FRACTURE ZONE
OCEANOGRAPHER FRACTURE ZONE
Azores
KING'S TROUGH
PORCUPINE ABYSSAL PLAIN
BISCAY ABYSSAL PLAIN
B. of Biscay
British Isles
Celtic Sea
North Sea
Gulf of Bothnia
Baltic Sea
Europe
Caspian Sea
Black Sea
Adriatic Sea
Mediterranean Sea
Red Sea
GREAT METEOR TABLEMOUNT
MADEIRA ABYSSAL PLAIN
West from Greenwich
East from Greenwich
-7822
-10542
-1646
-770
-230
-708
-44
-42
-84
-16
-46
-3990
-2882
-371
-2647
-4100
-4007
-4346
-3910
-304
-90
-57
-375
536
-480
-2276
2277
-122
-3070
-237
-13
-1490
-475
-790
-174
20
-69
-310
-238
-43
-5356
-4563
-3802
-4465
-4938
2351
-238

42 ATLANTIC OCEAN SEAFLOOR

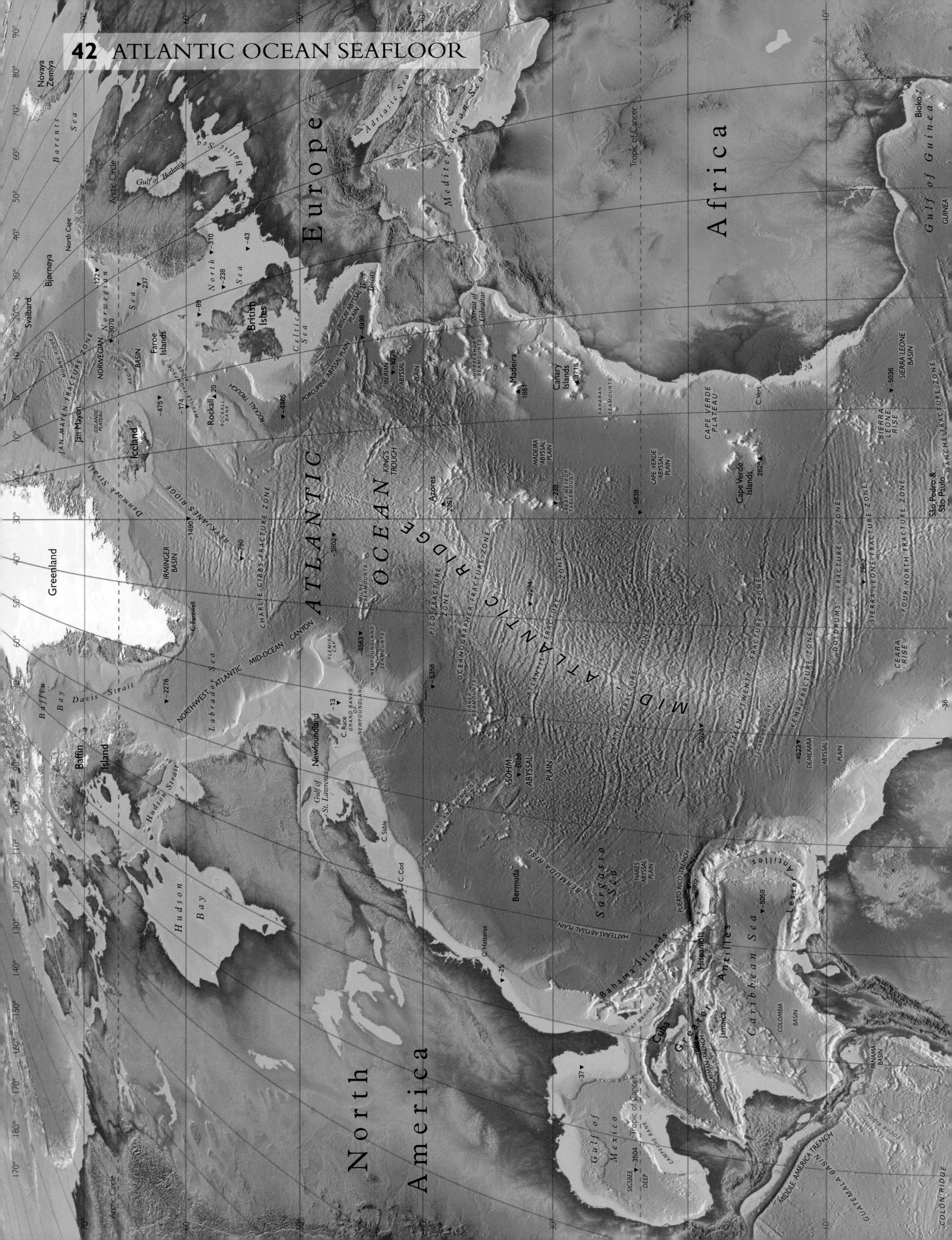

North America
Europe
Africa
ATLANTIC OCEAN
MID-ATLANTIC RIDGE
Greenland
Iceland
Svalbard
Novaya Zemlya
Barents Sea
Norwegian Sea
North Sea
Baltic Sea
Gulf of Bothnia
Mediterranean Sea
Adriatic Sea
Bay of Biscay
Celtic Sea
British Isles
Faroe Islands
Jan Mayen
Rockall
Azores
Madeira
Canary Islands
Cape Verde Islands
Strait of Gibraltar
Gulf of Guinea
Bioko
Tropic of Cancer
Arctic Circle
North Cape
Bjørnøya
Denmark Strait
Davis Strait
Baffin Bay
Baffin Island
Hudson Strait
Hudson Bay
Labrador Sea
Newfoundland
Gulf of St. Lawrence
C. Farewell
C. Race
C. Sable
C. Cod
C. Hatteras
C. Vert
Bermuda
Sargasso Sea
Bahama Islands
Cuba
Hispaniola
Jamaica
Greater Antilles
Lesser Antilles
Caribbean Sea
Gulf of Mexico
REYKJANES RIDGE
IRMINGER BASIN
CHARLIE GIBBS FRACTURE ZONE
NORTHWEST ATLANTIC MID-OCEAN CANYON
JAN MAYEN FRACTURE ZONE
MOHNS RIDGE
NORWEGIAN BASIN
ICELANDIC PLATEAU
ROCKALL TROUGH
ROCKALL BANK
PORCUPINE ABYSSAL PLAIN
BISCAY ABYSSAL PLAIN
IBERIAN ABYSSAL PLAIN
HORSESHOE SEAMOUNTS
SAHARAN SEAMOUNTS
MADEIRA ABYSSAL PLAIN
KING'S TROUGH
GREAT METEOR TABLEMOUNT
CAPE VERDE ABYSSAL PLAIN
CAPE VERDE PLATEAU
SIERRA LEONE RISE
SIERRA LEONE BASIN
SIERRA LEONE FRACTURE ZONE
FOUR NORTH FRACTURE ZONE
DOLDRUMS FRACTURE ZONE
VEMA FRACTURE ZONE
FIFTEEN TWENTY FRACTURE ZONE
KANE FRACTURE ZONE
ATLANTIS FRACTURE ZONE
OCEANOGRAPHER FRACTURE ZONE
PICO FRACTURE ZONE
MILNE SEAMOUNTS
FLEMISH CAP
NEWFOUNDLAND SEAMOUNTS
GRAND BANKS OF NEWFOUNDLAND
CORNER SEAMOUNTS
NEW ENGLAND SEAMOUNTS
SOHM ABYSSAL PLAIN
BERMUDA RISE
NARES ABYSSAL PLAIN
HATTERAS ABYSSAL PLAIN
PUERTO RICO TRENCH
DEMERARA ABYSSAL PLAIN
CEARA RISE
COLOMBIA BASIN
CAYMAN TRENCH
PANAMA BASIN
MIDDLE AMERICA TRENCH
GUATEMALA BASIN
COCOS RIDGE
COLON RIDGE
SIGSBEE DEEP
CAMPECHE BANK
GREAT BAHAMA BANK
São Pedro & São Paulo

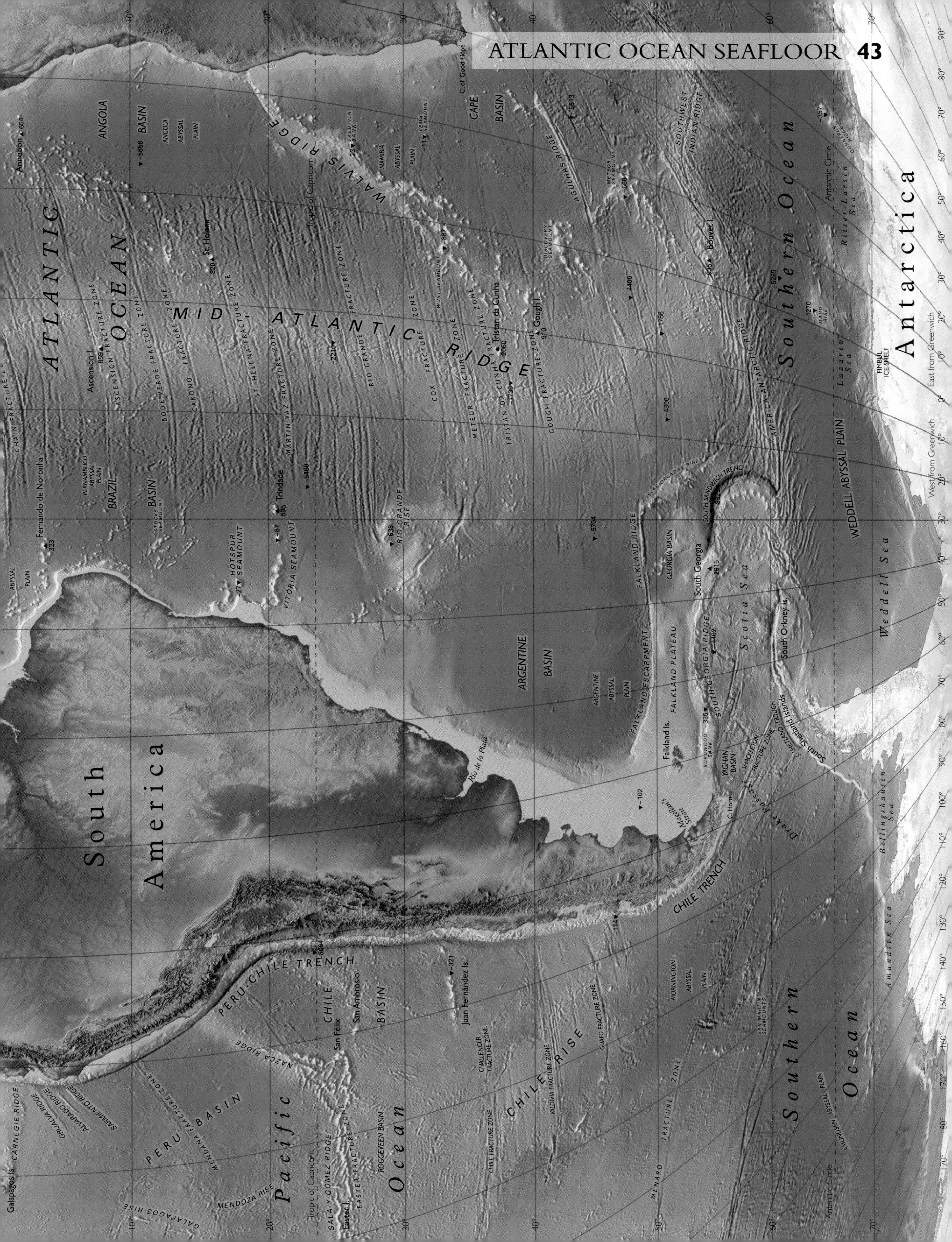
ATLANTIC
OCEAN
MID ATLANTIC RIDGE
WALVIS RIDGE
ANGOLA BASIN
ANGOLA ABYSSAL PLAIN
CAPE BASIN
NAMIBIA ABYSSAL PLAIN
C. of Good Hope
Annobón
Ascension I.
St. Helena
Tristan da Cunha
Gough I.
Bouvet I.
Fernando de Noronha
Trindade
Tropic of Capricorn
ASCENSION FRACTURE ZONE
BODE VERDE FRACTURE ZONE
CARDNO FRACTURE ZONE
ST. HELENA FRACTURE ZONE
MARTIN VAZ FRACTURE ZONE
RIO GRANDE FRACTURE ZONE
COX FRACTURE ZONE
METEOR FRACTURE ZONE
TRISTAN DA CUNHA FRACTURE ZONE
GOUGH FRACTURE ZONE
CHAIN FRACTURE ZONE
AGULHAS RIDGE
SOUTHWEST INDIAN RIDGE
METEOR SEAMOUNT
DISCOVERY SEAMOUNT
WUST SEAMOUNT
VALDIVIA BANK
VEMA SEAMOUNT
BRAZIL BASIN
PERNAMBUCO ABYSSAL PLAIN
HOTSPUR SEAMOUNT
VITÓRIA SEAMOUNT
RIO GRANDE RISE
ARGENTINE BASIN
ARGENTINE ABYSSAL PLAIN
FALKLAND RIDGE
FALKLAND ESCARPMENT
FALKLAND PLATEAU
GEORGIA BASIN
ISLAS ORCADAS RISE
SOUTH SANDWICH TRENCH
AMERICA-ANTARCTIC RIDGE
South Georgia
SOUTH GEORGIA RIDGE
Scotia Sea
South Orkney Is.
South Shetland Islands
SHACKLETON FRACTURE ZONE
YAGHAN BASIN
BURDWOOD BANK
Falkland Is.
Río de la Plata
Magellan's Strait
C. Horn
Drake Passage
CHILE TRENCH
PERU-CHILE TRENCH
South America
Southern Ocean
Antarctica
WEDDELL ABYSSAL PLAIN
Weddell Sea
Lazarev Sea
Riiser-Larsen Sea
FIMBUL ICE SHELF
MAUD RISE
Antarctic Circle
Bellingshausen Sea
Amundsen Sea
AMUNDSEN ABYSSAL PLAIN
West from Greenwich
East from Greenwich
Pacific Ocean
PERU BASIN
CHILE BASIN
CHILE RISE
NAZCA RIDGE
CARNEGIE RIDGE
SARMIENTO RIDGE
ALVARADO RIDGE
GRIJALVA RIDGE
MENDANA FRACTURE ZONE
MENDOZA RISE
GALAPAGOS RISE
Galapagos Is.
SALA Y GOMEZ RIDGE
EASTER FRACTURE ZONE
Easter I.
ROGGEVEEN BASIN
San Félix
San Ambrosio
Juan Fernández Is.
CHALLENGER FRACTURE ZONE
CHILE FRACTURE ZONE
VALDIVIA FRACTURE ZONE
GUAFO FRACTURE ZONE
MENARD FRACTURE ZONE
MORNINGTON ABYSSAL PLAIN
SAN MARTIN SEAMOUNTS

44 PACIFIC OCEAN SEAFLOOR

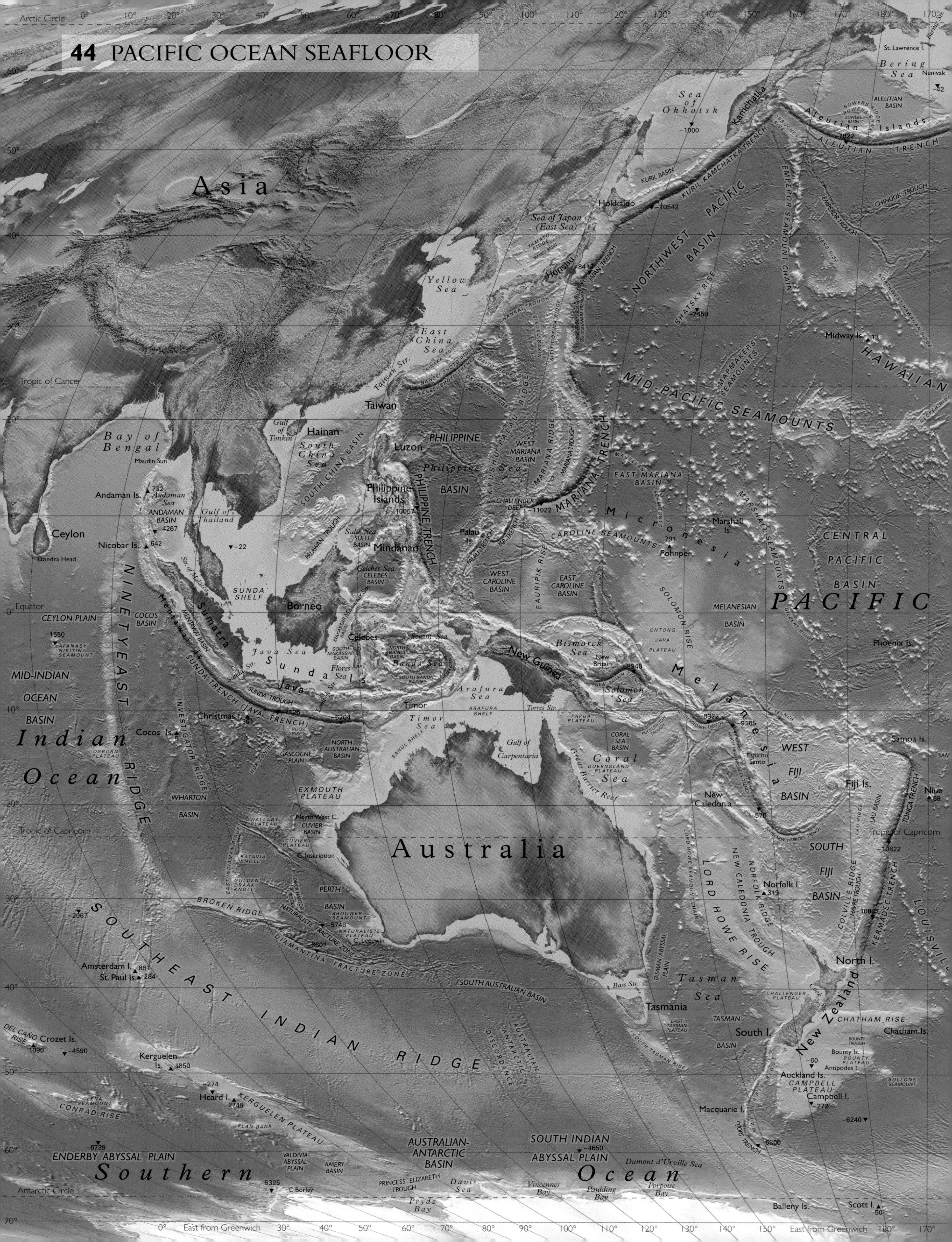

Arctic Circle
Asia
St. Lawrence I.
Bering Sea
Nunivak
ALEUTIAN BASIN
Aleutian Islands
ALEUTIAN TRENCH
Sea of Okhotsk
Kamchatka
KURIL BASIN
KURIL KAMCHATKA TRENCH
EMPEROR SEAMOUNT CHAIN
EMPEROR TROUGH
CHINOOK TROUGH
HESS RISE
Hokkaido
Sea of Japan (East Sea)
YAMATO RIDGE
Honshu
JAPAN TRENCH
NORTHWEST PACIFIC BASIN
SHATSKY RISE
Yellow Sea
East China Sea
NANKAI TROUGH
OKINAWA TROUGH
Midway Is.
HAWAIIAN
MID-PACIFIC SEAMOUNTS
MAPMAKERS SEAMOUNTS
Taiwan
Tropic of Cancer
Gulf of Tonkin
Hainan
Bay of Bengal
Maudin Sun
South China Sea
SOUTH CHINA BASIN
Luzon
PHILIPPINE BASIN
Philippine Sea
KYUSHU-PALAU RIDGE
WEST MARIANA BASIN
MARIANA RIDGE
MARIANA TROUGH
MARIANA TRENCH
EAST MARIANA BASIN
CHALLENGER DEEP
Andaman Is.
Andaman Sea
ANDAMAN BASIN
Gulf of Thailand
Philippine Islands
PHILIPPINE TRENCH
Micronesia
Marshall Is.
MARSHALL SEAMOUNTS
CENTRAL PACIFIC BASIN
Ceylon
Dondra Head
Nicobar Is.
Sulu Sea
SULU BASIN
PALAWAN TROUGH
Mindanao
Palau Is.
CAROLINE SEAMOUNTS
Pohnpei
Celebes Sea
CELEBES BASIN
WEST CAROLINE BASIN
EAURIPIK RISE
EAST CAROLINE BASIN
SOLOMON RISE
SUNDA SHELF
Borneo
MELANESIAN BASIN
ONTONG JAVA PLATEAU
Equator
CEYLON PLAIN
COCOS BASIN
Sumatra
Mentawai Is.
Celebes
Seram Sea
NORTH BANDA BASIN
Banda Sea
SOUTH BANDA BASIN
Bismarck Sea
New Britain
New Guinea
Phoenix Is.
AFANASY NIKITIN SEAMOUNT
MID-INDIAN OCEAN BASIN
NINETYEAST RIDGE
Java Sea
Sunda Is.
Flores Sea
Java
SUNDA TRENCH (JAVA TRENCH)
Timor
Arafura Sea
ARAFURA SHELF
Torres Str.
Solomon Sea
Melanesia
Christmas I.
Timor Sea
SAHUL SHELF
PAPUA PLATEAU
Indian Ocean
Cocos Is.
OSBORN PLATEAU
INVESTIGATOR RIDGE
NORTH AUSTRALIAN BASIN
GASCOYNE PLAIN
Gulf of Carpentaria
CORAL SEA BASIN
Coral Sea
QUEENSLAND PLATEAU
Great Barrier Reef
Espiritu Santo
WEST FIJI BASIN
Samoa Is.
Fiji Is.
Niue
TONGA TRENCH
EXMOUTH PLATEAU
WHARTON BASIN
New Caledonia
Tropic of Capricorn
WALLABY PLATEAU
North West C.
CUVIER BASIN
Australia
SOUTH FIJI BASIN
BATAVIA KNOLL
C. Inscription
GULDEN DRAAK KNOLL
PERTH BASIN
LORD HOWE RISE
NEW CALEDONIA TROUGH
NORFOLK RIDGE
Norfolk I.
COLVILLE RIDGE
HAVRE TROUGH
KERMADEC TRENCH
LOUISVILLE
SOUTHEAST INDIAN RIDGE
BROKEN RIDGE
BROUWER SEAMOUNT
NATURALISTE PLATEAU
NATURALISTE FRACTURE ZONE
C. Leeuwin
DIAMANTINA FRACTURE ZONE
Amsterdam I.
St. Paul Is.
TASMAN ABYSSAL PLAIN
North I.
SOUTH AUSTRALIAN BASIN
Bass Str.
Tasman Sea
Tasmania
CHALLENGER PLATEAU
Cook Str.
New Zealand
CHATHAM RISE
Chatham Is.
DEL CANO RISE
Crozet Is.
AUSTRALIAN ANTARCTIC DISCORDANCE
EAST TASMAN PLATEAU
TASMAN BASIN
South I.
SOUTH TASMAN RISE
BOUNTY TROUGH
Bounty Is.
BOUNTY PLATEAU
Antipodes I.
Kerguelen Is.
Auckland Is.
CAMPBELL PLATEAU
BOLLONS SEAMOUNT
Heard I.
KERGUELEN PLATEAU
Campbell I.
LENA SEAMOUNT
CONRAD RISE
ELAN BANK
Macquarie I.
HJORT TRENCH
AUSTRALIAN-ANTARCTIC BASIN
SOUTH INDIAN ABYSSAL PLAIN
ENDERBY ABYSSAL PLAIN
VALDIVIA ABYSSAL PLAIN
AMERY BASIN
Dumont d'Urville Sea
Southern Ocean
PRINCESS ELIZABETH TROUGH
Davis Sea
Vincennes Bay
Paulding Bay
Porpoise Bay
Antarctic Circle
C. Borley
Prydz Bay
Balleny Is.
Scott I.
East from Greenwich

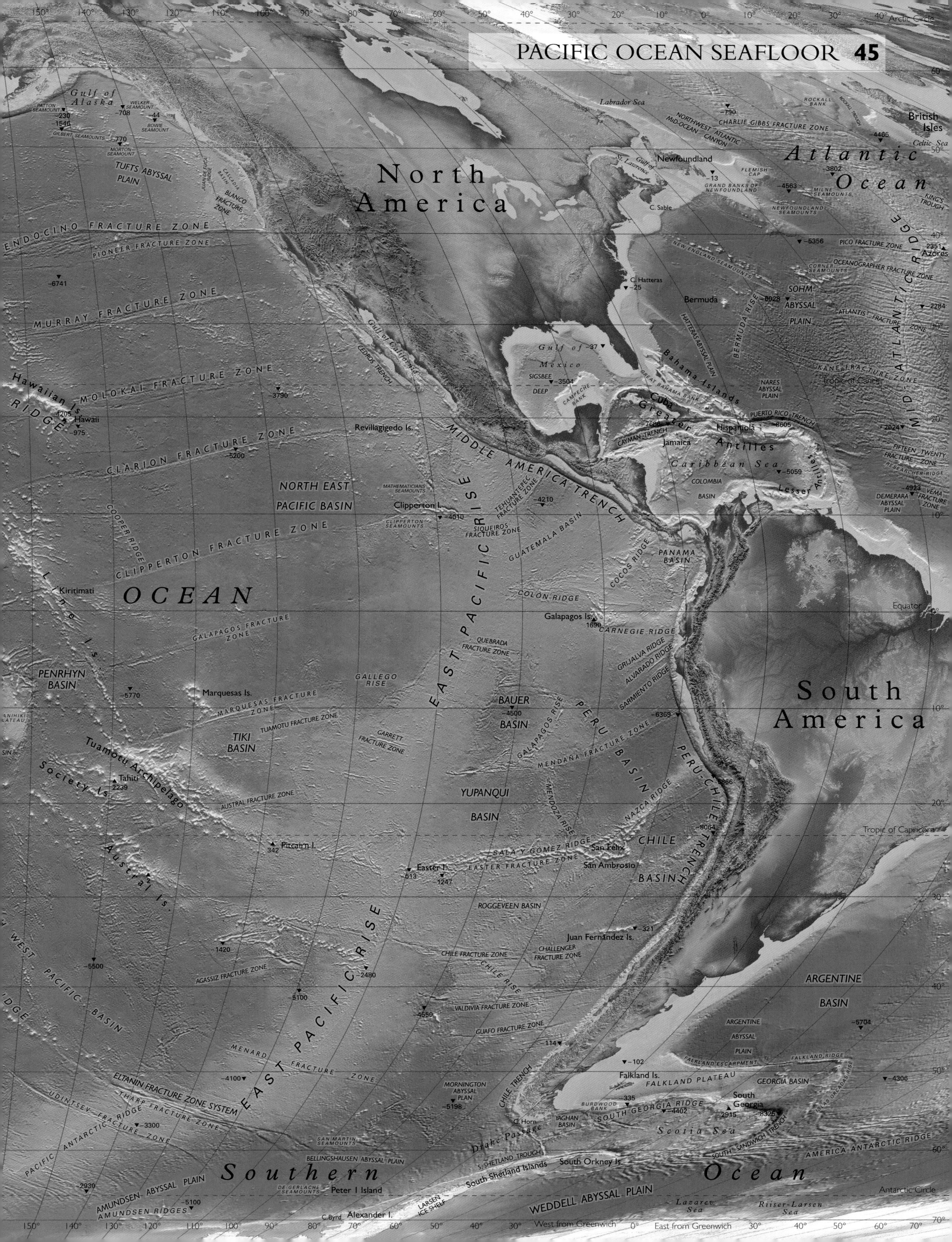
Arctic Circle
Gulf of Alaska
PATTON SEAMOUNT
-230
-1546
GILBERT SEAMOUNTS
WELKER SEAMOUNT
-708
-44
BOWIE SEAMOUNT
-770
MORTON SEAMOUNT
TUFTS ABYSSAL PLAIN
JUAN DE FUCA RIDGE
CASCADIA BASIN
BLANCO FRACTURE ZONE
North America
Labrador Sea
-790
CHARLIE GIBBS FRACTURE ZONE
NORTHWEST ATLANTIC MID-OCEAN CANYON
ROCKALL BANK
ROCKALL TROUGH
British Isles
-4465
Celtic Sea
Gulf of St. Lawrence
Newfoundland
-13
FLEMISH CAP
GRAND BANKS OF NEWFOUNDLAND
-4563
-3802
Atlantic Ocean
MILNE SEAMOUNTS
KING'S TROUGH
NEWFOUNDLAND SEAMOUNTS
C. Sable
MENDOCINO FRACTURE ZONE
PIONEER FRACTURE ZONE
-5356
PICO FRACTURE ZONE
2351
Azores
NEW ENGLAND SEAMOUNTS
CORNER SEAMOUNTS
OCEANOGRAPHER FRACTURE ZONE
MID-ATLANTIC RIDGE
-6741
C. Hatteras
-25
Bermuda
-6928
SOHM ABYSSAL PLAIN
ATLANTIS FRACTURE ZONE
-2284
MURRAY FRACTURE ZONE
HATTERAS ABYSSAL PLAIN
BERMUDA RISE
Gulf of California
CEDROS TRENCH
Gulf of Mexico
-37
SIGSBEE DEEP
-3504
CAMPECHE BANK
GREAT BAHAMA BANK
Bahama Islands
KANE FRACTURE ZONE
NARES ABYSSAL PLAIN
Tropic of Cancer
MOLOKAI FRACTURE ZONE
-3790
Hawaiian Is.
RIDGE
4205
Hawaii
-975
Revillagigedo Is.
Cuba
Greater Antilles
-7680
CAYMAN TRENCH
Jamaica
Hispaniola
PUERTO RICO TRENCH
-8605
-2024
CLARION FRACTURE ZONE
-5200
MIDDLE AMERICA TRENCH
Caribbean Sea
-5059
Lesser Antilles
FIFTEEN TWENTY FRACTURE ZONE
RESEARCHER RIDGE
COLOMBIA BASIN
NORTH EAST PACIFIC BASIN
MATHEMATICIANS SEAMOUNTS
TEHUANTEPEC FRACTURE ZONE
-4210
Clipperton I.
-4010
CLIPPERTON SEAMOUNTS
SIQUEIROS FRACTURE ZONE
GUATEMALA BASIN
-4923
DEMERARA ABYSSAL PLAIN
VEMA FRACTURE ZONE
COOPER RIDGE
CLIPPERTON FRACTURE ZONE
EAST PACIFIC RISE
PANAMA BASIN
COCOS RIDGE
Kiritimati
OCEAN
COLON RIDGE
Equator
Line Is.
Galapagos Is.
1690
CARNEGIE RIDGE
GALAPAGOS FRACTURE ZONE
QUEBRADA FRACTURE ZONE
GRIJALVA RIDGE
ALVARADO RIDGE
SARMIENTO RIDGE
PENRHYN BASIN
-5770
GALLEGO RISE
Marquesas Is.
MARQUESAS FRACTURE ZONE
BAUER BASIN
-4500
GALAPAGOS RISE
PERU BASIN
-6369
South America
TUAMOTU FRACTURE ZONE
TIKI BASIN
GARRETT FRACTURE ZONE
MENDAÑA FRACTURE ZONE
Tuamotu Archipelago
Society Is.
Tahiti
2239
PERU-CHILE TRENCH
-7866
AUSTRAL FRACTURE ZONE
YUPANQUI BASIN
MENDOZA RISE
NAZCA RIDGE
-8064
Tropic of Capricorn
Pitcairn I.
342
SALA Y GOMEZ RIDGE
San Felix
CHILE BASIN
Easter I.
613
-1247
EASTER FRACTURE ZONE
San Ambrosio
Austral Is.
ROGGEVEEN BASIN
Juan Fernández Is.
-321
-1420
CHALLENGER FRACTURE ZONE
CHILE FRACTURE ZONE
CHILE RISE
-5500
-2480
AGASSIZ FRACTURE ZONE
ARGENTINE BASIN
WEST PACIFIC BASIN
-5100
-4550
VALDIVIA FRACTURE ZONE
GUAFO FRACTURE ZONE
ARGENTINE ABYSSAL PLAIN
-5704
-114
MENARD FRACTURE ZONE
-102
FALKLAND ESCARPMENT
FALKLAND RIDGE
Falkland Is.
FALKLAND PLATEAU
GEORGIA BASIN
-4306
ELTANIN FRACTURE ZONE SYSTEM
-4100
MORNINGTON ABYSSAL PLAIN
-5198
CHILE TRENCH
BURDWOOD BANK
335
SOUTH GEORGIA RIDGE
-4402
South Georgia
2915
-8325
UDINTSEV FRACTURE ZONE
THARP FRACTURE ZONE
-3300
PACIFIC ANTARCTIC RIDGE
C. Horn
YAGHAN BASIN
Scotia Sea
SOUTH SANDWICH TRENCH
SOUTH ORKNEY RISE
SAN MARTIN SEAMOUNTS
Drake Passage
AMERICA-ANTARCTIC RIDGE
BELLINGSHAUSEN ABYSSAL PLAIN
S. SHETLAND TROUGH
South Shetland Islands
South Orkney Is.
Southern Ocean
-2930
AMUNDSEN ABYSSAL PLAIN
DE GERLACHE SEAMOUNTS
Peter I Island
Antarctic Circle
-5100
AMUNDSEN RIDGES
LARSEN ICE SHELF
WEDDELL ABYSSAL PLAIN
Lazarev Sea
Riiser-Larsen Sea
C. Byrd
Alexander I.
West from Greenwich
East from Greenwich

46 INDIAN OCEAN SEAFLOOR

Asia
Africa
Antarctica
Australi
Mediterranean Sea
Red Sea
−2211
Persian Gulf
−60
Str. of Hormuz
Gulf of Oman
OMAN BASIN
Tropic of Cancer
Arabian Sea
ARABIAN BASIN
W. SHEBA RIDGE
E. SHEBA RIDGE
Gulf of Aden
Socotra
Ras Asir
OWEN FRACTURE ZONE
SADKO SEAMOUNT
−2758
Laccadive Is.
C. Comorin
Ceylon
Dondra Head
Bay of Bengal
Maudin Sun
Andaman Is.
732
Andaman Sea
ANDAMAN BASIN
−4267
Nicobar Is.
642
Gulf of Thailand
−22
Gulf of Tonkin
Hainan
Taiwan
Yellow Sea
South China Sea
SOUTH CHINA BASIN
PALAWAN TROUGH
Str. of Malacca
Sumatra
SUNDA SHELF
Borneo
Equator
Java Sea
Java
Sunda Is
MENTAWAI BASIN
SUNDA TRENCH (JAVA TRENCH)
SUNDA TROUGH
−7125
−6204
Christmas I.
361
ROO RISE
NORTH AUSTRALIAN BASIN
GASCOGNE PLAIN
EXMOUTH PLATEAU
CHAIN RIDGE
−5827
CARLSBERG RIDGE
−2194
COCO-DE-MER SEAMOUNTS
MID-INDIAN RIDGE
Maldives
2
CHAGOS-LACCADIVE RIDGE
CEYLON PLAIN
COCOS BASIN
−1550
AFANASY NIKITIN SEAMOUNT
MAHABISS FRACTURE ZONE
SEALARK FRACTURE ZONE
VITYAZ FRACTURE ZONE
VEMA FRACTURE ZONE
SOMALI BASIN
SEYCHELLES BANK
905
Seychelles
−13
AMIRANTE TRENCH
−5273
FORTUNE BANK
Pemba
Zanzibar
MASCARENE PLATEAU
Chagos Arch.
CHAGOS BANK
CHAGOS TROUGH
−5408
MID-INDIAN OCEAN BASIN
−6402
−7
SAYA DE MALHA BANK
C. Delgado
Comoro Is.
Agalega Is.
MASCARENE BASIN
INDIAN OCEAN
NINETYEAST RIDGE
INVESTIGATOR RIDGE
Cocos Is.
5
Tromelin
NAZARETH BANK
ARGO FRACTURE ZONE
MARIE CELESTE FRACTURE ZONE
CARGADOS CARAJOS BANK
OSBORN PLATEAU
Mozambique Channel
Madagascar
−5194
WILSHAW RIDGE
MASCARENE PLAIN
828
Mauritius
396
Rodrigues I.
RODRIGUES RIDGE
Réunion
3069
WHARTON BASIN
North West C.
CUVIER BASIN
Bassas da India
Europa
Tropic of Capricorn
WALLABY PLATEAU
CUVIER PLATEAU
EAST INDIAMAN RIDGE
BATAVIA KNOLL
C. Inscription
MADAGASCAR BASIN
MOZAMBIQUE BASIN
MADAGASCAR RIDGE
SOUTHWEST INDIAN RIDGE
SOUTHEAST INDIAN RIDGE
GULDEN DRAAK KNOLL
PERTH BASIN
NATAL VALLEY
MOZAMBIQUE PLATEAU
MOZAMBIQUE ESCARPMENT
−2067
BROKEN RIDGE
BROUWER SEAMOUNT
NATURALISTE FRACTURE ZONE
−5746
NATURALISTE PLATEAU
C. Leeuwin
−6080
DIAMANTINA FRACTURE ZONE
C. of Good Hope
C. Agulhas
AGULHAS BANK
TRANSKEI BASIN
ATLANTIS II FRACTURE ZONE
GALLIENI FRACTURE ZONE
MELVILLE FRACTURE ZONE
CROZET BASIN
Amsterdam I.
881
St. Paul Is.
284
−5371
AGULHAS PLATEAU
DISCOVERY II FRACTURE ZONE
INDOMED FRACTURE ZONE
AGULHAS BASIN
DEL CAÑO RISE
1090
Crozet Is.
−4590
Prince Edward Is.
1230
PRINCE EDWARD FRACTURE ZONE
1850
Kerguelen Is.
−3902
AUSTRALIAN ANTARCTIC DISCORDANCE
Heard I.
2745
KERGUELEN PLATEAU
LENA SEAMOUNT
CONRAD RISE
ELAN BANK
−6739
AUSTRALIAN-ANTARCTIC BASIN
SOUTH INDIAN ABYSSAL PLAIN
ENDERBY ABYSSAL PLAIN
VALDIVIA ABYSSAL PLAIN
AMERY BASIN
Southern Ocean
PRINCESS ELIZABETH TROUGH
−1270
MAUD RISE
Antarctic Circle
Cosmonaut Sea
C. Borley
Vincennes Bay
Paulding Bay
Porpoise Bay
Riiser-Larsen Sea
Lazarev Sea
Prydz Bay
West from Greenwich
East from Greenwich
20°
10°
0°
10°
20°
30°
40°
50°
60°
70°
80°
90°
100°
110°
120°
130°
140°
150°
160°
170°
180°

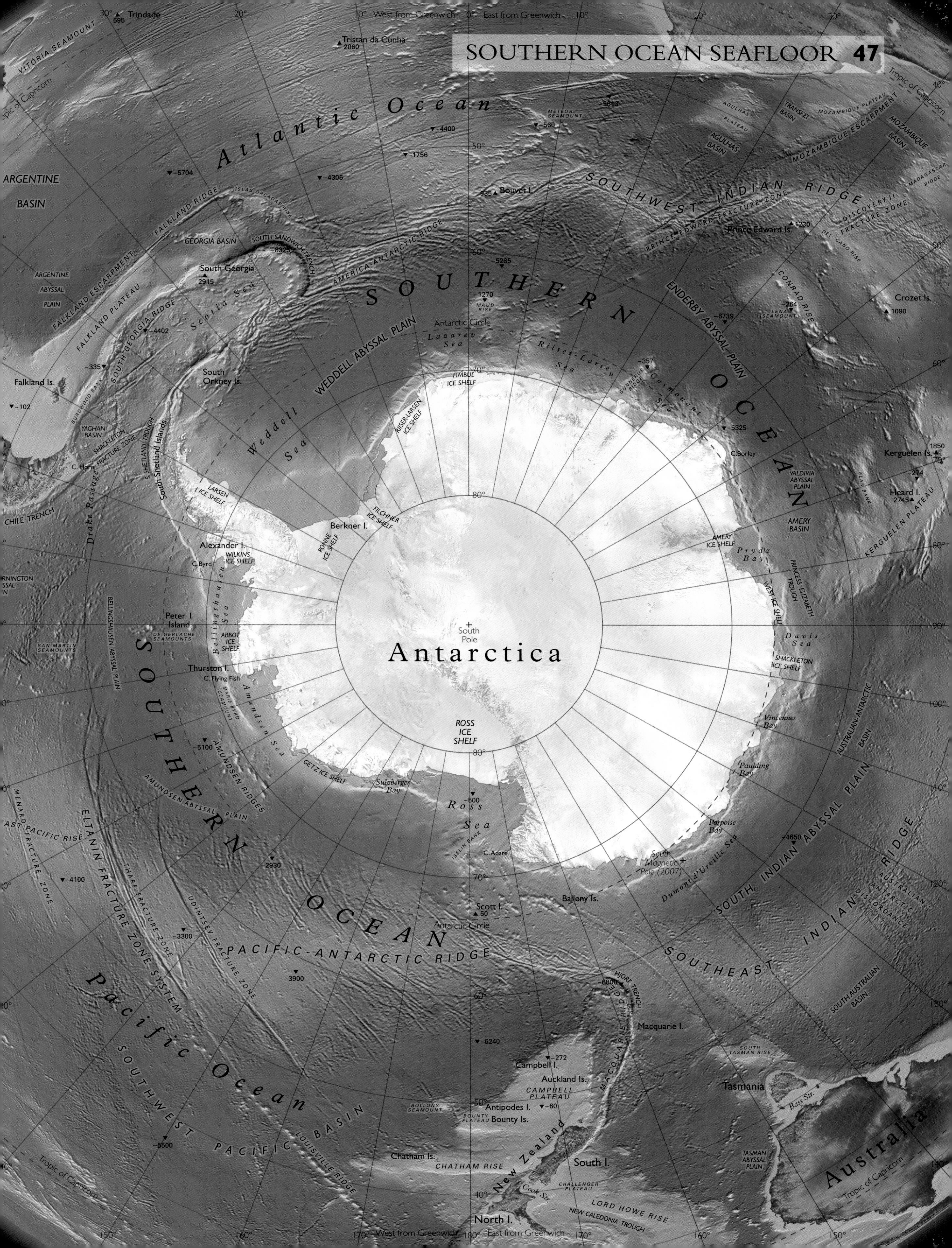
Atlantic Ocean
SOUTHERN OCEAN
SOUTHERN OCEAN
Pacific Ocean
Antarctica
South Pole
Trindade
Tristan da Cunha
VITORIA SEAMOUNT
Tropic of Capricorn
ARGENTINE BASIN
ARGENTINE ABYSSAL PLAIN
FALKLAND ESCARPMENT
FALKLAND PLATEAU
FALKLAND RIDGE
GEORGIA BASIN
SOUTH SANDWICH TRENCH
South Georgia
SOUTH GEORGIA RIDGE
Scotia Sea
ISLAS ORCADAS RISE
AMERICA-ANTARCTIC RIDGE
METEOR SEAMOUNT
Bouvet I.
MAUD RISE
Falkland Is.
BURDWOOD BANK
YAGHAN BASIN
SHACKLETON FRACTURE ZONE
SOUTH SHETLAND TROUGH
South Shetland Islands
South Orkney Is.
C. Horn
Drake Passage
CHILE TRENCH
WEDDELL ABYSSAL PLAIN
Weddell Sea
Lazarev Sea
Riiser-Larsen Sea
Cosmonaut Sea
GUNNERUS RIDGE
FIMBUL ICE SHELF
RIISER-LARSEN ICE SHELF
FILCHNER ICE SHELF
RONNE ICE SHELF
Berkner I.
LARSEN ICE SHELF
Alexander I.
WILKINS ICE SHELF
C. Byrd
Bellingshausen Sea
Peter I Island
DE GERLACHE SEAMOUNTS
ABBOT ICE SHELF
Thurston I.
C. Flying Fish
MARIE BYRD SEAMOUNT
Amundsen Sea
AMUNDSEN RIDGES
AMUNDSEN ABYSSAL PLAIN
BELLINGSHAUSEN ABYSSAL PLAIN
SAN MARTIN SEAMOUNTS
GETZ ICE SHELF
Sulzberger Bay
ROSS ICE SHELF
Ross Sea
ISELIN BANK
C. Adare
Scott I.
Balleny Is.
Antarctic Circle
AGULHAS PLATEAU
AGULHAS BASIN
TRANSKEI BASIN
MOZAMBIQUE PLATEAU
MOZAMBIQUE ESCARPMENT
MOZAMBIQUE BASIN
MADAGASCAR RIDGE
SOUTHWEST INDIAN RIDGE
PRINCE EDWARD FRACTURE ZONE
Prince Edward Is.
DISCOVERY II FRACTURE ZONE
DEL CANO RISE
CONRAD RISE
LENA SEAMOUNT
Crozet Is.
ENDERBY ABYSSAL PLAIN
C. Borley
VALDIVIA ABYSSAL PLAIN
Kerguelen Is.
Heard I.
ELAN BANK
KERGUELEN PLATEAU
AMERY BASIN
AMERY ICE SHELF
Prydz Bay
PRINCESS ELIZABETH TROUGH
WEST ICE SHELF
Davis Sea
SHACKLETON ICE SHELF
Vincennes Bay
Paulding Bay
Porpoise Bay
South Magnetic Pole (2007)
Dumont d'Urville Sea
AUSTRALIAN-ANTARCTIC BASIN
SOUTH INDIAN ABYSSAL PLAIN
SOUTHEAST INDIAN RIDGE
AUSTRALIAN ANTARCTIC DISCORDANCE
SOUTH AUSTRALIAN BASIN
SOUTH TASMAN RISE
Tasmania
Bass Str.
Australia
TASMAN ABYSSAL PLAIN
HJORT TRENCH
MACQUARIE RIDGE
Macquarie I.
Campbell I.
Auckland Is.
CAMPBELL PLATEAU
BOLLONS SEAMOUNT
Antipodes I.
BOUNTY PLATEAU
Bounty Is.
Chatham Is.
CHATHAM RISE
New Zealand
South I.
North I.
Cook Str.
CHALLENGER PLATEAU
LORD HOWE RISE
NEW CALEDONIA TROUGH
LOUISVILLE RIDGE
SOUTHWEST PACIFIC BASIN
PACIFIC-ANTARCTIC RIDGE
ELTANIN FRACTURE ZONE SYSTEM
THARP FRACTURE ZONE
UDINTSEV FRACTURE ZONE
MENARD FRACTURE ZONE
EAST PACIFIC RISE
West from Greenwich
East from Greenwich

WORLD MAPS

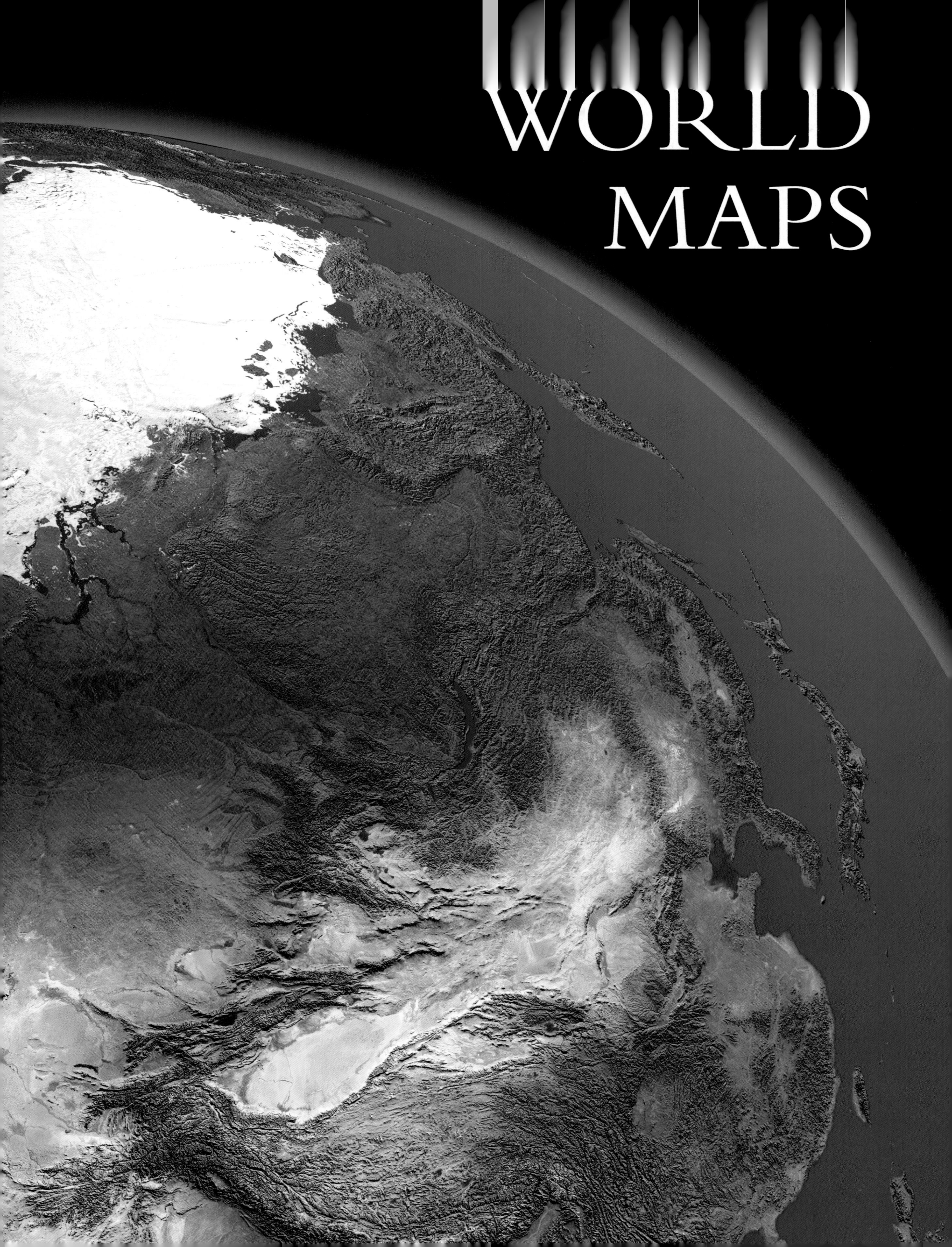

 Equatorial Scale 1:84 000 000

Beaufort Sea
Pt. Barrow
Parry Is.
Queen Elizabeth Islands
Ellesmere I.
Banks I.
Devon I.
Victoria I.
Baffin Island
Greenland
Greenland Sea
Jan Mayen
Norwegian Sea
Bering Str.
Bering Sea
Alaska
Yukon
Mt. McKinley (Denali) 6168
Gr. Bear L.
Gr. Slave L.
Gulf of Alaska
Kodiak I.
Aleutian Is.
Haida Gwaii (Queen Charlotte Is.)
Vancouver I.
Hudson Bay
Hudson Str.
Davis Str.
Arctic Circle
Denmark Str.
Iceland
Faroe Is.
Labrador Sea
C. Farewell
British Isles
North Sea
L. Winnipeg
North America
Great Lakes
Laurentian Plateau
Labrador
Newfoundland
C. Race
Nova Scotia
C. Cod
C. Mendocino
Great Basin
Sierra Nevada
Cascade Ra.
Coast Mts.
Rocky Mountains
Great Plains
Mt. Elbert 4399
Mt. Whitney 4418
Death Valley
Mt. Mitchell 2037
Appalachian Mts.
C. Hatteras
Mississippi
Missouri
Ohio
Arkansas
Rio Grande
B. of Biscay
Mt. Blanc 4808
Pic d'Aneto 3404
Pyrenees
Iberian Pen.
Azores
Str. of Gibraltar
Bermuda
ATLANTIC OCEAN
Sargasso Sea
Madeira
J. Toubkal 4165
Atlas Mts.
Maghreb
Canary Is.
3718
Florida
Lower California
G. of California
Sierra Madre
Gulf of Mexico
Florida Str.
Bahamas
Cuba
Greater Antilles
Hispaniola
Milwaukee Deep 8605
Puerto Rico
Jamaica
Caribbean Sea
Lesser Antilles
Yucatan
Pico de Orizaba 5610
Popocatepetl 5452
C. San Lucas
Revilla Gigedo Is.
Hawaiian Is.
Mauna Kea 4205
Tropic of Cancer
C. Verde Is.
C. Verde
Senegal
Sahara
Africa
Central America
Isthmus of Panama
Trinidad
Llanos
Orinoco
Guiana Highlands
Mt. Roraima 2810
PACIFIC OCEAN
Line Is.
Kiritimati
Polynesia
Galapagos Is.
Chimborazo 6310
Amazon
Negro
Japurá
Marañón
Selvas
South America
Equator
Gulf of Guinea
C. Palmas
Mt. Cameroon 4095
C. de São Roque
Ascension
Marquesas Is.
Plateau of Mato Grosso
São Francisco
Brazilian Highlands
L. Titicaca
Bolivian Plateau
Andes
Gran Chaco
St. Helena
Society Is.
Tahiti
Tuamotu Is.
Cook Is.
Tubuai Is.
Pitcairn I.
Easter I.
Trindade
C. Frio
Tropic of Capricorn
Chile Trench 8050
Cerro Ojos del Salado 6863
Cerro Aconcagua 6960
Arch. de Juan Fernández
Pampas
Paraná
R. de la Plata
Tristan da Cunha
Patagonia
Falkland Is.
S. Georgia 2937
Magellan's Str.
Tierra del Fuego
C. Horn
Scotia Sea
Drake Passage
South Shetland Is.
South Orkney Is.
South Sandwich Is.
Bouvet I.
Antarctic Circle
Bellingshausen Sea
Antarctic Peninsula
Weddell Sea
Amundsen Sea
Thurston I.
Alexander I.
Palmer Land
Ellsworth Land
Vinson Massif 4897
Ronne Ice Shelf
Berkner I.
Caird Coast
Coats Land
Marie Byrd Land
Roosevelt I.
Ross Sea
Projection: Winkel III
West from Greenwich

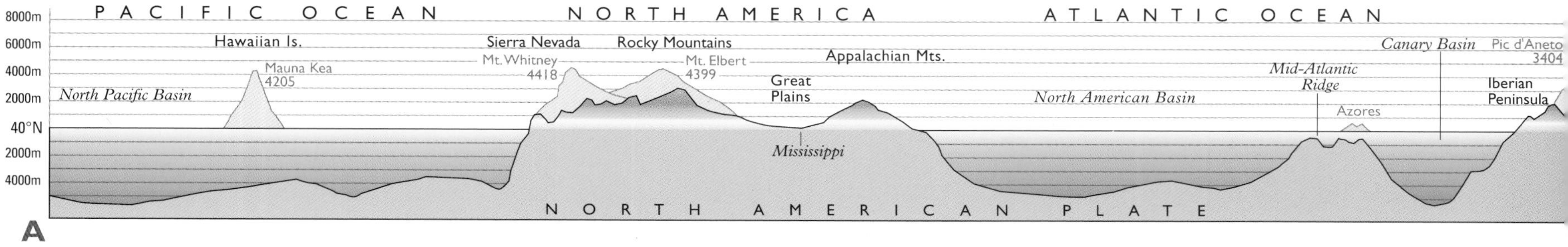
8000m
6000m
4000m
2000m
40°N
2000m
4000m
PACIFIC OCEAN
NORTH AMERICA
ATLANTIC OCEAN
Hawaiian Is.
Mauna Kea 4205
North Pacific Basin
Sierra Nevada
Mt. Whitney 4418
Rocky Mountains
Mt. Elbert 4399
Great Plains
Appalachian Mts.
Mississippi
North American Basin
Mid-Atlantic Ridge
Azores
Canary Basin
Pic d'Aneto 3404
Iberian Peninsula
NORTH AMERICAN PLATE
A

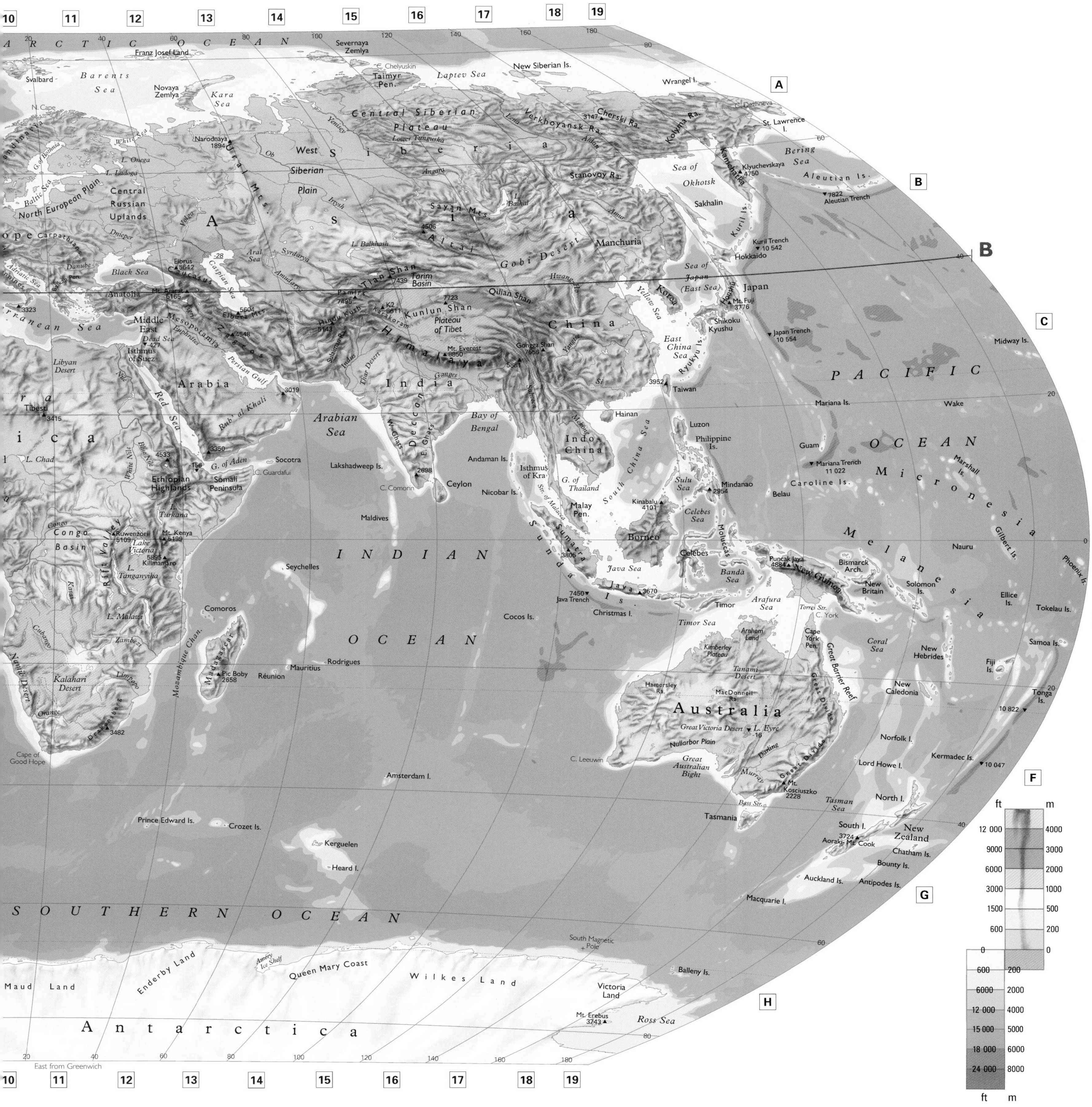
10 11 12 13 14 15 16 17 18 19
ARCTIC OCEAN
Franz Josef Land
Svalbard
Barents Sea
Novaya Zemlya
Kara Sea
Severnaya Zemlya
C. Chelyuskin
Taimyr Pen.
Laptev Sea
New Siberian Is.
Wrangel I.
A
N. Cape
White Sea
L. Onega
L. Ladoga
Baltic Sea
G. of Bothnia
North European Plain
Central Russian Uplands
Narodnaya 1894
Ural Mts.
Ob
West Siberian Plain
Central Siberian Plateau
Lower Tunguska
Yenisey
Lena
Verkhoyansk Ra.
Cherski Ra.
3147
Kolyma Ra.
Dezhneva
St. Lawrence I.
Bering Sea
Kamchatka
Klyuchevskaya 4750
Sea of Okhotsk
Sakhalin
Stanovoy Ra.
Aldan
Angara
Baikal
Amur
S i b e r i a
Aleutian Is.
7822 Aleutian Trench
B
Kuril Is.
Kuril Trench 10 542
Hokkaido
Carpathians
Danube
Dnieper
Volga
Black Sea
Elbrus 5642
Caucasus
-28
Caspian Sea
Aral Sea
Syrdarya
Amudarya
A s i a
Sayan Mts.
4506
Altai
L. Balkhash
Gobi Desert
Manchuria
Hwang Ho
Sea of Japan (East Sea)
Japan
Honshu
Mt. Fuji 3776
Korea
Yellow Sea
Adriatic Sea
Balkan Pen.
Anatolia
Mt. Ararat 5165
Tian Shan
7439
Tarim Basin
Pamirs 7495
K2 8611
Karakoram
Kunlun Shan
7723
Qilian Shan
Plateau of Tibet
Mediterranean Sea
3323
Middle East
5604
Elburz Mts.
Mesopotamia
Zagros
4548
Euphrates
Dead Sea -427
Isthmus of Suez
Libyan Desert
Hindu Kush 5143
Sulaiman Ra.
Indus
Himalaya
Mt. Everest 8850
Gongga Shan 7556
C h i n a
Yangtze
Shikoku
Kyushu
East China Sea
Ryukyu Is.
Japan Trench 10 554
C
Midway Is.
Arabia
Persian Gulf
Thar Desert
Ganges
I n d i a
5881
3019
Taiwan
3952
PACIFIC OCEAN
Tibesti 3415
Nile
Red Sea
Rub al Khali
Arabian Sea
Deccan
W. Ghats
E. Ghats
Bay of Bengal
Salween
Mekong
Hainan
South China Sea
Luzon
Philippine Is.
Mariana Is.
Wake
Guam
Mariana Trench 11 022
Marshall Is.
Micronesia
D
L. Chad
White Nile
Blue Nile
4533
3350
G. of Aden
Socotra
C. Guardafui
Lakshadweep Is.
2698
Andaman Is.
Indo-China
Ethiopian Highlands
Somali Peninsula
C. Comorin
Ceylon
Nicobar Is.
Isthmus of Kra
G. of Thailand
Sulu Sea
Mindanao
2954
Caroline Is.
Belau
L. Turkana
Malay Pen.
Str. of Malacca
Kinabalu 4101
Celebes Sea
Congo
Congo Basin
Ruwenzori 5109
Mt. Kenya 5199
L. Victoria
Kilimanjaro 5895
Rift Valley
L. Tanganyika
Maldives
Sumatra
3805
Borneo
Celebes
Moluccas
Gilbert Is.
Nauru
Melanesia
Seychelles
INDIAN OCEAN
Java Sea
Java
3670
Sunda Is.
Banda Sea
Puncak Jaya 4884
New Guinea
Bismarck Arch.
New Britain
Solomon Is.
Phoenix Is.
Kasai
L. Malawi
Comoros
7450 Java Trench
Christmas I.
Cocos Is.
Timor
Arafura Sea
Torres Str.
C. York
Ellice Is.
Tokelau Is.
E
Zambezi
Cubango
Mozambique Chan.
Madagascar
Timor Sea
Arnhem Land
Cape York Pen.
Coral Sea
New Hebrides
Samoa Is.
Kalahari Desert
Limpopo
Pic Boby 2658
Réunion
Mauritius
Rodrigues
Kimberley Plateau
Tanami Desert
Great Barrier Reef
Fiji Is.
Namib Desert
Orange
Drakensberg
3482
Hamersley Ra.
MacDonnell Ra.
Australia
Great Dividing Range
New Caledonia
Tonga Is.
10 822
Great Victoria Desert
L. Eyre -16
Nullarbor Plain
Darling
Murray
Great Australian Bight
C. Leeuwin
Norfolk I.
Cape of Good Hope
Amsterdam I.
Lord Howe I.
Kermadec Is.
10 047
F
Mt. Kosciuszko 2228
Bass Str.
Tasmania
Tasman Sea
North I.
Prince Edward Is.
Crozet Is.
South I.
Aoraki Mt. Cook 3724
New Zealand
Chatham Is.
Kerguelen
Heard I.
Auckland Is.
Bounty Is.
Antipodes Is.
G
Macquarie I.
SOUTHERN OCEAN
South Magnetic Pole
Amery Ice Shelf
Queen Mary Coast
Enderby Land
Maud Land
Wilkes Land
Balleny Is.
Victoria Land
H
Mt. Erebus 3743
Ross Sea
Antarctica
East from Greenwich
20 40 60 80 100 120 140 160 180
10 11 12 13 14 15 16 17 18 19
ft m
12 000 4000
9000 3000
6000 2000
3000 1000
1500 500
600 200
0 0
600 200
6000 2000
12 000 4000
15 000 5000
18 000 6000
24 000 8000
ft m

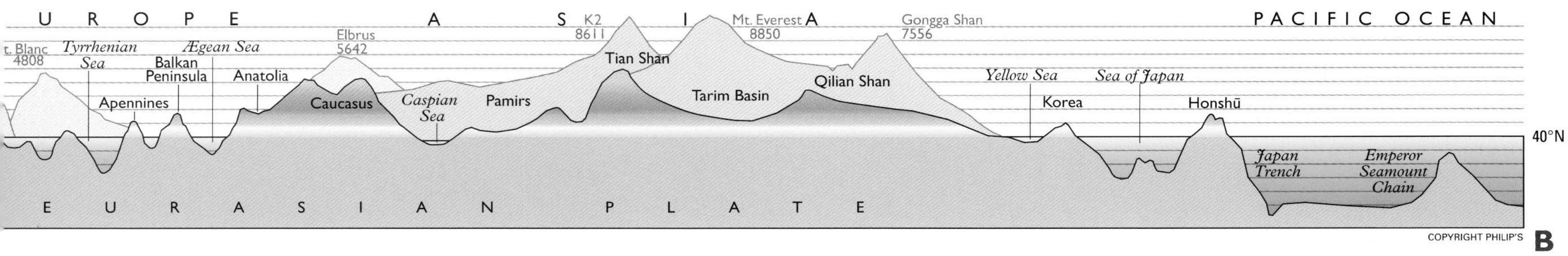
EUROPE ASIA PACIFIC OCEAN
Mt. Blanc 4808
Tyrrhenian Sea
Ægean Sea
Balkan Peninsula
Anatolia
Apennines
Elbrus 5642
Caucasus
Caspian Sea
Pamirs
K2 8611
Tian Shan
Mt. Everest 8850
Tarim Basin
Gongga Shan 7556
Qilian Shan
Yellow Sea
Korea
Sea of Japan
Honshū
40°N
Japan Trench
Emperor Seamount Chain
EURASIAN PLATE

 B

Equatorial Scale 1:84 000 000

1
2
3
4
5
6
7
8
9
10
A
B
C
D
E
F
G
H
Beaufort Sea
Parry Is.
Queen Elizabeth Islands
Ellesmere I.
Banks I.
Victoria I.
Devon I.
Baffin Bay
Baffin I.
Davis Strait
GREENLAND (KALAALLIT NUNAAT) (Denmark)
Norwegian Sea
Jan Mayen (Norway)
Denmark Strait
Reykjavík
ICELAND
Faroe Is. (Den.)
Bering Strait
ALASKA (U.S.A.)
Yukon
Fairbanks
Mackenzie
Great Bear L.
Yellowknife
Great Slave L.
Anchorage
Kodiak I.
Gulf of Alaska
CANADA
Hudson Bay
Churchill
Iqaluit
Nuuk
Haida Gwaii (Queen Charlotte Is.)
Edmonton
Calgary
Vancouver
Vancouver I.
Seattle
Winnipeg
Nelson
Portland
Missouri
Minneapolis-St. Paul
Newfoundland
St. John's
Québec
Ottawa
Montréal
Halifax
TORONTO
Boston
NEW YORK
PHILADELPHIA
Baltimore
WASHINGTON D.C.
UNITED STATES
Milwaukee
Detroit
CHICAGO
Cleveland
Pittsburgh
Cincinnati
St. Louis
Kansas City
Denver
Salt Lake City
Sacramento
SAN FRANCISCO
Las Vegas
LOS ANGELES
San Diego
Phoenix
DALLAS-FT. WORTH
El Paso
Memphis
ATLANTA
HOUSTON
New Orleans
San Antonio
Jacksonville
Orlando
Tampa-St. Petersburg
MIAMI
Nassau
BAHAMAS
Gulf of Mexico
Ciudad Juárez
Monterrey
Rio Grande
Gulf of California
MEXICO
León
Guadalajara
MEXICO
Puebla
Guadalupe (Mex.)
Revilla Gigedo Is. (Mex.)
Havana
CUBA
Turks & Caicos Is. (U.K.)
DOMINICAN REP.
PUERTO RICO (U.S.A.)
Port-au-Prince
HAITI
Santo Domingo
Cayman Is. (U.K.)
JAMAICA
Kingston
BELIZE
Belmopan
GUATEMALA
Guatemala
HONDURAS
Tegucigalpa
EL SALVADOR
San Salvador
NICARAGUA
Managua
Caribbean Sea
COSTA RICA
San José
PANAMA
Panamá
Barranquilla
Curaçao (Neth.)
Caracas
VENEZUELA
Orinoco
Georgetown
GUYANA
Paramaribo
SURINAME
Cayenne
FRENCH GUIANA
Medellín
BOGOTÁ
COLOMBIA
Cali
Quito
ECUADOR
Guayaquil
Galápagos (Ecuador)
Clipperton I. (Fr.)
Belém
Amazon
Manaus
Japurá
Negro
Fortaleza
Fernando de Noronha (Brazil)
Natal
Recife
BRAZIL
PERU
Callao
LIMA
BOLIVIA
La Paz
Arequipa
Sucre
Brasília
Salvador
BELO HORIZONTE
RIO DE JANEIRO
SÃO PAULO
Curitiba
PARAGUAY
Asunción
Antofagasta
San Miguel de Tucumán
Pôrto Alegre
Rio Grande
Córdoba
Rosario
URUGUAY
Montevideo
Valparaíso
SANTIAGO
BUENOS AIRES
Talcahuano
Bahía Blanca
CHILE
ARGENTINA
Chiloé I.
Falkland Is. (U.K.)
Punta Arenas
Tierra del Fuego
C. Horn
South Georgia (U.K.)
Scotia Sea
South Sandwich Is. (U.K.)
Drake Passage
South Shetland Is.
South Orkney Is.
Bellingshausen Sea
Weddell Sea
Amundsen Sea
Antarctic Circle
Antarctica
San Felix (Chile)
San Ambrosio (Chile)
Sala-y-Gómez (Chile)
Easter I. (Chile)
Trindade (Brazil)
Ascension I. (U.K.)
St. Helena (U.K.)
Tristan da Cunha (U.K.)
Bouvet I. (Norway)
PACIFIC OCEAN
Tropic of Cancer
Honolulu
Oahu
HAWAII (U.S.A.)
Hawai'i
Palmyra Is. (U.S.A.)
International Date Line
Kiritimati
Equator
Jarvis I. (U.S.A.)
KIRIBATI
Starbuck I.
Marquesas Is.
Penrhyn Is.
Manihiki
AMER. SAMOA (U.S.A.)
FRENCH POLYNESIA
Society Is.
Tuamotu Is.
Tahiti
Niue (N.Z.)
Cook Is. (N.Z.)
Tubuai Is.
Tropic of Capricorn
Rapa
Ducie I.
Pitcairn I. (U.K.)
ATLANTIC OCEAN
Azores (Port.)
Bermuda (U.K.)
Madeira (Port.)
Canary Is. (Sp.)
CABO VERDE
Praia
ANTIGUA & BARBUDA
GUADELOUPE (Fr.)
ST. KITTS-NEVIS
DOMINICA
MARTINIQUE (Fr.)
ST. LUCIA
ST. VINCENT
BARBADOS
GRENADA
TRINIDAD & TOBAGO
Virgin Is. (U.S.A.-U.K.)
UNITED KINGDOM
North Sea
Glasgow
Dublin
IRELAND
LONDON
Amsterdam
Brussels
PARIS
FRANCE
Lyons
Bordeaux
Marseilles
MADRID
PORTUGAL
Lisbon
SPAIN
BARCELONA
Tangier
Rabat
Casablanca
Algiers
MOROCCO
Marrakesh
ALGERIA
El Aaiún
WESTERN SAHARA
MAURITANIA
Nouakchott
MALI
Tombouctou
Dakar
SENEGAL
GAMBIA
Bamako
Ouagadougou
GUINEA-BISSAU
Bissau
GUINEA
Conakry
Freetown
SIERRA LEONE
Monrovia
LIBERIA
IVORY COAST
Yamoussoukro
Abidjan
Accra
Niamey
Abuja
Ibadan
LAGOS
Gulf of Guinea
SÃO TOMÉ & PRINCIPE
150°W
120°W
90°W
60°W
30°W
Greenwich Meridian

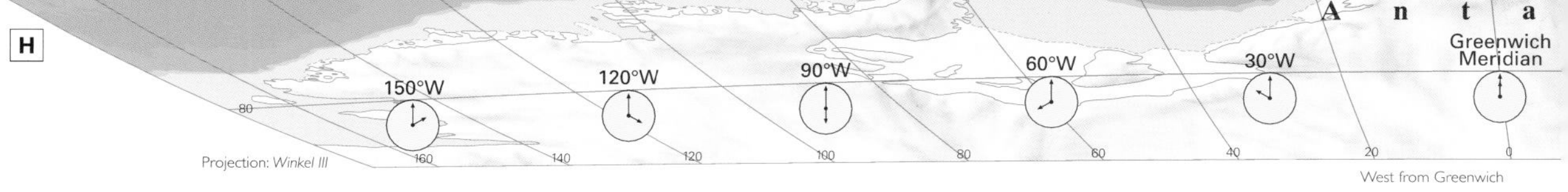

150°W
120°W
90°W
60°W
30°W
Greenwich Meridian

Projection: Winkel III

West from Greenwich

The maps below have been constructed on an Oblique Azimuthal Equidistant projection, on which all distances measured through the centre point are true to scale. The green lines are drawn at 5,000, 10,000 and 15,000 km from the central city.

MEXICO CITY
19° 26′N 99° 04′W

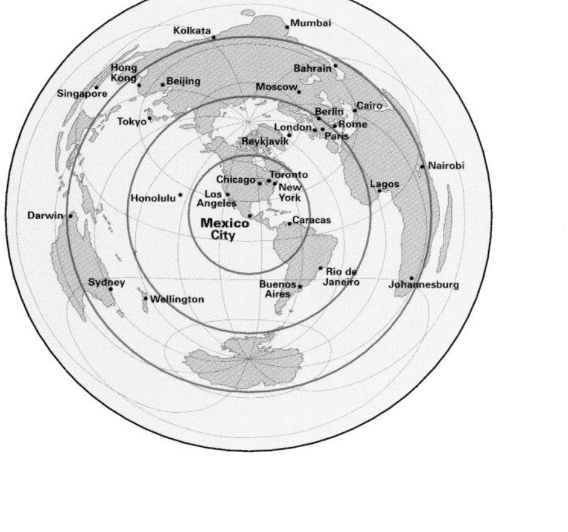

Kolkata
Mumbai
Hong Kong
Beijing
Singapore
Bahrain
Moscow
Tokyo
Berlin
Cairo
London
Rome
Paris
Reykjavik
Nairobi
Honolulu
Chicago
Toronto
New York
Los Angeles
Mexico City
Caracas
Lagos
Darwin
Sydney
Wellington
Buenos Aires
Rio de Janeiro
Johannesburg

NEW YORK
40° 43′N 74° 00′W

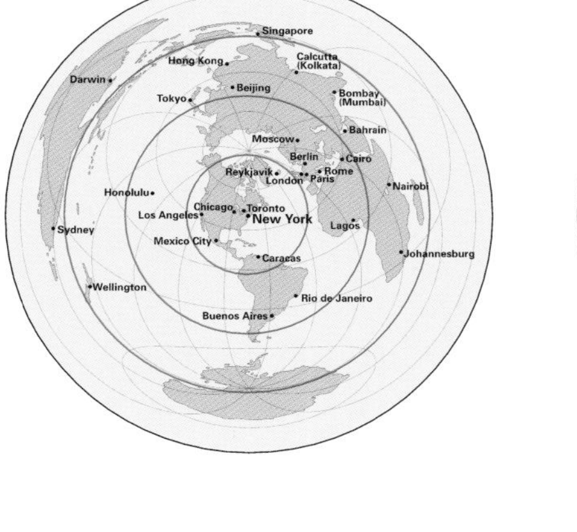

Singapore
Hong Kong
Calcutta (Kolkata)
Darwin
Beijing
Bombay (Mumbai)
Tokyo
Bahrain
Moscow
Berlin
Cairo
Reykjavik
London
Rome
Paris
Nairobi
Honolulu
Chicago
Toronto
Los Angeles
New York
Lagos
Sydney
Mexico City
Caracas
Johannesburg
Wellington
Buenos Aires
Rio de Janeiro

RIO DE JANEIRO
22° 50′S 43° 15′W

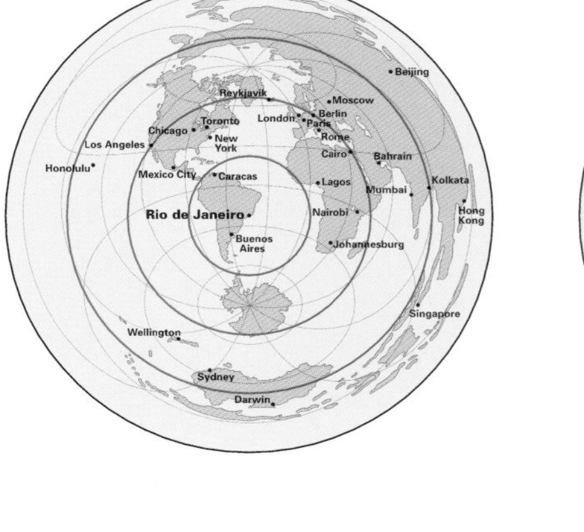

Tokyo
Beijing
Reykjavik
Moscow
Toronto
London
Berlin
Chicago
Paris
New York
Rome
Los Angeles
Cairo
Bahrain
Honolulu
Mexico City
Caracas
Lagos
Kolkata
Mumbai
Rio de Janeiro
Nairobi
Hong Kong
Buenos Aires
Johannesburg
Singapore
Wellington
Sydney
Darwin

LONDON
51° 28′N 00° 27′W

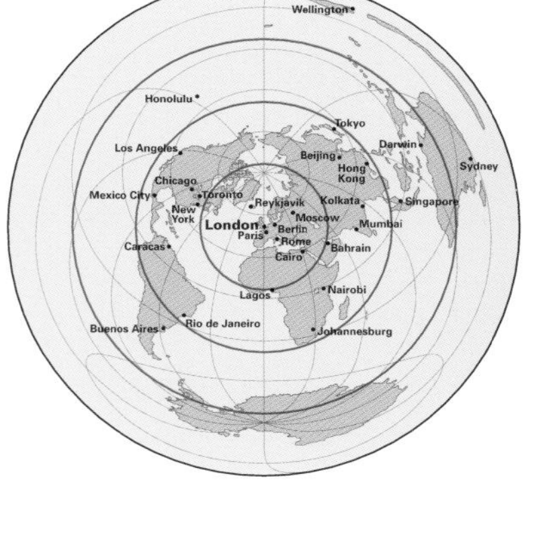

Wellington
Honolulu
Tokyo
Los Angeles
Darwin
Beijing
Hong Kong
Sydney
Chicago
Mexico City
Toronto
Reykjavik
New York
Moscow
Kolkata
Singapore
London
Paris
Berlin
Mumbai
Caracas
Rome
Cairo
Bahrain
Lagos
Nairobi
Buenos Aires
Rio de Janeiro
Johannesburg

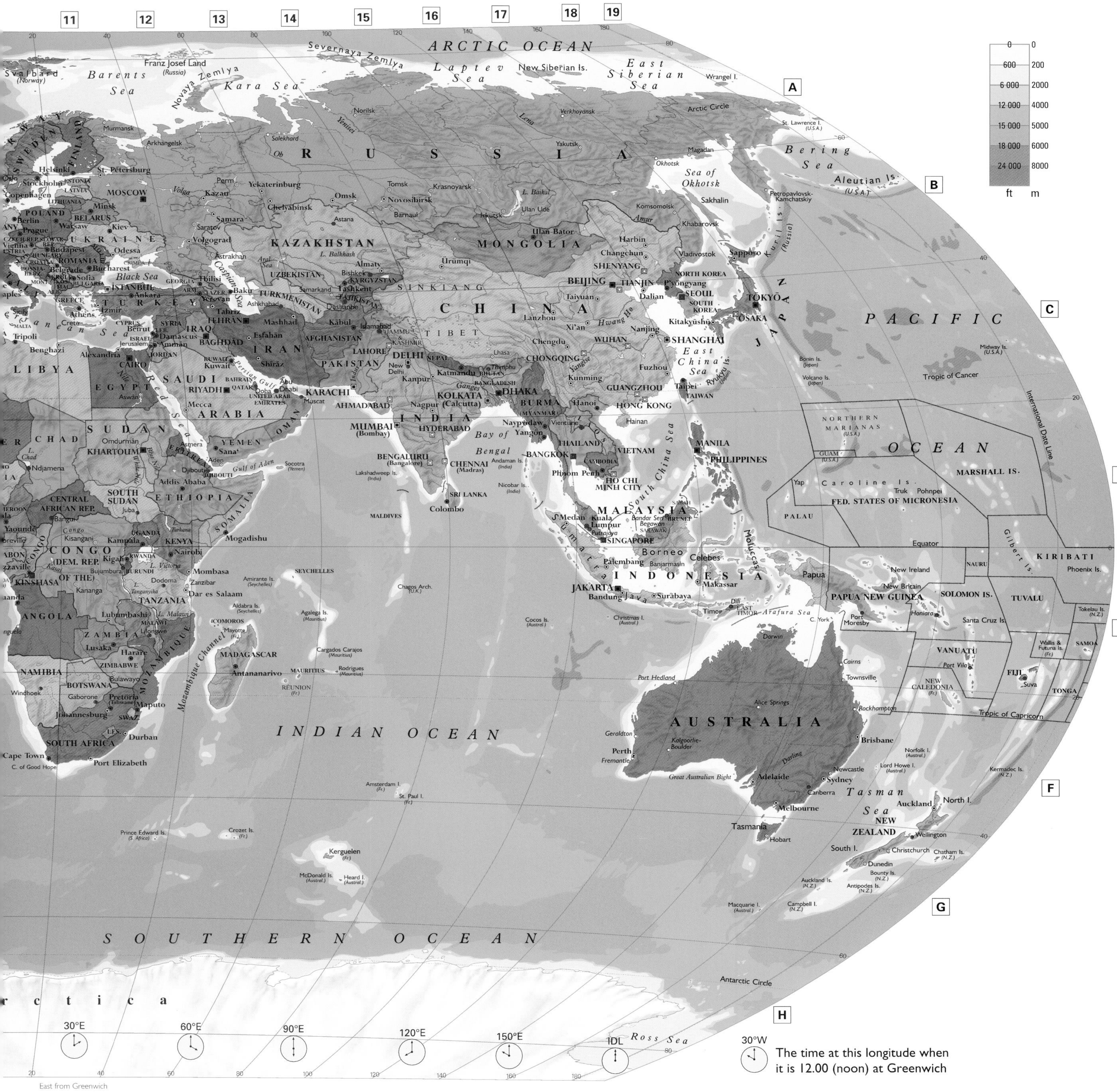

CAPE TOWN
33° 55′S 18° 35′E

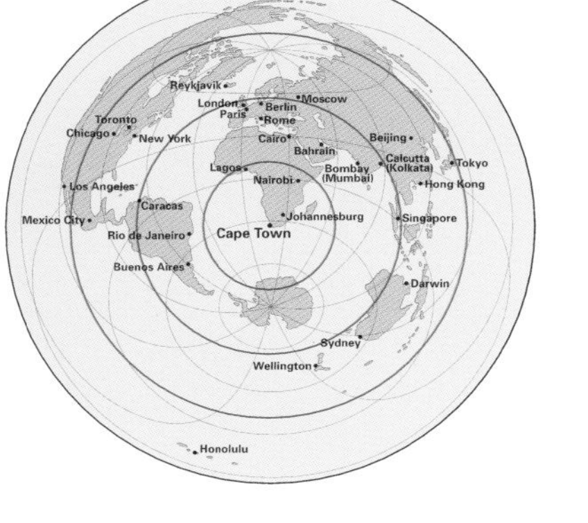

DELHI
28° 39′N 77° 13′E

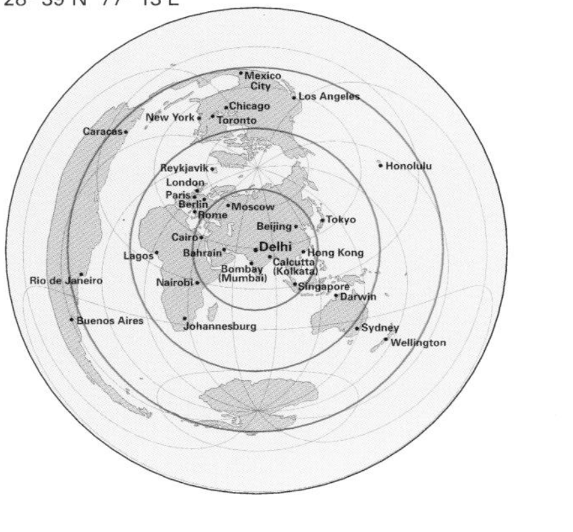

TOKYO
35° 33′N 139° 46′E

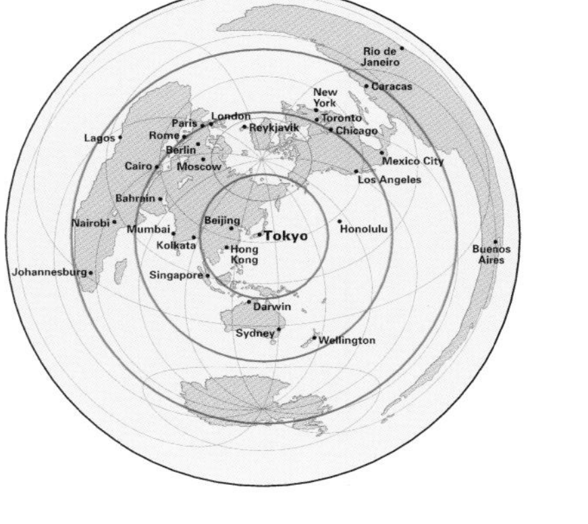

SYDNEY
33° 56′ S 151° 10′E

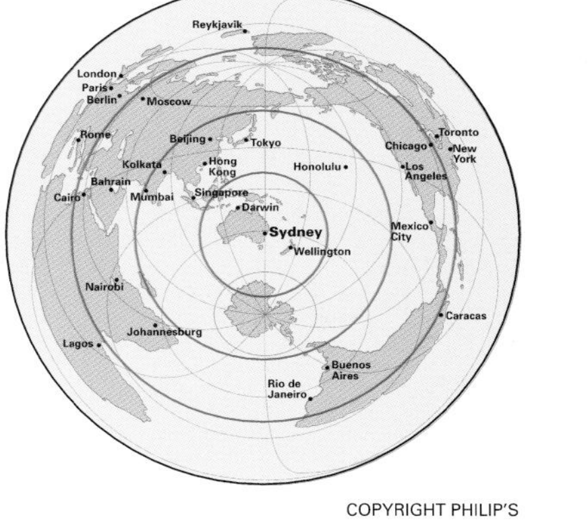

COPYRIGHT PHILIP'S

100 0 200 400 600 800 1000 1200 1400 km

100 0 200 400 600 800 1000 miles

1:31 100 000

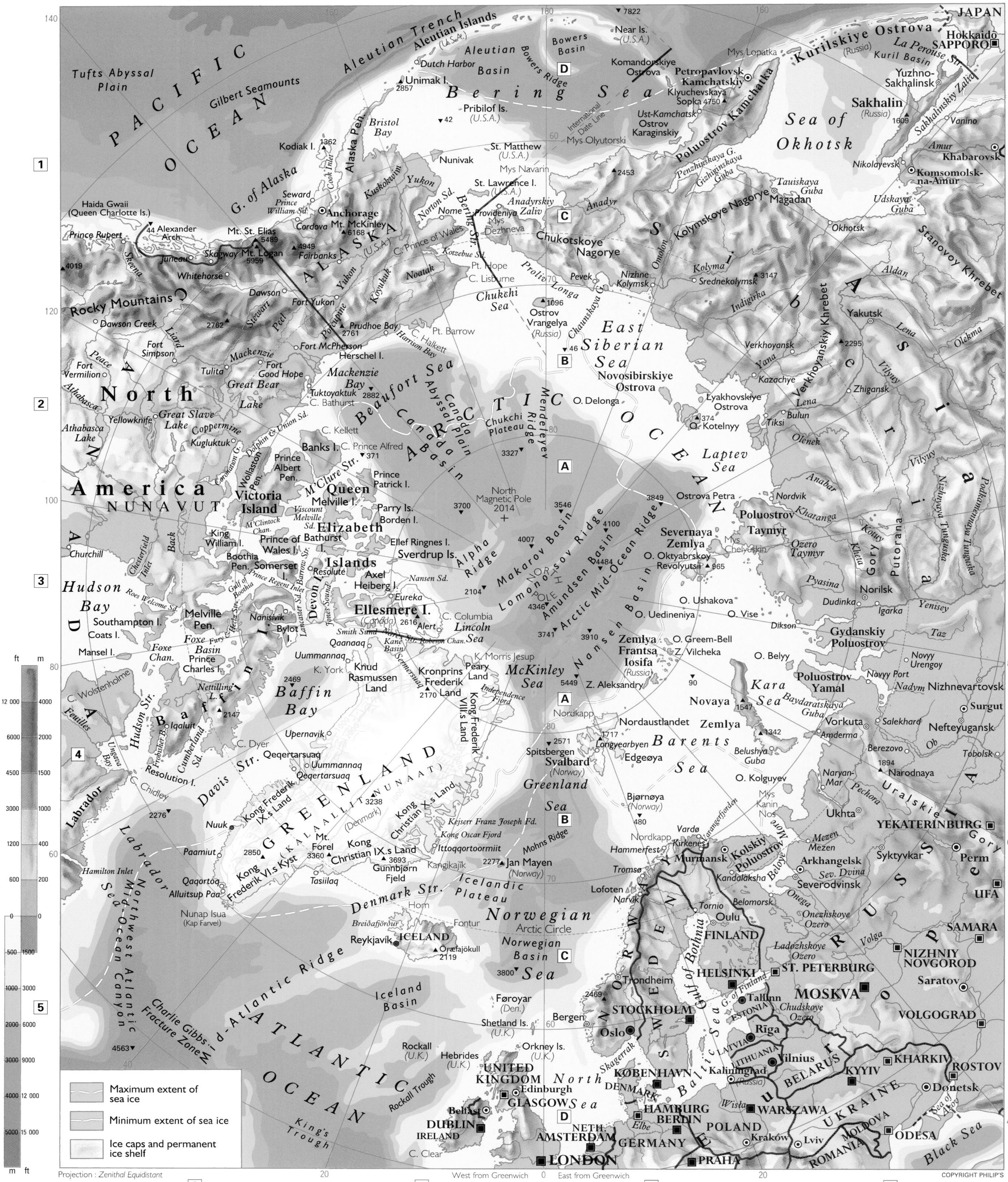
18
17
16
15
PACIFIC OCEAN
Tufts Abyssal Plain
Gilbert Seamounts
Aleutian Trench
Aleutian Islands (U.S.A.)
Dutch Harbor
Unimak I.
2857
Aleutian Basin
Bowers Ridge
Bowers Basin
Near Is. (U.S.A.)
7822
Komandorskiye Ostrova
Bering Sea
Pribilof Is. (U.S.A.)
42
Bristol Bay
Kodiak I.
1362
Alaska Pen.
Cook Inlet
G. of Alaska
Kuskokwim
Yukon
Nunivak
St. Matthew (U.S.A.)
Mys Navarin
International Date Line
Mys Olyutorski
Petropavlovsk Kamchatskiy
Klyuchevskaya Sopka 4750
Ust-Kamchatsk
Ostrov Karaginskiy
Poluostrov Kamchatka
Mys Lopatka
Kurilskiye Ostrova (Russia)
La Perouse Str.
Kuril Basin
JAPAN
Hokkaido
SAPPORO
Yuzhno-Sakhalinsk
Sea of Okhotsk
Sakhalin (Russia)
1609
Sakhalinskiy Zaliv
Vanino
Amur
Nikolayevsk
Khabarovsk
Komsomolsk-na-Amur
Haida Gwaii (Queen Charlotte Is.)
Prince Rupert
Skeena
44 Alexander Arch.
Seward
Prince William Sd.
Anchorage
Cordova
Mt. McKinley 6168
Mt. St. Elias 5489
Mt. Logan 5959
4949
Skagway
Juneau
Fairbanks
ALASKA (U.S.A.)
Norton Sd.
Nome
St. Lawrence I. (U.S.A.)
Bering Str.
Provideniya
Anadyrskiy Zaliv
Anadyr
Mys Dezhneva
C. Prince of Wales
Kotzebue Sd.
Chukotskoye Nagorye
2453
Penzhinskaya G.
Gizhiginskaya Guba
Tauiskaya Guba
Magadan
Kolymskoye Nagorye
Udskaya Guba
Okhotsk
Stanovoy Khrebet
4019
Whitehorse
Rocky Mountains
Dawson
Stewart
Pelly
Yukon
Porcupine
Fort Yukon
Koyukuk
Noatak
Pt. Hope
C. Lisburne
Chukchi Sea
Proliv Longa
Pevek
Nizhne-Kolymsk
Omolon
Kolyma
Srednekolymsk
3147
Aldan
Indigirka
Ostrov Vrangelya (Russia)
1096
Dawson Creek
2762
2761
Prudhoe Bay
Pt. Barrow
C. Halkett
Harrison Bay
Fort McPherson
Herschel I.
Liard
Fort Simpson
Mackenzie
Peace
Fort Vermilion
Tulita
Fort Good Hope
Mackenzie Bay
2882
Beaufort Sea
Canada Abyssal Plain
Canada Basin
Chukchi Plateau
Mendeleyev Ridge
46
Chaunskaya G.
East Siberian Sea
Novosibirskiye Ostrova
O. Delonga
Yakutsk
Lena
Olekma
2295
Verkhoyansk
Yana
Verkhoyanskiy Khrebet
Kazachye
Zhigansk
Vilyuy
Lyakhovskiye Ostrova
374
O. Kotelnyy
Bulun
Tiksi
Olenek
Laptev Sea
North
Great Bear Lake
Athabasca
Tuktoyaktuk
C. Bathurst
Yellowknife
Great Slave Lake
Coppermine
Athabasca Lake
Kugluktuk
Dolphin & Union Sd.
C. Kellett
Banks I.
C. Prince Alfred
371
ARCTIC OCEAN
3327
Coronation G.
Wollaston Pen.
Prince Albert Pen.
Prince Patrick I.
M'Clure Str.
Queen Melville I.
Elizabeth
America
NUNAVUT
Victoria Island
M'Clintock Chan.
Viscount Melville Sd.
Parry Is.
Borden I.
3700
North Magnetic Pole 2014
3546
3849
Ostrova Petra
Nordvik
Anabar
Kharanga
Poluostrov Taymyr
Mys Chelyuskin
Ozero Taymyr
Severnaya Zemlya
4100
4007
O. Oktyabrskoy
Revolyutsii
965
Churchill
Chesterfield Inlet
Back
King William I.
Prince of Wales I.
Bathurst I.
Ellef Ringnes I.
Sverdrup Is.
Alpha Ridge
Makarov Basin
Lomonosov Ridge
NORTH POLE
Amundsen Basin
Arctic Mid-Ocean Ridge
4484
Nansen Basin
Boothia Pen.
Somerset I.
Resolute
Islands
Axel Heiberg I.
Nansen Sd.
Gulf of Boothia
Prince Regent Inlet
Barrow Str.
Devon I.
Lancaster Sd.
Jones Sound
2104
4346
Pyasina
Norilsk
Dudinka
Igarka
Yenisey
Khatanga
Kotuy
Gory Putorana
Nizhnyaya Tunguska
Podkamennaya Tunguska
Hudson Bay
Roes Welcome Sd.
Southampton I.
Coats I.
Mansel I.
Melville Pen.
Fury & Hecla Str.
Nanisivik
Bylot I.
Ellesmere I. (Canada)
2616
Alert
C. Columbia
Lincoln Sea
Smith Sund
Nares Str.
Robeson Chan.
Kane Basin
Qaanaaq
3741
3910
O. Ushakova
O. Vise
O. Uedineniya
Dikson
Gydanskiy Poluostrov
Taz
O. Greem-Bell
Z. Vilcheka
Zemlya Frantsa Iosifa (Russia)
O. Belyy
Novyy Urengoy
Foxe Basin
Foxe Chan.
Prince Charles I.
Uummannaq
K. York
Knud Rasmussen Land
Sermersuaq
Kronprins Frederik Land
Peary Land
K. Morris Jesup
McKinley Sea
5449
Z. Aleksandry
90
Kara Sea
Poluostrov Yamal
Novyy Port
Nadym
Nizhnevartovsk
Surgut
C. Wolstenholme
2469
Baffin Bay
2170
Independence Fjord
Kong Frederik VIII.s Land
Nordkapp
Nordaustlandet
Novaya Zemlya
1547
Baydaratskaya Guba
Vorkuta
Salekhard
Ob
Nefteyugansk
Feuilles
Hudson Str.
Nettilling L.
Baffin I.
2147
Iqaluit
Frobisher B.
Cumberland Sd.
Upernavik
2571
1717
Longyearbyen
Spitsbergen
Svalbard (Norway)
Edgeøya
Barents Sea
1342
Amderma
Berezovo
Tobolsk
Ungava Bay
C. Dyer
Qeqertarsuaq
Uummannaq
Qeqertarsuaq
GREENLAND (KALAALLIT NUNAAT) (Denmark)
Belushya Guba
1894
Narodnaya
Uralskie Gory
Resolution I.
Davis Str.
Kong Frederik IX.s Land
3238
Kong Christian X.s Land
Greenland Sea
O. Kolguyev
Naryan-Mar
Pechora
Labrador
C. Chidley
2276
Nuuk
Bjørnøya (Norway)
480
Mys Kanin Nos
Ukhta
YEKATERINBURG
Kejserr Franz Joseph Fd.
Kong Oscar Fjord
Mohns Ridge
Vardø
Nordkapp
Varangerfjorden
Kirkenes
Hammerfest
Murmansk
Kolskiy Poluostrov
Beloye More
Mezen
Perm
Paamiut
2850
Mt. Forel 3360
Kong Christian IX.s Land
3693
Ittoqqortoormiit
2277
Jan Mayen (Norway)
Kandalaksha
Arkhangelsk
Sev. Dvina
Syktyvkar
Labrador Sea
Hamilton Inlet
Qaqortoq
Alluitsup Paa
Kong Frederik VI.s Kyst
Gunnbjørn Fjeld
Tasiilaq
Kangikajik
Icelandic Plateau
Tromsø
Beloye
Severodvinsk
UFA
Northwest Atlantic Mid-Ocean Canyon
Nunap Isua (Kap Farvel)
Denmark Str.
Horn
Lofoten
Narvik
Onega
Belomorsk
Onezhskoye Ozero
Tornio
Oulu
Norwegian Sea
Arctic Circle
Breiðafjörður
Fontur
FINLAND
Gulf of Bothnia
Volga
SAMARA
Reykjavík
ICELAND
Öræfajökull 2119
Norwegian Basin
Ladozhskoye Ozero
NIZHNIY NOVGOROD
Mid-Atlantic Ridge
3800
HELSINKI
ST. PETERBURG
Saratov
Trondheim
NORWAY
2469
G. of Finland
Tallinn
ESTONIA
MOSKVA
Iceland Basin
Føroyar (Den.)
Bergen
Chudskoye Ozero
VOLGOGRAD
Charlie Gibbs Fracture Zone
Shetland Is. (U.K.)
STOCKHOLM
SWEDEN
Oslo
Rīga
LATVIA
RUSSIA
4563
ATLANTIC OCEAN
Rockall (U.K.)
Hebrides (U.K.)
Orkney Is. (U.K.)
Skagerrak
Baltic Sea
LITHUANIA
Vilnius
BELARUS
KHARKIV
ROSTOV
UNITED KINGDOM
Edinburgh
North Sea
KØBENHAVN
DENMARK
Kaliningrad (Russia)
KYYIV
Donetsk
Rockall Trough
GLASGOW
HAMBURG
BERLIN
Wisła
WARSZAWA
UKRAINE
Sea of Azov
Belfast
DUBLIN
IRELAND
Elbe
NETH.
AMSTERDAM
GERMANY
POLAND
MOLDOVA
ODESA
King's Trough
C. Clear
LONDON
PRAHA
Kraków
Lviv
ROMANIA
Black Sea
A
B
C
D
1
2
3
4
5
6
7
8
9
10
11
12
13
14
West from Greenwich
East from Greenwich
Maximum extent of sea ice
Minimum extent of sea ice
Ice caps and permanent ice shelf
ft
m
12 000
6000
4500
3000
1200
600
0
4000
2000
1500
1000
400
200
0
500 1500
1000 3000
2000 6000
3000 9000
4000 12 000
5000 15 000
m
ft

Projection : Zenithal Equidistant

COPYRIGHT PHILIP'S

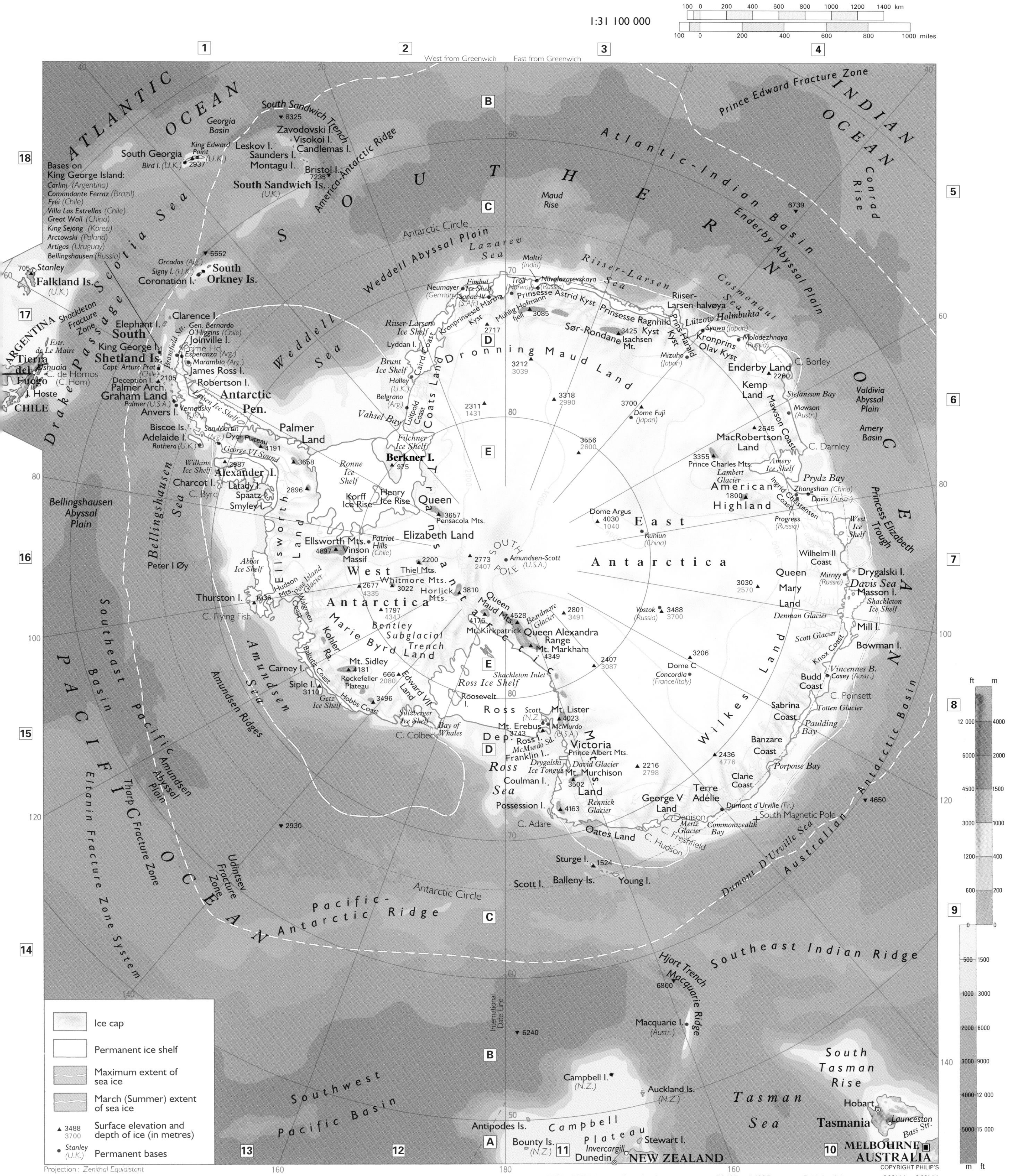

The Antarctic Treaty was signed in Washington in 1959 so that scientific and technical research could continue unhampered by international politics.

All territorial claims covering land areas south of latitude 60°S have been suspended. Those claims were:

Norwegian claim (Dronning Maud Land)	45°E - 20°W	French claim (Terre Adélie)	136°E - 142°E	British claim	80°W - 20°W
Australian claims	45°E - 136°E 142°E - 160°E	New Zealand claim (Ross Dependency)	160°E - 150°W	Argentine claim	74°W - 53°W
				Chilean claim	90°W - 53°W

Equatorial Scale 1:45 000 000

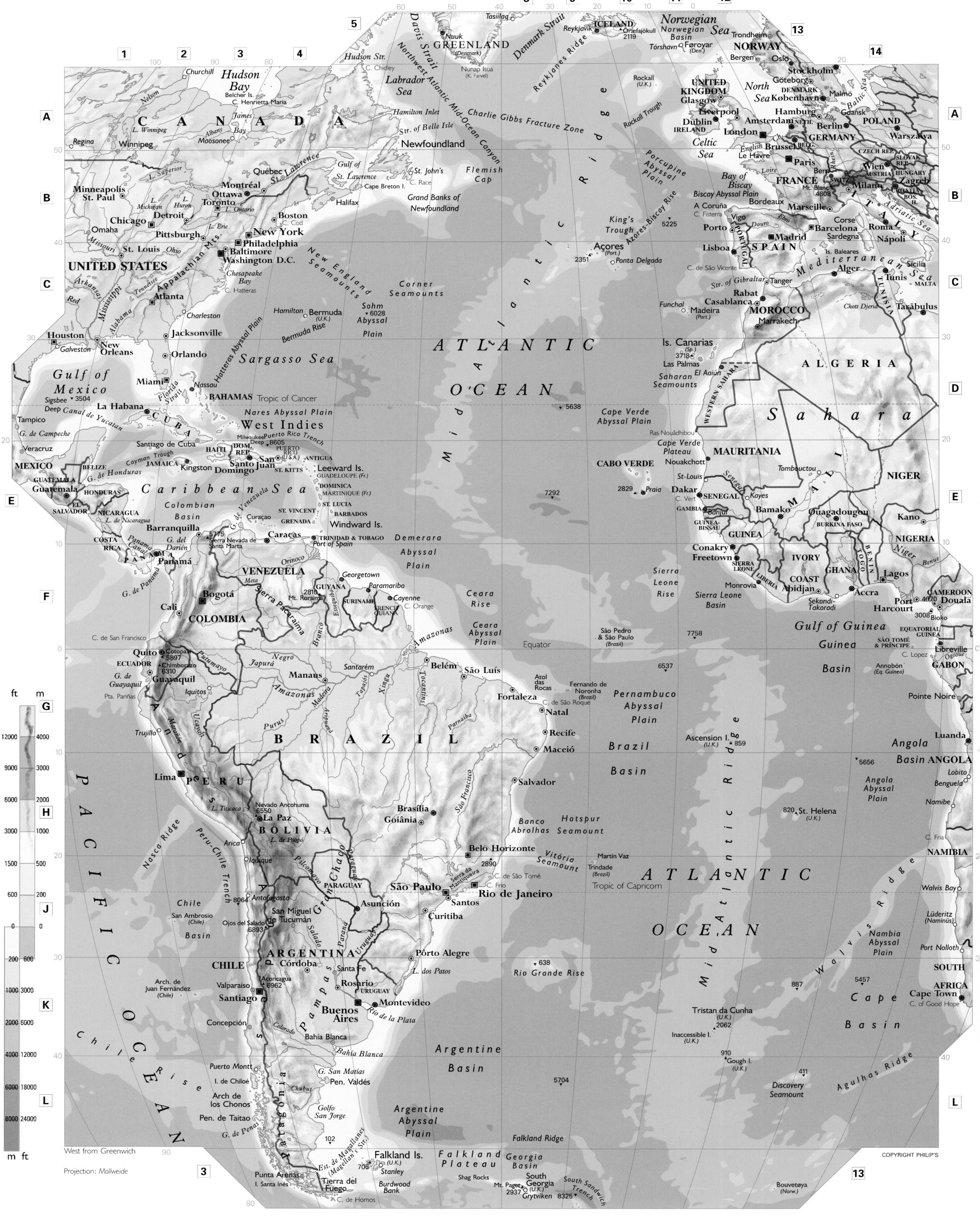

ATLANTIC OCEAN
PACIFIC OCEAN
CANADA
UNITED STATES
MEXICO
GREENLAND (Denmark)
ICELAND
NORWAY
UNITED KINGDOM
IRELAND
FRANCE
SPAIN
PORTUGAL
MOROCCO
ALGERIA
WESTERN SAHARA
MAURITANIA
MALI
NIGER
NIGERIA
SENEGAL
GUINEA
SIERRA LEONE
LIBERIA
IVORY COAST
GHANA
TOGO
BENIN
BURKINA FASO
CAMEROON
EQUATORIAL GUINEA
GABON
ANGOLA
NAMIBIA
SOUTH AFRICA
CABO VERDE
BRAZIL
VENEZUELA
COLOMBIA
ECUADOR
PERU
BOLIVIA
PARAGUAY
URUGUAY
ARGENTINA
CHILE
GUYANA
SURINAME
FRENCH GUIANA
CUBA
HAITI
DOM. REP.
JAMAICA
BAHAMAS
BELIZE
GUATEMALA
HONDURAS
EL SALVADOR
NICARAGUA
COSTA RICA
PANAMA
TRINIDAD & TOBAGO
GERMANY
POLAND
CZECH REP.
SLOVAK REP.
AUSTRIA
HUNGARY
SWITZ.
ITALY
CROATIA
BOS.-H.
NETH.
BELG.
DENMARK
TUNISIA
MALTA
Hudson Bay
James Bay
Hudson Str.
Labrador Sea
Davis Strait
Denmark Strait
Norwegian Sea
Norwegian Basin
North Sea
Baltic Sea
Celtic Sea
English Ch.
Bay of Biscay
Biscay Abyssal Plain
Mediterranean Sea
Adriatic Sea
Str. of Gibraltar
Gulf of St. Lawrence
Gulf of Mexico
Caribbean Sea
Sargasso Sea
West Indies
Gulf of Guinea
Guinea Basin
Angola Basin
Angola Abyssal Plain
Cape Basin
Namibia Abyssal Plain
Walvis Ridge
Agulhas Ridge
Discovery Seamount
Brazil Basin
Pernambuco Abyssal Plain
Argentine Basin
Argentine Abyssal Plain
Falkland Plateau
Falkland Ridge
Georgia Basin
South Sandwich Trench
Rio Grande Rise
Hotspur Seamount
Vitória Seamount
Banco Abrolhos
Mid-Atlantic Ridge
Northwest Atlantic Mid-Ocean Canyon
Charlie Gibbs Fracture Zone
Reykjanes Ridge
Rockall Trough
Porcupine Abyssal Plain
Azores-Biscay Rise
King's Trough
Flemish Cap
Grand Banks of Newfoundland
New England Seamounts
Corner Seamounts
Sohm Abyssal Plain
Bermuda Rise
Hatteras Abyssal Plain
Nares Abyssal Plain
Puerto Rico Trench
Milwaukee Deep 8605
Sigsbee Deep 3504
Cape Verde Abyssal Plain
Cape Verde Plateau
Saharan Seamounts
Demerara Abyssal Plain
Ceara Rise
Ceara Abyssal Plain
Sierra Leone Rise
Sierra Leone Basin
Colombian Basin
Peru-Chile Trench
Nasca Ridge
Chile Rise
Chile Basin
Tropic of Cancer
Equator
Tropic of Capricorn
Amazonas
Orinoco
Mississippi
Missouri
Ohio
Paraná
Uruguay
Pampas
Patagonia
Sahara
Andes
Appalachian Mts.
Sierra Nevada de Santa Marta 5775
Nevado Ancohuma 6550
Ojos del Salado 6893
Aconcagua 6962
Chimborazo 6310
Cotopaxi 5897
Mt. Roraima 2810
Mt. Blanc 4808
Rockall (U.K.)
Açores (Port.)
Madeira (Port.)
Is. Canarias (Sp.)
Bermuda (U.K.)
Ascension I. (U.K.)
St. Helena (U.K.)
Tristan da Cunha (U.K.)
Inaccessible I. (U.K.)
Gough I. (U.K.)
Falkland Is. (U.K.)
South Georgia (U.K.)
Bouvetøya (Norw.)
Fernando de Noronha (Brazil)
São Pedro & São Paulo (Brazil)
Martin Vaz
Trindade (Brazil)
Atol das Rocas
Tierra del Fuego
C. de Hornos
Newfoundland
Reykjavík
Nuuk
Tórshavn
Færøyar (Den.)
Oslo
Stockholm
København
London
Paris
Madrid
Lisboa
Rabat
Dakar
Lagos
Accra
Bogotá
Quito
Lima
La Paz
Santiago
Buenos Aires
Montevideo
Asunción
Brasília
Rio de Janeiro
São Paulo
Caracas
Ottawa
Washington D.C.
New York
La Habana
ft m
12000 4000
9000 3000
6000 2000
3000 1000
1500 500
600 200
0 0
200 600
1000 3000
2000 6000
4000 12000
6000 18000
8000 24000
m ft
West from Greenwich
Projection: Mollweide
COPYRIGHT PHILIP'S

1:11 100 000

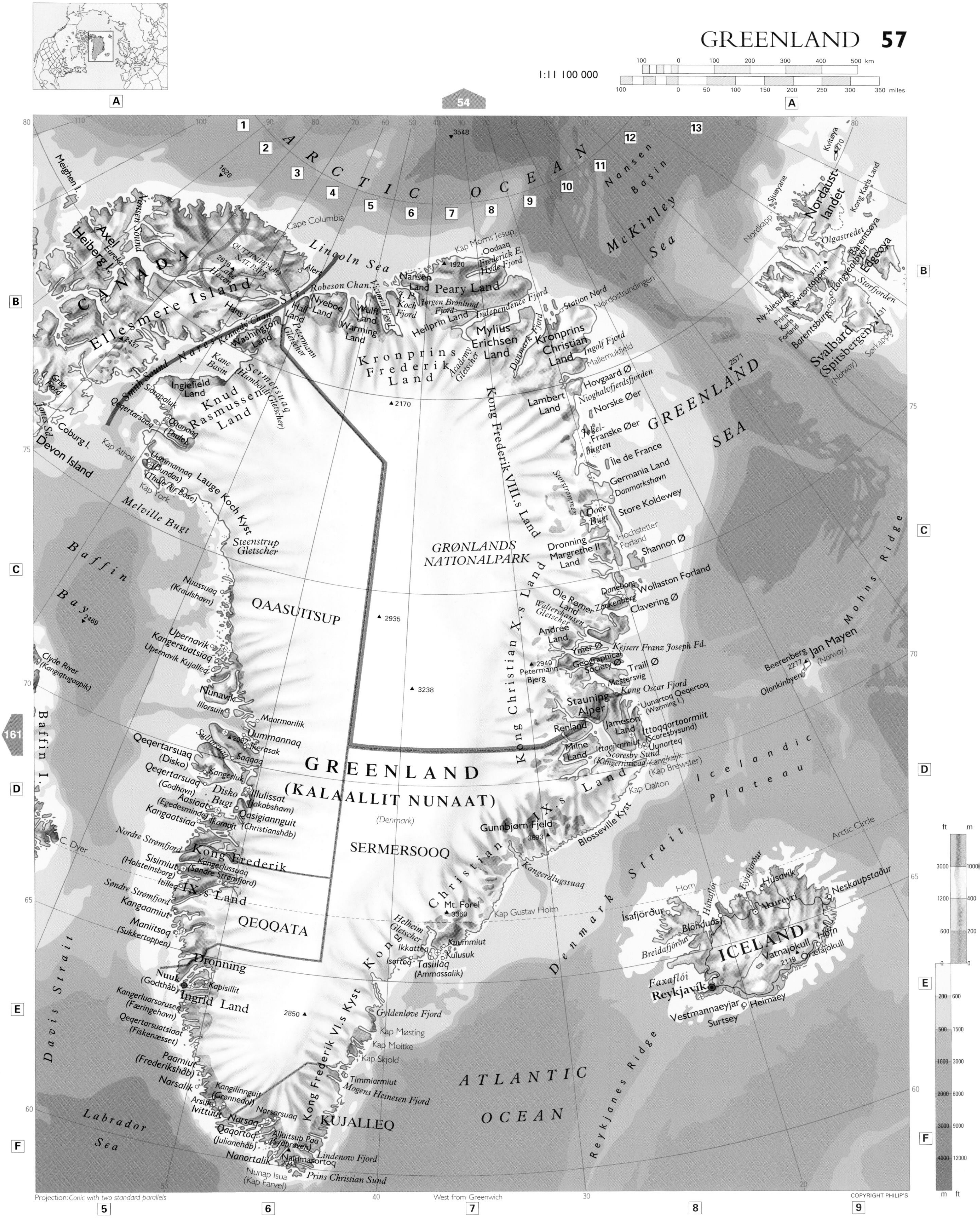

A R C T I C O C E A N
Lincoln Sea
Cape Columbia
Kap Morris Jesup
Oodaaq
Frederick E. Hyde Fjord
Peary Land
Nansen Land
J. P. Koch Fjord
Jørgen Brønlund Fjord
Independence Fjord
Station Nord
Nordostrundingen
Heilprin Land
Mylius Erichsen Land
Kronprins Christian Land
Ingolf Fjord
Mallemukfjeld
Danmark Fjord
Academy Gletscher
Kronprins Frederik Land
Wulff Land
Warming Land
Victoria Fjord
Nyeboe Land
Hall Land
Washington Land
Petermann Gletscher
Robeson Chan.
Kennedy Chan.
Nares Str.
Hans I.
Alert
Ellesmere Island
C A N A D A
Axel Heiberg I.
Eureka
Nansen Sound
Meighen I.
QUTTINIRPAAQ NAT. PARK
Lake Hazen
Kane Basin
Smith Sound
Grise Fiord
Jones Sd.
Coburg I.
Devon Island
Inglefield Land
Knud Rasmussen Land
Sermersuaq (Humboldt Gletscher)
Siorapaluk
Qeqertarsuaq
Qaanaaq (Thule)
Kap Atholl
Uummannaq (Dundas) (Thule Air Base)
Kap York
Lauge Koch Kyst
Melville Bugt
Steenstrup Gletscher
Baffin Bay
Nuussuaq (Kraulshavn)
QAASUITSUP
Upernavik
Kangersuatsiaq
Upernavik Kujalleq
Clyde River (Kangiqtugaapik)
Nunavik
Illorsuit
Maarmorilik
Uummannaq
Ikerasak
Saqqaq
Sullorsuaq
Qeqertarsuaq (Disko)
Kangerluk
Qeqertarsuaq (Godhavn)
Disko Bugt
Ilulissat (Jakobshavn)
Aasiaat (Egedesminde)
Qasigiannguit (Christianshåb)
Ikamiut
Kangaatsiaq
Baffin I.
C. Dyer
Nordre Strømfjord
Kong Frederik IX.s Land
Sisimiut (Holsteinsborg)
Kangerlussuaq (Søndre Strømfjord)
Itilleq
Søndre Strømfjord
Kangaamiut
Maniitsoq (Sukkertoppen)
QEQQATA
Davis Strait
Dronning Ingrid Land
Nuuk (Godthåb)
Kapisillit
Kangerluarsoruseq (Færingehavn)
Qeqertarsuatsiaat (Fiskenæsset)
Paamiut (Frederikshåb)
Narsalik
Kangilinnguit (Grønnedal)
Arsuk
Ivittuut
Narsaq
Narsarsuaq
Qaqortoq (Julianehåb)
Alluitsup Paa (Sydprøven)
Nanortalik
Nalumasortoq
Lindenow Fjord
Nunap Isua (Kap Farvel)
Prins Christian Sund
KUJALLEQ
Labrador Sea
Timmiarmiut
Mogens Heinesen Fjord
Kong Frederik VI.s Kyst
Kap Skjold
Kap Moltke
Kap Møsting
Gyldenløve Fjord
Kong Christian IX.s Land
Helheim Gletscher
Ikkatteq
Isortoq
Tasiilaq (Ammassalik)
Kulusuk
Kuummiut
Mt. Forel
Kap Gustav Holm
Kangerdlugssuaq
Gunnbjørn Fjeld
Blosseville Kyst
Kap Dalton
Kap Brewster
Kangikajik
Scoresby Sund
Kangertittivaq
Ittoqqortoormiit (Scoresbysund)
Uunarteq
Uunartoq Qeqertoq (Warming I.)
Ittaajimmiut
Milne Land
Renland
Jameson Land
Stauning Alper
Kong Oscar Fjord
Mestersvig
Traill Ø
Geographical Society Ø
Ymer Ø
Kejserr Franz Joseph Fd.
Petermann Bjerg
Andrée Land
Waltershausen Gletscher
Ole Rømer Land
Zackenberg
Daneborg
Clavering Ø
Wollaston Forland
Shannon Ø
Hochstetter Forland
Dronning Margrethe II Land
Store Koldewey
Dove Bugt
Storstrømmen
Danmarkshavn
Germania Land
Île de France
Jøkel-bugten
Franske Øer
Norske Øer
Nioghalvfjerdsfjorden
Hovgaard Ø
Lambert Land
Kong Frederik VIII.s Land
Kong Christian X.s Land
GRØNLANDS NATIONALPARK
G R E E N L A N D (KALAALLIT NUNAAT)
(Denmark)
SERMERSOOQ
GREENLAND SEA
McKinley Sea
Nansen Basin
Mohns Ridge
Jan Mayen (Norway)
Beerenberg
Olonkinbyen
Icelandic Plateau
Denmark Strait
Arctic Circle
ATLANTIC OCEAN
Reykjanes Ridge
ICELAND
Horn
Ísafjörður
Blönduós
Húnaflói
Eyjafjörður
Húsavík
Akureyri
Neskaupstaður
Höfn
Vatnajökull
Öræfajökull
Breiðafjörður
Faxaflói
Reykjavík
Vestmannaeyjar
Heimaey
Surtsey
Svalbard (Spitsbergen) (Norway)
Nordaust-landet
Kvitøya
Kong Karls Land
Sjuøyane
Nordkapp
Olgastredet
Barentsøya
Edgeøya
Storfjorden
Longyearbyen
Newtontoppen
Ny-Ålesund
Prins Karls Forland
Barentsburg
Sørkapp
Projection: Conic with two standard parallels
West from Greenwich
COPYRIGHT PHILIP'S

100 0 100 200 300 400 500 600 700 800 km

1:17 800 000

100 0 100 200 300 400 500 miles

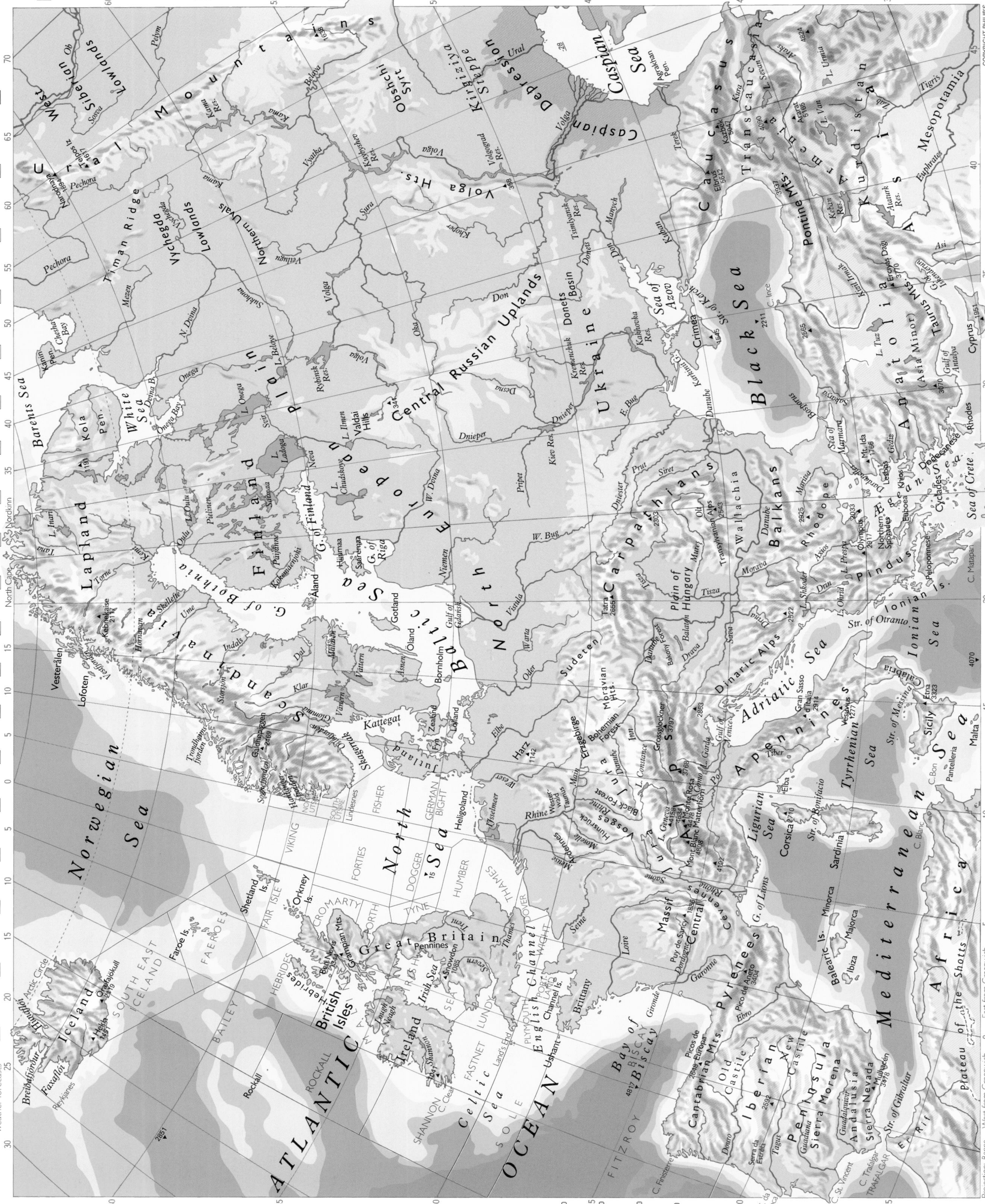

m 5000 4000 2000 1000 400 200 0 200 600 3000 6000 12 000 ft

ft 15 000 12 000 6000 3000 1200 600 0 200 600 1000 2000 4000 m

1:17 800 000

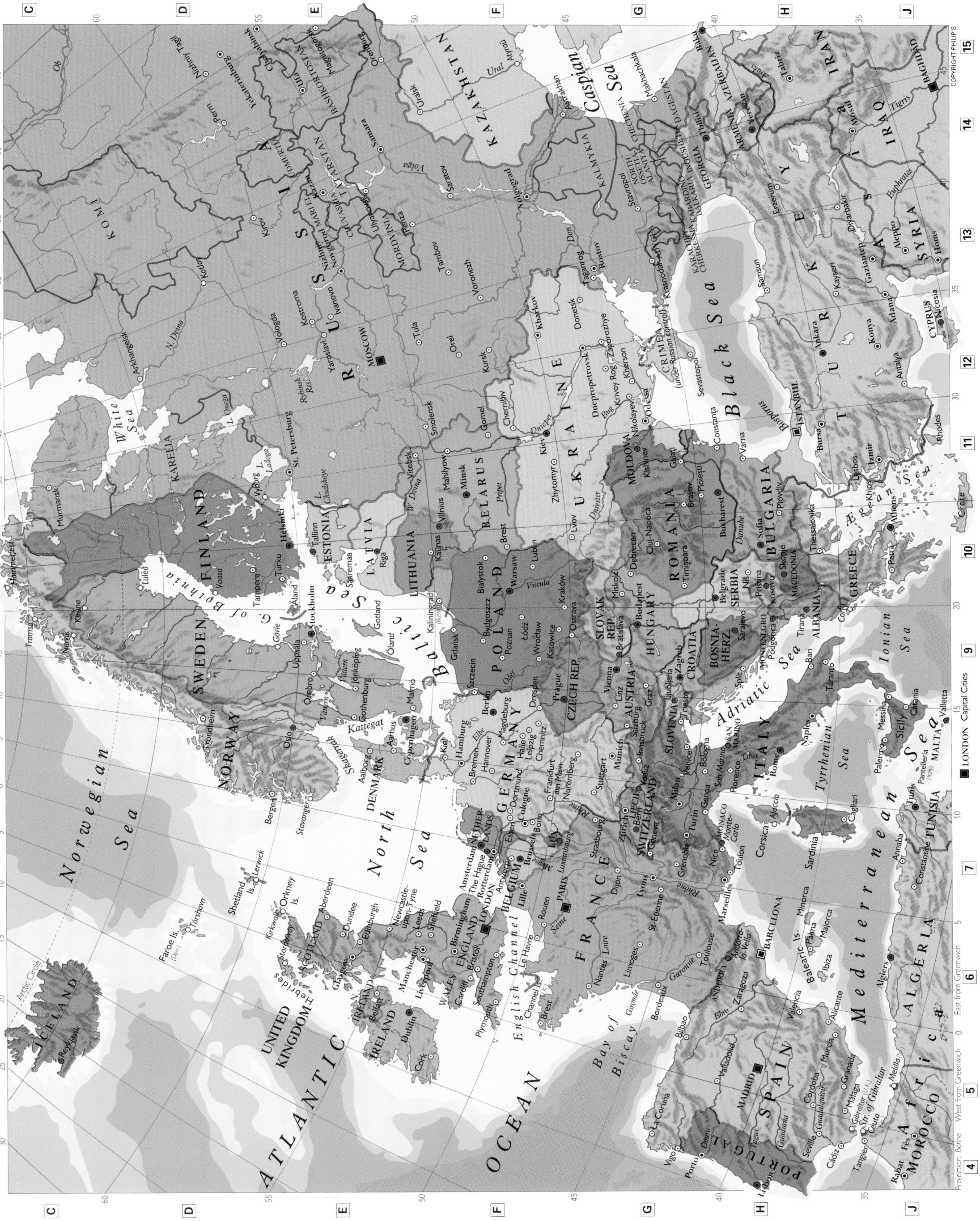

100 0 100 200 300 400 500 600 700 800 km
100 0 100 200 300 400 500 miles
Norwegian Sea
ATLANTIC OCEAN
North Sea
Baltic Sea
G. of Bothnia
White Sea
Black Sea
Caspian Sea
Adriatic Sea
Tyrrhenian Sea
Ionian Sea
Mediterranean Sea
Aegean Sea
Bay of Biscay
English Channel
Kattegat
Skagerrak
ICELAND
UNITED KINGDOM
IRELAND
NORWAY
SWEDEN
FINLAND
DENMARK
ESTONIA
LATVIA
LITHUANIA
BELARUS
POLAND
GERMANY
NETHERLANDS
BELGIUM
LUX.
FRANCE
SWITZERLAND
LIECH.
AUSTRIA
CZECH REP.
SLOVAK REP.
HUNGARY
SLOVENIA
CROATIA
BOSNIA-HERZ.
SERBIA
MONTENEGRO
KOSOVO
ALBANIA
MACEDONIA
GREECE
BULGARIA
ROMANIA
MOLDOVA
UKRAINE
RUSSIA
KAZAKHSTAN
GEORGIA
ARMENIA
AZERBAIJAN
TURKEY
SYRIA
IRAQ
IRAN
CYPRUS
ITALY
SAN MARINO
MALTA
SPAIN
PORTUGAL
ANDORRA
MONACO
MOROCCO
ALGERIA
TUNISIA
Africa
CRIMEA (under Russian control)
KARELIA
KOMI
MOSCOW
LONDON
PARIS
MADRID
■ LONDON Capital Cities
Projection: Bonne
West from Greenwich
East from Greenwich
COPYRIGHT PHILIP'S

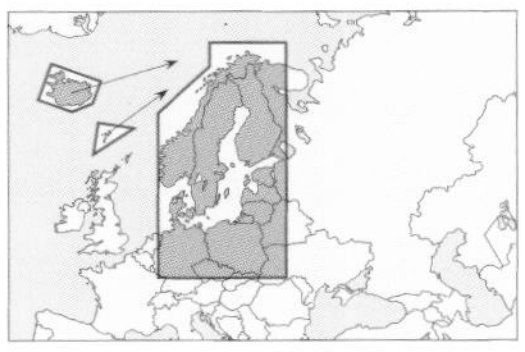

50 0 25 50 75 100 125 150 175 km

50 0 25 50 75 100 125 miles

1:5 300 000

BARENTS SEA
NORWEGIAN SEA
Gulf of Bothnia
RUSSIA
FINLAND
SWEDEN
NORWAY
Lapland
KARELIA
ICELAND
on same scale
FÆROE ISLANDS
on same scale
ATLANTIC OCEAN
Vatnajökull
Reykjavík
Akureyri
Føroyar (Færoe Is.) (Den.)
Tórshavn
Murmansk
Oulu
Kemi
Tornio
Luleå
Umeå
Kiruna
Narvik
Tromsø
Bodø
Trondheim
Östersund
Kuopio
Jyväskylä
Tampere
Vaasa
Pori
Kokkola
Hammerfest
Vardø
Lofoten
Vesterålen
Senja
Hitra
Smøla
Bergen
Ålesund
Molde
Lillehammer
Jotunheimen
Trollheimen
Rondane
Gudbrandsdalen
Österdalen
Storsjön
Jämtland
Ångermanland
Härjedalen
Saimaa
Vyborg
Joensuu
Kajaani
Rovaniemi
Kemijärvi
Inarijärvi
Maanselkä
Kandalaksha
Beloye More
Arctic Circle
Nordkapp
Varangerhalvøya
Arctic Circle
West from Greenwich

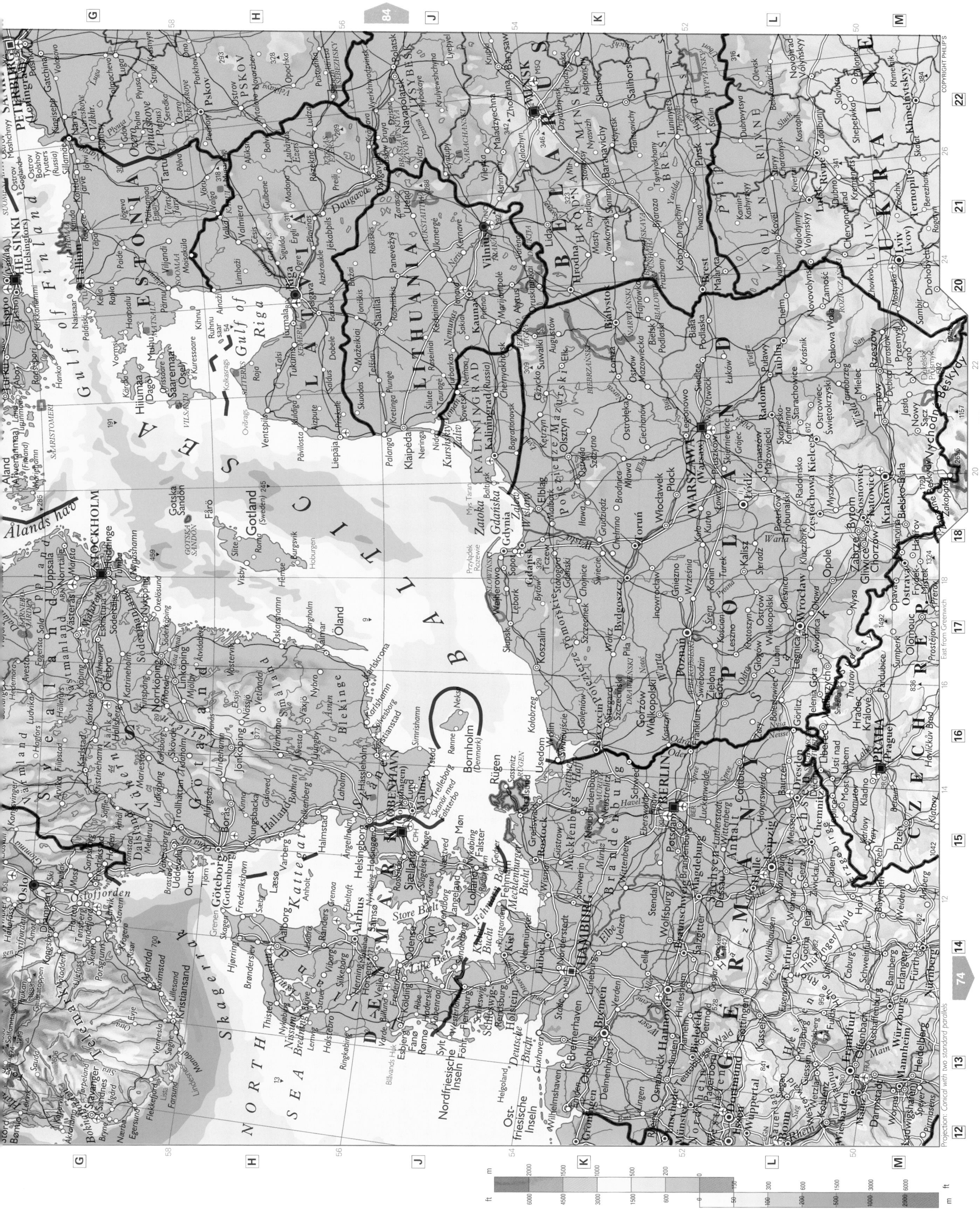
Gulf of Finland
Gulf of Riga
Ålands hav
Skagerrak
Kattegat
NORTH SEA
BALTIC SEA
ESTONIA
LATVIA
LITHUANIA
BELARUS
POLAND
GERMANY
CZECH REP.
UKRAINE
DENMARK
KALININGRAD (Russia)
STOCKHOLM
OSLO
HELSINKI (Helsingfors)
TALLINN
RIGA
VILNIUS
MINSK
WARSZAWA (Warsaw)
KØBENHAVN (Copenhagen)
BERLIN
PRAHA (Prague)
HAMBURG
Gotland
Öland
Bornholm (Denmark)
Rügen
Sjælland
Fyn
Lolland
Falster
Møn
Saaremaa
Hiiumaa
Nordfriesische Inseln
Ostfriesische Inseln
Daugava
Nemunas
Oder
Elbe
Warta
Wisła
Projection: Conical with two standard parallels
East from Greenwich
COPYRIGHT PHILIP'S
m
ft

1:2 200 000

Gulf of Bothnia
STOCKHOLM
Uppsala
Gävle
Sundsvall
Östersund
Trondheim
Oslo
Falun
Borlänge
Karlstad
Örebro
Västerås
Hamar
Lillehammer
Drammen
Fredrikstad
Skien
Härnösand
Hudiksvall
Söderhamn
Mora
JÄMTLAND
HÄRJEDALEN
DALARNA
VÄRMLAND
HEDMARK
OPPLAND
BUSKERUD
TELEMARK
VESTFOLD
ØSTFOLD
AKERSHUS
SØR-TRØNDELAG
MØRE OG ROMSDAL
VÄSTERNORRLAND
GÄVLEBORG
UPPSALA
VÄSTMANLAND
ÖREBRO
SÖDERMANLAND
Jotunheimen
Dovrefjell
Rondane
Siljan
Klarälven
Dalälven
Glåma
Mjøsa

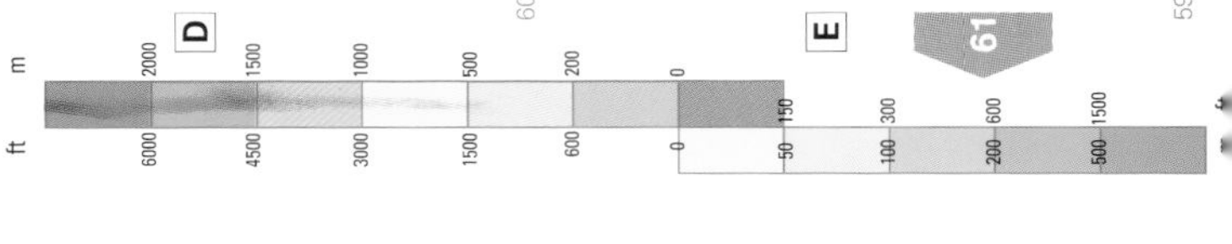
m
2000
1500
1000
500
200
0
ft
6000
4500
3000
1500
600
0
50 150
100 300
200 600
500 1500

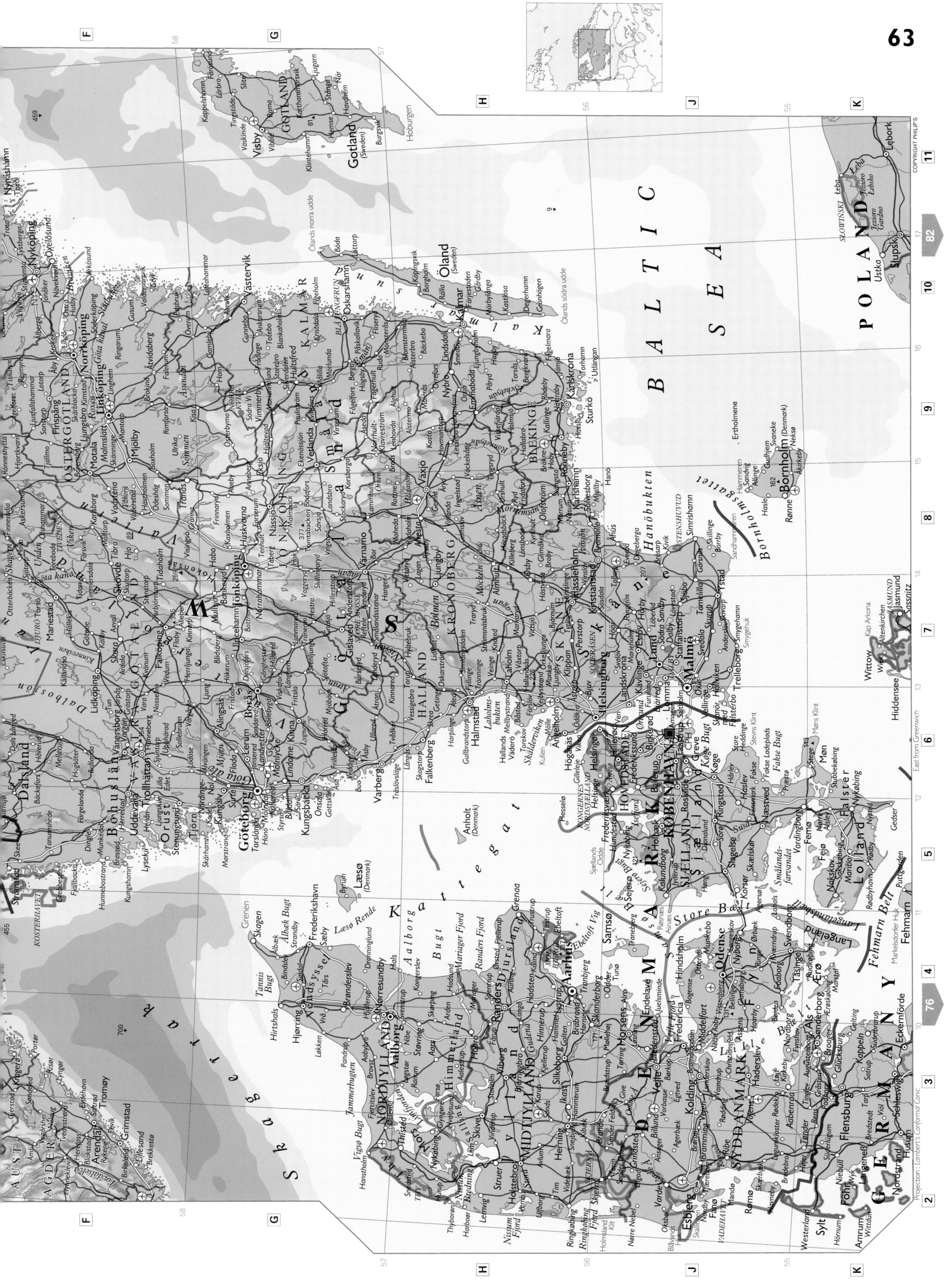
BALTIC SEA
SKAGERRAK
KATTEGAT
POLAND
GERMANY
DENMARK
SWEDEN
GÖTALAND
SMÅLAND
SKÅNE
HALLAND
BLEKINGE
KALMAR
KRONOBERG
JÖNKÖPING
ÖSTERGÖTLAND
GOTLAND
NORDJYLLAND
MIDTJYLLAND
SYDDANMARK
SJÆLLAND
HOVEDSTADEN
KØBENHAVN
Göteborg
Malmö
Aalborg
Aarhus
Odense
Helsingborg
Jönköping
Linköping
Norrköping
Gotland (Sweden)
Öland (Sweden)
Bornholm (Denmark)
Anholt (Denmark)
Læsø (Denmark)
Hanöbukten
Bornholmsgattet
Store Bælt
Fehmarn Belt
East from Greenwich
Projection: Lambert's Conformal Conic
COPYRIGHT PHILIP'S
76
82

1:1 800 000

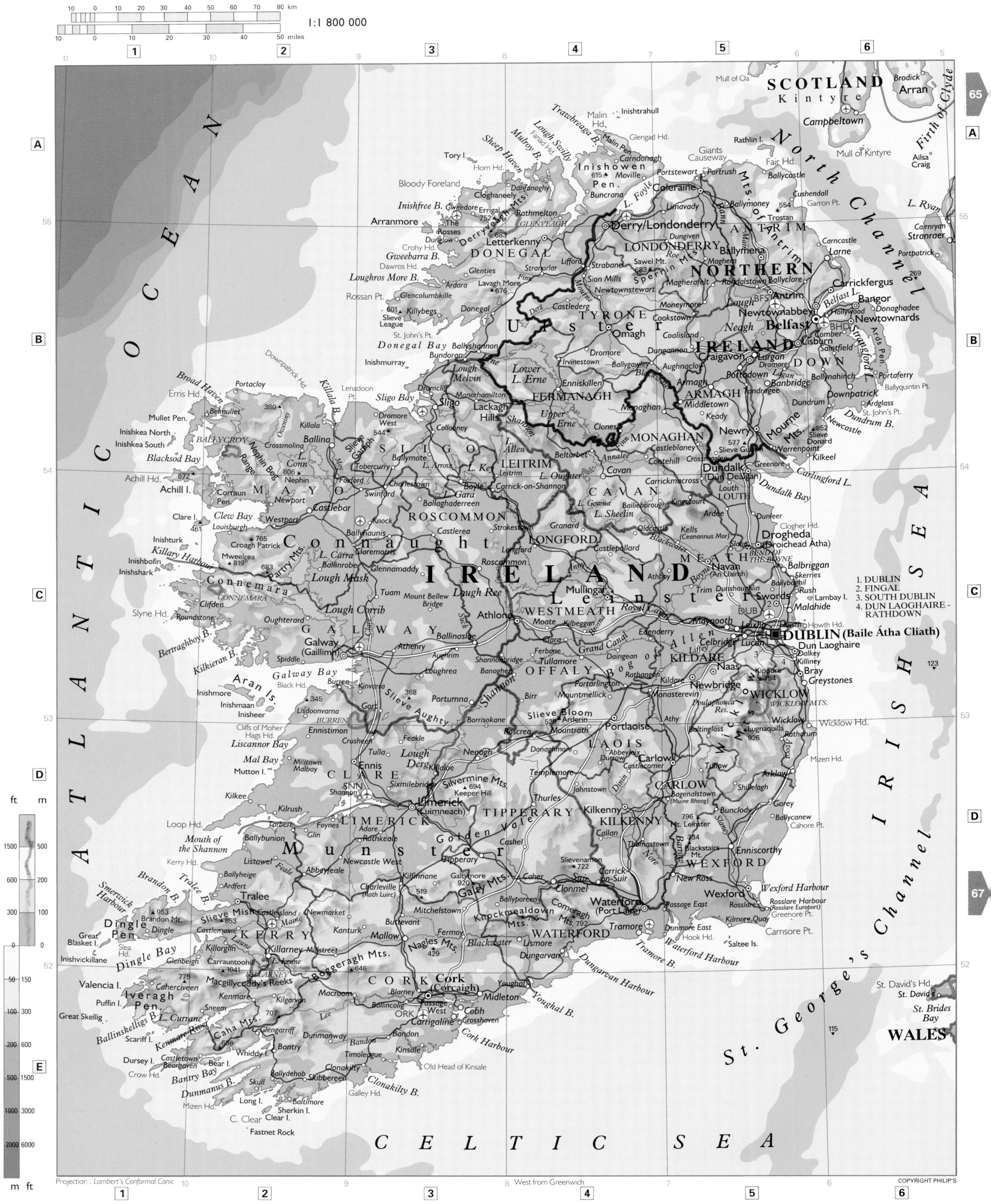
10 0 10 20 30 40 50 60 70 80 km
10 0 10 20 30 40 50 miles
ATLANTIC OCEAN
CELTIC SEA
IRISH SEA
St. George's Channel
North Channel
SCOTLAND
Kintyre
Campbeltown
Arran
Firth of Clyde
WALES
St. David's Hd.
St. Brides Bay
NORTHERN IRELAND
IRELAND
Ulster
Connaught
Leinster
Munster
DONEGAL
LONDONDERRY
ANTRIM
TYRONE
FERMANAGH
ARMAGH
DOWN
MONAGHAN
CAVAN
LEITRIM
SLIGO
MAYO
ROSCOMMON
LONGFORD
MEATH
LOUTH
WESTMEATH
GALWAY
OFFALY
KILDARE
WICKLOW
LAOIS
CARLOW
CLARE
TIPPERARY
KILKENNY
WEXFORD
LIMERICK
KERRY
CORK
WATERFORD
DUBLIN (Baile Átha Cliath)
1. DUBLIN
2. FINGAL
3. SOUTH DUBLIN
4. DUN LAOGHAIRE - RATHDOWN
Belfast
Derry/Londonderry
Galway (Gaillimh)
Limerick (Luimneach)
Cork (Corcaigh)
Waterford (Port Láirge)
Dundalk (Dún Dealgan)
Drogheda (Droichead Átha)
Navan (An Uaimh)
Kells (Ceanannus Mor)
Sligo
Athlone
Tralee
Killarney
Wexford
Kilkenny
Clonmel
Ennis
Castlebar
Lough Neagh
Lough Corrib
Lough Mask
Lough Derg
Lough Ree
Lower L. Erne
Upper Erne
Shannon
Galway Bay
Aran Is.
Dingle Bay
Bantry Bay
Donegal Bay
Sligo Bay
Clew Bay
Dundalk Bay
Carlingford L.
Mourne Mts.
Wicklow Mts.
Sperrin Mts.
Slieve Bloom
Galtymore 920
Macgillycuddy's Reeks
Carrauntoohill 1041
Knockmealdown Mts.
Boggeragh Mts.
Silvermine Mts.
Comeragh Mts.
Nephin Beg Range
Partry Mts.
Slieve Aughty
Connemara
Iveragh Pen.
Dingle Pen.
Inishowen Pen.
Achill I.
Valencia I.
Fastnet Rock
Malin Hd.
Rathlin I.
Tory I.
Bloody Foreland
Arranmore
Mizen Hd.
Carnsore Pt.
Hook Hd.
Wicklow Hd.
Howth Hd.
Loop Hd.
Slyne Hd.
Erris Hd.
Projection : Lambert's Conformal Conic
West from Greenwich
65
67
ft m
m ft

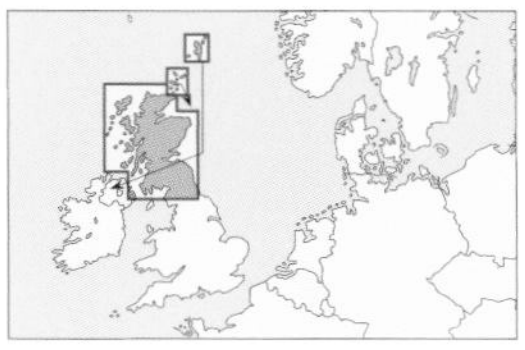

1:1 800 000

10 0 10 20 30 40 50 60 70 80 km

10 0 10 20 30 40 50 miles

Key to Scottish unitary authorities on map
1 ABERDEEN CITY
2 DUNDEE CITY
3 WEST DUNBARTONSHIRE
4 EAST DUNBARTONSHIRE
5 GLASGOW CITY
6 INVERCLYDE
7 RENFREWSHIRE
8 EAST RENFREWSHIRE
9 NORTH LANARKSHIRE
10 FALKIRK
11 CLACKMANNANSHIRE
12 WEST LOTHIAN
13 CITY OF EDINBURGH
14 MIDLOTHIAN
ORKNEY IS.
on same scale
SHETLAND IS.
on same scale
SCOTLAND
ENGLAND
NORTHERN IRELAND
ATLANTIC OCEAN
NORTH SEA
North Channel
Pentland Firth
Moray Firth
Firth of Forth
Firth of Clyde
Solway Firth
Little Minch
North Minch
Sea of the Hebrides
Outer Hebrides
Inner Hebrides
EILEAN SIAR (WESTERN ISLES)
Lewis
Harris
North Uist
South Uist
Barra
Skye
Mull
Islay
Jura
Arran
Kintyre
Stornoway
Inverness
Aberdeen
Dundee
Perth
Edinburgh
GLASGOW
Stirling
Fort William
Oban
Dumfries
Carlisle
Newcastle-upon-Tyne
Belfast
Thurso
Wick
Kirkwall
Lerwick
Sutherland
Caithness
Grampian Mountains
Cairngorm Mts.
Monadhliath Mts.
North West Highlands
HIGHLAND
MORAY
ABERDEENSHIRE
ANGUS
PERTH AND KINROSS
FIFE
STIRLING
ARGYLL AND BUTE
SCOTTISH BORDERS
DUMFRIES & GALLOWAY
SOUTH AYRSHIRE
EAST AYRSHIRE
NORTH AYRSHIRE
SOUTH LANARKSHIRE
EAST LOTHIAN
Southern Uplands
Cheviot Hills
Ben Nevis
1344
NORTHUMBERLAND
CUMBRIA
DURHAM
Projection : Lambert's Conformal Conic
West from Greenwich
COPYRIGHT PHILIP'S

1:1 800 000

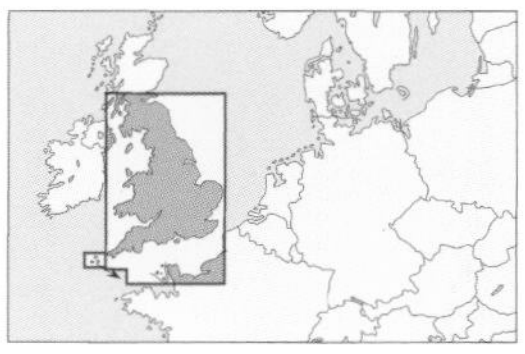

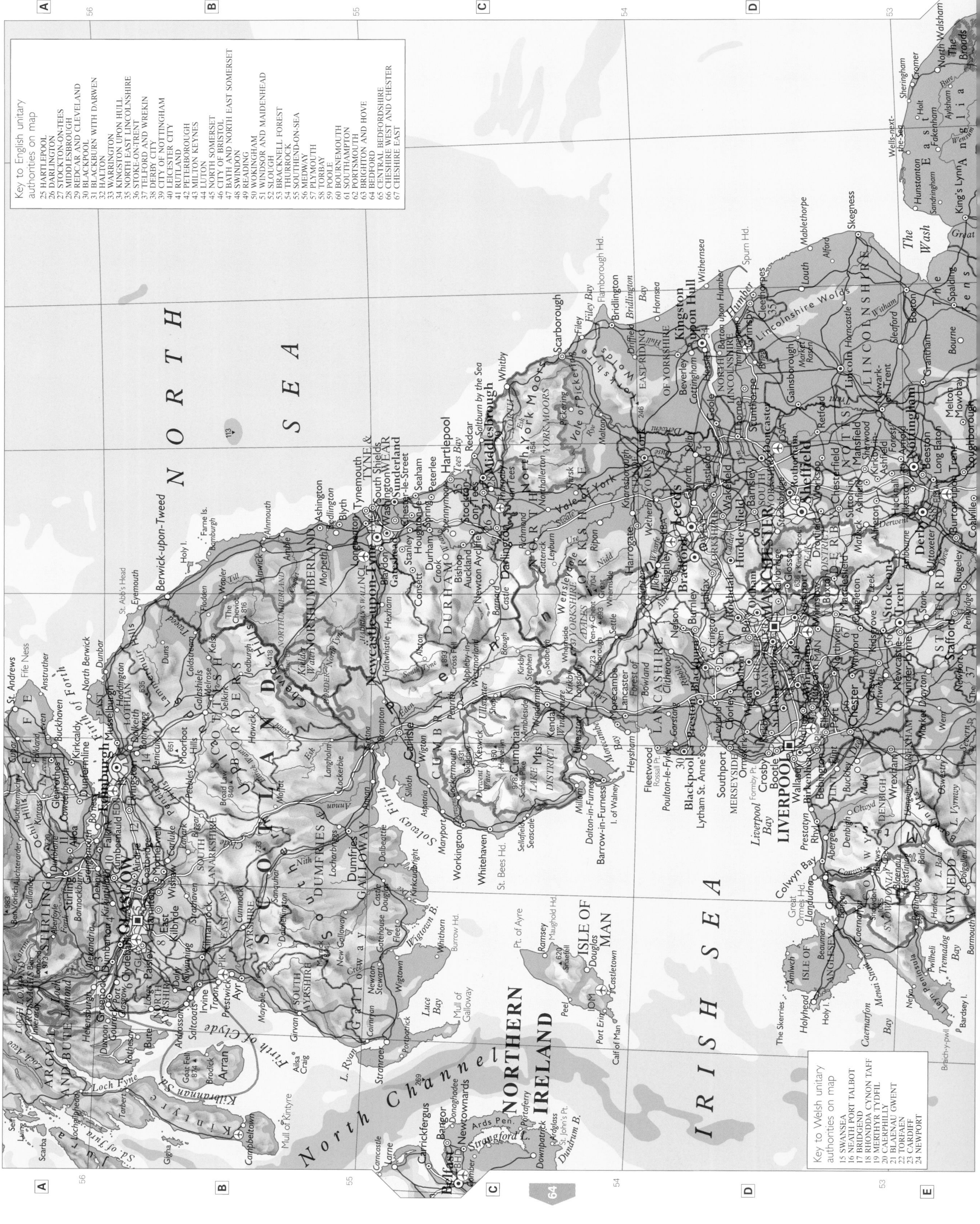

A
B
C
D
E
9
8
7
6
5
4
3
2
56
55
54
53
0
1
2
3
4
5
65
64
Key to English unitary authorities on map
25 HARTLEPOOL
26 DARLINGTON
27 STOCKTON-ON-TEES
28 MIDDLESBROUGH
29 REDCAR AND CLEVELAND
30 BLACKPOOL
31 BLACKBURN WITH DARWEN
32 HALTON
33 WARRINGTON
34 KINGSTON UPON HULL
35 NORTH EAST LINCOLNSHIRE
36 STOKE-ON-TRENT
37 TELFORD AND WREKIN
38 DERBY CITY
39 CITY OF NOTTINGHAM
40 LEICESTER CITY
41 RUTLAND
42 PETERBOROUGH
43 MILTON KEYNES
44 LUTON
45 NORTH SOMERSET
46 CITY OF BRISTOL
47 BATH AND NORTH EAST SOMERSET
48 SWINDON
49 READING
50 WOKINGHAM
51 WINDSOR AND MAIDENHEAD
52 SLOUGH
53 BRACKNELL FOREST
54 THURROCK
55 SOUTHEND-ON-SEA
56 MEDWAY
57 PLYMOUTH
58 TORBAY
59 POOLE
60 BOURNEMOUTH
61 SOUTHAMPTON
62 PORTSMOUTH
63 BRIGHTON AND HOVE
64 BEDFORD
65 CENTRAL BEDFORDSHIRE
66 CHESHIRE WEST AND CHESTER
67 CHESHIRE EAST
Key to Welsh unitary authorities on map
15 SWANSEA
16 NEATH PORT TALBOT
17 BRIDGEND
18 RHONDDA CYNON TAFF
19 MERTHYR TYDFIL
20 CAERPHILLY
21 BLAENAU GWENT
22 TORFAEN
23 CARDIFF
24 NEWPORT
NORTH SEA
IRISH SEA
North Channel
NORTHERN IRELAND
ISLE OF MAN
SCOTLAND
NORTHUMBERLAND
DURHAM
CUMBRIA
LANCASHIRE
NORTH YORKSHIRE
EAST RIDING OF YORKSHIRE
LINCOLNSHIRE
MANCHESTER
LIVERPOOL
Newcastle-upon-Tyne
Leeds
Sheffield
Nottingham
Kingston upon Hull
Middlesbrough
York
Carlisle
Glasgow
Edinburgh
Belfast
The Wash
Solway Firth
Firth of Clyde
Firth of Forth
Isle of Anglesey
GWYNEDD

ENGLAND
WALES
FRANCE
ENGLISH CHANNEL
Bristol Channel
Cardigan Bay
Strait of Dover
Baie de la Seine
Baie de la Somme
Lyme Bay
CHANNEL ISLANDS (U.K.)
Alderney
Guernsey
Jersey
Sark
Herm
St. Peter Port
St. Helier
ISLE OF WIGHT
ISLES OF SCILLY on same scale
Isles of Scilly
St. Mary's
Tresco
LONDON
BIRMINGHAM
Bristol
Cardiff
Swansea
Plymouth
Southampton
Portsmouth
Bournemouth
Brighton
Eastbourne
Hastings
Dover
Folkestone
Canterbury
Ramsgate
Margate
Calais
Boulogne-sur-Mer
Dieppe
Le Havre
Rouen
Caen
Cherbourg-Octeville
Exeter
Torquay
Paignton
Newport
Gloucester
Cheltenham
Oxford
Reading
Cambridge
Ipswich
Norwich
Lowestoft
Leicester
Coventry
Northampton
Peterborough
Wolverhampton
Worcester
Hereford
Swindon
Bath
Salisbury
Winchester
Weymouth
Dorchester
Taunton
Truro
Penzance
Falmouth
Newquay
St. Ives
Land's End
Lizard Pt.
Hartland Pt.
Lundy
Dartmoor
Exmoor
Isle of Wight
NORMANDIE
HAUTE-NORMANDIE
CORNWALL
DEVON
DORSET
SOMERSET
WILTSHIRE
HAMPSHIRE
SUSSEX
KENT
ESSEX
SUFFOLK
NORFOLK
PEMBROKESHIRE
CARMARTHENSHIRE
CEREDIGION
POWYS
SHROPSHIRE
HEREFORDSHIRE
CHILTERN HILLS
COTSWOLDS
North Downs
South Downs
The Weald
Thames Estuary
West from Greenwich
East from Greenwich
COPYRIGHT PHILIP'S
Projection : Lambert's Conformal Conic
m ft
3000 1000
1500 500
600 200
300 100
0 0
50 150
100 300
200 600

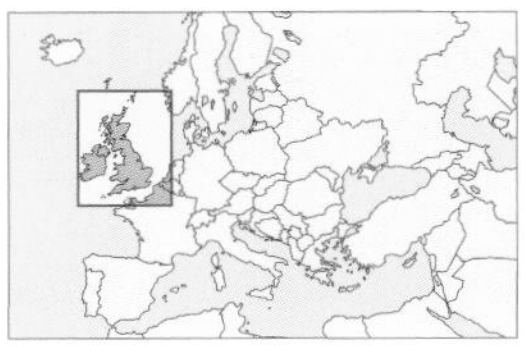

1:4 400 000
km 50 0 25 50 75 100 125 150 175
miles 50 0 25 50 75 100 125
ATLANTIC OCEAN
NORTH SEA
CELTIC SEA
IRISH SEA
English Channel
St. George's Channel
Bristol Channel
North Channel
Firth of Clyde
Sea of the Hebrides
North Minch
Moray Firth
Pentland Firth
Str. of Dover
The Wash
Shetland Is. (U.K.)
Yell
Unst
Fetlar
Mainland
Lerwick
Foula
Fair Isle
Orkney Is.
Westray
Sanday
Stronsay
Kirkwall
Hoy
South Ronaldsay
Outer Hebrides
Inner Hebrides
Lewis
Stornoway
Harris
St. Kilda (U.K.)
North Uist
Benbecula
South Uist
Barra
Skye
Rum
Eigg
Coll
Tiree
Mull
Iona
Colonsay
Jura
Islay
Arran
C. Wrath
Thurso
Wick
Helmsdale
Lairg
Golspie
Ullapool
Tain
Invergordon
Dingwall
Nairn
Elgin
Buckie
Banff
Fraserburgh
Peterhead
Huntly
Inverurie
Aberdeen
Stonehaven
Inverness
Aviemore
Glen Mor
L. Ness
CAIRNGORMS
North West Highlands
Grampian Mts.
SCOTLAND
Ben Nevis
Fort William
Mallaig
Tobermory
Oban
L. Awe
L. Lomond
Perth
Dundee
St. Andrews
Forfar
Montrose
Arbroath
Ballater
Stirling
Glenrothes
Kirkcaldy
Dunbar
Dunfermline
Edinburgh
GLASGOW
Dumbarton
Greenock
Paisley
Cumbernauld
Hamilton
East Kilbride
Irvine
Kilmarnock
Ayr
Girvan
Campbeltown
Stranraer
Kirkcudbright
Dumfries
Southern Uplands
Galashiels
Jedburgh
Hawick
Cheviot Hills
Berwick-upon-Tweed
Alnwick
NORTHUMBERLAND
Newcastle-upon-Tyne
South Shields
Sunderland
Gateshead
Hexham
Durham
Hartlepool
Redcar
Middlesbrough
Darlington
Stockton-on-Tees
N. YORK MOORS
Scarborough
Bridlington
Carlisle
Annan
Workington
Whitehaven
Cumbrian Mts.
LAKE DISTRICT
Barrow-in-Furness
Pennines
YORKSHIRE DALES
Lancaster
Harrogate
York
Leeds
Bradford
Keighley
Burnley
Preston
Blackpool
Blackburn
Bolton
Halifax
Huddersfield
Barnsley
Beverley
Kingston upon Hull
Scunthorpe
Grimsby
Humber
Doncaster
Rotherham
Sheffield
Lincoln
Louth
Skegness
MANCHESTER
Oldham
Stockport
LIVERPOOL
Warrington
Chester
Crewe
Chesterfield
PEAK DISTRICT
Mansfield
Nottingham
Derby
Stoke-on-Trent
Stafford
Boston
Grantham
Leicester
ENGLAND
King's Lynn
Norwich
Cromer
THE BROADS
Great Yarmouth
Lowestoft
Thetford
Peterborough
Corby
Nuneaton
Coventry
Rugby
Northampton
Ely
Bury St. Edmunds
Cambridge
Ipswich
Felixstowe
Harwich
Colchester
Bedford
Milton Keynes
Stevenage
Luton
Harlow
Chelmsford
Hemel Hempstead
Watford
Basildon
Southend-on-Sea
Oxford
High Wycombe
Slough
LONDON
Thames
Chatham
Margate
Canterbury
Maidstone
Ashford
Dover
Folkestone
Hastings
Eastbourne
Brighton
Worthing
Crawley
Guildford
Reigate
Reading
Basingstoke
Winchester
Southampton
Portsmouth
Fareham
Havant
Isle of Wight
Newport
SOUTH DOWNS
NEW FOREST
Salisbury
Bournemouth
Poole
Weymouth
Yeovil
Swindon
Newbury
Bath
Bristol
Weston-super-Mare
Taunton
Exmoor
Barnstaple
Bude
Exeter
Dartmoor
DARTMOOR
Exmouth
Torbay
Plymouth
Newquay
Truro
St. Austell
Falmouth
Penzance
Land's End
Isles of Scilly
Cheltenham
Gloucester
Cotswold Hills
Worcester
Hereford
Redditch
Royal Leamington Spa
BIRMINGHAM
Wolverhampton
Telford
Shrewsbury
Welshpool
Wrexham
Colwyn Bay
Bangor
Anglesey
Holyhead
Snowdon
SNOWDONIA
Pwllheli
Cambrian Mts.
Cardigan Bay
Aberystwyth
WALES
Fishguard
Carmarthen
BRECON BEACONS
Brecon
Haverfordwest
Milford Haven
Pembroke
PEMBROKESHIRE COAST
Llanelli
Neath
Swansea
Port Talbot
Merthyr Tydfil
Rhondda
Cwmbran
Newport
Cardiff
Barry
UNITED KINGDOM
I. of Man
Douglas
Mull of Galloway
NORTHERN IRELAND
Malin Hd.
Buncrana
Coleraine
Derry/Londonderry
Ballymena
Larne
Antrim
Bangor
Belfast
Lisburn
Lough Neagh
Craigavon
Omagh
Armagh
Newry
Enniskillen
Lower L. Erne
Clones
Letterkenny
Lifford
Arranmore
GLENVEAGH
Donegal
Bundoran
Sligo
Ballina
Achill I.
L. Conn
Castlebar
Westport
Lough Mask
Connemara
Lough Corrib
Roscommon
Longford
Lough Ree
Mullingar
Athlone
Kells
Cavan
Leitrim
Dundalk
Drogheda
Boyne
Connaught
Leinster
Munster
Ulster
DUBLIN
Dun Laoghaire
Bray
Liffey
Wicklow Mts.
Arklow
Wexford
Rosslare
Galway
Galway B.
Aran Is.
BURREN
Ennis
Lough Derg
Tullamore
Ballinasloe
Birr
Portlaoise
Athy
Carlow
Kilkenny
Thurles
Kilrush
Limerick
Shannon
Listowel
Tipperary
Clonmel
Carrick-on-Suir
Waterford
Dungarvan
Tralee
Dingle
Carrauntoohill
Killarney
Mallow
Macgillycuddy's Reeks
Blackwater
Valencia I.
Cork
Cobh
Youghal
Bantry
Bandon
Kinsale
C. Clear
IRELAND
Channel Is. (U.K.)
Alderney
Guernsey
St. Peter Port
Sark
Jersey
St. Helier
C. de la Hague
Pte. de Barfleur
Cherbourg-Octeville
Valognes
Cotentin
Bayeux
Caen
Lisieux
Trouville-sur-Mer
Le Havre
Bolbec
Seine
Elbeuf
Rouen
Fécamp
Pays de Caux
Dieppe
Le Tréport
Abbeville
Amiens
Somme
Picardie
St.-Quentin
Laon
Cambrai
Valenciennes
Lens
Bruay-la-Buissière
Béthune
St-Omer
Calais
C. Gris-Nez
Boulogne-sur-Mer
Le Touquet-Paris-Plage
Dunkerque
Artois
LILLE
Tourcoing
Villeneuve-d'Ascq
Tournai
FRANCE
BELGIUM
BRUSSEL (Bruxelles)
Gent
Brugge
Oostende
Zeebrugge
Antwerpen
Mechelen
Vlissingen
Zeeland
Dordrecht
ROTTERDAM
Hoek van Holland
'S-Gravenhage (Den Haag)
NETHERLANDS
Haarlem
Alkmaar
Den Helder
Texel
NORWAY
Bergen
Askøyna
Osøyro
Stord
Bømlo
Leirvik
Haugesund
Kopervik
Åkrahamn
Boknafjorden
Stavanger
Sandnes
Bryne
Nærbø
Projection: Conical with two standard parallels
West from Greenwich
East from Greenwich
COPYRIGHT PHILIP'S
ft m
3000 1000
1500 500
600 200
0 0
50 150
100 300
200 600
500 1500
1000 3000
2000 6000
m ft

61
74

1:2 200 000

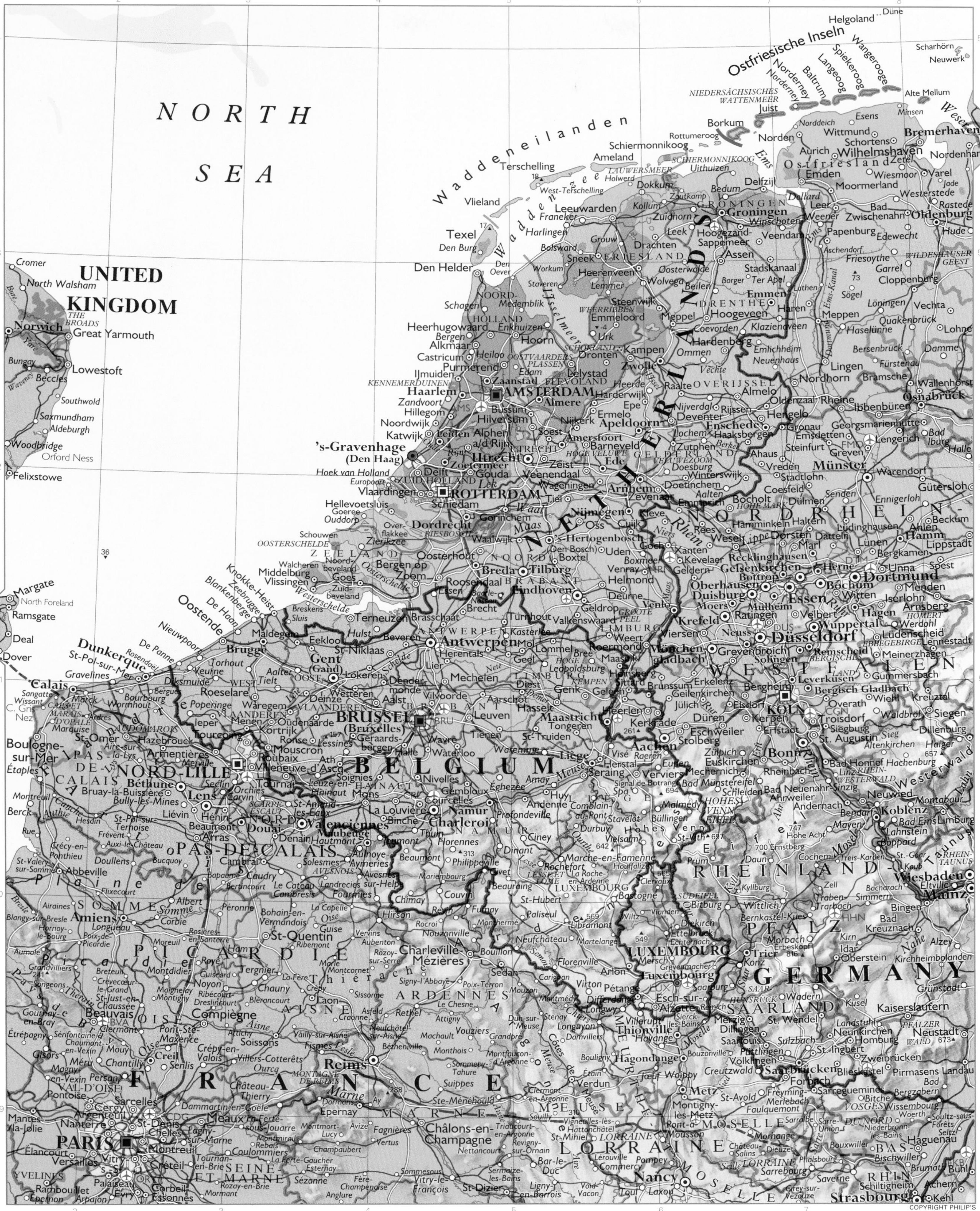

High-speed rail routes

Underlined towns give their name to the administrative area in which they stand.

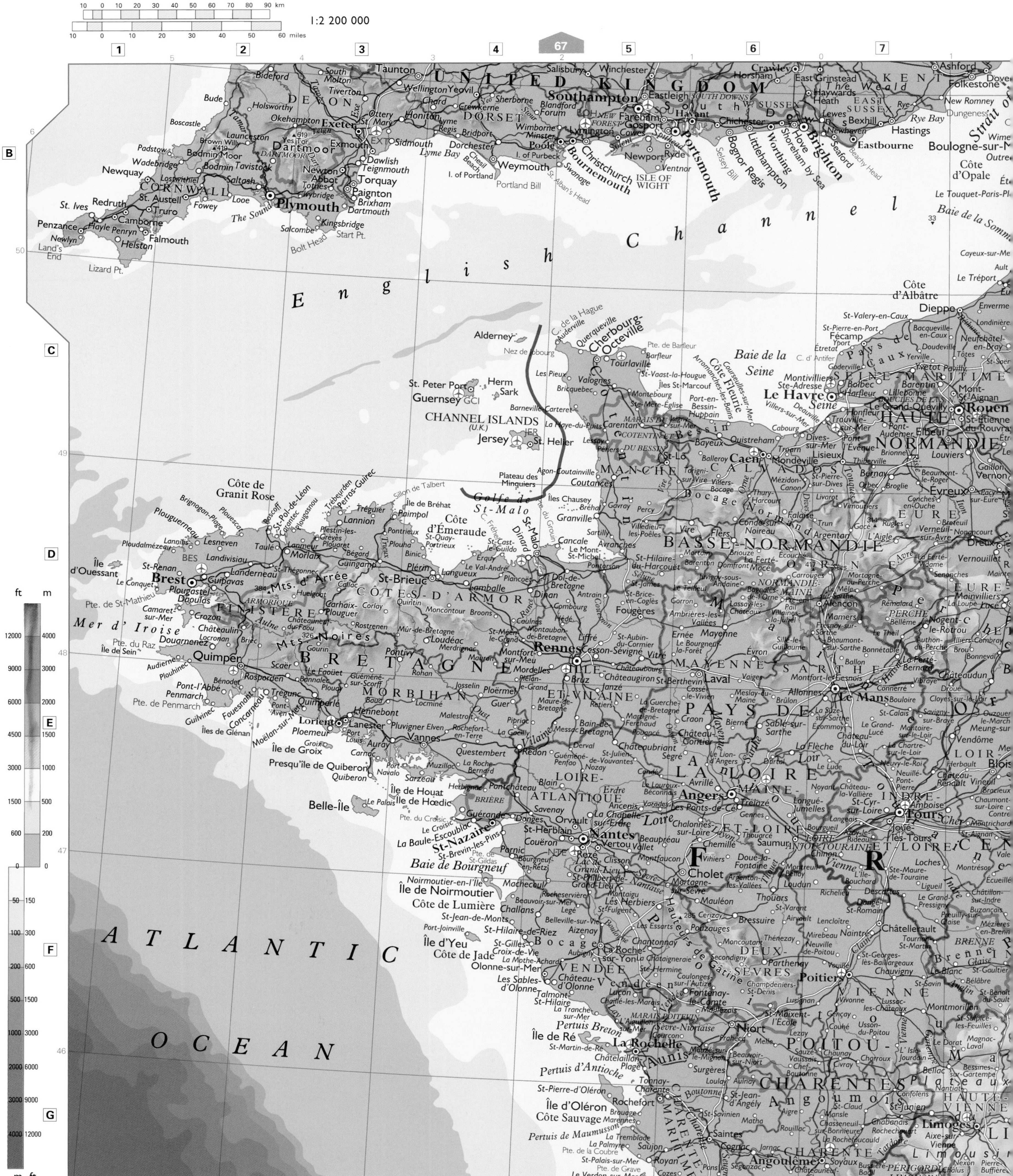

DÉPARTEMENTS IN THE PARIS AREA
1 Ville de Paris
2 Seine-St-Denis
3 Val-de-Marne
4 Hauts-de-Seine

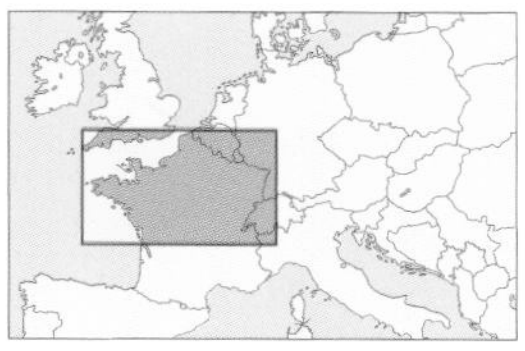

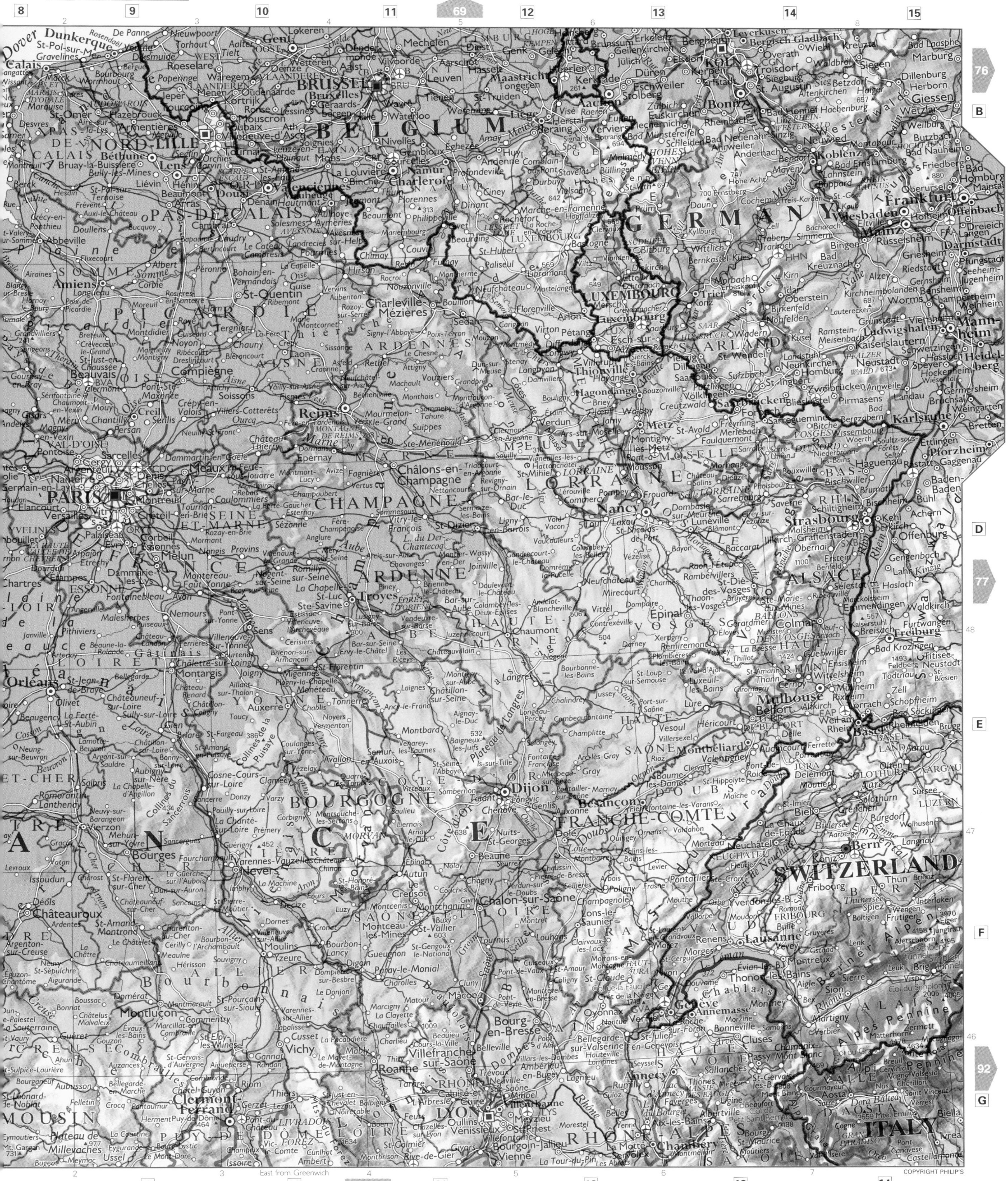

Underlined towns give their name to the administrative area in which they stand.

High-speed rail routes

10 0 10 20 30 40 50 60 70 80 90 km

1:2 200 000

10 0 10 20 30 40 50 60 miles

SWITZERLAND
LIGURIAN SEA
MEDITERRANEAN SEA
Golfo di Génova
RHÔNE-ALPES
PROVENCE-ALPES-CÔTE D'AZUR
PIEMONTE
LOMBARDIA
CORSE
LYON
Genève
Lausanne
Bern
Grenoble
TORINO
MILANO
Génova
Avignon
MARSEILLE
Toulon
Nice
MONACO
Cannes
Ajaccio
Bastia
Livorno
Elba
Arcipelago Toscano
Montecristo
Capraia
Gorgona
Îs. d'Hyères
Riviera di Ponente
Riviera di Levante
Côte d'Azur
High-speed rail routes

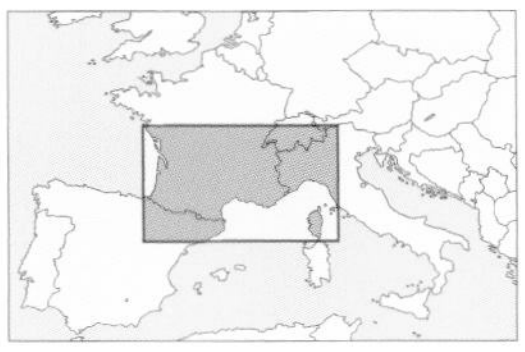

1:4 400 000
50 0 25 50 75 100 125 150 175 km
50 0 25 50 75 100 125 miles
NORTH SEA
BALTIC SEA
UNITED KINGDOM
NETHERLANDS
BELGIUM
LUXEMBOURG
DENMARK
GERMANY
FRANCE
SWITZERLAND
LIECHTENSTEIN
AUSTRIA
ITALY
SLOVENIA
CZECH
MONACO
SAN MARINO
ADRIATIC SEA
Golfo di Génova
Golfo di Venézia
AMSTERDAM
BERLIN
PRAHA (Prague)
PARIS
BRUSSEL (Bruxelles)
HAMBURG
MÜNCHEN (Munich)
MILANO
TORINO (Turin)
LYON
MARSEILLE
ZÜRICH
Projection: Conical with two standard parallels
68
61

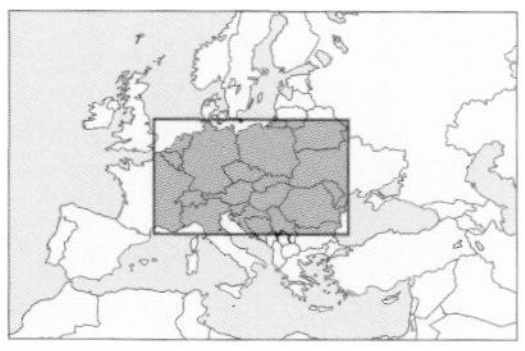

9
10
11
12
61
13
14
15
84
16
B
C
D
E
85
F
G
LITHUANIA
B E L A R U S
P O L A N D
U K R A I N E
SLOVAK REP.
H U N G A R Y
R O M A N I A
M O L D O V A
S E R B I A
BOSNIA-HERZEGOVINA
B U L G A R I A
ATIA
Zatoka Gdańska
Kaliningrad (Russia)
Gdańsk
Gdynia
Vilnius
Minsk
Hrodna
Białystok
Bydgoszcz
Toruń
Olsztyn
WARSZAWA (Warsaw)
Poznań
Łódź
Radom
Lublin
Wrocław
Kielce
Częstochowa
Opole
Katowice
Kraków
Rzeszów
Tarnów
Brest
Pinsk
Mazyr
Babruysk
Homyel
Mahilyow
Lida
Baranavichy
Kyyiv (Kiev)
Zhytomyr
Rivne
Lutsk
Lviv (Lvov)
Ternopil
Khmelnytskyy
Vinnytsya
Bila Tserkva
Uzhhorod
Ivano-Frankivsk
Chernivtsi
Bălți
Chișinău (Kishinev)
Tiraspol
Ostrava
Olomouc
Brno
Žilina
Poprad
Prešov
Košice
Banská Bystrica
Nitra
Bratislava
Wien (Vienna)
Győr
BUDAPEST
Miskolc
Debrecen
Nyíregyháza
Szeged
Pécs
Székesfehérvár
Kecskemét
Satu Mare
Baia Mare
Oradea
Cluj-Napoca
Iași
Suceava
Botoșani
Bacău
Brașov
Sibiu
Timișoara
Arad
Craiova
Pitești
Ploiești
BUCUREȘTI (Bucharest)
Galați
Brăila
Constanța
Tulcea
Novi Sad
BEOGRAD (Belgrade)
Sarajevo
Banja Luka
Tuzla
Ruse
Varna
Vistula
Wisła
Dunaj
Dunav
Tisza
Mureș
Prut
Pripyat
Dnister
Dnipro (Dnieper)
Carpații Meridionali
Vychodné Beskydy
Transilvania
Podilska Vysochyna
Voivodina
East from Greenwich
COPYRIGHT PHILIP'S

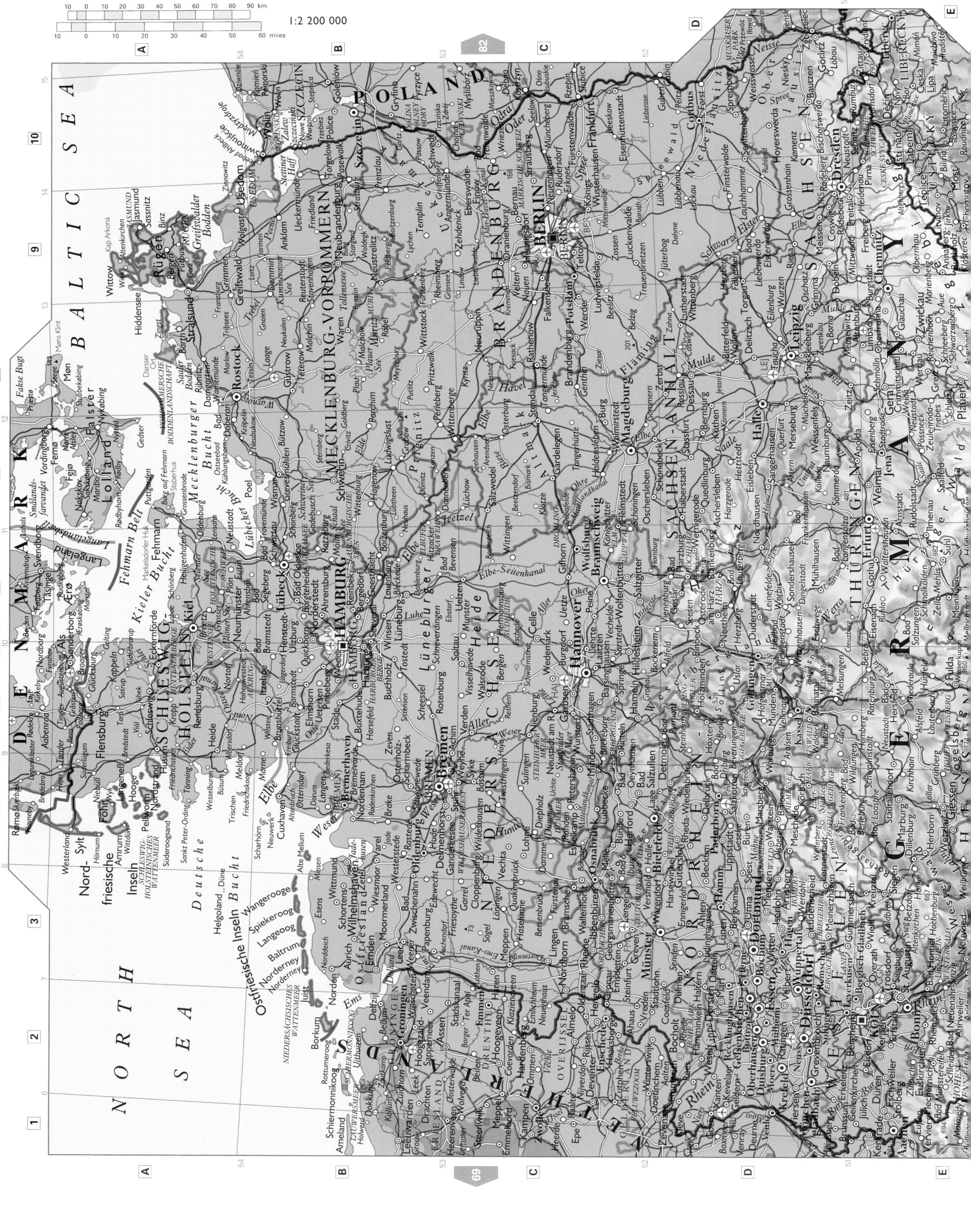
1:2 200 000
km
miles
BALTIC SEA
NORTH SEA
DENMARK
POLAND
GERMANY
BERLIN
HAMBURG
Bremen
Hannover
Leipzig
Dresden
Magdeburg
Kiel
Rostock
Lübeck
SCHLESWIG-HOLSTEIN
MECKLENBURG-VORPOMMERN
BRANDENBURG
NIEDERSACHSEN
SACHSEN-ANHALT
SACHSEN
THÜRINGEN
NORDRHEIN-WESTFALEN
Ostfriesische Inseln
Nordfriesische Inseln
Deutsche Bucht
Mecklenburger Bucht
Kieler Bucht
Lüneburger Heide
Altmark
Rügen
Fehmarn
Lolland
Falster
Møn
Elbe
Weser
Ems
Oder
Rhein
Saale
Mulde
Havel
Spree
Szczecin
Dortmund
Düsseldorf
Köln
Essen
Bielefeld
Münster
Osnabrück
Braunschweig
Halle
Erfurt
Chemnitz
Groningen

82
63
69

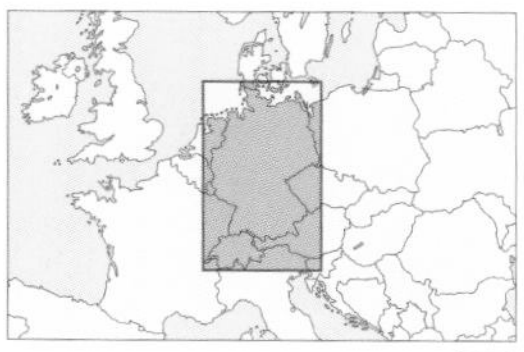

GERMANY
SWITZERLAND
FRANCE
ITALIA
SLOVENIA
LUXEMBOURG
ÖSTERREICH
BAYERN
BADEN-WÜRTTEMBERG
RHEINLAND-PFALZ
SAARLAND
HESSEN
ALSACE
LORRAINE
Underlined towns give their name to the administrative area in which they stand.
High-speed rail routes
East from Greenwich
Projection : Lambert's Conformal Conic
COPYRIGHT PHILIP'S
78
93
92
71
m
ft
4000
3000
2000
1500
1000
500
200
0
12000
9000
6000
4500
3000
1500
600

1:2 200 000
km
miles
Projection : Lambert's Conformal Conic
76
77
93
GERMANY
CZECH REP.
AUSTRIA
ITALY
SWITZERLAND
SLOVENIA
THÜRINGEN
BAYERN
OBERFRANKEN
UNTERFRANKEN
MITTELFRANKEN
OBERPFALZ
NIEDERBAYERN
OBERBAYERN
SCHWABEN
STŘEDOČESKÝ
PLZEŇSKÝ
JIHOČESKÝ
KARLOVARSKÝ
ÚSTECKÝ
LIBERECKÝ
KRÁLOVÉHRADECKÝ
VYSOČINA
NIEDERÖSTERREICH
OBERÖSTERREICH
SALZBURG
STEIERMARK
KÄRNTEN
TIROL
VORARLBERG
TRENTINO-ALTO ADIGE
FRIULI-VENEZIA GIULIA
VENETO
LOMBARDIA
PRAHA
MÜNCHEN
Dresden
Chemnitz
Erfurt
Nürnberg
Stuttgart
Augsburg
Regensburg
Linz
Salzburg
Innsbruck
Graz
Klagenfurt
Ljubljana
Trieste
Venézia
Bolzano
Trento
Plzeň
Golfo di Venézia

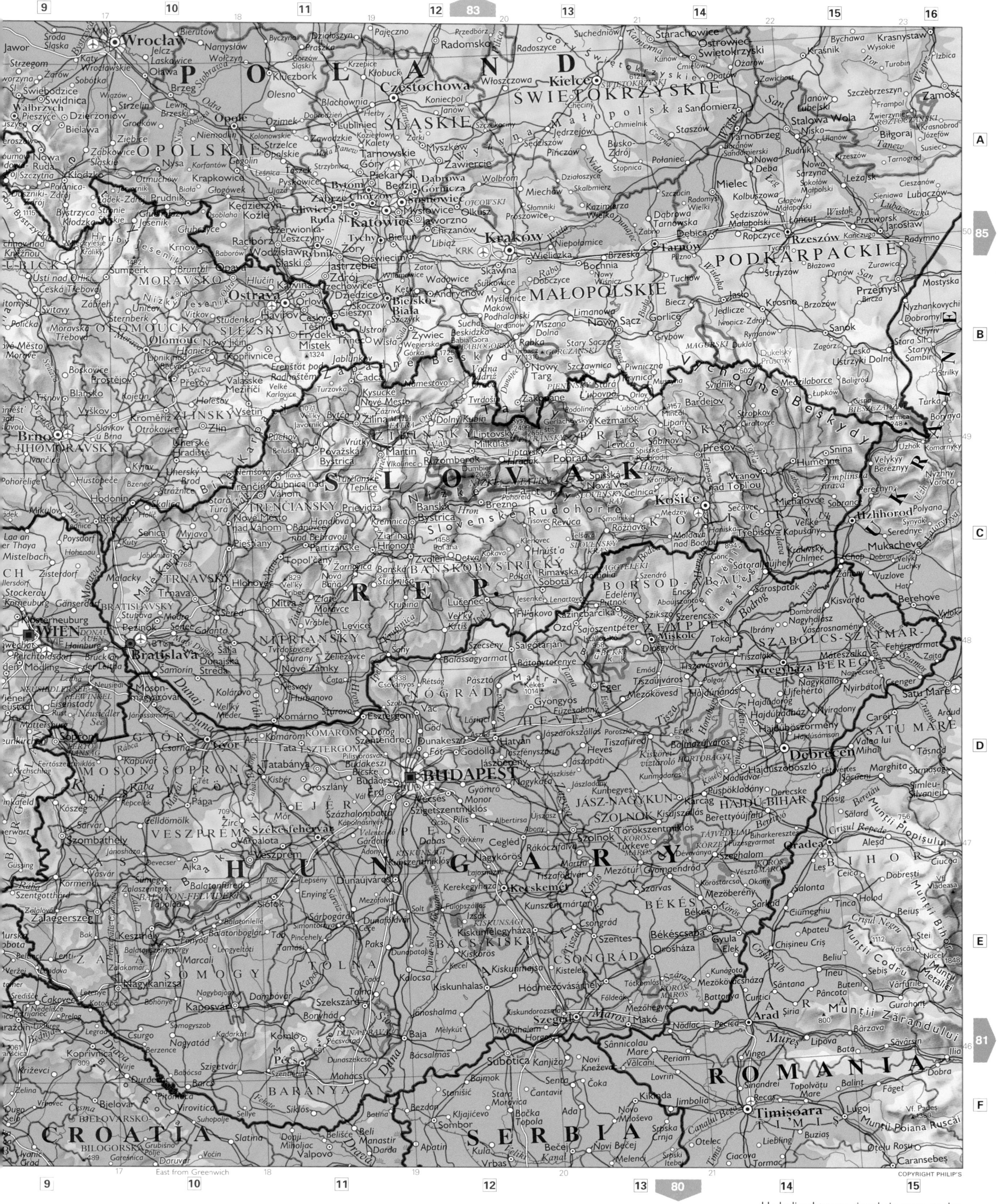

Underlined towns give their name to the administrative area in which they stand.

10 0 10 20 30 40 50 60 70 80 90 km
1:2 200 000
10 0 10 20 30 40 50 60 miles

Administrative divisions in Croatia:
1 Brodsko-Posavska
2 Koprivničko-Križevačka
4 Međimurska
5 Osječko-Baranjska
6 Požeško-Slavonska
8 Virovitičko-Podravska
9 Vukovarsko-Srijemska

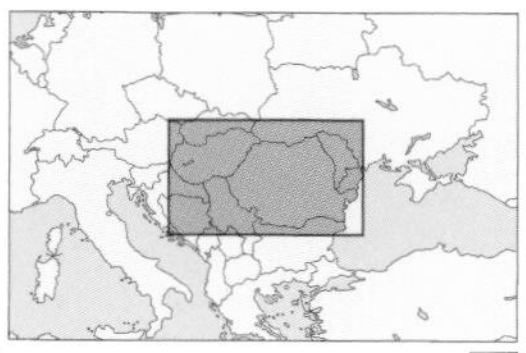

Underlined towns give their name to the administrative area in which they stand.

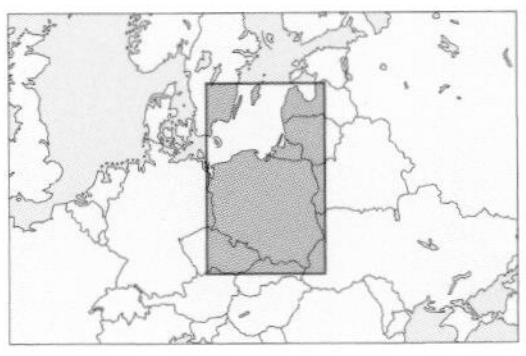

10 0 10 20 30 40 50 60 70 80 90 km

1:2 200 000

10 0 10 20 30 40 50 60 miles

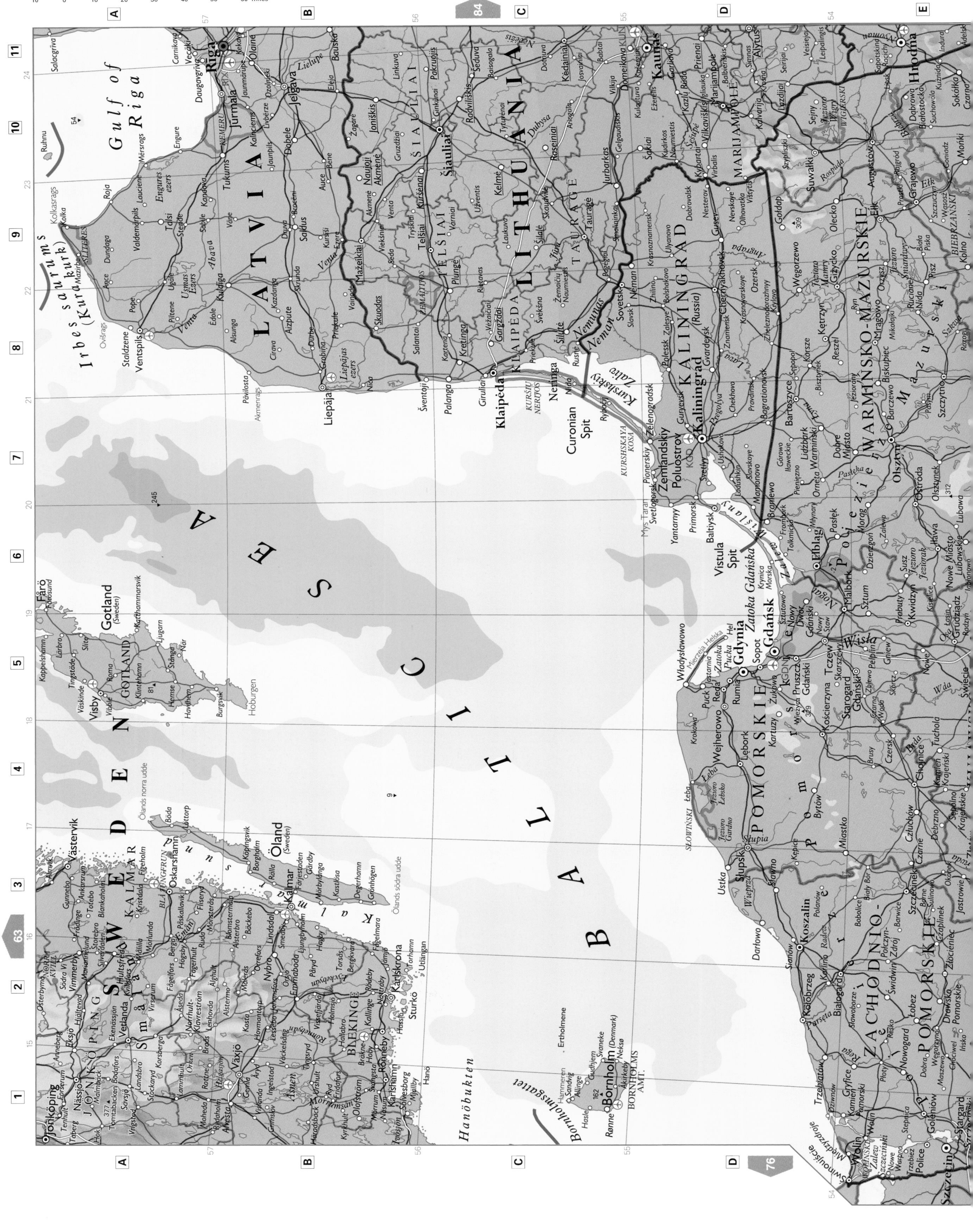

84
63
76
BALTIC SEA
SWEDEN
LATVIA
LITHUANIA
KALININGRAD (Russia)
POMORSKIE
WARMIŃSKO-MAZURSKIE
ZACHODNIO-POMORSKIE
Gulf of Riga
Irbes šaurums (Kura kurk)
Curonian Spit
Vistula Spit
Zatoka Gdańska
Hanöbukten
Bornholmsgattet
Gotland (Sweden)
Öland (Sweden)
Bornholm (Denmark)
Riga
Jūrmala
Jelgava
Ventspils
Liepāja
Kaunas
Šiauliai
Klaipėda
Kaliningrad
Gdańsk
Gdynia
Sopot
Elbląg
Olsztyn
Słupsk
Koszalin
Kołobrzeg
Szczecin
Suwałki
Hrodna
Visby
Kalmar
Karlskrona
Växjö
Jönköping
Västervik
Oskarshamn
Rønne

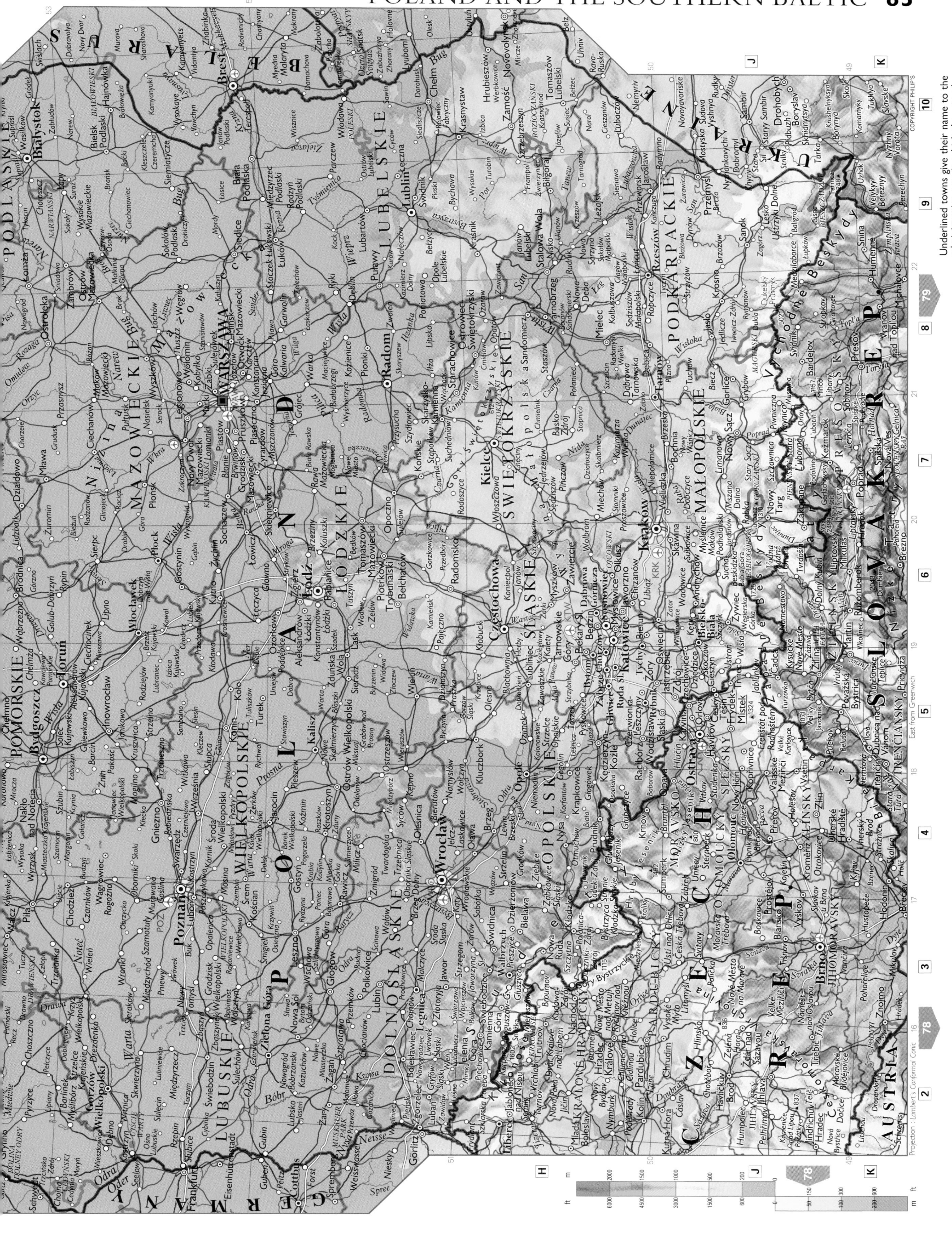
PODLASKIE
MAZOWIECKIE
WARSZAWA
LUBELSKIE
PODKARPACKIE
ŚWIĘTOKRZYSKIE
ŁÓDZKIE
MAŁOPOLSKIE
ŚLĄSKIE
OPOLSKIE
DOLNOŚLĄSKIE
WIELKOPOLSKIE
LUBUSKIE
POMORSKIE
POLAND
BELARUS
UKRAINE
SLOVAK REPUBLIC
CZECH REPUBLIC
AUSTRIA
GERMANY
East from Greenwich
m
ft

Underlined towns give their name to the administrative area in which they stand.

Projection: Lambert's Conformal Conic

COPYRIGHT PHILIP'S

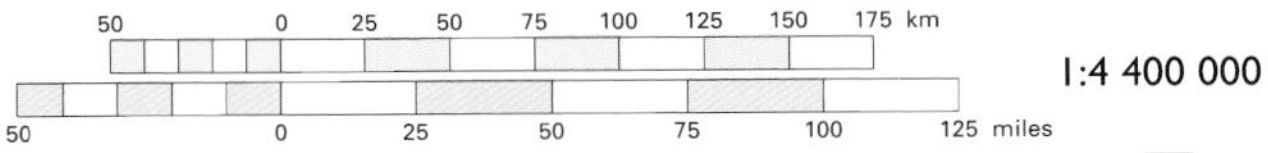
50 0 25 50 75 100 125 150 175 km
1:4 400 000
50 0 25 50 75 100 125 miles

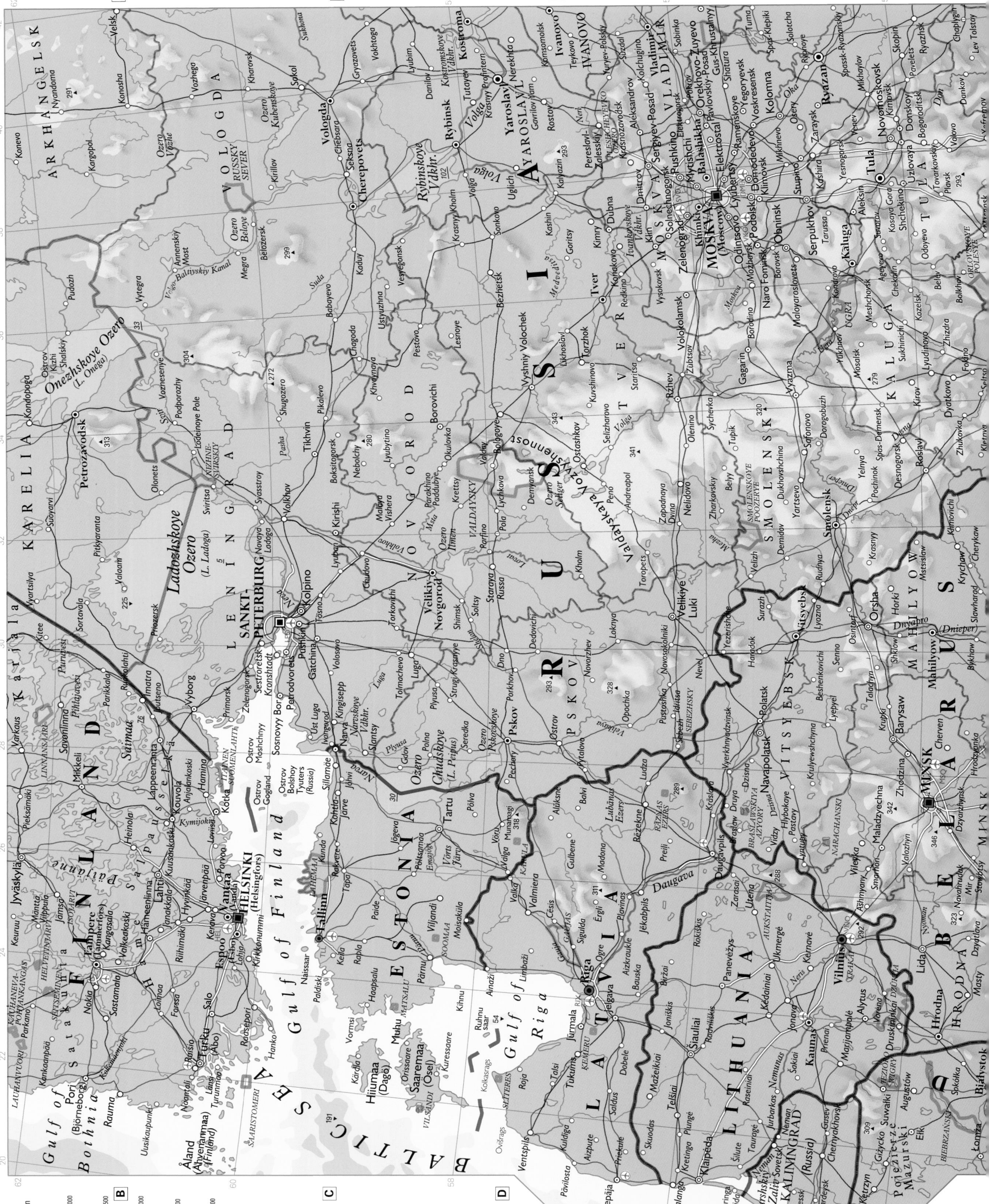
86
60
FINLAND
ESTONIA
LATVIA
LITHUANIA
BELARUS
RUSSIA
KARELIA
ARKHANGELSK
VOLOGDA
LENINGRAD
NOVGOROD
PSKOV
TVER
YAROSLAVL
MOSKVA
SMOLENSK
KALUGA
TULA
VITSYEBSK
MAHILYOW
MINSK
HRODNA
KALININGRAD (Russia)
Gulf of Finland
Gulf of Riga
Gulf of Bothnia
BALTIC SEA
Ladozhskoye Ozero (L. Ladoga)
Onezhskoye Ozero (L. Onega)
Chudskoye Ozero (L. Peipus)
Rybinskoye Vdkhr.
Valdayskaya Vozvyshennost
SANKT-PETERBURG
MOSKVA (Moscow)
HELSINKI (Helsingfors)
Tallinn
Riga
Vilnius
MINSK
Tartu
Kaunas
Smolensk
Tver
Pskov
Velikiy Novgorod
Vologda
Yaroslavl
Petrozavodsk
Hiiumaa (Dagö)
Saaremaa (Ösel)
Åland (Ahvenanmaa) (Finland)
Daugava
Volga

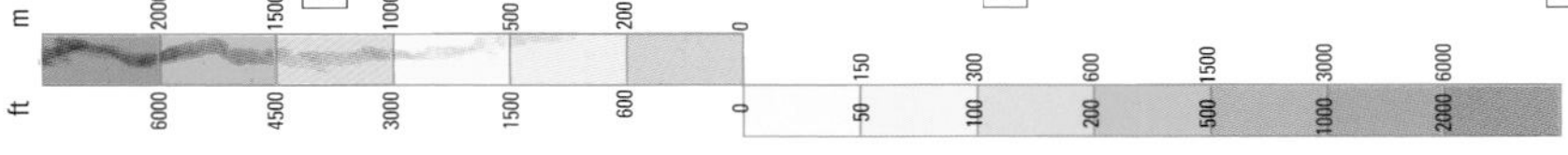
m
2000
1500
1000
500
200
0
ft
6000
4500
3000
1500
600
0
50 150
100 300
200 600
500 1500
1000 3000
2000 6000
m ft

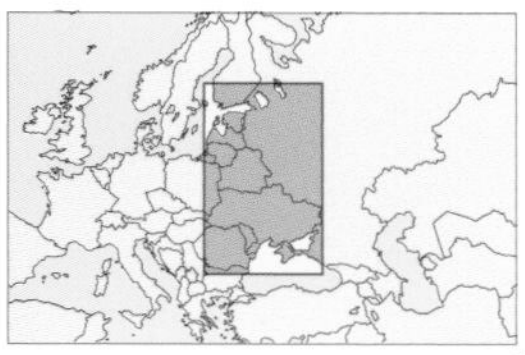

U K R A I N E
M O L D O V A
R O M A N I A
B U L G A R I A
B L A C K S E A
Sea of Azov
KYIV (Kiev)
KHARKIV (Kharkov)
DNIPROPETROVSK
Donetsk
Zaporizhzhya
Odesa
Mykolayiv
Kherson
Chişinău (Kishinev)
BUCUREŞTI (Bucharest)
Lviv (Lvov)
Voronezh
Rostov
Homyel
CRIMEA (under Russian control)
Sevastopol
Simferopol
Constanţa
Carpaţii Meridionali
East from Greenwich
Projection: Conical with two standard parallels
COPYRIGHT PHILIP'S
86
87
104
75
81

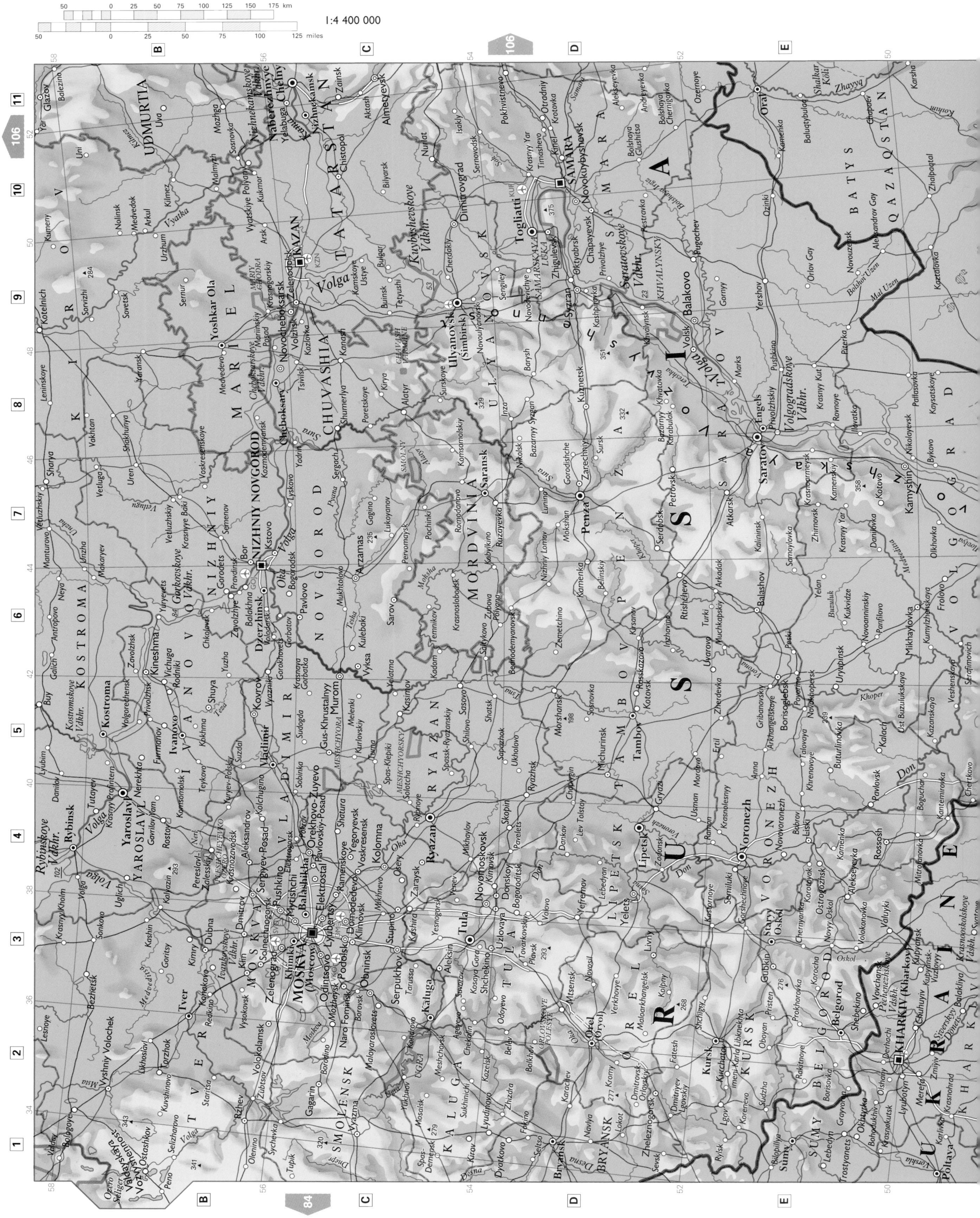
1:4 400 000
km
miles
106
84
B
C
D
E
MOSKVA (Moscow)
NIZHNIY NOVGOROD
KAZAN
SAMARA
SARATOV
VORONEZH
KHARKIV (Kharkov)
UDMURTIA
TATARSTAN
CHUVASHIA
MORDVINIA
MARIY EL
KOSTROMA
IVANOVO
VLADIMIR
YAROSLAVL
TVER
SMOLENSK
KALUGA
TULA
RYAZAN
PENZA
TAMBOV
LIPETSK
OREL
KURSK
BELGOROD
BRYANSK
ULYANOVSK
VOLGOGRAD
BATYS QAZAQSTAN
Volga
Oka
Don
Kuybyshevskoye Vdkhr.
Saratovskoye Vdkhr.
Volgogradskoye Vdkhr.
Rybinskoye Vdkhr.

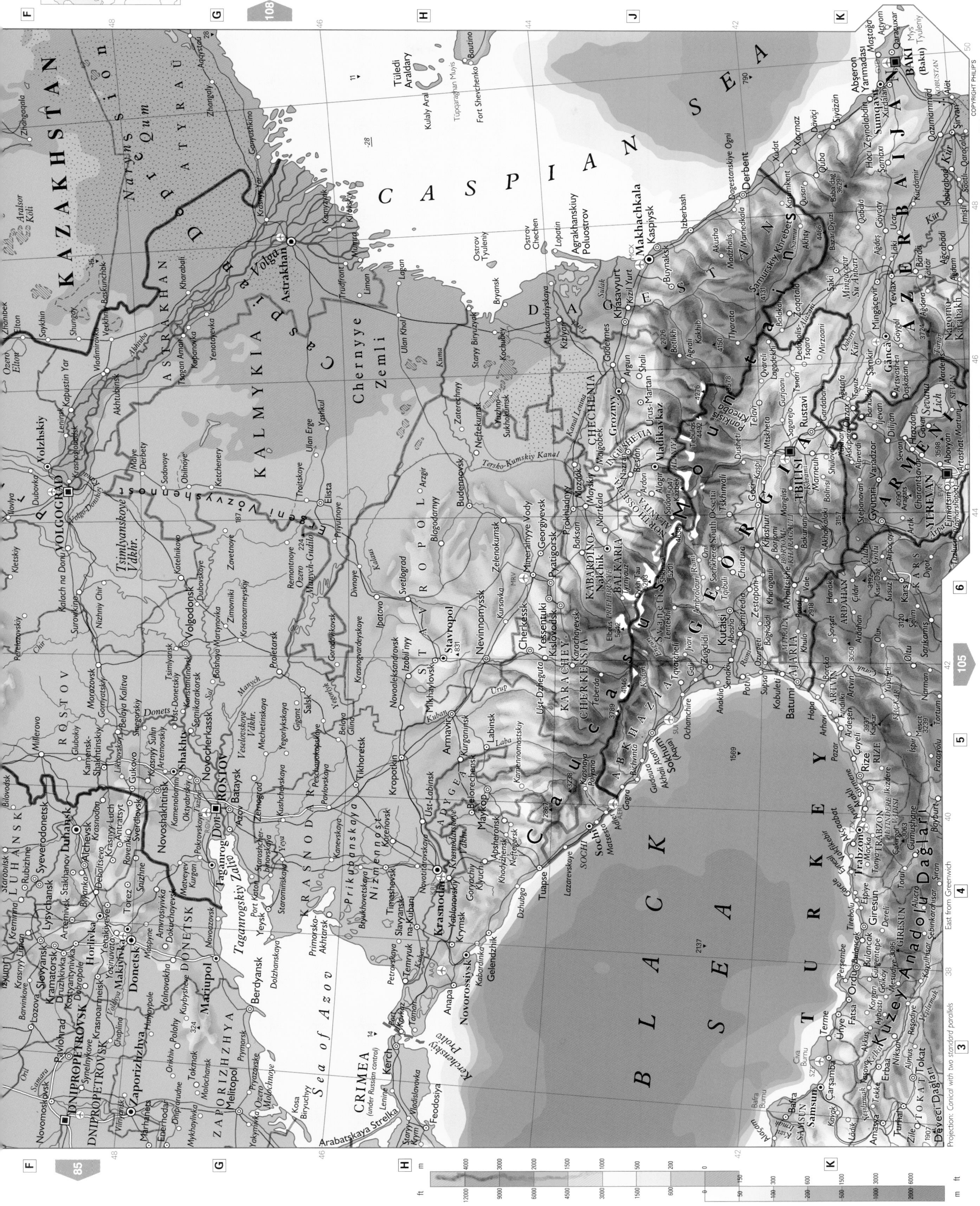
KAZAKHSTAN
CASPIAN SEA
BLACK SEA
Sea of Azov
KALMYKIA
ASTRAKHAN
VOLGOGRAD
ROSTOV
KRASNODAR
STAVROPOL
DAGESTAN
CHECHENIA
INGUSHETIA
NORTH OSSETIA
KABARDINO-BALKARIA
KARACHEY-CHERKESSIA
ADYGEA
ABKHAZIA
GEORGIA
ARMENIA
AZERBAIJAN
TURKEY
CRIMEA
Caucasus
Chernyye Zemli
Astrakhan
Volgograd
Rostov
Krasnodar
Stavropol
Makhachkala
Grozny
Vladikavkaz
Nalchik
Tbilisi
Yerevan
Baki (Baku)
Sochi
Novorossiysk
Kerch
Mariupol
Donetsk
Luhansk
Zaporizhzhya
Dnipropetrovsk
Elista
Derbent
Batumi
Kutaisi
Trabzon
Samsun
Volga
Don
Kuban
Terek
Manych
Projection: Conical with two standard parallels
East from Greenwich
COPYRIGHT PHILIP'S

10 0 10 20 30 40 50 60 70 80 90 km

1:2 200 000

10 0 10 20 30 40 50 60 miles

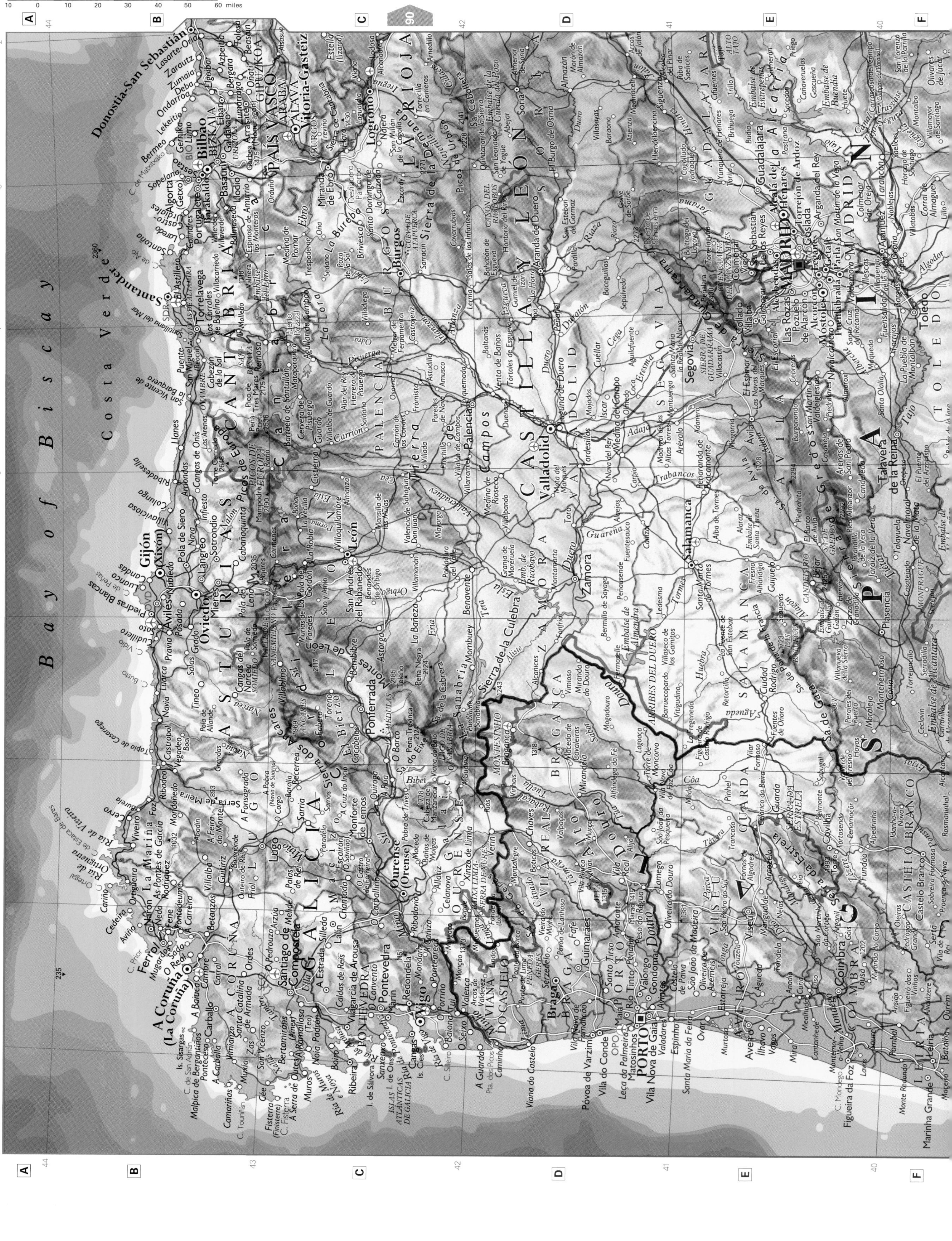

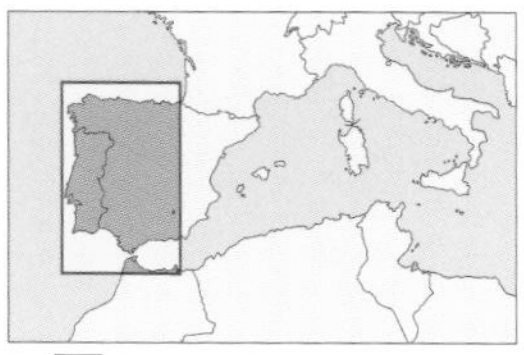

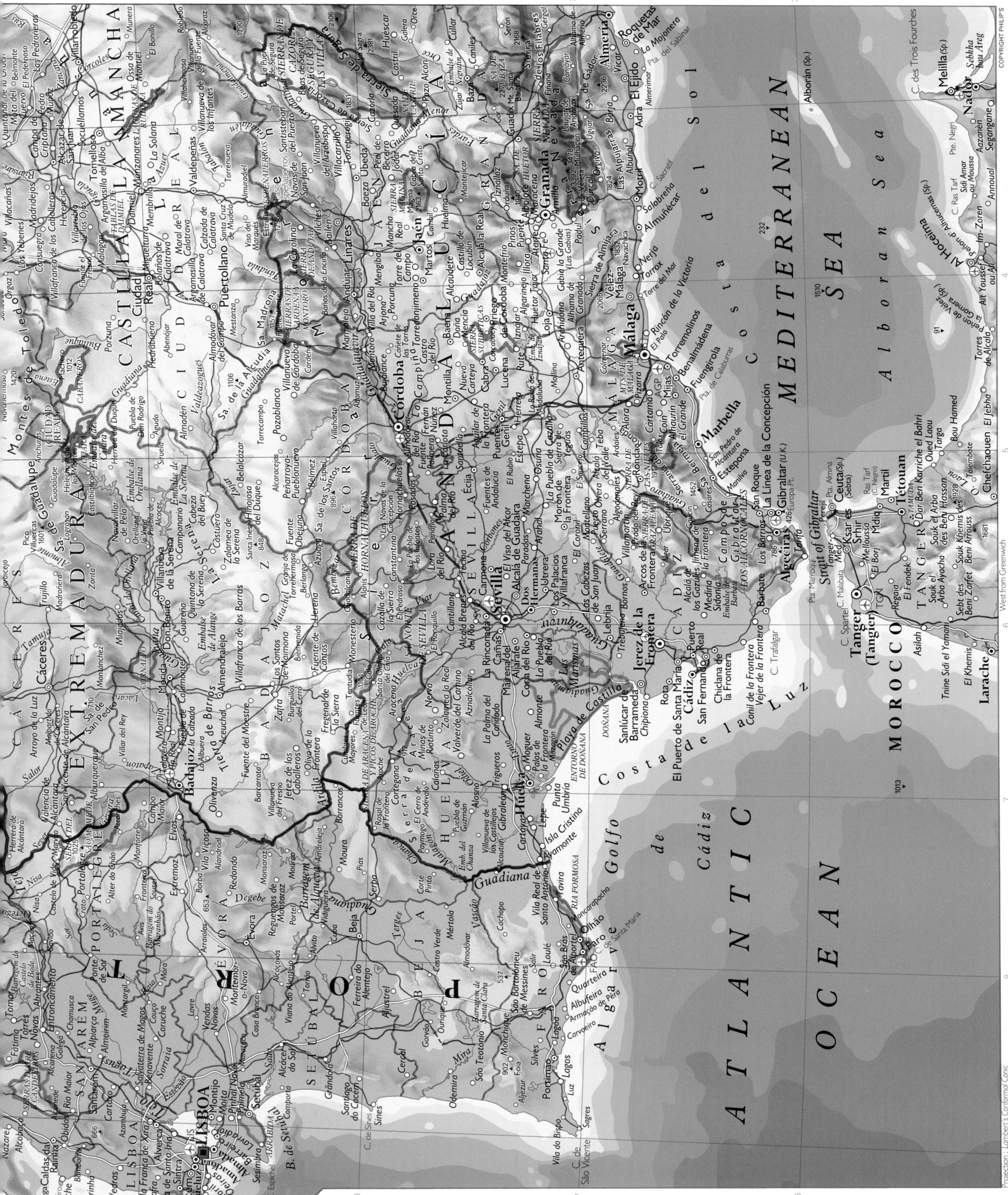

ATLANTIC OCEAN
MEDITERRANEAN SEA
Alboran Sea
Costa del Sol
Costa de la Luz
Golfo de Cádiz
Strait of Gibraltar
PORTUGAL
MOROCCO
EXTREMADURA
CASTILLA-LA MANCHA
ANDALUCÍA
LISBOA
Setúbal
Évora
Faro
Badajoz
Cáceres
Huelva
Sevilla
Córdoba
Jaén
Granada
Málaga
Almería
Cádiz
Jerez de la Frontera
Algeciras
Gibraltar (U.K.)
Tanger (Tangier)
Ceuta (Sp.)
Tétouan
Melilla (Sp.)
Larache
Linares
Ciudad Real
Puertollano
Marbella
Sierra Morena
Sierra Nevada
Guadalquivir
Guadiana
Tajo
91
136
High-speed rail routes
Projection : Lambert's Conformal Conic
West from Greenwich
COPYRIGHT PHILIP'S

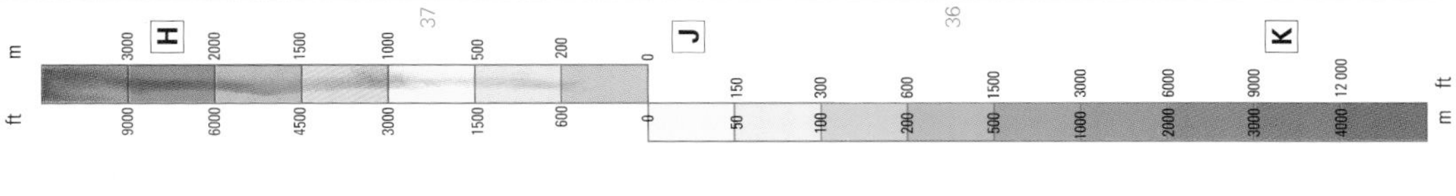

m
3000
2000
1500
1000
500
200
0
50
100
200
500
1000
2000
3000
4000
ft
9000
6000
4500
3000
1500
600
0
150
300
600
1500
3000
6000
9000
12 000

10 0 10 20 30 40 50 60 70 80 90 km

1:2 200 000

10 0 10 20 30 40 50 60 miles

72

88

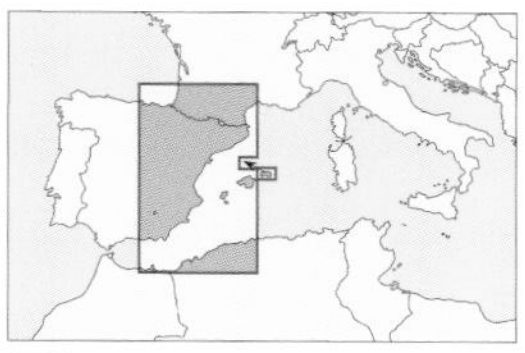

MEDITERRANEAN SEA
ISLAS BALEARES
ALGERIA
Golfo de Valencia
Costa Blanca
Costa Cálida
Costa del Sol
Golfe d'Arzew
G. de Almería
G. de Mazarrón
Mar Menor
Valencia
Alicante (Alacant)
Murcia
Cartagena
Albacete
Almería
Granada
Elche (Elx)
Torrevieja
Lorca
Eivissa (Ibiza)
Formentera
Cabrera
Palma
ALGER (Algiers)
Blida
Médéa
Ech Chélif
Mostaganem
Relizane
Oran (Ouahran)
Sidi-bel-Abbès
Mascara
Tiaret
Tissemsilt
Melilla (Sp.)
Nador
Alborán (Sp.)
CASTILLA-LA MANCHA
MURCIA
ALICANTE
ALBACETE
VALENCIA
CIUDAD REAL
GRANADA
ALMERÍA
JAÉN
Sierra de Segura
Sierra Nevada
High-speed rail routes
Projection : Lambert's Conformal Conic
East from Greenwich
West from Greenwich
COPYRIGHT PHILIP'S
89
136

km 10 0 10 20 30 40 50 60 70 80 90

miles 10 0 10 20 30 40 50 60

1:2 200 000

77

72

94

Projection : Lambert's Conformal Conic

East from Greenwich

m 4000 3000 2000 1500 1000 500 200 0

ft 12 000 9000 6000 4500 3000 1500 600

ft 150 300 600 1500 3000 6000

m 50 100 200 500 1000 2000

Underlined towns give their name to th administrative area in which they stand.

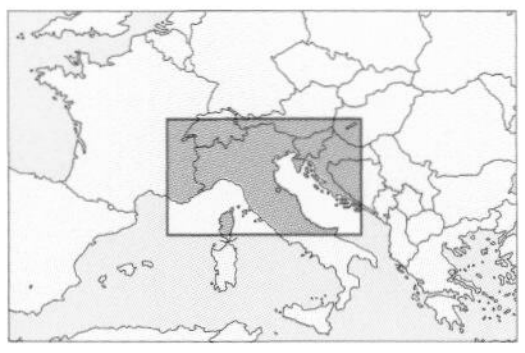

Administrative divisions in Croatia:

1 Brodsko-Posavska
2 Koprivničko-Križevačka
3 Krapinsko-Zagorska
4 Međimurska
6 Požeško-Slavonska
7 Varaždinska
8 Virovitičko-Podravska
10 Zagrebačka

High-speed rail routes

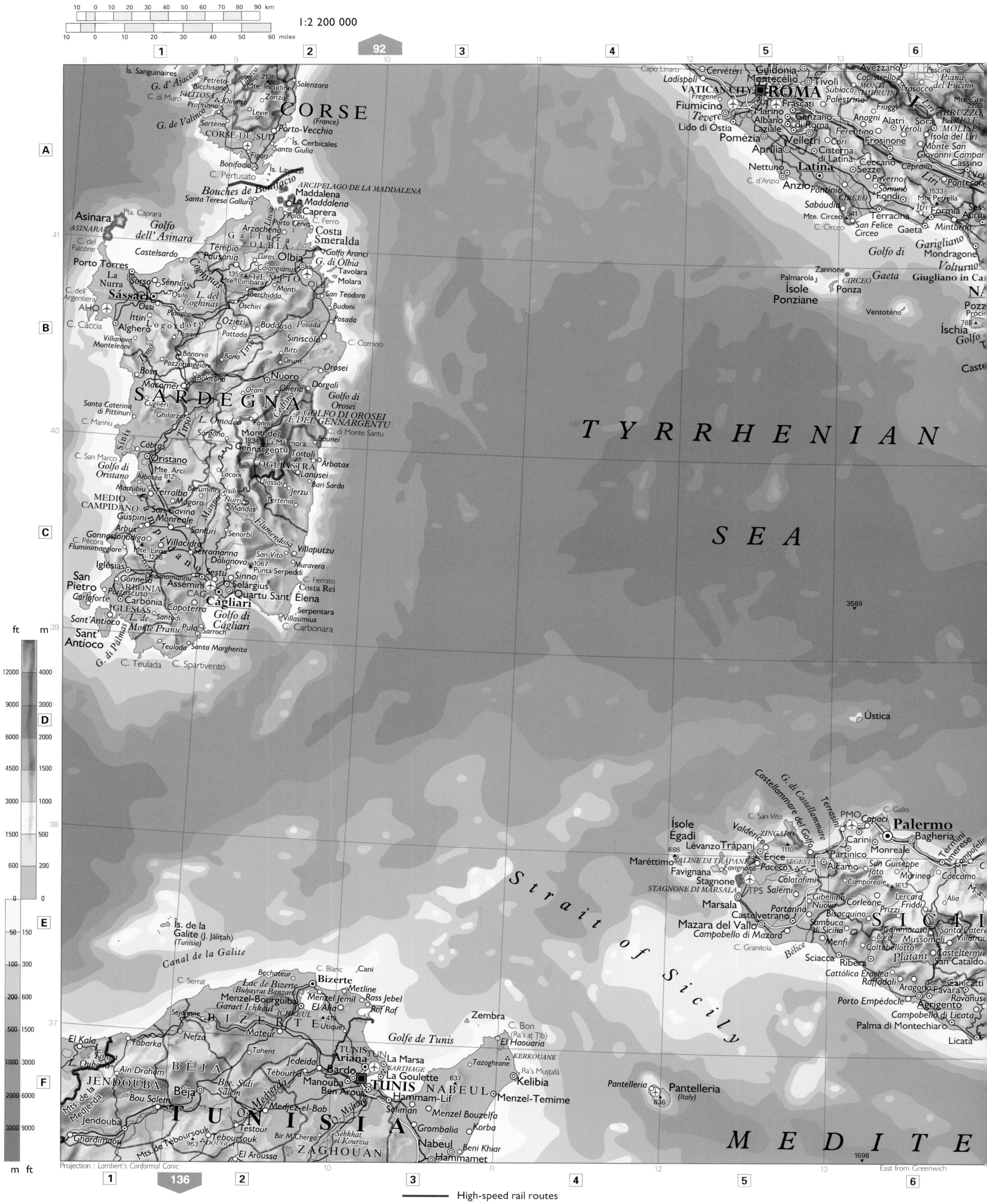
1:2 200 000
km
miles
92
136
TYRRHENIAN
SEA
MEDITE
Strait of Sicily
CORSE
(France)
CORSE-DU-SUD
SARDEGNA
TUNISIA
SICI
ROMA
VATICAN CITY
Bouches de Bonifacio
ARCIPELAGO DE LA MADDALENA
Asinara
Golfo dell' Asinara
Costa Smeralda
Olbia
G. di Olbia
Tavolara
Sássari
Alghero
Porto Torres
Castelsardo
Témpio Pausánia
Nùoro
Orosei
Golfo di Orosei
GOLFO DI OROSEI E DEL GENNARGENTU
Monti del Gennargentu
OGLIASTRA
Tortolì
Arbatax
Oristano
Golfo di Oristano
Macomer
Bosa
Sinis
MEDIO-CAMPIDANO
Sanluri
Iglésias
CARBONIA
Carbónia
IGLESIAS
San Pietro
Sant' Antíoco
Cágliari
Golfo di Cágliari
Quartu Sant' Élena
Villasimius
C. Carbonara
C. Teulada
C. Spartivento
Bonifacio
Porto-Vecchio
Ajaccio
Propriano
Sartène
Solenzara
Ladíspoli
Cervéteri
Fiumicino
Tívoli
Lido di Óstia
Pomézia
Aprília
Anzio
Nettuno
Latina
Velletri
Frosinone
Terracina
Gaeta
Golfo di Gaeta
Formia
Ísole Ponziane
Ponza
Palmarola
Zannone
Ventoténe
Íschia
Ústica
3589
Ísole Égadi
Favignana
Lévanzo
Maréttimo
Trápani
Érice
Marsala
Mazara del Vallo
Castelvetrano
Palermo
Bagheria
Monreale
Partinico
Alcamo
Corleone
Sciacca
Agrigento
Licata
Palma di Montechiaro
Porto Empédocle
Canicattì
Pantelleria
(Italy)
Ís. de la Galite (J. Jāliṭah)
(Tunisia)
Canal de la Galite
Bizerte
Menzel Bourguiba
Mateur
Béja
Jendouba
JENDOUBA
BÉJA
BIZERTE
ZAGHOUAN
NABEUL
Tabarka
Aïn Draham
Tunis
TUNIS
Ariana
La Marsa
La Goulette
Ben Arous
Manouba
Hammam-Lif
Golfe de Tunis
Zembra
C. Bon
El Haouaria
Kelibia
Menzel-Temime
Nabeul
Hammamet
Projection : Lambert's Conformal Conic
East from Greenwich
High-speed rail routes

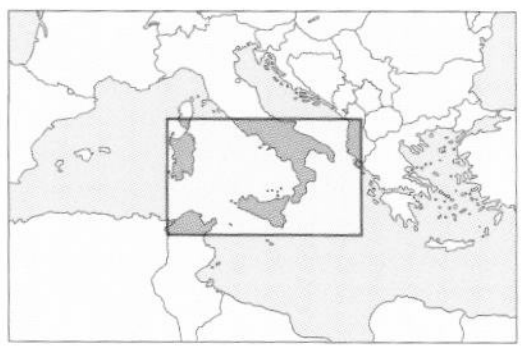

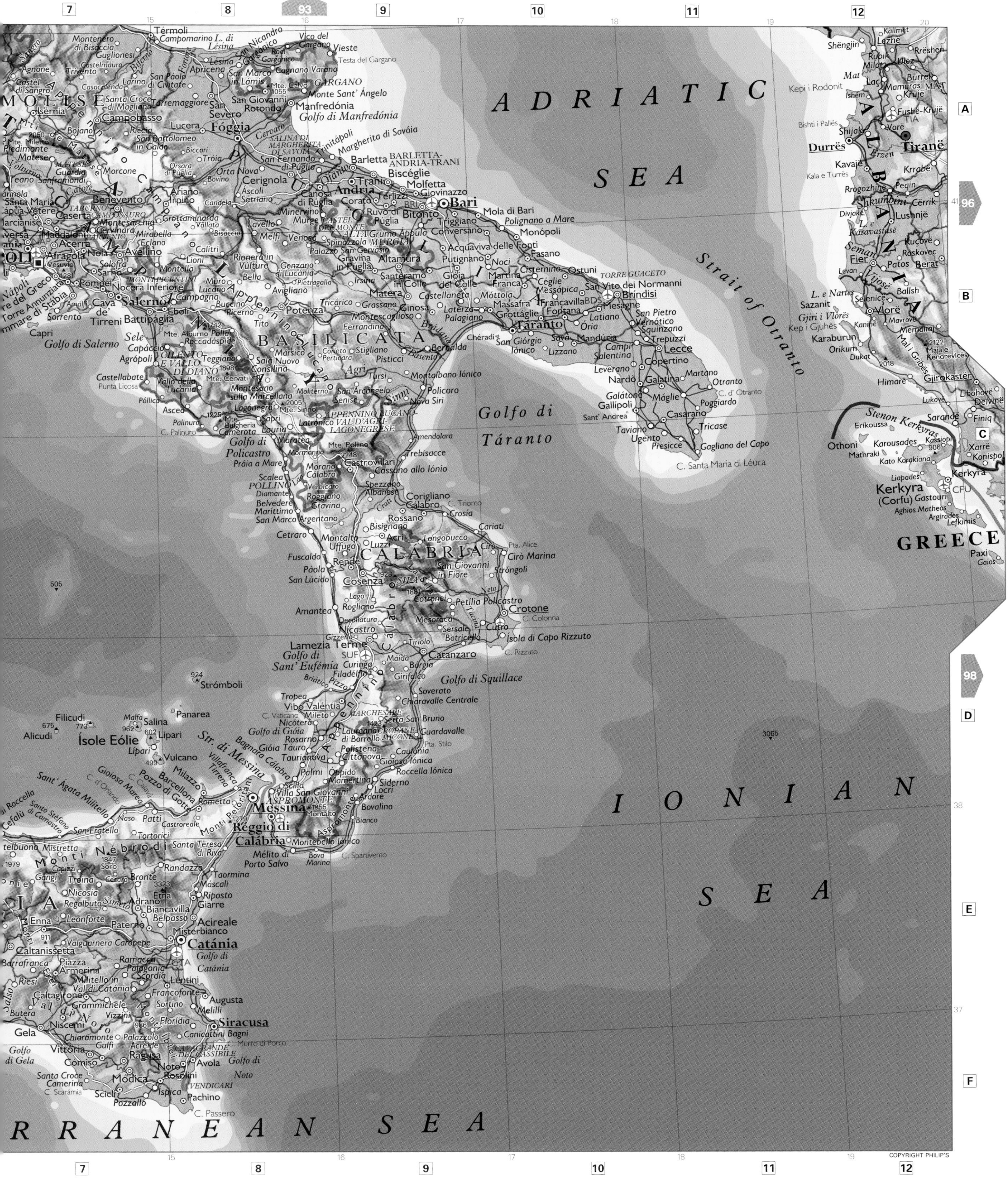

Underlined towns give their name to the administrative area in which they stand.

1:2 200 000

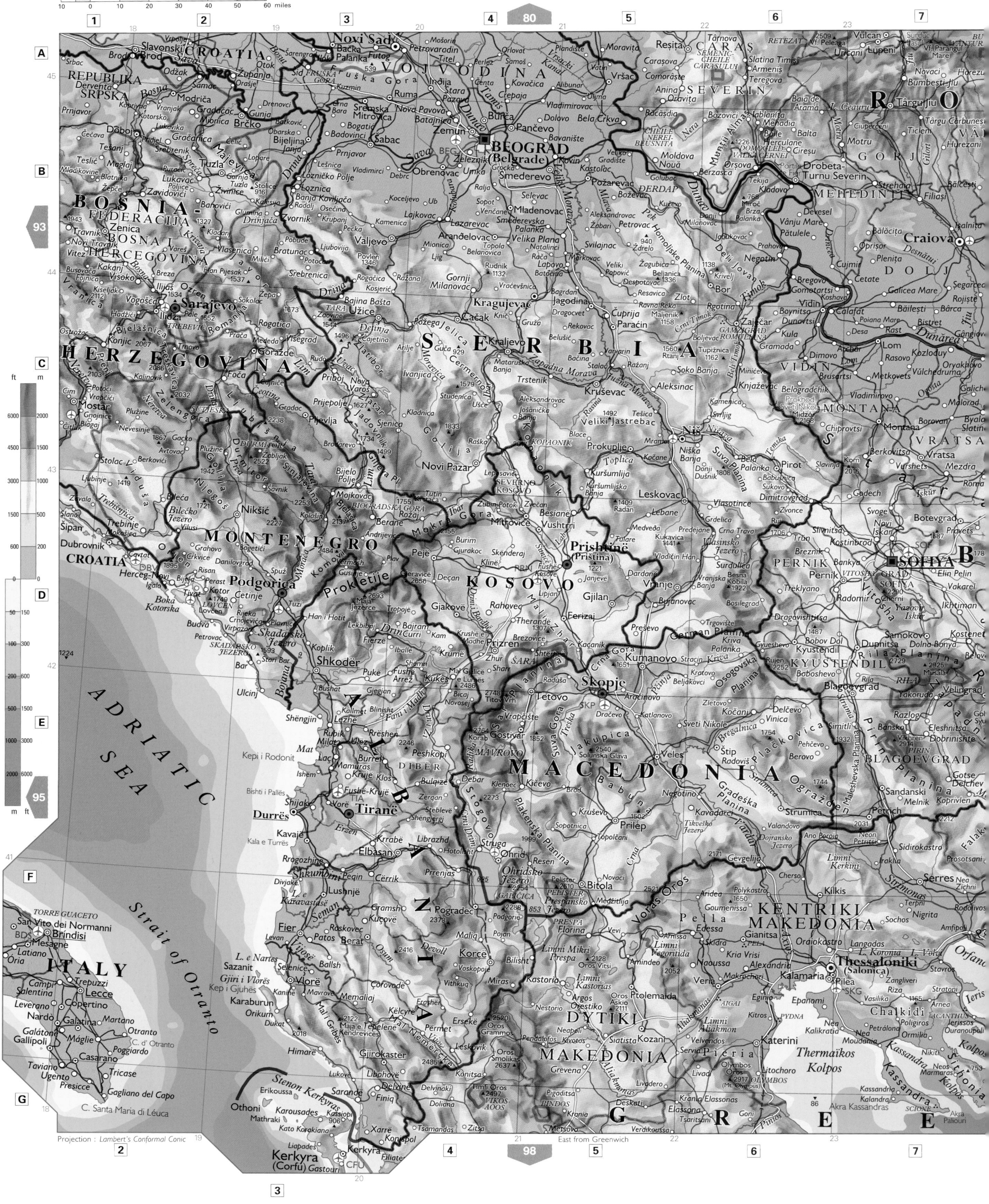

CROATIA
REPUBLIKA SRPSKA
VOJVODINA
BEOGRAD (Belgrade)
Novi Sad
BOSNIA-HERZEGOVINA
FEDERACIJA BOSNA I HERCEGOVINA
Sarajevo
SERBIA
MONTENEGRO
Podgorica
KOSOVO
Prishtinë (Priština)
ALBANIA
Tiranë
MACEDONIA
Skopje
SOFIYA
Thessaloniki (Salonica)
KENTRIKI MAKEDONIA
DYTIKI MAKEDONIA
ADRIATIC SEA
Strait of Otranto
ITALY
Brindisi
Lecce
Kerkyra (Corfu)
Thermaïkos Kolpos
Craiova
Dubrovnik
Mostar
Niš
Kragujevac
Shkodër
Durrës
Ohrid
Bitola
Dunav
Sava
Drina
Projection : Lambert's Conformal Conic
East from Greenwich

80
93
95
98

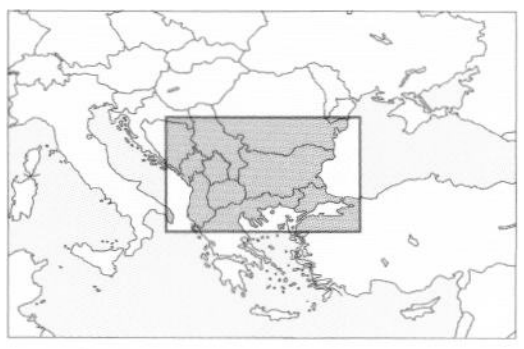

8
9
10
81
11
12
13
14
A
B
C
D
E
F
G
85
104
99
BLACK SEA
BUCUREŞTI (Bucharest)
Constanţa
Galaţi
Brăila
Ploieşti
Piteşti
Târgovişte
Buzău
Tulcea
Călăraşi
Giurgiu
Ruse
Pleven
Varna
Burgas
Shumen
Razgrad
Dobrich
Veliko Tŭrnovo
Gabrovo
Sliven
Yambol
Stara Zagora
Plovdiv
Pazardzhik
Khaskovo
Kŭrdzhali
Smolyan
Kazanlŭk
Lovech
Silistra
Edirne
Kırklareli
Lüleburgaz
Tekirdağ
Çorlu
İSTANBUL
Üsküdar
Kocaeli (İzmit)
Gebze
Kartal
BURSA
Çanakkale
Gelibolu (Gallipoli)
Gökçeada (Imroz)
Bozcaada
Limnos
Samothraki
Thasos
Kavala
Xanthi
Komotini
Alexandroupoli
Marmara Denizi (Sea of Marmara)
Sea of Thrace
Saros Körfezi
Çanakkale Boğazı (Dardanelles)
İstanbul Boğazı (Bosporus)
Dunărea
Dunav
Delta Dunării
Lacul Razim
TURKEY
BULGARIA
ROMANIA
ANATOLIKI MAKEDONIA KAI THRAKI
COPYRIGHT PHILIP'S

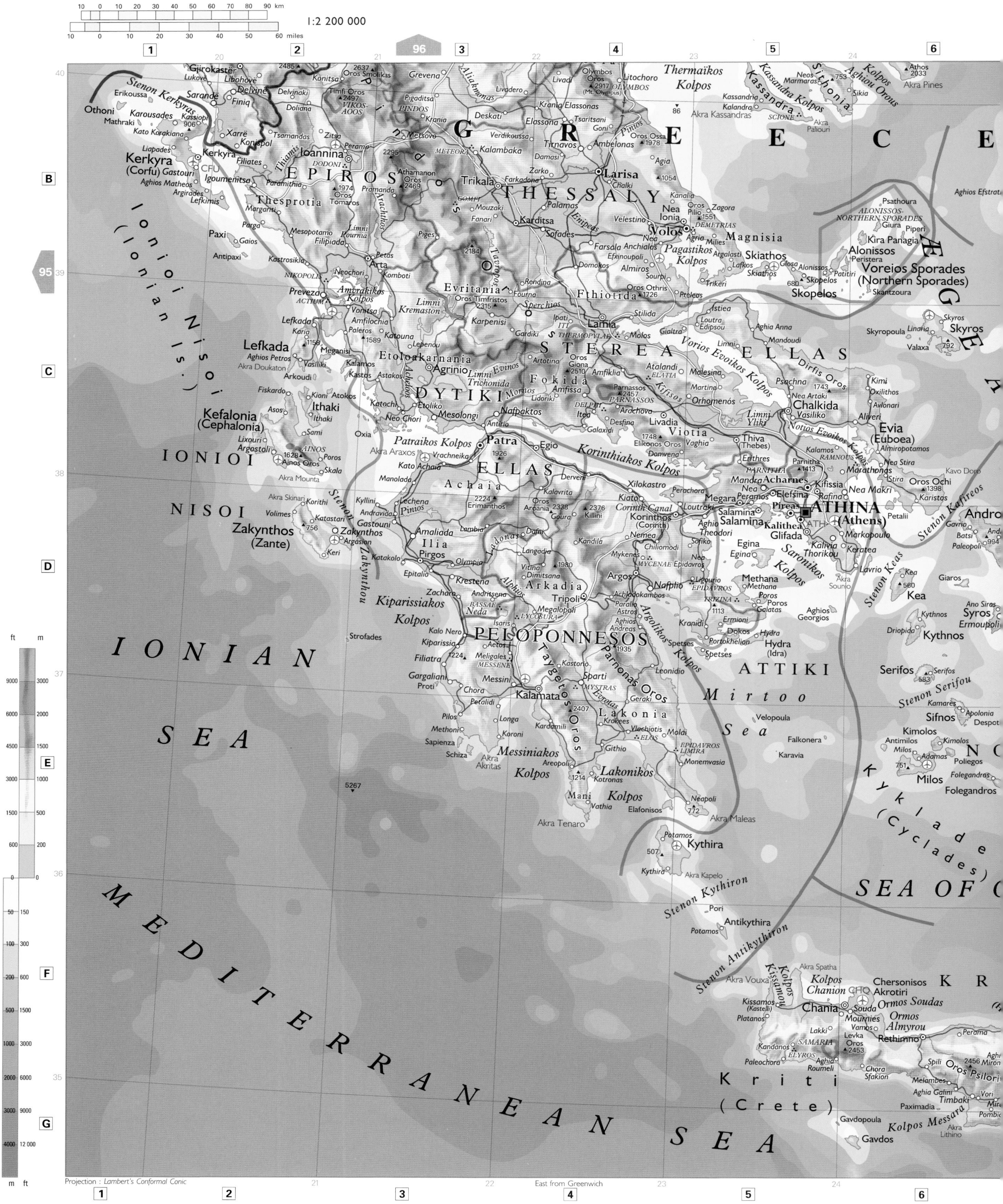
1:2 200 000
km
miles
96
95
GREECE
AEGEAN
IONIAN SEA
MEDITERRANEAN SEA
SEA OF
EPIROS
THESSALY
STEREA ELLAS
DYTIKI ELLAS
PELOPONNESOS
ATTIKI
IONIOI NISOI
Ionioi Nisoi (Ionian Is.)
Kriti (Crete)
Kyklades (Cyclades)
Voreios Sporades (Northern Sporades)
Gjirokastër
Sarandë
Delvinë
Konitsa
Oros Smolikas
Grevena
Thermaïkos Kolpos
Kassandra Kolpos
Sithonia
Athos
Akra Pines
Stenon Kerkyras
Erikoussa
Othoni
Mathraki
Kerkyra (Corfu)
Igoumenitsa
Ioannina
Metsovo
Kalambaka
Trikala
Larisa
Elassona
Tirnavos
Olymbos
Oros Ossa
Karditsa
Volos
Pagastikos Kolpos
Magnisia
Skiathos
Skopelos
Alonissos
Kira Panagia
Psathoura
Skyros
Paxi
Antipaxi
Preveza
Arta
Amvrakikos Kolpos
Lefkada
Agrinio
Karpenisi
Lamia
Evritania
Fthiotida
Etoloakarnania
Fokida
Amfissa
Delphi
Livadia
Viotia
Thiva (Thebes)
Chalkida
Evia (Euboea)
Vorios Evoikos Kolpos
Notios Evoikos Kolpos
Kefalonia (Cephalonia)
Argostoli
Ithaki
Zakynthos (Zante)
Patra
Patraikos Kolpos
Nafpaktos
Mesolongi
Egio
Korinthiakos Kolpos
Achaia
Korinthos (Corinth)
Corinth Canal
Megara
Elefsina
Acharnes
Pireas
ATHINA (Athens)
Salamina
Glifada
Marathonas
Kifissia
Rafina
Keratea
Lavrio
Saronikos Kolpos
Egina
Methana
Poros
Hydra (Idra)
Spetses
Nafplio
Argos
Tripoli
Arkadia
Pirgos
Ilia
Amaliada
Olympia
Kiparissiakos Kolpos
Strofades
Kiparissia
Filiatra
Pilos
Methoni
Kalamata
Messiniakos Kolpos
Sparti
Lakonia
Lakonikos Kolpos
Gythio
Monemvasia
Neapoli
Akra Maleas
Akra Tenaro
Mani
Argolikos Kolpos
Parnonas Oros
Taygetos Oros
Mirtoo Sea
Kythira
Antikythira
Stenon Kythiron
Stenon Antikythiron
Kea
Kythnos
Syros
Serifos
Sifnos
Kimolos
Milos
Folegandros
Chania
Kolpos Chanion
Akrotiri
Ormos Soudas
Rethimno
Paleochora
Chora Sfakion
Oros Psiloritis
Kolpos Messara
Gavdos
Gavdopoula
Projection : Lambert's Conformal Conic
East from Greenwich

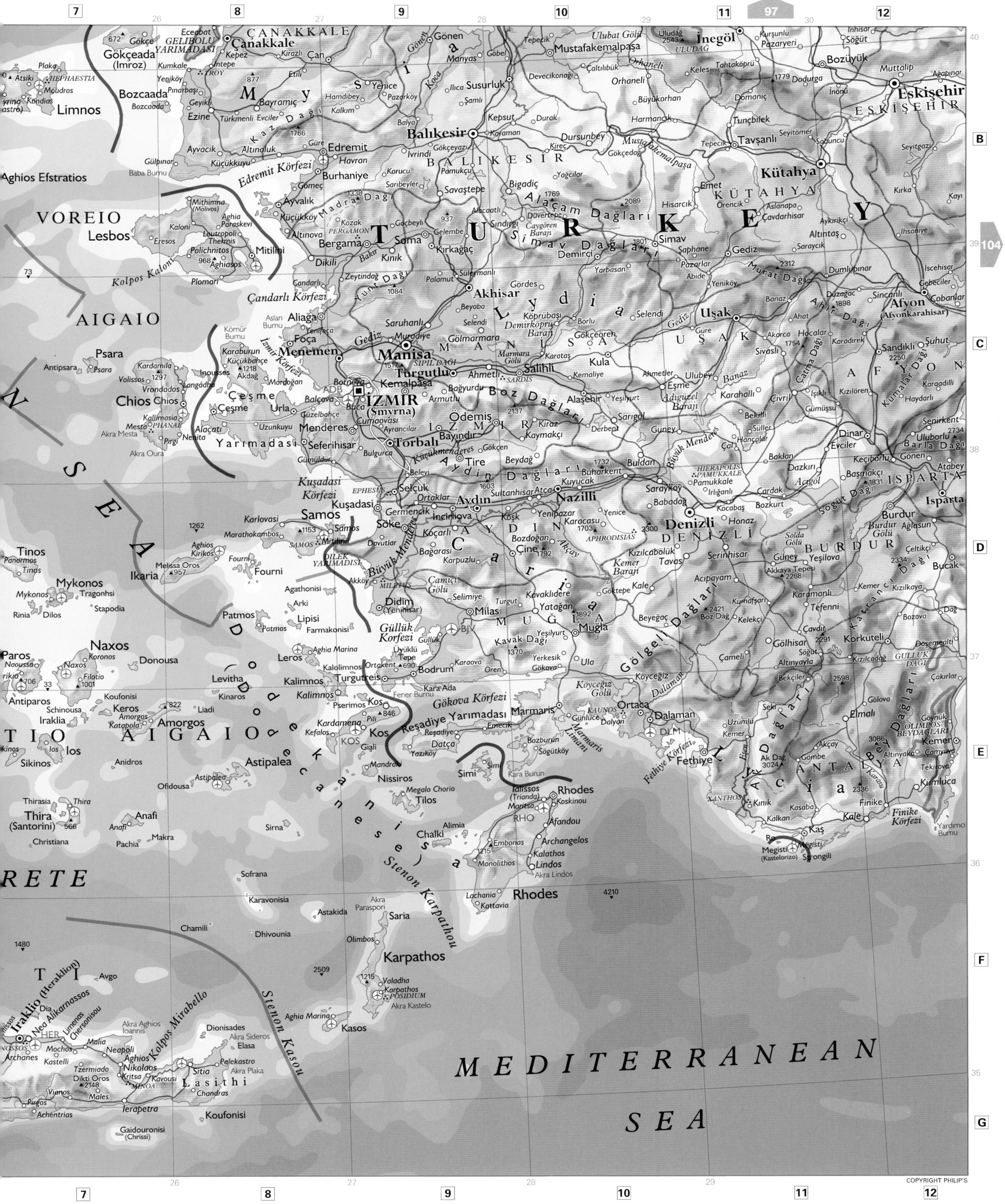

7
8
9
10
11
97
12
104
B
C
D
E
F
G
ÇANAKKALE
Çanakkale
GELIBOLU YARIMADASI
Eceabat
Gökçeada (Imroz)
Gökçe
Kepez
Kumkale
Intepe
TROY
Yeniköy
Pinarbaşi
Bozcaada
Çan
Kirazli
Etili
Gönen
Manyas
Göbel
Tepecik
Mustafakemalpaşa
Ulubat Gölü
Uludağ
ULUDAĞ
İnegöl
Kurşunlu
Pazaryeri
Söğüt
Bozüyük
Keles
Tahtaköprü
Orhaneli
Çaltılıbük
Devecikonağı
Susurluk
Ilıca
Yenice
Pazarköy
Hamdibey
Kalkım
Bayramiç
Ezine
Türkmenli
Evciler
Geyikli
Kaz Dağı
1766
Balya
Balıkesir
Karaman
Kepsut
Durak
Dursunbey
Harmancık
Büyükorhan
Domaniç
Dodurga
İnönü
Eskişehir
ESKİŞEHİR
Mutallip
Ağapınar
Tunçbilek
Tavşanlı
Seyitömer
Sabuncu
Seyitgazi
Tepecik
Kütahya
KÜTAHYA
Kırka
Kayı
Emet
Örencik
Hisarcık
Aslanapa
Çavdarhisar
Aykirikçi
Altıntaş
İhsaniye
Limnos
Atsiki
HEPHAESTIA
Moudros
Plaka
Kondias
Ayvacık
Altınoluk
Küçükkuyu
Gülpınar
Baba Burnu
Edremit
Güre
Havran
Gökçeyazı
İvrindi
Korucu
Pamukçu
BALIKESİR
Edremit Körfezi
Burhaniye
Gömeç
Sarıbeyler
Savaştepe
Bigadiç
Yağcılar
Alaçam Dağları
1769
2089
Aghios Efstratios
VOREIO
Lesbos
Mithimna (Molivos)
Aghia Paraskevi
Kaloni
Eresos
Loutropoli Thermis
Polichnitos
Mitilini
Aghiasos
968
Kolpos Kaloni
Plomari
Ayvalık
Küçükköy
Madra Dağı
1338
Kozak
PERGAMON
Gocbeyli
Altınova
Bergama
Dikili
Bakır
Soma
Kınık
Gelembe
Kırkağaç
Sındırgı
Düvertepe
Caygören Barajı
Simav Dağları
Demirci
Simav
Şaphane
Gediz
Sarayçık
TURKEY
Çandarlı
Zeytindağ
Yunt Dağı
1084
Palamut
Süleymanlı
Akhisar
Gördes
Yarbasan
Pazarlar
Abide
Yeniköy
Murat Dağı
2312
Dumlupınar
İscehisar
Gebeciler
Afyon (Afyonkarahisar)
Çobanlar
Sincanlı
Düzağaç
1898
Banaz
Ahat
Ahır Dağı
Çandarlı Körfezi
AIGAIO
Aliağa
Aslan Burnu
Foça
Yenifoça
Menemen
Kömür Burnu
Karaburun
Küçükbahçe
1218
Akdağ
Inousses
Psara
Antipsara
Kardamila
Volissos
1297
Vrondados
Langadha
Chios
Kallimasia
Mesta
PHANAE
Pirgi
Akra Mesta
Akra Oura
Çeşme
Alaçati
Nenita
Yarımadası
Urla
Uzunkuyu
Balçova
Güzelbahçe
Seferihisar
Gümüldür
Menderes
Cumaovası
Ayrancilar
İZMİR (Smyrna)
ADB
Bornova
Buca
Kemalpaşa
Torbalı
Bayındır
Bulgurca
Manisa
Muradiye
Saruhanlı
Selendi
Beyoba
Lydia
Demirköprü Barajı
Köprübaşı
Borlu
Gölmarmara
Marmara Gölü
MANISA
SİPİL DAĞI
1517
Turgutlu
Ahmetli
Salihli
SARDIS
Karataş
Kula
Gökçeören
Selendi
Uşak
UŞAK
Akarca
Hocalar
Sivaslı
1754
Karadirek
Sandıklı
2250
Suhut
AFYON
Kumalar Dağı
Karadilli
Haydarlı
Kızılören
Çivril
Işıklı
Gümüşsu
Karahallı
Bekilli
Süller
Hançalar
Çal
Banaz
Ahmetler
Ulubey
Eşme
Güre
Adıgüzel Barajı
Kemaliye
Alaşehir
Yeşilyurt
Sarigöl
Derbent
Güney
Boz Dağları
2137
Ödemiş
Kiraz
Kaymakçı
Bağyurdu
Armutlu
İZMİR
Gökçen
Küçükmenderes
Tire
Beydağ
Aydın Dağları
1732
Buharkent
Kuyucak
Buldan
Büyük Menderes
HIERAPOLIS
PAMUKKALE
Pamukkale
Irlıganlı
Baklan
Dazkırı
Acıgöl
Çardak
Bozkurt
Sarayköy
Babadağ
Kocabaş
Denizli
DENIZLI
Honaz
Keçiborlu
Gönen
Uluborlu
Barla Dağı
Atabey
Başmakçı
1831
ISPARTA
Isparta
Eğirdir
Dinar
Evciler
Senirkent
2734
Söğüt Dağı
Burdur
Burdur Gölü
Ağlasun
Solda Gölü
BURDUR
Yeşilova
Çeltikçi
Bucak
Kuşadası Körfezi
Kuşadası
EPHESUS
Selçuk
Belevi
Ortaklar
Germencik
İncirliova
Aydın
Köşk
1603
Sultanhisar
Atça
Nazilli
Yenipazar
Karacasu
1703
Yenice
APHRODISIAS
2300
AYDIN
Bozdoğan
Çine
1792
Akçay
Kızılcabölük
Tavas
Serinhisar
Kemer Barajı
Acıpayam
Güney
Akkaya Tepesi
2268
Kemer
Kızılkaya
2334
Karamanlı
Tefenni
Bozova
Dağ
Katrancı Dağı
Söke
Koçarlı
Bağarası
Karpuzlu
Caria
Davutlar
DILEK YARIMADISI
Akköy
MILETUS
Büyük Menderes
Samos
Karlovasi
Marathokambos
1153
1262
SAMOS
Mitilinii
Aghios Kirikos
Fourni
Ikaria
Melissa Oros
957
Tinos
Panormos
Mykonos
Tragonhsi
Stapodia
Rinia
Dilos
Agathonisi
Arki
Lipisi
Farmakonisi
Patmos
Leros
Aghia Marina
Çamiçi Gölü
Selimiye
Didim (Yenihisar)
Milas
Turgut
Kavaklıdere
Yatağan
1892
MUĞLA
Muğla
Yeşilyurt
Beyeğaç
Kale
Göktepe
2421
Boz Dağ
Kumafşarı
Kelekçi
Gölhisar
Çavdır
2291
Korkuteli
Döşemealtı
Güllük Körfezi
Güllük
BJV
Kavak Dağı
1370
Yerkesik
Gökova
Ula
Gölgeli Dağları
Çameli
Altınyayla
GULLUK DAĞI
Kızılcadağ
Bekçiler
2598
Çakırlar
Naxos
Koronos
Donousa
Paros
Naoussa
Filatio
1001
706
33
Koufonisi
Keros
Amorgos
Katapola
822
Levitha
Kinaros
Kalimnos
Dodecanese (Dodekanisa)
Uyuklu Tepe
690
Ortakent
Kalolimnos
Turgutreis
Bodrum
Karaova
Ören
Fener Burnu
Kara Ada
Gökova Körfezi
Köyceğiz Gölü
Köyceğiz
Dalaman
Ortaca
KAUNOS
Gülnüce
Dalyan
Dalaman
DLM
Antiparos
Schinousa
Iraklia
Liadi
Pserimos
Kos
Pili
846
Kardamena
Kefalos
KOS
Kos
Giali
Reşadiye Yarımadası
Reşadiye
Datça
Emecik
Marmaris
Marmaris Limanı
Bozburun
Söğütköy
Fethiye Körfezi
Fethiye
Gölova
Elmalı
Üzümlü
Kemer
Seki
Ak Dağları
Ak Dağ
3024
Esen
Gombe
Akçay
3086
OLIMPOS-BEYDAĞLARI
Bey Dağları
Gaynuk
Kemer
Çamyuva
Tekirova
Altınyaka
ANTALYA
Kumluca
Finike
Finike Körfezi
Lycia
2336
Karasu
Kınık
XANTHOS
Kasaba
Kalkan
Kale
Kaş
Yardımcı Burnu
Megisti (Kastelorizo)
Ro
Strongili
AIGAIO
Ios
Sikinos
Anidros
Astipalea
Ofidousa
Nissiros
Mandraki
Simi
Kara Burun
Megalo Chorio
Tilos
Ialissos (Trianda)
Rhodes
Koskinou
Maritsa
RHO
Afandou
Archangelos
Kalathos
Lindos
Akra Lindos
Embonas
1215
Monolithos
Chalki
Alimia
Stenon Karpathou
Thirasia
Thira
Thira (Santorini)
566
Anafi
Anafi
Makra
Pachia
Sirna
Christiana
CRETE
Sofrana
Karavonisia
Astakida
Akra Paraspori
Saria
Lachania
Kattavia
Rhodes
4210
Chamili
Dhivounia
Olimbos
Karpathos
1480
2509
1215
Voladha
Karpathos
POSIDIUM
Akra Kastelo
Avgo
Iraklio (Heraklion)
Dia
Nea Alikarnassos
Limenas Chersonisou
HER
KNOSSOS
Archanes
Akra Aghios Ioannis
Dionisades
Akra Sideros
Elasa
Kolpos Mirabello
Malia
Mochos
Neapoli
Aghios Nikolaos
Kritsa
Kastelli
Tzermiado
Dikti Oros
2148
MINOA
Kavousi
Palekastro
Akra Plaka
Sitia
Lasithi
Chandras
Viannos
Males
Pirgos
Ierapetra
Achentrias
Koufonisi
Gaidouronisi (Chrissi)
Stenon Kasou
Kasos
Aghia Marina
MEDITERRANEAN SEA
26
27
28
29
30
40
39
38
37
36
35
COPYRIGHT PHILIP'S

Balearic Islands
Madeira
Canary Islands

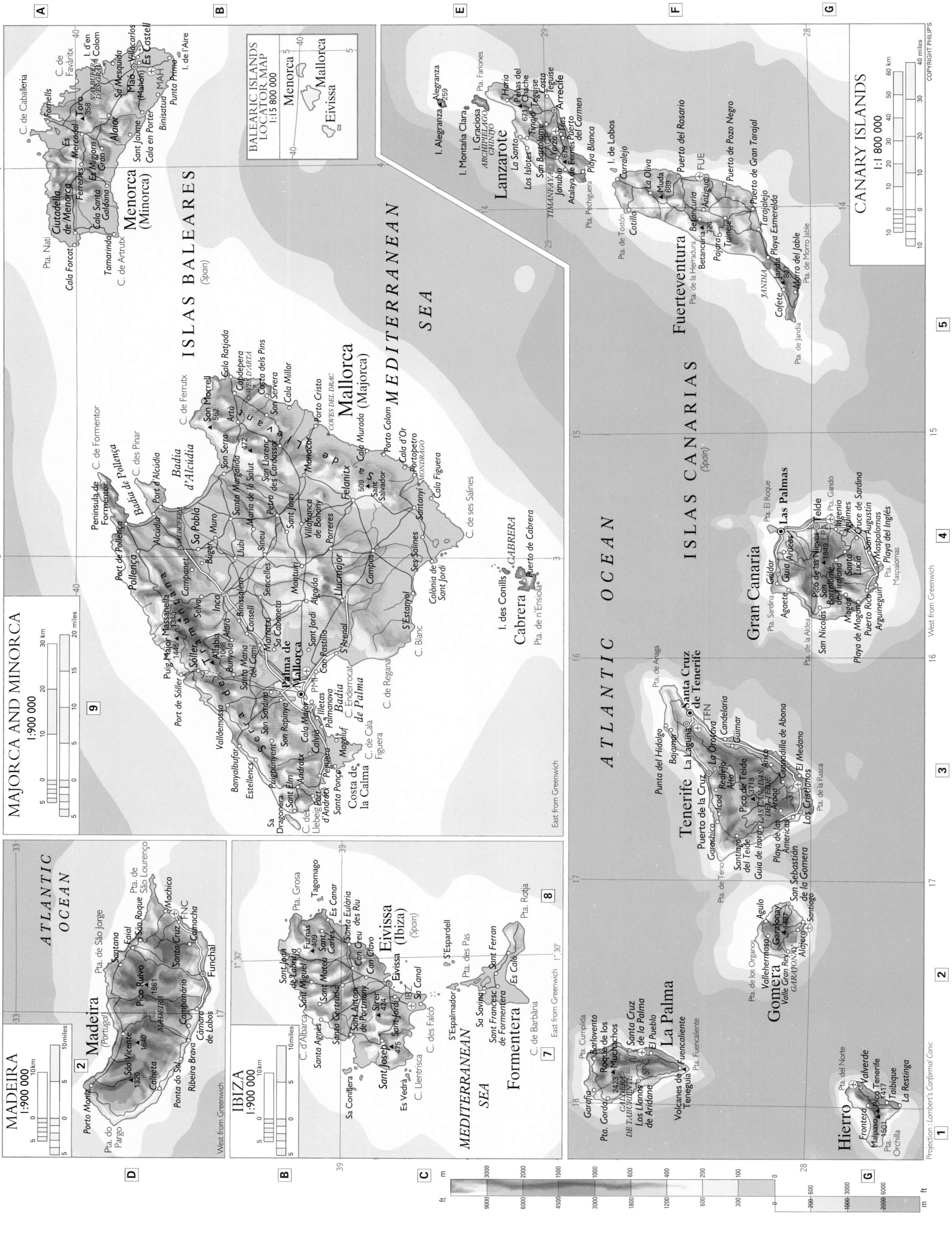
MAJORCA AND MINORCA
1:900 000
ISLAS BALEARES
(Spain)
Menorca
(Minorca)
Mallorca
(Majorca)
Cabrera
MEDITERRANEAN
SEA
BALEARIC ISLANDS
LOCATOR MAP
1:15 800 000
Menorca
Mallorca
Eivissa
Palma de Mallorca
MADEIRA
1:900 000
Madeira
(Portugal)
ATLANTIC
OCEAN
Funchal
IBIZA
1:900 000
Eivissa
(Ibiza)
(Spain)
Formentera
MEDITERRANEAN
SEA
CANARY ISLANDS
1:1 800 000
ISLAS CANARIAS
(Spain)
ATLANTIC OCEAN
Lanzarote
Fuerteventura
Gran Canaria
Las Palmas
Tenerife
Santa Cruz de Tenerife
La Palma
Gomera
Hierro
Projection : Lambert's Conformal Conic
COPYRIGHT PHILIP'S

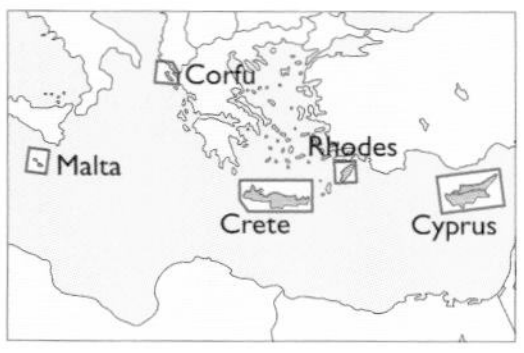
Corfu
Malta
Rhodes
Crete
Cyprus

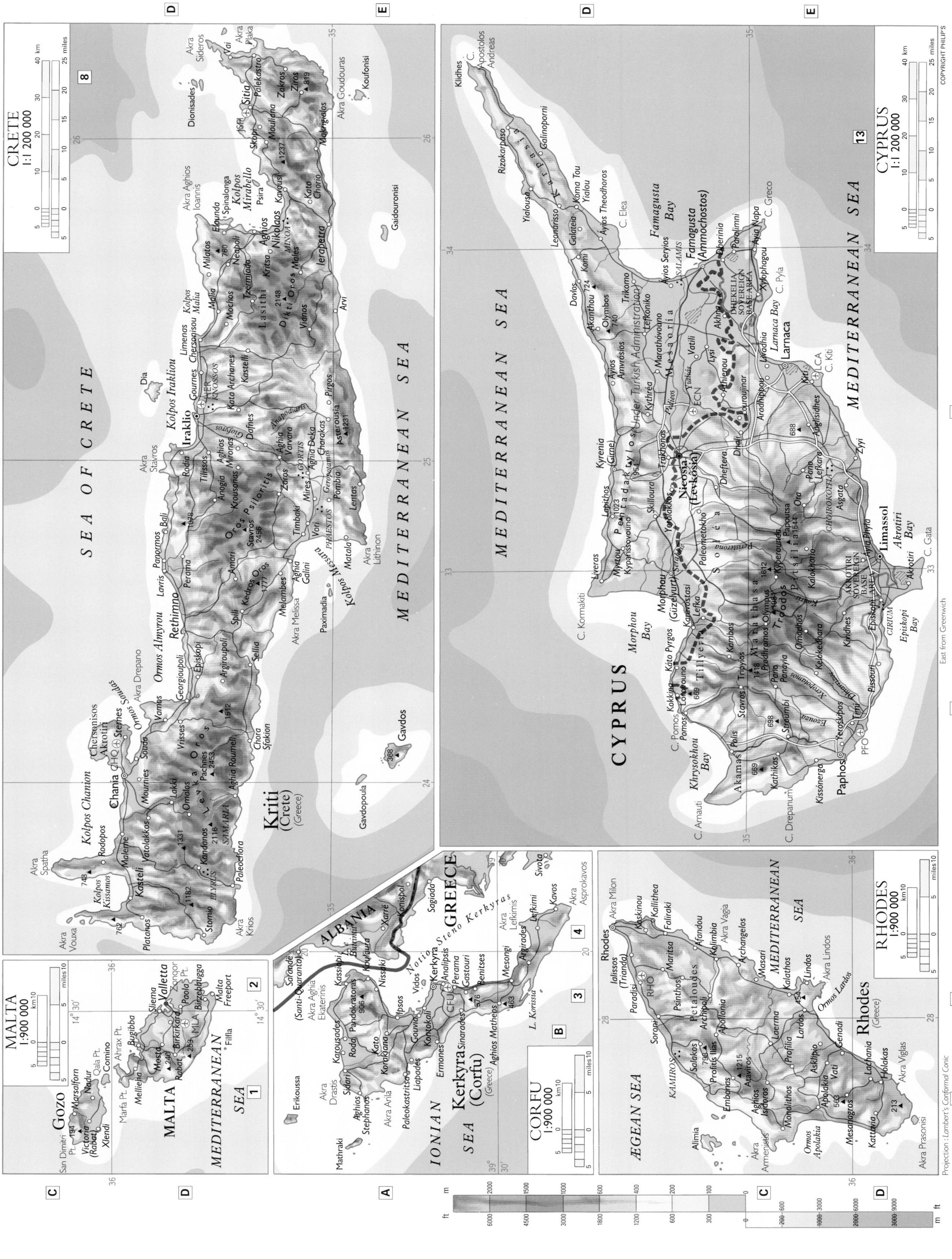
CRETE
1:1 200 000
Kriti
(Crete)
(Greece)
SEA OF CRETE
MEDITERRANEAN SEA
MALTA
1:900 000
GOZO
MEDITERRANEAN SEA
CORFU
1:900 000
Kerkyra
(Corfu)
(Greece)
IONIAN SEA
ALBANIA
GREECE
CYPRUS
1:1 200 000
MEDITERRANEAN SEA
RHODES
1:900 000
Rhodes
(Greece)
AEGEAN SEA
MEDITERRANEAN SEA
Projection : Lambert's Conformal Conic
East from Greenwich
COPYRIGHT PHILIP'S

100 0 200 400 600 800 1000 1200 1400 km
100 0 200 400 600 800 1000 miles

1:44 400 000

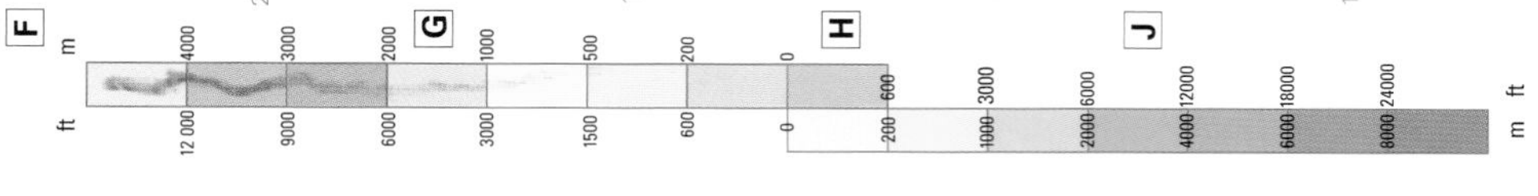

1:44 400 000

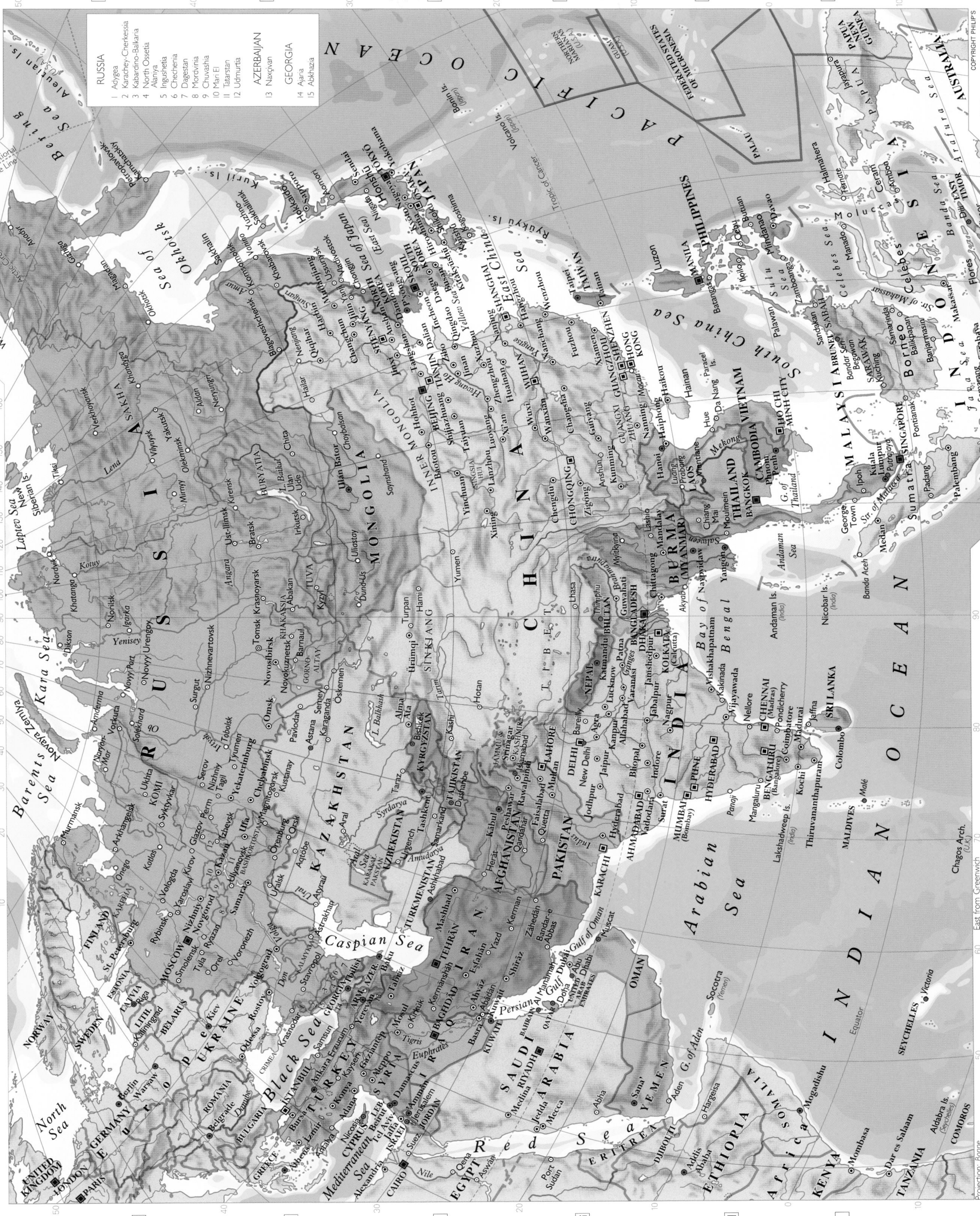
RUSSIA
1 Adygea
2 Karachey-Cherkessia
3 Kabardino-Balkana
4 North Ossetia Alaniya
5 Ingushetia
6 Chechenia
7 Dagestan
8 Mordvinia
9 Chuvashia
10 Mari El
11 Tatarstan
12 Udmurtia
AZERBAIJAN
13 Naxçivan
GEORGIA
14 Ajaria
15 Abkhazia
P A C I F I C   O C E A N
I N D I A N   O C E A N
R U S S I A
C H I N A
M O N G O L I A
K A Z A K H S T A N
I N D I A
I R A N
SAUDI ARABIA
TURKEY
PAKISTAN
AFGHANISTAN
BURMA (MYANMAR)
THAILAND
VIETNAM
CAMBODIA
LAOS
MALAYSIA
INDONESIA
PHILIPPINES
JAPAN
NORTH KOREA
SOUTH KOREA
NEPAL
BHUTAN
BANGLADESH
SRI LANKA
UZBEKISTAN
TURKMENISTAN
KYRGYZSTAN
TAJIKISTAN
IRAQ
SYRIA
JORDAN
YEMEN
OMAN
Arabian Sea
Bay of Bengal
South China Sea
East China Sea
Sea of Japan (East Sea)
Sea of Okhotsk
Bering Sea
Caspian Sea
Black Sea
Red Sea
Mediterranean Sea
Barents Sea
Kara Sea
Laptev Sea
Hanoi   Capital Cities
East from Greenwich
Projection: Bonne
COPYRIGHT PHILIP'S

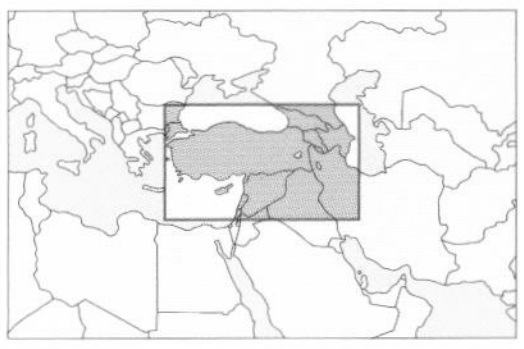

50 0 25 50 75 100 125 150 175 km

50 0 25 50 75 100 125 miles

1: 4 400 000

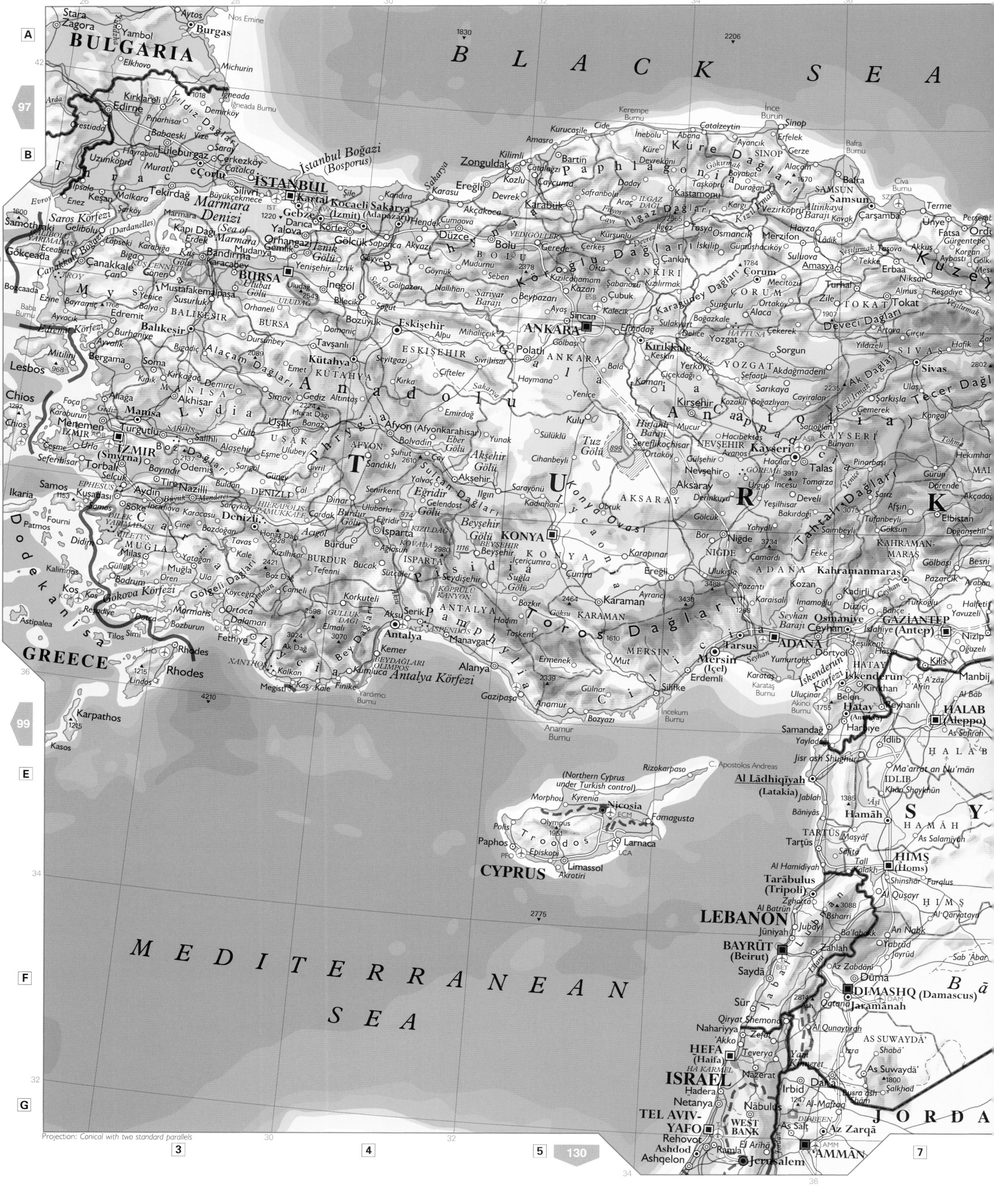

BLACK SEA
MEDITERRANEAN SEA
BULGARIA
GREECE
CYPRUS
LEBANON
ISRAEL
SYRIA
JORDAN
TURKEY
Anadolu
(Anatolia)
Thrace
Mysia
Lydia
Phrygia
Caria
Lycia
Pamphylia
Pisidia
Cilicia
Bithynia
Paphlagonia
Lycaonia
Dodekanisa
İSTANBUL
ANKARA
İzmir (Smyrna)
Bursa
Konya
Antalya
Adana
Mersin (İçel)
Kayseri
Sivas
Eskişehir
Samsun
Sinop
Zonguldak
Kastamonu
Çorum
Tokat
Yozgat
Kırıkkale
Kırşehir
Nevşehir
Niğde
Aksaray
Karaman
Isparta
Burdur
Denizli
Aydın
Muğla
Manisa
Kütahya
Afyon (Afyonkarahisar)
Uşak
Balıkesir
Çanakkale
Edirne
Kırklareli
Tekirdağ
Kocaeli (İzmit)
Sakarya (Adapazarı)
Bolu
Düzce
Karabük
Çankırı
Kahramanmaraş
Osmaniye
Gaziantep (Antep)
Hatay (Antakya)
İskenderun
Kilis
HALAB (Aleppo)
Al Lādhiqīyah (Latakia)
Ḥamāh
Ḥimṣ (Homs)
Ṭarābulus (Tripoli)
Bayrūt (Beirut)
Dimashq (Damascus)
Ḥefa (Haifa)
Tel Aviv-Yafo
Jerusalem
'Ammān
Nicosia
Famagusta
Larnaca
Limassol
Paphos
Troodos
Olympus 1951
(Northern Cyprus under Turkish control)
Rhodes
Karpathos
Kos
Samos
Chios
Lesbos
Samothraki
Gökçeada
Marmara Denizi (Sea of Marmara)
İstanbul Boğazi (Bosporus)
Çanakkale Boğazi (Dardanelles)
Saros Körfezi
Edremit Körfezi
Gökova Körfezi
Antalya Körfezi
İskenderun Körfezi
Tuz Gölü
Beyşehir Gölü
Eğirdir Gölü
Akşehir Gölü
Köroğlu Dağları
Küre Dağları
Toros Dağları
Tahtalı Dağları
Sultan Dağları
Bey Dağları
Yıldız Dağları
Boz Dağları
Alaçam Dağları
Ilgaz Dağları
Kızılırmak
Sakarya
Seyhan
Ceyhan
Ak Dağlar
Tecer Dağları
Kuzey

Projection: Conical with two standard parallels

97
99
130

Underlined towns give their name to the administrative area in which they stand

1:17 800 000

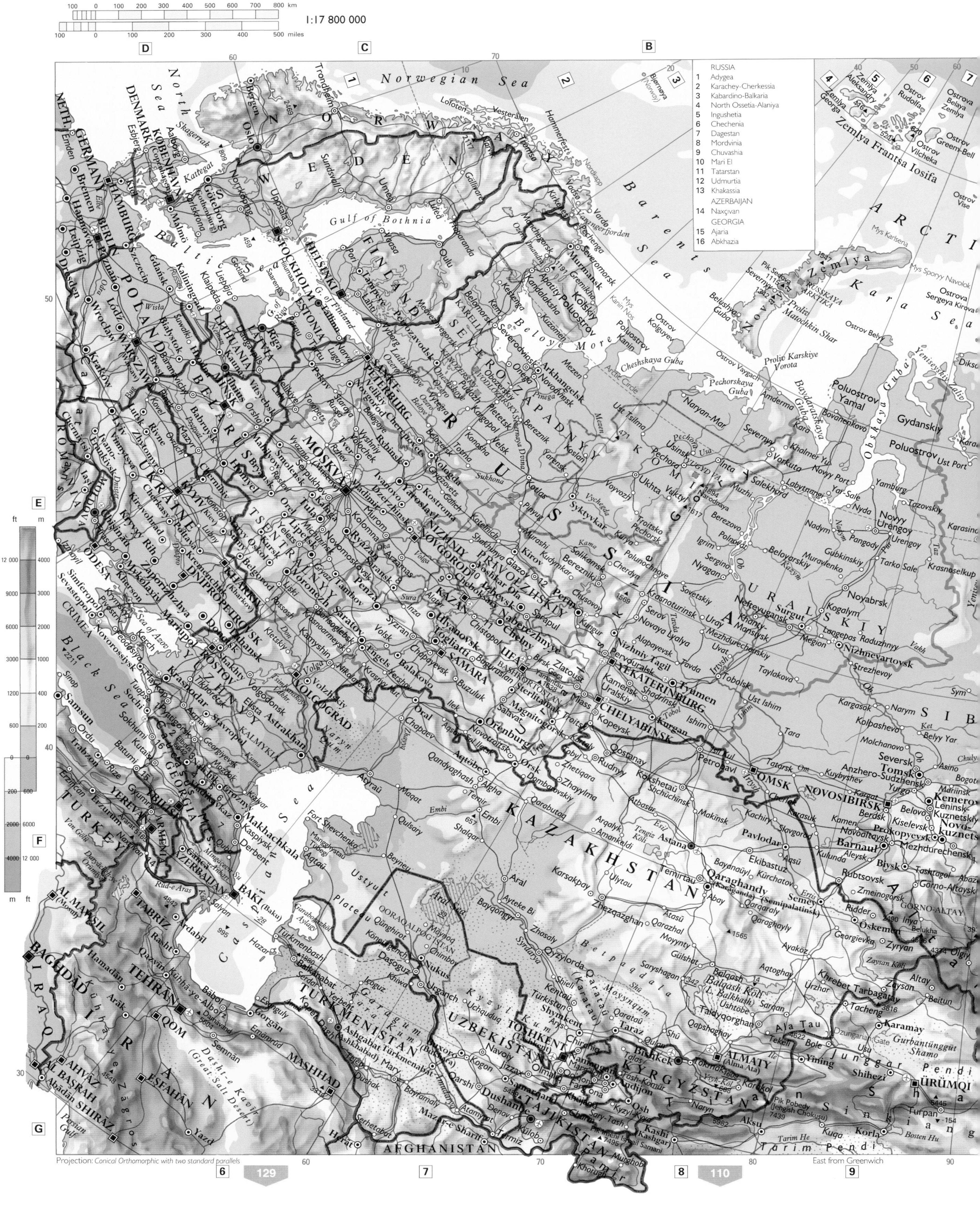
100 0 100 200 300 400 500 600 700 800 km
100 0 100 200 300 400 500 miles
RUSSIA
1 Adygea
2 Karachey-Cherkessia
3 Kabardino-Balkaria
4 North Ossetia-Alaniya
5 Ingushetia
6 Chechenia
7 Dagestan
8 Mordvinia
9 Chuvashia
10 Mari El
11 Tatarstan
12 Udmurtia
13 Khakassia
AZERBAIJAN
14 Naxçıvan
GEORGIA
15 Ajaria
16 Abkhazia
Norwegian Sea
Barents Sea
Kara Sea
North Sea
Baltic Sea
Gulf of Bothnia
Beloye More
Black Sea
Caspian Sea
Aral Sea
NORWAY
SWEDEN
FINLAND
ESTONIA
LATVIA
LITHUANIA
POLAND
BELARUS
UKRAINE
MOLDOVA
ROMANIA
GERMANY
DENMARK
TURKEY
GEORGIA
ARMENIA
AZERBAIJAN
IRAN
IRAQ
TURKMENISTAN
UZBEKISTAN
KAZAKHSTAN
KYRGYZSTAN
TAJIKISTAN
AFGHANISTAN
RUSSIA
MOSKVA
SANKT-PETERBURG
Zemlya Frantsa Iosifa
Novaya Zemlya
Poluostrov Yamal
URAL'SKIY
PRIVOLZHSKIY
TSENTRAL'NYY
SEVERO-ZAPADNYY
YUZHNYY
Ustyurt Plateau
Qaraqum
Qyzylqum
Pamir
Projection: Conical Orthomorphic with two standard parallels
East from Greenwich

129
110

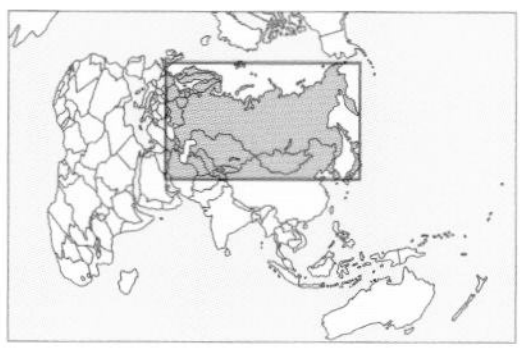

OCEAN
Laptev Sea
East Siberian Sea
Chukchi Sea
Bering Sea
Bering Str.
Sea of Okhotsk
Sea of Japan (East Sea)
Severnaya Zemlya
Poluostrov Taymyr
Gory Byrranga
Novosibirskiye Ostrova
Ostrov Vrangelya
Chukotskiy Poluostrov
Chukotskoye Nagorye
Koryakskoye Nagorye
Kolymskoye Nagorye
Khrebet Cherskogo
Verkhoyanskiy Khrebet
DALNEVOSTOCHNYY
Sredinnyy Khrebet
Poluostrov Kamchatka
Kurilskiye Ostrova
Sakhalin
Stanovoy Khrebet
Khrebet Dzhugdzur
Khrebet Sikhote Alin
Yablonovyy Khrebet
Vostochnyy Sayan
Hentiyn Nuruu
Hangayn Nuruu
Da Hinggan Ling
Dongbei (Manchuria)
Gobi
RUSSIA
MONGOLIA
CHINA
NORTH KOREA
SOUTH KOREA
JAPAN
Hokkaidō
Honshū
Yakutsk
Norilsk
Krasnoyarsk
Irkutsk
Ulan Ude
Chita
Bratsk
Magadan
Khabarovsk
Vladivostok
Komsomolsk-na-Amure
Blagoveshchensk
Petropavlovsk-Kamchatskiy
Yuzhno-Sakhalinsk
ULAANBAATAR
BEIJING
HARBIN
CHANGCHUN
SHENYANG
DALIAN
PYONGYANG
SEOUL
BUSAN
SAPPORO
OSAKA
KOBE
KYOTO
Lena
Amur
Arctic Circle
International Date Line
Oz. Baykal
Hulun Nur

50 0 100 200 300 400 km

50 0 50 100 150 200 250 miles

1:8 900 000

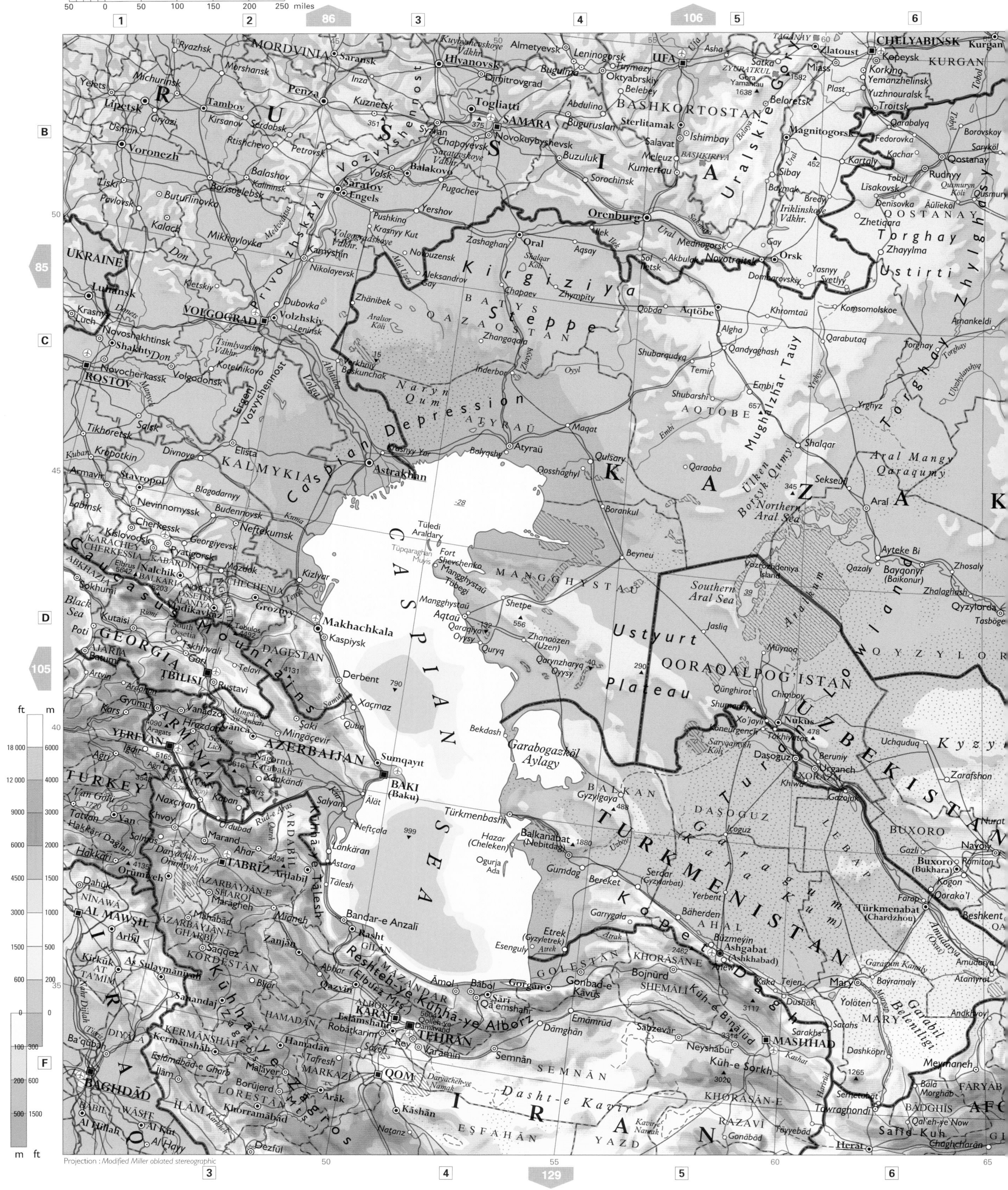

Projection : Modified Miller oblated stereographic

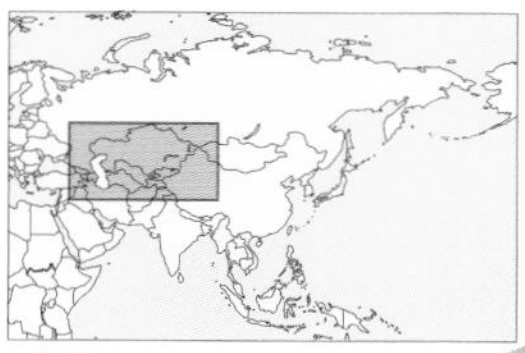

106

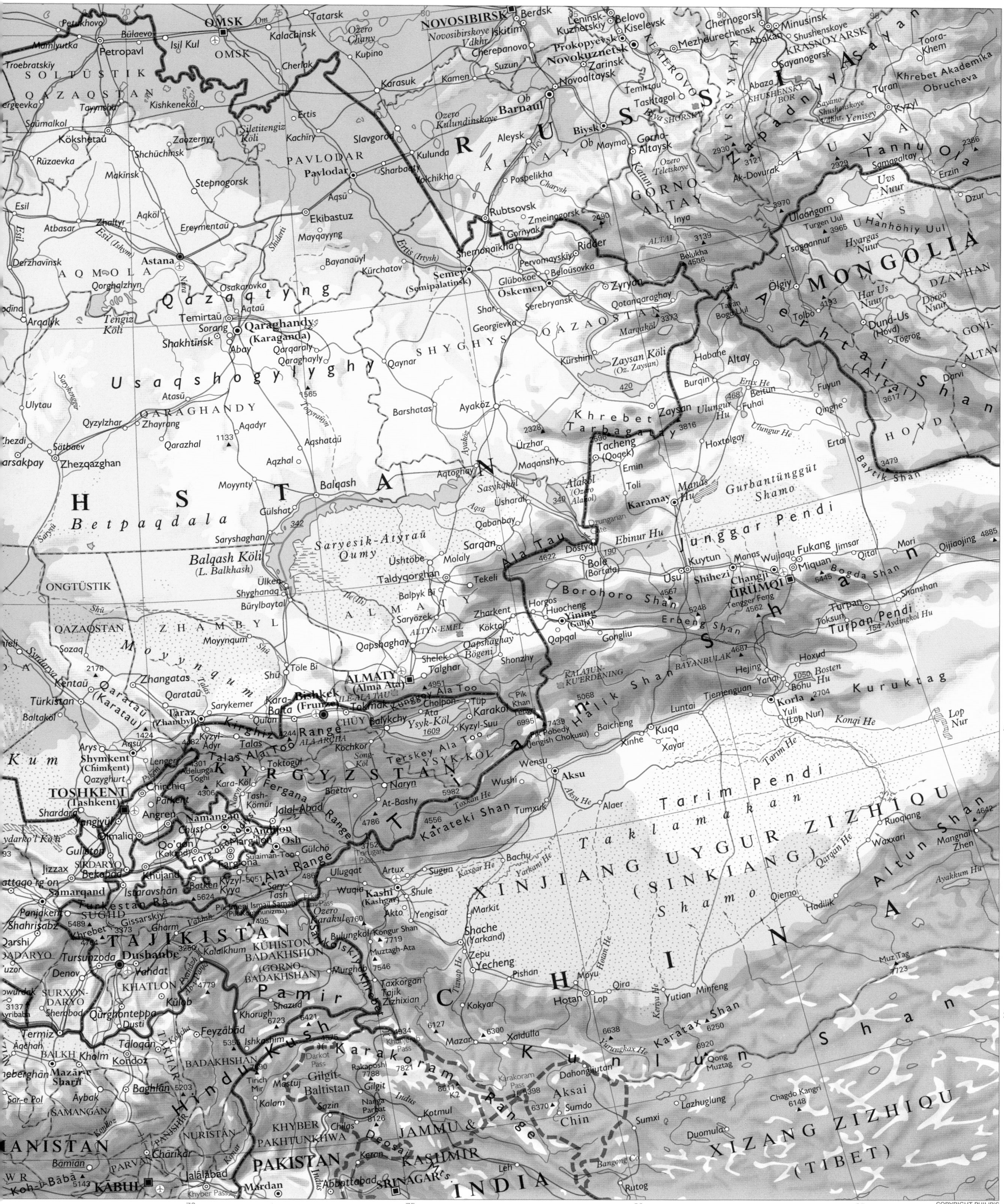

COPYRIGHT PHILIP'S

Underlined towns give their name to the administrative area in which they stand.

122 7 8 9 123 11

1:13 300 000

100 0 100 200 300 400 500 600 km
100 0 100 200 300 400 miles
1 2 3 4 5 6 7 8 9 10
107
109
122
120
B C D E F G H
Projection: Bonne
East from Greenwich
ft m
18 000 6000
12 000 4000
9000 3000
6000 2000
4500 1500
3000 1000
1200 400
600 200
0 0
200 600
2000 6000
4000 12 000
6000 18 000
K A Z A K H S T A N
Astana
Temirtau
Karaganda
Qarqaraly
Karsakpay
Zhezqazghan
Moyynty
Balqash
Balqash Köli
Betpaqdala
Moyynqum
Aqtoghay
Taldyqorghan
Sarqan
Shū
Qapshaghay
Taraz
Bishkek
ALMA ATA
Kirghiz Ra.
KYRGYZSTAN
Ysyk-Köl
Balykchy
Naryn
Karakol
Namangan
Andijon
UZBEK.
Osh
Sary-Tash
TAJIK.
Murghob
Semey
Rubtsovsk
Öskemen
Ridder
Zyryan
Zaysan Köli
Zaysan
Ayaköz Khrebet
Tarbagatay
Tacheng (Qoqek)
Ala Tau
Bole (Bortala)
Ebinur Hu
Dzungarian Gate
Karamay
Gurbantünggüt Shamo
Junggar Pendi
Yining (Gulja)
Borohoro Shan
Kuytun
Shihezi
Manas
Changji
ÜRÜMQI
Bogda Shan
Pik Khan-Tengri
Pik Pobedy (Jengish Chokusu)
Halik Shan
Tian Shan
Turpan
Turpan Pendi
Aydingkol Hu
Yanqi
Korla
Bosten Hu
Kuruktag
Wensu
Wushi
Aksu
Kuqa
Kashi (Kashgar)
Artux
Shule
Kongur Shan
Muztagh-Ata
Taxkorgan Tajik Zizhixian
Shache (Yarkand)
Yecheng
Pishan
Mazar
Hotan
Lop
Qira
Yutian
Minfeng
Qiemo
Ruoqiang
XINJIANG UYGUR ZIZHIQU (SINKIANG)
Taklamakan Shamo
Tarim Pendi
Tarim He
Lop Nur
Kumtag Shamo
Dunhuang
Hami (Kumul)
Barkol Kazak Zizhixian
Qijiaojing
Xingxingxia
Bei Shan
Anxi
Yumen
Jiayuguan
Jiuquan
Zhangye
Shandan
Jinchang
Badain Jaran Shamo
Tengger Shamo
Qilian Shan
Altun Shan
Mangnai Zhen
Mangnai
Da Qaidam
Qaidam Pendi
Tart
Delingha
Tianjun
Qinghai Hu
Golmud
Dulan
Haiyan
Datong
XINING
Gonghe
Minhe
LANZHOU
QINGHAI
Hoh Xil Shan
Muz Tag
Kunlun Shan
Kunlun Shankou
Gyaring Hu
Ngoring Hu
Maqên Gangri
Maqên
Bayan Har Shan
Yushu
Tanggula (Dangla) Shan
Tanggula Shankou
Amdo
Siling Co
Nam Co
Nagqu
Nyainqêntanglha Shan
Lhasa
Xigazê
Gyangzê
Yamzho Yumco
Nyingchi
Namcha Barwa
Bomi
Qamdo
Xainza
Zhari Namco
Tangra Yumco
Zhongba
Gangdisê Shan
Burang
Mapam Yumco
Zanda
Nanda Devi
Kamet
Gar Kangri
Ngangiong
XIZANG ZIZHIQU (TIBET)
Rutog
Aksai Chin
Karatax Shan
Dahongliutan
Karakoram Pass
Karakoram
K2
Gilgit
Nanga Parbat
Hindu Kush
AFG.
JAMMU & KASHMIR
SRINAGAR
Leh
Zaskar Mts
HIMACHAL PRADESH
Shimla
CHANDIGARH
Dehra Dun
UTTARAKHAND
Saharanpur
MEERUT
DELHI
New Delhi
Moradabad
Bareilly
Aligarh
AGRA
Shahjahanpur
UTTAR PRADESH
LUCKNOW
KANPUR
GWALIOR
Jhansi
ALLAHABAD
VARANASI
Gorakhpur
PATNA
BIHAR
Gaya
Bhagalpur
Darbhanga
Aurangabad
Lalitpur
Sagar
I N D I A
Murwara
JABALPUR
MADHYA PRADESH
Bilaspur
NAGPUR
BHILAINAGAR-DURG
CHHATTISGARH
Raurkela
RANCHI
JAMSHEDPUR
JHARKHAND
DHANBAD
ASANSOL
Barddhaman
PASCHIM BANGA
Haora
KOLKATA (Calcutta)
Kharagpur
Baleshwar
Chandrapur
ODISHA
Cuttack
Bhubaneshwar
Brahmapur
Warangal
Vizianagaram
VISHAKHAPATNAM
Tropic of Cancer
BAY OF BENGAL
Siwalik Range
NEPAL
KATHMANDU
Pokhara
Dhaulagiri
Annapurna
Manaslu
Mt. Everest
Kanchenjunga
Makalu
Api
Himalaya
Tingri
Lhazê
Biratnagar
SIKKIM
Thimphu
Punakha
BHUTAN
Shiliguri
Koch Bihar
Rangpur
Bongaigaon
Tezpur
ASSAM
Jorhat
Dibrugarh
Tinsukia
ARUNACHAL PRADESH
Saikhoa Ghat
GUWAHATI
Nagaon
Khasi Hills
MEGHALAYA
Dimapur
NAGALAND
Imphal
MANIPUR
Silchar
Sylhet
Rajshahi
BANGLADESH
DHAKA
Baharampur
Bhatpara
KHULNA
Narayanganj
MIZORAM
CHITTAGONG
Patkai Bum
Kachin
Myitkyina
Bhamo
Lashio
Shwebo
Monywa
MANDALAY
Myingyan
Meiktila
Taunggyi
Yamethin
NAYPYIDAW
Toungoo
Arakan Yoma
Pegu Yoma
Sittwe (Akyab)
BURMA (MYANMAR)
Shan
THAILAND (SIAM)
Chiang Rai
LAOS
Luang Prabang
Mekong
VIETNAM
HANOI
Hong Gai
HAIPHONG
Nam Dinh
Thanh Hoa
G. of Tonkin
Hoa Binh
Son La
Hekou
Jinghong
Simao
Gejiu
Mengzi
Kaiyuan
Wenshan
Bose
NANNING
Pingxiang
Qinzhou
Hechi
KUNMING
Chuxiong
Anning
Yuxi
Xiaguan
Dali
Baoshan
Tengchong
Luxi
Lincang
Jinggu
Shiping
Qujing
Xuanwei
Anshun
GUIYANG
LIUPANSHUI
Huize
Zhaotong
Zunyi
YUNNAN
Panzhihua
Dongchuan
Lijiang
Zhongdian (Shangri-La)
Hengduan Shan
Ningjing Shan
Shaluli Shan
Daxue Shan
Daliang Shan
Xichang
Gongga Shan
LESHAN
CHENGDU
Ya'an
Deyang
MIANYANG
Santai
NANCHONG
SUINING
NEIJIANG
ZIGONG
LUZHOU
Yibin
Chang Jiang (Yangtse)
CHONGQING
Wutongqiao
SICHUAN
Barkam
Garzê
Songpan
Maqu
Guangyuan
Hanzhong
Wudu
TIANSHUI
Baoji
Qinling
Min Xian
Tongren
Linxia
Dingxi
Pingliang
Guyuan
Qingyang
Baiyin
Wuwei
Yongchang
Zhongwei
Wuzhong
NINGXIA HUIZU ZIZHIQU
YINCHUAN
Shizuishan
Wuhai
Alxa Zuoqi
Ximiao
Linhe
Gaxun Nur
R U S S I A
Gorno-Altaysk
GORNO-ALTAY
KHAKASSIA
TUVA
Kyzyl
Zapadnyy Sayan
Tannu Ola
Munku-Sardyk
Angarsk
Irkutsk
Cheremkhovo
Babushkin
BURYATIA
Kyakhta
Naushki
Sühbaatar
Altanbulag
Darhan
Hanh
Hatgal
Hövsgöl Nuur
Mörön
Erdenet
Bulgan
Dzüünharaa
ULAN BATOR
Dzüünmod
Tsetserleg
Uvs Nuur
Ulaangom
Ölgiy
Belukha
Tavan Bogd Uul
Hyargas Nuur
Har Us Nuur
Dörgön Nuur
Dund-Us (Hovd)
Uliastay
Hangayn Nuruu
Sutay Uul
Altay
Bayanhongor
Arvayheer
Mandalgovi
Bööntsagaan Nuur
Ulaan-Uul
Aerhtai Shan (Altai)
Gurvan Sayhan Uul
Dalandzadgad
Ulaanjirem
M O N G O L I A
Burqin
Beitun
Altay
Fuhai
Ulungur Hu
Fuyun

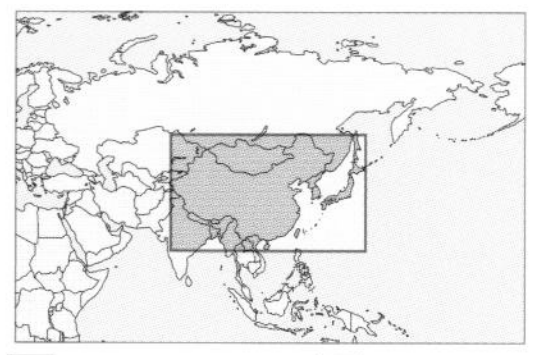

107
119
10
11
12
13
14
15
16
17
18
B
C
D
E
F
G
H
a
RUSSIA
MONGOLIA
CHINA
NORTH KOREA
SOUTH KOREA
JAPAN
TAIWAN
PHILIPPINES
SEA OF JAPAN (EAST SEA)
YELLOW SEA
EAST CHINA SEA
SOUTH CHINA SEA
PACIFIC OCEAN
Bo Hai
Korea Bay
Korea Strait
Taiwan Strait
La Perouse Str.
Tatarskiy Proliv
Tropic of Cancer
Ryūkyū-Rettō
Nampō-Shotō
Sakhalin
Hokkaidō
Honshu
Shikoku
Kyūshū
HAINAN
Hainan Dao
Manchuria
Heilongjiang
Jilin
Liaoning
Hebei
Shandong
Henan
Jiangsu
Anhui
Hubei
Hunan
Jiangxi
Zhejiang
Fujian
Guangdong
Nei Mongol Zizhiqu (Inner Mongolia)
Da Hinggan Ling
Xiao Hinggan Ling
Changbai Shan
Nan Ling
Wuyi Shan
Khrebet Sikhote Alin
Yablonovyy Khrebet
Amur
Huang He (Yellow R.)
Chang Jiang (Yangtze)
BEIJING
TIANJIN
SHANGHAI
HARBIN
CHANGCHUN
SHENYANG
DALIAN
QINGDAO
NANJING
WUHAN
GUANGZHOU (Canton)
SHENZHEN
HONG KONG (Xianggang)
Macau
P'YONGYANG
SEOUL
BUSAN
TŌKYŌ
YOKOHAMA
ŌSAKA
KYŌTO
NAGOYA
SAPPORO
FUKUOKA
HIROSHIMA
T'AIPEI
KAOHSIUNG
Vladivostok
Khabarovsk
Chita
Ulan Ude
Oz. Baykal
COPYRIGHT PHILIP'S
HONG KONG, MACAU AND SHENZHEN
1:800 000
5 0 10 20 30 km
5 0 5 10 15 20 miles
Zhujiang Kou (Mouth of the Pearl)
Zhu Jiang (Pearl River)
Lingding Yang
Lantau Island (Tai Yue Shan)
Kowloon (Jiulong)
Victoria
Hong Kong Island
ZHUHAI
Macau (Aomen)
ZHONGSHAN
GUANGDONG

1:4 400 000

SEA OF OKHOTSK
SEA OF JAPAN
(EAST SEA)
Yamato Rise
La Perouse Strait
(Sōya-Kaikyō)
Sakhalin
(Russia)
HOKKAIDŌ
Hokkaidō
Honshū
TŌHOKU
SAPPORO
Asahikawa
Kushiro
Obihiro
Hakodate
Otaru
Muroran
Abashiri
Wakkanai
Tomakomai
Ishikari-Wan
Uchiura-Wan
Tsugaru-Kaikyō
Aomori
Hachinohe
Akita
Morioka
Sendai
SENDAI
Yamagata
Niigata
Sado
RUSSIA
PRIMORSKIY KRAY
Vladivostok
Nakhodka
Ussuriysk
Artem
Lake Khanka
CHINA
HEILONGJIANG
JILIN
Manchuria
NORTH KOREA
Zaliv Petra Velikogo
Hunchun
Tumen
Najin
Ch'ŏngjin
JIXI
SHUANGYASHAN
Bikin
Dalnerechensk
Lesozavodsk
Spassk-Dalniy
Arsenev
Dalnegorsk
Kavalerovo
Olga
Terney
Plastun
Hulin
Mishan
Qitaihe
Suifenhe

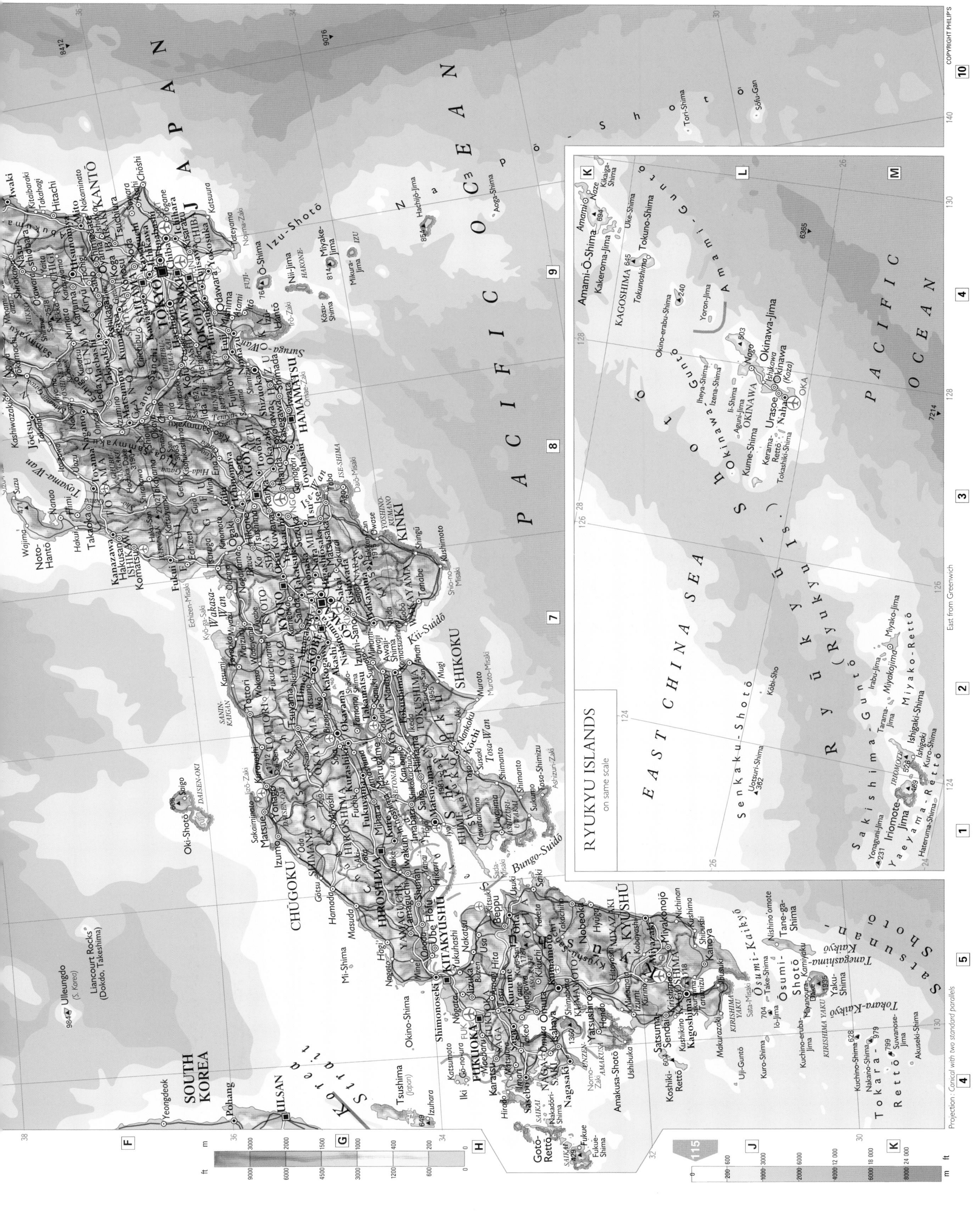
SEA OF JAPAN
PACIFIC OCEAN
SOUTH KOREA
Korea Strait
KYUSHU
SHIKOKU
CHŪGOKU
KINKI
KANTŌ
TOKYO
OSAKA
KYOTO
KOBE
NAGOYA
HIROSHIMA
FUKUOKA
KITAKYUSHU
HAMAMATSU
KAGOSHIMA
Izu-Shotō
Satsunan-Shotō
Bungo-Suidō
Kii-Suidō
RYUKYU ISLANDS
on same scale
EAST CHINA SEA
PACIFIC OCEAN
Ryūkyū-Shotō (Ryukyu Is.)
Amami-Guntō
Okinawa-Guntō
Sakishima-Guntō
Senkaku-Shotō
Projection: Conical with two standard parallels
East from Greenwich
COPYRIGHT PHILIP'S

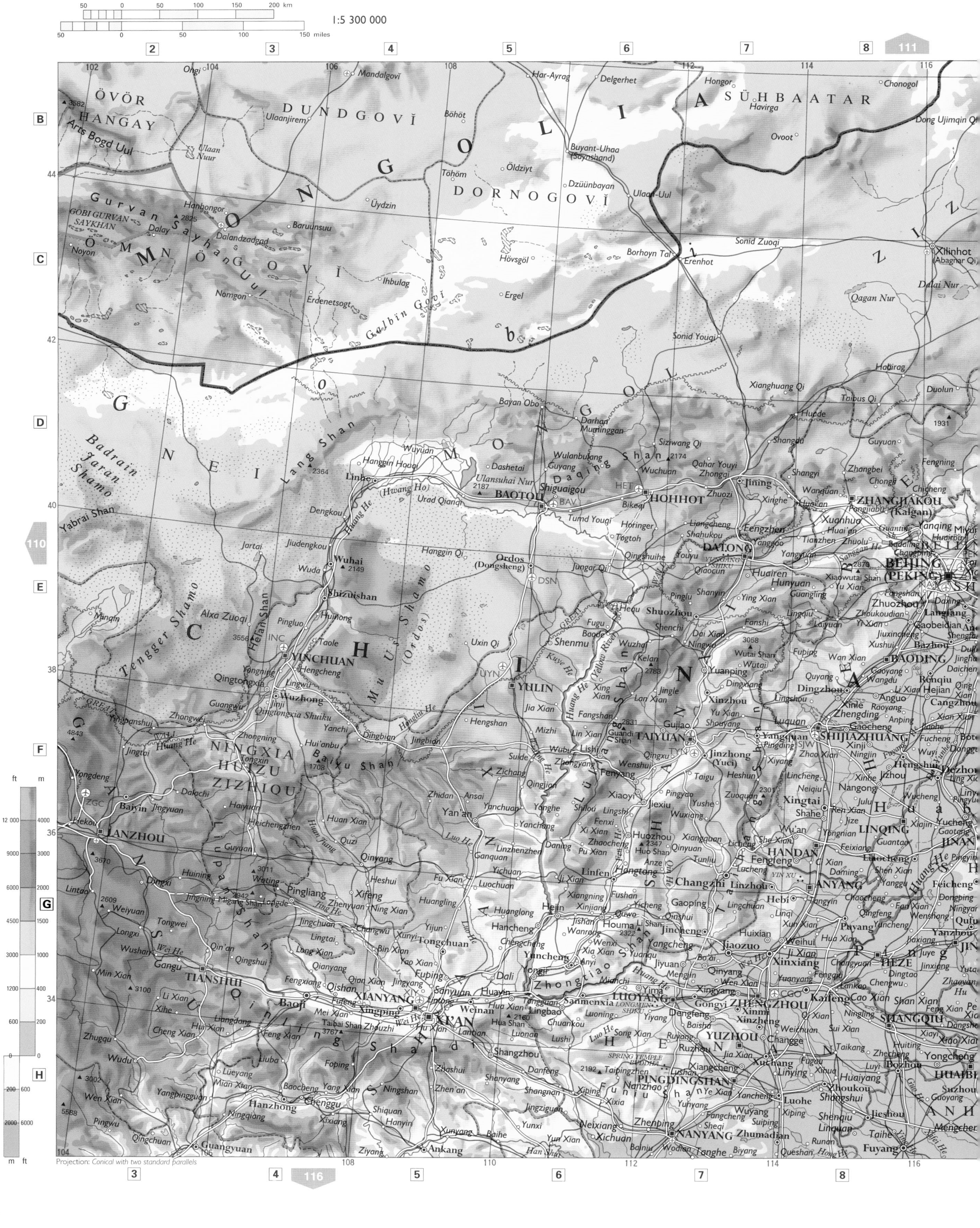
1:5 300 000
50 0 50 100 150 200 km
50 0 50 100 150 miles
MONGOLIA
ÖVÖR HANGAY
DUNDGOVĬ
DORNOGOVĬ
SÜHBAATAR
ÖMNÖGOVĬ
Gurvan Sayhan Uul
Galbïn Govĭ
Arts Bogd Uul
Mandalgovĭ
Har-Ayrag
Delgerhet
Hongor
Chonogol
Bŏhöt
Ulaanjirem
Havirga
Ovoot
Dong Ujimqin Qi
Buyant-Uhaa (Saynshand)
Ölziyt
Töhöm
Dzüünbayan
Ulaan-Uul
Üydzin
Hanbongor
Dalandzadgad
Dalay
Baruunsuu
Noyon
Nomgon
Ihbulag
Erdenetsogt
Hövsgöl
Ergel
Borhoyn Tal
Erenhot
Sonid Zuoqi
Xilinhot
Abagnar Qi
Dalai Nur
Qagan Nur
Sonid Youqi
Xianghuang Qi
Huade
Taibus Qi
Duolun
Bayan Obo
Darhan Muminggan
Siziwang Qi
NEI MONGOL
Badrain Jaran Shamo
Lang Shan
Yabrai Shan
Hanggin Houqi
Wuyuan
Linhe
Ulansuhai Nur
Dashetai
Wulanbulang
Guyang
Daqing Shan
Wuchuan
Qahar Youyi Zhongqi
Jining
BAOTOU
Shiguaigou
HOHHOT
Bikeqi
Urad Qianqi
Huang He (Hwang Ho)
Dengkou
Tumd Youqi
Horinger
Togtoh
Liangcheng
Shahukou
Fengzhen
Zhuozi
Xinghe
ZHANGJIAKOU (Kalgan)
Xuanhua
Yanqing
Jartai
Jiudengkou
Wuhai
Wuda
Hanggin Qi
Ordos (Dongsheng)
Jungar Qi
Qingshuihe
Youyu
DATONG
Huairen
Hunyuan
BEIJING (PEKING)
Shizuishan
Huinong
Pingluo
Alxa Zuoqi
Helan Shan
Tengger Shamo
Mu Us Shamo (Ordos)
Taole
YINCHUAN
Hengcheng
Uxin Qi
Shenmu
Hequ
Shuozhou
Pinglu
Shenchi
Ying Xian
Fugu
Baode
Wuzhai
Kelan
Wutai Shan
BAODING
Qingtongxia
Lingwu
Wuzhong
Yongning
YULIN
Jia Xian
Xing Xian
Jingle
Lan Xian
Xinzhou
Yuanping
Dingzhou
Renqiu
Hejian
Cangzhou
Zhongwei
Jingbian
Hengshan
Dingbian
Yanchi
Mizhi
Fangshan
Gujiao
TAIYUAN
Jinzhong (Yuci)
Yangquan
SHIJIAZHUANG
Xinji
Hengshui
Dezhou
NINGXIA HUIZU ZIZHIQU
Baiyu Shan
Zichang
Suide
Wubu
Lishi
Fenyang
Jiexiu
Pingyao
Xingtai
Jingtai
Yongdeng
Baiyin
Jingyuan
Haiyuan
Zhidan
Ansai
Yan'an
Yanchuan
Yonghe
Daning
Xiaoyi
Linfen
Huozhou
Handan
LINQING
JINAN
LANZHOU
Guyuan
Huan Xian
Quzi
Qinyang
Ganquan
Fu Xian
Luochuan
Changzhi
Linzhou
ANYANG
Dingxi
Huining
Pingliang
Xifeng
Zhenyuan
Ning Xian
Huangling
Hejin
Houma
Jincheng
Hebi
Puyang
Liaocheng
Lintao
Weiyuan
Tongwei
Longxi
Wushan
Gangu
TIANSHUI
Qin'an
Qingshui
Tongchuan
Yuncheng
Jiaozuo
Xinxiang
HEZE
Min Xian
Baoji
Fengxiang
Qishan
XIANYANG
Sanyuan
Weinan
Huayin
Dali
Sanmenxia
LUOYANG
ZHENGZHOU
Kaifeng
SHANGQIU
XI'AN
Lantian
Hua Shan
Lushi
Qinling Shandi
Funiu Shan
Mei Xian
Zhouzhi
Taibai Shan
Zhugqu
Wudu
Cheng Xian
Hui Xian
Feng Xian
Foping
Zhashui
Shangzhou
Danfeng
Shangnan
Luoning
Yiyang
Dengfeng
Yuzhou
Xuchang
PINGDINGSHAN
Luohe
Zhoukou
Bozhou
Yongcheng
HUAIBEI
Hanzhong
Chenggu
Yang Xian
Ningshan
Shiquan
Hanyin
Xixiang
Ningqiang
Mian Xian
Lüeyang
Wen Xian
Pingwu
Qingchuan
Guangyuan
Ziyang
Ankang
Xunyang
Baihe
Yunxi
Yun Xian
Neixiang
Xichuan
Zhenping
NANYANG
Tanghe
Biyang
Zhumadian
Queshan
Runan
Shenqiu
Linquan
Jieshou
Fuyang
Taihe
Mengcheng
Projection: Conical with two standard parallels
110
111
116
12 000
9000
6000
4500
3000
1200
600
4000
3000
2000
1500
1000
400
200
0
ft
m

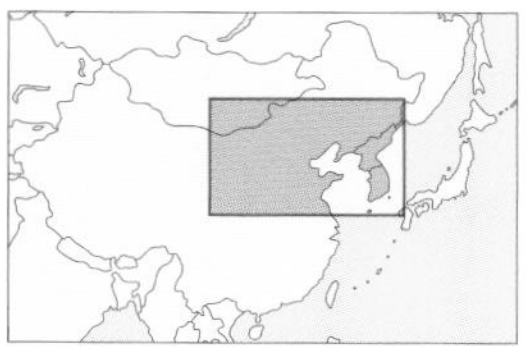

9
10
11
12
111
13
14
15
16
B
C
D
112
E
F
G
113
H
117
East from Greenwich
SEA OF JAPAN
(EAST SEA)
YELLOW SEA
(HUANG HAI)
BO HAI
Bo Hai Haixia
Korea Bay
Liaodong Wan
Laizhou Wan
Gyeonggi-man
Tongjosŏn-man
Jeju Haehyop
Korea Strait
NORTH KOREA
SOUTH KOREA
RUSSIA
JAPAN
HEILONGJIANG
JILIN
LIAONING
SHANDONG
JIANGSU
Liaodong Bandao
Shandong Bandao
Changbai Shan
Zhangguangcai Ling
Manchuria
HARBIN
CHANGCHUN
JILIN
SHENYANG
FUSHUN
ANSHAN
DALIAN (Lüda)
TIANJIN
TIANJIN SHI
TANGSHAN
Qinhuangdao
Jinzhou
Huludao
Dandong
Sinŭiju
P'YŎNGYANG
NAMP'O
Hamhŭng
Ch'ŏngjin
Kaesŏng
SEOUL
INCHEON
SUWON
SEONGNAM
GOYANG
Bucheon
DAEJEON
DAEGU
GWANGJU
BUSAN
ULSAN
Pohang
Jeju
Jeju-do (S. Korea)
Ulleungdo (S. Korea)
Tsushima (Japan)
Vladivostok
Ussuriysk
MUDANJIANG
JIXI
Yanji
Tumen
Tonghua
Chifeng (Ulanhad)
Tongliao
Fuxin
Yingkou
YANTAI
Weihai
QINGDAO
WEIFANG
ZIBO
LINYI
LIANYUNGANG
XUZHOU
HUAI'AN
YANCHENG
Paektu-san 2744
Hallasan 1950
COPYRIGHT PHILIP'S

1:5 300 000

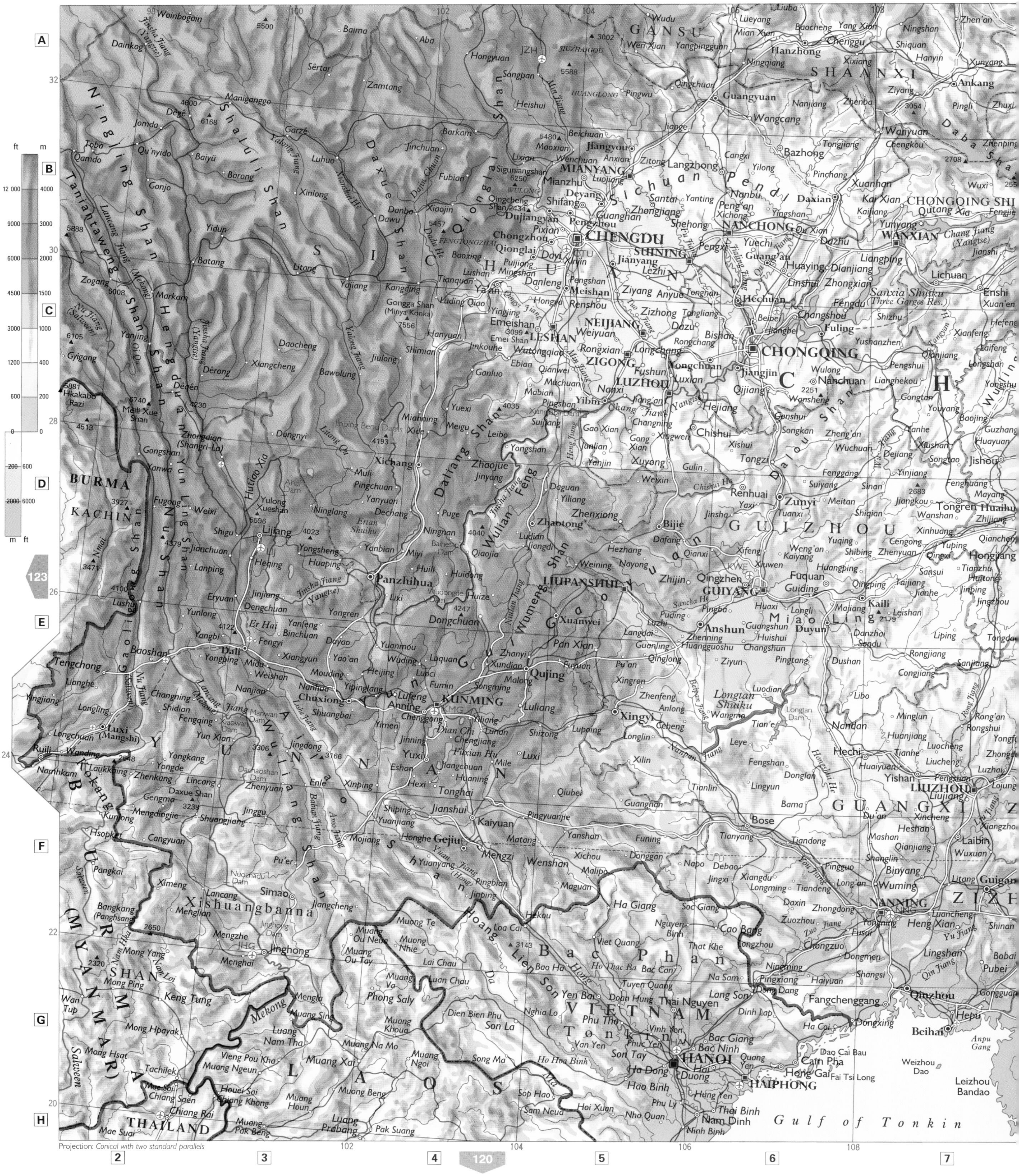

Projection: Conical with two standard parallels

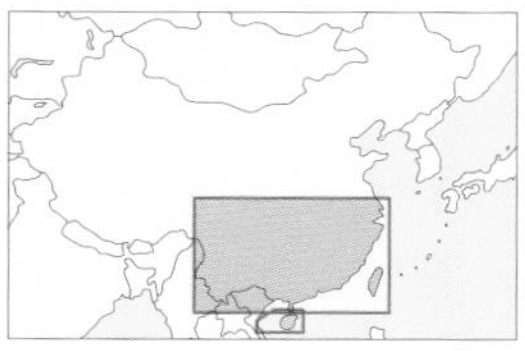

115
8
9
10
11
12
13
14
A
B
C
D
E
F
G
H
HENAN
ANHUI
JIANGSU
SHANGHAI SHI
ZHEJIANG
JIANGXI
FUJIAN
HUNAN
GUANGDONG
TAIWAN
NANJING
SHANGHAI
HANGZHOU
WUHAN
CHANGSHA
NANCHANG
FUZHOU
XIAMEN (Amoy)
GUANGZHOU (CANTON)
SHENZHEN
DONGGUAN
HONG KONG (XIANGGANG)
T'AIPEI
KAOHSIUNG
T'AICHUNG
T'AINAN
SHANTOU
ZHANJIANG (Xiashan)
HAIKOU
HAINAN
Hainan Dao (China)
VIETNAM
CHINA
Gulf of Tonkin
SOUTH CHINA SEA
Luzon Strait
Taiwan Strait
Tropic of Cancer
Chang Jiang (Yangtse)
Poyang Hu
Dongting Hu
Tai Hu
Qiongzhou Haixia (Hainan Str.)
HAINAN a on same scale
East from Greenwich
COPYRIGHT PHILIP'S

1:11 100 000

THAILAND
BURMA (MYANMAR)
YANGON (Rangoon)
BANGKOK (Krung Thep)
LAOS
VIETNAM
CAMBODIA
PHNOM PENH
THANH PHO HO CHI MINH (Saigon)
Gulf of Thailand
Malay Peninsula
ANDAMAN SEA
SOUTH CHINA SEA
MALAYSIA
PENINSULAR MALAYSIA
KUALA LUMPUR
SINGAPORE
Johor Bahru
BRUNEI
SARAWAK
SABAH
Kota Kinabalu
Kuching
Straits of Malacca
Sumatera
MEDAN
Banda Aceh
Padang
Pekanbaru
PALEMBANG
Bangka
Belitung
Kalimantan (Borneo)
Pontianak
Banjarmasin
Samarinda
Balikpapan
INDONESIA
Greater Sunda Islands
JAVA SEA
Jawa (Java)
JAKARTA
BANDUNG
Semarang
SURABAYA
Yogyakarta
Denpasar
Bali
Lombok
INDIAN OCEAN
Java Trench
Kepulauan Mentawai
Kepulauan Natuna
Kepulauan Anambas
Spratly Islands
Paracel Islands
Macclesfield Bank
Da Nang
Hue
Nha Trang
Can Tho
Vientiane (Viangchan)
Chiang Mai
Nakhon Ratchasima
Phuket
Hat Yai
George Town
Ipoh
Melaka
Bandar Lampung
Bengkulu
Jambi
Projection: Mercator
East from Greenwich

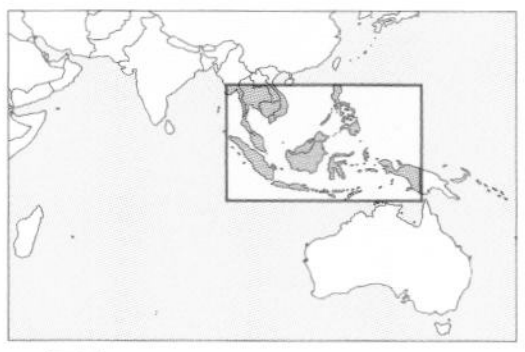

JAVA AND MADURA
1:6 700 000
BALI
1:1 600 000
JAKARTA
Bandung
Semarang
SURABAYA
Yogyakarta
Madura
Bali
Denpasar
Lombok
Mataram
Jawa
INDIAN OCEAN
Luzon
MANILA
Quezon City
Mindanao
DAVAO
Cebu
SULU SEA
CELEBES SEA
PACIFIC OCEAN
Halmahera
Sulawesi (Celebes)
Manado
Ambon
Seram (Ceram)
BANDA SEA
Flores
Sumba
Timor
EAST TIMOR
Dili
IRIAN JAYA
PAPUA
PAPUA NEW GUINEA
Jayapura
ARAFURA SEA
Equator
COPYRIGHT PHILIP'S

50 0 50 100 150 200 km

1:5 300 000

50 0 50 100 150 miles

116
123

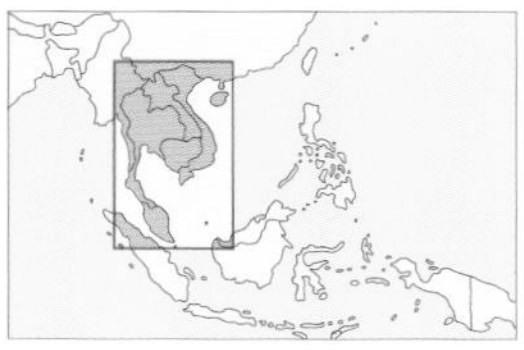

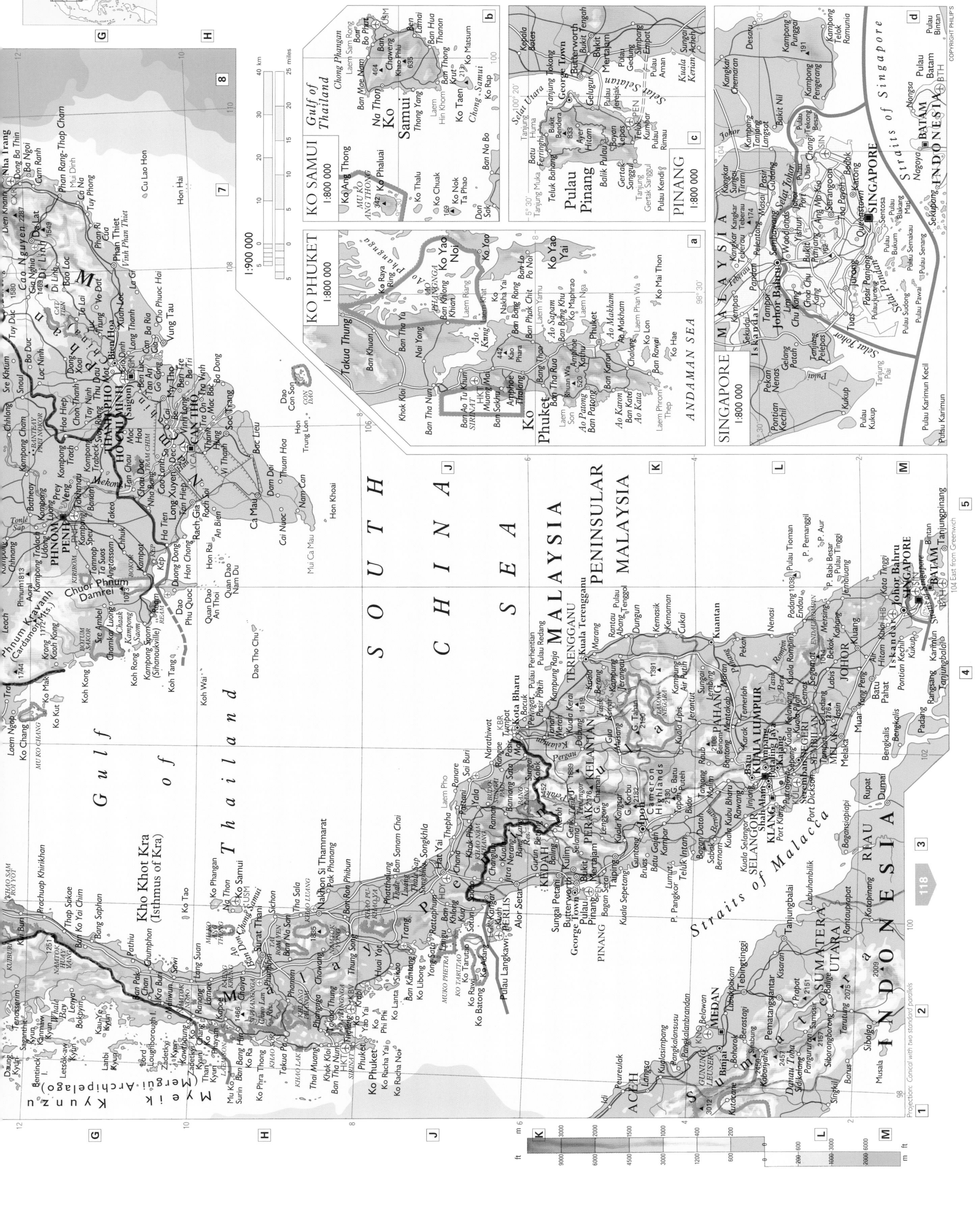
1:900 000
KO PHUKET
1:800 000
KO SAMUI
1:800 000
PINANG
1:800 000
SINGAPORE
1:800 000
Gulf of Thailand
SOUTH CHINA SEA
ANDAMAN SEA
Straits of Malacca
Straits of Singapore
MALAYSIA
PENINSULAR MALAYSIA
INDONESIA
Kho Khot Kra (Isthmus of Kra)
THANH PHO HO CHI MINH (Saigon)
PHNOM PENH
KUALA LUMPUR
SINGAPORE
Projection: Conical with two standard parallels
104 East from Greenwich
COPYRIGHT PHILIP'S

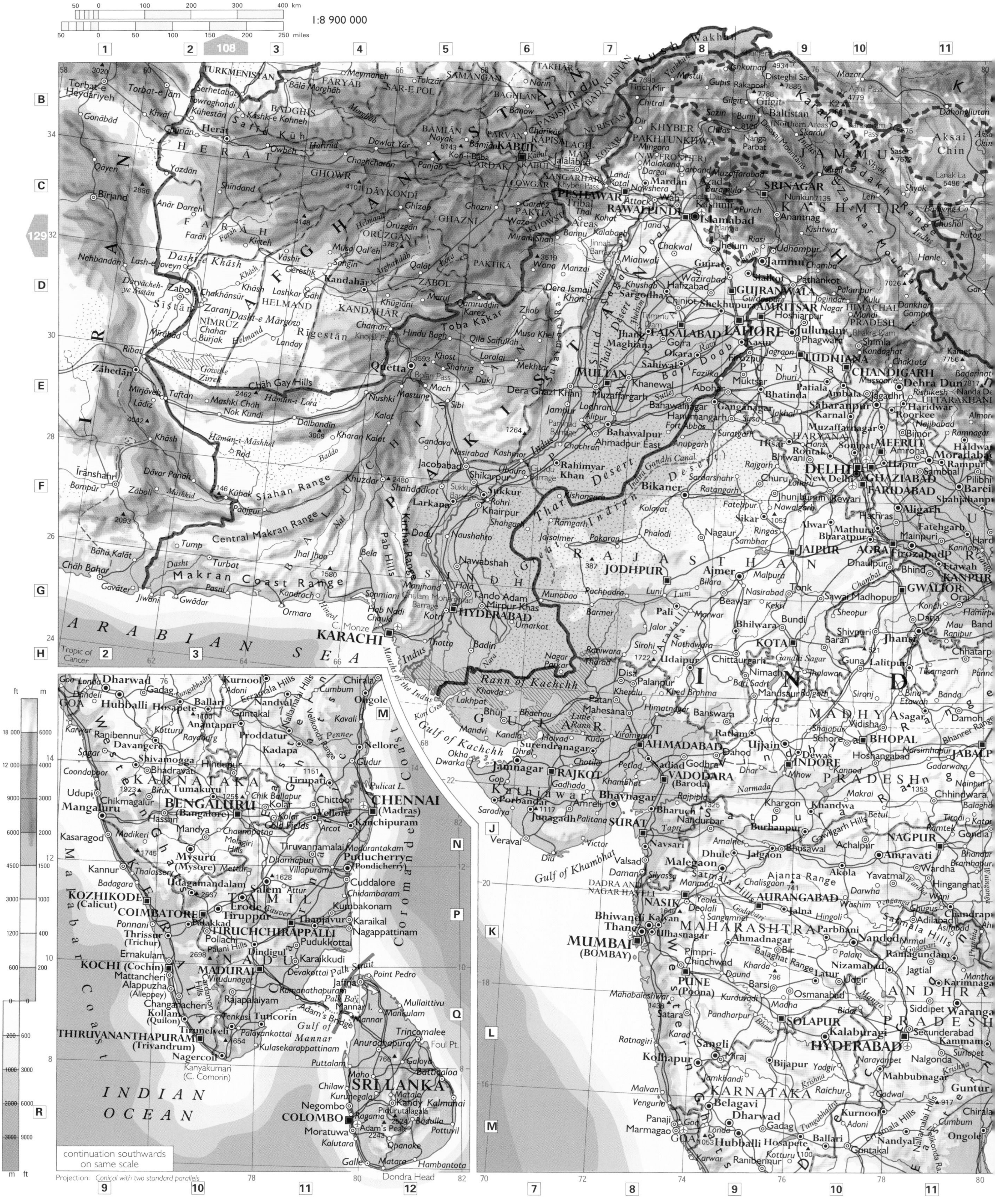

1:8 900 000
km
miles
108
129
TURKMENISTAN
IRAN
AFGHANISTAN
PAKISTAN
INDIA
SRI LANKA
ARABIAN SEA
INDIAN OCEAN
Tropic of Cancer
Hindu Kush
Wakhan
Karakoram
KASHMIR
JAMMU
Aksai Chin
Kabul
Herāt
Kandahār
Quetta
PESHAWAR
RAWALPINDI
Islamabad
FAISALABAD
LAHORE
MULTAN
HYDERABAD
KARACHI
Sukkur
DELHI
New Delhi
GHAZIABAD
FARIDABAD
AGRA
JAIPUR
JODHPUR
CHANDIGARH
LUDHIANA
AMRITSAR
SRINAGAR
Jammu
GUJRANWALA
MEERUT
Aligarh
GWALIOR
KANPUR
BHOPAL
INDORE
JABALPUR
NAGPUR
AHMADABAD
VADODARA
SURAT
RAJKOT
Jamnagar
MUMBAI (BOMBAY)
NASIK
AURANGABAD
PUNE (Poona)
SOLAPUR
HYDERABAD
BENGALURU (Bangalore)
CHENNAI (Madras)
Puducherry (Pondicherry)
Mysuru (Mysore)
KOZHIKODE (Calicut)
COIMBATORE
KOCHI (Cochin)
MADURAI
TIRUCHCHIRAPPALLI
THIRUVANANTHAPURAM (Trivandrum)
Kanyakumari (C. Comorin)
COLOMBO
Kandy
Jaffna
Trincomalee
Galle
Dondra Head
Thar Desert
Great Indian Desert
RAJASTHAN
PUNJAB
HARYANA
GUJARAT
MADHYA PRADESH
MAHARASHTRA
KARNATAKA
TAMIL NADU
KERALA
ANDHRA PRADESH
SIND
BALUCHISTAN
Rann of Kachchh
Gulf of Kachchh
Gulf of Khambhat
Gulf of Mannar
Palk Strait
Western Ghats
Eastern Ghats
Malabar Coast
Coromandel Coast
Satpura Range
Central Makran Range
Makran Coast Range
Siahan Range
Toba Kakar
Sulaiman Ra.
Kirthar Range
Safīd Kūh
Dasht-e Mārgow
Rīgestān
Mouths of the Indus
Indus
continuation southwards on same scale
Projection: Conical with two standard parallels

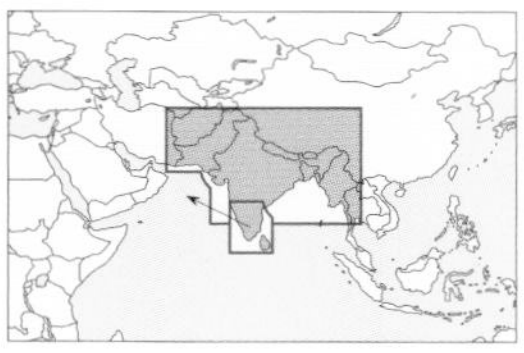

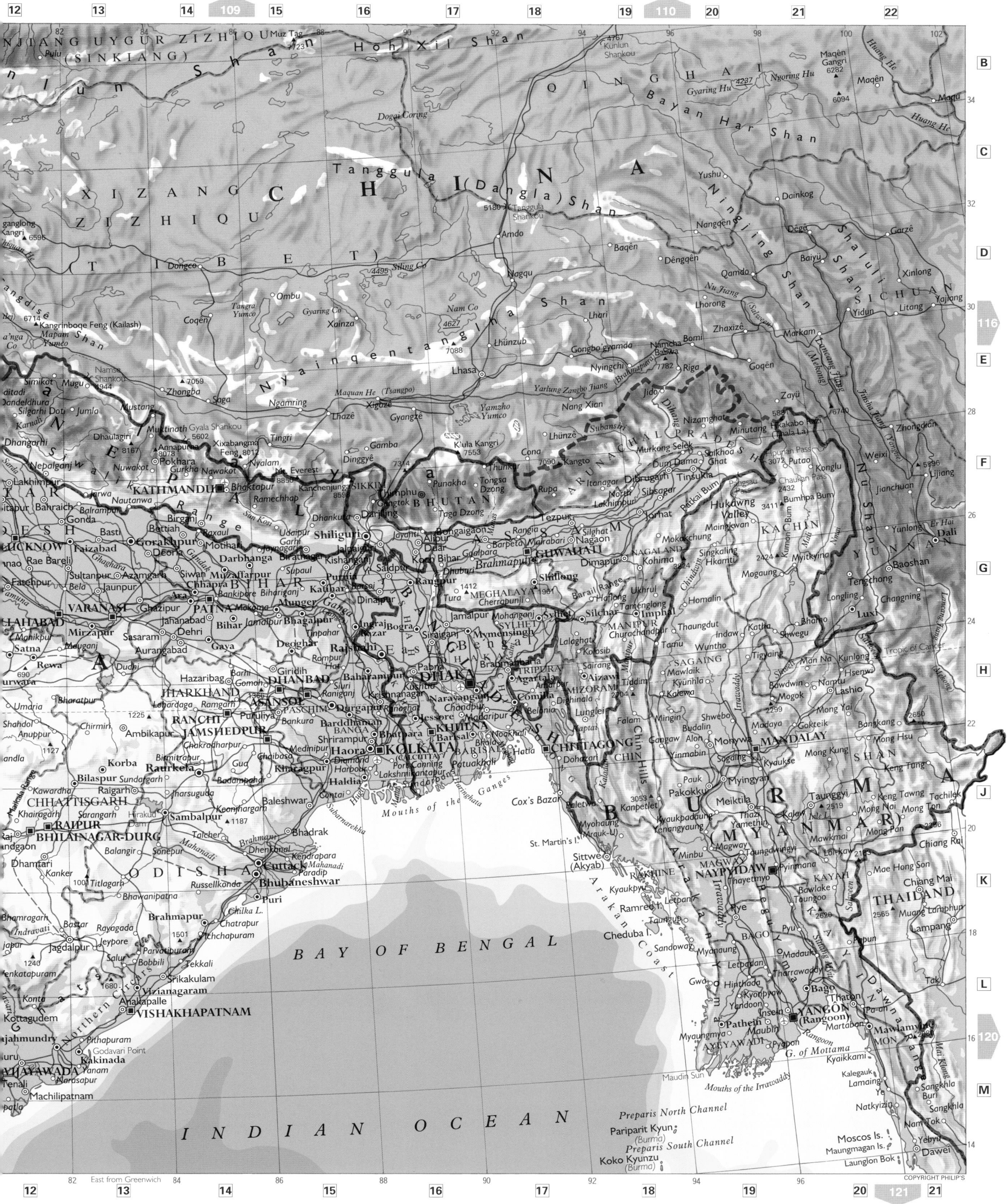
XINJIANG UYGUR ZIZHIQU
(SINKIANG)
Kunlun Shan
Hoh Xil Shan
QINGHAI
Bayan Har Shan
Dogai Coring
Tanggula (Dangla) Shan
CHINA
XIZANG ZIZHIQU
(TIBET)
Ningjing Shan
Shaluli Shan
SICHUAN
Nyainqentanglha Shan
Lhasa
Xigazê
Gyangzê
Yarlung Zangbo Jiang
Nu Jiang
Lancang Jiang (Mekong)
Jinsha Jiang (Yangtze)
NEPAL
KATHMANDU
Mt. Everest 8850
Kanchenjunga 8598
Annapurna 8078
Dhaulagiri 8167
SIKKIM
Thimphu
BHUTAN
Gangtok
Darjiling
ARUNACHAL PRADESH
ASSAM
MEGHALAYA
NAGALAND
MANIPUR
MIZORAM
TRIPURA
Brahmaputra
Shiliguri
Guwahati
Shillong
Imphal
Agartala
BIHAR
PATNA
Ganga
Ghaghara
LUCKNOW
VARANASI
ALLAHABAD
JHARKHAND
RANCHI
JAMSHEDPUR
DHANBAD
ASANSOL
PASCHIMBANGA
KOLKATA (CALCUTTA)
Haora
Haldia
Mouths of the Ganges
BANGLADESH
DHAKA
Rajshahi
Khulna
Barisal
Comilla
Chittagong
Cox's Bazar
St. Martin's I.
CHHATTISGARH
RAIPUR
BHILAINAGAR-DURG
Bilaspur
Raurkela
Sambalpur
ODISHA
Cuttack
Bhubaneshwar
Puri
Chilka L.
Brahmapur
Jagdalpur
Vizianagaram
VISHAKHAPATNAM
Northern Circars
Kakinada
Rajahmundry
Godavari Point
VIJAYAWADA
Machilipatnam
BAY OF BENGAL
INDIAN OCEAN
Tropic of Cancer
BURMA (MYANMAR)
KACHIN
SAGAING
CHIN
Chin Hills
MAGWAY
MANDALAY
SHAN
NAYPYIDAW
KAYAH
KAYIN
BAGO
RAKHINE
Arakan Yoma
Arakan Coast
Sittwe (Akyab)
Ramree I.
Cheduba I.
Pegu Yoma
Irrawaddy
Chindwin
Salween
AYEYAWADI
Pathein
YANGON (Rangoon)
Bago
Mawlamyine
MON
G. of Mottama
Mouths of the Irrawaddy
Preparis North Channel
Preparis South Channel
Pariparit Kyun (Burma)
Koko Kyunzu (Burma)
Moscos Is.
Dawei
Dawna Range
THAILAND
Chiang Mai
Lampang
Chiang Rai
YUNNAN
Dali
Baoshan
Lijiang
Jianchuan
Kunlong
Lashio
Tengchong
Luxi
East from Greenwich
COPYRIGHT PHILIP'S

1:5 300 000

50 0 50 100 150 200 km

50 0 50 100 150 miles

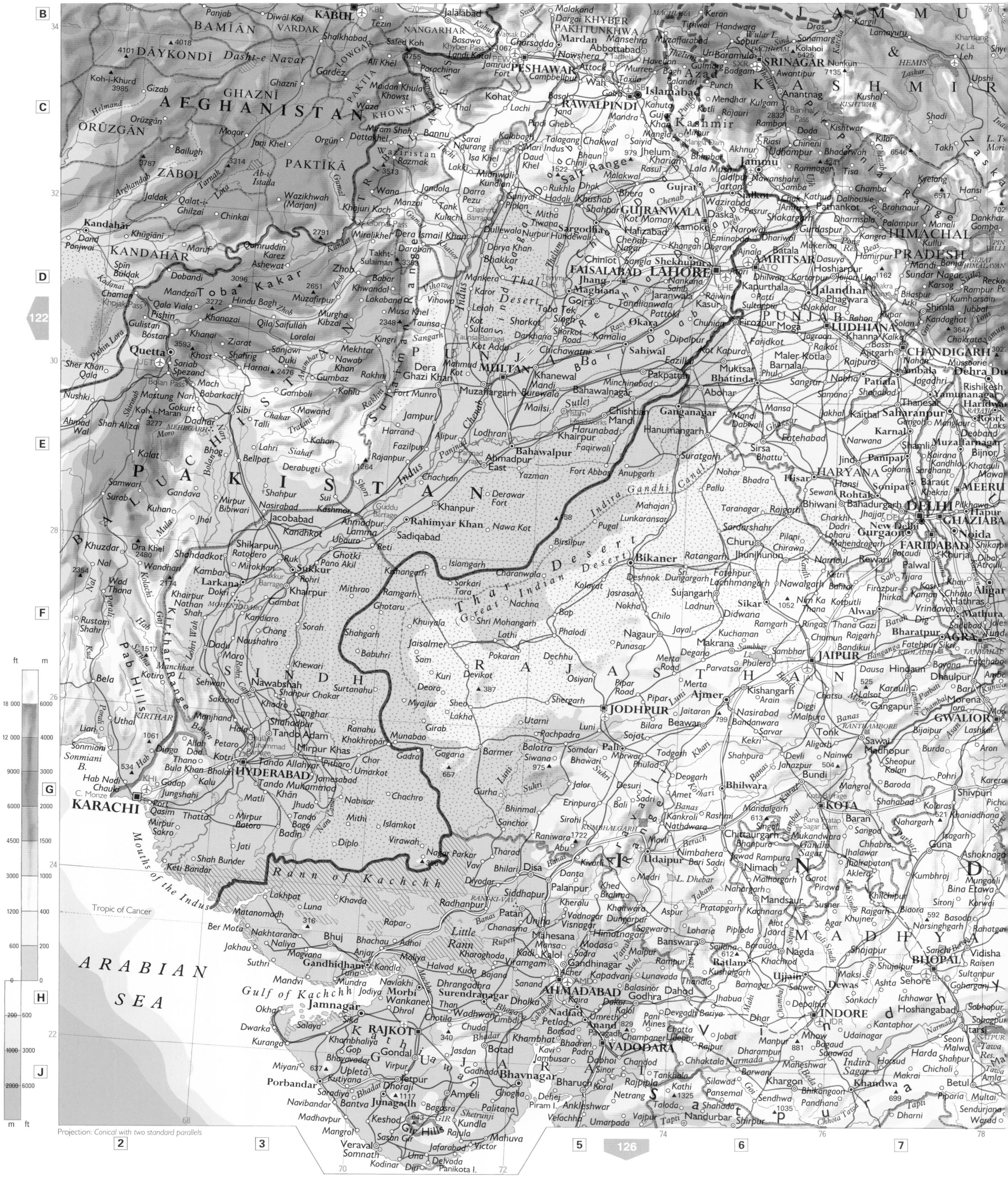

Projection: Conical with two standard parallels

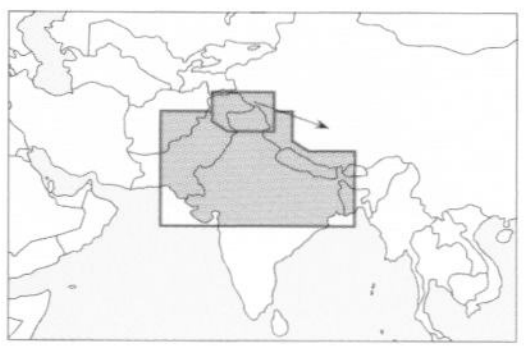

8 9 109 10 5 6 109 7

8 9 10 126 11 12 13

50 0 50 100 150 200 km

1:5 300 000

50 0 50 100 150 miles

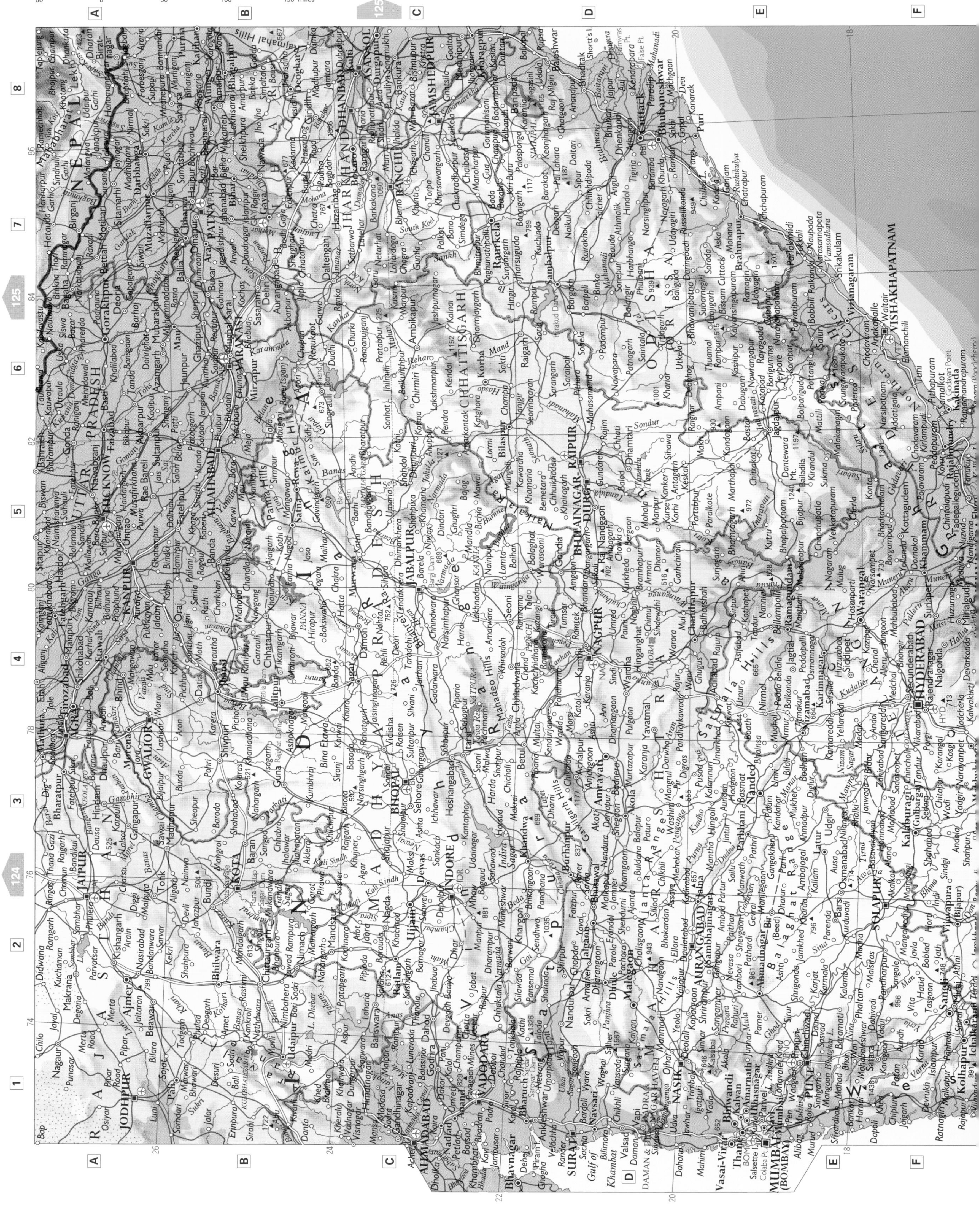

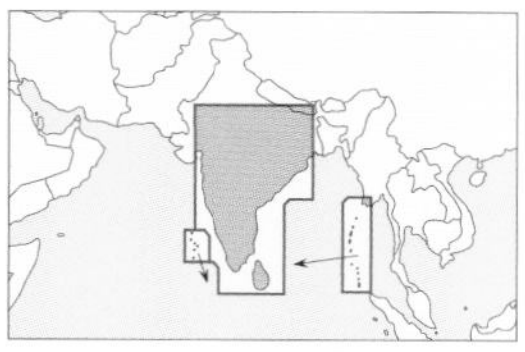

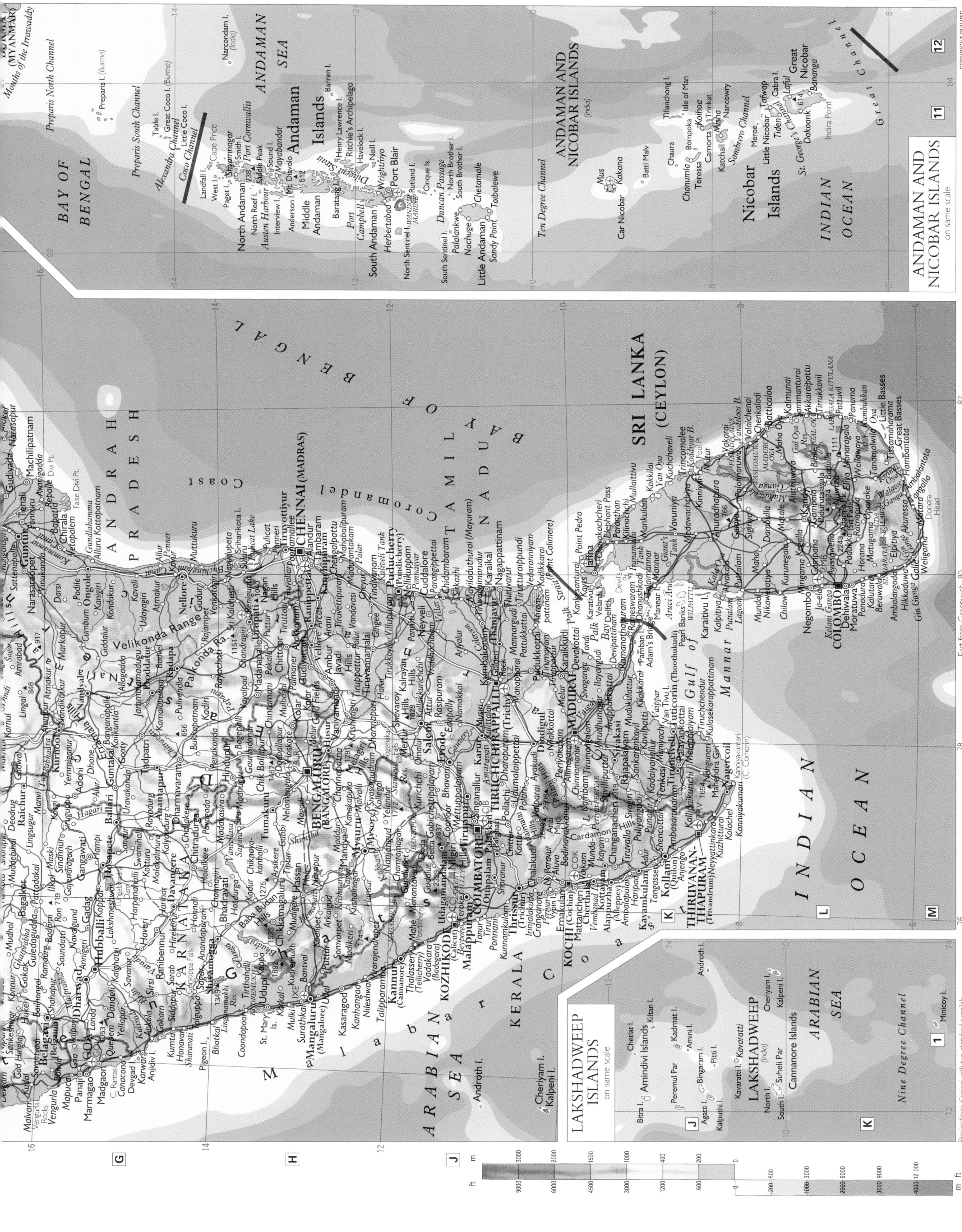
BAY OF BENGAL
ANDAMAN SEA
ANDAMAN AND NICOBAR ISLANDS (India)
Andaman Islands
Nicobar Islands
INDIAN OCEAN
ANDAMAN AND NICOBAR ISLANDS on same scale
ANDHRA PRADESH
KARNATAKA
TAMIL NADU
KERALA
SRI LANKA (CEYLON)
CHENNAI (MADRAS)
BENGALURU (BANGALORE)
COLOMBO
Coromandel Coast
Gulf of Mannar
ARABIAN SEA
LAKSHADWEEP ISLANDS on same scale
LAKSHADWEEP (India)
Nine Degree Channel
Ten Degree Channel
East from Greenwich
Projection: Conical with two standard parallels
COPYRIGHT PHILIP'S

50 0 50 100 150 200 250 300 km

1:6 200 000

50 0 50 100 150 200 miles

1 2 3 105 4 5

104 B C D 137 F

Projection: Conical with two standard parallels

2 131 3 4 5

Underlined towns in Iraq give their name to the administrative area in which they stand

Lava fields

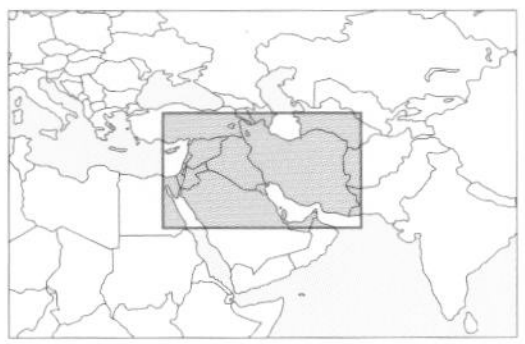

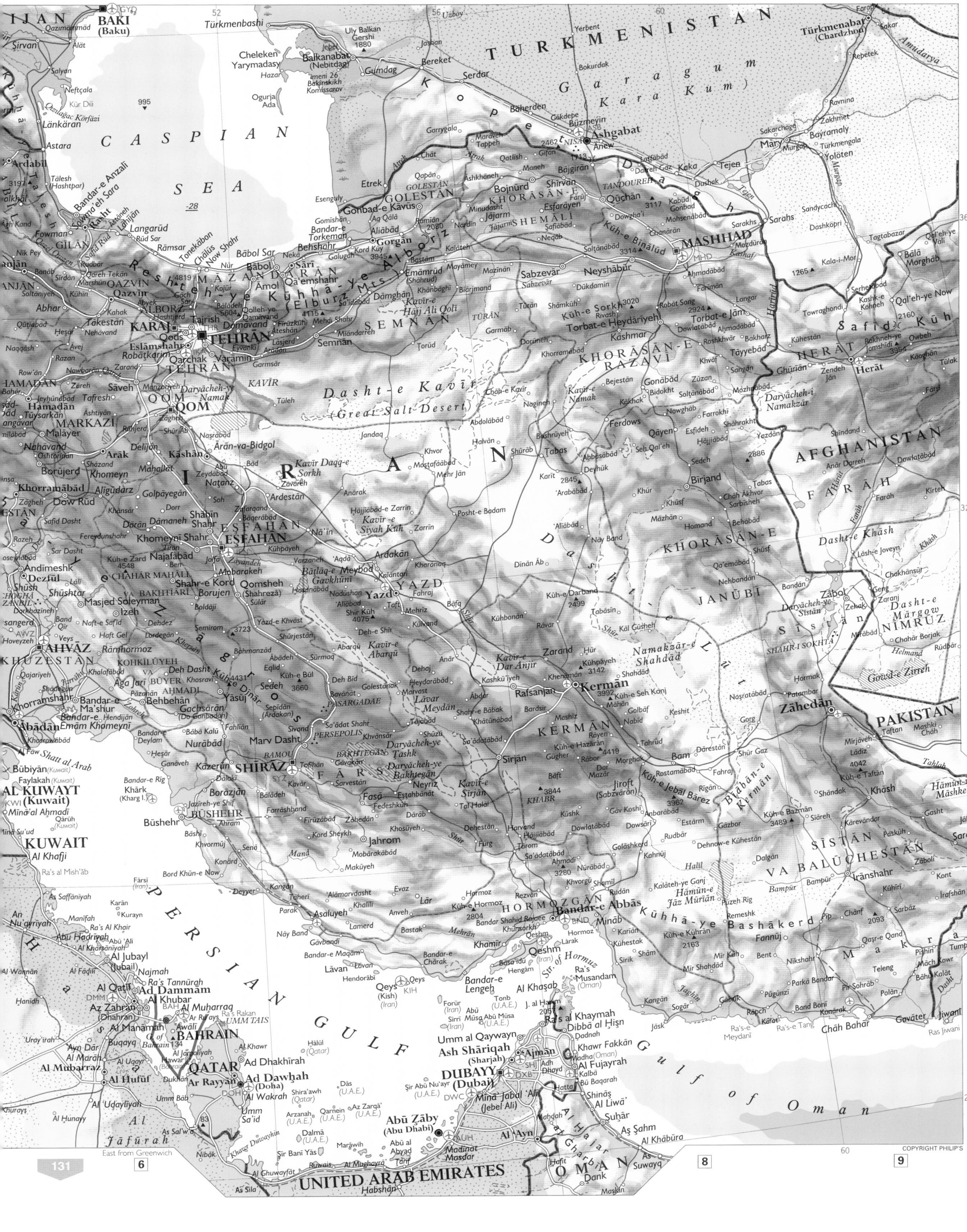

6
7
8
108
9
10
B
C
D
E
F
122
131
East from Greenwich
COPYRIGHT PHILIP'S
TURKMENISTAN
Garagum (Kara Kum)
Kopet Dagh
Türkmenbashi
Cheleken Yarymadasy
Balkanabat (Nebitdag)
Gumdag
Uly Balkan Gershi 1880
Bereket
Serdar
Baherden
Gökdepe
Büzmeyin
Ashgabat
Änew
Tejen
Mary
Bayramaly
Yolöten
Türkmenabat (Chardzhou)
Amudarya
Sarahs
BAKI (Baku)
Şirvan
Salyan
Neftçala
Länkäran
Astara
CASPIAN SEA
Ardabil
Tälesh (Hashtpar)
Bandar-e Anzalī
Rasht
Lāhījān
Langarūd
Rāmsar
Tonekābon
Chālūs
Now Shahr
Bābol Sar
Bābol
Āmol
Sārī
Qā'emshahr
Behshahr
Gorgān
Gonbad-e Kāvūs
Bandar-e Torkeman
Aliābād
GOLESTĀN
Bojnūrd
Shīrvān
Esfarāyen
Qūchān
KHORĀSĀN-E SHEMĀLĪ
MĀZANDARĀN
GĪLĀN
Reshteh-ye Kūhhā-ye Alborz (Elburz Mts.)
Damāvand
Shāhrūd
Dāmghān
Semnān
SEMNĀN
Sabzevār
Neyshābūr
MASHHAD
Kūh-e Bīnālūd
Torbat-e Heydarīyeh
Torbat-e Jām
Kāshmar
KHORĀSĀN-E RAZAVĪ
Qazvin
QAZVĪN
Abhar
Takestān
KARAJ
TEHRĀN
Eslāmshahr
Qods
Varāmīn
Hamadān
HAMADĀN
Sāveh
QOM
Qom
Daryācheh-ye Namak
Dasht-e Kavīr (Great Salt Desert)
Kāshān
Arāk
MARKAZĪ
Malāyer
Nahāvand
Borūjerd
Khomeyn
Golpāyegān
Khorramābād
Aligūdarz
Dow Rūd
Natanz
Ardestān
Esfahān
ESFAHĀN
Khomeynī Shahr
Najafābād
Shahr-e Kord
CHAHĀR MAHĀLL VA BAKHTĪĀRĪ
Qomsheh (Shahrezā)
Borujen
Izeh
Masjed Soleymān
Dezfūl
Shūshtar
Andimeshk
Ahvāz
KHUZESTĀN
Rāmhormoz
Behbehān
Khorramshahr
Ābādān
Bandar-e Ma'shur
Bandar-e Emām Khomeynī
Yāsūj
KOHKĪLŪYEH VA BŪYER AHMADĪ
Zāgros Mts.
Nā'īn
Ardakān
Yazd
YAZD
Meybod
Bāfq
Tabas
Ferdows
Qāyen
Bīrjand
Dasht-e Lūt
KHORĀSĀN-E JANŪBĪ
Kermān
KERMĀN
Rafsanjān
Zarand
Sīrjān
Bam
Jīroft
Shīrāz
Marv Dasht
FĀRS
Persepolis
Pasargadae
Daryācheh-ye Tashk
Daryācheh-ye Bakhtegān
Fasā
Jahrom
Kāzerūn
Būshehr
BŪSHEHR
Borāzjān
Dāldān
Zābol
Dasht-e Mārgow
Sīstān
Zāhedān
Khāsh
Sarāvān
Īrānshahr
SĪSTĀN VA BALŪCHESTĀN
Chābahār
Makran
Bandar-e Abbās
HORMOZGĀN
Mīnāb
Kūhhā-ye Bashākerd
Qeshm
Str. of Hormuz
Asaluyeh
Lār
Kish
AFGHANISTAN
Herāt
HERĀT
Safīd Kūh
FARĀH
Farāh
NIMRŪZ
Dasht-e Khāsh
Daryācheh-ye Sīstān
Helmand
Gowd-e Zirreh
PAKISTAN
Taftān
Jiwani
Gwadar
IRAN
PERSIAN GULF
Gulf of Oman
AL KUWAYT (Kuwait)
KUWAIT
Al Khafji
Al Jubayl
Ad Dammām
Al Khubar
Az Zahrān (Dhahran)
Al Hufūf
Al Mubarraz
BAHRAIN
Al Manāmah
QATAR
Ad Dawhah (Doha)
Ar Rayyān
Al Wakrah
Umm Sa'id
Ra's Musandam (Oman)
Ra's al Khaymah
Umm al Qaywayn
Ash Shāriqah (Sharjah)
Ajmān
DUBAYY (Dubai)
Al Fujayrah
Khawr Fakkān
Abū Zāby (Abu Dhabi)
Al Ayn
UNITED ARAB EMIRATES
OMAN
Suhār
Al Ḥajar al Gharbī
Al Jāfūrah

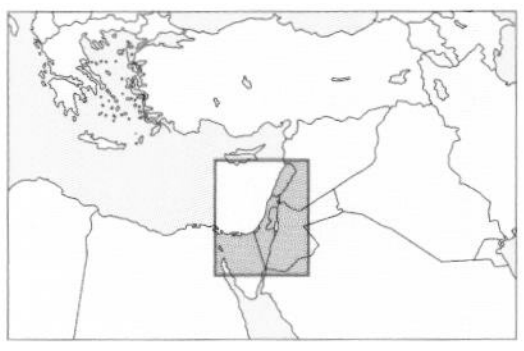

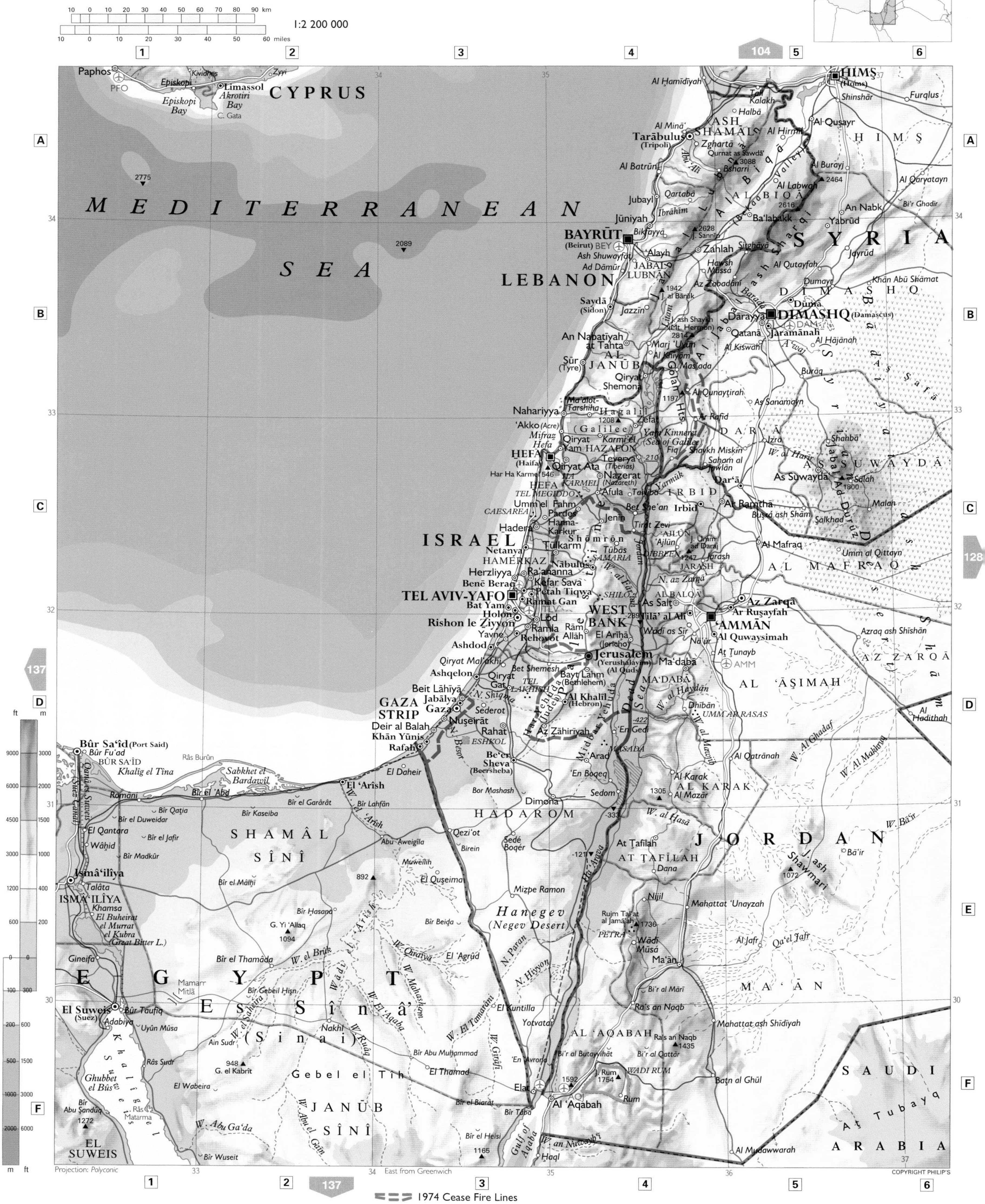
1:2 200 000
km
miles
104
128
137
MEDITERRANEAN
SEA
CYPRUS
Paphos
Limassol
Akrotiri Bay
Episkopi Bay
C. Gata
2775
2089
LEBANON
SYRIA
ISRAEL
JORDAN
EGYPT
SAUDI ARABIA
GAZA STRIP
WEST BANK
HIMS (Homs)
Tarābulus (Tripoli)
BAYRŪT (Beirut)
Saydā (Sidon)
Şūr (Tyre)
DIMASHQ (Damascus)
Ba'labakk
Zahlah
HEFA (Haifa)
'Akko (Acre)
Nahariyya
Nazerat (Nazareth)
Teverya (Tiberias)
Yam Kinneret (Sea of Galilee)
Golan Hts.
Netanya
Herzliyya
TEL AVIV-YAFO
Bat Yam
Holon
Rishon le Ziyyon
Ashdod
Ashqelon
Gaza
Rafah
Khān Yūnis
Deir al Balah
Jerusalem (Yerushalayim) (Al Quds)
Bayt Lahm (Bethlehem)
Al Khalīl (Hebron)
Be'er Sheva (Beersheba)
Dead Sea
Jordan
Nābulus
Irbid
Az Zarqā
'AMMĀN
Ma'dabā
Al Karak
At Ţafīlah
Ma'ān
Al 'Aqabah
Elat
Gulf of Aqaba
Hanegev (Negev Desert)
HADAROM
Es Sînâ' (Sinai)
SHAMÂL SÎNÂ
JANÛB SÎNÂ
Gebel el Tîh
El 'Arîsh
Bûr Sa'îd (Port Said)
Ismâ'ilîya
El Suweis (Suez)
Khalîg el Suweis
Qanâ el Suweis (Suez Canal)
EL SUWEIS
ISMÂ'ILÎYA
Projection: Polyconic
East from Greenwich
COPYRIGHT PHILIP'S

1974 Cease Fire Lines

1:13 300 000

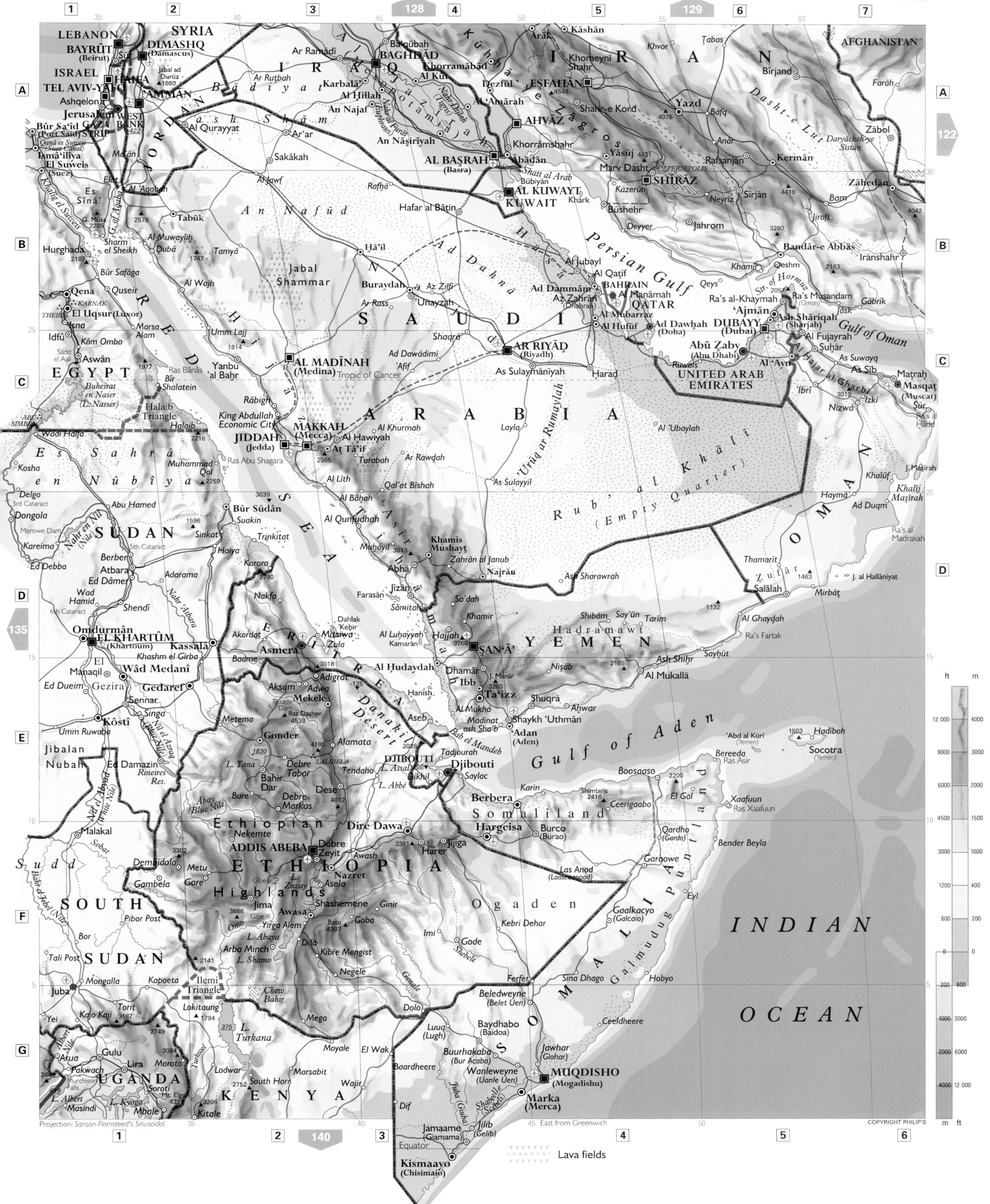

128
129
122
135
140
LEBANON
SYRIA
DIMASHQ (Damascus)
BAYRŪT (Beirut)
ISRAEL
TEL AVIV-YAFO
ḤAIFA
'AMMĀN
JORDAN
Jerusalem
WEST BANK
GAZA STRIP
Bûr Sa'îd (Port Said)
Ismâ'ilîya
El Suweis (Suez)
Elat
Al 'Aqabah
Es Sînâ'
IRAQ
BAGHDĀD
Ar Ramādī
Ar Rutbah
Karbalā'
Al Ḥillah
An Najaf
An Nāṣirīyah
AL BAṢRAH (Basra)
Bādiyat ash Shām
Ar'ar
Al Qurayyat
Sakākah
Al Jawf
Tabūk
An Nafūd
Ḥā'il
Jabal Shammar
Buraydah
'Unayzah
SAUDI ARABIA
AR RIYĀḌ (Riyadh)
AL MADĪNAH (Medina)
MAKKAH (Mecca)
JIDDAH (Jedda)
Aṭ Ṭā'if
Yanbu 'al Baḥr
Tropic of Cancer
Ad Dahnā
Ad Dammām
Al Jubayl
Al Hufūf
As Sulayyil
Rub' al Khālī (Empty Quarter)
KUWAIT
AL KUWAYT
Persian Gulf
BAHRAIN
Al Manāmah
QATAR
Ad Dawḥah (Doha)
UNITED ARAB EMIRATES
Abū Ẓaby (Abu Dhabi)
DUBAYY (Dubai)
Ash Shāriqah (Sharjah)
Gulf of Oman
Str. of Hormuz
OMAN
Masqaṭ (Muscat)
Ṣalālah
IRAN
ESFAHĀN
AHVĀZ
SHĪRĀZ
Yazd
Kermān
Zāhedān
Bandar-e Abbās
Dasht-e Lut
Kūhhā-ye Zāgros
AFGHANISTAN
EGYPT
Aswân
El Uqsur (Luxor)
Qena
Hurghada
RED SEA
Halaib Triangle
SUDAN
Bûr Sûdân
EL KHARTÛM (Khartoum)
Omdurmân
Kassalâ
Es Sahrâ en Nûbîya
Wad Medanî
YEMEN
ṢAN'Ā'
Al Ḥudaydah
Ta'izz
'Adan (Aden)
Al Mukallā
Hadramawt
Socotra
Gulf of Aden
Bab el Mandeb
ERITREA
Asmera
Danakil Desert
DJIBOUTI
Djibouti
ETHIOPIA
ADDIS ABEBA
Dire Dawa
Ethiopian Highlands
Gonder
Harer
Ogaden
Somaliland
Berbera
Hargeisa
SOMALIA
MUQDISHO (Mogadishu)
Kismaayo (Chisimaio)
Puntland
SOUTH SUDAN
Juba
Ilemi Triangle
UGANDA
KENYA
L. Turkana
INDIAN OCEAN
Equator
East from Greenwich
Projection: Sanson-Flamsteed's Sinusoidal
COPYRIGHT PHILIP'S
Lava fields

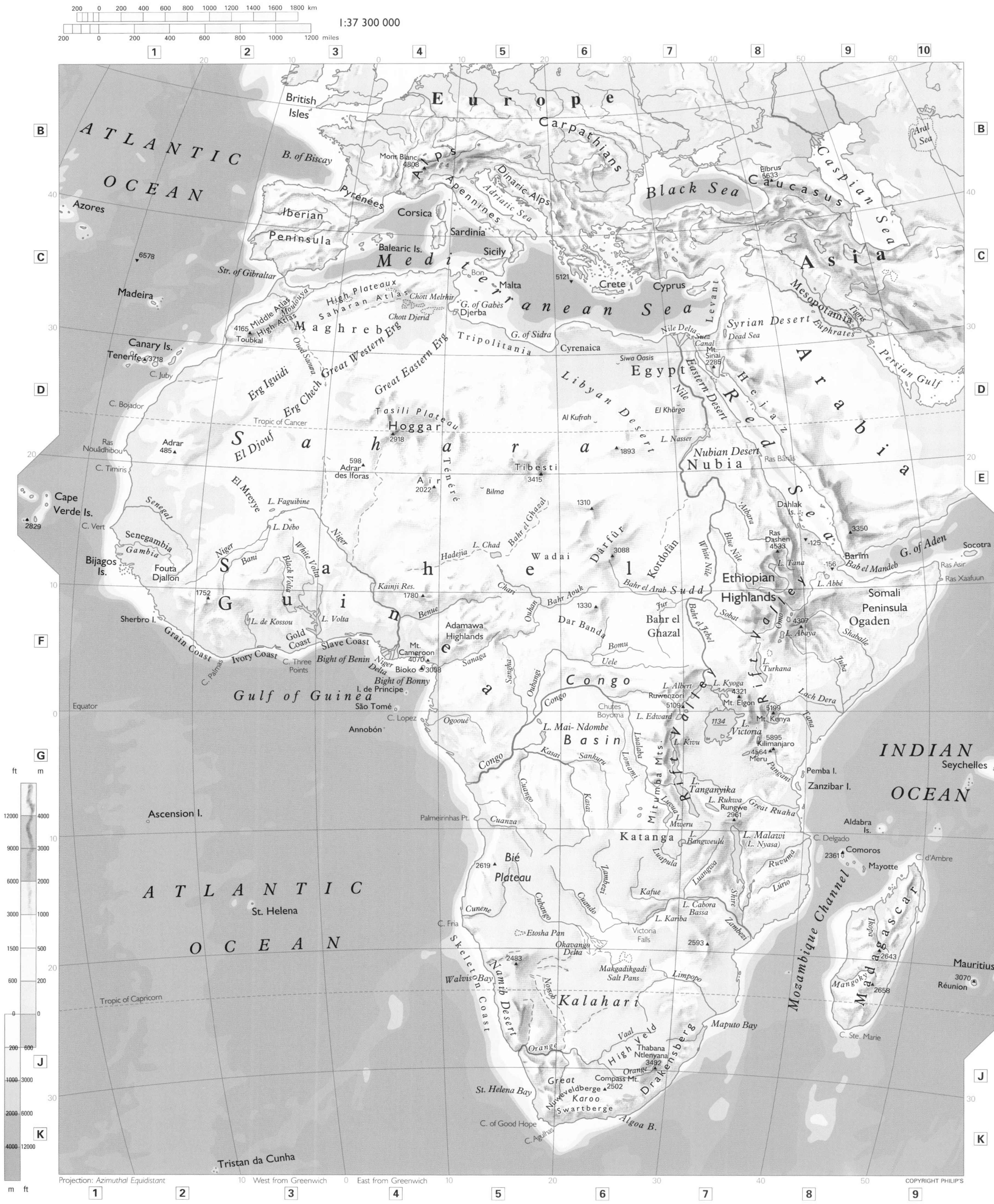
200 0 200 400 600 800 1000 1200 1400 1600 1800 km
200 0 200 400 600 800 1000 1200 miles
1:37 300 000
ATLANTIC OCEAN
Azores
British Isles
B. of Biscay
Europe
Carpathians
Mont Blanc 4808
Alps
Dinaric Alps
Apennines
Adriatic Sea
Pyrénées
Iberian Peninsula
Corsica
Sardinia
Sicily
Balearic Is.
Black Sea
Elbrus 5633
Caucasus
Caspian Sea
Aral Sea
Asia
6578
Madeira
Str. of Gibraltar
Mediterranean Sea
C. Bon
Malta
5121
Crete
Cyprus
Levant
High Plateaux
Saharan Atlas
Chott Melrhir
Chott Djerid
G. of Gabès
Djerba
Middle Atlas
High Atlas
Moulouya
4165 Toubkal
Maghreb
Canary Is.
Tenerife 3718
C. Juby
Oued Saoura
Great Western Erg
Great Eastern Erg
Tripolitania
G. of Sidra
Cyrenaica
Nile Delta
Suez Canal
Mt. Sinai 2285
Syrian Desert
Dead Sea
Euphrates
Tigris
Mesopotamia
Persian Gulf
Arabia
Siwa Oasis
Egypt
Libyan Desert
Eastern Desert
Nile
Red Sea
Hejaz
Erg Iguidi
Erg Chech
C. Bojador
Tropic of Cancer
Tasili Plateau
Hoggar 2918
Al Kufrah
El Khârga
L. Nasser
Ras Nouâdhibou
Adrar 485
El Djouf
Sahara
1893
Nubian Desert
Nubia
Ras Bânâs
C. Timiris
598 Adrar des Iforas
Aïr 2022
Ténéré
Bilma
Tibesti 3415
Cape Verde Is.
2829
El Mreyyé
L. Faguibine
Senegal
C. Vert
1310
Atbara
Dahlak Is.
3350
Senegambia
Gambia
L. Débo
Niger
White Volta
Black Volta
Bani
Bahr el Ghazal
L. Chad
Hadejia
Blue Nile
White Nile
Ras Dashen 4533
-125
Bijagos Is.
Fouta Djallon
Sahel
Wadai
Dârfûr 3088
Kordofân
L. Tana
Barīm
Bab el Mandeb
G. of Aden
Socotra
Ras Asir
Ras Xaafuun
-156
Ethiopian Highlands
L. Abbé
Somali Peninsula
Ogaden
1752
Guinea
Kainji Res. 1780
Chari
Bahr Aouk
Bahr el Arab
Sudd
1330
Jur
Sherbro I.
L. de Kossou
L. Volta
Benue
Ouham
Dar Banda
Bahr el Ghazal
Bahr el Jebel
Sobat
Rift Valley
Omo
4307
L. Abaya
Shaballe
Grain Coast
Ivory Coast
Gold Coast
Slave Coast
C. Three Points
Bight of Benin
Niger Delta
Mt. Cameroon 4070
Adamawa Highlands
Bioko 3008
Bomu
Uele
C. Palmas
Sanaga
Sangha
Oubangi
Congo
L. Turkana
Juba
Gulf of Guinea
Bight of Bonny
I. de Principe
São Tomé
L. Albert
Ruwenzori 5109
L. Kyoga 4321
Mt. Elgon
Lach Dera
Tana
5199 Mt. Kenya
Equator
C. Lopez
Ogooué
Chutes Boyoma
L. Edward
1134
L. Victoria
Annobón
L. Mai-Ndombe
Basin
Lualaba
L. Kivu
5895 Kilimanjaro
4564 Meru
Pangani
INDIAN OCEAN
Seychelles
Kasai
Sankuru
Lomami
Mitumba Mts.
Pemba I.
Zanzibar I.
Ascension I.
Cuango
Kasai
L. Tanganyika
L. Rukwa
Lukuga
Rungwe 2961
Great Ruaha
Palmeirinhas Pt.
Cuanza
L. Mweru
Aldabra Is.
Katanga
L. Bangweulu
L. Malawi (L. Nyasa)
C. Delgado
2361 Comoros
C. d'Ambre
Mayotte
2619
Bié Plateau
Luapula
Zambezi
Luangwa
Ruvuma
Lurio
ATLANTIC OCEAN
St. Helena
Cunene
Cubango
Cuando
Kafue
L. Cabora Bassa
L. Kariba
Shire
Zambezi
Mozambique Channel
Madagascar
Ikopa
C. Fria
Etosha Pan
Victoria Falls
2593
Skeleton Coast
Okavango Delta
2483
Makgadikgadi Salt Pans
Limpopo
2643
Mauritius
Walvis Bay
Namib Desert
Nossob
Kalahari
Mangoky
3070 Réunion
2658
Tropic of Capricorn
Maputo Bay
C. Ste. Marie
Orange
Vaal
High Veld
Thabana Ntlenyana 3492
Drakensberg
Orange
Great Karoo
Compass Mt. 2502
Nuweveldberge
Swartberge
St. Helena Bay
C. of Good Hope
C. Agulhas
Algoa B.
Tristan da Cunha
ft m
12000 4000
9000 3000
6000 2000
3000 1000
1500 500
600 200
0 0
200 600
1000 3000
2000 6000
4000 12000
m ft
Projection: Azimuthal Equidistant
West from Greenwich
East from Greenwich
COPYRIGHT PHILIP'S

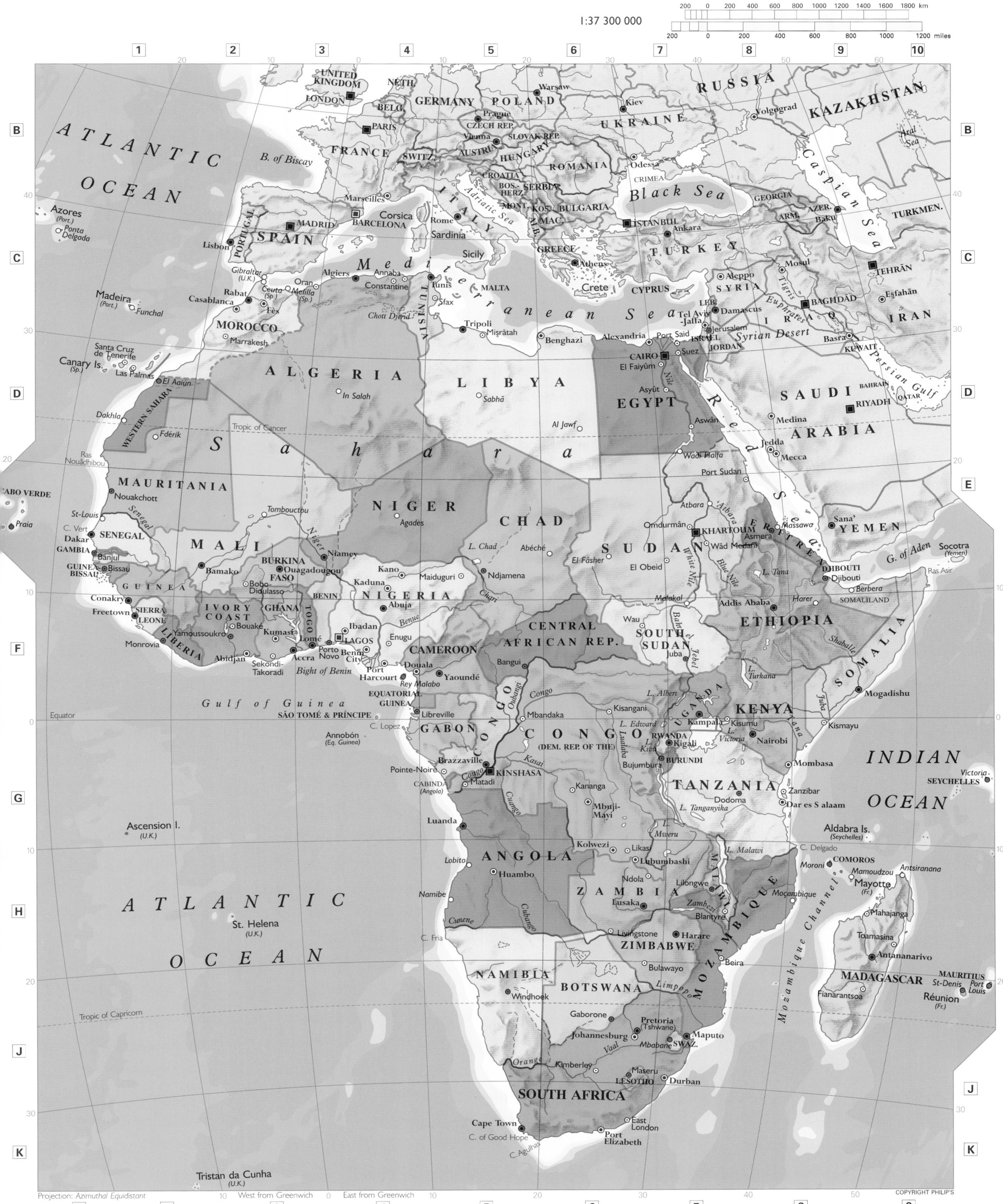
1:37 300 000
ATLANTIC OCEAN
INDIAN OCEAN
Mediterranean Sea
Black Sea
Red Sea
Caspian Sea
Sahara
MOROCCO
ALGERIA
LIBYA
EGYPT
WESTERN SAHARA
MAURITANIA
MALI
NIGER
CHAD
SUDAN
SOUTH SUDAN
ETHIOPIA
ERITREA
SOMALIA
KENYA
UGANDA
TANZANIA
NIGERIA
CAMEROON
CENTRAL AFRICAN REP.
GABON
CONGO
CONGO (DEM. REP. OF THE)
ANGOLA
ZAMBIA
ZIMBABWE
MOZAMBIQUE
NAMIBIA
BOTSWANA
SOUTH AFRICA
MADAGASCAR
SENEGAL
GUINEA
IVORY COAST
GHANA
TOGO
BENIN
LIBERIA
SIERRA LEONE
BURKINA FASO
SAUDI ARABIA
YEMEN
TURKEY
SPAIN
FRANCE
ITALY
CAIRO
KHARTOUM
NAIROBI
KINSHASA
Projection: Azimuthal Equidistant
West from Greenwich
East from Greenwich
COPYRIGHT PHILIP'S
Dakar Capital Cities

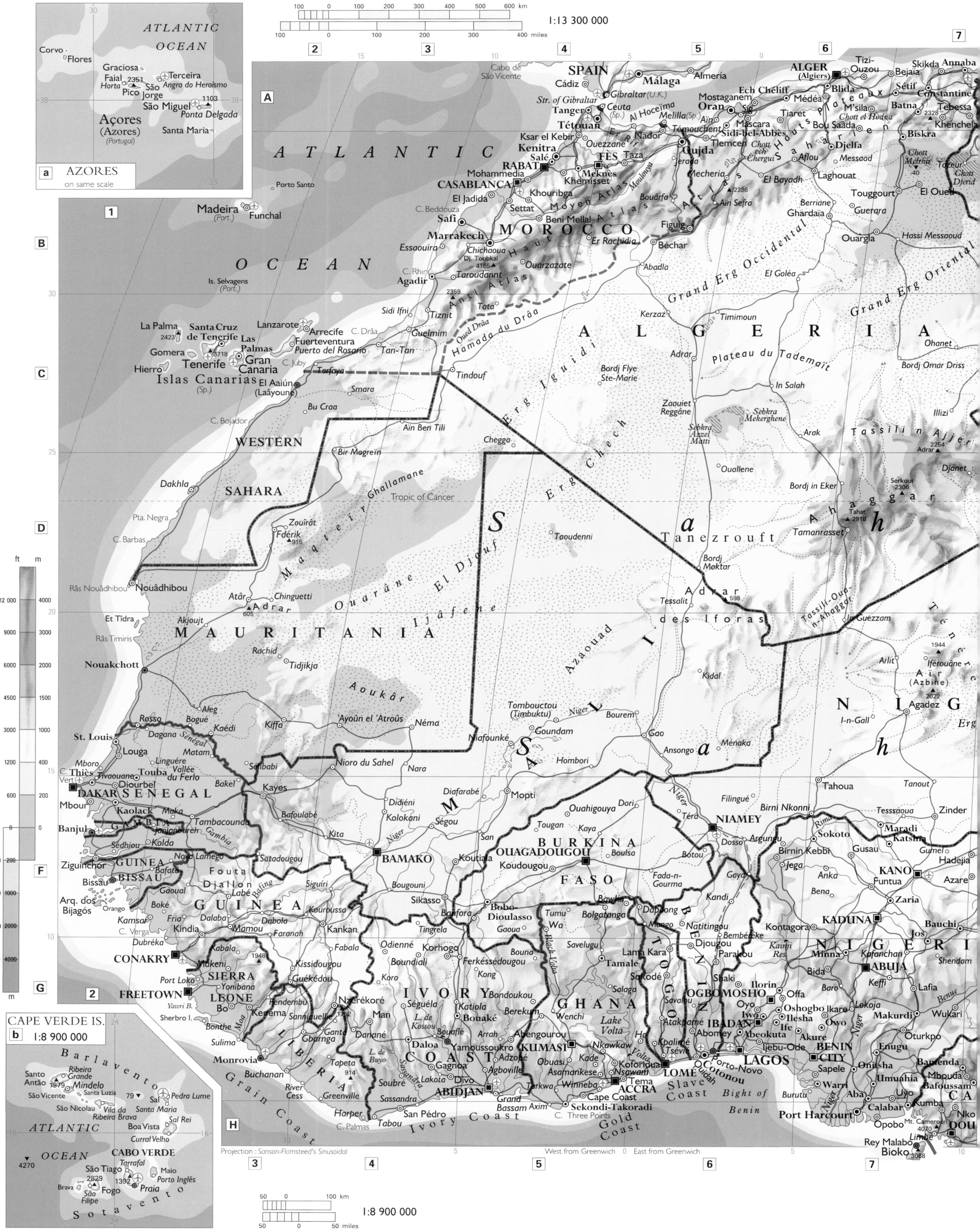
1:13 300 000
100 0 100 200 300 400 500 600 km
100 0 100 200 300 400 miles
ATLANTIC OCEAN
Corvo
Flores
Graciosa
Faial
Horta
2351
Pico
São Jorge
Terceira
Angra do Heroísmo
São Miguel
1103
Ponta Delgada
Açores
(Azores)
(Portugal)
Santa Maria
a AZORES
on same scale
SPAIN
Cabo de São Vicente
Cádiz
Málaga
Almería
Str. of Gibraltar
Gibraltar (U.K.)
Tanger
Ceuta (Sp.)
Tétouan
Al Hoceïma
Melilla (Sp.)
Nador
Oran
Mostaganem
Ech Cheliff
ALGER (Algiers)
Tizi-Ouzou
Bejaïa
Skikda
Annaba
Médéa
Blida
Sétif
Constantine
Batna
Tebessa
Khenchela
M'sila
Chott el Hodna
Biskra
Bou Saâda
Djelfa
Tiaret
Mascara
Sidi-bel-Abbès
Aïn Témouchent
Tlemcen
Chott Ech Chergui
Oujda
Jerada
Aflou
Messaad
Laghouat
Mecheria
El Bayadh
Aïn Sefra
2236
Touggourt
El Oued
Chott Melrhir
Chott Djerid
Tozeur
Hauts Plateaux
Saharien Atlas
Kenitra
Salé
RABAT
Ksar el Kebir
Ouezzane
Er Rif
FÈS
Taza
Meknès
Khemisset
Mohammedia
CASABLANCA
El Jadida
Khouribga
Settat
Moyen Atlas
Moulouya
Bouârfa
Figuig
Béchar
Beni Mellal
Haut Atlas
Er Rachidia
C. Beddouza
Safi
Marrakech
Essaouira
Chichaoua
Dj. Toubkal 4165
Ouarzazate
MOROCCO
C. Rhir
Agadir
Taroudannt
Anti Atlas
Tata
Tiznit
Sidi Ifni
Guelmim
C. Drâa
Oued Drâa
Hamada du Drâa
Tan-Tan
Porto Santo
Madeira (Port.)
Funchal
ATLANTIC OCEAN
Is. Selvagens (Port.)
La Palma
2423
Santa Cruz de Tenerife
3718
Tenerife
Gomera
Hierro
Lanzarote
Arrecife
Fuerteventura
Puerto del Rosario
Las Palmas
Gran Canaria
Islas Canarias (Sp.)
C. Juby
Tarfaya
El Aaiún (Laâyoune)
Smara
Tindouf
Bu Craa
C. Bojador
WESTERN SAHARA
Dakhla
Pta. Negra
C. Barbas
Aïn Ben Tili
Bir Mogreïn
Chegga
Tropic of Cancer
Zouîrât
Fdérik
915
Maqteïr
Ghallamane
Râs Nouâdhibou
Nouâdhibou
Atâr
Adrar
605
Chinguetti
Ouarâne
El Djouf
Ijâfene
Et Tîdra
Râs Timiris
Akjoujt
MAURITANIA
Rachid
Tidjikja
Nouakchott
Aoukâr
Aleg
Rosso
Bogué
Kaédi
Kiffa
'Ayoûn el 'Atroûs
Néma
Abadla
El Goléa
Grand Erg Occidental
Grand Erg Oriental
Hassi Messaoud
Ouargla
Ghardaïa
Berriane
Guerara
Kerzaz
Timimoun
ALGERIA
Erg Iguidi
Adrar
Plateau du Tademaït
Ohanet
Bordj Omar Driss
Bordj Flye Ste-Marie
In Salah
Zaouiet Reggâne
Sebkra Mekerghene
Sebkra Azzel Matti
Erg Chech
Illizi
Arak
Tassili n Ajjer
2254
Adrar
Djanet
Aoulef
Ouallene
Bordj in Eker
Serkout 2306
Ahaggar
Tahat 2918
Tamanrasset
Taoudenni
Tanezrouft
Sahara
Bordj Moktar
Adrar des Iforas
598
Tessalit
Tassili-Oua-n-Ahaggar
In Guezzam
Ténéré
1944
Iférouâne
Arlit
Aïr (Azbine)
2022
Agadez
I-n-Gall
NIGER
Erg
Azaouad
Kidal
MALI
Tombouctou (Timbuktu)
Niger
Bourem
Goundam
Niafounké
Gao
Ansongo
Ménaka
Hombori
Sahel
Nioro du Sahel
Nara
Sélibabi
St. Louis
Dagana
Sénégal
Matam
Louga
Linguère
Vallée du Ferlo
Mboro
C. Vert
Thiès
Tivaouane
Touba
DAKAR
Diourbel
SENEGAL
Bakel
Kayes
Mbour
Kaolack
Maka
Banjul
GAMBIA
Janjanbureh
Tambacounda
Gambia
Sédhiou
Kolda
Ziguinchor
GUINEA-BISSAU
Bafatá
Nova Lamego
Bissau
Gaoual
Arq. dos Bijagós
Orango
Boké
Fouta Djallon
Labé
Bafing
GUINEA
Kamsar
Fria
Dalaba
Dabola
Mamou
C. Verga
Kindia
Faranah
Dubréka
CONAKRY
Kabala
1948
Makeni
SIERRA LEONE
Port Loko
FREETOWN
Yonibana
Bo
Yawri B.
Sherbro I.
Bonthe
Sulima
Kenema
Pendembu
Moa
Diafarabé
Mopti
Didiéni
Kolokani
Bafoulabé
Ségou
Kita
BAMAKO
Niger
San
Koutiala
Satadougou
Siguiri
Kouroussa
Bougouni
Sikasso
Kankan
Banfora
Tingrela
Odienné
Fabala
Kissidougou
Guékédou
Sanniquellie
Nzérékoré
1752
Man
Ganta
Gbarnga
Danané
Monrovia
LIBERIA
Buchanan
River Cess
Greenville
Harper
C. Palmas
Tapeta
914
Sassandra
Tabou
San Pédro
Ivory Coast
Grain Coast
Korhogo
Boundiali
Ferkéssédougou
Kong
Koro
Séguéla
Katiola
Bouaké
L. de Kossou
Bouaflé
Daloa
Yamoussoukro
IVORY COAST
Gagnoa
Lakota
Divo
Soubré
L. de Buyo
Agboville
Adzopé
ABIDJAN
Grand Bassam
Arrah
Bondoukou
Ouahigouya
Dori
Tougan
Kaya
BURKINA FASO
OUAGADOUGOU
Boulsa
Koudougou
Fada-n-Gourma
Bobo-Dioulasso
Gaoua
Tumu
Wa
Bolgatanga
Black Volta
Bawku
Dapaong
Mango
Savelugu
Tamale
Bouna
Bole
GHANA
Wenchi
Berekum
Abengourou
Kumasi
Lake Volta
Obuasi
Kade
Asamankese
Nkawkaw
Koforidua
Tarkwa
Winneba
Cape Coast
Axim
Sekondi-Takoradi
C. Three Points
ACCRA
Tema
Nsawam
Gold Coast
Volta
Ho
Kpalimé
Tsévié
LOMÉ
TOGO
Sokodé
Kara
Lama Kara
Salaga
Atakpamé
Savalou
BENIN
Natitingou
Djougou
Parakou
Kandi
Bembèrèkè
Abomey
Ouidah
Porto-Novo
Cotonou
Slave Coast
Bight of Benin
NIAMEY
Filingué
Téra
Argungu
Dosso
Gaya
Birni Nkonni
Tahoua
Tanout
Zinder
Tesssaoua
Maradi
Katsina
Sokoto
Rima
Gusau
Birnin Kebbi
Jega
Anka
Bena
KANO
Funtua
Zaria
Hadejia
Azare
Gumel
Kontagora
KADUNA
Kainji Res.
Minna
Kafanchan
Bauchi
Jos
NIGERIA
Shendam
ABUJA
Keffi
Lafia
Bida
Baro
Lokoja
Benue
Makurdi
Wukari
Ilorin
Offa
Oshogbo
Ikare
Ilesha
Owo
Ife
Akure
Ogbomosho
Oyo
Iwo
IBADAN
Abeokuta
Ijebu-Ode
LAGOS
Niger
Shaki
BENIN CITY
Sapele
Warri
Onitsha
Umuahia
Aba
Enugu
Oturkpo
Uyo
Calabar
Burutu
Port Harcourt
Bamenda
Mbouda
Bafoussam
Kumba
Mt. Cameroon 4070
Limbe
Nko
DOU
CA
Rey Malabo
Bioko
3088
Opobo
Projection: Sanson-Flamsteed's Sinusoidal
West from Greenwich 0 East from Greenwich
CAPE VERDE IS.
b 1:8 900 000
Barlavento
Santo Antão
Ribeira Grande
1979
Mindelo
São Vicente
Santa Luzia
79
Sal
Pedra Lume
São Nicolau
Vila da Ribeira Brava
Santa Maria
Sal Rei
Boa Vista
Curral Velho
ATLANTIC OCEAN
4270
CABO VERDE
Tarrafal
São Tiago
2829
1392
Maio
Porto Inglês
Brava
Fogo
Praia
São Filipe
Sotavento
50 0 100 km
50 0 50 miles
1:8 900 000

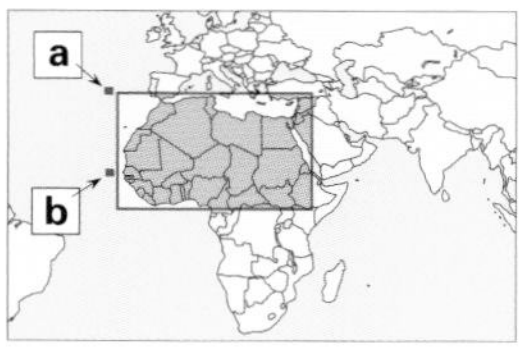

a
b

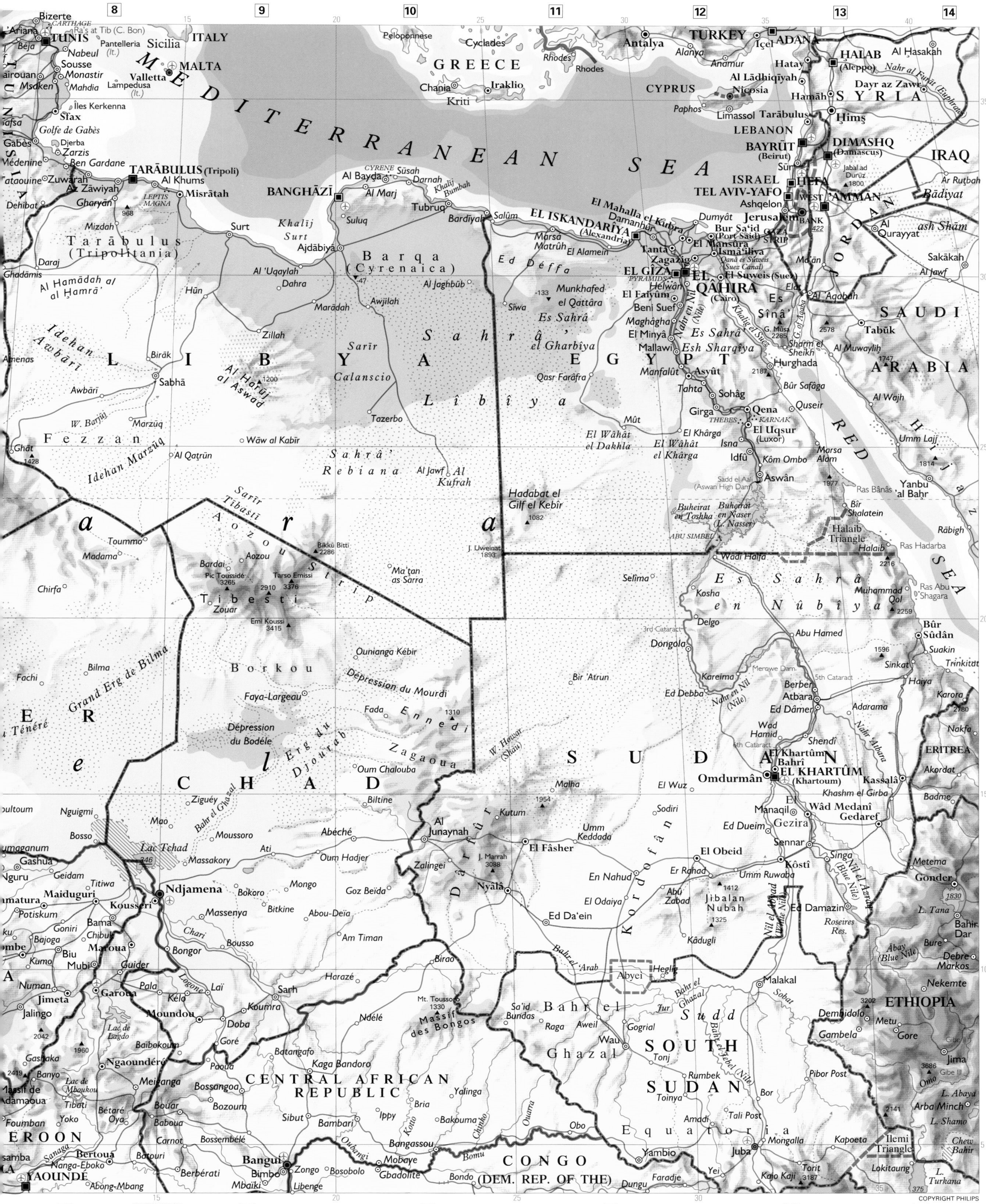

8
9
10
11
12
13
14
A
B
C
D
E
F
G
H
128
131
140
Bizerte
CARTHAGE
Ras at Tib (C. Bon)
TUNIS
Pantelleria
Sicilia
ITALY
Peloponnese
Cyclades
Antalya
TURKEY
ADANA
Béja
Nabeul
Sousse
Monastir
Mahdia
Kairouan
Msaken
MALTA
Valletta
Lampedusa
GREECE
Rhodes
Alanya
Anamur
İçel
Hatay
HALAB
(Aleppo)
Al Ḥasakah
Nahr al Furāt (Euphrates)
Chania
Iraklio
Kriti
CYPRUS
Nicosia
Al Lādhiqīyah
Ḥamāh
SYRIA
Dayr az Zawr
Îles Kerkenna
Sfax
Golfe de Gabès
Gabès
Djerba
Zarzis
Médenine
Ben Gardane
Tataouine
Zuwārah
MEDITERRANEAN SEA
Paphos
Limassol
Tarābulus
Ḥimṣ
LEBANON
BAYRŪT
(Beirut)
DIMASHQ
(Damascus)
IRAQ
Ṣūr
Jabal ad Durūz 1800
ISRAEL
HEFA
TEL AVIV-YAFO
Ashqelon
WEST BANK
'AMMĀN
Ar Ruṭbah
Bādiyat ash Shām
TARĀBULUS (Tripoli)
Al Khums
Az Zawiyah
Gharyān
Misrātah
LEPTIS MAGNA
968
Dehibat
CYRENE
Sūsah
Al Bayḍā
Darnah
Al Marj
Khalīj Bumbah
BANGHĀZĪ
Tubruq
Bardīyah
Salûm
El Mahalla el Kubra
Damanhûr
Dumyât
Jerusalem
GAZA STRIP
422
Al Qurayyat
JORDAN
Mizdah
Surt
Khalīj Surt
Suluq
EL ISKANDARĪYA
(Alexandria)
Marsa Matrûh
El Alamein
Tanta
Zagazig
El Mansûra
Bur Sa'îd
(Port Said)
Isma'iliya
Qanâ es Suweis (Suez Canal)
Sakākah
Al Jawf
Tarābulus (Tripolitania)
Daraj
Ajdābiyā
Barqa (Cyrenaica)
Ed Déffa
EL GÎZA
PYRAMIDS
EL QÂHIRA
(Cairo)
El Suweis (Suez)
Ma'ān
Ghadāmis
Al Hamādah al Ḥamrā'
Al 'Uqaylah
Dahra
-47
Al Jaghbūb
-133
Munkhafed el Qattâra
Helwân
El Faiyûm
Elat
Al 'Aqabah
Hūn
Marādah
Awjilah
Sîwa
Es Sahrâ el Gharbîya
Beni Suef
Maghâgha
El Minyâ
Nahr en Nil (Nile)
Khalîg el Suweis
Es Sîna'
G. Mûsa 2285
G. of Aqaba
SAUDI ARABIA
Tabūk
2578
Zillah
Sarīr Calanscio
Ṣaḥrā' Lībīya
Mallawi
Es Sahrâ esh Sharqîya
Sharm el Sheikh
Al Muwayliḥ
Idehan Awbāri
Amenas
LIBYA
Birāk
Al Harūj al Aswad
1200
EGYPT
Manfalût
Asyût
Hurghada
1747
Sabhā
Qasr Farâfra
2187
Tahta
Sohâg
Bûr Safâga
Awbārī
Al Wajh
W. Barjūj
Marzūq
Tazerbo
Girga
Qena
Quseir
Fezzan
Wāw al Kabīr
Mût
THEBES
KARNAK
El Uqsur (Luxor)
El Khârga
RED SEA
Ghāt
1428
Idehan Marzūq
Al Qaṭrūn
Ṣaḥrā' Rebiana
Al Jawf
Al Kufrah
El Wâhât el Dakhla
El Wâhât el Khârga
Isna
Idfû
Kôm Ombo
Aswân
Marsa Alam
Umm Lajj
Ḥijaz
1814
Sadd el Aali (Aswan High Dam)
1977
Ras Banâs
Yanbu 'al Baḥr
Sarīr Tibastī
Hadabat el Gilf el Kebîr
1082
Buheirat en Toshka
Buheirat en Naser (L. Nasser)
ABU SIMBEL
Bîr Shalatein
Halaib Triangle
Halaib
Rābigh
Ras Hadarba
Toummo
Madama
Aozou Strip
Aozou
Bikkū Bitti 2286
J. Uweinat 1893
Wadi Halfa
2216
Bardai
Pic Toussidé 3265
Tarso Emissi 3376
2910
Tibesti
Zouar
Emi Koussi 3415
Ma'tan as Sarra
Selîma
Es Sahrâ en Nûbîya
Kosha
Muhammad Qol
2259
Ras Abu Shagara
Chirfa
Delgo
3rd Cataract
Dongola
Abu Hamed
Bûr Sûdân
Suakin
Trinkitat
1596
Sinkat
Ouinanga Kébir
Bilma
Fachi
Grand Erg de Bilma
Borkou
Dépression du Mourdi
Bir 'Atrun
Kareima
Merowe Dam
5th Cataract
Berber
Atbara
Ed Dâmer
Haiya
Karora
2780
Ténéré
NIGER
Faya-Largeau
Fada
Ennedi
1310
Ed Debba
Nahr en Nil (Nile)
Adarama
Nahr Atbara
Nakfa
Dépression du Bodélé
Erg du Djourab
Zagaoua
W. Howar (Shau)
Wad Hamid
6th Cataract
Shendî
El Khartûm Bahrî
ERITREA
Akordat
Oum Chalouba
SUDAN
Omdurmân
EL KHARTÛM (Khartoum)
Kassalâ
CHAD
Malha
El Wuz
Khashm el Girba
Ziguéy
Biltine
1954
Sodiri
Managil
Wâd Medanî
Gedaref
Badme
Bahr el Ghazal
Mao
Al Junaynah
Kutum
Umm Keddada
Gezira
Ed Dueim
Bol
Bosso
Moussoro
Abéché
El Fâsher
Kordofân
Sennar
Lac Tchad
246
Ati
Oum Hadjer
Dârfûr
J. Marrah 3088
El Obeid
Kôstî
Singa
Metema
Massakory
Zalingei
Er Rahad
Umm Ruwaba
Nil el Azraq (Blue Nile)
Gonder
Ngala
Geidam
Gashua
Nguru
Maiduguri
Kousseri
Ndjamena
Bokoro
Mongo
Goz Beïda
Nyâlâ
En Nahud
Abû Zabad
1412
Jibalan Nubah
1830
Potiskum
Bama
Massenya
Bitkine
Abou-Deïa
El Odaiya
Nil el Abyad (White Nile)
Ed Damazin
L. Tana
Bahir Dar
Goniri
Chibuk
Chari
Ed Da'ein
1325
Roseires Res.
Bajoga
Biu
Maroua
Am Timan
Kâdugli
Abay (Blue Nile)
Bure
Kumo
Mubi
Guider
Bongor
Bousso
Bahr el 'Arab
Debre Markos
Numan
Garoua
Pala
Laï
Birao
Abyei
Heglig
Malakal
Nekemte
Jimeta
Logone
Kélo
Sarh
Harazé
Sobat
Jalingo
Moundou
Koumra
Mt. Toussoro 1330
Massif des Bongos
Sa'id Bundas
Bahr el Ghazal
Jur
Sudd
3202
ETHIOPIA
Lac de Lagdo
1960
Doba
Ndélé
Raga
Aweil
Gogrial
Dembidolo
Metu
Gore
2042
Baïbokoum
Goré
Wau
Bahr el Jebel (Nile)
Gambela
Gashaka
Ngaoundéré
Batangafo
Kaga Bandoro
SOUTH SUDAN
Tonj
Gibe II
Jima
2419
Banyo
Lac de Mbakaou
Paoua
CENTRAL AFRICAN REPUBLIC
Rumbek
Pibor Post
3686
Gibe III
Massif de l'Adamaoua
Tibati
Meiganga
Bossangoa
Yalinga
Bor
Omo
L. Abaya
Bétaré Oya
Bouar
Bozoum
Bria
Toinya
Arba Minch
Foumban
Yoko
Baboua
Sibut
Ippy
Bakouma
Kotto
Chinko
Ouarra
Amadi
Tali Post
2141
L. Chamo
CAMEROON
Carnot
Bossembélé
Bambari
Obo
Equatoria
Chew Bahir
Ilemi Triangle
Bertoua
Batouri
Sanaga
Nanga-Eboko
Oubangi
Bangassou
Bomu
Mongalla
Kapoeta
Juba
Yambio
Samba
YAOUNDÉ
Abong-Mbang
Berbérati
Bangui
Bimbo
Zongo
Bosobolo
Mobaye
Gbadolite
CONGO (DEM. REP. OF THE)
Bondo
Dungu
Faradje
Yei
Kajo Kaji
Torit
3187
Lokitaung
L. Turkana
375
Mbaïki
Libenge
15
20
25
30
35
40

Lava fields

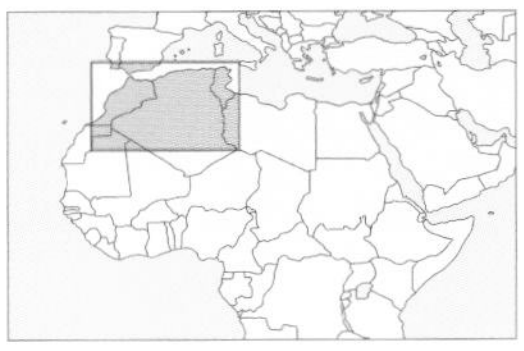

1:7 100 000

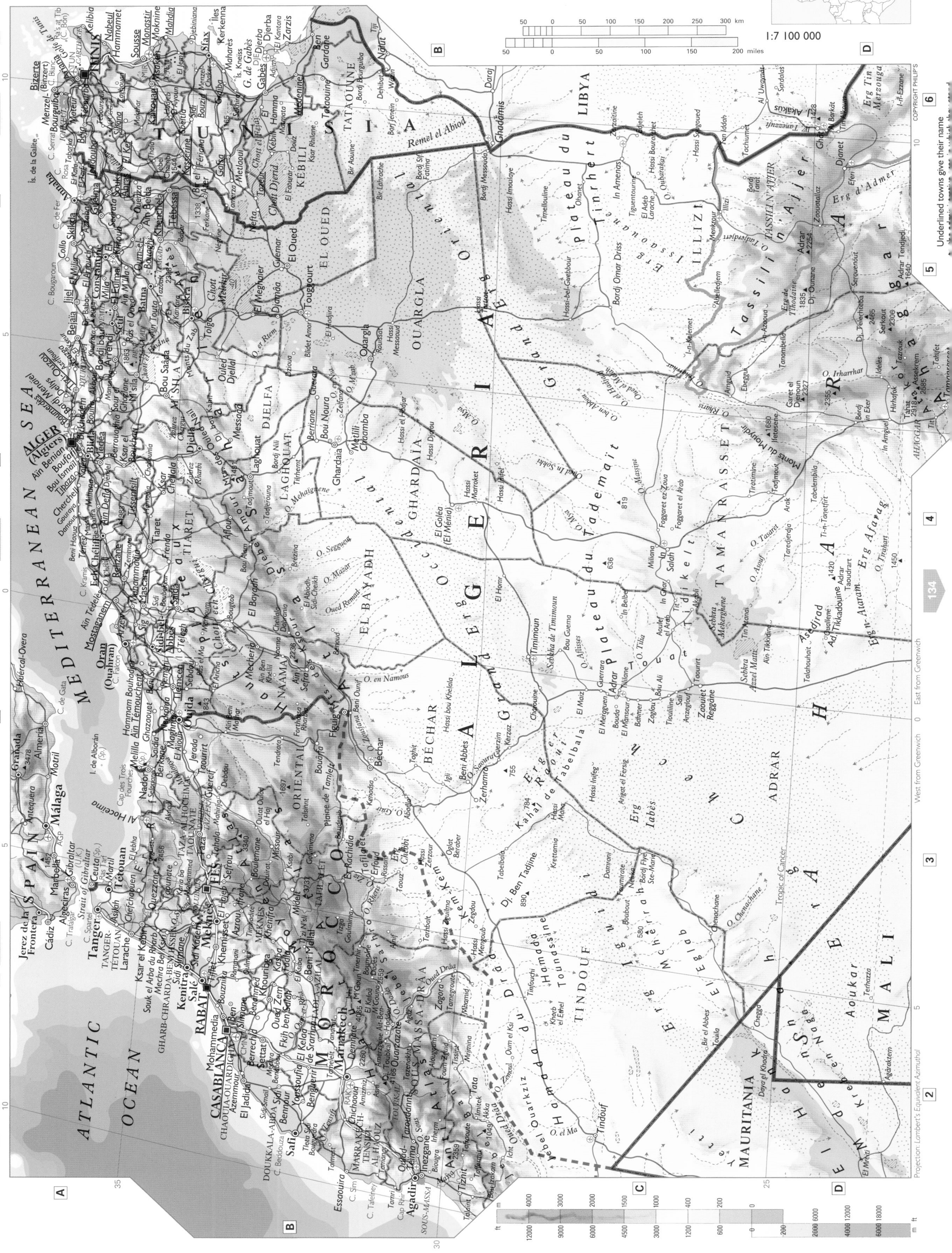
ATLANTIC OCEAN
MEDITERRANEAN SEA
SPAIN
MOROCCO
ALGERIA
TUNISIA
LIBYA
MAURITANIA
MALI
RABAT
CASABLANCA
Marrakech
Fès
Meknès
Tanger
Oran (Ouahran)
ALGER (Algiers)
Constantine
TUNIS
Sfax
Ghardaïa
Tamanrasset
Tindouf
Béchar
Ouargla
Grand Erg Occidental
Grand Erg Oriental
Tropic of Cancer
Strait of Gibraltar
Underlined towns give their name
Projection: Lambert's Equivalent Azimuthal
COPYRIGHT PHILIP'S
West from Greenwich
East from Greenwich

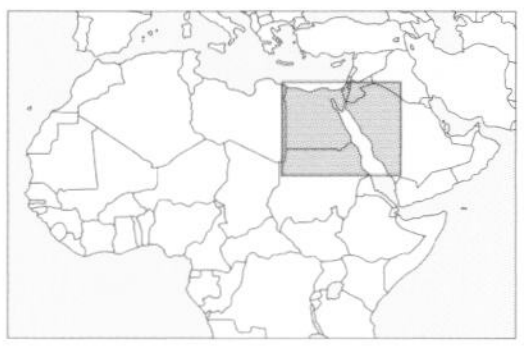

50 0 50 100 150 200 250 300 km

50 0 50 100 150 200 miles

1:7 100 000

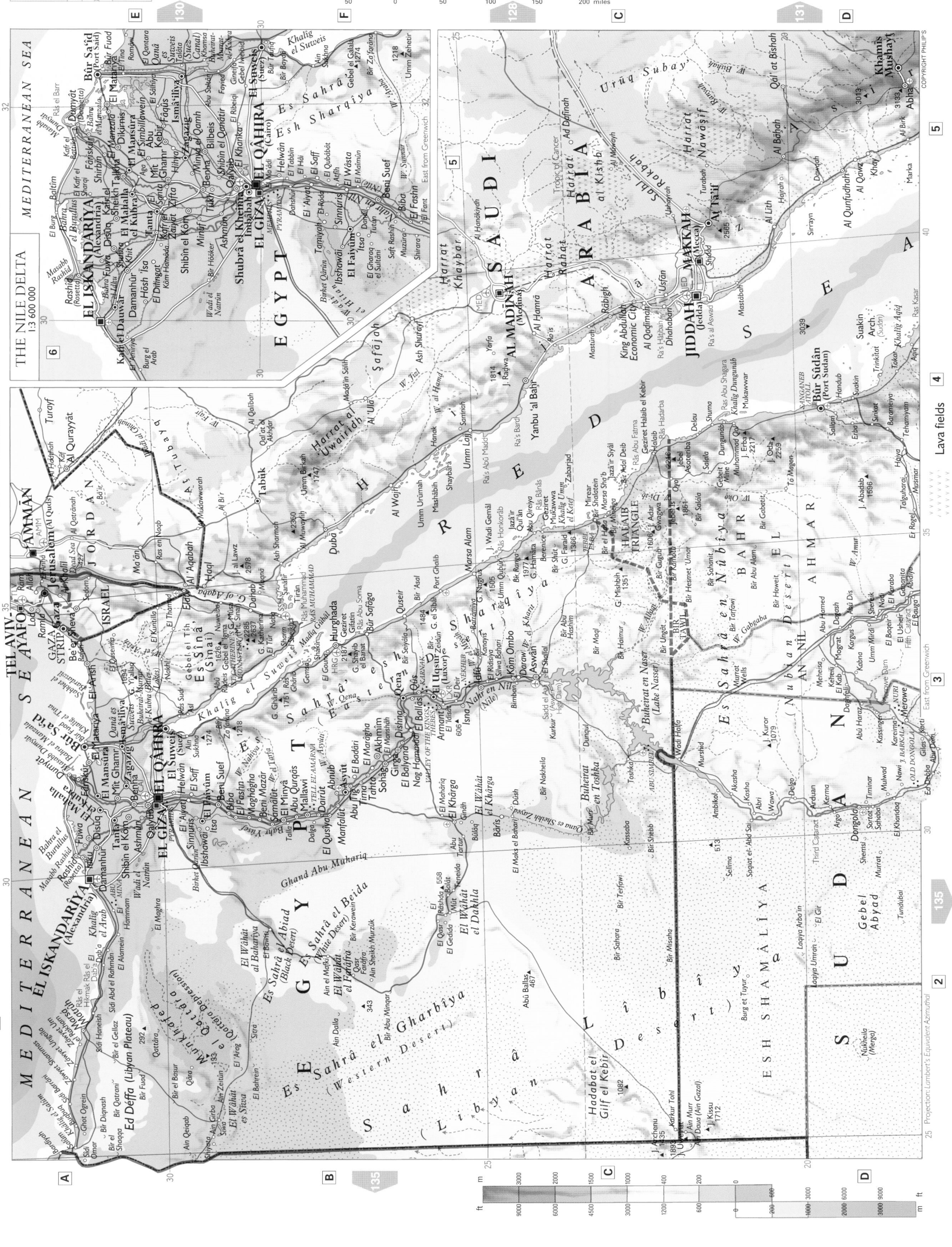
THE NILE DELTA
1:3 600 000
MEDITERRANEAN SEA
EL ISKANDARÎYA (Alexandria)
EL QÂHIRA (Cairo)
EL GIZA
Bûr Sa'îd (Port Said)
El Suweis (Suez)
EGYPT
SAUDI ARABIA
AL MADINAH (Medina)
MAKKAH (Mecca)
JIDDAH (Jedda)
RED SEA
SUDAN
Bûr Sûdân (Port Sudan)
ISRAEL
JORDAN
AMMAN
Jerusalem
TEL AVIV-YAFO
GAZA STRIP
HALAIB TRIANGLE
BIR TAWIL
Buheirat en Naser (Lake Nasser)
Aswân
El Uqsur (Luxor)
Es Sahrâ el Gharbîya (Western Desert)
Sahrâ Lîbîya (Libyan Desert)
Es Sahrâ esh Sharqîya (Eastern Desert)
Es Sahrâ en Nûbîya (Nubian Desert)
Khalîg el Suweis
G. of Aqaba
Es Sînâ (Sinai)
Munkhafed el Qattâra (Qattâra Depression)
Lava fields
Projection: Lambert's Equivalent Azimuthal
COPYRIGHT PHILIP'S
m 3000 2000 1500 1000 400 200 0
ft 9000 6000 4500 3000 1200 600 0

50 0 50 100 150 200 250 300 km

50 0 50 100 150 200 miles

1:7 100 000

134

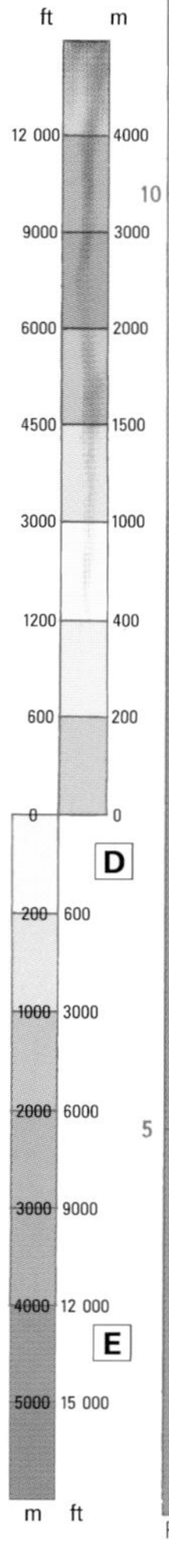

Underlined towns give their name to the administrative area in which they stand.

Administrative division in Ivory Coast:
1 Sassandra-Marahoué

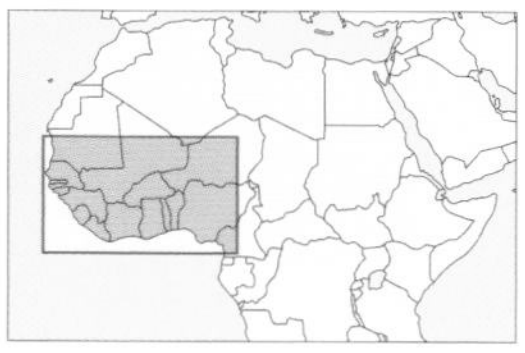

4
5
134
6
7
A
B
C
D
E
135
140
ALGERIA
NIGER
NIGERIA
CHAD
GHANA
TOGO
BENIN
CAMEROON
EQUATORIAL GUINEA
Adrar des Iforas
KIDAL
GAO
Aïr (Azbine)
AGADEZ
Ténéré
ÂIR ET TÉNÉRÉ
ADDAX
TAHOUA
TILLABÉRI
DOSSO
MARADI
ZINDER
DIFFA
Manga
NIAMEY
OUAGADOUGOU
Tessalit
Timeiaouine
Tamanrasset
In Guezzam
Arlit
Agadez (Agadès)
Tahoua
Maradi
Zinder
Sokoto
Katsina
KANO
Kaduna
KADUNA
Zaria
Jos
ABUJA
Bauchi
Gombe
Yola
Maiduguri
N. E. NIGERIA on same scale
Lac Tchad
BORNO
Ilorin
OGBOMOSHO
Oshogbo
IBADAN
Abeokuta
LAGOS
Porto-Novo
Cotonou
LOMÉ
ACCRA
Tema
BENIN CITY
Warri
Onitsha
Enugu
PORT HARCOURT
Aba
Calabar
Makurdi
Lafia
Minna
Bida
Kainji Res.
Lake Volta
Tamale
Kumba
DOUALA
YAOUNDÉ
Bioko
Rey Malabo
Slave Coast
Bight of Benin
Niger Delta
Bight of Bonny
GULF OF GUINEA
Jos Plateau
PLATEAU
ADAMAWA
ADAMAOUA
TARABA
BENUE
KOGI
ZAMFARA
KEBBI
OYO
JIGAWA
YOBE
GOMBE
East from Greenwich
COPYRIGHT PHILIP'S

100 0 100 200 300 400 500 600 km

100 0 100 200 300 400 miles

1:13 300 000

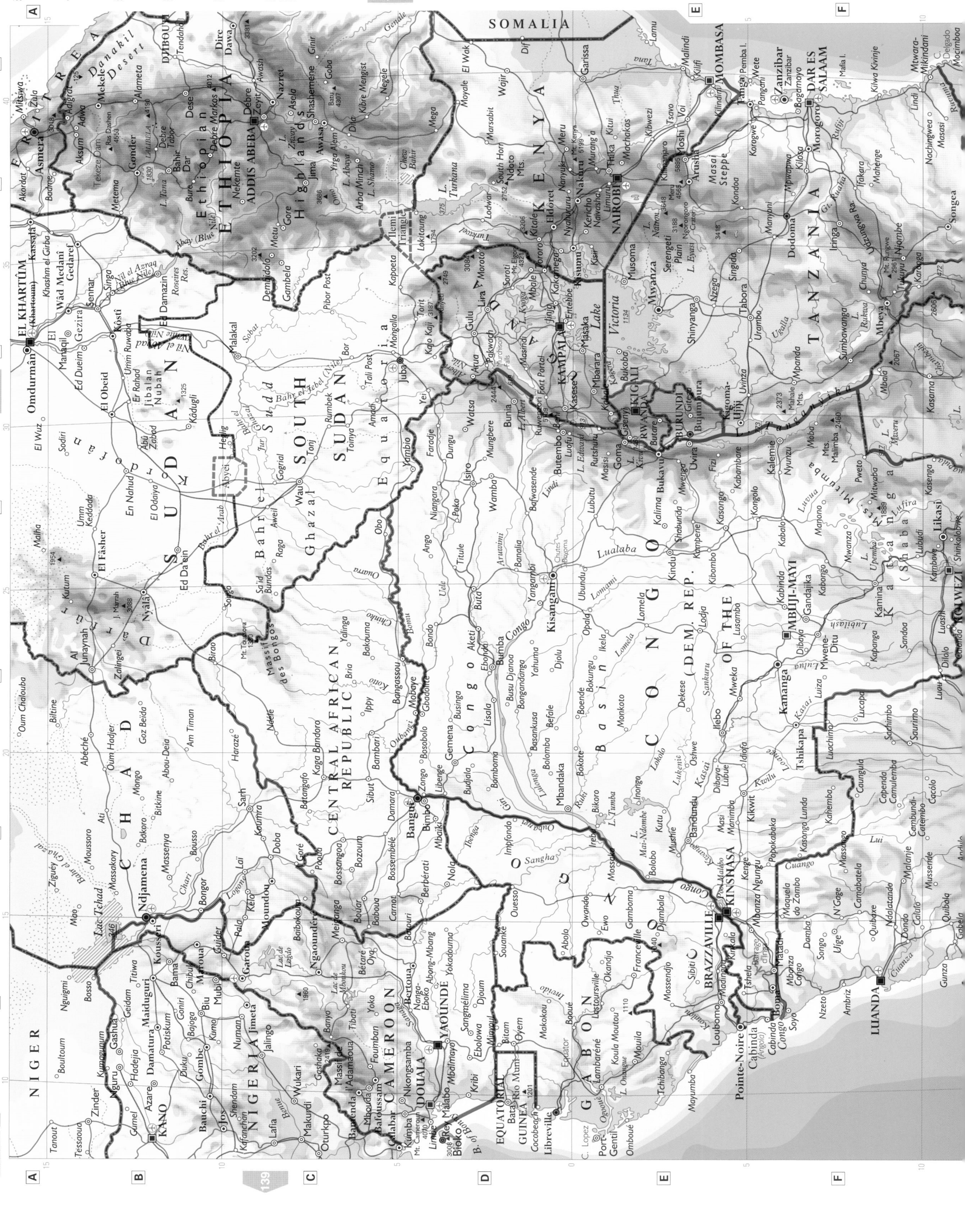

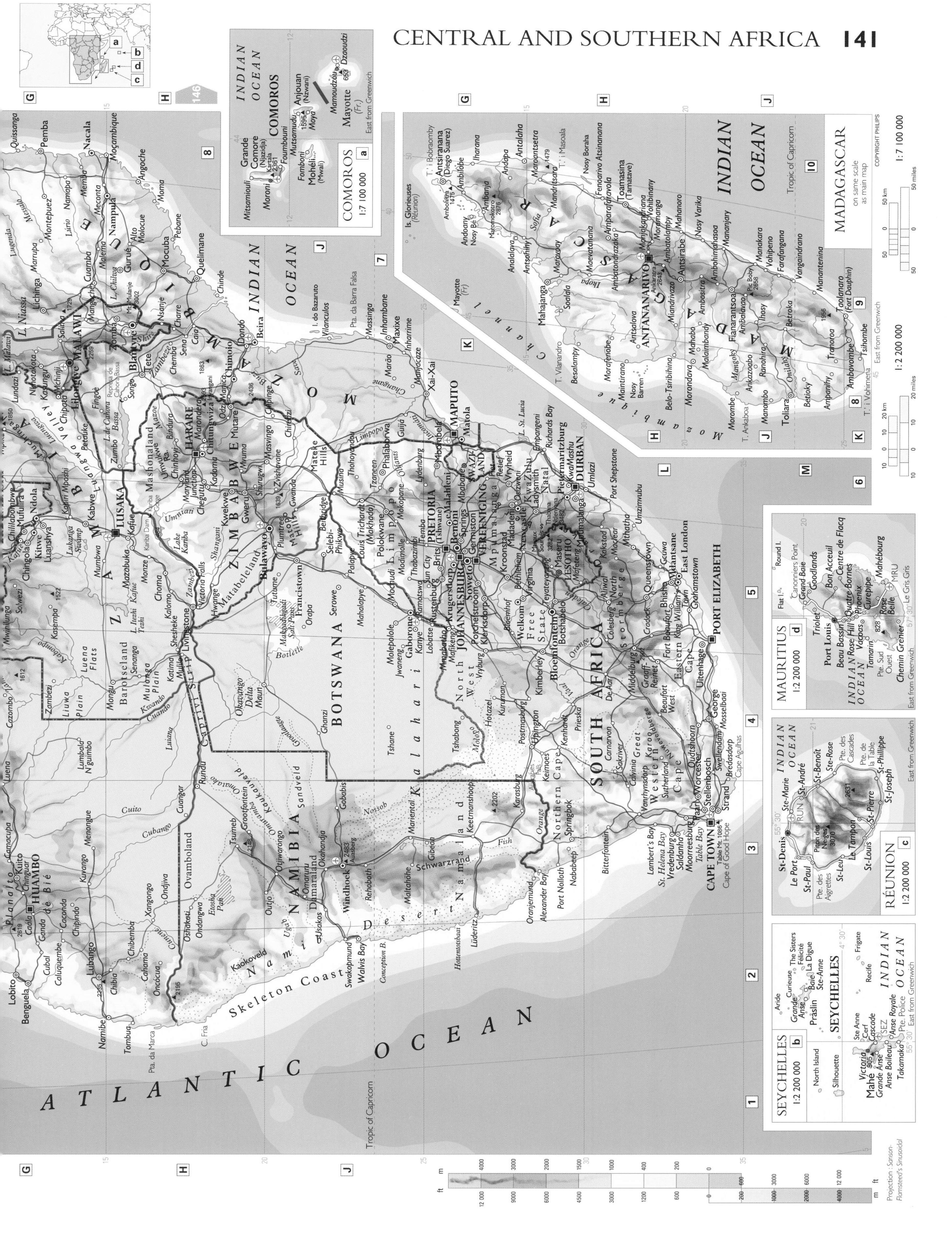
INDIAN OCEAN
COMOROS
Grande Comore (Njazidja)
Moroni
Mohéli (Mwali)
Anjouan (Nzwani)
Mayotte (Fr.)
Mamoudzou
Dzaoudzi
COMOROS
1:7 100 000
a
East from Greenwich
ATLANTIC OCEAN
INDIAN OCEAN
ANGOLA
ZAMBIA
MALAWI
MOZAMBIQUE
ZIMBABWE
NAMIBIA
BOTSWANA
SOUTH AFRICA
LESOTHO
SWAZILAND
MADAGASCAR
Kalahari
Namib Desert
Skeleton Coast
Tropic of Capricorn
LUSAKA
HARARE
LILONGWE
MAPUTO
PRETORIA (Tshwane)
JOHANNESBURG
DURBAN
CAPE TOWN
PORT ELIZABETH
ANTANANARIVO
Windhoek
Gaborone
Maseru
Mozambique Channel
MADAGASCAR
on same scale as main map
1:7 100 000
1:2 200 000
COPYRIGHT PHILIPS
MAURITIUS
1:2 200 000
d
Port Louis
RÉUNION
1:2 200 000
c
St-Denis
SEYCHELLES
1:2 200 000
b
Victoria
Mahé
Praslin
La Digue
Projection : Sanson-Flamsteed's Sinusoidal

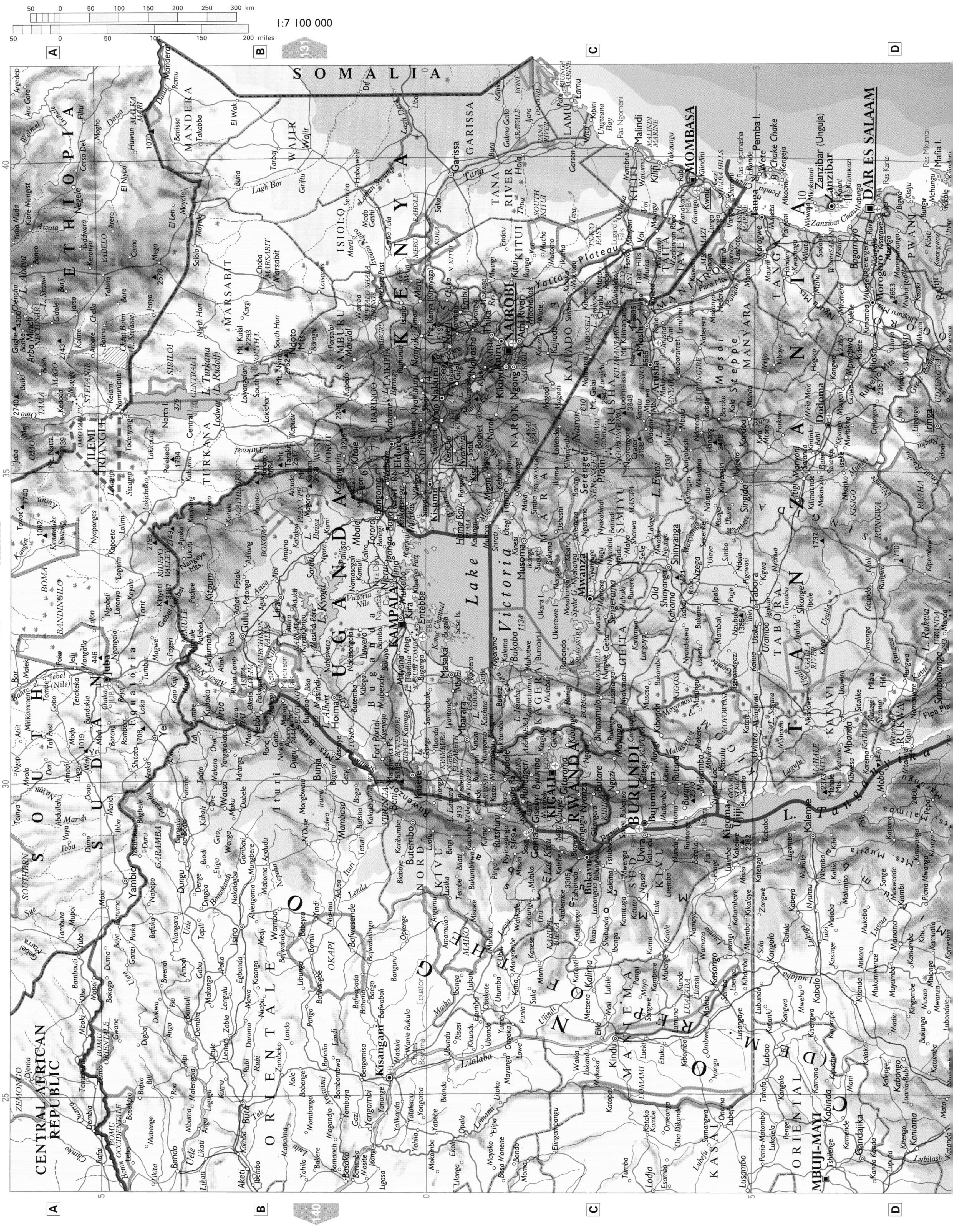

1:7 100 000
50 0 50 100 150 200 250 300 km
50 0 50 100 150 200 miles
A B C D
1 2 3 4 5
131
140
SOMALIA
ETHIOPIA
KENYA
UGANDA
RWANDA
BURUNDI
TANZANIA
SOUTH SUDAN
CENTRAL AFRICAN REPUBLIC
ILEMI TRIANGLE
Lake Victoria
L. Turkana (L. Rudolf)
L. Albert
L. Edward
L. Kivu
L. Tanganyika
L. Rukwa
NAIROBI
KAMPALA
KIGALI
Bujumbura
DAR ES SALAAM
MOMBASA
Zanzibar
Juba
Kisangani
Mbuji-Mayi
Gulu
Kisumu
Mwanza
Arusha
Moshi
Tabora
Dodoma
Morogoro
Tanga
Malindi
Garissa
Kigoma
Goma
Bukavu
Kindu
Kasongo
Entebbe
Jinja
Eldoret
Nakuru
Lodwar
Marsabit
Moyale
Isiolo
Mandera
Wajir
Lamu
Iringa
Singida
Shinyanga
Musoma
Bukoba
Uvira
Kalemie
Isiro
Bunia
Butembo
Beni
Yambio
Torit
Yei
Kitgum
Lira
Masaka
Mbarara
Fort Portal
Hoima
Arba Minch
Kilimanjaro
Serengeti Plain
Equator

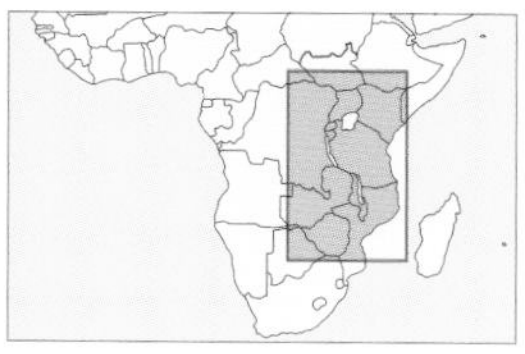

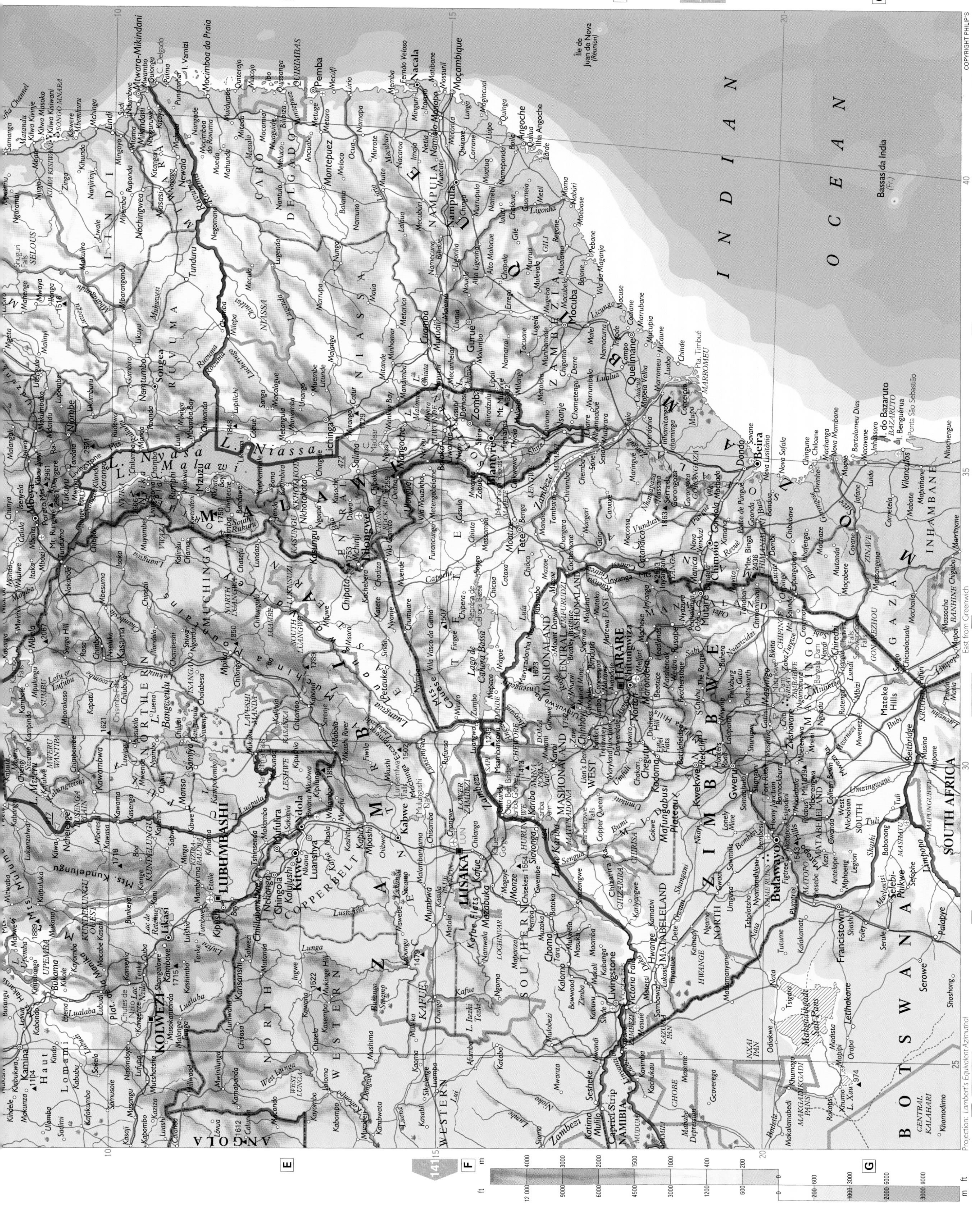
INDIAN OCEAN
MOZAMBIQUE
ZAMBIA
ZIMBABWE
MALAWI
BOTSWANA
SOUTH AFRICA
NAMIBIA
ANGOLA
LUSAKA
HARARE
Lilongwe
Beira
Bulawayo
Blantyre
Lubumbashi
Kolwezi
L. Malawi / Nyasa
Lake Kariba
Zambezi
Mts. Muchinga
Projection: Lambert's Equivalent Azimuthal
East from Greenwich
COPYRIGHT PHILIP'S

Administrative divisions in Kenya:
1 Elgeyo-Marakwet
2 Kirinyaga
3 Makueni
4 Nyandarua
5 Tharaka Nithi
6 Trans-Nzoia
7 Uasin Gishu

Administrative divisions in Tanzania:
8 North Pemba
9 South Pemba
10 North Zanzibar
11 South Zanzibar

Underlined towns give their name to the administrative area in which they stand.

50 0 50 100 150 200 250 300 km

1:7 100 000

50 0 50 100 150 200 miles

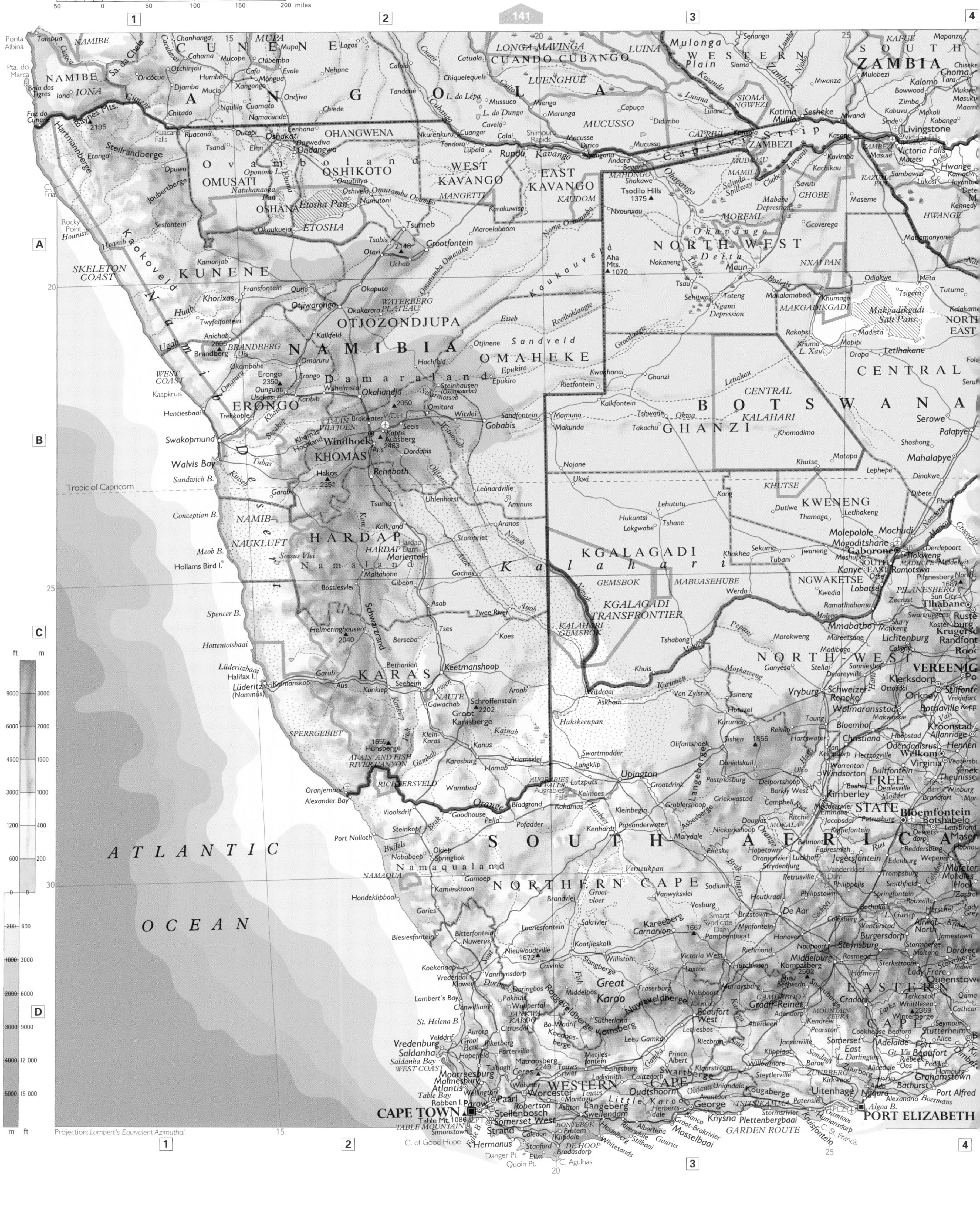

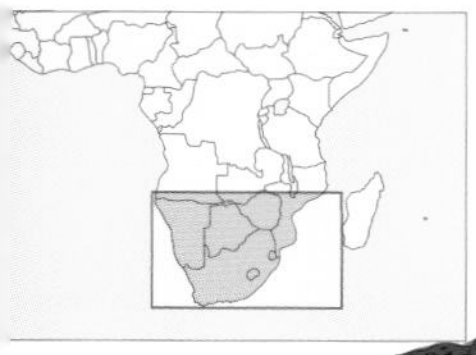

143
141
5
6
7
A
B
C
D
20
25
30
35
40
East from Greenwich
MOZAMBIQUE CHANNEL
INDIAN OCEAN
Tropic of Capricorn
ZIMBABWE
MOZAMBIQUE
ZAMBEZIA
MALAWI
SWAZILAND
LESOTHO
KWAZULU NATAL
LIMPOPO
MPUMALANGA
MASVINGO
MANICA
INHAMBANE
GAZA
MAPUTO
HARARE
Chitungwiza
Bulawayo
Gweru
Masvingo
Mutare
Beira
Chimoio
Quelimane
Mocuba
Tete
Angoche
Dondo
Vilanculos
Inhambane
Maxixe
Xai-Xai
Chibuto
Chokwé
Matola
MAPUTO
Manzini
Mbabane
PRETORIA (Tshwane)
JOHANNESBURG
Polokwane
Mbombela
Middelburg
Newcastle
Ladysmith
Pietermaritzburg
DURBAN
Richards Bay
Port Shepstone
East London
Île de Júan de Nova (Fr.)
Bassas da India (Fr.)
Île Europa (Fr.)
I. do Bazaruto
Lago de Cahora Bassa

Equatorial Scale 1:45 000 000

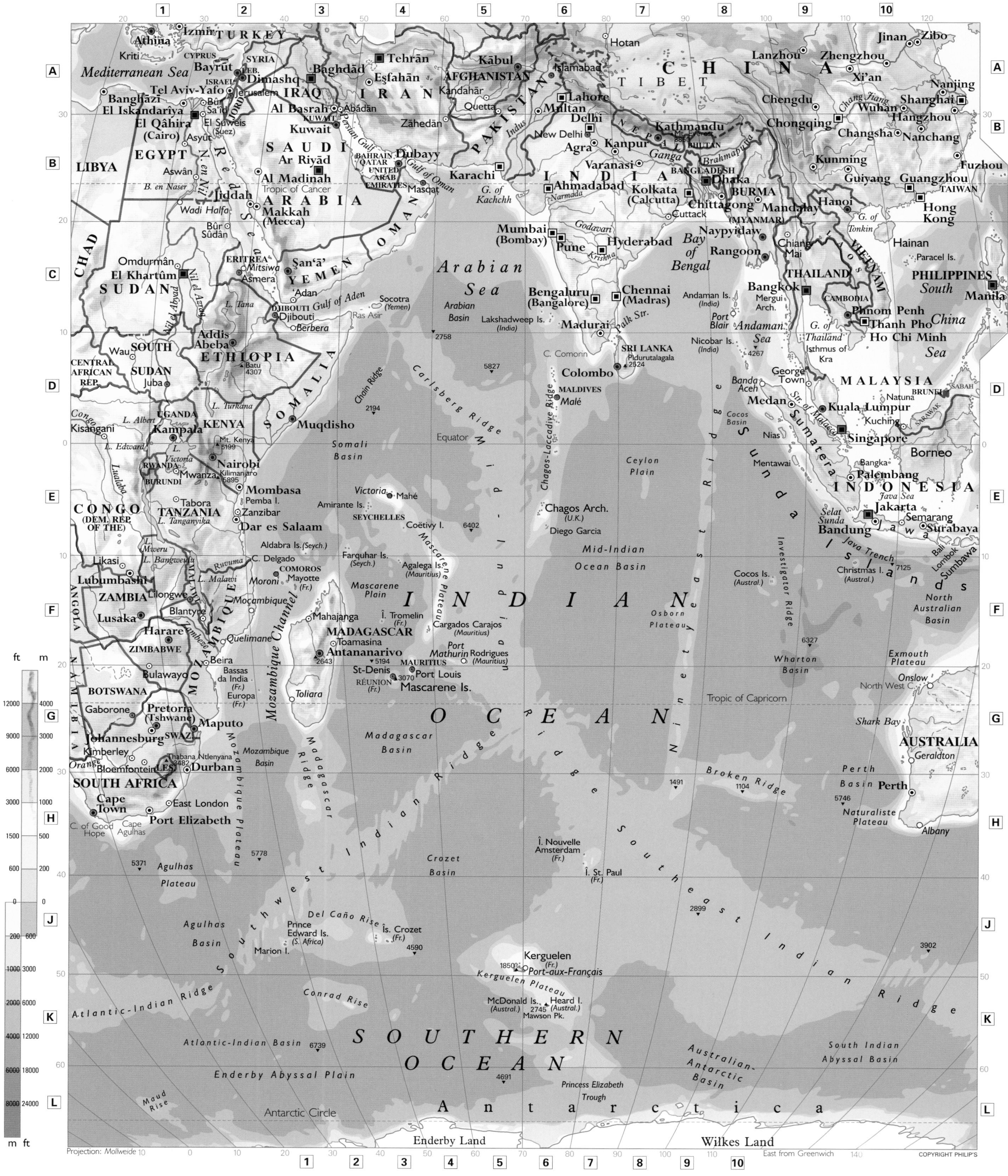

1:44 400 000

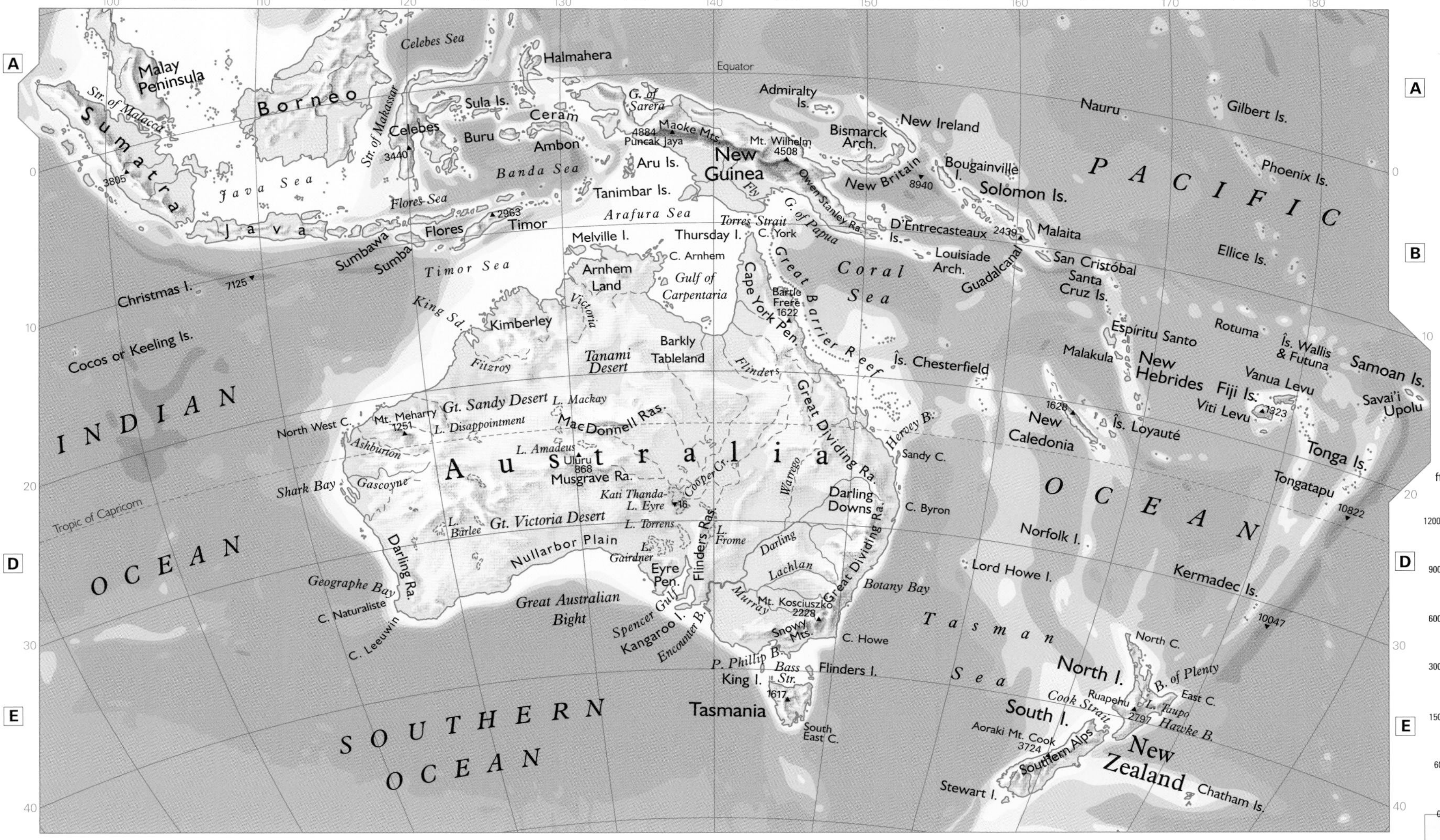

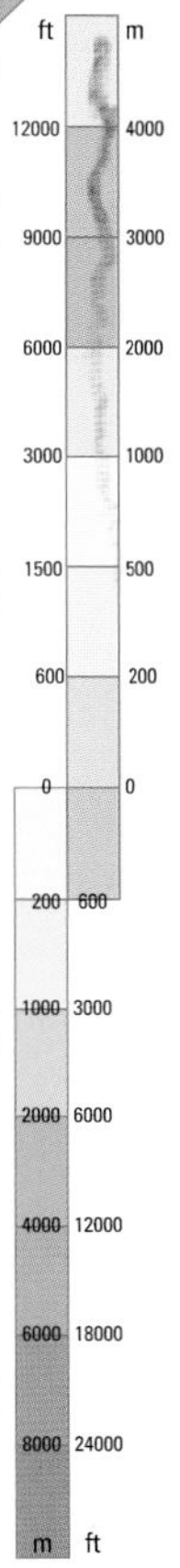

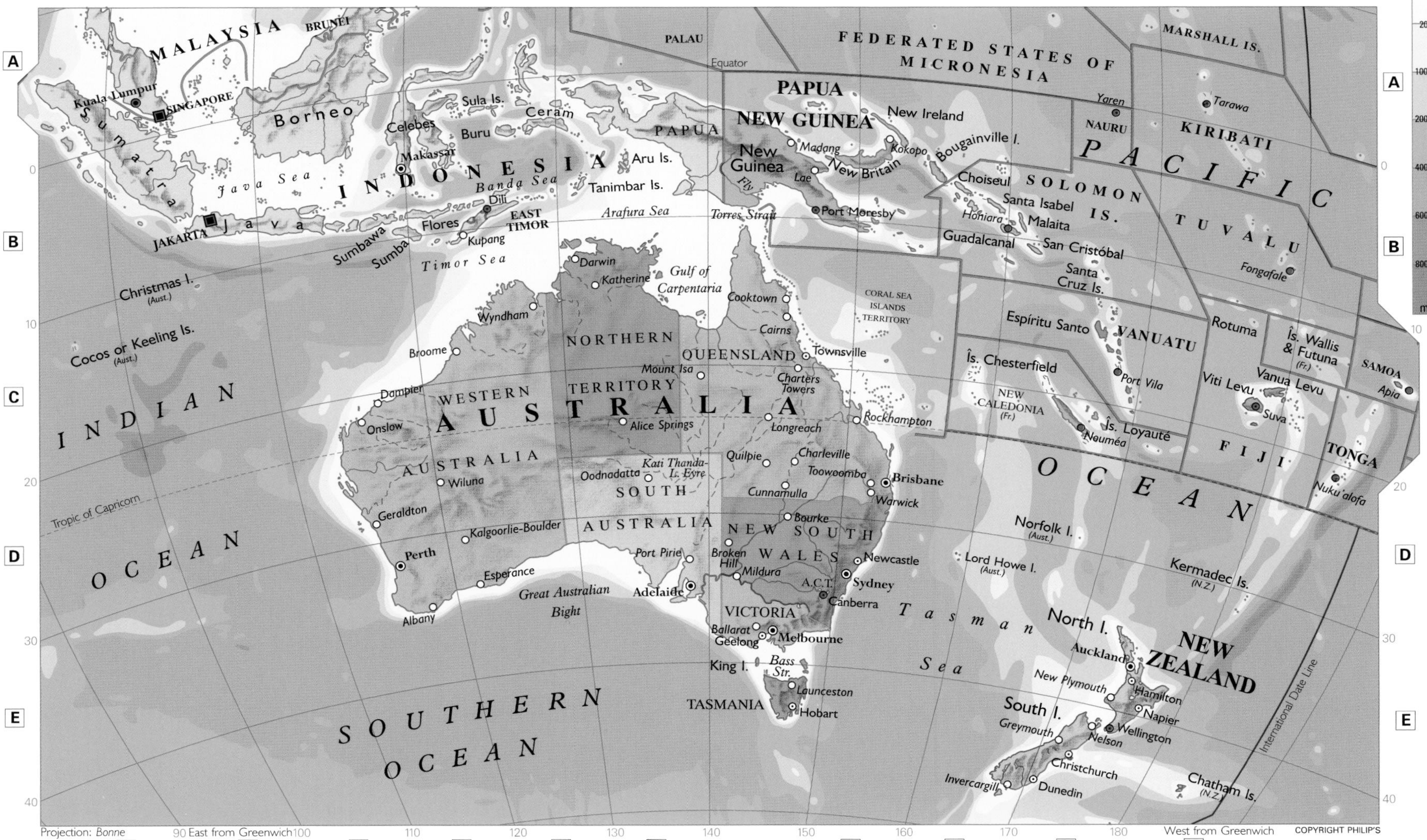

Projection: Bonne — 90 East from Greenwich — West from Greenwich

● Canberra Capital Cities

50 0 50 100 150 200 250 300 km

1:7 100 000

50 0 50 100 150 200 miles

WESTERN AUSTRALIA
SOUTH AUSTRALIA
INDIAN OCEAN
SOUTHERN OCEAN
Great Australian Bight
Great Victoria Desert
Nullarbor Plain
Hampton Tableland
TRANS AUSTRALIAN RWY
EYRE HWY
GREAT NORTHERN HWY
GREAT EASTERN HWY
NORTHWEST COASTAL HWY
PERTH
Fremantle
Kwinana
Rockingham
Mandurah
Bunbury
Busselton
Albany
Esperance
Geraldton
Carnarvon
Kalbarri
Dongara
Kalgoorlie-Boulder
Coolgardie
Kambalda
Norseman
Southern Cross
Merredin
Northam
Midland
Armadale
Wanneroo
Leonora
Laverton
Leinster
Wiluna
Meekatharra
Mount Magnet
Cue
Menzies
Hopetoun
Ravensthorpe
Katanning
Narrogin
Collie
Manjimup
Pemberton
Denham
Shark Bay
Hamelin Pool
Eucla
Madura
Mundrabilla
Cocklebiddy
Caiguna
Balladonia
Nullarbor
Yalata
Cook
Hughes
Maralinga
Petermann Ranges
Musgrave Ranges
Mann Ranges
Uluru (Ayers Rock)
Kata Tjuta (The Olgas)
Warburton
Robinson Ra.
Carnarvon Ra.
Barr Smith Ra.
L. Carnegie
L. Wells
L. Carey
L. Moore
L. Barlee
L. Dundas
L. Cowan
L. Lefroy
Plumridge Lakes
Archipelago of the Recherche
C. Leeuwin
C. Naturaliste
Houtman Abrolhos
Dirk Hartog I.
Bernier I.
Dorre I.
Rottnest I.
Aboriginal lands
1. NGALIWURRU / NUNGALI
2. WANIMIYN
3. WAMBARDI
4. LTALALTUMA
5. RODNA
6. NTARIA
7. ROULPMAULPMA
8. URUNA
East from Greenwich
Projection: Bonne
COPYRIGHT PHILIP'S
m
ft
6000
4000
2000
1000
400
200
0
18 000
12 000
6000
3000
1200
600
5632

1:7 100 000

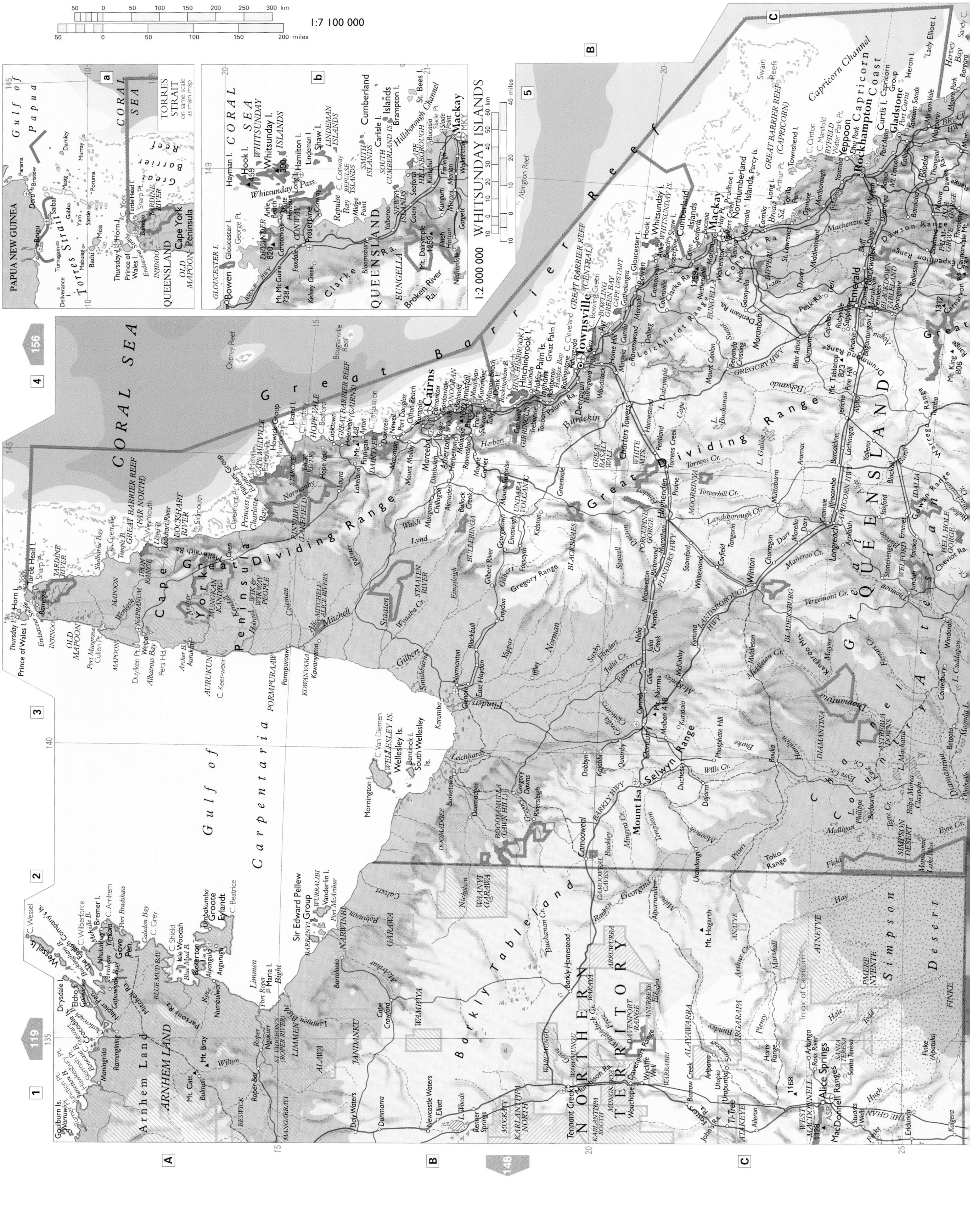
50 0 50 100 150 200 250 300 km
50 0 50 100 150 200 miles
a
TORRES STRAIT
on same scale as main map
PAPUA NEW GUINEA
Gulf of Papua
CORAL SEA
Torres Strait
QUEENSLAND
Cape York Peninsula
b
WHITSUNDAY ISLANDS
1:2 000 000
Cumberland Islands
Mackay
Proserpine
Bowen
Whitsunday I.
CORAL SEA
Great Barrier Reef
Gulf of Carpentaria
Cape York Peninsula
Great Dividing Range
Cairns
Townsville
Mackay
Rockhampton
Gladstone
Emerald
Hughenden
Charters Towers
Mount Isa
Cloncurry
Winton
Longreach
Normanton
QUEENSLAND
NORTHERN TERRITORY
Barkly Tableland
Arnhem Land
Simpson Desert
Alice Springs
MacDonnell Ranges
Tennant Creek
Great Artesian Basin
Channel Country
Tropic of Capricorn
156
119
148

NEW SOUTH WALES
SOUTH AUSTRALIA
TASMANIA
TASMAN SEA
Bass Strait
SYDNEY
BRISBANE
MELBOURNE
ADELAIDE
Canberra
Hobart
Newcastle
Wollongong
Gold Coast
Sunshine Coast
Toowoomba
Broken Hill
Mildura
Wagga Wagga
Albury
Ballarat
Geelong
Bendigo
Launceston
Port Augusta
Whyalla
Port Pirie
Port Lincoln
Mount Gambier
Kangaroo I.
King Island
Flinders Island
Furneaux Group
Lake Eyre
Lake Torrens
Lake Gairdner
Great Dividing Range
Grey Range
Simpson Desert
Strzelecki Desert
Sturt Stony Desert
Darling
Murray
Aboriginal lands
East from Greenwich
on same scale
Projection: Bonne
COPYRIGHT PHILIP'S

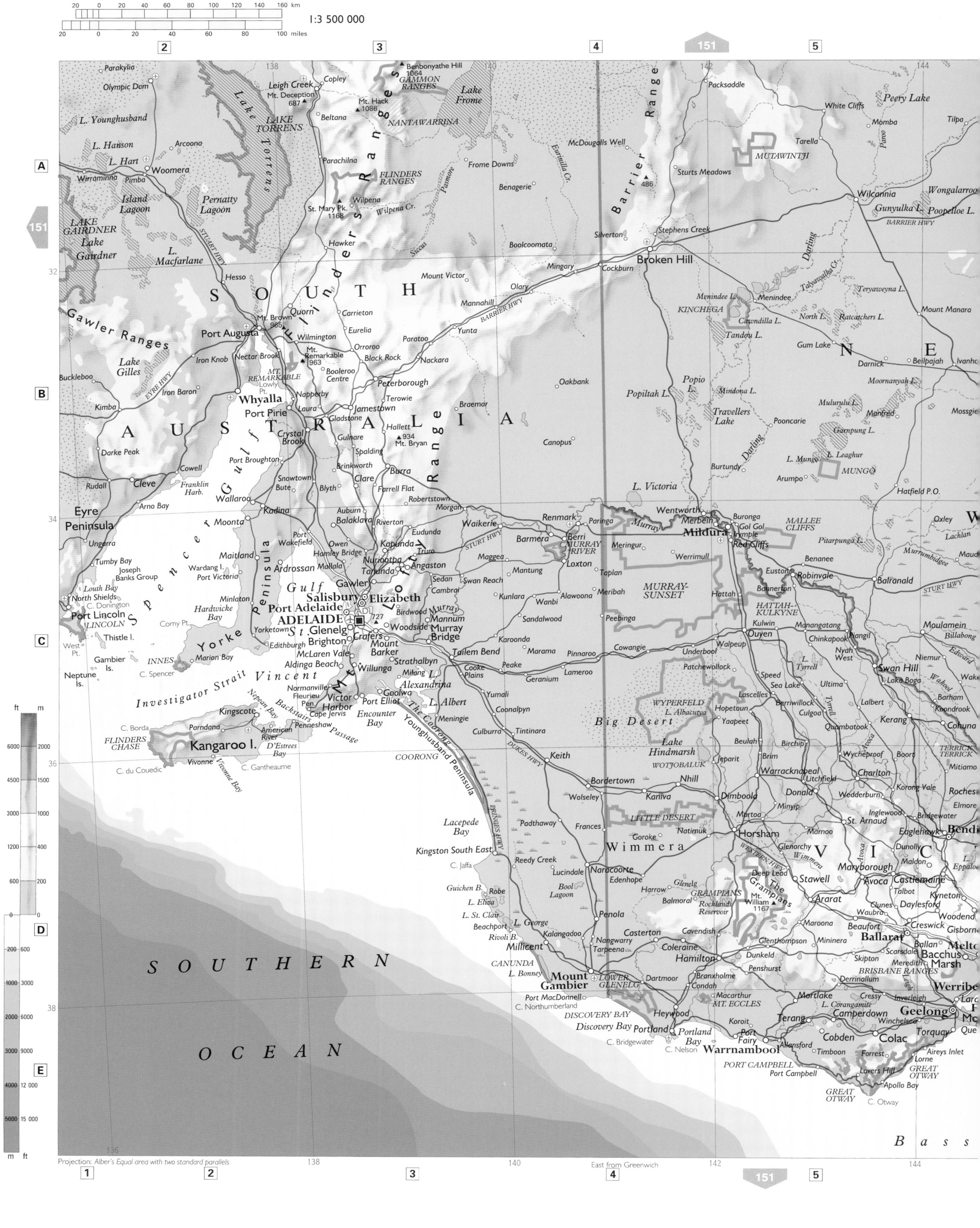
1:3 500 000
20 0 20 40 60 80 100 120 140 160 km
20 0 20 40 60 80 100 miles
SOUTH AUSTRALIA
NEW SOUTH WALES
VIC
SOUTHERN OCEAN
Gulf St Vincent
Spencer Gulf
Investigator Strait
Backstairs Passage
Encounter Bay
Lake Torrens
Lake Frome
Lake Gairdner
Gawler Ranges
Flinders Ranges
Mt. Lofty Ranges
Barrier Range
Eyre Peninsula
Yorke Peninsula
Kangaroo I.
Big Desert
Wimmera
The Grampians
The Coorong
Younghusband Peninsula
ADELAIDE
Port Adelaide
Salisbury
Elizabeth
Gawler
Glenelg
Brighton
Port Augusta
Whyalla
Port Pirie
Port Lincoln
Broken Hill
Mildura
Mount Gambier
Murray Bridge
Horsham
Ballarat
Geelong
Warrnambool
Portland
Hamilton
Bendigo
Bacchus Marsh
Swan Hill
Wilcannia
Renmark
Berri
Loxton
Wentworth
Ouyen
Naracoorte
Millicent
Kingston South East
Victor Harbor
Kingscote
Bass
Projection: Alber's Equal area with two standard parallels
East from Greenwich
151

6
7
8
9
10
151
A
B
C
D
E
146
148
150
152
East from Greenwich
32
34
36
38
NEW SOUTH WALES
VICTORIA
TASMAN SEA
Bass Strait
Coffs Harbour
Dorrigo
Sawtell
Bellingen
Urunga
Nambucca Heads
Macksville
Armidale
Uralla
Kingstown
Black Mountain
Barraba
Turrawan
Boggabri
Upper Manilla
Manilla
Bendemeer
Gunnedah
Curlewis
Attunga
Kootingal
Tamworth
Currabubula
Werris Creek
Liverpool Plains
Coonabarabran
Ulamambri
Binnaway
Premer
Caroona
Quirindi
Willow Tree
Murrurundi
Liverpool Range
Coolah
Merrygoen
Dunedoo
Cassilis
Merriwa
Scone
Aberdeen
Gungal
Muswellbrook
Denman
Ravensworth
Singleton
Gulgong
Mudgee
Lue
Rylstone
Kandos
Hunter Range
Coricudgy 1267
Putty
Capertee
Portland
Lithgow
Wallerawang
Bathurst
Orange
Blayney
Oberon
Katoomba
Blue Mts.
Richmond
Penrith
Windsor
Hornsby
Parramatta
Fairfield
Liverpool
Manly
SYDNEY
Sutherland
Camden
The Oaks
Campbelltown
Picton
Bargo
Bulli
Helensburgh
Wollongong
Port Kembla
Shellharbour
Kiama
Gerringong
Mittagong
Bowral
Moss Vale
Bundanoon
Berry
Nowra
Bomaderry
Culburra
Huskisson
Jervis Bay
St. Georges Basin
Sussex Inlet
Milton
Ulladulla
Batemans Bay
Mossy Point
Moruya
Tuross Head
Dalmeny
Narooma
Montague I.
Bermagui
Cobargo
Bega
Tathra
Candelo
Merimbula
Eden
Twofold Bay
Green C.
C. Howe
Mallacoota
Genoa
Cann River
Orbost
Bairnsdale
Lakes Entrance
C. Conran
Pt. Hicks
Rame Hd.
Sale
Maffra
Stratford
Heyfield
Traralgon
Morwell
Churchill
Moe
Warragul
Trafalgar
Mirboo North
Leongatha
Meeniyan
Foster
Toora
Welshpool
Port Albert
Yarram
Woodside
Wonthaggi
Inverloch
Korumburra
Phillip I.
Cowes
French I.
Hastings
Koo-wee-rup
Pakenham
Dandenong
Chelsea
MELBOURNE
Craigieburn
Sunbury
Healesville
Warburton
Wilsons Promontory
Snake I.
South East Pt.
Hogan Group
Canberra
Queanbeyan
Bungendore
Captain's Flat
Braidwood
Majors Creek
Great Dividing Range
Gourock Ra.
Cullarin Range
Goulburn
Marulan
Taralga
Crookwell
Yass
Burrinjuck Res.
Murrumbateman
Gundagai
Tumut
Adelong
Batlow
Tumbarumba
Bimberi Pk. 1913
Cooma
Berridale
Jindabyne
Perisher Valley
Thredbo
Mt. Kosciuszko 2228
Snowy Mts.
Adaminaby
L. Eucumbene
Bredbo
Nimmitabel
Bombala
Delegate
Mt. Jagungal 2060
Khancoban
Corryong
Cudgewa
Tallangatta
Mt. Ellery 1297
Bonang
Buchan
Nowa Nowa
Bruthen
Swifts Creek
Omeo
Mt. Cobberas
Bowen Mts.
Mt. Bogong 1986
Bright
Mount Beauty
Myrtleford
Beechworth
Wangaratta
Benalla
Mansfield
Alexandra
Yea
Eildon
L. Eildon
Mt. Buller 1804
Mt. Tamboritha 1640
Great Dividing Range
Gippsland
Shepparton
Mooroopna
Kyabram
Echuca
Numurkah
Nathalia
Tatura
Euroa
Violet Town
Seymour
Nagambie
Heathcote
Albury
Wodonga
L. Hume
Corowa
Rutherglen
Chiltern
Yarrawonga
Mulwala
Cobram
Tocumwal
Finley
Deniliquin
Jerilderie
Berrigan
Oaklands
Culcairn
Holbrook
Henty
Walla Walla
Howlong
Gerogery
Brocklesby
Lockhart
The Rock
Wagga Wagga
Junee
Coolamon
Narrandera
Leeton
Yanco
Griffith
Yenda
Hanwood
Willbriggie
Darlington Point
Coleambally
Hay
Morundah
Urana
Conargo
Wanganella
Cootamundra
Harden
Murrumburrah
Young
Boorowa
Galong
Binalong
Temora
Barmedman
Mirrool
Ardlethan
Barellan
West Wyalong
Quandialla
Grenfell
Cowra
Koorawatha
Woodstock
Carcoar
Canowindra
Eugowra
Forbes
Parkes
Molong
Cumnock
Manildra
Peak Hill
Trundle
Tullamore
Tomingley
Wellington
Geurie
Dubbo
Narromine
Trangie
Warren
Nevertire
Gilgandra
Collie
Armatree
Mendooran
Eumungerie
Coonamble
Quambone
Baradine
Combara
Gwabegar
Nyngan
Hermidale
Canbelego
Cobar
Girilambone
Coolabah
Byrock
Curraweena
Louth
Barnato
Nymagee
Bobadah
Tottenham
Gilgunnia
Yathong
Melrose
Mount Hope
Matakana
Gunebang
Condobolin
Ootha
Lake Cargelligo
Ural 552
Hillston
Naradhan
Ungarie
Kikoira
Rankins Springs
Merriwagga
Goolgowi
Booligal
Roto
Trida
Conoble
Gosford
Woy Woy
The Entrance
Budgewoi
Wyong
Morisset
Swansea
Belmont
Toronto
Newcastle
Wallsend
Beresfield
Maitland
Cessnock
Kurri Kurri
Branxton
Paterson
Raymond Terrace
Hawks Nest
Nelson Bay
Karuah
Dungog
Bulahdelah
Stroud
Stratford
Gloucester
Forster
Tuncurry
Old Bar
Taree
Harrington
Wingham
Barrington Tops 1585
Kendall
Bonny Hills
Port Macquarie
Wauchope
Crescent Head
Kempsey
South West Rocks
Scotts Head
Walcha
Woolbrook
Nowendoc
Mt. Banda Banda 1263
Hastings Range
Round Mt. 1608
Lake Burrendong
L. Windamere
L. Cowal
L. Wyangala
Lake Burragorang
L. George
L. Urana
Aboriginal lands
COPYRIGHT PHILIP'S

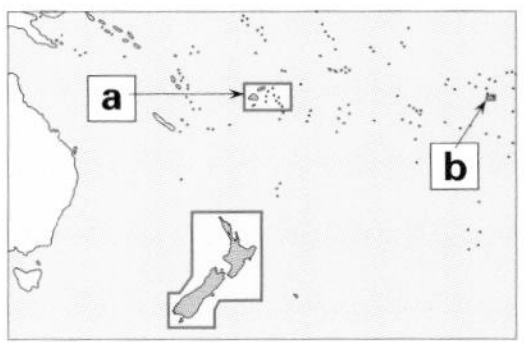
a
b

1:3 100 000

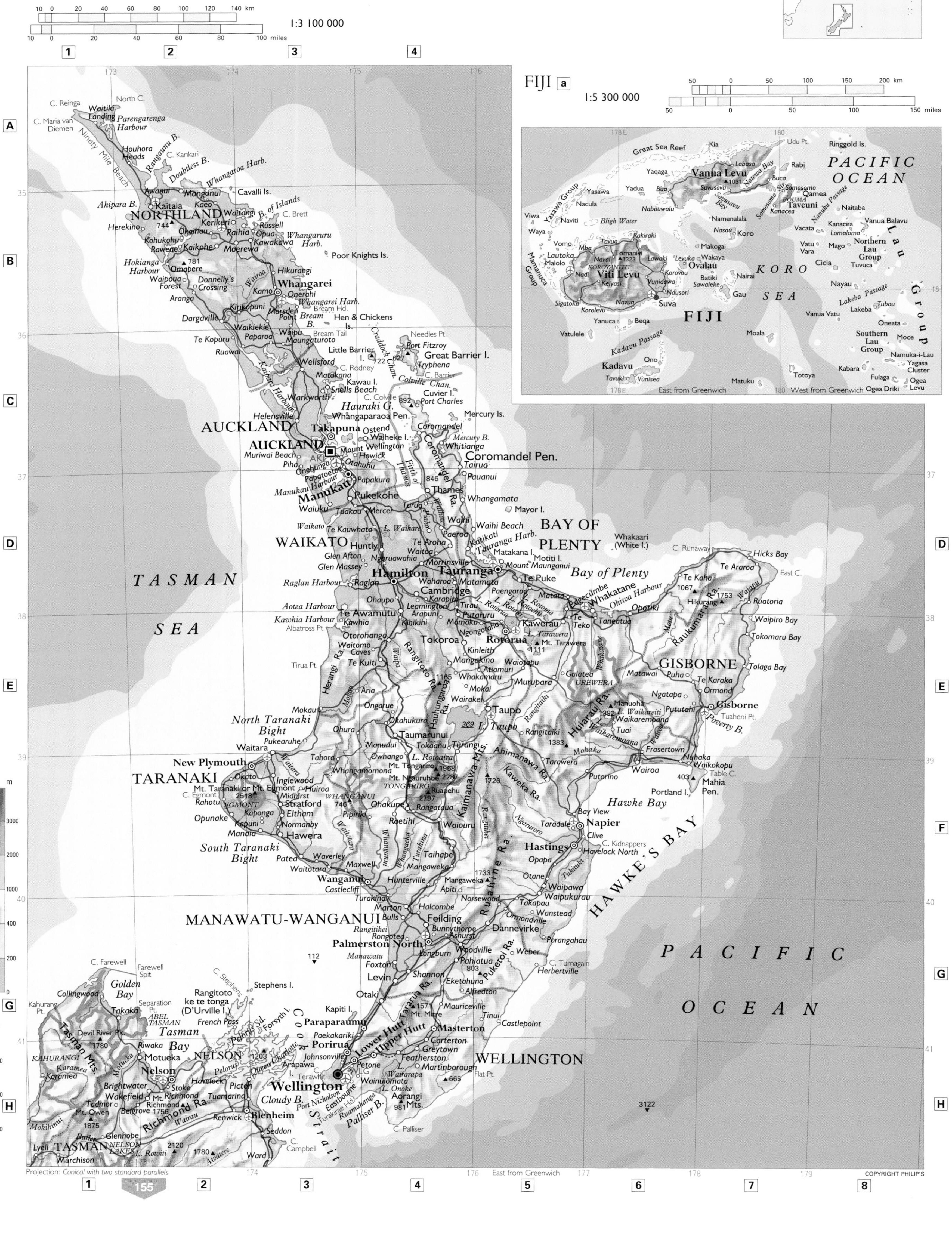
10 0 20 40 60 80 100 120 140 km
10 0 20 40 60 80 100 miles
1 2 3 4 5 6 7 8
A B C D E F G H
173 174 175 176 177 178 179
35 36 37 38 39 40 41
FIJI a
1:5 300 000
50 0 50 100 150 200 km
50 0 50 100 150 miles
Great Sea Reef
Kia
Udu Pt.
Ringgold Is.
Labasa
Vanua Levu
Natewa Bay
Rabi
PACIFIC OCEAN
Yaqaga
Yadua
Savusavu
Buca
Somosomo
Qamea
Taveuni
Yasawa
Yasawa Group
Nacula
Bua
Nabouwalu
Savusavu Bay
Somosomo Str.
Kanacea
Naitaba
Viwa
Naviti
Bligh Water
Namenalala
Nasau
Koro
Vacata
Lomaloma
Vanua Balavu
Waya
Rakiraki
Makogai
Vatu Vara
Mago
Northern Lau Group
Vomo
Tavua
Tomanivi
1323
Levuka
Wakaya
Cicia
Tuvuca
Lautoka
Nadi
Mba
Viti Levu
Ovalau
Batiki
Nairai
KORO
Malolo
Mamanuca Group
Keiyasi
Korovou
Sawaieke
SEA
Nayau
Lakeba Passage
Lau Group
Nausori
Gau
Tubou
Lakeba
Sigatoka
Korolevu
Navua
Suva
Vanua Vatu
Oneata
Yanuca
Beqa
FIJI
Vatulele
Moala
Southern Lau Group
Moce
Kadavu Passage
Namuka-i-Lau
Yagasa Cluster
Ono
Kadavu
Totoya
Kabara
Tavuki
Vunisea
Matuku
Fulaga
Ogea Levu
Ogea Driki
178 E
180
East from Greenwich
West from Greenwich
C. Reinga
North C.
Waitiki Landing
Parengarenga Harbour
C. Maria van Diemen
Ninety Mile Beach
Houhora Heads
Rangaunu B.
C. Karikari
Doubtless B.
Whangaroa Harb.
Awanui
Mangonui
Cavalli Is.
Ahipara B.
Kaitaia
Kaeo
NORTHLAND
Waitangi
B. of Islands
C. Brett
Kerikeri
Russell
Herekino
744
Okaihau
Paihia
Opua
Kohukohu
Kawakawa
Whangaruru Harb.
Rawene
Kaikohe
Moerewa
Poor Knights Is.
Hokianga Harbour
781
Omapere
Hikurangi
Waipoua Forest
Donnelly's Crossing
Wairoa
Whangarei
Aranga
Kamo
Onerahi
Whangarei Harb.
Bream Hd.
Dargaville
Kirikopuni
Marsden Point
Bream B.
Hen & Chickens Is.
Waikiekie
Bream Tail
Craddock Chan.
Needles Pt.
Te Kopuru
Paparoa
Waipu
Maungaturoto
Port Fitzroy
Ruawai
Little Barrier I.
722
627
Great Barrier I.
Tryphena
Kaipara Harbour
Wellsford
C. Rodney
Matakana
Kawau I.
C. Barrier
Snells Beach
Colville Chan.
C. Colville
892
Cuvier I.
Port Charles
Warkworth
Hauraki G.
Helensville
Whangaparaoa Pen.
Mercury Is.
AUCKLAND
Takapuna
Ostend
Coromandel
Waiheke I.
Mercury B.
Mount Wellington
Whitianga
Muriwai Beach
Howick
Coromandel Pen.
Piha
Onehunga
Otahuhu
Tairua
Papatoetoe
Firth of Thames
Manukau Harbour
Papakura
846
Pauanui
Manukau
Thames
Coromandel Ra.
Pukekohe
Whangamata
Waiuku
Tuakau
Mercer
Mayor I.
Waikato
Te Kauwhata
L. Waikare
Waihi
Waihi Beach
BAY OF PLENTY
WAIKATO
Paeroa
Katikati
Tauranga Harb.
Whakaari (White I.)
Huntly
Te Aroha
Matakana I.
C. Runaway
Glen Afton
Waitoa
Motiti I.
Hicks Bay
Glen Massey
Ngaruawahia
Morrinsville
Mount Maunganui
Bay of Plenty
Te Araroa
East C.
TASMAN
Raglan Harbour
Raglan
Hamilton
Tauranga
Te Puke
Te Kaha
Waharoa
Matamata
1067
Cambridge
Paengaroa
Maketu
Edgecumbe
Whakatane
Ohiwa Harbour
Hikurangi
1753
Ruatoria
Aotea Harbour
Ohaupo
Karapiro
Leamington
L. Rotorua
Opotiki
Te Awamutu
Arapuni
Tirau
Kawhia Harbour
Kawhia
Putaruru
Te Teko
Waipiro Bay
SEA
Albatross Pt.
Kihikihi
Mamaku
Ngongotaha
Kawerau
Raukumara Ra.
Otorohanga
L. Tarawera
Tokomaru Bay
Rotorua
Mt. Tarawera
Waitomo Caves
Tokoroa
1111
Kinleith
Te Kuiti
Rangitoto Ra.
Mangakino
Waiotapu
GISBORNE
Tirau Pt.
Atiamuri
Tolaga Bay
Herangi Ra.
Whakamaru
Murupara
Galatea
UREWERA
Matawai
Puha
Te Karaka
1165
Mokai
Aria
Wairakei
Ormond
Ngatapa
Manuoha
Mokau
Ongarue
Taupo
L. Waikaremoana
Patutahi
Gisborne
1392
North Taranaki Bight
Okahukura
369
L. Taupo
Rangitaiki
Waikaremoana
Tuaheni Pt.
Poverty B.
Pukearuhe
Ohura
Taumarunui
Hauhungaroa Ra.
Tuai
Waitara
Tokaanu
Turangi
1383
Huiarau Ra.
Frasertown
Manunui
L. Rotoaira
Ahimanawa Ra.
Nuhaka
New Plymouth
Tahora
Owhango
Mohaka
Okato
Whangamomona
Mt. Tongariro
1968
Tarawera
Wairoa
Waikokopu
TARANAKI
Mt. Taranaki or Mt. Egmont
Inglewood
Mt. Ngauruhoe
2287
1726
Putorino
Table C.
Mahia Pen.
403
C. Egmont
2518
Huiroa
TONGARIRO
Kaweka Ra.
Portland I.
Rahotu
EGMONT
Midhirst
WHANGANUI
Ruapehu
2797
Stratford
746
Ohakune
Rangataua
Kaimanawa Mts.
Hawke Bay
Opunake
Kaponga
Eltham
Pipiriki
Bay View
Kapuni
Normanby
Raetihi
Waiouru
Taradale
Napier
Manaia
Hawera
Clive
C. Kidnappers
South Taranaki Bight
Hastings
Havelock North
Patea
Waverley
Taihape
HAWKE'S BAY
Waitotara
Maxwell
Mangaweka
Opapa
Wanganui
1733
Mangaweka
Otane
Castlecliff
Hunterville
Apiti
Waipawa
Turakina
Norsewood
Waipukurau
Ruahine Ra.
Takapau
Marton
Halcombe
Wanstead
MANAWATU-WANGANUI
Bulls
Feilding
Ormondville
Rangitikei
Bunnythorpe
Dannevirke
Rongotea
Ashhurst
Porangahau
Palmerston North
Woodville
Weber
PACIFIC
Manawatu
Longburn
112
Pahiatua
C. Turnagain
Foxton
803
Herbertville
Puketoi Ra.
C. Farewell
Farewell Spit
Shannon
Eketahuna
Levin
Alfredton
Golden Bay
C. Stephens
Stephens I.
OCEAN
Collingwood
Rangitoto ke te tonga (D'Urville I.)
Otaki
Tararua Ra.
1571
Mauriceville
Kahurangi Pt.
Separation Pt.
Kapiti I.
Mt. Mitre
Takaka
ABEL TASMAN
French Pass
Paraparaumu
Tinui
Devil River Pk.
Tasman Bay
Pelorus Sd.
Forsyth I.
Masterton
Castlepoint
Tasman Mts.
1780
Riwaka
Cook Strait
Paekakariki
Carterton
KAHURANGI
Motueka
NELSON
1203
Porirua
Lower Hutt
Upper Hutt
Greytown
WELLINGTON
Karamea
Queen Charlotte Sd.
Johnsonville
Featherston
Nelson
Pelorus
Arapawa I.
Petone
Martinborough
Flat Pt.
Brightwater
Stoke
Havelock
Picton
Wellington
Wairarapa
665
Wakefield
Mt. Richmond
Tuamarino
Cloudy B.
Port Nicholson
Wainuiomata
L. Onoke
Tadmor
Richmond
Eastbourne
Aorangi Mts.
3122
Mt. Owen
Belgrove
1756
Richmond Ra.
Renwick
Blenheim
Turakirae Hd.
Palliser B.
981
1875
Wairau
Ruamahanga
Mokihinui
Glenhope
Seddon
C. Palliser
Buller
2120
C. Campbell
Lyell
TASMAN
NELSON LAKES
L. Rotoiti
1780
Awatere
Ward
Murchison
ft m
9000 3000
6000 2000
3000 1000
1200 400
600 200
0 0
200 600
1000 3000
1500 4500
3000 9000
m ft
Projection: Conical with two standard parallels
East from Greenwich
COPYRIGHT PHILIP'S
155

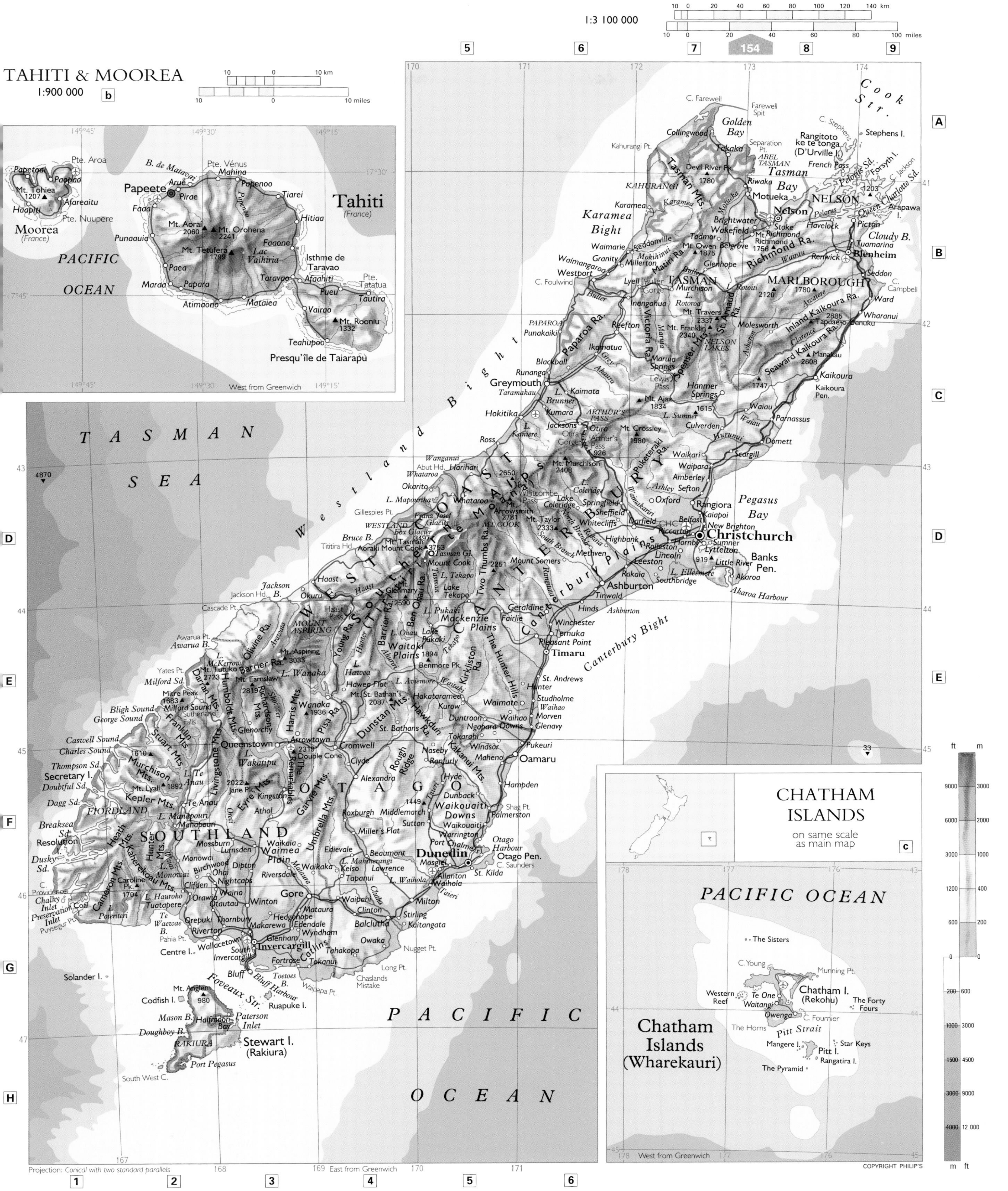
1:3 100 000
TAHITI & MOOREA
1:900 000
Tahiti
(France)
Moorea
(France)
PACIFIC OCEAN
Papeete
Mt. Orohena
2241
Mt. Aorai
2060
Mt. Tetufera
1799
Lac Vaihiria
Isthme de Taravao
Presqu'île de Taiarapu
Mt. Rooniu
1332
Mt. Tohiea
1207
West from Greenwich
TASMAN SEA
Westland Bight
PACIFIC OCEAN
Cook Str.
Golden Bay
Tasman Bay
Karamea Bight
Pegasus Bay
Canterbury Bight
Canterbury Plains
C. Farewell
Farewell Spit
Collingwood
Takaka
Motueka
Nelson
Blenheim
Picton
Westport
Greymouth
Hokitika
Kaikoura
Christchurch
Lyttelton
Banks Pen.
Ashburton
Timaru
Oamaru
Dunedin
Otago Pen.
Invercargill
Bluff
Foveaux Str.
Stewart I.
(Rakiura)
Queenstown
L. Wakatipu
L. Wanaka
L. Te Anau
L. Manapouri
L. Pukaki
L. Tekapo
Aoraki Mount Cook
3753
Mt. Aspiring
3033
Southern Alps
FIORDLAND
SOUTHLAND
OTAGO
CANTERBURY
WEST COAST
MARLBOROUGH
NELSON
TASMAN
Milford Sd.
Doubtful Sd.
Dusky Sd.
Solander I.
Catlins
Mackenzie Plains
Waitaki Plains
Richmond Ra.
Seaward Kaikoura Ra.
Inland Kaikoura Ra.
Paparoa Ra.
Arthur's Pass
Haast
Gore
Alexandra
Cromwell
Wanaka
Balclutha
Milton
Mosgiel
Rangiora
Kaiapoi
Westland
CHATHAM ISLANDS
on same scale as main map
Chatham Islands
(Wharekauri)
Chatham I.
(Rekohu)
Pitt I.
Pitt Strait
Waitangi
Te One
Owenga
The Sisters
The Forty Fours
Star Keys
Mangere I.
Rangatira I.
The Pyramid
Projection: Conical with two standard parallels
East from Greenwich
COPYRIGHT PHILIP'S

Equatorial Scale 1:48 000 000

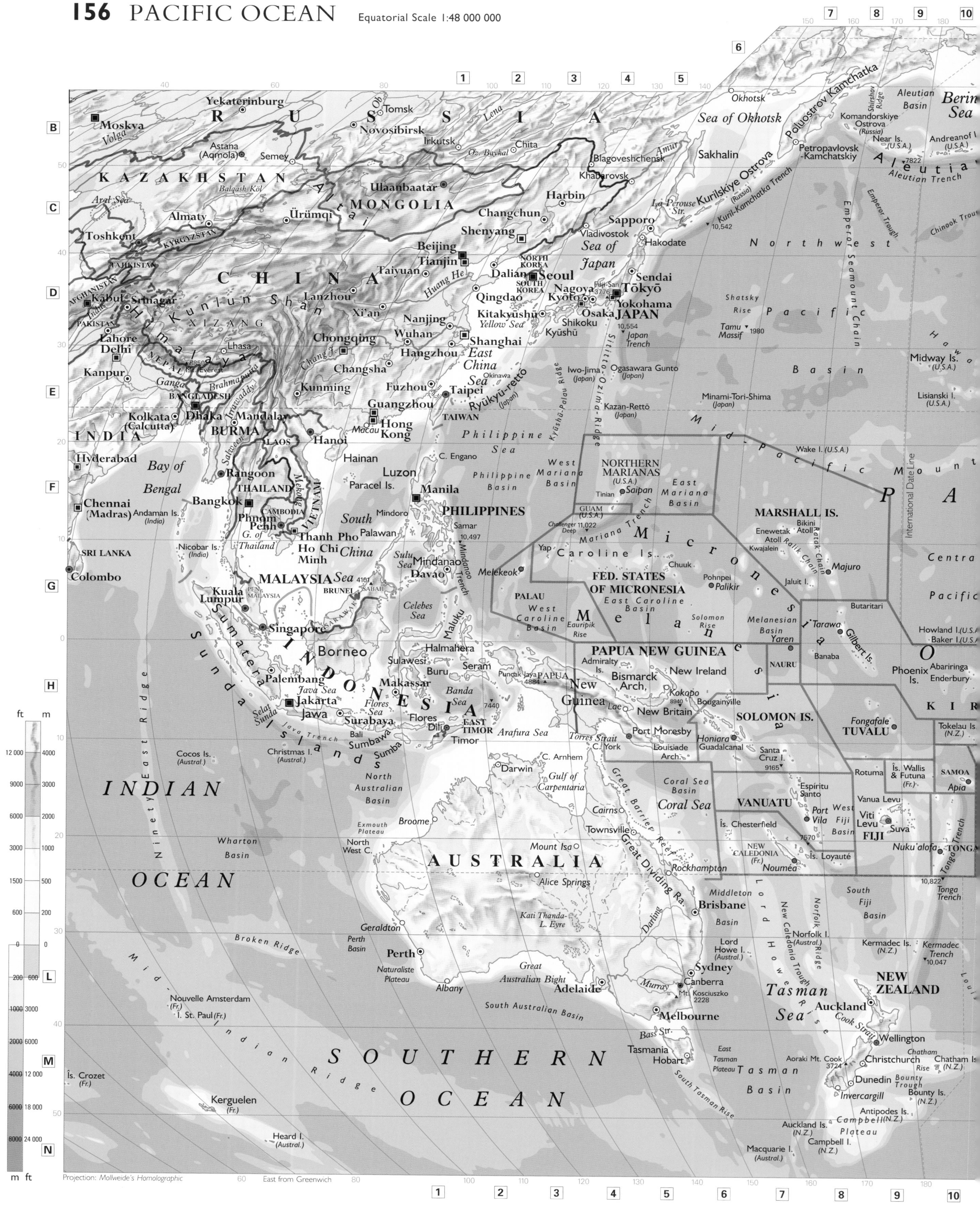
RUSSIA
Moskva
Volga
Yekaterinburg
Tomsk
Novosibirsk
Irkutsk
Oz. Baykal
Chita
Lena
Ob
Astana (Aqmola)
Semey
KAZAKHSTAN
Balqash Köl
Aral Sea
Altai
Ulaanbaatar
MONGOLIA
Blagoveshchensk
Khabarovsk
Amur
Harbin
Okhotsk
Sea of Okhotsk
Sakhalin
Poluostrov Kamchatka
Petropavlovsk-Kamchatskiy
Komandorskiye Ostrova (Russia)
Shirshov Ridge
Aleutian Basin
Bering Sea
Near Is. (U.S.A.)
Andreanof Is. (U.S.A.)
7822
Aleutian Trench
Kuril'skiye Ostrova (Russia)
Kuril-Kamchatka Trench
10,542
La Perouse Str.
Emperor Trough
Chinook Trough
Almaty
KYRGYZSTAN
Toshkent
TAJIKISTAN
Ürümqi
Changchun
Shenyang
Sapporo
Vladivostok
Hakodate
Sea of Japan
Northwest
Beijing
Tianjin
NORTH KOREA
SOUTH KOREA
Seoul
Dalian
Taiyuan
Sendai
CHINA
AFGHANISTAN
Kabul
Srinagar
Indus
Kunlun Shan
Lanzhou
Huang He
Qingdao
Nagoya
Kyōto
Fuji-San 3776
Tōkyō
Yokohama
Ōsaka
JAPAN
Shatsky Rise
Pacific
Emperor Seamount Chain
PAKISTAN
XIZANG
Xi'an
Nanjing
Kitakyūshū
Yellow Sea
Shikoku
Kyūshū
10,554
Japan Trench
Tamu Massif
1980
Lahore
Delhi
Himalaya
Lhasa
Chongqing
Wuhan
Shanghai
Hangzhou
East China Sea
Chang Jiang
NEPAL
8850
Mt. Everest
Changsha
Iwo-Jima (Japan)
Ogasawara Gunto (Japan)
Basin
Midway Is. (U.S.A.)
Kanpur
Ganga
Brahmaputra
BANGLADESH
Kunming
Fuzhou
Okinawa
Taipei
Ryūkyū-rettō (Japan)
Kyūshū-Palau Ridge
Sitito-Ozima Ridge
Minami-Tori-Shima (Japan)
Lisianski I. (U.S.A.)
Kolkata (Calcutta)
Dhaka
Irrawaddy
Mandalay
Guangzhou
TAIWAN
Kazan-Rettō (Japan)
INDIA
BURMA
Macau
Hong Kong
Hanoi
LAOS
Salween
Philippine Sea
Mid-Pacific Mountains
Wake I. (U.S.A.)
Hyderabad
Bay of Bengal
Hainan
Luzon
C. Engano
West Mariana Basin
NORTHERN MARIANAS (U.S.A.)
Saipan
Tinian
East Mariana Basin
International Date Line
Rangoon
THAILAND
Mekong
VIETNAM
Paracel Is.
Manila
Philippine Basin
Chennai (Madras)
Andaman Is. (India)
Bangkok
CAMBODIA
Phnom Penh
South China Sea
Mindoro
PHILIPPINES
GUAM (U.S.A.)
Challenger Deep 11,022
Mariana Trench
MARSHALL IS.
Bikini Atoll
Enewetak Atoll
Kwajalein
Ratak Chain
Ralik Chain
Majuro
G. of Thailand
Thanh Pho Ho Chi Minh
Palawan
Samar
10,497
Micronesia
SRI LANKA
Nicobar Is. (India)
Sulu Sea
Mindanao
Mindanao Trench
Yap
Caroline Is.
Chuuk
Central Pacific
Colombo
MALAYSIA
4101
BRUNEI
SABAH
Davao
Melekeok
FED. STATES OF MICRONESIA
East Caroline Basin
Pohnpei
Palikir
Jaluit I.
Kuala Lumpur
PEN. MALAYSIA
SARAWAK
Celebes Sea
PALAU
West Caroline Basin
Eauripik Rise
Melanesia
Solomon Rise
Melanesian Basin
Butaritari
Tarawa
Gilbert Is.
Howland I. (U.S.A.)
Baker I. (U.S.A.)
Singapore
Sumatera
Borneo
INDONESIA
Halmahera
Maluku
Yaren
PAPUA NEW GUINEA
NAURU
Banaba
Sunda Islands
Palembang
Sulawesi
Seram
Buru
Puncak Jaya 4884
PAPUA
Admiralty Is.
Bismarck Arch.
New Ireland
Phoenix Is.
Abariringa
Enderbury
KIRIBATI
Jakarta
Java Sea
Makassar
Banda Sea
7440
New Guinea
Kokopo
8940
Bougainville
Jawa
Surabaya
Flores Sea
Flores
Lae
New Britain
SOLOMON IS.
Ninetyeast Ridge
Selat Sunda
Java Trench
Bali
Sumbawa
Sumba
Dili
EAST TIMOR
Timor
Arafura Sea
Torres Strait
Port Moresby
Honiara
Guadalcanal
Fongafale
TUVALU
Tokelau Is. (N.Z.)
Cocos Is. (Austral.)
Christmas I. (Austral.)
C. York
C. Arnhem
Louisiade Arch.
Santa Cruz I.
9165
Rotuma
Îs. Wallis & Futuna (Fr.)
SAMOA
Apia
Darwin
Gulf of Carpentaria
Great Barrier Reef
Coral Sea Basin
Coral Sea
Espíritu Santo
VANUATU
Port Vila
Vanua Levu
Viti Levu
Suva
FIJI
West Fiji Basin
INDIAN OCEAN
North Australian Basin
Exmouth Plateau
Broome
Cairns
Townsville
Îs. Chesterfield
7570
Tonga Trench
Wharton Basin
North West C.
Mount Isa
NEW CALEDONIA (Fr.)
Nouméa
Îs. Loyauté
Nuku'alofa
TONGA
AUSTRALIA
Great Dividing Ra.
Rockhampton
10,822
Alice Springs
Middleton Basin
South Fiji Basin
Lord Howe Rise
New Caledonia Trough
Norfolk Ridge
Brisbane
Darling
Kati Thanda-L. Eyre
Geraldton
Broken Ridge
Perth Basin
Norfolk I. (Austral.)
Lord Howe I. (Austral.)
Kermadec Is. (N.Z.)
Kermadec Trench
10,047
Perth
Naturaliste Plateau
Great Australian Bight
Sydney
Canberra
NEW ZEALAND
Mid-Indian Ridge
Albany
Adelaide
Murray
Mt. Kosciuszko 2228
Tasman Sea
Auckland
Nouvelle Amsterdam (Fr.)
Î. St. Paul (Fr.)
South Australian Basin
Melbourne
Cook Str.
Bass Str.
Wellington
Tasmania
Hobart
East Tasman Plateau
Tasman Basin
Aoraki Mt. Cook 3724
Christchurch
Chatham Rise
Chatham Is. (N.Z.)
SOUTHERN OCEAN
South Tasman Rise
Îs. Crozet (Fr.)
Dunedin
Bounty Trough
Invercargill
Bounty Is. (N.Z.)
Kerguelen (Fr.)
Antipodes Is. (N.Z.)
Campbell Plateau
Auckland Is. (N.Z.)
Heard I. (Austral.)
Campbell I. (N.Z.)
Macquarie I. (Austral.)
ft m
12 000 4000
9000 3000
6000 2000
3000 1000
1500 500
600 200
0 0
200 600
1000 3000
2000 6000
4000 12 000
6000 18 000
8000 24 000
m ft
Projection: Mollweide's Homolographic
East from Greenwich

Arctic Circle
ALASKA
(U.S.A.)
Anchorage
5959
Bristol Bay
Gulf of Alaska
Juneau
Prince of Wales I.
(U.S.A.)
Prince Rupert
Haida Gwaii
(Queen Charlotte Is.)
(Canada)
Tufts
Abyssal
Plain
Vancouver
Vancouver I.
Victoria
Seattle
Portland
Boise
C A N A D A
Rocky Mts
Edmonton
Calgary
Regina
Winnipeg
L. Winnipeg
L. Superior
Newfoundland
St. Lawrence
St. John's
Québec
Montréal
Ottawa
L. Huron
L. Michigan
Toronto
L. Ontario
Detroit
Buffalo
L. Erie
Boston
Minneapolis
Missouri
Snake
Salt Lake City
Chicago
Pittsburgh
New York
Philadelphia
Baltimore
Washington D.C.
Denver
Kansas City
St. Louis
Cincinnati
Colorado
Appalachian Mts.
Northeast
Mendocino Fracture Zone
C. Mendocino
Sacramento
San Francisco
4418
UNITED STATES
ATLANTIC
6741
Murray Fracture Zone
Oklahoma City
Memphis
Atlanta
C. Hatteras
Los Angeles
San Diego
Phoenix
Dallas
Mississippi
Bermuda
(U.K.)
Pacific
Ciudad Juárez
Houston
Jacksonville
Guadalupe
(Mex.)
San Antonio
New Orleans
Sargasso Sea
Tampa
Molokai Fracture Zone
Baja California
Golfo de California
Gulf of Mexico
Miami
BAHAMAS
OCEAN
Monterrey
Tropic of Cancer
La Habana
Florida Str.
CUBA
West Indies
Honolulu
Kauai
Oahu
Maui
Basin
C. San Lucas
MEXICO
Canal de Yucatan
HAWAIIAN IS.
(U.S.A.)
4205
Hilo
Hawaii
Guadalajara
Mexico
5610
Mérida
7680
HAITI
DOMINICAN REP.
8605
Leeward Is.
Johnston I.
(U.S.A.)
Clarion Fracture Zone
Is. Revilla Gigedo
(Mex.)
Puebla
JAMAICA
Kingston
PUERTO RICO
(U.S.A.)
BELIZE
Acapulco
GUATEMALA
HONDURAS
Caribbean Sea
CIFIC
6662
Guatemala
Middle America Trench
BARBADOS
Windward Is.
NICARAGUA
San Salvador
EL SALVADOR
Barranquilla
Managua
Maracaibo
Î. Clipperton
(Fr.)
San José
Caracas
Guatemala Basin
COSTA RICA
Colón
Panamá
PANAMA
Orinoco
North West Christmas I. Ridge
Cooper Ridge
Clipperton Fracture Zone
Cocos Ridge
Panama Basin
VENEZUELA
Palmyra Is.
(U.S.A.)
I. del Coco
(Costa Rica)
Medellín
Bogotá
Basin
Teraina
Tabuaeran
Kiritimati
Cali
I. de Malpelo
(Colombia)
COLOMBIA
Galápagos Fracture Zone
Equator
Jarvis I.
(U.S.A.)
OCEAN
Galápagos
(Ecuador)
Carnegie Ridge
Quito
ECUADOR
Amazonas
Guayaquil
Iquitos
Malden I.
Starbuck I.
Line Islands
C. Paliñas
BRAZIL
KIRIBATI
Penrhyn
(Tongareva)
Manihiki
Îs. Marquises
Nuku Hiva
Hiva Oa
Marquesas Fracture Zone
Trujillo
Pukapuka
Manihiki
Vostok I.
Caroline I.
(Millennium I.)
Flint I.
6369
PERU
Plateau
Yupanqui
Basin
Galápagos Rise
Mendaña Fracture Zone
Lima
Suwarrow Is.
Îs. de la Société
Bora Bora
Huahine
Raiatea
Papeete
Tahiti
Rangiroa
Tuamotu Ridge
Îs. Tuamotu
Peru Basin
Cusco
L. Titicaca
Nevado Ancohuma
6550
Arequipa
La Paz
BOLIVIA
Cook Is.
(N.Z.)
Aitutaki
Niue
(N.Z.)
FRENCH POLYNESIA
6866
Peru-Chile Trench
Arica
Austral Seamount Chain
Atiu
Rarotonga
Mangaia
Îs. Gambier
Mururoa
East Pacific Rise
Nazca Ridge
Iquique
Îs. Tubuai
Tropic of Capricorn
Antofagasta
PARAGUAY
Asunción
Oeno I.
Henderson I.
Pitcairn I.
(U.K.)
Ducie I.
Sala-y-Gómez Ridge
8050
San Felix
(Chile)
San Ambrosio
(Chile)
San Miguel de Tucumán
Easter Fracture Zone
Sala-y-Gómez
(Chile)
I. de Pascua
(Chile)
Rapa
Porto Alegre
Roggeveen
Basin
Córdoba
Aconcagua
6962
Arch. de Juan Fernández
(Chile)
Valparaíso
Rosario
Santiago
URUGUAY
Buenos Aires
Montevideo
Challenger Fracture Zone
Chile Rise
Río de la Plata
Concepción
ARGENTINA
ANDES
Southwest
Pacific
Basin
Patagonia
Menard Fracture Zone
ATLANTIC
OCEAN
6212
Pacific-Antarctic Ridge
Falkland Is.
(U.K.)
Punta Arenas
Est. de Magallanes
South Georgia
(U.K.)
Southeast
Pacific Basin
C. de Hornos
Tierra del Fuego
Drake Passage
West from Greenwich
COPYRIGHT PHILIP'S

1:31 100 000
100 0 200 400 600 800 1000 1200 1400 km
100 0 200 400 600 800 1000 miles
Asia
Wrangel I.
Chukchi Sea
ARCTIC OCEAN
Lincoln Sea
Greenland
Denmark Strait
Iceland
Bering Sea
Bering Strait
St. Lawrence I.
Nunivak I.
Unimak I.
Beaufort Sea
Axel Heiberg I.
Ellesmere I.
Sverdrup Is.
Parry Is.
Queen Elizabeth Is.
Melville I.
Devon I.
Banks I.
Victoria I.
Baffin Bay
Baffin Island
Davis Strait
Cape Farewell
Brooks Ra.
Alaska Range
Mt. McKinley 6194
Alaska Peninsula
Kodiak I.
Gulf of Alaska
Mt. Logan 5959
Mt. St. Elias 5489
Mackenzie Mts
Mackenzie
Great Bear L.
Great Slave L.
Canadian Shield
Hudson Bay
Hudson Strait
Southampton I.
Labrador Sea
Labrador
Ungava Peninsula
Alexander Archipelago
Haida Gwaii (Queen Charlotte Is.)
Queen Charlotte Str.
Coast Mountains
Rocky Mountains
Mt. Robson 3954
Vancouver I.
Str. of Juan de Fuca
L. Athabasca
Reindeer L.
Churchill
Nelson
James Bay
Newfoundland
Gulf of St. Lawrence
L. Winnipeg
L. Winnipegosis
L. Manitoba
Great Plains
Great Lakes
L. Superior
L. Michigan
L. Huron
L. Erie
L. Ontario
Nova Scotia
Cape Breton I.
Sable I.
Mt. Washington 1917
C. Cod
Nantucket I.
Long I.
Mt. Rainier 4392
Cascade Range
Columbia Plateau
Snake
Yellowstone
Black Hills
Missouri
Mississippi
C. Blanco
C. Mendocino
Mt. Shasta 4317
Coast Ranges
Sierra Nevada
Great Salt Lake
Great Basin
Wasatch Ra.
Mt. Elbert 4399
Blanca Peak 4372
Mt. Whitney 4418
Death Valley -86
Colorado Plateau
Grand Canyon
Pt. Conception
Channel Is.
Ozark Plateau
Ouachita Mts.
Appalachian Mts.
Allegheny Mts.
Cumberland Plateau
Mt. Mitchell 2037
Blue Ridge
Piedmont
Chesapeake B.
C. Hatteras
C. Fear
Bermuda
ATLANTIC OCEAN
Sargasso Sea
Llano Estacado
Edwards Plateau
Rio Grande
Mississippi River Delta
Florida
C. Canaveral
L. Okeechobee
The Everglades
Florida Strait
Bahamas
PACIFIC OCEAN
Baja California
Gulf of California
Tropic of Cancer
Clarion Fracture Zone
Revilla Gigedo Is.
C. San Lucas
C. Corrientes
Western Sierra Madre
Mexican Plateau
Eastern Sierra Madre
Gulf of Mexico
Yucatán Peninsula
Gulf of Campeche
Popocatepetl 5452
Pico de Orizaba 5610
Sa. Madre del Sur
Isthmus of Tehuantepec
G. of Tehuantepec
Guatemala Trench
Central America
G. of Honduras
L. Nicaragua
Cuba
Hispaniola
Jamaica
Puerto Rico
West Indies
Greater Antilles
Cayman Trench
Caribbean Sea
Colombian Basin
Sierra Nevada de Santa Marta 5775
Isthmus of Panama
G. of Panamá
Andes
Projection: Bonne
West from Greenwich
ft m
COPYRIGHT PHILIP'S

1:31 100 000

100 0 200 400 600 800 1000 1200 1400 km
100 0 200 400 600 800 1000 miles
ARCTIC OCEAN
Beaufort Sea
RUSSIA
Asia
International Date Line
St. Lawrence I.
Bering Strait
Bering Sea
ALASKA (USA)
Yukon
Porcupine
Fairbanks
Anchorage
Kodiak I.
Gulf of Alaska
Juneau
Whitehorse
YUKON TERRITORY
NORTHWEST TERRITORIES
Arctic Circle
Mackenzie
Great Bear L.
Yellowknife
Great Slave L.
Liard
Back
Dubawnt
Queen Elizabeth Is.
Ellesmere I.
Victoria I.
NUNAVUT
Baffin Island
Baffin Bay
Iqaluit
Hudson Strait
GREENLAND (Denmark)
Nuuk
Davis Strait
Denmark Strait
ICELAND
Reykjavík
Hudson Bay
CANADA
BRITISH COLUMBIA
Skeena
Fraser
Peace
Athabasca
ALBERTA
Edmonton
Calgary
Saskatchewan
SASKATCHEWAN
Regina
Churchill
Nelson
MANITOBA
L. Winnipeg
Winnipeg
ONTARIO
Eastmain
QUÉBEC
NEWFOUNDLAND & LABRADOR
St. John's
St. Lawrence
PRINCE EDWARD I.
Charlottetown
St.-Pierre et Miquelon (Fr.)
NEW BRUNSWICK
NOVA SCOTIA
Fredericton
Halifax
Québec
Montréal
Ottawa
Victoria
Vancouver
WASHINGTON
Olympia
Seattle
Portland
Salem
Columbia
OREGON
IDAHO
Boise
Snake
MONTANA
Helena
Missouri
NORTH DAKOTA
Bismarck
SOUTH DAKOTA
Pierre
MINNESOTA
Minneapolis-St. Paul
L. Superior
WISCONSIN
Madison
Milwaukee
L. Michigan
MICHIGAN
Lansing
L. Huron
Detroit
Toledo
L. Erie
Cleveland
L. Ontario
TORONTO
Buffalo
NEW YORK
PA.
Pittsburgh
Hartford
VER.
N.H.
MAINE
Augusta
Concord
MASS.
Boston
Providence
NEW YORK
PHILADELPHIA
N.J.
DE.
MD.
Baltimore
WASHINGTON D.C.
Richmond
W.V.
VIRGINIA
WYOMING
Salt Lake City
UNITED STATES
NEBRASKA
Lincoln
IOWA
CHICAGO
ILLINOIS
INDIANA
OHIO
Columbus
Indianapolis
Cincinnati
Springfield
St. Louis
KENTUCKY
Nashville
TENNESSEE
Sacramento
SAN FRANCISCO
San Jose
Carson City
NEVADA
UTAH
Denver
COLORADO
Kansas City
Topeka
KANSAS
MISSOURI
CALIFORNIA
Las Vegas
LOS ANGELES
San Diego
Tijuana
Mexicali
Colorado
ARIZONA
Phoenix
Tucson
Santa Fe
Albuquerque
NEW MEXICO
OKLAHOMA
Oklahoma City
ARKANSAS
Little Rock
Memphis
Mississippi
MISSISSIPPI
Jackson
Birmingham
ALABAMA
Montgomery
ATLANTA
GEORGIA
NORTH CAROLINA
Raleigh
Charlotte
SOUTH CAROLINA
Columbia
Charleston
Jacksonville
Tallahassee
FLORIDA
Orlando
Tampa-St. Petersburg
MIAMI
El Paso
Ciudad Juárez
DALLAS-FT. WORTH
TEXAS
Austin
HOUSTON
San Antonio
Baton Rouge
New Orleans
LOUISIANA
PACIFIC OCEAN
Guadalupe (Mex.)
Hermosillo
Rio Grande
MEXICO
Culiacán
Torreón
Monterrey
San Luis Potosí
León
Querétaro
Guadalajara
MÉXICO
Toluca
Puebla
Acapulco
Revilla Gigedo Is. (Mex.)
Tropic of Cancer
Gulf of Mexico
Mérida
Florida Str.
Nassau
BAHAMAS
Turks & Caicos Is. (U.K.)
Havana
CUBA
Cayman Is. (U.K.)
JAMAICA
Kingston
HAITI
Port-au-Prince
DOMINICAN REP.
Santo Domingo
San Juan
PUERTO RICO (U.S.A.)
Bermuda (U.K.)
ATLANTIC OCEAN
Caribbean Sea
Belmopan
BELIZE
GUATEMALA
Guatemala
HONDURAS
Tegucigalpa
San Salvador
EL SALVADOR
NICARAGUA
Managua
L. Nicaragua
COSTA RICA
San José
PANAMA
Panamá
Barranquilla
Maracaibo
VENEZUELA
COLOMBIA
Medellín
South America
Projection: Bonne
West from Greenwich
COPYRIGHT PHILIP'S

■ MÉXICO Capital Cities

1:13 300 000
km
miles
Projection: Bonne
West from Greenwich
Beaufort Sea
Banks Island
Melville Island
Viscount Melville Sound
Parry Channel
Prince of Wales I.
Somerset Island
Victoria Island
Amundsen Gulf
Coronation Gulf
Kitikmeot
Great Bear Lake
Great Slave Lake
NORTHWEST TERRITORIES
YUKON TERRITORY
Klondike
Mackenzie Mountains
Selwyn Mts.
Cassiar Mountains
Rocky Mountains
Coast Mountains
BRITISH COLUMBIA
ALBERTA
SASKATCHEWAN
MANITOBA
Kivalliq
Lake Athabasca
Reindeer Lake
Lake Winnipeg
Lake Winnipegosis
L. Manitoba
ALASKA
Alaska Range
Wrangell Mts.
Gulf of Alaska
Alexander Archipelago
PACIFIC OCEAN
Haida Gwaii (Queen Charlotte Is.)
Vancouver Island
Anchorage
Fairbanks
Whitehorse
Dawson City
Juneau
Yellowknife
Inuvik
Tuktoyaktuk
Fort Simpson
Hay River
Fort Smith
Prince Rupert
Prince George
Kamloops
VANCOUVER
Victoria
EDMONTON
CALGARY
Red Deer
Lethbridge
Medicine Hat
Saskatoon
Regina
Brandon
Winnipeg
Churchill
Thompson
The Pas
SEATTLE
PORTLAND
Spokane
WASHINGTON
OREGON
IDAHO
MONTANA
WYOMING
NEVADA
CALIFORNIA
NORTH DAKOTA
SOUTH DAKOTA
NEBRASKA
MINNESOTA
IOWA
UNITED STATES
Boise
Salt Lake City
SACRAMENTO
SAN FRANCISCO
SAN JOSE
Reno
Billings
Bismarck
Fargo
MINNEAPOLIS
ST. PAUL
Great Basin
Lake of the Woods

NORTHERN CANADA
continuation northwards on same scale as main map
ARCTIC OCEAN
GREENLAND (KALAALLIT NUNAAT)
Queen Elizabeth Islands
Parry Islands
Melville Island
Axel Heiberg Island
Ellesmere Island
Devon Island
Baffin Bay
Lancaster Sound
Jones Sound
Nares Strait
N.W.T.
NUNAVUT
Baffin Island (Qikiqtaaluk)
Davis Strait
Labrador Sea
ATLANTIC OCEAN
Hudson Strait
Hudson Bay
Ungava Bay
Foxe Basin
Péninsule d'Ungava
Nunavik
Labrador
NEWFOUNDLAND & LABRADOR
QUEBEC
James Bay
Gulf of St. Lawrence
Newfoundland
NEW BRUNSWICK
NOVA SCOTIA
PRINCE EDWARD I.
Iqaluit
Québec
MONTRÉAL
OTTAWA
TORONTO
Halifax
St. John's
Saint John
Fredericton
Charlottetown
DETROIT
BUFFALO
BOSTON
MAINE
VERMONT
NEW HAMPSHIRE
NEW YORK
PENNSYLVANIA
Lake Huron
L. Ontario
L. Erie
L. Michigan
Lake Superior
COPYRIGHT PHILIP'S

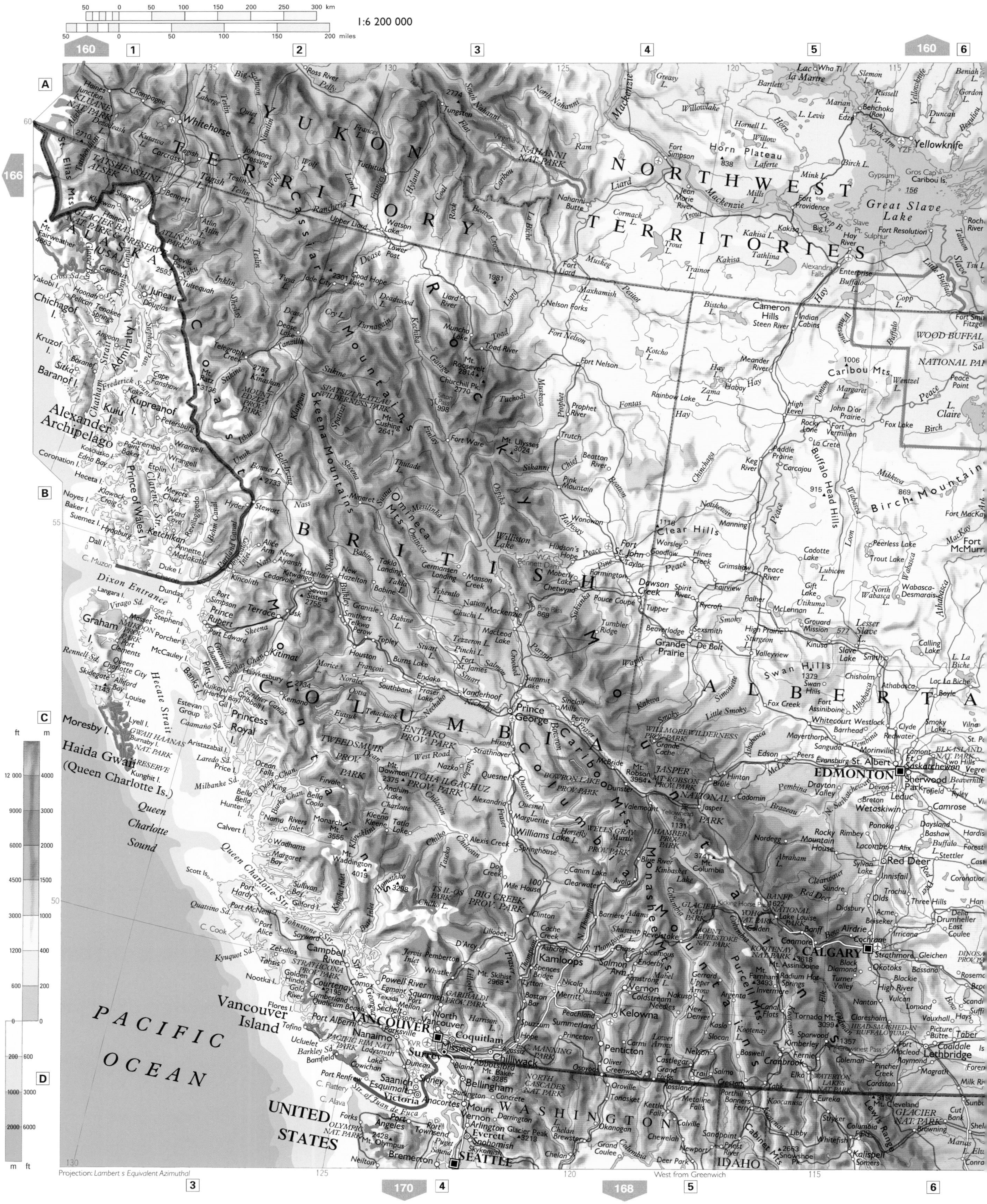

160 166 170 168

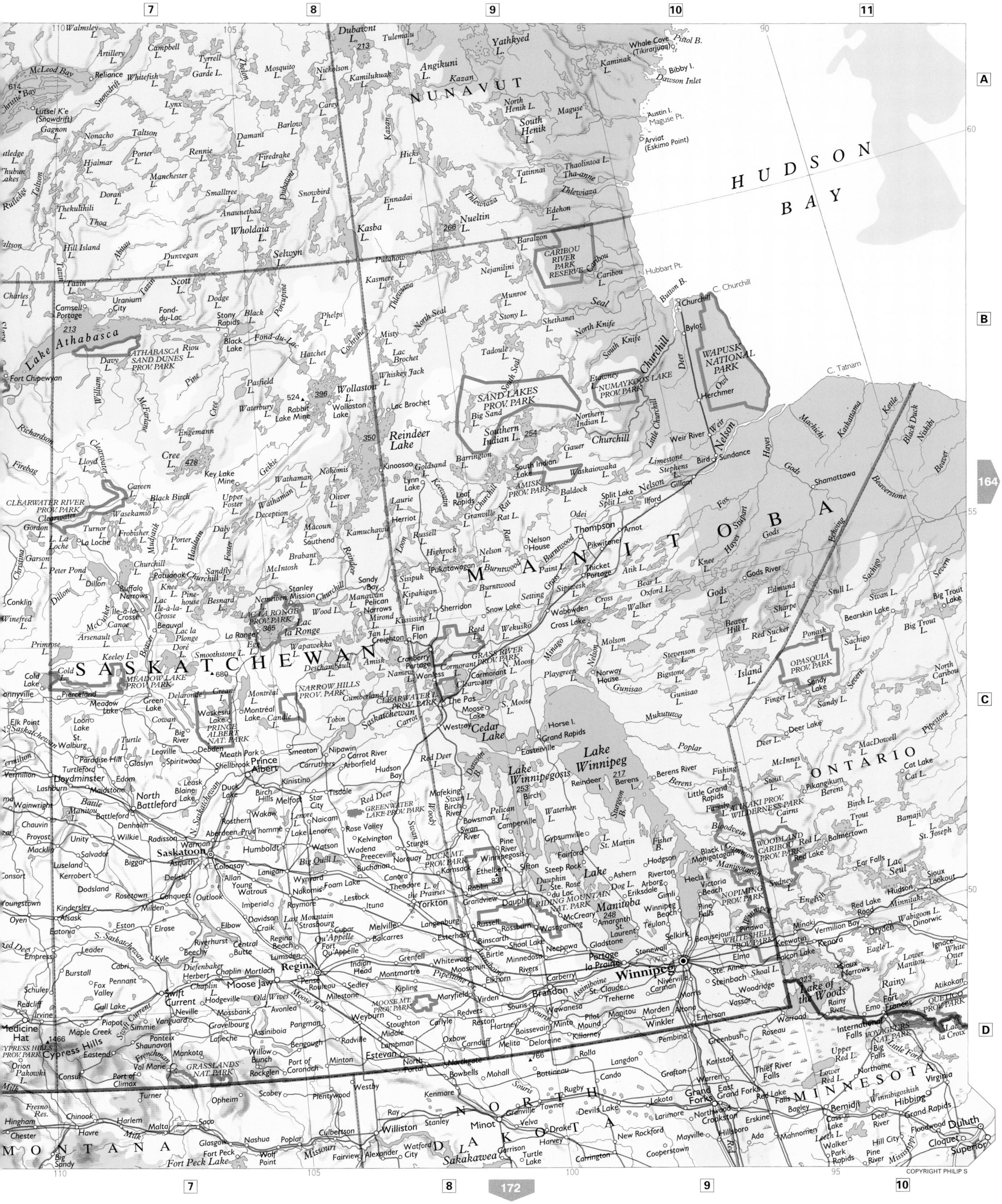
7
8
9
10
11
A
B
C
D
164
HUDSON
BAY
NUNAVUT
MANITOBA
SASKATCHEWAN
ONTARIO
NORTH DAKOTA
MINNESOTA
MONTANA
Walmsley L.
Artillery L.
Campbell L.
Tyrrell L.
Garde L.
Thelon
Mosquito L.
Nicholson L.
Dubawnt L.
Tulemalu L.
Yathkyed L.
Whale Cove (Tikirarjuaq)
Pistol B.
Kaminak L.
Bibby I.
Dawson Inlet
McLeod Bay
Reliance
Whitefish L.
Snowdrift
Kamilukuak L.
Angikuni L.
Kazan
Lutsel K'e (Snowdrift)
Gagnon L.
Lynx L.
Carey L.
North Henik L.
South Henik L.
Maguse L.
Austin I.
Maguse Pt.
Arviat (Eskimo Point)
Nonacho L.
Taltson L.
Damant L.
Barlow L.
Hjalmar L.
Porter L.
Rennie L.
Firedrake L.
Hicks L.
Tatinnai L.
Thaolintoa L.
Tha-anne
Thlewiaza
Manchester L.
Doran L.
Smalltree L.
Snowbird L.
Ennadai L.
Thekulthili L.
Thoa
Anaunethad L.
Dubawnt
Wholdaia L.
Kasba L.
Nueltin L.
Edehon L.
Hill Island L.
Dunvegan L.
Selwyn L.
Putahow L.
Baralzon L.
CARIBOU RIVER PARK RESERVE
Caribou
Tazin L.
Scott L.
Kasmere L.
Nejanilini L.
Hubbart Pt.
Charles L.
Camsell Portage
Uranium City
Fond-du-Lac
Dodge L.
Stony Rapids
Black L.
Porcupine
Phelps L.
Munroe L.
Stony L.
Seal
Button B.
C. Churchill
Churchill
Bylot
Lake Athabasca
ATHABASCA SAND DUNES PROV. PARK
Riou L.
Black Lake
Fond-du-Lac
Hatchet L.
Cochrane
Misty L.
North Seal
Shethanei L.
North Knife
WAPUSK NATIONAL PARK
Fort Chipewyan
Davy L.
William
Pine
Pasfield L.
Lac Brochet
Whiskey Jack
Tadoule L.
South Knife
Etawney L.
NUMAYKOOS LAKE PROV. PARK
Owl
Herchmer
C. Tatnam
McFarlane
Cree
Waterbury L.
Rabbit Lake Mine
Wollaston L.
Wollaston Lake
Lac Brochet
SAND LAKES PROV. PARK
South Seal
Big Sand L.
Northern Indian L.
Little Churchill
Deer
Richardson
Engemann L.
Reindeer Lake
Southern Indian L.
Churchill
Weir River
Weir
Nelson
Machichi
Kaskattama
Kettle
Black Duck
Nishibi
Firebag
Clearwater
Lloyd L.
Cree L.
Geikie
Kinoosao
Goldsand L.
Barrington L.
Gauer L.
Limestone
Stephens L.
Bird
Sundance
Hayes
Gods
Beaver
Key Lake Mine
Wathaman L.
Nokomis L.
Lynn Lake
South Indian Lake
Waskaiowaka L.
Gillam
Shamattawa
Careen L.
Black Birch L.
Upper Foster L.
Oliver L.
Laurie L.
Leaf Rapids
AMISK PROV. PARK
Baldock L.
Split Lake
Split L.
Ilford
Fox
Beaverstone
CLEARWATER RIVER PROV. PARK
Wasekamio L.
Wathaman
Deception L.
Harriot L.
Granville L.
Rat L.
Odei
Stupart
Gordon L.
Turnor L.
Frobisher L.
Daly L.
Macoun L.
Kamuchawie L.
Thompson
Arnot
La Loche
Porter L.
Southend
Russell L.
Nelson House
Pikwitonei
Garson L.
Peter Pond L.
Churchill L.
Sandfly L.
Brabant L.
Highrock L.
Nelson L.
Burntwood
Knee L.
Gods River
Echoing
Sachigo
Severn
Dillon
Buffalo Narrows
Patuanak
McIntosh L.
Pukatawagan
Thicket Portage
Bear L.
Edmund L.
Stull L.
Swan L.
Big Trout L.
Conklin
Knee L.
Pinehouse L.
Stanley Mission
Sisipuk L.
Kipahigan L.
Burntwood L.
Setting L.
Sipiwesk L.
Oxford L.
Gods L.
Sharpe L.
Bearskin Lake
Winefred L.
Île-à-la-Crosse
Lac Île-à-la-Crosse
Besnard L.
Nemeiben L.
Sandy Bay
Manawan L.
Pelican Narrows
Sherridon
Snow Lake
Wabowden
Cross L.
Walker L.
Beaver Hill L.
Red Sucker L.
Big Trout Lake
Canoe L.
Beauval
Lac la Plonge
LAC LA RONGE PROV. PARK
Lac la Ronge
Wood L.
Mirond L.
Kississing L.
Flin Flon
Reed L.
Wekusko L.
Cross Lake
Molson L.
Ponask L.
Sachigo L.
Arsenault L.
Primrose L.
La Ronge
Doré L.
Jan L.
Creighton
GRASS RIVER PROV. PARK
Minago
Stevenson L.
OPASQUIA PROV. PARK
North Caribou L.
Keeley L.
Smoothstone L.
Wapawekka L.
Deschambault L.
Amisk L.
Cranberry Portage
N. Moose L.
Playgreen L.
Norway House
Bigstone L.
Island L.
Sandy Lake
Cold Lake
MEADOW LAKE PROV. PARK
Namew L.
Wanless
Cormorant L.
Clearwater L.
Gunisao
Finger L.
Sandy L.
Pierceland
Meadow Lake
Green Lake
Delaronde L.
Montréal L.
NARROW HILLS PROV. PARK
Cumberland L.
CLEARWATER L. PROV. PARK
The Pas
S. Moose L.
Mukutawa
Elk Point
Loon Lake
Cowan L.
Waskesiu Lake
PRINCE ALBERT NAT. PARK
Montréal Lake
Candle L.
Tobin L.
Saskatchewan
Carrot
Moose Lake
Cedar Lake
Horse I.
Grand Rapids
Deer L.
Deer Lake
Pipestone
St. Walburg
Turtle L.
Big River
Debden
Westray
Poplar
MacDowell L.
Paradise Hill
Glaslyn
Leoville
Spiritwood
Meath Park
Smeaton
Nipawin
Carrot River
Arborfield
Red Deer L.
Easterville
Lake Winnipeg
McInnes L.
Cat Lake
Cat L.
Vermilion
Lloydminster
Turtleford
Shellbrook
Prince Albert
Carruthers
Hudson Bay
Dawson B.
Lake Winnipegosis
Berens River
Fishing L.
Lashburn
Maidstone
Edam
North Battleford
Leask
Blaine Lake
Duck Lake
Kinistino
Birch Hills
Melfort
Star City
Tisdale
Red Deer
GREENWATER LAKE PROV. PARK
Mafeking
Swan L.
Reindeer I.
Berens
Little Grand Rapids
Stout L.
Pikangikum
Wainwright
Battle
Manitou L.
Battleford
Denholm
Rosthern
Wakaw
Lenore L.
Naicam
Swan River
Birch River
Bowsman
Pelican L.
Waterhen L.
ATIKAKI PROV. WILDERNESS PARK
Cairns L.
Birch L.
Trout L.
Bamaji L.
St. Joseph L.
Chauvin
Provost
Unity
Wilkie
Radisson
Aberdeen
Prud'homme
Lake Lenore
Rose Valley
Camperville
Gypsumville
Bloodvein
WOODLAND CARIBOU PROV. PARK
Red L.
Red Lake
Balmertown
Macklin
Salvador
Warman
Saskatoon
Humboldt
Watson
Kelvington
Wadena
Pine River
Sturgis
Winnipegosis
L. St. Martin
Fisher B.
Black L.
Manigotagan
Ear Falls
Lac Seul
Sioux Lookout
Luseland
Kerrobert
Biggar
Asquith
Colonsay
Lanigan
Big Quill L.
Preeceville
Norquay
DUCK MT. PROV. PARK
Kamsack
Ethelbert
Sifton
Fairford
Steep Rock
Dauphin L.
Lake Manitoba
Ashern
Riverton
Hecla I.
Victoria Beach
NOPIMING PROV. PARK
Sydney L.
English
Hudson
Minnitaki
Dodsland
Delisle
Allan
Young
Watrous
Wynyard
Foam Lake
Buchanan
Canora
Theodore
L. of the Prairies
Roblin
Ste. Rose du Lac
RIDING MOUNTAIN NAT. PARK
Dog L.
Eriksdale
Arborg
Gimli
Winnipeg Beach
Pine Falls
Red Lake Road
Wabigoon L.
Dinorwic
Rosetown
Conquest
Outlook
Nokomis
Lestock
Ituna
Yorkton
Grandview
Dauphin
McCreary
Amaranth
Kindersley
Milden
Imperial
Raymore
Last Mountain L.
Strasbourg
Melville
Langenburg
Russell
Rossburn
Wasagaming
St. Laurent
Teulon
Selkirk
Beausejour
Pinawa
WHITESHELL PROV. PARK
Minaki
Vermilion Bay
Dryden
Eagle L.
Oyen
Alsask
Eatonia
Eston
Elrose
Davidson
Craik
Elbow
Cupar
Qu'Appelle
Fort Qu'Appelle
Balcarres
Esterhazy
Birtle
Binscarth
Shoal Lake
Neepawa
Gladstone
Stonewall
Keewatin
Kenora
Ignace
White Otter L.
Empress
Leader
Riverhurst
Central Butte
Regina Beach
Grenfell
Whitewood
Minnedosa
Rivers
Portage la Prairie
Winnipeg
Ste. Anne
Falcon Lake
Sioux Narrows
Lower Manitou L.
Burstall
Cabri
Kyle
Diefenbaker
Herbert
Chaplin
Mortlach
Regina
Indian Head
Moosomin
Pipestone Cr.
Elkhorn
Carberry
Assiniboine
Niverville
Steinbach
Shoal L.
Rainy L.
Atikokan
Schuler
Fox Valley
Pennant
Moose Jaw
Pense
Rouleau
Sedley
Montmartre
Kipling
Brandon
St. Claude
Carman
Treherne
Woodridge
Lake of the Woods
Rainy River
Fort Frances
QUETICO PROV. PARK
Redcliff
Gull Lake
Swift Current
Hodgeville
Old Wives L.
Moose Jaw
Milestone
MOOSE MT. PROV. PARK
Maryfield
Virden
Souris
Wawanesa
Morris
Vassar
Emo
Medicine Hat
Irvine
Piapot
Neville
Vanguard
Avonlea
Weyburn
Stoughton
Redvers
Reston
Pilot Mound
Manitou
Morden
Altona
Winkler
Emerson
Warroad
International Falls
VOYAGEURS NAT. PARK
Lac la Croix
Maple Creek
Simmie
Mossbank
Gravelbourg
Pangman
Radville
Carlyle
Hartney
Boissevain
Minto
Killarney
Pembina
Roseau
Greenbush
1466
CYPRESS HILLS PROV. PARK
Cypress Hills
Eastend
Frenchman
Shaunavon
Pontoix
Assiniboia
Lafleche
Bengough
Midale
Oxbow
Carnduff
Melita
Deloraine
Rolla
Langdon
Grafton
Karlstad
Thief River Falls
Upper Red L.
Lower Red L.
Big Falls
Little Fork
Northome
Orion
Pakowki L.
Val Marie
Mankota
GRASSLANDS NAT. PARK
Willow Bunch
Port of Coronach
Rockglen
Minton
Estevan
Lampman
North Portal
Northgate
Bowbells
Mohall
Bottineau
Cando
Warren
Consul
Port of Climax
Milk
Scobey
Westby
Plentywood
Souris
Rugby
Devils Lake
Lakota
Grand Forks
East Grand Forks
Red Lake Falls
Bemidji
Hibbing
Virginia
Winnibigoshish
Fresno Res.
Turner
Opheim
Kenmare
Towner
Larimore
Northwood
Crookston
Erskine
Bagley
Cass Lake
Deer River
Grand Rapids
Floodwood
Duluth
Hingham
Chinook
Harlem
Malta
Saco
Ray
Stanley
Minot
Granville
Velva
Drake
Harvey
New Rockford
Mayville
Hillsboro
Ada
Mahnomen
Leech L.
Walker
Hill City
Cloquet
Superior
Chester
Havre
Glasgow
Nashua
Poplar
Culbertson
Williston
Watford City
Sakakawea
Garrison
Turtle Lake
Carrington
Cooperstown
Park Rapids
Pine River
Mississippi
Big Sandy
Fort Peck
Fort Peck Lake
Wolf Point
Missouri
Fairview
Alexander
110
105
100
95
90
60
55
50
COPYRIGHT PHILIP S

50 0 50 100 150 200 250 300 km

1:6 200 000

50 0 50 100 150 200 miles

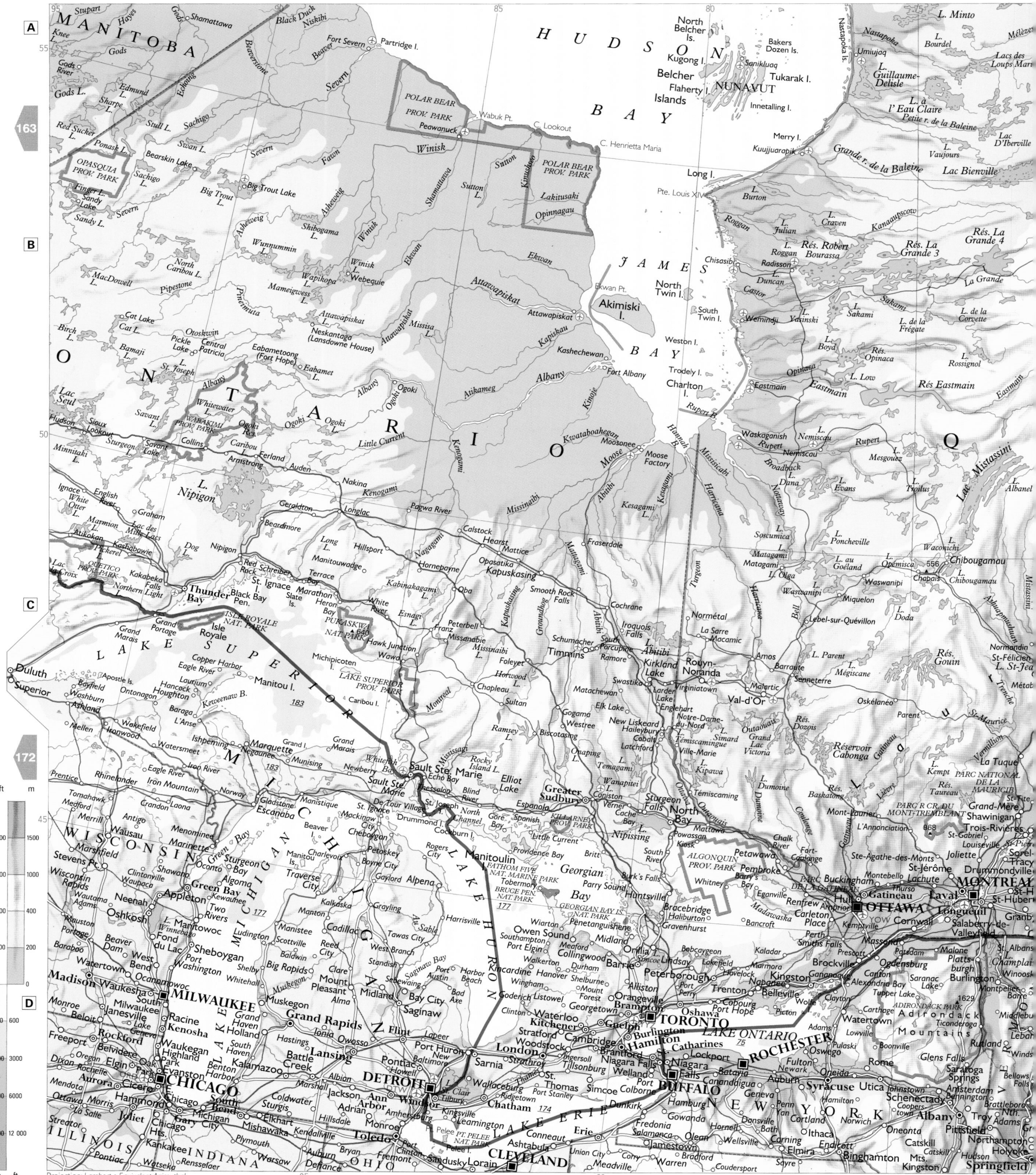

163
172
173

161

6
7
8
9
A
B
C
D
LABRADOR SEA
NEWFOUNDLAND & LABRADOR
Newfoundland
Labrador
QUÉBEC
NEW BRUNSWICK
NOVA SCOTIA
PRINCE EDWARD ISLAND
MAINE
UNITED STATES
ATLANTIC OCEAN
GULF OF ST. LAWRENCE
Nunatsiavut
Smallwood Reservoir
Nain
Hopedale
Makkovik
Postville
Rigolet
Cartwright
North West River
Happy Valley-Goose Bay
Churchill Falls
Twin Falls
Schefferville
Labrador City
Wabush
Fermont
Mealy Mts.
Mts. Otish
Mts. Groulx
Rés. Manicouagan
Sept-Îles
Port-Cartier
Havre-St-Pierre
Natashquan
Kegaska
La Romaine
St-Augustin
Blanc-Sablon
Str. of Belle Isle
Belle Isle
St. Anthony
Long Range Mts.
Corner Brook
Stephenville
Deer Lake
Grand Falls-Windsor
Gander
Clarenville
St. John's
Mount Pearl
Burin
Marystown
Port aux Basques
Cabot Strait
ST-PIERRE-ET-MIQUELON (France)
Île d'Anticosti
Gaspé
Pén. de la Gaspésie
Mts. Chic-Chocs
Matane
Rimouski
Rivière-du-Loup
Baie-Comeau
Chicoutimi
Jonquière
Alma
Québec
Lévis
Sherbrooke
Magog
Edmundston
Bathurst
Campbellton
Miramichi
Moncton
Fredericton
Saint John
Bay of Fundy
Charlottetown
Summerside
Îs. de la Madeleine
Sydney
Cape Breton Island
Truro
New Glasgow
Halifax
Dartmouth
Yarmouth
Sable I. (Nova Scotia)
Bangor
Augusta
Portland
Lewiston
Manchester
Nashua
Lowell
BOSTON
Quincy
Brockton
Worcester
Portsmouth
Dover
Concord
70
65
60
55
50
45
West from Greenwich

173

1:13 300 000

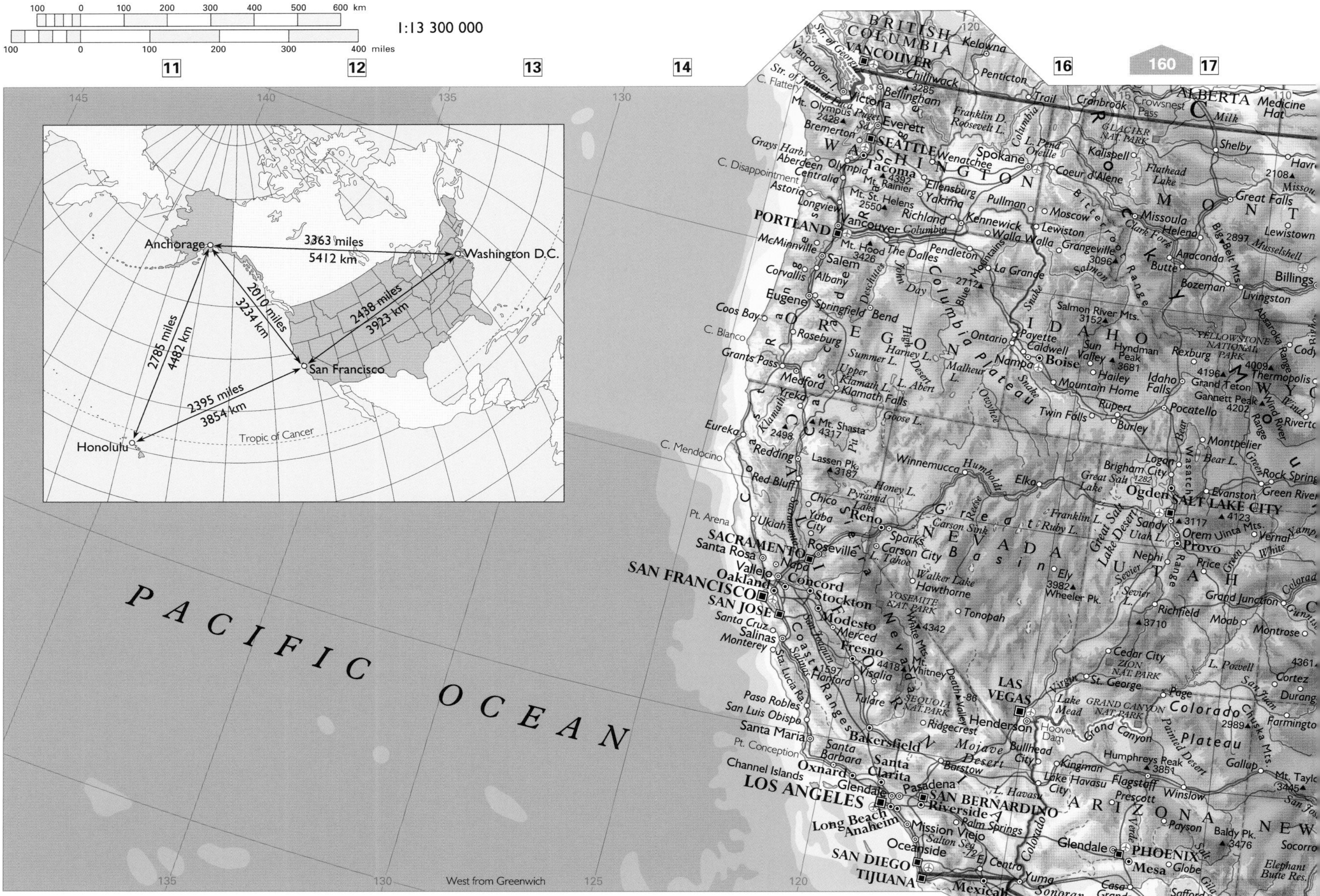

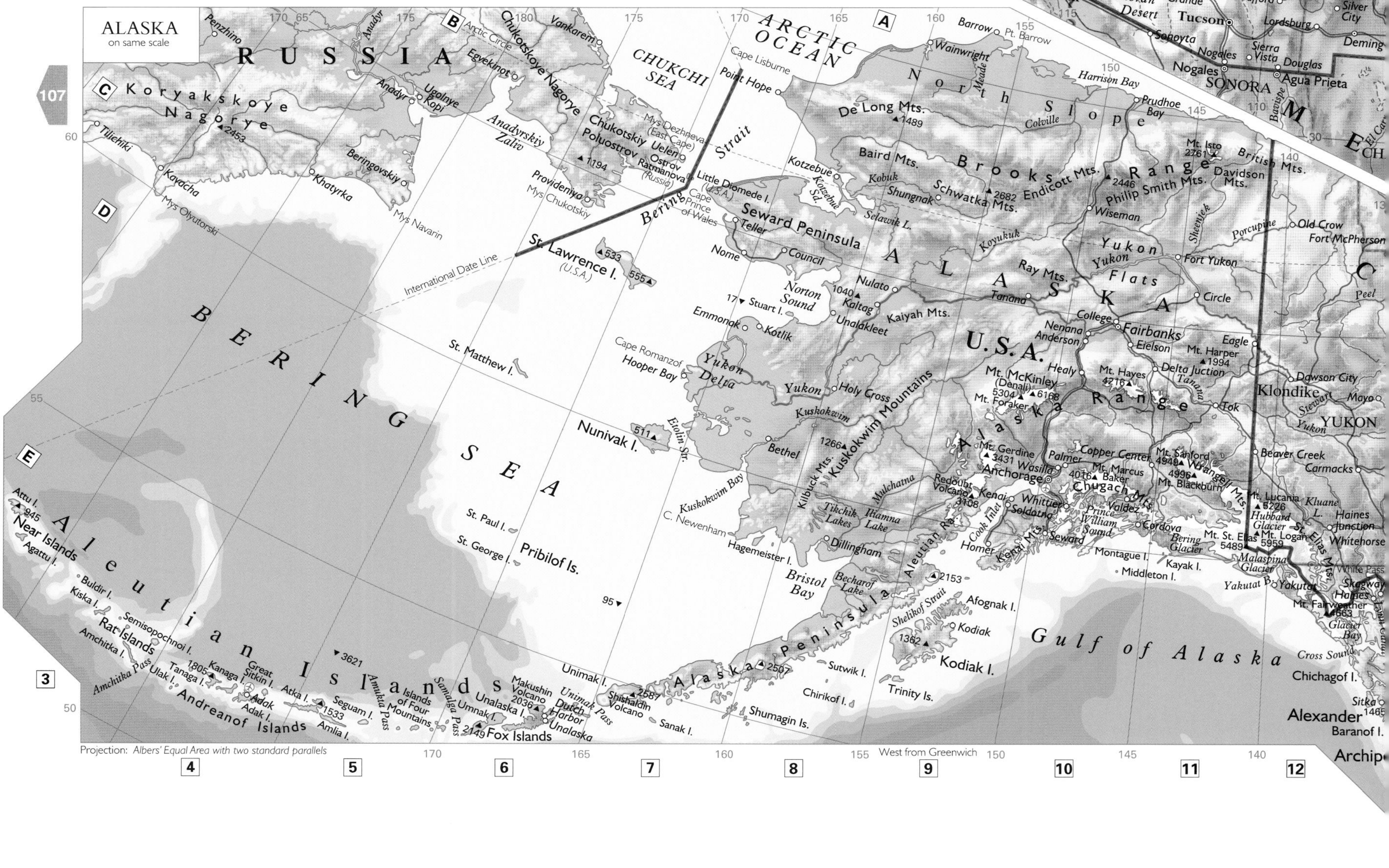

Projection: *Albers' Equal Area with two standard parallels*

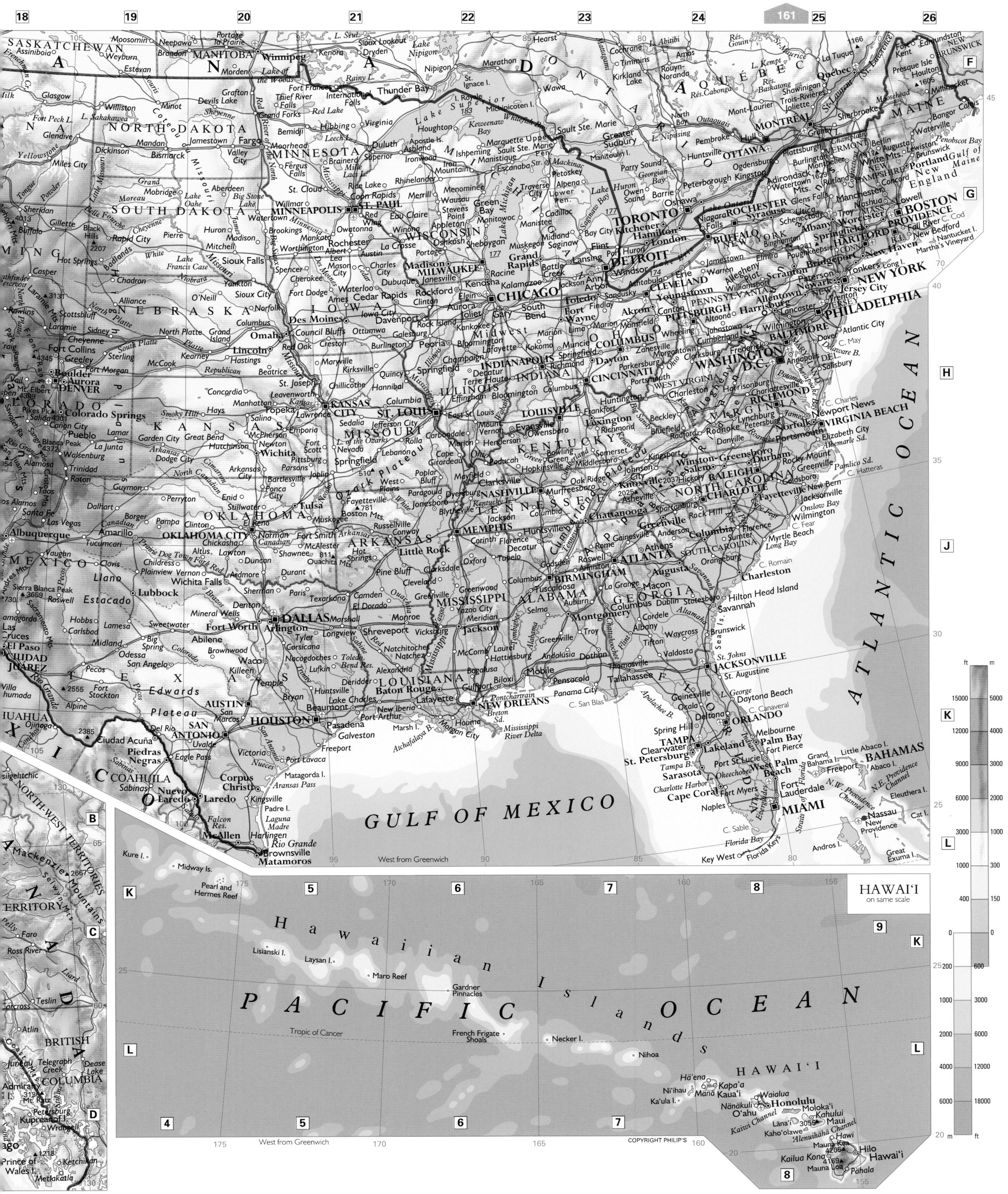

SASKATCHEWAN
MANITOBA
ONTARIO
QUÉBEC
NEW BRUNSWICK
NORTH DAKOTA
SOUTH DAKOTA
MINNESOTA
WISCONSIN
MICHIGAN
NEBRASKA
IOWA
ILLINOIS
INDIANA
OHIO
PENNSYLVANIA
NEW YORK
MAINE
VERMONT
NEW HAMPSHIRE
MASS.
CONN.
NEW JERSEY
MARYLAND
DEL.
WEST VIRGINIA
VIRGINIA
KENTUCKY
TENNESSEE
NORTH CAROLINA
SOUTH CAROLINA
GEORGIA
ALABAMA
MISSISSIPPI
LOUISIANA
ARKANSAS
MISSOURI
KANSAS
OKLAHOMA
TEXAS
COLORADO
FLORIDA
MEXICO
COAHUILA
BAHAMAS
CANADA
BRITISH COLUMBIA
NORTH-WEST TERRITORIES
WINNIPEG
MONTRÉAL
OTTAWA
TORONTO
QUEBEC
MINNEAPOLIS
ST. PAUL
MILWAUKEE
CHICAGO
DETROIT
CLEVELAND
PITTSBURGH
BUFFALO
ROCHESTER
BOSTON
PROVIDENCE
HARTFORD
NEW YORK
PHILADELPHIA
BALTIMORE
WASHINGTON D.C.
RICHMOND
VIRGINIA BEACH
INDIANAPOLIS
CINCINNATI
COLUMBUS
LOUISVILLE
ST. LOUIS
KANSAS CITY
DENVER
Colorado Springs
OKLAHOMA CITY
Tulsa
Wichita
Omaha
Des Moines
MEMPHIS
NASHVILLE
ATLANTA
BIRMINGHAM
CHARLOTTE
RALEIGH
JACKSONVILLE
ORLANDO
TAMPA
MIAMI
NEW ORLEANS
HOUSTON
DALLAS
Fort Worth
AUSTIN
SAN ANTONIO
El Paso
CIUDAD JUÁREZ
Albuquerque
Lake Superior
Lake Michigan
Lake Huron
Lake Erie
Lake Ontario
Ozark Plateau
Edwards Plateau
Llano Estacado
Cumberland Plateau
ATLANTIC OCEAN
GULF OF MEXICO
West from Greenwich
HAWAI'I
on same scale
Hawaiian Islands
PACIFIC OCEAN
Tropic of Cancer
Kure I.
Midway Is.
Pearl and Hermes Reef
Lisianski I.
Laysan I.
Maro Reef
Gardner Pinnacles
French Frigate Shoals
Necker I.
Nihoa
Ni'ihau
Ka'ula I.
Kaua'i
O'ahu
Honolulu
Moloka'i
Lāna'i
Maui
Kaho'olawe
Hawai'i
Hilo
Mauna Kea
Mauna Loa
COPYRIGHT PHILIP'S
ft
m
15000
12000
9000
6000
3000
1000
400
0
200
1000
2000
4000
6000
5000
4000
3000
2000
1000
300
150
0
600
3000
6000
12000
18000

1:6 250 000

50 0 50 100 150 200 250 300 km

50 0 50 100 150 200 miles

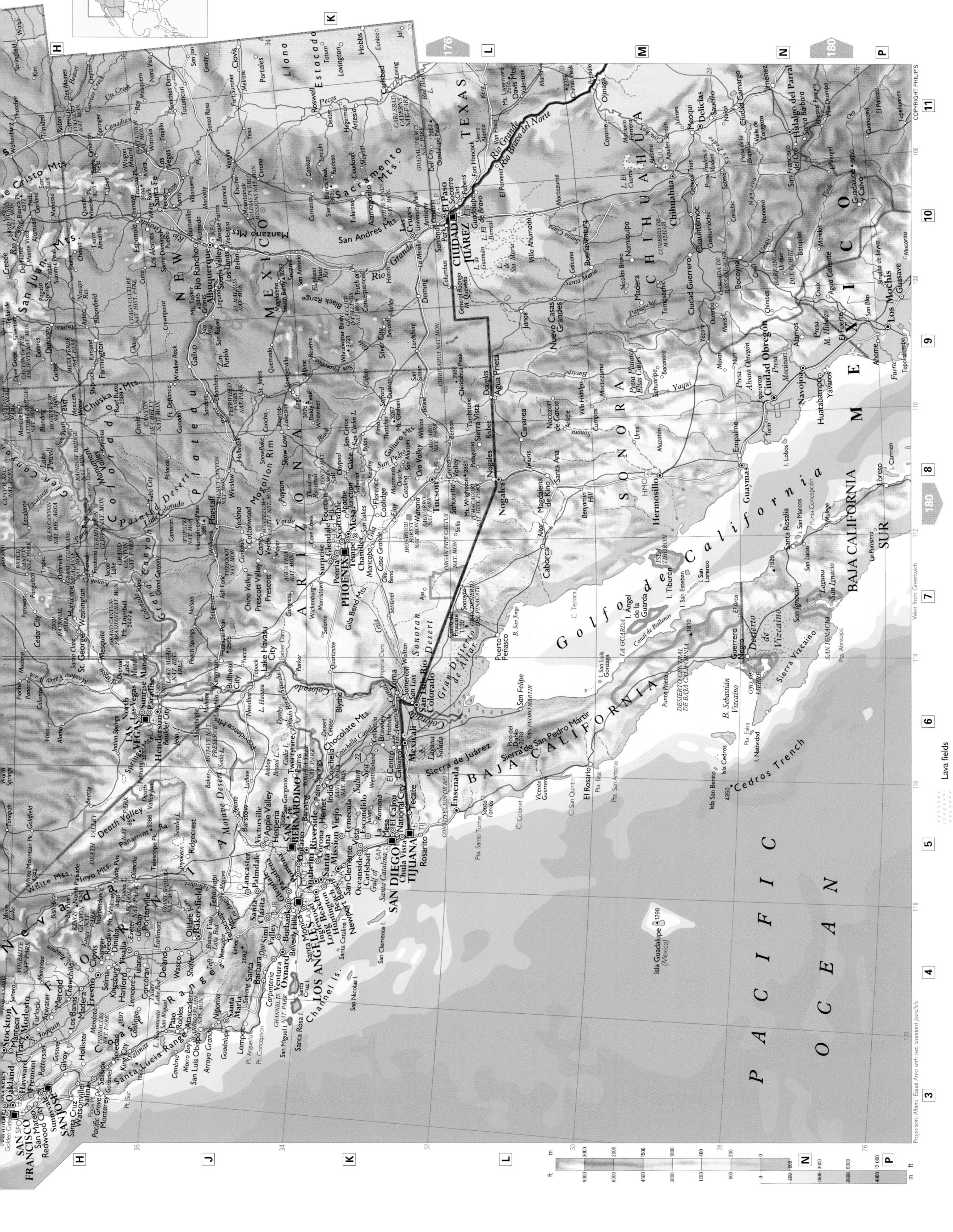

PACIFIC OCEAN
Golfo de California
BAJA CALIFORNIA
BAJA CALIFORNIA SUR
SONORA
CHIHUAHUA
MEXICO
ARIZONA
NEW MEXICO
TEXAS
Colorado Plateau
Mojave Desert
Sonoran Desert
Llano Estacado
Sacramento Mts.
Cedros Trench
Isla Guadalupe (Mexico)
Channel Is.
LOS ANGELES
SAN DIEGO
TIJUANA
PHOENIX
CIUDAD JUÁREZ
LAS VEGAS
SAN FRANCISCO
SAN JOSE
Lava fields
West from Greenwich
Projection: Albers' Equal Area with two standard parallels
COPYRIGHT PHILIP'S
176
180

1:2 200 000

10 0 10 20 30 40 50 60 70 80 90 km
10 0 10 20 30 40 50 60 miles
168
169
162
A
B
C
D
E
F
G
H
J
K
WESTERN WASHINGTON REGION
on same scale
PACIFIC OCEAN
BRITISH COLUMBIA
CANADA
Vancouver Island
WASHINGTON
OREGON
Strait of Georgia
Strait of Juan de Fuca
Olympic Mountains
OLYMPIC NATIONAL PARK
Mt. Olympus 2428
Mt. Rainier 4392
MT. RAINIER NAT. PARK
Mt. St. Helens 2550
MOUNT ST. HELENS NATL VOLCANIC MONUMENT
Mt. Adams 3742
VANCOUVER
Victoria
Bellingham
Everett
SEATTLE
Tacoma
Olympia
Aberdeen
Hoquiam
Longview
Kelso
Vancouver
PORTLAND
Astoria
Port Angeles
Bremerton
Columbia
Sierra Nevada
Inyo Mts.
White Mts.
Lake Tahoe
Reno
Sparks
Carson City
SACRAMENTO
Stockton
Modesto
Merced
Fresno
Clovis
Madera
Visalia
Tulare
Hanford
Porterville
SAN FRANCISCO
Oakland
SAN JOSE
Santa Rosa
Napa
Vallejo
Monterey
Salinas
Santa Cruz
Paso Robles
Morro Bay
San Joaquin
Sacramento
Salinas Valley
Santa Lucia Range
Diablo Range
Santa Clara Valley
YOSEMITE NATIONAL PARK
KINGS CANYON NATIONAL PARK
SEQUOIA NATIONAL PARK
GIANT SEQUOIA NATL MON.
DEVILS POSTPILE NATL MON.
PINNACLES NATIONAL PARK
POINT REYES NATIONAL SEASHORE
Mono Lake
Pahute Mesa
DEATH VALLEY
Mt. Whitney 4418
Mt. Humphreys 4263
Half Dome 2695
Mt. Lola 2767
Freel Pk. 3317
Monterey Bay
Clear Lake

CENTRAL AND SOUTHERN CALIFORNIA AND WESTERN WASHINGTON

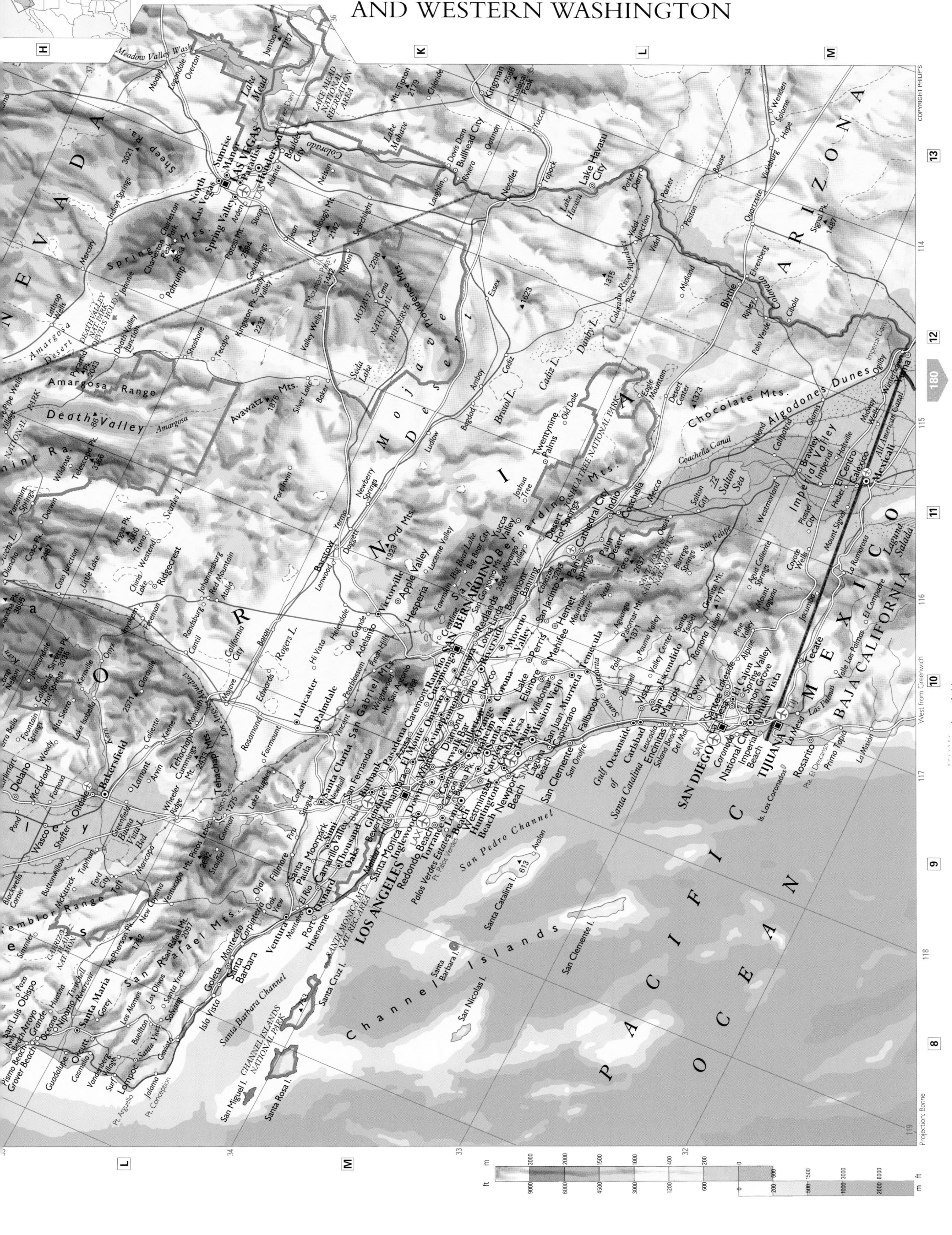

1:6 250 000
50 0 50 100 150 200 250 300 km
50 0 50 100 150 200 miles
163
164
168
176
177
NORTH DAKOTA
SOUTH DAKOTA
NEBRASKA
KANSAS
OKLAHOMA
MINNESOTA
IOWA
MISSOURI
ARKANSAS
WISCONSIN
ILLINOIS
TEXAS
MISSISSIPPI
ALABAMA
LAKE SUPERIOR
Bismarck
Pierre
Lincoln
Omaha
Topeka
KANSAS CITY
OKLAHOMA CITY
Tulsa
Wichita
MINNEAPOLIS
ST. PAUL
Des Moines
ST. LOUIS
CHICAGO
MILWAUKEE
MEMPHIS
Little Rock
NASHVILLE
INDIANAPOLIS
LOUISVILLE
Springfield
Jefferson City
Madison
Fargo
Sioux Falls
Rapid City
Duluth
Thunder Bay
Ozark Plateau
Sand Hills
Smoky Hills
Badlands
Boston Mts.
Ouachita Mts.
Projection: Albers' Equal Area with two standard parallels
West from Greenwich

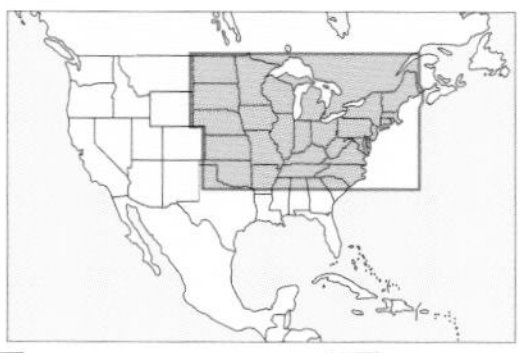

164
165
178
ONTARIO
QUÉBEC
CANADA
LAKE HURON
LAKE ERIE
LAKE ONTARIO
Georgian Bay
MICHIGAN
OHIO
PENNSYLVANIA
NEW YORK
VERMONT
NEW HAMPSHIRE
MAINE
MA.
CT.
R.I.
NEW JERSEY
DELAWARE
MARYLAND
WEST VIRGINIA
VIRGINIA
NORTH CAROLINA
SOUTH CAROLINA
GEORGIA
KENTUCKY
NEW BRUNS.
Allegheny Plateau
Appalachian Mountains
Cumberland Plateau
Gulf of Maine
ATLANTIC OCEAN
MONTRÉAL
OTTAWA
TORONTO
Québec
DETROIT
CLEVELAND
COLUMBUS
CINCINNATI
PITTSBURGH
BUFFALO
ROCHESTER
PHILADELPHIA
NEW YORK
BOSTON
HARTFORD
PROVIDENCE
BALTIMORE
WASHINGTON D.C.
RICHMOND
VIRGINIA BEACH
CHARLOTTE
RALEIGH
ATLANTA
COPYRIGHT PHILIP'S

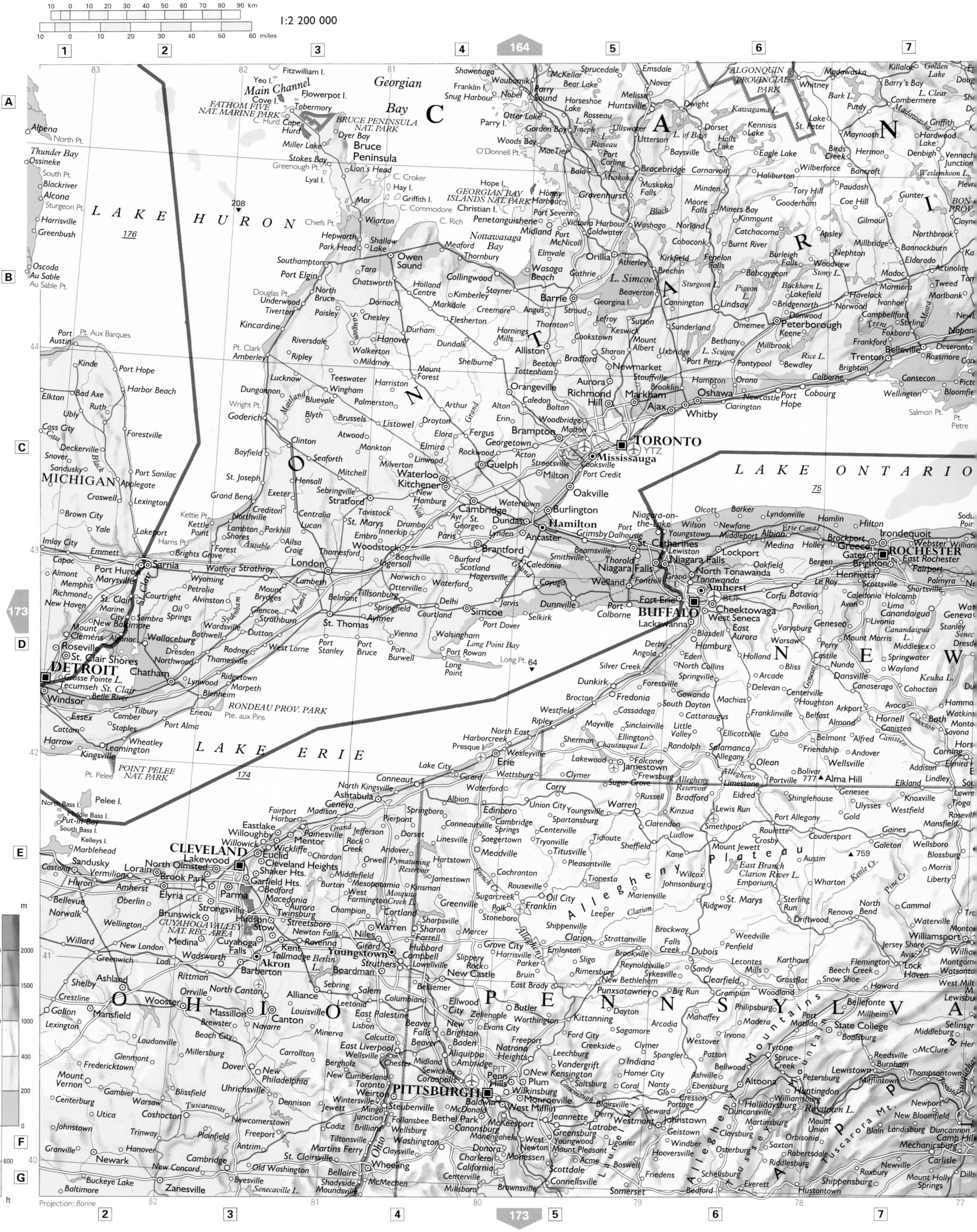
1:2 200 000
10 0 10 20 30 40 50 60 70 80 90 km
10 0 10 20 30 40 50 60 miles
164
173
173
Projection: Bonne
LAKE HURON
Georgian Bay
LAKE ONTARIO
LAKE ERIE
MICHIGAN
OHIO
PENNSYLVANIA
NEW
CANADA
ONTARIO
TORONTO
Mississauga
Hamilton
BUFFALO
ROCHESTER
CLEVELAND
PITTSBURGH
DETROIT
Windsor
Akron
Youngstown
Erie
Canton
London
Kitchener
Waterloo
Guelph
Brantford
Cambridge
St. Catharines
Niagara Falls
Oshawa
Barrie
Peterborough
Orillia
Owen Sound
Sarnia
Port Huron
Chatham
Lorain
Elyria
Parma
Warren
Jamestown
Olean
State College
Altoona
Johnstown
Bruce Peninsula
BRUCE PENINSULA NAT. PARK
FATHOM FIVE NAT. MARINE PARK
GEORGIAN BAY ISLANDS NAT. PARK
ALGONQUIN PROVINCIAL PARK
POINT PELEE NAT. PARK
RONDEAU PROV. PARK
CUYAHOGA VALLEY NAT. REC. AREA
L. Simcoe
L. St. Clair
Allegheny Plateau
Allegheny Mountains
Tussey Mountain
Tuscarora Mt.
Alma Hill
ft m
6000 2000
4500 1500
3000 1000
1200 400
600 200
0 0
200 600

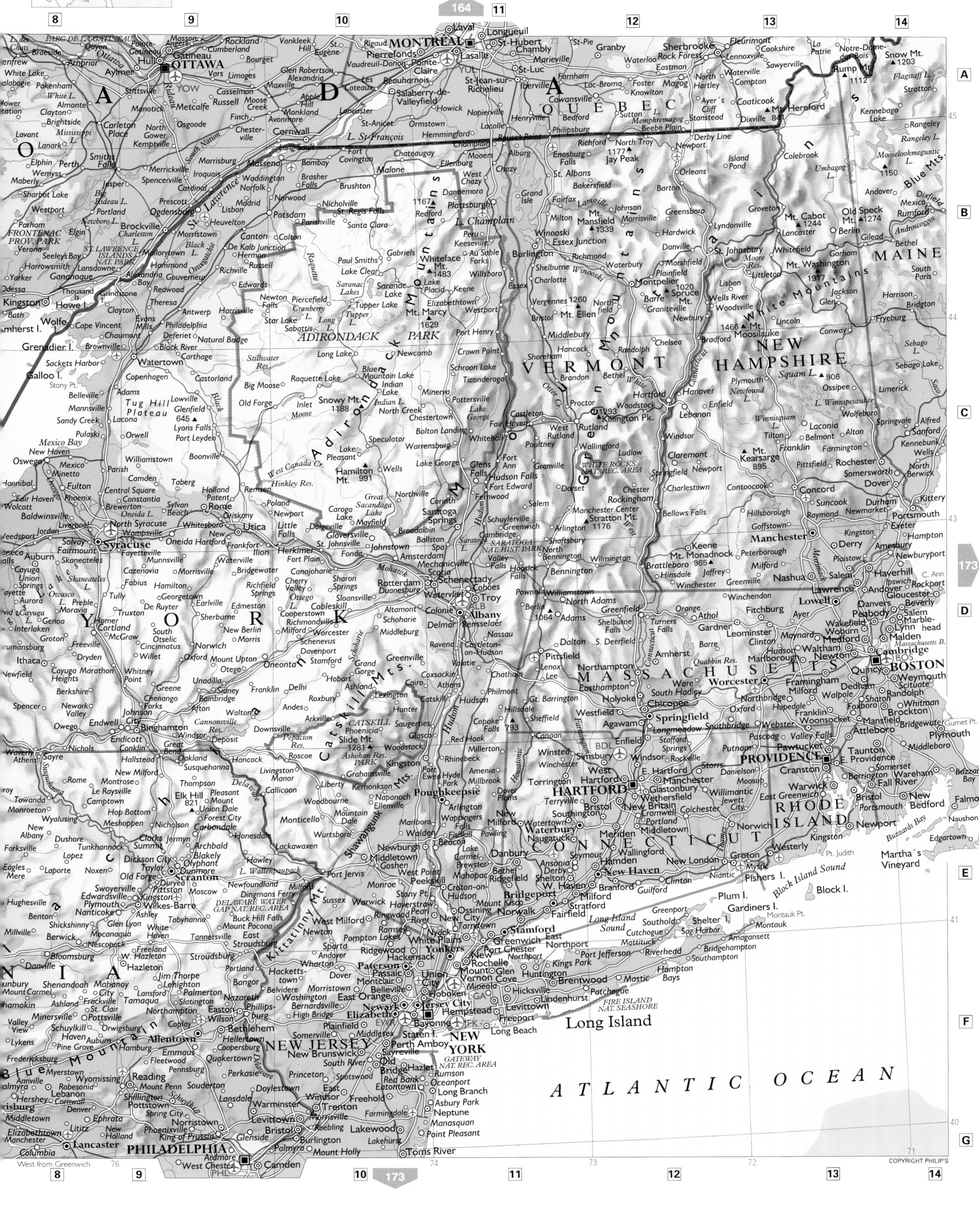
164
173
CANADA
ONTARIO
QUEBEC
NEW YORK
PENNSYLVANIA
VERMONT
NEW HAMPSHIRE
MAINE
MASSACHUSETTS
CONNECTICUT
RHODE ISLAND
NEW JERSEY
ATLANTIC OCEAN
OTTAWA
MONTREAL
BOSTON
PROVIDENCE
HARTFORD
Albany
NEW YORK
PHILADELPHIA
Long Island
Adirondack Mountains
ADIRONDACK PARK
Green Mountains
White Mountains
Catskill Mts.
Blue Mountain
Kittatinny Mt.
L. Champlain
Mt. Marcy 1629
Mt. Washington 1917
Long Island Sound
Block Island Sound
Martha's Vineyard
West from Greenwich
COPYRIGHT PHILIP'S

1:6 250 000

172
169
180

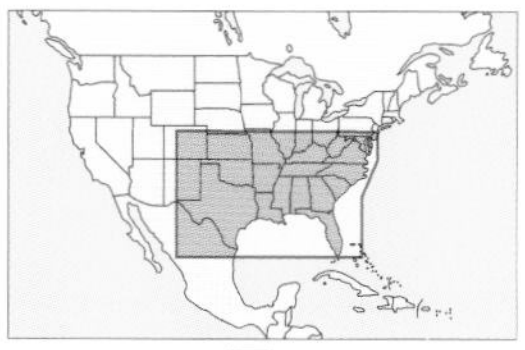

173
182
ILLINOIS
INDIANA
OHIO
PENNSYLVANIA
MARYLAND
DELAWARE
WEST VIRGINIA
VIRGINIA
KENTUCKY
TENNESSEE
NORTH CAROLINA
SOUTH CAROLINA
GEORGIA
ALABAMA
MISSISSIPPI
FLORIDA
BAHAMAS
ATLANTIC OCEAN
OF MEXICO
INDIANAPOLIS
COLUMBUS
CINCINNATI
PITTSBURGH
PHILADELPHIA
BALTIMORE
WASHINGTON D.C.
RICHMOND
VIRGINIA BEACH
LOUISVILLE
NASHVILLE
MEMPHIS
RALEIGH
CHARLOTTE
ATLANTA
BIRMINGHAM
NEW ORLEANS
JACKSONVILLE
ORLANDO
TAMPA
MIAMI
Appalachian Mountains
Cumberland Plateau
Blue Ridge
Florida Keys
Str. of Florida
Florida Bay
DRY TORTUGAS NAT. PARK
EVERGLADES NAT. PARK
BISCAYNE NAT. PARK
BIG CYPRESS NAT. PRESERVE
Mississippi River Delta

10 0 10 20 30 40 50 60 70 80 90 km

1:2 200 000

10 0 10 20 30 40 50 60 miles

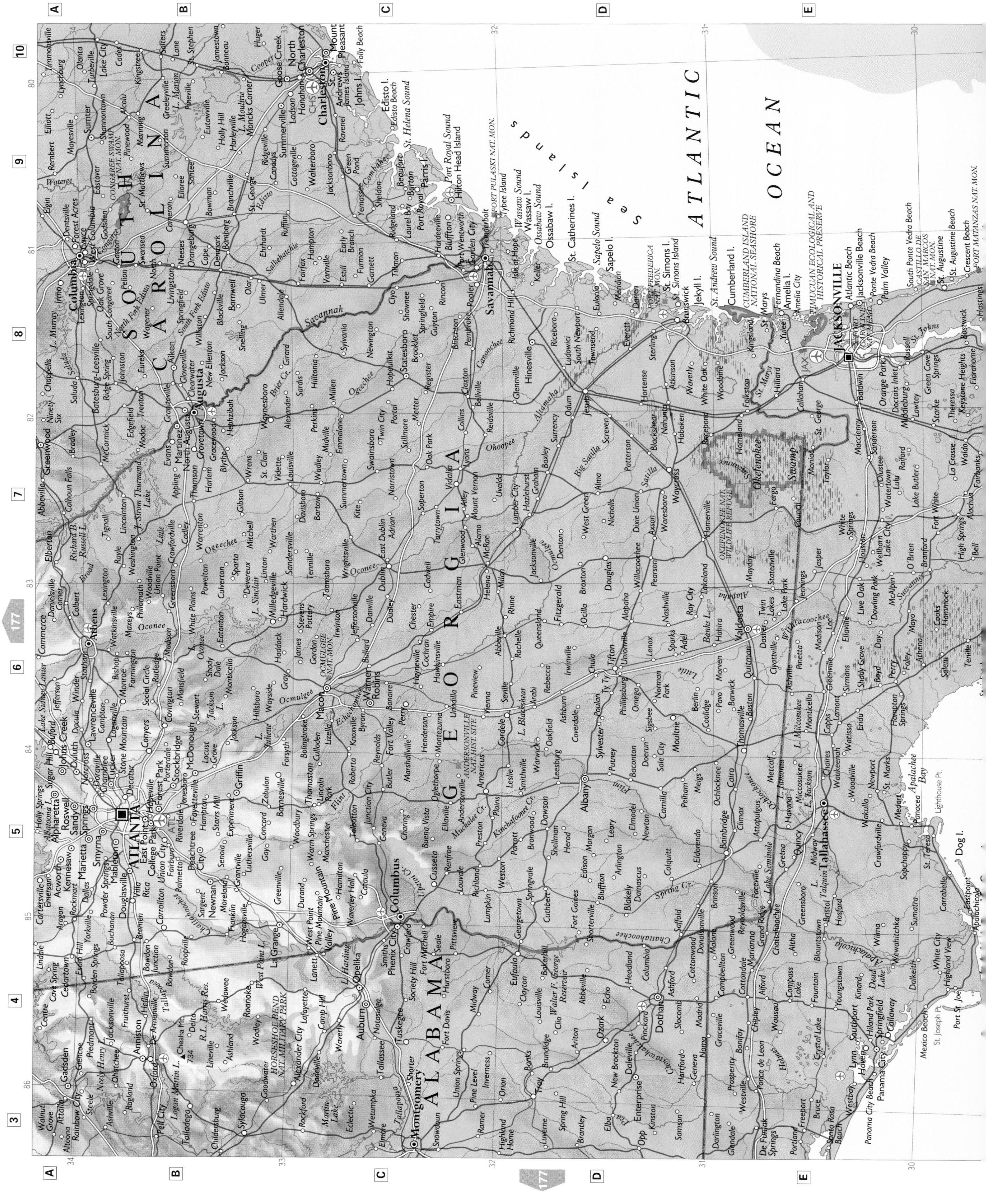

177

177

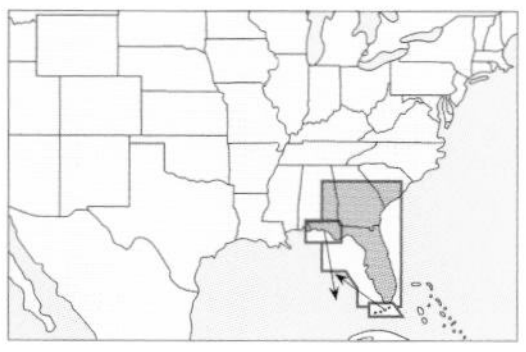

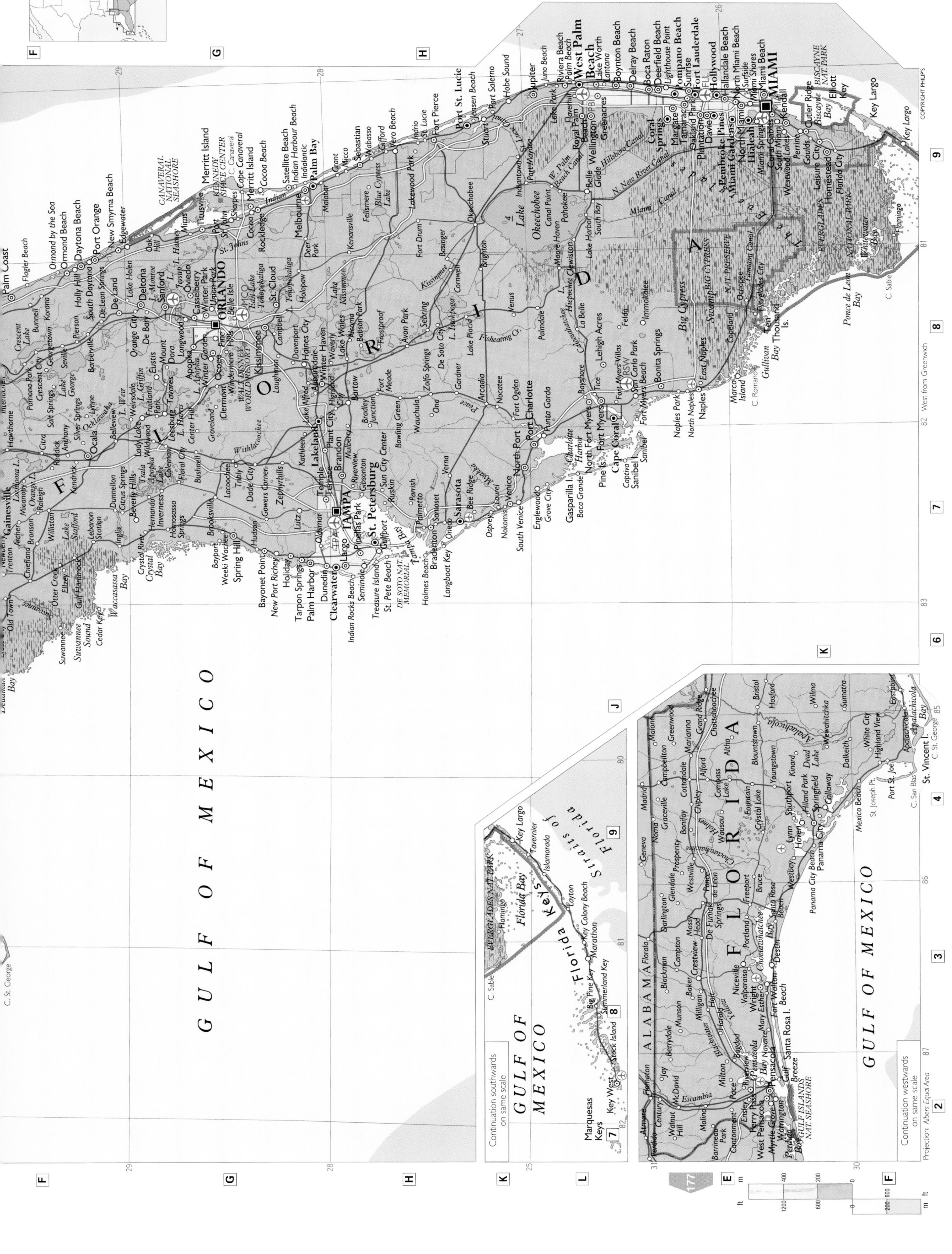
GULF OF MEXICO
FLORIDA
ORLANDO
TAMPA
St. Petersburg
MIAMI
West Palm Beach
Fort Lauderdale
Hollywood
Daytona Beach
Gainesville
Ocala
Lakeland
Sarasota
Fort Myers
Cape Coral
Naples
Melbourne
Palm Bay
Kissimmee
Clearwater
Lake Okeechobee
Big Cypress Swamp
EVERGLADES NATIONAL PARK
BISCAYNE NAT. PARK
KENNEDY SPACE CENTER
CANAVERAL NATIONAL SEASHORE
WALT DISNEY WORLD RESORT
Key Largo
Ponce de Leon Bay
Florida Bay
Florida Keys
Straits of Florida
Key West
Marquesas Keys
Continuation southwards on same scale
ALABAMA
Pensacola
Panama City
Tallahassee
Apalachicola Bay
St. Vincent I.
GULF ISLANDS NAT. SEASHORE
Continuation westwards on same scale
Projection: Albers Equal Area
West from Greenwich
COPYRIGHT PHILIPS

50 0 50 100 150 200 250 300 km

50 0 50 100 150 200 miles

1:7 100 000

1 2 169 3 176 4

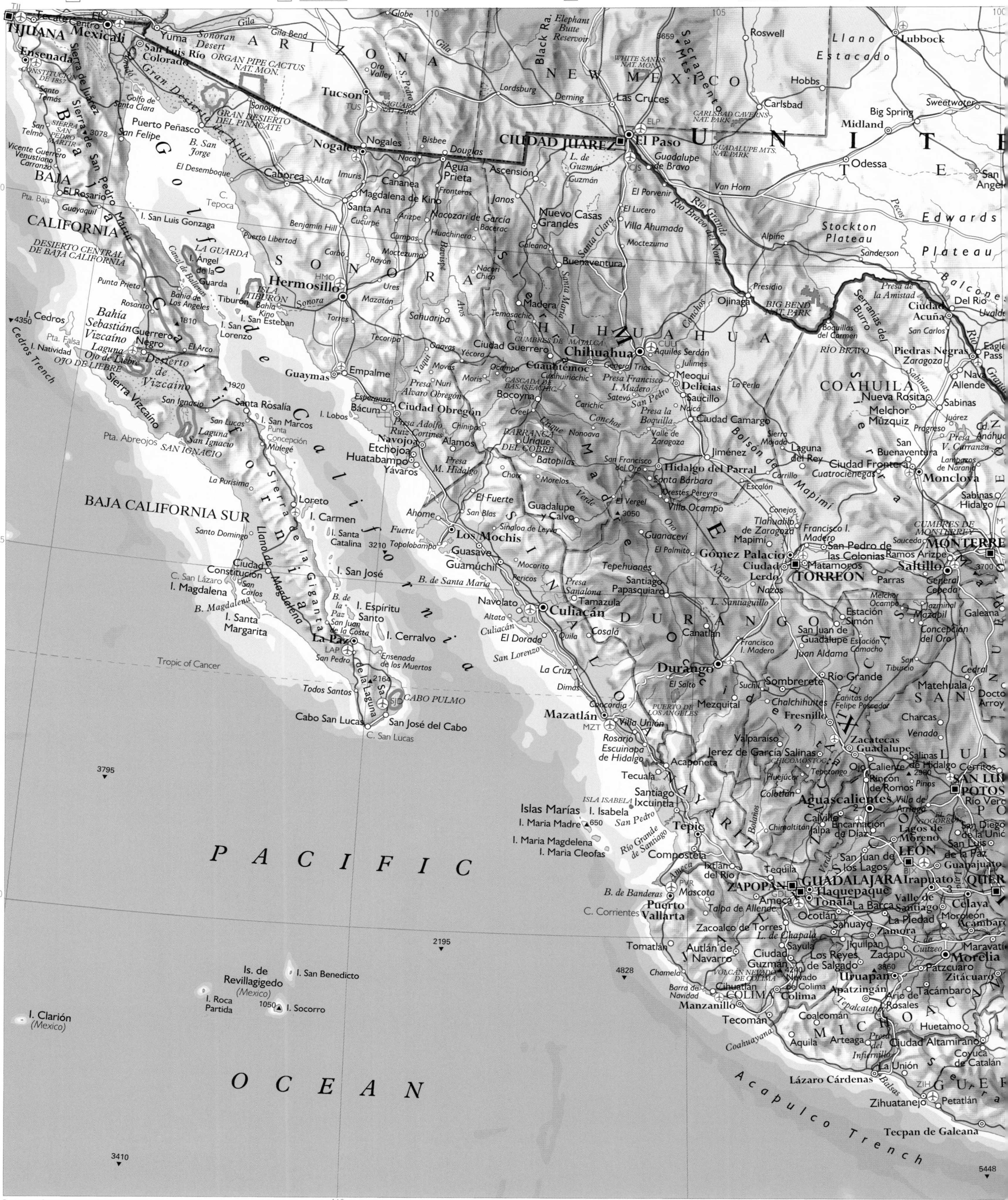

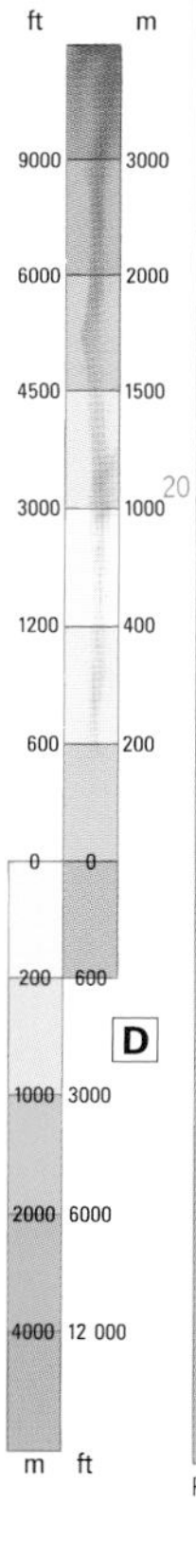

Projection: *Bi-polar oblique Conical Orthomorphic*

110 West from Greenwich 105

2 3 4

State names in Central Mexico

1 DISTRITO FEDERAL 3 GUANAJUATO 5 MÉXICO 7 QUERÉTARO
2 AGUASCALIENTES 4 HIDALGO 6 MORELOS 8 TLAXCALA

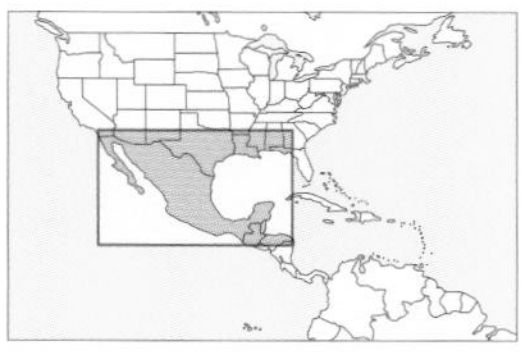

5
6
7
8
177
179
182
A
B
C
D
E
30
25
20
15
100
UNITED STATES
TEXAS
ARKANSAS
LOUISIANA
MISSISSIPPI
ALABAMA
GEORGIA
FLORIDA
Wichita Falls
Denison
Sherman
Paris
Denton
Greenville
Possum Kingdom Lake
Brazos
Fort Worth
DALLAS
DFW
Ranger
Cleburne
Marshall
Longview
Tyler
Corsicana
Abilene
Hillsboro
Palestine
Brownwood
Waco
Temple
Lufkin
Nacogdoches
Sam Rayburn Reservoir
Toledo Bend Res.
Sabine
Trinity
Colorado
Bryan
Huntsville
College Station
Navasota
AUSTIN
AUS
IAH
HOUSTON
Beaumont
Port Arthur
Galveston
Rosenberg
SAT
SAN ANTONIO
Escarpment
Guadalupe
Victoria
Dilley
Nueces
Alice
Kingsville
Corpus Christi
Laredo
Nuevo Laredo
Zapata
PADRE ISLAND NAT. SEASHORE
Laguna Madre
Presa Falcón
Nueva Ciudad Guerrero
McAllen
Harlingen
Brownsville
Camargo
Presa M. R. Gómez
Reynosa
Río Bravo
Matamoros
Valle Hermoso
China
Cadereyta Jiménez
Montemorelos
Santa Teresa
Laguna Madre
Conchos
Villa de Méndez
Linares
San Fernando
Villagrán
Villa Hidalgo
Santander Jiménez
Zaragoza
La Pesca
Soto la Marina
Soto la Marina
3540
Ciudad Victoria
Sierra de Tamaulipas
TAMAULIPAS
Llera de Canales
Aldama
Pta. Jerez
González
Ocampo
Ciudad Mante
Ciudad Madero
Altamira
Tampico
Ebano
Ciudad Valles
Cárdenas
Pánuco
Ozuluama
L. de Tamiahua
Naranjos
C. Rojo
Tempoal de Sánchez
Tantoyuca
Tamazunchale
Tuxpan
Chicontepec
Zimapán
Zacualtipán
Poza Rica
Papantla
Nautla
San Juan del Río
Huichapan
Pachuca
Huauchinango
Tulancingo
Misantla
Zumpango
Teziutlán
El Oro
Xalapa
ZEMPOALA
MEXICO
ECATEPEC
TEOTIHUACÁN
Apizaco
4282
Coatepec
Veracruz
VER
Tlaxcala
Amecameca
Pico de Orizaba
5610
5452
Boca del Río
Alvarado
Tlacotalpan
PUEBLA
Popocatépetl
Córdoba
Orizaba
Tenango
Cuernavaca
Jojutla
Izúcar de Matamoros
Tehuacán
Cosamaloapan
Tierra Blanca
Tres Valles
Tuxtepec
Presa Miguel Alemán
San Andrés Tuxtla
1250
Coatzacoalcos
Minatitlán
Acayucan
Taxco
Iguala
Chiautla
San Gabriel Chilac
Acatlán
Huautla
Huajuapan de León
Asunción Nochixtlán
Valle Nacional
Jesús Carranza
Istmo de Tehuantepec
Balsas del Norte
GUERRERO
Chilapa
Chilpancingo
Sierra Madre del Sur
3550
Coyuca de Benítez
Tierra Colorada
Ayutla de los Libres
ACA
Acapulco
Papagayo
Silacayoapan
Tlaxiaco
MONTE ALBÁN
Oaxaca
Tlacolula
OAXACA
Ometepec
San Jerónimo Taviche
Ocotlán
Ejutla
Ixtepec
Juchitán de Zaragoza
Tehuantepec
Salina Cruz
Pinotepa Nacional
Santiago Jamiltepec
LAGUNAS DE CHACAHUA
Punta Maldonado
Verde
San Pedro Tututepec
Miahuatlán
3139
San Pedro Pochutla
Bahías de Huatulco
Puerto Escondido
Puerto Ángel
Golfo de Tehuantepec
Mar Muerto
Arriaga
Puerto Arista
Pijijiapan
Mapastepec
Motozintla de Mendoza
Huixtla
Tapachula
Puerto Madero
Matías Romero
Presa Netzahualcóyotl
CAÑÓN DEL SUMIDERO
Tuxtla Gutiérrez
TGZ
Chiapa de Corzo
Presa de la Angostura
Sierra Madre de Chiapas
CHIAPAS
Concordia
Tonalá
Copainalá
Simojovel
Ocosingo
MONTES AZULES
San Cristóbal de las Casas
La Independencia
Comitán de Domínguez
LAGUNAS DE MONTEBELLO
Lacantún
Usumacinta
Teapa
Cárdenas
Villahermosa
VSA
Macuspana
Palenque
PALENQUE
Paraíso
Comalcalco
Frontera
PANTANOS DE CENTLA
TABASCO
LA VENTA
Palizada
Ciudad del Carmen
L. de Términos
Escárcega
CAMPECHE
CALAKMUL
Balancán
LAGUNA DEL TIGRE
Tenosique
SIERRA DE LACANDÓN
MIRADOR-RÍO AZUL
Uaxactún
TIKAL
L. Petén Itzá
La Libertad
Flores
LAGUNA LACHUA
CHIQUIBUL
San Luis
Salinas
Sierra de los Cuchumatanes
3784
Huehuetenango
GUATEMALA
Cobán
Sierra de las Minas
L. de Izabal
Livingston
RÍO DULCE
Puerto Barrios
4093
San Marcos
Quetzaltenango
UTATLÁN
ATITLÁN
Totonicapán
Sololá
Retalhuleu
Mazatenango
Antigua
GUATEMALA
Amatitlán
Jalapa
Zacapa
Chiquimula
Gualán
COPÁN
Santa Rosa de Copán
CELAQUE
La Esperanza
La Paz
Santa Bárbara
L. de Yojoa
Siguatepeque
Comayagua
TEGUCIGALPA
Danlí
Yuscarán
HONDURAS
San Pedro Sula
El Progreso
Villanueva
Choloma
Puerto Cortés
Tela
La Ceiba
Olanchito
Yoro
Sulaco
Juticalpa
Catacamas
Patuca
Arenal
Punta Gorda
Monkey River
Golfo de Honduras
Utila
Roatán
Is. de la Bahía
Guanaja
Trujillo
Puerto Castilla
Iriona
Balfate
Benque Viejo
1120
Victoria Pk.
Maya Mts.
Dangriga
BLUE HOLE
Belmopan
BELIZE
Belize City
BZE
Turneffe Is.
Barrier Reef
San Pedro
Ambergris Cay
Orange Walk
Corozal
Hondo
Chetumal
B. de Chetumal
Bacalar
Banco Chinchorro
QUINTANA ROO
Felipe Carrillo Puerto
Costa Maya
B. del Espíritu Santo
SIAN KA'AN
B. de la Ascensión
Yucatan Basin
Cozumel
Isla Cozumel
Playa del Carmen
Puerto Morelos
Cancún
CUN
Isla Mujeres
C. Catoche
El Cuyo
Río Lagartos
Tizimín
Espita
Valladolid
COBÁ
TULUM
CHICHÉN ITZÁ
Izamal
Temax
Motul
Dzilam de Bravo
Pta. Yalkubul
Progreso
DZIBILCHALTÚN
MID
MÉRIDA
YUCATÁN
MAYAPÁN
Sotuta
Maxcanú
Ticul
UXMAL
Peto
Tekax
Tenabo
Bolonchén
Campeche
EDZNÁ
Hopelchén
XOCHOB
Champotón
BECÁN
Golfo de Campeche
I. Desterrada
I. Pérez (Mexico)
47
Banco Campeche
75
Tropic of Cancer
Canal de Yucatán
CUBA
La Esperanza
Guane
La Fé
C. San Antonio
C. Corrientes
GULF OF MEXICO
3750
Sigsbee Deep
32
82
35
Clearwater
Suwannee
Apalachee Bay
C. San Blas
Tallahassee
Lake City
Panama City
Chattahoochee
Pensacola
Mobile
Mobile Bay
Gulfport
Biloxi
Breton Sd.
NEW ORLEANS
MSY
Mississippi River Delta
Terrebonne Bay
Atchafalaya Bay
L. Pontchartrain
Baton Rouge
Hammond
Bogalusa
McComb
Lafayette
Lake Charles
Alexandria
Natchez
Mississippi
Pearl
Hattiesburg
Laurel
Jackson
Vicksburg
Tallulah
Monroe
Shreveport
Texarkana
El Dorado
Camden
Hope
Red
Greenville
Meridian
Tombigbee
Tuscaloosa
Selma
Alabama
Montgomery
Troy
Dothan
Brewton
Coosa
Opelika
Phenix City
Columbus
Americus
Albany
Cordele
Tifton
Valdosta
Waycross
Ocmulgee
COPYRIGHT PHILIP'S

1:7 100 000

50 0 50 100 150 200 250 300 km

50 0 50 100 150 200 miles

PUERTO RICO d
1:2 700 000
PUERTO RICO (U.S.A.)
ATLANTIC OCEAN
SAN JUAN
Aguadilla
Arecibo
Mayagüez
Ponce
Guayama
Bayamón
Carolina
Caguas
Fajardo
Humacao
Vieques
Culebra
VIRGIN ISLANDS e
1:1 800 000
Virgin Islands (U.K.)
Virgin Is. (U.S.A.)
Tortola
Road Town
Charlotte Amalie
St. Thomas I.
St. John I.
Anegada
ST. LUCIA f
1:890 000
Castries
Soufrière
Vieux Fort
Gros Islet
ST. LUCIA
BARBADOS g
1:890 000
ATLANTIC OCEAN
BARBADOS
Bridgetown
Speightstown
Holetown
Oistins
ATLANTIC OCEAN
Tropic of Cancer
Turks & Caicos Is. (U.K.)
Cockburn Town
Great Inagua I.
Guantánamo
HAITI
PORT-AU-PRINCE
DOMINICAN REP.
SANTO DOMINGO
Santiago de los Caballeros
Hispaniola
Puerto Rico Trench
PUERTO RICO (U.S.A.)
Greater Antilles
Lesser Antilles
Leeward Islands
Windward Islands
ANTIGUA & BARBUDA
ST. KITTS & NEVIS
GUADELOUPE (Fr.)
Pointe-à-Pitre
DOMINICA
Roseau
MARTINIQUE (Fr.)
Fort-de-France
ST. LUCIA
ST. VINCENT & THE GRENADINES
BARBADOS
GRENADA
St. George's
TRINIDAD & TOBAGO
Port of Spain
Venezuelan Basin
Colombian Basin
CARIBBEAN SEA
Beata Ridge
Aves Ridge
Grenada Basin
ABC Islands
Aruba (Neth.)
Curaçao (Neth.)
Bonaire (Neth.)
Willemstad
COLOMBIA
VENEZUELA
CARACAS
MARACAIBO
Lago de Maracaibo
Valencia
Barquisimeto
Maracay
Barcelona
Cumaná
Maturín
Ciudad Guayana
Ciudad Bolívar
Mérida
Cúcuta
Barranquilla
Santa Marta
Orinoco
West from Greenwich
186
COPYRIGHT PHILIP'S

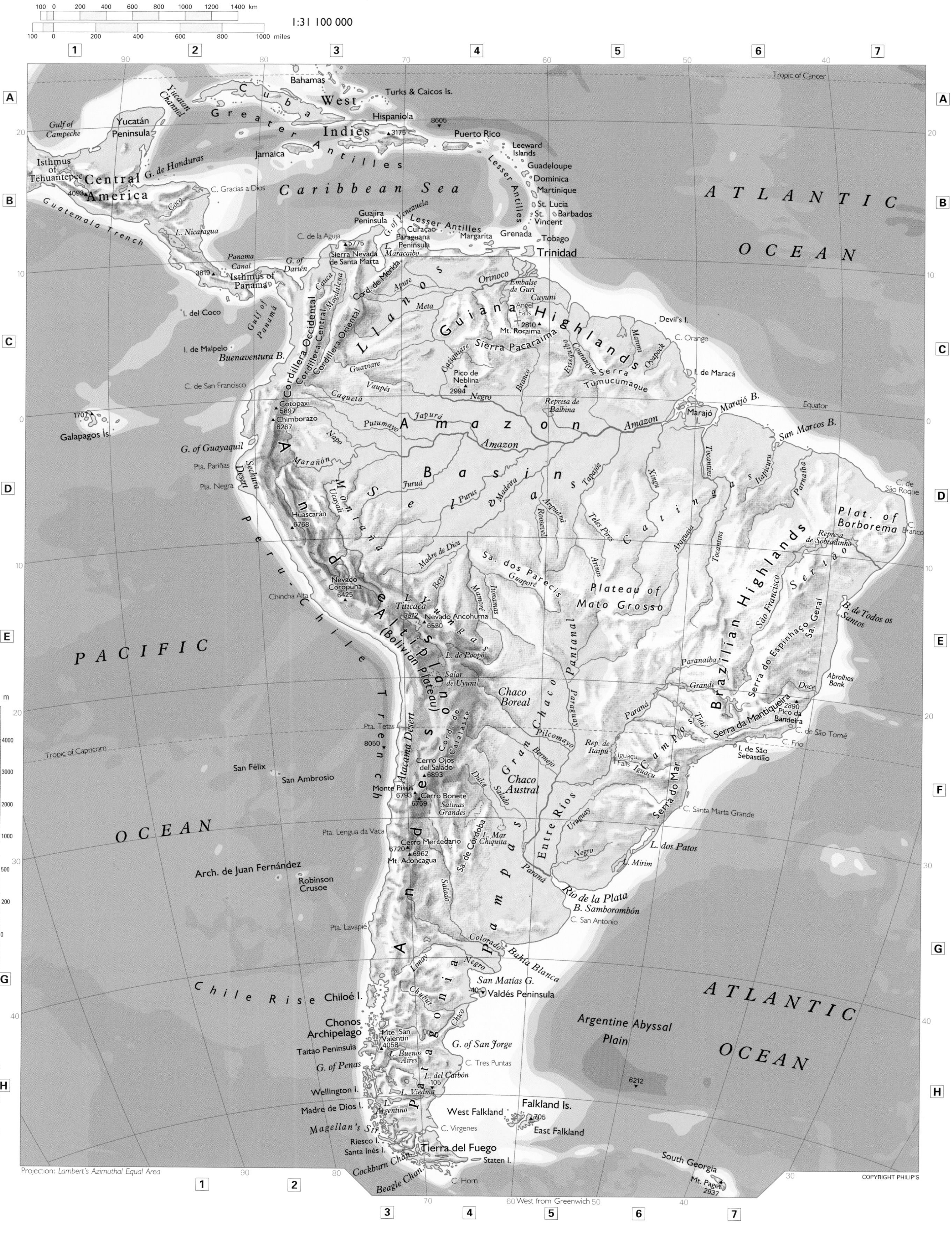
100 0 200 400 600 800 1000 1200 1400 km
1:31 100 000
100 0 200 400 600 800 1000 miles
Tropic of Cancer
Bahamas
Cuba
West Indies
Greater Antilles
Turks & Caicos Is.
Hispaniola
8605
3175
Puerto Rico
Jamaica
Leeward Islands
Guadeloupe
Dominica
Martinique
St. Lucia
St. Vincent
Barbados
Grenada
Tobago
Trinidad
Lesser Antilles
Yucatan Channel
Gulf of Campeche
Yucatán Peninsula
Isthmus of Tehuantepec
G. de Honduras
Central America
4093
C. Gracias a Dios
Caribbean Sea
Guatemala Trench
Coco
L. Nicaragua
Guajira Peninsula
G. of Venezuela
Curaçao
Paraguana Peninsula
Margarita
L. Maracaibo
C. de la Aguja
5775
Sierra Nevada de Santa Marta
Panama Canal
G. of Darién
3819
Isthmus of Panama
Gulf of Panamá
I. del Coco
I. de Malpelo
Buenaventura B.
C. de San Francisco
Cauca
Magdalena
Cordillera Occidental
Cordillera Central
Cordillera Oriental
Cord. de Merida
Apure
Llanos
Orinoco
Embalse de Guri
Cuyuni
Meta
Angel Falls
2810
Mt. Roraima
Guiana Highlands
Sierra Pacaraima
Guaviare
Vaupés
Casiquiare
Pico de Neblina
2994
Negro
Branco
Essequibo
Courantyne
Maroni
Oyapock
Devil's I.
C. Orange
Serra Tumucumaque
I. de Maracá
Represa de Balbina
ATLANTIC OCEAN
Equator
Cotopaxi
5897
Chimborazo
6267
1707
Galapagos Is.
Caquetá
Japurá
Putumayo
Amazon
Amazon Basin
Marajó I.
Marajó B.
San Marcos B.
G. of Guayaquil
Pta. Pariñas
Pta. Negra
Sechura Desert
Napo
Marañón
Montaña
Ucayali
Juruá
Purus
Madeira
Tapajós
Xingu
Tocantins
Itapicuru
Parnaíba
C. de São Roque
Caatinga
Plat. of Borborema
C. Branco
Represa de Sobradinho
Huascarán
6768
Aripuanã
Roosevelt
Teles Pires
Araguaia
Madre de Dios
Sa. dos Parecis
Guaporé
Arinos
Plateau of Mato Grosso
Brazilian Highlands
São Francisco
Sertão
Beni
Mamoré
Itonamas
Nevado Coropuna
6425
Chincha Alta
L. Titicaca
3812
Nevado Ancohuma
6550
Yungas
Altiplano (Bolivian Plateau)
Pantanal
B. de Todos os Santos
Peru-Chile Trench
PACIFIC OCEAN
L. de Poopó
Salar de Uyuni
Chaco Boreal
Gran Chaco
Paraguay
Paranaíba
Grande
Serra do Espinhaço
Sa. Geral
Abrolhos Bank
Doce
2890
Pico da Bandeira
Serra da Mantiqueira
C. de São Tomé
Paraná
Tietê
Pilcomayo
Rep. de Itaipú
Iguaçu Falls
Iguaçu
Campos
I. de São Sebastião
C. Frio
Pta. Tetas
8050
Tropic of Capricorn
Atacama Desert
Cord. de Calalaste
Cerro Ojos del Salado
6893
San Félix
San Ambrosio
Monte Pissis
6793
Cerro Bonete
6759
Salinas Grandes
Dulce
Salado
Bermejo
Gran Chaco Austral
Serra do Mar
C. Santa Marta Grande
Entre Ríos
Uruguay
Negro
L. dos Patos
L. Mirim
Pta. Lengua da Vaca
Sa. de Córdoba
L. Mar Chiquita
Cerro Mercedario
6720
6962
Mt. Aconcagua
Arch. de Juan Fernández
Robinson Crusoe
Pampas
Río de la Plata
B. Samborombón
C. San Antonio
Pta. Lavapié
Colorado
Bahía Blanca
Andes
Limay
Chile Rise
Chiloé I.
San Matías G.
40
Valdés Peninsula
Chubut
Patagonia
Chico
Argentine Abyssal Plain
ATLANTIC OCEAN
Chonos Archipelago
Mte. San Valentin
4058
Taitao Peninsula
G. of San Jorge
L. Buenos Aires
C. Tres Puntas
G. of Penas
L. del Carbón
-105
6212
Wellington I.
L. Viedma
Madre de Dios I.
L. Argentino
West Falkland
Falkland Is.
705
East Falkland
C. Virgenes
Magellan's Str.
Riesco I.
Santa Inés I.
Tierra del Fuego
Staten I.
Cockburn Chan.
Beagle Chan.
C. Horn
South Georgia
Mt. Paget
2937
ft m
12000 4000
9000 3000
6000 2000
3000 1000
1500 500
600 200
0 0
200 600
1000 3000
2000 6000
4000 12000
6000 18000
8000 24000
m ft
Projection: Lambert's Azimuthal Equal Area
West from Greenwich
COPYRIGHT PHILIP'S

1:31 100 000

ATLANTIC OCEAN
PACIFIC OCEAN
ATLANTIC OCEAN
Caribbean Sea
Tropic of Cancer
Equator
Tropic of Capricorn
MEXICO
BELIZE
GUATEMALA
Guatemala
HONDURAS
Tegucigalpa
San Salvador
EL SALVADOR
NICARAGUA
Managua
COSTA RICA
San José
PANAMA
Panamá
Havana
CUBA
BAHAMAS
Turks & Caicos Is. (U.K.)
Cayman Is. (U.K.)
JAMAICA
Kingston
HAITI
Port-au-Prince
DOMINICAN REP.
Santo Domingo
San Juan
PUERTO RICO (U.S.A.)
Virgin Is. (U.S.A. - U.K.)
Anguilla (U.K.)
St. Martin (Fr. - Neth.)
ST. KITTS & NEVIS
Basse-Terre
ANTIGUA & BARBUDA
GUADELOUPE (Fr.)
DOMINICA
Fort-de-France
MARTINIQUE (Fr.)
Castries
ST. LUCIA
ST. VINCENT
Kingstown
BARBADOS
Bridgetown
GRENADA
St. George's
ARUBA (Neth.)
CURAÇAO (Neth.)
Oranjestad
Willemstad
Port of Spain
TRINIDAD & TOBAGO
Barranquilla
Cartagena
Maracaibo
Caracas
Barquisimeto
Valencia
G. of Darién
Cúcuta
San Cristóbal
Ciudad Guayana
Orinoco
Medellín
Bucaramanga
VENEZUELA
Georgetown
GUYANA
Paramaribo
SURINAME
Cayenne
C. Orange
FRENCH GUIANA
I. del Coco (Costa Rica)
Gulf of Panama
BOGOTÁ
Magdalena
I. de Malpelo (Colombia)
Cali
COLOMBIA
Boa Vista
RORAIMA
Branco
Essequibo
AMAPÁ
Macapá
Marajó I.
Belém
Galapagos Is. (Ecuador)
Quito
ECUADOR
Guayaquil
G. of Guayaquil
Napo
Putumayo
Japurá
Amazon
Manaus
Santarém
São Luís
Iquitos
Marañón
AMAZONAS
PARÁ
Tapajós
Xingu
Tocantins
Fortaleza
Juruá
Purus
Madeira
MARANHÃO
Teresina
Imperatriz
CEARÁ
RIO G. DO NORTE
Natal
Chiclayo
Ucayali
Trujillo
Chimbote
ACRE
Rio Branco
Pôrto Velho
Parnaíba
PIAUÍ
PARAÍBA
João Pessoa
Campina Grande
Araguaia
Palmas
PERNAMBUCO
Recife
ALAGOAS
Maceió
SERGIPE
Aracaju
PERU
Callao
LIMA
Madre de Dios
RONDÔNIA
TOCANTINS
BRAZIL
Cusco
Mamoré
MATO GROSSO
BAHÍA
Salvador
L. Titicaca
Arequipa
La Paz
BOLIVIA
Cuiabá
GOIÁS
DIS. FED.
Brasília
São Francisco
Cochabamba
Santa Cruz
Goiânia
MINAS GERAIS
Sucre
Paraguay
MATO GROSSO DO SUL
BELO HORIZONTE
Iquique
Ribeirão Prêto
ESPÍRITO SANTO
Vitória
Campo Grande
Paraná
PARAGUAY
SÃO PAULO
Juiz de Fora
Campos
Campinas
Antofagasta
Pilcomayo
SÃO PAULO
R. DE J.
Niterói
RIO DE JANEIRO
Santos
Salta
Asunción
PARANÁ
Curitiba
San Félix (Chile)
San Ambrosio (Chile)
San Miguel de Tucumán
Resistencia
Corrientes
SANTA CATARINA
Florianópolis
Salado
Uruguay
RIO GRANDE DO SUL
Porto Alegre
Córdoba
Santa Fé
San Juan
Paraná
Pelotas
Viña del Mar
Valparaíso
Mendoza
Rosario
URUGUAY
SANTIAGO
Arch. de Juan Fernández (Chile)
Robinson Crusoe
BUENOS AIRES
Montevideo
La Plata
Río de la Plata
Talca
CHILE
Concepción
ARGENTINA
Bahía Blanca
Mar del Plata
Neuquen
Colorado
Valdivia
Negro
Viedma
Puerto Montt
Chubut
Comodoro Rivadavia
Gulf of San Jorge
Gulf of Penas
West Falkland
FALKLAND IS. (U.K.)
Stanley
East Falkland
Magellan's Str.
Punta Arenas
Tierra del Fuego
South Georgia (U.K.)
C. Horn
West from Greenwich

Projection: Lambert's Azimuthal Equal Area

■ LIMA Capital Cities

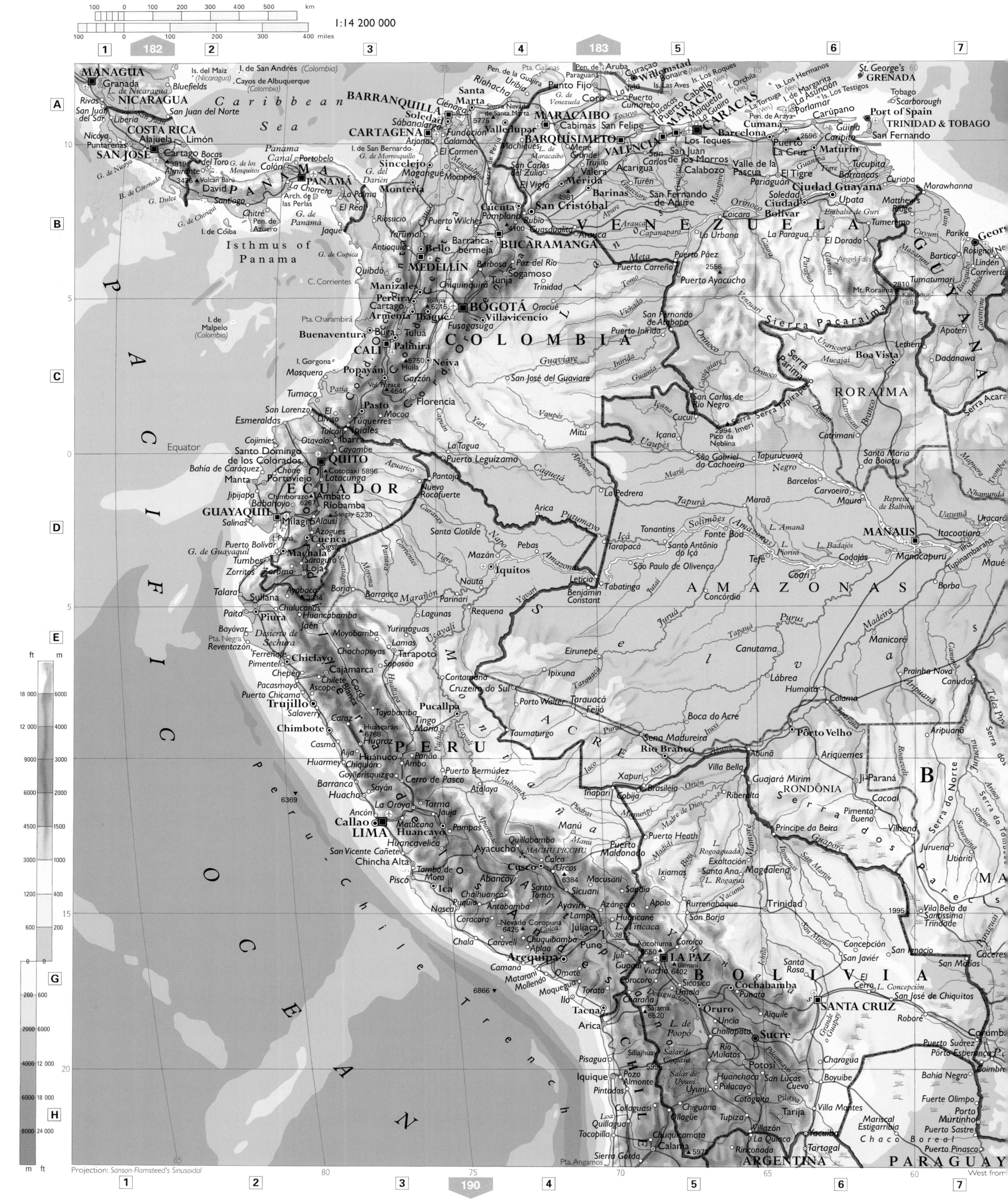

1:14 200 000
km
miles
Projection: Sanson-Flamsteed's Sinusoidal
West from Greenwich
C a r i b b e a n
S e a
P A C I F I C
O C E A N
Peru-Chile Trench
Isthmus of Panama
Equator
NICARAGUA
COSTA RICA
PANAMA
MANAGUA
SAN JOSÉ
PANAMÁ
BARRANQUILLA
CARTAGENA
MARACAIBO
BARQUISIMETO
VALENCIA
MARACAY
CARACAS
V E N E Z U E L A
TRINIDAD & TOBAGO
Port of Spain
St. George's
GRENADA
GUYANA
BUCARAMANGA
MEDELLÍN
BOGOTÁ
C O L O M B I A
CALI
ECUADOR
QUITO
GUAYAQUIL
P E R U
LIMA
Callao
A M A Z O N A S
MANAUS
RORAIMA
RONDÔNIA
A C R E
B O L I V I A
LA PAZ
SANTA CRUZ
Sucre
Cochabamba
CHILE
ARGENTINA
PARAGUAY
Arica
Iquique
Arequipa
Cusco
Trujillo
Chiclayo
Piura
Iquitos
Porto Velho
Rio Branco
Ciudad Guayana
Ciudad Bolívar
Puerto Ayacucho

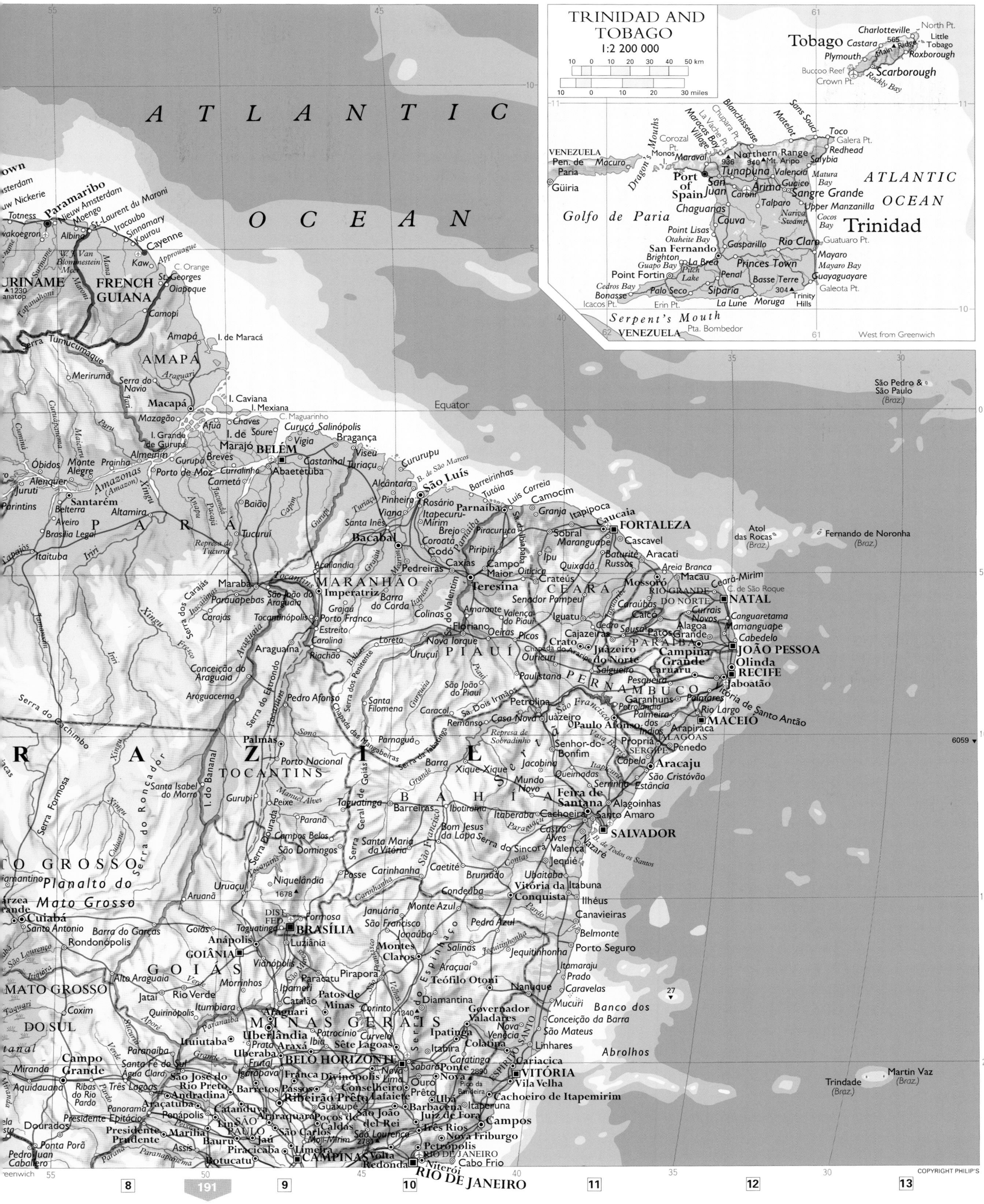
ATLANTIC OCEAN
TRINIDAD AND TOBAGO
1:2 200 000
Tobago
Scarborough
Trinidad
Port of Spain
San Fernando
Golfo de Paria
Serpent's Mouth
VENEZUELA
Equator
FRENCH GUIANA
Cayenne
Paramaribo
AMAPÁ
Macapá
BELÉM
São Luís
FORTALEZA
NATAL
JOÃO PESSOA
RECIFE
MACEIÓ
Aracaju
SALVADOR
MARANHÃO
PIAUÍ
CEARÁ
PARAÍBA
PERNAMBUCO
ALAGOAS
SERGIPE
BAHIA
TOCANTINS
GOIÁS
MINAS GERAIS
MATO GROSSO
MATO GROSSO DO SUL
BRASÍLIA
GOIÂNIA
BELO HORIZONTE
VITÓRIA
RIO DE JANEIRO
SÃO PAULO
CAMPINAS
Teresina
Palmas
Cuiabá
Campo Grande
Feira de Santana
Uberlândia
Planalto do Mato Grosso
Fernando de Noronha
Atol das Rocas
São Pedro & São Paulo
Trindade
Martin Vaz
Banco dos Abrolhos
West from Greenwich

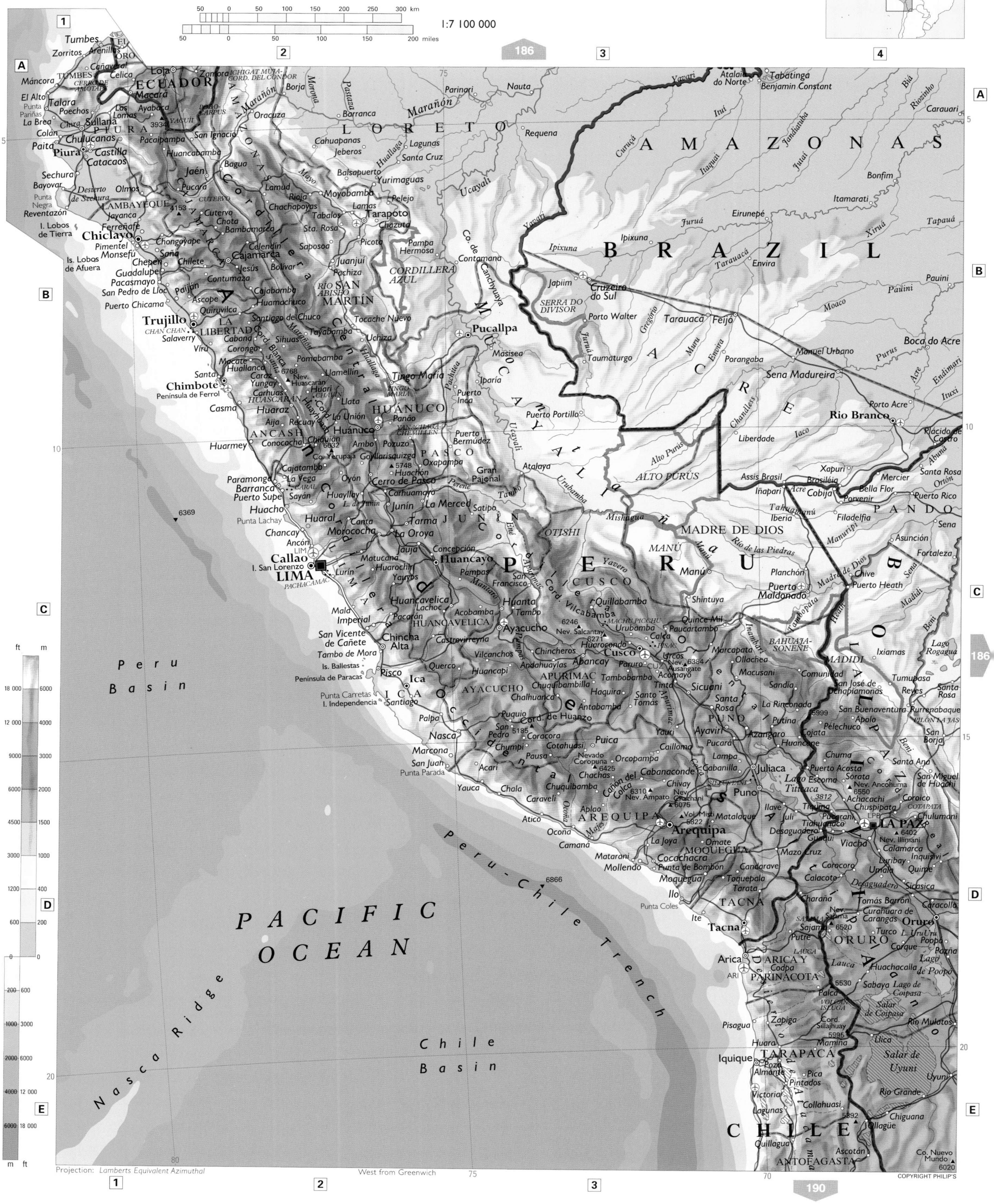
1:7 100 000
Projection: Lamberts Equivalent Azimuthal
West from Greenwich
COPYRIGHT PHILIP'S
186
190
PACIFIC OCEAN
Peru Basin
Chile Basin
Nasca Ridge
Peru-Chile Trench
ECUADOR
PERU
BRAZIL
BOLIVIA
CHILE
AMAZONAS
ACRE
LORETO
UCAYALI
MADRE DE DIOS
PANDO
LA PAZ
ORURO
TACNA
MOQUEGUA
AREQUIPA
PUNO
CUSCO
APURIMAC
AYACUCHO
HUANCAVELICA
ICA
LIMA
JUNIN
PASCO
HUÁNUCO
ANCASH
LA LIBERTAD
CAJAMARCA
LAMBAYEQUE
PIURA
TUMBES
SAN MARTÍN
TARAPACÁ
ANTOFAGASTA
ARICA Y PARINACOTA
Cordillera Central
Cordillera Occidental
Cordillera Oriental
Cordillera Azul
Cord. Blanca
Cord. Vilcabamba
Cord. de Huanzo
Serra do Divisor
Lago Titicaca
Lago de Poopó
Salar de Coipasa
Salar de Uyuni
Lima
Callao
Trujillo
Chiclayo
Piura
Chimbote
Arequipa
Cusco
Puno
Juliaca
Tacna
Arica
Iquique
Huancayo
Ayacucho
Ica
Pisco
Nasca
Huánuco
Cerro de Pasco
Pucallpa
Tarapoto
Iquitos
Rio Branco
Cruzeiro do Sul
Puerto Maldonado
Oruro
Tumbes
Talara
Sullana
Paita
Cajamarca
Moyobamba
Tingo María
Huancavelica
Abancay
Moquegua
Ilo
Mollendo
Camaná
Nev. Huascarán 6768
Nev. Ausangate 6384
Nev. Salcantay 6271
Nev. Coropuna 6425
Nev. Ampato 6310
Vol. Misti 5822
Nev. Illimani 6402
Nev. Sajama 6520
Ucayali
Marañón
Huallaga
Urubamba
Purus
Juruá
Madre de Dios
Beni
Mantaro
Apurímac

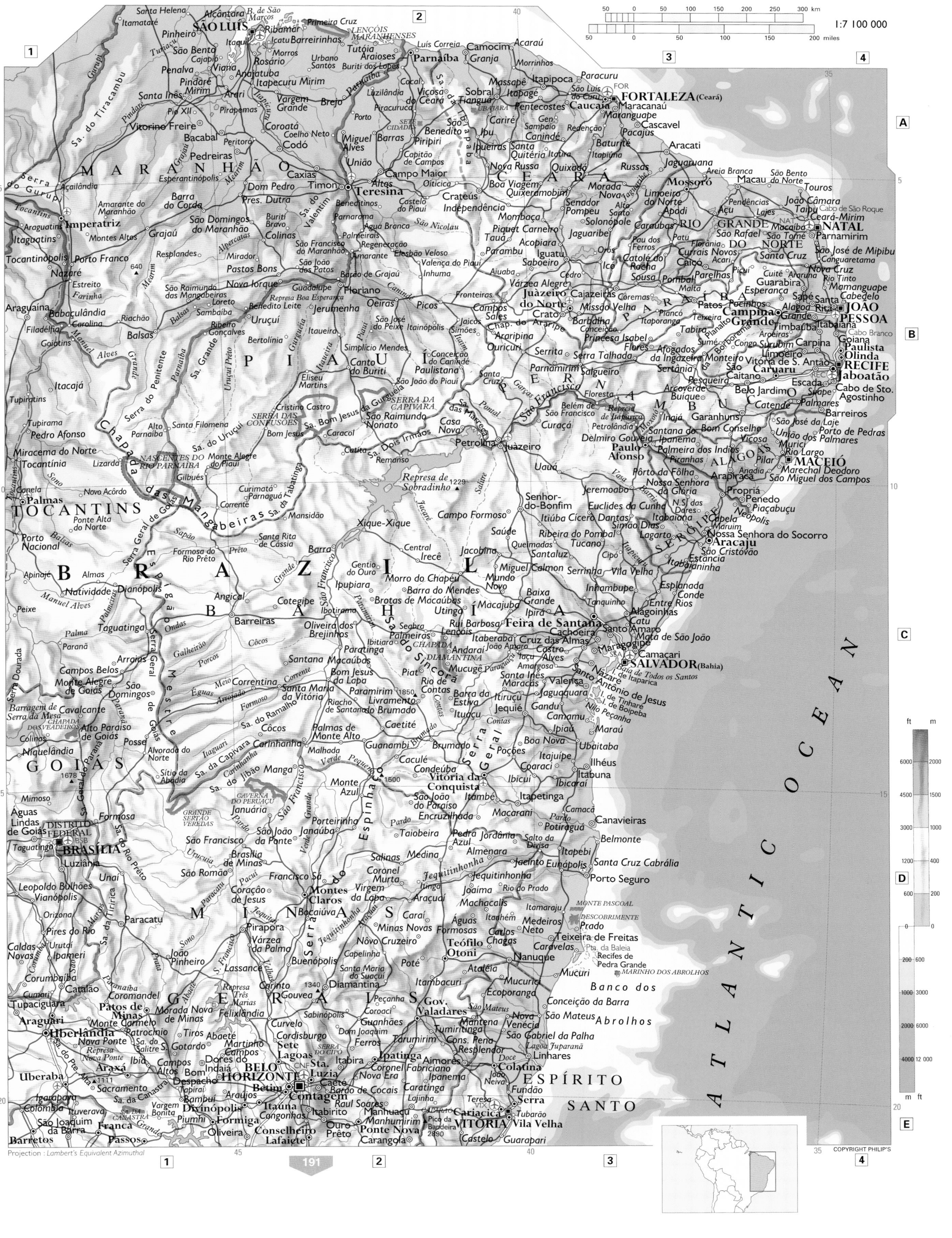
187
1:7 100 000
50 0 50 100 150 200 250 300 km
50 0 50 100 150 200 miles
ATLANTIC OCEAN
BRAZIL
MARANHÃO
PIAUÍ
CEARÁ
RIO GRANDE DO NORTE
PARAÍBA
PERNAMBUCO
ALAGOAS
SERGIPE
BAHIA
TOCANTINS
GOIÁS
MINAS GERAIS
ESPÍRITO SANTO
DISTRITO FEDERAL
SÃO LUÍS
FORTALEZA (Ceará)
NATAL
JOÃO PESSOA
RECIFE
MACEIÓ
Aracaju
SALVADOR (Bahia)
BRASÍLIA
BELO HORIZONTE
VITÓRIA
Teresina
Palmas
Parnaíba
Imperatriz
Caxias
Mossoró
Campina Grande
Caruaru
Olinda
Jaboatão
Juàzeiro do Norte
Crato
Petrolina
Juàzeiro
Feira de Santana
Vitória da Conquista
Ilhéus
Itabuna
Montes Claros
Uberlândia
Uberaba
Contagem
Betim
Ipatinga
Gov. Valadares
Teófilo Otoni
Porto Seguro
Araguaína
Barreiras
Floriano
Picos
Sobral
Represa de Sobradinho
Represa Boa Esperança
Chapada das Mangabeiras
Serra Geral de Goiás
Serra do Espinhaço
Chapada Diamantina
Serra da Ibiapaba
Lençóis Maranhenses
Baía de Todos os Santos
Banco dos Abrolhos
Abrolhos
Cabo de São Roque
Cabo Branco
Cabo de Sto. Agostinho
São Francisco
Parnaíba
Tocantins
Jequitinhonha
Pico da Bandeira 2890
1229
1850
1500
1340
1678
1111
640
Projection : Lambert's Equivalent Azimuthal
COPYRIGHT PHILIP'S
191
ft m
6000 2000
4500 1500
3000 1000
1200 400
600 200
0 0
200 600
1000 3000
2000 6000
4000 12 000
m ft

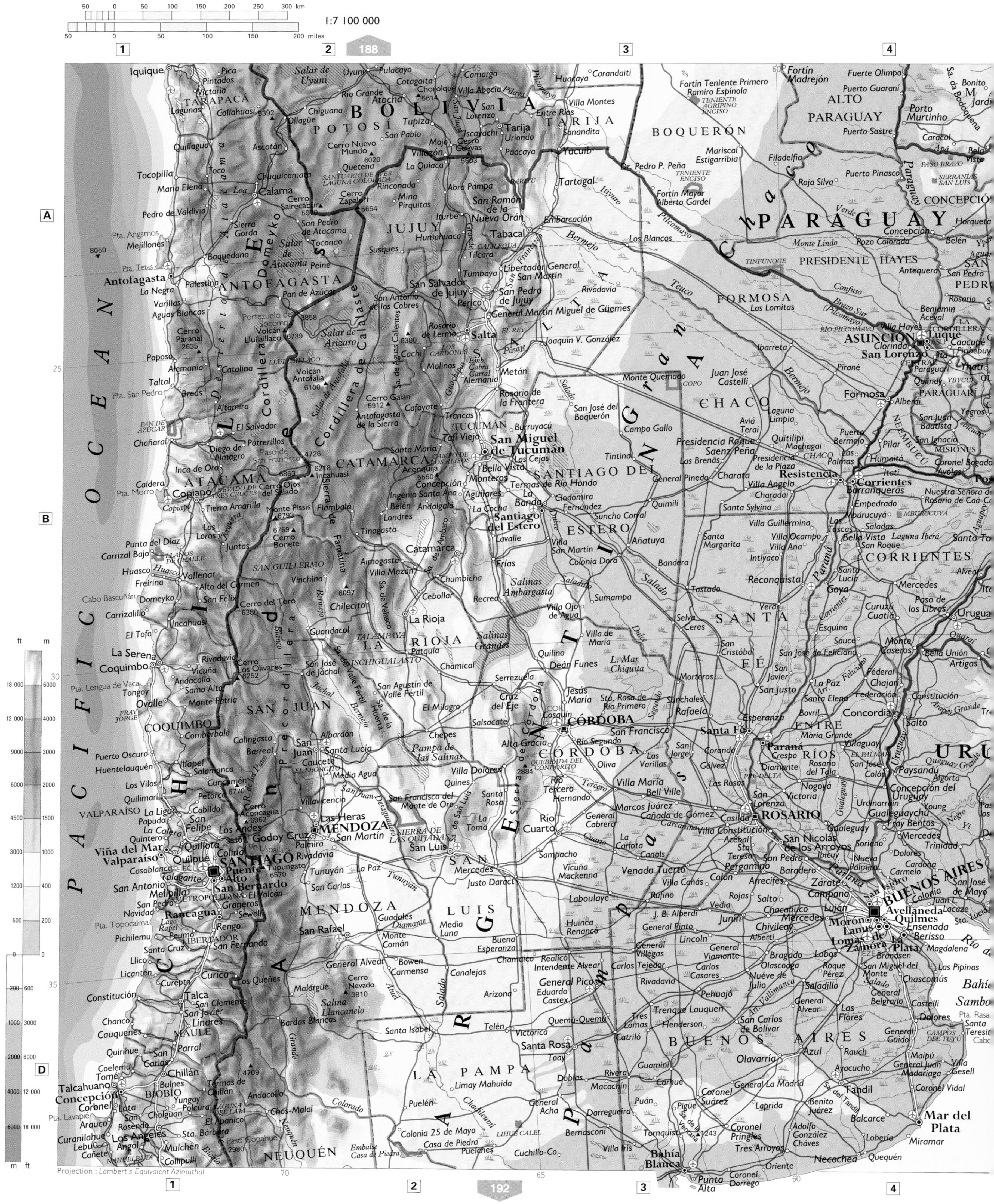
1:7 100 000
km
miles
188
PACIFIC OCEAN
BOLIVIA
POTOSÍ
TARIJA
CHILE
TARAPACÁ
ANTOFAGASTA
ATACAMA
COQUIMBO
VALPARAÍSO
METROPOLITANA
LIBERTADOR
MAULE
BIOBÍO
ARGENTINA
JUJUY
SALTA
TUCUMÁN
CATAMARCA
SANTIAGO DEL ESTERO
LA RIOJA
SAN JUAN
CÓRDOBA
SAN LUIS
MENDOZA
LA PAMPA
NEUQUÉN
BUENOS AIRES
SANTA FÉ
ENTRE RÍOS
CORRIENTES
CHACO
FORMOSA
MISIONES
PARAGUAY
ALTO PARAGUAY
BOQUERÓN
PRESIDENTE HAYES
CONCEPCIÓN
CORDILLERA
PARAGUARÍ
ÑEEMBUCÚ
URUGUAY
Gran Chaco
Pampas
Cordillera de Calalaste
Cordillera Domeyko
Desierto de Atacama
Andes
Precordillera
Sierra de Famatina
Sierras de Córdoba
Salar de Uyuni
Salar de Atacama
Salar de Arizaro
Salinas Grandes
Salinas Ambargasta
Iquique
Antofagasta
Calama
Tocopilla
Copiapó
La Serena
Coquimbo
Valparaíso
Viña del Mar
SANTIAGO
Rancagua
Talca
Chillán
Concepción
Talcahuano
Los Angeles
Salta
San Miguel de Tucumán
Santiago del Estero
Catamarca
La Rioja
San Juan
MENDOZA
San Luis
CÓRDOBA
Río Cuarto
Santa Fé
Paraná
ROSARIO
Resistencia
Corrientes
Formosa
ASUNCIÓN
Luque
San Lorenzo
BUENOS AIRES
La Plata
Quilmes
Avellaneda
Mar del Plata
Bahía Blanca
Santa Rosa
San Rafael
Olavarría
Tandil
Paysandú
Salto
Concordia
Tarija
Villazón
Tupiza
Projection : Lambert's Equivalent Azimuthal
192

5
6
7
189
A
B
C
D
BELO HORIZONTE
Contagem
Betim
Itabirito
VITÓRIA
Vila Velha
Guarapari
Cachoeiro de Itapemirim
Campos
Cabo de São Tomé
Macaé
Cabo Frio
RIO DE JANEIRO
Niterói
São Gonçalo
Duque de Caxias
Nova Iguaçu
Petrópolis
Nova Friburgo
Volta Redonda
Barra Mansa
Juiz de Fora
Barbacena
Conselheiro Lafaiete
Congonhas
Ouro Prêto
Ponte Nova
Muriaé
Cataguases
Ubá
Leopoldina
Três Rios
Além Paraíba
São João del Rei
Lavras
Três Pontas
Varginha
Três Corações
Pouso Alegre
Poços de Caldas
Ribeirão Prêto
Franca
Passos
São José do Rio Preto
Araçatuba
Andradina
Três Lagoas
Presidente Prudente
Presidente Epitácio
Marília
Bauru
Araraquara
São Carlos
Jaú
Rio Claro
Limeira
Piracicaba
Americana
CAMPINAS
Jundiaí
Sorocaba
Itu
Osasco
SÃO PAULO
GUARULHOS
Santo André
São Bernardo do Campo
Moji das Cruzes
São José dos Campos
Taubaté
Guaratinguetá
SANTOS
São Vicente
Guarujá
Praia Grande
Ilha de São Sebastião
Tropic of Capricorn
Angra dos Reis
Ilha Grande
Baía da Ilha Grande
Itapetininga
Botucatu
Ourinhos
Tatuí
Itapeva
Registro
Iguape
Ilha Comprida
Ilha do Cardoso
Londrina
Maringá
Apucarana
Arapongas
Cornélio Procópio
Umuarama
Paranavaí
Cascavel
Toledo
Foz do Iguaçu
Ciudad del Este
Guarapuava
Ponta Grossa
CURITIBA
Paranaguá
Antonina
Joinville
São Francisco do Sul
Jaraguá do Sul
Blumenau
Itajaí
Balneário Camboriú
Brusque
São José
FLORIANÓPOLIS
Ilha de Santa Catarina
Palhoça
Lages
Tubarão
Laguna
Cabo Santa Marta Grande
Criciúma
Araranguá
Torres
Chapecó
Concórdia
Joaçaba
Caçador
Passo Fundo
Erechim
Vacaria
Caxias do Sul
Bento Gonçalves
Novo Hamburgo
São Leopoldo
Canoas
PORTO ALEGRE
Viamão
Osório
Santa Maria
Santa Cruz do Sul
Cachoeira do Sul
Alegrete
Uruguaiana
Santiago
Santo Ângelo
São Borja
Ijuí
Cruz Alta
Santana do Livramento
Rivera
Bagé
Pelotas
Rio Grande
São José do Norte
Lagoa dos Patos
Mostardas
Camaquã
Lagoa Mirim
Jaguarão
Lagoa Mangueira
Santa Vitória do Palmar
Chuy
Melo
Tacuarembó
Treinta y Tres
Rocha
Castillos
Minas
Maldonado
Pta. del Este
MONTEVIDEO
Dourados
Ponta Porã
Pedro Juan Caballero
Encarnación
Posadas
MISIONES
BRAZIL
PARANÁ
SANTA CATARINA
RIO GRANDE DO SUL
SÃO PAULO
MATO GROSSO DO SUL
URUGUAY
ATLANTIC OCEAN
5304
55
50
45
40
25
30
35
West from Greenwich
COPYRIGHT PHILIP'S

50 0 50 100 150 200 250 300 km

1:7 100 000

50 0 50 100 150 200 miles

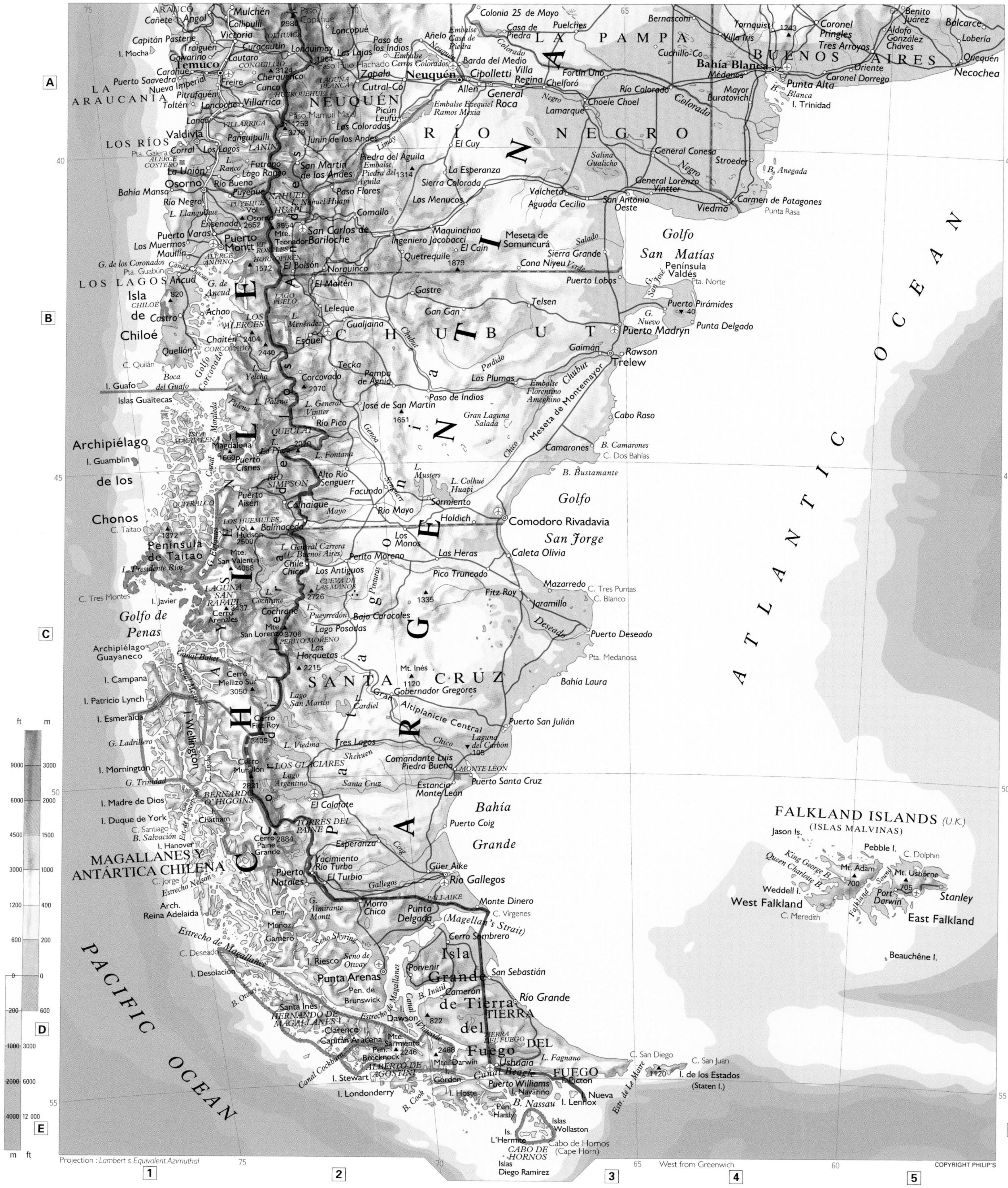

INDEX TO WORLD MAPS

HOW TO USE THE INDEX

The index contains the names of all the principal places and features shown on the World Maps. Each name is followed by an additional entry in italics giving the country or region within which it is located. The alphabetical order of names composed of two or more words is governed primarily by the first word, then by the second, and then by the country or region name that follows. This is an example of the rule:

Mir *Niger*	14°5N 11°59E	**139** C7
Mīr Kūh *Iran*	26°22N 58°55E	**129** E8
Mīr Shahdād *Iran*	26°15N 58°29E	**129** E8
Mira *Italy*	45°26N 12°8E	**93** C9

Physical features composed of a proper name (Erie) and a description (Lake) are positioned alphabetically by the proper name. The description is positioned after the proper name and is usually abbreviated:

Erie, L. *N. Amer.*	42°15N 81°0W	**174** D4

Where a description forms part of a settlement or administrative name, however, it is always written in full and put in its true alphabetical position:

Mount Isa *Australia*	20°42S 139°26E	**150** C2

Names beginning with M' and Mc are indexed as if they were spelled Mac. Names beginning St. are alphabetized under Saint, but Sankt, Sint, Sant', Santa and San are all spelt in full and are alphabetized accordingly. If the same place name occurs two or more times in the index and all are in the same country, each is followed by the name of the administrative subdivision in which it is located.

The geographical co-ordinates which follow each name in the index give the latitude and longitude of each place. The first co-ordinate indicates latitude – the distance north or south of the Equator. The second co-ordinate indicates longitude – the distance east or west of the Greenwich Meridian. Both latitude and longitude are measured in degrees and minutes (there are 60 minutes in a degree).

The latitude is followed by N(orth) or S(outh) and the longitude by E(ast) or W(est).

The number in bold type which follows the geographical co-ordinates refers to the number of the map page where that feature or place will be found. This is usually the largest scale at which the place or feature appears.

The letter and figure that are immediately after the page number give the grid square on the map page, within which the feature is situated. The letter represents the latitude and the figure the longitude. A lower-case letter immediately after the page number refers to an inset map on that page.

In some cases the feature itself may fall within the specified square, while the name is outside. This is usually the case only with features that are larger than a grid square.

Rivers are indexed to their mouths or confluences, and carry the symbol → after their names. The following symbols are also used in the index: ■ country, ☒ overseas territory or dependency, □ first-order administrative area, △ national park, ⌓ other park (provincial park, nature reserve or game reserve), ❂ Australian Aborginal land, ✈ (LHR) principal airport (and location identifier).

HOW TO PRONOUNCE PLACE NAMES

English-speaking people usually have no difficulty in reading and pronouncing correctly English place names. However, foreign place name pronunciations may present many problems. Such problems can be minimized by following some simple rules. However, these rules cannot be applied to all situations, and there will be many exceptions.

1. In general, stress each syllable equally, unless your experience suggests otherwise.
2. Pronounce the letter 'a' as a broad 'a' as in 'arm'.
3. Pronounce the letter 'e' as a short 'e' as in 'elm'.
4. Pronounce the letter 'i' as a cross between a short 'i' and long 'e', as the two 'i's in 'California'.
5. Pronounce the letter 'o' as an intermediate 'o' as in 'soft'.
6. Pronounce the letter 'u' as an intermediate 'u' as in 'sure'.
7. Pronounce consonants hard, except in the Romance-language areas where 'g's are likely to be pronounced softly like 'j' in 'jam'; 'j' itself may be pronounced as 'y'; and 'x's may be pronounced as 'h'.
8. For names in mainland China, pronounce 'q' like the 'ch' in 'chin', 'x' like the 'sh' in 'she', 'zh' like the 'j' in 'jam', and 'z' as if it were spelled 'dz'. In general, pronounce 'a' as in 'father', 'e' as in 'but', 'i' as in 'keep', 'o' as in 'or', and 'u' as in 'rule'.

Moreover, English has no diacritical marks (accent and pronunciation signs), although some languages do. The following is a brief and general guide to the pronunciation of those most frequently used in the principal Western European languages.

		Pronunciation as in
French	é	day and shows that the 'e' is to be pronounced; e.g. Orléans.
	è	mare
	î	used over any vowel and does not affect pronunciation; shows contraction of the name, usually omission of 's' following a vowel.
	ç	's' before 'a', 'o' and 'u'.
	ë, ï, ü	over 'e', 'i' and 'u' when they are used with another vowel and shows that each is to be pronounced.
German	ä	fate
	ö	fur
	ü	no English equivalent; like French 'tu'.
Italian	à, é	over vowels and indicates stress.
Portuguese	ã, õ	vowels pronounced nasally.
	ç	boss
	á	shows stress.
	ô	shows that a vowel has an 'i' or 'u' sound combined with it.
Spanish	ñ	canyon
	ü	pronounced as 'w' and separately from adjoining vowels.
	á	usually indicates that this is a stressed vowel.

ABBREVIATIONS

A.C.T. – Australian Capital Territory
A.R. – Autonomous Region
Afghan. – Afghanistan
Afr. – Africa
Ala. – Alabama
Alta. – Alberta
Amer. – America(n)
Ant. – Antilles
Arch. – Archipelago
Ariz. – Arizona
Ark. – Arkansas
Atl. Oc. – Atlantic Ocean
B. – Baie, Bahía, Bay, Bucht, Bugt
B.C. – British Columbia
Bangla. – Bangladesh
Barr. – Barrage
Bos.-H. – Bosnia-Herzegovina
C. – Cabo, Cap, Cape, Coast
C.A.R. – Central African Republic
C. Prov. – Cape Province
Calif. – California
Cat. – Catarata
Cent. – Central
Chan. – Channel
Colo. – Colorado
Conn. – Connecticut
Cord. – Cordillera
Cr. – Creek
Czech. – Czech Republic
D.C. – District of Columbia
Del. – Delaware
Dem. – Democratic
Dep. – Dependency
Des. – Desert
Dét. – Détroit
Dist. – District
Dj. – Djebel
Dom. Rep. – Dominican Republic
E. – East
El Salv. – El Salvador
Eq. Guin. – Equatorial Guinea
Est. – Estrecho
Falk. Is. – Falkland Is.
Fd. – Fjord
Fla. – Florida
Fr. – French
G. – Golfe, Golfo, Gulf, Guba, Gebel
Ga. – Georgia
Gt. – Great, Greater
Guinea-Biss. – Guinea-Bissau
H.K. – Hong Kong
H.P. – Himachal Pradesh
Hants. – Hampshire
Harb. – Harbor, Harbour
Hd. – Head
Hts. – Heights
I.(s). – Île, Ilha, Insel, Isla, Island, Isle
Ill. – Illinois
Ind. – Indiana
Ind. Oc. – Indian Ocean
Ivory C. – Ivory Coast
J. – Jabal, Jebel
Jaz. – Jazīrah
Junc. – Junction
K. – Kap, Kapp
Kans. – Kansas
Kep. – Kepulauan
Ky. – Kentucky
L. – Lac, Lacul, Lago, Lagoa, Lake, Limni, Loch, Lough
La. – Louisiana
Ld. – Land
Liech. – Liechtenstein
Lux. – Luxembourg
Mad. P. – Madhya Pradesh
Madag. – Madagascar
Man. – Manitoba
Mass. – Massachusetts
Md. – Maryland
Me. – Maine
Medit. S. – Mediterranean Sea
Mich. – Michigan
Minn. – Minnesota
Miss. – Mississippi
Mo. – Missouri
Mont. – Montana
Mozam. – Mozambique
Mt.(s) – Mont, Montaña, Mountain
Mte. – Monte
Mti. – Monti
N. – Nord, Norte, North, Northern, Nouveau, Nahal, Nahr
N.B. – New Brunswick
N.C. – North Carolina
N. Cal. – New Caledonia
N. Dak. – North Dakota
N.H. – New Hampshire
N.I. – North Island
N.J. – New Jersey
N. Mex. – New Mexico
N.S. – Nova Scotia
N.S.W. – New South Wales
N.W.T. – North West Territory
N.Y. – New York
N.Z. – New Zealand
Nac. – Nacional
Nat. – National
Nebr. – Nebraska
Neths. – Netherlands
Nev. – Nevada
Nfld & L.. – Newfoundland and Labrador
Nic. – Nicaragua
O. – Oued, Ouadi
Occ. – Occidentale
Okla. – Oklahoma
Ont. – Ontario
Or. – Orientale
Oreg. – Oregon
Os. – Ostrov
Oz. – Ozero
P. – Pass, Passo, Pasul, Pulau
P.E.I. – Prince Edward Island
Pa. – Pennsylvania
Pac. Oc. – Pacific Ocean
Papua N.G. – Papua New Guinea
Pass. – Passage
Peg. – Pegunungan
Pen. – Peninsula, Péninsule
Phil. – Philippines
Pk. – Peak
Plat. – Plateau
Prov. – Province, Provincial
Pt. – Point
Pta. – Ponta, Punta
Pte. – Pointe
Qué. – Québec
Queens. – Queensland
R. – Rio, River
R.I. – Rhode Island
Ra. – Range
Raj. – Rajasthan
Recr. – Recreational, Récréatif
Reg. – Region
Rep. – Republic
Res. – Reserve, Reservoir
Rhld-Pfz. – Rheinland-Pfalz
S. – South, Southern, Sur
Si. Arabia – Saudi Arabia
S.C. – South Carolina
S. Dak. – South Dakota
S.I. – South Island
S. Leone – Sierra Leone
Sa. – Serra, Sierra
Sask. – Saskatchewan
Scot. – Scotland
Sd. – Sound
Sev. – Severnaya
Sib. – Siberia
Sprs. – Springs
St. – Saint
Sta. – Santa
Ste. – Sainte
Sto. – Santo
Str. – Strait, Stretto
Switz. – Switzerland
Tas. – Tasmania
Tenn. – Tennessee
Terr. – Territory, Territoire
Tex. – Texas
Tg. – Tanjung
Trin. & Tob. – Trinidad & Tobago
U.A.E. – United Arab Emirates
U.K. – United Kingdom
U.S.A. – United States of America
Univ. – University, Université, Universidad
Ut. P. – Uttar Pradesh
Va. – Virginia
Vdkhr. – Vodokhranilishche
Vdskh. – Vodoskhovyshche
Vf. – Vîrful
Vic. – Victoria
Vol. – Volcano
Vt. – Vermont
W. – Wadi, West
W. Va. – West Virginia
Wall. & F. Is. – Wallis and Futuna Is.
Wash. – Washington
Wis. – Wisconsin
Wlkp. – Wielkopolski
Wyo. – Wyoming
Yorks. – Yorkshire

A

A Baiuca Spain 43°19N 8°29W 88 B2
A Baña = San Vicenzo Spain 42°58N 8°46W 88 C2
A Cañiza Spain 42°13N 8°16W 88 C2
A Carballa Spain 43°13N 8°54W 88 B2
A Carreira Spain 43°21N 8°12W 88 B2
A Coruña Spain 43°20N 8°25W 88 B2
A Coruña □ Spain 43°10N 8°30W 88 B2
A Cruz do Incio Spain 42°39N 7°21W 88 C3
A Estrada Spain 42°43N 8°27W 88 C2
A Feira do Monte Spain 43°12N 7°34W 88 B3
A Fonsagrada Spain 43°8N 7°4W 88 B3
A Guarda Spain 41°56N 8°52W 88 D2
A Gudiña Spain 42°4N 7°8W 88 C3
A Pobre Spain 42°58N 7°3W 88 C3
A Ramallosa Spain 42°45N 8°30W 88 C2
A Rúa Spain 42°24N 7°6W 88 C3
A Serra de Outes Spain 42°52N 8°55W 88 C2
A Shau Vietnam 16°6N 107°22E 120 D6
Aabenraa Denmark 55°3N 9°25E 63 J3
Aabybro Denmark 57°10N 9°44E 63 G3
Aachen Germany 50°45N 6°6E 76 E2
Aalborg Denmark 57°2N 9°54E 63 G3
Aalborg Bugt Denmark 56°50N 10°35E 63 H4
Aalen Germany 48°51N 10°6E 77 G6
Aalestrup Denmark 56°42N 9°29E 63 H3
Aalst Belgium 50°56N 4°2E 69 D4
Aalten Neths. 51°56N 6°35E 69 C6
Aalter Belgium 51°5N 3°28E 69 C3
Äänekoski Finland 62°36N 25°44E 60 E21
Aarau Switz. 47°23N 8°4E 77 H4
Aarberg Switz. 47°2N 7°16E 77 H3
Aare → Switz. 47°33N 8°14E 77 H4
Aargau □ Switz. 47°26N 8°10E 77 H4
Aarhus Denmark 56°8N 10°11E 63 H4
Aars Denmark 56°48N 9°30E 63 H3
Aarschot Belgium 50°59N 4°49E 69 D4
Aasiaat Greenland 68°43N 52°56W 57 D5
Aba China 32°59N 101°42E 116 A3
Aba Dem. Rep. of the Congo 3°58N 30°17E 142 B3
Aba Nigeria 5°10N 7°19E 139 D6
Abaco I. Bahamas 26°25N 77°10W 182 A4
Abadab, J. Sudan 18°54N 35°56E 137 D4
Ābādān Iran 30°22N 48°20E 129 D6
Ābādeh Iran 31°8N 52°40E 129 D7
Abadín Spain 43°21N 7°29W 88 B3
Abadla Algeria 31°2N 2°45W 136 B3
Abaeté Brazil 19°9S 45°27W 189 D1
Abaeté → Brazil 18°2S 45°12W 189 D1
Abaetetuba Brazil 1°40S 48°50W 187 D9
Abagnar Qi = Xilinhot China 43°52N 116°2E 114 C9
Abah, Tanjung Indonesia 8°46S 115°38E 119 K18
Abai Paraguay 25°58S 55°54W 191 B4
Abakaliki Nigeria 6°22N 8°2E 139 D6
Abakan Russia 53°40N 91°10E 109 B12
Abala Niger 14°56N 3°22E 139 C5
Abalak Niger 15°22N 6°21E 139 B6
Abalemma Niger 16°12N 7°50E 139 B6
Abana Turkey 41°59N 34°1E 104 B6
Abancay Peru 13°35S 72°55W 188 C3
Abang, Gunung Indonesia 8°16S 115°25E 119 J18
Abano Terme Italy 45°22N 11°46E 93 C8
Abarán Spain 38°12N 1°23W 91 G3
Abariringa Kiribati 2°50S 171°40W 156 H10
Abarqū Iran 31°10N 53°20E 129 D7
Abasha Georgia 42°11N 42°13E 87 J6
Abashiri Japan 44°0N 144°15E 112 B12
Abashiri-Wan Japan 44°0N 144°30E 112 C12
Abaújszántó Hungary 48°16N 21°12E 80 B6
Abava → Latvia 57°6N 21°54E 82 A8
Ābay = Nîl el Azraq → Sudan 15°38N 32°31E 135 E12
Abay Kazakhstan 49°38N 72°53E 109 C8
Abaya, L. Ethiopia 6°30N 37°50E 131 F2
Abaza Russia 52°39N 90°6E 109 B12
Abbadia di Fiastra ⌓ Italy 43°12N 13°24E 93 E10
Abbadia San Salvatore Italy 42°53N 11°41E 93 F8
'Abbāsābād Iran 33°34N 58°23E 129 C8
Abbay = Nîl el Azraq → Sudan 15°38N 32°31E 135 E12
Abbaye, Pt. U.S.A. 46°58N 88°8W 172 B9
Abbé, L. Ethiopia 11°8N 41°47E 131 E3
Abbeville France 50°6N 1°49E 71 B8
Abbeville Ala., U.S.A. 31°34N 85°15W 178 D4
Abbeville Ga., U.S.A. 31°59N 83°18W 178 D6
Abbeville La., U.S.A. 29°58N 92°8W 176 G8
Abbeville S.C., U.S.A. 34°11N 82°23W 178 A7
Abbeyfeale Ireland 52°23N 9°18W 64 D2
Abbeyleix Ireland 52°54N 7°22W 64 D4
Abbiategrasso Italy 45°24N 8°54E 92 C5
Abbot Ice Shelf Antarctica 73°0S 92°0W 55 D16
Abbotsford Canada 49°5N 122°20W 162 D4
Abbottabad Pakistan 34°10N 73°15E 124 B5
Abbou, O. ben → Algeria 28°32N 5°14E 136 C5
ABC Islands W. Indies 12°15N 69°0W 183 D6
Abd al Kūrī Yemen 12°5N 52°20E 131 E5
Ābdānān Iran 32°56N 47°28E 105 F12
Ābdar Iran 30°16N 55°19E 129 D7
'Abdolābād Iran 34°12N 56°30E 129 C8
Abdulino Russia 53°42N 53°40E 108 B4
Abdulpur Bangla. 24°15N 88°59E 125 G13
Abéché Chad 13°50N 20°35E 135 F10
Abejar Spain 41°48N 2°47W 90 D2
Abel Tasman △ N.Z. 40°59S 173°3E 155 A8
Abengourou Ivory C. 6°42N 3°27W 138 D4
Abenójar Spain 38°53N 4°21W 89 G6
Åbenrå = Aabenraa Denmark 55°3N 9°25E 63 J3
Abensberg Germany 48°48N 11°51E 77 G7
Abeokuta Nigeria 7°3N 3°19E 139 D5
Aberaeron U.K. 52°15N 4°15W 67 E3
Aberayron = Aberaeron U.K. 52°15N 4°15W 67 E3
Aberchirder U.K. 57°34N 2°37W 65 D6
Abercorn Australia 25°12S 151°5E 151 D5
Abercrombie River △ Australia 34°5S 149°40E 153 C8
Aberdare U.K. 51°43N 3°27W 67 F4
Aberdare △ Kenya 0°22S 36°44E 142 C4
Aberdare Ra. Kenya 0°15S 36°50E 142 C4
Aberdaugleddau = Milford Haven U.K. 51°42N 5°7W 67 F2
Aberdeen Australia 32°9S 150°56E 153 B9
Aberdeen Canada 52°20N 106°8W 163 C7
Aberdeen China 22°14N 114°8E 111 a
Aberdeen S. Africa 32°28S 24°2E 144 D3
Aberdeen U.K. 57°9N 2°5W 65 D6
Aberdeen Idaho, U.S.A. 42°57N 112°50W 168 E7
Aberdeen Md., U.S.A. 39°31N 76°10W 173 F15
Aberdeen Miss., U.S.A. 33°49N 88°33W 177 E10
Aberdeen S. Dak., U.S.A. 45°28N 98°29W 172 C4
Aberdeen Wash., U.S.A. 46°59N 123°50W 170 D3
Aberdeen City □ U.K. 57°10N 2°10W 65 D6
Aberdeen L. Canada 64°30N 99°0W 160 E12
Aberdeenshire □ U.K. 57°17N 2°36W 65 D6
Aberdovey = Aberdyfi U.K. 52°33N 4°3W 67 E3
Aberdyfi U.K. 52°33N 4°3W 67 E3
Aberfeldy U.K. 56°37N 3°51W 65 E5
Aberfoyle U.K. 56°11N 4°23W 65 E4
Abergavenny U.K. 51°49N 3°1W 67 F4
Abergele U.K. 53°17N 3°35W 66 D4
Abergwaun = Fishguard U.K. 52°0N 4°58W 67 E3
Aberhonddu = Brecon U.K. 51°57N 3°23W 67 F4
Abermaw = Barmouth U.K. 52°44N 4°4W 66 E3
Abernathy U.S.A. 33°50N 101°51W 176 E4
Aberpennar = Mountain Ash U.K. 51°40N 3°23W 67 F4
Abert, L. U.S.A. 42°38N 120°14W 168 E3
Abertawe = Swansea U.K. 51°37N 3°57W 67 F4
Aberteifi = Cardigan U.K. 52°5N 4°40W 67 E3
Aberystwyth U.K. 52°25N 4°5W 67 E3
Abhā Si. Arabia 18°0N 42°34E 137 D5
Abhar Iran 36°9N 49°13E 105 D13
Abhayapuri India 26°24N 90°38E 125 F14
Abia □ Nigeria 5°30N 7°35E 139 D6
Abide Turkey 38°55N 29°20E 99 C11
Abidiya Sudan 18°18N 34°3E 137 D3
Abidjan Ivory C. 5°26N 3°58W 138 D4
Abidjan □ Ivory C. 5°20N 4°0W 138 D4
Abilene Kans., U.S.A. 38°55N 97°13W 172 F5
Abilene Tex., U.S.A. 32°28N 99°43W 176 E5
Abingdon U.S.A. 36°43N 81°59W 173 G13
Abingdon-on-Thames U.K. 51°40N 1°17W 67 F6
Abington Reef Australia 18°0S 149°35E 150 B4
Abiod, Remel el Tunisia 31°45N 9°35E 136 B5
Abisko △ Sweden 68°18N 18°44E 60 B18
Abitau → Canada 59°53N 109°3W 163 B7
Abitibi → Canada 51°3N 80°55W 164 B3
Abitibi, L. Canada 48°40N 79°40W 164 C4
Abkhaz Republic = Abkhazia □ Georgia 43°12N 41°5E 87 J5
Abkhazia □ Georgia 43°12N 41°5E 87 J5
Abminga Australia 26°8S 134°51E 151 D1
Abnûb Egypt 27°18N 31°4E 137 B3
Åbo = Turku Finland 60°30N 22°19E 84 B2
Abohar India 30°10N 74°10E 124 D6
Aboisso Ivory C. 5°30N 3°5W 138 D4
Abomey Benin 7°10N 2°5E 139 D5
Abong-Mbang Cameroon 4°0N 13°8E 140 D2
Abonnema Nigeria 4°41N 6°49E 139 E6
Abony Hungary 47°12N 20°3E 80 C5
Aboso Ghana 5°23N 1°57W 138 D4
Abou-Deïa Chad 11°20N 19°20E 135 F9
Abovyan Armenia 40°16N 44°37E 87 K7
Aboyne U.K. 57°4N 2°47W 65 D6
Abra Pampa Argentina 22°43S 65°42W 190 A2
Abraham L. Canada 52°15N 116°35W 162 C5
Abrantes Portugal 39°24N 8°7W 89 F2
Abreojos, Pta. Mexico 26°50N 113°40W 180 B2
Abri Sudan 20°50N 30°27E 137 C3
Abrolhos, Banco dos Brazil 18°0S 38°0W 189 D3
Abrud Romania 46°19N 23°5E 80 D8
Abruzzo □ Italy 42°15N 14°0E 93 F10
Absaroka Range U.S.A. 44°45N 109°50W 168 D9
Abşeron Yarımadası Azerbaijan 40°28N 49°57E 87 K9
Abtenau Austria 47°33N 13°21E 78 D6
Abu India 24°41N 72°50E 124 G5
Abū al Abyad U.A.E. 24°11N 53°50E 129 E7
Abū al Khaşīb Iraq 30°25N 48°0E 128 D5
Abū 'Alī Si. Arabia 27°20N 49°27E 129 E6
Abū 'Alī → Lebanon 34°25N 35°50E 130 A4
Abu Ballas Egypt 24°26N 27°36E 137 C2
Abu Dhabi = Abū Z̧āby U.A.E. 24°28N 54°22E 129 E7
Abu Dis Sudan 19°12N 33°38E 137 D3
Abū Du'ān Syria 36°25N 38°15E 105 D8
Abu el Gaīn, W. → Egypt 29°35N 33°30E 130 F2
Abu Fatma, Ras Sudan 22°25N 36°25E 137 C4
Abu Ga'da, W. → Egypt 29°15N 32°53E 130 F1
Abū Ḩadrīyah Si. Arabia 27°20N 48°58E 129 E6
Abu Hamed Sudan 19°32N 33°13E 137 D3
Abu Haraz Sudan 19°8N 32°18E 137 D3
Abū Kamāl Syria 34°30N 41°0E 105 E9
Abu Kebîr Egypt 30°43N 31°40E 137 E7
Abū Madd, Ra's Si. Arabia 24°50N 37°7E 128 E3
Abu Mena = Abu Mina Egypt 30°51N 29°40E 137 E6
Abu Mina Egypt 30°51N 29°40E 137 E6
Abū Mūsā U.A.E. 25°52N 55°3E 129 E7
Abū Qaşr Si. Arabia 30°21N 38°34E 128 D3
Abu Qireiya Egypt 24°5N 35°28E 137 C4
Abu Qurqâs Egypt 28°1N 30°44E 137 F7
Abu Shagara, Ras Sudan 21°4N 37°19E 137 C4
Abu Simbel Egypt 22°18N 31°40E 137 C3
Abu Soma, Râs Egypt 26°51N 33°58E 137 B3
Abū Şukhayr Iraq 31°54N 44°30E 105 G11
Abu Sultân Egypt 30°24N 32°21E 137 E8
Abu Tig Egypt 27°4N 31°15E 137 B3
Abu Zabad Sudan 12°25N 29°10E 135 F11
Abū Z̧āby U.A.E. 24°28N 54°22E 129 E7
Abū Zeydābād Iran 33°54N 51°45E 129 C6
Abuja Nigeria 9°5N 7°32E 139 D6
Abukuma-Gawa → Japan 38°6N 140°52E 112 E10
Abukuma-Sammyaku Japan 37°30N 140°45E 112 F10
Abunã Brazil 9°40S 65°20W 186 E5
Abunã → Brazil 9°41S 65°20W 186 E5
Aburo Dem. Rep. of the Congo 2°4N 30°53E 142 B3
Abut Hd. N.Z. 43°7S 170°15E 155 D5
Åby Sweden 58°40N 16°10E 63 F10
Aby, Lagune Ivory C. 5°15N 3°14W 138 D4
Abyei ▨ Sudan 9°30N 28°30E 135 G11
Ābyek Iran 36°4N 50°33E 129 B6
Academy Gletscher Greenland 82°2N 34°0W 57 A7
Acadia △ U.S.A. 44°20N 68°13W 173 C19
Açailândia Brazil 4°57S 47°30W 189 A1
Acajutla El Salv. 13°36N 89°50W 182 D2
Acámbaro Mexico 20°2N 100°44W 180 D4
Acanthus Greece 40°27N 23°47E 96 F7
Acaponeta Mexico 22°30N 105°22W 180 C3
Acapulco Mexico 16°51N 99°55W 181 D5
Acapulco Trench Pac. Oc. 12°0N 88°0W 180 D4
Acaraí, Serra Brazil 1°50N 57°50W 186 C7
Acarai Mts. = Acaraí, Serra Brazil 1°50N 57°50W 186 C7
Acaraú Brazil 2°53S 40°7W 189 A2
Acari Brazil 6°31S 36°38W 189 B3
Acarí Peru 15°25S 74°36W 188 D3
Acarigua Venezuela 9°33N 69°12W 186 B5
Acatlán Mexico 18°12N 98°3W 181 D5
Acayucán Mexico 17°57N 94°55W 181 D6
Accéglio Italy 44°28N 7°0E 92 D4
Accomac U.S.A. 37°43N 75°40W 173 G16
Accous France 43°0N 0°36W 72 E3
Accra Ghana 5°35N 0°6W 139 D4
Accrington U.K. 53°45N 2°22W 66 D5
Acebal Argentina 33°20S 60°50W 190 C3
Aceh □ Indonesia 4°15N 97°30E 118 D1
Acerra Italy 40°57N 14°22E 95 B7
Aceuchal Spain 38°39N 6°30W 89 G4
Achacachi Bolivia 16°3S 68°43W 188 D4
Achaia Greece 38°5N 21°45E 98 C3
Achalpur India 21°22N 77°32E 126 D3
Achao Chile 42°28S 73°30W 192 B2
Acharnes Greece 38°5N 23°44E 98 C5
Acheloos → Greece 38°19N 21°7E 98 C3
Acheng China 45°30N 126°58E 115 B14
Achenkirch Austria 47°32N 11°45E 78 D4
Achensee Austria 47°26N 11°45E 78 D4
Achentrias Greece 34°59N 25°13E 99 G7
Acher India 23°10N 72°32E 124 H5
Achern Germany 48°37N 8°4E 77 G4
Acheron → N.Z. 42°16S 173°4E 155 C8
Achill Hd. Ireland 53°58N 10°15W 64 C1
Achill I. Ireland 53°58N 10°1W 64 C1
Achim Germany 53°1N 9°3E 76 B5
Achinsk Russia 56°20N 90°20E 107 D10
Achladokambos Greece 37°31N 22°35E 98 D4
Acıgöl Turkey 37°50N 29°50E 99 D11
Acıpayam Turkey 37°26N 29°22E 99 D11
Acireale Italy 37°37N 15°10E 95 E8
Ackerman U.S.A. 33°19N 89°11W 177 E10
Acklins I. Bahamas 22°30N 74°0W 183 B5
Acme Canada 51°33N 113°30W 162 C6
Acme U.S.A. 40°8N 79°26W 174 F5
Acobamba Peru 12°52S 74°35W 188 C3
Acomayo Peru 13°55S 71°38W 188 C3
Aconcagua, Cerro Argentina 32°39S 70°0W 190 C2
Aconquija, Mt. Argentina 27°0S 66°0W 190 B2
Acopiara Brazil 6°6S 39°27W 189 B3
Açores, Is. dos Atl. Oc. 38°0N 27°0W 134 a
Acornhoek S. Africa 24°37S 31°2E 145 B5
Acquapendente Italy 42°44N 11°52E 93 F8
Acquasanta Terme Italy 42°46N 13°24E 93 F10
Acquasparta Italy 42°41N 12°33E 93 F9
Acquaviva delle Fonti Italy 40°54N 16°50E 95 B9
Ácqui Terme Italy 44°41N 8°28E 92 D5
Acraman, L. Australia 32°2S 135°23E 151 E2
Acre = 'Akko Israel 32°55N 35°4E 130 C4
Acre □ Brazil 9°1S 71°0W 188 B3
Acre → Brazil 8°45S 67°22W 188 B4
Acri Italy 39°29N 16°23E 95 C9
Acs Hungary 47°42N 18°2E 80 C3
Actinolite Canada 44°32N 77°19W 174 B7
Actium Greece 38°57N 20°45E 98 C2
Acton Canada 43°38N 80°3W 174 C4
Açu Brazil 5°34S 36°54W 189 B3
Acworth U.S.A. 34°4N 84°41W 178 A5
Ad Dafinah Si. Arabia 23°18N 41°58E 137 C5
Ad Daghghāran Iraq 32°8N 44°55E 105 G11
Ad Dahnā Si. Arabia 24°30N 48°10E 131 C4
Ad Dammām Si. Arabia 26°20N 50°5E 129 E6
Ad Dāmūr Lebanon 33°43N 35°27E 130 B4
Ad Dawādimī Si. Arabia 24°35N 44°15E 128 E5
Ad Dawḩah Qatar 25°15N 51°35E 129 E6
Ad Dawr Iraq 34°27N 43°47E 105 E10
Ad Dhakhīrah Qatar 25°44N 51°33E 129 E6
Ad Dir'īyah Si. Arabia 24°44N 46°35E 128 E5
Ad Dīwānīyah Iraq 32°0N 45°0E 105 F11
Ad Dujayl Iraq 33°51N 44°14E 105 F11
Ad Duwayd Si. Arabia 30°15N 42°17E 128 D4
Ada Ghana 5°44N 0°40E 139 D5
Ada Serbia 45°49N 20°9E 80 E5
Ada Minn., U.S.A. 47°18N 96°31W 172 B5
Ada Okla., U.S.A. 34°46N 96°41W 176 D6
Adabiya Egypt 29°53N 32°28E 130 F1
Adair, C. Canada 71°30N 71°34W 161 C17
Adaja → Spain 41°32N 4°52W 88 D6
Adak U.S.A. 51°45N 176°45W 166 E4
Adak I. U.S.A. 51°45N 176°45W 166 E4
Adam, Mt. Falk. Is. 51°34S 60°4W 192 D4
Adama = Nazret Ethiopia 8°32N 39°22E 131 F2
Adamaoua □ Cameroon 6°30N 13°30E 139 D7
Adamaoua, Massif de l' Cameroon 7°20N 12°20E 139 D7
Adamawa □ Nigeria 9°20N 12°30E 139 D7
Adamawa Highlands = Adamaoua, Massif de l' Cameroon 7°20N 12°20E 139 D7
Adamello, Mte. Italy 46°9N 10°30E 92 B7
Adamello ⌓ Italy 46°4N 10°28E 92 B7
Adaminaby Australia 36°0S 148°45E 153 D8
Adams Mass., U.S.A. 42°38N 73°7W 175 D11
Adams N.Y., U.S.A. 43°49N 76°1W 175 C8
Adams Wis., U.S.A. 43°57N 89°49W 172 D9
Adams, Mt. U.S.A. 46°12N 121°30W 170 D5
Adam's Bridge Sri Lanka 9°15N 79°40E 127 K4
Adams L. Canada 51°10N 119°40W 162 C5
Adam's Peak Sri Lanka 6°48N 80°30E 127 L5
Adamuz Spain 38°2N 4°32W 89 G6
'Adan Yemen 12°45N 45°0E 131 E4
Adana Turkey 37°0N 35°16E 104 D6
Adana □ Turkey 37°0N 35°30E 104 D6
Adanero Spain 40°56N 4°36W 88 E6
Adang, Ko Thailand 6°33N 99°18E 121 J2
Adapazarı = Sakarya Turkey 40°48N 30°25E 104 B4
Adar Gwagwa, J. Sudan 22°15N 35°20E 137 C4
Adarama Sudan 17°10N 34°52E 135 E12
Adare Ireland 52°34N 8°47W 64 D3
Adare, C. Antarctica 71°0S 171°0E 55 D11
Adaut Indonesia 8°8S 131°7E 119 F8
Adavale Australia 25°52S 144°32E 151 D3
Adda → Italy 45°8N 9°53E 92 C6
Addatigala India 17°31N 82°3E 126 F6
Addis Ababa = Addis Abeba Ethiopia 9°2N 38°42E 131 F2
Addis Abeba Ethiopia 9°2N 38°42E 131 F2
Addison U.S.A. 42°1N 77°14W 174 D7
Addo S. Africa 33°32S 25°45E 144 D4
Addo △ S. Africa 33°30S 25°50E 144 D4
Adebour Niger 13°17N 11°50E 139 C7
Ādeh Iran 37°42N 45°11E 128 B5
Adel U.S.A. 31°8N 83°25W 178 D6
Adel Bagrou Mauritania 15°29N 6°57W 138 B3
Adelaide Australia 34°52S 138°30E 152 C3
Adelaide S. Africa 32°42S 26°20E 144 D4
Adelaide I. Antarctica 67°15S 68°30W 55 C17
Adelaide Pen. Canada 68°15N 97°30W 160 D12
Adelaide River Australia 13°15S 131°7E 148 B5
Adelaide Village Bahamas 25°0N 77°31W 182 A4
Adelanto U.S.A. 34°35N 117°22W 171 L9
Adele I. Australia 15°32S 123°9E 148 C3
Adélie, Terre Antarctica 68°0S 140°0E 55 C10
Adelie Land = Adélie, Terre Antarctica 68°0S 140°0E 55 C10
Adelong Australia 35°16S 148°4E 153 C8
Adelsk Belarus 53°24N 23°47E 82 E10
Adelunga Toghi Uzbekistan 42°7N 70°58E 109 D8
Ademuz Spain 40°5N 1°13W 90 E3
Aden = 'Adan Yemen 12°45N 45°0E 131 E4
Aden, G. of Ind. Oc. 12°30N 47°30E 131 E4
Adendorp S. Africa 32°15S 24°30E 144 D3
Aderbissinat Niger 15°34N 7°54E 139 B6
Adh Dhayd U.A.E. 25°17N 55°53E 129 E7
Adhoi India 23°26N 70°32E 124 H4
Adi Indonesia 4°15S 133°30E 119 E8
Adieu, C. Australia 32°0S 132°10E 149 F5
Adieu Pt. Australia 15°14S 124°35E 148 C3
Adige → Italy 45°9N 12°20E 93 C9
Adigrat Ethiopia 14°20N 39°26E 131 E2
Adıgüzel Barajı Turkey 38°13N 29°14E 99 C11
Adilabad India 19°33N 78°20E 126 E4
Adilcevaz Turkey 38°47N 42°43E 105 C10
Adirondack ⌓ U.S.A. 44°0N 74°20W 175 C10
Adirondack Mts. U.S.A. 44°0N 74°0W 175 C10
Adis Abeba = Addis Abeba Ethiopia 9°2N 38°42E 131 F2
Adıyaman Turkey 37°45N 38°16E 105 D8
Adıyaman □ Turkey 37°30N 38°10E 105 D8
Adjim Tunisia 33°47N 10°50E 136 B6
Adjohon Benin 6°41N 2°32E 139 D5
Adjud Romania 46°7N 27°10E 81 D12
Adjumani Uganda 3°20N 31°50E 142 B3
Adjuntas Puerto Rico 18°10N 66°43W 183 d
Adlavik Is. Canada 55°0N 58°40W 165 B8
Adler Russia 43°28N 39°52E 87 J4
Admer Algeria 20°21N 5°27E 139 A6
Admer, Erg d' Algeria 24°0N 9°5E 136 D5
Admiralty G. Australia 14°20S 125°55E 148 B4
Admiralty Gulf ☼ Australia 14°16S 125°52E 148 B4
Admiralty I. U.S.A. 57°30N 134°30W 162 B2
Admiralty Inlet Canada 72°30N 86°0W 161 C14
Admiralty Is. Papua N. G. 2°0S 147°0E 147 B7
Adnan Menderes, İzmir ✈ (ADB) Turkey 38°23N 27°6E 99 C9
Ado Nigeria 6°36N 2°56E 139 D5
Ado-Ekiti Nigeria 7°38N 5°12E 139 D6
Adolfo González Chaves Argentina 38°2S 60°5W 190 D3
Adolfo Ruiz Cortines, Presa Mexico 27°15N 109°6W 180 B3
Adonara Indonesia 8°15S 123°5E 119 F6
Adoni India 15°33N 77°18E 127 G3
Adony Hungary 47°6N 18°52E 80 C3
Adour → France 43°32N 1°32W 72 E2
Adra India 23°30N 86°42E 125 H12
Adra Spain 36°43N 3°3W 89 J7
Adrano Italy 37°40N 14°50E 95 E7
Adrar Algeria 27°51N 0°19W 136 C3
Adrar Mauritania 20°30N 7°30W 134 D3
Adrar □ Algeria 25°45N 1°0E 136 C4
Adrar □ Mauritania 20°10N 10°0W 138 A3
Adrar des Iforas Africa 19°40N 1°40E 139 B5
Ádria Italy 45°3N 12°3E 93 C9
Adrian Ga., U.S.A. 32°33N 82°35W 178 C7
Adrian Mich., U.S.A. 41°54N 84°2W 173 E11
Adrian Tex., U.S.A. 35°16N 102°40W 176 D3
Adriatic Sea Medit. S. 43°0N 16°0E 58 G9
Adua Indonesia 1°45S 129°50E 119 E7
Adur India 9°8N 76°40E 127 K3
Adwa Ethiopia 14°15N 38°52E 131 E2
Adygea □ Russia 45°0N 40°0E 87 H5
Adzhar Republic = Ajaria □ Georgia 41°30N 42°0E 87 K6
Adzopé Ivory C. 6°7N 3°49W 138 D4
Aegae = Aigai Greece 40°28N 22°19E 96 F6
Ægean Sea Medit. S. 38°30N 25°0E 99 C7
Aerhtai Shan Mongolia 46°40N 92°45E 109 C12
Ærø Denmark 54°52N 10°25E 63 K4
Ærøskøbing Denmark 54°53N 10°24E 63 K4
Aetdia-Akarnania = Etoloakarnania Greece 38°45N 21°18E 98 C3
Aetos Greece 37°15N 21°50E 98 D3
Afaahiti Tahiti 17°45S 149°17W 155 b
'Afak Iraq 32°4N 45°15E 105 F11
Afandou Greece 36°18N 28°12E 101 C10
Afarag, Erg Algeria 23°50N 2°47E 136 D4
Afghanistan ■ Asia 33°0N 65°0E 122 C4
Afikpo Nigeria 5°53N 7°54E 139 D6
Aflisses, O. → Algeria 28°40N 0°50E 136 C4
Aflou Algeria 34°7N 2°3E 136 B4
Afogados da Ingàzeira Brazil 7°45S 37°39W 189 B3
Afognak I. U.S.A. 58°15N 152°30W 166 D9
Afragóla Italy 40°55N 14°18E 95 B7
Afram → Ghana 7°0N 0°52W 139 D4
Africa 10°0N 20°0E 132 E6
'Afrīn Syria 36°32N 36°50E 104 D7
Afşin Turkey 38°14N 36°55E 104 C7
Afton N.Y., U.S.A. 42°14N 75°32W 175 D9
Afton Wyo., U.S.A. 42°44N 110°56W 168 E8
Afuá Brazil 0°15S 50°20W 187 D8
'Afula Israel 32°37N 35°17E 130 C4
Afyon Turkey 38°45N 30°33E 99 C12
Afyon □ Turkey 38°25N 30°30E 99 C12
Afyonkarahisar = Afyon Turkey 38°45N 30°33E 99 C12
Aga Egypt 30°55N 31°10E 137 E7
Āgā Jarī Iran 30°42N 49°50E 129 D6
Agadés = Agadez Niger 16°58N 7°59E 139 B6
Agadez Niger 16°58N 7°59E 139 B6
Agadir Morocco 30°28N 9°55W 136 B2
Agaete Canary Is. 28°6N 15°43W 100 F4
Agaie Nigeria 9°1N 6°18E 139 D6
Agalega Is. Mauritius 11°0S 57°0E 146 F4
Ağapınar Turkey 39°48N 30°47E 99 B12
Agar India 23°40N 76°2E 124 H7
Agar → India 21°0N 82°57E 126 D6
Agartala India 23°50N 91°23E 123 H17
Agăş Romania 46°28N 26°15E 81 D11
Agassiz Canada 49°14N 121°46W 162 D4
Agassiz Icecap Canada 80°15N 76°0W 161 A16
Agats Indonesia 5°33S 138°0E 119 F9
Agatti I. India 10°50N 72°12E 127 J1
Agattu I. U.S.A. 52°25N 173°35E 166 E2
Agawam U.S.A. 42°5N 72°37W 175 D12
Agbélouvé Togo 6°35N 1°14E 139 D5
Agboville Ivory C. 5°55N 4°15W 138 D4
Ağcabädi Azerbaijan 40°5N 47°27E 87 K8
Ağdam Azerbaijan 40°0N 46°58E 87 K8
Ağdara Azerbaijan 40°13N 46°49E 87 K8
Ağdaş Azerbaijan 40°44N 47°22E 87 K8
Agde France 43°19N 3°28E 72 E7
Agde, C. d' France 43°16N 3°28E 72 E7
Agdz Morocco 30°47N 6°30W 136 B2
Agdzhabedi = Ağcabädi Azerbaijan 40°5N 47°27E 87 K8
Agen France 44°12N 0°38E 72 D4
Agerbæk Denmark 55°36N 8°48E 63 J2
Agersø Denmark 55°13N 11°12E 63 J5
Ageyevo Russia 54°10N 36°27E 84 E9
Aggteleki △ Hungary 48°27N 20°36E 80 B5
Āgh Kand Iran 37°15N 48°4E 105 D13
Aghathonisi Greece 37°28N 27°0E 99 D8
Aghia Anna Greece 38°52N 23°24E 98 C5
Aghia Deka Greece 35°3N 24°58E 101 D6
Aghia Ekaterinis, Akra Greece 39°50N 19°50E 101 A3
Aghia Galini Greece 35°6N 24°41E 101 D6
Aghia Marina Kasos, Greece 35°27N 26°53E 99 F8
Aghia Marina Leros, Greece 37°11N 26°48E 99 D8
Aghia Paraskevi Greece 39°14N 26°21E 99 B8
Aghia Roumeli Greece 35°14N 23°58E 98 F5
Aghia Varvara Greece 35°8N 25°1E 101 D7
Aghiasos Greece 39°5N 26°23E 99 B8
Aghio Theodori Greece 37°55N 23°9E 98 D5
Aghion Oros □ Greece 40°25N 24°6E 97 F8
Aghios Andreas Greece 37°21N 22°45E 98 D4
Aghios Efstratios Greece 39°34N 24°58E 98 B6
Aghios Georgios Greece 37°28N 23°57E 98 D5
Aghios Ioannis, Akra Greece 35°20N 25°40E 101 D7
Aghios Isidoros Greece 36°9N 27°51E 101 C9
Aghios Kirikos Greece 37°34N 26°17E 99 D8
Aghios Matheos Greece 39°30N 19°47E 101 B3
Aghios Mironas Greece 35°15N 25°1E 99 F7
Aghios Nikolaos Greece 35°11N 25°41E 101 D7
Aghios Petros Greece 38°40N 20°36E 98 C2
Aghios Stephanos Greece 39°46N 19°39E 101 A3
Aghiou Orous, Kolpos Greece 40°6N 24°0E 96 F7
Aghireşu Romania 46°53N 23°15E 81 D8
Agia Greece 39°43N 22°45E 98 B4
Aginskoye Russia 51°6N 114°32E 107 D12
Agjert Mauritania 16°23N 9°17W 138 B3
Ağlasun Turkey 37°39N 30°31E 99 D12
Agly → France 42°46N 3°3E 72 F7
Agnew Australia 28°1S 120°31E 149 E3
Agnibilékrou Ivory C. 7°10N 3°11W 138 D4
Agnita Romania 45°59N 24°40E 81 E9
Agnone Italy 41°48N 14°22E 93 G11
Ago-Are Nigeria 8°30N 3°25E 139 D5
Agofie Ghana 8°27N 0°15E 139 D5
Agogna → Italy 45°4N 8°54E 92 C5
Agoitz = Aoiz Spain 42°46N 1°22W 90 C3
Agön Sweden 61°34N 17°23E 62 C11
Agon-Coutainville France 49°2N 1°34W 70 C5
Ágordo Italy 46°18N 12°2E 93 B9
Agori India 24°33N 82°57E 125 G10
Agouna Benin 7°39N 1°47E 139 D5
Agout → France 43°47N 1°41E 72 E5
Agra India 27°17N 77°58E 124 F7
Agrakhanskiuy Poluostrov Russia 43°42N 47°36E 87 J8
Agramunt Spain 41°48N 1°6E 90 D6
Ágreda Spain 41°51N 1°55W 90 D3
Ağri Turkey 39°44N 43°3E 105 C10
Ağri □ Turkey 39°45N 43°5E 105 C10
Agri → Italy 40°13N 16°44E 95 B9
Ağrı Dağı Turkey 39°50N 44°15E 105 C11
Ağri Karakose = Ağri Turkey 39°44N 43°3E 105 C10
Agria Greece 39°20N 23°1E 98 B5
Agrigento Italy 37°19N 13°34E 94 E6
Agrinio Greece 38°37N 21°27E 98 C3
Agrópoli Italy 40°21N 14°59E 95 B7
Ağstafa Azerbaijan 41°7N 45°27E 87 K7
Água Branca Brazil 5°50S 42°40W 189 B2
Agua Caliente Mexico 32°29N 116°59W 171 N10
Agua Caliente Springs U.S.A. 32°56N 116°19W 171 N10
Água Clara Brazil 20°25S 52°45W 187 H8
Agua Fria ⌓ U.S.A. 34°14N 112°0W 169 J8
Agua Hechicera Mexico 32°28N 116°15W 171 N10
Agua Prieta Mexico 31°18N 109°34W 180 A3
Aguada Cecilio Argentina 40°51S 65°51W 192 B3
Aguadilla Puerto Rico 18°26N 67°10W 183 d
Aguadulce Panama 8°15N 80°32W 182 E3
Aguanga U.S.A. 33°27N 116°51W 171 M10
Aguanish Canada 50°14N 62°2W 165 B7
Aguanish → Canada 50°13N 62°5W 165 B7
Aguapey → Argentina 29°7S 56°36W 190 B4
Aguaray Guazú → Paraguay 24°47S 57°19W 190 A4
Aguarico → Ecuador 0°59S 75°11W 186 D3
Aguaro-Guariquito △ Venezuela 8°20N 66°35W 183 E6
Aguas → Spain 41°20N 0°30W 90 D4
Aguas Blancas Chile 24°15S 69°55W 190 A2
Aguas Calientes, Sierra de Argentina 25°26S 66°40W 190 B2
Águas Formosas Brazil 17°5S 40°57W 189 D2
Águas Lindas de Goiás Brazil 15°46S 48°15W 189 D1
Aguascalientes Mexico 21°53N 102°18W 180 C4
Aguascalientes □ Mexico 22°0N 102°20W 180 C4
Agudo Spain 38°59N 4°52W 89 G6
Águeda Portugal 40°34N 8°27W 88 E2
Agueda → Spain 41°2N 6°56W 88 D4
Aguelhok Mali 19°29N 0°52E 139 B5
Aguié Niger 13°31N 7°46E 139 C6
Aguila, Punta Puerto Rico 17°57N 67°13W 183 d
Aguilafuente Spain 41°13N 4°7W 88 D6
Aguilar de Campóo Spain 42°47N 4°15W 88 C6
Aguilar de la Frontera Spain 37°31N 4°40W 89 H6
Aguilares Argentina 27°26S 65°35W 190 B2
Águilas Spain 37°23N 1°35W 91 H3
Agüimes Canary Is. 27°58N 15°27W 100 G4
Aguja, C. de la Colombia 11°18N 74°12W 184 B3
Agujereada, Pta. Puerto Rico 18°30N 67°8W 183 d
Agulhas, C. S. Africa 34°52S 20°0E 144 D3
Agulhas Ridge Atl. Oc. 42°0S 15°0E 56 L13
Agulo Canary Is. 28°11N 17°12W 100 F2
Agung, Gunung Indonesia 8°20S 115°28E 118 F5
Aguni-Jima Japan 26°30N 127°10E 113 L3
Agur Uganda 2°28N 32°55E 142 B3
Agusan → Phil. 9°0N 125°30E 119 C7
Ağva Turkey 41°8N 29°51E 97 E13
Agvali Russia 42°36N 46°8E 87 J8
Aha Mts. Botswana 19°45S 21°0E 144 A3
Ahaggar Algeria 23°0N 6°30E 136 D5
Ahaggar △ Algeria 23°0N 4°50E 136 D4
Ahai Dam China 27°21N 100°30E 116 D3
Ahal □ Turkmenistan 37°0N 57°0E 108 E5
Ahamansu Ghana 7°38N 0°35E 139 D5
Ahar Iran 38°35N 47°0E 105 C12
Ahat Turkey 38°39N 29°47E 99 C11
Ahaura → N.Z. 42°21S 171°34E 155 C6
Ahaus Germany 52°4N 7°0E 76 C2
Ahelledjem Algeria 26°37N 6°58E 136 C5
Ahimanawa Ra. N.Z. 39°3S 176°30E 154 F5
Ahipara B. N.Z. 35°5S 173°5E 154 B2
Ahir Dağı Turkey 38°45N 30°10E 99 C12
Ahiri India 19°30N 80°0E 126 E5
Ahlat Turkey 38°45N 42°29E 105 C10
Ahlen Germany 51°45N 7°53E 76 D3
Ahmad Wal Pakistan 29°18N 65°58E 124 E1
Ahmadabad India 23°0N 72°40E 124 H5
Aḩmadābād Khorāsān, Iran 35°3N 60°50E 129 C9
Aḩmadābād Khorāsān, Iran 35°49N 59°42E 129 C8
Aḩmadī Iran 27°56N 56°42E 129 E8
Ahmadnagar India 19°7N 74°46E 126 E2
Ahmadpur India 18°40N 76°57E 126 E3
Ahmadpur East Pakistan 29°12N 71°10E 124 E4
Ahmadpur Lamma Pakistan 28°19N 70°3E 124 E4
Ahmedabad = Ahmadabad India 23°0N 72°40E 124 H5
Ahmednagar = Ahmadnagar India 19°7N 74°46E 126 E2
Ahmetbey Turkey 41°26N 27°34E 97 E11
Ahmetler Turkey 38°28N 29°5E 99 C11
Ahmetli Turkey 38°32N 27°57E 99 C9
Ahoada Nigeria 5°8N 6°36E 139 D6
Ahome Mexico 25°55N 109°11W 180 B3
Ahoskie U.S.A. 36°17N 76°59W 177 C16
Ahr → Germany 50°32N 7°16E 76 E3
Ahram Iran 28°52N 51°16E 129 D6
Ahrax Pt. Malta 36°0N 14°22E 101 D1
Ahrensbök Germany 54°2N 10°35E 76 A6
Ahrensburg Germany 53°40N 10°13E 76 B6
Ahuachapán El Salv. 13°54N 89°52W 182 D2
Ahun France 46°4N 2°5E 71 F9
Ahuriri → N.Z. 44°31S 170°12E 155 E5
Åhus Sweden 55°56N 14°18E 63 J8
Ahvāz Iran 31°20N 48°40E 129 D6
Ahvenanmaa = Åland Finland 60°15N 20°0E 61 F19
Aḩwar Yemen 13°30N 46°40E 131 E4
Ahzar → Mali 15°30N 3°20E 139 B5
Ai → India 26°26N 90°44E 125 F14
Ai-Ais Namibia 27°54S 17°59E 144 C2
Ai-Ais and Fish River Canyon △ Namibia 24°45S 17°15E 144 B2
Aichach Germany 48°27N 11°8E 77 G7
Aichi □ Japan 35°0N 137°15E 113 G8
Aigai Greece 40°28N 22°19E 96 F6
Aigle Switz. 46°18N 6°58E 77 J2
Aignay-le-Duc France 47°40N 4°43E 71 E11
Aigoual, Mt. France 44°8N 3°35E 72 D7
Aigre France 45°54N 0°1E 72 C4
Aigrettes, Pte. des Réunion 21°3S 55°13E 141 c
Aiguá Uruguay 34°13S 54°46W 191 C5
Aigueperse France 46°3N 3°13E 71 F10
Aigues → France 44°7N 4°43E 73 D8
Aigues-Mortes France 43°35N 4°12E 73 E8
Aigues-Mortes, G. d' France 43°31N 4°3E 73 E8
Aigües-Tortes i Estany de St. Maurici △ Spain 42°38N 0°31E 90 C4
Aiguilles France 44°47N 6°51E 73 D10
Aiguillon France 44°18N 0°21E 72 D4
Aigurande France 46°27N 1°49E 71 F8
Aihui = Heihe China 50°10N 127°30E 111 A14
Aija Peru 9°50S 77°45W 188 B2

Aikawa Japan 38°2N 138°15E 112 E9
Aiken U.S.A. 33°34N 81°43W 178 B8
Ailao Shan China 24°0N 101°20E 116 F3
Aileron Australia 22°39S 133°20E 150 C1
Ailey U.S.A. 32°11N 82°34W 178 C7
Aillant-sur-Tholon France 47°52N 3°20E 71 E10
Aillik Canada 55°11N 59°18W 165 A8
Ailsa Craig Canada 43°8N 81°33W 174 C3
Ailsa Craig U.K. 55°15N 5°6W 65 F3
Aim Russia 59°0N 133°55E 107 D14
Aimogasta Argentina 28°33S 66°50W 190 B2
Aimorés Brazil 19°30S 41°4W 189 D2
Ain □ France 46°5N 5°20E 71 F12
Ain → France 45°45N 5°11E 73 C9
Aïn Beïda Algeria 35°50N 7°29E 136 A5
Aïn Ben Khellil Algeria 33°15N 0°49W 136 B3
Aïn Ben Tili Mauritania 25°59N 9°27W 134 C4
Aïn Beni Mathar Morocco 34°1N 2°0W 136 B3
Aïn Benian Algeria 36°48N 2°55E 136 A4
Aïn Dalla Egypt 27°20N 27°23E 137 B2
Aïn Defla Algeria 36°16N 1°58E 136 A4
Aïn Defla □ Algeria 36°10N 2°10E 136 A4
Ain el Mafki Egypt 27°30N 28°15E 137 B2
Ain Girba Egypt 29°20N 25°14E 137 B2
Aïn M'lila Algeria 36°2N 6°35E 136 A5
Ain Murr Sudan 21°50N 25°9E 137 C2
Ain Qeiqab Egypt 29°42N 24°55E 137 B1
Aïn Sefra Algeria 32°47N 0°37W 136 B3
Ain Sheikh Murzûk Egypt 26°47N 27°45E 137 B2
Ain Sudr Egypt 29°50N 33°6E 130 F2
Ain Sukhna Egypt 29°32N 32°20E 137 F8
Aïn Tédelès Algeria 36°0N 0°21E 136 A4
Aïn Témouchent Algeria 35°16N 1°8W 136 A3
Aïn Témouchent □ Algeria 35°20N 1°5W 136 A3
Aïn Tikkidine Algeria 25°33N 1°24E 136 C4
Aïn Touta Algeria 35°26N 5°54E 136 A5
Ain Zeitûn Egypt 29°10N 25°48E 137 B2
Aïn Zorah Morocco 34°37N 3°32W 136 B3
Ainaži Latvia 57°50N 24°24E 84 D3
Ainos Oros Greece 38°9N 20°40E 98 C2
Ainsworth U.S.A. 42°33N 99°52W 172 D4
Aiquile Bolivia 18°10S 65°10W 186 G5
Aïr Niger 18°30N 8°0E 139 B6
Aïr et Ténéré ⌂ Niger 18°12N 9°56E 139 B6
Air Force I. Canada 67°58N 74°5W 161 D17
Air Hitam Malaysia 1°55N 103°11E 121 M4
Airaines France 49°58N 1°55E 71 C8
Airdrie Canada 51°18N 114°2W 162 C6
Airdrie U.K. 55°52N 3°57W 65 F5
Aire → France 49°18N 4°49E 71 C11
Aire → U.K. 53°43N 0°55W 66 D7
Aire, I. de l' Spain 39°48N 4°16E 100 B11
Aire-sur-la-Lys France 50°37N 2°22E 71 B9
Aire-sur-l'Adour France 43°42N 0°15W 72 E3
Aireys Inlet Australia 38°29S 144°5E 152 E6
Airlie Beach Australia 20°16S 148°43E 150 b
Airvault France 46°50N 0°8W 70 F6
Aisch → Germany 49°46N 10°58E 77 F6
Aisne □ France 49°42N 3°40E 71 C10
Aisne → France 49°26N 2°50E 71 C9
Ait India 25°54N 79°14E 125 G8
Ait Ben Haddou Morocco 31°3N 7°7W 136 B2
Aitana, Sierra de Spain 38°35N 0°24W 91 G4
Aitkin U.S.A. 46°32N 93°42W 172 B7
Aitutaki Cook Is. 18°52S 159°45W 157 J12
Aiuaba Brazil 6°38S 40°7W 189 B2
Aiud Romania 46°19N 23°44E 81 D8
Aix-en-Provence France 43°32N 5°27E 73 E9
Aix-la-Chapelle = Aachen Germany 50°45N 6°6E 76 E2
Aix-les-Bains France 45°41N 5°53E 73 C9
Aixe-sur-Vienne France 45°47N 1°9E 72 C5
Aíyina = Egina Greece 37°45N 23°26E 98 D5
Aizawl India 23°40N 92°44E 123 H18
Aizenay France 46°44N 1°38W 70 F5
Aizkraukle Latvia 56°36N 25°11E 84 D3
Aizpute Latvia 56°43N 21°40E 82 B8
Aizuwakamatsu Japan 37°30N 139°56E 112 F9
Ajabshīr Iran 37°28N 45°54E 105 D11
Ajaccio France 41°55N 8°40E 73 G12
Ajaccio, G. d' France 41°52N 8°40E 73 G12
Ajai ⌂ Uganda 2°52N 31°16E 142 B3
Ajaigarh India 24°52N 80°16E 125 G9
Ajalpan Mexico 18°22N 97°15W 181 D5
Ajanta India 20°30N 75°48E 126 D2
Ajanta Ra. India 20°28N 75°50E 126 D2
Ajaokuta Nigeria 7°28N 6°42E 139 D6
Ajari Rep. = Ajaria □ Georgia 41°30N 42°0E 87 K6
Ajaria □ Georgia 41°30N 42°0E 87 K6
Ajax Canada 43°50N 79°1W 174 C5
Ajax, Mt. N.Z. 42°35S 172°5E 155 C7
Ajdābiyā Libya 30°54N 20°4E 135 B10
Ajdovščina Slovenia 45°54N 13°54E 93 C10
Ajitgarh India 30°47N 76°41E 124 D7
Ajka Hungary 47°4N 17°31E 80 C2
'Ajlūn Jordan 32°18N 35°47E 130 C4
'Ajlūn □ Jordan 32°18N 35°47E 130 C4
'Ajmān U.A.E. 25°25N 55°30E 129 E7
Ajmer India 26°28N 74°37E 124 F6
Ajnala India 31°50N 74°48E 124 D6
Ajo U.S.A. 32°22N 112°52W 169 K7
Ajo, C. de Spain 43°31N 3°35W 88 B7
Ak Dağ Turkey 36°30N 29°32E 99 E11
Ak Dağlar Turkey 39°32N 36°12E 104 C7
Ak Dağları Turkey 36°30N 29°30E 99 E11
Ak-Dovurak Russia 51°11N 90°36E 109 B12
Akaba Togo 8°10N 1°2E 139 D5
Akabira Japan 43°33N 142°5E 112 C11
Akabli Algeria 26°49N 1°31E 136 C4
Akademika Obrucheva, Khrebet Russia 51°50N 96°0E 109 B13
Akagera △ Rwanda 1°31S 30°33E 142 C3
Akalkot India 17°32N 76°13E 126 F3
Akamas Cyprus 35°3N 32°18E 101 D11
Akan △ Japan 43°20N 144°20E 112 C12
Akanthou Cyprus 35°22N 33°45E 101 D12
Akarca Turkey 38°35N 29°33E 99 C11
Akaroa N.Z. 43°49S 172°59E 155 D7
Akaroa Harbour N.Z. 43°50S 172°55E 155 D7
Akasha Sudan 21°10N 30°32E 137 C3
Akashi Japan 34°45N 134°58E 113 G7
Akbarpur Bihar, India 24°39N 83°58E 125 G10
Akbarpur Ut. P., India 26°25N 82°32E 125 F10
Akbou Algeria 36°31N 4°31E 136 A4
Akbulak Russia 51°1N 55°37E 108 B5
Akçaabat Turkey 41°1N 39°34E 105 B8
Akçadağ Turkey 38°27N 37°43E 104 C7
Akçakale Turkey 36°41N 38°56E 105 D8
Akçakoca Turkey 41°5N 31°8E 104 B4
Akçaova Turkey 41°3N 29°57E 97 E13
Akçay Turkey 36°36N 29°45E 99 E11
Akçay → Turkey 37°50N 28°15E 99 D10
Akdağ Turkey 38°33N 26°30E 99 C8
Akdağmadeni Turkey 39°39N 35°53E 104 C6
Akdoğan = Lysi Cyprus 35°6N 33°41E 101 D12
Akelamo Indonesia 1°35N 129°40E 119 D7
Åkers styckebruk Sweden 59°15N 17°5E 62 E11
Åkersberga Sweden 59°29N 18°18E 62 E12
Akeru → India 17°25N 80°5E 126 F5
Aketi Dem. Rep. of the Congo 2°38N 23°47E 140 D4
Akhali Atoni Georgia 43°7N 40°50E 87 J5
Akhalkalaki Georgia 41°27N 43°25E 87 K6
Akhaltsikhe Georgia 41°40N 43°0E 87 K6
Akhisar Turkey 38°56N 27°48E 99 C9
Akhmîm Egypt 26°31N 31°47E 137 B3
Akhna Cyprus 35°3N 33°47E 101 D12
Akhnur India 32°52N 74°45E 125 C6
Akhtopol Bulgaria 42°6N 27°56E 97 D11
Akhtuba → Russia 47°41N 46°55E 87 G8
Akhtubinsk Russia 48°13N 46°7E 87 F8
Akhty Russia 41°30N 47°45E 87 K8
Akhtyrka = Okhtyrka Ukraine 50°25N 35°0E 85 G8
Aki Japan 33°30N 133°54E 113 H6
Akimiski I. Canada 52°50N 81°30W 164 B3
Akıncı Burnu Turkey 36°19N 35°46E 104 D6
Akıncılar = Louroujina Cyprus 35°0N 33°28E 101 E12
Akiōta Japan 34°36N 132°19E 113 G6
Åkirkeby Denmark 55°4N 14°55E 63 J8
Akita Japan 39°45N 140°7E 112 E10
Akita □ Japan 39°40N 140°30E 112 E10
Akjoujt Mauritania 19°45N 14°15W 138 B2
Akka Mali 15°24N 4°11W 138 B4
Akka Morocco 29°22N 8°9W 136 C2
Akkaraipattu Sri Lanka 7°13N 81°51E 127 L5
Akkaya Tepesi Turkey 37°25N 29°38E 99 D11
Akkeshi Japan 43°2N 144°51E 112 C12
'Akko Israel 32°55N 35°4E 130 C4
Akköy Turkey 37°29N 27°15E 99 D9
Akkuş Turkey 40°47N 37°0E 104 B7
Aklampa Benin 8°15N 2°10E 139 D5
Aklavik Canada 68°12N 135°0W 160 D4
Aklera India 24°26N 76°32E 124 G7
Akmenė Lithuania 56°15N 22°45E 82 B9
Akmenrags Latvia 56°50N 21°4E 82 B8
Akmonte = Almonte Spain 37°13N 6°38W 89 H4
Aknoul Morocco 34°40N 3°55W 136 B3
Akō Japan 34°45N 134°24E 113 G7
Ako Nigeria 10°19N 10°48E 139 C7
Akola Maharashtra, India 20°42N 77°2E 126 D3
Akola Maharashtra, India 19°32N 74°3E 126 E2
Akonolinga Cameroon 3°50N 12°18E 139 E7
Akor Mali 14°59N 6°58W 138 C3
Akordat Eritrea 15°30N 37°40E 131 D2
Akosombo Dam Ghana 6°20N 0°5E 139 D5
Akot India 21°10N 77°10E 126 D3
Akoupé Ivory C. 6°23N 3°54W 138 D4
Akpatok I. Canada 60°25N 68°8W 161 E18
Åkrahamn Norway 59°15N 5°10E 61 G11
Akranes Iceland 64°19N 22°5W 60 D2
Akreïjit Mauritania 18°19N 9°11W 138 B3
Akritas, Akra Greece 36°43N 21°54E 98 E3
Akron Colo., U.S.A. 40°10N 103°13W 168 F12
Akron Ohio, U.S.A. 41°5N 81°31W 174 E3
Akrotiri Cyprus 34°36N 32°57E 101 E11
Akrotiri, Akra Greece 40°26N 25°27E 97 F9
Akrotiri Bay Cyprus 34°35N 33°10E 101 E12
Aksai Chin China 35°15N 79°55E 125 B8
Aksaray Turkey 38°25N 34°2E 104 C6
Aksaray □ Turkey 38°20N 33°45E 104 C5
Aksay = Aqsay Kazakhstan 51°11N 53°0E 108 B4
Akşehir Turkey 38°18N 31°30E 104 C4
Akşehir Gölü Turkey 38°30N 31°25E 104 C4
Akstafa = Ağstafa Azerbaijan 41°7N 45°27E 87 K7
Aksu China 41°5N 80°10E 109 D10
Aksu Turkey 36°57N 30°50E 104 D4
Aksu → Turkey 36°52N 30°57E 104 D4
Aksu He → China 40°26N 80°59E 109 D10
Aksum Ethiopia 14°5N 38°40E 131 E2
Aktash Russia 55°2N 52°3E 86 C11
Akto China 39°5N 75°59E 109 E9
Aktsyabrski Belarus 52°38N 28°53E 75 B15
Aktyubinsk = Aqtöbe Kazakhstan 50°17N 57°10E 108 B5
Aku Nigeria 6°40N 7°18E 139 D6
Akure Nigeria 7°15N 5°5E 139 D6
Akuressa Sri Lanka 6°5N 80°29E 127 L5
Akureyri Iceland 65°40N 18°6W 60 D4
Akuseki-Shima Japan 29°27N 129°37E 113 K4
Akusha Russia 42°18N 47°30E 87 J8
Akwa-Ibom □ Nigeria 4°30N 7°30E 139 E6
Akwanga Nigeria 8°55N 8°23E 139 D6
Akyab = Sittwe Burma 20°18N 92°45E 123 J18
Akyazı Turkey 40°40N 30°38E 104 B4
Al 'Adan = 'Aden Yemen 12°45N 45°0E 131 E4
Al Aḩsā' = Hasa Si. Arabia 25°50N 49°0E 129 E6
Al Ajfar Si. Arabia 27°26N 43°0E 128 E4
Al Amādīyah Iraq 37°5N 43°30E 105 D10
Al 'Amārah Iraq 31°55N 47°15E 105 G12
Al Anbār □ Iraq 33°25N 42°0E 128 C4
Al 'Aqabah Jordan 29°31N 35°0E 130 F4
Al 'Aqabah □ Jordan 29°30N 35°0E 130 F4
Al Arak Syria 34°38N 38°35E 105 E8
Al 'Aramah Si. Arabia 25°30N 46°0E 128 E5
Al 'Arţāwīyah Si. Arabia 26°31N 45°20E 128 E5
Al 'Āşimah □ Jordan 31°40N 36°30E 130 D5
Al 'Assāfīyah Si. Arabia 28°17N 38°59E 128 D3
Al 'Awdah Si. Arabia 25°32N 45°41E 128 E5
Al 'Ayn Si. Arabia 25°4N 38°6E 128 E3
Al 'Ayn U.A.E. 24°15N 55°45E 129 E7
Al 'Azīzīyah Iraq 32°54N 45°4E 105 F11
Al Bāb Syria 36°23N 37°29E 104 D7
Al Bad' Si. Arabia 28°28N 35°1E 128 D2
Al Bada'i' Si. Arabia 26°2N 43°33E 128 E4
Al Bādī Iraq 35°56N 41°32E 128 C4
Al Bāḩah Si. Arabia 20°1N 41°28E 137 C5
Al Baḩrah Kuwait 29°40N 47°52E 128 D5
Al Baḩral Mayyit = Dead Sea Asia 31°30N 35°30E 130 D4
Al Balqā' □ Jordan 32°5N 35°45E 130 C4
Al Bārūk, J. Lebanon 33°39N 35°40E 130 B4
Al Başrah Iraq 30°30N 47°50E 128 D5
Al Baţḩā Iraq 31°6N 45°53E 128 D5
Al Batrūn Lebanon 34°15N 35°40E 130 A4
Al Bayḑā Libya 32°50N 21°44E 135 B10
Al Biqā Lebanon 34°10N 36°10E 130 A5
Al Bi'r Si. Arabia 28°51N 36°16E 128 D3
Al Bukayrīyah Si. Arabia 26°9N 43°40E 128 E4
Al Burayj Syria 34°15N 36°46E 130 A5
Al Faḑilī Si. Arabia 26°58N 49°10E 129 E6
Al Fallūjah Iraq 33°20N 43°55E 105 F10
Al Fatḩah Iraq 35°3N 43°33E 105 E10
Al Fāw Iraq 30°0N 48°30E 129 D6
Al Fujayrah U.A.E. 25°7N 56°18E 129 E8
Al Ghadaf, W. → Jordan 31°26N 36°43E 130 D5
Al Ghammās Iraq 31°45N 44°37E 128 D5
Al Ghazālah Si. Arabia 26°48N 41°19E 128 E4
Al Ghuwayfāt U.A.E. 24°10N 51°38E 129 E6
Al Ḩadīthah Iraq 34°0N 41°13E 105 E10
Al Ḩadīthah Si. Arabia 31°28N 37°8E 130 D6
Al Ḩaḑr Iraq 35°35N 42°44E 105 E10
Al Ḩājānah Syria 33°20N 36°33E 130 B5
Al Ḩajar al Gharbī Oman 24°10N 56°15E 129 E8
Al Ḩāmad Si. Arabia 31°30N 39°30E 128 D3
Al Ḩamdānīyah Syria 35°25N 36°50E 128 C3
Al Ḩamīdīyah Syria 34°42N 35°57E 130 A4
Al Ḩammār Iraq 30°57N 46°51E 128 D5
Al Ḩamrā' Si. Arabia 24°2N 38°55E 128 E3
Al Ḩamzah Iraq 31°43N 44°58E 128 D5
Al Ḩanākīyah Si. Arabia 24°51N 40°31E 128 E4
Al Harūj al Aswad Libya 27°0N 17°10E 135 C9
Al Ḩasakah Syria 36°35N 40°45E 105 D9
Al Ḩasakah □ Syria 36°40N 40°50E 105 D9
Al Ḩāshimīyah Iraq 32°22N 44°39E 105 G11
Al Ḩayy Iraq 32°5N 46°5E 105 F12
Al Ḩillah Iraq 32°30N 44°25E 105 F11
Al Hindīyah Iraq 32°30N 44°10E 105 F11
Al Hirmil Lebanon 34°26N 36°24E 130 A5
Al Hoceïma Morocco 35°8N 3°58W 136 A3
Al Ḩudaydah Yemen 14°50N 43°0E 131 E3
Al Ḩudūd ash Shamālīyah □ Si. Arabia 29°10N 42°30E 128 D4
Al Hufūf Si. Arabia 25°25N 49°45E 129 E6
Al Ḩumayḑah Si. Arabia 29°14N 34°56E 128 D2
Al Ḩunayy Si. Arabia 25°58N 48°45E 129 E6
Al Īsāwīyah Si. Arabia 30°43N 37°59E 128 D3
Al Jafr Jordan 30°18N 36°14E 130 E5
Al Jāfūrah Si. Arabia 25°0N 50°15E 129 E7
Al Jaghbūb Libya 29°42N 24°38E 135 C10
Al Jahrah Kuwait 29°25N 47°40E 128 D5
Al Jalāmīd Si. Arabia 31°20N 40°6E 128 D3
Al Jamalīyah Qatar 25°37N 51°5E 129 E6
Al Janūb □ Lebanon 33°20N 35°20E 130 B4
Al Jawf Libya 24°10N 23°24E 135 D10
Al Jawf □ Si. Arabia 29°30N 39°30E 128 D3
Al Jazair = Algeria ■ Africa 28°30N 2°0E 136 C4
Al Jazirah Iraq 33°30N 44°0E 105 E10
Al Jithāmīyah Si. Arabia 27°41N 41°43E 128 E4
Al Jubayl Si. Arabia 27°0N 49°50E 129 E6
Al Jubaylah Si. Arabia 24°55N 46°25E 128 E5
Al Jubb Si. Arabia 27°11N 42°17E 128 E4
Al Junaynah Sudan 13°27N 22°45E 135 F10
Al Kabā'ish Iraq 30°58N 47°0E 128 D5
Al Karak Jordan 31°11N 35°42E 130 D4
Al Karak □ Jordan 31°0N 36°0E 130 E5
Al Kāẓimīyah Iraq 33°22N 44°18E 105 F11
Al Khābūrah Oman 23°57N 57°5E 129 F8
Al Khafji Si. Arabia 28°24N 48°29E 129 E6
Al Khalīl West Bank 31°32N 35°6E 130 D4
Al Khāliş Iraq 33°49N 44°32E 105 F11
Al Kharsānīyah Si. Arabia 27°13N 49°18E 129 E6
Al Khaşab Oman 26°14N 56°15E 129 E8
Al Khawr Qatar 25°41N 51°30E 129 E6
Al Khiḑr Iraq 31°12N 45°33E 128 D5
Al Khiyām Lebanon 33°20N 35°36E 130 B4
Al Khubar Si. Arabia 26°17N 50°12E 129 E6
Al Khums Libya 32°40N 14°17E 135 B8
Al Khurmah Si. Arabia 21°54N 42°3E 131 C3
Al Kifl Iraq 32°13N 44°22E 105 G11
Al Kiswah Syria 33°23N 36°14E 130 B5
Al Kūfah Iraq 32°2N 44°24E 105 F11
Al Kufrah Libya 24°17N 23°15E 135 D10
Al Kuhayfīyah Si. Arabia 27°12N 43°3E 128 E4
Al Kumayt Iraq 32°2N 46°52E 105 G12
Al Kūt Iraq 32°30N 46°0E 105 F11
Al Kuwayt Kuwait 29°30N 48°0E 128 D5
Al Labwah Lebanon 34°11N 36°20E 130 A5
Al Lādhiqīyah Syria 35°30N 35°45E 104 E6
Al Lādhiqīyah □ Syria 35°45N 36°0E 104 E6
Al Līth Si. Arabia 20°9N 40°15E 137 C5
Al Liwā' Oman 24°31N 56°36E 129 E8
Al Luḩayyah Yemen 15°45N 42°40E 131 D3
Al Madīnah Iraq 30°57N 47°16E 128 D5
Al Madīnah Si. Arabia 24°35N 39°52E 128 E3
Al Mafraq Jordan 32°17N 36°14E 130 C5
Al Mafraq □ Jordan 32°17N 36°15E 130 C5
Al Maghreb = Morocco ■ N. Afr. 32°0N 5°50W 134 B4
Al Maḩmūdīyah Iraq 33°3N 44°21E 105 F11
Al Majma'ah Si. Arabia 25°57N 45°22E 128 E5
Al Makhruq, W. → Jordan 31°28N 37°0E 130 D6
Al Makḩūl Si. Arabia 26°37N 42°39E 128 E4
Al Mālikīyah Syria 37°10N 42°8E 105 D10
Al Manāmah Bahrain 26°10N 50°30E 129 E6
Al Maqwa' Kuwait 29°10N 47°59E 128 D5
Al Marāḩ Si. Arabia 25°35N 49°35E 129 E6
Al Marj Libya 32°25N 20°30E 135 B10
Al Maţlā Kuwait 29°24N 47°40E 128 D5
Al Mawşil Iraq 36°15N 43°5E 105 D10
Al Mayādin Syria 35°1N 40°27E 105 E9
Al Mazār Jordan 31°4N 35°41E 130 D4
Al Midhnab Si. Arabia 25°50N 44°18E 128 E5
Al Minā' Lebanon 34°24N 35°49E 130 A4
Al Miqdādīyah Iraq 34°0N 45°0E 105 E11
Al Mubarraz Si. Arabia 25°30N 49°40E 129 E6
Al Mudawwarah Jordan 29°19N 36°0E 130 F5
Al Mughayrā' U.A.E. 24°5N 53°32E 129 E7
Al Muḩarraq Bahrain 26°15N 50°40E 129 E6
Al Mukallā Yemen 14°33N 49°2E 131 E4
Al Mukhā Yemen 13°18N 43°15E 131 E3
Al Musayjīd Si. Arabia 24°5N 39°5E 128 E3
Al Musayyib Iraq 32°49N 44°20E 105 F11
Al Muthanná □ Iraq 30°30N 45°15E 128 D5
Al Muwayh Si. Arabia 22°41N 41°37E 137 C5
Al Muwayliḩ Si. Arabia 27°40N 35°30E 128 E2
Al Owuho = Otukpa Nigeria 7°9N 7°41E 139 D6
Al Qādisīyah □ Iraq 32°0N 45°0E 128 D5
Al Qā'im Iraq 34°21N 41°7E 105 E9
Al Qalībah Si. Arabia 28°24N 37°42E 128 D3
Al Qāmishlī Syria 37°2N 41°14E 105 D9
Al Qaryatayn Syria 34°12N 37°13E 130 A6
Al Qaşīm □ Si. Arabia 26°0N 43°0E 128 E4
Al Qaţ'ā Syria 34°40N 40°48E 105 E9
Al Qaţīf Si. Arabia 26°35N 50°0E 129 E6
Al Qatrānah Jordan 31°12N 36°6E 130 D5
Al Qaţrūn Libya 24°56N 15°3E 135 D9
Al Qawz Si. Arabia 18°58N 41°26E 137 D5
Al Qayşūmah Si. Arabia 28°20N 46°7E 128 D5
Al Quds = Jerusalem Israel/West Bank 31°47N 35°10E 130 D4
Al Qunayţirah Syria 33°5N 35°45E 130 B4
Al Qunfudhah Si. Arabia 19°3N 41°4E 137 D5
Al Qurayyāt Si. Arabia 31°20N 37°20E 128 D3
Al Qurnah Iraq 31°1N 47°25E 128 D5
Al Quşayr Iraq 30°39N 45°50E 128 D5
Al Quşayr Syria 34°31N 36°34E 130 A5
Al Qutayfah Syria 33°44N 36°36E 130 B5
Al Quwayr Iraq 36°2N 43°29E 105 D10
Al Quwaysimah Jordan 31°55N 35°57E 130 D4
Al 'Ubaylah Si. Arabia 21°59N 50°57E 131 C5
Al 'Uḑaylīyah Si. Arabia 25°8N 49°18E 129 E6
Al 'Ulā Si. Arabia 26°35N 38°0E 128 E3
Al 'Uqayr Si. Arabia 25°40N 50°15E 129 E6
Al 'Uwaynid Si. Arabia 24°50N 46°0E 128 E5
Al 'Uwayqīlah Si. Arabia 30°30N 42°10E 128 D4
Al 'Uyūn Ḩijāz, Si. Arabia 24°33N 39°35E 128 E3
Al 'Uyūn Najd, Si. Arabia 26°30N 43°50E 128 E4
Al 'Uzayr Iraq 31°19N 47°25E 128 D5
Al Wajh Si. Arabia 26°10N 36°30E 128 E3
Al Wakrah Qatar 25°10N 51°40E 129 E6
Al Waqbah Si. Arabia 28°48N 45°33E 128 D5
Al Wari'āh Si. Arabia 27°51N 47°25E 128 E5
Al Yaman = Yemen ■ Asia 15°0N 44°0E 131 E3
Ala Italy 45°45N 11°0E 92 C8
Ala Archa △ Kyrgyzstan 42°32N 74°28E 109 D8
Ala Dağ Turkey 37°44N 35°9E 128 B2
Ala Dağları Turkey 39°15N 43°33E 105 C10
Ala Tau Asia 45°30N 80°40E 109 C10
Ala Tau Shankou = Dzungarian Gate Asia 45°10N 82°0E 109 C10
Alabama □ U.S.A. 33°0N 87°0W 177 E11
Alabama → U.S.A. 31°8N 87°57W 177 F11
Alabaster U.S.A. 33°15N 86°49W 177 E11
Alaca Turkey 40°10N 34°51E 104 B6
Alacaatlı Turkey 39°15N 28°3E 99 B10
Alaçam Turkey 41°36N 35°36E 104 B6
Alaçam Dağları Turkey 39°18N 28°49E 99 B10
Alacant = Alicante Spain 38°23N 0°30W 91 G4
Alaçatı Turkey 38°15N 26°22E 99 C8
Alachua U.S.A. 29°47N 82°30W 178 F7
Alaejos Spain 41°18N 5°13W 88 D5
Alaer China 40°30N 81°16E 109 D10
Alagir Russia 43°3N 44°14E 87 J7
Alagna Valsésia Italy 45°51N 7°56E 92 C4
Alagoa Grande Brazil 7°3S 35°35W 189 B3
Alagoas □ Brazil 9°0S 36°0W 189 B3
Alagoinhas Brazil 12°7S 38°20W 189 C3
Alagón Spain 41°46N 1°12W 90 D3
Alagón → Spain 39°44N 6°53W 88 F4
Alaheaieatnu = Altaelva → Norway 69°54N 23°17E 60 B20
Alai Range Asia 39°45N 72°0E 109 E8
Alaior Spain 39°57N 4°8E 100 B11
Alajero Canary Is. 28°3N 17°13W 100 F2
Alajuela Costa Rica 10°2N 84°8W 182 D3
Alaknanda → India 30°8N 78°36E 125 D8
Alaköl Kazakhstan 46°0N 81°5E 109 C10
Alakurtti Russia 66°58N 30°25E 60 C24
Alamarvdasht Iran 27°37N 52°59E 129 E7
Alameda Calif., U.S.A. 37°46N 122°15W 170 H4
Alameda N. Mex., U.S.A. 35°11N 106°37W 169 J10
Alamo Ga., U.S.A. 32°9N 82°47W 178 C7
Alamo Nev., U.S.A. 37°22N 115°10W 171 H11
Alamogordo U.S.A. 32°54N 105°57W 169 K11
Alamos Mexico 27°1N 108°56W 180 B3
Alamosa U.S.A. 37°28N 105°52W 169 H11
Alampur India 15°55N 78°6E 127 G4
Åland Finland 60°15N 20°0E 61 F19
Aland India 17°36N 76°35E 126 F3
Alandroal Portugal 38°41N 7°24W 89 G3
Ålands hav Europe 60°0N 19°30E 61 G18
Ålandsbro Sweden 62°40N 17°51E 62 B11
Alandur India 13°0N 80°15E 127 H5
Alange, Embalse d' Spain 38°45N 6°18W 89 G4
Alanís Spain 38°3N 5°43W 89 G5
Alaniya = North Ossetia-Alaniya □ Russia 43°30N 44°30E 87 J7
Alaniya △ Russia 42°55N 44°30E 87 J7
Alanya Turkey 36°38N 32°0E 104 D5
Alapaha U.S.A. 31°23N 83°13W 178 D6
Alapayevsk Russia 57°52N 61°42E 106 D7
Alappuzha India 9°30N 76°28E 127 K3
Alar del Rey Spain 42°38N 4°20W 88 C6
Alaraz Spain 40°45N 5°17W 88 E5
Alarcón, Embalse de Spain 39°36N 2°10W 90 F2
Alaró Spain 39°42N 2°47E 100 B9
Alaşehir Turkey 38°23N 28°30E 99 C10
Alashtar Iran 33°51N 48°15E 105 F13
Alaska □ U.S.A. 64°0N 154°0W 166 C9
Alaska, G. of Pac. Oc. 58°0N 145°0W 160 F3
Alaska Peninsula U.S.A. 56°0N 159°0W 166 D8
Alaska Range U.S.A. 62°50N 151°0W 160 E1
Alássio Italy 44°0N 8°10E 92 E5
Älät Azerbaijan 39°58N 49°25E 87 L9
Alatau Shan = Ala Tau Asia 45°30N 80°40E 109 C10
Alatri Italy 41°43N 13°21E 93 G10
Alatyr Russia 54°55N 46°35E 86 C8
Alatyr → Russia 54°52N 46°36E 86 C8
Alausi Ecuador 2°0S 78°50W 186 D3
Álava = Araba/Álava □ Spain 42°48N 2°28W 90 C2
Alava, C. U.S.A. 48°10N 124°44W 170 B2
Alaverdi Armenia 41°15N 44°37E 87 K7
Alavo = Alavus Finland 62°35N 23°36E 60 E20
Alavus Finland 62°35N 23°36E 60 E20
Alawa ◎ Australia 15°42S 134°39E 150 B1
Alawoona Australia 34°45S 140°30E 152 C4
Alayawarra ◎ Australia 22°0S 134°30E 150 C1
'Alayh Lebanon 33°46N 35°33E 130 B4
Alayköy = Yerolakkos Cyprus 35°11N 33°15E 101 D12
Alazani → Azerbaijan 41°5N 46°40E 87 K8
Alba Italy 44°42N 8°2E 92 D5
Alba □ Romania 46°10N 23°30E 81 D8
Alba Adriática Italy 42°50N 13°56E 93 F10
Alba de Tormes Spain 40°50N 5°30W 88 E5
Alba-Iulia Romania 46°8N 23°39E 81 D8
Albac Romania 46°28N 22°58E 80 D7
Albacete Spain 39°0N 1°50W 91 F3
Albacete □ Spain 38°50N 2°0W 91 G3
Albacutya, L. Australia 35°45S 141°58E 152 C4
Ålbæk Denmark 57°36N 10°25E 63 G4
Ålbæk Bugt Denmark 57°35N 10°40E 63 G4
Albaida Spain 38°51N 0°31W 91 G4
Albalate de las Nogueras Spain 40°22N 2°18W 90 E2
Albalate del Arzobispo Spain 41°6N 0°31W 90 D4
Alban France 43°53N 2°28E 72 E6
Albanel, L. Canada 50°55N 73°12W 164 B5
Albania ■ Europe 41°0N 20°0E 96 E4
Albano Laziale Italy 41°44N 12°39E 93 G9
Albany Australia 35°1S 117°58E 149 G2
Albany Ga., U.S.A. 31°35N 84°10W 178 D5
Albany N.Y., U.S.A. 42°39N 73°45W 175 D11
Albany Oreg., U.S.A. 44°38N 123°6W 168 D2
Albany Tex., U.S.A. 32°44N 99°18W 176 E5
Albany → Canada 52°17N 81°31W 164 B3
Albarca, C. d' Spain 39°4N 1°22E 100 B7
Albardón Argentina 31°20S 68°30W 190 C2
Albarracín Spain 40°25N 1°26W 90 E3
Albarracín, Sierra de Spain 40°30N 1°30W 90 E3
Albatera Spain 38°11N 0°52W 91 G4
Albâtre, Côte d' France 49°55N 0°50E 70 C7
Albatross B. Australia 12°45S 141°30E 150 A3
Albatross Pt. N.Z. 38°7S 174°44E 154 E3
Albegna → Italy 42°30N 11°11E 93 F8
Albemarle U.S.A. 35°21N 80°12W 177 D14
Albemarle Sd. U.S.A. 36°5N 76°0W 177 C16
Albenga Italy 44°3N 8°13E 92 D5
Alberche → Spain 39°58N 4°46W 88 F6
Alberdi Paraguay 26°14S 58°20W 190 B4
Albères, Mts. France 42°28N 2°56E 72 F6
Ålberga Sweden 58°44N 16°35E 63 F10
Alberga → Australia 27°6S 135°33E 151 D2
Albersdorf Germany 54°8N 9°17E 76 A5
Albert France 50°0N 2°38E 71 C9
Albert, L. Africa 1°30N 31°0E 142 B3
Albert, L. Australia 35°30S 139°10E 152 C3
Albert Edward Ra. Australia 18°17S 127°57E 148 C4
Albert Lea U.S.A. 43°39N 93°22W 172 D7
Albert Nile → Uganda 3°36N 32°2E 142 B3
Albert Town Bahamas 22°37N 74°33W 183 B5
Alberta □ Canada 54°40N 115°0W 162 C6
Alberti Argentina 35°1S 60°16W 190 D3
Albertinia S. Africa 34°11S 21°34E 144 D3
Albertirsa Hungary 47°14N 19°37E 80 C4
Alberto de Agostini △ Chile 54°38S 71°37W 192 D2
Alberton Canada 46°50N 64°0W 165 C7
Albertville France 45°40N 6°22E 73 C10
Albertville U.S.A. 34°16N 86°13W 177 D11
Albi France 43°56N 2°9E 72 E6
Albia U.S.A. 41°2N 92°48W 172 E7
Albina Suriname 5°37N 54°15W 187 B8
Albina, Ponta Angola 15°52S 11°44E 144 A1
Albino Italy 45°46N 9°47E 92 C6
Albion Mich., U.S.A. 42°15N 84°45W 173 D11
Albion Nebr., U.S.A. 41°42N 98°0W 172 E4
Albion Pa., U.S.A. 41°53N 80°22W 174 E4
Albocàsser Spain 40°21N 0°1E 90 E5
Albolote Spain 37°14N 3°39W 89 H7
Alborán Medit. S. 35°57N 3°0W 89 K7
Alboran Sea Medit. S. 36°0N 3°30W 89 K7
Alborea Spain 39°17N 1°24W 91 F3
Ålborg = Aalborg Denmark 57°2N 9°54E 63 G3
Ålborg Bugt = Aalborg Bugt Denmark 56°50N 10°35E 63 H4
Alborz □ Iran 36°0N 50°50E 129 B6
Alborz, Reshteh-ye Kūhhā-ye Iran 36°0N 52°0E 129 C7
Albox Spain 37°23N 2°8W 91 H2
Albstadt Germany 48°13N 9°1E 77 G5
Albufeira Portugal 37°5N 8°15W 89 H2
Albula → Switz. 46°38N 9°28E 77 J5
Albuñol Spain 36°48N 3°11W 89 J7
Albuquerque U.S.A. 35°5N 106°39W 169 J10
Albuquerque, Cayos de Caribbean 12°10N 81°50W 182 D3
Alburg U.S.A. 44°59N 73°18W 175 B11
Alburno, Mte. Italy 40°33N 15°17E 95 B8
Alburquerque Spain 39°15N 6°59W 89 F4
Albury Australia 36°3S 146°56E 153 D7
Alby Sweden 62°30N 15°28E 62 B9
Alcácer do Sal Portugal 38°22N 8°33W 89 G2
Alcáçovas Portugal 38°23N 8°9W 89 G2
Alcalá de Guadaira Spain 37°20N 5°50W 89 H5
Alcalá de Henares Spain 40°28N 3°22W 88 E7
Alcalá de los Gazules Spain 36°29N 5°43W 89 J5
Alcalá de Xivert Spain 40°19N 0°13E 90 E5
Alcalá del Júcar Spain 39°12N 1°26W 91 F3
Alcalá del Río Spain 37°31N 5°59W 89 H5
Alcalá del Valle Spain 36°54N 5°10W 89 J5
Alcalá la Real Spain 37°27N 3°57W 89 H7
Álcamo Italy 37°59N 12°55E 94 E5
Alcanadre Spain 42°24N 2°7W 90 C2
Alcanadre → Spain 41°43N 0°12W 90 D4
Alcanar Spain 40°33N 0°28E 90 E5
Alcanede Portugal 39°25N 8°49W 89 F2
Alcanena Portugal 39°27N 8°40W 89 F2
Alcañices Spain 41°41N 6°21W 88 D4
Alcañiz Spain 41°2N 0°8W 90 D4
Alcântara Brazil 2°20S 44°30W 189 A2
Alcántara Spain 39°41N 6°57W 88 F4
Alcántara, Embalse de Spain 39°44N 6°50W 88 F4
Alcantarilla Spain 37°59N 1°12W 91 H3
Alcaracejos Spain 38°24N 4°58W 89 G6
Alcaraz Spain 38°40N 2°29W 91 G2
Alcaraz, Sierra de Spain 38°40N 2°20W 91 G2
Alcaudete Spain 37°35N 4°5W 89 H6
Alcázar de San Juan Spain 39°24N 3°12W 89 F7
Alchevsk Ukraine 48°30N 38°45E 85 H10
Alcira = Alzira Spain 39°9N 0°30W 91 F4
Alcobaça Portugal 39°32N 8°58W 89 F2
Alcobendas Spain 40°32N 3°38W 88 E7
Alcolea del Pinar Spain 41°2N 2°28W 90 D2
Alcoma U.S.A. 27°54N 81°29W 179 H8
Alcorcón Spain 40°20N 3°48W 88 E7
Alcoutim Portugal 37°25N 7°28W 89 H3
Alcova U.S.A. 42°34N 106°43W 168 E10
Alcoy Spain 38°43N 0°30W 91 G4
Alcubierre, Sierra de Spain 41°45N 0°22W 90 D4
Alcublas Spain 39°48N 0°43W 90 F4
Alcúdia Spain 39°51N 3°7E 100 B10
Alcúdia, B. d' Spain 39°47N 3°15E 100 B10
Alcúdia, Sierra de la Spain 38°34N 4°30W 89 G6
Aldabra Is. Seychelles 9°22S 46°28E 133 G8
Aldama Mexico 22°55N 98°4W 181 C5
Aldan Russia 58°40N 125°30E 107 D13
Aldan → Russia 63°28N 129°35E 107 C13
Aldea, Pta. de la Canary Is. 28°0N 15°50W 100 G4
Aldeburgh U.K. 52°10N 1°37E 67 E9
Alder Pk. U.S.A. 35°53N 121°22W 170 K5
Alderney U.K. 49°42N 2°11W 67 H5
Aldershot U.K. 51°15N 0°44W 67 F7
Aldinga Beach Australia 35°17S 138°27E 152 C3
Åled Sweden 56°44N 12°57E 63 H6
Aledo U.S.A. 41°12N 90°45W 172 E8
Aleg Mauritania 17°3N 13°55W 138 B2
Alegranza Canary Is. 29°23N 13°32W 100 E6
Alegranza, I. Canary Is. 29°23N 13°32W 100 E6
Alegre Brazil 20°50S 41°30W 191 A7
Alegrete Brazil 29°40S 56°0W 191 B4
Aleksandriya = Oleksandriya Kirovohrad, Ukraine 48°42N 33°3E 85 H7
Aleksandriya = Oleksandriya Rivne, Ukraine 50°37N 26°19E 75 C14
Aleksandriyskaya Russia 43°58N 47°14E 87 J8
Aleksandrov Russia 56°23N 38°44E 84 D10
Aleksandrov Gay Russia 50°9N 48°34E 86 E9
Aleksandrovac Serbia 43°28N 21°3E 96 C5
Aleksandrovac Serbia 44°28N 21°13E 96 B5
Aleksandrovka = Oleksandrivka Ukraine 48°55N 32°20E 85 H7
Aleksandrovo Bulgaria 43°14N 24°51E 97 C8
Aleksandrovsk-Sakhalinskiy Russia 50°50N 142°20E 111 A17
Aleksandrów Kujawski Poland 52°53N 18°43E 83 F5
Aleksandrów Łódźki Poland 51°49N 19°17E 83 G6
Aleksandry, Zemlya Russia 80°25N 48°0E 106 A5
Alekseyevka Samara, Russia 52°35N 51°17E 86 D10
Alekseyevka Voronezh, Russia 50°43N 38°40E 85 G10
Aleksin Russia 54°31N 37°9E 84 E9
Aleksinac Serbia 43°31N 21°42E 96 C5
Além Paraíba Brazil 21°52S 42°41W 191 A7
Alemania Argentina 25°40S 65°30W 190 B2
Alemania Chile 25°10S 69°55W 190 B2
Alençon France 48°27N 0°4E 70 D7
Alenquer Brazil 1°56S 54°46W 187 D8
'Alenuihähä Channel U.S.A. 20°30N 156°0W 167 L8
Alépé Ivory C. 5°29N 3°40W 138 D4
Aleppo = Ḩalab Syria 36°10N 37°15E 104 D7
Alerce Andino △ Chile 41°33S 72°29W 192 B2
Alerce Costero △ Chile 40°10S 73°30W 192 B2
Aléria France 42°5N 9°26E 73 F13
Alert Canada 83°2N 60°0W 161 A20
Aleru India 17°39N 79°3E 126 F4
Alès France 44°9N 4°5E 73 D8
Aleşd Romania 47°3N 22°22E 80 C7
Alessándria Italy 44°54N 8°37E 92 D5
Ålesund Norway 62°28N 6°12E 60 E12
Alet-les-Bains France 42°59N 2°14E 72 F6
Aletschhorn Switz. 46°28N 8°0E 77 J4
Aleutian Basin Pac. Oc. 57°0N 177°0E 156 B9
Aleutian Is. Pac. Oc. 52°0N 175°0W 156 B10
Aleutian Range U.S.A. 60°0N 154°0W 166 D9
Aleutian Trench Pac. Oc. 48°0N 180°0E 54 D17
Alexander Ga., U.S.A. 33°1N 81°53W 178 B8
Alexander N. Dak., U.S.A. 47°51N 103°39W 172 B2
Alexander, Mt. Australia 28°58S 120°16E 149 E3
Alexander Arch. U.S.A. 56°0N 136°0W 160 F4
Alexander Bay S. Africa 28°40S 16°30E 144 C2
Alexander City U.S.A. 32°56N 85°58W 178 C4
Alexander I. Antarctica 69°0S 70°0W 55 C17
Alexandra Australia 37°8S 145°40E 153 D6
Alexandra N.Z. 45°14S 169°25E 155 F4
Alexandra Channel Burma 14°7N 93°13E 127 G11
Alexandra Falls Canada 60°29N 116°18W 162 A5
Alexandria = El Iskandarîya Egypt 31°13N 29°58E 137 H6
Alexandria B.C., Canada 52°35N 122°27W 162 C4
Alexandria Ont., Canada 45°19N 74°38W 175 A10
Alexandria Romania 43°57N 25°24E 81 G10
Alexandria S. Africa 33°38S 26°28E 144 D4
Alexandria U.K. 55°59N 4°35W 65 F4
Alexandria La., U.S.A. 31°18N 92°27W 176 F8
Alexandria Minn., U.S.A. 45°53N 95°22W 172 C6
Alexandria S. Dak., U.S.A. 43°39N 97°47W 172 D5
Alexandria Va., U.S.A. 38°49N 77°5W 173 F15
Alexandria Bay U.S.A. 44°20N 75°55W 175 B9
Alexandrina, L. Australia 35°25S 139°10E 152 C3
Alexandroupoli Greece 40°50N 25°54E 97 F9
Alexis → Canada 52°33N 56°8W 165 B8
Alexis Creek Canada 52°10N 123°20W 162 C4
Aley → Russia 52°51N 83°36E 109 B10
Aleysk Russia 52°40N 83°0E 109 B10
Alfabia Spain 39°44N 2°44E 100 B9

Alfambra Spain 40°33N 1°5W 90 E3
Alfândega da Fé Portugal 41°20N 6°59W 88 D4
Alfaro Spain 42°10N 1°50W 90 C3
Alfatar Bulgaria 43°59N 27°13E 97 C11
Alfeld Germany 51°59N 9°50E 76 D5
Alfenas Brazil 21°20S 46°10W 191 A6
Alföld Hungary 46°30N 20°0E 80 D5
Alfonsine Italy 44°30N 12°3E 93 D9
Alford Aberds., U.K. 57°14N 2°41W 65 D6
Alford Lincs., U.K. 53°15N 0°10E 66 D8
Alford U.S.A. 30°42N 85°24W 178 E4
Alfred Maine, U.S.A. 43°29N 70°43W 175 C14
Alfred N.Y., U.S.A. 42°16N 77°48W 174 D7
Alfredton N.Z. 40°41S 175°54E 154 G4
Alfreton U.K. 53°6N 1°24W 66 D6
Alfta Sweden 61°21N 16°4E 62 C10
Algaida Spain 39°33N 2°53E 100 B9
Algar Spain 36°40N 5°39W 89 J5
Ålgård Norway 58°46N 5°53E 61 G11
Algarinejo Spain 37°19N 4°9W 89 H6
Algarve Portugal 36°58N 8°20W 89 J2
Algeciras Spain 36°9N 5°28W 89 J5
Algemesí Spain 39°11N 0°27W 91 F4
Alger Algeria 36°42N 3°8E 136 A4
Alger □ Algeria 36°45N 3°10E 91 J8
Alger ✕ (ALG) Algeria 36°39N 3°13E 91 J8
Algeria ■ Africa 28°30N 2°0E 136 C4
Algha Kazakhstan 49°53N 57°20E 108 C5
Alghero Italy 40°33N 8°19E 94 B1
Älghult Sweden 57°0N 15°35E 63 G9
Algiers = Alger Algeria 36°42N 3°8E 136 A4
Algoa B. S. Africa 33°50S 25°45E 144 D4
Algodonales Spain 36°54N 5°24W 89 J5
Algodones Dunes
U.S.A. 32°50N 115°5W 171 N11
Algodor → Spain 39°55N 3°53W 88 F7
Algoma U.S.A. 44°36N 87°26W 172 C10
Algona U.S.A. 43°4N 94°14W 172 D6
Algonac U.S.A. 42°37N 82°32W 174 D2
Algonquin ⌂ Canada 45°50N 78°30W 164 C4
Algorta Spain 43°21N 2°59W 90 B2
Algorta Uruguay 32°25S 57°24W 190 C4
Alhama de Almería
Spain 36°57N 2°34W 89 J8
Alhama de Aragón
Spain 41°18N 1°54W 90 D3
Alhama de Granada
Spain 37°0N 3°59W 89 H7
Alhama de Murcia Spain 37°51N 1°25W 91 H3
Alhambra U.S.A. 34°5N 118°7W 171 L8
Alhaurín el Grande
Spain 36°39N 4°41W 89 J6
Alhucemas = Al Hoceïma
Morocco 35°8N 3°58W 136 A3
'Alī al Gharbī Iraq 32°30N 46°45E 105 F12
'Alī ash Sharqī Iraq 32°7N 46°44E 105 F12
Äli Bayramlı = Şirvan
Azerbaijan 39°59N 48°52E 87 L9
'Alī Khēl Afghan. 33°57N 69°43E 124 C3
Alī Shāh Iran 38°9N 45°50E 128 B5
Ália Italy 37°47N 13°43E 94 E6
'Alīābād Golestān, Iran 36°40N 54°33E 129 B7
'Alīābād Khorāsān, Iran 32°30N 57°30E 129 C8
'Alīābād Kordestān, Iran 35°4N 46°58E 128 C5
'Alīābād Yazd, Iran 31°41N 53°49E 129 D7
Aliade Nigeria 7°18N 8°29E 139 D6
Aliaga Spain 40°40N 0°42W 90 E4
Aliağa Turkey 38°47N 26°59E 99 C8
Aliakmonas → Greece 40°30N 22°36E 96 F6
Alibag India 18°38N 72°56E 126 E1
Alibori → Benin 11°56N 3°17E 139 C5
Alibunar Serbia 45°5N 20°57E 80 E5
Alicante Spain 38°23N 0°30W 91 G4
Alicante □ Spain 38°30N 0°37W 91 G4
Alicante ✕ (ALC) Spain 38°14N 0°36W 91 G4
Alice S. Africa 32°48S 26°55E 144 D4
Alice U.S.A. 27°45N 98°5W 176 H5
Alice → Queens.,
Australia 24°2S 144°50E 150 C3
Alice → Queens.,
Australia 15°35S 142°20E 150 B3
Alice, Punta Italy 39°24N 17°9E 95 C10
Alice Arm Canada 55°29N 129°31W 162 B3
Alice Springs Australia 23°40S 133°50E 150 C1
Alicedale S. Africa 33°15S 26°4E 144 D4
Aliceville U.S.A. 33°8N 88°9W 177 E10
Alicudi Italy 38°33N 14°20E 95 D7
Aliganj India 27°30N 79°10E 125 F8
Aligarh Raj., India 25°55N 76°15E 124 G7
Aligarh Ut. P., India 27°55N 78°10E 124 F8
Alīgūdarz Iran 33°25N 49°45E 129 C6
Alijó Portugal 41°16N 7°27W 88 D3
Alimia Greece 36°16N 27°43E 101 C9
Alingsås Sweden 57°56N 12°31E 63 G6
Alipur Pakistan 29°25N 70°55E 124 E4
Alipur Duar India 26°30N 89°35E 123 F16
Aliquippa U.S.A. 40°37N 80°15W 174 F4
Alishan Taiwan 23°31N 120°48E 117 F13
Aliste → Spain 41°34N 5°58W 88 D5
Alitus = Alytus Lithuania 54°24N 24°3E 84 E3
Aliveri Greece 38°24N 24°2E 98 C6
Aliwal North S. Africa 30°45S 26°45E 144 D4
Alix Canada 52°24N 113°11W 162 C6
Aljezur Portugal 37°18N 8°49W 89 H2
Aljustrel Portugal 37°55N 8°10W 89 H2
Alkamari Niger 13°27N 11°10E 139 C7
Alkhanay △ Russia 51°0N 113°30E 107 D12
Alkmaar Neths. 52°37N 4°45E 69 B4
All American Canal
U.S.A. 32°45N 115°15W 171 N11
Allada Benin 6°41N 2°9E 139 D5
Allagadda India 15°8N 78°30E 127 G4
Allagash → U.S.A. 47°5N 69°3W 173 B19
Allah Dad Pakistan 25°38N 67°34E 124 G2
Allahabad India 25°25N 81°58E 125 G9
Allan Canada 51°53N 106°4W 163 C7
Allanche France 45°14N 2°57E 72 C6
Allanridge S. Africa 27°45S 26°40E 144 C4
Allansford Australia 38°26S 142°39E 152 E5
Allanton N.Z. 45°55S 170°15E 155 F5
Allaqi, Wadi → Egypt 23°7N 32°47E 137 C3
Allariz Spain 42°11N 7°50W 88 C3
Allassac France 45°15N 1°29E 72 C5
Allatoona L. U.S.A. 34°10N 84°44W 178 A5
Ålleberg Sweden 58°8N 13°36E 63 F7
Allegany U.S.A. 42°6N 78°30W 174 D6
Allegheny → U.S.A. 40°27N 80°1W 174 F5
Allegheny Mts.
U.S.A. 38°15N 80°10W 173 F13
Allegheny Plateau
U.S.A. 41°30N 78°30W 173 E14
Allegheny Res. U.S.A. 41°50N 79°0W 174 E6
Allègre France 45°12N 3°41E 72 C7
Allègre, Pte. Guadeloupe 16°22N 61°46W 182 b
Allen Argentina 38°58S 67°50W 192 A3
Allen, Bog of Ireland 53°15N 7°0W 64 C5
Allen, L. Ireland 54°8N 8°4W 64 B3
Allendale U.S.A. 33°1N 81°18W 178 B8
Allende Mexico 28°20N 100°51W 180 B4
Allentown U.S.A. 40°37N 75°29W 175 F9
Allentsteig Austria 48°41N 15°20E 78 C8
Alleppey = Alappuzha
India 9°30N 76°28E 127 K3
Allepuz Spain 40°29N 0°44W 90 E4
Aller → Germany 52°56N 9°12E 76 C5
Alleynes B. Barbados 13°13N 59°39W 183 g
Alliance Nebr., U.S.A. 42°6N 102°52W 172 D2
Alliance Ohio, U.S.A. 40°55N 81°6W 174 F3
Allier □ France 46°25N 2°40E 71 F9
Allier → France 46°57N 3°4E 71 F10
Alliford Bay Canada 53°12N 131°58W 162 C2
Alligator Pond Jamaica 17°52N 77°34W 182 a
Allinagaram India 10°2N 77°30E 127 J3
Allinge Denmark 55°17N 14°50E 63 J8
Alliston Canada 44°9N 79°52W 174 B5
Alloa U.K. 56°7N 3°47W 65 E5
Allones France 48°20N 1°40E 70 D8
Allora Australia 28°2S 152°0E 151 D5
Allos France 44°15N 6°38E 73 D10
Alluitsup Paa Greenland 60°30N 45°35W 57 E6
Allur India 14°40N 80°4E 127 G5
Alluru Kottapatnam
India 15°24N 80°7E 127 G5
Alma Canada 48°35N 71°40W 165 C5
Alma Ga., U.S.A. 31°33N 82°28W 178 D7
Alma Kans., U.S.A. 39°1N 96°17W 172 F5
Alma Mich., U.S.A. 43°23N 84°39W 173 D11
Alma Nebr., U.S.A. 40°6N 99°22W 172 E4
Alma Wis., U.S.A. 44°20N 91°55W 172 C8
Alma Ata = Almaty
Kazakhstan 43°15N 76°57E 109 D9
Alma Hill U.S.A. 42°2N 78°0W 174 D7
Almacelles Spain 41°43N 0°27E 90 D5
Almada Portugal 38°41N 9°8W 89 G1
Almaden Australia 17°22S 144°40E 150 B3
Almadén Spain 38°49N 4°52W 89 G6
Almalyk = Olmaliq
Uzbekistan 40°50N 69°35E 109 D7
Almanor, L. U.S.A. 40°14N 121°9W 168 F3
Almansa Spain 38°51N 1°5W 91 G3
Almanza Spain 42°39N 5°3W 88 C5
Almanzor, Pico Spain 40°15N 5°18W 88 E5
Almanzora → Spain 37°14N 1°46W 91 H3
Almas Brazil 11°33S 47°9W 189 C1
Almaş, Munţii Romania 44°49N 22°12E 80 F7
Almaty Kazakhstan 43°15N 76°57E 109 D9
Almaty □ Kazakhstan 44°30N 78°0E 109 D9
Almazán Spain 41°30N 2°30W 90 D2
Almazora Spain 39°57N 0°3W 90 F4
Almeirim Brazil 1°30S 52°34W 187 D8
Almeirim Portugal 39°12N 8°37W 89 F2
Almelo Neths. 52°22N 6°42E 69 B6
Almenar de Soria Spain 41°43N 2°12W 90 D2
Almenara Brazil 16°11S 40°42W 189 D2
Almenara Spain 39°46N 0°14W 90 F4
Almenara, Sierra de
Spain 37°34N 1°32W 91 H3
Almendra, Embalse de
Spain 41°10N 6°5W 88 D4
Almendralejo Spain 38°41N 6°26W 89 G4
Almere Neths. 52°20N 5°15E 69 B5
Almería Spain 36°52N 2°27W 89 J8
Almería □ Spain 37°20N 2°20W 91 H2
Almería, G. de Spain 36°41N 2°28W 91 J2
Almetyevsk Russia 54°53N 52°20E 86 C11
Älmhult Sweden 56°33N 14°8E 63 H8
Almirante Panama 9°10N 82°30W 182 E3
Almirante Montt, G.
Chile 51°52S 72°50W 192 D2
Almiropotamos Greece 38°16N 24°11E 98 C6
Almiros Greece 39°11N 22°45E 98 B4
Almodôvar Portugal 37°31N 8°2W 89 H2
Almodóvar del Campo
Spain 38°43N 4°10W 89 G6
Almodóvar del Río Spain 37°48N 5°1W 89 H5
Almond U.S.A. 42°19N 77°44W 174 D7
Almont U.S.A. 42°55N 83°3W 174 D1
Almonte Canada 45°14N 76°12W 175 A8
Almonte Spain 37°13N 6°38W 89 H4
Almora India 29°38N 79°40E 125 E8
Almoradí Spain 38°7N 0°46W 91 G4
Almorox Spain 40°14N 4°24W 88 E6
Almoustarat Mali 17°35N 0°8E 139 B5
Älmsta Sweden 59°58N 18°50E 62 E12
Almudévar Spain 42°3N 0°35W 90 C4
Almuñécar Spain 36°43N 3°41W 89 J7
Almunge Sweden 59°53N 18°3E 62 E12
Almuradiel Spain 38°32N 3°28W 89 G7
Almus Turkey 40°22N 36°54E 104 B7
Almvik Sweden 57°49N 16°30E 63 G10
Almyrou, Ormos
Greece 35°23N 24°20E 101 D6
Alness U.K. 57°41N 4°16W 65 D4
Alnif Morocco 31°10N 5°8W 136 B2
Alnmouth U.K. 55°24N 1°37W 66 B6
Alnwick U.K. 55°24N 1°42W 66 B6
Aloi Uganda 2°16N 33°10E 142 B3
Alon Burma 22°12N 95°5E 123 H19
Alonissos Greece 39°9N 23°50E 98 B5
Alonissos-Northern Sporades △
Greece 39°15N 24°5E 98 B6
Alor Indonesia 8°15S 124°30E 119 F6
Alor Setar Malaysia 6°7N 100°22E 121 J3
Álora Spain 36°49N 4°46W 89 J6
Alosno Spain 37°33N 7°7W 89 H3
Alot India 23°56N 75°40E 124 H6
Alougoum Morocco 30°17N 6°56W 136 B2
Aloysius, Mt. Australia 26°0S 128°38E 149 E4
Alpaugh U.S.A. 35°53N 119°29W 170 K7
Alpe Apuane ⌂ Italy 44°4N 10°15E 92 D7
Alpedrinha Portugal 40°6N 7°27W 88 E3
Alpena U.S.A. 45°4N 83°27W 174 A1
Alpercatas → Brazil 6°2S 44°19W 189 B2
Alpes-de-Haute-Provence □
France 44°8N 6°10E 73 D10
Alpes-Maritimes □
France 43°55N 7°10E 73 E11
Alpha Australia 23°39S 146°37E 150 C4
Alpha Ridge Arctic 84°0N 118°0W 54 A2
Alpharetta U.S.A. 34°5N 84°18W 178 A5
Alphen aan den Rijn
Neths. 52°7N 4°40E 69 B4
Alphios → Greece 37°40N 21°33E 98 D3
Alpiarça Portugal 39°15N 8°35W 89 F2
Alpine Ariz., U.S.A. 33°51N 109°9W 169 K9
Alpine Calif., U.S.A. 32°50N 116°46W 171 N10
Alpine Tex., U.S.A. 30°22N 103°40W 176 F3
Alpine △ Australia 36°56S 148°10E 153 D7
Alps Europe 46°30N 9°30E 74 E5
Alpu Turkey 39°46N 30°58E 104 C4
Alpurrurulam
Australia 20°59S 137°50E 150 C2
Alqueta, Barragem do
Portugal 38°20N 7°25W 89 G3
Alrø Denmark 55°52N 10°5E 63 J4
Als Denmark 54°59N 9°55E 63 K3
Alsace □ France 48°15N 7°25E 71 D14
Alsask Canada 51°21N 109°59W 163 C7
Alsasua Spain 42°54N 2°10W 90 C2
Alsek → U.S.A. 59°10N 138°12W 162 B1
Alsfeld Germany 50°44N 9°16E 76 E5
Alsta Norway 65°58N 12°40E 60 D15
Alsterbro Sweden 56°57N 15°55E 63 H9
Alstermo Sweden 56°58N 15°38E 63 H9
Alston U.K. 54°49N 2°25W 66 C5
Alta Norway 69°57N 23°10E 60 B20
Alta, Sierra Spain 40°31N 1°30W 90 E3
Alta Gracia Argentina 31°40S 64°30W 190 C3
Alta Murgia △ Italy 40°55N 16°30E 95 B9
Alta Sierra U.S.A. 35°42N 118°33W 171 K8
Altaelva → Norway 69°54N 23°17E 60 B20
Altafjorden Norway 70°5N 23°5E 60 A20
Altai = Aerhtai Shan
Mongolia 46°40N 92°45E 109 C12
Altai = Gorno-Altay □
Russia 51°0N 86°0E 109 B11
Altai △ Russia 50°30N 85°30E 109 B11
Altamaha → U.S.A. 31°20N 81°20W 178 D8
Altamira Brazil 3°12S 52°10W 187 D8
Altamira Chile 25°47S 69°51W 190 B2
Altamira Mexico 22°24N 97°55W 181 C5
Altamira, Cuevas de
Spain 43°20N 4°5W 88 B6
Altamont U.S.A. 42°42N 74°2W 175 D10
Altamura Italy 40°49N 16°33E 95 B9
Altanbulag Mongolia 50°16N 106°30E 110 A10
Altar Mexico 30°43N 111°44W 180 A2
Altar, Gran Desierto de
Mexico 31°50N 114°10W 180 B2
Altata Mexico 24°40N 107°55W 180 C3
Altavista U.S.A. 37°6N 79°17W 173 G14
Altay China 47°48N 88°10E 109 C11
Altay Mongolia 46°22N 96°15E 110 B8
Altdorf Switz. 46°52N 8°36E 77 J4
Alte Mellum Germany 53°43N 8°10E 76 B4
Altea Spain 38°38N 0°2W 91 G4
Altenberg Germany 50°45N 13°45E 76 E9
Altenbruch Germany 53°49N 8°46E 76 B4
Altenburg Germany 50°59N 12°25E 76 E8
Altenkirchen
Mecklenburg-Vorpommern,
Germany 54°38N 13°22E 76 A9
Altenkirchen Rhld-Pfz.,
Germany 50°41N 7°39E 76 E3
Altenmarkt Austria 47°43N 14°39E 78 D7
Alter do Chão Portugal 39°12N 7°40W 89 F3
Altha U.S.A. 30°34N 85°8W 178 E4
Altınkaya Barajı
Turkey 41°18N 35°30E 104 B6
Altınoluk Turkey 39°34N 26°45E 99 B8
Altınova Turkey 39°12N 26°47E 99 B8
Altıntaş Turkey 39°4N 30°7E 99 B12
Altınyaka Turkey 36°33N 30°20E 99 E12
Altınyayla Turkey 37°0N 29°33E 99 D11
Altiplano Bolivia 17°0S 68°0W 188 D4
Altkirch France 47°37N 7°15E 71 E14
Altmark Germany 52°45N 11°30E 76 C7
Altmühl → Germany 48°54N 11°52E 77 G7
Altmühltal ⌂ Germany 48°55N 11°15E 77 G7
Altmunster Austria 47°54N 13°45E 78 D6
Alto Adige = Trentino-Alto
Adige □ Italy 46°30N 11°20E 93 B8
Alto Araguaia Brazil 17°15S 53°20W 187 G8
Alto Cuchumatanes =
Cuchumatanes, Sierra de los
Guatemala 15°35N 91°25W 182 C1
Alto del Carmen Chile 28°46S 70°30W 190 B1
Alto Douro Portugal 41°6N 7°47W 88 D3
Alto Garda Bresciano ⌂
Italy 45°42N 10°38E 92 C7
Alto Ligonha Mozam. 15°30S 38°11E 143 F4
Alto Molocue Mozam. 15°50S 37°35E 143 F4
Alto Paraguay □
Paraguay 21°0S 58°30W 190 A4
Alto Paraíso de Goiás
Brazil 14°7S 47°31W 189 C1
Alto Paraná □
Paraguay 25°30S 54°50W 191 B5
Alto Parnaíba Brazil 9°6S 45°57W 189 B1
Alto Purús → Peru 9°12S 70°28W 188 B3
Alto Río Senguerr
Argentina 45°2S 70°50W 192 C2
Alto Santo Brazil 5°31S 38°15W 189 B3
Alto Tajo ⌂ Spain 40°44N 2°30W 90 E2
Alton Canada 43°54N 80°5W 174 C4
Alton U.K. 51°9N 0°59W 67 F7
Alton Ill., U.S.A. 38°53N 90°11W 172 F8
Alton N.H., U.S.A. 43°27N 71°13W 175 C13
Altona Canada 49°6N 97°33W 163 D9
Altoona Ala., U.S.A. 34°2N 86°20W 178 A3
Altoona Pa., U.S.A. 40°31N 78°24W 174 F6
Altos Brazil 5°3S 42°28W 189 B2
Altötting Germany 48°12N 12°39E 77 G8
Altsasu = Alsasua Spain 42°54N 2°10W 90 C2
Altstätten Switz. 47°22N 9°33E 77 H5
Altun Kupri Iraq 35°45N 44°9E 105 E11
Altun Shan China 38°30N 88°0E 109 E11
Alturas U.S.A. 41°29N 120°32W 168 F3
Altus U.S.A. 34°38N 99°20W 176 D5
Altyn-Emel △
Kazakhstan 44°40N 78°26E 109 D9
Alucra Turkey 40°22N 38°47E 105 B8
Alūksne Latvia 57°24N 27°3E 84 D4
Alunda Sweden 60°4N 18°5E 62 D12
Alunite U.S.A. 35°59N 114°55W 171 K12
Alupka Ukraine 44°23N 34°2E 85 K8
Alur India 15°24N 77°15E 127 G3
Alushta Ukraine 44°40N 34°25E 85 K8
Alusi Indonesia 7°35S 131°40E 119 F8
Alustante Spain 40°36N 1°40W 90 E3
Alutgama Sri Lanka 6°26N 79°59E 127 L4
Alutnuwara Sri Lanka 7°19N 80°59E 127 L5
Aluva India 10°8N 76°24E 127 J3
Alva U.S.A. 36°48N 98°40W 176 C5
Alvaiázere Portugal 39°49N 8°23W 88 F2
Älvängen Sweden 57°58N 12°8E 63 G6
Alvão ⌂ Portugal 41°22N 7°48W 88 D3
Alvarado Mexico 18°46N 95°46W 181 D5
Alvarado U.S.A. 32°24N 97°13W 176 E6
Alvaro Obregón, Presa
Mexico 27°52N 109°52W 180 B3
Älvdalen Sweden 61°13N 14°4E 62 C8
Alvear Argentina 29°5S 56°30W 190 B4
Alverca Portugal 38°56N 9°1W 89 G1
Alvesta Sweden 56°54N 14°35E 63 H8
Alvinston Canada 42°49N 81°52W 174 D3
Alvito Portugal 38°15N 7°58W 89 G3
Älvkarleby Sweden 60°34N 17°26E 62 D11
Alvord Desert U.S.A. 42°30N 118°25W 168 E4
Älvros Sweden 62°3N 14°38E 62 B8
Älvsbyn Sweden 65°40N 21°0E 60 D19
Alwar India 27°38N 76°34E 124 F7
Alwaye = Aluva India 10°8N 76°24E 127 J3
Alxa Zuoqi China 38°50N 105°40E 114 E3
Alyangula Australia 13°55S 136°30E 150 A2
Alyata = Älät Azerbaijan 39°58N 49°25E 87 L9
Alyth U.K. 56°38N 3°13W 65 E5
Alytus Lithuania 54°24N 24°3E 84 E3
Alzada U.S.A. 45°2N 104°25W 168 D11
Alzamay Russia 55°33N 98°39E 107 D10
Alzey Germany 49°45N 8°7E 77 F4
Alzira Spain 39°9N 0°30W 91 F4
Am Timan Chad 11°0N 20°10E 135 F10
Amådalen Sweden 61°20N 14°44E 62 C8
Amadeus, L. Australia 24°54S 131°0E 149 D5
Amadi
Dem. Rep. of the Congo 3°40N 26°40E 142 B2
Amadi South Sudan 5°29N 30°25E 135 G12
Amadjuak L. Canada 65°0N 71°8W 161 E17
Amadora Portugal 38°45N 9°13W 89 G1
Amagansett U.S.A. 40°59N 72°9W 175 F12
Amagasaki Japan 34°42N 135°23E 113 G7
Amager Denmark 55°36N 12°35E 63 J6
Amagi Japan 33°25N 130°39E 113 H5
Amagunze Nigeria 6°20N 7°40E 139 D6
Amahai Indonesia 3°20S 128°55E 119 E7
Amainan-Maia Spain 43°12N 1°29W 90 B3
Amakusa = Hondo
Japan 32°27N 130°12E 113 H5
Amakusa-Shotō Japan 32°15N 130°10E 113 H5
Åmål Sweden 59°3N 12°42E 62 E6
Amalapuram India 16°35N 81°55E 127 F5
Amalfi Italy 40°38N 14°36E 95 B7
Amaliada Greece 37°47N 21°22E 98 D3
Amalner India 21°5N 75°5E 126 D2
Amamapare Indonesia 4°53S 136°38E 119 E9
Amambaí Brazil 23°5S 55°13W 191 A4
Amambaí → Brazil 23°22S 53°56W 191 A5
Amambay □ Paraguay 23°0S 56°0W 191 A4
Amambay, Cordillera de
S. Amer. 23°0S 55°45W 191 A4
Amami Japan 28°22N 129°27E 113 K4
Amami-Guntō Japan 27°16N 129°21E 113 L4
Amami-Ō-Shima
Japan 28°16N 129°21E 113 K4
Aman, Pulau Malaysia 5°16N 100°24E 121 c
Amaná, L. Brazil 2°35S 64°40W 186 D6
Amanat → India 24°7N 84°4E 125 G11
Amanda Park U.S.A. 47°28N 123°55W 170 C3
Amankeldi Kazakhstan 50°10N 65°10E 108 B7
Amantea Italy 39°8N 16°4E 95 C9
Amapá Brazil 2°5N 50°50W 187 C8
Amapá □ Brazil 1°40N 52°0W 187 C8
Amarante Brazil 6°14S 42°50W 189 B2
Amarante Portugal 41°16N 8°5W 88 D2
Amarante do Maranhão
Brazil 5°36S 46°45W 189 B1
Amaranth Canada 50°36N 98°43W 163 C9
Amaravati → India 11°0N 78°15E 127 J4
Amareleja Portugal 38°12N 7°13W 89 G3
Amargosa Brazil 13°2S 39°36W 189 C3
Amargosa → U.S.A. 36°14N 116°51W 171 J10
Amargosa Desert
U.S.A. 36°40N 116°30W 171 J10
Amargosa Range
U.S.A. 36°20N 116°45W 171 J10
Amari Greece 35°13N 24°40E 101 D6
Amarillo U.S.A. 35°13N 101°50W 176 D4
Amarkantak India 22°40N 81°45E 125 H9
'Amârna, Tell el Egypt 27°38N 30°52E 137 B3
Amarnath India 19°12N 73°22E 126 E1
Amaro, Mte. Italy 42°5N 14°5E 93 F11
Amarpur India 25°5N 87°0E 125 G12
Amarwara India 22°18N 79°10E 125 H8
Amasra Turkey 41°45N 32°23E 104 B5
Amassama Nigeria 5°1N 6°2E 139 D6
Amasya Turkey 40°40N 35°50E 104 B6
Amasya □ Turkey 40°40N 35°50E 104 B6
Amata Australia 26°9S 131°9E 149 E5
Amatikulu S. Africa 29°3S 31°33E 145 C5
Amatitlán Guatemala 14°29N 90°38W 182 D1
Amatrice Italy 42°38N 13°17E 93 F10
Amay Belgium 50°33N 5°19E 69 D5
Amazon = Amazonas →
S. Amer. 0°5S 50°0W 187 D8
Amazonas □ Brazil 5°0S 65°0W 186 E6
Amazonas □ Peru 5°0S 78°0W 188 B2
Amazonas → S. Amer. 0°5S 50°0W 187 D8
Ambad India 19°38N 75°50E 126 E2
Ambagarh Chowki
India 20°47N 80°43E 126 D5
Ambah India 26°43N 78°13E 124 F8
Ambajogal India 18°44N 76°23E 126 E3
Ambala India 30°23N 76°56E 124 D7
Ambalangoda Sri Lanka 6°15N 80°5E 127 L5
Ambalantota Sri Lanka 6°7N 81°1E 127 L5
Ambalapulai India 9°25N 76°25E 127 K3
Ambalavao Madag. 21°50S 46°56E 141 J9
Ambanja Madag. 13°40S 48°27E 141 G9
Ambarchik Russia 69°40N 162°20E 107 C17
Ambarlı Turkey 40°58N 28°40E 97 E12
Ambasamudram India 8°43N 77°25E 127 K3
Ambato Ecuador 1°5S 78°42W 186 D3
Ambato, Sierra de
Argentina 28°25S 66°10W 190 B2
Ambato Boeny Madag. 16°28S 46°43E 141 H9
Ambatofinandrahana
Madag. 20°33S 46°48E 141 J9
Ambatolampy Madag. 19°20S 47°35E 141 H9
Ambatondrazaka
Madag. 17°55S 48°28E 141 H9
Ambelonas Greece 39°45N 22°22E 98 B4
Amberg Germany 49°26N 11°52E 77 F7
Ambergris Cay Belize 18°0N 87°55W 181 D7
Ambérieu-en-Bugey
France 45°57N 5°20E 73 C9
Amberley Canada 44°2N 81°42W 174 B3
Amberley N.Z. 43°9S 172°44E 155 D7
Ambert France 45°33N 3°44E 72 C7
Ambidédi Mali 14°35N 11°47W 138 C2
Ambikapur India 23°15N 83°15E 125 H10
Ambikol Sudan 21°20N 30°50E 137 C3
Ambilobé Madag. 13°10S 49°3E 141 G9
Amble U.K. 55°20N 1°36W 66 B6
Ambleside U.K. 54°26N 2°58W 66 C5
Ambo Peru 10°5S 76°10W 188 C2
Ambohitra Madag. 12°30S 49°10E 141 G9
Amboise France 47°24N 1°2E 70 E8
Ambon Indonesia 3°43S 128°12E 119 E7
Amboseli, L. Kenya 2°40S 37°10E 142 C4
Amboseli △ Kenya 2°37S 37°13E 142 C4
Ambositra Madag. 20°31S 47°25E 141 J9
Ambovombe Madag. 25°11S 46°5E 141 K9
Amboy U.S.A. 34°33N 115°45W 171 L11
Amboyna Cay
S. China Sea 7°50N 112°50E 118 C4
Ambridge U.S.A. 40°36N 80°14W 174 F4
Ambriz Angola 7°48S 13°8E 140 F2
Ambrolauri Georgia 42°31N 43°9E 105 A10
Ambur India 12°48N 78°43E 127 H4
Amchitka I. U.S.A. 51°32N 179°0E 166 E3
Amderma Russia 69°45N 61°30E 106 C7
Amdhi India 23°51N 81°27E 125 H9
Amdo China 32°20N 91°40E 110 E7
Ameca Mexico 20°33N 104°2W 180 C4
Ameca → Mexico 20°41N 105°18W 180 C3
Amecameca de Juárez
Mexico 19°8N 98°46W 181 D5
Amed Indonesia 8°19S 115°39E 119 J18
Ameland Neths. 53°27N 5°45E 69 A5
Amélia Italy 42°33N 12°25E 93 F9
Amelia City U.S.A. 30°35N 81°28W 178 E8
Amelia I. U.S.A. 30°40N 81°25W 178 E8
Amendolara Italy 39°57N 16°35E 95 C9
Amenia U.S.A. 41°51N 73°33W 175 E11
America-Antarctica Ridge
S. Ocean 59°0S 16°0W 55 B2
American Falls U.S.A. 42°47N 112°51W 168 E7
American Falls Res.
U.S.A. 42°47N 112°52W 168 E7
American Fork
U.S.A. 40°23N 111°48W 168 F8
American Highland
Antarctica 73°0S 75°0E 55 D6
American River
Australia 35°47S 137°46E 152 C2
American Samoa ☑
Pac. Oc. 14°20S 170°0W 157 J11
Americana Brazil 22°45S 47°20W 191 A6
Americus U.S.A. 32°4N 84°14W 178 C5
Amerigo Vespucci, Firenze ✕
(FLR) Italy 43°49N 11°13E 93 E8
Amersfoort Neths. 52°9N 5°23E 69 B5
Amersfoort S. Africa 26°59S 29°53E 145 C4
Amery Basin S. Ocean 68°15S 74°30E 55 C6
Amery Ice Shelf
Antarctica 69°30S 72°0E 55 C6
Amerzgane Morocco 31°4N 7°14W 136 B2
Ames = Bertamirans
Spain 42°54N 8°38W 88 C2
Ames U.S.A. 42°2N 93°37W 172 D7
Amesbury U.S.A. 42°51N 70°56W 175 D14
Amet India 25°18N 73°56E 124 G5
Amfiklia Greece 38°38N 22°35E 98 C4
Amfilochia Greece 38°52N 21°9E 98 C3
Amfipoli Greece 40°48N 23°52E 96 F7
Amfissa Greece 38°32N 22°22E 98 C4
Amga Russia 60°50N 132°0E 107 C14
Amga → Russia 62°38N 134°32E 107 C14
Amgaon India 21°22N 80°22E 126 D5
Amgu Russia 45°45N 137°15E 112 B8
Amguid Algeria 26°26N 5°22E 136 C5
Amgun → Russia 52°56N 139°38E 107 D14
Amherst Canada 45°48N 64°8W 165 C7
Amherst Mass.,
U.S.A. 42°23N 72°31W 175 D12
Amherst N.Y., U.S.A. 42°59N 78°48W 174 D6
Amherst Ohio, U.S.A. 41°24N 82°14W 174 E2
Amherst I. Canada 44°8N 76°43W 175 B8
Amherstburg Canada 42°6N 83°6W 164 D3
Amiata, Mte. Italy 42°53N 11°37E 93 F8
Amidon U.S.A. 46°29N 103°19W 172 B2
Amiens France 49°54N 2°16E 71 C9
Amindeo Greece 40°42N 21°42E 96 F5
Amindivi Is. India 11°23N 72°23E 127 J1
Amini I. India 11°6N 72°45E 127 J1
Aminuis Namibia 23°43S 19°21E 144 B2
Amīrābād Iran 33°20N 46°16E 128 C5
Amirante Is. Seychelles 6°0S 53°0E 102 J7
Amisk ⌂ Canada 56°43N 98°0W 163 B9
Amisk L. Canada 54°35N 102°15W 163 C8
Amistad, Presa de la
Mexico 29°26N 101°3W 180 B4
Amistad ⌂ U.S.A. 29°32N 101°12W 176 G4
Amite U.S.A. 30°44N 90°30W 177 F9
Amizmiz Morocco 31°12N 8°15W 136 B2
Amla India 21°56N 78°7E 124 J8
Amlapura Indonesia 8°27S 115°37E 119 J18
Amlia I. U.S.A. 52°4N 173°30W 166 E5
Amlwch U.K. 53°24N 4°20W 66 D3
'Ammān Jordan 31°57N 35°52E 130 D4
'Ammān ✕ (AMM)
Jordan 31°45N 36°2E 130 D5
Ammanford U.K. 51°48N 3°59W 67 F4
Ammassalik = Tasiilaq
Greenland 65°40N 37°20W 57 D7
Ammerån → Sweden 63°9N 16°13E 62 A10
Ammersee Germany 48°0N 11°7E 77 G7
Ammochostos = Famagusta
Cyprus 35°8N 33°55E 101 D12
Ammon U.S.A. 43°28N 111°58W 168 E8
Amnat Charoen
Thailand 15°51N 104°38E 120 E5
Amnura Bangla. 24°37N 88°25E 125 G13
Āmol Iran 36°23N 52°20E 129 B7
Amorgos Greece 36°50N 25°57E 99 E7
Amory U.S.A. 33°59N 88°29W 177 E10
Amos Canada 48°35N 78°5W 164 C4
Åmot Norway 59°57N 9°54E 61 G13
Åmot Sweden 60°58N 16°27E 62 D10
Åmotfors Sweden 59°47N 12°22E 62 E6
Amour, Djebel Algeria 33°42N 1°37E 136 B4
Amoy = Xiamen
China 24°25N 118°4E 117 E12
Ampang Malaysia 3°8N 101°45E 121 L3
Ampani India 19°35N 82°38E 126 E6
Ampanihy Madag. 24°40S 44°45E 141 J8
Ampato, Nevado Peru 15°40S 71°56W 188 D3
Ampenan Indonesia 8°34S 116°4E 119 K18
Amper Nigeria 9°25N 9°40E 139 D6
Amper → Germany 48°29N 11°55E 77 G7
Ampezzo Italy 46°25N 12°48E 93 B9
Amphitrite Group
S. China Sea 16°50N 112°20E 118 A4
Amphoe Kathu Thailand 7°55N 98°21E 121 a
Amphoe Thalang Thailand 8°1N 98°20E 121 a
Amposta Spain 40°43N 0°34E 90 E5
Amqui Canada 48°28N 67°27W 165 C6
Amravati India 20°55N 77°45E 126 D3
Amreli India 21°35N 71°17E 124 J4
Amritsar India 31°35N 74°57E 124 D6
Amroha India 28°53N 78°30E 125 E8
Amrum Germany 54°38N 8°22E 76 A4
Amsterdam Neths. 52°23N 4°54E 69 B4
Amsterdam U.S.A. 42°56N 74°11W 175 D10
Amsterdam ✕ (AMS)
Neths. 52°18N 4°45E 69 B4
Amsterdam I. = Nouvelle
Amsterdam, Î.
Ind. Oc. 38°30S 77°30E 146 H6
Amstetten Austria 48°7N 14°51E 78 C7
'Amūdah Syria 37°6N 40°55E 105 D9
Amudarya
Turkmenistan 37°53N 65°15E 108 E7
Amudarya →
Uzbekistan 43°58N 59°34E 108 D5
Amukta Pass U.S.A. 52°0N 171°0W 166 E5
Amund Ringnes I.
Canada 78°20N 96°25W 161 B12
Amundsen Abyssal Plain
S. Ocean 65°0S 125°0W 55 C14
Amundsen Basin Arctic 87°30N 80°0E 54 A
Amundsen Gulf Canada 71°0N 124°0W 160 C7
Amundsen Ridges
S. Ocean 69°15S 123°0W 55 C14
Amundsen-Scott
Antarctica 90°0S 166°0E 55 E
Amundsen Sea
Antarctica 72°0S 115°0W 55 D15
Amungen Sweden 61°10N 15°40E 62 C9
Amuntai Indonesia 2°28S 115°25E 118 E5
Amur → Russia 52°56N 141°10E 107 D15
Amur, W. → Sudan 18°56N 33°34E 137 D3
Amurang Indonesia 1°5N 124°40E 119 D6
Amurrio Spain 43°3N 3°0W 90 B1
Amursk Russia 50°14N 136°54E 107 D14
Amusco Spain 42°10N 4°28W 88 C6
Amvrakikos Kolpos
Greece 39°0N 20°55E 98 C2
Amvrosiyivka Ukraine 47°43N 38°30E 85 J10
Amyderya = Amudarya →
Uzbekistan 43°58N 59°34E 108 D5
An Bang, Dao = Amboyna Cay
S. China Sea 7°50N 112°50E 118 C4
An Bien Vietnam 9°45N 105°0E 121 H5
An Hoa Vietnam 15°40N 108°5E 120 E7
An Khe Vietnam 13°57N 108°51E 120 F7
An Nabatīyah at Tahta
Lebanon 33°23N 35°27E 130 B4
An Nabk Syria 34°2N 36°44E 130 A5
An Nafūd Si. Arabia 28°15N 41°0E 128 D4
An Nāḩīyah Iraq 34°26N 41°33E 105 E9
An Najaf Iraq 32°3N 44°15E 105 G11
An Nāşirīyah Iraq 31°0N 46°15E 128 D5
An Nhon = Binh Dinh
Vietnam 13°55N 109°7E 120 F7
An Nîl □ Sudan 19°30N 33°0E 137 D3
An Nu'ayrīyah
Si. Arabia 27°30N 48°30E 129 E6
An Nu'mānīyah Iraq 32°32N 45°25E 105 F11
An Ros = Rush Ireland 53°31N 6°6W 64 C5
An Thoi, Quan Dao
Vietnam 9°58N 104°0E 121 H5
Anabar → Russia 73°8N 113°36E 107 B12
Anaconda U.S.A. 46°8N 112°57W 168 C7
Anacortes U.S.A. 48°30N 122°37W 170 B4
Anadarko U.S.A. 35°4N 98°15W 176 D5
Anadia Brazil 9°42S 36°18W 189 B3
Anadia Portugal 40°26N 8°27W 88 E2
Anadolu Turkey 39°0N 30°0E 104 C5
Anadyr Russia 64°35N 177°20E 107 C18
Anadyr → Russia 64°55N 176°5E 107 C18
Anadyrskiy Zaliv
Russia 64°0N 180°0E 107 C19
Anafi Greece 36°22N 25°48E 99 E7
Anaga, Pta. de
Canary Is. 28°34N 16°9W 100 F3
Anagni Italy 41°44N 13°9E 93 G10
'Ānah Iraq 34°25N 42°0E 105 E10
Anaheim U.S.A. 33°50N 117°55W 171 M9
Anahim Lake Canada 52°28N 125°18W 162 C3
Anai Mudi India 10°12N 77°4E 127 J3
Anaimalai Hills India 10°20N 76°40E 127 J3
Anajatuba Brazil 3°16S 44°37W 189 A2
Anakapalle India 17°42N 83°6E 126 F6
Anakie Australia 23°32S 147°45E 150 C4
Anaklia Georgia 42°22N 41°35E 87 J5
Analalava Madag. 14°35S 48°0E 141 G9
Analipsis Greece 39°36N 19°55E 101 A3
Anambar → Pakistan 30°15N 68°50E 124 D3
Anambas, Kepulauan
Indonesia 3°20N 106°30E 118 D3
Anambas Is. = Anambas,
Kepulauan Indonesia 3°20N 106°30E 118 D3
Anambra □ Nigeria 6°20N 7°0E 139 D6
Anamosa U.S.A. 42°7N 91°17W 172 D8
Anamur Turkey 36°8N 32°58E 104 D5
Anamur Burnu Turkey 36°2N 32°47E 104 D5
Anan Japan 33°54N 134°40E 113 H7
Anand India 22°32N 72°59E 124 H5
Anandapuram India 14°5N 75°12E 127 G2
Anandpur India 21°16N 86°13E 126 D8
Ananes Greece 36°33N 24°9E 98 E6
Anangu Pitjantjatjara ©
Australia 27°0S 132°0E 149 E5
Anantapur India 14°39N 77°42E 127 G3
Anantnag India 33°45N 75°10E 125 C6
Ananyiv Ukraine 47°44N 29°58E 81 C14
Anapa Russia 44°55N 37°25E 85 K9
Anapodiaris → Greece 34°59N 25°20E 101 E7
Anápolis Brazil 16°15S 48°50W 187 G9
Anapu → Brazil 1°53S 50°53W 187 D8
Anār Iran 30°55N 55°13E 129 D7
Anārak Iran 33°25N 53°40E 129 C7
Anarisfjällen Sweden 63°6N 13°10E 62 A7
Anas → India 23°26N 74°0E 124 H5
Anatolia = Anadolu
Turkey 39°0N 30°0E 104 C5

Anatoliki Makedonia kai Thraki □ Greece 41°10N 24°30E 97 E8
Anatuya Argentina 28°20S 62°50W 190 B3
Anatye ◎ Australia 22°29S 137°3E 150 C2
Anaunethad L. Canada 60°55N 104°25W 163 A8
Anbyŏn N. Korea 39°1N 127°35E 115 E14
Ancares, Sierra dos Spain 42°51N 6°52W 88 C4
Ancares ⌓ Spain 42°50N 6°40W 88 C4
Ancash □ Peru 9°30S 77°45W 188 B2
Ancaster Canada 43°13N 79°59W 174 C5
Ancenis France 47°21N 1°10W 70 E5
Ancho, Canal Chile 50°0S 74°20W 192 D2
Anchor Bay U.S.A. 38°48N 123°34W 170 G3
Anchorage U.S.A. 61°13N 149°54W 160 E2
Anchuras Spain 39°29N 4°50W 89 F6
Anchuthengu India 8°40N 76°46E 127 K3
Anci China 39°20N 116°40E 114 E9
Ancohuma, Nevado Bolivia 16°0S 68°50W 188 D4
Ancón Peru 11°50S 77°10W 188 C2
Ancona Italy 43°38N 13°30E 93 E10
Ancud Chile 42°0S 73°50W 192 B2
Ancud, G. de Chile 42°0S 73°0W 192 B2
Ancy-le-Franc France 47°46N 4°10E 71 E11
Anda China 46°24N 125°19E 111 B14
Andacollo Argentina 37°10S 70°42W 190 D1
Andacollo Chile 30°14S 71°6W 190 C1
Andahuaylas Peru 13°40S 73°25W 188 C3
Andalgalá Argentina 27°40S 66°30W 190 B2
Åndalsnes Norway 62°35N 7°43E 60 E12
Andalucía □ Spain 37°35N 5°0W 89 H6
Andalusia = Andalucía □ Spain 37°35N 5°0W 89 H6
Andalusia U.S.A. 31°18N 86°29W 177 F11
Andaman & Nicobar Is. □ India 10°0N 93°0E 127 K11
Andaman Is. Ind. Oc. 12°30N 92°45E 127 H11
Andaman Sea Ind. Oc. 13°0N 96°0E 118 B1
Andamooka Australia 30°27S 137°9E 151 E2
Andapa Madag. 14°39S 49°39E 141 G9
Andara Namibia 18°2S 21°9E 144 A3
Andaraí Brazil 12°48S 41°20W 189 C2
Andelot-Blancheville France 48°15N 5°18E 71 D12
Andenes Norway 69°19N 16°18E 60 B17
Andenne Belgium 50°28N 5°5E 69 D5
Andéranboukane Mali 15°26N 3°2E 139 B5
Andermatt Switz. 46°38N 8°35E 77 J4
Andernach Germany 50°26N 7°24E 76 E3
Andernos-les-Bains France 44°44N 1°6W 72 D2
Anderslöv Sweden 55°26N 13°19E 63 J7
Anderson Australia 38°31S 145°26E 153 E6
Anderson Alaska, U.S.A. 64°25N 149°15W 166 C10
Anderson Calif., U.S.A. 40°27N 122°18W 168 F2
Anderson Ind., U.S.A. 40°10N 85°41W 173 E11
Anderson Mo., U.S.A. 36°39N 94°27W 172 G6
Anderson S.C., U.S.A. 34°31N 82°39W 177 D13
Anderson → Canada 69°42N 129°0W 160 D6
Anderson I. India 12°46N 92°43E 127 H11
Andersonville U.S.A. 32°12N 84°9W 178 C5
Andersonville ⌓ U.S.A. 32°12N 84°1W 178 C5
Anderstorp Sweden 57°19N 13°39E 63 G7
Andes U.S.A. 42°12N 74°47W 175 D10
Andes, Cord. de los S. Amer. 20°0S 68°0W 188 E4
Andfjorden Norway 69°10N 16°20E 60 B17
Andhra, L. India 18°54N 73°32E 126 E1
Andhra Pradesh □ India 18°0N 79°0E 126 F4
Andijon Uzbekistan 41°10N 72°15E 109 D8
Andijon □ Uzbekistan 40°45N 72°20E 109 D8
Andikíthira = Antikythira Greece 35°52N 23°15E 98 F5
Andīmeshk Iran 32°27N 48°21E 105 F13
Andimilos = Antimilos Greece 36°47N 24°12E 98 E6
Andiparos = Antiparos Greece 37°0N 25°3E 99 D7
Andipaxoi = Antipaxoi Greece 39°9N 20°13E 98 B2
Andipsara = Antipsara Greece 38°30N 25°29E 99 C7
Andizhan = Andijon Uzbekistan 41°10N 72°15E 109 D8
Andkhvoy Afghan. 36°52N 65°8E 109 E7
Andoain Spain 43°13N 2°1W 90 B2
Andoany Madag. 13°25S 48°16E 141 G9
Andol India 17°51N 78°4E 126 F4
Andola India 16°57N 76°50E 126 F3
Andong S. Korea 36°40N 128°43E 115 F15
Andorra Spain 40°59N 0°28W 90 E4
Andorra ■ Europe 42°30N 1°30E 72 F5
Andorra La Vella Andorra 42°31N 1°32E 72 F5
Andover U.K. 51°12N 1°29W 67 F6
Andover Kans., U.S.A. 37°43N 97°7W 172 G5
Andover Maine, U.S.A. 44°38N 70°45W 175 B14
Andover Mass., U.S.A. 42°40N 71°8W 175 D13
Andover N.J., U.S.A. 40°59N 74°45W 175 F10
Andover N.Y., U.S.A. 42°10N 77°48W 174 D7
Andover Ohio, U.S.A. 41°36N 80°34W 174 E4
Andøya Norway 69°10N 15°50E 60 B16
Andradina Brazil 20°54S 51°23W 187 H8
Andratx Spain 39°39N 2°25E 100 B9
Andravida Greece 37°54N 21°16E 98 D3
Andreanof Is. U.S.A. 51°30N 176°0W 166 E4
Andreapol Russia 56°40N 32°17E 84 D7
Andrée Land Greenland 73°40N 26°0W 57 C8
Andrews S.C., U.S.A. 33°27N 79°34W 177 E15
Andrews Tex., U.S.A. 32°19N 102°33W 176 E3
Andreyevka Russia 52°19N 51°55E 86 D10
Ándria Italy 41°13N 16°17E 95 A9
Andrijevica Montenegro 42°45N 19°48E 96 D3
Andritsena Greece 37°29N 21°52E 98 D3
Andros Greece 37°50N 24°57E 98 D6
Andros I. Bahamas 24°30N 78°0W 182 B4
Andros Town Bahamas 24°43N 77°47W 182 B4
Androth I. India 10°50N 73°41E 127 J1
Andrychów Poland 49°51N 19°18E 83 J6
Andselv Norway 69°4N 18°34E 60 B18
Andújar Spain 38°3N 4°5W 89 G6
Andulo Angola 11°25S 16°45E 140 G3
Aneby Sweden 57°48N 14°49E 63 G8
Anéfis Mali 18°2N 0°36E 139 B5
Anegada Br. Virgin Is. 18°45N 64°20W 183 e
Anegada, B. Argentina 40°20S 62°20W 192 B4
Anegada Passage W. Indies 18°15N 63°45W 183 C7
Aného Togo 6°12N 1°34E 139 D5
Añelo Argentina 38°20S 68°45W 192 A3
Anenii-Noi Moldova 46°53N 29°15E 81 D14
Aneto, Pico de Spain 42°37N 0°40E 90 C5
Änew Turkmenistan 37°52N 58°31E 108 E5
Anfu China 27°21N 114°40E 117 D10
Ang Mo Kio Singapore 1°23N 103°50E 121 d
Ang Thong Thailand 14°35N 100°31E 120 E3
Ang Thong, Ko Thailand 9°37N 99°41E 121 b
Ang Thong, Mu Ko △ Thailand 9°40N 99°43E 121 b
Angamos, Punta Chile 23°1S 70°32W 190 A1
Angara → Russia 58°5N 94°20E 107 D10
Angara-Débou Benin 11°19N 3°3E 139 C5
Angarsk Russia 52°30N 104°0E 110 A9
Angas Hills Australia 23°0S 127°50E 148 D4
Angaston Australia 34°30S 139°8E 152 C3
Ånge Sweden 62°31N 15°35E 62 B9
Ángel, Salto = Angel Falls Venezuela 5°57N 62°30W 186 B6
Ángel de la Guarda, I. Mexico 29°20N 113°25W 180 B2
Angel Falls Venezuela 5°57N 62°30W 186 B6
Angeles Phil. 15°9N 120°33E 119 A6
Ängelholm Sweden 56°15N 12°50E 63 H6
Angels Camp U.S.A. 38°4N 120°32W 170 G6
Ängelsberg Sweden 59°58N 16°0E 62 E10
Ångermanälven → Sweden 63°0N 17°20E 62 A11
Ångermanland Sweden 63°36N 17°45E 60 E17
Angermünde Germany 53°0N 14°0E 76 B9
Angers Canada 45°31N 75°29W 175 A9
Angers France 47°30N 0°35W 70 E6
Angerville France 48°19N 2°0E 71 D9
Ängesån → Sweden 66°16N 22°47E 60 C20
Angical Brazil 12°0S 44°42W 189 C2
Angikuni L. Canada 62°12N 99°59W 163 A9
Angkor Cambodia 13°22N 103°50E 120 F4
Angledool Australia 29°5S 147°55E 151 D4
Anglem, Mt. N.Z. 46°45S 167°53E 155 G2
Anglès Spain 41°57N 2°38E 90 D7
Anglesey U.K. 53°17N 4°20W 66 D3
Anglesey, Isle of □ U.K. 53°16N 4°18W 66 D3
Anglet France 43°29N 1°31W 72 E2
Angleton U.S.A. 29°10N 95°26W 176 G7
Anglin → France 46°42N 0°52E 72 B4
Anglisidhes Cyprus 34°51N 33°27E 101 E12
Anglure France 48°35N 3°50E 71 D10
Angmagssalik = Tasiilaq Greenland 65°40N 37°20W 57 D7
Ango Dem. Rep. of the Congo 4°10N 26°5E 142 B2
Angoche Mozam. 16°8S 39°55E 143 F4
Angoche, I. Mozam. 16°20S 39°50E 143 F4
Angol Chile 37°56S 72°45W 190 D1
Angola Ind., U.S.A. 41°38N 85°0W 173 E11
Angola N.Y., U.S.A. 42°38N 79°2W 174 D5
Angola ■ Africa 12°0S 18°0E 141 G3
Angola Abyssal Plain Atl. Oc. 15°0S 2°0E 56 H12
Angola Basin Atl. Oc. 15°0S 3°0E 56 H12
Angoulême France 45°39N 0°10E 72 C4
Angoumois France 45°50N 0°25E 72 C4
Angra do Heroísmo Azores 38°39N 27°13W 134 a
Angra dos Reis Brazil 23°0S 44°10W 191 A7
Angrapa → Russia 54°37N 21°54E 82 D8
Angren Uzbekistan 41°1N 70°12E 109 D8
Angtassom Cambodia 11°1N 104°41E 121 G5
Angu Dem. Rep. of the Congo 3°23N 24°30E 142 B1
Anguang China 45°15N 123°45E 115 B12
Anguilla ☒ W. Indies 18°14N 63°5W 183 C7
Angul India 20°51N 85°6E 126 D7
Anguo China 38°28N 115°15E 114 E8
Angurugu Australia 14°0S 136°25E 150 A2
Angus Canada 44°19N 79°53W 174 B5
Angus □ U.K. 56°46N 2°56W 65 E6
Angwa → Zimbabwe 16°0S 30°23E 145 A5
Anhanduí → Brazil 21°46S 52°9W 191 A5
Anholt Denmark 56°42N 11°33E 63 H5
Anhua China 28°23N 111°12E 117 C8
Anhui □ China 32°0N 117°0E 117 B11
Anhwei = Anhui □ China 32°0N 117°0E 117 B11
Anichab Namibia 21°0S 14°46E 144 B1
Anidros Greece 36°38N 25°43E 99 E7
Anié Togo 7°42N 1°8E 139 D5
Animas → U.S.A. 36°43N 108°13W 169 H9
Anin Burma 15°36N 97°50E 120 E1
Anina Romania 45°6N 21°51E 80 E6
Aninoasa Romania 44°47N 24°10E 81 F9
Anjalankoski Finland 60°45N 26°51E 84 B4
Anjangaon India 21°10N 77°20E 126 D3
Anjar = Hawsh Mūssá Lebanon 33°45N 35°55E 130 B4
Anjar India 23°6N 70°10E 124 H4
Anjengo = Anchuthengu India 8°40N 76°46E 127 K3
Anji China 30°46N 119°40E 117 B12
Anjidiv I. India 14°40N 74°10E 127 G2
Anjou France 47°20N 0°15W 70 E6
Anjouan Comoros Is. 12°15S 44°20E 141 a
Anju N. Korea 39°36N 125°40E 115 E13
Anka Nigeria 12°13N 5°58E 139 C6
Ankaboa, Tanjona Madag. 21°58S 43°20E 141 J8
Ankang China 32°40N 109°1E 114 H5
Ankara Turkey 39°57N 32°54E 104 C5
Ankara □ Turkey 39°55N 32°50E 104 C5
Ankaratra Madag. 19°25S 47°12E 141 H9
Ankarsrum Sweden 57°41N 16°20E 63 G10
Ankazoabo Madag. 22°18S 44°31E 141 J8
Ankeny U.S.A. 41°44N 93°36W 172 E7
Anklam Germany 53°51N 13°41E 76 B9
Ankleshwar India 21°38N 73°3E 126 D1
Ankola India 14°40N 74°18E 127 G2
Ankoro Dem. Rep. of the Congo 6°45S 26°55E 142 D2
Ankpa Nigeria 7°22N 7°38E 139 D6
Anlong China 25°2N 105°27E 116 E5
Anlong Veng Cambodia 14°14N 104°5E 120 E5
Anlu China 31°15N 113°45E 117 B9
Anmyeondo S. Korea 36°25N 126°25E 115 F14
Ånn Sweden 63°19N 12°33E 62 A6
Ann, C. U.S.A. 42°38N 70°35W 175 D14
Ann Arbor U.S.A. 42°17N 83°45W 173 D12
Anna Russia 51°28N 40°23E 86 E5
Anna U.S.A. 37°28N 89°15W 172 G9
Annaba Algeria 36°50N 7°46E 136 A5
Annaba □ Algeria 36°12N 7°45E 136 A5
Annaberg-Buchholz Germany 50°34N 13°0E 76 E9
Annalee → Ireland 54°2N 7°24W 64 B4
Annam = Trung Phan Vietnam 17°0N 109°0E 120 D6
Annamitique, Chaîne Asia 17°0N 106°0E 120 D6
Annan U.K. 54°59N 3°16W 65 G5
Annan → U.K. 54°58N 3°16W 65 G5
Annapolis U.S.A. 38°59N 76°30W 173 F15
Annapolis Royal Canada 44°44N 65°32W 165 D6
Annapurna Nepal 28°34N 83°50E 125 E10
Annean, L. Australia 26°54S 118°14E 149 E2
Anneberg Sweden 57°44N 14°49E 63 G8
Annecy France 45°55N 6°8E 73 C10
Annecy, Lac d' France 45°52N 6°10E 73 C10
Annemasse France 46°12N 6°16E 71 F13
Annenskiy Most Russia 60°45N 37°10E 84 B9
Annette I. U.S.A. 55°9N 131°28W 162 B2
Annigeri India 15°26N 75°26E 127 G2
Anning China 24°55N 102°26E 116 E4
Anniston U.S.A. 33°39N 85°50W 178 B4
Annobón Atl. Oc. 1°25S 5°36E 133 G4
Annonay France 45°15N 4°40E 73 C8
Annot France 43°58N 6°38E 73 E10
Annotto B. Jamaica 18°17N 76°45W 182 a
Annsjön Sweden 63°19N 12°34E 62 A6
Annville U.S.A. 40°20N 76°31W 175 F8
Annweiler Germany 49°12N 7°57E 77 F3
Ano Poroia Greece 41°17N 23°2E 96 E7
Ano Siros Greece 37°29N 24°56E 98 D6
Anogia Greece 35°16N 24°52E 101 D6
Anou Mellene Mali 17°29N 0°33E 139 B5
Anoumaba Ivory C. 6°23N 4°38W 138 D4
Anping Hebei, China 38°15N 115°30E 114 E8
Anping Liaoning, China 41°5N 123°30E 115 D12
Anpu Gang China 21°25N 109°50E 116 G7
Anqing China 30°30N 117°3E 117 B11
Anqiu China 36°25N 119°10E 115 F10
Anren China 26°43N 113°18E 117 D9
Ansager Denmark 55°43N 8°45E 63 J2
Ansai China 36°50N 109°20E 114 F5
Ansan S. Korea 37°21N 126°52E 115 F14
Ansbach Germany 49°28N 10°34E 77 F6
Anse Boileau Seychelles 4°43S 55°29E 141 b
Anse la Raye St. Lucia 13°55N 61°3W 183 f
Anse Royale Seychelles 4°44S 55°31E 141 b
Ansfelden Austria 48°12N 14°17E 78 C7
Anshan China 41°5N 122°58E 115 D12
Anshun China 26°18N 105°57E 116 D5
Ansião Portugal 39°56N 8°27W 88 F2
Ansley U.S.A. 41°18N 99°23W 172 E4
Ansó Spain 42°51N 0°48W 90 C4
Ansoáin Spain 42°50N 1°38W 90 C3
Anson U.S.A. 32°45N 99°54W 176 E5
Anson B. Australia 13°20S 130°6E 148 B5
Ansongo Mali 15°25N 0°35E 139 B5
Ansongo-Ménaka ⌓ Mali 15°3N 1°37E 139 B5
Ansonia U.S.A. 41°21N 73°5W 175 E11
Anstruther U.K. 56°14N 2°41W 65 E6
Ansudu Indonesia 2°11S 139°22E 119 E9
Antabamba Peru 14°40S 73°0W 188 C3
Antagarh India 20°6N 81°9E 126 D5
Antakya = Hatay Turkey 36°14N 36°10E 104 D7
Antalaha Madag. 14°57S 50°20E 141 G10
Antalya Turkey 36°52N 30°45E 104 D4
Antalya □ Turkey 36°50N 30°45E 104 D4
Antalya ✗ (AYT) Turkey 36°54N 30°47E 104 D4
Antalya Körfezi Turkey 36°15N 31°30E 104 D4
Antananarivo Madag. 18°55S 47°31E 141 H9
Antarctic Pen. Antarctica 67°0S 60°0W 55 C18
Antarctica 90°0S 0°0 55 E3
Antelope Zimbabwe 21°2S 28°31E 143 G2
Antep = Gaziantep Turkey 37°6N 37°23E 104 D7
Antequera Paraguay 24°8S 57°7W 190 A4
Antequera Spain 37°5N 4°33W 89 H6
Antero, Mt. U.S.A. 38°41N 106°15W 168 G10
Anthony Fla., U.S.A. 29°18N 82°7W 179 F7
Anthony Kans., U.S.A. 37°9N 98°2W 172 G4
Anthony N. Mex., U.S.A. 32°0N 106°36W 169 K10
Anti Atlas Morocco 30°0N 8°30W 136 C2
Anti-Lebanon = Sharqi, Al Jabal ash Lebanon 33°40N 36°10E 130 B5
Antibes France 43°34N 7°6E 73 E11
Antibes, C. d' France 43°31N 7°7E 73 E11
Anticosti, Î. d' Canada 49°30N 63°0W 165 C7
Antifer, C. d' France 49°41N 0°10E 70 C7
Antigo U.S.A. 45°9N 89°9W 172 C9
Antigonish Canada 45°38N 61°58W 165 C7
Antigua Canary Is. 28°24N 14°1W 100 F5
Antigua Guatemala 14°34N 90°41W 182 D1
Antigua W. Indies 17°0N 61°50W 183 C7
Antigua & Barbuda ■ W. Indies 17°20N 61°48W 183 C7
Antikythira Greece 35°52N 23°15E 98 F5
Antilla Cuba 20°40N 75°50W 182 B4
Antilles = West Indies Cent. Amer. 15°0N 65°0W 183 D7
Antimilos Greece 36°47N 24°12E 98 E6
Antioch U.S.A. 38°1N 121°48W 170 G5
Antioche, Pertuis d' France 46°6N 1°20W 72 B2
Antioquia Colombia 6°40N 75°55W 186 B3
Antiparos Greece 37°0N 25°3E 99 D7
Antipaxi Greece 39°9N 20°13E 98 B2
Antipodes Is. Pac. Oc. 49°45S 178°40E 156 M9
Antipsara Greece 38°30N 25°29E 99 C7
Antirio Greece 38°20N 21°46E 98 C3
Antlers U.S.A. 34°14N 95°37W 176 D7
Antofagasta Chile 23°50S 70°30W 190 A1
Antofagasta □ Chile 24°0S 69°0W 190 A2
Antofagasta de la Sierra Argentina 26°5S 67°20W 190 B2
Antofalla Argentina 25°30S 68°5W 190 B2
Antofalla, Salar de Argentina 25°40S 67°45W 190 B2
Anton U.S.A. 33°49N 102°10W 176 E3
Antonina Brazil 25°26S 48°42W 191 B6
Antrain France 48°28N 1°30W 70 D5
Antratsyt Ukraine 48°7N 39°5E 85 H10
Antrim U.K. 54°43N 6°14W 64 B5
Antrim U.S.A. 40°7N 81°21W 174 F3
Antrim □ U.K. 54°56N 6°25W 64 B5
Antrim, Mts. of U.K. 55°3N 6°14W 64 A5
Antrim Plateau Australia 18°8S 128°20E 148 C4
Antrodoco Italy 42°25N 13°5E 93 F10
Antropovo Russia 58°24N 43°6E 86 A6
Antsalova Madag. 18°40S 44°37E 141 H8
Antsirabe Madag. 19°55S 47°2E 141 H9
Antsiranana Madag. 12°25S 49°20E 141 G9
Antsohihy Madag. 14°50S 47°59E 141 G9
Antu China 42°30N 128°20E 115 C15
Antwerp = Antwerpen Belgium 51°13N 4°25E 69 C4
Antwerp U.S.A. 44°12N 75°37W 175 B9
Antwerpen Belgium 51°13N 4°25E 69 C4
Antwerpen □ Belgium 51°15N 4°40E 69 C4
Anupgarh India 29°10N 73°10E 124 E5
Anuppur India 23°6N 81°41E 125 H9
Anuradhapura Sri Lanka 8°22N 80°28E 127 K5
Anurrete ◎ Australia 20°50S 135°38E 150 C2
Anveh Iran 27°23N 54°11E 129 E7
Anvers = Antwerpen Belgium 51°13N 4°25E 69 C4
Anvers I. Antarctica 64°30S 63°40W 55 C17
Anwen China 29°4N 120°26E 117 C13
Anxi Fujian, China 25°2N 118°12E 117 E12
Anxi Gansu, China 40°30N 95°43E 110 C8
Anxian China 31°40N 104°25E 116 B5
Anxiang China 29°27N 112°11E 117 C9
Anxious B. Australia 33°24S 134°45E 151 E1
Anyama Ivory C. 5°30N 4°3W 138 D4
Anyang China 36°5N 114°21E 114 F8
Anyang S. Korea 37°23N 126°55E 115 F14
Anyer Indonesia 6°4S 105°53E 119 G11
Anyi Jiangxi, China 28°49N 115°25E 117 C10
Anyi Shanxi, China 35°2N 111°2E 114 G6
Anyuan China 25°9N 115°21E 117 E10
Anyue China 30°9N 105°50E 116 B5
Anza U.S.A. 33°35N 116°39W 171 M10
Anze China 36°10N 112°12E 114 F7
Anzegloub Algeria 26°50N 0°1E 136 C4
Anzhero-Sudzhensk Russia 56°10N 86°0E 106 D9
Ánzio Italy 41°27N 12°37E 94 A5
Ao Makham Thailand 7°50N 98°24E 121 a
Ao Phangnga △ Thailand 8°10N 98°32E 121 a
Aoga-Shima Japan 32°28N 139°46E 113 H9
Aohan Qi China 43°18N 119°43E 115 C10
Aoiz Spain 42°46N 1°22W 90 C3
Aoji N. Korea 42°31N 130°23E 115 C16
Aomen = Macau China 22°12N 113°33E 117 F9
Aomori Japan 40°45N 140°45E 112 D10
Aomori □ Japan 40°45N 140°40E 112 D10
tAonach, An = Nenagh Ireland 52°52N 8°11W 64 D3
Aonla India 28°16N 79°11E 125 E8
Aorai, Mt. Tahiti 17°34S 149°30W 155 b
Aoraki Mount Cook N.Z. 43°36S 170°9E 155 D5
Aoral, Phnum Cambodia 12°0N 104°15E 121 G5
Aorangi Ra. N.Z. 41°28S 175°22E 154 H4
Aosta Italy 45°45N 7°20E 92 C4
Aotea Harbour N.Z. 38°0S 174°50E 154 E3
Aotearoa = New Zealand ■ Oceania 40°0S 176°0E 154 G5
Aoudéras Niger 17°45N 8°20E 139 B6
Aoukâr Mauritania 17°40N 10°0W 138 B3
Aoulef el Arab Algeria 26°55N 1°2E 136 C4
Aozou, Couloir d' Chad 22°0N 19°0E 135 D9
Apá → S. Amer. 22°6S 58°2W 190 A4
Apache U.S.A. 34°54N 98°22W 176 D5
Apache Junction U.S.A. 33°25N 111°33W 169 K8
Apalachee B. U.S.A. 30°0N 84°0W 178 E5
Apalachicola U.S.A. 29°43N 84°59W 178 F5
Apalachicola → U.S.A. 29°43N 84°58W 178 F5
Apalachicola B. U.S.A. 29°40N 85°0W 178 F3
Apam Ghana 5°19N 0°42W 139 D4
Apapa Nigeria 6°26N 3°21E 139 D5
Apaporis → Colombia 1°23S 69°25W 186 D5
Aparados da Serra △ Brazil 29°10S 50°8W 191 B5
Aparri Phil. 18°22N 121°38E 119 A6
Apateu Romania 46°36N 21°47E 80 D6
Apatin Serbia 45°40N 19°0E 80 E4
Apatity Russia 67°34N 33°22E 60 C25
Apatula = Finke Australia 25°34S 134°35E 150 D1
Apatzingán Mexico 19°5N 102°21W 180 D4
Apeldoorn Neths. 52°13N 5°57E 69 B5
Apen Germany 53°13N 7°48E 76 B3
Apennines = Appennini Italy 44°30N 10°0E 92 D7
Aphrodisias Turkey 37°42N 28°46E 99 D10
Api Nepal 30°0N 80°57E 110 F5
Apia Samoa 13°50S 171°50W 147 C11
Apiacás, Serra dos Brazil 9°50S 57°0W 186 E7
Apies → S. Africa 25°15S 28°8E 145 C4
Apinajé Brazil 11°31S 48°18W 189 C1
Apiti N.Z. 39°58S 175°54E 154 F4
Apizaco Mexico 19°25N 98°8W 181 D5
Aplao Peru 16°0S 72°40W 188 D3
Apo, Mt. Phil. 6°53N 125°14E 119 C7
Apodi Brazil 5°39S 37°48W 189 B3
Apolakia Greece 36°5N 27°48E 101 C9
Apolakia, Ormos Greece 36°5N 27°45E 101 C9
Apolda Germany 51°2N 11°32E 76 D7
Apollo Bay Australia 38°45S 143°40E 152 E5
Apollonia = Sūsah Libya 32°52N 21°59E 135 B10
Apollonia Greece 36°15N 27°58E 101 C9
Apolo Bolivia 14°30S 68°30W 188 C4
Apolonia Greece 36°58N 24°43E 98 E6
Apopa El Salv. 13°48N 89°10W 182 D2
Apopka U.S.A. 28°40N 81°31W 179 G8
Apopka, L. U.S.A. 28°37N 81°37W 179 G8
Aporé → Brazil 19°27S 50°57W 187 G8
Apostle Is. U.S.A. 47°0N 90°40W 172 B8
Apostle Islands ⌓ U.S.A. 46°55N 91°0W 172 B8
Apóstoles Argentina 28°0S 56°0W 191 B4
Apostolos Andreas, C. Cyprus 35°42N 34°35E 101 D13
Apostolovo Ukraine 47°39N 33°39E 85 J7
Apoteri Guyana 4°2N 58°32W 186 C7
Appalachian Mts. U.S.A. 38°0N 80°0W 173 G14
Äppelbo Sweden 60°29N 14°1E 62 D8
Appennino Lucano-Val d'Agri-Lagonegrese ⌓ Italy 40°5N 16°10E 95 B9
Appennino Tosco-Emiliano ⌓ Italy 44°10N 10°25E 92 D7
Appennini Italy 44°30N 10°0E 92 D7
Appennino Ligure Italy 44°30N 9°0E 92 D6
Appenzell-Ausser Rhoden □ Switz. 47°23N 9°23E 77 H5
Appenzell-Inner Rhoden □ Switz. 47°20N 9°25E 77 H5
Appiano Italy 46°28N 11°15E 93 B8
Apple Hill Canada 45°13N 74°46W 175 A10
Apple Valley U.S.A. 34°32N 117°14W 171 L9
Appleby-in-Westmorland U.K. 54°35N 2°29W 66 C5
Appledore U.K. 51°3N 4°13W 67 F3
Appleton U.S.A. 44°16N 88°25W 172 C9
Appling U.S.A. 33°33N 82°19W 178 B7
Approuague → Fr. Guiana 4°30N 51°57W 187 C8
Apricena Italy 41°47N 15°27E 93 G12
Aprília Italy 41°36N 12°39E 94 A5
Apsheronsk Russia 44°28N 39°42E 87 H4
Apsley Canada 44°45N 78°6W 174 B6
Apt France 43°53N 5°24E 73 E9
Apuane, Alpi Italy 44°7N 10°14E 92 D7
Apucarana Brazil 23°55S 51°33W 191 A5
Apulia = Púglia □ Italy 41°15N 16°15E 95 A9
Apure → Venezuela 7°37N 66°25W 186 B5
Apurímac □ Peru 14°0S 73°0W 188 C3
Apurímac → Peru 12°17S 73°56W 188 C3
Apuseni, Munţii Romania 46°30N 22°45E 80 D7
Āq Qālā Iran 37°10N 54°30E 129 B7
Aqaba = Al 'Aqabah Jordan 29°31N 35°0E 130 F4
Aqaba, G. of Red Sea 29°0N 34°40E 128 D2
'Aqabah, Khalīj al = Aqaba, G. of Red Sea 29°0N 34°40E 128 D2
Aqadyr Kazakhstan 48°17N 74°50E 109 C8
Āqchah Afghan. 36°56N 66°11E 109 E7
'Aqdā Iran 32°26N 53°37E 129 C7
Aqiq Sudan 18°14N 38°12E 137 D4
Aqiq, Khalig Sudan 18°20N 38°10E 137 D4
Aqköl Kazakhstan 51°59N 70°56E 109 B8
Aqmola □ Kazakhstan 51°30N 70°0E 109 B8
'Aqrah Iraq 36°46N 43°45E 105 D10
Aqsay Kazakhstan 51°11N 53°0E 108 B4
Aqshatau Kazakhstan 47°59N 74°3E 109 C8
Aqsū Ongtüstik Qazaqstan, Kazakhstan 42°25N 69°50E 109 D7
Aqsū Pavlodar, Kazakhstan 52°2N 76°55E 109 B9
Aqsūgek Kazakhstan 44°37N 74°30E 109 D8
Aqtaū Mangghystaū, Kazakhstan 43°39N 51°12E 108 D4
Aqtaū Qaraghandy, Kazakhstan 50°14N 73°3E 109 B8
Aqtöbe Kazakhstan 50°17N 57°10E 108 B5
Aqtoghay Kazakhstan 46°57N 79°40E 109 C9
Aqua = Sokhumi Georgia 43°0N 41°0E 87 J5
Aquidauana Brazil 20°30S 55°50W 187 H7
Aquila Mexico 18°36N 103°30W 180 D4
Aquileia Italy 45°46N 13°22E 93 C10
Aquiles Serdán Mexico 28°36N 105°53W 180 B3
Aquin Haiti 18°16N 73°24W 183 C5
Aquitaine □ France 44°25N 0°30W 72 D3
Ar Horqin Qi China 43°45N 120°0E 115 C11
Ar Rafid Syria 32°57N 35°52E 130 C4
Ar Raḥḥālīyah Iraq 32°44N 43°23E 105 F10
Ar Ramādī Iraq 33°25N 43°20E 105 F10
Ar Ramthā Jordan 32°34N 36°0E 130 C5
Ar Raqqah Syria 35°59N 39°8E 105 E8
Ar Raqqah □ Syria 36°20N 39°10E 105 D8
Ar Rashidiya = Er Rachidia Morocco 31°58N 4°20W 136 B3
Ar Rass Si. Arabia 25°50N 43°40E 128 E4
Ar Rawḍah Si. Arabia 21°16N 42°50E 131 C3
Ar Rayyan Qatar 25°17N 51°25E 129 E6
Ar Rifā'ī Iraq 31°50N 46°10E 128 D5
Ar Riyāḍ Si. Arabia 24°41N 46°42E 128 E5
Ar Ru'ays Qatar 26°8N 51°12E 129 E6
Ar Rukhaymīyah Iraq 29°22N 45°38E 128 D5
Ar Rumaythah Iraq 31°31N 45°12E 128 D5
Ar Ruṣāfah Syria 35°45N 38°49E 105 E8
Ar Ruṭbah Iraq 33°0N 40°15E 105 F9
Ara India 25°35N 84°32E 125 G11
Arab U.S.A. 34°19N 86°30W 177 D11
'Arab, Bahr el → South Sudan 9°0N 29°30E 135 G11
Arab, Khalîg el Egypt 30°55N 29°0E 137 E6
Arab, Shatt al → Asia 29°57N 48°34E 129 D6
'Araba, W. → Egypt 28°19N 33°31E 137 F8
'Arabābād Iran 33°2N 57°41E 129 C8
Araban Turkey 37°28N 37°44E 104 D7
Arabatskaya Strelka Ukraine 45°40N 35°0E 85 K8
Araba/Álava □ Spain 42°48N 2°28W 90 C2
Arabba Italy 46°30N 11°52E 93 B8
Arabi U.S.A. 31°50N 83°44W 178 D6
Arabia Asia 25°0N 45°0E 102 F6
Arabian Basin Ind. Oc. 11°30N 65°0E 146 C5
Arabian Desert = Sharqîya, Es Sahrâ esh Egypt 27°30N 32°30E 137 B3
Arabian Gulf = Persian Gulf Asia 27°0N 50°0E 129 E6
Arabian Sea Ind. Oc. 16°0N 65°0E 102 G8
Araç Turkey 41°15N 33°21E 104 B5
Aracaju Brazil 10°55S 37°4W 189 C3
Aracati Brazil 4°30S 37°44W 189 A3
Araçatuba Brazil 21°10S 50°30W 191 A5
Aracena Spain 37°53N 6°38W 89 H4
Aracena, Sierra de Spain 37°50N 6°50W 89 H4
Arachova Greece 38°28N 22°35E 98 C4
Arachthos → Greece 39°20N 21°4E 98 B3
Aračinovo Macedonia 42°1N 21°34E 96 D5
Araçuaí Brazil 16°52S 42°4W 189 D2
Araçuaí → Brazil 16°46S 42°2W 189 D2
'Arad Israel 31°15N 35°12E 130 D4
Arad Romania 46°10N 21°20E 80 D6
Arad □ Romania 46°20N 22°0E 80 D6
Arādān Iran 35°21N 52°30E 129 C7
Aradhippou Cyprus 34°57N 33°36E 101 E12
Arafura Sea E. Indies 9°0S 135°0E 147 B6
Aragats Armenia 40°30N 44°15E 87 K7
Aragon U.S.A. 34°2N 85°3W 178 A4
Aragón □ Spain 41°25N 0°40W 90 D4
Aragón → Spain 42°13N 1°44W 90 C3
Aragona Italy 37°24N 13°37E 94 E6
Araguacema Brazil 8°50S 49°20W 187 E9
Araguaia → Brazil 5°21S 48°41W 187 E9
Araguaína Brazil 7°12S 48°12W 189 B1
Araguari Brazil 18°38S 48°11W 189 D1
Araguari → Brazil 1°15N 49°55W 187 C9
Araguatins Brazil 5°38S 48°7W 189 B1
Arahal Spain 37°15N 5°33W 89 H5
Arain India 26°27N 75°2E 124 F6
Araioses Brazil 2°53S 41°55W 189 A2
Arak Algeria 25°20N 3°45E 136 C4
Ārāk Iran 34°0N 49°40E 129 C6
Arakan = Rakhine □ Burma 19°0N 94°15E 123 K18
Arakan Coast Burma 19°0N 94°0E 123 K19
Arakan Yoma Burma 20°0N 94°40E 123 K19
Arakkonam India 13°7N 79°43E 127 H4
Araklı Turkey 41°6N 40°2E 105 B9
Araks = Aras, Rūd-e → Asia 40°5N 48°29E 105 B13
Araks → Iran 39°10N 47°10E 108 E3
Aral Kazakhstan 46°41N 61°45E 108 C6
Aral Mangy Qaraqumy Kazakhstan 46°50N 63°10E 108 C6
Aral Sea Asia 45°0N 58°20E 108 C5
Aral Tengizi = Aral Sea Asia 45°0N 58°20E 108 C5
Aralık Turkey 39°52N 44°31E 105 C11
Aralkum Asia 44°30N 60°35E 108 D6
Aralsk = Aral Kazakhstan 46°41N 61°45E 108 C6
Aralskoye More = Aral Sea Asia 45°0N 58°20E 108 C5
Aralsor, Ozero = Aralsor Köli Kazakhstan 49°5N 48°12E 87 F9
Aralsor Köli Kazakhstan 49°5N 48°12E 87 F9
Aramac Australia 22°58S 145°14E 150 C4
Aran → India 19°55N 78°12E 126 E4
Aran, Val de Spain 42°50N 0°55E 90 C5
Aran I. = Arranmore Ireland 55°0N 8°30W 64 A3
Aran Is. Ireland 53°6N 9°38W 64 C2
Aranda de Duero Spain 41°39N 3°42W 88 D7
Arandān Iran 35°23N 46°55E 128 C5
Aranđelovac Serbia 44°18N 20°34E 96 B4
Aranga N.Z. 35°44S 173°40E 154 B2
Arani India 12°43N 79°19E 127 H4
Aranjuez Spain 40°1N 3°40W 88 E7
Aranos Namibia 24°9S 19°7E 144 B2
Aransas Pass U.S.A. 27°55N 97°9W 176 H6
Aranyaprathet Thailand 13°41N 102°30E 120 F4
Araouane Mali 18°55N 3°30W 138 B4
Arapahoe U.S.A. 40°18N 99°54W 172 E4
Arapawa I. N.Z. 41°11S 174°17E 155 B9
Arapey Grande → Uruguay 30°55S 57°49W 190 C4
Arapgir Turkey 39°5N 38°30E 105 C8
Arapiraca Brazil 9°45S 36°39W 189 B3
Arapis, Akra Greece 40°27N 24°0E 97 F8
Arapongas Brazil 23°29S 51°28W 191 A5
Arapuni N.Z. 38°4S 175°39E 154 E4
Ar'ar Si. Arabia 30°59N 41°2E 128 D4
Araranguá Brazil 29°0S 49°30W 191 B6
Araraquara Brazil 21°50S 48°0W 187 H9
Ararás, Serra das Brazil 25°0S 53°10W 191 B5
Ararat Armenia 39°48N 44°50E 105 C11
Ararat Australia 37°16S 142°58E 152 D5
Ararat, Mt. = Ağrı Dağı Turkey 39°50N 44°15E 105 C11
Arari Brazil 3°28S 44°47W 189 A2
Araria India 26°9N 87°33E 125 F12
Araripe, Chapada do Brazil 7°20S 40°0W 189 B3
Araripina Brazil 7°33S 40°34W 189 B2
Araruama, L. de Brazil 22°53S 42°12W 191 A7
Araruna Brazil 6°52S 35°44W 189 B3
Aras, Rūd-e → Asia 40°5N 48°29E 105 B13
Aratâne Mauritania 18°24N 8°32W 138 B3
Arauca Colombia 7°0N 70°40W 186 B4
Arauca → Venezuela 7°24N 66°35W 186 B5
Arauco Chile 37°16S 73°25W 190 D1
Araújos Brazil 19°56S 45°14W 189 D1
Aravalli Range India 25°0N 73°30E 124 G5
Arawale ⌓ Kenya 1°24S 40°9E 142 C5
Arawhata → N.Z. 44°0S 168°40E 155 E3
Araxá Brazil 19°35S 46°55W 189 D1
Araxos, Akra Greece 38°13N 21°20E 98 C3
Araya, Pen. de Venezuela 10°40N 64°0W 186 A6
Arba Minch Ethiopia 6°0N 37°30E 131 F2
Arbat Iraq 35°25N 45°35E 105 E11
Árbatax Italy 39°56N 9°42E 94 C2
Arbīl Iraq 36°15N 44°5E 105 D11
Arbīl □ Iraq 36°20N 44°20E 105 D11
Arboga Sweden 59°24N 15°52E 62 E9
Arbois France 46°55N 5°46E 71 F12
Arboréa Italy 39°46N 8°35E 94 C1
Arborfield Canada 53°6N 103°39W 163 C8
Arborg Canada 50°54N 97°13W 163 C9
Arbre du Ténéré Niger 17°50N 10°4E 139 B7
Arbroath U.K. 56°34N 2°35W 65 E6
Arbuckle U.S.A. 39°1N 122°3W 170 F4
Arbus Italy 39°30N 8°33E 94 C1
Arc → France 45°34N 6°12E 73 C10
Arc-lès-Gray France 47°28N 5°34E 71 E12
Arcachon France 44°40N 1°10W 72 D2
Arcachon, Bassin d' France 44°42N 1°10W 72 D2
Arcade U.S.A. 42°32N 78°25W 174 D6
Arcadia = Arkadia Greece 37°30N 22°20E 98 D4
Arcadia Fla., U.S.A. 27°13N 81°52W 179 H8
Arcadia La., U.S.A. 32°33N 92°55W 176 E8
Arcadia Pa., U.S.A. 40°47N 78°51W 174 F6
Arcata U.S.A. 40°52N 124°5W 168 F1
Arcévia Italy 43°30N 12°56E 93 E9
Archanes Greece 35°16N 25°11E 99 F7
Archangel = Arkhangelsk Russia 64°38N 40°36E 106 C5
Archangelos Greece 36°13N 28°7E 101 C10
Archar Bulgaria 43°50N 22°54E 96 C6
Archbald U.S.A. 41°30N 75°32W 175 E9
Archena Spain 38°9N 1°16W 91 G3
Archer U.S.A. 29°32N 82°32W 179 F7
Archer → Australia 13°28S 141°41E 150 A3
Archer B. Australia 13°20S 141°30E 150 A3
Archer Bend = Mungkan Kandju △ Australia 13°35S 142°52E 150 A3
Archers Post Kenya 0°35N 37°35E 142 B4
Arches △ U.S.A. 38°45N 109°25W 168 G9
Archidona Spain 37°6N 4°22W 89 H6
Archipel-de-Mingan △ Canada 50°13N 63°10W 165 B7
Archipiélago Chinijo △ Canary Is. 29°20N 13°30E 100 E6
Archipiélago Los Roques △ Venezuela 11°50N 66°44W 183 D6

Arci, Mte. Italy 39°47N 8°45E 94 C1
Arcidosso Italy 42°52N 11°33E 93 F8
Arcila = Asilah Morocco 35°29N 6°0W 136 A2
Arcipelago de la Maddalena △ Italy 41°14N 9°24E 94 A2
Arcipelago Toscano △ Italy 42°45N 10°15E 92 F7
Arcis-sur-Aube France 48°32N 4°10E 71 D11
Arckaringa Cr. → Australia 28°10S 135°22E 151 D2
Arco Italy 45°55N 10°53E 92 C7
Arco U.S.A. 43°38N 113°18W 168 E7
Arcoona Australia 31°2S 137°1E 152 A2
Arcos de Jalón Spain 41°12N 2°16W 90 D2
Arcos de la Frontera Spain 36°45N 5°49W 89 J5
Arcos de Valdevez Portugal 41°55N 8°22W 88 D2
Arcot India 12°53N 79°20E 127 H4
Arcoverde Brazil 8°25S 37°4W 189 B3
Arcozelo Portugal 40°32N 7°47W 88 E3
Arctic Bay Canada 73°1N 85°7W 161 C14
Arctic Mid-Ocean Ridge Arctic 87°0N 90°0E 54 A
Arctic Ocean Arctic 78°0N 160°0W 54 B18
Arctic Red River = Tsiigehtchic Canada 67°15N 134°0W 160 D5
Arctowski Antarctica 62°30S 58°0W 55 C18
Arda → Bulgaria 41°40N 26°30E 97 E10
Arda → Italy 45°2N 10°2E 92 C7
Ardabīl Iran 38°15N 48°18E 105 C13
Ardabīl □ Iran 38°15N 48°20E 129 B6
Ardahan Turkey 41°7N 42°41E 105 B10
Ardahan □ Turkey 41°10N 42°50E 105 B10
Ardakān = Sepīdān Iran 30°20N 52°5E 129 D7
Ardakān Iran 32°19N 53°59E 129 C7
Ardala Sweden 58°22N 13°19E 63 F7
Ardales Spain 36°53N 4°51W 89 J6
Ardara Ireland 54°46N 8°25W 64 B3
Ardas → Greece 41°40N 26°30E 97 E10
Ardèche □ France 44°42N 4°16E 73 D8
Ardèche → France 44°16N 4°39E 73 D8
Ardee Ireland 53°52N 6°33W 64 C5
Arden Canada 44°43N 76°56W 174 B8
Arden Denmark 56°46N 9°52E 63 H3
Arden Calif., U.S.A. 38°36N 121°33W 170 G5
Arden Nev., U.S.A. 36°1N 115°14W 171 J11
Ardenne Belgium 49°50N 5°5E 69 E5
Ardennes = Ardenne Belgium 49°50N 5°5E 69 E5
Ardennes □ France 49°35N 4°40E 71 C11
Ardentes France 46°45N 1°50E 71 F8
Arderin Ireland 53°2N 7°39W 64 C4
Ardeşen Turkey 41°12N 41°2E 105 B9
Ardestān Iran 33°20N 52°25E 129 C7
Ardfert Ireland 52°20N 9°47W 64 D2
Ardglass U.K. 54°16N 5°36W 64 B6
Ardhéa = Aridea Greece 40°58N 22°3E 96 F6
Ardila → Portugal 38°12N 7°28W 89 G3
Ardino Bulgaria 41°34N 25°9E 97 E9
Ardivachar Pt. U.K. 57°23N 7°26W 65 D1
Ardlethan Australia 34°22S 146°53E 153 C7
Ardmore Okla., U.S.A. 34°10N 97°8W 176 D6
Ardmore Pa., U.S.A. 40°2N 75°17W 175 F9
Ardnamurchan, Pt. of U.K. 56°43N 6°14W 65 E2
Ardnave Pt. U.K. 55°53N 6°20W 65 F2
Ardon Russia 43°10N 44°18E 87 J7
Ardore Italy 38°11N 16°10E 95 D9
Ardres France 50°50N 1°59E 71 B8
Ardrossan Australia 34°26S 137°53E 152 C2
Ardrossan U.K. 55°39N 4°49W 65 F4
Ards Pen. U.K. 54°33N 5°34W 64 B6
Arduan Sudan 19°54N 30°20E 137 D3
Ardud Romania 47°37N 22°52E 80 C7
Åre Sweden 63°22N 13°15E 62 A7
Arecibo Puerto Rico 18°29N 66°43W 183 d
Areia Branca Brazil 5°0S 37°0W 189 A3
Arena, Pt. U.S.A. 38°57N 123°44W 170 G3
Arenal Honduras 15°21N 86°50W 182 C2
Arenales, Cerro Chile 47°5S 73°40W 192 C2
Arenas = Las Arenas Spain 43°17N 4°50W 88 B6
Arenas de San Pedro Spain 40°12N 5°5W 88 E5
Arendal Norway 58°28N 8°46E 61 G13
Arendsee Germany 52°52N 11°27E 76 C7
Arenys de Mar Spain 41°35N 2°33E 90 D7
Arenzano Italy 44°24N 8°41E 92 D5
Areopoli Greece 36°40N 22°22E 98 E4
Arequipa Peru 16°20S 71°30W 188 D3
Arequipa □ Peru 16°0S 72°50W 188 D3
Arès France 44°47N 1°8W 72 D2
Arévalo Spain 41°3N 4°43W 88 D6
Arezzo Italy 43°25N 11°53E 93 E8
Arga Turkey 38°21N 37°59E 128 B3
Arga → Spain 42°18N 1°47W 90 C3
Argalasti Greece 39°13N 23°13E 98 B5
Argamasilla de Alba Spain 39°8N 3°5W 89 F7
Argamasilla de Calatrava Spain 38°44N 4°4W 89 G6
Arganda del Rey Spain 40°19N 3°26W 88 E7
Arganil Portugal 40°13N 8°3W 88 E2
Argarapa ✪ Australia 22°20S 134°58E 150 C1
Argelès-Gazost France 43°0N 0°6W 72 E3
Argelès-sur-Mer France 42°34N 3°1E 72 F7
Argens → France 43°24N 6°44E 73 E10
Argent, Côte d' France 44°15N 1°30W 72 D2
Argent-sur-Sauldre France 47°33N 2°25E 71 E9
Argenta Canada 50°11N 116°56W 162 C5
Argenta Italy 44°37N 11°50E 93 D8
Argentan France 48°45N 0°1W 70 D6
Argentário, Mte. Italy 42°24N 11°9E 93 F8
Argentat France 45°6N 1°56E 72 C5
Argentera Italy 44°12N 7°5E 92 D4
Argenteuil France 48°56N 2°15E 71 D9
Argentia Canada 47°18N 53°58W 165 C9
Argentiera, C. dell' Italy 40°44N 8°8E 94 B1
Argentina ■ S. Amer. 35°0S 66°0W 186 G3
Argentine Abyssal Plain Atl. Oc. 46°0S 52°0W 56 L6
Argentine Basin Atl. Oc. 45°0S 45°0W 56 L7
Argentino, L. Argentina 50°10S 73°0W 192 D2
Argenton-les-Vallées France 46°59N 0°27W 70 F6
Argenton-sur-Creuse France 46°36N 1°30E 71 F8
Argeş □ Romania 45°0N 24°45E 81 F9
Argeş → Romania 44°5N 26°38E 81 F11
Arghandab → Afghan. 31°30N 64°15E 124 D1
Argirades Greece 39°27N 19°58E 101 B3
Argiroupoli Greece 35°17N 24°20E 101 D6
Argo Sudan 19°28N 30°30E 137 D3
Argolikos Kolpos Greece 37°20N 22°52E 98 D4
Argonne France 49°10N 5°0E 71 C12
Argos Greece 37°40N 22°43E 98 D4
Argos Orestiko Greece 40°27N 21°18E 96 F5
Argostoli Greece 38°11N 20°29E 98 C2
Arguedas Spain 42°11N 1°36W 90 C3
Arguello, Pt. U.S.A. 34°35N 120°39W 171 L6
Arguineguín Canary Is. 27°46N 15°41W 100 G4
Argun Russia 43°18N 45°52E 87 J7
Argun → Russia 53°20N 121°28E 111 A13
Argungu Nigeria 12°40N 4°31E 139 C5
Argus Pk. U.S.A. 35°52N 117°26W 171 K9
Argyle, L. Australia 16°20S 128°40E 148 C4
Argyll & Bute □ U.K. 56°13N 5°28W 65 E3
Arhavi Turkey 41°21N 41°18E 105 B9
Århus = Aarhus Denmark 56°8N 10°11E 63 H4
Aria N.Z. 38°33S 175°0E 154 E4
Ariadnoye Russia 45°8N 134°25E 112 B7
Ariamsvlei Namibia 28°9S 19°51E 144 C2
Ariana, L' Tunisia 36°52N 10°12E 136 A6
Ariana, L' □ Tunisia 36°50N 9°52E 136 A5
Ariano Irpino Italy 41°9N 15°5E 95 A8
Aribinda Burkina Faso 14°17N 0°52W 139 C4
Arica Chile 18°32S 70°20W 188 D3
Arica Colombia 2°0S 71°50W 186 D4
Arica y Parinacota □ Chile 17°40S 69°50W 188 D4
Arico Canary Is. 28°9N 16°29W 100 F3
Arid, C. Australia 34°1S 123°10E 149 F3
Arida Japan 34°5N 135°8E 113 G7
Aride Seychelles 4°13S 55°40E 141 b
Aridea Greece 40°58N 22°3E 96 F6
Ariège □ France 42°56N 1°30E 72 F5
Ariège → France 43°30N 1°25E 72 E5
Arieş → Romania 46°24N 23°20E 81 D8
Arigat el Fersig Algeria 27°35N 2°7W 136 C3
Arīhā Israel 31°51N 35°27E 137 A4
Arila, Akra Greece 39°43N 19°39E 101 A3
Arilje Serbia 43°44N 20°7E 96 C4
Arima Trin. & Tob. 10°38N 61°17W 183 D7
Arinos → Brazil 10°25S 58°20W 186 F7
Ario de Rosales Mexico 19°12N 101°43W 180 D4
Ariogala Lithuania 55°16N 23°28E 82 C10
Aripo, Mt. Trin. & Tob. 10°45N 61°15W 187 K15
Aripuanã Brazil 9°25S 60°30W 186 E6
Aripuanã → Brazil 5°7S 60°25W 186 E6
Ariquemes Brazil 9°55S 63°6W 186 E6
Arisaig U.K. 56°55N 5°51W 65 E3
Arîsh, W. el → Egypt 31°9N 33°49E 137 E8
Aristazabal I. Canada 52°40N 129°10W 162 C3
Ariton U.S.A. 31°36N 85°43W 178 D4
Ariyalur India 11°8N 79°8E 127 J4
Ariza Spain 41°19N 2°3W 90 D2
Arizaro, Salar de Argentina 24°40S 67°50W 190 A2
Arizona Argentina 35°45S 65°25W 190 D2
Arizona □ U.S.A. 34°0N 112°0W 169 J8
Arizpe Mexico 30°20N 110°10W 180 A2
'Arjah Si. Arabia 24°43N 44°17E 128 E5
Årjäng Sweden 59°24N 12°8E 62 E6
Arjeplog Sweden 66°3N 17°54E 60 C17
Arjepluovve = Arjeplog Sweden 66°3N 17°54E 60 C17
Arjona Colombia 10°14N 75°22W 186 A3
Arjona Spain 37°56N 4°4W 89 H6
Arjuna Indonesia 7°49S 112°34E 119 G15
Arka Russia 60°15N 142°0E 107 C15
Arkadak Russia 51°58N 43°30E 86 E6
Arkadelphia U.S.A. 34°7N 93°4W 176 D8
Arkadia Greece 37°30N 22°20E 98 D4
Arkaig, L. U.K. 56°59N 5°10W 65 E3
Arkalgud India 12°46N 76°3E 127 H3
Arkalyk = Arqalyk Kazakhstan 50°13N 66°50E 109 B7
Arkansas □ U.S.A. 35°0N 92°30W 176 D8
Arkansas → U.S.A. 33°47N 91°4W 176 E9
Arkansas City U.S.A. 37°4N 97°2W 172 G5
Arkaroola Australia 30°20S 139°22E 151 E2
Arkavāz Iran 33°22N 46°35E 105 F12
Arkhangelsk Russia 64°38N 40°36E 106 C5
Arkhangelskoye Russia 51°32N 40°58E 86 E5
Arki Greece 37°24N 26°44E 99 D8
Arki India 31°9N 76°58E 124 D7
Arklow Ireland 52°48N 6°10W 64 D5
Arkona, Kap Germany 54°42N 13°26E 76 A9
Arkösund Sweden 58°29N 16°56E 63 F10
Arkoudi Greece 38°33N 20°43E 98 C2
Arkport U.S.A. 42°24N 77°42W 174 D7
Arkticheskiy, Mys Russia 81°10N 95°0E 107 A10
Arkul Russia 57°17N 50°3E 86 B10
Arkville U.S.A. 42°9N 74°37W 175 D10
Årla Sweden 59°17N 16°40E 62 E10
Arlanda, Stockholm ✕ (ARN) Sweden 59°41N 17°56E 62 E11
Arlanza → Spain 42°6N 4°9W 88 C6
Arlanzón → Spain 42°3N 4°17W 88 C6
Arlbergpass Austria 47°9N 10°12E 78 D3
Arlbergtunnel Austria 47°9N 10°12E 78 D3
Arles France 43°41N 4°40E 73 E8
Arli Burkina Faso 11°35N 1°28E 139 C5
Arli △ Burkina Faso 11°35N 1°28E 139 C5
Arlington S. Africa 28°1S 27°53E 145 C4
Arlington Ga., U.S.A. 31°26N 84°44W 178 D5
Arlington N.Y., U.S.A. 41°42N 73°54W 175 E11
Arlington Oreg., U.S.A. 45°43N 120°12W 168 D3
Arlington S. Dak., U.S.A. 44°22N 97°8W 172 C5
Arlington Tex., U.S.A. 32°44N 97°6W 176 E6
Arlington Va., U.S.A. 38°53N 77°7W 173 F15
Arlington Vt., U.S.A. 43°5N 73°9W 175 C11
Arlington Wash., U.S.A. 48°12N 122°8W 170 B4
Arlington Heights U.S.A. 42°5N 87°59W 172 D10
Arlit Niger 19°0N 7°38E 134 E7
Arlon Belgium 49°42N 5°49E 69 E5
Arlparra Australia 22°11S 134°30E 150 C1
Arltunga Australia 23°26S 134°41E 150 C1
Armação de Pêra Portugal 37°6N 8°22W 89 H2
Armadale Australia 32°9S 116°0E 149 F2
Armagh U.K. 54°21N 6°39W 64 B5
Armagh □ U.K. 54°18N 6°37W 64 B5
Armagnac France 43°50N 0°10E 72 E4
Armançon → France 47°59N 3°30E 71 E10
Armando Bermudez △ Dom. Rep. 19°3N 71°0W 183 C5
Armant Egypt 25°37N 32°32E 137 B3
Armatree Australia 31°26S 148°28E 153 A8
Armavir Russia 45°2N 41°7E 87 H5
Armenia Colombia 4°35N 75°45W 186 C3
Armenia ■ Asia 40°20N 45°0E 87 K7
Armeniş Romania 45°13N 22°17E 80 E7
Armenistis, Akra Greece 36°8N 27°42E 101 C9
Armentières France 50°40N 2°50E 71 B9
Armidale Australia 30°30S 151°40E 153 A9
Armilla Spain 37°9N 3°37W 89 H7
Armori India 20°28N 79°59E 126 D4
Armorique ⌓ France 48°22N 3°50W 70 D3
Armour U.S.A. 43°19N 98°21W 172 D4
Armstrong B.C., Canada 50°25N 119°10W 162 C5
Armstrong Ont., Canada 50°18N 89°4W 164 B2
Armur India 18°48N 78°16E 126 E4
Armutlu Bursa, Turkey 40°31N 28°50E 97 F12
Armutlu İzmir, Turkey 38°24N 27°34E 99 C9
Arnarfjörður Iceland 65°48N 23°40W 60 D2
Arnaud → Canada 59°59N 69°46W 161 F18
Arnauti, C. Cyprus 35°6N 32°17E 101 D11
Arnay-le-Duc France 47°10N 4°27E 71 E11
Arnea Greece 40°30N 23°38E 96 F7
Arnedillo Spain 42°13N 2°14W 90 C2
Arnedo Spain 42°12N 2°5W 90 C2
Arnett U.S.A. 36°8N 99°46W 176 C5
Arnhem Neths. 51°58N 5°55E 69 C5
Arnhem, C. Australia 12°20S 137°30E 150 A2
Arnhem B. Australia 12°20S 136°10E 150 A2
Arnhem Land Australia 13°10S 134°30E 150 A1
Arnhem Land ✪ Australia 12°50S 134°50E 150 A1
Arnissa Greece 40°47N 21°49E 96 F5
Arno → Italy 43°41N 10°17E 92 E7
Arno Bay Australia 33°54S 136°34E 152 B2
Arnold U.K. 53°1N 1°7W 66 D6
Arnold Calif., U.S.A. 38°15N 120°21W 170 G6
Arnold Mo., U.S.A. 38°26N 90°23W 172 F8
Arnoldstein Austria 46°33N 13°43E 78 E6
Arnon → France 47°13N 2°1E 71 E9
Arnot Canada 55°56N 96°41W 163 B9
Arnøya Norway 70°9N 20°40E 60 A19
Arnprior Canada 45°26N 76°21W 175 A8
Arnsberg Germany 51°24N 8°5E 76 D4
Arnsberger Wald ⌓ Germany 51°25N 8°20E 76 D4
Arnstadt Germany 50°50N 10°56E 76 E6
Aroab Namibia 26°41S 19°39E 144 C2
Aroania Oros Greece 37°56N 22°12E 98 D4
Aroche Spain 37°56N 6°57W 89 H4
Arochuku Nigeria 5°21N 7°54E 139 D6
Aroeiras Brazil 7°31S 35°41W 189 B3
Arolsen Germany 51°23N 9°2E 76 D5
Aron India 25°57N 77°56E 124 G6
Aron → France 46°50N 3°28E 71 F10
Arona Canary Is. 28°6N 16°40W 100 F3
Arona Italy 45°46N 8°34E 92 C5
Aros → Mexico 29°9N 107°57W 180 B3
Arousa, Ría de → Spain 42°28N 8°57W 88 C2
Arpa → Asia 39°28N 44°56E 105 C11
Arpaçay Turkey 40°50N 43°19E 105 B10
Arpajon France 48°36N 2°15E 71 D9
Arpajon-sur-Cère France 44°53N 2°28E 72 D6
Arpaşu de Jos Romania 45°47N 24°37E 81 E9
Arqalyk Kazakhstan 50°13N 66°50E 109 B7
Arrah = Ara India 25°35N 84°32E 125 G11
Arrah Ivory C. 6°40N 3°58W 138 D4
Arraias Brazil 12°56S 46°57W 189 C1
Arraiolos Portugal 38°44N 7°59W 89 G3
Arran U.K. 55°34N 5°12W 65 F3
Arranmore Ireland 55°0N 8°30W 64 A3
Arras France 50°17N 2°46E 71 B9
Arrasate Spain 43°4N 2°30W 90 B2
Arrats → France 44°6N 0°52E 72 D4
Arreau France 42°54N 0°22E 72 F4
Arrecife Canary Is. 28°57N 13°37W 100 F6
Arrecifes Argentina 34°6S 60°9W 190 C3
Arrée, Mts. d' France 48°26N 3°55W 70 D3
Arresø Denmark 55°58N 12°6E 63 J6
Arriaga Mexico 16°14N 93°54W 181 D6
Arribes del Duero ⌓ Spain 41°11N 6°39W 88 D4
Arrilalah Australia 23°43S 143°54E 150 C3
Arrino Australia 29°30S 115°40E 149 E2
Arriondas Spain 43°23N 5°11W 88 B5
Arrojado → Brazil 13°24S 44°20W 189 C2
Arromanches-les-Bains France 49°20N 0°38W 70 C6
Arronches Portugal 39°8N 7°16W 89 F3
Arros → France 43°40N 0°2W 72 E3
Arrow, L. Ireland 54°3N 8°19W 64 B3
Arrowsmith, Mt. N.Z. 43°20S 170°55E 155 D5
Arrowtown N.Z. 44°57S 168°50E 155 E3
Arroyo de la Luz Spain 39°30N 6°38W 89 F4
Arroyo Grande U.S.A. 35°7N 120°35W 171 K6
Ars Iran 37°9N 47°46E 128 B5
Ars-sur-Moselle France 49°5N 6°4E 71 C13
Arsenault L. Canada 55°6N 108°32W 163 B7
Arsenev Russia 44°10N 133°15E 112 B6
Arsiero Italy 45°48N 11°21E 93 C8
Arsikere India 13°15N 76°15E 127 H3
Arsin Turkey 41°8N 39°55E 105 B8
Arsk Russia 56°10N 49°50E 86 B9
Årsunda Sweden 60°31N 16°45E 62 D10
Arta Greece 39°8N 21°2E 98 B3
Artà Spain 39°41N 3°21E 100 B10
Artà, Coves d' Spain 39°40N 3°24E 100 B10
Artashat Armenia 40°0N 44°35E 105 B11
Arteaga Mexico 18°28N 102°25W 180 D4
Arteixo = A Baiuca Spain 43°19N 8°29W 88 B2
Artem = Artyom Azerbaijan 40°28N 50°20E 87 K10
Artem Russia 43°22N 132°13E 112 C6
Artemivsk Ukraine 48°35N 38°0E 85 H9
Artemovsk Russia 54°45N 93°35E 107 D10
Artemovskiy Russia 47°45N 40°16E 87 G5
Artenay France 48°5N 1°50E 71 D8
Artern Germany 51°22N 11°18E 76 D7
Artesa de Segre Spain 41°54N 1°3E 90 D6
Artesia = Mosomane Botswana 24°2S 26°19E 144 B4
Artesia U.S.A. 32°51N 104°24W 169 K11
Arthington Liberia 6°35N 10°45W 138 D2
Arthur Canada 43°50N 80°32W 174 C4
Arthur → Australia 41°2S 144°40E 151 G3
Arthur Cr. → Australia 22°30S 136°25E 150 C2
Arthur Pt. Australia 22°7S 150°3E 150 C5
Arthur River Australia 33°20S 117°2E 149 F2
Arthur's Pass N.Z. 42°54S 171°35E 155 C6
Arthur's Pass △ N.Z. 42°53S 171°42E 155 C6
Arthur's Town Bahamas 24°38N 75°42W 183 B4
Artigas Antarctica 62°30S 58°0W 55 C18
Artigas Uruguay 30°20S 56°30W 190 C4
Artik Armenia 40°38N 43°58E 87 K6
Artillery L. Canada 63°9N 107°52W 163 A7
Artois France 50°20N 2°30E 71 B9
Artotina Greece 38°42N 22°2E 98 C4
Artova Turkey 40°5N 36°28E 104 B7
Artrutx, C. de Spain 39°55N 3°49E 100 B10
Arts Bogd Uul Mongolia 44°40N 102°20E 114 B2
Artsvashen Armenia 40°38N 45°30E 105 B11
Artsyz Ukraine 46°4N 29°26E 81 D14
Artux China 39°40N 76°10E 109 E9
Artvin Turkey 41°14N 41°44E 105 B9
Artvin □ Turkey 41°10N 41°50E 105 B9
Artyk Russia 64°12N 145°6E 107 C15
Artyom Azerbaijan 40°28N 50°20E 87 K10
Aru, Kepulauan Indonesia 6°0S 134°30E 119 F8
Aru Is. = Aru, Kepulauan Indonesia 6°0S 134°30E 119 F8
Arua Uganda 3°1N 30°58E 142 B3
Aruanã Brazil 14°54S 51°10W 187 F8
Aruba ☒ W. Indies 12°30N 70°0W 183 D6
Arucas Canary Is. 28°7N 15°32W 100 F4
Arudy France 43°7N 0°28W 72 E3
Arué Tahiti 17°31S 149°30W 155 b
Arumpo Australia 33°48S 142°55E 152 B5
Arun → Nepal 26°55N 87°10E 125 F12
Arun → U.K. 50°49N 0°33W 67 G7
Arunachal Pradesh □ India 28°0N 95°0E 123 F19
Aruppukkottai India 9°31N 78°8E 127 K4
Arusha Tanzania 3°20S 36°40E 142 C4
Arusha □ Tanzania 3°20S 36°30E 142 C4
Arusha △ Tanzania 3°16S 36°47E 142 C4
Arusha Chini Tanzania 3°32S 37°20E 142 C4
Aruvi → Sri Lanka 8°48N 79°53E 127 K4
Aruwimi → Dem. Rep. of the Congo 1°13N 23°36E 142 B1
Arvada Colo., U.S.A. 39°48N 105°5W 168 G11
Arvada Wyo., U.S.A. 44°39N 106°8W 168 D10
Arvakalu Sri Lanka 8°20N 79°58E 127 K4
Arvayheer Mongolia 46°15N 102°48E 110 B9
Arve → France 46°11N 6°8E 71 F13
Arvi Greece 34°59N 25°28E 101 E7
Arvi India 20°59N 78°16E 126 D4
Arviat Canada 61°6N 93°59W 163 A10
Arvidsjaur Sweden 65°35N 19°10E 60 D18
Arvika Sweden 59°40N 12°36E 62 E6
Arvin U.S.A. 35°12N 118°50W 171 K8
Arwal India 25°15N 84°41E 125 G11
Arxan China 47°11N 119°57E 111 B12
Åryd Sweden 56°49N 14°59E 63 H8
Arys Kazakhstan 42°26N 68°48E 109 D7
Arzachena Italy 41°5N 9°23E 94 A2
Arzamas Russia 55°27N 43°55E 86 C6
Arzanah U.A.E. 24°47N 52°34E 129 E7
Arzew Algeria 35°50N 0°23W 136 A3
Arzgir Russia 45°18N 44°23E 87 H7
Arzignano Italy 45°31N 11°20E 93 C8
Arzúa Spain 42°56N 8°9W 88 C2
Aš Czech Rep. 50°13N 12°12E 78 A5
Ås Sweden 63°15N 14°34E 62 A8
As Pontes de García Rodríguez Spain 43°27N 7°50W 88 B3
As Safā Syria 33°10N 37°0E 130 B6
As Saffānīyah Si. Arabia 27°55N 48°50E 129 E6
As Safirah Syria 36°5N 37°21E 104 D7
Aş Şahm Oman 24°10N 56°53E 129 E8
As Sājir Si. Arabia 25°11N 44°36E 128 E5
As Salamīyah Syria 35°1N 37°2E 104 E7
As Salmān Iraq 30°30N 44°32E 128 D5
As Salt Jordan 32°2N 35°43E 130 C4
As Sal'w'a Qatar 24°23N 50°50E 129 E6
As Samāwah Iraq 31°15N 45°15E 128 D5
As Sanamayn Syria 33°3N 36°10E 130 B5
As Sila' U.A.E. 24°4N 51°45E 129 E6
As Sukhnah Syria 34°52N 38°52E 105 E8
As Sulaymānīyah Iraq 35°35N 45°29E 105 E11
As Sulaymānīyah □ Iraq 35°50N 45°30E 105 E11
As Sulaymī Si. Arabia 26°17N 41°21E 128 E4
As Sulayyil Si. Arabia 20°27N 45°34E 131 C4
As Summān Si. Arabia 25°0N 47°0E 128 E5
Aş Şuwar Syria 35°30N 40°38E 105 E9
As Suwaydā' Syria 32°40N 36°30E 130 C5
As Suwaydā' □ Syria 32°45N 36°45E 130 C5
As Suwayq Oman 23°51N 57°26E 129 F8
Aş Şuwayrah Iraq 32°55N 45°0E 105 F11
Åsa Sweden 57°21N 12°8E 63 G6
Asab Namibia 25°30S 18°0E 144 C2
Asaba Nigeria 6°12N 6°38E 139 D6
Asad, Buḥayrat al Syria 36°0N 38°15E 105 D8
Asadābād Iran 34°47N 48°7E 105 E13
Asafo Ghana 6°20N 2°40W 138 D4
Asahi Japan 35°43N 140°39E 113 G10
Asahi-Gawa → Japan 34°36N 133°58E 113 G6
Asahigawa = Asahikawa Japan 43°46N 142°22E 112 C11
Asahikawa Japan 43°46N 142°22E 112 C11
Asaluyeh Iran 27°29N 52°37E 129 E7
Asamankese Ghana 5°50N 0°40W 139 D4
Asan → India 26°37N 78°24E 125 F8
Asansol India 23°40N 87°1E 125 H12
Åsarna Sweden 62°39N 14°22E 62 B8
Asbesberge S. Africa 29°0S 23°0E 144 C3
Asbestos Canada 45°47N 71°58W 165 C5
Asbury Park U.S.A. 40°13N 74°1W 175 F10
Åsby Sweden 57°14N 12°18E 63 G6
Ascea Italy 40°8N 15°11E 95 B8
Ascensión Mexico 31°6N 107°59W 180 A3
Ascensión, B. de la Mexico 19°40N 87°30W 181 D7
Ascension I. Atl. Oc. 7°57S 14°23W 133 G2
Aschach an der Donau Austria 48°22N 14°2E 78 C7
Aschaffenburg Germany 49°58N 9°6E 77 F5
Aschendorf Germany 53°3N 7°19E 76 B3
Aschersleben Germany 51°45N 11°29E 76 D7
Asciano Italy 43°14N 11°33E 93 E8
Áscoli Piceno Italy 42°51N 13°34E 93 F10
Áscoli Satriano Italy 41°11N 15°32E 95 A8
Ascope Peru 7°46S 79°8W 188 B2
Ascotán Chile 21°45S 68°17W 190 A2
Aseb Eritrea 13°0N 42°40E 131 E3
Åseda Sweden 57°10N 15°20E 63 G9
Asedjrad Algeria 24°51N 1°29E 136 D4
Asela Ethiopia 8°0N 39°0E 131 F2
Åsen Sweden 61°17N 13°50E 62 C7
Asenovgrad Bulgaria 42°1N 24°51E 97 D8
Asfeld France 49°27N 4°5E 71 C11
Asfûn el Matâ'na Egypt 25°26N 32°30E 137 B3
Aşgabat = Ashgabat Turkmenistan 37°58N 58°24E 129 B8
Asgata Cyprus 34°46N 33°15E 101 E12
Ash Fork U.S.A. 35°13N 112°29W 169 J7
Ash Grove U.S.A. 37°19N 93°35W 172 G7
Ash Shabakah Iraq 30°49N 43°39E 128 D4
Ash Shamāl □ Lebanon 34°25N 36°0E 130 A5
Ash Shāmīyah Iraq 31°55N 44°35E 105 G11
Ash Shāriqah U.A.E. 25°23N 55°26E 129 E7
Ash Sharmah Si. Arabia 28°1N 35°16E 128 D2
Ash Sharqāt Iraq 35°27N 43°16E 105 E10
Ash Shaṭrah Iraq 31°30N 46°10E 128 D5
Ash Shawbak Jordan 30°32N 35°34E 128 D2
Ash Shiḥr Yemen 14°45N 49°36E 131 E4
Ash Shināfīyah Iraq 31°35N 44°39E 128 D5
Ash Shu'bah Si. Arabia 28°54N 44°44E 128 D5
Ash Shumlūl Si. Arabia 26°31N 47°20E 128 E5
Ash Shūr'a Iraq 35°58N 43°13E 128 C4
Ash Shurayf Si. Arabia 25°43N 39°14E 128 E3
Ash Shuwayfāt Lebanon 33°45N 35°30E 130 B4
Asha Russia 55°0N 57°16E 108 B5
Ashanti □ Ghana 7°30N 1°30W 139 D4
Ashbourne U.K. 53°2N 1°43W 66 D6
Ashburn U.S.A. 31°43N 83°39W 178 D6
Ashburton N.Z. 43°53S 171°48E 155 D6
Ashburton → Australia 21°40S 114°56E 148 D1
Ashburton, North Branch → N.Z. 43°54S 171°44E 155 D6
Ashburton, South Branch → N.Z. 43°54S 171°44E 155 D6
Ashcroft Canada 50°40N 121°20W 162 C4
Ashdod Israel 31°49N 34°35E 130 D3
Ashdown U.S.A. 33°40N 94°8W 176 E7
Asheboro U.S.A. 35°43N 79°49W 177 D15
Ashern Canada 51°11N 98°21W 163 C9
Asherton U.S.A. 28°27N 99°46W 176 G5
Asheville U.S.A. 35°36N 82°33W 177 D13
Ashewat Pakistan 31°22N 68°32E 124 D3
Asheweig → Canada 54°17N 87°12W 164 B2
Ashford Australia 29°15S 151°3E 151 D5
Ashford U.K. 51°8N 0°53E 67 F8
Ashford U.S.A. 31°11N 85°14W 178 D4
Ashgabat Turkmenistan 37°58N 58°24E 129 B8
Ashhurst N.Z. 40°16S 175°45E 154 G4
Ashibetsu Japan 43°31N 142°11E 112 C11
Ashikaga Japan 36°28N 139°29E 113 F9
Ashington U.K. 55°11N 1°33W 66 B6
Ashizuri-Uwakai △ Japan 32°56N 132°32E 113 H6
Ashizuri-Zaki Japan 32°44N 133°0E 113 H6
Ashkarkot Afghan. 33°3N 67°58E 124 C2
Ashkhabad = Ashgabat Turkmenistan 37°58N 58°24E 129 B8
Āshkhāneh Iran 37°26N 56°55E 129 B8
Ashland Ala., U.S.A. 33°16N 85°50W 178 B4
Ashland Kans., U.S.A. 37°11N 99°46W 172 G4
Ashland Ky., U.S.A. 38°28N 82°38W 173 F12
Ashland Maine, U.S.A. 46°38N 68°24W 173 B19
Ashland Mont., U.S.A. 45°36N 106°16W 168 D10
Ashland Ohio, U.S.A. 40°52N 82°19W 174 F2
Ashland Oreg., U.S.A. 42°12N 122°43W 168 E2
Ashland Pa., U.S.A. 40°45N 76°22W 175 F8
Ashland Va., U.S.A. 37°46N 77°29W 173 G15
Ashland Wis., U.S.A. 46°35N 90°53W 172 B8
Ashley N. Dak., U.S.A. 46°2N 99°22W 172 B4
Ashley Pa., U.S.A. 41°12N 75°55W 175 E9
Ashley → N.Z. 43°17S 172°44E 155 D7
Ashmore and Cartier Is. Ind. Oc. 12°15S 123°0E 148 B3
Ashmore Reef Australia 12°14S 123°5E 148 B3
Ashmûn Egypt 30°18N 30°55E 137 E7
Ashmyany Belarus 54°26N 25°52E 75 A13
Ashokan Res. U.S.A. 41°56N 74°13W 175 E10
Ashoknagar India 24°34N 77°43E 126 B3
Ashqelon Israel 31°42N 34°35E 130 D3
Ashta India 23°1N 76°43E 124 H7
Ashtabula U.S.A. 41°52N 80°47W 174 E4
Ashti Maharashtra, India 21°12N 78°11E 126 D4
Ashti Maharashtra, India 18°50N 75°15E 126 E2
Āshtiyān Iran 34°31N 50°0E 129 C6
Ashton S. Africa 33°50S 20°5E 144 D3
Ashton U.S.A. 44°4N 111°27W 168 D8
Ashuanipi, L. Canada 52°45N 66°15W 165 B6
Ashuapmushuan → Canada 48°37N 72°20W 164 C5
Ashur = Assur Iraq 35°27N 43°15E 105 E10
Ashville Ala., U.S.A. 33°50N 86°15W 178 B3
Ashville Fla., U.S.A. 30°37N 83°39W 178 E6
Ashville Pa., U.S.A. 40°34N 78°33W 174 F6
'Āṣī → Asia 36°1N 35°59E 104 D6
Asia 45°0N 75°0E 102 E9
Asia, Kepulauan Indonesia 1°0N 131°13E 119 D8
Asiago Italy 45°52N 11°30E 93 C8
Asifabad India 19°20N 79°24E 126 E4
Asilah Morocco 35°29N 6°0W 136 A2
Asinara Italy 41°4N 8°16E 94 A1
Asinara, G. dell' Italy 41°0N 8°30E 94 A1
Asino Russia 57°0N 86°0E 106 D9
Asipovichy Belarus 53°19N 28°33E 75 B15
'Asīr Si. Arabia 18°40N 42°30E 137 D5
Asir, Ras Somalia 11°55N 51°10E 131 E5
Aska India 19°2N 84°42E 126 E7
Aşkale Turkey 39°55N 40°41E 105 C9
Askersund Sweden 58°53N 14°55E 63 F8
Askham S. Africa 26°59S 20°47E 144 C3
Askī Mawşil Iraq 36°30N 42°44E 105 D10
Askim Norway 59°35N 11°10E 61 G14
Askio, Oros Greece 40°25N 21°35E 96 F5
Askja Iceland 65°3N 16°48W 60 D5
Asklipio Greece 36°4N 27°56E 101 C9
Askøy Norway 60°29N 5°10E 60 F11
Asl Egypt 29°33N 32°44E 137 F8
Aslan Burnu Turkey 38°44N 26°45E 99 C8
Aslanapa Turkey 39°13N 29°52E 99 B11
Aslānduz Iran 39°26N 47°24E 105 C12
Asmara = Asmera Eritrea 15°19N 38°55E 131 D2
Asmera Eritrea 15°19N 38°55E 131 D2
Asnæs Denmark 55°40N 11°0E 63 J4
Åsnen Sweden 56°37N 14°45E 63 H8
Asni Morocco 31°17N 7°58W 136 B2
Aso Kujū △ Japan 32°53N 131°6E 113 H5
Asola Italy 45°13N 10°24E 92 C7
Asos Greece 38°22N 20°33E 98 C2
Asoteriba, Jebel Sudan 21°51N 36°30E 137 C4
Asouf, O. → Algeria 25°40N 2°8E 136 C4
Aspatria U.K. 54°47N 3°19W 66 C4
Aspe Spain 38°20N 0°40W 91 G4
Aspen U.S.A. 39°11N 106°49W 168 G10
Aspendos Turkey 36°54N 31°7E 104 D4
Aspermont U.S.A. 33°8N 100°14W 176 E4
Aspet France 43°1N 0°48E 72 E4
Aspiring, Mt. N.Z. 44°23S 168°46E 155 E3
Aspres-sur-Buëch France 44°32N 5°44E 73 D9
Asprokavos, Akra Greece 39°21N 20°6E 101 B4
Aspromonte △ Italy 38°9N 15°58E 95 D8
Aspur India 23°58N 74°7E 124 H6
Asquith Canada 52°8N 107°13W 163 C7
Assab = Aseb Eritrea 13°0N 42°40E 131 E3
Assâba □ Mauritania 16°40N 11°40W 138 B2
Assâba, Massif de l' Mauritania 16°10N 11°45W 138 B2
Assagny △ Ivory C. 5°10N 4°48W 138 D4
Assaikio Nigeria 8°34N 8°55E 139 D6
Assal, L. Djibouti 11°40N 42°26E 131 E3
Assam □ India 26°0N 93°0E 123 G18
Assamakka Niger 19°21N 5°38E 139 B6
Assateague Island ⌓ U.S.A. 38°15N 75°10W 173 F16
Assaye India 20°15N 75°53E 126 D2
Asse Belgium 50°24N 4°10E 69 D4
Assekrem Algeria 23°16N 5°49E 136 D5
Assémini Italy 39°17N 9°0E 94 C1
Assen Neths. 53°0N 6°35E 69 A6
Assens Denmark 55°16N 9°55E 63 J3
Assini Ivory C. 5°9N 3°17W 138 D4
Assiniboia Canada 49°40N 105°59W 163 D7
Assiniboine → Canada 49°53N 97°8W 163 D9
Assiniboine, Mt. Canada 50°52N 115°39W 162 C5
Assis Brazil 22°40S 50°20W 191 A5
Assis Brasil Brazil 10°55S 69°32W 188 C4
Assisi Italy 43°4N 12°37E 93 E9
Assur Iraq 35°27N 43°15E 105 E10
Assynt, L. U.K. 58°10N 5°3W 65 C3
Astaffort France 44°4N 0°40E 72 D4
Astakida Greece 35°53N 26°50E 99 F8
Astakos Greece 38°32N 21°5E 98 C3
Astana Kazakhstan 51°10N 71°30E 109 B8
Āstāneh Iran 37°17N 49°59E 129 B6
Astara Azerbaijan 38°30N 48°50E 105 C13
Āstārā Iran 38°20N 48°52E 105 C13
Astarabad = Gorgān Iran 36°55N 54°30E 129 B7
Asterousia Greece 34°59N 25°3E 101 E7
Asti Italy 44°54N 8°12E 92 D5
Astipalea Greece 36°32N 26°22E 99 E8
Astorga Spain 42°29N 6°8W 88 C4
Astoria U.S.A. 46°11N 123°50W 170 D3
Åstorp Sweden 56°6N 12°55E 63 H6
Astrakhan Russia 46°25N 48°5E 87 G9
Astrakhan □ Russia 47°45N 46°20E 87 G8
Astrebla Downs Australia 24°12S 140°34E 150 C3
Astudillo Spain 42°12N 4°22W 88 C6
Asturias □ Spain 43°15N 6°0W 88 B5
Asturias ✕ (OVD) Spain 43°33N 6°3W 88 B4
Asunción Bolivia 11°46S 67°50W 188 C4
Asunción Paraguay 25°10S 57°30W 190 B4
Asunción Nochixtlán Mexico 17°28N 97°14W 181 D5
Åsunden Sweden 58°0N 15°51E 63 F9
Aswa → Uganda 3°43N 31°55E 142 B3
Aswa-Lolim △ Uganda 2°43N 31°35E 142 B3
Aswad, Ra's al Si. Arabia 21°20N 39°0E 137 C4
Aswân Egypt 24°4N 32°57E 137 C3
Aswan High Dam = Sadd el Aali Egypt 23°54N 32°54E 137 C3
Asyût Egypt 27°11N 31°4E 137 B3
Asyûti, Wadi → Egypt 27°11N 31°16E 137 B3
Aszód Hungary 47°39N 19°28E 80 C4
At-Bashy Kyrgyzstan 41°10N 75°48E 109 D9
At Ṭafilah Jordan 30°45N 35°30E 130 E4
At Ṭafilah □ Jordan 30°45N 35°30E 130 E4
Aṭ Ṭā'if Si. Arabia 21°5N 40°27E 137 C5
At Ta'mīm □ Iraq 35°30N 44°20E 128 C5
Aṭ Ṭirāq Si. Arabia 27°19N 44°33E 128 E5
Aṭ Ṭubayq Si. Arabia 29°30N 37°0E 128 D3
Aṭ Ṭunayb Jordan 31°48N 35°57E 130 D4
Atabey Turkey 37°57N 30°39E 99 D12
Atacama □ Chile 27°30S 70°0W 190 B2
Atacama, Desierto de Chile 24°0S 69°20W 190 A2
Atacama, Salar de Chile 23°30S 68°20W 190 A2
Atakeye ✪ Australia 22°30S 133°45E 148 D5
Atakor Algeria 23°27N 5°31E 136 D5
Atakpamé Togo 7°31N 1°13E 139 D5
Atalándi Greece 38°39N 22°58E 98 C4
Atalaya Peru 10°45S 73°50W 188 C3
Atalaya de Femes Canary Is. 28°56N 13°47W 100 F6
Ataléia Brazil 18°3S 41°6W 189 D2
Atami Japan 35°5N 139°4E 113 G9
Atamyrat Turkmenistan 37°50N 65°12E 109 E7
Atapuerca, Cueva de Spain 42°22N 3°32W 88 C7
Atapupu Indonesia 9°0S 124°51E 119 F6
Atâr Mauritania 20°30N 13°5W 134 D3
Ataram, Erg n- Algeria 23°57N 2°0E 136 D4
Atarfe Spain 37°13N 3°40W 89 H7
Atari Pakistan 30°56N 74°2E 124 D6
Atascadero U.S.A. 35°29N 120°40W 170 K6
Atasū Kazakhstan 48°30N 71°0E 109 C8
Atatürk, İstanbul ✕ (IST) Turkey 40°59N 28°49E 97 F12
Atatürk Barajı Turkey 37°28N 38°30E 105 D8
Atauro E. Timor 8°10S 125°30E 119 F7
Ataviros Greece 36°12N 27°50E 101 C9
Atbara Sudan 17°42N 33°59E 135 E12
'Atbara, Nahr → Sudan 17°40N 33°56E 137 D3
Atbasar Kazakhstan 51°48N 68°20E 109 B7
Atbashi = At-Bashy Kyrgyzstan 41°10N 75°48E 109 D9
Atça Turkey 37°53N 28°13E 99 D10
Atchafalaya B. U.S.A. 29°25N 91°25W 176 G9
Atchison U.S.A. 39°34N 95°7W 172 F6
Atebubu Ghana 7°47N 1°0W 139 D4
Ateca Spain 41°20N 1°49W 90 D3

Aterno → Italy 42°11N 13°51E 93 F10
Āteshān Iran 35°35N 52°37E 129 C7
Atesine, Alpi Italy 46°55N 11°30E 93 B8
Atessa Italy 42°4N 14°27E 93 F11
Atfîh Egypt 29°25N 31°15E 137 F7
Ath Belgium 50°38N 3°47E 69 D3
Athabasca Canada 54°45N 113°20W 162 C6
Athabasca → Canada 58°40N 110°50W 163 B6
Athabasca, L. Canada 59°15N 109°15W 163 B7
Athabasca Sand Dunes ⌓ Canada 59°4N 108°43W 163 B7
Athagarh India 20°32N 85°37E 126 D7
Athamanon Oros Greece 39°30N 21°26E 98 B3
Athboy Ireland 53°36N 6°56W 64 C5
Athena U.S.A. 29°59N 83°30W 178 F6
Athenry Ireland 53°18N 8°44W 64 C3
Athens = Athina Greece 37°58N 23°43E 98 D5
Athens Ala., U.S.A. 34°48N 86°58W 177 D11
Athens Ga., U.S.A. 33°57N 83°23W 178 B6
Athens N.Y., U.S.A. 42°16N 73°49W 175 D11
Athens Ohio, U.S.A. 39°20N 82°6W 173 F12
Athens Pa., U.S.A. 41°57N 76°31W 175 E8
Athens Tenn., U.S.A. 35°27N 84°36W 177 D12
Athens Tex., U.S.A. 32°12N 95°51W 176 E7
Atherley Canada 44°37N 79°20W 174 B5
Atherton Australia 17°17S 145°30E 150 B4
Athi River Kenya 1°28S 36°58E 142 C4
Athiéme Benin 6°37N 1°40E 139 D5
Athienou Cyprus 35°3N 33°32E 101 D12
Athina Greece 37°58N 23°43E 98 D5
Athina ✕ (ATH) Greece 37°56N 23°56E 98 D5
Athínai = Athina Greece 37°58N 23°43E 98 D5
Athlone Ireland 53°25N 7°56W 64 C4
Athmalik India 20°43N 84°32E 126 D7
Athni India 16°44N 75°6E 126 F2
Athol N.Z. 45°30S 168°35E 155 F3
Athol U.S.A. 42°36N 72°14W 175 D12
Atholl, Forest of U.K. 56°51N 3°50W 65 E5
Atholl, Kap Greenland 76°25N 69°30W 57 B4
Atholville Canada 47°59N 66°43W 165 C6
Athos Greece 40°9N 24°22E 97 F8
Athy Ireland 53°0N 7°0W 64 C5
Ati Chad 13°13N 18°20E 135 F9
Atiak Uganda 3°12N 32°2E 142 B3
Atiamuri N.Z. 38°24S 176°5E 154 E5
Atico Peru 16°14S 73°40W 188 D3
Atienza Spain 41°12N 2°52W 90 D2
Atik L. Canada 55°15N 96°0W 163 B9
Atikaki ⌓ Canada 51°30N 95°31W 163 C9
Atikameg → Canada 52°30N 82°46W 164 B3
Atikokan Canada 48°45N 91°37W 164 C1
Atikonak L. Canada 52°40N 64°32W 165 B7
Atimaono Tahiti 17°46S 149°28W 155 b
Atirampattinam India 10°28N 79°20E 127 J4
Atiu Cook Is. 20°0S 158°10W 157 J12
Atka Russia 60°50N 151°48E 107 C16
Atka I. U.S.A. 52°7N 174°30W 166 E5
Atkarsk Russia 51°55N 45°2E 86 E7
Atkinson Ga., U.S.A. 31°13N 81°47W 178 D8
Atkinson Nebr., U.S.A. 42°32N 98°59W 172 D4
Atlanta Ga., U.S.A. 33°45N 84°23W 178 B5
Atlanta Tex., U.S.A. 33°7N 94°10W 176 E7
Atlanta Hartsfield-Jackson Int. ✕ (ATL) U.S.A. 33°38N 84°26W 178 B5
Atlantic U.S.A. 41°24N 95°1W 172 E6
Atlantic Beach U.S.A. 30°20N 81°24W 178 E8
Atlantic City U.S.A. 39°21N 74°27W 173 F16
Atlantic-Indian Basin Antarctica 60°0S 30°0E 55 B4
Atlantic Ocean 0°0 20°0W 56 F8
Atlantis S. Africa 33°34S 18°29E 144 D2
Atlas Mts. = Haut Atlas Morocco 32°30N 5°0W 136 B3
Atlin Canada 59°31N 133°41W 162 B2
Atlin, L. Canada 59°26N 133°45W 162 B2
Atlin ⌓ Canada 59°10N 134°30W 162 B2
Atmakur Andhra Pradesh, India 14°37N 79°40E 127 G4
Atmakur Andhra Pradesh, India 15°53N 78°35E 127 G4
Atmakur Telangana, India 18°45N 78°39E 126 E4
Atmore U.S.A. 31°2N 87°29W 179 D2
Atoka U.S.A. 34°23N 96°8W 176 D6
Atokos Greece 38°28N 20°49E 98 C2
Atolia U.S.A. 35°19N 117°37W 171 K9
Atqasuk U.S.A. 70°28N 157°24W 166 A8
Atrai → Bangla. 24°7N 89°22E 125 G13
Atrak = Atrek → Turkmenistan 37°35N 53°58E 129 B8
Åtran Sweden 57°7N 12°57E 63 G6
Ätran → Sweden 56°53N 12°30E 63 H6
Atrauli India 28°2N 78°20E 124 E8
Atrek → Turkmenistan 37°35N 53°58E 129 B8
Atri Italy 42°35N 13°58E 93 F10
Atsiki Greece 39°56N 25°13E 99 B7
Atsoum, Mts. Cameroon 6°41N 12°57E 139 D7
Atsuta Japan 43°24N 141°26E 112 C10
Attalla U.S.A. 34°1N 86°6W 178 A3
Attapeu Laos 14°48N 106°50E 120 E6
Attapulgus U.S.A. 30°45N 84°29W 178 E5
Attawapiskat Canada 52°56N 82°24W 164 B3
Attawapiskat → Canada 52°57N 82°18W 164 B3
Attawapiskat L. Canada 52°18N 87°54W 164 B2
Attersee Austria 47°55N 13°32E 78 D6
Attica = Attiki □ Greece 37°10N 23°40E 98 D5
Attica Ind., U.S.A. 40°18N 87°15W 172 E10
Attica Ohio, U.S.A. 41°4N 82°53W 174 E2
Attichy France 49°25N 3°3E 71 C10
Attigny France 49°28N 4°35E 71 C11
Attikamagen L. Canada 55°0N 66°30W 165 B6
Attiki □ Greece 37°10N 23°40E 98 D5
Attleboro U.S.A. 41°57N 71°17W 175 E13
Attock Pakistan 33°52N 72°20E 124 C5
Attopu = Attapeu Laos 14°48N 106°50E 120 E6
Attu I. U.S.A. 52°55N 172°55E 166 E2
Attunga Australia 30°55S 150°50E 153 A9
Attur India 11°35N 78°30E 127 J4
Atuel → Argentina 36°17S 66°50W 190 D2
Atura Uganda 2°7N 32°20E 142 B3
Åtvidaberg Sweden 58°12N 16°0E 63 F10
Atwater U.S.A. 37°21N 120°37W 170 H6
Atwood Canada 43°40N 81°1W 174 C3
Atwood U.S.A. 39°48N 101°3W 172 F3
Atyraū Kazakhstan 47°5N 52°0E 108 C4
Au Sable U.S.A. 44°25N 83°20W 174 B1
Au Sable → U.S.A. 44°25N 83°20W 173 C12
Au Sable Forks U.S.A. 44°27N 73°41W 175 B11
Au Sable Pt. U.S.A. 44°20N 83°20W 174 B1
Auas Honduras 15°29N 84°20W 182 C3
Auasberg Namibia 22°37S 17°13E 144 B2
Aubagne France 43°17N 5°37E 73 E9
Aube □ France 48°15N 4°10E 71 D11
Aube → France 48°34N 3°43E 71 D10
Aubenas France 44°37N 4°24E 73 D8
Aubenton France 49°50N 4°12E 71 C11
Auberry U.S.A. 37°7N 119°29W 170 H7
Aubigny-sur-Nère France 47°30N 2°24E 71 E9
Aubin France 44°33N 2°15E 72 D6
Aubrac, Mts. d' France 44°40N 3°2E 72 D7
Auburn Australia 34°1S 138°42E 152 C3
Auburn Ala., U.S.A. 32°36N 85°29W 178 C4
Auburn Calif., U.S.A. 38°54N 121°4W 170 G5
Auburn Ind., U.S.A. 41°22N 85°4W 173 E11
Auburn Maine, U.S.A. 44°6N 70°14W 173 C18
Auburn N.Y., U.S.A. 42°56N 76°34W 175 D8
Auburn Nebr., U.S.A. 40°23N 95°51W 172 E6
Auburn Pa., U.S.A. 40°36N 76°6W 175 F8
Auburn Wash., U.S.A. 47°18N 122°14W 170 C4
Auburn Ra. Australia 25°15S 150°30E 151 D5
Auburndale U.S.A. 28°4N 81°48W 179 G8
Aubusson France 45°57N 2°11E 72 C6
Auce Latvia 56°28N 22°53E 82 B9
Auch France 43°39N 0°36E 72 E4
Auchi Nigeria 7°6N 6°13E 139 D6
Auchterarder U.K. 56°18N 3°41W 65 E5
Auchtermuchty U.K. 56°18N 3°13W 65 E5
Auckland N.Z. 36°52S 174°46E 154 C3
Auckland □ N.Z. 36°50S 175°0E 154 C3
Auckland Is. Pac. Oc. 50°40S 166°5E 156 N8
Aude □ France 43°8N 2°28E 72 E6
Aude → France 43°13N 3°14E 72 E7
Auden Canada 50°14N 87°53W 164 B2
Auderville France 49°43N 1°57W 70 C5
Audierne France 48°1N 4°34W 70 D2
Audincourt France 47°30N 6°50E 71 E13
Audomarois ⌓ France 50°50N 2°30E 71 B9
Audubon U.S.A. 41°43N 94°56W 172 E6
Aue Germany 50°35N 12°41E 76 E8
Auerbach Germany 50°30N 12°24E 76 E8
Augathella Australia 25°48S 146°35E 151 D4
Aughnacloy U.K. 54°25N 6°59W 64 B5
Aughrim Ireland 53°18N 8°19W 64 C3
Augrabies Falls S. Africa 28°35S 20°20E 144 C3
Augrabies Falls △ S. Africa 28°40S 20°22E 144 C3
Augsburg Germany 48°25N 10°52E 77 G6
Augsburg-Westliche Wälder ⌓ Germany 48°22N 10°40E 77 G6
Augusta Australia 34°19S 115°9E 149 F2
Augusta Italy 37°13N 15°13E 95 E8
Augusta Ark., U.S.A. 35°17N 91°22W 176 D9
Augusta Ga., U.S.A. 33°28N 81°58W 178 B8
Augusta Kans., U.S.A. 37°41N 96°59W 172 G5
Augusta Maine, U.S.A. 44°19N 69°47W 173 C19
Augusta Mont., U.S.A. 47°30N 112°24W 168 C7
Augustenborg Denmark 54°57N 9°53E 63 K3
Augustów Poland 53°51N 23°0E 82 E9
Augustus, Mt. Australia 24°20S 116°50E 149 D2
Augustus I. Australia 15°20S 124°30E 148 C3
Aujuittuq = Grise Fiord Canada 76°25N 82°57W 161 B15
Aukrug ⌓ Germany 54°5N 9°45E 76 A5
Aukštaitija △ Lithuania 55°15N 26°0E 61 J22
Aukum U.S.A. 38°34N 120°43W 170 G6
Aul India 20°41N 86°39E 126 D8
Aulavik △ Canada 73°42N 119°55W 160 C8
Auld, L. Australia 22°25S 123°50E 148 D3
Āūlīekōl Kazakhstan 52°32N 62°45E 108 B6
Aulifeltet Norway 60°30N 11°21E 62 D5
Aulla Italy 44°12N 9°58E 92 D6
Aulnay France 46°2N 0°22W 72 B3
Aulne → France 48°17N 4°16W 70 D2
Aulnoye-Aymeries France 50°12N 3°50E 71 B10
Ault France 50°8N 1°26E 70 B8
Ault U.S.A. 40°35N 104°44W 168 F11
Aulus-les-Bains France 42°49N 1°19E 72 F5
Aumale France 49°46N 1°46E 71 C8
Aumont-Aubrac France 44°43N 3°17E 72 D7
Auna Nigeria 10°9N 4°42E 139 C5
Aundah India 19°32N 77°3E 126 E3
Aundh India 17°33N 74°23E 126 F2
Auning Denmark 56°26N 10°22E 63 H4
Aunis France 46°5N 0°50W 72 B3
Auponhia Indonesia 1°58S 125°27E 119 E7
Aups France 43°37N 6°15E 73 E10
Aur, Pulau Malaysia 2°35N 104°10E 121 L5
Auraiya India 26°28N 79°33E 125 F8
Aurangabad Bihar, India 24°45N 84°18E 125 G11
Aurangabad Maharashtra, India 19°50N 75°23E 126 E2
Auray France 47°40N 2°59W 70 E4
Aurès Algeria 35°8N 6°30E 136 A5
Aurich Germany 53°28N 7°28E 76 B3
Aurillac France 44°55N 2°26E 72 D6
Auronzo di Cadore Italy 46°33N 12°26E 93 B9
Aurora Canada 44°0N 79°28W 174 C5
Aurora S. Africa 32°40S 18°29E 144 D2
Aurora Colo., U.S.A. 39°43N 104°49W 168 G11
Aurora Ill., U.S.A. 41°45N 88°19W 172 E9
Aurora Mo., U.S.A. 36°58N 93°43W 172 G7
Aurora N.Y., U.S.A. 42°45N 76°42W 175 D8
Aurora Nebr., U.S.A. 40°52N 98°0W 172 E5
Aurora Ohio, U.S.A. 41°21N 81°20W 174 E3
Aurukun Australia 13°20S 141°45E 150 A3
Aurukun ✪ Australia 13°36S 141°48E 150 A3
Aus Namibia 26°35S 16°12E 144 C2
Ausa India 18°15N 76°30E 126 E3
Ausable → Canada 43°19N 81°46W 174 C3
Auschwitz = Oświęcim Poland 50°2N 19°11E 83 H6
Auski Roadhouse Australia 22°22S 118°41E 148 D2
Austen Harbour India 12°55N 92°45E 127 H11
Austerlitz = Slavkov u Brna Czech Rep. 49°10N 16°52E 79 B9
Austin Minn., U.S.A. 43°40N 92°58W 172 D7
Austin Nev., U.S.A. 39°30N 117°4W 168 G5
Austin Pa., U.S.A. 41°38N 78°6W 174 E6
Austin Tex., U.S.A. 30°17N 97°45W 176 F6
Austin, L. Australia 27°40S 118°0E 149 E2
Austin I. Canada 61°10N 94°0W 163 A10
Austra Norway 65°8N 11°55E 60 D14
Austral Is. = Tubuaï, Îs. French Polynesia 25°0S 150°0W 157 K13
Austral Seamount Chain Pac. Oc. 24°0S 150°0W 157 K13
Australia ■ Oceania 23°0S 135°0E 147 D6
Australian-Antarctic Basin S. Ocean 60°0S 120°0E 55 C9
Australian Capital Territory □ Australia 35°30S 149°0E 153 C8
Australind Australia 33°17S 115°42E 149 F2
Austria ■ Europe 47°0N 14°0E 78 E7
Austvågøya Norway 68°20N 14°40E 60 B16
Auterive France 43°21N 1°29E 72 E5
Authie → France 50°22N 1°38E 71 B8
Authon-du-Perche France 48°12N 0°54E 70 D7
Autlán de Navarro Mexico 19°46N 104°22W 180 D4
Autun France 46°58N 4°17E 71 F11
Auvergne □ France 45°20N 3°15E 72 C7
Auvergne, Mts. d' France 45°20N 2°55E 72 C6
Auvézère → France 45°12N 0°50E 72 C4
Auxerre France 47°48N 3°32E 71 E10
Auxi-le-Château France 50°15N 2°8E 71 B9
Auxonne France 47°10N 5°20E 71 E12
Auyuittuq △ Canada 67°30N 66°0W 161 D18
Auzances France 46°2N 2°30E 71 F9
Auzangate, Nevado Peru 13°47S 71°13W 188 C3
Av-Dovurak Russia 51°17N 91°35E 107 D10
Ava U.S.A. 36°57N 92°40W 172 G7
Avachinskaya Sopka Russia 53°15N 158°50E 107 D16
Avallon France 47°30N 3°53E 71 E10
Avalon U.S.A. 33°21N 118°20W 171 M8
Avalon Pen. Canada 47°30N 53°20W 165 C9
Avanigadda India 16°0N 80°56E 127 G5
Avanos Turkey 38°43N 34°51E 104 C6
Avantas Greece 40°57N 25°56E 97 F9
Avaré Brazil 23°4S 48°58W 191 A6
Avawatz Mts. U.S.A. 35°40N 116°30W 171 K10
Avdan Dağı Turkey 40°23N 29°46E 97 F13
Aveiro Brazil 3°10S 55°5W 187 D7
Aveiro Portugal 40°37N 8°38W 88 E2
Aveiro □ Portugal 40°40N 8°35W 88 E2
Āvej Iran 35°40N 49°15E 129 C6
Avellaneda Argentina 34°40S 58°22W 190 C4
Avellino Italy 40°54N 14°47E 95 B7
Avenal U.S.A. 36°0N 120°8W 170 K6
Aversa Italy 40°58N 14°12E 95 B7
Avery U.S.A. 47°15N 115°49W 168 C6
Aves, I. de W. Indies 15°45N 63°55W 183 C7
Aves, Is. las Venezuela 12°0N 67°30W 183 D6
Avesnes-sur-Helpe France 50°8N 3°55E 71 B10
Avesnois ⌓ France 50°10N 3°45E 71 B10
Avesta Sweden 60°9N 16°10E 62 D10
Aveyron □ France 44°22N 2°45E 72 D6
Aveyron → France 44°5N 1°16E 72 D5
Avezzano Italy 42°2N 13°25E 93 F10
Avgo Greece 35°33N 25°37E 99 F7
Aviá Terai Argentina 26°45S 60°50W 190 B3
Aviano Italy 46°4N 12°36E 93 B9
Aviemore U.K. 57°12N 3°50W 65 D5
Aviemore, L. N.Z. 44°37S 170°18E 155 E5
Avigliana Italy 45°5N 7°23E 92 C4
Avigliano Italy 40°44N 15°43E 95 B8
Avignon France 43°57N 4°50E 73 E8
Ávila Spain 40°39N 4°43W 88 E6
Ávila □ Spain 40°30N 5°0W 88 E5
Ávila, Sierra de Spain 40°40N 5°15W 88 E5
Avila Beach U.S.A. 35°11N 120°44W 171 K6
Avilés Spain 43°35N 5°57W 88 B5
Aviño Spain 43°36N 8°8W 88 B2
Avintes Portugal 41°7N 8°33W 88 D2
Avionárion Greece 38°31N 24°8E 98 C6
Avis Portugal 39°4N 7°53W 89 F3
Avis U.S.A. 41°11N 77°19W 174 E7
Avisio → Italy 46°7N 11°5E 92 B8
Avissawella Sri Lanka 6°56N 80°11E 127 L5
Aviz = Avis Portugal 39°4N 7°53W 89 F3
Avize France 48°59N 4°1E 71 D11
Avlonari Greece 38°31N 24°8E 98 C6
Avlum Denmark 56°16N 8°47E 63 H2
Avoca Australia 37°5S 143°26E 152 D5
Avoca U.S.A. 42°25N 77°25W 174 D7
Avoca → Australia 35°40S 143°43E 152 C5
Avoca → Ireland 52°48N 6°10W 64 D5
Avola Canada 51°45N 119°19W 162 C5
Avola Italy 36°56N 15°7E 95 F8
Avon U.S.A. 42°55N 77°45W 174 D7
Avon → Australia 31°40S 116°7E 149 F2
Avon → Bristol, U.K. 51°29N 2°41W 67 F5
Avon → Dorset, U.K. 50°44N 1°46W 67 G6
Avon → Warks., U.K. 52°0N 2°8W 67 E5
Avon Park U.S.A. 27°36N 81°31W 179 H8
Avondale Zimbabwe 17°43S 30°58E 143 F3
Avonlea Canada 50°0N 105°0W 163 D8
Avonmore Canada 45°10N 74°58W 175 A10
Avonmouth U.K. 51°30N 2°42W 67 F5
Avramov Bulgaria 42°45N 26°38E 97 D10
Avranches France 48°40N 1°20W 70 D5
Avre → France 48°47N 1°22E 70 D8
Avrig Romania 45°43N 24°21E 81 E9
Avrillé France 47°30N 0°35W 70 E6
Avtovac Bos.-H. 43°9N 18°35E 96 C2
Awa-Shima Japan 38°27N 139°14E 112 E9
A'waj → Syria 33°23N 36°20E 130 B5
Awaji-Shima Japan 34°30N 134°50E 113 G7
'Awālī Bahrain 26°0N 50°30E 129 E6
Awantipur India 33°55N 75°3E 125 C6
Awanui N.Z. 35°4S 173°17E 154 B2
Awarja → India 17°5N 76°15E 126 F3
Awarua B. N.Z. 44°28S 168°4E 155 E3
Awarua Pt. N.Z. 44°15S 168°5E 155 E3
Awasa Ethiopia 7°2N 38°28E 131 F2
Awash Ethiopia 9°1N 40°10E 131 F3
Awaso Ghana 6°15N 2°22W 138 D4
Awat China 40°35N 80°24E 109 D10
Awatere → N.Z. 41°37S 174°10E 155 B9
Awbārī Libya 26°46N 12°57E 135 C8
Awbārī, Idehan Libya 27°10N 11°30E 135 C8
Awe, L. U.K. 56°17N 5°16W 65 E3
Awgu Nigeria 6°4N 7°24E 139 D6
Awjilah Libya 29°8N 21°7E 135 C10
Awka Nigeria 6°12N 7°5E 139 D6
Ax-les-Thermes France 42°44N 1°50E 72 F5
Axat France 42°48N 2°13E 72 F6
Axe → U.K. 50°42N 3°4W 67 F5
Axel Heiberg I. Canada 80°0N 90°0W 161 B14
Axim Ghana 4°51N 2°15W 138 E4
Axintele Romania 44°37N 26°47E 81 F11
Axios → Greece 40°57N 22°35E 96 F6
Axminster U.K. 50°46N 3°0W 67 G4
Axson U.S.A. 31°17N 82°44W 178 D7
Axvall Sweden 58°23N 13°34E 63 F7
Ay France 49°3N 4°1E 71 C11
Ayabaca Peru 4°40S 79°53W 188 A2
Ayabe Japan 35°20N 135°20E 113 G7
Ayacucho Argentina 37°5S 58°20W 190 D4
Ayacucho Peru 13°0S 74°0W 188 C3
Ayacucho □ Peru 14°0S 74°0W 188 C3
Ayaguz = Ayaköz Kazakhstan 48°10N 80°10E 109 C10
Ayakkum Hu China 37°30N 89°20E 109 E11
Ayaköz Kazakhstan 48°10N 80°10E 109 C10
Ayaköz → Kazakhstan 46°40N 79°14E 109 C9
Ayakudi India 10°28N 77°56E 127 J3
Ayamé Ivory C. 5°35N 3°9W 138 D4
Ayamonte Spain 37°12N 7°24W 89 H3
Ayan Russia 56°30N 138°16E 107 D14
Ayancık Turkey 41°57N 34°35E 104 B6
Ayangba Nigeria 7°31N 7°8E 139 D6
Ayas Turkey 40°2N 32°21E 104 B5
Ayaviri Peru 14°50S 70°35W 188 C3
Āybak Afghan. 36°15N 68°5E 109 E7
Aybastı Turkey 40°41N 37°23E 104 B7
Aydarko'l Ko'li Uzbekistan 40°50N 67°10E 109 D7
Aydın Turkey 37°51N 27°51E 104 D2
Aydın □ Turkey 37°50N 28°0E 99 D9
Aydin Dağları Turkey 38°0N 28°0E 99 D10
Aydingkol Hu China 42°40N 89°15E 109 D11
Ayenngré Togo 8°40N 1°1E 139 D5
Ayer U.S.A. 42°34N 71°35W 175 D13
Ayer Hitam Malaysia 5°24N 100°16E 121 c
Ayerbe Spain 42°17N 0°41W 90 C4
Ayer's Cliff Canada 45°10N 72°3W 175 A12
Ayers Rock = Uluru Australia 25°23S 131°5E 149 E5
Ayeyarwady = Ayeyawadi → Burma 15°50N 95°6E 123 M19
Ayeyawadi → Burma 15°50N 95°6E 123 M19
Áyia Napa Cyprus 34°59N 34°0E 101 E13
Áyia Phyla Cyprus 34°43N 33°1E 101 E12
Áyios Amvrósios Cyprus 35°20N 33°35E 101 D12
Áyios Seryios Cyprus 35°12N 33°53E 101 D12
Áyios Theodhoros Cyprus 35°22N 34°1E 101 D13
Áyios Yeóryios = Aghios Georgios Greece 37°28N 23°57E 98 D5
Aykhal Russia 66°0N 111°30E 107 C12
Aykırıkçı Turkey 39°8N 30°32E 99 B12
Aylesbury U.K. 51°49N 0°49W 67 F7
Aylmer Canada 42°46N 80°59W 174 D4
Aylmer, L. Canada 64°5N 108°30W 160 E10
Ayn Dār Si. Arabia 25°55N 49°10E 129 E7
Ayn Sifnī Iraq 36°41N 43°20E 105 D10
Ayn Zālah Iraq 36°45N 42°35E 105 D10
Ayna Spain 38°34N 2°3W 91 G2
Ayolas Paraguay 27°10S 56°59W 190 B4
Ayon, Ostrov Russia 69°50N 169°0E 107 C17
Ayora Spain 39°3N 1°3W 91 F3
Ayorou Niger 14°53N 1°0E 139 C5
'Ayoûn el 'Atroûs Mauritania 16°38N 9°37W 138 B3
Ayr Australia 19°35S 147°25E 150 B4
Ayr Canada 43°17N 80°27W 174 C4
Ayr U.K. 55°28N 4°38W 65 F4
Ayr → U.K. 55°28N 4°38W 65 F4
Ayrancı Turkey 37°21N 33°41E 104 D5
Ayrancılar Turkey 38°15N 27°18E 99 C9
Ayre, Pt. of I. of Man 54°25N 4°21W 66 C3
Ayribaba Turkmenistan 37°50N 66°34E 109 E7
Aysén □ Chile 46°30S 73°0W 192 C2
Ayteke Bi Kazakhstan 45°48N 62°6E 108 C6
Ayton Australia 15°56S 145°22E 150 B4
Aytos Bulgaria 42°42N 27°16E 97 D11
Aytoska Planina Bulgaria 42°45N 27°30E 97 D11
Ayu, Kepulauan Indonesia 0°35N 131°5E 119 D8
Ayutla Guatemala 14°40N 92°10W 182 D1
Ayutla de los Libres Mexico 16°54N 99°13W 181 D5
Ayutthaya = Phra Nakhon Si Ayutthaya Thailand 14°25N 100°30E 120 E3
Ayvacık Turkey 39°36N 26°24E 104 C2
Ayvalık Turkey 39°20N 26°46E 99 B8
Az Zabadānī Syria 33°43N 36°5E 130 B5
Az Zāhirīyah West Bank 31°25N 34°58E 130 D3
Az Zahrān Si. Arabia 26°10N 50°7E 129 E6
Az Zarqā Jordan 32°5N 36°4E 130 C5
Az Zarqā' U.A.E. 24°53N 53°4E 129 E7
Az Zarqā □ Jordan 32°5N 36°4E 130 C5
Az Zāwiyah Libya 32°52N 12°56E 135 B8
Az Zībār Iraq 36°52N 44°4E 105 D11
Az Zilfī Si. Arabia 26°12N 44°52E 128 E5
Az Zubayr Iraq 30°26N 47°40E 128 D5
Azad Kashmir □ Pakistan 33°50N 73°50E 125 C5
Azahar, Costa del Spain 40°0N 0°5E 90 F5
Azambuja Portugal 39°4N 8°51W 89 F2
Azamgarh India 26°5N 83°13E 125 F10
Azangaro Peru 14°55S 70°13W 188 C3
Azaoua Niger 15°50N 4°0E 139 B5
Azaouad Mali 19°0N 3°0W 138 B4
Azaouak → Mali 15°30N 3°18E 139 B5
Azaouak, Vallée de l' Mali 15°50N 3°20E 139 B5
Āzār Shahr Iran 37°45N 45°59E 105 D11
Azara Nigeria 8°22N 9°12E 139 D6
Azarān Iran 37°25N 47°16E 105 D12
Azärbayjan = Azerbaijan ■ Asia 40°20N 48°0E 87 K9
Āzarbāyjān-e Gharbī □ Iran 37°0N 44°30E 128 B5
Āzarbāyjān-e Sharqī □ Iran 37°20N 47°0E 128 B5
Azare Nigeria 11°55N 10°10E 139 C7
Azay-le-Rideau France 47°16N 0°30E 70 E7
A'zāz Syria 36°36N 37°4E 104 D7
Azazga Algeria 36°48N 4°22E 136 A4
Azbine = Aïr Niger 18°30N 8°0E 139 B6
Azeffoun Algeria 36°51N 4°26E 136 A4
Azemmour Morocco 33°20N 9°20W 136 B2
Azerbaijan ■ Asia 40°20N 48°0E 87 K9
Azkoien = Peralta Spain 42°20N 1°48W 90 C3
Aznalcóllar Spain 37°32N 6°17W 89 H4
Azogues Ecuador 2°35S 78°0W 186 D3
Azores = Açores, Is. dos Atl. Oc. 38°0N 27°0W 134 a
Azores-Biscay Rise Atl. Oc. 42°0N 20°0W 56 B9
Azov Russia 47°3N 39°25E 87 G4
Azov, Sea of Europe 46°0N 36°30E 85 J9
Azovskoye More = Azov, Sea of Europe 46°0N 36°30E 85 J9
Azpeitia Spain 43°12N 2°19W 90 B2
Azraq ash Shīshān Jordan 31°50N 36°49E 130 D5
Azrou Morocco 33°28N 5°19W 136 B2
Aztec U.S.A. 36°49N 107°59W 169 H10
Azua de Compostela Dom. Rep. 18°25N 70°44W 183 C5
Azuaga Spain 38°16N 5°39W 89 G5
Azuara Spain 41°15N 0°53W 90 D4
Azuer → Spain 39°8N 3°36W 89 F7
Azuero, Pen. de Panama 7°30N 80°30W 182 E3
Azuga Romania 45°27N 25°33E 81 E10
Azul Argentina 36°42S 59°43W 190 D4
Azumino Japan 36°20N 137°50E 113 F8
Azur, Côte d' France 43°25N 7°10E 73 E11
Azusa U.S.A. 34°8N 117°52W 171 L9
Azzaba Algeria 36°48N 7°6E 136 A5
Azzano Décimo Italy 45°52N 12°56E 93 C9
Azzel Matti, Sebkra Algeria 26°10N 0°43E 136 C4

B

Ba Be △ Vietnam 22°25N 105°37E 120 A5
Ba Don Vietnam 17°45N 106°26E 120 D6
Ba Dong Vietnam 9°40N 106°33E 121 H6
Ba Ngoi Vietnam 11°54N 109°10E 121 G7
Ba Ria Vietnam 10°30N 107°10E 121 G6
Ba Tri Vietnam 10°2N 106°36E 121 G6
Ba Vi △ Vietnam 21°1N 105°22E 120 B5
Ba Xian = Bazhou China 39°8N 116°22E 114 E9
Baa Indonesia 10°50S 123°0E 148 B3
Baalbek = Ba'labakk Lebanon 34°0N 36°10E 130 B5
Baamonde Spain 43°7N 7°44W 88 B3
Baardheere Somalia 2°20N 42°27E 131 G3
Baarle-Nassau Belgium 51°27N 4°56E 69 C4
Bab el Mandeb Red Sea 12°35N 43°25E 131 E3
Baba Bulgaria 42°44N 23°59E 96 D7
Bābā, Koh-i- Afghan. 34°30N 67°0E 109 F7
Baba Budan Hills India 13°30N 75°44E 127 H2
Baba Burnu Turkey 39°29N 26°2E 99 B8
Baba dag Azerbaijan 41°0N 48°19E 87 K9
Bābā Kalū Iran 30°7N 50°49E 129 D6
Babaçulândia Brazil 7°13S 47°46W 189 B1
Babadag Romania 44°53N 28°44E 81 F13
Babadağ Turkey 37°49N 28°52E 99 D10
Babaeski Turkey 41°26N 27°6E 97 E11
Babahoyo Ecuador 1°40S 79°30W 186 D3
Babai = Sarju → India 27°21N 81°23E 125 F9
Babai → Nepal 28°10N 82°21E 125 E10
Babana Nigeria 10°31N 3°46E 139 C5
Babar Algeria 35°10N 7°6E 136 A5
Babar Indonesia 8°0S 129°30E 119 F7
Babar Pakistan 31°7N 69°32E 124 D3
Babarkach Pakistan 29°45N 68°0E 124 E3
Babayevo Russia 59°24N 35°55E 84 C8
Babb U.S.A. 48°51N 113°27W 168 B7
Babenhausen Germany 49°57N 8°57E 77 F4
Băbeni Romania 44°59N 24°11E 81 F9
Baberu India 25°33N 80°43E 125 G9
Babi Besar, Pulau Malaysia 2°25N 103°59E 121 L4
Babia Gora Europe 49°38N 19°38E 83 J6
Babian Jiang → China 22°55N 101°47E 116 F3
Bābil □ Iraq 32°30N 44°30E 128 C5
Babimost Poland 52°10N 15°49E 83 F2
Babinda Australia 17°20S 145°56E 150 B4
Babine Canada 55°22N 126°37W 162 B3
Babine → Canada 55°45N 127°44W 162 B3
Babine L. Canada 54°48N 126°0W 162 C3
Babiogórski △ Poland 49°38N 19°39E 83 J6
Babo Indonesia 2°30S 133°30E 119 E8
Babócsa Hungary 46°2N 17°21E 80 D2
Bābol Iran 36°40N 52°50E 129 B7
Bābol Sar Iran 36°45N 52°45E 129 B7
Babor, Dj. Algeria 36°31N 5°25E 136 A5
Baborów Poland 50°7N 18°1E 83 H5
Baboua C.A.R. 5°49N 14°58E 140 C2
Babruysk Belarus 53°10N 29°15E 75 B15
Babson Park U.S.A. 27°49N 81°32W 179 H8
Babuhri India 26°49N 69°43E 124 F3
Babuna Macedonia 41°30N 21°40E 96 E5
Babura Nigeria 12°51N 8°59E 139 C6
Babusar Pass Pakistan 35°12N 73°59E 125 B5
Babušnica Serbia 43°7N 22°27E 96 C6
Babuyan Chan. Phil. 18°40N 121°30E 119 A6
Babylon Iraq 32°34N 44°22E 105 F11
Bač Serbia 45°29N 19°17E 80 E4
Bâc → Moldova 46°55N 29°26E 81 D14
Bac Can Vietnam 22°8N 105°49E 116 F5
Bac Giang Vietnam 21°16N 106°11E 116 G6
Bac Lieu Vietnam 9°17N 105°43E 121 H5
Bac Ninh Vietnam 21°13N 106°4E 116 G6
Bac Phan Vietnam 22°0N 105°0E 116 G5
Bacabal Brazil 4°15S 44°45W 189 A2
Bacalar Mexico 18°43N 88°27W 181 D7
Bacan, Kepulauan Indonesia 0°35S 127°30E 119 E7
Bacarra Phil. 18°15N 120°37E 119 A6
Bacău Romania 46°35N 26°55E 81 D11
Bacău □ Romania 46°30N 26°45E 81 D11
Baccarat France 48°28N 6°42E 71 D13
Bacchus Marsh Australia 37°43S 144°27E 152 D6
Bacerac Mexico 30°18N 108°50W 180 A3
Băcești Romania 46°50N 27°11E 81 D12
Bach Long Vi, Dao Vietnam 20°10N 107°40E 120 B6
Bach Ma △ Vietnam 16°11N 107°49E 120 D6
Bacharach Germany 50°3N 7°44E 77 E3
Bachhwara India 25°35N 85°54E 125 G11
Bachu China 39°46N 78°34E 109 E9
Bačina Serbia 43°42N 21°23E 96 C5
Back → Canada 65°10N 104°0W 160 D11
Bačka Palanka Serbia 45°17N 19°27E 80 E4
Bačka Topola Serbia 45°49N 19°39E 80 E4
Bäckebo Sweden 56°53N 16°4E 63 H10
Bäckefors Sweden 58°48N 12°9E 63 F6
Bäckhammar Sweden 59°10N 14°11E 62 E8
Bački Petrovac Serbia 45°29N 19°32E 80 E4
Backnang Germany 48°56N 9°26E 77 G5
Backstairs Passage Australia 35°40S 138°5E 152 C3
Bacolod Phil. 10°40N 122°57E 119 B6
Baconton U.S.A. 31°23N 84°10W 178 D5
Bacqueville-en-Caux France 49°47N 1°0E 70 C8
Bács-Kiskun □ Hungary 46°43N 19°30E 80 D4
Bácsalmás Hungary 46°8N 19°17E 80 D4
Bacuk Malaysia 6°4N 102°25E 121 J4
Bácum Mexico 27°33N 110°5W 180 B2
Bād Iran 33°41N 52°1E 129 C7
Bad → U.S.A. 44°21N 100°22W 172 C3
Bad Aussee Austria 47°43N 13°45E 78 D6
Bad Axe U.S.A. 43°48N 83°0W 174 C2
Bad Bergzabern Germany 49°6N 7°59E 77 F3
Bad Berleburg Germany 51°2N 8°26E 76 D4
Bad Bevensen Germany 53°5N 10°35E 76 B6
Bad Bramstedt Germany 53°55N 9°53E 76 B5
Bad Brückenau Germany 50°18N 9°47E 77 E5
Bad Doberan Germany 54°6N 11°53E 76 A7
Bad Driburg Germany 51°43N 9°1E 76 D5
Bad Ems Germany 50°20N 7°43E 77 E3
Bad Frankenhausen Germany 51°21N 11°5E 76 D7
Bad Freienwalde Germany 52°46N 14°1E 76 C10
Bad Goisern Austria 47°38N 13°38E 78 D6
Bad Harzburg Germany 51°52N 10°34E 76 D6
Bad Hersfeld Germany 50°52N 9°42E 76 E5
Bad Hofgastein Austria 47°17N 13°6E 78 D6
Bad Homburg Germany 50°13N 8°38E 77 E4
Bad Honnef Germany 50°38N 7°13E 76 E3
Bad Iburg Germany 52°10N 8°3E 76 C4
Bad Ischl Austria 47°44N 13°38E 78 D6
Bad Kissingen Germany 50°11N 10°4E 77 E6
Bad Königshofen Germany 50°17N 10°28E 77 E6
Bad Kreuznach Germany 49°50N 7°51E 77 F3
Bad Krozingen Germany 47°54N 7°42E 77 H3
Bad Laasphe Germany 50°56N 8°25E 76 E4
Bad Langensalza Germany 51°5N 10°38E 76 D6
Bad Lauterberg Germany 51°38N 10°28E 76 D6
Bad Leonfelden Austria 48°31N 14°18E 78 C7
Bad Liebenwerda Germany 51°31N 13°24E 76 D9
Bad Mergentheim Germany 49°28N 9°42E 77 F5
Bad Münstereifel Germany 50°33N 6°46E 76 E2
Bad Nauheim Germany 50°21N 8°43E 77 E4
Bad Neuenahr-Ahrweiler Germany 50°32N 7°5E 76 E3
Bad Neustadt Germany 50°18N 10°13E 77 E6
Bad Oeynhausen Germany 52°12N 8°46E 76 C4
Bad Oldesloe Germany 53°48N 10°22E 76 B6
Bad Orb Germany 50°12N 9°22E 77 E5
Bad Pyrmont Germany 51°59N 9°16E 76 D5
Bad Reichenhall Germany 47°43N 12°54E 77 H8
Bad Säckingen Germany 47°33N 7°56E 77 H3
Bad Salzuflen Germany 52°5N 8°45E 76 C4
Bad Salzungen Germany 50°48N 10°14E 76 E6
Bad Sankt Leonhard Austria 46°58N 14°47E 78 E7
Bad Schwartau Germany 53°55N 10°41E 76 B6
Bad Segeberg Germany 53°56N 10°17E 76 B6
Bad Tölz Germany 47°45N 11°34E 77 H7
Bad Urach Germany 48°29N 9°23E 77 G5
Bad Vöslau Austria 47°58N 16°12E 79 D9
Bad Waldsee Germany 47°55N 9°45E 77 H5
Bad Wildungen Germany 51°6N 9°7E 76 D5
Bad Wimpfen Germany 49°13N 9°11E 77 F5
Bad Windsheim Germany 49°36N 10°25E 77 F6
Bad Zwischenahn Germany 53°12N 8°1E 76 B4
Bada Barabil India 22°7N 85°24E 125 H11
Badagara = Vadakara India 11°35N 75°40E 127 J2
Badagri Nigeria 6°25N 2°55E 139 D5
Badain Jaran Shamo China 40°23N 102°0E 110 C9
Badajós, L. Brazil 3°15S 62°50W 186 D6
Badajoz Spain 38°50N 6°59W 89 G4
Badajoz □ Spain 38°40N 6°30W 89 G4
Badakhshān □ Afghan. 36°30N 71°0E 109 E8
Badaling China 40°20N 116°0E 114 D9
Badalona Spain 41°26N 2°15E 90 D7
Badalzai Afghan. 29°50N 65°35E 124 E1
Badami India 15°55N 75°41E 127 G2
Badampahar India 22°10N 86°10E 126 C8
Badanah Si. Arabia 30°58N 41°30E 128 D4
Badarinath India 30°45N 79°30E 125 D8
Badas, Kepulauan Indonesia 0°45N 107°5E 118 D3
Baddo → Pakistan 28°0N 64°20E 122 F4
Bade Indonesia 7°10S 139°35E 119 F9
Badeggi Nigeria 9°1N 6°8E 139 D6
Badéguichéri Niger 14°30N 5°22E 139 C6
Baden Austria 48°1N 16°13E 79 C9
Baden Switz. 47°28N 8°18E 77 H4
Baden U.S.A. 40°38N 80°14W 174 F4
Baden-Baden Germany 48°44N 8°13E 77 G4
Baden-Württemberg □ Germany 48°20N 8°40E 77 G4
Badgam India 34°1N 74°45E 125 B6
Badgastein Austria 47°7N 13°9E 78 D6
Badger Canada 49°0N 56°4W 165 C8
Badger U.S.A. 36°38N 119°1W 170 J7
Bādghīs □ Afghan. 35°0N 63°0E 108 F6
Badgingarra △ Australia 30°23S 115°22E 149 F2
Badia Polesine Italy 45°5N 11°29E 93 C8
Badiar △ Guinea 13°37N 13°11W 138 C2
Badin Pakistan 24°38N 68°54E 124 G3
Badinka ⌓ Mali 13°31N 9°28W 138 C3
Badlands U.S.A. 43°55N 102°30W 172 D2
Badlands △ U.S.A. 43°38N 102°56W 172 D2
Badme Africa 14°43N 37°48E 131 E2
Badnera India 20°48N 77°44E 126 D3
Badogo Mali 11°2N 8°13W 138 C3
Badoumbé Mali 13°42N 10°15W 138 C2
Badrah Iraq 33°6N 45°58E 105 F11
Badrain Jaran Shamo China 40°40N 103°20E 114 D2
Badrinath India 30°44N 79°29E 125 D8
Badu Australia 10°7S 142°11E 150 a
Badulla Sri Lanka 7°1N 81°7E 127 L5
Badung, Bukit Indonesia 8°49S 115°10E 119 K18
Badung, Selat Indonesia 8°40S 115°22E 119 K18

Bāniyās Syria 35°10N 36°0E 104 E6
Banja Luka Bos.-H. 44°49N 17°11E 80 F2
Banjar India 31°38N 77°21E 124 D7
Banjar ➔ India 22°36N 80°22E 125 H9
Banjarmasin Indonesia 3°20S 114°35E 118 E4
Banjul Gambia 13°28N 16°40W 138 C1
Banka India 24°53N 86°55E 125 G12
Bankas Mali 14°4N 3°31W 138 C4
Bankeryd Sweden 57°53N 14°6E 63 G8
Banket Zimbabwe 17°27S 30°19E 143 F3
Bankilaré Niger 14°35N 0°44E 139 C5
Bankipore India 25°35N 85°10E 123 G14
Bankot India 17°58N 73°2E 126 F1
Banks U.S.A. 31°49N 85°51W 178 D4
Banks I. = Moa Australia 10°11S 142°16E 150 a
Banks I. B.C., Canada 53°20N 130°0W 162 C3
Banks I. N.W.T., Canada 73°15N 121°30W 160 C7
Banks L. U.S.A. 31°2N 83°6W 178 D6
Banks Pen. N.Z. 43°45S 173°15E 155 D8
Banks Str. Australia 40°40S 148°10E 151 G4
Bankura India 23°11N 87°18E 125 H12
Bankya Bulgaria 42°43N 23°8E 96 D7
Banmankhi India 25°53N 87°11E 125 G12
Bann ➔ Armagh, U.K. 54°30N 6°31W 64 B5
Bann ➔ L'derry., U.K. 55°8N 6°41W 64 A5
Bannalec France 47°57N 3°42W 70 E3
Bannang Sata Thailand 6°16N 101°16E 121 J3
Bannerton Australia 34°42S 142°47E 152 C5
Banning U.S.A. 33°56N 116°53W 171 M10
Bannockburn Canada 44°39N 77°33W 174 B7
Bannockburn U.K. 56°5N 3°55W 65 E5
Bannockburn Zimbabwe 20°17S 29°48E 143 G2
Bannu Pakistan 33°0N 70°18E 122 C7
Bano India 22°40N 84°55E 125 H11
Bañolas = Banyoles Spain 42°16N 2°44E 90 C7
Banon France 44°2N 5°38E 73 D9
Baños de la Encina Spain 38°10N 3°46W 89 G7
Baños de Molgas Spain 42°15N 7°40W 88 C3
Bánovce nad Bebravou Slovak Rep. 48°44N 18°16E 79 C11
Banovići Bos.-H. 44°25N 18°32E 80 F3
Bansagar Dam India 24°11N 81°17E 126 B5
Bansgaon India 26°33N 83°21E 125 F10
Banská Bystrica Slovak Rep. 48°46N 19°14E 79 C12
Banská Štiavnica Slovak Rep. 48°25N 18°55E 79 C11
Bansko Bulgaria 41°52N 23°28E 96 E7
Banskobystrický □ Slovak Rep. 48°20N 19°0E 79 C12
Banswara India 23°32N 74°24E 124 H6
Bantaeng Indonesia 5°32S 119°56E 119 F5
Bantaji ➔ Nigeria 8°6N 10°5E 139 D7
Banteay Prei Nokor Cambodia 11°56N 105°40E 121 G5
Banten □ Indonesia 6°30S 106°0E 119 G11
Bantry Ireland 51°41N 9°27W 64 E2
Bantry B. Ireland 51°37N 9°44W 64 E2
Bantva India 21°29N 70°12E 124 J4
Bantval India 12°55N 75°0E 127 H2
Banya Bulgaria 42°33N 24°50E 97 D8
Banya, Pta. de la Spain 40°33N 0°36E 90 E5
Banyak, Kepulauan Indonesia 2°10N 97°10E 118 D1
Banyalbufar Spain 39°42N 2°31E 100 B9
Banyeres de Mariola Spain 38°44N 0°38W 91 G4
Banyo Cameroon 6°52N 11°45E 139 D7
Banyoles Spain 42°16N 2°44E 90 C7
Banyuls-sur-Mer France 42°28N 3°8E 72 F7
Banyuwangi Indonesia 8°13S 114°21E 119 J17
Banzare Coast Antarctica 68°0S 125°0E 55 C9
Bao Ha Vietnam 22°11N 104°21E 116 F5
Bao Lac Vietnam 22°57N 105°40E 120 A5
Bao Loc Vietnam 11°32N 107°48E 121 G6
Bao'an China 22°34N 113°52E 111 a
Baocheng China 33°12N 106°56E 116 A6
Baode China 39°1N 111°5E 114 E6
Baodi China 39°38N 117°20E 115 E9
Baoding China 38°50N 115°28E 114 E8
Baoji China 34°20N 107°5E 114 G4
Baojing China 28°45N 109°41E 116 C7
Baokang China 31°54N 111°12E 117 B8
Baoshan Shanghai, China 31°24N 121°28E 117 B13
Baoshan Yunnan, China 25°10N 99°5E 116 E2
Baotou China 40°32N 110°2E 114 D6
Baoulé ➔ Mali 12°36N 9°45W 138 C3
Baoxing China 30°24N 102°50E 116 B4
Baoying China 33°17N 119°20E 115 H10
Baoyou = Ledong China 18°41N 109°5E 117 a
Bap India 27°23N 72°18E 124 F5
Bapatla India 15°55N 80°30E 127 G5
Bapaume France 50°7N 2°50E 71 B9
Bāqerābād Iran 33°2N 51°58E 129 C6
Ba'qūbah Iraq 33°45N 44°50E 105 F11
Baquedano Chile 23°20S 69°52W 190 A2
Bar Montenegro 42°8N 19°6E 96 D3
Bar Ukraine 49°4N 27°40E 75 D14
Bar Bigha India 25°21N 85°47E 125 G11
Bar Harbor U.S.A. 44°23N 68°13W 173 C19
Bar-le-Duc France 48°47N 5°10E 71 D12
Bar-sur-Aube France 48°14N 4°40E 71 D11
Bar-sur-Seine France 48°7N 4°20E 71 D11
Bara India 25°16N 81°43E 125 G9
Bâra Romania 47°2N 27°3E 81 C12
Bara Banki India 26°55N 81°12E 125 F9
Barabai Indonesia 2°32S 115°34E 118 E5
Baraboo U.S.A. 43°28N 89°45W 172 D9
Baracoa Cuba 20°20N 74°30W 183 B5
Baradā ➔ Syria 33°33N 36°34E 130 B5
Baradero Argentina 33°52S 59°29W 190 C4
Baradine Australia 30°56S 149°4E 153 A8
Baraga U.S.A. 46°47N 88°30W 172 B9
Bărăganul Romania 44°49N 27°31E 81 F12
Baragoi Kenya 1°47N 36°47E 142 B4
Barah ➔ India 27°42N 77°5E 124 F6
Barahona Dom. Rep. 18°13N 71°7W 183 C5
Barail Range India 25°15N 93°20E 123 G18
Barajas, Madrid ✕ (MAD) Spain 40°26N 3°34W 88 E7
Barakaldo Spain 43°18N 2°59W 90 B2
Barakar ➔ India 24°7N 86°14E 125 G12
Barakee △ Australia 31°37S 151°53E 153 A9
Barakot India 21°33N 84°59E 125 J11
Barakpur India 22°47N 88°21E 125 H13
Baralaba Australia 24°13S 149°50E 150 C4
Baralla Spain 42°53N 7°15W 88 C3
Baralzon L. Canada 60°0N 98°3W 163 B9
Baramati India 18°11N 74°33E 126 E2
Baramba India 20°25N 85°23E 126 D7
Barameiya Sudan 18°32N 36°38E 137 D4
Baramula India 34°15N 74°20E 125 B6
Baran India 25°9N 76°40E 124 G7
Baran ➔ Pakistan 25°13N 68°17E 124 G3
Barañain Spain 42°48N 1°40W 90 C3
Baranavichy Belarus 53°10N 26°0E 75 B14
Barani Burkina Faso 13°9N 3°51W 138 C4
Baranof U.S.A. 57°5N 134°50W 162 B2
Baranof I. U.S.A. 57°0N 135°0W 160 F4
Baranów Sandomierski Poland 50°29N 21°30E 83 H8
Baranya □ Hungary 46°0N 18°15E 80 E3
Barão de Cocais Brazil 19°56S 43°28W 189 D2
Barão de Grajaú Brazil 6°45S 43°1W 189 B2
Baraolt Romania 46°5N 25°34E 81 D10
Baraona Spain 41°17N 2°39W 90 D2
Barapasi Indonesia 2°15S 137°5E 119 E9
Barasat India 22°46N 88°31E 125 H13
Barat Daya, Kepulauan Indonesia 7°30S 128°0E 119 F7
Baratang I. India 12°13N 92°45E 127 H11
Barataria B. U.S.A. 29°20N 89°55W 177 G10
Barauda India 23°33N 75°15E 124 H6
Baraut India 29°13N 77°7E 124 E7
Barbacena Brazil 21°15S 43°56W 191 A7
Barbados ■ W. Indies 13°10N 59°30W 183 g
Barbalha Brazil 7°19S 39°17W 189 B3
Barban Croatia 45°5N 14°2E 93 C11
Barbària, C. de Spain 38°39N 1°24E 100 C7
Barbaros Turkey 40°54N 27°27E 97 F11
Barbas, C. W. Sahara 22°20N 16°42W 134 D2
Barbastro Spain 42°2N 0°5E 90 C5
Barbate Spain 36°13N 5°56W 89 J5
Barbeau Pk. Canada 81°54N 75°1W 161 A16
Barberino di Mugello Italy 44°0N 11°15E 93 E8
Barberton S. Africa 25°42S 31°2E 145 C5
Barberton U.S.A. 41°1N 81°39W 174 E3
Barberville U.S.A. 29°11N 81°26W 179 F8
Barbezieux-St-Hilaire France 45°28N 0°9W 72 C3
Barbosa Colombia 5°57N 73°37W 186 B4
Barbourville U.S.A. 36°52N 83°53W 173 G12
Barbuda W. Indies 17°30N 61°40W 183 C7
Bârca Romania 43°59N 23°36E 81 G8
Barcaldine Australia 23°43S 145°6E 150 C4
Barcarrota Spain 38°31N 6°51W 89 G4
Barcellona Pozzo di Gotto Italy 38°9N 15°13E 95 D8
Barcelona Spain 41°22N 2°10E 90 D7
Barcelona Venezuela 10°10N 64°40W 186 A6
Barcelona □ Spain 41°30N 2°0E 90 D7
Barcelona, El Prat ✕ (BCN) Spain 41°18N 2°5E 90 D7
Barceloneta Puerto Rico 18°27N 66°32W 183 d
Barcelonette France 44°23N 6°40E 73 D10
Barcelos Brazil 1°0S 63°0W 186 D6
Barcin Poland 52°52N 17°55E 83 F4
Barclayville Liberia 4°48N 8°10W 138 E3
Barcoo ➔ Australia 25°30S 142°50E 150 D3
Barcs Hungary 45°58N 17°28E 80 E2
Barczewo Poland 53°50N 20°42E 82 E7
Bärdä Azerbaijan 40°25N 47°10E 87 K8
Barda del Medio Argentina 38°45S 68°11W 192 A3
Bardaï Chad 21°25N 17°0E 135 D9
Bardas Blancas Argentina 35°49S 69°45W 190 D2
Bardawîl, Sabkhet el Egypt 31°10N 33°15E 130 D2
Barddhaman India 23°14N 87°39E 125 H12
Bardejov Slovak Rep. 49°18N 21°15E 79 B14
Bardera = Baardheere Somalia 2°20N 42°27E 131 G3
Bardi Italy 44°38N 9°44E 92 D6
Bardīyah Libya 31°45N 25°5E 135 B10
Bardoli India 21°12N 73°5E 126 D1
Bardolino Italy 45°33N 10°43E 92 C7
Bardonécchia Italy 45°5N 6°42E 92 C3
Bardsey I. U.K. 52°45N 4°47W 66 E3
Bardstown U.S.A. 37°49N 85°28W 173 G11
Bareilly India 28°22N 79°27E 125 E8
Barela India 23°6N 80°3E 125 H9
Barellan Australia 34°16S 146°24E 153 C7
Barentin France 49°33N 0°58E 70 C7
Barenton France 48°38N 0°50W 70 D6
Barents Sea Arctic 73°0N 39°0E 54 B9
Barentsøya Svalbard 78°25N 21°20E 57 B13
Barfleur France 49°40N 1°17W 70 C5
Barfleur, Pte. de France 49°42N 1°16W 70 C5
Barga Italy 44°4N 10°29E 92 D7
Bargara Australia 24°50S 152°25E 150 C5
Bargarh India 21°20N 83°37E 126 D6
Bargas Spain 39°56N 4°3W 88 F6
Barge Italy 44°43N 7°20E 92 D4
Bargi Dam India 22°59N 80°0E 126 C5
Bargo Australia 34°18S 150°35E 153 C9
Bargteheide Germany 53°44N 10°14E 76 B6
Barguzin Russia 53°37N 109°37E 107 D11
Barh India 25°29N 85°46E 125 G11
Barhaj India 26°18N 83°44E 125 F10
Barham Australia 35°36S 144°8E 152 C6
Barharwa India 24°52N 87°47E 125 G12
Barhi India 24°15N 85°25E 125 G11
Bari India 26°39N 77°39E 124 F7
Bari Italy 41°8N 16°51E 95 A9
Bari Doab Pakistan 30°20N 73°0E 124 D5
Bari Sadri India 24°28N 74°30E 124 G6
Bari Sardo Italy 39°50N 9°38E 94 C2
Bariadi Tanzania 2°48S 34°0E 142 C3
Barīdī, Ra's Si. Arabia 24°17N 37°31E 128 E3
Barīm Yemen 12°39N 43°25E 132 E8
Barinas Venezuela 8°36N 70°15W 186 B4
Baring, C. Canada 70°0N 117°30W 160 D8
Baringo □ Kenya 0°40N 36°0E 142 B4
Baringo, L. Kenya 0°47N 36°16E 142 B4
Baripada India 21°57N 86°45E 126 D8
Bârîs Egypt 24°42N 30°31E 137 C3
Barisal Bangla. 22°45N 90°20E 123 H17
Barisal □ Bangla. 22°45N 90°20E 123 H17
Barisan, Pegunungan Indonesia 3°30S 102°15E 118 E2
Barito ➔ Indonesia 4°0S 114°50E 118 E4
Baritú △ Argentina 23°43S 64°40W 190 A3
Barjac France 44°20N 4°22E 73 D8
Barjols France 43°34N 6°2E 73 E10
Barjūj, Wadi ➔ Libya 25°26N 12°12E 135 C8
Bark L. Canada 45°27N 77°51W 174 A7
Barkakana India 23°37N 85°29E 125 H11
Barkal, J. Sudan 18°32N 31°50E 137 D3
Barkam China 31°51N 102°28E 116 B4
Barker U.S.A. 43°20N 78°33W 174 C6
Barkley, L. U.S.A. 37°1N 88°14W 177 C10
Barkley Sound Canada 48°50N 125°10W 162 D3
Barkly East S. Africa 30°58S 27°33E 144 D4
Barkly Homestead Australia 19°52S 135°50E 150 B2
Barkly Tableland Australia 17°50S 136°40E 150 B2
Barkly West S. Africa 28°5S 24°31E 144 C3
Barkol Kazak Zizhixian China 43°37N 93°2E 110 C7
Barla Dağı Turkey 38°5N 30°40E 99 C12
Bârlad Romania 46°15N 27°38E 81 D12
Bârlad ➔ Romania 45°38N 27°32E 81 E12
Barlee, L. Australia 29°15S 119°30E 149 E2
Barlee, Mt. Australia 24°38S 128°13E 149 D4
Barletta Italy 41°19N 16°17E 95 A9
Barlinek Poland 53°0N 15°15E 83 F2
Barlovento Canary Is. 28°48N 17°48W 100 F2
Barlovento C. Verde Is. 17°0N 25°0W 134 b
Barlow L. Canada 62°0N 103°0W 163 A8
Barmedman Australia 34°9S 147°21E 153 C7
Barmer India 25°45N 71°20E 124 G4
Barmera Australia 34°15S 140°28E 152 C4
Barmouth U.K. 52°44N 4°4W 66 E3
Barmstedt Germany 53°47N 9°46E 76 B5
Barna ➔ India 25°21N 83°3E 125 G10
Barnagar India 23°7N 75°19E 124 H6
Barnala India 30°23N 75°33E 124 D6
Barnard ➔ Australia 31°34S 151°25E 153 A9
Barnard Castle U.K. 54°33N 1°55W 66 C6
Barnato Australia 31°38S 145°0E 153 A6
Barnaul Russia 53°20N 83°40E 109 B10
Barnes Australia 36°2S 144°49E 152 D6
Barnesville Ga., U.S.A. 33°3N 84°9W 178 B5
Barnesville Minn., U.S.A. 46°43N 96°28W 172 B5
Barnet □ U.K. 51°38N 0°9W 67 F7
Barneveld Neths. 52°7N 5°36E 69 B5
Barneville-Cartevert France 49°23N 1°46W 70 C5
Barnhart U.S.A. 31°8N 101°10W 176 F4
Barnsley U.K. 53°34N 1°27W 66 D6
Barnstable U.S.A. 41°42N 70°18W 173 E18
Barnstaple U.K. 51°5N 4°4W 67 F3
Barnstaple Bay = Bideford Bay U.K. 51°5N 4°20W 67 F3
Barnwell U.S.A. 33°15N 81°23W 178 B8
Baro Nigeria 8°35N 6°18E 139 D6
Baroda = Vadodara India 22°20N 73°10E 124 H5
Baroda India 25°29N 76°35E 124 G7
Baroe S. Africa 33°13S 24°33E 144 D3
Baron Ra. Australia 23°30S 127°45E 148 D4
Barong China 31°3N 99°20E 116 B2
Barotseland Zambia 15°0S 24°0E 141 H4
Barouéli Mali 13°4N 6°50W 138 C3
Barpali India 21°11N 83°35E 126 D6
Barpeta India 26°20N 91°10E 123 F17
Barqa Libya 27°0N 23°0E 135 C10
Barques, Pt. Aux U.S.A. 44°4N 82°58W 174 B2
Barquísimeto Venezuela 10°4N 69°19W 186 A5
Barr, Ras el Egypt 31°32N 31°50E 137 E7
Barr Smith Range Australia 27°4S 120°20E 149 E3
Barra Brazil 11°5S 43°10W 189 C2
Barra Gambia 13°28N 16°32W 138 C1
Barra U.K. 57°0N 7°29W 65 E1
Barra, Pta. Mozam. 23°48S 35°32E 145 B6
Barra, Sd. of U.K. 57°4N 7°25W 65 D1
Barra da Estiva Brazil 13°38S 41°19W 189 C2
Barra de Navidad Mexico 19°12N 104°41W 180 D4
Barra do Corda Brazil 5°30S 45°10W 189 B1
Barra do Garças Brazil 15°54S 52°16W 187 G8
Barra do Mendes Brazil 11°43S 42°4W 189 C2
Barra do Piraí Brazil 22°30S 43°50W 191 A7
Barra Falsa, Pta. da Mozam. 22°58S 35°37E 145 B6
Barra Hd. U.K. 56°47N 7°40W 65 E1
Barra Mansa Brazil 22°35S 44°12W 191 A7
Barraba Australia 30°21S 150°35E 153 A9
Barrackpur = Barakpur India 22°47N 88°21E 125 H13
Barrafranca Italy 37°22N 14°12E 95 E7
Barrāmīya Egypt 25°4N 33°47E 137 B3
Barranca Lima, Peru 10°45S 77°50W 188 C2
Barranca Loreto, Peru 4°50S 76°50W 188 D3
Barranca del Cobre ⌂ Mexico 27°18N 107°40W 180 B3
Barrancabermeja Colombia 7°0N 73°50W 186 B4
Barrancas Venezuela 8°55N 62°5W 186 B6
Barrancos Portugal 38°10N 6°58W 89 G4
Barranqueras Argentina 27°30S 59°0W 190 B4
Barranquilla Colombia 11°0N 74°50W 186 A4
Barras Brazil 4°15S 42°18W 189 A2
Barraute Canada 48°26N 77°38W 164 C4
Barre Mass., U.S.A. 42°25N 72°6W 175 D12
Barre Vt., U.S.A. 44°12N 72°30W 175 B12
Barreal Argentina 31°33S 69°28W 190 C2
Barreiras Brazil 12°8S 45°0W 189 C2
Barreirinhas Brazil 2°30S 42°50W 189 A2
Barreiro Portugal 38°39N 9°5W 89 G1
Barreiros Brazil 8°49S 35°12W 189 B3
Barrême France 43°57N 6°23E 73 E10
Barren, Nosy Madag. 18°25S 43°40E 141 H8
Barren I. India 12°16N 93°51E 127 H11
Barretos Brazil 20°30S 48°35W 189 E1
Barrhead Canada 54°10N 114°24W 162 C6
Barrie Canada 44°24N 79°40W 174 B5
Barrier, C. N.Z. 36°25S 175°32E 154 C4
Barrier Ra. Australia 31°0S 141°30E 152 A4
Barrier Ra. Otago, N.Z. 44°15S 169°32E 155 E4
Barrier Ra. W. Coast, N.Z. 44°30S 168°30E 155 E3
Barrière Canada 51°12N 120°7W 162 C4
Barrineau Park U.S.A. 30°42N 87°26W 179 E2
Barrington U.S.A. 41°44N 71°18W 175 E13
Barrington L. Canada 56°55N 100°15W 163 B8
Barrington Tops Australia 32°6S 151°28E 153 B9
Barrington Tops △ Australia 32°4S 151°25E 153 B9
Barringun Australia 29°1S 145°41E 151 D4
Barron U.S.A. 45°24N 91°51W 172 C8
Barrow U.S.A. 71°18N 156°47W 166 A8
Barrow ➔ Ireland 52°25N 6°58W 64 D5
Barrow, Pt. U.S.A. 71°23N 156°29W 166 A8
Barrow Creek Australia 21°30S 133°55E 150 C1
Barrow I. Australia 20°45S 115°20E 148 D2
Barrow-in-Furness U.K. 54°7N 3°14W 66 C4
Barrow Pt. Australia 14°20S 144°40E 150 A3
Barrow Ra. Australia 26°0S 127°40E 149 E4
Barrow Str. Canada 74°20N 95°0W 161 C13
Barruecopardo Spain 41°4N 6°40W 88 D4
Barruelo de Santullán Spain 42°54N 4°17W 88 C6
Barry U.K. 51°24N 3°16W 67 F4
Barry's Bay Canada 45°29N 77°41W 174 A7
Barsalogho Burkina Faso 13°25N 1°3W 139 C4
Barsat Pakistan 36°10N 72°45E 125 A5
Barsham Syria 35°21N 40°33E 105 E9
Barshatas Kazakhstan 48°10N 78°39E 109 C9
Barsi India 18°10N 75°50E 126 E2
Barsinghausen Germany 52°18N 9°28E 76 C5
Barsoi India 25°48N 87°57E 123 G15
Barstow U.S.A. 34°54N 117°1W 171 L9
Barth Germany 54°22N 12°42E 76 A8
Bartica Guyana 6°25N 58°40W 186 B7
Bartin Turkey 41°38N 32°21E 104 B5
Bartle Frere Australia 17°27S 145°50E 150 B4
Bartlesville U.S.A. 36°45N 95°59W 176 C7
Bartlett Calif., U.S.A. 36°29N 118°2W 170 J8
Bartlett Tenn., U.S.A. 35°12N 89°52W 177 D10
Bartlett, L. Canada 63°5N 118°20W 162 A5
Bartolomeu Dias Mozam. 21°10S 35°8E 143 G4
Barton U.S.A. 44°45N 72°11W 175 B12
Barton-upon-Humber U.K. 53°41N 0°25W 66 D7
Bartoszyce Poland 54°15N 20°55E 82 D7
Bartow Fla., U.S.A. 27°54N 81°50W 179 H8
Bartow Ga., U.S.A. 32°53N 82°29W 178 C7
Barú, Volcan Panama 8°55N 82°35W 182 E3
Barumba Dem. Rep. of the Congo 1°3N 23°37E 142 B1
Barúmini Italy 39°42N 8°59E 94 C1
Barung, Nusa Indonesia 8°30S 113°30E 119 H15
Baruth Germany 52°4N 13°30E 76 C9
Baruun Urt Mongolia 46°46N 113°15E 111 B11
Baruunsuu Mongolia 43°43N 105°35E 114 C3
Barvinkove Ukraine 48°57N 37°0E 85 H9
Barwani India 22°2N 74°57E 124 H6
Barwice Poland 53°44N 16°21E 82 E3
Barwick U.S.A. 30°54N 83°44W 178 E6
Barxudarlı Azerbaijan 41°0N 45°14E 105 B11
Barycz ➔ Poland 51°42N 16°15E 83 G3
Barysaw Belarus 54°17N 28°28E 75 A15
Barysh Russia 53°39N 47°8E 86 D8
Barzān Iraq 36°55N 44°3E 128 B5
Bârzava Romania 46°7N 21°59E 80 D6
Bas-Rhin □ France 48°40N 7°30E 71 D14
Bas-Sassandra □ Ivory C. 5°30N 7°0W 138 D3
Bašaid Serbia 45°38N 20°25E 80 E5
Bāsa'idū Iran 26°35N 55°20E 129 E7
Basal Pakistan 33°33N 72°13E 124 C5
Basankusu Dem. Rep. of the Congo 1°5N 19°50E 140 D3
Basarabeasca Moldova 46°21N 28°58E 81 D13
Basarabi Romania 44°10N 28°26E 81 F13
Basarabia = Bessarabiya Moldova 47°0N 28°10E 75 E15
Basauri Spain 43°13N 2°53W 90 B2
Basavakalyan India 17°52N 76°57E 126 F3
Basawa Afghan. 34°15N 70°50E 124 B4
Bascuñán, C. Chile 28°52S 71°35W 190 B1
Basel Switz. 47°35N 7°35E 77 H3
Basel-Landschaft □ Switz. 47°26N 7°45E 77 H3
Basento ➔ Italy 40°20N 16°49E 95 B9
Bashākerd, Kūhhā-ye Iran 26°42N 58°35E 129 E8
Bashaw Canada 52°35N 112°58W 162 C6
Bāshī Iran 28°41N 51°4E 129 D6
Bashkand = Artsvashen Armenia 40°38N 45°30E 105 B11
Bashkir Republic = Bashkortostan □ Russia 54°0N 57°0E 108 B5
Bashkiriya △ Russia 52°58N 56°30E 108 B5
Bashkortostan □ Russia 54°0N 57°0E 108 B5
Bashtanivka Ukraine 45°46N 29°29E 81 E14
Basilan I. Phil. 6°35N 122°0E 119 C6
Basilan Str. Phil. 6°50N 122°0E 119 C6
Basildon U.K. 51°34N 0°28E 67 F8
Basilé Eq. Guin. 3°42N 8°48E 139 E6
Basilé, Pico de Eq. Guin. 3°36N 8°49E 139 E6
Basilicata □ Italy 40°30N 16°30E 95 B9
Basim = Washim India 20°3N 77°0E 126 D3
Basin U.S.A. 44°23N 108°2W 168 D9
Basinger U.S.A. 27°23N 81°2W 179 H8
Basingstoke U.K. 51°15N 1°5W 67 F6
Baška Croatia 44°58N 14°45E 93 D11
Başkale Turkey 38°2N 43°59E 105 C10
Baskatong, Rés. Canada 46°46N 75°50W 164 C4
Basle = Basel Switz. 47°35N 7°35E 77 H3
Basle Euroairport ✕ (EAP) France 47°36N 7°33E 71 E14
Başmakçı Turkey 37°54N 30°1E 99 D12
Basmat India 19°15N 77°12E 126 E3
Basoda India 23°52N 77°54E 124 H7
Basoko Dem. Rep. of the Congo 1°16N 23°40E 142 B1
Basque, Côte France 43°50N 2°0W 72 E2
Basque, Pays France 43°15N 1°20W 72 E2
Basque Provinces = País Vasco □ Spain 42°50N 2°45W 90 C2
Basra = Al Başrah Iraq 30°30N 47°50E 128 D5
Bass Str. Australia 39°15S 146°30E 151 F4
Bassae Greece 37°26N 21°53E 98 D3
Bassano Canada 50°48N 112°20W 162 C6
Bassano del Grappa Italy 45°46N 11°44E 93 C8
Bassar Togo 9°19N 0°57E 139 D5
Bassas da India Ind. Oc. 22°0S 39°0E 143 G4
Basse-Normandie □ France 48°45N 0°30W 70 D6
Basse-Pointe Martinique 14°52N 61°8W 182 c
Basse Santa-Su Gambia 13°13N 14°15W 138 C2
Basse-Terre Guadeloupe 16°0N 61°44W 182 b
Basse Terre Trin. & Tob. 10°7N 61°19W 187 K15
Bassein = Pathein Burma 16°45N 94°30E 123 L19
Basses, Pte. des Guadeloupe 15°52N 61°17W 182 b
Basseterre St. Kitts & Nevis 17°17N 62°43W 183 C7
Bassett U.S.A. 42°35N 99°32W 172 D4
Bassi India 30°44N 76°21E 124 D7
Bassigny France 48°0N 5°30E 71 E12
Bassikounou Mauritania 15°55N 6°1W 138 B3
Bassila Benin 9°1N 1°46E 139 D5
Bassum Germany 52°50N 8°40E 76 C4
Båstad Sweden 56°25N 12°51E 63 H6
Bastak Iran 27°15N 54°25E 129 E7
Baştām Iran 36°29N 55°4E 129 B7
Bastar India 19°15N 81°40E 126 E5
Bastelica France 42°1N 9°3E 73 F13
Basti India 26°52N 82°55E 125 F10
Bastia France 42°40N 9°30E 73 F13
Bastogne Belgium 50°1N 5°43E 69 D5
Bastrop La., U.S.A. 32°47N 91°55W 176 E9
Bastrop Tex., U.S.A. 30°7N 97°19W 176 F6
Basuo = Dongfang China 18°50N 108°33E 117 a
Bat Yam Israel 32°2N 34°44E 130 C3
Bata Eq. Guin. 1°57N 9°50E 140 D1
Bata Romania 46°1N 22°4E 80 D7
Bataan □ Phil. 14°40N 120°25E 119 B6
Batabanó Cuba 22°41N 82°18W 182 B3
Batabanó, G. de Cuba 22°30N 82°30W 182 B3
Batac Phil. 18°3N 120°34E 119 A6
Batagai Russia 67°38N 134°38E 107 C14
Batajnica Serbia 44°54N 20°17E 96 B4
Batak Bulgaria 41°57N 24°12E 97 E8
Batala India 31°48N 75°12E 124 D6
Batalha Portugal 39°40N 8°50W 88 F2
Batam Indonesia 1°10N 104°2E 121 d
Batama Dem. Rep. of the Congo 0°58N 26°33E 142 B2
Batamay Russia 63°30N 129°15E 107 C13
Batang China 30°1N 99°0E 116 B2
Batang Indonesia 6°55S 109°45E 119 G13
Batangafo C.A.R. 7°25N 18°20E 140 C3
Batangas Phil. 13°35N 121°10E 119 B6
Batanta Indonesia 0°55S 130°40E 119 E8
Batatais Brazil 20°54S 47°37W 191 A6
Batavia U.S.A. 43°0N 78°11W 174 D6
Bataysk Russia 47°3N 39°45E 85 J10
Batchelor Australia 13°4S 131°1E 148 B5
Batdambang Cambodia 13°7N 103°12E 120 F4
Batemans B. Australia 35°40S 150°12E 153 C9
Batemans Bay Australia 35°44S 150°11E 153 C9
Batesburg-Leesville U.S.A. 33°54N 81°33W 178 B8
Batesville Ark., U.S.A. 35°46N 91°39W 176 D9
Batesville Miss., U.S.A. 34°19N 89°57W 177 D10
Batesville Tex., U.S.A. 28°58N 99°37W 176 G5
Bath Canada 44°11N 76°47W 175 B8
Bath U.K. 51°23N 2°22W 67 F5
Bath Maine, U.S.A. 43°55N 69°49W 173 D19
Bath N.Y., U.S.A. 42°20N 77°19W 174 D7
Bath & North East Somerset □ U.K. 51°21N 2°27W 67 F5
Batheay Cambodia 11°59N 104°57E 121 G5
Bathsheba Barbados 13°13N 59°32W 183 g
Bathurst Australia 33°25S 149°31E 153 B8
Bathurst Canada 47°37N 65°43W 165 C6
Bathurst S. Africa 33°30S 26°50E 144 D4
Bathurst, C. Canada 70°34N 128°0W 160 C6
Bathurst B. Australia 14°16S 144°25E 150 A3
Bathurst Harb. Australia 43°15S 146°10E 151 G4
Bathurst I. Australia 11°30S 130°10E 148 B5
Bathurst I. Canada 76°0N 100°30W 161 B11
Bathurst Inlet Canada 66°50N 108°1W 160 D10
Batie Burkina Faso 9°53N 2°53W 138 D4
Batiki Fiji 17°48S 179°10E 154 a
Batken Kyrgyzstan 40°3N 70°50E 109 D8
Batken □ Kyrgyzstan 39°50N 71°0E 109 E8
Batlow Australia 35°31S 148°9E 153 C8
Batman Turkey 37°55N 41°5E 105 D9
Baṭn al Ghūl Jordan 29°36N 35°56E 130 F4
Batna Algeria 35°34N 6°15E 136 A5
Batna □ Algeria 35°30N 5°55E 136 A5
Batočina Serbia 44°7N 21°5E 96 B5
Batoka Zambia 16°45S 27°15E 143 F2
Baton Rouge U.S.A. 30°27N 91°11W 176 F9
Batong, Ko Thailand 6°32N 99°12E 121 J2
Bátonyterenye Hungary 47°59N 19°50E 80 C4
Batopilas Mexico 27°1N 107°44W 180 B3
Batouri Cameroon 4°30N 14°25E 140 D2
Båtsfjord Norway 70°38N 29°39E 60 A23
Batsi Greece 37°52N 24°47E 98 D6
Battambang = Batdambang Cambodia 13°7N 103°12E 120 F4
Batti Malv India 8°50N 92°51E 127 K11
Batticaloa Sri Lanka 7°43N 81°45E 127 L5
Battipáglia Italy 40°37N 14°58E 95 B7
Battle U.K. 50°55N 0°30E 67 G8
Battle ➔ Canada 52°43N 108°15W 163 C7
Battle Creek U.S.A. 42°19N 85°11W 173 D11
Battle Ground U.S.A. 45°47N 122°32W 170 E4
Battle Harbour Canada 52°16N 55°35W 165 B8
Battle Lake U.S.A. 46°17N 95°43W 172 B6
Battle Mountain U.S.A. 40°38N 116°56W 168 F5
Battlefields Zimbabwe 18°37S 29°47E 143 F2
Battleford Canada 52°45N 108°15W 163 C7
Battonya Hungary 46°16N 21°3E 80 D6
Batu Ethiopia 6°55N 39°45E 131 F2
Batu Malaysia 3°15N 101°40E 121 L3
Batu, Kepulauan Indonesia 0°30S 98°25E 118 E1
Batu Ferringhi Malaysia 5°28N 100°15E 121 c
Batu Gajah Malaysia 4°28N 101°3E 121 K3
Batu Is. = Batu, Kepulauan Indonesia 0°30S 98°25E 118 E1
Batu Pahat Malaysia 1°50N 102°56E 121 M4
Batu Puteh, Gunung Malaysia 4°15N 101°31E 121 K3
Batuata Indonesia 6°12S 122°42E 119 F6
Batugondang, Tanjung Indonesia 8°6S 114°29E 119 J17
Batukaru, Gunung Indonesia 8°20S 115°5E 119 J18
Batumi Georgia 41°39N 41°44E 87 K5
Batur, Gunung Indonesia 8°14S 115°23E 119 J18
Batura Sar Pakistan 36°30N 74°31E 125 A6
Baturaja Indonesia 4°11S 104°15E 118 E2
Baturité Brazil 4°28S 38°45W 189 A3
Baturiti Indonesia 8°19S 115°11E 119 J18
Batys Qazaqstan □ Kazakhstan 50°0N 50°0E 108 C3
Bau Malaysia 1°25N 110°9E 118 D4
Baubau Indonesia 5°25S 122°38E 119 F6
Baucau E. Timor 8°27S 126°27E 119 F7
Bauchi Nigeria 10°22N 9°48E 139 C6
Bauchi □ Nigeria 10°30N 10°0E 139 C7
Baud France 47°52N 3°1W 70 E3
Bauda India 20°50N 84°25E 126 D7
Baudette U.S.A. 48°43N 94°36W 172 A6
Bauer, C. Australia 32°44S 134°4E 151 E1
Bauhinia Australia 24°35S 149°18E 150 C4
Baukau = Baucau E. Timor 8°27S 126°27E 119 F7
Bauld, C. Canada 51°38N 55°26W 161 G20
Baume-les-Dames France 47°22N 6°22E 71 E13
Baunatal Germany 51°14N 9°24E 76 D5
Baunei Italy 40°2N 9°40E 94 B2
Baure Nigeria 12°52N 8°50E 139 C6
Bauru Brazil 22°10S 49°0W 191 A6
Bausi India 24°48N 87°1E 125 G12
Bauska Latvia 56°24N 24°15E 82 B11
Bautino Kazakhstan 44°35N 50°14E 87 H10
Bautzen Germany 51°10N 14°26E 76 D10
Bauya S. Leone 8°12N 12°38W 138 D2
Bavānāt Iran 30°28N 53°27E 129 D7
Bavanište Serbia 44°49N 20°55E 80 F5
Bavaria = Bayern □ Germany 48°50N 12°0E 77 G7
Båven Sweden 59°0N 16°56E 62 E10
Bavispe ➔ Mexico 29°15N 109°11W 180 B3
Baw Baw △ Australia 37°50S 146°17E 153 D7
Bawdwin Burma 23°5N 97°20E 123 H20
Bawean Indonesia 5°46S 112°35E 118 F4
Bawku Ghana 11°3N 0°19W 139 C4
Bawlakhe Burma 19°11N 97°21E 123 K20
Bawolung China 28°50N 101°16E 116 C3
Baxley U.S.A. 31°47N 82°21W 178 D7
Baxter U.S.A. 46°21N 94°17W 172 B6
Baxter Springs U.S.A. 37°2N 94°44W 172 G6
Baxter State ⌂ U.S.A. 46°5N 68°57W 173 B19
Bay City Mich., U.S.A. 43°36N 83°54W 173 D12
Bay City Tex., U.S.A. 28°59N 95°58W 176 G7
Bay Is. = Bahía, Is. de la Honduras 16°45N 86°15W 182 C2
Bay Minette U.S.A. 30°53N 87°46W 177 F11
Bay of Plenty □ N.Z. 38°0S 177°0E 154 D5
Bay Roberts Canada 47°36N 53°16W 165 C9
Bay St. Louis U.S.A. 30°19N 89°20W 177 F10
Bay Springs U.S.A. 31°59N 89°17W 177 F10
Bay View N.Z. 39°25S 176°50E 154 F5
Baya Dem. Rep. of the Congo 11°53S 27°25E 143 E2
Bayamo Cuba 20°20N 76°40W 182 B4
Bayamón Puerto Rico 18°24N 66°9W 183 d
Bayan Har Shan China 34°0N 98°0E 110 E8
Bayan Hot = Alxa Zuoqi China 38°50N 105°40E 114 E3
Bayan Lepas Malaysia 5°17N 100°16E 121 c
Bayan Obo China 41°52N 109°59E 114 D5
Bayan-Ovoo = Erdenetsogt Mongolia 42°55N 106°5E 114 C4
Bayana India 26°55N 77°18E 124 F7
Bayanaūyl Kazakhstan 50°45N 75°45E 109 B9
Bayanbulak ⌂ China 42°20N 84°0E 109 D10
Bayanhongor Mongolia 46°8N 102°43E 110 B9
Bayard N. Mex., U.S.A. 32°46N 108°8W 169 K9
Bayard Nebr., U.S.A. 41°45N 103°20W 172 E2
Baybay Phil. 10°40N 124°55E 119 B6
Bayburt Turkey 40°15N 40°20E 105 B9
Bayburt □ Turkey 40°35N 39°25E 105 B8
Baydaratskaya Guba Russia 69°0N 67°30E 106 C7
Baydhabo Somalia 3°8N 43°30E 131 G3
Bayelsa □ Nigeria 4°30N 6°0E 139 E6
Bayerische Alpen Germany 47°35N 11°30E 77 H7
Bayerische Rhön ⌂ Germany 50°15N 10°5E 77 E6
Bayerischer Spessart ⌂ Germany 49°58N 10°15E 77 F6
Bayerischer Wald Germany 48°56N 12°50E 77 G8
Bayern □ Germany 48°50N 12°0E 77 G7
Bayeux France 49°17N 0°42W 70 C6
Bayfield Canada 43°34N 81°42W 174 C3
Bayfield U.S.A. 46°49N 90°49W 172 B8
Bayındır Turkey 38°13N 27°39E 99 C9
Baykal, Oz. Russia 53°0N 108°0E 107 D11
Baykan Turkey 38°7N 41°44E 105 C9
Baymak Russia 52°36N 58°19E 108 B5
Baynes Mts. Namibia 17°15S 13°0E 144 A1
Bayombong Phil. 16°30N 121°10E 119 A6
Bayon France 48°30N 6°20E 71 D13
Bayona = Baiona Spain 42°6N 8°52W 88 C2
Bayonet Point U.S.A. 28°20N 82°41W 179 G7
Bayonne France 43°30N 1°28W 72 E2
Bayonne U.S.A. 40°40N 74°6W 175 F10
Bayovar Peru 5°50S 81°0W 188 B1
Bayport U.S.A. 28°32N 82°39W 179 G7
Bayqonyr Kazakhstan 45°40N 63°20E 108 C6
Bayram-Ali = Baýramaly Turkmenistan 37°37N 62°10E 129 B9
Baýramaly Turkmenistan 37°37N 62°10E 129 B9
Bayramiç Turkey 39°48N 26°36E 99 B8
Bayreuth Germany 49°56N 11°35E 77 F7
Bayrischzell Germany 47°41N 12°0E 77 H8
Bayrūt Lebanon 33°53N 35°31E 130 B4
Bays, L. of Canada 45°15N 79°4W 174 A5
Bayshore U.S.A. 26°43N 81°50W 179 J8
Baysville Canada 45°9N 79°7W 174 A5
Bayt Lahm West Bank 31°43N 35°12E 130 D4
Baytik Shan China 45°15N 90°50E 109 C12
Baytown U.S.A. 29°43N 94°59W 176 G7
Bayuquan China 40°16N 122°8E 115 D12
Bayzo Niger 13°52N 4°35E 139 C5
Baza Spain 37°30N 2°47W 89 H8
Bazar Dyuzi Russia 41°12N 47°50E 87 K8
Bazardüzü = Bazar Dyuzi Russia 41°12N 47°50E 87 K8
Bāzargān Iran 39°22N 44°26E 105 C11
Bazarny Karabulak Russia 52°20N 46°29E 86 D8
Bazarnyy Syzgan Russia 53°45N 46°40E 86 D8
Bazaruto, I. do Mozam. 21°40S 35°28E 145 B6
Bazaruto △ Mozam. 21°42S 35°26E 145 B6
Bazas France 44°27N 0°13W 72 D3
Bazhong China 31°52N 106°46E 116 B6

Bazhou China 39°8N 116°22E 114 E9
Bazmān, Kūh-e Iran 28°4N 60°1E 129 D9
Baztan = Elizondo Spain 43°12N 1°30W 90 B3
Bé, Nosy Madag. 13°25S 48°15E 141 G9
Beach U.S.A. 46°58N 104°0W 172 B2
Beach City U.S.A. 40°39N 81°35W 174 F3
Beachport Australia 37°29S 140°0E 152 D4
Beachville Canada 43°5N 80°49W 174 C4
Beachy Hd. U.K. 50°44N 0°15E 67 G8
Beacon Australia 30°26S 117°52E 149 F2
Beacon U.S.A. 41°30N 73°58W 175 E11
Beaconsfield Australia 41°11S 146°48E 151 G4
Beagle, Canal S. Amer. 55°0S 68°30W 192 E3
Beagle Bay Australia 16°58S 122°40E 148 C3
Beagle Bay ✪ Australia 16°53S 122°40E 148 C3
Beagle G. Australia 12°15S 130°25E 148 B5
Béal an Átha = Ballina Ireland 54°7N 9°9W 64 B2
Béal Átha na Sluaighe = Ballinasloe Ireland 53°20N 8°13W 64 C3
Beals Cr. → U.S.A. 32°10N 100°51W 176 E4
Beamsville Canada 43°12N 79°28W 174 C5
Bear → Calif., U.S.A. 38°56N 121°36W 170 G5
Bear → Utah, U.S.A. 41°30N 112°8W 166 G17
Béar, C. France 42°31N 3°8E 72 F7
Bear I. = Bjørnøya Arctic 74°30N 19°0E 54 B8
Bear I. Ireland 51°38N 9°50W 64 E2
Bear L. Canada 55°8N 96°0W 163 B9
Bear L. U.S.A. 41°59N 111°21W 168 F8
Bear Lake Canada 45°27N 79°35W 174 A5
Beardmore Canada 49°36N 87°57W 164 C2
Beardmore Glacier Antarctica 84°30S 170°0E 55 E11
Beardstown U.S.A. 40°1N 90°26W 172 E8
Bearma → India 24°20N 79°51E 125 G8
Béarn France 43°20N 0°30W 72 E3
Bearpaw Mts. U.S.A. 48°12N 109°30W 168 B9
Bearskin Lake Canada 53°58N 91°2W 164 B1
Beas → India 31°10N 74°59E 124 D6
Beas de Segura Spain 38°15N 2°53W 89 G8
Beasain Spain 43°3N 2°11W 90 B2
Beata, C. Dom. Rep. 17°40N 71°30W 183 C5
Beata, I. Dom. Rep. 17°34N 71°31W 183 C5
Beatrice U.S.A. 40°16N 96°45W 172 E5
Beatrice Zimbabwe 18°15S 30°55E 143 F3
Beatrice, C. Australia 14°20S 136°55E 150 A2
Beatton → Canada 56°15N 120°45W 162 B4
Beatton River Canada 57°26N 121°20W 162 B4
Beatty U.S.A. 36°54N 116°46W 170 J10
Beau Bassin Mauritius 20°13S 57°27E 141 d
Beaucaire France 43°48N 4°39E 73 E8
Beauce, Plaine de la France 48°10N 1°45E 71 D8
Beauceville Canada 46°13N 70°46W 165 C5
Beauchêne, I. Falk. Is. 52°55S 59°15W 192 D5
Beaudesert Australia 27°59S 153°0E 151 D5
Beaufort Australia 37°25S 143°25E 152 D5
Beaufort France 45°44N 6°34E 73 C10
Beaufort Malaysia 5°30N 115°40E 118 C5
Beaufort N.C., U.S.A. 34°43N 76°40W 177 D16
Beaufort S.C., U.S.A. 32°26N 80°40W 178 C9
Beaufort Sea Arctic 72°0N 140°0W 158 B5
Beaufort West S. Africa 32°18S 22°36E 144 D3
Beaugency France 47°47N 1°38E 71 E8
Beauharnois Canada 45°20N 73°52W 175 A11
Beaujeu France 46°10N 4°35E 71 F11
Beaujolais France 46°0N 4°22E 71 F11
Beaulieu → Canada 62°3N 113°11W 162 A6
Beaulieu-sur-Dordogne France 44°58N 1°50E 72 D5
Beaulieu-sur-Mer France 43°42N 7°20E 73 E11
Beauly U.K. 57°30N 4°28W 65 D4
Beauly → U.K. 57°29N 4°27W 65 D4
Beaumaris U.K. 53°16N 4°6W 66 D3
Beaumont Belgium 50°15N 4°14E 69 D4
Beaumont N.Z. 45°50S 169°33E 155 F4
Beaumont Calif., U.S.A. 33°57N 116°59W 171 M9
Beaumont Tex., U.S.A. 30°5N 94°6W 176 F7
Beaumont-de-Lomagne France 43°53N 1°0E 72 E5
Beaumont-du-Périgord France 44°45N 0°46E 72 D4
Beaumont-le-Roger France 49°4N 0°47E 70 C7
Beaumont-sur-Sarthe France 48°13N 0°8E 70 D7
Beaune France 47°2N 4°50E 71 E11
Beaune-la-Rolande France 48°4N 2°25E 71 D9
Beaupré Canada 47°3N 70°54W 165 C5
Beaupréau France 47°12N 1°0W 70 E6
Beauraing Belgium 50°7N 4°57E 69 D4
Beaurepaire France 45°22N 5°1E 73 C9
Beausejour Canada 50°5N 96°35W 163 C9
Beauvais France 49°25N 2°8E 71 C9
Beauval Canada 55°9N 107°37W 163 B7
Beauvoir-sur-Mer France 46°55N 2°2W 70 F4
Beauvoir-sur-Niort France 46°12N 0°30W 72 B3
Beaver Okla., U.S.A. 36°49N 100°31W 176 C4
Beaver Pa., U.S.A. 40°42N 80°19W 174 F4
Beaver Utah, U.S.A. 38°17N 112°38W 168 G7
Beaver → B.C., Canada 59°52N 124°20W 162 B4
Beaver → Ont., Canada 55°55N 87°48W 164 A2
Beaver → Sask., Canada 55°26N 107°45W 163 B7
Beaver → U.S.A. 36°35N 99°30W 176 C5
Beaver City U.S.A. 40°8N 99°50W 172 E4
Beaver Creek Canada 63°0N 141°0W 160 E3
Beaver Dam U.S.A. 43°28N 88°50W 172 D9
Beaver Falls U.S.A. 40°46N 80°20W 174 F4
Beaver Hill L. Canada 54°5N 94°50W 163 C10
Beaver I. U.S.A. 45°40N 85°33W 173 C11
Beavercreek U.S.A. 39°43N 84°11W 173 F11
Beaverhill L. Canada 53°27N 112°32W 162 C6
Beaverlodge Canada 55°11N 119°29W 162 B5
Beaverstone → Canada 54°59N 89°25W 164 B2
Beaverton Canada 44°26N 79°9W 174 B5
Beaverton U.S.A. 45°29N 122°48W 170 E4
Beawar India 26°3N 74°18E 124 F6
Bebedouro Brazil 21°0S 48°25W 191 A6
Bebera, Tanjung Indonesia 8°44S 115°51E 119 K18
Bebington U.K. 53°22N 3°0W 66 D4
Bebra Germany 50°58N 9°48E 76 E5
Becán Mexico 18°34N 89°31W 181 D7
Bécancour Canada 46°20N 72°26W 173 B17
Beccles U.K. 52°27N 1°35E 67 E9
Bečej Serbia 45°36N 20°3E 80 E5
Beceni Romania 45°23N 26°48E 81 E11
Becerreá Spain 42°51N 7°10W 88 C3
Béchar Algeria 31°38N 2°18W 136 B3
Béchar □ Algeria 30°15N 3°5E 136 B4
Becharof L. U.S.A. 57°56N 156°23W 166 D8
Becharre = Bsharri Lebanon 34°15N 36°0E 130 A5
Bechyně Czech Rep. 49°17N 14°29E 78 B7
Beckley U.S.A. 37°47N 81°11W 173 G13
Beckum Germany 51°45N 8°3E 76 D4
Beclean Romania 47°11N 24°11E 81 C9
Bečov nad Teplou Czech Rep. 50°5N 12°49E 78 A5
Bečva → Czech Rep. 49°31N 17°20E 79 B10
Bédar Spain 37°11N 1°59W 91 H3
Bédarieux France 43°37N 3°10E 72 E7
Beddouza, C. Morocco 32°33N 9°9W 136 B2
Bederkesa Germany 53°37N 8°50E 76 B4
Bedford Canada 45°7N 72°59W 175 A12
Bedford S. Africa 32°40S 26°10E 144 D4
Bedford U.K. 52°8N 0°28W 67 E7
Bedford Ind., U.S.A. 38°52N 86°29W 172 F10
Bedford Iowa, U.S.A. 40°40N 94°44W 172 E6
Bedford Ohio, U.S.A. 41°23N 81°32W 174 E3
Bedford Pa., U.S.A. 40°1N 78°30W 174 F6
Bedford Va., U.S.A. 37°20N 79°31W 173 G14
Bedford □ U.K. 52°4N 0°28W 67 E7
Bedford, C. Australia 15°14S 145°21E 150 B4
Będków Poland 51°36N 19°44E 83 G6
Bednja → Croatia 46°20N 16°52E 93 B13
Bednodemyanovsk Russia 53°55N 43°15E 86 D6
Bedok Singapore 1°19N 103°56E 121 d
Bedónia Italy 44°30N 9°38E 92 D6
Bedourie Australia 24°30S 139°30E 150 C2
Bedti → India 14°50N 74°44E 127 G2
Bedugul Indonesia 8°17S 115°10E 119 J18
Bedum Neths. 53°18N 6°36E 69 A6
Będzin Poland 50°19N 19°7E 83 H6
Bee Ridge U.S.A. 27°17N 82°29W 179 H7
Beebe Plain Canada 45°1N 72°9W 175 A12
Beech Creek U.S.A. 41°5N 77°36W 174 E7
Beechworth Australia 36°22S 146°43E 153 D7
Beechy Canada 50°53N 107°24W 163 C7
Beed = Bir India 19°4N 75°46E 126 E2
Beef I. Br. Virgin Is. 18°26N 64°30W 183 e
Beelitz Germany 52°14N 12°58E 76 C8
Beenleigh Australia 27°43S 153°10E 151 D5
Be'er Sheva Israel 31°15N 34°48E 130 D3
Beerenberg Norway 71°0N 8°20W 57 C10
Beersheba = Be'er Sheva Israel 31°15N 34°48E 130 D3
Beeskow Germany 52°10N 14°15E 76 C10
Beestekraal S. Africa 25°23S 27°38E 145 C4
Beeston U.K. 52°56N 1°14W 66 E6
Beeton Canada 44°5N 79°47W 174 B5
Beetzendorf Germany 52°42N 11°6E 76 C7
Beeville U.S.A. 28°24N 97°45W 176 G6
Befale Dem. Rep. of the Congo 0°25N 20°45E 140 D4
Bega Australia 36°41S 149°51E 153 D8
Bega, Canalul Romania 45°37N 20°46E 80 E5
Bégard France 48°38N 3°18W 70 D3
Beğendik Turkey 40°55N 26°34E 97 F10
Begoro Ghana 6°23N 0°23W 139 D4
Begusarai India 25°24N 86°9E 125 G12
Behābād Iran 32°24N 59°47E 129 C8
Behala India 22°30N 88°18E 125 H13
Behbehān Iran 30°30N 50°15E 129 D6
Behchoko Canada 62°50N 116°3W 162 A5
Behm Canal U.S.A. 55°10N 131°0W 162 B2
Behshahr Iran 36°45N 53°35E 129 B7
Bei Jiang → China 23°2N 112°58E 117 F9
Bei Shan China 41°30N 96°0E 110 C8
Bei'an China 48°10N 126°20E 111 B14
Beibei China 29°47N 106°22E 116 C6
Beichuan China 31°55N 104°39E 116 B5
Beida, Es Sahrâ al Egypt 27°50N 28°45E 137 B2
Beihai China 21°28N 109°6E 116 G7
Beijing China 39°53N 116°21E 114 E9
Beijing Capital Int. ✈ (PEK) China 40°5N 116°35E 114 D9
Beijing Shi □ China 39°55N 116°20E 114 E9
Beilen Neths. 52°52N 6°27E 69 B6
Beiliu China 22°41N 110°21E 117 F8
Beilngries Germany 49°1N 11°28E 77 F7
Beilpajah Australia 32°54S 143°52E 152 B5
Beinn na Faoghla = Benbecula U.K. 57°26N 7°21W 65 D1
Beipan Jiang → China 24°55N 106°5E 116 E6
Beipiao China 41°52N 120°32E 115 D11
Beira Mozam. 19°50S 34°52E 143 F3
Beirut = Bayrūt Lebanon 33°53N 35°31E 130 B4
Beiseker Canada 51°23N 113°32W 162 C6
Beit Lāhīyā Gaza Strip 31°33N 34°30E 130 D3
Beit Lahm = Bayt Lahm West Bank 31°43N 35°12E 130 D4
Beitaolaizhao China 44°58N 125°58E 115 B13
Beitbridge Zimbabwe 22°12S 30°0E 143 G3
Beitun China 47°22N 87°4E 109 D11
Beiuş Romania 46°40N 22°21E 80 D7
Beizhen = Binzhou China 37°20N 118°2E 115 F10
Beizhen China 41°38N 121°54E 115 D11
Beizhengzhen China 44°31N 123°30E 115 B12
Beja Portugal 38°2N 7°53W 89 G3
Béja Tunisia 36°43N 9°12E 136 A5
Beja □ Portugal 37°55N 7°55W 89 H3
Béja □ Tunisia 36°40N 9°29E 136 A5
Bejaïa Algeria 36°42N 5°2E 136 A5
Bejaïa □ Algeria 36°40N 4°55E 136 A4
Béjar Spain 40°23N 5°46W 88 E5
Bejestān Iran 34°30N 58°5E 129 C8
Bekaa Valley = Al Biqā Lebanon 34°10N 36°10E 130 A5
Bekasi Indonesia 6°14S 106°59E 119 G12
Bekçiler Turkey 36°56N 29°44E 99 E11
Bekdash Turkmenistan 41°34N 52°32E 108 D4
Békés Hungary 46°47N 21°9E 80 D6
Békés □ Hungary 46°45N 21°0E 80 D6
Békéscsaba Hungary 46°40N 21°5E 80 D6
Bekilli Turkey 38°17N 29°27E 99 C11
Bekok Malaysia 2°20N 103°7E 121 L4
Bekwai Ghana 6°30N 1°34W 139 D4
Bela India 25°50N 82°0E 125 G10
Bela Pakistan 26°12N 66°20E 124 F2
Bela Bela S. Africa 24°51S 28°19E 145 B4
Bela Crkva Serbia 44°55N 21°27E 80 F6
Bela Palanka Serbia 43°13N 22°17E 96 C6
Bela Vista Brazil 22°12S 56°20W 190 A4
Bela Vista Mozam. 26°10S 32°44E 145 C5
Bélâbre France 46°34N 1°8E 72 B5
Belagavi India 15°55N 74°35E 127 G2
Belalcázar Spain 38°35N 5°10W 89 G5
Belan → India 24°2N 81°45E 125 G9
Belanovica Serbia 44°15N 20°23E 96 B4
Belarus ■ Europe 53°30N 27°0E 75 B14
Belau = Palau ■ Palau 7°30N 134°30E 156 G5
Belawan Indonesia 3°33N 98°32E 118 D1
Belaya → Russia 54°40N 56°0E 108 B5
Belaya Glina Russia 46°5N 40°48E 87 G5
Belaya Kalitva Russia 48°13N 40°50E 87 F5
Belaya Tserkov = Bila Tserkva Ukraine 49°45N 30°10E 75 D16
Belaya Zemlya, Ostrova Russia 81°36N 62°18E 106 A7
Belceşti Romania 47°19N 27°7E 81 C12
Bełchatów Poland 51°21N 19°22E 83 G6
Belcher Is. Canada 56°15N 78°45W 164 A3
Belchite Spain 41°18N 0°43W 90 D4
Belden U.S.A. 40°2N 121°17W 170 E5
Belebey Russia 54°7N 54°7E 108 B4
Beledweyne Somalia 4°30N 45°5E 131 G4
Belém Brazil 1°20S 48°30W 187 D9
Belém de São Francisco Brazil 8°46S 38°58W 189 B3
Belén Argentina 27°40S 67°5W 190 B2
Belén Paraguay 23°30S 57°6W 190 A4
Belen Turkey 36°31N 36°10E 104 D7
Belen U.S.A. 34°40N 106°46W 169 J10
Belene Bulgaria 43°39N 25°10E 97 C9
Bélesta France 42°55N 1°56E 72 F5
Belet Uen = Beledweyne Somalia 4°30N 45°5E 131 G4
Belev Russia 53°50N 36°5E 84 F9
Belevi Turkey 38°0N 27°28E 99 C9
Belfair U.S.A. 47°27N 122°50W 170 C4
Belfast = eMakhazeni S. Africa 25°42S 30°2E 145 C5
Belfast N.Z. 43°27S 172°39E 155 D7
Belfast U.K. 54°37N 5°56W 64 B6
Belfast Maine, U.S.A. 44°26N 69°1W 173 C19
Belfast N.Y., U.S.A. 42°21N 78°7W 174 D6
Belfast L. U.K. 54°40N 5°50W 64 B6
Belfield U.S.A. 46°53N 103°12W 172 B2
Belfort France 47°38N 6°50E 71 E13
Belfort, Territoire de □ France 47°40N 6°55E 71 E13
Belfry U.S.A. 45°9N 109°1W 168 D9
Belgaum = Belagavi India 15°55N 74°35E 127 G2
Belgioioso Italy 45°10N 9°19E 92 C6
Belgium ■ Europe 50°30N 5°0E 69 D4
Belgodère France 42°35N 9°1E 73 F13
Belgorod Russia 50°35N 36°35E 85 G9
Belgorod □ Russia 50°45N 36°45E 85 G9
Belgorod-Dnestrovskiy = Bilhorod-Dnistrovskyy Ukraine 46°11N 30°23E 85 J6
Belgrade = Beograd Serbia 44°50N 20°37E 96 B4
Belgrade U.S.A. 45°47N 111°11W 168 D8
Belgrano Antarctica 77°52S 34°37W 55 D1
Belgrove N.Z. 41°27S 172°59E 155 B7
Belhaven U.S.A. 35°33N 76°37W 177 D16
Béli Guinea-Biss. 11°51N 13°56W 138 C2
Beli Nigeria 7°52N 10°55E 139 D7
Beli Drim → Europe 42°6N 20°25E 96 D4
Beli Manastir Croatia 45°45N 18°36E 80 E3
Beli Timok → Serbia 43°53N 22°14E 96 C6
Bélice → Italy 37°35N 12°55E 94 E5
Belimbing Indonesia 8°24S 115°2E 119 J18
Belinskiy Russia 53°0N 43°25E 86 D6
Belinyu Indonesia 1°35S 105°50E 118 E3
Beliton Is. = Belitung Indonesia 3°10S 107°50E 118 E3
Belitung Indonesia 3°10S 107°50E 118 E3
Beliu Romania 46°30N 22°0E 80 D6
Belize ■ Cent. Amer. 17°0N 88°30W 181 D7
Belize Barrier Reef Belize 17°9N 88°3W 181 D7
Belize City Belize 17°25N 88°10W 181 D7
Beljakovci Macedonia 42°6N 21°59E 96 D5
Beljanica Serbia 44°8N 21°43E 96 B5
Belkovskiy, Ostrov Russia 75°32N 135°44E 107 B14
Bell U.S.A. 29°45N 82°52W 178 F7
Bell → Canada 49°48N 77°38W 164 C4
Bell I. Canada 50°46N 55°35W 165 B8
Bell-Irving → Canada 56°12N 129°5W 162 B3
Bell Peninsula Canada 63°50N 82°0W 161 E15
Bell Ville Argentina 32°40S 62°40W 190 C3
Bella Italy 40°45N 15°32E 95 B8
Bella Bella Canada 52°10N 128°10W 162 C3
Bella Coola Canada 52°25N 126°40W 162 C3
Bella Flor Bolivia 11°9S 67°49W 188 C4
Bella Unión Uruguay 30°15S 57°40W 190 C4
Bella Vista Corrientes, Argentina 28°33S 59°0W 190 B4
Bella Vista Tucuman, Argentina 27°10S 65°25W 190 B2
Bella Vista U.S.A. 36°28N 94°16W 172 G6
Bellac France 46°7N 1°3E 72 B5
Bellágio Italy 45°59N 9°15E 92 C6
Bellaire U.S.A. 40°1N 80°45W 174 F4
Bellária Italy 44°9N 12°28E 93 D9
Bellata Australia 29°53S 149°46E 151 D4
Belle Fourche U.S.A. 44°40N 103°51W 172 C2
Belle Fourche → U.S.A. 44°26N 102°18W 172 C2
Belle Glade U.S.A. 26°41N 80°40W 179 J9
Belle-Île France 47°20N 3°10W 70 E3
Belle Isle Canada 51°57N 55°25W 165 B8
Belle Isle U.S.A. 28°27N 81°12W 179 G8
Belle Isle, Str. of Canada 51°30N 56°30W 165 B8
Belle Plaine U.S.A. 41°54N 92°17W 172 E7
Belle River Canada 42°18N 82°43W 174 D2
Belle Yella Liberia 7°24N 10°0W 138 D3
Belledonne France 45°20N 6°10E 73 C10
Bellefontaine U.S.A. 40°22N 83°46W 173 E12
Bellefonte U.S.A. 40°55N 77°47W 174 F7
Bellegarde France 47°59N 2°26E 71 E9
Bellegarde-en-Marche France 45°59N 2°18E 72 C6
Bellegarde-sur-Valserine France 46°4N 5°50E 71 F12
Bellême France 48°22N 0°34E 70 D7
Belleoram Canada 47°31N 55°25W 165 C8
Belleplaine Barbados 13°15N 59°34W 183 g
Belleview U.S.A. 29°4N 82°3W 179 F7
Belleville Canada 44°10N 77°23W 174 B7
Belleville France 46°7N 4°45E 71 F11
Belleville Ill., U.S.A. 38°31N 89°59W 172 F9
Belleville Kans., U.S.A. 39°50N 97°38W 172 F5
Belleville N.J., U.S.A. 40°47N 74°9W 175 F10
Belleville N.Y., U.S.A. 43°46N 76°10W 175 C8
Belleville-sur-Vie France 46°46N 1°25W 70 F5
Bellevue Idaho, U.S.A. 43°28N 114°16W 168 E6
Bellevue Nebr., U.S.A. 41°9N 95°54W 172 E6
Bellevue Ohio, U.S.A. 41°17N 82°51W 174 E2
Bellevue Wash., U.S.A. 47°37N 122°12W 170 C4
Belley France 45°46N 5°41E 73 C9
Bellin = Kangirsuk Canada 60°0N 70°0W 161 F18
Bellinge Denmark 55°20N 10°20E 63 J4
Bellingen Australia 30°25S 152°50E 153 A10
Bellingham U.S.A. 48°46N 122°29W 170 B4
Bellingshausen Abyssal Plain S. Ocean 64°0S 90°0W 55 C16
Bellingshausen Sea Antarctica 66°0S 80°0W 55 C17
Bellinzona Switz. 46°11N 9°1E 77 J5
Bello Colombia 6°20N 75°33W 186 B3
Bellows Falls U.S.A. 43°8N 72°27W 175 C12
Bellpat Pakistan 29°0N 68°5E 124 E3
Bellpuig Spain 41°37N 1°1E 90 D6
Belluno Italy 46°9N 12°13E 93 B9
Bellville U.S.A. 32°9N 81°59W 178 C8
Bellwood U.S.A. 40°36N 78°20W 174 F6
Bélmez Spain 38°17N 5°17W 89 G5
Belmont Australia 33°4S 151°42E 153 B9
Belmont Canada 42°53N 81°5W 174 D3
Belmont S. Africa 29°28S 24°22E 144 C3
Belmont U.S.A. 42°14N 78°2W 174 D6
Belmonte Brazil 16°0S 39°0W 189 D3
Belmonte Portugal 40°21N 7°20W 88 E3
Belmonte Spain 39°34N 2°43W 91 F2
Belmopan Belize 17°18N 88°30W 181 D7
Belmullet Ireland 54°14N 9°58W 64 B2
Belo Horizonte Brazil 19°55S 43°56W 189 D2
Belo Jardim Brazil 8°20S 36°26W 189 B3
Belo-Tsiribihina Madag. 19°40S 44°30E 141 H8
Belogorsk = Bilohirsk Ukraine 45°3N 34°35E 85 K8
Belogorsk Russia 51°0N 128°20E 107 D13
Belogradchik Bulgaria 43°53N 22°42E 96 C6
Belogradets Bulgaria 43°22N 27°18E 97 C11
Beloit Kans., U.S.A. 39°28N 98°6W 172 F4
Beloit Wis., U.S.A. 42°31N 89°2W 172 D9
Belokorovichi Ukraine 51°7N 28°2E 75 C15
Belomorsk Russia 64°35N 34°54E 106 C4
Belonia India 23°15N 91°30E 123 H17
Belopolye = Bilopillya Ukraine 51°14N 34°20E 85 G8
Belorechensk Russia 44°46N 39°52E 87 H4
Beloretsk Russia 53°58N 58°24E 108 B5
Belorussia = Belarus ■ Europe 53°30N 27°0E 75 B14
Beloslav Bulgaria 43°11N 27°42E 97 C11
Beloūsovka Kazakhstan 50°8N 82°31E 109 B10
Belovezhskaya Pushcha = Bialowieski △ Poland 52°43N 23°50E 83 F10
Belovo Bulgaria 42°13N 24°1E 97 D8
Belovo Russia 54°30N 86°0E 109 B11
Beloyarskiy Russia 63°42N 66°40E 106 C7
Beloye, Ozero Russia 60°10N 37°35E 84 B9
Beloye More Russia 66°30N 38°0E 58 B13
Belozem Bulgaria 42°12N 25°2E 97 D9
Belozersk Russia 60°1N 37°45E 84 B9
Belpasso Italy 37°35N 14°58E 95 E7
Belpre U.S.A. 39°17N 81°34W 173 F13
Belrain India 28°23N 80°55E 125 E9
Belt U.S.A. 47°23N 110°55W 168 C8
Beltana Australia 30°48S 138°25E 152 A3
Belterra Brazil 2°45S 55°0W 187 D8
Beltinci Slovenia 46°37N 16°20E 93 B13
Belton U.S.A. 31°3N 97°28W 176 F6
Belton L. U.S.A. 31°6N 97°28W 176 F6
Beltsy = Bălţi Moldova 47°48N 27°58E 81 C12
Belturbet Ireland 54°6N 7°26W 64 B4
Belukha Russia 49°50N 86°50E 109 C11
Beluran Malaysia 5°48N 117°35E 118 C5
Beluša Slovak Rep. 49°5N 18°17E 79 B11
Belushya Guba Russia 71°32N 52°19E 106 B6
Belušić Serbia 43°50N 21°10E 96 C5
Belvedere Marittimo Italy 39°37N 15°52E 95 C8
Belvès France 44°46N 1°0E 72 D5
Belvidere Ill., U.S.A. 42°15N 88°50W 172 D9
Belvidere N.J., U.S.A. 40°50N 75°5W 175 F9
Belvís de la Jara Spain 39°45N 4°57W 88 F6
Belyando → Australia 21°38S 146°50E 150 C4
Belyando Crossing Australia 21°32S 146°51E 150 C4
Belyuen Australia 12°34S 130°42E 148 B5
Belyy Russia 55°49N 33°3E 84 E7
Belyy, Ostrov Russia 73°30N 71°0E 106 B8
Belyy Yar Russia 58°26N 84°39E 106 D9
Belyye Vody = Aqsū Kazakhstan 42°25N 69°50E 109 D7
Belz Ukraine 50°23N 24°1E 83 H11
Bełżec Poland 50°23N 23°26E 83 H10
Belzig Germany 52°8N 12°35E 76 C8
Belzoni U.S.A. 33°11N 90°29W 177 E9
Bełżyce Poland 51°11N 22°17E 83 G9
Bembéréke Benin 10°11N 2°43E 139 C5
Bembesi Zimbabwe 20°0S 28°58E 143 G2
Bembesi → Zimbabwe 18°57S 27°47E 143 F2
Bembézar → Spain 37°45N 5°13W 89 H5
Bembibre Spain 42°37N 6°25W 88 C4
Bemboka △ Australia 36°35S 149°41E 153 D8
Bemetara India 21°42N 81°32E 125 J9
Bemidji U.S.A. 47°28N 94°53W 172 B6
Ben Iran 32°32N 50°45E 129 C6
Ben Boyd △ Australia 37°0S 149°55E 153 D8
Ben Cruachan U.K. 56°26N 5°8W 65 E3
Ben Dearg U.K. 57°47N 4°56W 65 D4
Ben En △ Vietnam 19°37N 105°30E 120 C5
Ben Gardane Tunisia 33°11N 11°11E 136 B6
Ben Halls Gap △ Australia 31°37S 151°1E 153 A9
Ben Hope U.K. 58°25N 4°36W 65 C4
Ben Lawers U.K. 56°32N 4°14W 65 E4
Ben Lomond N.S.W., Australia 30°1S 151°43E 151 E5
Ben Lomond Tas., Australia 41°38S 147°42E 151 G4
Ben Lomond U.K. 56°11N 4°38W 65 E4
Ben Lomond △ Australia 41°33S 147°39E 151 G4
Ben Luc Vietnam 10°39N 106°29E 121 G6
Ben Macdhui U.K. 57°4N 3°40W 65 D5
Ben Mhor U.K. 57°15N 7°18W 65 D1
Ben More Argyll & Bute, U.K. 56°26N 6°1W 65 E2
Ben More Stirling, U.K. 56°23N 4°32W 65 E4
Ben More Assynt U.K. 58°8N 4°52W 65 C4
Ben Nevis U.K. 56°48N 5°1W 65 E3
Ben Ohau Ra. N.Z. 44°1S 170°4E 155 E5
Ben Quang Vietnam 17°3N 106°55E 120 D6
Ben Slimane Morocco 33°38N 7°7W 136 B2
Ben Tadjine, Djebel Algeria 29°0N 3°30W 136 C3
Ben Tre Vietnam 10°14N 106°23E 121 G6
Ben Vorlich U.K. 56°21N 4°14W 65 E4
Ben Wyvis U.K. 57°40N 4°35W 65 D4
Bena Nigeria 11°20N 5°50E 139 C6
Benaco, L. di = Garda, L. di Italy 45°40N 10°41E 92 C7
Benagerie Australia 31°25S 140°22E 152 A4
Benahmed Morocco 33°4N 7°9W 136 B2
Benalla Australia 36°30S 146°0E 153 D7
Benalmádena Spain 36°36N 4°34W 89 J6
Benambra, Mt. Australia 36°31S 147°34E 153 D7
Benanee Australia 34°31S 142°52E 152 C5
Benares = Varanasi India 25°22N 83°0E 125 G10
Bénat, C. France 43°5N 6°22E 73 E10
Benavente Portugal 38°59N 8°49W 89 G2
Benavente Spain 42°2N 5°43W 88 C5
Benavides U.S.A. 27°36N 98°25W 176 H5
Benavides de Órbigo Spain 42°30N 5°54W 88 C5
Benbecula U.K. 57°26N 7°21W 65 D1
Benbonyathe Hill Australia 30°25S 139°11E 152 A3
Bend U.S.A. 44°4N 121°19W 168 D3
Bendemeer Australia 30°53S 151°8E 153 A9
Bender Beyla Somalia 9°30N 50°48E 131 F5
Bendery Moldova 46°50N 29°30E 81 D14
Bendigo Australia 36°40S 144°15E 152 D6
Bendorf Germany 50°25N 7°35E 76 E3
Benē Beraq Israel 32°6N 34°51E 130 C3
Beneditinos Brazil 5°27S 42°22W 189 B2
Benedito Leite Brazil 7°13S 44°34W 189 B2
Bénéna Mali 13°9N 4°17W 138 C4
Benešov Czech Rep. 49°46N 14°41E 78 B7
Benevento Italy 41°8N 14°45E 95 A7
Benfeld France 48°22N 7°34E 71 D14
Beng Mealea Cambodia 13°28N 104°14E 120 F5
Benga Mozam. 16°11S 33°40E 143 F3
Bengal, Bay of Ind. Oc. 15°0N 90°0E 123 M17
Bengaluru India 12°59N 77°40E 127 H3
Bengbis Cameroon 3°27N 12°36E 139 E7
Bengbu China 32°58N 117°20E 117 A11
Benghazi = Banghāzī Libya 32°11N 20°3E 135 B10
Bengkalis Indonesia 1°30N 102°10E 121 M4
Bengkulu Indonesia 3°50S 102°12E 118 E2
Bengkulu □ Indonesia 3°48S 102°16E 118 E2
Bengough Canada 49°25N 105°10W 163 D7
Bengtsfors Sweden 59°2N 12°14E 62 E6
Benguela Angola 12°37S 13°25E 141 G2
Benguerir Morocco 32°16N 7°56W 136 B2
Benguérua, I. Mozam. 21°58S 35°28E 145 B6
Benha Egypt 30°26N 31°8E 137 E7
Beni Dem. Rep. of the Congo 0°30N 29°27E 142 B2
Beni → Bolivia 10°23S 65°24W 186 F5
Beni Abbès Algeria 30°5N 2°5W 136 B3
Beni Hammad Algeria 35°49N 4°47E 136 A4
Beni Haoua Algeria 36°30N 1°30E 136 A4
Beni Mazâr Egypt 28°32N 30°44E 137 F7
Beni Mellal Morocco 32°21N 6°21W 136 B2
Beni Ounif Algeria 32°0N 1°10W 136 B3
Beni Saf Algeria 35°17N 1°15W 136 A3
Beni Suef Egypt 29°5N 31°6E 137 F7
Beniah L. Canada 63°23N 112°17W 162 A6
Benicarló Spain 40°23N 0°23E 90 E5
Benicássim Spain 40°3N 0°4E 90 E5
Benidorm Spain 38°33N 0°9W 91 G4
Benin ■ Africa 10°0N 2°0E 139 D5
Benin → Nigeria 5°45N 5°4E 139 D6
Benin, Bight of W. Afr. 5°0N 3°0E 139 E5
Benin City Nigeria 6°20N 5°31E 139 D6
Benissa Spain 38°43N 0°3E 91 G5
Benito Juárez Argentina 37°40S 59°43W 190 D4
Benitses Greece 39°32N 19°55E 101 A3
Benjamin Aceval Paraguay 24°58S 57°34W 190 A4
Benjamin Constant Brazil 4°40S 70°15W 186 D4
Benjamín Hill Mexico 30°9N 111°7W 180 A2
Benkelman U.S.A. 40°3N 101°32W 172 E3
Benkovac Croatia 44°2N 15°37E 93 D12
Benmore Pk. N.Z. 44°25S 170°8E 155 E5
Bennett Canada 59°51N 135°0W 162 B2
Bennett, L. Australia 22°50S 131°2E 148 D5
Bennetta, Ostrov Russia 76°21N 148°56E 107 B15
Bennettsville U.S.A. 34°37N 79°41W 177 D15
Bennichchāb Mauritania 19°32N 15°12W 138 B1
Bennington N.H., U.S.A. 43°0N 71°55W 175 D11
Bennington Vt., U.S.A. 42°53N 73°12W 175 D11
Bénodet France 47°53N 4°7W 70 E2
Benom Malaysia 3°50N 102°6E 121 L4
Benoni S. Africa 26°11S 28°18E 145 C4
Benoud Algeria 32°20N 0°16E 136 B4
Benque Viejo del Carmen Belize 17°5N 89°8W 181 D7
Bensheim Germany 49°40N 8°38E 77 F4
Benson Ariz., U.S.A. 31°58N 110°18W 169 L8
Benson Minn., U.S.A. 45°19N 95°36W 172 C6
Bent Iran 26°20N 59°31E 129 E8
Benteng Indonesia 6°10S 120°30E 119 F6
Bentinck I. Australia 17°3S 139°35E 150 B2
Bentinck I. Burma 11°45N 98°3E 121 G2
Bentley Subglacial Trench Antarctica 80°0S 115°0W 55 E15
Bento Gonçalves Brazil 29°10S 51°31W 191 B5
Benton Ark., U.S.A. 34°34N 92°35W 176 D8
Benton Calif., U.S.A. 37°48N 118°32W 170 H8
Benton Ill., U.S.A. 38°0N 88°55W 172 F9
Benton Pa., U.S.A. 41°12N 76°23W 175 E8
Benton Harbor U.S.A. 42°6N 86°27W 172 D10
Bentong Malaysia 3°31N 101°55E 121 L3
Bentonville U.S.A. 36°22N 94°13W 176 C7
Benue □ Nigeria 7°20N 8°45E 139 D6
Benue → Nigeria 7°48N 6°46E 139 D6
Benxi China 41°20N 123°48E 115 D12
Beo Indonesia 4°25N 126°50E 119 D7
Beograd Serbia 44°50N 20°37E 96 B4
Beograd ✈ (BEG) Serbia 43°49N 20°17E 96 C4
Beolgyo S. Korea 34°51N 127°21E 115 G14
Beoumi Ivory C. 7°45N 5°23W 138 D3
Beppu Japan 33°15N 131°30E 113 H5
Beqa Fiji 18°23S 178°8E 154 a
Beqaa Valley = Al Biqā Lebanon 34°10N 36°10E 130 A5
Ber Mota India 23°27N 68°34E 124 H3
Bera, Tasik Malaysia 3°5N 102°38E 121 L4
Berach → India 25°15N 75°2E 124 G6
Berane Montenegro 42°51N 19°52E 96 D3
Berastagi Indonesia 3°11N 98°31E 121 L2
Berat Albania 40°43N 19°59E 96 F3
Berau = Tanjungredeb Indonesia 2°9N 117°29E 118 D5
Berau, Teluk Indonesia 2°30S 132°30E 119 E8
Berber Sudan 18°0N 34°0E 135 E12
Berbera Somalia 10°30N 45°2E 131 E4
Berbérati C.A.R. 4°15N 15°40E 140 D3
Berbice → Guyana 6°20N 57°32W 186 B7
Berceto Italy 44°31N 9°51E 92 D6
Berchidda Italy 40°47N 9°10E 94 B2
Berchtesgaden Germany 47°38N 13°0E 77 H8
Berchtesgaden △ Germany 47°34N 12°55E 77 H8
Berck France 50°25N 1°36E 71 B8
Berdichev = Berdychiv Ukraine 49°57N 28°30E 75 D15
Berdsk Russia 54°47N 83°2E 109 B10
Berdyansk Ukraine 46°45N 36°50E 85 J9
Berdychiv Ukraine 49°57N 28°30E 75 D15
Berea U.S.A. 37°34N 84°17W 173 G11
Berebere Indonesia 2°25N 128°45E 119 D7
Bereeda Somalia 11°45N 51°0E 131 E5
Berehomet Ukraine 48°10N 25°19E 81 B10
Berehove Ukraine 48°15N 22°35E 80 B7
Bereket Turkmenistan 39°16N 55°32E 129 B7
Berekum Ghana 7°29N 2°34W 138 D4
Berenice Egypt 24°2N 35°25E 137 C4
Berens → Canada 52°25N 97°2W 163 C9
Berens I. Canada 52°18N 97°18W 163 C9
Berens River Canada 52°25N 97°0W 163 C9
Beresfield Australia 32°50S 151°40E 153 B9
Beresford U.S.A. 43°5N 96°47W 172 D5
Berestechko Ukraine 50°22N 25°5E 75 C13
Bereşti Romania 46°6N 27°50E 81 D12
Beretău → Romania 47°10N 21°50E 80 C6
Berettyó → Hungary 46°59N 21°7E 80 D6
Berettyóújfalu Hungary 47°13N 21°33E 80 C6
Bereza = Byaroza Belarus 52°31N 24°51E 75 B13
Berezhany Ukraine 49°26N 24°58E 75 D13
Berezina = Byarezina → Belarus 52°33N 30°14E 75 B16
Berezivka Ukraine 47°14N 30°55E 85 J6
Berezna Ukraine 51°35N 31°46E 85 G6
Bereznik Russia 62°51N 42°40E 106 C5
Berezniki Russia 59°24N 56°46E 106 D6
Berezovo Russia 64°0N 65°0E 106 C7
Berezyne Ukraine 46°14N 29°12E 81 D14
Berga Spain 42°6N 1°48E 90 C6
Berga Sweden 57°14N 16°3E 63 G10
Bergama Turkey 39°8N 27°11E 99 B9
Bérgamo Italy 45°41N 9°43E 92 C6
Bergan India 20°41N 80°27E 126 D5
Bergara Spain 43°9N 2°28W 90 B2
Bergby Sweden 60°57N 17°2E 62 D11
Berge Norway 59°34N 8°10E 62 E2
Bergedorf Germany 53°28N 10°12E 76 B6
Bergeforsen Sweden 62°32N 17°23E 62 B11
Bergen Mecklenburg-Vorpommern, Germany 54°25N 13°25E 76 A9
Bergen Niedersachsen, Germany 52°49N 9°57E 76 C5
Bergen Neths. 52°40N 4°43E 69 B4
Bergen Norway 60°20N 5°20E 60 F11
Bergen U.S.A. 43°5N 77°57W 174 C7
Bergen op Zoom Neths. 51°28N 4°18E 69 C4
Bergerac France 44°51N 0°30E 72 D4
Bergheim Germany 50°57N 6°38E 76 E2
Bergholz U.S.A. 40°31N 80°53W 174 F4
Bergisch Gladbach Germany 50°59N 7°8E 76 E3
Bergisches Land ⌂ Germany 51°0N 7°30E 76 E3
Bergkamen Germany 51°37N 7°38E 76 D3
Bergkvara Sweden 56°23N 16°5E 63 H10
Bergshamra Sweden 59°38N 18°37E 62 E12
Bergsjö Sweden 61°59N 17°3E 62 C11
Bergstrasse-Odenwald ⌂ Germany 49°45N 5°55E 77 F1
Bergues France 50°58N 2°24E 71 B9
Bergviken Sweden 61°15N 16°40E 62 C10
Bergville S. Africa 28°52S 29°18E 145 C4
Berhala, Selat Indonesia 1°0S 104°15E 118 E2
Berhampore = Baharampur India 24°2N 88°27E 125 G13
Berhampur = Brahmapur India 19°15N 84°54E 126 E7
Berheci → Romania 45°58N 27°28E 81 E12
Bering Glacier U.S.A. 60°20N 143°30W 166 C11
Bering Sea Pac. Oc. 58°0N 171°0W 158 D2
Bering Strait Pac. Oc. 65°30N 169°0W 166 B6
Beringovskiy Russia 63°3N 179°19E 107 C18
Berisso Argentina 34°56S 57°50W 190 C4
Berja Spain 36°50N 2°56W 89 J8
Berkane Morocco 34°52N 2°20W 136 B3
Berkeley U.S.A. 37°51N 122°16W 170 H4
Berkner I. Antarctica 79°30S 50°0W 55 D18
Berkovitsa Bulgaria 43°16N 23°8E 96 C7
Berkshire U.S.A. 42°19N 76°11W 175 D8
Berkshire Downs U.K. 51°33N 1°29W 67 F6
Berlanga Spain 38°17N 5°50W 89 G5
Berlenga, I. Portugal 39°25N 9°30W 89 F1
Berlin Germany 52°31N 13°23E 76 C9
Berlin Ga., U.S.A. 31°4N 83°37W 178 D6
Berlin Md., U.S.A. 38°20N 75°13W 173 F16
Berlin N.H., U.S.A. 44°28N 71°11W 175 B13
Berlin N.Y., U.S.A. 42°42N 73°23W 175 D11
Berlin Wis., U.S.A. 43°58N 88°57W 172 D9
Berlin □ Germany 52°30N 13°20E 76 C9
Berlin L. U.S.A. 41°3N 81°0W 174 E4
Berlin Tegel ✈ (TXL) Germany 52°35N 13°14E 76 C9

Bermagui Australia 36°25S 150°4E 153 D9
Bermeja, Sierra Spain 36°30N 5°11W 89 J5
Bermejo → Formosa, Argentina 26°51S 58°23W 190 B4
Bermejo → San Juan, Argentina 32°30S 67°30W 190 C2
Bermejo, Paso = Uspallata, P. de Argentina 32°37S 69°22W 190 C2
Bermen, L. Canada 53°35N 68°55W 165 B6
Bermeo Spain 43°25N 2°47W 90 B2
Bermillo de Sayago Spain 41°22N 6°8W 88 D4
Bermuda ☑ Atl. Oc. 32°18N 64°45W 159 F13
Bermuda Rise Atl. Oc. 32°30N 65°0W 56 C5
Bern Switz. 46°57N 7°28E 77 J3
Bern □ Switz. 46°45N 7°40E 77 J3
Bernalda Italy 40°24N 16°41E 95 B9
Bernalillo U.S.A. 35°18N 106°33W 169 J10
Bernardo de Irigoyen Argentina 26°15S 53°40W 191 B5
Bernardo O'Higgins △ Chile 48°50S 75°36W 192 C1
Bernardsville U.S.A. 40°43N 74°34W 175 F10
Bernasconi Argentina 37°55S 63°44W 190 D3
Bernau Bayern, Germany 47°47N 12°22E 77 H8
Bernau Brandenburg, Germany 52°40N 13°35E 76 C9
Bernay France 49°5N 0°35E 70 C7
Bernburg Germany 51°47N 11°44E 76 D7
Berndorf Austria 47°59N 16°1E 78 D9
Berne = Bern Switz. 46°57N 7°28E 77 J3
Berne = Bern □ Switz. 46°45N 7°40E 77 J3
Berner Alpen Switz. 46°27N 7°35E 77 J3
Berneray U.K. 57°43N 7°11W 65 D1
Bernier I. Australia 24°50S 113°12E 149 D1
Bernina, Piz Switz. 46°20N 9°54E 77 J5
Bernkastel-Kues Germany 49°55N 7°3E 77 F3
Béroubouay Benin 10°34N 2°46E 139 C5
Beroun Czech Rep. 49°57N 14°5E 78 B7
Berounka → Czech Rep. 50°0N 14°22E 78 B7
Berovo Macedonia 41°38N 22°51E 96 E6
Berre, Étang de France 43°27N 5°5E 73 E9
Berre-l'Étang France 43°27N 5°10E 73 E9
Berrechid Morocco 33°18N 7°36W 136 B2
Berri Australia 34°14S 140°35E 152 C4
Berriane Algeria 32°50N 3°46E 136 B4
Berridale Australia 36°22S 148°48E 153 D8
Berrigan Australia 35°38S 145°49E 153 C6
Berriwillock Australia 35°36S 142°59E 152 C5
Berrouaghia Algeria 36°10N 2°53E 136 A4
Berry Australia 34°46S 150°43E 153 C9
Berry France 46°50N 2°0E 71 F8
Berry Is. Bahamas 25°40N 77°50W 182 A4
Berrydale U.S.A. 30°53N 87°3W 179 E2
Berryessa, L. U.S.A. 38°31N 122°6W 170 G4
Berryville U.S.A. 36°22N 93°34W 176 C8
Berseba Namibia 26°0S 17°46E 144 C2
Bersenbrück Germany 52°34N 7°56E 76 C3
Bershad Ukraine 48°22N 29°31E 81 B14
Bertamirans Spain 42°54N 8°38W 88 C2
Berthold U.S.A. 48°19N 101°44W 172 A3
Berthoud U.S.A. 40°19N 105°5W 168 F11
Bertincourt France 50°5N 2°58E 71 B9
Bertolínia Brazil 7°38S 43°57W 189 B2
Bertoua Cameroon 4°30N 13°45E 140 D2
Bertraghboy B. Ireland 53°22N 9°54W 64 C2
Beruniy Uzbekistan 41°41N 60°45E 108 D6
Beruwala Sri Lanka 6°30N 80°0E 127 L4
Berwick U.S.A. 41°3N 76°14W 175 E8
Berwick-upon-Tweed U.K. 55°46N 2°0W 66 B6
Berwyn Mts. U.K. 52°54N 3°26W 66 E4
Beryslav Ukraine 46°50N 33°30E 85 J7
Berzasca Romania 44°39N 21°58E 80 F6
Berzence Hungary 46°12N 17°11E 80 D2
Besal Pakistan 35°4N 73°56E 125 B5
Besalampy Madag. 16°43S 44°29E 141 H8
Besançon France 47°15N 6°2E 71 E13
Besar Indonesia 2°40S 116°0E 118 E5
Beshenkovichi Belarus 55°2N 29°29E 84 E5
Besianë Kosovo 42°54N 21°10E 96 D5
Beška Serbia 45°8N 20°6E 80 E5
Beslan Russia 43°15N 44°28E 87 J7
Besna Kobila Serbia 42°31N 22°10E 96 D6
Besnard L. Canada 55°25N 106°0W 163 B7
Besni Turkey 37°41N 37°52E 104 D7
Besor, N. → Egypt 31°28N 34°22E 130 D3
Bessarabiya Moldova 47°0N 28°10E 75 E15
Bessarabka = Basarabeasca Moldova 46°21N 28°58E 81 D13
Bessèges France 44°18N 4°8E 73 D8
Bessemer Ala., U.S.A. 33°24N 86°58W 177 E11
Bessemer Mich., U.S.A. 46°29N 90°3W 172 B8
Bessemer Pa., U.S.A. 40°59N 80°30W 174 F4
Bessin France 49°18N 1°0W 70 C6
Bessines-sur-Gartempe France 46°6N 1°22E 72 B5
Beswick Australia 14°34S 132°53E 148 B5
Beswick ✪ Australia 14°31S 132°51E 148 B5
Bet She'an Israel 32°30N 35°30E 130 C4
Bet Shemesh Israel 31°44N 35°0E 130 D4
Betancuria Canary Is. 28°25N 14°3W 100 F5
Betanzos Spain 43°15N 8°12W 88 B2
Bétaré Oya Cameroon 5°40N 14°5E 140 C2
Betera Spain 39°35N 0°28W 91 F4
Bétérou Benin 9°12N 2°16E 139 D5
Bethal S. Africa 26°27S 29°28E 145 C4
Bethanien Namibia 26°31S 17°8E 144 C2
Bethany Canada 44°11N 78°34W 174 B6
Bethany Mo., U.S.A. 40°16N 94°2W 172 E6
Bethany Okla., U.S.A. 35°31N 97°38W 176 D6
Bethel Alaska, U.S.A. 60°48N 161°45W 166 C7
Bethel Conn., U.S.A. 41°22N 73°25W 175 E11
Bethel Maine, U.S.A. 44°25N 70°47W 175 B14
Bethel Vt., U.S.A. 43°50N 72°38W 175 C12
Bethel Park U.S.A. 40°19N 80°2W 174 F4
Béthenville France 49°18N 4°23E 71 C11
Bethlehem = Bayt Lahm West Bank 31°43N 35°12E 130 D4
Bethlehem S. Africa 28°14S 28°18E 145 C4
Bethlehem U.S.A. 40°37N 75°23W 175 F9
Bethulie S. Africa 30°30S 25°59E 144 D4
Béthune France 50°30N 2°38E 71 B9
Béthune → France 49°53N 1°4E 70 C8
Bethungra Australia 34°45S 147°51E 153 C7
Betim Brazil 19°58S 44°13W 189 D2
Betioky Madag. 23°48S 44°20E 141 J8
Betong Malaysia 1°24N 111°31E 118 D4
Betong Thailand 5°45N 101°5E 121 K3
Betoota Australia 25°45S 140°42E 150 D3
Betpaqdala Kazakhstan 45°45N 70°30E 109 C8
Betroka Madag. 23°16S 46°0E 141 J9
Betsiamites Canada 48°56N 68°40W 165 C6
Betsiamites → Canada 48°56N 68°38W 165 C6
Bettendorf U.S.A. 41°32N 90°30W 172 E8
Bettiah India 26°48N 84°33E 125 F11
Bettna Sweden 58°55N 16°38E 63 F10
Béttola Italy 44°47N 9°36E 92 D6
Betul India 21°58N 77°59E 126 D3
Betws-y-Coed U.K. 53°5N 3°48W 66 D4
Betxí Spain 39°56N 0°12W 90 F4
Betzdorf Germany 50°46N 7°52E 76 E3
Beuil France 44°6N 6°59E 73 D10
Beulah Australia 35°58S 142°29E 152 C5
Beulah Mich., U.S.A. 44°38N 86°6W 172 C10
Beulah N. Dak., U.S.A. 47°16N 101°47W 172 B3
Beuvron → France 47°29N 1°15E 70 E8
Beveren Belgium 51°12N 4°16E 69 C4
Beverley Australia 32°9S 116°56E 149 F2
Beverley U.K. 53°51N 0°26W 66 D7
Beverly U.S.A. 42°33N 70°53W 175 D14
Beverly Hills Calif., U.S.A. 34°5N 118°24W 171 L8
Beverly Hills Fla., U.S.A. 28°55N 82°28W 179 G7
Beverungen Germany 51°39N 9°22E 76 D5
Bewas → India 23°59N 79°21E 125 H8
Bewdley Canada 44°5N 78°19W 174 B6
Bex Switz. 46°15N 7°1E 77 J3
Bexhill U.K. 50°51N 0°29E 67 G8
Bey Dağları Turkey 36°38N 30°29E 99 E12
Beyänlū Iran 36°0N 47°51E 128 C5
Beyazköy Turkey 41°21N 27°42E 97 E11
Beyçayırı Turkey 40°15N 26°55E 97 F10
Beydağ Turkey 38°5N 28°13E 99 C10
Beyeğaç Turkey 37°14N 28°53E 99 D10
Beyin Ghana 5°1N 2°41W 138 D4
Beykoz Turkey 41°7N 29°7E 97 E13
Beyla Guinea 8°30N 8°38W 138 D3
Beynat France 45°8N 1°44E 72 C5
Beyneu Kazakhstan 45°18N 55°9E 108 C5
Beyoba Turkey 38°48N 27°47E 99 C9
Beyoğlu Turkey 41°1N 28°58E 97 E12
Beypazarı Turkey 40°10N 31°56E 104 B4
Beypore → India 11°10N 75°47E 127 J2
Beyşehir Turkey 37°41N 31°43E 104 D4
Beyşehir Gölü Turkey 37°41N 31°33E 104 D4
Beytüşşebap Turkey 37°35N 43°10E 105 D10
Bezdan Serbia 45°50N 18°57E 80 E3
Bezhetsk Russia 57°47N 36°39E 84 D9
Béziers France 43°20N 3°12E 72 E7
Bezwada = Vijayawada India 16°31N 80°39E 126 F5
Bhabua India 25°3N 83°37E 125 G10
Bhachau India 23°20N 70°16E 124 H4
Bhadar → Gujarat, India 22°17N 72°20E 124 H5
Bhadar → Gujarat, India 21°27N 69°47E 124 J3
Bhadarwah India 32°58N 75°46E 125 C6
Bhadgaon = Bhaktapur Nepal 27°38N 85°24E 125 F11
Bhadohi India 25°25N 82°34E 125 G10
Bhadra India 29°8N 75°14E 124 E6
Bhadra → India 14°0N 75°20E 127 H2
Bhadrachalam India 17°40N 80°53E 126 F5
Bhadrak India 21°10N 86°30E 126 D8
Bhadran India 22°19N 72°6E 124 H5
Bhadravati India 13°49N 75°40E 127 H2
Bhag Pakistan 29°2N 67°49E 124 E2
Bhagalpur India 25°10N 87°0E 125 G12
Bhagirathi → Paschimbanga, India 23°25N 88°23E 125 H13
Bhagirathi → Uttarakhand, India 30°8N 78°35E 125 D8
Bhainsa India 19°10N 77°58E 126 E3
Bhakkar Pakistan 31°40N 71°5E 124 D4
Bhakra Dam India 31°30N 76°45E 124 D7
Bhaktapur Nepal 27°38N 85°24E 125 F11
Bhalki India 18°2N 77°13E 126 E3
Bhamo Burma 24°15N 97°15E 123 G20
Bhamragarh India 19°30N 80°40E 126 E5
Bhandara India 21°5N 79°42E 126 D4
Bhanpura India 24°31N 75°44E 124 G6
Bhanrer Ra. India 23°40N 79°45E 125 H8
Bhaptiahi India 26°19N 86°44E 125 F12
Bharat = India ■ Asia 20°0N 78°0E 122 K11
Bharatpur Chhattisgarh, India 23°44N 81°46E 125 H9
Bharatpur Raj., India 27°15N 77°30E 124 F7
Bharatpur Nepal 27°34N 84°10E 125 F11
Bharno India 23°14N 84°53E 125 H11
Bharraig = Barra U.K. 57°0N 7°29W 65 E1
Bharraig, Caolas = Barra, Sd. of U.K. 57°4N 7°25W 65 D1
Bharuch India 21°47N 73°0E 126 D1
Bhatarsaigh = Vatersay U.K. 56°55N 7°32W 65 E1
Bhatghar L. India 18°10N 73°48E 126 E1
Bhatinda India 30°15N 74°57E 124 D6
Bhatkal India 13°58N 74°35E 127 H2
Bhatpara India 22°50N 88°25E 125 H13
Bhattu India 29°36N 75°19E 124 E6
Bhaun Pakistan 32°55N 72°40E 124 C5
Bhaunagar = Bhavnagar India 21°45N 72°10E 126 D1
Bhavani India 11°27N 77°43E 127 J3
Bhavnagar India 21°45N 72°10E 126 D1
Bhawanipatna India 19°55N 83°10E 126 E6
Bhawari India 25°42N 73°4E 124 G5
Bhayavadar India 21°51N 70°15E 124 J4
Bhearnaraigh = Berneray U.K. 57°43N 7°11W 65 D1
Bhera Pakistan 32°29N 72°57E 124 C5
Bheri → Nepal 28°47N 81°18E 125 E9
Bhikangaon India 21°52N 75°57E 124 J6
Bhilai = Bhilainagar-Durg India 21°13N 81°26E 126 D5
Bhilainagar-Durg India 21°13N 81°26E 126 D5
Bhilsa = Vidisha India 23°28N 77°53E 124 H7
Bhilwara India 25°25N 74°38E 124 G6
Bhima → India 16°25N 77°17E 126 F3
Bhimavaram India 16°30N 81°30E 127 F5
Bhimbar Pakistan 32°59N 74°3E 125 C6
Bhind India 26°30N 78°46E 125 F8
Bhinga India 27°43N 81°56E 125 F9
Bhinmal India 25°0N 72°15E 124 G5
Bhisho S. Africa 32°50S 27°23E 144 D4
Bhiwandi India 19°20N 73°0E 126 E1
Bhiwani India 28°50N 76°9E 124 E7
Bhogava → India 22°26N 72°20E 124 H5
Bhojpur Nepal 27°10N 87°3E 125 F12
Bhokardan India 20°16N 75°46E 126 D2
Bhola Bangla. 22°45N 90°35E 123 H17
Bholari Pakistan 25°19N 68°13E 124 G3
Bhongir India 17°30N 78°56E 126 F4
Bhopal India 23°20N 77°30E 124 H7
Bhopalpatnam India 18°52N 80°23E 126 E5
Bhor India 18°12N 73°53E 126 E1
Bhuban India 20°53N 85°50E 126 D7
Bhubaneshwar India 20°15N 85°50E 126 D7
Bhuj India 23°15N 69°49E 124 H3
Bhumiphol Res. Thailand 17°20N 98°40E 120 D2
Bhusawal India 21°3N 75°46E 126 D2
Bhutan ■ Asia 27°25N 90°30E 123 F17
Biafra, B. of = Bonny, Bight of Africa 3°30N 9°20E 139 E6
Biak Indonesia 1°10S 136°6E 119 E9
Biała Poland 50°24N 17°40E 83 H4
Biała → Poland 50°3N 20°55E 83 H7
Biała Piska Poland 53°37N 22°5E 82 E9
Biała Podlaska Poland 52°4N 23°6E 83 F10
Biała Rawska Poland 51°48N 20°29E 83 G7
Białobrzegi Poland 51°39N 20°57E 83 G7
Białogard Poland 54°2N 15°58E 82 D2
Białowieski △ Poland 52°43N 23°50E 83 F10
Białowieża Poland 52°41N 23°49E 83 F10
Biały Bór Poland 53°53N 16°51E 82 E3
Białystok Poland 53°10N 23°10E 83 E10
Biancavilla Italy 37°38N 14°52E 95 E7
Bianco Italy 38°5N 16°9E 95 D9
Biankouma Ivory C. 7°50N 7°40W 138 D3
Biaora India 23°56N 76°56E 124 H7
Bīārjmand Iran 36°6N 55°53E 129 B7
Biaro Indonesia 2°5N 125°26E 119 D7
Biarritz France 43°29N 1°33W 72 E2
Biasca Switz. 46°22N 8°58E 77 J4
Biba Egypt 28°55N 31°0E 137 F7
Bibai Japan 43°19N 141°52E 112 C10
Bibbiena Italy 43°42N 11°49E 93 E8
Bibby I. Canada 61°55N 93°0W 163 A10
Bibei → Spain 42°24N 7°13W 88 C3
Biberach Germany 48°5N 9°47E 77 G5
Bibiani Ghana 6°30N 2°8W 138 D4
Bibile Sri Lanka 7°10N 81°25E 127 L5
Bibungwa Dem. Rep. of the Congo 2°40S 28°15E 142 C2
Bicaj Albania 41°58N 20°25E 96 E4
Bicaz Romania 46°53N 26°5E 81 D11
Bicazu Ardelean Romania 46°51N 25°56E 81 D10
Biccari Italy 41°23N 15°12E 95 A8
Bicester U.K. 51°54N 1°9W 67 F6
Bicheno Australia 41°52S 148°18E 151 G4
Bichia India 22°27N 80°42E 125 H9
Bichvinta Georgia 43°9N 40°21E 87 J5
Bickerton I. Australia 13°45S 136°10E 150 A2
Bicske Hungary 47°29N 18°38E 80 C3
Bid = Bir India 19°4N 75°46E 126 E2
Bida Nigeria 9°3N 5°58E 139 D6
Bidar India 17°55N 77°35E 126 F3
Biddeford U.S.A. 43°30N 70°28W 173 D18
Bideford U.K. 51°1N 4°13W 67 F3
Bideford Bay U.K. 51°5N 4°20W 67 F3
Bidhuna India 26°49N 79°31E 125 F8
Bīdokht Iran 34°20N 58°46E 129 C8
Bidor Malaysia 4°6N 101°15E 121 K3
Bidyadanga Australia 18°45S 121°43E 148 C3
Bie Sweden 59°5N 16°12E 62 E10
Bié, Planalto de Angola 12°0S 16°0E 141 G3
Bieber U.S.A. 41°7N 121°8W 168 F3
Biebrza → Poland 53°13N 22°25E 83 E9
Biebrzański △ Poland 53°36N 22°45E 82 E9
Biecz Poland 49°44N 21°15E 83 J8
Biel Switz. 47°8N 7°14E 77 H3
Bielawa Poland 50°43N 16°37E 83 H3
Bielefeld Germany 52°1N 8°33E 76 C4
Bielersee Switz. 47°6N 7°5E 77 H3
Biella Italy 45°34N 8°3E 92 C5
Bielsk Podlaski Poland 52°47N 23°12E 83 F10
Bielsko-Biała Poland 49°50N 19°2E 83 J6
Bien Hoa Vietnam 10°57N 106°49E 121 G6
Bienne = Biel Switz. 47°8N 7°14E 77 H3
Bienvenida Spain 38°18N 6°12W 89 G4
Bienville, L. Canada 55°5N 72°40W 164 A5
Bierné France 47°48N 0°33W 70 E6
Bierun Poland 50°6N 19°6E 83 H6
Bierutów Poland 51°7N 17°32E 83 G4
Biesbosch △ Neths. 51°45N 4°48E 69 C4
Biescas Spain 42°37N 0°20W 90 C4
Biese → Germany 52°53N 11°46E 76 C7
Biesiesfontein S. Africa 30°57S 17°58E 144 D2
Bieszczadzki △ Poland 49°5N 22°40E 83 J9
Bietigheim-Bissingen Germany 48°58N 9°8E 77 G5
Bieżuń Poland 52°58N 19°55E 83 F6
Biferno → Italy 41°59N 15°2E 93 G12
Big → Canada 54°50N 58°55W 165 B8
Big B. = Awarua B. N.Z. 44°28S 168°4E 155 E3
Big B. Canada 55°43N 60°35W 165 A7
Big Bear City U.S.A. 34°16N 116°51W 171 L10
Big Bear Lake U.S.A. 34°15N 116°56W 171 L10
Big Belt Mts. U.S.A. 46°30N 111°25W 168 C8
Big Bend Swaziland 26°50S 31°58E 145 C5
Big Bend △ U.S.A. 29°20N 103°5W 176 G3
Big Black → U.S.A. 32°3N 91°4W 177 E9
Big Blue → U.S.A. 39°35N 96°34W 172 F5
Big Buddha Hong Kong, China 22°15N 113°54E 111 a
Big Creek U.S.A. 37°11N 119°14W 170 H7
Big Creek ⌓ Canada 51°18N 123°10W 162 C4
Big Cypress ⌓ U.S.A. 26°0N 81°10W 179 J8
Big Cypress Swamp U.S.A. 26°15N 81°30W 179 J8
Big Desert Australia 35°45S 141°10E 151 F3
Big Falls U.S.A. 48°12N 93°48W 172 A7
Big Fork → U.S.A. 48°31N 93°43W 172 A7
Big Horn Mts. = Bighorn Mts. U.S.A. 44°25N 107°0W 168 D10
Big I. Canada 61°7N 116°45W 162 A5
Big Lake U.S.A. 31°12N 101°28W 176 F4
Big Moose U.S.A. 43°49N 74°58W 175 C10
Big Muddy Cr. → U.S.A. 48°8N 104°36W 168 B11
Big Pine U.S.A. 37°10N 118°17W 170 H8
Big Pine Key U.S.A. 24°40N 81°21W 179 L8
Big Piney U.S.A. 42°32N 110°7W 168 E8
Big Quill L. Canada 51°55N 104°30W 163 C8
Big Rapids U.S.A. 43°42N 85°29W 173 D11
Big Rideau L. Canada 44°40N 76°15W 175 B8
Big River Canada 53°50N 107°0W 163 C7
Big Run U.S.A. 40°57N 78°55W 174 F6
Big Sable Pt. U.S.A. 44°3N 86°1W 172 C10
Big Salmon → Canada 61°52N 134°55W 162 A2
Big Sand L. Canada 57°45N 99°45W 163 B9
Big Sandy U.S.A. 48°11N 110°7W 168 B8
Big Sandy → U.S.A. 38°25N 82°36W 173 F12
Big Sandy Cr. = Sandy Cr. → U.S.A. 41°51N 109°47W 168 F9
Big Sandy Cr. → U.S.A. 38°7N 102°29W 168 G12
Big Satilla Cr. → U.S.A. 31°27N 82°3W 178 D7
Big Sioux → U.S.A. 42°29N 96°27W 172 D5
Big South Fork ⌓ U.S.A. 36°27N 84°47W 177 C12
Big Spring U.S.A. 32°15N 101°28W 176 E4
Big Stone City U.S.A. 45°18N 96°28W 172 C5
Big Stone Gap U.S.A. 36°52N 82°47W 173 G12
Big Stone L. U.S.A. 45°18N 96°27W 172 C5
Big Sur U.S.A. 36°15N 121°48W 170 J5
Big Timber U.S.A. 45°50N 109°57W 168 D9
Big Trout L. Canada 53°40N 90°0W 164 B2
Big Trout Lake Canada 53°45N 90°0W 164 B2
Biğa Turkey 40°13N 27°14E 97 F11
Biğa → Turkey 40°20N 27°14E 97 F11
Bigadiç Turkey 39°22N 28°7E 99 B10
Biganos France 44°39N 0°59W 72 D3
Biggar Canada 52°4N 108°0W 163 C7
Biggar U.K. 55°38N 3°32W 65 F5
Bigge I. Australia 14°35S 125°10E 148 B4
Biggenden Australia 25°31S 152°4E 151 D5
Biggleswade U.K. 52°5N 0°14W 67 E7
Biggs U.S.A. 39°25N 121°43W 170 F5
Bighorn U.S.A. 46°10N 107°27W 168 C10
Bighorn → U.S.A. 46°10N 107°28W 168 C10
Bighorn Canyon ⌓ U.S.A. 45°10N 108°0W 168 D10
Bighorn L. U.S.A. 44°55N 108°15W 168 D9
Bighorn Mts. U.S.A. 44°25N 107°0W 168 D10
Bignona Senegal 12°52N 16°14W 138 C1
Bigorre France 43°10N 0°5E 72 E4
Bigstone L. Canada 53°42N 95°44W 163 C9
Biguglia, Étang de France 42°36N 9°29E 73 F13
Bigwa Tanzania 7°10S 39°10E 142 D4
Bihać Bos.-H. 44°49N 15°57E 93 D12
Bihar India 25°5N 85°40E 125 G11
Bihar □ India 25°0N 86°0E 125 G12
Biharamulo Tanzania 2°25S 31°25E 142 C3
Biharamulo ⌓ Tanzania 2°24S 31°26E 142 C3
Bihariganj India 25°44N 86°59E 125 G12
Biharkeresztes Hungary 47°8N 21°44E 80 C6
Bihor □ Romania 47°0N 22°10E 80 D7
Bihor, Munții Romania 46°29N 22°47E 80 D7
Bijagós, Arquipélago dos Guinea-Biss. 11°15N 16°10W 138 C1
Bijaipur India 26°2N 77°20E 124 F7
Bijapur = Vijayapura India 16°50N 75°55E 126 F2
Bijapur India 18°50N 80°50E 126 E5
Bījār Iran 35°52N 47°35E 105 E12
Bijauri Nepal 28°6N 82°20E 125 E10
Bijawar India 24°38N 79°30E 125 G8
Bijela Montenegro 42°28N 18°39E 96 D2
Bijeljina Bos.-H. 44°46N 19°14E 80 F4
Bijelo Polje Montenegro 43°1N 19°45E 96 C3
Bijie China 27°20N 105°16E 116 D5
Bijnor India 29°27N 78°11E 124 E8
Bikaner India 28°2N 73°18E 124 E5
Bikapur India 26°30N 82°7E 125 F10
Bikeqi China 40°43N 111°20E 114 D6
Bikfayyā Lebanon 33°55N 35°41E 130 B4
Bikin Russia 46°50N 134°20E 112 A7
Bikin → Russia 46°51N 134°2E 112 A7
Bikini Atoll Marshall Is. 12°0N 167°30E 156 F8
Bikita Zimbabwe 20°6S 31°41E 145 B5
Bīkkū Bīttī Libya 22°0N 19°12E 135 D9
Bikoué Cameroon 3°55N 11°50E 139 E7
Bila Tserkva Ukraine 49°45N 30°10E 75 D16
Bilanga Burkina Faso 12°40N 0°1W 139 C4
Bilara India 26°14N 73°53E 124 F5
Bilaspur Chhattisgarh, India 22°2N 82°15E 125 H10
Bilaspur Punjab, India 31°19N 76°50E 124 D7
Biläsuvar Azerbaijan 39°27N 48°32E 105 C13
Bilauk Taungdan Thailand 13°0N 99°0E 120 F2
Bilauri Nepal 28°41N 80°21E 125 E9
Bilbao Spain 43°16N 2°56W 90 B2
Bilbao ✕ (BIO) Spain 43°18N 2°57W 90 B2
Bilbeis Egypt 30°25N 31°34E 137 E7
Bilbo = Bilbao Spain 43°16N 2°56W 90 B2
Bilbor Romania 47°6N 25°30E 81 C10
Bilche-Zolote Ukraine 48°47N 25°53E 81 B10
Bilciurești Romania 44°44N 25°48E 81 F10
Bildudalur Iceland 65°41N 23°36W 60 D2
Bílé Karpaty Europe 49°5N 18°0E 79 B11
Bileća Bos.-H. 42°53N 18°27E 96 D2
Bilecik Turkey 40°5N 30°5E 104 B4
Bilecik □ Turkey 40°0N 30°0E 104 B3
Bilećko Jezero Bos.-H. 42°48N 18°28E 96 D2
Bileh Savār Iran 39°21N 48°21E 105 C13
Bilgoraj Poland 50°33N 22°42E 83 H9
Bilgram India 27°11N 80°2E 125 F9
Bilhaur India 26°51N 80°5E 125 F9
Bilhorod-Dnistrovskyy Ukraine 46°11N 30°23E 85 J6
Bilibino Russia 68°3N 166°20E 107 C17
Bilibiza Mozam. 12°30S 40°20E 143 E5
Bilimora India 20°45N 72°57E 126 D1
Bilisht Albania 40°37N 21°2E 96 F5
Billabong Cr. → Australia 35°5S 144°2E 152 C6
Billdal Sweden 57°35N 11°57E 63 G5
Billiluna Australia 19°37S 127°41E 148 C4
Billings U.S.A. 45°47N 108°30W 168 D9
Billiton Is. = Belitung Indonesia 3°10S 107°50E 118 E3
Billsta Sweden 63°20N 18°28E 62 A12
Billund Denmark 55°44N 9°6E 63 J3
Bilma Niger 18°50N 13°30E 135 E8
Bilma, Grand Erg de Niger 18°30N 14°0E 135 E8
Bilo Gora Croatia 45°53N 17°15E 80 E2
Biloela Australia 24°24S 150°31E 150 C5
Bilohirsk Ukraine 45°3N 34°35E 85 K8
Biloli India 18°46N 77°44E 126 E3
Bilopillya Ukraine 51°14N 34°20E 85 G8
Bilovodsk Ukraine 49°13N 39°36E 85 H10
Biloxi U.S.A. 30°24N 88°53W 177 F10
Bilpa Morea Claypan Australia 25°0S 140°0E 150 D3
Biltine Chad 14°40N 20°50E 135 F10
Bilyarsk Russia 54°58N 50°22E 86 C10
Bim Son Vietnam 20°4N 105°51E 120 B5
Bima Indonesia 8°22S 118°49E 119 F5
Bimban Egypt 24°24N 32°54E 137 C3
Bimberi Pk. Australia 35°44S 148°51E 153 C8
Bimbila Ghana 8°54N 0°5E 139 D5
Bimbo C.A.R. 4°15N 18°33E 140 D3
Bimini Is. Bahamas 25°42N 79°25W 182 A4
Bin Xian Heilongjiang, China 45°42N 127°32E 115 B14
Bin Xian Shaanxi, China 35°2N 108°4E 114 G5
Bin Yauri Nigeria 10°46N 4°45E 139 C5
Bina-Etawah India 24°13N 78°14E 124 G8
Binalong Australia 34°40S 148°39E 153 C8
Bīnālūd, Kūh-e Iran 36°30N 58°30E 129 B8
Binatang = Bintangau Malaysia 2°10N 111°40E 118 D4
Binche Belgium 50°26N 4°10E 69 D4
Binchuan China 25°42N 100°38E 116 E3
Binder Chad 9°56N 14°27E 139 D7
Bindki India 26°2N 80°36E 125 F9
Bindslev Denmark 57°33N 10°11E 63 G4
Bindura Zimbabwe 17°18S 31°18E 143 F3
Bingara Australia 29°52S 150°36E 151 D5
Bingaram I. India 10°56N 72°17E 127 J1
Bingen Germany 49°57N 7°55E 77 F3
Bingerville Ivory C. 5°18N 3°49W 138 D4
Bingham U.S.A. 45°3N 69°53W 173 C19
Binghamton U.S.A. 42°6N 75°55W 175 D9
Bingöl Turkey 38°53N 40°29E 105 C9
Bingöl □ Turkey 38°55N 40°30E 105 C9
Bingöl Dağları Turkey 39°16N 41°9E 105 C9
Bingsjö Sweden 61°1N 15°39E 62 C9
Binh Dinh Vietnam 13°55N 109°7E 120 F7
Binh Son Vietnam 15°20N 108°40E 120 E7
Binhai China 34°2N 119°49E 115 G10
Binic France 48°46N 2°50W 70 D4
Binisatua Spain 39°50N 4°11E 100 B11
Binissalem Spain 39°41N 2°50E 100 B9
Binjai Indonesia 3°20N 98°30E 118 D3
Binji Nigeria 13°10N 4°55E 139 C5
Binka India 21°2N 83°48E 126 D6
Binnaway Australia 31°28S 149°24E 153 A8
Binongko Indonesia 5°57S 124°2E 119 F6
Binscarth Canada 50°37N 101°17W 163 C8
Bintan Indonesia 1°0N 104°0E 118 D2
Bintangau Malaysia 2°10N 111°40E 118 D4
Bintulu Malaysia 3°10N 113°0E 118 D4
Bintuni Indonesia 2°7S 133°32E 119 E8
Binyang China 23°12N 108°47E 116 F7
Binz Germany 54°24N 13°35E 76 A9
Binzert = Bizerte Tunisia 37°15N 9°50E 136 A5
Binzhou China 37°20N 118°2E 115 F10
Bío Bío □ Chile 37°35S 72°0W 190 D1
Bío Bío → Chile 36°49S 73°10W 190 D1
Biograd na Moru Croatia 43°56N 15°29E 93 E12
Biogradska Gora △ Montenegro 42°55N 19°40E 96 D3
Bioko Eq. Guin. 3°30N 8°40E 139 E6
Biokovo Croatia 43°23N 17°0E 93 E14
Biougra Morocco 30°15N 9°14W 136 B2
Bipindi Cameroon 3°6N 10°30E 139 E7
Bir India 19°4N 75°46E 126 E2
Bîr Abu Hashim Egypt 23°42N 34°6E 137 C3
Bîr Abu Minqar Egypt 26°33N 27°33E 137 B2
Bîr Abu Muḥammad Egypt 29°44N 34°14E 130 F3
Bîr Adal Deib Sudan 22°35N 36°10E 137 C4
Bi'r al Butayyihāt Jordan 29°47N 35°20E 130 F4
Bi'r al Mārī Jordan 30°4N 35°33E 130 E4
Bi'r al Qaṭṭār Jordan 29°47N 35°32E 130 F4
Bir Aouine Tunisia 32°25N 9°18E 136 B5
Bîr 'Asal Egypt 25°55N 34°20E 137 B3
Bir Atrun Sudan 18°15N 26°40E 137 D2
Bîr Beiḍa Egypt 30°25N 34°29E 130 E3
Bîr Diqnash Egypt 31°3N 25°23E 137 A2
Bir el Abbes Algeria 26°7N 6°9W 136 C2
Bîr el 'Abd Egypt 31°2N 33°0E 130 D2
Bir el Ater Algeria 34°46N 8°3E 136 B5
Bîr el Basur Egypt 29°51N 25°49E 137 B2
Bîr el Biarât Egypt 29°30N 34°43E 130 F3
Bîr el Duweidar Egypt 30°56N 32°32E 130 E1
Bîr el Garârât Egypt 31°3N 33°34E 130 D2
Bîr el Gellaz Egypt 30°50N 26°40E 137 A2
Bîr el Heisi Egypt 29°22N 34°36E 130 F3
Bîr el Jafir Egypt 30°50N 32°41E 130 E1
Bîr el Mâlḥi Egypt 30°38N 33°19E 130 E2
Bîr el Shaqqa Egypt 30°54N 25°1E 137 A2
Bîr el Thamâda Egypt 30°12N 33°27E 130 E2
Bîr Fuad Egypt 30°35N 26°28E 137 A2
Bîr Gebeil Ḥiṣn Egypt 30°2N 33°18E 130 E2
Bi'r Ghadīr Syria 34°6N 37°3E 130 A6
Bîr Haimur Egypt 22°45N 33°40E 137 C3
Bîr Ḥasana Egypt 30°29N 33°46E 130 E2
Bîr Hôôker Egypt 30°22N 30°21E 137 E7
Bîr Kanayis Egypt 24°59N 33°15E 137 C3
Bîr Kaseiba Egypt 31°0N 33°17E 130 E2
Bîr Kerawein Egypt 27°10N 28°25E 137 B2
Bîr Lahfân Egypt 31°0N 33°51E 130 E2
Bir Lahrache Algeria 32°1N 8°12E 136 B5
Bîr Madkûr Egypt 30°44N 32°33E 130 E1
Bîr Maql Egypt 23°7N 33°40E 137 C3
Bîr Mîneiga Sudan 22°47N 35°12E 137 C4
Bîr Misaha Egypt 22°13N 27°59E 137 C2
Bîr Mogreïn Mauritania 25°10N 11°25W 134 C3
Bîr Murr Egypt 23°28N 30°10E 137 C3
Bi'r Muṭribah Kuwait 29°54N 47°17E 128 D5
Bîr Nakheila Egypt 24°1N 30°50E 137 C3
Bîr Qaṭia Egypt 30°58N 32°45E 130 E1
Bîr Qatrani Egypt 30°55N 26°10E 137 A2
Bîr Ranga Egypt 24°25N 35°15E 137 C4
Bîr Sahara Egypt 22°54N 28°40E 137 C2
Bîr Seiyâla Egypt 26°10N 33°50E 137 B3
Bîr Shalatein Egypt 23°5N 35°25E 137 C4
Bîr Shebb Egypt 22°25N 29°40E 137 C2
Bîr Shût Egypt 23°50N 35°15E 137 C4
Bîr Terfawi Egypt 22°57N 28°55E 137 C2
Bîr Umm Qubûr Egypt 24°35N 34°2E 137 C3
Bîr Ungât Egypt 22°8N 33°48E 137 C3
Bîr Za'farâna Egypt 29°10N 32°40E 137 F8
Bîr Zeidûn Egypt 25°45N 33°40E 137 B3
Birāk Libya 27°31N 14°20E 135 C8
Biramféro Guinea 11°40N 9°10W 138 C3
Biratnagar Nepal 26°27N 87°17E 125 F12
Birawa Dem. Rep. of the Congo 2°20S 28°48E 142 C2
Birch → Canada 58°28N 112°17W 162 B6
Birch Hills Canada 52°59N 105°25W 163 C7
Birch I. Canada 52°26N 99°54W 163 C9
Birch L. N.W.T., Canada 62°4N 116°33W 162 A5
Birch L. Ont., Canada 51°23N 92°18W 164 B1
Birch Mts. Canada 57°30N 113°10W 162 B6
Birch River Canada 52°24N 101°6W 163 C8
Birchip Australia 35°56S 142°55E 152 C5
Birchiş Romania 45°58N 22°9E 80 E7
Birchwood N.Z. 45°55S 167°53E 155 F2
Bird Canada 56°30N 94°13W 163 B10
Bird I. = Aves, I. de W. Indies 15°45N 63°55W 183 C7
Bird I. S. Georgia 54°0S 38°3W 55 B1
Birds Creek Canada 45°6N 77°52W 174 A7
Birdsville Australia 25°51S 139°20E 150 D2
Birdum Cr. → Australia 15°14S 133°0E 148 C5
Birdwood Australia 34°51S 138°58E 152 C3
Birecik Turkey 37°2N 38°0E 105 D8
Birein Israel 30°50N 34°28E 130 E3
Bireuen Indonesia 5°14N 96°39E 118 C1
Birganj Nepal 27°1N 84°52E 125 F11
Birifo Gambia 13°30N 14°0W 138 C2
Birigüi Brazil 21°18S 50°16W 191 A5
Bīrjand Iran 32°53N 59°13E 129 C8
Birka Sweden 59°20N 17°32E 62 E11
Birkenfeld Germany 49°38N 7°9E 77 F3
Birkenhead U.K. 53°23N 3°2W 66 D4
Birkerød Denmark 55°50N 12°25E 63 J6
Birket Qârûn Egypt 29°30N 30°40E 137 F7
Birkfeld Austria 47°21N 15°45E 78 D8
Birkhadem Algeria 36°43N 3°3E 136 A4
Birlad = Bârlad Romania 46°15N 27°38E 81 D12
Birmingham U.K. 52°29N 1°52W 67 E6
Birmingham U.S.A. 33°31N 86°48W 177 E11
Birmingham Int. ✕ (BHX) U.K. 52°26N 1°45W 67 E6
Birmitrapur India 22°24N 84°46E 126 C7
Birni Ngaouré Niger 13°5N 2°51E 139 C5
Birni Nkonni Niger 13°55N 5°15E 139 C6
Birnin Gwari Nigeria 11°0N 6°45E 139 C6
Birnin Kebbi Nigeria 12°32N 4°12E 139 C5
Birnin Kudu Nigeria 11°30N 9°29E 139 C6
Birobidzhan Russia 48°50N 132°50E 111 B15
Birr Ireland 53°6N 7°54W 64 C4
Birrie → Australia 29°43S 146°37E 151 D4
Birsilpur India 28°11N 72°15E 124 E5
Birsk Russia 55°25N 55°30E 106 D6
Birtle Canada 50°30N 101°5W 163 C8
Birur India 13°30N 75°55E 122 N9
Biryuchiy Ukraine 46°10N 35°0E 85 J8
Biržai Lithuania 56°11N 24°45E 84 D3
Birżebbuġa Malta 35°50N 14°32E 101 D2
Bisa Indonesia 1°15S 127°28E 119 E7
Bisáccia Italy 41°1N 15°22E 95 A8
Bisacquino Italy 37°42N 13°15E 94 E6
Bisalpur India 28°14N 79°48E 125 E8
Bisbee U.S.A. 31°27N 109°55W 169 L9
Biscarrosse France 44°22N 1°20W 72 D2
Biscarrosse et de Parentis, Étang de France 44°21N 1°10W 72 D2
Biscay, B. of Atl. Oc. 45°0N 2°0W 58 F5
Biscay Abyssal Plain Atl. Oc. 45°0N 8°0W 56 B11
Biscayne ⌓ U.S.A. 25°25N 80°12W 179 K9
Biscayne B. U.S.A. 25°40N 80°12W 179 K9
Bisceglie Italy 41°14N 16°30E 95 A9
Bischheim France 48°37N 7°46E 71 D14
Bischofshofen Austria 47°26N 13°14E 78 D6
Bischofswerda Germany 51°7N 14°10E 76 D10
Bischwiller France 48°46N 7°50E 71 D14
Biscoe Is. Antarctica 66°0S 67°0W 55 C17
Biscotasing Canada 47°18N 82°9W 164 C3
Biševo Croatia 42°57N 16°3E 93 F13
Bishah, W. → Si. Arabia 21°24N 43°26E 137 C5
Bishan China 29°33N 106°12E 116 C6
Bishkek Kyrgyzstan 42°54N 74°46E 109 D8
Bishnupur India 23°8N 87°20E 125 H12
Bisho = Bhisho S. Africa 32°50S 27°23E 144 D4
Bishoftu = Debre Zeyit Ethiopia 8°50N 39°0E 131 F2
Bishop Calif., U.S.A. 37°22N 118°24W 170 H8
Bishop Ga., U.S.A. 33°49N 83°26W 178 B6
Bishop Tex., U.S.A. 27°35N 97°48W 176 H6
Bishop Auckland U.K. 54°39N 1°40W 66 C6
Bishop's Falls Canada 49°2N 55°30W 165 C8
Bishop's Stortford U.K. 51°52N 0°10E 67 F8
Bisignano Italy 39°31N 16°17E 95 C9
Bisina, L. Uganda 1°38N 33°56E 142 B3
Biskra Algeria 34°50N 5°44E 136 B5
Biskra □ Algeria 34°40N 5°25E 136 B5
Biskupiec Poland 53°53N 20°58E 82 E7
Bismarck U.S.A. 46°48N 100°47W 172 B3
Bismarck Arch. Papua N. G. 2°30S 150°0E 147 B7
Bismark Germany 52°40N 11°33E 76 C7
Bismil Turkey 37°51N 40°40E 105 D9
Biso Uganda 1°44N 31°26E 142 B3
Bison U.S.A. 45°31N 102°28W 172 C2
Bīsotūn Iran 34°23N 47°26E 105 E12
Bispgården Sweden 63°2N 16°40E 62 A10
Bissagos = Bijagós, Arquipélago dos Guinea-Biss. 11°15N 16°10W 138 C1
Bissam Cuttack India 19°31N 83°31E 126 E6
Bissau Guinea-Biss. 11°45N 15°45W 138 C1
Bissaula Nigeria 7°0N 10°27E 139 D7
Bissikrima Guinea 10°50N 10°58W 138 C2
Bissorã Guinea-Biss. 12°16N 15°35W 138 C1
Bistcho L. Canada 59°45N 118°50W 162 B5
Bistreț Romania 43°54N 23°23E 81 G8
Bistrica = Ilirska-Bistrica Slovenia 45°34N 14°14E 93 C11
Bistrița Romania 47°9N 24°35E 81 C9
Bistrița → Romania 46°30N 26°57E 81 D11
Bistrița Năsăud □ Romania 47°15N 24°30E 81 C9
Bistrițel, Munții Romania 47°15N 25°40E 81 C10
Biswan India 27°29N 81°2E 125 F9
Bisztynek Poland 54°8N 20°53E 82 D7
Bitam Gabon 2°5N 11°25E 140 D2
Bitburg Germany 49°58N 6°31E 77 F2
Bitche France 49°2N 7°25E 71 C14
Bithynia Turkey 40°40N 31°0E 104 B4
Bitkine Chad 11°59N 18°13E 135 F9
Bitlis Turkey 38°20N 42°3E 105 C10
Bitlis □ Turkey 38°20N 42°5E 105 C10
Bitola Macedonia 41°1N 21°20E 96 E5
Bitolj = Bitola Macedonia 41°1N 21°20E 96 E5
Bitonto Italy 41°6N 16°41E 95 A9

Bitra I. India 11°33N 72°9E 127 J1
Bitter Creek U.S.A. 41°33N 108°33W 168 F9
Bitter L. = Buheirat-Murrat-el-Kubra Egypt 30°18N 32°26E 137 E8
Bitterfeld-Wolfen Germany 51°37N 12°20E 76 D8
Bitterfontein S. Africa 31°1S 18°32E 144 D2
Bitterroot → U.S.A. 46°52N 114°7W 168 C6
Bitterroot Range U.S.A. 46°0N 114°20W 168 C6
Bitterwater U.S.A. 36°23N 121°0W 170 J6
Bitti Italy 40°29N 9°23E 94 B2
Bittou Burkina Faso 11°17N 0°18W 139 C4
Biu Nigeria 10°40N 12°3E 139 C7
Bivolari Romania 47°31N 27°27E 81 C12
Bivolu, Vf. Romania 47°16N 25°58E 81 C10
Biwa-Ko Japan 35°15N 136°10E 113 G8
Biwabik U.S.A. 47°32N 92°21W 172 B7
Bixad Romania 47°56N 23°28E 81 C8
Bixby U.S.A. 35°57N 95°53W 176 D7
Biya → Russia 52°25N 85°0E 109 B11
Biyang China 32°38N 113°21E 117 A9
Biysk Russia 52°40N 85°0E 109 B11
Bizana S. Africa 30°50S 29°52E 145 D4
Bizen Japan 34°43N 134°8E 113 G7
Bizerte Tunisia 37°15N 9°50E 136 A5
Bizerte □ Tunisia 37°5N 9°35E 136 A5
Bizkaia □ Spain 43°15N 2°45W 90 B2
Bjargtangar Iceland 65°30N 24°30W 60 D1
Bjärnum Sweden 56°17N 13°43E 63 H7
Bjästa Sweden 63°12N 18°29E 62 A12
Bjelasica Montenegro 42°50N 19°40E 96 D3
Bjelašnica Bos.-H. 43°43N 18°9E 80 G3
Bjelovar Croatia 45°56N 16°49E 93 C13
Bjerringbro Denmark 56°23N 9°39E 63 H3
Björbo Sweden 60°27N 14°44E 62 D8
Björklinge Sweden 60°2N 17°33E 62 D11
Björkö Sweden 59°52N 19°2E 62 E13
Björneborg = Pori Finland 61°29N 21°48E 84 B1
Björneborg Sweden 59°14N 14°16E 62 E8
Bjørnevatn Norway 69°40N 30°0E 60 B24
Bjørnøya Arctic 74°30N 19°0E 54 B8
Bjursås Sweden 60°44N 15°25E 62 D9
Bjuv Sweden 56°5N 12°55E 63 H6
Bla Mali 12°56N 5°47W 138 C3
Blå Jungfrun △ Sweden 57°16N 16°47E 63 G10
Blace Serbia 43°18N 21°17E 96 C5
Blachownia Poland 50°49N 18°56E 83 H5
Black = Da → Vietnam 21°15N 105°20E 116 G5
Black → Canada 44°42N 79°19W 174 B5
Black → Ariz., U.S.A. 33°44N 110°13W 169 K8
Black → Ark., U.S.A. 35°38N 91°20W 176 D9
Black → La., U.S.A. 31°16N 91°50W 176 F9
Black → Mich., U.S.A. 42°59N 82°27W 174 D2
Black → N.Y., U.S.A. 43°59N 76°4W 175 C8
Black → Wis., U.S.A. 43°57N 91°22W 172 D8
Black Bay Pen. Canada 48°38N 88°21W 164 C2
Black Birch L. Canada 56°53N 107°45W 163 B7
Black Canyon of the Gunnison ⌓ U.S.A. 38°40N 107°35W 168 G10
Black Diamond Canada 50°45N 114°14W 162 C6
Black Duck → Canada 56°51N 89°2W 164 A2
Black Forest = Schwarzwald Germany 48°30N 8°20E 77 G4
Black Forest U.S.A. 39°0N 104°43W 168 G11
Black Hd. Ireland 53°9N 9°16W 64 C2
Black Hills U.S.A. 44°0N 103°45W 172 D2
Black I. Canada 51°12N 96°30W 163 C9
Black L. Canada 59°12N 105°15W 163 B7
Black L. Mich., U.S.A. 45°28N 84°16W 173 C11
Black L. N.Y., U.S.A. 44°31N 75°36W 175 B9
Black Lake Canada 59°11N 105°20W 163 B7
Black Mesa U.S.A. 36°58N 102°58W 176 C3
Black Mountain Australia 30°18S 151°39E 153 A9
Black Mt. = Mynydd Du U.K. 51°52N 3°50W 67 F4
Black Mts. U.K. 51°55N 3°7W 67 F4
Black Range U.S.A. 33°15N 107°50W 169 K10
Black River Jamaica 18°0N 77°50W 182 a
Black River U.S.A. 44°0N 75°47W 175 C9
Black River Falls U.S.A. 44°18N 90°51W 172 C8
Black Rock Australia 32°50S 138°44E 152 B3
Black Rock Barbados 13°7N 59°37W 183 g
Black Rock Desert U.S.A. 41°10N 118°50W 168 F4
Black Sea Eurasia 43°30N 35°0E 58 G12
Black Tickle Canada 53°28N 55°45W 165 B8
Black Volta → Africa 8°41N 1°33W 138 D4
Black Warrior → U.S.A. 32°32N 87°51W 177 E11
Blackall Australia 24°25S 145°45E 150 C4
Blackball N.Z. 42°22S 171°26E 155 C6
Blackbraes △ Australia 19°10S 144°10E 150 B3
Blackbull Australia 17°55S 141°45E 150 B3
Blackburn U.K. 53°45N 2°29W 66 D5
Blackburn, Mt. U.S.A. 61°44N 143°26W 166 C11
Blackburn with Darwen □ U.K. 53°45N 2°29W 66 D5
Blackdown Tableland △ Australia 23°52S 149°8E 150 C4
Blackfoot U.S.A. 43°11N 112°21W 168 E7
Blackfoot → U.S.A. 46°52N 113°53W 168 C7
Blackfoot Res. U.S.A. 42°55N 111°39W 168 E8
Blackman U.S.A. 30°56N 86°38W 179 E3
Blackpool U.K. 53°49N 3°3W 66 D4
Blackpool □ U.K. 53°49N 3°3W 66 D4
Blackriver U.S.A. 44°46N 83°17W 174 B1
Blacks Harbour Canada 45°3N 66°49W 165 C6
Blacksburg U.S.A. 37°14N 80°25W 173 G13
Blackshear U.S.A. 31°18N 82°14W 178 D7
Blackshear, L. U.S.A. 31°51N 83°56W 178 D6
Blacksod B. Ireland 54°6N 10°0W 64 B1
Blackstairs Mt. Ireland 52°33N 6°48W 64 D5
Blackstone U.S.A. 37°5N 78°0W 173 G14
Blackstone Ra. Australia 26°0S 128°30E 149 E4
Blackville U.S.A. 33°22N 81°16W 178 B8
Blackwater = West Road → Canada 53°18N 122°53W 162 C4
Blackwater Australia 23°35S 148°53E 150 C4
Blackwater → Meath, Ireland 53°39N 6°41W 64 C4
Blackwater → Waterford, Ireland 52°4N 7°52W 64 D4
Blackwater → U.K. 54°31N 6°35W 64 B5
Blackwater → U.S.A. 30°36N 87°2W 179 E2
Blackwell U.S.A. 36°48N 97°17W 176 C6
Blackwells Corner U.S.A. 35°37N 119°47W 171 K7
Blackwood U.K. 51°39N 3°12W 67 F4
Bladensburg △ Australia 22°30S 142°59E 150 C3
Blaenau Ffestiniog U.K. 53°0N 3°56W 66 E4
Blaenau Gwent □ U.K. 51°48N 3°12W 67 F4
Blåfjella-Skjækerfjella △ Norway 64°15N 13°8E 60 D15
Blagaj Bos.-H. 43°16N 17°55E 96 C1
Blagnac France 43°37N 1°23E 72 E5
Blagnac, Toulouse ✈ (TLS) France 43°37N 1°22E 72 E5
Blagodarnyy Russia 45°7N 43°37E 87 H6
Blagoevgrad Bulgaria 42°2N 23°5E 96 D7
Blagoevgrad □ Bulgaria 42°2N 23°5E 96 D7
Blagoveshchensk Russia 50°20N 127°30E 111 A14
Blahkiuh Indonesia 8°31S 115°12E 119 J18
Blain France 47°29N 1°45W 70 E5
Blain U.S.A. 40°20N 77°31W 174 F7
Blaine Minn., U.S.A. 45°10N 93°13W 172 C7
Blaine Wash., U.S.A. 48°59N 122°45W 170 B4
Blaine Lake Canada 52°51N 106°52W 163 C7
Blair U.S.A. 41°33N 96°8W 172 E5
Blair Athol Australia 22°42S 147°31E 150 C4
Blair Atholl U.K. 56°46N 3°50W 65 E5
Blairgowrie U.K. 56°35N 3°21W 65 E5
Blairsden U.S.A. 39°47N 120°37W 170 F6
Blairsville U.S.A. 40°26N 79°16W 174 F5
Blaj Romania 46°10N 23°57E 81 D8
Blakang Mati, Pulau Singapore 1°15N 103°50E 121 d
Blake Pt. U.S.A. 48°11N 88°25W 172 A9
Blakely Ga., U.S.A. 31°23N 84°56W 178 D5
Blakely Pa., U.S.A. 41°28N 75°37W 175 E9
Blambangan, Semenanjung Indonesia 8°42S 114°29E 119 K17
Blâmont France 48°35N 6°50E 71 D13
Blanc, C. Spain 39°21N 2°51E 100 B9
Blanc, C. Tunisia 37°15N 9°56E 136 A5
Blanc, Mont Europe 45°48N 6°50E 73 C10
Blanca, B. Argentina 39°10S 61°30W 192 A4
Blanca, Cord. Peru 9°10S 77°35W 186 E3
Blanca, Costa Spain 38°25N 0°10W 91 G4
Blanca Peak U.S.A. 37°35N 105°29W 169 H11
Blanche, C. Australia 33°1S 134°9E 151 E1
Blanche, L. S. Austral., Australia 29°15S 139°40E 151 D2
Blanche, L. W. Austral., Australia 22°25S 123°17E 148 D3
Blanchisseuse Trin. & Tob. 10°48N 61°18W 187 K15
Blanco S. Africa 33°55S 22°23E 144 D3
Blanco U.S.A. 30°6N 98°25W 176 F5
Blanco → Argentina 30°20S 68°42W 190 C2
Blanco, C. Costa Rica 9°34N 85°8W 182 E2
Blanco, C. U.S.A. 42°51N 124°34W 168 E1
Blanda → Iceland 65°37N 20°9W 60 D3
Blandford Forum U.K. 50°51N 2°9W 67 G5
Blanding U.S.A. 37°37N 109°29W 169 H9
Blanes Spain 41°40N 2°48E 90 D7
Blangy-sur-Bresle France 49°55N 1°37E 71 C8
Blanice → Czech Rep. 49°10N 14°5E 78 B7
Blankaholm Sweden 57°36N 16°31E 63 G10
Blankenberge Belgium 51°20N 3°9E 69 C3
Blankenburg Germany 51°47N 10°57E 76 D6
Blanquefort France 44°55N 0°38W 72 D3
Blanquilla, I. Venezuela 11°51N 64°37W 183 D7
Blanquillo Uruguay 32°53S 55°37W 191 C4
Blansko Czech Rep. 49°22N 16°40E 79 B9
Blantyre Malawi 15°45S 35°0E 143 F4
Blarney Ireland 51°56N 8°33W 64 E3
Blasdell U.S.A. 42°48N 78°50W 174 D6
Błaszki Poland 51°38N 18°30E 83 G5
Blatná Czech Rep. 49°25N 13°52E 78 B6
Blato Croatia 42°56N 16°48E 93 F13
Blaubeuren Germany 48°24N 9°46E 77 G5
Blaustein Germany 48°25N 9°53E 77 G5
Blåvands Huk Denmark 55°33N 8°4E 63 J2
Blaydon U.K. 54°58N 1°42W 66 C6
Blaye France 45°8N 0°40W 72 C3
Blaye-les-Mines France 44°1N 2°8E 72 D6
Blayney Australia 33°32S 149°14E 153 B8
Blaze, Pt. Australia 12°56S 130°11E 148 B5
Błażowa Poland 49°53N 22°7E 83 J9
Bleckede Germany 53°17N 10°43E 76 B6
Bled Slovenia 46°27N 14°7E 93 B11
Bleiburg Austria 46°35N 14°49E 78 E7
Blejeşti Romania 44°19N 25°27E 81 F10
Blekinge Sweden 56°25N 15°20E 61 H16
Blekinge □ Sweden 56°20N 15°20E 63 H9
Blenheim Canada 42°20N 82°0W 174 D3
Blenheim N.Z. 41°38S 173°57E 155 B8
Bléone → France 44°5N 6°0E 73 D10
Blérancourt France 49°31N 3°9E 71 C10
Bletchley U.K. 51°59N 0°44W 67 F7
Bleus, Monts Dem. Rep. of the Congo 1°30N 30°30E 142 B3
Blida Algeria 36°30N 2°49E 136 A4
Blida □ Algeria 36°35N 3°0E 136 A4
Blidet Amor Algeria 32°59N 5°58E 136 B5
Blidö Sweden 59°37N 18°53E 62 E12
Blidsberg Sweden 57°56N 13°30E 63 G7
Blieskastel Germany 49°14N 7°12E 77 F3
Bligh Sound N.Z. 44°47S 167°32E 155 E2
Bligh Water Fiji 17°0S 178°0E 154 a
Blind River Canada 46°10N 82°58W 164 C3
Blinisht Albania 41°52N 19°59E 96 E3
Bliss Idaho, U.S.A. 42°56N 114°57W 168 E6
Bliss N.Y., U.S.A. 42°34N 78°15W 174 D6
Blissfield U.S.A. 40°24N 81°58W 174 F3
Blitar Indonesia 8°5S 112°11E 119 H15
Blitchton U.S.A. 32°12N 81°26W 178 C8
Blitta Togo 8°23N 1°6E 139 D5
Block I. U.S.A. 41°11N 71°35W 175 E13
Block Island Sd. U.S.A. 41°15N 71°40W 175 E13
Bloemfontein S. Africa 29°6S 26°7E 144 C4
Bloemhof S. Africa 27°38S 25°32E 144 C4
Blois France 47°35N 1°20E 70 E8
Blomskog Sweden 59°16N 12°2E 62 E6
Blomstermåla Sweden 56°59N 16°21E 63 H10
Blönduós Iceland 65°40N 20°12W 60 D3
Blongas Indonesia 8°53S 116°2E 119 K19
Błonie Poland 52°12N 20°37E 83 F7
Bloodvein → Canada 51°47N 96°43W 163 C9
Bloody Foreland Ireland 55°10N 8°17W 64 A3
Bloomer U.S.A. 45°6N 91°29W 172 C8
Bloomfield Canada 43°59N 77°14W 174 C7
Bloomfield Iowa, U.S.A. 40°45N 92°25W 172 E7
Bloomfield N. Mex., U.S.A. 36°43N 107°59W 169 H10
Bloomfield Nebr., U.S.A. 42°36N 97°39W 172 D5
Bloomington Ill., U.S.A. 40°28N 89°0W 172 E9
Bloomington Ind., U.S.A. 39°10N 86°32W 172 F10
Bloomington Minn., U.S.A. 44°50N 93°17W 172 C7
Bloomsburg U.S.A. 41°0N 76°27W 175 F8
Bloomsbury Australia 20°48S 148°38E 150 b
Blora Indonesia 6°57S 111°25E 119 G14
Blossburg U.S.A. 41°41N 77°4W 174 E7
Blosseville Kyst Greenland 68°50N 26°30W 57 D8
Blouberg S. Africa 23°8S 28°59E 145 B4
Blountstown U.S.A. 30°27N 85°3W 178 E4
Bludenz Austria 47°10N 9°50E 78 D2
Blue Cypress L. U.S.A. 27°44N 80°45W 179 H9
Blue Earth U.S.A. 43°38N 94°6W 172 D6
Blue Hole △ Belize 17°9N 88°40W 182 C2
Blue Lagoon △ Zambia 15°28S 27°26E 143 F2
Blue Mesa Res. U.S.A. 38°28N 107°20W 168 G10
Blue Mountain Lake U.S.A. 43°51N 74°27W 175 C10
Blue Mountain Pk. Jamaica 18°3N 76°36W 182 a
Blue Mt. U.S.A. 40°30N 76°30W 175 F8
Blue Mts. Australia 33°40S 150°15E 153 B9
Blue Mts. Jamaica 18°3N 76°36W 182 a
Blue Mts. Maine, U.S.A. 44°50N 70°35W 175 B14
Blue Mts. Oreg., U.S.A. 45°0N 118°20W 168 D4
Blue Mts. △ Australia 34°2S 150°15E 153 C9
Blue Mud B. Australia 13°30S 136°0E 150 A2
Blue Mud Bay ☼ Australia 13°25S 136°2E 150 A2
Blue Nile = Nîl el Azraq → Sudan 15°38N 32°31E 135 E12
Blue Rapids U.S.A. 39°41N 96°39W 172 F5
Blue Ridge U.S.A. 36°40N 80°50W 173 G13
Blue River Canada 52°6N 119°18W 162 C5
Bluefield U.S.A. 37°15N 81°17W 173 G13
Bluefields Nic. 12°20N 83°50W 182 D3
Bluevale Canada 43°51N 81°15W 174 C3
Bluff Australia 23°35S 149°4E 150 C4
Bluff N.Z. 46°37S 168°20E 155 G3
Bluff U.S.A. 37°17N 109°33W 169 H9
Bluff Harbour N.Z. 46°36S 168°21E 155 G3
Bluff Knoll Australia 34°24S 118°15E 149 F2
Bluff Pt. Australia 27°50S 114°5E 149 E1
Bluffton Ga., U.S.A. 31°31N 84°52W 178 D5
Bluffton Ind., U.S.A. 40°44N 85°11W 173 E11
Bluffton S.C., U.S.A. 32°14N 80°52W 178 C9
Blumenau Brazil 27°0S 49°0W 191 B6
Blunt U.S.A. 44°31N 99°59W 172 C4
Bly U.S.A. 42°24N 121°3W 168 E3
Blyde River Canyon ⌓ S. Africa 24°37S 31°2E 145 B5
Blyth Australia 33°49S 138°28E 152 B3
Blyth Canada 43°44N 81°26W 174 C3
Blyth U.K. 55°8N 1°31W 66 B6
Blythe Calif., U.S.A. 33°37N 114°36W 171 M12
Blythe Ga., U.S.A. 33°17N 82°12W 178 B7
Blytheville U.S.A. 35°56N 89°55W 177 D10
Bo S. Leone 7°55N 11°50W 138 D2
Bo Duc Vietnam 11°58N 106°50E 121 G6
Bo Hai China 39°0N 119°0E 115 E10
Bo Hai Haixia Asia 38°25N 121°10E 115 E11
Bo Xian = Bozhou China 33°55N 115°41E 114 H8
Boa Esperança, Represa Brazil 6°50S 43°50W 189 B2
Boa Nova Brazil 14°22S 40°10W 189 C2
Boa Viagem Brazil 5°7S 39°44W 189 B3
Boa Vista Brazil 2°48N 60°30W 186 C6
Boa Vista C. Verde Is. 16°0N 22°49W 134 b
Boaco Nic. 12°29N 85°35W 182 D2
Bo'ai China 35°10N 113°3E 114 G7
Boal Spain 43°25N 6°49W 88 B4
Boalsburg U.S.A. 40°47N 77°49W 174 F7
Boane Mozam. 26°6S 32°19E 145 C5
Boao China 19°8N 110°34E 117 a
Boardman U.S.A. 41°2N 80°40W 174 E4
Boath India 19°20N 78°20E 126 E4
Bobadah Australia 32°19S 146°41E 153 B7
Bobai China 22°17N 109°59E 116 F7
Bobbili India 18°35N 83°30E 126 E6
Bóbbio Italy 44°46N 9°23E 92 D6
Bobcaygeon Canada 44°33N 78°33W 174 B6
Boblad India 17°13N 75°26E 126 F2
Böblingen Germany 48°40N 9°1E 77 G5
Bobo-Dioulasso Burkina Faso 11°8N 4°13W 138 C4
Bobolice Poland 53°58N 16°37E 82 E3
Bobonong Botswana 21°58S 28°20E 145 B4
Boboshevo Bulgaria 42°9N 23°0E 96 D7
Bobov Dol Bulgaria 42°20N 23°0E 96 D6
Bóbr → Poland 52°4N 15°4E 83 F2
Bobraomby, Tanjon' i Madag. 12°40S 49°10E 141 G9
Bobrov Russia 51°5N 40°2E 86 E5
Bobrovytsya Ukraine 50°45N 31°23E 85 G6
Bobruysk = Babruysk Belarus 53°10N 29°15E 75 B15
Bobrynets Ukraine 48°4N 32°5E 85 H7
Boby, Pic Madag. 22°12S 46°55E 141 J9
Boca del Río Mexico 19°5N 96°4W 181 D5
Boca do Acre Brazil 8°50S 67°27W 188 B4
Boca Grande U.S.A. 26°45N 82°16W 179 J7
Boca Raton U.S.A. 26°21N 80°5W 179 J9
Bocaiúva Brazil 17°7S 43°49W 189 D2
Bocanda Ivory C. 7°5N 4°31W 138 D4
Bocas del Dragón = Dragon's Mouths Trin. & Tob. 11°0N 61°50W 187 K15
Bocas del Toro Panama 9°15N 82°20W 182 E3
Boceguillas Spain 41°20N 3°39W 88 D7
Bochmanivka Ukraine 47°40N 29°34E 81 C14
Bochnia Poland 49°58N 20°27E 83 J7
Bocholt Germany 51°50N 6°36E 76 D2
Bochum = Senwabarana S. Africa 23°17S 29°7E 145 B4
Bochum Germany 51°28N 7°13E 76 D3
Bockenem Germany 52°1N 10°8E 76 C6
Boćki Poland 52°39N 23°3E 83 F10
Bocognano France 42°5N 9°4E 73 F13
Bocoyna Mexico 27°52N 107°35W 180 B3
Bocşa Romania 45°21N 21°47E 80 E6
Boda Dalarna, Sweden 61°1N 15°13E 62 C9
Böda Kalmar, Sweden 57°15N 17°3E 63 G11
Boda Västernorrland, Sweden 62°52N 16°39E 62 B10
Bodafors Sweden 57°48N 14°23E 63 G8
Bodaybo Russia 57°50N 114°0E 107 D12
Boddam U.K. 59°56N 1°17W 65 B7
Boddington Australia 32°50S 116°30E 149 F2
Bode Sadu Nigeria 9°0N 4°47E 139 D5
Bodega Bay U.S.A. 38°20N 123°3W 170 G3
Boden Sweden 65°50N 21°42E 60 D19
Bodensee Europe 47°35N 9°25E 77 H5
Bodenteich Germany 52°50N 10°42E 76 C6
Bodh Gaya India 24°41N 84°59E 125 G11
Bodhan India 18°40N 77°44E 126 E3
Bodinayakkanur India 10°2N 77°10E 127 J3
Bodinga Nigeria 12°58N 5°10E 139 C6
Bodmin U.K. 50°28N 4°43W 67 G3
Bodmin Moor U.K. 50°33N 4°36W 67 G3
Bodø Norway 67°17N 14°24E 60 C16
Bodrog → Hungary 48°11N 21°22E 80 B6
Bodrum Turkey 37°3N 27°30E 99 D9
Bódva → Hungary 48°19N 20°45E 80 B5
Boën France 45°44N 4°1E 73 C8
Boende Dem. Rep. of the Congo 0°24S 21°12E 140 E4
Boeotia = Viotia Greece 38°20N 23°0E 98 C5
Boerne U.S.A. 29°47N 98°44W 176 G5
Boesmans → S. Africa 33°42S 26°39E 144 D4
Boffa Guinea 10°16N 14°3W 138 C2
Bogalusa U.S.A. 30°47N 89°52W 177 F10
Bogan → Australia 30°20S 146°55E 153 A7
Bogan Gate Australia 33°7S 147°49E 153 B7
Bogandé Burkina Faso 13°2N 0°8W 139 C4
Bogantungan Australia 23°41S 147°17E 150 C4
Bogata U.S.A. 33°28N 95°13W 176 E7
Bogatić Serbia 44°51N 19°30E 96 B3
Boğazkale Turkey 40°2N 34°37E 104 B6
Boğazlıyan Turkey 39°11N 35°14E 104 C6
Bogda Shan China 43°35N 89°40E 109 D11
Bogen Sweden 60°4N 12°33E 62 D6
Bogense Denmark 55°34N 10°5E 63 J4
Bogetići Montenegro 42°41N 18°58E 96 D2
Boggabilla Australia 28°36S 150°24E 151 D5
Boggabri Australia 30°45S 150°5E 153 A9
Boggeragh Mts. Ireland 52°2N 8°55W 64 D3
Boglan = Solhan Turkey 38°57N 41°3E 105 C9
Bognes Norway 68°13N 16°5E 60 B17
Bognor Regis U.K. 50°47N 0°40W 67 G7
Bogo Phil. 11°3N 124°0E 119 B6
Bogodukhov = Bohodukhiv Ukraine 50°9N 35°33E 85 G8
Bogong, Mt. Australia 36°47S 147°17E 153 D7
Bogor Indonesia 6°36S 106°48E 118 F3
Bogoroditsk Russia 53°47N 38°8E 84 F10
Bogorodsk Russia 56°4N 43°30E 86 B6
Bogoso Ghana 5°38N 2°3W 138 D4
Bogotá Colombia 4°34N 74°0W 186 C4
Bogotol Russia 56°15N 89°50E 106 D9
Bogou Togo 10°40N 0°12E 139 C5
Bogra Bangla. 24°51N 89°22E 123 G16
Boguchanskoye Vdkhr. Russia 58°42N 99°9E 107 D10
Boguchany Russia 58°40N 97°30E 107 D10
Boguchar Russia 49°55N 40°32E 86 F5
Bogué Mauritania 16°45N 14°10W 138 B2
Boguszów-Gorce Poland 50°45N 16°12E 83 H3
Bohain-en-Vermandois France 49°59N 3°28E 71 C10
Bohdan Ukraine 48°2N 24°22E 81 B9
Bohemian Forest = Böhmerwald Germany 49°8N 13°14E 77 F9
Bohena Cr. → Australia 30°17S 149°42E 153 A8
Bohinjska Bistrica Slovenia 46°17N 14°1E 93 B11
Böhmerwald Germany 49°8N 13°14E 77 F9
Bohmte Germany 52°22N 8°19E 76 C4
Bohodukhiv Ukraine 50°9N 35°33E 85 G8
Bohol □ Phil. 9°50N 124°10E 119 C6
Bohol Sea Phil. 9°0N 124°0E 119 C6
Bohongou Burkina Faso 12°30N 0°40E 139 C5
Böhönye Hungary 46°25N 17°28E 80 D2
Bohorodchany Ukraine 48°48N 24°32E 81 B9
Bohorok Indonesia 3°30N 98°12E 121 L2
Böhöt Mongolia 45°13N 108°16E 114 B5
Bohu China 41°58N 86°37E 109 D11
Bohuslän Sweden 58°25N 12°0E 63 F5
Bohuslev Ukraine 49°33N 30°56E 85 H6
Boi Nigeria 9°35N 9°27E 139 D6
Boi, Pta. do Brazil 23°55S 45°15W 191 A6
Boiaçu Brazil 0°27S 61°46W 186 D6
Boigu Australia 9°16S 142°13E 150 a
Boileau, C. Australia 17°40S 122°7E 148 C3
Boipariguda India 18°46N 82°26E 126 E6
Boipeba, I. de Brazil 13°39S 38°55W 189 C3
Boiro Spain 42°39N 8°54W 88 C2
Boise U.S.A. 43°37N 116°13W 168 E5
Boise City U.S.A. 36°44N 102°31W 176 C3
Boissevain Canada 49°15N 100°5W 163 D8
Bóite → Italy 46°5N 12°5E 93 B9
Boitzenburg Germany 53°16N 13°35E 76 B9
Boizenburg Germany 53°23N 10°43E 76 B6
Bojador, C. W. Sahara 26°0N 14°30W 134 C3
Bojana → Albania 41°52N 19°22E 96 E3
Bojano Italy 41°29N 14°29E 95 A7
Bojanowo Poland 51°43N 16°42E 83 G3
Bøjden Denmark 55°6N 10°7E 63 J4
Bojnūrd Iran 37°30N 57°20E 129 B8
Bojonegoro Indonesia 7°11S 111°54E 119 G14
Boju Nigeria 7°22N 7°55E 139 D6
Boka Serbia 45°22N 20°52E 80 E5
Boka Kotorska Montenegro 42°23N 18°32E 96 D2
Bokala Ivory C. 8°31N 4°33W 138 D4
Bokani Nigeria 9°28N 5°10E 139 D6
Bokaro India 23°46N 85°55E 125 H11
Boké Guinea 10°56N 14°17W 138 C2
Bokhara → Australia 29°55S 146°42E 151 D4
Bokkos Nigeria 9°17N 9°1E 139 D6
Boknafjorden Norway 59°14N 5°40E 61 G11
Bokor △ Cambodia 10°50N 104°1E 121 G5
Bokora ⌓ Uganda 2°12N 31°32E 142 B3
Bokoro Chad 12°25N 17°14E 135 F9
Bokpyin Burma 11°18N 98°42E 121 G2
Boksitogorsk Russia 59°22N 33°50E 84 C7
Bokungu Dem. Rep. of the Congo 0°35S 22°50E 140 E4
Bol Croatia 43°18N 16°38E 93 E13
Bolama Guinea-Biss. 11°30N 15°30W 138 C1
Bolan → Pakistan 28°38N 67°42E 124 E2
Bolan Pass Pakistan 29°50N 67°20E 122 E5
Bolaños → Mexico 21°12N 104°5W 180 C4
Bolaños de Calatrava Spain 38°54N 3°40W 89 G7
Bolayır Turkey 40°31N 26°45E 97 F10
Bolbec France 49°30N 0°30E 70 C7
Boldājī Iran 31°56N 51°3E 129 D6
Boldeşti-Scăeni Romania 45°3N 26°2E 81 E11
Bole China 44°55N 81°37E 109 C10
Bole Ghana 9°3N 2°23W 138 D4
Bolekhiv Ukraine 49°0N 23°57E 75 D12
Bolesławiec Poland 51°17N 15°37E 83 G2
Bolgatanga Ghana 10°44N 0°53W 139 C4
Bolgrad = Bolhrad Ukraine 45°40N 28°32E 81 E13
Bolhrad Ukraine 45°40N 28°32E 81 E13
Bolinao Phil. 16°23N 119°54E 119 A5
Bolingbroke U.S.A. 32°57N 83°48W 178 C6
Bolintin-Vale Romania 44°27N 25°46E 81 F10
Bolívar Peru 7°18S 77°48W 188 B2
Bolivar Mo., U.S.A. 37°37N 93°25W 172 G7
Bolivar N.Y., U.S.A. 42°4N 78°10W 174 D6
Bolivar Tenn., U.S.A. 35°12N 89°0W 177 D10
Bolívar, Pico Venezuela 8°32N 71°2W 183 E5
Bolivia ■ S. Amer. 17°6S 64°0W 186 G6
Bolivian Plateau = Altiplano Bolivia 17°0S 68°0W 188 D4
Boljevac Serbia 43°51N 21°58E 96 C5
Bolkhov Russia 53°25N 36°0E 84 F9
Bolków Poland 50°55N 16°6E 83 H3
Bollebygd Sweden 57°40N 12°35E 63 G6
Bollène France 44°18N 4°45E 73 D8
Bollnäs Sweden 61°21N 16°24E 62 C10
Bollon Australia 28°2S 147°29E 151 D4
Bollstabruk Sweden 62°59N 17°40E 62 B11
Bolmen Sweden 56°55N 13°40E 63 H7
Bolnisi Georgia 41°26N 44°32E 87 K7
Bolobo Dem. Rep. of the Congo 2°6S 16°20E 140 E3
Bologna Italy 44°29N 11°20E 93 D8
Bologna ✈ (BLQ) Italy 44°34N 11°16E 93 D8
Bologoye Russia 57°55N 34°5E 84 D8
Bolomba Dem. Rep. of the Congo 0°35N 19°0E 140 D3
Bolonchén Mexico 20°1N 89°45W 181 D7
Bolótana Italy 40°20N 8°52E 94 B1
Boloven, Cao Nguyen Laos 15°10N 106°30E 120 E6
Bolpur India 23°40N 87°45E 125 H12
Bolsena Italy 42°39N 11°59E 93 F8
Bolsena, L. di Italy 42°36N 11°56E 93 F8
Bolshakovo Russia 54°53N 21°40E 82 D8
Bolshaya Chernigovka Russia 52°6N 50°52E 86 D10
Bolshaya Glushitsa Russia 52°28N 50°30E 86 D10
Bolshaya Martynovka Russia 47°19N 41°37E 87 G5
Bolshaya Vradiyevka Ukraine 47°50N 30°40E 85 J6
Bolshevik, Ostrov Russia 78°30N 102°0E 107 B11
Bolshoy Anyuy → Russia 68°30N 160°49E 107 C17
Bolshoy Begichev, Ostrov Russia 74°20N 112°30E 107 B12
Bolshoy Kamen Russia 43°7N 132°19E 112 C6
Bolshoy Kavkas = Caucasus Mountains Eurasia 42°50N 44°0E 87 J7
Bolshoy Lyakhovskiy, Ostrov Russia 73°35N 142°0E 107 B15
Bolshoy Tyuters, Ostrov Russia 59°51N 27°13E 84 C4
Bolsward Neths. 53°3N 5°32E 69 A5
Bolt Head U.K. 50°12N 3°48W 67 G4
Boltaña Spain 42°28N 0°4E 90 C5
Boltigen Switz. 46°38N 7°24E 77 J3
Bolton Canada 43°54N 79°45W 174 C5
Bolton U.K. 53°35N 2°26W 66 D5
Bolton Landing U.S.A. 43°32N 73°35W 175 C11
Bolu Turkey 40°45N 31°35E 104 B4
Bolu □ Turkey 40°40N 31°30E 104 B4
Bolungavík Iceland 66°9N 23°15W 60 C2
Boluo China 23°3N 114°21E 117 F10
Bolvadin Turkey 38°45N 31°4E 104 C4
Bolzano Italy 46°31N 11°22E 93 B8
Bom Conselho Brazil 9°10S 36°41W 189 B3
Bom Despacho Brazil 19°43S 45°15W 189 D1
Bom Jesus Brazil 9°4S 44°22W 189 B2
Bom Jesus da Gurguéia, Serra Brazil 9°0S 43°0W 189 B2
Bom Jesus da Lapa Brazil 13°15S 43°25W 189 C2
Boma Dem. Rep. of the Congo 5°50S 13°4E 140 F2
Bomaderry Australia 34°52S 150°37E 153 C9
Bombala Australia 36°56S 149°15E 153 D8
Bombarral Portugal 39°15N 9°9W 89 F1
Bombay = Mumbai India 18°56N 72°50E 126 E1
Bombay U.S.A. 44°56N 74°34W 175 B10
Bombedor, Pta. Venezuela 9°53N 61°37W 187 L15
Bomberai, Semenanjung Indonesia 3°0S 133°0E 119 E8
Bomboma Dem. Rep. of the Congo 2°25N 18°55E 140 D3
Bombombwa Dem. Rep. of the Congo 1°40N 25°40E 142 B2
Bomi China 29°50N 95°45E 110 F8
Bomi Liberia 7°1N 10°38W 138 D2
Bomili Dem. Rep. of the Congo 1°45N 27°5E 142 B2
Bømlo Norway 59°37N 5°13E 61 G11
Bomokandi → Dem. Rep. of the Congo 3°39N 26°8E 142 B2
Bompoka India 8°15N 93°13E 127 K11
Bomu → C.A.R. 4°40N 22°30E 140 D4
Bon, C. = Ra's aţ Tib Tunisia 37°1N 11°2E 136 A6
Bon Acceuil Mauritius 20°10S 57°39E 141 d
Bon Echo ⌓ Canada 44°55N 77°16W 174 B7
Bon Sar Pa Vietnam 12°24N 107°35E 120 F6
Bonāb Āzarbājān-e Sharqī, Iran 37°20N 46°4E 105 D12
Bonāb Zanjān, Iran 36°35N 48°41E 105 D13
Bonaigarh India 21°50N 84°57E 125 J11
Bonaire U.S.A. 32°33N 83°36W 178 C6
Bonaire W. Indies 12°10N 68°15W 183 D6
Bonampak Mexico 16°44N 91°5W 181 D6
Bonang Australia 37°11S 148°41E 153 D8
Bonanza Nic. 13°54N 84°35W 182 D3
Bonaparte Arch. Australia 14°0S 124°30E 148 B3
Boñar Spain 42°52N 5°19W 88 C5
Bonar Bridge U.K. 57°54N 4°20W 65 D4
Bonasse Trin. & Tob. 10°5N 61°54W 187 K15
Bonaventure Canada 48°5N 65°32W 165 C6
Bonavista Canada 48°40N 53°5W 165 C9
Bonavista, C. Canada 48°42N 53°5W 165 C9
Bonavista B. Canada 48°45N 53°25W 165 C9
Bondeno Italy 44°53N 11°25E 93 D8
Bondo Dem. Rep. of the Congo 3°55N 23°53E 142 B1
Bondokodi Indonesia 9°33S 119°0E 148 A2
Bondoukou Ivory C. 8°2N 2°47W 138 D4
Bondowoso Indonesia 7°55S 113°49E 119 G15
Bone, Teluk Indonesia 4°10S 120°50E 119 E6
Bonerate Indonesia 7°25S 121°5E 119 F6
Bonerate, Kepulauan Indonesia 6°30S 121°10E 119 F6
Bo'ness U.K. 56°1N 3°37W 65 E5
Bonete, Cerro Argentina 27°55S 68°40W 190 B2
Bong Son = Hoai Nhon Vietnam 14°28N 109°1E 120 E7
Bongaigaon India 26°28N 90°34E 110 F7
Bongandanga Dem. Rep. of the Congo 1°24N 21°3E 140 D4
Bongor Chad 10°35N 15°20E 135 F9
Bongos, Massif des C.A.R. 8°40N 22°25E 140 C4
Bongouanou Ivory C. 6°42N 4°15W 138 D4
Bonham U.S.A. 33°35N 96°11W 176 E6
Boni Mali 15°3N 2°10W 138 B4
Boni ⌓ Kenya 1°35S 41°18E 142 C5
Bonifacio France 41°24N 9°10E 73 G13
Bonifacio, Bouches de Medit. S. 41°12N 9°15E 94 A2
Bonifay U.S.A. 30°47N 85°41W 178 E4
Bonin Is. = Ogasawara Gunto Pac. Oc. 27°0N 142°0E 156 E6
Bonita Springs U.S.A. 26°21N 81°47W 179 J8
Bonkoukou Niger 14°0N 3°15E 139 C5
Bonn Germany 50°46N 7°6E 76 E3
Bonnat France 46°20N 1°54E 71 F8
Bonne Terre U.S.A. 37°55N 90°33W 172 G8
Bonneau U.S.A. 33°16N 79°58W 178 B10
Bonners Ferry U.S.A. 48°42N 116°19W 168 B5
Bonnétable France 48°11N 0°25E 70 D7
Bonneval France 45°22N 7°3E 73 C11
Bonneval-sur-Arc France 48°11N 1°24E 70 D8
Bonneville France 46°4N 6°24E 71 F13
Bonney, L. Australia 37°50S 140°20E 152 D4
Bonnie Doon Australia 37°2S 145°53E 153 D6
Bonnie Rock Australia 30°29S 118°22E 149 F2
Bonny Nigeria 4°25N 7°13E 139 E6
Bonny → Nigeria 4°20N 7°10E 139 E6
Bonny, Bight of Africa 3°30N 9°20E 139 E6
Bonny Hills Australia 31°36S 152°51E 153 A10
Bonny-sur-Loire France 47°33N 2°50E 71 E9
Bonnyrigg U.K. 55°53N 3°6W 65 F5
Bonnyville Canada 54°20N 110°45W 163 C6
Bono Italy 40°25N 9°2E 94 B2
Bonoi Indonesia 1°45S 137°41E 119 E9
Bonorva Italy 40°25N 8°46E 94 B1
Bonsall U.S.A. 33°16N 117°14W 171 M9
Bontang Indonesia 0°10N 117°30E 118 D5
Bontebok △ S. Africa 34°5S 20°28E 144 D3
Bonthe S. Leone 7°30N 12°33W 138 D2
Bontoc Phil. 17°7N 120°58E 119 A6
Bonyeri Ghana 5°1N 2°46W 138 D4
Bonyhád Hungary 46°18N 18°32E 80 D3
Bonython Ra. Australia 23°40S 128°45E 148 D4
Booderee △ Australia 35°12S 150°42E 153 C9
Boodjamulla △ Australia 18°15S 138°6E 150 B2
Bookabie Australia 31°50S 132°41E 149 F5
Booker U.S.A. 36°27N 100°32W 176 C4
Bool Lagoon Australia 37°7S 140°40E 152 D4
Boola Guinea 8°22N 8°41W 138 D3
Boolcoomata Australia 31°57S 140°33E 152 A4
Booleroo Centre Australia 32°53S 138°21E 152 B3
Booligal Australia 33°58S 144°53E 153 B6
Böön Tsagaan Nuur Mongolia 45°35N 99°9E 110 B8
Boonah Australia 27°58S 152°41E 151 D5
Boone Iowa, U.S.A. 42°4N 93°53W 172 D7
Boone N.C., U.S.A. 36°13N 81°41W 177 C14
Booneville Ark., U.S.A. 35°8N 93°55W 176 D8
Booneville Miss., U.S.A. 34°39N 88°34W 177 D10
Boonville Calif., U.S.A. 39°1N 123°22W 170 F3
Boonville Ind., U.S.A. 38°3N 87°16W 172 F10
Boonville Mo., U.S.A. 38°58N 92°44W 172 F7
Boonville N.Y., U.S.A. 43°29N 75°20W 175 C9
Boorabbin △ Australia 31°30S 120°10E 149 F3
Boorindal Australia 30°22S 146°11E 151 E4
Boorowa Australia 34°28S 148°44E 153 C8
Boort Australia 36°7S 143°46E 152 D5
Boosaaso Somalia 11°12N 49°18E 131 E4
Boothia, Gulf of Canada 71°0N 90°0W 160 C14
Boothia Pen. Canada 71°0N 94°0W 160 C13
Bootle U.K. 53°28N 3°1W 66 D4
Booué Gabon 0°5S 11°55E 140 E2
Bopolu Liberia 7°4N 10°29W 138 D2
Boppard Germany 50°13N 7°35E 77 E3
Boquilla, Presa de la Mexico 27°31N 105°30W 180 B3
Boquillas del Carmen Mexico 29°11N 102°58W 180 B4
Bor Czech Rep. 49°41N 12°45E 78 B5
Bor Russia 56°28N 43°59E 86 B7
Bor Serbia 44°5N 22°7E 96 B6
Bor South Sudan 6°10N 31°40E 135 G12
Bor Sweden 57°9N 14°10E 63 G8
Bor Turkey 37°54N 34°32E 104 D6
Bor Mashash Israel 31°7N 34°50E 130 D3
Bora Bora French Polynesia 16°30S 151°45W 157 J12
Borah Peak U.S.A. 44°8N 113°47W 168 D7
Boraha, Nosy Madag. 16°50S 49°55E 141 H9
Borankul Kazakhstan 46°11N 54°25E 108 C4
Borås Sweden 57°43N 12°56E 63 G6
Borāzjān Iran 29°22N 51°10E 129 D6
Borba Brazil 4°12S 59°34W 186 D7
Borba Portugal 38°50N 7°26W 89 G3

Borborema, Planalto da Brazil 7°0S 37°0W 189 B3
Borča Serbia 44°52N 20°28E 96 B4
Borcea Romania 44°20N 27°45E 81 F12
Borçka Turkey 41°25N 41°41E 105 B9
Bord Khūn-e Now Iran 28°3N 51°28E 129 D6
Borda, C. Australia 35°45S 136°34E 152 C2
Bordeaux France 44°50N 0°36W 72 D3
Bordeaux ✈ (BOD) France 44°50N 0°35W 72 D3
Borden Australia 34°3S 118°12E 149 F2
Borden-Carleton Canada 46°18N 63°47W 165 C7
Borden I. Canada 78°30N 111°30W 161 B9
Borden Pen. Canada 73°0N 83°0W 161 C15
Borden Springs U.S.A. 33°56N 85°28W 178 B4
Border Ranges △ Australia 28°24S 152°56E 151 D5
Borders = Scottish Borders □ U.K. 55°35N 2°50W 65 F6
Bordertown Australia 36°19S 140°45E 152 D4
Borðeyri Iceland 65°12N 21°6W 60 D3
Bordighera Italy 43°46N 7°39E 92 E4
Bordj bou Arreridj Algeria 36°4N 4°45E 136 A4
Bordj Bourguiba Tunisia 32°12N 10°2E 136 B6
Bordj Flye Ste-Marie Algeria 27°19N 2°32W 136 C3
Bordj in Eker Algeria 24°9N 5°3E 136 D5
Bordj Menaïel Algeria 36°46N 3°43E 136 A4
Bordj Messouda Algeria 30°12N 9°25E 136 B5
Bordj Mokhtar Algeria 21°20N 0°56E 134 D6
Bordj Nili Algeria 33°28N 3°2E 136 B4
Bordj Omar Driss Algeria 28°10N 6°40E 136 C5
Bordj Sif Fatima Algeria 31°6N 8°41E 136 B5
Bordj Tarat Algeria 25°55N 9°3E 136 C5
Borehamwood U.K. 51°40N 0°15W 67 F7
Borek Wielkopolski Poland 51°54N 17°11E 83 G4
Borensberg Sweden 58°34N 15°17E 63 F9
Borgå = Porvoo Finland 60°24N 25°40E 84 B3
Borgampad India 17°39N 80°52E 126 F5
Borgarnes Iceland 64°32N 21°55W 60 D3
Børgefjellet Norway 65°20N 13°45E 60 D15
Borger Neths. 52°54N 6°44E 69 B6
Borger U.S.A. 35°39N 101°24W 176 D4
Borgholm Sweden 56°52N 16°39E 63 H10
Bòrgia Italy 38°49N 16°30E 95 D9
Borgo San Dalmazzo Italy 44°20N 7°30E 92 D4
Borgo San Lorenzo Italy 43°57N 11°23E 93 E8
Borgo Val di Taro Italy 44°29N 9°46E 92 D6
Borgo Valsugana Italy 46°3N 11°27E 93 B8
Borgomanero Italy 45°42N 8°28E 92 C5
Borgorose Italy 42°11N 13°13E 93 F10
Borgosèsia Italy 45°43N 8°16E 92 C5
Borhoyn Tal Mongolia 43°50N 111°58E 114 C6
Bori Nigeria 4°42N 7°21E 139 E6
Borigumma India 19°3N 82°33E 126 E6
Borikhane Laos 18°33N 103°43E 120 C4
Borisoglebsk Russia 51°27N 42°5E 86 E6
Borisov = Barysaw Belarus 54°17N 28°28E 75 A15
Borisovka Russia 50°36N 36°1E 85 G9
Borj Jeneïn Tunisia 31°45N 10°9E 136 B6
Borja Peru 4°20S 77°40W 186 D3
Borja Spain 41°48N 1°34W 90 D3
Borjas Blancas = Les Borges Blanques Spain 41°31N 0°52E 90 D5
Borjomi Georgia 41°48N 43°28E 87 K6
Børkop Denmark 55°39N 9°39E 63 J3
Borkou Chad 18°15N 18°50E 135 E9
Borkum Germany 53°34N 6°40E 76 B2
Borlänge Sweden 60°29N 15°26E 62 D9
Borley, C. Antarctica 66°15S 52°30E 55 C5
Borlu Turkey 38°44N 28°27E 99 C10
Bormida → Italy 44°23N 8°13E 92 D5
Bòrmio Italy 46°28N 10°22E 92 B7
Borna Germany 51°7N 12°29E 76 D8
Borne Sulinowo Poland 53°32N 16°36E 82 E3
Borneo E. Indies 1°0N 115°0E 118 D5
Bornholm Denmark 55°10N 15°0E 63 J8
Bornholmsgattet Europe 55°15N 14°20E 63 J8
Borno □ Nigeria 11°30N 13°0E 139 C7
Bornos Spain 36°48N 5°42W 89 J5
Bornova Turkey 38°27N 27°14E 99 C9
Bornu Yassa Nigeria 12°14N 12°25E 139 C7
Borobudur △ Indonesia 7°36S 110°12E 119 G14
Borodino Russia 55°31N 35°40E 84 E8
Borodino Ukraine 46°18N 29°15E 81 D14
Borogontsy Russia 62°42N 131°8E 107 C14
Borohoro Shan China 44°6N 83°10E 109 D10
Boromo Burkina Faso 11°45N 2°58W 138 C4
Boron U.S.A. 35°0N 117°39W 171 L9
Borongan Phil. 11°37N 125°26E 119 B7
Borotou Ivory C. 8°46N 7°30W 138 D3
Borovan Bulgaria 43°27N 23°45E 96 C7
Borovichi Russia 58°25N 33°55E 84 C7
Borovsk Russia 55°12N 36°24E 84 E9
Borovskoy Kazakhstan 53°48N 64°9E 108 B6
Borrby Sweden 55°27N 14°10E 63 J8
Borrego Springs U.S.A. 33°15N 116°23W 171 M10
Borriol Spain 40°4N 0°4W 90 E4
Borrisokane Ireland 53°0N 8°7W 64 D3
Borroloola Australia 16°4S 136°17E 150 B2
Borşa Cluj, Romania 46°56N 23°40E 81 D8
Borşa Maramureş, Romania 47°41N 24°50E 81 C9
Borsad India 22°25N 72°54E 124 H5
Borsec Romania 46°57N 25°34E 81 D10
Borshchiv Ukraine 48°48N 26°3E 81 B11
Borsod-Abaúj-Zemplén □ Hungary 48°20N 21°0E 80 B6
Bort-les-Orgues France 45°24N 2°29E 72 C6
Bortala = Bole China 44°55N 81°37E 109 C10
Borth U.K. 52°29N 4°2W 67 E3
Börtnan Sweden 62°45N 13°50E 62 B7
Borūjerd Iran 33°55N 48°50E 105 F13
Boryeong S. Korea 36°21N 126°36E 115 F14
Borynya Ukraine 49°4N 23°0E 83 J10
Boryslav Ukraine 49°18N 23°28E 83 J10
Boryspil Ukraine 50°21N 30°59E 85 G6
Borzhomi = Borjomi Georgia 41°48N 43°28E 87 K6
Borzna Ukraine 51°18N 32°26E 85 G7
Borzya Russia 50°24N 116°31E 111 A12
Bosa Italy 40°18N 8°30E 94 B1
Bosanska Dubica = Dubica Bos.-H. 45°10N 16°50E 93 C13
Bosanska Gradiška = Gradiška Bos.-H. 45°10N 17°15E 80 E2
Bosanska Kostajnica = Kostajnica Bos.-H. 45°11N 16°33E 93 C13
Bosanska Krupa Bos.-H. 44°53N 16°10E 93 D13
Bosanski Brod = Brod Bos.-H. 45°10N 18°0E 80 E2
Bosanski Novi = Novi Grad Bos.-H. 45°2N 16°22E 93 C13
Bosanski Petrovac Bos.-H. 44°35N 16°21E 93 D13
Bosanski Šamac = Šamac Bos.-H. 45°3N 18°29E 80 E3
Bosansko Grahovo Bos.-H. 44°12N 16°26E 93 D13
Boscastle U.K. 50°41N 4°42W 67 G3
Boscobelle Barbados 13°17N 59°35W 183 g
Bose China 23°53N 106°35E 116 F6
Boseong S. Korea 34°46N 127°5E 115 G14
Boshan China 36°28N 117°49E 115 F9
Boshof S. Africa 28°31S 25°13E 144 C4
Boshrūyeh Iran 33°50N 57°30E 129 C8
Bosilegrad Serbia 42°30N 22°27E 96 D6
Boskovice Czech Rep. 49°29N 16°40E 79 B9
Bosna → Bos.-H. 45°4N 18°29E 80 E3
Bosna i Hercegovina = Bosnia-Herzegovina ■ Europe 44°0N 18°0E 80 G2
Bosnia-Herzegovina ■ Europe 44°0N 18°0E 80 G2
Bosnik Indonesia 1°5S 136°10E 119 E9
Bosobolo Dem. Rep. of the Congo 4°15N 19°50E 140 D3
Bosporus = İstanbul Boğazı Turkey 41°5N 29°3E 97 E13
Bosque Farms U.S.A. 35°51N 106°42W 169 J10
Bosra = Buşra ash Shām Syria 32°30N 36°25E 130 C5
Bossangoa C.A.R. 6°35N 17°30E 140 C3
Bossé Bangou Niger 13°20N 1°18E 139 C5
Bossier City U.S.A. 32°31N 93°44W 176 E8
Bossiesvlei Namibia 25°1S 16°44E 144 C2
Bosso Niger 13°43N 13°19E 139 C7
Bosso, Dallol → Niger 12°25N 2°50E 139 C5
Bostan Pakistan 30°26N 67°2E 124 D2
Bostānābād Iran 37°50N 46°50E 105 D12
Bosten Hu China 41°55N 87°40E 109 D11
Boston U.K. 52°59N 0°2W 66 E7
Boston Ga., U.S.A. 30°47N 83°47W 178 E6
Boston Mass., U.S.A. 42°22N 71°3W 175 D13
Boston Bar Canada 49°52N 121°30W 162 D4
Boston Mts. U.S.A. 35°42N 93°15W 176 D8
Bostwick U.S.A. 29°46N 81°38W 178 F8
Bosumtwi, L. Ghana 6°30N 1°25W 139 D4
Bosut → Croatia 45°20N 18°45E 80 E3
Boswell Canada 49°28N 116°45W 162 D5
Boswell U.S.A. 40°10N 79°2W 174 F5
Botad India 22°15N 71°40E 124 H4
Botan → Turkey 37°57N 42°2E 105 D10
Botany B. Australia 33°58S 151°11E 147 E8
Botene Laos 17°35N 101°12E 120 D3
Botev Bulgaria 42°44N 24°52E 97 D8
Botevgrad Bulgaria 42°55N 23°47E 96 D7
Bothaville S. Africa 27°23S 26°34E 144 C4
Bothnia, G. of Europe 62°0N 20°0E 60 F19
Bothwell Australia 42°20S 147°1E 151 G4
Bothwell Canada 42°38N 81°52W 174 D3
Boticas Portugal 41°41N 7°40W 88 D3
Botletle → Botswana 20°10S 23°15E 144 B3
Botlikh Russia 42°39N 46°11E 87 J8
Botna → Moldova 46°45N 29°34E 81 D14
Botoroaga Romania 44°8N 25°32E 81 F10
Botoşani Romania 47°42N 26°41E 81 C11
Botoşani □ Romania 47°50N 26°50E 81 C11
Botou Burkina Faso 12°42N 1°59E 139 C5
Botou China 38°4N 116°34E 114 E9
Botricello Italy 38°56N 16°51E 95 D9
Botro Ivory C. 7°51N 5°19W 138 D3
Botshabelo S. Africa 29°14S 26°44E 144 C4
Botswana ■ Africa 22°0S 24°0E 144 B3
Bottineau U.S.A. 48°50N 100°27W 172 A3
Bottnaryd Sweden 57°47N 13°50E 63 G7
Bottrop Germany 51°31N 6°58E 76 D2
Botucatu Brazil 22°55S 48°30W 191 A6
Botum Sakor △ Cambodia 11°5N 103°15E 121 G4
Botwood Canada 49°6N 55°23W 165 C8
Bou Alam Algeria 33°50N 1°26E 136 B4
Bou Ali Algeria 27°11N 0°4W 136 C3
Bou Djébéha Mali 18°25N 2°45W 138 B4
Bou Guema Algeria 28°49N 0°19E 136 C4
Bou Ismaïl Algeria 36°38N 2°42E 136 A4
Bou Izakarn Morocco 29°12N 9°46W 136 C2
Boû Naga Mauritania 18°49N 13°20W 138 B2
Bou Noura Algeria 32°29N 3°42E 136 B4
Boû Rjeïmât Mauritania 19°4N 15°3W 138 B1
Bou Saâda Algeria 35°11N 4°9E 136 A4
Bou Salem Tunisia 36°45N 9°2E 136 A5
Bouaflé Ivory C. 7°1N 5°47W 138 D3
Bouaké Ivory C. 7°40N 5°2W 138 D3
Bouar C.A.R. 6°0N 15°40E 140 C3
Bouârfa Morocco 32°32N 1°58W 136 B3
Boubout Algeria 27°26N 4°30W 136 C3
Boucaut B. Australia 12°0S 134°25E 150 A1
Bouches-du-Rhône □ France 43°37N 5°2E 73 E9
Boucle de Baoulé △ Mali 13°53N 9°0W 138 C3
Boucles de la Seine Normande ⌂ France 49°32N 0°35E 70 C7
Bouctouche Canada 46°30N 64°45W 165 C7
Bouda Algeria 27°50N 0°27W 136 C3
Boudenib Morocco 31°59N 3°31W 136 B3
Boufarik Algeria 36°34N 2°58E 136 A4
Bougainville, C. Australia 13°57S 126°4E 148 B4
Bougainville I. Papua N. G. 6°0S 155°0E 147 B8
Bougainville Reef Australia 15°30S 147°5E 150 B4
Bougaroun, C. Algeria 37°6N 6°30E 136 A5
Bougie = Bejaïa Algeria 36°42N 5°2E 136 A5
Bougouni Mali 11°30N 7°20W 138 C3
Bougtob Algeria 34°2N 0°5E 136 B4
Bouillon Belgium 49°44N 5°3E 69 E5
Bouïra Algeria 36°20N 3°59E 136 A4
Bouïra □ Algeria 36°15N 3°55E 136 A4
Boukombé Benin 10°13N 1°9E 139 C5
Boulal Mali 15°8N 8°21W 138 B3
Boulazac France 45°10N 0°47E 72 C4
Boulder Colo., U.S.A. 40°1N 105°17W 168 F11
Boulder Mont., U.S.A. 46°14N 112°7W 168 C7
Boulder City U.S.A. 35°58N 114°49W 171 K12
Boulder Creek U.S.A. 37°7N 122°7W 170 H4
Boulder Dam = Hoover Dam U.S.A. 36°1N 114°44W 171 K12
Bouli Mauritania 15°17N 12°18W 138 B2
Boulia Australia 22°52S 139°51E 150 C2
Bouligny France 49°17N 5°45E 71 C12
Boulogne → France 47°12N 1°47W 70 E5
Boulogne-sur-Gesse France 43°18N 0°38E 72 E4
Boulogne-sur-Mer France 50°42N 1°36E 71 B8
Bouloire France 47°59N 0°45E 70 E7
Boulouli Mali 15°30N 9°25W 138 B3
Boulsa Burkina Faso 12°39N 0°34W 139 C4
Boultoum Niger 14°45N 10°25E 139 C7
Bouma △ Fiji 16°50S 179°52W 154 a
Boumalne Dadès Morocco 31°25N 6°0W 136 B2
Boûmdeïd Mauritania 17°25N 11°50W 138 B2
Boumerdès Algeria 36°46N 3°28E 136 A4
Boumerdès □ Algeria 36°45N 3°40E 136 A4
Boun Neua Laos 21°38N 101°54E 120 B3
Boun Tai Laos 21°23N 101°58E 120 B3
Bouna Ivory C. 9°10N 3°0W 138 D4
Boundary Peak U.S.A. 37°51N 118°21W 170 H8
Boundiali Ivory C. 9°30N 6°20W 138 D3
Bountiful U.S.A. 40°53N 111°52W 168 F8
Bounty Is. Pac. Oc. 48°0S 178°30E 156 M9
Bounty Trough Pac. Oc. 46°0S 178°0E 156 M9
Boura Mali 12°25N 4°33W 138 C4
Bourbon-Lancy France 46°37N 3°45E 71 F10
Bourbon-l'Archambault France 46°36N 3°4E 71 F10
Bourbonnais France 46°28N 3°0E 71 F10
Bourbonne-les-Bains France 47°54N 5°45E 71 E12
Bourbourg France 50°56N 2°12E 71 B9
Bourdel L. Canada 56°43N 74°10W 164 A5
Bourem Mali 17°0N 0°24W 139 B4
Bourg France 45°3N 0°34W 72 C3
Bourg-Argental France 45°18N 4°32E 73 C8
Bourg-de-Péage France 45°2N 5°3E 73 C9
Bourg-en-Bresse France 46°13N 5°12E 71 F12
Bourg-Lastic France 45°39N 2°35E 72 C6
Bourg-Madame France 42°26N 1°55E 72 F5
Bourg-St-Andéol France 44°23N 4°39E 73 D8
Bourg-St-Maurice France 45°35N 6°46E 73 C10
Bourganeuf France 45°57N 1°45E 72 C5
Bourgas = Burgas Bulgaria 42°33N 27°29E 97 D11
Bourges France 47°9N 2°25E 71 E9
Bourget Canada 45°26N 75°9W 175 A9
Bourget, Lac du France 45°44N 5°52E 73 C9
Bourgneuf, B. de France 47°3N 2°10W 70 E4
Bourgneuf-en-Retz France 47°2N 1°58W 70 E5
Bourgogne □ France 47°0N 4°50E 71 F11
Bourgoin-Jallieu France 45°36N 5°17E 73 C9
Bourgueil France 47°17N 0°10E 70 E7
Bourke Australia 30°8S 145°55E 151 E4
Bourne U.K. 52°47N 0°22W 66 E7
Bournemouth U.K. 50°43N 1°52W 67 G6
Bournemouth □ U.K. 50°43N 1°52W 67 G6
Bouroum Burkina Faso 13°57N 0°39W 139 C4
Bouse U.S.A. 33°56N 114°0W 171 M13
Boussac France 46°22N 2°13E 71 F9
Boussé Burkina Faso 12°39N 1°53W 139 C4
Bousso Chad 10°34N 16°52E 135 F9
Boussouma Burkina Faso 12°52N 1°13W 139 C4
Boutilimit Mauritania 17°45N 14°40W 138 B2
Boutonne → France 45°55N 0°50W 72 C3
Bouvet I. = Bouvetøya Antarctica 54°26S 3°24E 56 M12
Bouvetøya Antarctica 54°26S 3°24E 56 M12
Bouxwiller France 48°49N 7°27E 71 D14
Bouza Niger 14°29N 6°2E 139 C6
Bouznika Morocco 33°46N 7°6W 136 B2
Bouzonville France 49°17N 6°32E 71 C13
Bova Marina Italy 37°56N 15°55E 95 E8
Bovalino Italy 38°10N 16°10E 95 D9
Bovanenkovo Russia 70°22N 68°40E 106 B7
Bovec Slovenia 46°20N 13°33E 93 B10
Bovill U.S.A. 46°51N 116°24W 168 C5
Bovino Italy 41°15N 15°20E 95 A8
Bovril Argentina 31°21S 59°26W 190 C4
Bow → Canada 49°57N 111°41W 162 C6
Bow Island Canada 49°50N 111°23W 168 B8
Bowbells U.S.A. 48°48N 102°15W 172 A2
Bowdle U.S.A. 45°27N 99°39W 172 C4
Bowdon U.S.A. 33°32N 85°15W 178 B4
Bowdon Junction U.S.A. 33°40N 85°9W 178 B4
Bowelling Australia 33°25S 116°30E 149 F2
Bowen Argentina 35°0S 67°31W 190 D2
Bowen Australia 20°0S 148°16E 150 J6
Bowen Mts. Australia 37°0S 147°50E 153 D7
Bowers Basin Pac. Oc. 53°45N 176°0E 54 D16
Bowers Ridge Pac. Oc. 54°0N 180°0E 54 D17
Bowie Ariz., U.S.A. 32°19N 109°29W 169 K9
Bowie Tex., U.S.A. 33°34N 97°51W 176 E6
Bowkān Iran 36°31N 46°12E 105 D12
Bowland, Forest of U.K. 54°0N 2°30W 66 D5
Bowling Green Fla., U.S.A. 27°38N 81°50W 179 H8
Bowling Green Ky., U.S.A. 36°59N 86°27W 172 G10
Bowling Green Ohio, U.S.A. 41°23N 83°39W 173 E12
Bowling Green, C. Australia 19°19S 147°25E 150 B4
Bowling Green Bay △ Australia 19°26S 146°57E 150 B4
Bowman N. Dak., U.S.A. 46°11N 103°24W 172 B2
Bowman S.C., U.S.A. 33°21N 80°41W 178 B9
Bowman I. Antarctica 65°0S 104°0E 55 C8
Bowmanville = Clarington Canada 43°55N 78°41W 174 C6
Bowmore U.K. 55°45N 6°17W 65 F2
Bowral Australia 34°26S 150°27E 153 C9
Bowraville Australia 30°37S 152°52E 151 E5
Bowron → Canada 54°3N 121°50W 162 C4
Bowron Lake ⌂ Canada 53°10N 121°5W 162 C4
Bowser L. Canada 56°30N 129°30W 162 B3
Bowsman Canada 52°14N 101°12W 163 C8
Bowwood Zambia 17°5S 26°20E 143 F2
Box Cr. → Australia 34°10S 143°50E 151 E3
Boxholm Sweden 58°12N 15°3E 63 F9
Boxmeer Neths. 51°38N 5°56E 69 C5
Boxtel Neths. 51°36N 5°20E 69 C5
Boyabat Turkey 41°28N 34°47E 104 B6
Boyalıca Turkey 40°29N 29°33E 97 F13
Boyang China 29°0N 116°38E 117 C11
Boyany Ukraine 48°17N 26°8E 81 B11
Boyce U.S.A. 31°23N 92°40W 176 F8
Boyd U.S.A. 30°11N 83°37W 178 E6
Boyd L. Canada 52°46N 76°42W 164 B4
Boyle Canada 54°35N 112°49W 162 C6
Boyle Ireland 53°59N 8°18W 64 C3
Boyne → Ireland 53°43N 6°15W 64 C5
Boyne, Bend of the Ireland 53°41N 6°27W 64 C5
Boyne City U.S.A. 45°13N 85°1W 173 C11
Boynitsa Bulgaria 43°58N 22°32E 96 C6
Boynton Beach U.S.A. 26°32N 80°4W 179 J9
Boyoma, Chutes Dem. Rep. of the Congo 0°35N 25°23E 142 B2
Boysen Res. U.S.A. 43°25N 108°11W 168 E9
Boyuibe Bolivia 20°25S 63°17W 186 G6
Boyup Brook Australia 33°50S 116°23E 149 F2
Boz Burun Turkey 40°32N 28°46E 97 F12
Boz Dağ Turkey 37°18N 29°11E 99 D11
Boz Dağları Turkey 38°20N 28°0E 99 C10
Bozburun Turkey 36°43N 28°4E 99 E10
Bozcaada Turkey 39°49N 26°3E 104 C2
Bozdoğan Turkey 37°40N 28°17E 99 D10
Bozeman U.S.A. 45°41N 111°2W 168 D8
Bozen = Bolzano Italy 46°31N 11°22E 93 B8
Boževac Serbia 44°32N 21°24E 96 B5
Bozhou China 33°55N 115°41E 114 H8
Bozkır Turkey 37°11N 32°14E 104 D5
Bozkurt Turkey 37°50N 29°37E 99 D11
Bozouls France 44°28N 2°43E 72 D6
Bozoum C.A.R. 6°25N 16°35E 140 C3
Bozova Antalya, Turkey 37°13N 30°18E 99 D12
Bozova Sanliurfa, Turkey 37°21N 38°32E 105 D8
Bozovici Romania 44°56N 22°0E 80 F7
Bozüyük Turkey 39°54N 30°3E 99 B12
Bozyazı Turkey 36°6N 33°0E 128 B2
Bra Italy 44°42N 7°51E 92 D4
Braås Sweden 57°4N 15°3E 63 G9
Brabant □ Belgium 50°46N 4°30E 69 D4
Brabant L. Canada 55°58N 103°43W 163 B8
Brabrand Denmark 56°9N 10°7E 63 H4
Brač Croatia 43°20N 16°40E 93 E13
Bracadale, L. U.K. 57°20N 6°30W 65 D2
Bracciano Italy 42°6N 12°10E 93 F9
Bracciano, L. di Italy 42°7N 12°14E 93 F9
Bracebridge Canada 45°2N 79°19W 174 A5
Bracieux France 47°30N 1°30E 70 E8
Bräcke Sweden 62°45N 15°26E 62 B9
Brackettville U.S.A. 29°19N 100°25W 176 G4
Bračk Kanal Croatia 43°24N 16°40E 93 E13
Bracknell U.K. 51°25N 0°43W 67 F7
Bracknell Forest □ U.K. 51°25N 0°44W 67 F7
Brad Romania 46°10N 22°50E 80 D7
Brădano → Italy 40°23N 16°51E 95 B9
Bradenton U.S.A. 27°30N 82°34W 179 H7
Bradford Canada 44°7N 79°34W 174 B5
Bradford U.K. 53°47N 1°45W 66 D6
Bradford Pa., U.S.A. 41°58N 78°38W 174 E6
Bradford Vt., U.S.A. 43°59N 72°9W 175 C12
Bradley Ark., U.S.A. 33°6N 93°39W 176 E8
Bradley Calif., U.S.A. 35°52N 120°48W 170 K6
Bradley Institute Zimbabwe 17°7S 31°25E 143 F3
Bradley Junction U.S.A. 27°48N 81°59W 179 H8
Brady U.S.A. 31°9N 99°20W 176 F5
Brædstrup Denmark 55°58N 9°37E 63 J3
Braemar Australia 33°12S 139°35E 152 B3
Braeside Canada 45°28N 76°24W 175 A8
Braga Portugal 41°35N 8°25W 88 D2
Braga □ Portugal 41°30N 8°30W 88 D2
Bragadiru Romania 43°46N 25°31E 81 G10
Bragado Argentina 35°2S 60°27W 190 D3
Bragança Brazil 1°0S 47°2W 187 D9
Bragança Portugal 41°48N 6°50W 88 D4
Bragança □ Portugal 41°30N 6°45W 88 D4
Bragança Paulista Brazil 22°55S 46°32W 191 A6
Brahestad = Raahe Finland 64°40N 24°28E 60 D21
Brahmanbaria Bangla. 23°58N 91°15E 123 H17
Brahmani → India 20°39N 86°46E 126 D8
Brahmapur India 19°15N 84°54E 126 E7
Brahmaputra → Asia 23°40N 90°35E 125 H13
Braich-y-pwll U.K. 52°47N 4°46W 66 E3
Braidwood Australia 35°27S 149°49E 153 C8
Brăila Romania 45°19N 27°59E 81 E12
Brăila □ Romania 45°5N 27°30E 81 E12
Brainerd U.S.A. 46°22N 94°12W 172 B6
Braintree U.K. 51°53N 0°34E 67 F8
Braintree U.S.A. 42°13N 71°0W 175 D14
Brak → S. Africa 29°35S 22°55E 144 C3
Brake Germany 53°20N 8°28E 76 B4
Brakel Germany 51°42N 9°11E 76 D5
Brakna □ Mauritania 17°0N 13°20W 138 B2
Bräkne-Hoby Sweden 56°14N 15°6E 63 H9
Brakwater Namibia 22°28S 17°3E 144 B2
Brålanda Sweden 58°34N 12°21E 63 F6
Bramberg Germany 50°6N 10°40E 77 E6
Bramdrupdam Denmark 55°31N 9°28E 63 J3
Bramhapuri India 20°36N 79°52E 126 D4
Bramming Denmark 55°28N 8°42E 63 J2
Brämön Sweden 62°14N 17°40E 62 B11
Brampton Canada 43°45N 79°45W 174 C5
Brampton U.K. 54°57N 2°44W 66 C5
Brampton I. Australia 20°49S 149°16E 150 b
Bramsche Germany 52°24N 7°59E 76 C3
Branchville U.S.A. 33°15N 80°49W 178 B9
Branco → Brazil 1°20S 61°50W 186 D6
Branco, C. Brazil 7°9S 34°47W 189 B4
Brandberg Namibia 21°10S 14°33E 144 B1
Brandberg ⌂ Namibia 21°10S 14°30E 144 B1
Brande Denmark 55°57N 9°8E 63 J3
Brandenburg = Neubrandenburg Germany 53°33N 13°15E 76 B9
Brandenburg Germany 52°25N 12°33E 76 C8
Brandenburg □ Germany 52°50N 13°0E 76 C9
Brandfort S. Africa 28°40S 26°30E 144 C4
Brando France 42°47N 9°27E 73 F13
Brandon Canada 49°50N 99°57W 163 D9
Brandon Fla., U.S.A. 27°56N 82°17W 179 H7
Brandon Vt., U.S.A. 43°48N 73°6W 175 C11
Brandon B. Ireland 52°17N 10°8W 64 D1
Brandon Mt. Ireland 52°15N 10°15W 64 D1
Brandsen Argentina 35°10S 58°15W 190 D4
Brandvlei S. Africa 30°25S 20°30E 144 D3
Brandýs nad Labem Czech Rep. 50°10N 14°40E 78 A7
Branford Conn., U.S.A. 41°17N 72°49W 175 E12
Branford Fla., U.S.A. 29°58N 82°56W 178 F7
Braniewo Poland 54°25N 19°50E 82 D6
Bransfield Str. Antarctica 63°0S 59°0W 55 C18
Brańsk Poland 52°45N 22°50E 83 F9
Branson U.S.A. 36°39N 93°13W 172 G7
Brantford Canada 43°10N 80°15W 174 C4
Brantley U.S.A. 31°35N 86°16W 178 D3
Brantôme France 45°22N 0°39E 72 C4
Branxholme Australia 37°52S 141°49E 152 D4
Branxton Australia 32°38S 151°21E 153 B9
Branzi Italy 46°1N 9°46E 92 B6
Bras d'Or L. Canada 45°50N 60°50W 165 C7
Brasher Falls U.S.A. 44°49N 74°47W 175 B10
Brasil = Brazil ■ S. Amer. 12°0S 50°0W 187 F9
Brasil, Planalto Brazil 18°0S 46°30W 184 E6
Brasiléia Brazil 11°0S 68°45W 188 C4
Brasília Distrito Federal, Brazil 15°47S 47°55W 189 D1
Brasília Minas Gerais, Brazil 16°12S 44°26W 189 D2
Brasília Legal Brazil 3°49S 55°36W 187 D7
Braslaw Belarus 55°38N 27°0E 84 E4
Braslawskiya Azyory △ Belarus 55°36N 27°3E 84 E4
Braslovče Slovenia 46°21N 15°3E 93 B12
Braşov Romania 45°38N 25°35E 81 E10
Braşov □ Romania 45°45N 25°15E 81 E10
Brass Nigeria 4°35N 6°14E 139 E6
Brass → Nigeria 4°15N 6°13E 139 E6
Brassac-les-Mines France 45°24N 3°20E 72 C7
Brasschaat Belgium 51°19N 4°27E 69 C4
Brassey, Banjaran Malaysia 5°0N 117°15E 118 D5
Brassey Ra. Australia 25°8S 122°15E 149 E3
Brasstown Bald U.S.A. 34°53N 83°49W 177 D13
Brastad Sweden 58°23N 11°30E 63 F5
Brastavăţu Romania 43°55N 24°24E 81 G9
Bratan = Morozov Bulgaria 42°30N 25°10E 97 D9
Brateş Romania 45°50N 26°4E 81 E11
Bratislava Slovak Rep. 48°10N 17°7E 79 C10
Bratislava M.R. Štefánik ✈ (BTS) Slovak Rep. 48°11N 17°9E 79 C10
Bratislavský □ Slovak Rep. 48°15N 17°20E 79 C10
Bratsigovo Bulgaria 42°1N 24°22E 97 D8
Bratsk Russia 56°10N 101°30E 107 D11
Bratskoye Vdkhr. Russia 56°0N 101°40E 107 D11
Brattleboro U.S.A. 42°51N 72°34W 175 D12
Bratunac Bos.-H. 44°13N 19°21E 80 F4
Braunau am Inn Austria 48°15N 13°3E 78 C6
Braunschweig Germany 52°15N 10°31E 76 C6
Braunton U.K. 51°7N 4°10W 67 F3
Brava C. Verde Is. 15°0N 24°40W 134 b
Brava, Costa Spain 41°30N 3°0E 90 D8
Bravicea Moldova 47°22N 28°27E 81 C13
Bråviken Sweden 58°38N 16°32E 63 F10
Bravo del Norte, Rio = Grande, Rio → N. Amer. 25°58N 97°9W 176 J6
Brawley U.S.A. 32°59N 115°31W 171 N11
Bray Ireland 53°13N 6°7W 64 C5
Bray, Mt. Australia 14°0S 134°30E 150 A1
Bray, Pays de France 49°46N 1°26E 71 C8
Bray-sur-Seine France 48°25N 3°14E 71 D10
Brazeau → Canada 52°55N 115°14W 162 C5
Brazil U.S.A. 39°32N 87°8W 172 F10
Brazil ■ S. Amer. 12°0S 50°0W 187 F9
Brazil Basin Atl. Oc. 15°0S 25°0W 56 H9
Brazilian Highlands = Brasil, Planalto Brazil 18°0S 46°30W 184 E6
Brazo Sur → S. Amer. 25°21S 57°42W 190 B4
Brazos → U.S.A. 28°53N 95°23W 176 G7
Brazzaville Congo 4°9S 15°12E 140 E3
Brčko Bos.-H. 44°54N 18°46E 80 F3
Brda → Poland 53°8N 18°8E 83 E5
Brdy Czech Rep. 49°43N 13°55E 78 B6
Bré = Bray Ireland 53°13N 6°7W 64 C5
Breaden, L. Australia 25°51S 125°28E 149 E4
Breaksea Sd. N.Z. 45°35S 166°35E 155 F1
Bream B. N.Z. 35°56S 174°28E 154 B3
Bream Hd. N.Z. 35°51S 174°36E 154 B3
Bream Tail N.Z. 36°3S 174°36E 154 C3
Breas Chile 25°29S 70°24W 190 B1
Breaza Romania 45°11N 25°40E 81 E10
Brebes Indonesia 6°52S 109°3E 119 G13
Brechin Canada 44°32N 79°10W 174 B5
Brechin U.K. 56°44N 2°39W 65 E6
Brecht Belgium 51°21N 4°38E 69 C4
Breckenridge Colo., U.S.A. 39°29N 106°3W 168 G10
Breckenridge Minn., U.S.A. 46°16N 96°35W 172 B5
Breckenridge Tex., U.S.A. 32°45N 98°54W 176 E5
Breckland U.K. 52°30N 0°40E 67 E8
Brecknock, Pen. Chile 54°35S 71°30W 192 D2
Břeclav Czech Rep. 48°46N 16°53E 79 C9
Brecon U.K. 51°57N 3°23W 67 F4
Brecon Beacons U.K. 51°53N 3°26W 67 F4
Brecon Beacons △ U.K. 51°50N 3°30W 67 F4
Breda Neths. 51°35N 4°45E 69 C4
Bredaryd Sweden 57°10N 13°45E 63 G7
Bredasdorp S. Africa 34°33S 20°2E 144 D3
Bredbo Australia 35°58S 149°10E 153 C8
Bredebro Denmark 55°4N 8°50E 63 J2
Bredstedt Germany 54°37N 8°55E 76 A4
Bredy Russia 52°26N 60°21E 108 B6
Bree Belgium 51°8N 5°35E 69 C5
Bregalnica → Macedonia 41°43N 22°9E 96 E6
Bregenz Austria 47°30N 9°45E 78 D2
Bregovo Bulgaria 44°9N 22°39E 96 B6
Bréhal France 48°53N 1°30W 70 D5
Bréhat, Î. de France 48°51N 3°0W 70 D4
Breiðafjörður Iceland 65°15N 23°15W 60 D2
Breil-sur-Roya France 43°56N 7°31E 73 E11
Breisach Germany 48°1N 7°36E 77 G3
Brejo Brazil 3°41S 42°47W 189 A2
Bremen Germany 53°4N 8°47E 76 B4
Bremen U.S.A. 33°43N 85°9W 178 B4
Bremen □ Germany 53°4N 8°50E 76 B4
Bremer Bay Australia 34°21S 119°20E 149 F2
Bremer I. Australia 12°5S 136°45E 150 A2
Bremerhaven Germany 53°33N 8°36E 76 B4
Bremerton U.S.A. 47°34N 122°37W 170 C4
Bremervörde Germany 53°29N 9°8E 76 B5
Brenes Spain 37°32N 5°54W 89 H5
Brenham U.S.A. 30°10N 96°24W 176 F6
Brenne France 46°44N 1°14E 72 B5
Brenne ⌂ France 46°40N 1°15E 72 B5
Brennerpass Austria 47°2N 11°30E 78 D4
Breno Italy 45°57N 10°18E 92 C7
Brent U.S.A. 32°56N 87°10W 177 E11
Brenta → Italy 45°11N 12°18E 93 C9
Brentwood U.K. 51°37N 0°19E 67 F8
Brentwood Calif., U.S.A. 37°56N 121°42W 170 H5
Brentwood N.Y., U.S.A. 40°47N 73°15W 175 F11
Bréscia Italy 45°33N 10°15E 92 C7
Breskens Neths. 51°23N 3°33E 69 C3
Breslau = Wrocław Poland 51°5N 17°5E 83 G4
Bresle → France 50°4N 1°22E 70 B8
Bressanone Italy 46°43N 11°39E 93 B8
Bressay U.K. 60°9N 1°6W 65 A7
Bresse France 46°50N 5°10E 71 F12
Bressuire France 46°51N 0°30W 70 F6
Brest Belarus 52°10N 23°40E 75 B12
Brest France 48°24N 4°31W 70 D2
Brest □ Belarus 52°30N 26°10E 75 B13
Brest-Litovsk = Brest Belarus 52°10N 23°40E 75 B12
Bretagne □ France 48°10N 3°0W 70 D3
Bretçu Romania 46°7N 26°18E 81 D11
Bretenoux France 44°54N 1°51E 72 D5
Breteuil Eure, France 48°50N 0°57E 70 D7
Breteuil Oise, France 49°38N 2°18E 71 C9
Breton Canada 53°7N 114°28W 162 C6
Breton, Pertuis France 46°17N 1°25W 72 B2
Breton Sd. U.S.A. 29°35N 89°15W 177 G10
Brett, C. N.Z. 35°10S 174°20E 154 B3
Bretten Germany 49°2N 8°42E 77 F4
Breuil-Cervínia Italy 45°56N 7°38E 92 C4
Brevard U.S.A. 35°14N 82°44W 177 D13
Breves Brazil 1°40S 50°29W 187 D8
Brewarrina Australia 30°0S 146°51E 151 E4
Brewer U.S.A. 44°48N 68°46W 173 C19
Brewer, Mt. U.S.A. 36°44N 118°28W 170 J8
Brewerville Liberia 6°26N 10°47W 138 D2
Brewster N.Y., U.S.A. 41°24N 73°36W 175 E11
Brewster Ohio, U.S.A. 40°43N 81°36W 174 F3
Brewster Wash., U.S.A. 48°6N 119°47W 168 B4
Brewster, Kap = Kangikajik Greenland 70°7N 22°0W 57 C8
Brewton U.S.A. 31°7N 87°4W 177 F11
Breyten S. Africa 26°16S 30°0E 145 C5
Breza Bos.-H. 44°2N 18°16E 80 F3
Brežice Slovenia 45°54N 15°35E 93 C12
Brézina Algeria 33°4N 1°14E 136 B4
Březnice Czech Rep. 49°32N 13°57E 78 B6
Breznik Bulgaria 42°44N 22°55E 96 D6
Brezno Slovak Rep. 48°50N 19°40E 79 C12
Brezoi Romania 45°21N 24°15E 81 E9
Brezovicë Kosovo 42°15N 21°3E 96 D5
Brezovo Bulgaria 42°21N 25°5E 97 D9
Bria C.A.R. 6°30N 21°58E 140 C4
Briançon France 44°54N 6°39E 73 D10
Briare France 47°38N 2°45E 71 E9
Briático Italy 38°43N 16°2E 95 D9
Bribie I. Australia 27°0S 153°10E 151 D5
Bribri Costa Rica 9°38N 82°50W 182 E3
Briceni Moldova 48°22N 27°6E 81 B12
Bricquebec France 49°28N 1°38W 70 C5
Bridgefield Barbados 13°9N 59°36W 183 g
Bridgehampton U.S.A. 40°56N 72°19W 175 F12
Bridgend U.K. 51°30N 3°34W 67 F4
Bridgend □ U.K. 51°36N 3°36W 67 F4
Bridgenorth Canada 44°23N 78°23W 174 B6
Bridgeport Calif., U.S.A. 38°15N 119°14W 170 G7
Bridgeport Conn., U.S.A. 41°11N 73°12W 175 E11
Bridgeport N.Y., U.S.A. 43°9N 75°58W 175 C9
Bridgeport Nebr., U.S.A. 41°40N 103°6W 172 E2
Bridgeport Tex., U.S.A. 33°13N 97°45W 176 E6
Bridger U.S.A. 45°18N 108°55W 168 D9
Bridgeton U.S.A. 39°26N 75°14W 173 F16
Bridgetown Australia 33°58S 116°7E 149 F2
Bridgetown Barbados 13°6N 59°37W 183 g
Bridgetown Canada 44°55N 65°18W 165 D6
Bridgewater Tas., Australia 42°44S 147°14E 151 G4
Bridgewater Vic., Australia 36°36S 143°59E 152 D5
Bridgewater Canada 44°25N 64°31W 165 D7
Bridgewater Mass., U.S.A. 41°59N 70°58W 175 E14
Bridgewater N.Y., U.S.A. 42°53N 75°15W 175 D9
Bridgewater, C. Australia 38°23S 141°23E 152 E4
Bridgnorth U.K. 52°32N 2°25W 67 E5
Bridgton U.S.A. 44°3N 70°42W 175 B14
Bridgwater U.K. 51°8N 2°59W 67 F5
Bridgwater B. U.K. 51°15N 3°15W 67 F4
Bridlington U.K. 54°5N 0°12W 66 C7
Bridlington B. U.K. 54°4N 0°10W 66 C7
Bridport Australia 40°59S 147°23E 151 G4
Bridport U.K. 50°44N 2°45W 67 G5
Briec France 48°6N 4°0W 70 D2
Brienne-le-Château France 48°24N 4°30E 71 D11
Brienon-sur-Armançon France 47°59N 3°38E 71 E10
Brienz Switz. 46°46N 8°2E 77 J4
Brienzersee Switz. 46°44N 7°53E 77 J3
Brier Cr. → U.S.A. 32°44N 81°26W 178 C8
Brière ⌂ France 47°22N 2°13W 70 E4
Brig Switz. 46°18N 7°59E 77 J3
Brigg U.K. 53°34N 0°28W 66 D7
Brigham City U.S.A. 41°31N 112°1W 168 F7
Bright Australia 36°42S 146°56E 153 D7
Brighton Australia 35°5S 138°30E 152 C3
Brighton Canada 44°2N 77°44W 174 B7
Brighton Trin. & Tob. 10°15N 61°39W 187 K15
Brighton U.K. 50°49N 0°7W 67 G7
Brighton Fla., U.S.A. 27°14N 81°6W 179 H8
Brighton N.Y., U.S.A. 43°8N 77°34W 174 C7
Brightside Canada 45°7N 76°29W 175 A8
Brightwater N.Z. 41°22S 173°9E 154 D4
Brignogan-Plage France 48°40N 4°20W 70 D2
Brignoles France 43°25N 6°5E 73 E10
Brihuega Spain 40°45N 2°52W 90 E2
Brikama Gambia 13°15N 16°45W 138 C1
Brilliant U.S.A. 40°15N 80°39W 174 F4
Brilon Germany 51°23N 8°35E 76 D4

Brim *Australia* 36°3S 142°27E 152 D5
Brindabella △ *Australia* 35°14S 148°55E 153 C8
Bríndisi *Italy* 40°39N 17°55E 95 B10
Brinje *Croatia* 44°59N 15°9E 93 D12
Brinkley *U.S.A.* 34°53N 91°12W 176 D9
Brinkworth *Australia* 33°42S 138°26E 152 B3
Brinnon *U.S.A.* 47°41N 122°54W 170 C4
Brinson *U.S.A.* 30°59N 84°44W 178 E5
Brion, Î. *Canada* 47°46N 61°26W 165 C7
Brionne *France* 49°11N 0°43E 70 C7
Brionski *Croatia* 44°55N 13°45E 93 D10
Brioude *France* 45°18N 3°24E 72 C7
Briouze *France* 48°42N 0°23W 70 D6
Brisay *Canada* 54°26N 70°31W 165 B5
Brisbane *Australia* 27°25S 153°2E 151 D5
Brisbane → *Australia* 27°24S 153°9E 151 D5
Brisbane ✕ (BNE) *Australia* 27°35S 153°7E 151 D5
Brisbane Ranges △ *Australia* 37°47S 144°16E 152 D6
Brisbane Water △ *Australia* 33°26S 151°13E 153 B9
Brisighella *Italy* 44°13N 11°46E 93 D8
Bristol *U.K.* 51°26N 2°35W 67 F5
Bristol *Conn., U.S.A.* 41°40N 72°57W 175 E12
Bristol *Fla., U.S.A.* 30°26N 84°59W 178 E5
Bristol *Pa., U.S.A.* 40°6N 74°51W 175 F10
Bristol *R.I., U.S.A.* 41°40N 71°16W 175 E13
Bristol *Tenn., U.S.A.* 36°36N 82°11W 177 C13
Bristol *Vt., U.S.A.* 44°8N 73°4W 175 B11
Bristol, City of □ *U.K.* 51°27N 2°36W 67 F5
Bristol B. *U.S.A.* 58°0N 160°0W 166 D8
Bristol Channel *U.K.* 51°18N 4°30W 67 F3
Bristol I. *Antarctica* 58°45S 28°0W 55 B1
Bristol L. *U.S.A.* 34°28N 115°41W 171 L11
Bristow *U.S.A.* 35°50N 96°23W 176 D6
Britain = Great Britain *Europe* 54°0N 2°15W 58 E5
British Columbia □ *Canada* 55°0N 125°15W 162 C3
British Indian Ocean Terr. = Chagos Arch. ⊘ *Ind. Oc.* 6°0S 72°0E 146 E6
British Isles *Europe* 54°0N 4°0W 68 D5
British Mts. *N. Amer.* 68°50N 140°0W 166 B12
British Virgin Is. ⊘ *W. Indies* 18°30N 64°30W 183 e
Brits *S. Africa* 25°37S 27°48E 145 C4
Britstown *S. Africa* 30°37S 23°30E 144 D3
Britt *Canada* 45°46N 80°34W 164 C3
Brittany = Bretagne □ *France* 48°10N 3°0W 70 D3
Britton *U.S.A.* 45°48N 97°45W 172 C5
Brive-la-Gaillarde *France* 45°10N 1°32E 72 C5
Briviesca *Spain* 42°32N 3°19W 88 C7
Brixen = Bressanone *Italy* 46°43N 11°39E 93 B8
Brixham *U.K.* 50°23N 3°31W 67 G4
Brnaze *Croatia* 43°41N 16°40E 93 E13
Brnenský = Jihomoravský □ *Czech Rep.* 49°5N 16°30E 79 B9
Brno *Czech Rep.* 49°10N 16°35E 79 B9
Broach = Bharuch *India* 21°47N 73°0E 126 D1
Broad → *Ga., U.S.A.* 33°59N 82°39W 178 B7
Broad → *S.C., U.S.A.* 34°1N 81°4W 177 D14
Broad Arrow *Australia* 30°23S 121°15E 149 F3
Broad B. *U.K.* 58°14N 6°18W 65 C2
Broad Haven *Ireland* 54°20N 9°55W 64 B2
Broad Law *U.K.* 55°30N 3°21W 65 F5
Broad Pk. = Faichan Kangri *India* 35°48N 76°34E 125 B7
Broad Sd. *Australia* 22°0S 149°45E 150 C4
Broadalbin *U.S.A.* 43°4N 74°12W 175 C10
Broadback → *Canada* 51°21N 78°52W 164 B4
Broadford *Australia* 37°14S 145°4E 153 D6
Broadhurst Ra. *Australia* 22°30S 122°30E 148 D3
Broads, The *U.K.* 52°45N 1°30E 66 E9
Broadus *U.S.A.* 45°27N 105°25W 168 D11
Broager *Denmark* 54°53N 9°40E 63 K3
Broby *Sweden* 56°15N 14°4E 63 H8
Broćēni *Latvia* 56°42N 22°32E 82 B9
Brochet *Canada* 57°53N 101°40W 163 B8
Brochet, L. *Canada* 58°36N 101°35W 163 B8
Brock I. *Canada* 77°52N 114°19W 161 B9
Brocken *Germany* 51°47N 10°37E 76 D6
Brocklehurst *Australia* 32°9S 148°38E 153 B8
Brocklesby *Australia* 35°48S 146°40E 153 C7
Brockport *U.S.A.* 43°13N 77°56W 174 C7
Brockton *U.S.A.* 42°5N 71°1W 175 D13
Brockville *Canada* 44°35N 75°41W 175 B9
Brockway *Mont., U.S.A.* 47°18N 105°45W 168 C11
Brockway *Pa., U.S.A.* 41°15N 78°47W 174 E6
Brocton *U.S.A.* 42°23N 79°26W 174 D5
Brod *Bos.-H.* 45°10N 18°0E 80 E2
Brod *Macedonia* 41°32N 21°17E 96 E5
Brodarevo *Serbia* 43°14N 19°44E 96 C3
Brodeur Pen. *Canada* 72°30N 88°10W 161 C14
Brodick *U.K.* 55°35N 5°9W 65 F3
Brodnica *Poland* 53°15N 19°25E 83 E6
Brody *Ukraine* 50°5N 25°10E 75 C13
Brogan *U.S.A.* 44°15N 117°31W 168 D5
Broglie *France* 49°2N 0°30E 70 C7
Brok *Poland* 52°43N 21°52E 83 F8
Broken Arrow *U.S.A.* 36°3N 95°48W 176 C7
Broken Bow *Nebr., U.S.A.* 41°24N 99°38W 172 E4
Broken Bow *Okla., U.S.A.* 34°2N 94°44W 176 D7
Broken Bow Lake *U.S.A.* 34°9N 94°40W 176 D7
Broken Hill *Australia* 31°58S 141°29E 152 A4
Broken Ridge *Ind. Oc.* 30°0S 94°0E 156 L1
Broken River Ra. *Australia* 21°0S 148°22E 150 b
Brokind *Sweden* 58°13N 15°42E 63 F9
Bromley □ *U.K.* 51°24N 0°2E 67 F8
Bromo, Gunung *Indonesia* 7°56N 112°57E 119 H15
Bromo Tengger Semeru △ *Indonesia* 7°56S 112°57E 119 H15
Bromölla *Sweden* 56°5N 14°28E 63 H8
Bromsgrove *U.K.* 52°21N 2°2W 67 E5
Brønderslev *Denmark* 57°16N 9°57E 63 G3
Brong-Ahafo □ *Ghana* 7°50N 2°0W 138 D4
Broni *Italy* 45°4N 9°16E 92 C6
Bronkhorstspruit *S. Africa* 25°46S 28°45E 145 C4
Brønnøysund *Norway* 65°28N 12°14E 60 D15
Bronson *U.S.A.* 29°27N 82°39W 179 F7
Bronte *Italy* 37°47N 14°50E 95 E7
Bronwood *U.S.A.* 31°50N 84°22W 178 D5
Brook Park *U.S.A.* 41°23N 81°48W 174 E4
Brookhaven *U.S.A.* 31°35N 90°26W 177 F9
Brookings *Oreg., U.S.A.* 42°3N 124°17W 168 E1
Brookings *S. Dak., U.S.A.* 44°19N 96°48W 172 C5
Brooklet *U.S.A.* 32°23N 81°40W 178 C8
Brooklin *Canada* 43°55N 78°55W 174 C6
Brooklyn Park *U.S.A.* 45°6N 93°23W 172 C7
Brooks *Canada* 50°35N 111°55W 162 C6
Brooks Range *U.S.A.* 68°0N 152°0W 166 B9
Brooksville *U.S.A.* 28°33N 82°23W 179 G7
Brookton *Australia* 32°22S 117°0E 149 F2
Brookville *U.S.A.* 41°10N 79°5W 174 E5
Broom, L. *U.K.* 57°55N 5°15W 65 D3
Broome *Australia* 18°0S 122°15E 148 C3
Broons *France* 48°20N 2°16W 70 D4
Brora *U.K.* 58°0N 3°52W 65 C5
Brora → *U.K.* 58°0N 3°51W 65 C5
Brørup *Denmark* 55°29N 9°1E 63 J2
Brösarp *Sweden* 55°43N 14°6E 63 J8
Brosna → *Ireland* 53°14N 7°58W 64 C4
Broşteni *Mehedinţi, Romania* 44°45N 22°59E 80 F7
Broşteni *Suceava, Romania* 47°14N 25°43E 81 C10
Brotas de Macaúbas *Brazil* 12°0S 42°38W 189 C2
Brothers *U.S.A.* 43°49N 120°36W 168 E3
Brou *France* 48°13N 1°11E 70 D8
Brouage *France* 45°52N 1°4W 72 C2
Brough *U.K.* 54°32N 2°18W 66 C5
Brough Hd. *U.K.* 59°8N 3°20W 65 B5
Broughton Island = Qikiqtarjuaq *Canada* 67°33N 63°0W 161 D19
Broumov *Czech Rep.* 50°35N 16°20E 79 A9
Brovary *Ukraine* 50°34N 30°48E 85 G6
Brovst *Denmark* 57°6N 9°31E 63 G3
Brown, L. *Australia* 31°5S 118°15E 149 F2
Brown, Mt. *Australia* 32°30S 138°0E 152 B3
Brown, Pt. *Australia* 32°32S 133°50E 151 E1
Brown City *U.S.A.* 43°13N 82°59W 174 C2
Brown Willy *U.K.* 50°35N 4°37W 67 G3
Brownfield *U.S.A.* 33°11N 102°17W 176 E3
Browning *U.S.A.* 48°34N 113°1W 168 B7
Brownsville *Oreg., U.S.A.* 44°24N 122°59W 168 D2
Brownsville *Pa., U.S.A.* 40°1N 79°53W 174 F5
Brownsville *Tenn., U.S.A.* 35°36N 89°16W 177 D10
Brownsville *Tex., U.S.A.* 25°54N 97°30W 176 J6
Brownville *U.S.A.* 44°0N 75°59W 175 C9
Brownwood *U.S.A.* 31°43N 98°59W 176 F5
Browse I. *Australia* 14°7S 123°33E 148 B3
Broxton *U.S.A.* 31°38N 82°53W 178 D7
Bruas *Malaysia* 4°30N 100°47E 121 K3
Bruay-la-Buissière *France* 50°29N 2°33E 71 B9
Bruce *U.S.A.* 30°28N 85°58W 178 E4
Bruce, Mt. *Australia* 22°37S 118°8E 148 D2
Bruce B. *N.Z.* 43°35S 169°42E 155 D4
Bruce Pen. *Canada* 45°0N 81°30W 174 B3
Bruce Peninsula △ *Canada* 45°14N 81°36W 174 A3
Bruce Rock *Australia* 31°52S 118°8E 149 F2
Bruche → *France* 48°34N 7°43E 71 D14
Bruchsal *Germany* 49°7N 8°35E 77 F4
Bruck an der Leitha *Austria* 48°1N 16°47E 79 C9
Bruck an der Mur *Austria* 47°24N 15°16E 78 D8
Brue → *U.K.* 51°13N 2°59W 67 F5
Bruges = Brugge *Belgium* 51°13N 3°13E 69 C3
Brugg *Switz.* 47°29N 8°11E 77 H4
Brugge *Belgium* 51°13N 3°13E 69 C3
Bruin *U.S.A.* 41°3N 79°43W 174 E5
Brûk, W. el → *Egypt* 30°15N 33°50E 130 E2
Bruksvallarna *Sweden* 62°38N 12°27E 62 B6
Brûlé *Canada* 53°15N 117°58W 162 C5
Brûlé, L. *Canada* 53°35N 64°4W 165 B7
Brûlon *France* 47°58N 0°15W 70 E6
Brumado *Brazil* 14°14S 41°40W 189 C2
Brumado → *Brazil* 14°13S 41°40W 189 C2
Brumath *France* 48°43N 7°40E 71 D14
Brumunddal *Norway* 60°53N 10°56E 60 F14
Brundidge *U.S.A.* 31°43N 85°49W 178 D4
Bruneau *U.S.A.* 42°53N 115°48W 168 E6
Bruneau → *U.S.A.* 42°56N 115°57W 168 E6
Bruneck = Brunico *Italy* 46°48N 11°56E 93 B8
Brunei = Bandar Seri Begawan *Brunei* 4°52N 115°0E 118 D5
Brunei ■ *Asia* 4°50N 115°0E 118 D5
Brunflo *Sweden* 63°5N 14°50E 62 A8
Brunico *Italy* 46°48N 11°56E 93 B8
Brunnen *Switz.* 46°59N 8°37E 77 J4
Brunner, L. *N.Z.* 42°37S 171°27E 155 C6
Brunnsberg *Sweden* 61°17N 13°56E 62 C8
Brunsbüttel *Germany* 53°53N 9°6E 76 B5
Brunssum *Neths.* 50°57N 5°59E 69 D5
Brunswick = Braunschweig *Germany* 52°15N 10°31E 76 C6
Brunswick *Ga., U.S.A.* 31°10N 81°30W 178 D8
Brunswick *Maine, U.S.A.* 43°55N 69°58W 173 D19
Brunswick *Md., U.S.A.* 39°19N 77°38W 173 F15
Brunswick *Mo., U.S.A.* 39°26N 93°8W 172 F7
Brunswick *Ohio, U.S.A.* 41°14N 81°51W 174 E3
Brunswick, Pen. de *Chile* 53°30S 71°30W 192 D2
Brunswick B. *Australia* 15°15S 124°50E 148 C3
Brunswick Junction *Australia* 33°15S 115°50E 149 F2
Brunt Ice Shelf *Antarctica* 75°30S 25°0W 55 D2
Bruntál *Czech Rep.* 49°59N 17°27E 79 B10
Brus Laguna *Honduras* 15°47N 84°35W 182 C3
Brusartsi *Bulgaria* 43°40N 23°5E 96 C7
Brush *U.S.A.* 40°15N 103°37W 168 F12
Brushton *U.S.A.* 44°50N 74°31W 175 B10
Brusio *Switz.* 46°14N 10°8E 77 J6
Brusque *Brazil* 27°5S 49°0W 191 B6
Brussel *Belgium* 50°51N 4°21E 69 D4
Brussel ✕ (BRU) *Belgium* 50°54N 4°29E 69 D5
Brussels = Brussel *Belgium* 50°51N 4°21E 69 D4
Brussels *Canada* 43°44N 81°15W 174 C3
Brusy *Poland* 53°53N 17°43E 82 E4
Bruthen *Australia* 37°42S 147°50E 153 D7
Bruxelles = Brussel *Belgium* 50°51N 4°21E 69 D4
Bruyères *France* 48°10N 6°40E 71 D13
Bruz *France* 48°1N 1°46W 70 D5
Brwinów *Poland* 52°9N 20°40E 83 F7
Bryagovo *Bulgaria* 41°58N 25°8E 97 E9
Bryan *Ohio, U.S.A.* 41°28N 84°33W 173 E11
Bryan *Tex., U.S.A.* 30°40N 96°22W 176 F6
Bryan, Mt. *Australia* 33°30S 139°5E 152 B3
Bryanka *Ukraine* 48°32N 38°45E 85 H10
Bryansk *Bryansk, Russia* 53°13N 34°25E 85 F8
Bryansk *Dagestan, Russia* 44°20N 47°10E 87 H8
Bryansk □ *Russia* 53°10N 33°10E 85 F7
Bryce Canyon △ *U.S.A.* 37°30N 112°10W 169 H7
Bryne *Norway* 58°44N 5°38E 61 G11
Bryson City *U.S.A.* 35°26N 83°27W 177 D13
Bryukhovetskaya *Russia* 45°48N 39°0E 85 K10
Brza Palanka *Serbia* 44°28N 22°27E 96 B6
Brzeg *Poland* 50°52N 17°30E 83 H4
Brzeg Dolny *Poland* 51°16N 16°41E 83 G3
Brześć Kujawski *Poland* 52°36N 18°55E 83 F5
Brzesko *Poland* 49°59N 20°34E 83 J7
Brzeziny *Poland* 51°49N 19°42E 83 G6
Brzozów *Poland* 49°41N 22°3E 83 J9
Bsharri *Lebanon* 34°15N 36°0E 130 A5
Bū Baqarah *U.A.E.* 25°35N 56°25E 129 E8
Bu Craa *W. Sahara* 26°45N 12°50W 134 C3
Bū Ḥasā *U.A.E.* 23°30N 53°20E 129 F7
Bua *Fiji* 16°48S 178°37E 154 a
Bua *Sweden* 57°14N 12°7E 63 G6
Bua → *Malawi* 12°45S 34°16E 143 E3
Bua Yai *Thailand* 15°33N 102°26E 120 E4
Buan *S. Korea* 35°44N 126°44E 115 G14
Buapinang *Indonesia* 4°40S 121°30E 119 E6
Buba *Guinea-Biss.* 11°40N 14°59W 138 C2
Bubanza *Burundi* 3°6S 29°23E 142 C2
Bubaque *Guinea-Biss.* 11°16N 15°51W 138 C1
Bubi → *Zimbabwe* 22°20S 31°7E 145 B5
Būbiyān *Kuwait* 29°45N 48°15E 129 D6
Buca *Fiji* 16°38S 179°52E 154 a
Buca *Turkey* 38°22N 27°11E 99 C9
Bucak *Turkey* 37°28N 30°36E 99 D12
Bucaramanga *Colombia* 7°0N 73°0W 186 B4
Bucasia *Australia* 21°2S 149°10E 150 b
Buccaneer Arch. *Australia* 16°7S 123°20E 148 C3
Buccino *Italy* 40°38N 15°22E 95 B8
Buccoo Reef *Trin. & Tob.* 11°10N 60°51W 187 J16
Bucecea *Romania* 47°47N 26°28E 81 C11
Bucegi △ *Romania* 45°25N 25°25E 81 E10
Buchach *Ukraine* 49°5N 25°25E 75 D13
Buchan *Australia* 37°30S 148°12E 153 D8
Buchan *U.K.* 57°32N 2°21W 65 D6
Buchan Ness *U.K.* 57°29N 1°46W 65 D7
Buchanan *Canada* 51°40N 102°45W 163 C8
Buchanan *Liberia* 5°57N 10°2W 138 D2
Buchanan *U.S.A.* 33°48N 85°11W 178 B4
Buchanan, L. *Queens., Australia* 21°35S 145°52E 150 C4
Buchanan, L. *W. Austral., Australia* 25°33S 123°2E 149 E3
Buchanan, L. *U.S.A.* 30°45N 98°25W 176 F5
Buchanan Cr. → *Australia* 19°13S 136°33E 150 B2
Buchans *Canada* 48°50N 56°52W 165 C8
Bucharest = Bucureşti *Romania* 44°27N 26°10E 81 F11
Buchen *Germany* 49°32N 9°20E 77 F5
Bucheon *S. Korea* 37°28N 126°45E 115 F14
Buchholz *Germany* 53°19N 9°52E 76 B5
Buchloe *Germany* 48°1N 10°44E 77 G6
Buchon, Pt. *U.S.A.* 35°15N 120°54W 170 K6
Buciumi *Romania* 47°3N 23°4E 80 C8
Buck Hill Falls *U.S.A.* 41°11N 75°16W 175 E9
Bückeburg *Germany* 52°16N 9°2E 76 C5
Buckeye Lake *U.S.A.* 39°55N 82°29W 174 G2
Buckhannon *U.S.A.* 39°0N 80°8W 173 F13
Buckhaven *U.K.* 56°11N 3°3W 65 E5
Buckhorn L. *Canada* 44°29N 78°23W 174 B6
Buckie *U.K.* 57°41N 2°58W 65 D6
Buckingham *Canada* 45°37N 75°24W 164 C4
Buckingham *U.K.* 51°59N 0°57W 67 F7
Buckingham B. *Australia* 12°10S 135°40E 150 A2
Buckingham Canal *India* 14°0N 80°5E 127 H5
Buckinghamshire □ *U.K.* 51°53N 0°55W 67 F7
Buckle Hd. *Australia* 14°26S 127°52E 148 B4
Buckleboo *Australia* 32°54S 136°12E 152 B2
Buckley *U.K.* 53°10N 3°5W 66 D4
Buckley → *Australia* 20°10S 138°49E 150 C2
Bucklin *U.S.A.* 37°33N 99°38W 172 G4
Bucks L. *U.S.A.* 39°54N 121°12W 170 F5
Bucquoy *France* 50°9N 2°43E 71 B9
Bucureşti *Romania* 44°27N 26°10E 81 F11
Bucureşti Otopeni ✕ (OTP) *Romania* 44°30N 26°11E 81 F11
Bucyrus *U.S.A.* 40°48N 82°59W 173 E12
Budacu, Vf. *Romania* 47°7N 25°41E 81 C10
Budalin *Burma* 22°20N 95°10E 123 H19
Budaörs *Hungary* 47°27N 18°57E 80 C3
Budapest *Hungary* 47°29N 19°3E 80 C4
Budapest □ *Hungary* 47°29N 19°5E 80 C4
Budapest Ferihegy ✕ (BUD) *Hungary* 47°26N 19°14E 80 C4
Budaun *India* 28°5N 79°10E 125 E8
Budawang △ *Australia* 35°10S 150°12E 153 C9
Budd Coast *Antarctica* 68°0S 112°0E 55 C8
Budderoo △ *Australia* 35°40S 150°41E 153 C9
Buddusò *Italy* 40°35N 9°15E 94 B2
Bude *U.K.* 50°49N 4°34W 67 G3
Budennovsk *Russia* 44°50N 44°10E 87 H7
Budeşti *Romania* 44°13N 26°30E 81 F11
Budeyi *Ukraine* 48°39N 29°16E 81 B14
Budge Budge = Baj Baj *India* 22°30N 88°5E 125 H13
Budgewoi *Australia* 33°13S 151°34E 153 B9
Budia *Spain* 40°38N 2°46W 90 E2
Büdingen *Germany* 50°16N 9°7E 77 E5
Budjala *Dem. Rep. of the Congo* 2°50N 19°40E 140 D3
Budo-Sungai Padi △ *Thailand* 6°19N 101°42E 121 J3
Budoni *Italy* 40°40N 9°45E 94 B2
Búdrio *Italy* 44°32N 11°32E 93 D8
Budva *Montenegro* 42°17N 18°50E 96 D2
Budzyń *Poland* 52°54N 16°59E 83 F3
Buea *Cameroon* 4°10N 9°9E 139 E6
Buellton *U.S.A.* 34°37N 120°12W 171 L6
Buena Esperanza *Argentina* 34°45S 65°15W 190 C2
Buena Park *U.S.A.* 33°52N 117°59W 171 M9
Buena Vista *Colo., U.S.A.* 38°51N 106°8W 168 G10
Buena Vista *Ga., U.S.A.* 32°19N 84°31W 178 C5
Buena Vista *Va., U.S.A.* 37°44N 79°21W 173 G14
Buena Vista Lake Bed *U.S.A.* 35°12N 119°18W 171 K7
Buenaventura *Colombia* 3°53N 77°4W 186 C3
Buenaventura *Mexico* 29°51N 107°29W 180 B3
Buendía, Embalse de *Spain* 40°25N 2°43W 90 E2
Buenópolis *Brazil* 17°54S 44°11W 189 D2
Buenos Aires *Argentina* 34°36S 58°22W 190 C4
Buenos Aires *Costa Rica* 9°10N 83°20W 182 E3
Buenos Aires □ *Argentina* 36°30S 60°0W 190 D4
Buenos Aires, L. = General Carrera, L. *S. Amer.* 46°35S 72°0W 192 C2
Buffalo *Mo., U.S.A.* 37°39N 93°6W 172 G7
Buffalo *N.Y., U.S.A.* 42°53N 78°53W 174 D6
Buffalo *Okla., U.S.A.* 36°50N 99°38W 176 C5
Buffalo *S. Dak., U.S.A.* 45°35N 103°33W 172 C2
Buffalo *Wyo., U.S.A.* 44°21N 106°42W 168 D10
Buffalo → *Canada* 60°5N 115°5W 162 A5
Buffalo → *S. Africa* 28°43S 30°37E 145 C5
Buffalo ⌓ *U.S.A.* 36°14N 92°36W 176 C8
Buffalo Head Hills *Canada* 57°25N 115°55W 162 B5
Buffalo L. *Alta., Canada* 52°27N 112°54W 162 C6
Buffalo L. *N.W.T., Canada* 60°12N 115°25W 162 A5
Buffalo Narrows *Canada* 55°51N 108°29W 163 B7
Buffalo Springs ⌓ *Kenya* 0°32N 37°35E 142 B4
Buffels → *S. Africa* 29°36S 17°3E 144 C2
Buford *U.S.A.* 34°7N 83°59W 178 A6
Bug = Buh → *Ukraine* 46°59N 31°58E 85 J6
Bug → *Poland* 52°31N 21°5E 83 F8
Buga *Colombia* 4°0N 76°15W 186 C3
Bugala I. *Uganda* 0°40S 32°20E 142 C3
Buganda *Uganda* 0°0 31°30E 142 C3
Buganga *Uganda* 0°3S 32°0E 142 C3
Bugeat *France* 45°36N 1°55E 72 C5
Bugel, Tanjung *Indonesia* 6°26S 111°3E 119 G14
Búger *Spain* 39°45N 2°59E 100 B9
Bugibba *Malta* 35°57N 14°25E 101 D1
Bugojno *Bos.-H.* 44°2N 17°25E 80 F2
Bugsuk I. *Phil.* 8°12N 117°18E 118 C5
Bugulma *Russia* 54°33N 52°48E 108 B4
Buguma *Nigeria* 4°42N 6°55E 139 E6
Bugungu ⌓ *Uganda* 2°17N 31°50E 142 B3
Buguruslan *Russia* 53°39N 52°26E 108 B4
Buh → *Ukraine* 46°59N 31°58E 85 J6
Buharkent *Turkey* 37°58N 28°44E 99 D10
Buheirat-Murrat-el-Kubra *Egypt* 30°18N 32°26E 137 E8
Buhera *Zimbabwe* 19°18S 31°29E 145 A5
Bühl *Germany* 48°40N 8°8E 77 G4
Buhl *U.S.A.* 42°36N 114°46W 168 E6
Buhuşi *Romania* 46°41N 26°45E 81 D11
Bui △ *Ghana* 8°21N 2°21W 138 D4
Buila-Vanturariţa △ *Romania* 45°15N 24°0E 81 E8
Builth Wells *U.K.* 52°9N 3°25W 67 E4
Buinsk *Russia* 55°0N 48°18E 86 C9
Buíque *Brazil* 8°37S 37°9W 189 B3
Buir Nur *Mongolia* 47°50N 117°42E 111 B12
Buis-les-Baronnies *France* 44°17N 5°16E 73 D9
Buitrago del Lozoya *Spain* 40°58N 3°38W 88 E7
Bujalance *Spain* 37°54N 4°23W 89 H6
Bujanovac *Serbia* 42°28N 21°44E 96 D5
Bujaraloz *Spain* 41°29N 0°10W 90 D4
Buje *Croatia* 45°24N 13°39E 93 C10
Buji *China* 22°37N 114°5E 111 a
Bujumbura *Burundi* 3°16S 29°18E 142 C2
Bük *Hungary* 47°22N 16°45E 80 C1
Buk *Poland* 52°21N 16°30E 83 F3
Bukachacha *Russia* 52°55N 116°50E 107 D12
Bukama *Dem. Rep. of the Congo* 9°10S 25°50E 143 D2
Bukavu *Dem. Rep. of the Congo* 2°20S 28°52E 142 C2
Bukene *Tanzania* 4°15S 32°48E 142 C3
Bukhara = Buxoro *Uzbekistan* 39°48N 64°25E 108 E6
Bukhoro = Buxoro *Uzbekistan* 39°48N 64°25E 108 E6
Bukhtarma Res. = Zaysan Köli *Kazakhstan* 48°0N 83°0E 109 C10
Bukima *Tanzania* 1°50S 33°25E 142 C3
Bukit Bendera *Malaysia* 5°25N 100°15E 121 c
Bukit Mertajam *Malaysia* 5°22N 100°28E 121 c
Bukit Nil *Malaysia* 1°22N 104°12E 121 d
Bukit Tengah *Malaysia* 5°22N 100°25E 121 c
Bukittinggi *Indonesia* 0°20S 100°20E 118 E2
Bükk *Hungary* 48°0N 20°30E 80 B5
Bukkapatnam *India* 14°14N 77°46E 127 G3
Bükki △ *Hungary* 48°3N 20°30E 80 B5
Bukoba *Tanzania* 1°20S 31°49E 142 C3
Bukum, Pulau *Singapore* 1°14N 103°46E 121 d
Bukuru *Nigeria* 9°42N 8°48E 139 D6
Bukuya *Uganda* 0°40N 31°52E 142 B3
Būl, Kuh-e *Iran* 30°48N 52°45E 129 D7
Bula *Guinea-Biss.* 12°7N 15°43W 138 C1
Bula *Indonesia* 3°6S 130°30E 119 E8
Bülach *Switz.* 47°31N 8°32E 77 H4
Bülaevo *Kazakhstan* 54°54N 70°26E 109 B8
Bulahdelah *Australia* 32°23S 152°13E 153 B10
Bulan *Phil.* 12°40N 123°52E 119 B6
Bulancak *Turkey* 40°56N 38°14E 105 B8
Bulanık *Turkey* 39°4N 42°14E 105 C10
Bûlâq *Egypt* 25°10N 30°38E 137 B3
Bulawayo *Zimbabwe* 20°7S 28°32E 143 G2
Buldan *Turkey* 38°2N 28°50E 99 C10
Buldana *India* 20°30N 76°18E 126 D3
Buldir I. *U.S.A.* 52°21N 175°56E 166 E3
Bulenga *Ghana* 9°56N 2°12W 138 D4
Bulgan *Mongolia* 48°45N 103°34E 110 B9
Bulgar *Russia* 54°57N 49°4E 86 C9
Bulgaria ■ *Europe* 42°35N 25°30E 97 D9
Bulgheria, Monte *Italy* 40°4N 15°26E 95 B8
Bulgurca *Turkey* 38°9N 27°9E 99 C9
Buli, Teluk *Indonesia* 0°48N 128°25E 119 D7
Buliluyan, C. *Phil.* 8°20N 117°15E 118 C5
Bulkley → *Canada* 55°15N 127°40W 162 B3
Bull Shoals L. *U.S.A.* 36°22N 92°35W 176 C8
Bullaque → *Spain* 38°59N 4°17W 89 G6
Bullard *U.S.A.* 32°38N 83°30W 178 C6
Bullas *Spain* 38°2N 1°40W 91 G3
Bulle *Switz.* 46°37N 7°3E 77 J3
Buller → *N.Z.* 41°44S 171°36E 155 B6
Buller, Mt. *Australia* 37°10S 146°28E 153 D7
Buller Gorge *N.Z.* 41°40S 172°10E 155 B7
Bulleringa △ *Australia* 17°39S 143°56E 150 B3
Bullhead City *U.S.A.* 35°8N 114°32W 171 K12
Bulli *Australia* 34°15S 150°57E 153 C9
Büllingen *Belgium* 50°25N 6°16E 69 D6
Bullock Creek *Australia* 17°43S 144°31E 150 B3
Bulloo → *Australia* 28°43S 142°30E 151 D3
Bulloo L. *Australia* 28°43S 142°25E 151 D3
Bulls *N.Z.* 40°10S 175°24E 154 G4
Bully-les-Mines *France* 50°27N 2°44E 71 B9
Bulman *Australia* 13°39S 134°20E 150 A1
Bulnes *Chile* 36°42S 72°19W 190 D1
Bulqizë *Albania* 41°30N 20°21E 96 E4
Bulsar = Valsad *India* 20°40N 72°58E 126 D1
Bultfontein *S. Africa* 28°18S 26°10E 144 C4
Bulukumba *Indonesia* 5°33S 120°11E 119 F6
Bulun *Russia* 70°37N 127°30E 107 B13
Bulungkol *China* 38°36N 74°58E 109 E8
Bumba *Dem. Rep. of the Congo* 2°13N 22°30E 140 D4
Bumbah, Khalīj *Libya* 32°20N 23°15E 135 B10
Bumbeşti-Jiu *Romania* 45°10N 23°24E 81 E8
Bumbiri I. *Tanzania* 1°40S 31°55E 142 C3
Bumbuna *S. Leone* 9°2N 11°49W 138 D2
Bumhpa Bum *Burma* 26°51N 97°14E 123 F20
Bumi → *Zimbabwe* 17°0S 28°20E 143 F2
Buna *Kenya* 2°58N 39°30E 142 B4
Bunaken *Indonesia* 1°37N 124°46E 119 D6
Bunazi *Tanzania* 1°3S 31°23E 142 C3
Bunbury *Australia* 33°20S 115°35E 149 F2
Bunclody *Ireland* 52°39N 6°40W 64 D5
Buncrana *Ireland* 55°8N 7°27W 64 A4
Bundaberg *Australia* 24°54S 152°22E 151 C5
Bundanoon *Australia* 34°40S 150°16E 153 C9
Bünde *Germany* 52°11N 8°35E 76 C4
Bundey → *Australia* 21°46S 135°37E 150 C2
Bundi *India* 25°30N 75°35E 124 G6
Bundjalung △ *Australia* 29°16S 153°21E 151 D5
Bundoran *Ireland* 54°28N 8°18W 64 B3
Bundure *Australia* 35°10S 146°1E 153 C7
Bung Kan *Thailand* 18°23N 103°37E 120 C4
Bunga → *Nigeria* 11°23N 9°56E 139 C6
Bungay *U.K.* 52°27N 1°28E 67 E9
Bungendore *Australia* 35°14S 149°30E 153 C8
Bungil Cr. → *Australia* 27°5S 149°5E 151 D4
Bungle Bungle = Purnululu △ *Australia* 17°20S 128°20E 148 C4
Bungo-Suidō *Japan* 33°0N 132°15E 113 H6
Bungoma *Kenya* 0°34N 34°34E 142 B3
Bungotakada *Japan* 33°35N 131°25E 113 H5
Bungu *Tanzania* 7°35S 39°0E 142 D4
Bunia *Dem. Rep. of the Congo* 1°35N 30°20E 142 B3
Bunji *Pakistan* 35°45N 74°40E 125 B6
Bunkie *U.S.A.* 30°57N 92°11W 176 F8
Bunnell *U.S.A.* 29°28N 81°16W 179 F8
Bunnythorpe *N.Z.* 40°16S 175°39E 154 G4
Buñol *Spain* 39°25N 0°47W 91 F4
Bunsuru → *Nigeria* 13°21N 6°23E 139 C5
Buntok *Indonesia* 1°40S 114°58E 118 E4
Bununu Dass *Nigeria* 10°5N 9°31E 139 C6
Bununu Kasa *Nigeria* 9°51N 9°32E 139 D6
Bunya Mts. △ *Australia* 26°51S 151°34E 151 D5
Bünyan *Turkey* 38°51N 35°51E 104 C6
Bunyola *Spain* 39°41N 2°42E 100 B9
Bunyu *Indonesia* 3°35N 117°50E 118 D5
Bunza *Nigeria* 12°8N 4°0E 139 C5
Buol *Indonesia* 1°15N 121°32E 119 D6
Buon Brieng *Vietnam* 13°9N 108°12E 120 F7
Buon Ho *Vietnam* 12°57N 108°18E 120 F7
Buon Ma Thuot *Vietnam* 12°40N 108°3E 120 F7
Buong Long *Cambodia* 13°44N 106°59E 120 F6
Buorkhaya, Mys *Russia* 71°50N 132°40E 107 B14
Buqayq *Si. Arabia* 26°0N 49°45E 129 E6
Buqbuq *Egypt* 31°29N 25°29E 137 A2
Bur Acaba = Buurhakaba *Somalia* 3°12N 44°20E 131 G3
Bûr Fuad *Egypt* 31°15N 32°20E 137 E8
Bûr Safâga *Egypt* 26°43N 33°57E 128 E2
Bûr Sa'îd *Egypt* 31°16N 32°18E 137 E8
Bûr Sûdân *Sudan* 19°32N 37°9E 137 D4
Bûr Taufiq *Egypt* 29°54N 32°32E 137 F8
Bura *Kenya* 1°4S 39°58E 142 C4
Burakin *Australia* 30°31S 117°10E 149 F2
Burang *China* 30°15N 81°10E 110 E5
Burao = Burco *Somalia* 9°32N 45°32E 131 F4
Burāq *Syria* 33°11N 36°29E 130 B5
Burathum *Nepal* 28°4N 84°50E 125 E11
Buraydah *Si. Arabia* 26°20N 43°59E 128 E4
Burbank *U.S.A.* 34°12N 118°18W 171 L8
Burcher *Australia* 33°30S 147°16E 153 B7
Burco *Somalia* 9°32N 45°32E 131 F4
Burda *India* 25°50N 77°35E 124 G7
Burdekin → *Australia* 19°38S 147°25E 150 B4
Burdur *Turkey* 37°45N 30°17E 99 D12
Burdur □ *Turkey* 37°45N 30°15E 99 D12
Burdur Gölü *Turkey* 37°44N 30°10E 99 D12
Burdwan = Barddhaman *India* 23°14N 87°39E 125 H12
Burdwood Bank *Atl. Oc.* 54°0S 59°0W 192 D5
Bure *Ethiopia* 10°40N 37°4E 131 E2
Bure → *U.K.* 52°38N 1°43E 66 E9
Burela *Spain* 43°39N 7°24W 88 B3
Büren *Germany* 51°33N 8°35E 76 D4
Bureskoye Vdkhr. *Russia* 50°16N 130°20E 107 D14
Bureya → *Russia* 49°27N 129°30E 107 E13
Burford *Canada* 43°7N 80°27W 174 C4
Burg *Germany* 52°16N 11°51E 76 C7
Burg auf Fehmarn *Germany* 54°28N 11°9E 76 A7
Burg el Arab *Egypt* 30°54N 29°32E 137 E6
Burg et Tuyur *Sudan* 20°55N 27°56E 137 C2
Burg Stargard *Germany* 53°29N 13°18E 76 B9
Burgas *Bulgaria* 42°33N 27°29E 97 D11
Burgas □ *Bulgaria* 42°30N 27°20E 97 D11
Burgaski Zaliv *Bulgaria* 42°30N 27°39E 97 D11
Burgdorf *Germany* 52°27N 10°1E 76 C6
Burgdorf *Switz.* 47°3N 7°37E 77 H3
Burgenland □ *Austria* 47°20N 16°20E 79 D9
Burgeo *Canada* 47°37N 57°38W 165 C8
Burgersdorp *S. Africa* 31°0S 26°20E 144 D4
Burgess, Mt. *Australia* 30°50S 121°5E 149 F3
Burghausen *Germany* 48°9N 12°49E 77 G8
Burghead *U.K.* 57°43N 3°30W 65 D5
Búrgio *Italy* 37°36N 13°17E 94 E6
Burglengenfeld *Germany* 49°12N 12°2E 77 F8
Burgohondo *Spain* 40°26N 4°47W 88 E6
Burgos *Spain* 42°21N 3°41W 88 C7
Burgos □ *Spain* 42°21N 3°42W 88 C7
Burgstädt *Germany* 50°54N 12°49E 76 E8
Burgsvik *Sweden* 57°3N 18°19E 63 G12
Burguillos del Cerro *Spain* 38°23N 6°35W 89 G4
Burgundy = Bourgogne □ *France* 47°0N 4°50E 71 F11
Burhaniye *Turkey* 39°30N 26°58E 99 B8
Burhanpur *India* 21°18N 76°14E 126 D3
Burhi Gandak → *India* 25°20N 86°37E 125 G12
Burhner → *India* 22°43N 80°31E 125 H9
Burias I. *Phil.* 12°55N 123°5E 119 B6
Burica, Pta. *Costa Rica* 8°3N 82°51W 182 E3
Burien *U.S.A.* 47°28N 122°20W 170 C4
Burigi, L. *Tanzania* 2°2S 31°22E 142 C3
Burigi △ *Tanzania* 2°20S 31°6E 142 C3
Burim *Kosovo* 42°45N 20°24E 96 D4
Burin *Canada* 47°1N 55°14W 165 C8
Buriram *Thailand* 15°0N 103°0E 120 E4
Buriti Bravo *Brazil* 5°50S 43°50W 189 B2
Buriti dos Lopes *Brazil* 3°10S 41°52W 189 A2
Burkburnett *U.S.A.* 34°6N 98°34W 176 D5
Burke → *Australia* 23°12S 139°33E 150 C2
Burke Chan. *Canada* 52°10N 127°30W 162 C3
Burketown *Australia* 17°45S 139°33E 150 B2
Burkina Faso ■ *Africa* 12°0N 1°0W 138 C4
Burk's Falls *Canada* 45°37N 79°24W 164 C4
Burlada *Spain* 42°49N 1°36W 90 C3
Burleigh Falls *Canada* 44°33N 78°12W 174 B6
Burley *U.S.A.* 42°32N 113°48W 168 E7
Burlingame *U.S.A.* 37°35N 122°21W 170 H4
Burlington *Canada* 43°18N 79°45W 174 C5
Burlington *Colo., U.S.A.* 39°18N 102°16W 168 G12
Burlington *Iowa, U.S.A.* 40°49N 91°14W 172 E8
Burlington *Kans., U.S.A.* 38°12N 95°45W 172 F6
Burlington *N.C., U.S.A.* 36°6N 79°26W 177 C15
Burlington *N.J., U.S.A.* 40°4N 74°51W 175 F10
Burlington *Vt., U.S.A.* 44°29N 73°12W 175 B11
Burlington *Wash., U.S.A.* 48°28N 122°20W 170 B4
Burlington *Wis., U.S.A.* 42°41N 88°17W 172 D9
Burma ■ *Asia* 21°0N 96°30E 123 J20
Burnaby I. *Canada* 52°25N 131°19W 162 C2
Burnet *U.S.A.* 30°45N 98°14W 176 F5
Burney *U.S.A.* 40°53N 121°40W 168 F3
Burnham *U.S.A.* 40°38N 77°34W 174 F7
Burnham-on-Sea *U.K.* 51°14N 3°0W 67 F5
Burnie *Australia* 41°4S 145°56E 151 G4
Burnley *U.K.* 53°47N 2°14W 66 D5
Burns *U.S.A.* 43°35N 119°3W 168 E4
Burns Junction *U.S.A.* 42°47N 117°51W 168 E5
Burns Lake *Canada* 54°14N 125°45W 162 C3
Burnside → *Canada* 66°51N 108°4W 160 D10
Burnside, L. *Australia* 25°22S 123°0E 149 E3
Burnsville *U.S.A.* 44°47N 93°17W 172 C7
Burnt River *Canada* 44°41N 78°42W 174 B6
Burntwood → *Canada* 56°8N 96°34W 163 B9
Burntwood L. *Canada* 55°22N 100°26W 163 B8
Buronga *Australia* 34°18S 142°20E 152 C5
Burqān *Kuwait* 29°0N 47°57E 128 D5
Burqin *China* 47°43N 87°0E 109 C11
Burra *Australia* 33°40S 138°55E 152 B3
Burra *Nigeria* 11°0N 8°56E 139 C6
Burragorang, L. *Australia* 33°52S 150°37E 153 B9
Burray *U.K.* 58°51N 2°54W 65 C6
Burrel *Albania* 41°36N 20°1E 96 E4
Burren △ *Ireland* 53°9N 9°5W 64 C2
Burren Junction *Australia* 30°7S 148°58E 151 E4
Burrendong, L. *Australia* 32°45S 149°10E 153 B8
Burriana *Spain* 39°50N 0°4W 90 F4
Burrinjuck, L. *Australia* 35°0S 148°36E 153 C8
Burro, Serranías del *Mexico* 28°56N 102°5W 180 B4
Burrow Hd. *U.K.* 54°41N 4°24W 65 G4
Burrowa-Pine Mountain △ *Australia* 36°6S 147°45E 153 D7
Burrum Coast △ *Australia* 25°13S 152°36E 151 D5
Burruyacú *Argentina* 26°30S 64°40W 190 B3
Burry Port *U.K.* 51°41N 4°15W 67 F3
Bursa *Turkey* 40°15N 29°5E 97 F13
Bursa □ *Turkey* 40°10N 29°5E 104 B3
Burseryd *Sweden* 57°12N 13°17E 63 G7
Burstall *Canada* 50°39N 109°54W 163 C7
Burton *Ohio, U.S.A.* 41°28N 81°8W 174 E3
Burton *S.C., U.S.A.* 32°26N 80°43W 178 C9
Burton, L. *Canada* 54°45N 78°20W 164 B4
Burton upon Trent *U.K.* 52°48N 1°38W 66 E6
Burtundy *Australia* 33°45S 142°15E 152 B5
Buru *Indonesia* 3°30S 126°30E 119 E7
Burullus, Bahra el *Egypt* 31°25N 31°0E 137 E7
Burûn, Râs *Egypt* 31°14N 33°7E 130 D2
Burundi ■ *Africa* 3°15S 30°0E 142 C3
Bururi *Burundi* 3°57S 29°37E 142 C2
Burutu *Nigeria* 5°20N 5°29E 139 D6
Burwell *U.S.A.* 41°47N 99°8W 172 E4
Burwick *U.K.* 58°45N 2°58W 65 C5
Bury *U.K.* 53°35N 2°17W 66 D5
Bury St. Edmunds *U.K.* 52°15N 0°43E 67 E8
Buryatia □ *Russia* 53°0N 110°0E 107 D12
Būrylbaytal *Kazakhstan* 44°56N 74°0E 109 D8
Buryn *Ukraine* 51°13N 33°50E 85 G7
Burzenin *Poland* 51°28N 18°47E 83 G5
Busalla *Italy* 44°34N 8°57E 92 D5
Busan *S. Korea* 35°5N 129°0E 115 G15
Busango Swamp *Zambia* 14°15S 25°45E 143 E2
Busaso = Boosaaso *Somalia* 11°12N 49°18E 131 E4
Buşayrah *Syria* 35°9N 40°26E 105 E9
Busca *Italy* 44°31N 7°29E 92 D4

Bushat Albania 41°58N 19°34E 96 E3
Būshehr Iran 28°55N 50°55E 129 D6
Būshehr □ Iran 28°20N 51°45E 129 D6
Bushenyi Uganda 0°35S 30°10E 142 C3
Bushire = Būshehr Iran 28°55N 50°55E 129 D6
Bushnell U.S.A. 28°40N 82°7W 179 G7
Bushtyna Ukraine 48°3N 23°28E 81 B8
Busie Ghana 10°29N 2°22W 138 C4
Businga Dem. Rep. of the Congo 3°16N 20°59E 140 D4
Büsingen Germany 47°42N 8°41E 77 H4
Busko-Zdrój Poland 50°28N 20°42E 83 H7
Busovača Bos.-H. 44°6N 17°53E 80 F2
Buşra ash Shām Syria 32°30N 36°25E 130 C5
Busselton Australia 33°42S 115°15E 149 F2
Busseto Italy 44°59N 10°2E 92 D7
Bussière-Badil France 45°39N 0°36E 72 C4
Bussol, Proliv Russia 46°30N 151°0E 107 E16
Bussolengo Italy 45°28N 10°51E 92 C7
Bussum Neths. 52°16N 5°10E 69 B5
Bustamante, B. Argentina 45°5S 66°18W 192 C3
Buşteni Romania 45°24N 25°32E 81 E10
Busto, C. Spain 43°34N 6°28W 88 B4
Busto Arsizio Italy 45°37N 8°51E 92 C5
Busu Djanoa Dem. Rep. of the Congo 1°43N 21°23E 140 D4
Busuanga I. Phil. 12°10N 120°0E 119 B6
Büsum Germany 54°7N 8°51E 76 A4
Busungbiu Indonesia 8°16S 114°58E 119 J17
Buta Dem. Rep. of the Congo 2°50N 24°53E 142 B1
Butare Rwanda 2°31S 29°52E 142 C2
Butaritari Kiribati 3°30N 174°0E 156 G9
Bute Australia 33°51S 138°0E 152 B3
Bute U.K. 55°48N 5°2W 65 F3
Bute Inlet Canada 50°40N 124°53W 162 C4
Butemba Uganda 1°9N 31°37E 142 B3
Butembo Dem. Rep. of the Congo 0°9N 29°18E 142 B2
Buteni Romania 46°19N 22°7E 80 D7
Butera Italy 37°11N 14°11E 95 E7
Butere Kenya 0°13N 34°30E 142 B3
Butha-Buthe Lesotho 28°47S 28°14E 145 C4
Butiaba Uganda 1°50N 31°20E 142 B3
Butler Ga., U.S.A. 32°33N 84°14W 178 C5
Butler Mo., U.S.A. 38°16N 94°20W 172 F6
Butler Pa., U.S.A. 40°52N 79°54W 174 F5
Buton Indonesia 5°0S 122°45E 119 E6
Butte Mont., U.S.A. 46°0N 112°32W 168 C7
Butte Nebr., U.S.A. 42°58N 98°51W 172 D4
Butte Creek → U.S.A. 39°12N 121°56W 170 F5
Butterworth = Gcuwa S. Africa 32°20S 28°11E 145 D4
Butterworth Malaysia 5°24N 100°23E 121 c
Buttevant Ireland 52°14N 8°40W 64 D3
Buttfield, Mt. Australia 24°45S 128°9E 149 D4
Button B. Canada 58°45N 94°23W 163 B10
Buttonwillow U.S.A. 35°24N 119°28W 171 K7
Butty Hd. Australia 33°54S 121°39E 149 F3
Butuan Phil. 8°57N 125°33E 119 C7
Butuku-Luba Eq. Guin. 3°29N 8°33E 139 E6
Butung = Buton Indonesia 5°0S 122°45E 119 E6
Buturlinovka Russia 50°50N 40°35E 86 E5
Butwal Nepal 27°33N 83°31E 125 F10
Butzbach Germany 50°25N 8°40E 77 E4
Bützow Germany 53°50N 11°58E 76 B7
Buurhakaba Somalia 3°12N 44°20E 131 G3
Buxa Duar India 27°45N 89°35E 125 F13
Buxar India 25°34N 83°58E 125 G10
Buxoro Uzbekistan 39°48N 64°25E 108 E6
Buxtehude Germany 53°28N 9°39E 76 B5
Buxton U.K. 53°16N 1°54W 66 D6
Buxy France 46°44N 4°40E 71 F11
Buy Russia 58°28N 41°28E 86 A5
Buyant-Uhaa Mongolia 44°55N 110°11E 114 B6
Buynaksk Russia 42°48N 47°7E 87 J8
Buyo Ivory C. 6°21N 7°5W 138 D3
Buyo, L. de Ivory C. 6°16N 7°10W 138 D3
Büyük Menderes → Turkey 37°28N 27°11E 99 D9
Büyükçekmece Turkey 41°2N 28°35E 97 E12
Büyükkarıştıran Turkey 41°18N 27°33E 97 E11
Büyükkemikli Burnu Turkey 40°18N 26°14E 97 F10
Büyükkonuk = Komi Cyprus 35°24N 34°0E 101 D13
Büyükorhan Turkey 39°46N 28°56E 99 B10
Büyükyoncalı Turkey 41°20N 27°55E 97 E11
Buyun Shan China 40°4N 122°43E 115 D12
Buzançais France 46°54N 1°25E 70 F8
Buzău Romania 45°10N 26°50E 81 E11
Buzău □ Romania 45°20N 26°30E 81 E11
Buzău → Romania 45°26N 27°44E 81 E12
Buzău, Pasul Romania 45°35N 26°12E 81 E11
Buzen Japan 33°35N 131°5E 113 H5
Buzet Croatia 45°24N 13°58E 93 C10
Buzi → Mozam. 19°50S 34°43E 143 F3
Buziaş Romania 45°38N 21°36E 80 E6
Büzmeýin Turkmenistan 38°3N 58°12E 129 B8
Buzuluk Russia 52°48N 52°12E 108 B4
Buzuluk → Russia 50°15N 42°7E 86 E6
Buzzards Bay U.S.A. 41°45N 70°37W 175 E14
Bwana Mkubwa Zambia 13°8S 28°38E 143 E2
Bwindi △ Uganda 1°2S 29°42E 142 C2
Byala Ruse, Bulgaria 43°28N 25°44E 97 C9
Byala Varna, Bulgaria 42°53N 27°55E 97 D11
Byala Slatina Bulgaria 43°26N 23°56E 96 C7
Byam Martin I. Canada 75°15N 104°15W 161 B11
Byarezina → Belarus 52°33N 30°14E 75 B16
Byaroza Belarus 52°31N 24°51E 75 B13
Byblos = Jubayl Lebanon 34°5N 35°39E 130 A4
Bychawa Poland 51°1N 22°36E 83 G9
Byczyna Poland 51°7N 18°12E 83 G5
Bydgoszcz Poland 53°10N 18°0E 83 E5
Byelorussia = Belarus ■ Europe 53°30N 27°0E 75 B14
Byers U.S.A. 39°43N 104°14W 168 G11
Byesville U.S.A. 39°58N 81°32W 174 G3
Byfield △ Australia 22°52S 150°45E 150 C5
Bykhaw Belarus 53°31N 30°14E 75 B16
Bykhov = Bykhaw Belarus 53°31N 30°14E 75 B16
Bykovo Russia 49°50N 45°25E 86 F7
Bylas U.S.A. 33°8N 110°7W 169 K8
Bylot Canada 58°25N 94°8W 163 B10
Bylot I. Canada 73°13N 78°34W 161 C16
Byram U.S.A. 32°11N 90°15W 177 E9
Byrd, C. Antarctica 69°38S 76°7W 55 C17
Byrock Australia 30°40S 146°27E 153 A7
Byron U.S.A. 32°39N 83°46W 178 C6
Byron, C. Australia 28°43S 153°38E 151 D5
Byron Bay Australia 28°43S 153°37E 151 D5
Byrranga, Gory Russia 75°0N 100°0E 107 B11
Byrranga Mts. = Byrranga, Gory Russia 75°0N 100°0E 107 B11
Byrum Denmark 57°16N 11°0E 63 G5
Byske Sweden 64°57N 21°11E 60 D19
Byskeälven → Sweden 64°57N 21°13E 60 D19
Bystrytsya Ukraine 48°27N 24°14E 81 B9
Bystrzyca → Dolnośląskie, Poland 51°12N 16°55E 83 G3
Bystrzyca → Lubelskie, Poland 51°21N 22°46E 83 G9
Bystrzyca Kłodzka Poland 50°19N 16°39E 83 H3
Bytča Slovak Rep. 49°13N 18°34E 79 B11
Bytkiv Ukraine 48°38N 24°28E 81 B9
Bytom Poland 50°25N 18°54E 83 H5
Bytom Odrzański Poland 51°44N 15°48E 83 G2
Bytów Poland 54°10N 17°30E 82 D4
Byumba Rwanda 1°35S 30°4E 142 C3
Bzenec Czech Rep. 48°58N 17°18E 79 C10
Bzura → Poland 52°25N 20°15E 83 F7

C

C.W. McConaughy, L. U.S.A. 41°14N 101°40W 172 E3
Ca → Vietnam 18°45N 105°45E 120 C5
Ca Mau Vietnam 9°7N 105°8E 121 H5
Ca Mau, Mui Vietnam 8°38N 104°44E 121 H5
Ca Na Vietnam 11°20N 108°54E 121 G7
Caacupé Paraguay 25°23S 57°5W 190 B4
Caaguazú △ Paraguay 26°5S 55°31W 191 B4
Caála Angola 12°46S 15°30E 141 G3
Caamaño Sd. Canada 52°55N 129°25W 162 C3
Caazapá Paraguay 26°8S 56°19W 190 B4
Caazapá □ Paraguay 26°10S 56°0W 191 B4
Cabana Peru 8°25S 78°5W 188 B2
Cabana de Bergantiños = A Carballa Spain 43°13N 8°54W 88 B2
Cabanaconde Peru 15°38S 71°58W 188 D3
Cabañaquinta Spain 43°10N 5°38W 88 B5
Cabanatuan Phil. 15°30N 120°58E 119 A6
Cabañeros ⌂ Spain 39°18N 4°35W 89 F6
Cabanes Spain 40°9N 0°2E 90 E5
Cabanilla Peru 15°36S 70°28W 188 D3
Cabano Canada 47°40N 68°56W 165 C6
Čabar Croatia 45°36N 14°39E 93 C11
Cabazon U.S.A. 33°55N 116°47W 171 M10
Cabedelo Brazil 7°0S 34°50W 189 B4
Cabeza del Buey Spain 38°44N 5°13W 89 G5
Cabezón de la Sal Spain 43°18N 4°14W 88 B6
Cabhán, An = Cavan Ireland 54°0N 7°22W 64 B4
Cabildo Chile 32°30S 71°5W 190 C1
Cabimas Venezuela 10°23N 71°25W 186 A4
Cabinda Angola 5°33S 12°11E 140 F2
Cabinda □ Angola 5°0S 12°30E 140 F2
Cabinet Mts. U.S.A. 48°10N 115°50W 168 B6
Cabo Blanco Argentina 47°15S 65°47W 192 C3
Cabo de Gata-Nijar ⌂ Spain 36°51N 2°6W 91 J2
Cabo de Hornos △ Chile 55°42S 67°20W 192 E3
Cabo de Santo Agostinho Brazil 8°20S 34°55W 189 B4
Cabo Frio Brazil 22°51S 42°3W 191 A7
Cabo Pantoja Peru 1°0S 75°10W 186 D3
Cabo Pulmo △ Mexico 23°20N 109°28W 180 C3
Cabo Raso Argentina 44°20S 65°15W 192 B3
Cabo San Lucas Mexico 22°53N 109°54W 180 C3
Cabo Verde ■ Atl. Oc. 16°0N 24°0W 134 b
Cabonga, Réservoir Canada 47°20N 76°40W 164 C4
Cabool U.S.A. 37°7N 92°6W 172 G7
Caboolture Australia 27°5S 152°58E 151 D5
Cabora Bassa Dam = Cahora Bassa, Lago de Mozam. 15°20S 32°50E 143 F3
Caborca Mexico 30°37N 112°6W 180 A2
Cabot, Mt. U.S.A. 44°30N 71°25W 175 B13
Cabot Hd. Canada 45°14N 81°17W 174 A3
Cabot Str. Canada 47°15N 59°40W 165 C8
Cabourg France 49°17N 0°7W 70 C6
Cabra Spain 37°30N 4°28W 89 H6
Cabra del Santo Cristo Spain 37°42N 3°16W 89 H7
Cabra I. India 7°18N 93°50E 127 L11
Cábras Italy 39°56N 8°32E 94 C1
Cabrera Spain 39°8N 2°57E 100 B9
Cabrera, Sierra de la Spain 42°12N 6°40W 88 C4
Cabrera △ Spain 39°8N 2°56E 100 B9
Cabri Canada 50°35N 108°25W 163 C7
Cabriel → Spain 39°14N 1°3W 91 F3
Cacabelos Spain 42°36N 6°44W 88 C4
Caçador Brazil 26°47S 51°0W 191 B5
Čačak Serbia 43°54N 20°20E 96 C4
Caçapava do Sul Brazil 30°30S 53°30W 191 C5
Cáccamo Italy 37°56N 13°40E 94 E6
Cacém Portugal 38°46N 9°18W 89 G1
Cáceres Brazil 16°5S 57°40W 186 G7
Cáceres Spain 39°26N 6°23W 89 F4
Cáceres □ Spain 39°45N 6°0W 88 F5
Cache Bay Canada 46°22N 80°0W 164 C4
Cache Cr. → U.S.A. 38°42N 121°42W 170 G5
Cache Creek Canada 50°48N 121°19W 162 C4
Cacheu Guinea-Biss. 12°14N 16°8W 138 C1
Cachi Argentina 25°5S 66°10W 190 B2
Cachimbo, Serra do Brazil 9°30S 55°30W 187 E7
Cachinal de la Sierra Chile 24°58S 69°32W 190 A2
Cachoeira Brazil 12°30S 39°0W 189 C3
Cachoeira do Sul Brazil 30°3S 52°53W 191 C5
Cachoeiro de Itapemirim Brazil 20°51S 41°7W 191 A7
Cachopo Portugal 37°20N 7°49W 89 H3
Cacine Guinea-Biss. 11°8N 14°57W 138 C1
Cacoal Brazil 11°32S 61°18W 186 F6
Cacolo Angola 10°9S 19°21E 140 G3
Caconda Angola 13°48S 15°8E 141 G3
Caculé Brazil 14°30S 42°13W 189 C2
Cadaqués Spain 42°17N 3°17E 90 C8
Čadca Slovak Rep. 49°26N 18°45E 79 B11
Caddo U.S.A. 34°7N 96°16W 176 D6
Cader Idris U.K. 52°42N 3°53W 67 E4
Cadereyta de Jiménez Mexico 25°36N 100°0W 180 B5
Cades U.S.A. 33°47N 79°47W 178 B10
Cadí, Serra del Spain 42°17N 1°42E 90 C6
Cadí-Moixeró ⌂ Spain 42°17N 1°44W 90 C3
Cadibarrawirracanna, L. Australia 28°52S 135°27E 151 D2
Cadillac France 44°38N 0°20W 72 D3
Cadillac U.S.A. 44°15N 85°24W 173 C11
Cadiz Phil. 10°57N 123°15E 119 B6
Cádiz Spain 36°30N 6°20W 89 J4
Cadiz Calif., U.S.A. 34°30N 115°28W 171 L11
Cadiz Ohio, U.S.A. 40°22N 81°0W 174 F4
Cádiz □ Spain 36°36N 5°45W 89 J5
Cádiz, G. de Spain 36°40N 7°0W 89 J3
Cadiz L. U.S.A. 34°18N 115°24W 171 L11
Cadley U.S.A. 33°32N 82°40W 178 B7
Cadney Park Australia 27°55S 134°3E 151 D1
Cadomin Canada 53°2N 117°20W 162 C5
Cadotte Lake Canada 56°26N 116°23W 162 B5
Cadours France 43°44N 1°2E 72 E5
Cadoux Australia 30°46S 117°7E 149 F2
Cadwell U.S.A. 32°20N 83°3W 178 C6
Caen France 49°10N 0°22W 70 C6
Caerdydd = Cardiff U.K. 51°29N 3°10W 67 F4
Caerfyrddin = Carmarthen U.K. 51°52N 4°19W 67 F3
Caergybi = Holyhead U.K. 53°18N 4°38W 66 D3
Caernarfon U.K. 53°8N 4°16W 66 D3
Caernarfon B. U.K. 53°4N 4°40W 66 D3
Caernarvon = Caernarfon U.K. 53°8N 4°16W 66 D3
Caerphilly U.K. 51°35N 3°13W 67 F4
Caerphilly □ U.K. 51°37N 3°12W 67 F4
Caesarea Israel 32°30N 34°53E 130 C3
Caeté Brazil 19°55S 43°40W 189 D2
Caetité Brazil 13°50S 42°32W 189 C2
Cafayate Argentina 26°2S 66°0W 190 B2
Cafu Angola 16°30S 15°8E 144 A2
Cagayan de Oro Phil. 8°30N 124°40E 119 C6
Cagli Italy 43°33N 12°39E 93 E9
Cágliari Italy 39°13N 9°7E 94 C2
Cágliari, G. di Italy 39°8N 9°11E 94 C2
Cagnano Varano Italy 41°49N 15°47E 93 G12
Cagnes-sur-Mer France 43°40N 7°9E 73 E11
Caguán → Colombia 0°8S 74°18W 186 D4
Caguas Puerto Rico 18°14N 66°2W 183 d
Caha Mts. Ireland 51°45N 9°40W 64 E2
Cahama Angola 16°17S 14°19E 144 A1
Caherciveen Ireland 51°56N 10°14W 64 E1
Cahir Ireland 52°22N 7°56W 64 D4
Cahora Bassa, Lago de Mozam. 15°20S 32°50E 143 F3
Cahore Pt. Ireland 52°33N 6°12W 64 D5
Cahors France 44°27N 1°27E 72 D5
Cahuapanas Peru 5°15S 77°0W 188 B2
Cahul Moldova 45°50N 28°15E 81 E13
Cai Bau, Dao Vietnam 21°10N 107°27E 116 G6
Cai Be Vietnam 10°20N 106°2E 121 G6
Cai Nuoc Vietnam 8°56N 105°1E 121 H5
Caia Mozam. 17°51S 35°24E 143 F4
Caianda Angola 11°2S 23°31E 143 E1
Caibarién Cuba 22°30N 79°30W 182 B4
Caicara Venezuela 7°38N 66°10W 186 B5
Caicó Brazil 6°20S 37°0W 189 B3
Caicos Is. Turks & Caicos 21°40N 71°40W 183 B5
Caicos Passage W. Indies 22°45N 72°45W 183 B5
Caidian China 30°35N 114°2E 117 B10
Caiguna Australia 32°16S 125°29E 149 F4
Cailloma Peru 15°9S 71°45W 188 D3
Căinari Moldova 46°41N 29°3E 81 D14
Caird Coast Antarctica 75°0S 25°0W 55 D1
Cairn Gorm U.K. 57°7N 3°39W 65 D5
Cairngorm Mts. U.K. 57°6N 3°42W 65 D5
Cairngorms △ U.K. 57°10N 3°50W 65 D5
Cairnryan U.K. 54°59N 5°1W 65 G3
Cairns Australia 16°57S 145°45E 150 B4
Cairns L. Canada 51°42N 94°30W 163 C10
Cairo = El Qâhira Egypt 30°2N 31°13E 137 E7
Cairo Ga., U.S.A. 30°52N 84°13W 178 E5
Cairo Ill., U.S.A. 37°0N 89°11W 172 G9
Cairo N.Y., U.S.A. 42°18N 74°0W 175 D10
Cairo Montenotte Italy 44°23N 8°16E 92 D5
Caiseal = Cashel Ireland 52°30N 7°53W 64 D4
Caisleán an Bharraigh = Castlebar Ireland 53°52N 9°18W 64 C2
Caithness U.K. 58°25N 3°35W 65 C5
Caithness, Ord of U.K. 58°8N 3°36W 65 C5
Caja de Muertos, I. Puerto Rico 17°54N 66°32W 183 d
Cajabamba Peru 7°38S 78°4W 188 B2
Cajamarca Peru 7°5S 78°28W 188 B2
Cajamarca □ Peru 6°15S 78°50W 188 B2
Cajapió Brazil 2°58S 44°48W 189 A2
Cajarc France 44°29N 1°50E 72 D5
Cajatambo Peru 10°30S 77°2W 188 C2
Cajàzeiras Brazil 6°52S 38°30W 189 B3
Čajetina Serbia 43°47N 19°42E 96 C3
Çakirgol Turkey 40°33N 39°40E 105 B8
Çakırlar Turkey 36°52N 30°33E 99 E12
Čakovec Croatia 46°23N 16°26E 93 B13
Çal Turkey 38°4N 29°23E 99 C11
Cala Spain 37°59N 6°21W 89 H4
Cala → Spain 37°38N 6°5W 89 H4
Cala Cadolar, Punta de = Rotja, Pta. Spain 38°38N 1°35E 91 G6
Cala d'Or Spain 39°23N 3°14E 100 B10
Cala en Porter Spain 39°52N 4°8E 100 B11
Cala Figuera Spain 39°20N 3°10E 100 B10
Cala Figuera, C. de Spain 39°27N 2°31E 100 B9
Cala Forcat Spain 40°0N 3°47E 100 B10
Cala Major Spain 39°33N 2°37E 100 B9
Cala Mezquida = Sa Mesquida Spain 39°55N 4°16E 100 B11
Cala Millor Spain 39°35N 3°22E 100 B10
Cala Murada Spain 39°27N 3°17E 100 B10
Cala Ratjada Spain 39°43N 3°27E 100 B10
Cala Santa Galdana Spain 39°56N 3°58E 100 B10
Calabar Nigeria 4°57N 8°20E 139 E6
Calabogie Canada 45°18N 76°43W 175 A8
Calabozo Venezuela 9°0N 67°28W 186 B5
Calábria □ Italy 39°0N 16°30E 95 C9
Calábria △ Italy 39°6N 16°35E 95 C9
Calaburras, Pta. de Spain 36°30N 4°38W 89 J6
Calaceite Spain 41°1N 0°11E 90 D5
Calacoto Bolivia 17°16S 68°38W 188 D4
Calacuccia France 42°21N 9°1E 73 F13
Calafat Romania 43°58N 22°59E 80 G7
Calafell Spain 41°11N 1°34E 90 D6
Calahorra Spain 42°18N 1°59W 90 C3
Calais France 50°57N 1°56E 71 B8
Calais U.S.A. 45°11N 67°17W 173 C20
Calakmul ⌂ Mexico 18°14N 89°48W 181 D7
Calalaste, Cord. de Argentina 25°0S 67°0W 190 B2
Calama Brazil 8°0S 62°50W 186 E6
Calama Chile 22°30S 68°55W 190 A2
Calamar Colombia 10°15N 74°55W 186 A4
Calamarca Bolivia 16°55S 68°9W 188 D4
Calamian Group Phil. 11°50N 119°55E 119 B5
Calamocha Spain 40°50N 1°17W 90 E3
Calamonte Spain 38°53N 6°23W 89 G4
Călan Romania 45°44N 22°59E 80 E7
Calañas Spain 37°40N 6°53W 89 H4
Calanda Spain 40°56N 0°15W 90 E4
Calang Indonesia 4°37N 95°37E 118 D1
Calangiánus Italy 40°56N 9°11E 94 B2
Calanques △ France 43°14N 5°30E 73 E9
Calanscio, Sarīr Libya 27°30N 22°30E 135 C10
Calapan Phil. 13°25N 121°7E 119 B6
Călăraşi Moldova 47°16N 28°19E 81 C13
Călăraşi Romania 44°12N 27°20E 81 F12
Călăraşi □ Romania 44°10N 27°0E 81 F12
Calasparra Spain 38°14N 1°41W 91 G3
Calatafimi Italy 37°55N 12°52E 94 E5
Calatayud Spain 41°20N 1°40W 90 D3
Călăţele Romania 46°46N 23°1E 80 D8
Calato = Kalathos Greece 36°9N 28°8E 99 E10
Calauag Phil. 13°55N 122°15E 119 B6
Calavà, C. Italy 38°11N 14°55E 95 D7
Calavite, C. Phil. 13°26N 120°20E 119 B6
Calbayog Phil. 12°4N 124°38E 119 B6
Calca Peru 13°22S 72°0W 188 C3
Calcasieu L. U.S.A. 29°55N 93°18W 176 G8
Calcium U.S.A. 44°1N 75°50W 175 B9
Calcutta = Kolkata India 22°34N 88°21E 125 H13
Calcutta U.S.A. 40°40N 80°34W 174 F4
Caldaro Italy 46°25N 11°14E 93 B8
Caldas da Rainha Portugal 39°24N 9°8W 89 F1
Caldas de Reis Spain 42°36N 8°39W 88 C2
Caldas Novas Brazil 17°45S 48°38W 189 D1
Calder → U.K. 53°44N 1°22W 66 D6
Caldera Chile 27°5S 70°55W 190 B1
Caldera de Taburiente △ Canary Is. 28°43N 17°52W 100 F2
Caldwell Idaho, U.S.A. 43°40N 116°41W 168 E5
Caldwell Kans., U.S.A. 37°2N 97°37W 172 G5
Caldwell Tex., U.S.A. 30°32N 96°42W 176 F6
Caledon Canada 43°51N 79°51W 174 C5
Caledon S. Africa 34°14S 19°26E 144 D2
Caledon → S. Africa 30°31S 26°5E 144 D4
Caledon B. Australia 12°45S 137°0E 150 A2
Caledonia Canada 43°7N 79°58W 174 C5
Caledonia U.S.A. 42°58N 77°51W 174 D7
Calella Spain 41°37N 2°40E 90 D7
Calemba Angola 16°0S 15°44E 144 A2
Calen Australia 20°56S 148°48E 150 b
Calenzana France 42°31N 8°51E 73 F12
Caleta Olivia Argentina 46°25S 67°25W 192 C3
Caletones Chile 34°6S 70°27W 190 C1
Calexico U.S.A. 32°40N 115°30W 171 N11
Calf of Man I. of Man 54°3N 4°48W 66 C3
Calgary Canada 51°0N 114°10W 162 C6
Calheta Madeira 32°44N 17°11W 100 D2
Calhoun U.S.A. 34°30N 84°57W 177 D12
Calhoun Falls U.S.A. 34°6N 82°36W 178 A7
Cali Colombia 3°25N 76°35W 186 C3
Calicut = Kozhikode India 11°15N 75°43E 127 J2
Cálida, Costa Spain 37°30N 1°30W 91 H3
Caliente U.S.A. 37°37N 114°31W 169 H6
California Mo., U.S.A. 38°38N 92°34W 172 F7
California Pa., U.S.A. 40°4N 79°54W 174 F5
California □ U.S.A. 37°30N 119°30W 170 H7
California, Baja, T.N. = Baja California □ Mexico 30°0N 115°0W 180 B2
California, Baja, T.S. = Baja California Sur □ Mexico 25°50N 111°50W 180 B2
California, G. de Mexico 27°0N 111°0W 180 B2
California City U.S.A. 35°10N 117°55W 171 K9
California Hot Springs U.S.A. 35°51N 118°41W 171 K8
Cälilabad Azerbaijan 39°12N 48°29E 105 C13
Calilegua △ Argentina 25°36S 64°50W 190 B3
Călimăneşti Romania 45°14N 24°20E 81 E9
Călimani, Munţii Romania 47°12N 25°0E 81 C10
Călimani △ Romania 47°7N 25°10E 81 C10
Calingasta Argentina 31°15S 69°30W 190 C2
Calipatria U.S.A. 33°8N 115°31W 171 M11
Calistoga U.S.A. 38°35N 122°35W 170 G4
Calitri Italy 40°54N 15°26E 95 B8
Calitzdorp S. Africa 33°33S 21°42E 144 D3
Callabonna, L. Australia 29°40S 140°5E 151 D3
Callac France 48°25N 3°27W 70 D3
Callahan U.S.A. 30°34N 81°50W 178 E8
Callan Ireland 52°32N 7°24W 64 D4
Callander U.K. 56°15N 4°13W 65 E4
Callao Peru 12°3S 77°8W 188 C2
Callaway U.S.A. 30°8N 85°36W 178 E4
Callicoon U.S.A. 41°46N 75°3W 175 E9
Calling Lake Canada 55°15N 113°12W 162 B6
Calliope Australia 24°0S 151°16E 150 C5
Callosa de Segura Spain 38°7N 0°53W 91 G4
Callosa d'En Sarrià Spain 38°40N 0°8W 91 G4
Calma, Costa de la Spain 39°28N 2°26E 100 B9
Calne U.K. 51°26N 2°0W 67 F6
Calola Angola 16°25S 17°48E 144 A2
Calonge Spain 41°52N 3°5E 90 D8
Caloosahatchee → U.S.A. 26°31N 82°1W 179 J7
Calore → Italy 41°11N 14°28E 95 A7
Caloundra Australia 26°45S 153°10E 151 D5
Calpe Spain 38°39N 0°3E 91 G5
Calpella U.S.A. 39°14N 123°12W 170 F3
Calpine U.S.A. 39°40N 120°27W 170 F6
Calstock Canada 49°47N 84°9W 164 C3
Caltabellotta Italy 37°34N 13°13E 94 E6
Caltagirone Italy 37°14N 14°31E 95 E7
Caltanissetta Italy 37°29N 14°4E 95 E7
Çaltılıbük Turkey 39°57N 28°36E 97 G12
Caluire-et-Cuire France 45°48N 4°52E 71 G11
Calulo Angola 10°1S 14°56E 140 G2
Caluso Italy 45°18N 7°53E 92 C4
Calvados □ France 49°5N 0°15W 70 C6
Calvert → Australia 16°17S 137°44E 150 B2
Calvert I. Canada 51°30N 128°0W 162 C3
Calvert Ra. Australia 24°0S 122°30E 148 D3
Calvi France 42°34N 8°45E 73 F12
Calvià Spain 39°34N 2°31E 100 B9
Calvillo Mexico 21°51N 102°43W 180 C4
Calvinia S. Africa 31°28S 19°45E 144 D2
Calvo, Mte. Italy 41°44N 15°46E 93 G12
Calwa U.S.A. 36°42N 119°46W 170 J7
Calzada Almuradiel = Almuradiel Spain 38°32N 3°28W 89 G7
Calzada de Calatrava Spain 38°42N 3°46W 89 G7
Cam → U.K. 52°21N 0°16E 67 E8
Cam Lam = Ba Ngoi Vietnam 11°54N 109°10E 121 G7
Cam Pha Vietnam 21°7N 107°18E 116 G6
Cam Ranh Vietnam 11°54N 109°12E 121 G7
Cam Xuyen Vietnam 18°15N 106°0E 120 C6
Camabatela Angola 8°20S 15°26E 140 F3
Camacã Brazil 15°24S 39°30W 189 D3
Camaçari Brazil 12°41S 38°18W 189 C3
Camacha Madeira 32°41N 16°49W 100 D3
Camacupa Angola 11°58S 17°22E 141 G3
Camagüey Cuba 21°20N 77°55W 182 B4
Camaiore Italy 43°56N 10°18E 92 E7
Camamu Brazil 13°57S 39°7W 189 C3
Camaná Peru 16°30S 72°50W 188 D3
Camanche Res. U.S.A. 38°14N 121°1W 170 G6
Camaquã Brazil 30°51S 51°49W 191 C5
Camaquã → Brazil 31°17S 51°47W 191 C5
Câmara de Lobos Madeira 32°39N 16°59W 100 D3
Camarat, C. France 43°12N 6°41E 73 E10
Çamardı Turkey 37°49N 34°58E 104 D6
Camarès France 43°49N 2°53E 72 E6
Camaret-sur-Mer France 48°16N 4°37W 70 D2
Camargo Mexico 26°19N 98°50W 181 B5
Camargue France 43°34N 4°34E 73 E8
Camargue ⌂ France 43°30N 4°40E 73 E8
Camarillo U.S.A. 34°13N 119°2W 171 L7
Camariñas Spain 43°8N 9°12W 88 B1
Camarón, C. Honduras 16°0N 85°5W 182 C2
Camarones Argentina 44°50S 65°40W 192 B3
Camarones, B. Argentina 44°45S 65°35W 192 B3
Camas Spain 37°24N 6°2W 89 H4
Camas U.S.A. 45°35N 122°24W 170 E4
Camas Valley U.S.A. 43°2N 123°40W 168 E2
Camballin Australia 17°59S 124°12E 148 C3
Cambará Brazil 23°2S 50°5W 191 A5
Cambay = Khambhat India 22°23N 72°33E 124 H5
Cambay, G. of = Khambhat, G. of India 20°45N 72°30E 122 J8
Cambil Spain 37°40N 3°33W 89 H7
Cambo-les-Bains France 43°22N 1°23W 72 E2
Cambodia ■ Asia 12°15N 105°0E 120 F5
Camborne U.K. 50°12N 5°19W 67 G2
Cambrai Australia 34°40S 139°16E 152 C3
Cambrai France 50°11N 3°14E 71 B10
Cambre Spain 43°17N 8°20W 88 B2
Cambria U.S.A. 35°34N 121°5W 170 K5
Cambrian Mts. U.K. 52°3N 3°57W 67 E4
Cambridge Canada 43°23N 80°15W 174 C4
Cambridge Jamaica 18°18N 77°54W 182 a
Cambridge N.Z. 37°54S 175°29E 154 D4
Cambridge U.K. 52°12N 0°8E 67 E8
Cambridge Mass., U.S.A. 42°23N 71°7W 175 D13
Cambridge Minn., U.S.A. 45°34N 93°13W 172 C7
Cambridge N.Y., U.S.A. 43°2N 73°22W 175 C11
Cambridge Nebr., U.S.A. 40°17N 100°10W 172 E3
Cambridge Ohio, U.S.A. 40°2N 81°35W 174 F3
Cambridge Bay Canada 69°10N 105°0W 160 D11
Cambridge G. Australia 14°55S 128°15E 148 B4
Cambridge Springs U.S.A. 41°48N 80°4W 174 E4
Cambridgeshire □ U.K. 52°25N 0°7W 67 E7
Cambrils Spain 41°8N 1°3E 90 D6
Cambuci Brazil 21°35S 41°55W 191 A7
Cambundi-Catembo Angola 10°10S 17°35E 140 G3
Camdeboo △ S. Africa 32°28S 24°25E 144 D3
Camden Australia 34°1S 150°43E 153 C9
Camden Ala., U.S.A. 31°59N 87°17W 177 F11
Camden Ark., U.S.A. 33°35N 92°50W 176 E8
Camden Maine, U.S.A. 44°13N 69°4W 173 C19
Camden N.J., U.S.A. 39°55N 75°7W 175 G9
Camden N.Y., U.S.A. 43°20N 75°45W 175 C9
Camden S.C., U.S.A. 34°16N 80°36W 177 D14
Camden Sd. Australia 15°27S 124°25E 148 C3
Camdenton U.S.A. 38°1N 92°45W 172 F7
Camelford U.K. 50°37N 4°42W 67 G3
Çameli Turkey 37°5N 29°24E 99 D11
Camenca Moldova 48°3N 28°42E 81 B13
Camerino Italy 43°8N 13°4E 93 E10
Camerón Chile 53°38S 69°39W 192 D3
Cameron Ariz., U.S.A. 35°53N 111°25W 169 J8
Cameron La., U.S.A. 29°48N 93°20W 176 G8
Cameron Mo., U.S.A. 39°44N 94°14W 172 F6
Cameron S.C., U.S.A. 33°34N 80°43W 178 B9
Cameron Tex., U.S.A. 30°51N 96°59W 176 F6
Cameron Highlands Malaysia 4°27N 101°22E 121 K3
Cameron Hills Canada 59°48N 118°0W 162 B5
Cameron Mts. N.Z. 46°1S 167°0E 155 G2
Cameroon ■ Africa 6°0N 12°30E 135 G7
Camerota Italy 40°2N 15°22E 95 B8
Cameroun → Cameroon 4°0N 9°35E 139 E6
Cameroun, Mt. Cameroon 4°13N 9°10E 139 E6
Cametá Brazil 2°12S 49°30W 187 D9
Çamiçi Gölü Turkey 37°29N 27°28E 99 D9
Camilla U.S.A. 31°14N 84°12W 178 D5
Caminha Portugal 41°50N 8°50W 88 D2
Camino U.S.A. 38°44N 120°41W 170 G6
Camlibel = Myrtou Cyprus 35°18N 33°4E 101 D12
Cammal U.S.A. 41°24N 77°28W 174 E7
Cammarata Italy 37°38N 13°38E 94 E6
Camocim Brazil 2°55S 40°50W 189 A2
Camonica, Val Italy 46°0N 10°20E 92 B7
Camooweal Australia 19°56S 138°7E 150 B2
Camooweal Caves △ Australia 20°1S 138°11E 150 C2
Camopi Fr. Guiana 3°12N 52°17W 187 C8
Camorta India 8°8N 93°30E 127 K11
Camp Hill Ala., U.S.A. 32°48N 85°39W 178 C4
Camp Hill Pa., U.S.A. 40°14N 76°55W 174 F8
Camp Nelson U.S.A. 36°8N 118°39W 171 J8
Camp Pendleton U.S.A. 33°13N 117°24W 171 M9
Camp Verde U.S.A. 34°34N 111°51W 169 J8
Camp Wood U.S.A. 29°40N 100°1W 176 G4
Campagna Italy 40°40N 15°6E 95 B8
Campana Argentina 34°10S 58°55W 190 C4
Campana, I. Chile 48°20S 75°20W 192 C1
Campanário Madeira 32°39N 17°2W 100 D2
Campanario Spain 38°52N 5°36W 89 G5
Campanet Spain 39°46N 2°58E 100 B9
Campània □ Italy 41°0N 14°30E 95 B7
Campas del Tuyú △ Argentina 36°17S 56°50W 190 D4
Campbell S. Africa 28°48S 23°44E 144 C3
Campbell Calif., U.S.A. 37°17N 121°57W 170 H5
Campbell Fla., U.S.A. 28°16N 81°27W 179 G8
Campbell Ohio, U.S.A. 41°5N 80°37W 174 E4
Campbell, C. N.Z. 41°47S 174°18E 155 B9
Campbell I. Pac. Oc. 52°30S 169°0E 156 N8
Campbell L. Canada 63°14N 106°55W 163 A7
Campbell Plateau S. Ocean 50°0S 170°0E 55 A11
Campbell River Canada 50°5N 125°20W 162 C3
Campbellford Canada 44°18N 77°48W 174 B7
Campbellpur Pakistan 33°46N 72°26E 124 C5
Campbellsville U.S.A. 37°21N 85°20W 173 G11
Campbellton Canada 47°57N 66°43W 165 C6
Campbellton U.S.A. 30°57N 85°24W 178 E4
Campbelltown Australia 34°4S 150°49E 153 C9
Campbeltown U.K. 55°26N 5°36W 65 F3
Campeche Mexico 19°51N 90°32W 181 D6
Campeche □ Mexico 19°0N 90°30W 181 D6
Campeche, Banco Mexico 22°30N 88°0W 181 C7
Campeche, Golfo de Mexico 19°30N 93°0W 181 D6
Câmpeni Romania 46°22N 23°3E 80 D8
Camperdown Australia 38°14S 143°9E 152 E5
Camperville Canada 51°59N 100°9W 163 C8
Campi Salentina Italy 40°24N 18°1E 95 B11
Câmpia Turzii Romania 46°34N 23°53E 81 D8
Campidano Italy 39°30N 8°47E 94 C1
Campíglia Maríttima Italy 43°4N 10°37E 92 E7
Campillo de Altobuey Spain 39°36N 1°49W 91 F3
Campillos Spain 37°4N 4°51W 89 H6
Câmpina Romania 45°10N 25°45E 81 E10
Campina Grande Brazil 7°20S 35°47W 189 B3
Campinas Brazil 22°50S 47°0W 191 A6
Campione Italy 45°58N 8°58E 73 C12
Campli Italy 42°43N 13°41E 93 F10
Campo Spain 42°25N 0°24E 90 C5
Campo de Criptana Spain 39°24N 3°7W 89 F7
Campo de Gibraltar Spain 36°15N 5°25W 89 J5
Campo de los Alisos △ Argentina 27°15S 66°0W 190 B2
Campo Formoso Brazil 10°30S 40°20W 189 C2
Campo Grande Brazil 20°25S 54°40W 187 H8
Campo Maior Brazil 4°50S 42°12W 189 A2
Campo Maior Portugal 39°2N 7°7W 89 F3
Campo Mourão Brazil 24°3S 52°22W 191 A5
Campo Túres Italy 46°53N 11°55E 93 B8
Campobasso Italy 41°34N 14°39E 95 A7
Campobello di Licata Italy 37°15N 13°55E 94 E6
Campobello di Mazara Italy 37°38N 12°45E 94 E5
Campofelice di Roccella Italy 37°59N 13°53E 94 E6
Campomarino Italy 41°57N 15°2E 93 G12
Camporeale Italy 37°54N 13°6E 94 E6
Camporrobles Spain 39°39N 1°24W 90 F3
Campos Brazil 21°50S 41°20W 191 A7
Campos Spain 39°26N 3°1E 100 B10
Campos Altos Brazil 19°47S 46°10W 189 D1
Campos Belos Brazil 13°10S 47°3W 189 C1
Campos del Paraíso = Carrascosa del Campo Spain 40°2N 2°45W 90 E2
Campos Novos Brazil 27°21S 51°50W 191 B5
Campos Sales Brazil 7°4S 40°23W 189 B2
Camprodon Spain 42°19N 2°23E 90 C7
Campton Fla., U.S.A. 30°53N 86°31W 179 E3
Campton Ga., U.S.A. 33°52N 83°43W 178 B6
Camptonville U.S.A. 39°27N 121°3W 170 F5
Camptown U.S.A. 41°44N 76°14W 175 E8
Câmpulung Romania 45°17N 25°3E 81 E10
Câmpulung Moldovenesc Romania 47°32N 25°30E 81 C10
Câmpuri Romania 46°0N 26°50E 81 D11
Campville U.S.A. 29°40N 82°7W 178 F7
Camrose Canada 53°0N 112°50W 162 C6
Camsell Portage Canada 59°37N 109°15W 163 B7
Çamyuva Turkey 36°30N 30°30E 99 E12
Çan Turkey 40°2N 27°3E 97 F11
Can Clavo Spain 38°57N 1°27E 100 C7
Can Creu Spain 38°58N 1°28E 100 C7
Can Gio Vietnam 10°25N 106°58E 121 G6
Can Pastilla Spain 39°32N 2°42E 100 B9
Can Tho Vietnam 10°2N 105°46E 121 G5
Canaan U.S.A. 42°2N 73°20W 175 D11
Canacona India 15°1N 74°4E 127 G2
Canada ■ N. Amer. 60°0N 100°0W 160 G11
Canada Abyssal Plain Arctic 80°0N 140°0W 54 B18
Canada Basin Arctic 75°0N 145°0W 54 B18
Cañada de Gómez Argentina 32°40S 61°30W 190 C3
Canadian U.S.A. 35°55N 100°23W 176 D4
Canadian → U.S.A. 35°28N 95°3W 176 D7
Canadian Shield Canada 53°0N 75°0W 158 D12
Canadys U.S.A. 33°3N 80°37W 178 B9
Canajoharie U.S.A. 42°54N 74°35W 175 D10
Çanakkale Turkey 40°8N 26°24E 97 F10
Çanakkale □ Turkey 40°10N 26°25E 97 F10
Çanakkale Boğazı Turkey 40°17N 26°32E 97 F10
Canal Flats Canada 50°10N 115°48W 162 C5
Canal Point U.S.A. 26°52N 80°38W 179 J9
Canalejas Argentina 35°15S 66°34W 190 D2

Canals *Argentina* 33°35S 62°53W **190** C3
Canals *Spain* 38°58N 0°35W **91** G4
Canandaigua *U.S.A.* 42°54N 77°17W **174** D7
Canandaigua L. *U.S.A.* 42°47N 77°19W **174** D7
Cananea *Mexico* 31°0N 110°18W **180** A2
Canarias, Is. *Atl. Oc.* 28°30N 16°0W **100** F4
Canaries *St. Lucia* 13°55N 61°4W **183** f
Canarreos, Arch. de los *Cuba* 21°35N 81°40W **182** B3
Canary Is. = Canarias, Is. *Atl. Oc.* 28°30N 16°0W **100** F4
Canaseraga *U.S.A.* 42°27N 77°45W **174** D7
Canastra, Serra da *Brazil* 20°0S 46°20W **189** E1
Canatlán *Mexico* 24°31N 104°47W **180** C4
Canaveral, C. *U.S.A.* 28°27N 80°32W **179** G9
Canaveral ⌂ *U.S.A.* 28°28N 80°34W **179** G9
Cañaveruelas *Spain* 40°24N 2°38W **90** E2
Canavieiras *Brazil* 15°39S 39°0W **189** D3
Canbelego *Australia* 31°32S 146°18E **153** A7
Canberra *Australia* 35°15S 149°8E **153** C8
Canby *Calif., U.S.A.* 41°27N 120°52W **168** F3
Canby *Minn., U.S.A.* 44°43N 96°16W **172** C5
Canby *Oreg., U.S.A.* 45°16N 122°42W **170** E4
Cancale *France* 48°40N 1°50W **70** D5
Canche → *France* 50°31N 1°39E **71** B8
Canchungo *Guinea-Biss.* 12°26N 16°5W **138** C1
Canchyuaya, Cordillera de *Peru* 7°30S 74°0W **188** B3
Cancún *Mexico* 21°8N 86°44W **181** C7
Candanchú *Spain* 42°47N 0°32W **90** C4
Candarave *Peru* 17°15S 70°13W **188** D3
Çandarlı *Turkey* 38°56N 26°56E **99** C8
Çandarlı Körfezi *Turkey* 38°52N 26°55E **99** C8
Candás *Spain* 43°35N 5°45W **88** B5
Candé *France* 47°34N 1°2W **70** E5
Candela *Italy* 41°8N 15°31E **95** A8
Candelaria *Argentina* 27°29S 55°44W **191** B4
Candelaria *Canary Is.* 28°22N 16°22W **100** F3
Candelario ⌂ *Spain* 40°20N 5°46W **88** E5
Candeleda *Spain* 40°10N 5°14W **88** E5
Candelo *Australia* 36°47S 149°43E **153** D8
Candi Dasa *Indonesia* 8°30S 115°34E **119** J18
Candia = Iraklio *Greece* 35°20N 25°12E **101** D7
Candia, Sea of = Crete, Sea of *Greece* 36°0N 25°0E **99** E7
Candle L. *Canada* 53°50N 105°18W **163** C7
Candlemas I. *Antarctica* 57°3S 26°40W **55** B1
Cando *U.S.A.* 48°32N 99°12W **172** A4
Canea = Chania *Greece* 35°30N 24°4E **101** D6
Canela *Brazil* 10°15S 48°25W **189** C1
Canelli *Italy* 44°43N 8°17E **92** D5
Canelones *Uruguay* 34°32S 56°17W **191** C4
Canet de Mar *Spain* 41°35N 2°35E **90** D7
Canet-Plage *France* 42°41N 3°2E **72** F7
Cañete *Chile* 37°50S 73°30W **190** D1
Cañete *Spain* 40°3N 1°54W **90** E3
Cañete de las Torres *Spain* 37°53N 4°19W **89** H6
Cangas *Spain* 42°16N 8°47W **88** C2
Cangas de Onís *Spain* 43°21N 5°8W **88** B5
Cangas del Narcea *Spain* 43°10N 6°32W **88** B4
Cangnan *China* 27°30N 120°23E **117** D13
Cangshan *China* 34°50N 118°2E **115** G10
Canguaretama *Brazil* 6°20S 35°5W **189** B3
Canguçu *Brazil* 31°22S 52°43W **191** C5
Canguçu, Serra do *Brazil* 31°20S 52°40W **191** C5
Cangxi *China* 31°47N 105°59E **116** B5
Cangyuan *China* 23°12N 99°14E **116** F2
Cangzhou *China* 38°19N 116°52E **114** E9
Caniapiscau → *Canada* 56°40N 69°30W **165** A6
Caniapiscau, L. *Canada* 54°10N 69°55W **165** B6
Canicattì *Italy* 37°21N 13°51E **94** E6
Canicattini Bagni *Italy* 37°2N 15°4E **95** E8
Canigou *France* 42°31N 2°27E **72** F6
Caniles *Spain* 37°26N 2°43W **89** H8
Canim Lake *Canada* 51°47N 120°54W **162** C4
Canindé *Brazil* 4°22S 39°19W **189** A3
Canindé → *Brazil* 6°15S 42°52W **189** B2
Canindeyu □ *Paraguay* 24°10S 55°0W **191** A5
Canino *Italy* 42°28N 11°45E **93** F8
Canisteo *U.S.A.* 42°16N 77°36W **174** D7
Canisteo → *U.S.A.* 42°7N 77°8W **174** D7
Cañitas de Felipe Pescador *Mexico* 23°36N 102°43W **180** C4
Cañizal *Spain* 41°12N 5°22W **88** D5
Canjáyar *Spain* 37°1N 2°44W **89** H8
Çankırı *Turkey* 40°40N 33°37E **104** B5
Çankırı □ *Turkey* 40°40N 33°30E **104** B5
Cankuzo *Burundi* 3°10S 30°31E **142** C3
Canmore *Canada* 51°7N 115°18W **162** C5
Cann River *Australia* 37°35S 149°7E **153** D8
Canna *U.K.* 57°3N 6°33W **65** D2
Cannanore = Kannur *India* 11°53N 75°27E **127** J2
Cannanore Is. *India* 10°30N 72°30E **127** J1
Cannes *France* 43°32N 7°1E **73** E11
Canning Town = Port Canning *India* 22°23N 88°40E **125** H13
Cannington *Canada* 44°20N 79°2W **174** B5
Cannóbio *Italy* 46°4N 8°42E **92** B5
Cannock *U.K.* 52°41N 2°1W **67** E5
Cannonball → *U.S.A.* 46°26N 100°35W **172** B3
Cannondale Mt. *Australia* 25°13S 148°57E **150** D4
Cannonsville Res. *U.S.A.* 42°4N 75°22W **175** D9
Cannonvale *Australia* 20°17S 148°43E **150** b
Canoas *Brazil* 29°56S 51°11W **191** B5
Canoe L. *Canada* 55°10N 108°15W **163** B7
Cañon City *U.S.A.* 38°27N 105°14W **168** G11
Cañón de Río Blanco △ *Mexico* 18°43N 97°15W **181** D5
Cañón del Río Lobos ⌂ *Spain* 41°46N 3°28W **88** D7
Canonniers Pt. *Mauritius* 20°2S 57°32E **141** d
Canoochee → *U.S.A.* 31°59N 81°19W **178** D8
Canopus *Australia* 33°29S 140°42E **152** B4
Canora *Canada* 51°40N 102°30W **163** C8
Canosa di Púglia *Italy* 41°13N 16°4E **95** A9
Canowindra *Australia* 33°35S 148°38E **153** B8
Canso *Canada* 45°20N 61°0W **165** C7
Canso, Str. of *Canada* 45°37N 61°22W **165** C7
Canta *Peru* 11°29S 76°37W **188** C2
Cantabria □ *Spain* 43°10N 4°0W **88** B7
Cantabria, Sierra de *Spain* 42°40N 2°30W **90** C2
Cantabrian Mts. = Cantábrica, Cordillera *Spain* 43°0N 5°10W **88** C5
Cantábrica, Cordillera *Spain* 43°0N 5°10W **88** C5
Cantal □ *France* 45°5N 2°45E **72** C6
Cantal, Plomb du *France* 45°3N 2°45E **72** C6
Cantanhede *Portugal* 40°20N 8°36W **88** E2
Cantavieja *Spain* 40°31N 0°25W **90** E4
Čantavir *Serbia* 45°55N 19°46E **80** E4
Cantemir *Moldova* 46°17N 28°14E **81** D13
Canterbury *Australia* 25°23S 141°53E **150** D3
Canterbury *U.K.* 51°16N 1°6E **67** F9
Canterbury □ *N.Z.* 43°45S 171°19E **155** D6
Canterbury Bight *N.Z.* 44°16S 171°55E **155** E6
Canterbury Plains *N.Z.* 43°55S 171°22E **155** D6
Cantil *U.S.A.* 35°18N 117°58W **171** K9
Cantillana *Spain* 37°36N 5°50W **89** H5
Canto do Buriti *Brazil* 8°7S 42°58W **189** B2
Canton = Guangzhou *China* 23°6N 113°13E **117** F9
Canton *Ga., U.S.A.* 34°14N 84°29W **177** D12
Canton *Ill., U.S.A.* 40°33N 90°2W **172** E8
Canton *Miss., U.S.A.* 32°37N 90°2W **177** E9
Canton *Mo., U.S.A.* 40°8N 91°32W **172** E8
Canton *N.Y., U.S.A.* 44°36N 75°10W **175** B9
Canton *Ohio, U.S.A.* 40°48N 81°23W **174** F3
Canton *Pa., U.S.A.* 41°39N 76°51W **174** E8
Canton *S. Dak., U.S.A.* 43°18N 96°35W **172** D5
Canton L. *U.S.A.* 36°6N 98°35W **176** C5
Cantonment *U.S.A.* 30°37N 87°20W **179** E2
Cantù *Italy* 45°44N 9°8E **92** C6
Canudos *Brazil* 7°13S 58°5W **186** E7
Canumã → *Brazil* 3°55S 59°10W **186** D7
Canunda △ *Australia* 37°42S 140°16E **152** D4
Canutama *Brazil* 6°30S 64°20W **186** E6
Canutillo *U.S.A.* 31°55N 106°36W **176** F1
Canvey Island *U.K.* 51°31N 0°37E **67** F8
Canyon *U.S.A.* 34°59N 101°55W **176** D4
Canyon De Chelly ⌂ *U.S.A.* 36°10N 109°20W **169** H9
Canyonlands △ *U.S.A.* 38°15N 110°0W **169** G9
Canyons of the Ancients ⌂ *U.S.A.* 37°30N 108°55W **169** H9
Canyonville *U.S.A.* 42°56N 123°17W **168** E2
Cao Bang *Vietnam* 22°40N 106°15E **116** F6
Cao He → *China* 40°10N 124°32E **115** D13
Cao Lanh *Vietnam* 10°27N 105°38E **121** G5
Cao Xian *China* 34°50N 115°35E **114** G8
Caofeidian *China* 38°56N 118°32E **115** E10
Cáorle *Italy* 45°36N 12°53E **93** C9
Cap-aux-Meules *Canada* 47°23N 61°52W **165** C7
Cap-Chat *Canada* 49°6N 66°40W **165** C6
Cap-de-la-Madeleine *Canada* 46°22N 72°31W **164** C5
Cap-Haïtien *Haiti* 19°40N 72°20W **183** C5
Cap Pt. *St. Lucia* 14°7N 60°57W **183** f
Capac *U.S.A.* 43°1N 82°56W **174** C2
Capáccio *Italy* 40°25N 15°5E **95** B8
Capaci *Italy* 38°10N 13°14E **94** D6
Capanaparo → *Venezuela* 7°1N 67°7W **186** B5
Capánnori *Italy* 43°50N 10°34E **92** E7
Caparaó △ *Brazil* 20°25S 41°46W **189** E2
Capbreton *France* 43°39N 1°26W **72** E2
Capdenac *France* 44°34N 2°5E **72** D6
Capdepera *Spain* 39°42N 3°26E **90** F8
Cape → *Australia* 20°59S 146°51E **150** C4
Cape Arid △ *Australia* 33°58S 123°13E **149** F3
Cape Barren I. *Australia* 40°25S 148°15E **151** G4
Cape Basin *Atl. Oc.* 34°0S 7°0W **56** K12
Cape Breton Highlands △ *Canada* 46°50N 60°40W **165** C7
Cape Breton I. *Canada* 46°0N 60°30W **165** C7
Cape Canaveral *U.S.A.* 28°24N 80°36W **179** G9
Cape Charles *U.S.A.* 37°16N 76°1W **173** G15
Cape Coast *Ghana* 5°5N 1°15W **139** D4
Cape Cod ⌂ *U.S.A.* 41°56N 70°6W **173** E18
Cape Coral *U.S.A.* 26°33N 81°57W **179** J8
Cape Crawford *Australia* 16°41S 135°43E **150** B2
Cape Dorset = Kinngait *Canada* 64°14N 76°32W **161** E16
Cape Fear → *U.S.A.* 33°53N 78°1W **177** E15
Cape Girardeau *U.S.A.* 37°19N 89°32W **172** G9
Cape Hatteras ⌂ *U.S.A.* 35°30N 75°28W **177** D17
Cape Hillsborough △ *Australia* 20°54S 149°2E **150** b
Cape Jervis *Australia* 35°40S 138°5E **152** C3
Cape Lambert *Australia* 20°36S 117°11E **148** D2
Cape Le Grand △ *Australia* 33°54S 122°26E **149** F3
Cape Lookout ⌂ *U.S.A.* 35°45N 76°25W **177** D16
Cape May *U.S.A.* 38°56N 74°56W **173** F16
Cape May Point *U.S.A.* 38°56N 74°58W **173** F16
Cape Melville △ *Australia* 14°26S 144°28E **150** A3
Cape Mount △ *Liberia* 6°44N 11°24W **138** D2
Cape Range △ *Australia* 22°3S 114°0E **148** D1
Cape St. George *Canada* 48°28N 59°14W **165** C8
Cape Tormentine *Canada* 46°8N 63°47W **165** C7
Cape Town *S. Africa* 33°55S 18°22E **144** D2
Cape Upstart △ *Australia* 19°45S 147°48E **150** B4
Cape Verde Abyssal Plain *Atl. Oc.* 23°0N 26°0W **56** D9
Cape Verde Is. = Cabo Verde ■ *Atl. Oc.* 16°0N 24°0W **134** b
Cape Verde Plateau *Atl. Oc.* 18°0N 20°0W **56** E10
Cape Vincent *U.S.A.* 44°8N 76°20W **175** B8
Cape York Peninsula *Australia* 12°0S 142°30E **150** A3
Capela *Brazil* 10°30S 37°0W **189** C3
Capelinha *Brazil* 17°42S 42°31W **189** D2
Capella *Australia* 23°2S 148°1E **150** C4
Capendu *France* 43°11N 2°31E **72** E6
Capertree *Australia* 33°6S 149°58E **153** B8
Capestang *France* 43°20N 3°2E **72** E7
Capesterre-Belle-Eau *Guadeloupe* 16°4N 61°36W **182** b
Capesterre-de-Marie-Galante *Guadeloupe* 15°53N 61°14W **182** b
Capim → *Brazil* 1°40S 47°47W **187** D9
Capistrello *Italy* 41°57N 13°23E **93** G10
Capitan *U.S.A.* 33°35N 105°35W **169** K11
Capitán Aracena, I. *Chile* 54°10S 71°20W **192** D2
Capitán Arturo Prat *Antarctica* 63°0S 61°0W **55** C17
Capitán Pastene *Chile* 38°13S 73°1W **192** A2
Capitão de Campos *Brazil* 4°40S 41°55W **189** A2
Capitol Reef △ *U.S.A.* 38°15N 111°10W **169** G8
Capitola *U.S.A.* 36°59N 121°57W **170** J5
Capivara, Serra da *Brazil* 14°35S 45°0W **189** C2
Capizzi *Italy* 37°51N 14°29E **95** E7
Capoche → *Mozam.* 15°35S 33°0E **143** F3
Capodichino, Nápoli ✕ (NAP) *Italy* 40°53N 14°16E **95** B7
Capodistria = Koper *Slovenia* 45°31N 13°44E **93** C10
Caporetto = Kobarid *Slovenia* 46°15N 13°30E **93** B10
Capoterra *Italy* 39°11N 8°58E **94** C1
Cappadocia *Turkey* 39°0N 35°0E **104** C6
Capps *U.S.A.* 30°24N 83°54W **178** E6
Capraia *Italy* 43°2N 9°50E **92** E6
Caprara, Pta. *Italy* 41°7N 8°19E **94** A1
Caprarola *Italy* 42°19N 12°14E **93** F9
Caprera *Italy* 41°12N 9°28E **94** A2
Capri *Italy* 40°33N 14°14E **95** B7
Capricorn Coast *Australia* 23°16S 150°49E **150** C5
Capricorn Group *Australia* 23°30S 151°55E **150** C5
Capricorn Ra. *Australia* 23°20S 116°50E **148** D2
Caprino Veronese *Italy* 45°36N 10°47E **92** C7
Caprivi ⌂ *Namibia* 17°55S 22°37E **144** A3
Caprivi Strip *Namibia* 18°0S 23°0E **144** A3
Caps et Marais d'Opale ⌂ *France* 50°40N 2°0E **71** B9
Captains Flat *Australia* 35°35S 149°27E **153** C8
Captieux *France* 44°18N 0°16W **72** D3
Captiva *U.S.A.* 26°31N 82°11W **179** J7
Capulin Volcano ⌂ *U.S.A.* 36°47N 103°58W **176** C3
Caquetá → *Colombia* 1°15S 69°15W **186** D5
Car Nicobar *India* 9°10N 92°47E **127** K11
Caracal *Romania* 44°8N 24°22E **81** F9
Caracas *Venezuela* 10°30N 66°55W **186** A5
Caracol *Belize* 16°45N 89°6W **182** C2
Caracol *Mato Grosso do Sul, Brazil* 22°18S 57°1W **190** A4
Caracol *Piauí, Brazil* 9°15S 43°22W **189** B2
Caracollo *Bolivia* 17°39S 67°10W **188** D4
Caragabal *Australia* 33°49S 147°45E **153** B7
Caráglio *Italy* 44°25N 7°26E **92** D4
Carahue *Chile* 38°43S 73°12W **192** A2
Caraí *Brazil* 17°12S 41°42W **189** D2
Carajas *Brazil* 6°5S 50°23W **187** E8
Carajás, Serra dos *Brazil* 6°0S 51°30W **187** E8
Caral *Peru* 10°53S 77°31W **188** C2
Carangola *Brazil* 20°44S 42°5W **189** E2
Caransebeş *Romania* 45°28N 22°18E **80** E7
Carantec *France* 48°40N 3°55W **70** D3
Caraquet *Canada* 47°48N 64°57W **165** C6
Caraş Severin □ *Romania* 45°10N 22°10E **80** E7
Caraşova *Romania* 45°11N 21°51E **80** E6
Caratasca, L. de *Honduras* 15°20N 83°40W **182** C3
Caratinga *Brazil* 19°50S 42°10W **189** D2
Caraúbas *Brazil* 5°43S 37°33W **189** B3
Caravaca de la Cruz *Spain* 38°8N 1°52W **91** G3
Caravággio *Italy* 45°30N 9°38E **92** C6
Caravela *Guinea-Biss.* 11°30N 16°30W **138** C1
Caravelas *Brazil* 17°45S 39°15W **189** D3
Caraveli *Peru* 15°45S 73°25W **188** D3
Caravelle, Presqu'île de la *Martinique* 14°46N 60°48W **182** c
Caraz *Peru* 9°3S 77°47W **188** B2
Carazinho *Brazil* 28°16S 52°46W **191** B5
Carbalia *Moldova* 45°52N 28°27E **81** E13
Carballino = O Carballiño *Spain* 42°26N 8°5W **88** C2
Carballo *Spain* 43°13N 8°41W **88** B2
Carberry *Canada* 49°50N 99°25W **163** D9
Carbó *Mexico* 29°42N 110°58W **180** B2
Carbón, L. del *Argentina* 49°35S 68°21W **192** C3
Carbonara, C. *Italy* 39°6N 9°31E **94** C2
Carbondale *Colo., U.S.A.* 39°24N 107°13W **168** G10
Carbondale *Ill., U.S.A.* 37°44N 89°13W **172** G9
Carbondale *Pa., U.S.A.* 41°35N 75°30W **175** E9
Carbonear *Canada* 47°42N 53°13W **165** C9
Carboneras *Spain* 36°59N 1°53W **91** J3
Carboneras de Guadazaón *Spain* 39°54N 1°50W **90** F3
Carbónia *Italy* 39°10N 8°30E **94** C1
Carbonne *France* 43°18N 1°11E **72** E5
Carcabuey *Spain* 37°27N 4°17W **89** H6
Carcagente = Carcaixent *Spain* 39°8N 0°28W **91** F4
Carcaixent *Spain* 39°8N 0°28W **91** F4
Carcajou *Canada* 57°47N 117°6W **162** B5
Carcarana → *Argentina* 32°27S 60°48W **190** C3
Carcasse, C. *Haiti* 18°30N 74°28W **183** C5
Carcassonne *France* 43°13N 2°20E **72** E6
Carcoar *Australia* 33°36S 149°8E **153** B8
Carcross *Canada* 60°13N 134°45W **162** A2
Çardak *Çanakkale, Turkey* 40°22N 26°43E **97** F10
Çardak *Denizli, Turkey* 37°49N 29°39E **99** D11
Cardamon Hills *India* 9°30N 77°15E **127** K3
Cardamom Mts. = Kravanh, Chuor Phnum *Cambodia* 12°0N 103°32E **121** G4
Cardeña *Spain* 38°16N 4°20W **89** G6
Cárdenas *Cuba* 23°0N 81°30W **182** B3
Cárdenas *San Luis Potosí, Mexico* 22°0N 99°38W **181** C5
Cárdenas *Tabasco, Mexico* 17°59N 93°22W **181** D6
Cardener → *Spain* 41°41N 1°51E **90** D6
Cardenete *Spain* 39°46N 1°41W **90** F3
Cardiel, L. *Argentina* 48°55S 71°10W **192** C2
Cardiff *U.K.* 51°29N 3°10W **67** F4
Cardiff □ *U.K.* 51°31N 3°12W **67** F4
Cardiff-by-the-Sea *U.S.A.* 33°1N 117°17W **171** M9
Cardigan *U.K.* 52°5N 4°40W **67** E3
Cardigan B. *U.K.* 52°30N 4°30W **67** E3
Cardinal *Canada* 44°47N 75°23W **175** B9
Cardona *Spain* 41°56N 1°40E **90** D6
Cardona *Uruguay* 33°53S 57°18W **190** C4
Cardoso, Ilha do *Brazil* 25°8S 47°58W **191** B5
Cardston *Canada* 49°15N 113°20W **162** D6
Cardwell *Australia* 18°14S 146°2E **150** B4
Careen L. *Canada* 57°0N 108°11W **163** B7
Carei *Romania* 47°40N 22°29E **80** C7
Carentan *France* 49°19N 1°15W **70** C5
Carey *U.S.A.* 43°19N 113°57W **168** E7
Carey, L. *Australia* 29°0S 122°15E **149** E3
Carey L. *Canada* 62°12N 102°55W **163** A8
Careysburg *Liberia* 6°34N 10°30W **138** D2
Cargados Carajos *Ind. Oc.* 17°0S 59°0E **146** F4
Cargèse *France* 42°7N 8°35E **73** F12
Carhaix-Plouguer *France* 48°18N 3°36W **70** D3
Carhuamayo *Peru* 10°51S 76°4W **188** C2
Carhuas *Peru* 9°15S 77°39W **188** B2
Carhué *Argentina* 37°10S 62°50W **190** D3
Caria *Turkey* 37°20N 28°10E **99** D10
Cariacica *Brazil* 20°16S 40°25W **189** E2
Cariati *Italy* 39°30N 16°57E **95** C9
Caribbean Sea *W. Indies* 15°0N 75°0W **183** D5
Cariboo Mts. *Canada* 53°0N 121°0W **162** C4
Caribou *U.S.A.* 46°52N 68°1W **173** B19
Caribou → *Man., Canada* 59°20N 94°44W **163** B10
Caribou → *N.W.T., Canada* 61°27N 125°45W **162** A3
Caribou I. *Canada* 47°22N 85°49W **164** C2
Caribou Is. *Canada* 61°55N 113°15W **162** A6
Caribou L. *Man., Canada* 59°21N 96°10W **163** B9
Caribou L. *Ont., Canada* 50°25N 89°5W **164** B2
Caribou Mts. *Canada* 59°12N 115°40W **162** B5
Caribou River ⌂ *Canada* 59°35N 96°35W **163** B9
Caribrod = Dimitrovgrad *Serbia* 43°2N 22°48E **96** C6
Carichic *Mexico* 27°56N 107°3W **180** B3
Carignan *France* 49°38N 5°10E **71** C12
Carignano *Italy* 44°55N 7°40E **92** D4
Carinda *Australia* 30°28S 147°41E **153** A7
Cariñena *Spain* 41°20N 1°13W **90** D3
Carinhanha *Brazil* 14°15S 44°46W **189** C2
Carinhanha → *Brazil* 14°20S 43°47W **189** C2
Carini *Italy* 38°8N 13°11E **94** D6
Cariño *Spain* 43°45N 7°52W **88** B3
Carínola *Italy* 41°11N 13°58E **94** A6
Carinthia = Kärnten □ *Austria* 46°52N 13°30E **78** E6
Caripito *Venezuela* 10°8N 63°6W **186** A6
Cariré *Brazil* 3°57S 40°27W **189** A2
Carlet *Spain* 39°14N 0°31W **91** F4
Carleton, Mt. *Canada* 47°23N 66°53W **165** C6
Carleton Place *Canada* 45°8N 76°9W **175** A8
Carletonville *S. Africa* 26°23S 27°22E **144** C4
Cârlibaba *Romania* 47°35N 25°8E **81** C10
Carlin *U.S.A.* 40°43N 116°7W **168** F5
Carlingford L. *U.K.* 54°3N 6°9W **64** B5
Carlini Base *Antarctica* 62°30S 58°0W **55** C18
Carlinville *U.S.A.* 39°17N 89°53W **172** F9
Carlisle *U.K.* 54°54N 2°56W **66** C5
Carlisle *U.S.A.* 40°12N 77°12W **174** F7
Carlisle B. *Barbados* 13°5N 59°37W **183** g
Carlisle I. *Australia* 20°49S 149°18E **150** b
Carlit, Pic *France* 42°35N 1°55E **72** F5
Carloforte *Italy* 39°8N 8°18E **94** C1
Carlos Casares *Argentina* 35°32S 61°20W **190** D3
Carlos Chagas *Brazil* 17°43S 40°45W **189** D2
Carlos Tejedor *Argentina* 35°25S 62°25W **190** D3
Carlow *Ireland* 52°50N 6°56W **64** D5
Carlow □ *Ireland* 52°43N 6°50W **64** D5
Carlsbad *Calif., U.S.A.* 33°10N 117°21W **171** M9
Carlsbad *N. Mex., U.S.A.* 32°25N 104°14W **169** K11
Carlsbad Caverns △ *U.S.A.* 32°10N 104°35W **169** K11
Carlsberg Ridge *Ind. Oc.* 1°0N 66°0E **146** D5
Carluke *U.K.* 55°45N 3°50W **65** F5
Carlyle *Canada* 49°40N 102°20W **163** D8
Carmacks *Canada* 62°5N 136°16W **160** E4
Carmagnola *Italy* 44°51N 7°43E **92** D4
Carman *Canada* 49°30N 98°0W **163** D9
Carmarthen *U.K.* 51°52N 4°19W **67** F3
Carmarthen B. *U.K.* 51°40N 4°30W **67** F3
Carmarthenshire □ *U.K.* 51°55N 4°13W **67** F3
Carmaux *France* 44°3N 2°10E **72** D6
Carmel *U.S.A.* 41°26N 73°41W **175** E11
Carmel, Mt. = Ha Karmel, Har *Israel* 32°44N 35°3E **130** C4
Carmel-by-the-Sea *U.S.A.* 36°33N 121°55W **170** J5
Carmel Valley *U.S.A.* 36°29N 121°43W **170** J5
Carmelo *Uruguay* 34°0S 58°20W **190** C4
Carmen *Bolivia* 11°40S 67°51W **188** C4
Carmen *Paraguay* 27°13S 56°12W **191** B4
Carmen, I. *Mexico* 25°57N 111°12W **180** B2
Carmen de Patagones *Argentina* 40°50S 63°0W **192** B4
Cármenes *Spain* 42°58N 5°34W **88** C5
Carmensa *Argentina* 35°15S 67°40W **190** D2
Carmi *Canada* 49°36N 119°8W **162** D5
Carmi *U.S.A.* 38°5N 88°10W **172** F9
Carmila *Australia* 21°55S 149°24E **150** C4
Carmona *Costa Rica* 10°0N 85°15W **182** E2
Carmona *Spain* 37°28N 5°42W **89** H5
Carn Ban *U.K.* 57°7N 4°15W **65** D4
Carn Eige *U.K.* 57°17N 5°8W **65** D3
Carnac *France* 47°35N 3°6W **70** E3
Carnamah *Australia* 29°41S 115°53E **149** E2
Carnarvon *Australia* 24°51S 113°42E **149** D1
Carnarvon *S. Africa* 30°56S 22°8E **144** D3
Carnarvon △ *Australia* 24°54S 148°2E **150** C4
Carnarvon Ra. *Queens., Australia* 25°15S 148°30E **150** D4
Carnarvon Ra. *W. Austral., Australia* 25°20S 120°45E **149** E3
Carnatic *India* 9°40N 77°50E **127** K3
Carnation *U.S.A.* 47°39N 121°55W **170** C5
Carncastle *U.K.* 54°54N 5°53W **64** B6
Carndonagh *Ireland* 55°16N 7°15W **64** A4
Carnduff *Canada* 49°10N 101°50W **163** D8
Carnegie *U.S.A.* 40°24N 80°5W **174** F4
Carnegie, L. *Australia* 26°5S 122°30E **149** E3
Carnegie Ridge *Pac. Oc.* 1°0S 87°0W **157** H19
Carney I. *Antarctica* 74°0S 121°0W **55** D14
Carnic Alps = Karnische Alpen *Europe* 46°36N 13°0E **78** E6
Carniche Alpi = Karnische Alpen *Europe* 46°36N 13°0E **78** E6
Carnot *C.A.R.* 4°59N 15°56E **140** D3
Carnot, C. *Australia* 34°57S 135°38E **151** E2
Carnot B. *Australia* 17°20S 122°15E **148** C3
Carnoustie *U.K.* 56°30N 2°42W **65** E6
Carnsore Pt. *Ireland* 52°10N 6°22W **64** D5
Caro *U.S.A.* 43°29N 83°24W **173** D12
Caroga Lake *U.S.A.* 43°8N 74°28W **175** C10
Carol City *U.S.A.* 25°56N 80°14W **177** J14
Carolina *Brazil* 7°10S 47°30W **189** B1
Carolina *Puerto Rico* 18°23N 65°58W **183** d
Carolina *S. Africa* 26°5S 30°6E **145** C5
Caroline I. *Kiribati* 9°58S 150°13W **157** H12
Caroline Is. *Micronesia* 8°0N 150°0E **156** G6
Caroline Pk. *N.Z.* 45°57S 167°15E **155** F2
Caroni *Trin. & Tob.* 10°34N 61°23W **187** K15
Caroní → *Venezuela* 8°21N 62°43W **186** B6
Caronie = Nébrodi, Monti *Italy* 37°54N 14°35E **95** E7
Caroona *Australia* 31°24S 150°26E **153** A9
Carpathians *Europe* 49°30N 21°0E **75** D11
Carpaţii Meridionali *Romania* 45°30N 25°0E **81** E9
Carpentaria, G. of *Australia* 14°0S 139°0E **150** A2
Carpentras *France* 44°3N 5°2E **73** D9
Carpi *Italy* 44°47N 10°53E **92** D7
Carpina *Brazil* 7°51S 35°15W **189** B3
Cărpineni *Moldova* 46°46N 28°22E **81** D13
Carpinteria *U.S.A.* 34°24N 119°31W **171** L7
Carpio *Spain* 41°13N 5°7W **88** D5
Carr Boyd Ra. *Australia* 16°15S 128°35E **148** C4
Carra, L. *Ireland* 53°41N 9°14W **64** C2
Carrabelle *U.S.A.* 29°51N 84°40W **178** F5
Carraig Mhachaire Rois = Carrickmacross *Ireland* 53°59N 6°43W **64** C5
Carraig na Siúire = Carrick-on-Suir *Ireland* 52°21N 7°24W **64** D4
Carral *Spain* 43°14N 8°21W **88** B2
Carranya ◎ *Australia* 19°13S 127°46E **148** C4
Carrara *Italy* 44°5N 10°6E **92** D7
Carrascosa del Campo *Spain* 40°2N 2°45W **90** E2
Carrauntoohill *Ireland* 52°0N 9°45W **64** D2
Carretas, Punta *Peru* 14°12S 76°17W **188** C2
Carrick-on-Shannon *Ireland* 53°57N 8°7W **64** C3
Carrick-on-Suir *Ireland* 52°21N 7°24W **64** D4
Carrickfergus *U.K.* 54°43N 5°49W **64** B6
Carrickmacross *Ireland* 53°59N 6°43W **64** C5
Carrieton *Australia* 32°25S 138°31E **152** B3
Carrigaline *Ireland* 51°48N 8°23W **64** E3
Carrillo *Mexico* 26°54N 103°55W **180** B4
Carrington *U.S.A.* 47°27N 99°8W **172** B4
Carrión → *Spain* 41°53N 4°32W **88** D6
Carrión de los Condes *Spain* 42°20N 4°37W **88** C6
Carrizal Bajo *Chile* 28°5S 71°20W **190** B1
Carrizalillo *Chile* 29°5S 71°30W **190** B1
Carrizo Cr. → *U.S.A.* 36°55N 103°55W **169** H12
Carrizo Plain ⌂ *U.S.A.* 35°11N 119°47W **170** K7
Carrizo Springs *U.S.A.* 28°31N 99°52W **176** G5
Carrizozo *U.S.A.* 33°38N 105°53W **169** K11
Carroll *U.S.A.* 42°4N 94°52W **172** D6
Carrollton *Ga., U.S.A.* 33°35N 85°5W **178** B4
Carrollton *Ill., U.S.A.* 39°18N 90°24W **172** F8
Carrollton *Ky., U.S.A.* 38°41N 85°11W **173** F11
Carrollton *Mo., U.S.A.* 39°22N 93°30W **172** F7
Carrollton *Ohio, U.S.A.* 40°34N 81°5W **174** F3
Carron → *U.K.* 57°53N 4°22W **65** D4
Carron, L. *U.K.* 57°22N 5°35W **65** D3
Carrot → *Canada* 53°50N 101°17W **163** C8
Carrot River *Canada* 53°17N 103°35W **163** C8
Carrouges *France* 48°34N 0°10W **70** D6
Carrù *Italy* 44°29N 7°52E **92** D4
Carruthers *Canada* 52°52N 109°16W **163** C7
Çarşamba *Turkey* 41°11N 36°44E **104** B7
Carsòli *Italy* 42°6N 13°5E **93** F10
Carson *Calif., U.S.A.* 33°49N 118°16W **171** M8
Carson *N. Dak., U.S.A.* 46°25N 101°34W **172** B3
Carson → *U.S.A.* 39°45N 118°40W **170** F8
Carson City *U.S.A.* 39°10N 119°46W **170** F7
Carson Sink *U.S.A.* 39°50N 118°25W **168** G4
Cartagena *Colombia* 10°25N 75°33W **186** A3
Cartagena *Spain* 37°38N 0°59W **91** H4
Cartago *Colombia* 4°45N 75°55W **186** C3
Cartago *Costa Rica* 9°50N 83°55W **182** E3
Cártama *Spain* 36°43N 4°39W **89** J6
Cartaxo *Portugal* 39°10N 8°47W **89** F2
Cartaya *Spain* 37°16N 7°9W **89** H3
Carter Bar *U.K.* 55°21N 2°29W **65** F6
Cartersville *U.S.A.* 34°10N 84°48W **178** A5
Carterton *N.Z.* 41°2S 175°31E **154** H4
Carthage *Tunisia* 36°52N 10°20E **94** F3
Carthage *Ill., U.S.A.* 40°25N 91°8W **172** E8
Carthage *Mo., U.S.A.* 37°11N 94°19W **172** G6
Carthage *N.Y., U.S.A.* 43°59N 75°37W **175** C9
Carthage *Tex., U.S.A.* 32°9N 94°20W **176** E7
Cartier I. *Australia* 12°31S 123°29E **148** B3
Cartwright *Canada* 53°41N 56°58W **165** B8
Caruaru *Brazil* 8°15S 35°55W **189** B3
Carúpano *Venezuela* 10°39N 63°15W **186** A6
Caruthersville *U.S.A.* 36°11N 89°39W **172** G9
Carvin *France* 50°30N 2°57E **71** B9
Carvoeiro *Brazil* 1°30S 61°59W **186** D6
Carvoeiro, C. *Portugal* 39°21N 9°24W **89** F1
Cary *U.S.A.* 35°47N 78°46W **177** D15
Cas-gwent = Chepstow *U.K.* 51°38N 2°41W **67** F5
Casa, Pas de la = Envalira, Port d' *Europe* 42°33N 1°43E **90** C6
Casa Branca *Portugal* 38°29N 8°12W **89** G2
Casa de Piedra *Argentina* 38°5S 67°28W **190** D2
Casa de Piedra, Embalse *Argentina* 38°5S 67°32W **190** D2
Casa Grande *U.S.A.* 32°53N 111°45W **169** K8
Casa Nova *Brazil* 9°25S 41°5W **189** B2
Casablanca *Chile* 33°20S 71°25W **190** C1
Casablanca *Morocco* 33°36N 7°36W **136** B2
Casablanca □ *Morocco* 33°38N 7°30W **136** B2
Casacalenda *Italy* 41°44N 14°51E **93** G11
Casalbordino *Italy* 42°9N 14°35E **93** F11
Casale Monferrato *Italy* 45°8N 8°27E **92** C5
Casalmaggiore *Italy* 44°59N 10°26E **92** D7
Casalpusterlengo *Italy* 45°11N 9°39E **92** C6
Casamance *Senegal* 13°0N 15°30W **138** C1
Casamance → *Senegal* 12°33N 16°46W **138** C1
Casarano *Italy* 40°0N 18°10E **95** B11
Casares *Spain* 36°27N 5°16W **89** J5
Casas Ibáñez *Spain* 39°17N 1°30W **91** F3
Casasimarro *Spain* 39°22N 2°3W **91** F2
Casatejada *Spain* 39°54N 5°40W **88** F5
Casavieja *Spain* 40°17N 4°46W **88** E6
Cascada de Basaseachic △ *Mexico* 28°9N 108°15W **180** B3
Cascade *Seychelles* 4°39S 55°29E **141** b
Cascade *Idaho, U.S.A.* 44°31N 116°2W **168** D5
Cascade *Mont., U.S.A.* 47°16N 111°42W **168** C8
Cascade Locks *U.S.A.* 45°40N 121°54W **170** E5
Cascade Pt. *N.Z.* 44°1S 168°20E **155** E3
Cascade Ra. *U.S.A.* 47°0N 121°30W **170** D5
Cascade Res. *U.S.A.* 44°32N 116°3W **168** D5
Cascades, Pte. des *Réunion* 21°9S 55°51E **141** c
Cascais *Portugal* 38°41N 9°25W **89** G1
Cascavel *Ceará, Brazil* 4°7S 38°14W **189** A3
Cascavel *Paraná, Brazil* 24°57S 53°28W **191** A5
Cáscina *Italy* 43°41N 10°33E **92** E7
Casco B. *U.S.A.* 43°45N 70°0W **173** D19
Caselle Torinese *Italy* 45°10N 7°39E **92** C4
Caserta *Italy* 41°4N 14°20E **95** A7
Casey *Antarctica* 66°0S 76°0E **55** C8
Caseyr, Raas = Asir, Ras *Somalia* 11°55N 51°10E **131** E5
Cashel *Ireland* 52°30N 7°53W **64** D4
Casiguran *Phil.* 16°22N 122°7E **119** A6
Casilda *Argentina* 33°10S 61°10W **190** C3
Casimcea *Romania* 44°45N 28°23E **81** F13
Casino *Australia* 28°52S 153°3E **151** D5
Casiquiare → *Venezuela* 2°1N 67°7W **186** C5
Casitas *Peru* 3°54S 80°39W **188** A1
Čáslav *Czech Rep.* 49°54N 15°22E **78** B8
Casma *Peru* 9°30S 78°20W **188** B2
Casmalia *U.S.A.* 34°50N 120°32W **171** L6
Casnewydd = Newport *U.K.* 51°35N 3°0W **67** F5
Cásola Valsénio *Italy* 44°12N 11°40E **93** D8
Cásoli *Italy* 42°7N 14°18E **93** F11
Caspe *Spain* 41°14N 0°1W **90** D4
Casper *U.S.A.* 42°51N 106°19W **168** E10
Caspian Depression *Eurasia* 47°0N 48°0E **87** G9
Caspian Sea *Eurasia* 43°0N 50°0E **108** D4
Cass City *U.S.A.* 43°36N 83°10W **174** C1
Cass Lake *U.S.A.* 47°23N 94°37W **172** B6
Cassà de la Selva *Spain* 41°53N 2°52E **90** D7
Cassadaga *U.S.A.* 42°20N 79°19W **174** D5
Cassano allo Ionio *Italy* 39°47N 16°20E **95** C9
Casselberry *U.S.A.* 28°41N 81°20W **179** G8
Casselman *Canada* 45°19N 75°5W **175** A9
Casselton *U.S.A.* 46°54N 97°13W **172** B5
Cassiar Mts. *Canada* 59°30N 130°30W **162** B2
Cassilis *Australia* 32°3S 149°58E **153** B8
Cassino *Italy* 41°30N 13°49E **94** A6
Cassis *France* 43°14N 5°32E **73** E9
Cassville *U.S.A.* 36°41N 93°52W **172** G7
Castagneto Carducci *Italy* 43°9N 10°36E **92** E7
Castaic *U.S.A.* 34°30N 118°38W **171** L8
Castalia *U.S.A.* 41°24N 82°49W **174** E2
Castanhal *Brazil* 1°18S 47°55W **187** D9
Castara *Trin. & Tob.* 11°17N 60°42W **187** J16
Casteddu = Cágliari *Italy* 39°13N 9°7E **94** C2
Castéggio *Italy* 45°0N 9°7E **92** C6
Castejón de Monegros *Spain* 41°37N 0°15W **90** D4
Castel del Monte *Italy* 41°5N 16°16E **95** A9
Castel di Sangro *Italy* 41°47N 14°6E **93** G11
Castél San Giovanni *Italy* 45°4N 9°26E **92** C6
Castél San Pietro Terme *Italy* 44°24N 11°35E **93** D8
Castelbuono *Italy* 37°56N 14°5E **95** E7
Castelfidardo *Italy* 43°28N 13°33E **93** E10
Castelfiorentino *Italy* 43°36N 10°58E **92** E7
Castelfranco Véneto *Italy* 45°40N 11°55E **93** C8
Casteljaloux *France* 44°19N 0°6E **72** D4
Castell-Nedd = Neath *U.K.* 51°39N 3°48W **67** F4
Castellabate *Italy* 40°17N 14°57E **95** B7
Castellammare, G. di *Italy* 38°8N 12°54E **94** D5
Castellammare del Golfo *Italy* 38°1N 12°53E **94** D5
Castellammare di Stábia *Italy* 40°42N 14°29E **95** B7
Castellamonte *Italy* 45°23N 7°42E **92** C4
Castellane *France* 43°50N 6°31E **73** E10
Castellaneta *Italy* 40°38N 16°56E **95** B9
Castelli *Argentina* 36°7S 57°47W **190** D4
Castelló de la Plana *Spain* 39°58N 0°3W **90** F4
Castellón de la Plana □ *Spain* 40°15N 0°5W **90** E4
Castellote *Spain* 40°48N 0°15W **90** E4
Castelmáuro *Italy* 41°50N 14°43E **93** G11
Castelnau-de-Médoc *France* 45°2N 0°48W **72** C3
Castelnau-Magnoac *France* 43°17N 0°31E **72** E4
Castelnaudary *France* 43°20N 1°58E **72** E5
Castelnovo ne' Monti *Italy* 44°26N 10°24E **92** D7
Castelnuovo di Val di Cécina *Italy* 43°12N 10°59E **92** E7
Castelo *Brazil* 20°33S 41°14W **189** E2
Castelo Branco *Portugal* 39°50N 7°31W **88** F3
Castelo Branco □ *Portugal* 39°52N 7°45W **88** F3
Castelo de Paiva *Portugal* 41°2N 8°16W **88** D2
Castelo de Vide *Portugal* 39°25N 7°27W **89** F3
Castelo do Piauí *Brazil* 5°20S 41°33W **189** B2
Castelsardo *Italy* 40°55N 8°43E **94** B1
Castelsarrasin *France* 44°2N 1°7E **72** D5
Casteltérmini *Italy* 37°32N 13°39E **94** E6
Castelvetrano *Italy* 37°41N 12°47E **94** E5
Casterton *Australia* 37°30S 141°30E **152** D4
Castets *France* 43°52N 1°6W **72** E2
Castiglion Fiorentino *Italy* 43°20N 11°55E **93** E8
Castiglione del Lago *Italy* 43°7N 12°3E **93** E9
Castiglione della Pescáia *Italy* 42°46N 10°53E **92** F7
Castiglione delle Stiviere *Italy* 45°23N 10°29E **92** C7

Castilblanco Spain 39°17N 5°5W 89 F5
Castile U.S.A. 42°38N 78°3W 174 D6
Castilla Peru 5°12S 80°38W 188 B1
Castilla, Playa de Spain 37°0N 6°33W 89 J4
Castilla-La Mancha □ Spain 39°30N 3°30W 89 F7
Castilla y Leon □ Spain 42°0N 5°0W 88 D6
Castillo de Locubín Spain 37°32N 3°56W 89 H7
Castillo de San Marcos ⌂ U.S.A. 29°54N 81°19W 178 F8
Castillon-en-Couserans France 42°56N 1°1E 72 F5
Castillonès France 44°39N 0°37E 72 D4
Castillos Uruguay 34°12S 53°52W 191 C5
Castle Dale U.S.A. 39°13N 111°1W 168 G8
Castle Douglas U.K. 54°56N 3°56W 65 G5
Castle Rock Colo., U.S.A. 39°22N 104°51W 168 G11
Castle Rock Wash., U.S.A. 46°17N 122°54W 170 D4
Castlebar Ireland 53°52N 9°18W 64 C2
Castlebay U.K. 56°57N 7°31W 65 E1
Castleblayney Ireland 54°7N 6°44W 64 B5
Castlecliff N.Z. 39°57S 175°5E 154 F4
Castlecomer Ireland 52°48N 7°14W 64 D4
Castlederg U.K. 54°42N 7°36W 64 B4
Castleford U.K. 53°43N 1°21W 66 D6
Castlegar Canada 49°20N 117°40W 162 D5
Castleisland Ireland 52°14N 9°28W 64 D2
Castlemaine Australia 37°2S 144°12E 152 D6
Castlemaine Ireland 52°10N 9°42W 64 D2
Castlepoint N.Z. 40°54S 176°15E 154 G5
Castlepollard Ireland 53°41N 7°19W 64 C4
Castlerea Ireland 53°46N 8°29W 64 C3
Castlereagh → Australia 30°12S 147°32E 153 A7
Castlereagh B. Australia 12°10S 135°10E 150 A2
Castleton U.S.A. 43°37N 73°11W 175 C11
Castleton-on-Hudson U.S.A. 42°31N 73°45W 175 D11
Castletown I. of Man 54°5N 4°38W 66 C3
Castletown Bearhaven Ireland 51°39N 9°55W 64 E2
Castor Canada 52°15N 111°50W 162 C6
Castor → Canada 53°24N 78°58W 164 B4
Castorland U.S.A. 43°53N 75°31W 175 C9
Castres France 43°37N 2°13E 72 E6
Castricum Neths. 52°33N 4°40E 69 B4
Castries St. Lucia 14°2N 60°58W 183 f
Castril Spain 37°48N 2°46W 89 H8
Castro Brazil 24°45S 50°0W 191 A6
Castro Chile 42°30S 73°50W 192 B2
Castro Alves Brazil 12°46S 39°33W 189 C3
Castro del Río Spain 37°41N 4°29W 89 H6
Castro-Urdiales Spain 43°23N 3°11W 88 B7
Castro Valley U.S.A. 37°41N 122°5W 170 H4
Castro Verde Portugal 37°41N 8°4W 89 H2
Castrojeriz Spain 42°17N 4°9W 88 C6
Castropol Spain 43°32N 7°0W 88 B4
Castroreale Italy 38°6N 15°12E 95 D8
Castrovillari Italy 39°49N 16°12E 95 C9
Castroville U.S.A. 36°46N 121°45W 170 J5
Castrovirreyna Peru 13°20S 75°18W 188 C2
Castuera Spain 38°43N 5°37W 89 G5
Caswell Sound N.Z. 44°59S 167°8E 155 E2
Çat Turkey 39°40N 41°3E 105 C9
Cat Ba, Dao Vietnam 20°50N 107°0E 120 B6
Cat Ba △ Vietnam 20°47N 107°3E 120 B6
Cat I. Bahamas 24°30N 75°30W 183 B4
Cat L. Canada 51°40N 91°50W 164 B1
Cat Lake Canada 51°40N 91°50W 164 B1
Cat Tien △ Vietnam 11°25N 107°17E 121 G6
Čata Slovak Rep. 47°58N 18°38E 79 D11
Catacamas Honduras 14°54N 85°56W 182 D2
Catacaos Peru 5°20S 80°45W 188 B1
Cataguases Brazil 21°23S 42°39W 191 A7
Çatak Turkey 38°1N 43°8E 105 C10
Çatalağzı Turkey 41°30N 31°59E 104 B4
Catalão Brazil 18°10S 47°57W 189 D1
Çatalca Turkey 41°8N 28°27E 97 E12
Catalina Canada 48°31N 53°4W 165 C9
Catalina Chile 25°13S 69°43W 190 B2
Catalina U.S.A. 32°30N 110°50W 169 K8
Catalonia = Cataluña □ Spain 41°40N 1°15E 90 D6
Cataluña □ Spain 41°40N 1°15E 90 D6
Catalzeytin Turkey 41°57N 34°12E 104 B6
Catamarca Argentina 28°30S 65°50W 190 B2
Catamarca □ Argentina 27°0S 65°50W 190 B2
Catanduanes □ Phil. 13°50N 124°20E 119 B6
Catanduva Brazil 21°5S 48°58W 191 A6
Catánia Italy 37°30N 15°6E 95 E8
Catánia, G. di Italy 37°24N 15°9E 95 E8
Catanzaro Italy 38°54N 16°35E 95 D9
Catarman Phil. 12°28N 124°35E 119 B6
Catatumbo-Bari △ Colombia 9°3N 73°12W 183 E5
Cataula U.S.A. 32°39N 84°52W 178 C5
Catchacoma Canada 44°44N 78°19W 174 B6
Cateel Phil. 7°47N 126°24E 119 C7
Catembe Mozam. 26°0S 32°33E 145 C5
Catende Brazil 8°40S 35°43W 189 B3
Caterham U.K. 51°15N 0°4W 67 F7
Cathair na Mart = Westport Ireland 53°48N 9°31W 64 C2
Cathcart Australia 36°52S 149°24E 153 D8
Cathcart S. Africa 32°18S 27°10E 144 D4
Cathedral City U.S.A. 33°47N 116°28W 171 M10
Cathedral Rock △ Australia 30°24S 152°15E 153 A10
Cathlamet U.S.A. 46°12N 123°23W 170 D3
Catió Guinea-Biss. 11°17N 15°15W 138 C1
Catita Brazil 9°31S 43°1W 189 B2
Catlettsburg U.S.A. 38°25N 82°36W 173 F12
Catlins N.Z. 46°22S 169°17E 155 G4
Çatma Dağı Turkey 38°25N 29°50E 99 C11
Catoche, C. Mexico 21°35N 87°5W 181 C7
Catolé do Rocha Brazil 6°21S 37°45W 189 B3
Cátria, Mte. Italy 43°28N 12°42E 93 E9
Catriló Argentina 36°26S 63°24W 190 D3
Catrimani Brazil 0°27N 61°41W 186 C6
Catrimani → Brazil 0°28N 61°44W 186 C6
Catskill U.S.A. 42°14N 73°52W 175 D11
Catskill ⌂ U.S.A. 42°8N 74°39W 175 D10
Catskill Mts. U.S.A. 42°10N 74°25W 175 D10
Catt, Mt. Australia 13°49S 134°23E 150 A1
Cattaraugus U.S.A. 42°20N 78°52W 174 D6
Catterick U.K. 54°23N 1°37W 66 C6
Cattólica Italy 43°58N 12°44E 93 E9
Cattólica Eraclea Italy 37°26N 13°24E 94 E6
Catu Brazil 12°21S 38°23W 189 C3
Catuala Angola 16°25S 19°2E 144 A2
Catuane Mozam. 26°48S 32°18E 145 C5
Catur Mozam. 13°45S 35°30E 143 E4
Caubvick, Mt. = Iberville, Mt. d' Canada 58°50N 63°50W 161 F19
Cauca → Colombia 8°54N 74°28W 186 B4
Caucaia Brazil 3°40S 38°35W 189 A3
Caucasus Mountains Eurasia 42°50N 44°0E 87 J7
Caucete Argentina 31°38S 68°20W 190 C2
Caudete Spain 38°42N 1°2W 91 G3
Caudry France 50°7N 3°22E 71 B10
Cauese Mts. Mozam. 15°14S 30°33E 143 F3
Caulnes France 48°18N 2°10W 70 D4
Caulónia Italy 38°23N 16°24E 95 D9
Caungula Angola 8°26S 18°38E 140 F3
Cauquenes Chile 36°0S 72°22W 190 D1
Caura → Venezuela 7°38N 64°53W 186 B6
Cauresi → Mozam. 17°8S 33°0E 143 F3
Căuşani Moldova 46°38N 29°25E 81 D14
Causapscal Canada 48°19N 67°12W 165 C6
Caussade France 44°10N 1°33E 72 D5
Causse-Méjean France 44°18N 3°42E 72 D7
Causses du Quercy ⌂ France 44°35N 1°35E 72 D5
Cauterets France 42°52N 0°8W 72 F3
Cauvery → India 11°9N 78°52E 127 J4
Caux, Pays de France 49°38N 0°35E 70 C7
Cava de' Tirreni Italy 40°42N 14°42E 95 B7
Cávado → Portugal 41°32N 8°48W 88 D2
Cavagrande del Cassibile ⌂ Italy 36°58N 15°6E 95 F8
Cavaillon France 43°50N 5°2E 73 E9
Cavalaire-sur-Mer France 43°10N 6°33E 73 E10
Cavalcante Brazil 13°48S 47°30W 189 C1
Cavalese Italy 46°17N 11°27E 93 B8
Cavalier U.S.A. 48°48N 97°37W 172 A5
Cavalla = Cavally → Africa 4°22N 7°32W 138 E3
Cavalla △ Liberia 5°8N 7°20W 138 D3
Cavalli Is. N.Z. 35°0S 173°58E 154 B2
Cavally → Africa 4°22N 7°32W 138 E3
Cavan Ireland 54°0N 7°22W 64 B4
Cavan □ Ireland 54°1N 7°16W 64 C4
Cavárzere Italy 45°8N 12°5E 93 C9
Çavdarhisar Turkey 39°12N 29°37E 99 B11
Çavdır Turkey 37°10N 29°42E 99 D11
Cave Creek U.S.A. 33°50N 111°57W 169 K8
Cave Spring U.S.A. 34°6N 85°20W 178 A4
Cavelleria, C. de Spain 40°5N 4°5E 100 A11
Cavenagh Ra. Australia 26°12S 127°55E 149 E4
Cavendish Australia 37°31S 142°2E 152 D5
Caverna do Peruaçu △ Brazil 15°0S 44°35W 189 D2
Caviana, I. Brazil 0°10N 50°10W 187 C8
Cavite Phil. 14°29N 120°54E 119 B6
Cavnic Romania 47°40N 23°52E 81 C8
Cavour Italy 44°47N 7°22E 92 D4
Cavtat Croatia 42°35N 18°13E 96 D2
Cawndilla L. Australia 32°30S 142°15E 152 B5
Cawnpore = Kanpur India 26°28N 80°20E 125 F9
Caxias Brazil 4°55S 43°20W 189 A2
Caxias do Sul Brazil 29°10S 51°10W 191 B5
Çay Turkey 38°35N 31°1E 104 C4
Cay Sal Bank Bahamas 23°45N 80°0W 182 B4
Cayambe Ecuador 0°3N 78°8W 186 C3
Cayce U.S.A. 33°58N 81°4W 178 B8
Çaycuma Turkey 41°25N 32°4E 104 B5
Çayeli Turkey 41°5N 40°45E 105 B9
Cayenne Fr. Guiana 5°5N 52°18W 187 B8
Cayey Puerto Rico 18°7N 66°10W 183 d
Caygören Barajı Turkey 39°15N 28°12E 99 B10
Çayiralan Turkey 39°17N 35°38E 104 C6
Cayırova = Áyios Theodhoros Cyprus 35°22N 34°1E 101 D13
Caylus France 44°15N 1°47E 72 D5
Cayman Brac Cayman Is. 19°43N 79°49W 182 C4
Cayman Is. ☒ W. Indies 19°40N 80°30W 182 C3
Cayman Trench Caribbean 17°0N 83°0W 158 H11
Cayres France 44°55N 3°48E 72 D7
Cayuga Canada 42°59N 79°50W 174 D5
Cayuga U.S.A. 42°54N 76°44W 175 D8
Cayuga Heights U.S.A. 42°27N 76°29W 175 D8
Cayuga L. U.S.A. 42°41N 76°41W 175 D8
Cazalla de la Sierra Spain 37°56N 5°45W 89 H5
Căzănești Romania 44°36N 27°3E 81 F12
Cazaubon France 43°56N 0°3W 72 E3
Cazaux et de Sanguinet, Étang de France 44°29N 1°10W 72 D2
Cazenovia U.S.A. 42°56N 75°51W 175 D9
Cazères France 43°13N 1°5E 72 E5
Cazin Bos.-H. 44°57N 15°57E 93 D12
Čazma Croatia 45°45N 16°39E 93 C13
Cazombo Angola 11°54S 22°56E 141 G4
Cazorla Spain 37°55N 3°2W 89 H7
Cazorla, Sierra de Spain 38°5N 2°55W 89 G8
Cea → Spain 42°0N 5°36W 88 C5
Ceadîr-Lunga Moldova 46°3N 28°51E 81 D13
Ceahlău △ Romania 46°58N 25°55E 81 D10
Ceamurlia de Jos Romania 44°43N 28°47E 81 F13
Ceanannus Mor = Kells Ireland 53°44N 6°53W 64 C5
Ceará = Fortaleza Brazil 3°45S 38°35W 189 A3
Ceará □ Brazil 5°0S 40°0W 189 B3
Ceara Abyssal Plain Atl. Oc. 0°0 36°30W 56 F7
Ceará-Mirim Brazil 5°38S 35°25W 189 B3
Ceara Rise Atl. Oc. 4°30N 43°30W 56 F7
Ceatharlach = Carlow Ireland 52°50N 6°56W 64 D5
Ceauru, L. Romania 44°58N 23°11E 81 F8
Cébaco, I. de Panama 7°33N 81°9W 182 E3
Cebollar Argentina 29°10S 66°35W 190 B2
Cebollera, Sierra Spain 42°0N 2°30W 90 D2
Cebreros Spain 40°27N 4°28W 88 E6
Cebu Phil. 10°18N 123°54E 119 B6
Čečava Bos.-H. 44°42N 17°44E 80 F2
Ceccano Italy 41°34N 13°20E 94 A6
Cece Hungary 46°46N 18°39E 80 D3
Cechi Ivory C. 6°15N 4°25W 138 D4
Cecil Plains Australia 27°30S 151°11E 151 D5
Cécina Italy 43°19N 10°31E 92 E7
Cécina → Italy 43°18N 10°29E 92 E7
Ceclavín Spain 39°50N 6°45W 88 F4
Cedar → U.S.A. 41°17N 91°21W 172 E8
Cedar City U.S.A. 37°41N 113°4W 169 H7
Cedar Creek Res. U.S.A. 32°11N 96°4W 176 E6
Cedar Falls Iowa, U.S.A. 42°32N 92°27W 172 D7
Cedar Falls Wash., U.S.A. 47°25N 121°45W 170 C5
Cedar Key U.S.A. 29°8N 83°2W 179 F6
Cedar L. Canada 53°10N 100°0W 163 C9
Cedar Park U.S.A. 30°30N 97°49W 176 F6
Cedar Rapids U.S.A. 41°59N 91°40W 172 E8
Cedartown U.S.A. 34°1N 85°15W 178 A4
Cedarvale Canada 55°1N 128°22W 162 B3
Cedarville S. Africa 30°23S 29°3E 145 D4
Cedeira Spain 43°39N 8°2W 88 B2
Cedral Mexico 23°50N 100°45W 180 C4
Cedrino → Italy 40°11N 9°24E 94 B2
Cedro Brazil 6°34S 39°3W 189 B3
Cedros, I. Mexico 28°12N 115°15W 180 B1
Cedros B. Trin. & Tob. 10°16N 61°54W 187 K15
Ceduna Australia 32°7S 133°46E 151 E1
Cedynia Poland 52°53N 14°12E 83 F1
Cée Spain 42°57N 9°10W 88 C1
Ceel Gaal Somalia 10°58N 50°20E 131 E5
Ceel Waaq Kenya 2°49N 40°56E 140 D8
Ceeldheere Somalia 3°50N 47°8E 131 G4
Ceerigaabo Somalia 10°35N 47°20E 131 E4
Cefalù Italy 38°2N 14°1E 95 D7
Cega → Spain 41°33N 4°46W 88 D6
Cegléd Hungary 47°11N 19°47E 80 C4
Céglie Messápica Italy 40°39N 17°31E 95 B10
Cehegín Spain 38°6N 1°48W 91 G3
Ceheng China 24°58N 105°48E 116 E5
Cehu-Silvaniei Romania 47°24N 23°9E 81 C8
Ceica Romania 46°53N 22°10E 80 D7
Ceira → Portugal 40°13N 8°16W 88 E2
Çekerek Turkey 40°4N 35°29E 104 B6
Cekik Indonesia 8°12S 114°27E 119 J17
Čelákovice Czech Rep. 50°10N 14°46E 78 A7
Celano Italy 42°5N 13°33E 93 F10
Celanova Spain 42°9N 7°58W 88 C3
Celaque △ Honduras 14°30N 88°43W 182 D2
Celaya Mexico 20°31N 100°37W 180 C4
Celbridge Ireland 53°20N 6°32W 64 C5
Celebes = Sulawesi Indonesia 2°0S 120°0E 119 E6
Celebes Sea Indonesia 3°0N 123°0E 119 D6
Celendín Peru 6°52S 78°10W 188 B2
Čelić Bos.-H. 44°43N 18°49E 80 F3
Celina U.S.A. 40°33N 84°35W 173 E11
Celinac Bos.-H. 44°44N 17°22E 80 F2
Celje Slovenia 46°16N 15°18E 93 B12
Celldömölk Hungary 47°16N 17°10E 80 C2
Celle Germany 52°37N 10°4E 76 C6
Celorico da Beira Portugal 40°38N 7°24W 88 E3
Celtic Sea Atl. Oc. 50°9N 9°34W 68 F2
Çeltikçi Turkey 37°32N 30°29E 99 D12
Çemişgezek Turkey 39°3N 38°56E 105 C8
Cenderawasih, Teluk Indonesia 3°0S 135°20E 119 E9
Cengong China 27°13N 108°44E 116 D7
Ceno → Italy 44°43N 10°5E 92 D7
Centallo Italy 44°30N 7°35E 92 D4
Centelles Spain 41°50N 2°14E 90 D7
Centennial U.S.A. 39°34N 104°52W 168 G11
Center N. Dak., U.S.A. 47°7N 101°18W 172 B3
Center Tex., U.S.A. 31°48N 94°11W 176 F7
Center Hill U.S.A. 28°38N 82°3W 179 G7
Centerburg U.S.A. 40°18N 82°42W 174 F2
Centerville Calif., U.S.A. 36°44N 119°30W 170 J7
Centerville Iowa, U.S.A. 40°44N 92°52W 172 E7
Centerville Pa., U.S.A. 40°3N 79°59W 174 F5
Centerville Tenn., U.S.A. 35°47N 87°28W 177 D11
Centerville Tex., U.S.A. 31°16N 95°59W 176 F7
Cento Italy 44°43N 11°17E 93 D8
Central = Tsentralnyy □ Russia 52°0N 40°0E 106 D4
Central Brazil 11°8S 42°8W 189 C2
Central □ Botswana 22°0S 26°30E 144 B4
Central □ Ghana 5°30N 1°0W 139 D4
Central □ Malawi 13°30S 33°30E 143 E3
Central □ Zambia 14°25S 28°50E 143 E2
Central, Cordillera Colombia 5°0N 75°0W 186 C4
Central, Cordillera Costa Rica 10°10N 84°5W 182 D3
Central, Cordillera Dom. Rep. 19°15N 71°0W 183 C5
Central, Cordillera Peru 7°0S 77°30W 188 B2
Central, Cordillera Puerto Rico 18°8N 66°35W 183 d
Central African Rep. ■ Africa 7°0N 20°0E 135 G9
Central America America 12°0N 85°0W 158 H11
Central Australia ☼ Australia 22°30S 128°30E 148 D4
Central Bedfordshire □ U.K. 52°5N 0°20W 67 E7
Central Butte Canada 50°48N 106°31W 163 C7
Central City Colo., U.S.A. 39°48N 105°31W 168 G11
Central City Ky., U.S.A. 37°18N 87°7W 172 G10
Central City Nebr., U.S.A. 41°7N 98°0W 172 E4
Central Desert ☼ Australia 19°56S 130°46E 148 C5
Central I. Kenya 3°30N 36°0E 142 B4
Central Island △ Kenya 2°33N 36°12E 142 B4
Central Japan Int. ✈ (NGO) Japan 34°53N 136°45E 113 G8
Central Kalahari ⌂ Botswana 22°36S 23°58E 144 B3
Central Makran Range Pakistan 26°30N 64°15E 122 F4
Central Pacific Basin Pac. Oc. 8°0N 175°0W 156 G10
Central Patricia Canada 51°30N 90°9W 164 B1
Central Point U.S.A. 42°23N 122°55W 168 E2
Central Russian Uplands Europe 54°0N 36°0E 58 E13
Central Siberian Plateau Russia 65°0N 105°0E 102 B12
Central Square U.S.A. 43°17N 76°9W 175 C8
Centralia Canada 43°17N 81°28W 174 C3
Centralia Ill., U.S.A. 38°32N 89°8W 172 F9
Centralia Mo., U.S.A. 39°13N 92°8W 172 F7
Centralia Wash., U.S.A. 46°43N 122°58W 170 D4
Centre U.S.A. 34°9N 85°41W 178 A4
Centre □ Cameroon 4°45N 12°0E 139 E7
Centre de Flacq Mauritius 20°12S 57°43E 141 d
Centreville N.Y., U.S.A. 42°28N 78°14W 174 D6
Centreville Pa., U.S.A. 41°44N 79°45W 174 E5
Century U.S.A. 30°58N 87°16W 179 E2
Cenxi China 22°57N 110°57E 117 F8
Čeotina → Bos.-H. 43°36N 18°50E 96 C2
Cephalonia = Kefalonia Greece 38°15N 20°30E 98 C2
Čepin Croatia 45°32N 18°34E 80 E3
Ceprano Italy 41°33N 13°31E 94 A6
Ceptura Romania 45°1N 26°21E 81 E11
Cepu Indonesia 7°9S 111°35E 119 G14
Ceram = Seram Indonesia 3°10S 129°0E 119 E7
Ceram Sea = Seram Sea Indonesia 2°30S 128°30E 119 E7
Cerbère France 42°26N 3°10E 72 F7
Cerbicales, Îs. France 41°33N 9°22E 73 G13
Cercal Portugal 37°48N 8°40W 89 H2
Cerdanya Spain 42°22N 1°35E 90 C6
Cère → France 44°55N 1°49E 72 D5
Cerea Italy 45°12N 11°13E 93 C8
Ceredigion □ U.K. 52°16N 4°15W 67 E3
Ceres Argentina 29°55S 61°55W 190 B3
Ceres S. Africa 33°21S 19°18E 144 D2
Ceres U.S.A. 37°35N 120°57W 170 H6
Cerésio, L. di = Lugano, L. di Switz. 46°0N 9°0E 92 C6
Céret France 42°30N 2°42E 72 F6
Cerf Seychelles 4°38S 55°40E 141 b
Cergy France 49°2N 2°4E 71 C9
Cerignola Italy 41°17N 15°53E 95 A8
Cerigo = Kythira Greece 36°8N 23°0E 98 E5
Cérilly France 46°37N 2°50E 71 F9
Cerisiers France 48°8N 3°30E 71 D10
Cerizay France 46°50N 0°40W 70 F6
Çerkeş Turkey 40°49N 32°52E 104 B5
Çerkezköy Turkey 41°17N 28°0E 97 E12
Cerknica Slovenia 45°48N 14°21E 93 C11
Cerkovica Bulgaria 43°41N 24°50E 97 C8
Cermerno Serbia 43°35N 20°25E 96 C4
Çermik Turkey 38°8N 39°26E 105 C8
Cerna Romania 45°4N 28°17E 81 E13
Cerna → Romania 44°38N 23°58E 81 F8
Cernavodă Romania 44°22N 28°3E 81 F13
Cernay France 47°44N 7°10E 71 E14
Cernik Croatia 45°17N 17°22E 80 E2
Cerralvo, I. Mexico 24°15N 109°55W 180 C3
Cërrik Albania 41°2N 19°58E 96 E3
Cerritos Mexico 22°25N 100°16W 180 C4
Cerro Chato Uruguay 33°6S 55°8W 191 C4
Cerro Cofre de Perote △ Mexico 19°29N 97°8W 181 D5
Cerro Corá △ Paraguay 22°35S 56°2W 191 A4
Cerro de Pasco Peru 10°45S 76°10W 188 C2
Cerro el Copey △ Venezuela 10°59N 63°53W 183 D7
Cerro Hoya △ Panama 7°17N 80°45W 182 E3
Cerro Saroche △ Venezuela 10°8N 69°38W 183 D6
Cerro Sombrero Chile 52°45S 69°15W 192 D3
Cerros Colorados, Embalse Argentina 38°30S 68°50W 192 A3
Certaldo Italy 43°33N 11°2E 92 E8
Cervaro → Italy 41°30N 15°52E 95 A8
Cervati, Monte Italy 40°17N 15°29E 95 B8
Cerventes Australia 30°31S 115°3E 149 F2
Cervera Spain 41°40N 1°16E 90 D6
Cervera de Pisuerga Spain 42°51N 4°30W 88 C6
Cervera del Río Alhama Spain 42°2N 1°58W 90 C3
Cervéteri Italy 42°0N 12°6E 93 F9
Cérvia Italy 44°15N 12°22E 93 D9
Cervignano del Friuli Italy 45°49N 13°20E 93 C10
Cervinara Italy 41°1N 14°37E 95 A7
Cervione France 42°20N 9°29E 73 F13
Cervo Spain 43°40N 7°24W 88 B3
Cesarò Italy 37°50N 14°38E 95 E7
Cesena Italy 44°8N 12°15E 93 D9
Cesenático Italy 44°12N 12°24E 93 D9
Cēsis Latvia 57°18N 25°15E 84 D3
Česká Lípa Czech Rep. 50°45N 14°30E 78 A7
Česká Rep. = Czech Rep. ■ Europe 50°0N 15°0E 78 B8
Česká Třebová Czech Rep. 49°54N 16°27E 79 B9
České Budějovice Czech Rep. 48°55N 14°25E 78 C7
České Švýcarsko △ Czech Rep. 50°50N 14°15E 78 A7
České Velenice Czech Rep. 48°45N 14°57E 78 C7
Českobudějovický = Jihočeský □ Czech Rep. 49°8N 14°35E 78 B7
Českomoravská Vrchovina Czech Rep. 49°30N 15°40E 78 B8
Český Brod Czech Rep. 50°4N 14°52E 78 A7
Český Krumlov Czech Rep. 48°43N 14°21E 78 C7
Český Těšín Czech Rep. 49°45N 18°39E 79 B11
Česma → Croatia 45°35N 16°29E 93 C13
Çeşme Turkey 38°20N 26°23E 99 C8
Çeşme Yarımadası Turkey 38°20N 26°30E 99 C8
Cessnock Australia 32°50S 151°21E 153 B9
Cesson-Sévigné France 48°7N 1°36W 70 D5
Cestas France 44°44N 0°41W 72 D3
Cestos → Liberia 5°40N 9°10W 138 D3
Cestos Sehnkwehn △ Liberia 5°40N 9°10W 138 D3
Cetate Romania 44°7N 23°2E 80 F8
Cetin Grad Croatia 45°9N 15°45E 93 C12
Cetina → Croatia 43°26N 16°42E 93 E13
Cetinje Montenegro 42°23N 18°59E 96 D2
Cetraro Italy 39°31N 15°55E 95 C8
Ceuta N. Afr. 35°52N 5°18W 134 A4
Ceva Italy 44°23N 8°2E 92 D5
Cévennes France 44°10N 3°50E 72 D7
Cévennes △ France 44°15N 3°45E 72 D7
Ceyhan Turkey 37°4N 35°47E 104 D6
Ceyhan → Turkey 36°38N 35°40E 104 D6
Ceylanpınar Turkey 36°50N 40°2E 105 D9
Ceylon = Sri Lanka ■ Asia 7°30N 80°50E 127 L5
Ceylon Plain Ind. Oc. 4°0S 82°0E 146 E7
Cèze → France 44°6N 4°43E 73 D8
Cha-am Thailand 12°48N 99°58E 120 F2
Chabanais France 45°52N 0°48E 72 C4
Chabeuil France 44°54N 5°3E 73 D9
Chablais France 46°20N 6°36E 71 F13
Chablis France 47°47N 3°48E 71 E10
Chabounia Algeria 35°30N 2°38E 136 A4
Chacabuco Argentina 34°40S 60°27W 190 C3
Chacao, Canal Chile 41°47S 73°42W 192 B2
Chachani, Nevado Peru 16°11S 71°31W 188 D3
Chachapoyas Peru 6°15S 77°50W 188 B2
Chachasp Peru 15°30S 72°15W 188 D3
Chachoengsao Thailand 13°42N 101°5E 120 F3
Chachran Pakistan 28°55N 70°30E 124 E4
Chachro Pakistan 25°5N 70°15E 124 G4
Chaco □ Argentina 26°30S 61°0W 190 B3
Chaco □ Paraguay 26°0S 60°0W 190 B4
Chaco → U.S.A. 36°46N 108°39W 169 H9
Chaco △ Argentina 27°0S 59°30W 190 B4
Chaco Boreal S. Amer. 22°0S 60°0W 186 H6
Chaco Culture ⌂ U.S.A. 36°3N 107°58W 169 H10
Chacon, C. U.S.A. 54°42N 132°0W 162 C2
Chad ■ Africa 15°0N 17°15E 135 F8
Chad, L. = Tchad, L. Chad 13°30N 14°30E 135 F8
Chadileuvú → Argentina 37°46S 66°0W 190 D2
Chadiza Zambia 14°45S 32°27E 143 E3
Chadron U.S.A. 42°50N 103°0W 172 D2
Chadyr-Lunga = Ceadîr-Lunga Moldova 46°3N 28°51E 81 D13
Chae Hom Thailand 18°43N 99°35E 120 C2
Chae Son △ Thailand 18°42N 99°20E 120 C2
Chaem → Thailand 18°11N 98°38E 120 C2
Chaeryŏng N. Korea 38°24N 125°36E 115 E13
Chafe Nigeria 11°59N 6°50E 139 C6
Chagai Hills = Chāh Gay Hills Afghan. 29°30N 64°0E 122 E3
Chagda Russia 58°45N 130°38E 107 D14
Chagdo Kangri China 34°15N 84°10E 109 F10
Chaghcharān Afghan. 34°31N 65°15E 109 F7
Chagny France 46°57N 4°45E 71 F11
Chagoda Russia 59°10N 35°15E 84 C8
Chagos Arch. ☒ Ind. Oc. 6°0S 72°0E 146 E6
Chagos-Laccadive Ridge Ind. Oc. 3°0N 73°0E 146 D6
Chagres △ Panama 9°33N 79°37W 182 E4
Chaguanas Trin. & Tob. 10°30N 61°26W 187 K15
Chāh Ākhvor Iran 32°41N 59°40E 129 C8
Chāh Bahar Iran 25°20N 60°40E 129 E9
Chāh-e Kavīr Iran 34°29N 56°52E 129 C8
Chāh Gay Hills Afghan. 29°30N 64°0E 122 E3
Chahār Borj Iran 37°6N 45°59E 105 D11
Chahār Borjak Afghan. 30°17N 62°3E 122 D3
Chahār Mahāll va Bakhtīarī □ Iran 32°0N 49°0E 129 C6
Chai Badan Thailand 15°12N 101°8E 120 E3
Chaibasa India 22°42N 85°49E 125 H11
Chaillé-les-Marais France 46°25N 1°2W 72 B2
Chain Ridge Ind. Oc. 6°0N 54°0E 146 D4
Chainat Thailand 15°11N 100°8E 120 E3
Chainpur Nepal 27°17N 87°19E 125 F12
Chaires U.S.A. 30°26N 84°7W 178 E5
Chaitén Chile 42°55S 72°43W 192 B2
Chaiya Thailand 9°23N 99°14E 121 H2
Chaiyaphum Thailand 15°48N 102°2E 120 E4
Chaj Doab Pakistan 32°15N 73°0E 124 C5
Chajari Argentina 30°42S 58°0W 190 C4
Chak Amru Pakistan 32°22N 75°11E 124 C6
Chakar → Pakistan 29°29N 68°2E 124 E3
Chakari Zimbabwe 18°5S 29°51E 145 A4
Chake Chake Tanzania 5°15S 39°45E 142 D4
Chakhānsūr Afghan. 31°10N 62°0E 122 D3
Chakonipau, L. Canada 56°18N 68°30W 165 A6
Chakradharpur India 22°45N 85°40E 125 H11
Chakrata India 30°42N 77°51E 124 D7
Chakwal Pakistan 32°56N 72°53E 124 C5
Chala Peru 15°48S 74°20W 188 D3
Chalais France 45°16N 0°3E 72 C4
Chalakudi India 10°18N 76°20E 127 J3
Chalchihuites Mexico 23°29N 103°53W 180 C4
Chalcis = Chalkida Greece 38°27N 23°42E 98 C5
Châlette-sur-Loing France 48°1N 2°44E 71 D9
Chaleur B. Canada 47°55N 65°30W 165 C6
Chalfant U.S.A. 37°32N 118°21W 170 H8
Chalhuanca Peru 14°15S 73°15W 188 C3
Chalindrey France 47°43N 5°26E 71 E12
Chaling China 26°58N 113°30E 117 D9
Chalisgaon India 20°30N 75°10E 126 D2
Chalk River Canada 46°1N 77°27W 164 C4
Chalkar, Ozero = Shalkar Köli Kazakhstan 50°35N 51°47E 86 E10
Chalki Dodekanisa, Greece 36°17N 27°35E 99 E9
Chalki Thessaly, Greece 39°36N 22°30E 98 B4
Chalkida Greece 38°27N 23°42E 98 C5
Chalkidiki Greece 40°25N 23°20E 96 F7
Chalky Inlet N.Z. 46°3S 166°31E 155 G1
Challakere India 14°19N 76°39E 127 G3
Challans France 46°50N 1°52W 70 F5
Challapata Bolivia 18°53S 66°50W 186 G5
Challawa Gorge Res. Nigeria 11°54N 8°25E 139 C6
Challenger Deep Pac. Oc. 11°30N 142°0E 156 F6
Challenger Fracture Zone Pac. Oc. 35°0S 105°0W 157 L17
Challis U.S.A. 44°30N 114°14W 168 D6
Chalmette U.S.A. 29°56N 89°57W 177 G10
Chaloem Rattanakosin △ Thailand 14°40N 99°17E 120 E2
Chalon-sur-Saône France 46°48N 4°50E 71 F11
Chalong Thailand 7°50N 98°22E 121 a
Chalonnes-sur-Loire France 47°20N 0°45W 70 E6
Châlons-en-Champagne France 48°58N 4°20E 71 D11
Chálten, Cerro = Fitz Roy, Cerro Argentina 49°17S 73°5W 192 C2
Châlus France 45°39N 0°58E 72 C4
Chālūs Iran 36°38N 51°26E 129 B6
Cham Germany 49°13N 12°39E 77 F8
Cham, Cu Lao Vietnam 15°57N 108°30E 120 E7
Chama U.S.A. 36°54N 106°35W 169 H10
Chamaicó Argentina 35°3S 64°58W 190 D3
Chaman Pakistan 30°58N 66°25E 122 D5
Chamba India 32°35N 76°10E 124 C7
Chamba Tanzania 11°37S 37°0E 143 E4
Chambal → India 26°29N 79°15E 125 F8
Chamberlain U.S.A. 43°49N 99°20W 172 D4
Chamberlain → Australia 15°30S 127°54E 148 C4
Chamberlain L. U.S.A. 46°14N 69°19W 173 B19
Chambers U.S.A. 35°11N 109°26W 169 J9
Chambersburg U.S.A. 39°56N 77°40W 173 F15
Chambéry France 45°34N 5°55E 73 C9
Chambeshi → Zambia 11°53S 29°48E 140 G6
Chambi, Jebel Tunisia 35°11N 8°39E 136 A5
Chamblee U.S.A. 33°53N 84°18W 178 B5
Chambly Canada 45°27N 73°17W 175 A11
Chambord Canada 48°25N 72°6W 165 C5
Chamboulive France 45°26N 1°42E 72 C5
Chamchamal Iraq 35°32N 44°50E 105 E11
Chamela Mexico 19°32N 105°5W 180 D3
Chamical Argentina 30°22S 66°27W 190 C2
Chamili Greece 35°50N 26°15E 99 F8
Chamkar Luong Cambodia 11°0N 103°45E 121 G4
Chamoli India 30°24N 79°21E 125 D8
Chamonix-Mont Blanc France 45°55N 6°51E 73 C10
Chamouchaune = Ashuapmushuan → Canada 48°37N 72°20W 164 C5
Champa India 22°2N 82°43E 125 H10
Champagne Canada 60°49N 136°30W 162 A1
Champagne France 48°40N 4°20E 71 D11
Champagnole France 46°45N 5°55E 71 F12
Champaign U.S.A. 40°7N 88°15W 172 E9
Champaner India 22°29N 73°32E 124 H5
Champassak Laos 14°53N 105°52E 120 E5
Champaubert France 48°50N 3°45E 71 D10
Champawat India 29°20N 80°6E 125 E9
Champdeniers-St-Denis France 46°29N 0°25W 72 B3
Champdoré, L. Canada 55°55N 65°49W 165 A6
Champeix France 45°37N 3°8E 72 C7
Champion U.S.A. 41°19N 80°51W 174 E4
Champlain U.S.A. 44°59N 73°27W 175 B11
Champlain, L. U.S.A. 44°40N 73°20W 175 B11
Champlitte France 47°32N 5°31E 71 E12
Champotón Mexico 19°21N 90°43W 181 D6
Champua India 22°5N 85°40E 125 H11
Chamrajnagar India 11°52N 76°52E 127 J3
Chamusca Portugal 39°21N 8°29W 89 F2
Chan Chan Peru 8°7S 79°0W 188 B2
Chana Thailand 6°55N 100°44E 121 J3
Chañaral Chile 26°23S 70°40W 190 B1
Chanārān Iran 36°39N 59°6E 129 B8
Chanasma India 23°44N 72°5E 124 H5
Chancay Peru 11°32S 77°25W 188 C2
Chancery Lane Barbados 13°3N 59°30W 183 g
Chanco Chile 35°44S 72°32W 190 D1
Chand India 21°57N 79°7E 125 J8
Chandan Chauki India 28°33N 80°47E 125 E9
Chandannagar India 22°52N 88°24E 125 H13
Chandausi India 28°27N 78°49E 125 E8
Chandeleur Is. U.S.A. 29°55N 88°57W 177 G10
Chandeleur Sd. U.S.A. 29°55N 89°0W 177 G10
Chandigarh India 30°43N 76°47E 124 D7
Chandil India 22°58N 86°3E 125 H12
Chandler Australia 27°0S 133°19E 151 D1
Chandler Canada 48°18N 64°46W 165 C7
Chandler Ariz., U.S.A. 33°18N 111°50W 169 K8
Chandler Okla., U.S.A. 35°42N 96°53W 176 D6
Chandless → Brazil 9°8S 69°51W 188 B4
Chandod India 21°59N 73°28E 124 J5
Chandpur Bangla. 23°8N 90°45E 123 H17
Chandra Greece 35°3N 26°8E 99 F8
Chandragiri India 13°35N 79°19E 127 H4
Chandrapur India 19°57N 79°25E 126 E4
Chandrupatla India 18°33N 80°24E 126 E5
Chānf Iran 26°38N 60°29E 129 E9
Chang Pakistan 26°59N 68°30E 124 F3
Chang, Ko Thailand 12°0N 102°23E 121 G4
Chang, Ko Thailand 9°50N 98°27E 121 H2
Ch'ang Chiang = Chang Jiang → China 31°48N 121°10E 117 B13
Chang Jiang → China 31°48N 121°10E 117 B13
Chang-won S. Korea 35°16N 128°37E 115 G15
Changan China 22°48N 113°48E 111 a
Changanacheri India 9°25N 76°31E 127 K3
Changanassery = Changanacheri India 9°25N 76°31E 127 K3
Changane → Mozam. 24°30S 33°30E 145 B5
Changbai China 41°25N 128°5E 115 D15
Changbai Shan China 42°20N 129°0E 115 C15
Changchiak'ou = Zhangjiakou China 40°48N 114°55E 114 D8
Ch'angchou = Changzhou China 31°47N 119°58E 117 B12
Changchun China 43°57N 125°17E 115 C13
Changchunling China 45°18N 125°27E 115 B13
Changde China 29°4N 111°35E 117 C8
Changdo-ri N. Korea 38°30N 127°40E 115 E14
Changfeng China 32°28N 117°10E 117 A11
Changge China 34°13N 113°46E 114 G7
Changhai = Shanghai China 31°15N 121°26E 117 B13
Changhua China 30°12N 119°12E 117 B12
Changhua Taiwan 24°2N 120°30E 117 E13
Changhŭngni N. Korea 40°24N 128°19E 115 D15
Changi Singapore 1°23N 103°59E 121 d
Changi, Singapore ✈ (SIN) Singapore 1°23N 103°59E 121 M4
Changji China 44°1N 87°19E 109 D11
Changjiang China 19°20N 108°55E 117 a
Changjiang Shuiku China 22°29N 113°27E 111 a
Changjin N. Korea 40°23N 127°15E 115 D14
Changjin-ho N. Korea 40°30N 127°15E 115 D14
Changle China 25°59N 119°27E 117 E12
Changli China 39°40N 119°13E 115 E10
Changling China 44°20N 123°58E 115 B12
Changlun Malaysia 6°25N 100°26E 121 J3
Changning Hunan, China 26°28N 112°22E 117 D9
Changning Sichuan, China 28°40N 104°56E 116 C5
Changning Yunnan, China 24°45N 99°30E 116 E2
Changping China 40°14N 116°12E 114 D9
Changsha China 28°12N 113°0E 117 C9

Changshan China 28°55N 118°27E 117 C12
Changshan Qundao China 39°11N 122°32E 115 E12
Changshou China 29°50N 107°4E 116 C6
Changshu China 31°38N 120°43E 117 B13
Changshun China 26°3N 106°25E 116 D6
Changtai China 24°35N 117°42E 117 E11
Changting China 25°50N 116°22E 117 E11
Changtu China 42°46N 124°6E 115 C13
Changuinola Panama 9°26N 82°31W 182 E3
Changwu Guangxi Zhuangzu, China 23°25N 111°17E 117 F8
Changwu Shaanxi, China 35°10N 107°45E 114 G4
Changxing China 31°0N 119°55E 117 B12
Changyang China 30°30N 111°10E 117 B8
Changyi China 36°40N 119°30E 115 F10
Changyŏn N. Korea 38°15N 125°6E 115 E13
Changyuan China 35°15N 114°42E 114 G8
Changzhi China 36°10N 113°6E 114 F7
Changzhou China 31°47N 119°58E 117 B12
Chanhanga Angola 16°0S 14°8E 144 A1
Chania Greece 35°30N 24°4E 101 D6
Chanion, Kolpos Greece 35°33N 23°55E 101 D5
Chanlar = Goygöl Azerbaijan 40°37N 46°12E 87 K8
Channagiri India 14°2N 75°56E 127 G2
Channapatna India 12°40N 77°15E 127 H3
Channel Is. U.K. 49°19N 2°24W 67 H5
Channel Is. U.S.A. 33°40N 119°15W 171 M7
Channel Islands △ U.S.A. 34°0N 119°24W 171 L7
Channel-Port aux Basques Canada 47°30N 59°9W 165 C8
Channel Tunnel Europe 51°0N 1°30E 67 F9
Channing U.S.A. 35°41N 102°20W 176 D3
Chantada Spain 42°36N 7°46W 88 C3
Chanthaburi Thailand 12°38N 102°12E 120 F4
Chantilly France 49°12N 2°29E 71 C9
Chantonnay France 46°40N 1°3W 70 F5
Chantrey Inlet Canada 67°48N 96°20W 160 D12
Chanumla India 8°19N 93°5E 127 K11
Chanute U.S.A. 37°41N 95°27W 172 G6
Chany, Ozero Russia 54°49N 77°29E 109 B9
Chanza → Spain 37°32N 7°30W 89 H3
Chao Hu China 31°30N 117°30E 117 B11
Chao Phraya → Thailand 13°40N 100°31E 120 F3
Chao Phraya Lowlands Thailand 15°30N 100°0E 120 E3
Chaocheng China 36°4N 115°37E 114 F8
Chaohu China 31°38N 117°50E 117 B11
Chaouia-Ouardigha □ Morocco 33°0N 7°30W 136 B2
Chaoyang Guangdong, China 23°17N 116°30E 117 F11
Chaoyang Liaoning, China 41°35N 120°22E 115 D11
Chaozhou China 23°42N 116°32E 117 F11
Chapada Diamantina △ Brazil 12°52S 41°30W 189 C2
Chapada dos Veadeiros △ Brazil 14°0S 47°30W 189 C1
Chapaev Kazakhstan 50°25N 51°10E 86 E10
Chapais Canada 49°47N 74°51W 164 C5
Chapala Mozam. 15°50S 37°35E 143 F4
Chapala, L. de Mexico 20°15N 103°0W 180 C4
Chapayevsk Russia 53°0N 49°40E 86 D9
Chapecó Brazil 27°14S 52°41W 191 B5
Chapel Hill U.S.A. 35°55N 79°4W 177 D15
Chapleau Canada 47°50N 83°24W 164 C3
Chaplin Canada 50°28N 106°40W 163 C7
Chaplin L. Canada 50°22N 106°36W 163 C7
Chaplino Ukraine 48°8N 36°15E 85 H9
Chaplygin Russia 53°15N 40°0E 84 F11
Chappell U.S.A. 41°6N 102°28W 172 E2
Chappells U.S.A. 34°11N 81°52W 178 A8
Chapra = Chhapra India 25°48N 84°44E 125 G11
Chaqābel Iran 33°16N 47°30E 105 F12
Chara Russia 56°54N 118°20E 107 D12
Charadai Argentina 27°35S 59°55W 190 B4
Charagua Bolivia 19°45S 63°10W 186 G6
Charakas Greece 35°1N 25°7E 101 D7
Charambirá, Punta Colombia 4°16N 77°32W 186 C3
Charaña Bolivia 17°30S 69°25W 188 D4
Charantsavan Armenia 40°35N 44°41E 87 K7
Charanwala India 27°51N 72°10E 124 F5
Charata Argentina 27°13S 61°14W 190 B3
Charcas Mexico 23°8N 101°7W 180 C4
Charcot I. Antarctica 70°0S 70°0W 55 C17
Chard U.K. 50°52N 2°58W 67 G5
Chardon U.S.A. 41°35N 81°12W 174 E3
Chardzhou = Türkmenabat Turkmenistan 39°6N 63°34E 129 B9
Charente □ France 45°50N 0°16E 72 C4
Charente → France 45°57N 1°5W 72 C2
Charente-Maritime □ France 45°45N 0°45W 72 C3
Charenton-du-Cher France 46°44N 2°39E 71 F9
Chari → Chad 12°58N 14°31E 135 F8
Chārīkār Afghan. 35°0N 69°10E 109 E7
Charing U.S.A. 32°28N 84°22W 178 C5
Chariton U.S.A. 41°1N 93°19W 172 E7
Chariton → U.S.A. 39°19N 92°58W 172 F7
Chärjew = Türkmenabat Turkmenistan 39°6N 63°34E 129 B9
Charkhari India 25°24N 79°45E 125 G8
Charkhi Dadri India 28°37N 76°17E 124 E7
Charleroi Belgium 50°24N 4°27E 69 D4
Charleroi U.S.A. 40°9N 79°57W 174 F5
Charles, C. U.S.A. 37°7N 75°58W 173 G16
Charles, Peak Australia 32°52S 121°11E 149 F3
Charles City U.S.A. 43°4N 92°41W 172 D7
Charles de Gaulle, Paris ✕ (CDG) France 49°0N 2°32E 71 D9
Charles I. Canada 62°39N 74°15W 161 E17
Charles L. Canada 59°50N 110°33W 163 B6
Charles Sound N.Z. 45°2S 167°4E 155 F2
Charles Town U.S.A. 39°17N 77°52W 173 F15
Charlesbourg Canada 46°51N 71°16W 173 B18
Charleston Ill., U.S.A. 39°30N 88°10W 172 F9
Charleston Miss., U.S.A. 34°1N 90°4W 177 D9
Charleston Mo., U.S.A. 36°55N 89°21W 172 G9
Charleston S.C., U.S.A. 32°46N 79°56W 178 C10
Charleston W. Va., U.S.A. 38°21N 81°38W 173 F13
Charleston L. Canada 44°32N 76°0W 175 B9
Charleston Peak U.S.A. 36°16N 115°42W 171 J11
Charlestown Ireland 53°58N 8°48W 64 C3
Charlestown S. Africa 27°26S 29°53E 145 C4
Charlestown Ind., U.S.A. 38°27N 85°40W 173 F11
Charlestown N.H., U.S.A. 43°14N 72°25W 175 C12
Charlestown of Aberlour U.K. 57°28N 3°14W 65 D5
Charleville Australia 26°24S 146°15E 151 D4
Charleville Ireland 52°21N 8°40W 64 D3
Charleville-Mézières France 49°44N 4°40E 71 C11
Charlevoix U.S.A. 45°19N 85°16W 173 C11
Charlie Gibbs Fracture Zone Atl. Oc. 52°45N 35°30W 56 A8
Charlieu France 46°10N 4°10E 71 F11
Charlotte Mich., U.S.A. 42°34N 84°50W 173 D11
Charlotte N.C., U.S.A. 35°13N 80°50W 177 D14
Charlotte Vt., U.S.A. 44°19N 73°16W 175 B11
Charlotte Amalie U.S. Virgin Is. 18°21N 64°56W 183 e
Charlotte-Douglas Int. ✕ (CLT) U.S.A. 35°12N 80°56W 177 D14
Charlotte Harbor U.S.A. 26°57N 82°4W 179 J7
Charlotte L. Canada 52°12N 125°19W 162 C3
Charlottenberg Sweden 59°54N 12°17E 62 E6
Charlottesville U.S.A. 38°2N 78°30W 173 F14
Charlottetown Nfld. & L., Canada 52°46N 56°7W 165 B8
Charlottetown P.E.I., Canada 46°14N 63°8W 165 C7
Charlotteville Trin. & Tob. 11°20N 60°33W 187 J16
Charlton Australia 36°16S 143°24E 152 D5
Charlton I. Canada 52°0N 79°20W 164 B4
Charmes France 48°22N 6°17E 71 D13
Charny Canada 46°43N 71°15W 165 C5
Charnyany Belarus 51°59N 24°12E 83 G11
Charolles France 46°27N 4°16E 71 F11
Chârost France 47°0N 2°7E 71 F9
Charouine Algeria 29°0N 0°15W 136 C3
Charre Mozam. 17°13S 35°10E 143 F4
Charroux France 46°9N 0°25E 72 B4
Charsadda Pakistan 34°7N 71°45E 124 B4
Charters Towers Australia 20°5S 146°13E 150 C4
Chartres France 48°29N 1°30E 70 D8
Chartreuse ⌂ France 45°22N 5°42E 73 C9
Charysh → Russia 52°22N 83°45E 109 B10
Chascomús Argentina 35°30S 58°0W 190 D4
Chase Canada 50°50N 119°41W 162 C5
Chasefu Zambia 11°55S 33°8E 143 E3
Chashma Barrage Pakistan 32°27N 71°20E 124 C4
Chaslands Mistake N.Z. 46°38S 169°22E 155 G4
Chasseneuil-sur-Bonnieure France 45°52N 0°29E 72 C4
Chāt Iran 37°59N 55°16E 129 B7
Chatal Balkan = Udvoy Balkan Bulgaria 42°50N 26°50E 97 D10
Château-Arnoux-St-Auban France 44°6N 6°0E 73 D10
Château-Chinon France 47°4N 3°56E 71 E10
Château-d'Olonne France 46°30N 1°44W 72 B2
Château-du-Loir France 47°40N 0°25E 70 E7
Château-Gontier France 47°50N 0°48W 70 E6
Château-la-Vallière France 47°30N 0°20E 70 E7
Château-Landon France 48°8N 2°40E 71 D9
Château-Renard France 47°56N 2°55E 71 E9
Château-Renault France 47°36N 0°56E 70 E7
Château-Salins France 48°50N 6°30E 71 D13
Château-Thierry France 49°3N 3°20E 71 C10
Châteaubourg France 48°7N 1°25W 70 D5
Châteaubriant France 47°43N 1°23W 70 E5
Châteaudun France 48°3N 1°20E 70 D8
Châteaugay U.S.A. 44°56N 74°5W 175 B10
Châteaugiron France 48°3N 1°30W 70 D5
Châteauguay, L. Canada 56°26N 70°3W 165 A5
Châteaulin France 48°11N 4°8W 70 D2
Châteaumeillant France 46°35N 2°12E 71 F9
Châteauneuf-du-Faou France 48°11N 3°50W 70 D3
Châteauneuf-sur-Charente France 45°36N 0°3W 72 C3
Châteauneuf-sur-Cher France 46°52N 2°18E 71 F9
Châteauneuf-sur-Loire France 47°52N 2°13E 71 E9
Châteaurenard France 43°53N 4°51E 73 E8
Châteauroux France 46°50N 1°40E 71 F8
Châteauvillain France 48°2N 4°55E 71 D11
Châteaux, Pte. des Guadeloupe 16°15N 61°10W 182 b
Châtel-Guyon France 45°55N 3°4E 72 C7
Châtelaillon-Plage France 46°5N 1°5W 72 B2
Châtellerault France 46°50N 0°30E 70 F7
Châtelus-Malvaleix France 46°18N 2°1E 71 F9
Chatham = Miramichi Canada 47°2N 65°28W 165 C6
Chatham Canada 42°24N 82°11W 174 D2
Chatham U.K. 51°22N 0°32E 67 F8
Chatham U.S.A. 42°21N 73°36W 175 D11
Chatham, I. Chile 50°40S 74°25W 192 D2
Chatham Is. Pac. Oc. 44°0S 176°40W 155 c
Chatham Rise Pac. Oc. 43°30S 180°0E 156 M10
Châtillon Italy 45°45N 7°37E 92 C4
Châtillon-Coligny France 47°50N 2°51E 71 E9
Châtillon-en-Diois France 44°41N 5°29E 73 D9
Châtillon-sur-Indre France 46°59N 1°10E 70 F8
Châtillon-sur-Loire France 47°35N 2°44E 71 E9
Châtillon-sur-Seine France 47°50N 4°33E 71 E11
Chatmohar Bangla. 24°15N 89°15E 125 G13
Chatra India 24°12N 84°56E 125 G11
Chatrapur India 19°22N 85°2E 126 E7
Chats, L. des Canada 45°30N 76°20W 175 A8
Chatsu India 26°36N 75°57E 124 F6
Chatsworth Canada 44°27N 80°54W 174 B4
Chatsworth Zimbabwe 19°38S 31°13E 143 F3
Chattagam = Chittagong Bangla. 22°19N 91°48E 123 H17
Chattahoochee U.S.A. 30°42N 84°51W 178 E5
Chattahoochee → U.S.A. 30°54N 84°57W 178 E5
Chattanooga U.S.A. 35°3N 85°19W 177 D12
Chatteris U.K. 52°28N 0°2E 67 E8
Chatturat Thailand 15°40N 101°51E 120 E3
Chau Doc Vietnam 10°42N 105°7E 121 G5
Chaudes-Aigues France 44°51N 3°1E 72 D7
Chauffailles France 46°13N 4°20E 71 F11
Chaukan Pass Burma 27°8N 97°10E 123 F20
Chaumont France 48°7N 5°8E 71 D12
Chaumont U.S.A. 44°4N 76°8W 175 B8
Chaumont-en-Vexin France 49°16N 1°53E 71 C8
Chaumont-sur-Loire France 47°29N 1°11E 70 E8
Chaunay France 46°13N 0°9E 72 B4
Chaunskaya G. Russia 69°0N 169°0E 107 C17
Chauny France 49°37N 3°12E 71 C10
Chaura India 8°27N 93°2E 127 K11
Chausey, Îs. France 48°52N 1°49W 70 D5
Chaussin France 46°59N 5°22E 71 F12
Chautara Nepal 27°46N 85°42E 125 F11
Chautauqua L. U.S.A. 42°10N 79°24W 174 D5
Chauvigny France 46°34N 0°39E 70 F7
Chauvin Canada 52°45N 110°10W 163 C6
Chavakachcheri Sri Lanka 9°39N 80°9E 127 K5
Chavanges France 48°30N 4°35E 71 D11
Chavash Varmane △ Russia 54°50N 47°10E 86 C8
Chaves Brazil 0°15S 49°55W 187 D9
Chaves Portugal 41°45N 7°32W 88 D3
Chavín de Huantar Peru 9°35S 77°10W 188 B2
Chawang Thailand 8°25N 99°30E 121 H2
Chazelles-sur-Lyon France 45°39N 4°22E 73 C8
Chazuta Peru 6°30S 76°0W 188 B2
Chazy U.S.A. 44°53N 73°26W 175 B11
Cheaha Mt. U.S.A. 33°29N 85°49W 178 B4
Cheb Czech Rep. 50°9N 12°28E 78 A5
Chebbi, Erg Africa 31°12N 3°58W 136 B3
Cheboksarskoye Vdkhr. Russia 56°13N 46°58E 86 B8
Cheboksary Russia 56°8N 47°12E 86 B8
Cheboygan U.S.A. 45°39N 84°29W 173 C11
Chebsara Russia 59°10N 38°59E 84 C10
Chech, Erg Africa 25°0N 2°15W 136 D3
Chechelnyk Ukraine 48°13N 29°22E 81 B14
Chechen, Ostrov Russia 43°59N 47°40E 87 H8
Chechenia □ Russia 43°30N 45°29E 87 J7
Checheno-Ingush Republic = Chechenia □ Russia 43°30N 45°29E 87 J7
Chechnya = Chechenia □ Russia 43°30N 45°29E 87 J7
Chęciny Poland 50°46N 20°28E 83 H7
Checotah U.S.A. 35°28N 95°31W 176 D7
Chedabucto B. Canada 45°25N 61°8W 165 C7
Cheduba I. Burma 18°45N 93°40E 123 K18
Cheektowaga U.S.A. 42°54N 78°45W 174 D6
Cheepie Australia 26°33S 145°1E 151 D4
Chef-Boutonne France 46°7N 0°4W 72 B3
Chefchaouen Morocco 35°9N 5°15W 136 A2
Chegdomyn Russia 51°7N 133°1E 107 D14
Chegga Mauritania 25°27N 5°40W 134 C4
Chegutu Zimbabwe 18°10S 30°14E 143 F3
Chehalis U.S.A. 46°40N 122°58W 170 D4
Chehalis → U.S.A. 46°57N 123°50W 170 D3
Cheile Bicazului-Hăşmaş △ Romania 46°55N 25°50E 81 D10
Cheile Nerei-Beusnita △ Romania 44°56N 21°52E 80 F6
Cheiron, Mt. du France 43°49N 6°58E 73 E10
Cheju = Jeju S. Korea 33°31N 126°32E 115 H14
Cheju-do = Jeju-do S. Korea 33°29N 126°34E 115 H14
Cheju Str. = Jeju Haehyop S. Korea 33°50N 126°30E 115 H14
Chek Lap Kok China 22°18N 113°56E 111 a
Chek Lap Kok ✕ (HKG) China 22°19N 113°57E 111 a
Chekalin Russia 54°10N 36°10E 84 E9
Chekhovo Russia 54°33N 20°43E 82 D7
Chekiang = Zhejiang □ China 29°0N 120°0E 117 C13
Chela, Sa. da Angola 16°20S 13°20E 144 A1
Chelan U.S.A. 47°51N 120°1W 168 C3
Chelan, L. U.S.A. 48°11N 120°30W 168 B3
Cheleken = Hazar Turkmenistan 39°34N 53°16E 108 E4
Cheleken Yarymadasy Turkmenistan 39°30N 53°15E 129 B7
Chelforó Argentina 39°0S 66°33W 192 A3
Chéliff, O. → Algeria 36°0N 0°8E 136 A4
Chelkar = Shalqar Kazakhstan 47°48N 59°39E 108 C5
Chellala Dahrania Algeria 33°2N 0°1E 136 B4
Chelles France 48°53N 2°35E 71 D9
Chełm Poland 51°8N 23°30E 83 G10
Chełmno Poland 53°20N 18°30E 83 E5
Chelmsford U.K. 51°44N 0°29E 67 F8
Chełmża Poland 53°10N 18°39E 83 E5
Chelsea Australia 38°5S 145°8E 153 E6
Chelsea U.S.A. 43°59N 72°27W 175 C12
Cheltenham U.K. 51°54N 2°4W 67 F5
Chelva Spain 39°45N 1°0W 90 F4
Chelyabinsk Russia 55°10N 61°24E 108 A6
Chelyuskin, C. = Chelyuskin, Mys Russia 77°30N 103°0E 107 B11
Chelyuskin, Mys Russia 77°30N 103°0E 107 B11
Chemainus Canada 48°55N 123°42W 170 B3
Chemba Mozam. 17°9S 34°53E 141 H6
Chembar = Belinskiy Russia 53°0N 43°25E 86 D6
Chemillé France 47°14N 0°45W 70 E6
Chemin Grenier Mauritius 20°29S 57°28E 141 d
Chemnitz Germany 50°51N 12°54E 76 E8
Chemult U.S.A. 43°14N 121°47W 168 E3
Chen, Gora Russia 65°16N 141°50E 107 C15
Chenab → Pakistan 30°23N 71°2E 124 D4
Chenab Nagar Pakistan 31°45N 72°55E 124 D5
Chenachane Algeria 26°0N 4°15W 136 C3
Chenachane, O. → Algeria 25°20N 3°20W 136 C3
Chenango Forks U.S.A. 42°15N 75°51W 175 D9
Chenchiang = Zhenjiang China 32°11N 119°26E 117 A12
Cheney U.S.A. 47°30N 117°35W 168 C5
Cheng Xian China 33°43N 105°42E 114 H3
Chengalpattu India 12°42N 79°58E 127 H4
Chengbu China 26°18N 110°16E 117 D8
Chengcheng China 35°8N 109°56E 114 G5
Chengchou = Zhengzhou China 34°45N 113°34E 114 G7
Chengde China 40°59N 117°58E 115 D9
Chengdong Hu China 32°15N 116°20E 117 A11
Chengdu China 30°38N 104°2E 116 B5
Chengdu Shuangliu Int. ✕ (CTU) China 30°35N 103°57E 116 B4
Chenggong China 24°52N 102°56E 116 E4
Chenggu China 33°10N 107°21E 116 A6
Chenghai China 23°30N 116°42E 117 F11
Chengjiang China 24°39N 103°0E 116 E4
Chengkou China 31°54N 108°31E 116 B7
Chengmai China 19°50N 109°58E 117 a
Chengshan Jiao China 37°25N 122°44E 115 F12
Ch'engtu = Chengdu China 30°38N 104°2E 116 B5
Chengwu China 34°58N 115°50E 114 G8
Chengxi Hu China 32°15N 116°10E 117 A11
Chengyang China 36°18N 120°21E 115 F11
Chenjiagang China 34°23N 119°47E 115 G10
Chenkaladi Sri Lanka 7°47N 81°35E 127 L5
Chennai India 13°8N 80°19E 127 H5
Chenôve France 47°16N 5°1E 71 E12
Chenxi China 28°2N 110°12E 117 C8
Chenzhou China 25°47N 113°1E 117 E9
Cheò, Eilean a' = Skye U.K. 57°15N 6°10W 65 D2
Cheo Reo Vietnam 13°20N 108°25E 120 F7
Cheom Ksan Cambodia 14°13N 104°56E 120 E5
Cheonan S. Korea 36°48N 127°9E 115 F14
Cheongdo S. Korea 35°38N 128°42E 115 G15
Cheongju S. Korea 36°39N 127°27E 115 F14
Cheorwon S. Korea 38°15N 127°10E 115 E14
Chepelare Bulgaria 41°44N 24°40E 97 E8
Chepelarska → Bulgaria 42°9N 24°54E 97 D8
Chepén Peru 7°15S 79°23W 188 B2
Chepes Argentina 31°20S 66°35W 190 C2
Chepo Panama 9°10N 79°6W 182 E4
Chepstow U.K. 51°38N 2°41W 67 F5
Chequamegon B. U.S.A. 46°39N 90°51W 172 B8
Cher □ France 47°10N 2°30E 71 E9
Cher → France 47°21N 0°29E 70 E7
Chéradi Italy 40°27N 17°10E 95 B10
Cherasco Italy 44°39N 7°51E 92 D4
Cheraw U.S.A. 34°42N 79°53W 177 D15
Cherbourg-Octeville France 49°39N 1°40W 70 C5
Cherchell Algeria 36°35N 2°12E 136 A4
Cherdakly Russia 54°25N 48°50E 86 C9
Cherdyn Russia 60°24N 56°29E 106 C6
Cheremkhovo Russia 53°8N 103°1E 110 A9
Cherepanovo Russia 54°15N 83°30E 109 B10
Cherepovets Russia 59°5N 37°55E 84 C9
Chergui, Chott ech Algeria 34°21N 0°25E 136 B4
Chergui, Zahrez Algeria 35°11N 3°31E 136 A4
Cherial India 17°55N 78°59E 126 F4
Cherikov = Cherykaw Belarus 53°32N 31°20E 75 B16
Cheriyam I. India 10°9N 73°40E 127 J1
Cherkasy Ukraine 49°27N 32°4E 85 H7
Cherkasy □ Ukraine 48°55N 30°50E 85 H6
Cherkessk Russia 44°15N 42°5E 87 H6
Cherla India 18°5N 80°49E 126 E5
Cherlak Russia 54°15N 74°55E 109 B8
Chernaya Russia 70°30N 89°10E 107 B9
Chernelytsya Ukraine 48°49N 25°26E 81 B10
Cherni Bulgaria 42°35N 23°18E 96 D7
Chernigov = Chernihiv Ukraine 51°28N 31°20E 85 G6
Chernigovka Russia 44°19N 132°34E 112 B6
Chernihiv Ukraine 51°28N 31°20E 85 G6
Chernihiv □ Ukraine 51°10N 32°5E 85 G7
Chernivtsi Chernivtsi, Ukraine 48°15N 25°52E 81 B10
Chernivtsi Vinnyts'ka, Ukraine 48°32N 28°9E 81 B13
Chernivtsi □ Ukraine 48°5N 25°30E 81 B10
Chernobyl = Chornobyl Ukraine 51°20N 30°15E 75 C16
Chernogorsk Russia 53°49N 91°18E 109 B12
Chernomorskoye = Chornomorske Ukraine 45°31N 32°40E 85 K7
Chernovtsy = Chernivtsi Ukraine 48°15N 25°52E 81 B10
Chernyakhovsk Russia 54°36N 21°48E 82 D8
Chernyanka Russia 50°56N 37°49E 85 G9
Chernysheyskiy Russia 63°0N 112°30E 107 C12
Chernyye Zemli Russia 46°10N 46°0E 87 H8
Cherokee Iowa, U.S.A. 42°45N 95°33W 172 D6
Cherokee Okla., U.S.A. 36°45N 98°21W 176 C5
Cherokee Village U.S.A. 36°18N 91°31W 176 C9
Cherokees, Grand Lake O' The U.S.A. 36°28N 94°55W 176 C7
Cherquenco Chile 38°35S 72°0W 192 A2
Cherrapunji India 25°17N 91°47E 123 G17
Cherry Valley U.S.A. 42°48N 74°45W 175 D10
Cherskiy Russia 68°45N 161°18E 107 C17
Cherskogo Khrebet Russia 65°0N 143°0E 107 C15
Cherso Greece 41°5N 22°47E 96 E6
Chersonesus Ukraine 44°37N 33°30E 85 K7
Chersonisos Greece 35°18N 25°22E 101 D7
Chersonisos Akrotiri Greece 35°30N 24°10E 101 D6
Cherthala India 9°42N 76°20E 127 K3
Chertkovo Russia 49°25N 40°19E 85 H11
Cherven Belarus 53°45N 28°28E 75 B15
Cherven-Bryag Bulgaria 43°17N 24°7E 97 C8
Chervonoarmiyske Ukraine 45°47N 28°44E 81 E13
Chervonohrad Ukraine 50°25N 24°10E 75 C13
Cherwell → U.K. 51°44N 1°14W 67 F6
Cherykaw Belarus 53°32N 31°20E 75 B16
Chesapeake U.S.A. 36°49N 76°16W 173 G15
Chesapeake B. U.S.A. 38°0N 76°10W 173 F14
Cheshire East □ U.K. 53°15N 2°15W 66 D5
Cheshire West and Chester □ U.K. 53°15N 2°40W 66 D5
Cheshskaya Guba Russia 67°20N 47°0E 106 C5
Cheshunt U.K. 51°43N 0°1W 67 F7
Chesil Beach U.K. 50°37N 2°33W 67 G5
Chesley Canada 44°17N 81°5W 174 B3
Cheste Spain 39°30N 0°41W 91 F4
Chester U.K. 53°12N 2°53W 66 D5
Chester Calif., U.S.A. 40°19N 121°14W 168 F3
Chester Ga., U.S.A. 32°24N 83°9W 178 C6
Chester Ill., U.S.A. 37°55N 89°49W 172 G9
Chester Mont., U.S.A. 48°31N 110°58W 168 B8
Chester Pa., U.S.A. 39°51N 75°22W 173 F16
Chester S.C., U.S.A. 34°43N 81°12W 177 D14
Chester Vt., U.S.A. 43°16N 72°36W 175 C12
Chester W. Va., U.S.A. 40°37N 80°34W 174 F4
Chester-le-Street U.K. 54°51N 1°34W 66 C6
Chesterfield U.K. 53°15N 1°25W 66 D6
Chesterfield, Îs. N. Cal. 19°52S 158°15E 147 C8
Chesterfield Inlet Canada 63°30N 90°45W 160 E13
Chesterton Ra. Australia 25°30S 147°27E 151 D4
Chesterton Range △ Australia 26°16S 147°22E 151 D4
Chestertown U.S.A. 43°40N 73°48W 175 C11
Chesterville Canada 45°6N 75°14W 175 A9
Chesuncook L. U.S.A. 46°0N 69°21W 173 C19
Chetamale India 10°43N 92°33E 127 J11
Chéticamp Canada 46°37N 60°59W 165 C7
Chetlat I. India 11°42N 72°42E 127 J1
Chetrosu Moldova 48°5N 27°54E 81 B12
Chetumal Mexico 18°30N 88°20W 181 D7
Chetumal, B. de Cent. Amer. 18°40N 88°10W 181 D7
Chetwynd Canada 55°45N 121°36W 162 B4
Cheung Chau China 22°13N 114°1E 111 a
Chevanceaux France 45°18N 0°14W 72 C3
Cheviot, The U.K. 55°29N 2°9W 66 B5
Cheviot Hills U.K. 55°20N 2°30W 66 B5
Cheviot Ra. Australia 25°20S 143°45E 150 D3
Chew Bahir Ethiopia 4°40N 36°50E 131 G2
Chewelah U.S.A. 48°17N 117°43W 168 B5
Chewore ⌂ Zimbabwe 16°0S 29°52E 143 F2
Cheyenne Okla., U.S.A. 35°37N 99°40W 176 D5
Cheyenne Wyo., U.S.A. 41°8N 104°49W 168 F11
Cheyenne → U.S.A. 44°41N 101°18W 172 C3
Cheyenne Wells U.S.A. 38°49N 102°21W 168 G12
Cheyne B. Australia 34°35S 118°50E 149 F2
Cheyur India 12°21N 80°0E 127 H5
Chhabra India 24°40N 76°54E 124 G7
Chhaktala India 22°6N 74°11E 124 H6
Chhapra India 25°48N 84°44E 125 G11
Chhata India 27°42N 77°30E 124 F7
Chhatarpur Jharkhand, India 24°23N 84°11E 125 G11
Chhatarpur Mad. P., India 24°55N 79°35E 125 G8
Chhati India 20°47N 81°40E 126 D5
Chhattisgarh □ India 22°0N 82°0E 125 J10
Chhep Cambodia 13°45N 105°24E 120 F5
Chhindwara Mad. P., India 23°3N 79°29E 125 H8
Chhindwara Mad. P., India 22°2N 78°59E 125 H8
Chhinhdipada India 21°6N 84°52E 126 D7
Chhlong Cambodia 12°15N 105°58E 121 F5
Chhota Tawa → India 22°14N 76°36E 124 H7
Chhoti Kali Sindh → India 24°2N 75°31E 124 G6
Chhuikhadan India 21°32N 80°59E 125 J9
Chhuk Cambodia 10°46N 104°28E 121 G5
Chi → Thailand 15°11N 104°43E 120 E5
Chi Thanh Vietnam 13°17N 109°16E 120 F7
Chiai Taiwan 23°29N 120°25E 117 F13
Chiali Taiwan 23°9N 120°10E 117 F13
Chianciano Terme Italy 43°2N 11°49E 93 E8
Chiang Dao Thailand 19°22N 98°58E 120 C2
Chiang Dao, Doi Thailand 19°23N 98°54E 120 C2
Chiang Kham Thailand 19°32N 100°18E 120 C3
Chiang Khan Thailand 17°52N 101°36E 120 D3
Chiang Khong Thailand 20°17N 100°24E 116 G3
Chiang Mai Thailand 18°47N 98°59E 120 C2
Chiang Rai Thailand 19°52N 99°50E 116 H2
Chiang Saen Thailand 20°16N 100°5E 116 G3
Chianti Italy 43°32N 11°25E 93 E8
Chiapa de Corzo Mexico 16°42N 93°0W 181 D6
Chiapas □ Mexico 16°30N 92°30W 181 D6
Chiapas, Sa. Madre de Mexico 15°40N 93°0W 181 D6
Chiaramonte Gulfi Italy 37°2N 14°42E 95 E7
Chiaravalle Italy 43°36N 13°19E 93 E10
Chiaravalle Centrale Italy 38°41N 16°25E 95 D9
Chiari Italy 45°32N 9°56E 92 C6
Chiatura Georgia 42°15N 43°17E 87 J6
Chiautla de Tapia Mexico 18°18N 98°36W 181 D5
Chiávari Italy 44°19N 9°19E 92 D6
Chiavenna Italy 46°19N 9°24E 92 B6
Chiba Japan 35°30N 140°7E 113 G10
Chiba □ Japan 35°30N 140°20E 113 G10
Chibabava Mozam. 20°17S 33°35E 145 B5
Chibemba Cunene, Angola 15°48S 14°8E 141 H2
Chibemba Huila, Angola 16°20S 15°20E 144 A2
Chibi Zimbabwe 20°18S 30°25E 145 B5
Chibia Angola 15°10S 13°42E 141 H2
Chibougamau Canada 49°56N 74°24W 164 C5
Chibougamau, L. Canada 49°50N 74°20W 164 C5
Chibuk Nigeria 10°52N 12°50E 139 C7
Chibuto Mozam. 24°40S 33°33E 145 B5
Chic-Chocs, Mts. Canada 48°55N 66°0W 165 C6
Chicacole = Srikakulam India 18°14N 83°58E 126 E6
Chicago U.S.A. 41°52N 87°38W 172 E10
Chicago Heights U.S.A. 41°30N 87°38W 172 E10
Chichagof I. U.S.A. 57°30N 135°30W 160 F4
Chichaoua Morocco 31°32N 8°44W 136 B2
Chichawatni Pakistan 30°32N 72°42E 124 D5
Chichén-Itzá Mexico 20°37N 88°35W 181 C7
Chicheng China 40°55N 115°55E 114 D8
Chichester U.K. 50°50N 0°47W 67 G7
Chichester Ra. Australia 22°12S 119°15E 148 D2
Chichibu Japan 35°59N 139°10E 113 F9
Chichibu-Tama-Kai △ Japan 35°52N 138°42E 113 G9
Ch'ich'ihaerh = Qiqihar China 47°26N 124°0E 111 B13
Chicholi India 22°1N 77°40E 124 H8
Chickasaw ⌂ U.S.A. 34°26N 97°0W 176 D6
Chickasha U.S.A. 35°3N 97°58W 176 D6
Chiclana de la Frontera Spain 36°26N 6°9W 89 J4
Chiclayo Peru 6°42S 79°50W 188 B2
Chico U.S.A. 39°44N 121°50W 170 F5
Chico → Chubut, Argentina 44°0S 67°0W 192 B3
Chico → Santa Cruz, Argentina 50°0S 68°30W 192 D3
Chicoa Mozam. 15°36S 32°20E 143 F3
Chicomo Mozam. 24°31S 34°6E 145 B5
Chicomostoc Mexico 22°28N 102°46W 180 C4
Chicontepec Mexico 20°58N 98°10W 181 C5
Chicopee U.S.A. 42°9N 72°37W 175 D12
Chicoutimi Canada 48°28N 71°5W 165 C5
Chicualacuala Mozam. 22°6S 31°42E 145 B5
Chidambaram India 11°20N 79°45E 127 J4
Chidenguele Mozam. 24°55S 34°11E 145 B5
Chidley, C. Canada 60°23N 64°26W 161 E19
Chiducuane Mozam. 24°35S 34°25E 145 B5
Chiede Angola 17°15S 16°22E 144 A2
Chiefland U.S.A. 29°29N 82°52W 179 F7
Chiefs Pt. Canada 44°41N 81°18W 174 B3
Chiem Hoa Vietnam 22°12N 105°17E 120 A5
Chiemsee Germany 47°53N 12°28E 77 H8
Chiengi Zambia 8°45S 29°10E 143 D2
Chiengmai = Chiang Mai Thailand 18°47N 98°59E 120 C2
Chienti → Italy 43°18N 13°45E 93 E10
Chieri Italy 45°1N 7°49E 92 C4
Chiers → France 49°39N 4°59E 71 C11
Chiesa in Valmalenco Italy 46°16N 9°51E 92 B6
Chiese → Italy 45°8N 10°25E 92 C7
Chieti Italy 42°21N 14°10E 93 F11
Chifeng China 42°18N 118°58E 115 C10
Chigirin Ukraine 49°4N 32°38E 85 H7
Chignecto B. Canada 45°30N 64°40W 165 C7
Chiguana Bolivia 21°0S 67°58W 190 A2
Chigwell U.K. 51°37N 0°6E 67 F8
Chihli, G. of = Bo Hai China 39°0N 119°0E 115 E10
Chihuahua Mexico 28°38N 106°5W 180 B3
Chihuahua □ Mexico 28°30N 106°0W 180 B3
Chiili = Shīeli Kazakhstan 44°20N 66°15E 109 D7
Chik Bollapur India 13°25N 77°45E 127 H3
Chikalda India 21°24N 77°19E 126 D3
Chikhli Ahmadabad, India 20°45N 73°4E 126 D1
Chikhli Maharashtra, India 20°20N 76°18E 126 D3
Chikkamagaluru India 13°15N 75°45E 127 H2
Chiknayakanhalli India 13°26N 76°37E 127 H3
Chikodi India 16°26N 74°38E 127 F2
Chikwawa Malawi 16°2S 34°50E 143 F3
Chilanga Zambia 15°33S 28°16E 143 F2
Chilapa Mexico 17°36N 99°10W 181 D5
Chilas Pakistan 35°25N 74°5E 125 B6
Chilaw Sri Lanka 7°30N 79°50E 127 L4
Chilcotin → Canada 51°44N 122°23W 162 C4
Childers Australia 25°15S 152°17E 151 D5
Childersburg U.S.A. 33°16N 86°21W 178 B3
Childress U.S.A. 34°25N 100°13W 176 D4
Chile ■ S. Amer. 35°0S 72°0W 185 G3
Chile Chico Chile 46°33S 71°44W 192 C2
Chile Rise Pac. Oc. 38°0S 92°0W 157 L18
Chilecito Argentina 29°10S 67°30W 190 B2
Chilete Peru 7°10S 78°50W 188 B2
Chilia, Braţul → Romania 45°14N 29°42E 81 E14
Chilik = Shelek Kazakhstan 43°33N 78°17E 109 D9
Chililabombwe Zambia 12°18S 27°43E 143 E2
Chilim Pakistan 35°5N 75°5E 125 B6
Chilin = Jilin China 43°44N 126°30E 115 C14
Chiliomodi Greece 37°48N 22°51E 98 D4
Chilka L. India 19°40N 85°25E 126 E7
Chilko → Canada 52°0N 123°40W 162 C4
Chilko L. Canada 51°20N 124°10W 162 C4
Chillagoe Australia 17°7S 144°33E 150 B3
Chillán Chile 36°40S 72°10W 190 D1
Chillicothe Ill., U.S.A. 40°55N 89°29W 172 E9
Chillicothe Mo., U.S.A. 39°48N 93°33W 172 F7
Chillicothe Ohio, U.S.A. 39°20N 82°59W 173 F12
Chilliwack Canada 49°10N 121°54W 162 D4
Chilo India 27°25N 73°32E 124 F5
Chiloane, I. Mozam. 20°40S 34°55E 145 B5
Chiloé, I. de Chile 42°30S 73°50W 192 B2
Chiloé △ Chile 42°11S 73°59W 192 B2
Chilpancingo Mexico 17°33N 99°30W 181 D5
Chiltern Australia 36°10S 146°36E 153 D7
Chiltern Hills U.K. 51°40N 0°53W 67 F7
Chilton U.S.A. 44°2N 88°10W 172 C9
Chilubi Zambia 11°5S 29°58E 143 E2
Chilubula Zambia 10°14S 30°51E 143 E3
Chilumba Malawi 10°28S 34°12E 143 E3
Chilung Taiwan 25°3N 121°45E 117 E13
Chilwa, L. Malawi 15°15S 35°40E 143 F4
Chimaltitán Mexico 21°35N 103°50W 180 C4
Chimán Panama 8°45N 78°40W 182 E4
Chimanimani Zimbabwe 19°48S 32°52E 145 A5
Chimanimani △ Zimbabwe 19°48S 33°0E 145 A5
Chimay Belgium 50°3N 4°20E 69 D4
Chimayo U.S.A. 36°0N 105°56W 169 J11
Chimba Zambia 9°54S 31°28E 143 D3
Chimborazo Ecuador 1°29S 78°55W 186 D3
Chimbote Peru 9°0S 78°35W 188 B2
Chimboy Uzbekistan 42°57N 59°47E 108 D5
Chimkent = Shymkent Kazakhstan 42°18N 69°36E 109 D7
Chimoio Mozam. 19°4S 33°30E 143 F3
Chimpembe Zambia 9°31S 29°33E 143 D2
Chimur India 20°30N 79°23E 126 D4
Chin □ Burma 22°0N 93°0E 123 J18
Chin Hills Burma 22°30N 93°30E 123 H18
Chin Ling Shan = Qinling Shandi China 33°50N 108°10E 114 H5
China Mexico 25°42N 99°14W 181 B5
China ■ Asia 30°0N 110°0E 111 E11
China, Great Plain of Asia 35°0N 115°0E 102 E13
China Lake U.S.A. 35°44N 117°37W 171 K9
Chinan = Jinan China 36°38N 117°1E 114 F9
Chinandega Nic. 12°35N 87°12W 182 D2

Chinati Peak U.S.A. 29°57N 104°29W 176 G2
Chincha Alta Peru 13°25S 76°7W 188 C2
Chinchaga → Canada 58°53N 118°20W 162 B5
Chincheros Peru 13°30S 73°44W 188 C3
Chinchilla Australia 26°45S 150°38E 151 D5
Chinchilla de Monte Aragón Spain 38°53N 1°40W 91 G3
Chincholi India 17°28N 77°26E 126 E3
Chinchorro, Banco Mexico 18°35N 87°22W 181 D7
Chinchou = Jinzhou China 41°5N 121°3E 115 D11
Chincoteague U.S.A. 37°56N 75°23W 173 G16
Chinde Mozam. 18°35S 36°30E 143 F4
Chindwin → Burma 21°26N 95°15E 123 J19
Chineni India 33°2N 75°15E 125 C6
Chinga Mozam. 15°13S 38°35E 143 F4
Chingola Zambia 12°31S 27°53E 143 E2
Chingole Malawi 13°4S 34°17E 143 E3
Ch'ingtao = Qingdao China 36°5N 120°20E 115 F11
Chinguetti Mauritania 20°25N 12°24W 134 D3
Chingune Mozam. 20°33S 34°58E 145 B5
Chinhanguanine Mozam. 25°21S 32°30E 145 C5
Chinhoyi Zimbabwe 17°20S 30°8E 143 F3
Chiniot Pakistan 31°45N 73°0E 124 D5
Chínipas Mexico 27°23N 108°32W 180 B3
Chinji Pakistan 32°42N 72°22E 124 C5
Chinju = Jinju S. Korea 35°12N 128°2E 115 G15
Chinkapook Australia 35°11S 142°57E 152 C5
Chinko → C.A.R. 4°50N 23°53E 140 D4
Chinle U.S.A. 36°9N 109°33W 169 H9
Chinmen Taiwan 24°26N 118°19E 117 E12
Chinmen Tao Taiwan 24°26N 118°22E 117 E12
Chinnamanur India 9°50N 77°24E 127 K3
Chinnampo = Namp'o N. Korea 38°52N 125°10E 115 E13
Chino Japan 35°59N 138°9E 113 G9
Chino U.S.A. 34°1N 117°41W 171 L9
Chino Valley U.S.A. 34°45N 112°27W 169 J7
Chinon France 47°10N 0°15E 70 E7
Chinook U.S.A. 48°35N 109°14W 168 B9
Chinook Trough Pac. Oc. 44°0N 175°0W 156 C10
Chinsali Zambia 10°30S 32°2E 143 E3
Chinsura = Chunchura India 22°53N 88°27E 125 H13
Chintalapudi India 17°4N 80°59E 126 F5
Chintamani India 13°26N 78°3E 127 H4
Chióggia Italy 45°13N 12°17E 93 C9
Chíos Greece 38°27N 26°9E 99 C8
Chipata Zambia 13°38S 32°28E 143 E3
Chiperceni Moldova 47°31N 28°50E 81 C13
Chipindo Angola 13°49S 15°48E 141 G3
Chipinge Zimbabwe 20°13S 32°28E 143 G3
Chipinge ⌂ Zimbabwe 20°14S 33°0E 143 G3
Chipiona Spain 36°44N 6°26W 89 J4
Chipley U.S.A. 30°47N 85°32W 178 E4
Chiplun India 17°31N 73°34E 126 F1
Chipman Canada 46°6N 65°53W 165 C6
Chipoka Malawi 13°57S 34°28E 143 E3
Chippenham U.K. 51°27N 2°6W 67 F5
Chippewa → U.S.A. 44°25N 92°5W 172 C7
Chippewa Falls U.S.A. 44°56N 91°24W 172 C8
Chipping Norton U.K. 51°56N 1°32W 67 F6
Chiprovtsi Bulgaria 43°24N 22°52E 96 C6
Chiputneticook Lakes N. Amer. 45°35N 67°35W 173 C20
Chiquián Peru 10°10S 77°0W 188 C2
Chiquibul △ Belize 16°49N 88°52W 182 C2
Chiquimula Guatemala 14°51N 89°37W 182 D2
Chiquinquira Colombia 5°37N 73°50W 186 B4
Chir → Russia 48°30N 43°0E 87 F6
Chirala India 15°50N 80°26E 127 G5
Chiramba Mozam. 16°55S 34°39E 143 F3
Chirawa India 28°14N 75°42E 124 E6
Chirchiq Uzbekistan 41°29N 69°35E 109 D7
Chiredzi Zimbabwe 21°0S 31°38E 145 B5
Chiricahua ⌂ U.S.A. 32°0N 109°20W 169 K9
Chiricahua Peak U.S.A. 31°51N 109°18W 169 L9
Chirikof I. U.S.A. 55°50N 155°40W 166 D8
Chiriquí, G. de Panama 8°0N 82°10W 182 E3
Chiriquí, L. de Panama 9°10N 82°0W 182 E3
Chirisa ⌂ Zimbabwe 17°53S 28°15E 143 F2
Chirivira Falls Zimbabwe 21°10S 32°12E 143 G3
Chirmiri India 23°15N 82°20E 125 H10
Chirnogi Romania 44°7N 26°32E 81 F11
Chirpan Bulgaria 42°10N 25°19E 97 D9
Chirripó Grande, Cerro Costa Rica 9°29N 83°29W 182 E3
Chirundu Zimbabwe 16°3S 28°50E 145 A4
Chisamba Zambia 14°55S 28°20E 143 E2
Chisapani Nepal 28°37N 81°16E 125 E9
Chisasibi Canada 53°50N 79°0W 164 B4
Ch'ishan Taiwan 22°44N 120°31E 117 F13
Chisholm Canada 54°55N 114°10W 162 C6
Chisholm U.S.A. 47°29N 92°53W 172 B7
Chishtian Mandi Pakistan 29°50N 72°55E 124 E5
Chishui China 28°30N 105°42E 116 C5
Chishui He → China 28°49N 105°50E 116 C5
Chisimaio = Kismaayo Somalia 0°22S 42°32E 131 H3
Chisimba Falls Zambia 10°12S 30°56E 143 E3
Chişinău Moldova 47°2N 28°50E 81 C13
Chişinău ✈ (KIV) Moldova 47°3N 28°46E 81 C13
Chişineu Criş Romania 46°32N 21°37E 80 D6
Chisone → Italy 44°49N 7°25E 92 D4
Chisos Mts. U.S.A. 29°5N 103°15W 176 G3
Chistopol Russia 55°25N 50°38E 86 C10
Chita Russia 52°0N 113°35E 111 A11
Chitapur India 17°10N 77°5E 126 F3
Chitipa Malawi 9°41S 33°19E 143 D3
Chitose Japan 42°49N 141°39E 112 C10
Chitradurga India 14°14N 76°24E 127 G3
Chitrakot India 19°10N 81°40E 126 E5
Chitral Pakistan 35°50N 71°56E 122 B7
Chitravati → India 14°45N 78°15E 127 G4
Chitré Panama 7°59N 80°27W 182 E3
Chittagong Bangla. 22°19N 91°48E 123 H17
Chittagong □ Bangla. 24°5N 91°0E 123 G17
Chittaurgarh India 24°52N 74°38E 124 G6
Chittoor India 13°15N 79°5E 127 H4
Chittur India 10°40N 76°45E 127 J3
Chitungwiza Zimbabwe 18°0S 31°6E 143 F3
Chiusi Italy 43°1N 11°57E 93 E8
Chiva Spain 39°27N 0°41W 91 F4
Chivasso Italy 45°11N 7°53E 92 C4
Chivay Peru 15°40S 71°35W 188 D3
Chive Bolivia 12°23S 68°35W 188 C4
Chivhu Zimbabwe 19°2S 30°52E 143 F3
Chivilcoy Argentina 34°55S 60°0W 190 C4
Chiwanda Tanzania 11°23S 34°55E 143 E3
Chixi China 22°0N 112°58E 117 G9
Chizarira △ Zimbabwe 17°44S 27°52E 143 F2
Chizarira Ra. Zimbabwe 17°36S 27°45E 143 F2
Chizela Zambia 13°8S 25°0E 143 E2
Chkalov = Orenburg Russia 51°45N 55°6E 108 B5
Chkolovsk Russia 56°50N 43°10E 86 B6
Chloride U.S.A. 35°25N 114°12W 171 K12
Chlumec nad Cidlinou Czech Rep. 50°9N 15°29E 78 A8
Chmielnik Poland 50°37N 20°43E 83 H7
Cho-do N. Korea 38°30N 124°40E 115 E13
Cho Phuoc Hai Vietnam 10°26N 107°18E 121 G6
Choa Chu Kang Singapore 1°22N 103°41E 121 d
Chobe △ Botswana 18°37S 24°23E 144 A4
Chocianów Poland 51°27N 15°55E 83 G2
Chociwel Poland 53°29N 15°21E 82 E2
Chocolate Mts. U.S.A. 33°15N 115°15W 171 M11
Choctawhatchee → U.S.A. 30°25N 86°8W 178 E3
Choctawhatchee B. U.S.A. 30°20N 86°20W 179 E3
Chodavaram Andhra Pradesh, India 17°50N 82°57E 126 F6
Chodavaram Andhra Pradesh, India 17°27N 81°46E 126 F5
Chodecz Poland 52°24N 19°2E 83 F6
Chodov Czech Rep. 50°15N 12°45E 78 A5
Chodzież Poland 52°58N 16°58E 83 F3
Choele Choel Argentina 39°11S 65°40W 192 A3
Choghā Zanbīl Iran 32°1N 48°32E 129 C6
Choiseul St. Lucia 13°47N 61°3W 183 f
Choiseul Solomon Is. 7°0S 156°40E 147 B8
Choix Mexico 26°43N 108°17W 180 B3
Chojna Poland 52°58N 14°25E 83 F1
Chojnice Poland 53°42N 17°32E 82 E4
Chojnów Poland 51°18N 15°58E 83 G2
Chok Chai Thailand 14°44N 102°10E 120 E4
Chōkai-San Japan 39°6N 140°3E 112 E10
Choke Canyon Res. U.S.A. 28°30N 98°20W 176 G5
Chokurdakh Russia 70°38N 147°55E 107 B15
Chokwé Mozam. 24°32S 32°59E 145 B5
Cholame U.S.A. 35°44N 120°18W 170 K6
Cholet France 47°4N 0°52W 70 E6
Cholguan Chile 37°10S 72°3W 190 D1
Choloma Honduras 15°37N 87°57W 182 C2
Cholpon-Ata Kyrgyzstan 42°40N 77°6E 109 D9
Choluteca Honduras 13°20N 87°14W 182 D2
Choluteca → Honduras 13°0N 87°20W 182 D2
Chom Bung Thailand 13°37N 99°36E 120 F2
Chom Thong Thailand 18°25N 98°41E 120 C2
Choma Zambia 16°48S 26°59E 143 F2
Chomolungma = Everest, Mt. Nepal 28°5N 86°58E 125 E12
Chomun India 27°15N 75°40E 124 F6
Chomutov Czech Rep. 50°28N 13°23E 78 A6
Chon Buri Thailand 13°21N 101°1E 120 F3
Chon Thanh Vietnam 11°24N 106°36E 121 G6
Chone Ecuador 0°40S 80°0W 186 D3
Chong Kai Cambodia 13°57N 103°35E 120 F4
Chong Mek Thailand 15°10N 105°27E 120 E5
Chong Phangan Thailand 9°39N 100°0E 121 b
Chong Samui Thailand 9°21N 99°50E 121 b
Chongde China 30°32N 120°26E 117 B13
Ch'ŏngjin N. Korea 41°47N 129°50E 115 D15
Chŏngju N. Korea 39°40N 125°5E 115 E13
Chongli China 40°58N 115°15E 114 D8
Chongming China 31°38N 121°23E 117 B13
Chongming Dao China 31°40N 121°30E 117 B13
Chongoni Rock Art Malawi 14°17S 34°16E 143 E3
Chongoyape Peru 6°35S 79°25W 188 B2
Chŏngp'yŏng N. Korea 39°47N 127°23E 115 E14
Chongqing Chongqing, China 29°35N 106°25E 116 C6
Chongqing Sichuan, China 30°38N 103°40E 116 B4
Chongqing Jiangbei Int. ✈ (CKG) China 29°43N 106°38E 116 C6
Chongqing Shi □ China 30°0N 108°0E 116 C6
Chongren China 27°46N 116°3E 117 D11
Chonguene Mozam. 25°3S 33°49E 145 C5
Chongwe Zambia 15°21S 28°42E 143 F2
Chongyi China 25°45N 114°29E 117 E10
Chongzuo China 22°23N 107°20E 116 F6
Chonogol Mongolia 45°54N 115°22E 114 B8
Chonos, Arch. de los Chile 45°0S 75°0W 192 C2
Chop Ukraine 48°26N 22°12E 80 B7
Chopda India 21°20N 75°15E 126 D2
Chopim → Brazil 25°35S 53°5W 191 B5
Chor Pakistan 25°31N 69°46E 124 G3
Chora Greece 37°3N 21°42E 98 D3
Chora Sfakion Greece 35°15N 24°9E 101 D6
Chorbat La India 34°42N 76°37E 125 B7
Chorley U.K. 53°39N 2°38W 66 D5
Chorna Ukraine 47°36N 29°20E 81 C14
Chornobyl Ukraine 51°20N 30°15E 75 C16
Chornomorske Ukraine 45°31N 32°40E 85 K7
Chorolque, Cerro Bolivia 20°59S 66°5W 190 A2
Choroszcz Poland 53°10N 22°59E 83 E9
Chorregon Australia 22°40S 143°32E 150 C3
Chorro el Indio △ Venezuela 7°43N 72°9W 183 E5
Chortkiv Ukraine 49°2N 25°46E 75 D13
Chorzele Poland 53°15N 20°55E 83 E7
Chorzów Poland 50°18N 18°57E 83 H5
Chos-Malal Argentina 37°20S 70°15W 190 D1
Ch'osan N. Korea 40°50N 125°47E 115 D13
Choszczno Poland 53°7N 15°25E 83 E2
Chota Peru 6°33S 78°39W 188 B2
Choteau U.S.A. 47°49N 112°11W 168 C7
Chotěboř Czech Rep. 49°43N 15°40E 78 B8
Chotila India 22°23N 71°15E 124 H4
Chotta Udepur India 22°19N 74°1E 124 H6
Chowchilla U.S.A. 37°7N 120°16W 170 H6
Choybalsan Mongolia 48°4N 114°30E 111 B11
Choyr Mongolia 46°24N 108°30E 111 B10
Chrisoupoli Greece 40°58N 24°42E 97 F8
Chrissi = Gaidouronisi Greece 34°53N 25°41E 101 E7
Christchurch N.Z. 43°33S 172°47E 155 D7
Christchurch U.K. 50°44N 1°47W 67 G6
Christian I. Canada 44°50N 80°12W 174 B4
Christian Sd. U.S.A. 55°56N 134°40W 167 D13
Christiana Greece 36°14N 25°13E 99 E7
Christiana S. Africa 27°52S 25°8E 144 C4
Christiansfeld Denmark 55°21N 9°29E 63 J3
Christianshåb = Qasigiannguit Greenland 68°50N 51°18W 57 D5
Christiansted U.S. Virgin Is. 17°45N 64°42W 183 C7
Christie B. Canada 62°32N 111°10W 163 A6
Christina → Canada 56°40N 111°3W 163 B6
Christmas Cr. → Australia 18°29S 125°23E 148 C4
Christmas I. = Kiritimati Kiribati 1°58N 157°27W 157 G12
Christmas I. Ind. Oc. 10°30S 105°40E 146 F9
Christopher, L. Australia 24°49S 127°42E 149 D4
Chrudim Czech Rep. 49°58N 15°43E 78 B8
Chrzanów Poland 50°10N 19°21E 83 H6
Chtimba Malawi 10°35S 34°13E 143 E3
Chū = Shū Kazakhstan 43°36N 73°42E 109 D8
Chū = Shū → Kazakhstan 45°0N 67°44E 109 D7
Chu → Vietnam 19°53N 105°45E 120 C5
Chu Lai Vietnam 15°28N 108°45E 120 E7
Chu Mom Ray △ Vietnam 14°29N 107°38E 120 E6
Chu Se Vietnam 13°40N 108°8E 120 F7
Chuadanga Bangla. 23°38N 88°51E 125 H13
Chuak, Ko Thailand 9°28N 99°41E 121 b
Ch'uanchou = Quanzhou China 24°55N 118°34E 117 E12
Chuankou China 34°20N 110°59E 114 G6
Chubbuck U.S.A. 42°55N 112°28W 168 E7
Chūbu □ Japan 36°45N 137°30E 113 F8
Chūbu-Sangaku △ Japan 36°30N 137°40E 113 F8
Chubut □ Argentina 43°30S 69°0W 192 B3
Chubut → Argentina 43°20S 65°5W 192 B3
Chuçand = Khŭjand Tajikistan 40°17N 69°37E 109 D7
Chuchi L. Canada 55°12N 124°30W 162 B4
Chuda India 22°29N 71°41E 124 H4
Chudovo Russia 59°10N 31°41E 84 C6
Chudskoye, Ozero Russia 58°13N 27°30E 84 C4
Chugach Mts. U.S.A. 60°45N 147°0W 166 C10
Chūgoku □ Japan 35°0N 133°0E 113 G6
Chūgoku-Sanchi Japan 35°0N 133°0E 113 G6
Chuguyev = Chuhuyiv Ukraine 49°55N 36°45E 85 H9
Chugwater U.S.A. 41°46N 104°50W 168 F11
Chuhuyiv Ukraine 49°55N 36°45E 85 H9
Chuka Kenya 0°20S 37°39E 142 C4
Chukchi Plateau Arctic 78°0N 165°0W 54 B17
Chukchi Sea Russia 68°0N 175°0W 107 C19
Chukotskiy, Mys Russia 64°14N 173°8W 166 C5
Chukotskiy Poluostrov Russia 66°0N 174°0W 166 B5
Chukotskoye Nagorye Russia 68°0N 175°0E 107 C18
Chula U.S.A. 31°33N 83°32W 178 D6
Chula Vista U.S.A. 32°38N 117°5W 171 N9
Chulband → India 20°40N 79°54E 126 D4
Chulucanas Peru 5°8S 80°10W 188 B1
Chulumani Bolivia 16°24S 67°31W 188 D4
Chulym → Russia 57°43N 83°51E 106 D9
Chum Phae Thailand 16°40N 102°6E 120 D4
Chum Saeng Thailand 15°55N 100°15E 120 E3
Chuma Bolivia 15°24S 68°56W 188 D4
Chumar India 32°40N 78°35E 125 C8
Chumbicha Argentina 29°0S 66°10W 190 B2
Chumerna Bulgaria 42°45N 25°55E 97 D9
Chumikan Russia 54°40N 135°10E 107 D14
Chumphon Thailand 10°35N 99°14E 121 G2
Chumpi Peru 15°4S 73°46W 188 D3
Chumuare Mozam. 14°31S 31°50E 143 E3
Chuna → Russia 57°47N 94°37E 107 D10
Chun'an China 29°35N 119°3E 117 C12
Chuncheon S. Korea 37°58N 127°44E 115 F14
Chunchura India 22°53N 88°27E 125 H13
Chunga Zambia 15°0S 26°2E 143 F2
Chunggang-ŭp N. Korea 41°48N 126°48E 115 D14
Chunghwa N. Korea 38°52N 125°47E 115 E13
Chungju S. Korea 36°58N 127°58E 115 F14
Chungking = Chongqing China 29°35N 106°25E 116 C6
Chungli Taiwan 24°57N 121°13E 117 E13
Chungt'iaoshan = Zhongtiao Shan China 35°0N 111°10E 114 G6
Chungyang Shanmo Taiwan 23°10N 121°0E 117 F13
Chunian Pakistan 30°57N 74°0E 124 D6
Chunya Tanzania 8°30S 33°27E 143 D3
Chunyang China 43°38N 129°23E 115 C15
Chupara Pt. Trin. & Tob. 10°49N 61°22W 187 K15
Chuquibamba Peru 15°47S 72°44W 188 D3
Chuquibambilla Peru 14°7S 72°41W 188 C3
Chuquicamata Chile 22°15S 69°0W 190 A2
Chur Switz. 46°52N 9°32E 77 J5
Churachandpur India 24°20N 93°40E 123 G18
Church Stretton U.K. 52°32N 2°48W 67 E5
Churchill Australia 38°19S 146°25E 153 E7
Churchill Canada 58°47N 94°11W 163 B10
Churchill → Man., Canada 58°47N 94°12W 163 B10
Churchill → Nfld. & L., Canada 53°19N 60°10W 165 B7
Churchill, C. Canada 58°46N 93°12W 163 B10
Churchill Falls Canada 53°36N 64°19W 165 B7
Churchill L. Canada 55°55N 108°20W 163 B7
Churchill Pk. Canada 58°10N 125°10W 162 B3
Churki India 23°50N 83°12E 125 H10
Churu India 28°20N 74°50E 124 E6
Churún Merú = Angel Falls Venezuela 5°57N 62°30W 186 B6
Chushal India 33°40N 78°40E 125 C8
Chuska Mts. U.S.A. 36°15N 108°50W 169 H9
Chusovoy Russia 58°22N 57°50E 106 D6
Chuspipata Bolivia 16°18S 67°48W 188 D4
Chust Uzbekistan 41°0N 71°13E 109 D8
Chute-aux-Outardes Canada 49°7N 68°24W 165 C6
Chuuk = Truk Micronesia 7°25N 151°46E 156 G7
Chuvash Republic = Chuvashia □ Russia 55°30N 47°0E 86 C8
Chuvashia □ Russia 55°30N 47°0E 86 C8
Chuwārtah Iraq 35°43N 45°34E 105 E11
Chuxiong China 25°2N 101°28E 116 E3
Chüy Kyrgyzstan 42°55N 75°15E 109 D9
Chuy Uruguay 33°41S 53°27W 191 C5
Chüy □ Kyrgyzstan 42°25N 75°16E 109 D9
Chuzhou China 32°19N 118°20E 117 A12
Chynadiyeve Ukraine 48°29N 22°50E 80 B7
Chyulu Hills Kenya 2°35S 37°50E 142 C4
Ci Xian China 36°20N 114°25E 114 F8
Ciacova Romania 45°35N 21°10E 80 E6
Ciamis Indonesia 7°20S 108°21E 119 G13
Cianjur Indonesia 6°49S 107°8E 119 G12
Cianorte Brazil 23°37S 52°37W 191 A5
Cibola U.S.A. 33°17N 114°42W 171 M12
Çiçekdağı Turkey 39°36N 34°24E 104 C6
Cicero U.S.A. 41°51N 87°44W 172 E10
Cícero Dantas Brazil 10°36S 38°23W 189 C3
Cicia Fiji 17°45S 179°18W 154 a
Cicilia Turkey 36°30N 34°0E 104 D5
Cidacos → Spain 42°21N 1°38W 90 C3
Cide Turkey 41°53N 33°1E 104 B5
Ciéagas del Cataumbo △ Venezuela 9°25N 71°54W 183 E5
Ciechanów Poland 52°52N 20°38E 83 F7
Ciechanowiec Poland 52°40N 22°31E 83 F9
Ciechocinek Poland 52°53N 18°45E 83 F5
Ciego de Ávila Cuba 21°50N 78°50W 182 B4
Ciénaga Colombia 11°1N 74°15W 186 A4
Cienfuegos Cuba 22°10N 80°30W 182 B3
Cierp-Gaud France 42°55N 0°40E 72 F4
Cíes, Is. Spain 42°12N 8°55W 88 C2
Cieszanów Poland 50°14N 23°8E 83 H10
Cieszyn Poland 49°45N 18°35E 83 J5
Cieza Spain 38°17N 1°23W 91 G3
Çifteler Turkey 39°22N 31°2E 104 C4
Cifuentes Spain 40°47N 2°37W 90 E2
Cihanbeyli Turkey 38°40N 32°55E 104 C5
Cihuatlán Mexico 19°14N 104°35W 180 D4
Cijara, Embalse de Spain 39°18N 4°52W 89 F6
Cijara ⌂ Spain 39°18N 4°35W 89 F6
Cijulang Indonesia 7°42S 108°27E 119 G13
Cilacap Indonesia 7°43S 109°0E 119 G13
Çıldır Turkey 41°7N 43°8E 105 B10
Çıldır Gölü Turkey 41°5N 43°15E 105 B10
Cilento e Vallo di Diano △ Italy 40°15N 15°20E 95 B8
Cili China 29°30N 111°8E 117 C8
Cilibia Romania 45°4N 27°4E 81 E12
Cilicia Turkey 36°30N 35°0E 104 D5
Cill Airne = Killarney Ireland 52°4N 9°30W 64 D2
Cill Chainnigh = Kilkenny Ireland 52°39N 7°15W 64 D4
Cill Dara = Kildare Ireland 53°9N 6°55W 64 C5
Cill Droichid = Celbridge Ireland 53°20N 6°32W 64 C5
Cill Mhantáin = Wicklow Ireland 52°59N 6°3W 64 D5
Cilo Dağı Turkey 37°28N 43°55E 105 D10
Cima U.S.A. 35°14N 115°30W 171 K11
Cimarron Kans., U.S.A. 37°48N 100°21W 172 G3
Cimarron N. Mex., U.S.A. 36°31N 104°55W 169 H11
Cimarron → U.S.A. 36°10N 96°16W 176 C6
Cimişlia Moldova 46°34N 28°44E 81 D13
Cimone, Mte. Italy 44°12N 10°42E 92 D7
Çinar Turkey 37°46N 40°19E 105 D9
Çınarcık Turkey 40°38N 29°5E 97 F13
Cinca → Spain 41°26N 0°21E 90 D5
Cincar Bos.-H. 43°55N 17°5E 80 G2
Cincinnati U.S.A. 39°9N 84°27W 173 F11
Cincinnatus U.S.A. 42°33N 75°54W 175 D9
Çine Turkey 37°37N 28°2E 99 D10
Ciney Belgium 50°18N 5°5E 69 D5
Cingoli Italy 43°23N 13°10E 93 E10
Cinigiano Italy 42°53N 11°24E 93 F8
Cinque I. India 11°16N 92°42E 127 J11
Cinque Terre △ Italy 44°10N 9°45E 92 D6
Cinto, Mte. France 42°24N 8°54E 73 F12
Cintruénigo Spain 42°5N 1°49W 90 C3
Ciocile Romania 44°49N 27°14E 81 F12
Ciolănești din Deal Romania 44°19N 25°5E 81 F10
Ciorani Romania 44°45N 26°25E 81 F11
Čiovo Croatia 43°30N 16°17E 93 E13
Cipó Brazil 11°6S 38°31W 189 C3
Cipolletti Argentina 38°56S 67°59W 192 A3
Circeo, Mte. Italy 41°14N 13°3E 94 A6
Çirçir Turkey 40°3N 36°47E 104 C7
Circle Alaska, U.S.A. 65°50N 144°4W 166 B11
Circle Mont., U.S.A. 47°25N 105°35W 168 C11
Circleville U.S.A. 39°36N 82°57W 173 F12
Cirebon Indonesia 6°45S 108°32E 118 F3
Cirencester U.K. 51°43N 1°57W 67 F6
Cireşu Romania 44°47N 22°31E 80 F7
Cirey-sur-Vezouze France 48°35N 6°57E 71 D13
Ciriè Italy 45°14N 7°36E 92 C4
Cirium Cyprus 34°40N 32°53E 101 E11
Cirò Italy 39°23N 17°4E 95 C10
Cirò Marina Italy 39°22N 17°8E 95 C10
Ciron → France 44°36N 0°18W 72 D3
Cisco U.S.A. 32°23N 98°59W 176 E5
Cislău Romania 45°14N 26°20E 81 E11
Cisna Poland 49°12N 22°20E 83 J9
Cisnădie Romania 45°42N 24°9E 81 E9
Cisterna di Latina Italy 41°35N 12°49E 94 A5
Cisternino Italy 40°44N 17°25E 95 B10
Cistierna Spain 42°48N 5°7W 88 C5
Citeli-Ckaro = Dedopolis Tsqaro Georgia 41°33N 46°0E 87 K8
Citlaltépetl = Orizaba, Pico de Mexico 18°58N 97°15W 181 D5
Citra U.S.A. 29°25N 82°7W 179 F7
Citrus Heights U.S.A. 38°42N 121°17W 170 G5
Citrus Springs U.S.A. 29°2N 82°27W 179 F7
Citrusdal S. Africa 32°35S 19°0E 144 D2
Città del Vaticano = Vatican City ■ Europe 41°54N 12°27E 93 G9
Città della Pieve Italy 42°57N 12°1E 93 F9
Città di Castello Italy 43°27N 12°14E 93 E9
Città Sant' Angelo Italy 42°32N 14°5E 93 F11
Cittadella Italy 45°39N 11°47E 93 C8
Cittaducale Italy 42°23N 12°57E 93 F9
Cittanova Italy 38°21N 16°5E 95 D9
Ciuc, Munţii Romania 46°25N 26°5E 81 D11
Ciucaş, Vf. Romania 45°31N 25°56E 81 E10
Ciucea Romania 46°57N 22°49E 80 D7
Ciuciulea Moldova 47°40N 27°29E 81 C12
Ciuciuleni Moldova 47°2N 28°25E 81 C13
Ciudad Acuña Mexico 29°18N 100°55W 180 B4
Ciudad Altamirano Mexico 18°20N 100°40W 180 D4
Ciudad Anáhuac Mexico 27°14N 100°7W 180 B4
Ciudad Bolívar Venezuela 8°5N 63°36W 186 B6
Ciudad Camargo Mexico 27°40N 105°10W 180 B3
Ciudad Cortés Costa Rica 8°55N 84°0W 182 E3
Ciudad de México Mexico 19°24N 99°9W 181 D5
Ciudad del Carmen Mexico 18°38N 91°50W 181 D6
Ciudad del Este Paraguay 25°30S 54°50W 191 B5
Ciudad Delicias = Delicias Mexico 28°13N 105°28W 180 B3
Ciudad Frontera Mexico 26°56N 101°27W 180 B4
Ciudad Guayana Venezuela 8°0N 62°30W 186 B6
Ciudad Guerrero Mexico 28°33N 107°30W 180 B3
Ciudad Guzmán Mexico 19°41N 103°29W 180 D4
Ciudad Juárez Mexico 31°44N 106°29W 180 A3
Ciudad Lerdo Mexico 25°32N 103°32W 180 B4
Ciudad Madero Mexico 22°19N 97°50W 181 C5
Ciudad Mante Mexico 22°44N 98°59W 181 C5
Ciudad Obregón Mexico 27°29N 109°56W 180 B3
Ciudad Real Spain 38°59N 3°55W 89 G7
Ciudad Real □ Spain 38°50N 4°0W 89 G7
Ciudad Rodrigo Spain 40°35N 6°32W 88 E4
Ciudad Valles Mexico 21°59N 99°1W 181 C5
Ciudad Victoria Mexico 23°44N 99°8W 181 C5
Ciudadela Spain 40°0N 3°50E 100 B10
Ciulniţa Romania 44°26N 27°22E 81 F12
Ciumeghiu Romania 46°44N 21°35E 80 D6
Ciuperceni Romania 44°54N 23°4E 80 F8
Civa Burnu Turkey 41°21N 36°38E 104 B7
Cividale del Friuli Italy 46°6N 13°25E 93 B10
Cívita Castellana Italy 42°18N 12°24E 93 F9
Civitanova Marche Italy 43°18N 13°44E 93 E10
Civitavécchia Italy 42°6N 11°48E 93 F8
Civray France 46°10N 0°17E 72 B4
Çivril Turkey 38°20N 29°43E 99 C11
Cixerri → Italy 39°17N 8°59E 94 C1
Cixi China 30°17N 121°9E 117 B13
Cizre Turkey 37°19N 42°10E 105 D10
Clackmannanshire □ U.K. 56°10N 3°43W 65 E5
Clacton-on-Sea U.K. 51°47N 1°11E 67 F9
Clain → France 46°47N 0°33E 70 F7
Claire, L. Canada 58°35N 112°5W 162 B6
Clairton U.S.A. 40°18N 79°53W 174 F5
Clairvaux-les-Lacs France 46°35N 5°45E 71 F12
Claise → France 46°56N 0°42E 72 B5
Clallam Bay U.S.A. 48°15N 124°16W 170 B2
Clamecy France 47°28N 3°30E 71 E10
Clanton U.S.A. 32°51N 86°38W 177 E11
Clanwilliam S. Africa 32°11S 18°52E 144 D2
Clara Ireland 53°21N 7°37W 64 C4
Claraville U.S.A. 35°24N 118°20W 171 K8
Clare Australia 33°50S 138°37E 152 B3
Clare U.S.A. 43°49N 84°46W 173 D11
Clare □ Ireland 52°45N 9°0W 64 D3
Clare → Ireland 53°20N 9°2W 64 C2
Clare I. Ireland 53°47N 10°0W 64 C1
Claremont Calif., U.S.A. 34°6N 117°43W 171 L9
Claremont N.H., U.S.A. 43°23N 72°20W 175 C12
Claremont Pt. Australia 14°1S 143°41E 150 A3
Claremore U.S.A. 36°19N 95°36W 176 C7
Claremorris Ireland 53°45N 9°0W 64 C3
Clarence → Australia 29°25S 153°22E 151 D5
Clarence → N.Z. 42°10S 173°56E 155 C8
Clarence, I. Chile 54°0S 72°0W 192 D2
Clarence I. Antarctica 61°10S 54°0W 55 C18
Clarence Str. Australia 12°0S 131°0E 148 B5
Clarence Town Bahamas 23°6N 74°59W 183 B5
Clarendon Pa., U.S.A. 41°47N 79°6W 174 E5
Clarendon Tex., U.S.A. 34°56N 100°53W 176 D4
Clarenville Canada 48°10N 54°1W 165 C9
Claresholm Canada 50°2N 113°33W 162 D6
Clarie Coast Antarctica 68°0S 135°0E 55 C9
Clarinda U.S.A. 40°44N 95°2W 172 E6
Clarington Canada 43°55N 78°41W 174 C6
Clarion Iowa, U.S.A. 42°44N 93°44W 172 D7
Clarion Pa., U.S.A. 41°13N 79°23W 174 E5
Clarion → U.S.A. 41°7N 79°41W 174 E5
Clarion Fracture Zone Pac. Oc. 20°0N 120°0W 158 H7
Clark U.S.A. 44°53N 97°44W 172 C5
Clark, Pt. Canada 44°4N 81°45W 174 B3
Clark Fork U.S.A. 48°9N 116°11W 168 B5
Clark Fork → U.S.A. 48°9N 116°15W 168 B5
Clarkdale U.S.A. 34°46N 112°3W 169 J7
Clarke City Canada 50°12N 66°38W 165 B6
Clarke I. Australia 40°32S 148°10E 151 G4
Clarke Ra. Australia 20°40S 148°30E 150 b
Clarks Fork Yellowstone → U.S.A. 45°32N 108°50W 168 D9
Clark's Harbour Canada 43°25N 65°38W 165 D6
Clarks Hill L. = J. Strom Thurmond L. U.S.A. 33°40N 82°12W 178 B7
Clarks Summit U.S.A. 41°30N 75°42W 175 E9
Clarksburg U.S.A. 39°17N 80°30W 173 F13
Clarksdale U.S.A. 34°12N 90°35W 177 D9
Clarkston U.S.A. 46°25N 117°3W 168 C5
Clarksville Ark., U.S.A. 35°28N 93°28W 176 D8
Clarksville Tenn., U.S.A. 36°32N 87°21W 177 C11
Clarksville Tex., U.S.A. 33°37N 95°3W 176 E7
Clatskanie U.S.A. 46°6N 123°12W 170 D3
Claude U.S.A. 35°7N 101°22W 176 D4
Claveria Phil. 18°37N 121°4E 119 A6
Clavering Ø Greenland 74°15N 21°0W 57 C8
Claxton U.S.A. 32°10N 81°55W 178 C8
Clay U.S.A. 38°17N 121°10W 170 G5
Clay Center U.S.A. 39°23N 97°8W 172 F5
Claypool U.S.A. 33°25N 110°51W 169 K8
Claysburg U.S.A. 40°17N 78°27W 174 F6
Claysville U.S.A. 40°7N 80°25W 174 F4
Clayton Canada 45°11N 76°19W 175 A8
Clayton Ala., U.S.A. 31°53N 85°27W 178 D4
Clayton N. Mex., U.S.A. 36°27N 103°11W 169 H12
Clayton N.Y., U.S.A. 44°14N 76°5W 175 B8
Clear, C. Ireland 51°25N 9°32W 64 E2
Clear, L. Canada 45°26N 77°12W 174 A7
Clear Hills Canada 56°40N 119°30W 162 B5
Clear I. Ireland 51°26N 9°30W 64 E2
Clear L. U.S.A. 39°2N 122°47W 170 F4
Clear Lake Iowa, U.S.A. 43°8N 93°23W 172 D7
Clear Lake S. Dak., U.S.A. 44°45N 96°41W 172 C5
Clear Lake Res. U.S.A. 41°56N 121°5W 168 F3
Clearfield Pa., U.S.A. 41°2N 78°27W 174 E6
Clearfield Utah, U.S.A. 41°7N 112°2W 168 F7
Clearlake U.S.A. 38°57N 122°38W 170 G4
Clearwater Canada 51°38N 120°2W 162 C4
Clearwater U.S.A. 27°59N 82°48W 179 H7
Clearwater → Alta., Canada 52°22N 114°57W 162 C6
Clearwater → Alta., Canada 56°44N 111°23W 163 B6
Clearwater L. Canada 53°34N 99°49W 163 C9
Clearwater Lake ⌂ Canada 54°0N 101°0W 163 C8
Clearwater Mts. U.S.A. 46°5N 115°20W 168 C6
Clearwater River ⌂ Canada 56°55N 109°10W 163 B7
Cleburne U.S.A. 32°21N 97°23W 176 E6
Clee Hills U.K. 52°26N 2°35W 67 E5
Cleethorpes U.K. 53°33N 0°3W 66 D7
Cleeve Cloud U.K. 51°56N 2°0W 67 F6
Clelles France 44°50N 5°38E 73 D9
Clemson U.S.A. 34°41N 82°50W 177 D13
Clerke Reef Australia 17°22S 119°20E 148 C2
Clermont Australia 22°49S 147°39E 150 C4
Clermont France 49°23N 2°24E 71 C9
Clermont U.S.A. 28°33N 81°46W 179 G8
Clermont-en-Argonne France 49°5N 5°4E 71 C12
Clermont-Ferrand France 45°46N 3°4E 72 C7
Clermont-l'Hérault France 43°38N 3°26E 72 E7
Clerval France 47°25N 6°30E 71 E13
Clervaux Lux. 50°4N 6°2E 69 D6
Cles Italy 46°22N 11°2E 92 B8
Cleve Australia 33°43S 136°30E 152 B2
Clevedon U.K. 51°26N 2°52W 67 F5
Cleveland Miss., U.S.A. 33°45N 90°43W 177 E9
Cleveland Ohio, U.S.A. 41°29N 81°41W 174 E3
Cleveland Okla., U.S.A. 36°19N 96°28W 176 C6
Cleveland Tenn., U.S.A. 35°10N 84°53W 177 D12
Cleveland Tex., U.S.A. 30°21N 95°5W 176 F7
Cleveland, C. Australia 19°11S 147°1E 150 B4
Cleveland, Mt. U.S.A. 48°56N 113°51W 168 B7
Cleveland Heights U.S.A. 41°31N 81°33W 174 E3
Clevelândia Brazil 26°24S 52°23W 191 B5
Clew B. Ireland 53°50N 9°49W 64 C2
Clewiston U.S.A. 26°45N 80°56W 179 J9
Clifden Ireland 53°29N 10°1W 64 C1
Clifden N.Z. 46°1S 167°42E 155 G2
Cliffdell U.S.A. 46°56N 121°5W 170 D5
Cliffy Hd. Australia 35°1S 116°29E 149 G2
Clifton Australia 27°59S 151°53E 151 D5
Clifton Ariz., U.S.A. 33°3N 109°18W 169 K9
Clifton Colo., U.S.A. 39°7N 108°25W 168 G9
Clifton Tex., U.S.A. 31°47N 97°35W 176 F6
Clifton Beach Australia 16°46S 145°39E 150 B4
Climax U.S.A. 30°53N 84°26W 178 E5
Clinch → U.S.A. 35°53N 84°29W 177 D12
Clingmans Dome U.S.A. 35°34N 83°30W 177 D13
Clint U.S.A. 31°35N 106°14W 176 F1
Clinton B.C., Canada 51°6N 121°35W 162 C4
Clinton Ont., Canada 43°37N 81°32W 174 C3
Clinton N.Z. 46°12S 169°23E 155 G4
Clinton Ark., U.S.A. 35°36N 92°28W 176 D8
Clinton Conn., U.S.A. 41°17N 72°32W 175 E12
Clinton Ill., U.S.A. 40°9N 88°57W 172 E9
Clinton Ind., U.S.A. 39°40N 87°24W 172 F10
Clinton Iowa, U.S.A. 41°51N 90°12W 172 E8
Clinton Mass., U.S.A. 42°25N 71°41W 175 D13
Clinton Miss., U.S.A. 32°20N 90°20W 177 E9
Clinton Mo., U.S.A. 38°22N 93°46W 172 F7
Clinton N.C., U.S.A. 35°0N 78°22W 177 D15
Clinton Okla., U.S.A. 35°31N 98°58W 176 D5
Clinton S.C., U.S.A. 34°29N 81°53W 177 D14
Clinton Tenn., U.S.A. 36°6N 84°8W 177 C12
Clinton Wash., U.S.A. 47°59N 122°21W 170 C4
Clinton, C. Australia 22°30S 150°45E 150 C5
Clinton Colden L. Canada 63°58N 107°27W 160 E10
Clio U.S.A. 31°43N 85°37W 178 D4
Clipperton, Î. Pac. Oc. 10°18N 109°13W 157 F17
Clipperton Fracture Zone Pac. Oc. 19°0N 122°0W 157 G16
Clisham U.K. 57°58N 6°49W 65 D2
Clisson France 47°5N 1°16W 70 E5
Clitheroe U.K. 53°53N 2°22W 66 D5
Clive N.Z. 39°36S 176°58E 154 F5
Clo-oose Canada 48°39N 124°49W 170 B2
Cloates, Pt. Australia 22°43S 113°40E 148 D1
Clocolan S. Africa 28°55S 27°34E 145 C4
Clodomira Argentina 27°35S 64°14W 190 B3
Cloghaneely Ireland 55°8N 8°5W 64 A3
Clogher Hd. Ireland 53°48N 6°14W 64 C5
Clonakilty Ireland 51°37N 8°53W 64 E3
Clonakilty B. Ireland 51°35N 8°51W 64 E3
Cloncurry Australia 20°40S 140°28E 150 C3
Cloncurry Ireland 53°25N 6°48W 64 C5
Cloncurry → Australia 18°37S 140°40E 150 B3
Clondalkin Ireland 53°19N 6°25W 64 C5
Clones Ireland 54°11N 7°15W 64 B4
Clonmel Ireland 52°21N 7°42W 64 D4
Cloppenburg Germany 52°51N 8°1E 76 C4
Cloquet U.S.A. 46°43N 92°28W 172 B7
Clorinda Argentina 25°16S 57°45W 190 B4
Cloud Peak U.S.A. 44°23N 107°11W 168 D10
Cloudcroft U.S.A. 32°58N 105°45W 169 K11
Cloudy B. N.Z. 41°25S 174°10E 155 B9
Cloverdale U.S.A. 38°48N 123°1W 170 G4

Clovis Calif., U.S.A. 36°49N 119°42W 170 J7
Clovis N. Mex., U.S.A. 34°24N 103°12W 169 J12
Cloyes-sur-le-Loir France 48°0N 1°14E 70 E8
Cloyne Canada 44°49N 77°11W 174 B7
Cluain Meala = Clonmel Ireland 52°21N 7°42W 64 D4
Club Terrace Australia 37°35S 148°58E 153 D8
Cluj □ Romania 46°45N 23°30E 81 D8
Cluj-Napoca Romania 46°47N 23°38E 81 D8
Clunes Australia 37°20S 143°45E 152 D5
Cluny France 46°26N 4°38E 71 F11
Cluses France 46°5N 6°35E 71 F13
Clusone Italy 45°53N 9°57E 92 C6
Clutha → N.Z. 46°20S 169°49E 155 G4
Clwyd → U.K. 53°19N 3°31W 66 D4
Clyattville U.S.A. 30°42N 83°19W 178 E6
Clyde Canada 54°9N 113°39W 162 C6
Clyde N.Z. 45°12S 169°20E 155 F4
Clyde U.S.A. 43°5N 76°52W 174 C8
Clyde → U.K. 55°55N 4°30W 65 F4
Clyde, Firth of U.K. 55°22N 5°1W 65 F3
Clyde River Canada 70°30N 68°30W 161 C18
Clydebank U.K. 55°54N 4°23W 65 F4
Clymer N.Y., U.S.A. 42°1N 79°37W 174 D5
Clymer Pa., U.S.A. 40°40N 79°1W 174 D5
Clyo U.S.A. 32°29N 81°16W 178 C8
Ćmielów Poland 50°53N 21°31E 83 H8
Côa → Portugal 41°5N 7°6W 88 D3
Coachella U.S.A. 33°41N 116°10W 171 M10
Coachella Canal U.S.A. 32°43N 114°57W 171 N12
Coahoma U.S.A. 32°18N 101°18W 176 E4
Coahuayana → Mexico 18°41N 103°45W 180 D4
Coahuila □ Mexico 27°20N 102°0W 180 B4
Coal → Canada 59°39N 126°57W 162 B3
Coal I. N.Z. 46°8S 166°40E 155 G1
Coalane Mozam. 17°48S 37°2E 143 F4
Coalcomán Mexico 18°47N 103°9W 180 D4
Coaldale Canada 49°45N 112°35W 162 D6
Coalgate U.S.A. 34°32N 96°13W 176 D6
Coalinga U.S.A. 36°9N 120°21W 170 J6
Coalisland U.K. 54°33N 6°42W 64 B5
Coalville U.K. 52°44N 1°23W 66 E6
Coalville U.S.A. 40°55N 111°24W 168 F8
Coamo Puerto Rico 18°5N 66°22W 183 d
Coaraci Brazil 14°38S 39°32W 189 C3
Coari Brazil 4°8S 63°7W 186 D6
Coast Mts. Canada 55°0N 129°20W 162 C3
Coast Ranges U.S.A. 39°0N 123°0W 170 G4
Coatbridge U.K. 55°52N 4°6W 65 F4
Coatepec Mexico 19°27N 96°58W 181 D5
Coatepeque Guatemala 14°46N 91°55W 182 D1
Coatesville U.S.A. 39°59N 75°50W 173 F16
Coaticook Canada 45°10N 71°46W 175 A13
Coats I. Canada 62°30N 83°0W 161 E15
Coats Land Antarctica 77°0S 25°0W 55 D1
Coatzacoalcos Mexico 18°7N 94°25W 181 D6
Cobá Mexico 20°31N 87°45W 181 C7
Cobadin Romania 44°5N 28°13E 81 F13
Cobalt Canada 47°25N 79°42W 164 C4
Cobán Guatemala 15°30N 90°21W 182 C1
Çobanlar Turkey 38°41N 30°47E 99 C12
Cobar Australia 31°27S 145°48E 153 A6
Cobargo Australia 36°20S 149°55E 153 D8
Cobbannah Australia 37°37S 147°13E 153 D7
Cobberas, Mt. Australia 36°53S 148°12E 153 D8
Cobden Australia 38°20S 143°3E 152 E5
Cobh Ireland 51°51N 8°17W 64 E3
Cóbh, An = Cobh Ireland 51°51N 8°17W 64 E3
Cobija Bolivia 11°0S 68°50W 188 C4
Cobleskill U.S.A. 42°41N 74°29W 175 D10
Coboconk Canada 44°39N 78°48W 174 B6
Cobourg Canada 43°58N 78°10W 174 C6
Cobourg Pen. Australia 11°20S 132°15E 148 B5
Cobram Australia 35°54S 145°40E 153 C6
Cóbué Mozam. 12°0S 34°58E 143 E3
Coburg Germany 50°15N 10°58E 77 E6
Coburg I. Canada 75°57N 79°26W 161 B16
Coca Spain 41°13N 4°32W 88 D6
Cocachacra Peru 17°5S 71°45W 188 D3
Cocal Brazil 3°28S 41°34W 189 A2
Cocanada = Kakinada India 16°57N 82°11E 126 F6
Cocentaina Spain 38°45N 0°27W 91 G4
Cochabamba Bolivia 17°26S 66°10W 186 G5
Cochem Germany 50°9N 7°9E 77 E3
Cochemane Mozam. 17°0S 32°54E 143 F3
Cochin = Kochi India 9°58N 76°20E 127 K3
Cochin China = Nam Phan Vietnam 10°30N 106°0E 121 G6
Cochran U.S.A. 32°23N 83°21W 178 C6
Cochrane Alta., Canada 51°11N 114°30W 162 C6
Cochrane Ont., Canada 49°0N 81°0W 164 C3
Cochrane Chile 47°15S 72°33W 192 C2
Cochrane → Canada 59°0N 103°40W 163 B8
Cochrane, L. Chile 47°10S 72°0W 192 C2
Cochranton U.S.A. 41°31N 80°3W 174 E4
Cockburn Australia 32°5S 141°0E 152 B4
Cockburn, Canal Chile 54°30S 72°0W 192 D2
Cockburn I. Canada 45°55N 83°22W 164 C3
Cockburn Ra. Australia 15°46S 128°0E 148 C4
Cockermouth U.K. 54°40N 3°22W 66 C4
Cocklebiddy Australia 32°0S 126°3E 149 F4
Cockpit Country, The Jamaica 18°15N 77°45W 182 a
Coco → Cent. Amer. 15°0N 83°8W 182 D3
Coco, I. del Pac. Oc. 5°25N 87°55W 157 G19
Coco Channel Asia 13°45N 93°10E 127 H11
Cocoa U.S.A. 28°21N 80°44W 179 G9
Cocoa Beach U.S.A. 28°19N 80°37W 179 G9
Cocobeach Gabon 0°59N 9°34E 140 D1
Cocoparra △ Australia 34°10S 146°12E 153 C7
Cocora Romania 44°45N 27°3E 81 F12
Côcos Brazil 14°10S 44°33W 189 C2
Côcos → Brazil 12°44S 44°48W 189 C2
Cocos B. Trin. & Tob. 10°24N 61°2W 187 K15
Cocos Basin Ind. Oc. 1°0N 94°0E 146 D8
Cocos I. = Coco, I. del Pac. Oc. 5°25N 87°55W 157 G19
Cocos Is. Ind. Oc. 12°10S 96°55E 146 F8
Cocos Ridge Pac. Oc. 4°0N 88°0W 157 G19
Cod, C. U.S.A. 42°5N 70°10W 173 D18
Codajás Brazil 3°55S 62°0W 186 D6
Codfish I. N.Z. 46°47S 167°38E 155 G2
Codigoro Italy 44°49N 12°8E 93 D9
Codlea Romania 45°42N 25°27E 81 E10
Codó Brazil 4°30S 43°55W 189 A2
Codogno Italy 45°9N 9°42E 92 C6
Codpa Chile 18°50S 69°44W 188 D4
Codróipo Italy 45°58N 13°0E 93 C10
Codru, Munţii Romania 46°30N 22°15E 80 D7
Cody U.S.A. 44°32N 109°3W 168 D9
Coe Hill Canada 44°52N 77°50W 174 B7
Coelemu Chile 36°30S 72°48W 190 D1
Coelho Neto Brazil 4°15S 43°0W 189 A2
Coen Australia 13°52S 143°12E 150 A3
Coesfeld Germany 51°56N 7°10E 76 D3
Coetivy I. Seychelles 7°8S 56°16E 146 E4
Coeur d'Alene U.S.A. 47°41N 116°46W 168 C5
Coeur d'Alene L. U.S.A. 47°32N 116°49W 168 C5
Coevorden Neths. 52°40N 6°44E 69 B6
Cofete Canary Is. 28°6N 14°23W 100 F5
Coffeyville U.S.A. 37°2N 95°37W 172 G6
Coffin B. Australia 34°38S 135°28E 151 E2
Coffin Bay Australia 34°37S 135°29E 151 E2
Coffin Bay △ Australia 34°34S 135°19E 151 E2
Coffin Bay Peninsula Australia 34°32S 135°15E 151 E2
Coffs Harbour Australia 30°16S 153°5E 153 A10
Cofrentes Spain 39°13N 1°5W 91 F3
Cogalnic = Kohylnyk → Ukraine 45°49N 29°40E 81 E14
Cogealac Romania 44°36N 28°36E 81 F13
Coghinas → Italy 40°55N 8°48E 94 B1
Coghinas, L. del Italy 40°46N 9°3E 94 B2
Cognac France 45°41N 0°20W 72 C3
Cogne Italy 45°37N 7°21E 92 C4
Cogolin France 43°15N 6°32E 73 E10
Cogolludo Spain 40°59N 3°10W 90 E1
Cohocton U.S.A. 42°30N 77°30W 174 D7
Cohocton → U.S.A. 42°9N 77°6W 174 D7
Cohoes U.S.A. 42°46N 73°42W 175 D11
Cohuna Australia 35°45S 144°15E 152 C6
Coiba, I. de Panama 7°30N 81°40W 182 E3
Coig → Argentina 51°0S 69°10W 192 D3
Coigeach, Rubha U.K. 58°6N 5°26W 65 C3
Coihaique Chile 45°30S 71°45W 192 C2
Coimbatore India 11°2N 76°59E 127 J3
Coimbra Brazil 19°55S 57°48W 186 G7
Coimbra Portugal 40°15N 8°27W 88 E2
Coimbra □ Portugal 40°12N 8°25W 88 E2
Coín Spain 36°40N 4°48W 89 J6
Coipasa, L. de Bolivia 19°12S 68°7W 188 D4
Coipasa, Salar de Bolivia 19°26S 68°9W 188 D4
Cojata Peru 15°2S 69°25W 188 D4
Cojimies Ecuador 0°20N 80°0W 186 C3
Cojocna Romania 46°45N 23°50E 81 D8
Cojutepequé El Salv. 13°41N 88°54W 182 D2
Čoka Serbia 45°57N 20°12E 80 E5
Cokeville U.S.A. 42°5N 110°57W 168 E8
Colaba Pt. India 18°53N 72°48E 126 E1
Colac Australia 38°21S 143°35E 152 E5
Colachel = Kolachel India 8°10N 77°15E 127 K3
Colán Peru 5°0S 81°0W 188 B1
Colatina Brazil 19°32S 40°37W 189 D2
Colbeck, C. Antarctica 77°6S 157°48W 55 D13
Colbert U.S.A. 34°2N 83°13W 178 A6
Colborne Canada 44°0N 77°53W 174 C7
Colby U.S.A. 39°24N 101°3W 172 F3
Colca → Peru 15°55S 72°43W 186 G4
Colca, Cañon del Peru 15°50S 72°20W 188 D3
Colchester U.K. 51°54N 0°55E 67 F8
Colchester U.S.A. 41°35N 72°20W 175 E12
Cold L. Canada 54°33N 110°5W 163 C7
Cold Lake Canada 54°27N 110°10W 163 C6
Coldstream Canada 50°13N 119°11W 162 C5
Coldstream U.K. 55°39N 2°15W 65 F6
Coldwater Canada 44°42N 79°40W 174 B5
Coldwater Kans., U.S.A. 37°16N 99°20W 172 G4
Coldwater Mich., U.S.A. 41°57N 85°0W 173 E11
Coleambally Australia 34°49S 145°52E 153 C6
Colebrook U.S.A. 44°54N 71°30W 175 B13
Coleman Canada 49°40N 114°30W 162 D6
Coleman Fla., U.S.A. 28°48N 82°4W 179 G7
Coleman Tex., U.S.A. 31°50N 99°26W 176 F5
Coleman → Australia 15°6S 141°38E 150 B3
Colenso S. Africa 28°44S 29°50E 145 C4
Coleraine Australia 37°36S 141°40E 152 D4
Coleraine U.K. 55°8N 6°41W 64 A5
Coleridge, L. N.Z. 43°17S 171°30E 155 D6
Coleroon → India 11°25N 79°50E 127 J4
Colesberg S. Africa 30°45S 25°5E 144 D4
Coleville U.S.A. 38°34N 119°30W 170 G7
Colfax Calif., U.S.A. 39°6N 120°57W 170 F6
Colfax La., U.S.A. 31°31N 92°42W 176 F8
Colfax Wash., U.S.A. 46°53N 117°22W 168 C5
Colhué Huapi, L. Argentina 45°30S 69°0W 192 C3
Colibaşi = Mioveni Romania 44°56N 24°54E 81 F9
Colibaşi Moldova 45°43N 28°11E 81 E13
Cólico Italy 46°8N 9°22E 92 B6
Coligny France 46°23N 5°21E 71 F12
Coligny S. Africa 26°17S 26°15E 145 C4
Colima Mexico 19°14N 103°43W 180 D4
Colima □ Mexico 19°10N 104°0W 180 D4
Colima, Nevado de Mexico 19°33N 103°38W 180 D4
Colina Chile 33°13S 70°45W 190 C1
Colina do Norte Guinea-Biss. 12°28N 15°0W 138 C2
Colinas Goiás, Brazil 14°15S 48°2W 189 C1
Colinas Maranhão, Brazil 6°0S 44°10W 189 B2
Colindres Spain 43°24N 3°27W 88 B7
Coll U.K. 56°39N 6°34W 65 E2
Collahuasi Chile 21°5S 68°45W 190 A2
Collarada, Peña Spain 42°43N 0°29W 90 C4
Collarenebri Australia 29°33S 148°34E 151 D4
Colle di Val d'Elsa Italy 43°25N 11°7E 92 E8
Collécchio Italy 44°45N 10°13E 92 D7
Colleen Bawn Zimbabwe 21°0S 29°12E 143 G2
College U.S.A. 64°52N 147°49W 166 C10
College Park U.S.A. 33°39N 84°27W 178 B5
College Station U.S.A. 30°37N 96°21W 176 F6
Collesalvetti Italy 43°34N 10°27E 92 E7
Colli Euganei ⌂ Italy 45°18N 11°43E 93 C8
Collie N.S.W., Australia 31°41S 148°18E 153 A8
Collie W. Austral., Australia 33°22S 116°8E 149 F2
Collier B. Australia 16°10S 124°15E 148 C3
Collier Ra. Australia 24°45S 119°10E 149 D2
Collier Range △ Australia 24°39S 119°7E 149 D2
Collierville U.S.A. 35°3N 89°40W 177 D10
Collina, Passo di Italy 44°2N 10°56E 92 D7
Collingwood Canada 44°29N 80°13W 174 B4
Collingwood N.Z. 40°41S 172°40E 155 A7
Collins Canada 50°17N 89°27W 164 B2
Collins U.S.A. 32°11N 82°7W 178 C7
Collins Bay Canada 44°14N 76°36W 175 B8
Collinson Pen. Canada 69°58N 101°24W 160 D11
Collinsville Australia 20°30S 147°56E 150 C4
Collipulli Chile 37°55S 72°30W 190 D1
Collo Algeria 36°58N 6°37E 136 A5
Collooney Ireland 54°11N 8°29W 64 B3
Colmar France 48°5N 7°20E 71 D14
Colmars France 44°11N 6°39E 73 D10
Colmenar Spain 36°54N 4°20W 89 J6
Colmenar de Oreja Spain 40°6N 3°25W 88 E7
Colmenar Viejo Spain 40°39N 3°47W 88 E7
Colo → Australia 33°25S 150°52E 153 B9
Cologne = Köln Germany 50°56N 6°57E 76 E2
Colom, I. d'en Spain 39°58N 4°16E 100 B11
Coloma U.S.A. 38°48N 120°53W 170 G6
Colomb-Béchar = Béchar Algeria 31°38N 2°18W 136 B3
Colombey-les-Belles France 48°32N 5°54E 71 D12
Colombey-les-Deux-Églises France 48°13N 4°50E 71 D11
Colômbia Brazil 20°10S 48°40W 189 E1
Colombia ■ S. Amer. 3°45N 73°0W 186 C4
Colombian Basin Caribbean 14°0N 76°0W 182 D4
Colombo Sri Lanka 6°56N 79°58E 127 L4
Colomiers France 43°36N 1°21E 72 E5
Colón B. Aires, Argentina 33°53S 61°7W 190 C3
Colón Entre Ríos, Argentina 32°12S 58°10W 190 C4
Colón Cuba 22°42N 80°54W 182 B3
Colón Panama 9°20N 79°54W 182 E4
Colón, Arch. de Ecuador 0°0 91°0W 184 D1
Colonia 25 de Mayo Argentina 37°48S 67°41W 192 A3
Colònia de Sant Jordi Spain 39°19N 2°59E 100 B9
Colonia del Sacramento Uruguay 34°25S 57°50W 190 C4
Colonia Dora Argentina 28°34S 62°59W 190 B3
Colonial Beach U.S.A. 38°15N 76°58W 173 F15
Colonie U.S.A. 42°43N 73°50W 175 D11
Colonna, C. Italy 39°2N 17°12E 95 C10
Colonsay Canada 51°59N 105°52W 163 C7
Colonsay U.K. 56°5N 6°12W 65 E2
Colorado □ U.S.A. 39°30N 105°30W 168 G11
Colorado → Argentina 39°50S 62°8W 192 A4
Colorado → N. Amer. 31°45N 114°40W 169 L6
Colorado → U.S.A. 28°36N 95°59W 176 G7
Colorado City U.S.A. 32°24N 100°52W 176 E4
Colorado Plateau U.S.A. 37°0N 111°0W 169 H8
Colorado River Aqueduct U.S.A. 33°50N 117°23W 171 L12
Colorado Springs U.S.A. 38°50N 104°49W 168 G11
Colorno Italy 44°56N 10°23E 92 D7
Colotlán Mexico 22°6N 103°16W 180 C4
Colquitt U.S.A. 31°10N 84°44W 178 D5
Colstrip U.S.A. 45°53N 106°38W 168 D10
Colton U.S.A. 44°33N 74°56W 175 B10
Columbia Ala., U.S.A. 31°18N 85°7W 178 D4
Columbia Ky., U.S.A. 37°6N 85°18W 173 G11
Columbia La., U.S.A. 32°6N 92°5W 176 E8
Columbia Miss., U.S.A. 31°15N 89°50W 177 F10
Columbia Mo., U.S.A. 38°57N 92°20W 172 F7
Columbia Pa., U.S.A. 40°2N 76°30W 175 F8
Columbia S.C., U.S.A. 34°0N 81°2W 178 A8
Columbia Tenn., U.S.A. 35°37N 87°2W 177 D11
Columbia → N. Amer. 46°15N 124°5W 170 D2
Columbia, C. Canada 83°6N 69°57W 161 A18
Columbia, District of □ U.S.A. 38°55N 77°0W 173 F15
Columbia, Mt. Canada 52°8N 117°20W 162 C5
Columbia Basin U.S.A. 46°45N 119°5W 168 C4
Columbia Falls U.S.A. 48°23N 114°11W 168 B6
Columbia Mts. Canada 52°0N 119°0W 162 C5
Columbia Plateau U.S.A. 44°0N 117°30W 168 E5
Columbiana U.S.A. 40°53N 80°42W 174 F4
Columbretes, Is. Spain 39°50N 0°50E 90 F5
Columbus Ga., U.S.A. 32°28N 84°59W 178 C5
Columbus Ind., U.S.A. 39°13N 85°55W 173 F11
Columbus Kans., U.S.A. 37°10N 94°50W 172 G6
Columbus Miss., U.S.A. 33°30N 88°25W 177 E10
Columbus Mont., U.S.A. 45°38N 109°15W 168 D9
Columbus N. Mex., U.S.A. 31°50N 107°38W 169 L10
Columbus Nebr., U.S.A. 41°26N 97°22W 172 E5
Columbus Ohio, U.S.A. 39°58N 83°0W 173 F12
Columbus Tex., U.S.A. 29°42N 96°33W 176 G6
Colunga Spain 43°29N 5°16W 88 B5
Colusa U.S.A. 39°13N 122°1W 170 F4
Colville U.S.A. 48°33N 117°54W 168 B5
Colville → U.S.A. 70°25N 150°30W 166 A9
Colville, C. N.Z. 36°29S 175°21E 154 C4
Colville Channel N.Z. 36°25S 175°27E 154 C4
Colwood Canada 48°26N 123°29W 170 B3
Colwyn Bay U.K. 53°18N 3°44W 66 D4
Comácchio Italy 44°42N 12°11E 93 D9
Comalcalco Mexico 18°16N 93°13W 181 D6
Comallo Argentina 41°0S 70°5W 192 B2
Comana Romania 44°10N 26°10E 81 F11
Comanche U.S.A. 31°54N 98°36W 176 F5
Comandante Ferraz Antarctica 62°30S 58°0W 55 C18
Comandante Luis Piedrabuena Argentina 49°59S 68°54W 192 C3
Comăneşti Romania 46°25N 26°26E 81 D11
Comarnic Romania 45°15N 25°38E 81 E10
Comayagua Honduras 14°25N 87°37W 182 D2
Combahee → U.S.A. 32°31N 80°31W 178 C9
Combarbalá Chile 31°11S 71°2W 190 C1
Combe Martin U.K. 51°12N 4°3W 67 F3
Combeaufontaine France 47°38N 5°54E 71 E12
Comber Canada 42°14N 82°33W 174 D2
Comber U.K. 54°33N 5°45W 64 B6
Combermere Canada 45°22N 77°37W 174 A7
Comblain-au-Pont Belgium 50°29N 5°35E 69 D5
Combourg France 48°25N 1°46W 70 D5
Comboyne Australia 31°34S 152°27E 153 A10
Combrailles France 46°8N 2°8E 71 F9
Combronde France 45°58N 3°5E 72 C7
Comer Ala., U.S.A. 32°2N 85°23W 178 C4
Comer Ga., U.S.A. 34°4N 83°8W 178 A6
Comeragh Mts. Ireland 52°18N 7°34W 64 D4
Comet Australia 23°36S 148°38E 150 C4
Comilla Bangla. 23°28N 91°10E 123 H17
Comino Malta 36°1N 14°20E 101 C1
Comino, C. Italy 40°32N 9°49E 94 B2
Cómiso Italy 36°56N 14°36E 95 F7
Comitán de Domínguez Mexico 16°15N 92°8W 181 D6
Commentry France 46°20N 2°46E 71 F9
Commerce Ga., U.S.A. 34°12N 83°28W 178 A6
Commerce Tex., U.S.A. 33°15N 95°54W 176 E7
Commercy France 48°43N 5°34E 71 D12
Committee B. Canada 68°30N 86°30W 161 D14
Commodore, C. Canada 44°47N 80°54W 174 B4
Commonwealth B. Antarctica 67°0S 144°0E 55 C10
Commoron Cr. → Australia 28°22S 150°8E 151 D5
Communism Pk. = imeni Ismail Samani, Pik Tajikistan 39°0N 72°2E 109 E8
Como Italy 45°47N 9°5E 92 C6
Como, L. di Italy 46°0N 9°11E 92 B6
Comodoro Rivadavia Argentina 45°50S 67°40W 192 C3
Comoé □ Ivory C. 6°48N 3°30W 138 D4
Comoé → Ivory C. 5°12N 3°44W 138 D4
Comoé △ Ivory C. 9°0N 3°35W 138 D4
Comorâşte Romania 45°10N 21°35E 80 E6
Comorin, C. = Kannyakumari India 8°3N 77°40E 127 K3
Comoros ■ Ind. Oc. 12°10S 44°15E 141 a
Comox Canada 49°42N 124°55W 162 D4
Compass Lake U.S.A. 30°36N 85°24W 178 E4
Compiègne France 49°24N 2°50E 71 C9
Comporta Portugal 38°22N 8°46W 89 G2
Compostela Mexico 21°14N 104°55W 180 C4
Comprida, I. Brazil 24°50S 47°42W 191 A6
Compton Canada 45°14N 71°49W 175 A13
Compton U.S.A. 33°53N 118°13W 171 M8
Comrat Moldova 46°18N 28°40E 81 D13
Comunidad Peru 13°59S 69°20W 188 C4
Con Cuong Vietnam 19°2N 104°54E 120 C5
Con Dao △ Vietnam 8°42N 106°35E 121 H6
Con Son, Dao Vietnam 8°41N 106°37E 121 H6
Cona Niyeu Argentina 41°58S 67°0W 192 B3
Conakry Guinea 9°29N 13°49W 138 D2
Conara Australia 41°50S 147°26E 151 G4
Conargo Australia 35°16S 145°10E 153 C6
Concarneau France 47°52N 3°56W 70 E3
Conceição Brazil 7°33S 38°31W 189 B3
Conceição Mozam. 18°47S 36°7E 143 F4
Conceição da Barra Brazil 18°35S 39°45W 189 D3
Conceição do Araguaia Brazil 8°0S 49°2W 187 E9
Conceição do Canindé Brazil 7°54S 41°34W 189 B2
Concepción Argentina 27°20S 65°35W 190 B2
Concepción Bolivia 16°15S 62°8W 186 G6
Concepción Chile 36°50S 73°0W 190 D1
Concepción Paraguay 23°22S 57°26W 190 A4
Concepción Peru 11°54S 75°19W 188 C2
Concepción □ Chile 37°0S 72°30W 190 D1
Concepción, Est. de Chile 50°30S 74°55W 192 D2
Concepción, L. Bolivia 17°20S 61°20W 186 G6
Concepción, Pta. Mexico 26°53N 111°50W 180 B2
Concepción del Oro Mexico 24°38N 101°25W 180 C4
Concepción del Uruguay Argentina 32°35S 58°20W 190 C4
Conception, Pt. U.S.A. 34°27N 120°28W 171 L6
Conception B. Canada 47°45N 53°0W 165 C9
Conception B. Namibia 23°55S 14°22E 144 B1
Conception I. Bahamas 23°52N 75°9W 183 B4
Concession Zimbabwe 17°27S 30°56E 143 F3
Conchas Dam U.S.A. 35°22N 104°11W 169 J11
Conches-en-Ouche France 48°58N 0°56E 70 D7
Concho U.S.A. 34°28N 109°36W 169 J9
Concho → U.S.A. 31°34N 99°43W 176 F5
Conchos → Chihuahua, Mexico 29°35N 104°25W 180 B4
Conchos → Tamaulipas, Mexico 24°55N 97°38W 181 B5
Concord Calif., U.S.A. 37°59N 122°2W 170 H4
Concord Ga., U.S.A. 33°5N 84°27W 178 B5
Concord N.C., U.S.A. 35°25N 80°35W 177 D14
Concord N.H., U.S.A. 43°12N 71°32W 175 C13
Concordia Antarctica 75°6S 123°23E 55 D9
Concordia Argentina 31°20S 58°2W 190 C4
Concórdia Amazonas, Brazil 4°36S 66°36W 186 D5
Concórdia Sta. Catarina, Brazil 27°14S 52°1W 191 B5
Concordia Mexico 23°17N 106°4W 180 C3
Concordia U.S.A. 39°34N 97°40W 172 F5
Concrete U.S.A. 48°32N 121°45W 168 B3
Condah Australia 37°57S 141°44E 152 D4
Condamine Australia 26°56S 150°9E 151 D5
Condat France 45°21N 2°46E 72 C6
Conde Brazil 11°49S 37°37W 189 C3
Conde U.S.A. 45°9N 98°6W 172 C4
Condé-sur-Noireau France 48°51N 0°33W 70 D6
Condeúba Brazil 14°52S 42°0W 189 C2
Condobolin Australia 33°4S 147°6E 153 B7
Condom France 43°57N 0°22E 72 E4
Condon U.S.A. 45°14N 120°11W 168 D3
Conegliano Italy 45°53N 12°18E 93 C9
Conejera, I. = Conills, I. des Spain 39°11N 2°58E 100 B9
Conejos Mexico 26°14N 103°53W 180 B4
Conemaugh → U.S.A. 40°28N 79°19W 174 F5
Conero ⌂ Italy 43°32N 13°35E 93 E10
Confolens France 46°2N 0°40E 72 B4
Confuso → Paraguay 25°9S 57°34W 190 B4
Congaree → U.S.A. 33°44N 80°38W 178 B9
Congaree △ U.S.A. 33°47N 80°47W 178 B9
Congaz Moldova 46°7N 28°36E 81 D13
Conghua China 23°36N 113°31E 117 F9
Congjiang China 25°43N 108°52E 116 E7
Congleton U.K. 53°10N 2°13W 66 D5
Congo Brazil 7°48S 36°40W 189 B3
Congo (Brazzaville) = Congo ■ Africa 1°0S 16°0E 140 E3
Congo (Kinshasa) = Congo, Dem. Rep. of the ■ Africa 3°0S 23°0E 140 E4
Congo ■ Africa 1°0S 16°0E 140 E3
Congo → Africa 6°4S 12°24E 140 F2
Congo, Dem. Rep. of the ■ Africa 3°0S 23°0E 140 E4
Congo Basin Africa 0°10S 24°30E 140 E4
Congonhas Brazil 20°30S 43°52W 189 E2
Congress U.S.A. 34°9N 112°51W 169 J7
Conguillio △ Chile 38°40S 71°42W 192 A2
Conil de la Frontera Spain 36°17N 6°10W 89 J4
Conills, I. des Spain 39°11N 2°58E 100 B9
Conimbla △ Australia 33°45S 148°28E 153 B8
Coniston Canada 46°29N 80°51W 164 C3
Conjeeveram = Kanchipuram India 12°52N 79°45E 127 H4
Conklin Canada 55°38N 111°5W 163 B6
Conklin U.S.A. 42°2N 75°49W 175 D9
Conn, L. Ireland 54°3N 9°15W 64 B2
Connaught □ Ireland 53°43N 9°12W 64 C2
Conneaut U.S.A. 41°57N 80°34W 174 E4
Conneautville U.S.A. 41°45N 80°22W 174 E4
Connecticut □ U.S.A. 41°30N 72°45W 175 E12
Connecticut → U.S.A. 41°16N 72°20W 175 E12
Connell U.S.A. 46°40N 118°52W 168 C4
Connellsville U.S.A. 40°1N 79°35W 174 F5
Connemara Ireland 53°29N 9°45W 64 C2
Connemara △ Ireland 53°32N 9°52W 64 C2
Connerré France 48°3N 0°30E 70 D7
Connersville U.S.A. 39°39N 85°8W 173 F11
Connors Ra. Australia 21°40S 149°10E 150 C4
Conoble Australia 32°55S 144°33E 153 B6
Conococha Peru 10°7S 77°18W 188 C2
Conques France 44°36N 2°23E 72 D6
Conquest Canada 51°32N 107°14W 163 C7
Conrad U.S.A. 48°10N 111°57W 168 B8
Conrad Rise S. Ocean 53°0S 41°0E 55 B5
Conran, C. Australia 37°49S 148°44E 153 D8
Conroe U.S.A. 30°19N 95°27W 176 F7
Consecon Canada 44°0N 77°31W 174 C7
Conselheiro Lafaiete Brazil 20°40S 43°48W 189 E2
Conselheiro Pena Brazil 19°10S 41°30W 189 D2
Consell Spain 39°40N 2°49E 100 B9
Conselve Italy 45°14N 11°52E 93 C8
Consett U.K. 54°51N 1°50W 66 C6
Consort Canada 52°1N 110°46W 163 C6
Constance = Konstanz Germany 47°40N 9°10E 77 H5
Constance, L. = Bodensee Europe 47°35N 9°25E 77 H5
Constanţa Romania 44°14N 28°38E 81 F13
Constanţa □ Romania 44°15N 28°15E 81 F13
Constantina Spain 37°51N 5°40W 89 H5
Constantine Algeria 36°25N 6°42E 136 A5
Constantine □ Algeria 36°30N 6°30E 136 A5
Constitución Chile 35°20S 72°30W 190 D1
Constitución Uruguay 31°0S 57°50W 190 C4
Constitución de 1857 △ Mexico 32°4N 115°55W 180 A1
Consuegra Spain 39°28N 3°36W 89 F7
Consul Canada 49°20N 109°30W 163 D7
Contact U.S.A. 41°46N 114°45W 168 F6
Contagem Brazil 19°55S 44°6W 189 D2
Contai India 21°54N 87°46E 125 J12
Contamana Peru 7°19S 74°55W 188 B3
Contas → Brazil 14°17S 39°1W 189 C3
Contes France 43°49N 7°19E 73 E11
Contoocook U.S.A. 43°13N 71°45W 175 C13
Contra Costa Mozam. 25°9S 33°30E 145 C5
Contres France 47°24N 1°26E 70 E8
Contrexéville France 48°10N 5°53E 71 D12
Contumaza Peru 7°23S 78°57W 188 B2
Contwoyto L. Canada 65°42N 110°50W 160 D9
Conversano Italy 40°58N 17°7E 95 B10
Conway = Conwy U.K. 53°17N 3°50W 66 D4
Conway = Conwy → U.K. 53°17N 3°50W 66 D4
Conway Australia 20°24S 148°41E 150 b
Conway Canada 44°6N 76°54W 174 B8
Conway Ark., U.S.A. 35°5N 92°26W 176 D8
Conway N.H., U.S.A. 43°59N 71°7W 175 C13
Conway S.C., U.S.A. 33°51N 79°3W 177 E15
Conway, C. Australia 20°34S 148°46E 150 b
Conway, L. Australia 28°17S 135°35E 151 D2
Conwy U.K. 53°17N 3°50W 66 D4
Conwy □ U.K. 53°10N 3°44W 66 D4
Conwy → U.K. 53°17N 3°50W 66 D4
Conyers U.S.A. 33°40N 84°1W 178 B5
Coober Pedy Australia 29°1S 134°43E 151 D1
Cooch Behar = Koch Bihar India 26°22N 89°29E 123 F16
Cooinda Australia 13°15S 130°5E 148 B5
Cook Australia 30°37S 130°25E 149 F5
Cook U.S.A. 47°51N 92°41W 172 B7
Cook, B. Chile 55°10S 70°0W 192 E3
Cook, C. Canada 50°8N 127°55W 162 C3
Cook, Mt. = Aoraki Mount Cook N.Z. 43°36S 170°9E 155 D5
Cook Inlet U.S.A. 60°0N 152°0W 160 F1
Cook Is. ☐ Pac. Oc. 17°0S 160°0W 157 J12
Cook Strait N.Z. 41°15S 174°29E 154 H3
Cooke Plains Australia 35°23S 139°34E 152 C3
Cookeville U.S.A. 36°10N 85°30W 177 C12
Cookhouse S. Africa 32°44S 25°47E 144 D4
Cooks Hammock U.S.A. 29°56N 83°17W 178 F6
Cooks Harbour Canada 51°36N 55°52W 165 B8
Cookshire Canada 45°25N 71°38W 175 A13
Cookstown Canada 44°11N 79°42W 174 B5
Cookstown U.K. 54°38N 6°45W 64 B5
Cooksville Canada 43°35N 79°38W 174 C5
Cooktown Australia 15°30S 145°16E 150 B4
Coolabah Australia 31°1S 146°43E 153 A7
Cooladdi Australia 26°37S 145°23E 151 D4
Coolah Australia 31°48S 149°41E 153 A8
Coolah Tops △ Australia 31°52S 150°0E 153 A9
Coolamon Australia 34°46S 147°8E 153 C7
Coolgardie Australia 30°55S 121°8E 149 F3
Coolidge Ariz., U.S.A. 32°59N 111°31W 169 K8
Coolidge Ga., U.S.A. 31°1N 83°52W 178 D6
Coolidge Dam U.S.A. 33°10N 110°32W 169 K8
Cooma Australia 36°12S 149°8E 153 D8
Coon Rapids U.S.A. 45°9N 93°19W 172 C7
Coonabarabran Australia 31°14S 149°18E 153 A8
Coonalpyn Australia 35°43S 139°52E 152 C3
Coonamble Australia 30°56S 148°27E 153 A8
Coonana Australia 31°0S 123°0E 149 F3
Coonana ☼ Australia 30°51S 122°53E 149 F3
Coondapoor India 13°42N 74°40E 127 H2
Cooninnie, L. Australia 26°4S 139°59E 151 D2
Coonoor India 11°21N 76°45E 127 J3
Cooper U.S.A. 33°23N 95°42W 176 E7
Cooper → U.S.A. 32°50N 79°56W 178 C10
Cooper Cr. → Australia 28°29S 137°46E 151 D2
Cooper Ridge Pac. Oc. 10°0N 150°30W 157 G12
Cooperstown N. Dak., U.S.A. 47°27N 98°8W 172 B4
Cooperstown N.Y., U.S.A. 42°42N 74°56W 175 D10
Coopracambra △ Australia 37°20S 149°20E 153 D8
Coorabie Australia 31°54S 132°18E 149 F5
Coorong, The Australia 35°50S 139°20E 152 C3
Coorong △ Australia 36°0S 139°29E 152 D3
Coorow Australia 29°53S 116°2E 149 E2
Cooroy Australia 26°22S 152°54E 151 D5
Coos Bay U.S.A. 43°22N 124°13W 168 E1
Coosa → U.S.A. 32°30N 86°16W 177 E11
Cootamundra Australia 34°36S 148°1E 153 C8
Cootehill Ireland 54°4N 7°5W 64 B4
Copahue Paso Argentina 37°49S 71°8W 190 D1
Copainalá Mexico 17°4N 93°18W 181 D6
Copake U.S.A. 42°7N 73°31W 175 D11
Copalnic Mănăştur Romania 47°30N 23°41E 81 C8
Copán Honduras 14°50N 89°9W 182 D2
Copceac Moldova 45°51N 28°42E 81 E13
Cope Colo., U.S.A. 39°40N 102°51W 168 G12
Cope S.C., U.S.A. 33°23N 81°0W 178 B8
Cope, C. Spain 37°26N 1°28W 91 H3
Copeland U.S.A. 25°57N 81°22W 179 K8
Copenhagen = København Denmark 55°40N 12°26E 63 J6
Copenhagen U.S.A. 43°54N 75°41W 175 C9
Copertino Italy 40°16N 18°3E 95 B11
Copiapó Chile 27°30S 70°20W 190 B1
Copiapó → Chile 27°19S 70°56W 190 B1
Coplay U.S.A. 40°44N 75°29W 175 F9
Copley Australia 30°36S 138°26E 152 A3
Copo △ Argentina 25°53S 61°41W 190 B3
Copp L. Canada 60°14N 114°40W 162 A6
Copparo Italy 44°54N 11°49E 93 D8
Coppename → Suriname 5°48N 55°55W 187 B7
Copper Canyon = Barranca del Cobre ⌂ Mexico 27°18N 107°40W 180 B3
Copper Center U.S.A. 61°58N 145°18W 166 C10
Copper Harbor U.S.A. 47°28N 87°53W 172 B10
Copper Queen Zimbabwe 17°29S 29°18E 143 F2
Copperas Cove U.S.A. 31°8N 97°54W 176 F6
Copperbelt □ Zambia 13°15S 27°30E 143 E2
Coppermine = Kugluktuk Canada 67°50N 115°5W 160 D8
Coppermine → Canada 67°49N 116°4W 160 D8
Copperopolis U.S.A. 37°58N 120°38W 170 H6
Copşa Mică Romania 46°7N 24°15E 81 D9
Coquet → U.K. 55°20N 1°32W 66 B6
Coquille U.S.A. 43°11N 124°11W 168 E1
Coquimbo Chile 30°0S 71°20W 190 C1
Coquimbo □ Chile 31°0S 71°0W 190 C1
Coquitlam Canada 49°17N 122°45W 162 D4
Corabia Romania 43°48N 24°30E 81 G9
Coração de Jesus Brazil 16°43S 44°22W 189 D2
Coracora Peru 15°5S 73°45W 188 D3
Coraki Australia 28°59S 153°17E 151 D5
Coral U.S.A. 40°29N 79°10W 174 F5
Coral Bay Australia 23°8S 113°46E 148 D1
Coral Gables U.S.A. 25°43N 80°16W 179 K9
Coral Harbour Canada 64°8N 83°10W 161 E15
Coral Sea Pac. Oc. 15°0S 150°0E 147 C8
Coral Sea Basin Pac. Oc. 14°0S 152°0E 156 J7
Coral Sea Islands Terr. □ Australia 20°0S 155°0E 147 C8
Coral Springs U.S.A. 26°16N 80°16W 179 J9
Corangamite, L. Australia 38°5S 143°30E 152 E5
Corantijn = Courantyne → S. Amer. 5°50N 57°8W 186 B7
Coraopolis U.S.A. 40°31N 80°10W 174 F4
Corato Italy 41°9N 16°25E 95 A9
Corbeil-Essonnes France 48°36N 2°26E 71 D9
Corbett △ India 29°20N 79°0E 125 E8
Corbie France 49°54N 2°30E 71 C9
Corbières France 42°55N 2°35E 72 F6
Corbigny France 47°16N 3°40E 71 E10
Corbin U.S.A. 36°57N 84°6W 173 G11
Corbones → Spain 37°36N 5°39W 89 H5
Corbu Romania 44°25N 28°39E 81 F13
Corby U.K. 52°30N 0°41W 67 E7
Corcaigh = Cork Ireland 51°54N 8°29W 64 E3
Corcoran U.S.A. 36°6N 119°33W 170 J7
Corcovado △ Chile 43°25S 72°45W 192 B2
Corcovado △ Costa Rica 8°33N 83°35W 182 E3
Cordele U.S.A. 31°58N 83°47W 178 D6
Cordell U.S.A. 35°17N 98°59W 176 D5
Cordenòns Italy 45°59N 12°42E 93 C9
Cordes-sur-Ciel France 44°5N 1°57E 72 D5
Cordillera Azul △ Peru 7°30S 76°30W 188 B2
Cordisburgo Brazil 19°7S 44°21W 189 D2
Córdoba Argentina 31°20S 64°10W 190 C3
Córdoba Mexico 18°53N 96°56W 181 D5
Córdoba Spain 37°50N 4°50W 89 H6
Córdoba □ Argentina 31°22S 64°15W 190 C3
Córdoba □ Spain 38°5N 5°0W 89 G6
Córdoba, Sierra de Argentina 31°10S 64°25W 190 C3
Cordova U.S.A. 60°33N 145°45W 166 C10
Corella Spain 42°7N 1°48W 90 C3
Corella → Australia 19°34S 140°47E 150 B3
Coremas Brazil 7°1S 37°58W 189 B3
Corentyne = Courantyne → S. Amer. 5°50N 57°8W 186 B7
Corfield Australia 21°40S 143°21E 150 C3
Corfu = Kerkyra Greece 39°38N 19°50E 101 A3
Corfu U.S.A. 42°57N 78°24W 174 D6

Corfu ✕ (CFU) Greece 39°35N 19°54E 98 B1
Corfu, Str. of = Kerkyras, Notio Steno Greece 39°34N 20°0E 101 A4
Corgo = O Corgo Spain 42°56N 7°25W 88 C3
Cori Italy 41°39N 12°55E 94 A5
Coria Spain 39°58N 6°33W 88 F4
Coria del Río Spain 37°16N 6°3W 89 H4
Coricudgy Australia 32°51S 150°24E 153 B9
Corigliano Cálabro Italy 39°36N 16°31E 95 C9
Coringa Is. Australia 16°58S 149°58E 150 B4
Corinth = Korinthos Greece 37°56N 22°55E 98 D4
Corinth Miss., U.S.A. 34°56N 88°31W 177 D10
Corinth N.Y., U.S.A. 43°15N 73°49W 175 C11
Corinth, G. of = Korinthiakos Kolpos Greece 38°16N 22°30E 98 C4
Corinth Canal Greece 37°58N 23°0E 98 D4
Corinto Brazil 18°20S 44°30W 189 D2
Corinto Nic. 12°30N 87°10W 182 D2
Cork Ireland 51°54N 8°29W 64 E3
Cork □ Ireland 51°57N 8°40W 64 E3
Cork Harbour Ireland 51°47N 8°16W 64 E3
Corlay France 48°20N 3°5W 70 D3
Corleone Italy 37°49N 13°18E 94 E6
Corleto Perticara Italy 40°23N 16°2E 95 B9
Çorlu Turkey 41°11N 27°49E 97 E11
Cormack L. Canada 60°56N 121°37W 162 A4
Cormòns Italy 45°58N 13°28E 93 C10
Cormorant Canada 54°14N 100°35W 163 C8
Cormorant L. Canada 54°15N 100°50W 163 C8
Corn Is. = Maíz, Is. del Nic. 12°15N 83°4W 182 D3
Cornalvo ⌓ Spain 39°1N 6°13W 89 F4
Cornélio Procópio Brazil 23°7S 50°40W 191 A5
Corner Brook Canada 48°57N 57°58W 165 C8
Corner Inlet Australia 38°45S 146°20E 153 E7
Corner Seamounts Atl. Oc. 35°0N 52°0W 56 C6
Cornești Moldova 47°21N 28°1E 81 C13
Corníglio Italy 44°29N 10°5E 92 D7
Corning Ark., U.S.A. 36°25N 90°35W 177 C9
Corning Calif., U.S.A. 39°56N 122°11W 168 G2
Corning Iowa, U.S.A. 40°59N 94°44W 172 E6
Corning N.Y., U.S.A. 42°9N 77°3W 174 D7
Corno Grande Italy 42°28N 13°34E 93 F10
Cornwall Canada 45°2N 74°44W 175 A10
Cornwall U.S.A. 40°17N 76°25W 175 F8
Cornwall □ U.K. 50°26N 4°40W 67 G3
Cornwall I. Canada 77°37N 94°38W 161 B13
Cornwallis I. Canada 75°8N 95°0W 161 B13
Cornwell U.S.A. 27°23N 81°6W 179 H8
Corny Pt. Australia 34°55S 137°0E 152 C2
Coro Venezuela 11°25N 69°41W 186 A5
Coroaci Brazil 18°35S 42°17W 189 D2
Coroatá Brazil 4°8S 44°0W 189 A2
Corocoro Bolivia 17°15S 68°28W 188 D4
Coroico Bolivia 16°0S 67°50W 188 D4
Coromandel Brazil 18°28S 47°13W 189 D1
Coromandel N.Z. 36°45S 175°31E 154 C4
Coromandel Coast India 12°30N 81°0E 127 H5
Coromandel Pen. N.Z. 37°0S 175°45E 154 D4
Coromandel Ra. N.Z. 37°0S 175°40E 154 D4
Corona Calif., U.S.A. 33°53N 117°34W 171 M9
Corona N. Mex., U.S.A. 34°15N 105°36W 169 J11
Coronado U.S.A. 32°41N 117°10W 171 N9
Coronado, B. de Costa Rica 9°0N 83°40W 182 E3
Coronados, G. de los Chile 41°40S 74°0W 192 B2
Coronados, Is. Los Mexico 32°26N 117°19W 171 N9
Coronation Canada 52°5N 111°27W 162 C6
Coronation Gulf Canada 68°25N 110°0W 160 D10
Coronation I. Antarctica 60°45S 46°0W 55 C18
Coronation Is. Australia 14°57S 124°55E 148 B3
Coronda Argentina 31°58S 60°56W 190 C3
Coronel Chile 37°0S 73°10W 190 D1
Coronel Bogado Paraguay 27°11S 56°18W 190 B4
Coronel Dorrego Argentina 38°40S 61°10W 190 D3
Coronel Fabriciano Brazil 19°31S 42°38W 189 D2
Coronel Murta Brazil 16°37S 42°11W 189 D2
Coronel Oviedo Paraguay 25°24S 56°30W 190 B4
Coronel Pringles Argentina 38°0S 61°30W 190 D3
Coronel Suárez Argentina 37°30S 61°52W 190 D3
Coronel Vidal Argentina 37°28S 57°45W 190 D4
Corongo Peru 8°30S 77°53W 188 B2
Coropuna, Nevado Peru 15°30S 72°41W 188 D3
Çorovodë Albania 40°31N 20°14E 96 F4
Corowa Australia 35°58S 146°21E 153 C7
Corozal □ Belize 18°23N 88°23W 181 D7
Corozal Pt. Trin. & Tob. 10°45N 61°37W 187 K15
Corps France 44°50N 5°56E 73 D9
Corpus Argentina 27°10S 55°30W 191 B4
Corpus Christi U.S.A. 27°47N 97°24W 176 H6
Corpus Christi, L. U.S.A. 28°2N 97°52W 176 G6
Corque Bolivia 18°20S 67°41W 188 D4
Corral Chile 39°52S 73°26W 192 A2
Corral de Almaguer Spain 39°45N 3°10W 88 F7
Corralejo Canary Is. 28°43N 13°53W 100 F6
Corraun Pen. Ireland 53°54N 9°54W 64 C2
Corréggio Italy 44°46N 10°47E 92 D7
Corrente Brazil 10°27S 45°10W 189 C1
Corrente → Brazil 13°8S 43°28W 189 C2
Correntes, C. das Mozam. 24°6S 35°34E 145 B6
Correntina Brazil 13°20S 44°39W 189 C2
Corrèze □ France 45°20N 1°45E 72 C5
Corrèze → France 45°10N 1°28E 72 C5
Corrib, L. Ireland 53°27N 9°16W 64 C2
Corridónia Italy 43°15N 13°30E 93 E10
Corrientes Argentina 27°30S 58°45W 190 B4
Corrientes □ Argentina 28°0S 57°0W 190 B4
Corrientes → Argentina 30°42S 59°38W 190 C4
Corrientes → Peru 3°43S 74°35W 188 A3
Corrientes, C. Colombia 5°30N 77°34W 186 B3
Corrientes, C. Cuba 21°43N 84°30W 182 B3
Corrientes, C. Mexico 20°25N 105°42W 180 C3
Corrigan U.S.A. 31°0N 94°52W 176 F7
Corrigin Australia 32°20S 117°53E 149 F2
Corriverton Guyana 5°55N 57°20W 186 B7
Corry U.S.A. 41°55N 79°39W 174 E5
Corryong Australia 36°12S 147°53E 153 D7
Corse □ France 42°0N 9°0E 73 G13
Corse, C. France 43°1N 9°25E 73 E13
Corse ⌓ France 42°14N 9°10E 73 F13
Corse-du-Sud □ France 41°45N 9°0E 73 G13
Corsica = Corse □ France 42°0N 9°0E 73 G13
Corsicana U.S.A. 32°6N 96°28W 176 E6
Corte France 42°19N 9°11E 73 F13
Corte Pinto Portugal 37°42N 7°29W 89 H3
Cortegana Spain 37°52N 6°49W 89 H4
Cortés, Mar de = California, G. de Mexico 27°0N 111°0W 180 B2
Cortez U.S.A. 37°21N 108°35W 169 H9
Córthaidh, Inis = Enniscorthy Ireland 52°30N 6°34W 64 D5
Cortina d'Ampezzo Italy 46°32N 12°8E 93 B9
Cortland N.Y., U.S.A. 42°36N 76°11W 175 D8
Cortland Ohio, U.S.A. 41°20N 80°44W 174 E4
Cortona Italy 43°16N 11°59E 93 E8
Corubal → Guinea-Biss. 11°57N 15°5W 138 C2
Coruche Portugal 38°57N 8°30W 89 G2
Çoruh → Turkey 41°38N 41°38E 87 K5
Çorum Turkey 40°30N 34°57E 104 B6
Çorum □ Turkey 40°40N 35°0E 104 B6
Corumbá Brazil 19°0S 57°30W 186 G7
Corumbá → Brazil 18°19S 48°55W 189 D1
Corumbaíba Brazil 18°9S 48°34W 189 D1
Corund Romania 46°30N 25°13E 81 D10
Corunna = A Coruña Spain 43°20N 8°25W 88 B2
Corvallis U.S.A. 44°34N 123°16W 168 D2
Corvette, L. de la Canada 53°25N 74°3W 164 B5
Corvo Azores 39°43N 31°8W 134 a
Corydon U.S.A. 40°46N 93°19W 172 E7
Cosalá Mexico 24°23N 106°41W 180 C3
Cosamaloapan de Carpio Mexico 18°22N 95°48W 181 D5
Cosenza Italy 39°18N 16°15E 95 C9
Coșereni Romania 44°38N 26°35E 81 F11
Coshocton U.S.A. 40°16N 81°51W 174 F3
Cosmo Newberry Australia 28°0S 122°54E 149 E3
Cosmo Newberry ✪ Australia 27°59S 122°53E 149 E3
Cosmonaut Sea S. Ocean 66°30S 40°0E 55 C5
Cosne-Cours-sur-Loire France 47°24N 2°54E 71 E9
Coso Junction U.S.A. 36°3N 117°57W 171 J9
Coso Pk. U.S.A. 36°13N 117°44W 171 J9
Cospeito = A Feira do Monte Spain 43°12N 7°34W 88 B3
Cosquín Argentina 31°15S 64°30W 190 C3
Cossato Italy 45°34N 8°10E 92 C5
Cossé-le-Vivien France 47°57N 0°54W 70 E6
Cosson → France 47°30N 1°15E 70 E8
Costa Calma Canary Is. 28°8N 14°16W 100 F5
Costa dels Pins Spain 39°38N 3°26E 100 B10
Costa Mesa U.S.A. 33°38N 117°55W 171 M9
Costa Rica ■ Cent. Amer. 10°0N 84°0W 182 E3
Costa Teguise Canary Is. 29°0N 13°31W 100 F6
Costești Romania 44°40N 24°53E 81 F9
Costigliole d'Asti Italy 44°47N 8°11E 92 D5
Cosumnes → U.S.A. 38°16N 121°26W 170 G5
Coswig Sachsen, Germany 51°7N 13°34E 76 D9
Coswig Sachsen-Anhalt, Germany 51°53N 12°27E 76 D8
Cotabato Phil. 7°14N 124°15E 119 C6
Cotacajes → Bolivia 16°0S 67°1W 188 D4
Cotagaita Bolivia 20°45S 65°40W 190 A2
Cotahuasi Peru 15°12S 72°50W 188 D3
Côte-d'Ivoire = Ivory Coast ■ Africa 7°30N 5°0W 138 D4
Côte-d'Or □ France 47°30N 4°50E 71 E11
Coteau des Prairies U.S.A. 45°20N 97°50W 172 C5
Coteau du Missouri U.S.A. 47°0N 100°0W 172 B4
Cotegipe Brazil 12°2S 44°15W 189 C2
Cotentin France 49°15N 1°30W 70 C5
Côtes-d'Armor □ France 48°25N 2°40W 70 D4
Côtes de Meuse France 49°15N 5°22E 71 C12
Côtes-du-Nord = Côtes-d'Armor □ France 48°25N 2°40W 70 D4
Cotiella Spain 42°31N 0°19E 90 C5
Cotiujeni Moldova 47°51N 28°33E 81 C13
Cotonou Benin 6°20N 2°25E 139 D5
Cotopaxi Ecuador 0°40S 78°30W 186 D3
Cotronei Italy 39°9N 16°47E 95 C9
Cotswold Hills U.K. 51°42N 2°10W 67 F5
Cottage Grove U.S.A. 43°48N 123°3W 168 E2
Cottageville U.S.A. 32°56N 80°29W 178 C9
Cottam Canada 42°8N 82°45W 174 D2
Cottbus Germany 51°45N 14°20E 76 D10
Cottingham U.K. 53°48N 0°25W 66 D7
Cottondale U.S.A. 30°48N 85°23W 178 E4
Cottonwood Ala., U.S.A. 31°3N 85°18W 178 D4
Cottonwood Ariz., U.S.A. 34°45N 112°1W 169 J7
Cotulla U.S.A. 28°26N 99°14W 176 G5
Coubre, Pte. de la France 45°42N 1°15W 72 C2
Couches France 46°53N 4°30E 71 F11
Coudersport U.S.A. 41°46N 78°1W 174 E6
Couedic, C. du Australia 36°5S 136°40E 152 D2
Couëron France 47°13N 1°44W 70 E5
Couesnon → France 48°38N 1°32W 70 D5
Couhé France 46°17N 0°11E 72 B4
Coulanges-sur-Yonne France 47°31N 3°33E 71 E10
Coulee City U.S.A. 47°37N 119°17W 168 C4
Coulee Dam Nat. Recr. Area = Lake Roosevelt ⌓ U.S.A. 48°5N 118°14W 168 B4
Coulman I. Antarctica 73°35S 170°0E 55 D11
Coulommiers France 48°50N 3°3E 71 D10
Coulon → France 43°51N 5°6E 73 E9
Coulonge → Canada 45°52N 76°46W 164 C4
Coulonges-sur-l'Autize France 46°29N 0°36W 72 B3
Coulounieix-Chamiers France 45°11N 0°42E 72 C4
Coulterville U.S.A. 37°43N 120°12W 170 H6
Council Alaska, U.S.A. 64°53N 163°41W 166 C7
Council Ga., U.S.A. 30°37N 82°31W 178 E7
Council Idaho, U.S.A. 44°44N 116°26W 168 D5
Council Bluffs U.S.A. 41°16N 95°52W 172 E6
Council Grove U.S.A. 38°40N 96°29W 172 F5
Coupeville U.S.A. 48°13N 122°41W 170 B4
Courantyne → S. Amer. 5°50N 57°8W 186 B7
Courcelles Belgium 50°28N 4°22E 69 D4
Courchevel France 45°25N 6°36E 73 C10
Courçon France 46°15N 0°50W 72 B3
Courmayeur Italy 45°47N 6°58E 92 C3
Couronne, C. France 43°19N 5°3E 73 E9
Cours-la-Ville France 46°7N 4°19E 71 F11
Coursan France 43°14N 3°4E 72 E7
Courseulles-sur-Mer France 49°20N 0°29W 70 C6
Courtenay Canada 49°45N 125°0W 162 D4
Courtenay France 48°2N 3°3E 71 D10
Courtland Canada 42°51N 80°38W 174 D4
Courtland U.S.A. 38°20N 121°34W 170 G5
Courtrai = Kortrijk Belgium 50°50N 3°17E 69 D3
Courtright Canada 42°49N 82°28W 174 D2
Coushatta U.S.A. 32°1N 93°21W 176 E8
Coutances France 49°3N 1°28W 70 C5
Coutras France 45°3N 0°8W 72 C3
Coutts Crossing Australia 29°49S 152°55E 151 D5
Couva Trin. & Tob. 10°25N 61°27W 187 K15
Couvin Belgium 50°3N 4°29E 69 D4
Covarrubias Spain 42°4N 3°31W 88 C7
Covasna Romania 45°50N 26°10E 81 E11
Covasna □ Romania 45°50N 26°0E 81 E10
Cove I. Canada 45°17N 81°44W 174 A3
Coventry U.K. 52°25N 1°28W 67 E6
Coverdale U.S.A. 31°38N 83°58W 178 D6
Covilhã Portugal 40°17N 7°31W 88 E3
Covington Ga., U.S.A. 33°36N 83°51W 178 B6
Covington Ky., U.S.A. 39°5N 84°30W 173 F11
Covington Tenn., U.S.A. 35°34N 89°39W 177 D10
Covington Va., U.S.A. 37°47N 79°59W 173 G14
Cowal, L. Australia 33°40S 147°25E 153 B7
Cowan, L. Australia 31°45S 121°45E 149 F3
Cowan L. Canada 54°0N 107°15W 163 C7
Cowangie Australia 35°12S 141°26E 152 C4
Cowansville Canada 45°14N 72°46W 175 A12
Coward Springs Australia 29°24S 136°49E 151 D2
Cowcowing Lakes Australia 30°55S 117°20E 149 F2
Cowdenbeath U.K. 56°7N 3°21W 65 E5
Cowell Australia 33°39S 136°56E 152 B2
Cowes Australia 38°28S 145°14E 153 E6
Cowes U.K. 50°45N 1°18W 67 G6
Cowichan L. Canada 48°53N 124°17W 170 B2
Cowlitz → U.S.A. 46°6N 122°55W 170 D4
Cowra Australia 33°49S 148°42E 153 B8
Cox Spain 38°8N 0°53W 91 G4
Coxilha Grande Brazil 28°18S 51°30W 191 B5
Coxim Brazil 18°30S 54°55W 187 G8
Cox's Bazar Bangla. 21°26N 91°59E 123 J17
Coyah Guinea 9°42N 13°22W 138 D2
Coyote Wells U.S.A. 32°44N 115°58W 171 N11
Coyuca de Benítez Mexico 17°2N 100°4W 181 D4
Coyuca de Catalán Mexico 18°20N 100°39W 180 D4
Cozad U.S.A. 40°52N 99°59W 172 E4
Cozes France 45°34N 0°49W 72 C3
Cozia △ Romania 45°25N 24°16E 81 E9
Cozumel Mexico 20°31N 86°55W 181 C7
Cozumel, Isla Mexico 20°30N 86°40W 181 C7
Crab Hill Barbados 13°19N 59°38W 183 g
Cracow = Kraków Poland 50°4N 19°57E 83 H6
Cracow Australia 25°17S 150°17E 151 D5
Craddock Channel N.Z. 36°10S 175°13E 154 C4
Cradle Mt.-Lake St. Clair △ Australia 41°49S 147°56E 151 G4
Cradock Australia 32°6S 138°31E 152 B3
Cradock S. Africa 32°8S 25°36E 144 D4
Crafers Australia 35°0S 138°42E 152 C3
Craig U.S.A. 40°31N 107°33W 168 F10
Craigavon U.K. 54°27N 6°23W 64 B5
Craigieburn Australia 37°36S 144°56E 153 D6
Craigmore Zimbabwe 20°28S 32°50E 143 G3
Craik Canada 51°3N 105°49W 163 C7
Crailsheim Germany 49°8N 10°5E 77 F6
Craiova Romania 44°21N 23°48E 81 F8
Cramsie Australia 23°20S 144°15E 150 C3
Cranberry L. U.S.A. 44°11N 74°50W 175 B10
Cranberry Portage Canada 54°35N 101°23W 163 C8
Cranbrook Australia 34°18S 117°33E 149 F2
Cranbrook Canada 49°30N 115°46W 162 D5
Crandon U.S.A. 45°34N 88°54W 172 C9
Crane Oreg., U.S.A. 43°25N 118°35W 168 E4
Crane Tex., U.S.A. 31°24N 102°21W 176 F3
Crane, The Barbados 13°6N 59°27W 183 g
Cranganore India 10°13N 76°13E 127 J3
Cranston U.S.A. 41°47N 71°26W 175 E13
Craon France 47°50N 0°58W 70 E6
Craonne France 49°27N 3°46E 71 C10
Craponne-sur-Arzon France 45°19N 3°51E 72 C7
Crasna Romania 46°32N 27°51E 81 D12
Crasna → Romania 47°44N 22°35E 80 C7
Crasnei, Munții Romania 47°0N 23°20E 81 C8
Crater L. U.S.A. 42°56N 122°6W 168 E2
Crater Lake △ U.S.A. 42°55N 122°10W 168 E2
Craters of the Moon ⌓ U.S.A. 43°25N 113°30W 168 E7
Crateús Brazil 5°10S 40°39W 189 B2
Crati → Italy 39°43N 16°31E 95 C9
Crato Brazil 7°10S 39°25W 189 B3
Crato Portugal 39°16N 7°39W 89 F3
Craven, L. Canada 54°20N 76°56W 164 B4
Crawford Ala., U.S.A. 32°27N 85°11W 178 C4
Crawford Nebr., U.S.A. 42°41N 103°25W 172 D2
Crawfordsville U.S.A. 40°2N 86°54W 172 E10
Crawfordville Fla., U.S.A. 30°11N 84°23W 178 E5
Crawfordville Ga., U.S.A. 33°33N 82°54W 178 B7
Crawley U.K. 51°7N 0°11W 67 F7
Crazy Mts. U.S.A. 46°12N 110°20W 168 C8
Crean L. Canada 54°5N 106°9W 163 C7
Crécy-en-Ponthieu France 50°15N 1°53E 71 B8
Crediton Canada 43°17N 81°33W 174 C3
Crediton U.K. 50°47N 3°40W 67 G4
Cree → Canada 58°57N 105°47W 163 B7
Cree → U.K. 54°55N 4°25W 65 G4
Cree L. Canada 57°30N 106°30W 163 B7
Creede U.S.A. 37°51N 106°56W 169 H10
Creekside U.S.A. 40°40N 79°11W 174 F5
Creel Mexico 27°45N 107°38W 180 B3
Creemore Canada 44°19N 80°6W 174 B4
Creighton Canada 54°45N 101°54W 163 C8
Creighton U.S.A. 42°28N 97°54W 172 D5
Creil France 49°15N 2°29E 71 C9
Crema Italy 45°22N 9°41E 92 C6
Cremona Italy 45°7N 10°2E 92 C7
Crepaja Serbia 45°1N 20°38E 80 E5
Crépy France 49°35N 3°32E 71 C10
Crépy-en-Valois France 49°14N 2°54E 71 C9
Cres Croatia 44°58N 14°25E 93 D11
Crescent Beach U.S.A. 29°46N 81°15W 178 F8
Crescent City Calif., U.S.A. 41°45N 124°12W 168 F1
Crescent City Fla., U.S.A. 29°26N 81°31W 179 F8
Crescent Group S. China Sea 16°30N 111°40E 118 A4
Crescent Hd. Australia 31°11S 152°59E 153 A10
Crescent L. U.S.A. 29°28N 81°30W 179 F8
Crescentino Italy 45°11N 8°6E 92 C5
Crespi d'Adda Italy 45°35N 9°32E 92 C6
Crespo Argentina 32°2S 60°19W 190 C3
Cresson U.S.A. 40°28N 78°36W 174 F6
Cressy Australia 38°2S 143°40E 152 E5
Crest France 44°44N 5°2E 73 D9
Crestline Calif., U.S.A. 34°14N 117°18W 171 L9
Crestline Ohio, U.S.A. 40°47N 82°44W 174 F2
Creston Canada 49°10N 116°31W 162 D5
Creston Calif., U.S.A. 35°32N 120°33W 170 K6
Creston Iowa, U.S.A. 41°4N 94°22W 172 E6
Crestview Calif., U.S.A. 37°46N 118°58W 170 H8
Crestview Fla., U.S.A. 30°46N 86°34W 179 E3
Creswick Australia 37°25S 143°58E 152 D5
Crêt de la Neige France 46°16N 5°58E 71 F12
Crete = Kriti Greece 35°15N 25°0E 101 D7
Crete U.S.A. 40°38N 96°58W 172 E5
Crete, Sea of Greece 36°0N 25°0E 99 E7
Créteil France 48°47N 2°27E 71 D9
Creus, C. de Spain 42°20N 3°19E 90 C8
Creuse □ France 46°10N 2°0E 71 F9
Creuse → France 47°0N 0°34E 72 B4
Creutzwald France 49°12N 6°42E 71 C13
Creuzburg Germany 51°3N 10°14E 76 D6
Crèvecœur-le-Grand France 49°37N 2°5E 71 C9
Crevillent Spain 38°12N 0°48W 91 G4
Crewe U.K. 53°6N 2°26W 66 D5
Crewkerne U.K. 50°53N 2°48W 67 G5
Crianlarich U.K. 56°24N 4°37W 65 E4
Criciúma Brazil 28°40S 49°23W 191 B6
Cricova Moldova 47°8N 28°52E 81 C13
Crieff U.K. 56°22N 3°50W 65 E5
Crikvenica Croatia 45°11N 14°40E 93 C11
Crimea □ Ukraine 45°30N 33°10E 85 K8
Crimean Pen. = Krymskyy Pivostriv Ukraine 45°0N 34°0E 85 K8
Crimmitschau Germany 50°48N 12°24E 76 E8
Cristino Castro Brazil 8°49S 44°13W 189 B2
Cristuru Secuiesc Romania 46°17N 25°2E 81 D10
Crișul Alb → Romania 46°42N 21°17E 80 D6
Crișul Negru → Romania 46°42N 21°16E 80 D6
Crișul Repede → Romania 46°55N 20°59E 80 D5
Criuleni Moldova 47°13N 29°10E 81 C14
Crivitz Germany 53°34N 11°39E 76 B7
Crkvice Montenegro 42°34N 18°38E 96 D2
Crna → Macedonia 41°33N 21°59E 96 E5
Crna Gora = Montenegro ■ Europe 42°40N 19°20E 96 D3
Crna Gora Macedonia 42°10N 21°30E 96 D5
Crna Reka = Crna → Macedonia 41°33N 21°59E 96 E5
Crna Trava Serbia 42°49N 22°19E 96 D6
Crni Drim → Macedonia 41°17N 20°40E 96 E4
Crni Timok → Serbia 43°53N 22°15E 96 C6
Crnoljeva Planina = Zhar, Mali Kosovo 42°20N 21°0E 96 D5
Črnomelj Slovenia 45°33N 15°10E 93 C12
Croagh Patrick Ireland 53°46N 9°40W 64 C2
Croajingolong △ Australia 37°45S 149°26E 153 D8
Croatia ■ Europe 45°20N 16°0E 93 C13
Crocker, Banjaran Malaysia 5°40N 116°30E 118 C5
Crockett U.S.A. 31°19N 95°27W 176 F7
Crocodile = Umgwenya → Mozam. 25°14S 32°18E 145 C5
Crocodile → S. Africa 24°12S 26°53E 144 B4
Crocodile Is. Australia 12°3S 134°58E 150 A1
Crocq France 45°52N 2°21E 72 C6
Crohy Hd. Ireland 54°55N 8°26W 64 B3
Croisette, C. France 43°14N 5°22E 73 E9
Croisic, Pte. du France 47°19N 2°31W 70 E4
Croix, L. la Canada 48°20N 92°15W 164 C1
Croker, C. Australia 10°58S 132°35E 148 B5
Croker, C. Canada 44°58N 80°59W 174 B4
Croker I. Australia 11°12S 132°32E 148 B5
Croker Islands Seas ✪ Australia 11°20S 132°30E 148 B5
Cromarty U.K. 57°40N 4°2W 65 D4
Cromer U.K. 52°56N 1°17E 66 E9
Cromwell N.Z. 45°3S 169°14E 155 F4
Cromwell U.S.A. 41°36N 72°39W 175 E12
Cronat France 46°43N 3°40E 71 F10
Crook U.K. 54°43N 1°45W 66 C6
Crooked → Canada 54°50N 122°54W 162 C4
Crooked → U.S.A. 44°32N 121°16W 168 D3
Crooked I. Bahamas 22°50N 74°10W 183 B5
Crooked Island Passage Bahamas 22°55N 74°35W 183 B5
Crookston Minn., U.S.A. 47°47N 96°37W 172 B5
Crookston Nebr., U.S.A. 42°56N 100°45W 172 D3
Crookwell Australia 34°28S 149°24E 153 C8
Cropane-Micone ⌓ Italy 38°31N 16°18E 95 D9
Crosby U.K. 53°30N 3°3W 66 D4
Crosby N. Dak., U.S.A. 48°55N 103°18W 172 A2
Crosby Pa., U.S.A. 41°45N 78°23W 174 E6
Crosbyton U.S.A. 33°40N 101°14W 176 E4
Crosía Italy 39°35N 16°46E 95 C9
Cross → Nigeria 4°42N 8°21E 139 E6
Cross City U.S.A. 29°38N 83°7W 179 F6
Cross Fell U.K. 54°43N 2°28W 66 C5
Cross L. Canada 54°45N 97°30W 163 C9
Cross Lake Canada 54°37N 97°47W 163 C9
Cross River □ Nigeria 6°0N 8°0E 139 D6
Cross River △ Nigeria 5°50N 9°50E 139 D6
Cross Sound U.S.A. 58°0N 135°0W 160 F4
Crossett U.S.A. 33°8N 91°58W 176 E9
Crosshaven Ireland 51°47N 8°17W 64 E3
Crossley, Mt. N.Z. 42°50S 172°5E 155 C7
Crossmaglen U.K. 54°5N 6°36W 64 B5
Crossmolina Ireland 54°6N 9°20W 64 B2
Crossville U.S.A. 35°57N 85°2W 177 D12
Croswell U.S.A. 43°16N 82°37W 174 C2
Croton-on-Hudson U.S.A. 41°12N 73°55W 175 E11
Crotone Italy 39°5N 17°8E 95 C10
Crow → Canada 59°41N 124°20W 162 B4
Crow Agency U.S.A. 45°36N 107°28W 168 D10
Crow Hd. Ireland 51°35N 10°9W 64 E1
Crowdy Bay △ Australia 31°45S 152°45E 153 A10
Crowell U.S.A. 33°59N 99°43W 176 E5
Crowl Cr. → Australia 32°0S 145°30E 153 B6
Crowley U.S.A. 30°13N 92°22W 176 F8
Crowley, L. U.S.A. 37°35N 118°42W 170 H8
Crown Point Ind., U.S.A. 41°25N 87°22W 172 E10
Crown Point N.Y., U.S.A. 43°57N 73°26W 175 C11
Crown Pt. Trin. & Tob. 11°18N 60°51W 187 J16
Crownpoint U.S.A. 35°41N 108°9W 169 J9
Crows Landing U.S.A. 37°23N 121°6W 170 H5
Crows Nest Australia 27°16S 152°4E 151 D5
Crowsnest Pass Canada 49°40N 114°40W 162 D6
Croydon Australia 18°13S 142°14E 150 B3
Croydon □ U.K. 51°22N 0°5W 67 F7
Crozet, Îs. Ind. Oc. 46°27S 52°0E 146 J4
Crozet Basin Ind. Oc. 39°0S 60°0E 146 H5
Crozon France 48°15N 4°30W 70 D2
Cruce de Sardina Canary Is. 27°52N 15°22W 100 G4
Crusheen Ireland 52°57N 8°53W 64 D3
Cruz, C. Cuba 19°50N 77°50W 182 C4
Cruz Alta Brazil 28°45S 53°40W 191 B5
Cruz Bay U.S. Virgin Is. 18°20N 64°48W 183 e
Cruz das Almas Brazil 12°0S 39°6W 189 C3
Cruz del Eje Argentina 30°45S 64°50W 190 C3
Cruzeiro Brazil 22°33S 45°0W 191 A7
Cruzeiro do Oeste Brazil 23°46S 53°4W 191 A5
Cruzeiro do Sul Brazil 7°35S 72°35W 188 B3
Cry L. Canada 58°45N 129°0W 162 B3
Crystal B. U.S.A. 28°50N 82°45W 179 G7
Crystal Bay U.S.A. 39°15N 120°0W 170 F7
Crystal Brook Australia 33°21S 138°12E 152 B3
Crystal City U.S.A. 28°41N 99°50W 176 G5
Crystal Falls U.S.A. 46°5N 88°20W 172 B9
Crystal Lake U.S.A. 30°26N 85°42W 178 E4
Crystal River U.S.A. 28°54N 82°35W 179 G7
Crystal Springs U.S.A. 31°59N 90°21W 177 F9
Csenger Hungary 47°50N 22°41E 80 C7
Csongrád Hungary 46°43N 20°12E 80 D5
Csongrád □ Hungary 46°32N 20°15E 80 D5
Csorna Hungary 47°38N 17°18E 80 C2
Csurgo Hungary 46°16N 17°9E 80 D2
Cu Lao Hon Vietnam 10°54N 108°18E 121 G7
Cua Rao Vietnam 19°16N 104°27E 120 C5
Cuácua → Mozam. 17°54S 37°0E 143 F4
Cuamato Angola 17°2S 15°7E 144 A2
Cuamba Mozam. 14°45S 36°22E 143 E4
Cuando → Angola 17°30S 23°15E 141 H4
Cuando Cubango □ Angola 16°25S 20°0E 144 A3
Cuangar Angola 17°36S 18°39E 144 A2
Cuango = Kwango → Dem. Rep. of the Congo 3°14S 17°22E 140 E3
Cuanza → Angola 9°21S 13°9E 140 F2
Cuarto → Argentina 33°25S 63°2W 190 C3
Cuatrociénegas Mexico 26°59N 102°5W 180 B4
Cuauhtémoc Mexico 28°25N 106°52W 180 B3
Cuba Portugal 38°10N 7°54W 89 G3
Cuba N. Mex., U.S.A. 36°1N 107°4W 169 H10
Cuba N.Y., U.S.A. 42°13N 78°17W 174 D6
Cuba ■ W. Indies 22°0N 79°0W 182 B4
Cubango → Africa 18°50S 22°25E 144 A3
Çubuk Turkey 40°14N 33°3E 104 B5
Cuc Phuong △ Vietnam 20°17N 105°38E 120 B5
Cuchillo-Co Argentina 38°20S 64°37W 192 A4
Cuchumatanes, Sierra de los Guatemala 15°35N 91°25W 182 C1
Cuckfield U.K. 51°1N 0°8W 67 F7
Cucuí Brazil 1°12N 66°50W 186 C5
Cucurpé Mexico 30°20N 110°43W 180 A2
Cúcuta Colombia 7°54N 72°31W 186 B4
Cudalbi Romania 45°46N 27°41E 81 E12
Cuddalore India 11°46N 79°45E 127 J4
Cuddapah = Kadapa India 14°30N 78°47E 127 G4
Cuddapan, L. Australia 25°45S 141°26E 150 D3
Cudgewa Australia 36°10S 147°42E 153 D7
Cudillero Spain 43°33N 6°9W 88 B4
Cue Australia 27°25S 117°54E 149 E2
Cuéllar Spain 41°23N 4°21W 88 D6
Cuenca Ecuador 2°50S 79°9W 186 D3
Cuenca Spain 40°5N 2°10W 90 E2
Cuenca □ Spain 40°0N 2°0W 90 F3
Cuenca, Serranía de Spain 39°55N 1°50W 90 F3
Cuenca Alta del Manzanares ⌓ Spain 40°40N 3°55W 88 E7
Cuerda del Pozo, Embalse de la Spain 41°51N 2°44W 90 D2
Cuernavaca Mexico 18°55N 99°15W 181 D5
Cuero U.S.A. 29°6N 97°17W 176 G6
Cuers France 43°14N 6°5E 73 E10
Cueva de la Quebrada del Toro △ Venezuela 10°46N 69°3W 183 D6
Cuevas del Almanzora Spain 37°18N 1°58W 91 H3
Cuevo Bolivia 20°15S 63°30W 186 H6
Cugir Romania 45°48N 23°25E 81 E8
Cuglieri Italy 40°11N 8°34E 94 B1
Cugnaux France 43°32N 1°20E 72 E5
Cuhai-Bakony → Hungary 47°35N 17°54E 80 C2
Cuiabá Brazil 15°30S 56°0W 187 G7
Cuiabá → Brazil 17°5S 56°36W 187 G7
Cuihangcun China 22°27N 113°32E 111 a
Cuijk Neths. 51°44N 5°50E 69 C5
Cuilco Guatemala 15°24N 91°58W 182 C1
Cuillin Hills U.K. 57°13N 6°15W 65 D2
Cuillin Sd. U.K. 57°4N 6°20W 65 D2
Cuilo = Kwilu → Dem. Rep. of the Congo 3°22S 17°22E 140 E3
Cuiseaux France 46°30N 5°22E 71 F12
Cuité Brazil 6°29S 36°9W 189 B3
Cuito → Angola 18°1S 20°48E 144 A3
Cuitzeo, L. de Mexico 19°55N 101°5W 180 D4
Cujmir Romania 44°13N 22°57E 80 F7
Cukai Malaysia 4°13N 103°25E 121 K4
Çukurca Turkey 37°14N 43°36E 105 D10
Çukurova = Cilicia Turkey 36°30N 34°0E 104 D5
Culbertson U.S.A. 48°9N 104°31W 168 B11
Culburra N.S.W., Australia 34°56S 150°46E 153 C9
Culburra S. Austral., Australia 35°50S 139°58E 152 C3
Culcairn Australia 35°41S 147°3E 153 C7
Culebra Puerto Rico 18°19N 65°18W 183 d
Culebra, Sierra de la Spain 41°55N 6°20W 88 D4
Culfa Azerbaijan 38°57N 45°38E 105 C11
Culgoa Australia 35°44S 143°6E 152 C5
Culgoa → Australia 29°56S 146°20E 151 D4
Culgoa Flood Plain △ Australia 28°58S 147°5E 151 D4
Culiacán Mexico 24°50N 107°23W 180 C3
Culiacán → Mexico 24°30N 107°42W 180 C3
Culik Indonesia 8°21S 115°37E 119 J18
Culion Phil. 11°54N 119°58E 119 B6
Cúllar Spain 37°35N 2°34W 89 H8
Cullarin Ra. Australia 34°30S 149°30E 153 C8
Cullen U.K. 57°42N 2°49W 65 D6
Cullen Bullen Australia 33°18S 150°2E 153 B9
Cullen Pt. Australia 11°57S 141°54E 150 A3
Cullera Spain 39°9N 0°17W 91 F4
Cullman U.S.A. 34°11N 86°51W 177 D11
Culloden U.S.A. 32°52N 84°6W 178 C5
Cullompton U.K. 50°51N 3°24W 67 G4
Culoz France 45°47N 5°46E 73 C9
Culpeper U.S.A. 38°30N 78°0W 173 F14
Culuene → Brazil 12°56S 52°51W 187 F8
Culver, Pt. Australia 32°54S 124°43E 149 F3
Culverden N.Z. 42°47S 172°49E 155 C7
Culverton U.S.A. 33°19N 82°54W 178 B7
Cumaná Venezuela 10°30N 64°5W 186 A6
Cumaovası Turkey 38°15N 27°9E 99 C9
Cumari Brazil 18°16S 48°11W 189 D1
Cumberland B.C., Canada 49°40N 125°0W 162 D4
Cumberland Ont., Canada 45°29N 75°24W 175 A9
Cumberland U.S.A. 39°39N 78°46W 173 F14
Cumberland → U.S.A. 37°9N 88°25W 172 G9
Cumberland, L. U.S.A. 36°52N 85°9W 173 G11
Cumberland Gap ⌓ U.S.A. 36°36N 83°40W 173 G12
Cumberland I. U.S.A. 30°50N 81°25W 178 E8
Cumberland Is. Australia 20°35S 149°10E 150 b
Cumberland Island ⌓ U.S.A. 30°12N 81°24W 178 E8
Cumberland L. Canada 54°3N 102°18W 163 C8
Cumberland Pen. Canada 67°0N 64°0W 161 D19
Cumberland Plateau U.S.A. 36°0N 85°0W 177 D12
Cumberland Sd. Canada 65°30N 66°0W 161 D18
Cumbernauld U.K. 55°57N 3°58W 65 F5
Cumborah Australia 29°40S 147°45E 151 D4
Cumbres de Majalca △ Mexico 28°48N 106°30W 180 B3
Cumbres de Monterrey △ Mexico 25°26N 100°25W 180 B4
Cumbres Mayores Spain 38°4N 6°39W 89 G4
Cumbria □ U.K. 54°42N 2°52W 66 C5
Cumbrian Mts. U.K. 54°30N 3°0W 66 C5
Cumbum India 15°40N 79°10E 127 G4
Cuminá → Brazil 1°30S 56°0W 187 D7
Cummings Mt. U.S.A. 35°2N 118°34W 171 K8
Cummins Australia 34°16S 135°43E 151 E2
Cumnock Australia 32°59S 148°46E 153 B8
Cumnock U.K. 55°28N 4°17W 65 F4
Cumpas Mexico 30°2N 109°48W 180 B3
Cumplida, Pta. Canary Is. 28°50N 17°48W 100 F2
Çumra Turkey 37°34N 32°45E 104 D5
Cuncumén Chile 31°53S 70°38W 190 C1
Cundeelee ✪ Australia 30°43S 123°25E 149 F3
Cunderdin Australia 31°37S 117°12E 149 F2
Cunene → Angola 17°20S 11°50E 144 A1
Cúneo Italy 44°23N 7°32E 92 D4
Cung Son Vietnam 13°2N 108°58E 120 F7
Çüngüş Turkey 38°13N 39°17E 128 B3
Cunillera, I. = Sa Conillera Spain 38°59N 1°13E 100 C7
Cunlhat France 45°38N 3°32E 72 C7
Cunnamulla Australia 28°2S 145°38E 151 D4
Cuorgnè Italy 45°23N 7°39E 92 C4
Cupar Canada 50°57N 104°10W 163 C8
Cupar U.K. 56°19N 3°1W 65 E5
Cupcini Moldova 48°6N 27°23E 81 B12
Cupertino U.S.A. 37°19N 122°2W 170 H4
Cupica, G. de Colombia 6°25N 77°30W 186 B3
Ćuprija Serbia 43°57N 21°26E 96 C5
Curaçá Brazil 8°59S 39°54W 189 B3
Curaçao W. Indies 12°10N 69°0W 183 D6
Curacautín Chile 38°26S 71°53W 192 A2
Curahuara de Carangas Bolivia 17°52S 68°26W 188 D4
Curanilahue Chile 37°29S 73°28W 190 D1
Curaray → Peru 2°20S 74°5W 186 D4
Cure → France 47°40N 3°41E 71 E10
Curepipe Mauritius 20°19S 57°31E 141 d
Curepto Chile 35°8S 72°1W 190 D1
Curia Portugal 40°22N 8°22W 88 E2
Curiapo Venezuela 8°33N 61°5W 186 B6
Curicó Chile 34°55S 71°20W 190 C1
Curieuse Seychelles 4°15S 55°44E 141 b
Curimatá Brazil 10°2S 44°17W 189 C2
Curinga Italy 38°49N 16°19E 95 D9
Curitiba Brazil 25°20S 49°10W 191 B6
Curitibanos Brazil 27°18S 50°36W 191 B5
Curlewis Australia 31°7S 150°16E 153 A9
Curonian Lagoon = Kurshskiy Zaliv Russia 55°9N 21°6E 82 C8

Curonian Spit Europe 55°20N 20°55E 82 C7
Currabubula Australia 31°16S 150°44E 153 A9
Currais Novos Brazil 6°13S 36°30W 189 B3
Curral Velho C. Verde Is. 16°8N 22°48W 134 b
Curralinho Brazil 1°45S 49°46W 187 D9
Currane, L. Ireland 51°49N 10°4W 64 E1
Currant U.S.A. 38°44N 115°28W 168 G6
Curraweena Australia 30°47S 145°54E 153 A6
Currawinya △ Australia 28°55S 144°27E 151 D3
Current → U.S.A. 36°15N 90°55W 176 C9
Currie Australia 39°56S 143°53E 151 F3
Currie U.S.A. 40°16N 114°45W 168 F6
Curtea de Argeş Romania 45°12N 24°42E 81 E9
Curtici Romania 46°21N 21°18E 80 D6
Curtin Springs Australia 25°20S 131°45E 149 E5
Curtis U.S.A. 40°38N 100°31W 172 E3
Curtis Group Australia 39°30S 146°37E 151 F4
Curtis I. Australia 23°35S 151°10E 150 C5
Curuápanema → Brazil 2°25S 55°2W 187 D7
Curuçá Brazil 0°43S 47°50W 187 D9
Curuçá → Brazil 4°27S 71°23W 188 A3
Curuguaty Paraguay 24°31S 55°42W 191 A4
Çürüksu Çayi = Büyük Menderes → Turkey 37°28N 27°11E 99 D9
Curup Indonesia 3°26S 102°13E 118 E2
Cururupu Brazil 1°50S 44°50W 187 D10
Curuzú Cuatiá Argentina 29°50S 58°5W 190 B4
Curvelo Brazil 18°45S 44°27W 189 D2
Cusco Peru 13°32S 72°0W 188 C3
Cusco □ Peru 13°31S 71°59W 188 C3
Cushendall U.K. 55°5N 6°4W 64 A5
Cushing U.S.A. 35°59N 96°46W 176 D6
Cushing, Mt. Canada 57°35N 126°57W 162 B3
Cusihuiriáchic Mexico 28°14N 106°50W 180 B3
Cusna, Mte. Italy 44°17N 10°23E 92 D7
Cusset France 46°8N 3°28E 71 F10
Cusseta U.S.A. 32°18N 84°47W 178 C5
Custer U.S.A. 43°46N 103°36W 172 D2
Cut Bank U.S.A. 48°38N 112°20W 168 B7
Cutchogue U.S.A. 41°1N 72°30W 175 E12
Cutervo Peru 6°25S 78°55W 188 B2
Cuthbert U.S.A. 31°46N 84°48W 178 D5
Cutler U.S.A. 36°31N 119°17W 170 J7
Cutler Ridge U.S.A. 25°35N 80°20W 179 K9
Cutral-Có Argentina 38°58S 69°15W 192 A3
Cutro Italy 39°2N 16°59E 95 C9
Cuttaburra → Australia 29°43S 144°22E 151 D3
Cuttack India 20°25N 85°57E 126 D7
Cuvier, C. Australia 23°14S 113°22E 149 D1
Cuvier I. N.Z. 36°27S 175°50E 154 C4
Cuxhaven Germany 53°51N 8°41E 76 B4
Cuyahoga Falls U.S.A. 41°8N 81°29W 174 E3
Cuyahoga Valley △ U.S.A. 41°24N 81°33W 174 E3
Cuyo Phil. 10°51N 121°2E 119 B6
Cuyuni → Guyana 6°23N 58°41W 186 B7
Cuzco = Cusco Peru 13°32S 72°0W 188 C3
Cuzco Bolivia 20°0S 66°50W 186 H5
Čvrsnica Bos.-H. 43°36N 17°35E 80 G2
Cwmbran U.K. 51°39N 3°2W 67 F4
Cyangugu Rwanda 2°29S 28°54E 142 C2
Cybinka Poland 52°12N 14°46E 83 F1
Cyclades = Kyklades Greece 37°0N 24°30E 98 E6
Cygnet Australia 43°8S 147°1E 151 G4
Cynthiana U.S.A. 38°23N 84°18W 173 F11
Cypress Hills Canada 49°40N 109°30W 163 D7
Cypress Hills ⌂ Canada 49°40N 109°30W 163 D7
Cyprus ■ Asia 35°0N 33°0E 101 E12
Cyrenaica = Barqa Libya 27°0N 23°0E 135 C10
Cyrene Libya 32°53N 21°52E 135 B10
Czaplinek Poland 53°34N 16°14E 82 E3
Czar Canada 52°27N 110°50W 163 C6
Czarna → Łódzkie, Poland 51°18N 19°55E 83 G6
Czarna → Świętokrzyskie, Poland 50°28N 21°21E 83 H8
Czarna Białostocka Poland 53°18N 23°17E 83 E10
Czarna Woda Poland 53°51N 18°6E 82 E5
Czarne Poland 53°42N 16°58E 82 E3
Czarnków Poland 52°55N 16°38E 83 F3
Czech Rep. ■ Europe 50°0N 15°0E 78 B8
Czechowice-Dziedzice Poland 49°54N 18°59E 83 J5
Czempiń Poland 52°9N 16°43E 83 F3
Czeremcha Poland 52°31N 23°21E 83 F10
Czerniejewo Poland 52°26N 17°30E 83 F4
Czersk Poland 53°46N 17°58E 82 E4
Czerwieńsk Poland 52°1N 15°23E 83 F2
Czerwionka-Leszczyny Poland 50°7N 18°37E 83 H5
Częstochowa Poland 50°49N 19°7E 83 H6
Człopa Poland 53°6N 16°6E 83 E3
Człuchów Poland 53°41N 17°22E 82 E4
Czyżew-Osada Poland 52°48N 22°19E 83 F9

D

Da → Vietnam 21°15N 105°20E 116 G5
Da Hinggan Ling China 48°0N 121°0E 111 B13
Da Lat Vietnam 11°56N 108°25E 121 G7
Da Nang Vietnam 16°4N 108°13E 120 D7
Da Qaidam China 37°50N 95°15E 110 D8
Da Yunhe → Hopei, China 39°10N 117°10E 115 E9
Da Yunhe → Jiangsu, China 34°25N 120°5E 115 H10
Da'an China 45°30N 124°7E 115 B13
Daan Viljoen ⌂ Namibia 22°2S 16°45E 144 B2
Dab'a, Ras el Egypt 31°3N 28°31E 137 E6
Daba Shan China 32°0N 109°0E 116 B7
Dabai Nigeria 11°25N 5°15E 139 C6
Dabakala Ivory C. 8°15N 4°20W 138 D4
Dabas Hungary 47°11N 19°19E 80 C4
Dabbagh, Jabal Si. Arabia 27°52N 35°45E 128 E2
Dabhoi India 22°10N 73°20E 124 H5
Dąbie Poland 52°5N 18°50E 83 F5
Dabie Shan China 31°20N 115°20E 117 B10
Dabilda Cameroon 12°45N 14°35E 139 C7
Dabnou Niger 14°10N 5°22E 139 C6
Dabola Guinea 10°50N 11°5W 138 C2
Dabou Ivory C. 5°20N 4°23W 138 D4
Daboya Ghana 9°30N 1°20W 139 D4
Dabravolya Belarus 52°55N 23°59E 83 F10
Dąbrowa Białostocka Poland 53°40N 23°21E 82 E10
Dąbrowa Górnicza Poland 50°15N 19°10E 83 H6
Dąbrowa Tarnowska Poland 50°10N 20°59E 83 H7
Dabu China 24°22N 116°41E 117 E11
Dabugam India 19°27N 82°26E 126 E6
Dabung Malaysia 5°23N 102°1E 121 K4
Dacca = Dhaka Bangla. 23°43N 90°26E 125 H14
Dachang China 32°13N 118°45E 117 A12
Dachaoshan Dam China 24°1N 100°22E 116 E3
Dachau Germany 48°15N 11°26E 77 G7
Dachigam △ India 34°10N 75°0E 124 B6
Dachstein, Hoher Austria 47°28N 13°35E 78 D6
Dačice Czech Rep. 49°5N 15°26E 78 B8
Dacre Canada 45°22N 76°57W 174 A8
Dacula U.S.A. 33°59N 83°54W 178 B6
Dadanawa Guyana 2°50N 59°30W 186 C7
Daday Turkey 41°28N 33°27E 104 B5
Dade City U.S.A. 28°22N 82°11W 179 G7
Dadès, Oued → Morocco 30°58N 6°44W 136 B2
Dadeville U.S.A. 32°50N 85°46W 178 C4
Dadhar Pakistan 29°28N 67°39E 124 E2
Dadiya Nigeria 9°35N 11°24E 139 D7
Ḑadnah U.A.E. 25°32N 56°22E 129 E8
Dadra & Nagar Haveli □ India 20°5N 73°0E 126 D1
Dadri = Charkhi Dadri India 28°37N 76°17E 124 E7
Dadu Pakistan 26°45N 67°45E 124 F2
Dadu He → China 29°31N 103°46E 116 C4
Daegu S. Korea 35°50N 128°37E 115 G15
Daejeon S. Korea 36°20N 127°28E 115 F14
Daejeong S. Korea 33°8N 126°17E 115 H14
Daet Phil. 14°2N 122°55E 119 B6
Dafang China 27°9N 105°39E 116 D5
Dafeng China 33°3N 120°45E 115 H11
Dafnes Greece 35°13N 25°3E 101 D7
Dafni Greece 37°48N 22°1E 98 D4
Dağ Turkey 37°12N 30°31E 99 D12
Dagana Senegal 16°30N 15°35W 138 B1
Dagash Sudan 19°19N 33°25E 137 D3
Dagestan □ Russia 42°30N 47°0E 87 J8
Dagestanskiye Ogni Russia 42°6N 48°12E 87 J9
Dagg Sd. N.Z. 45°23S 166°45E 155 F1
Daggett U.S.A. 34°52N 116°52W 171 L10
Daghestan Republic = Dagestan □ Russia 42°30N 47°0E 87 J8
Daghfeli Sudan 19°18N 32°40E 137 D3
Dağlıq Qarabağ = Nagorno-Karabakh □ Azerbaijan 39°55N 46°45E 105 C12
Dagö = Hiiumaa Estonia 58°50N 22°45E 84 C2
Dagu China 38°59N 117°40E 115 E9
Daguan China 27°43N 103°56E 116 D4
Dagupan Phil. 16°3N 120°20E 119 A6
Daguragu Australia 17°33S 130°30E 148 C5
Daguragu ☼ Australia 17°24S 130°48E 148 C5
Dahab Egypt 28°31N 34°31E 128 D2
Dahanu India 19°58N 72°44E 126 E1
Dahivadi India 17°43N 74°33E 126 F2
Dahlak Kebir Eritrea 15°50N 40°10E 131 D3
Dahlenburg Germany 53°11N 10°44E 76 B6
Dahlonega U.S.A. 34°32N 83°59W 177 D13
Dahme Germany 51°52N 13°25E 76 D9
Dahod India 22°50N 74°15E 124 H6
Dahong Shan China 31°25N 113°0E 117 B9
Dahongliutan China 35°45N 79°20E 125 B8
Dahra Libya 29°30N 17°50E 135 C9
Dahra Senegal 15°22N 15°30W 138 B1
Dahra, Massif de Algeria 36°7N 1°21E 136 A4
Dahshûr Egypt 29°45N 31°14E 137 F7
Dahūk Iraq 36°50N 43°1E 105 D10
Dahūk □ Iraq 36°50N 42°50E 105 D10
Dai Hao Vietnam 18°1N 106°25E 120 C6
Dai-Sen Japan 35°22N 133°32E 113 G6
Dai Shan China 30°25N 122°10E 117 B14
Dai Xian China 39°4N 112°58E 114 E7
Daicheng China 38°42N 116°38E 114 E9
Daikondi = Dāykondī □ Afghan. 34°0N 66°0E 122 C5
Dailekh Nepal 28°50N 81°44E 125 E9
Daimiel Spain 39°5N 3°35W 89 F7
Daingean Ireland 53°18N 7°17W 64 C4
Daingean, An = Dingle Ireland 52°9N 10°17W 64 D1
Dainkog China 32°30N 97°58E 116 A1
Daintree Australia 16°20S 145°20E 150 B4
Daintree △ Australia 16°8S 145°2E 150 B4
Daiō-Misaki Japan 34°15N 136°45E 113 G8
Dairût Egypt 27°34N 30°43E 137 B3
Daisen Japan 39°27N 140°29E 112 E10
Daisen-Oki △ Japan 35°23N 133°34E 113 G6
Daisetsu-Zan Japan 43°30N 142°57E 112 C11
Daisetsu-Zan △ Japan 43°30N 142°55E 112 C11
Daitari India 21°10N 85°46E 126 D7
Daiyun Shan China 25°50N 118°15E 117 E12
Dajarra Australia 21°42S 139°30E 150 C2
Dajiawa China 37°9N 119°0E 115 F10
Dajin Chuan → China 31°16N 101°59E 116 B3
Dak Dam Cambodia 12°20N 107°21E 120 F6
Dak Nhe Vietnam 15°28N 107°48E 120 E6
Dak Pek Vietnam 15°4N 107°44E 120 E6
Dak Song Vietnam 12°19N 107°35E 121 F6
Dak Sui Vietnam 14°55N 107°43E 120 E6
Dakar Senegal 14°34N 17°29W 138 C1
Dakar □ Senegal 14°45N 17°20W 138 C1
Dakhla W. Sahara 23°50N 15°53W 134 D2
Dakhla, El Wâhât el Egypt 25°30N 28°50E 137 B2
Dakingari Nigeria 11°37N 4°1E 139 C5
Dakoank India 7°2N 93°43E 127 L11
Dakor India 22°45N 73°11E 124 H5
Dakoro Niger 14°31N 6°46E 139 C6
Dakota City U.S.A. 42°25N 96°25W 172 D5
Đakovica = Gjakovë Kosovo 42°22N 20°26E 96 D4
Đakovo Croatia 45°19N 18°24E 80 E3
Dala-Järna Sweden 60°33N 14°22E 62 D8
Dalaba Guinea 10°47N 12°12W 138 C2
Dalachi China 36°48N 105°0E 114 F3
Dalai Nur China 43°20N 116°45E 114 C9
Dālakī Iran 29°26N 51°17E 129 D6
Dalälven → Sweden 60°12N 16°43E 62 D10
Dalaman Turkey 36°48N 28°47E 99 E10
Dalaman → Turkey 36°41N 28°43E 99 E10
Dalandzadgad Mongolia 43°27N 104°30E 114 C3
Dalap-Uliga-Darrit = Majuro Marshall Is. 7°9N 171°12E 156 G9
Dalarna Sweden 61°0N 14°0E 62 D8
Dalarna □ Sweden 61°0N 14°15E 62 C8
Dalay Mongolia 43°28N 103°30E 114 C2
Dālbandīn Pakistan 29°0N 64°23E 122 E4
Dalbeattie U.K. 54°56N 3°50W 65 G5
Dalbeg Australia 20°16S 147°18E 150 C4
Dalbosjön Sweden 58°40N 12°45E 63 F6
Dalby Australia 27°10S 151°17E 151 D5
Dalby Sweden 55°40N 13°22E 63 J7
Dalby Söderskog △ Sweden 55°41N 13°21E 63 J7
Dale City U.S.A. 38°38N 77°19W 173 F15
Dale Hollow L. U.S.A. 36°32N 85°27W 177 C12
Daleville U.S.A. 31°19N 85°43W 178 D4
Dalga Egypt 27°39N 30°41E 137 B3
Dalgān Iran 27°31N 59°19E 129 E8
Dalhart U.S.A. 36°4N 102°31W 176 C3
Dalhousie Canada 48°5N 66°26W 165 C6
Dalhousie India 32°38N 75°58E 124 C6
Dali Shaanxi, China 34°48N 109°58E 114 G5
Dali Yunnan, China 25°40N 100°10E 116 E3
Dalian China 38°50N 121°40E 115 E11
Daliang Shan China 28°0N 102°45E 116 D4
Daling He → China 40°55N 121°40E 115 D11
Dāliyat el Karmel Israel 32°43N 35°2E 130 C4
Dalj Croatia 45°29N 18°59E 80 E3
Dalkeith U.K. 55°54N 3°4W 65 F5
Dalkeith U.S.A. 30°0N 85°9W 178 E4
Dalkey Ireland 53°16N 6°6W 64 C5
Dallas Ga., U.S.A. 33°55N 84°51W 178 B5
Dallas Oreg., U.S.A. 44°55N 123°19W 168 D2
Dallas Tex., U.S.A. 32°47N 96°48W 176 E6
Dallas-Fort Worth Int. ✈ (DFW) U.S.A. 32°54N 97°2W 176 E6
Dalles, The U.S.A. 45°36N 121°10W 168 D3
Dalmā U.A.E. 24°30N 52°20E 129 E7
Dalmacija Croatia 43°20N 17°0E 93 E13
Dalmas, L. Canada 53°30N 71°50W 165 B5
Dalmatia = Dalmacija Croatia 43°20N 17°0E 93 E13
Dalmau India 26°4N 81°2E 125 F9
Dalmellington U.K. 55°19N 4°23W 65 F4
Dalmeny Australia 36°10S 150°8E 153 D9
Dalnegorsk Russia 44°32N 135°33E 112 B7
Dalnerechensk Russia 45°50N 133°40E 112 B6
Dalnevostochnyy □ Russia 67°0N 140°0E 107 C14
Daloa Ivory C. 7°0N 6°30W 138 D3
Dalou Shan China 28°15N 107°0E 116 C6
Dalry U.K. 55°42N 4°43W 65 F4
Dalrymple, L. Australia 20°40S 147°0E 150 C4
Dalrymple, Mt. Australia 21°1S 148°39E 150 b
Dals Långed Sweden 58°56N 12°18E 63 F6
Dalsjöfors Sweden 57°46N 13°5E 63 G7
Dalsland Sweden 58°50N 12°15E 63 F6
Daltenganj India 24°0N 84°4E 125 H11
Dalton Ga., U.S.A. 34°46N 84°58W 177 D12
Dalton Mass., U.S.A. 42°28N 73°11W 175 D11
Dalton Nebr., U.S.A. 41°25N 102°58W 172 E2
Dalton, Kap Greenland 69°25N 24°3W 57 D8
Dalton-in-Furness U.K. 54°10N 3°11W 66 C4
Dalvík Iceland 65°58N 18°32W 60 D4
Dálvvadis = Jokkmokk Sweden 66°35N 19°50E 60 C18
Dalwallinu Australia 30°17S 116°40E 149 F2
Daly → Australia 13°35S 130°19E 148 B5
Daly City U.S.A. 37°42N 122°27W 170 H4
Daly L. Canada 56°32N 105°39W 163 B7
Daly River Australia 13°46S 130°42E 148 B5
Daly River-Port Keats ☼ Australia 14°13S 129°36E 148 B4
Daly Waters Australia 16°15S 133°24E 150 B1
Dalyan Turkey 36°50N 28°39E 99 E10
Dam Doi Vietnam 8°50N 105°12E 121 H5
Dam Ha Vietnam 21°21N 107°36E 120 B6
Damachova Belarus 51°45N 23°36E 83 G10
Daman India 20°25N 72°57E 126 D1
Daman & Diu □ India 20°25N 72°58E 126 D1
Dāmaneh Iran 33°1N 50°29E 129 C6
Damanganga → India 20°25N 72°56E 126 D1
Damanhûr Egypt 31°0N 30°30E 137 E7
Damant L. Canada 61°45N 105°5W 163 A7
Damaq Iran 35°25N 48°49E 105 E13
Damar Indonesia 7°7S 128°40E 119 F7
Damara C.A.R. 4°58N 18°42E 140 D3
Damaraland Namibia 20°0S 15°0E 144 B2
Damascus = Dimashq Syria 33°30N 36°18E 130 B5
Damascus U.S.A. 31°18N 84°43W 178 D5
Damasi Greece 39°43N 22°11E 98 B4
Damaturu Nigeria 11°45N 11°55E 139 C7
Damāvand Iran 35°47N 52°0E 129 C7
Damāvand, Qolleh-ye Iran 35°56N 52°10E 129 C7
Damba Angola 6°44S 15°20E 140 F3
Damboa Nigeria 11°15N 12°55E 139 C7
Dâmboviţa □ Romania 45°0N 25°30E 81 F10
Dâmboviţa → Romania 44°12N 26°26E 81 F11
Dâmbovnic → Romania 44°28N 25°18E 81 F10
Dambulla Sri Lanka 7°51N 80°39E 127 L5
Dame Marie Haiti 18°34N 74°26W 183 C5
Dāmghān Iran 36°10N 54°17E 129 B7
Dămienesti Romania 46°44N 26°59E 81 D11
Damietta = Dumyât Egypt 31°24N 31°48E 137 E7
Daming China 36°15N 115°6E 114 F8
Damīr Qābū Syria 36°58N 41°51E 128 B4
Dammam = Ad Dammām Si. Arabia 26°20N 50°5E 129 E6
Dammarie-les-Lys France 48°31N 2°39E 71 D9
Dammartin-en-Goële France 49°3N 2°41E 71 C9
Damme Germany 52°32N 8°11E 76 C4
Damodar → India 23°17N 87°35E 125 H12
Damoh India 23°50N 79°28E 125 H8
Damous Algeria 36°31N 1°42E 136 A4
Dampier Australia 20°41S 116°42E 148 D2
Dampier, Selat Indonesia 0°40S 131°0E 119 E8
Dampier Arch. Australia 20°38S 116°32E 148 D2
Damrani Algeria 27°45N 2°56W 136 C3
Damrei, Chuor Phnum Cambodia 11°30N 103°0E 121 G4
Damvillers France 49°20N 5°21E 71 C12
Damyang S. Korea 35°19N 126°59E 115 G14
Dan-Gulbi Nigeria 11°40N 6°15E 139 C6
Dan-Sadau Nigeria 11°17N 6°29E 139 C6
Dana Indonesia 11°0S 121°15E 119 F6
Dana Jordan 30°41N 35°37E 130 E4
Dana Nepal 28°32N 83°37E 125 E10
Dana, L. Canada 50°53N 77°20W 164 B4
Dana, Mt. U.S.A. 37°54N 119°12W 170 H7
Danakil Desert Ethiopia 12°45N 41°0E 131 E3
Danané Ivory C. 7°16N 8°9W 138 D3
Danba China 30°54N 101°48E 116 B3
Danbury U.S.A. 41°24N 73°28W 175 E11
Danby L. U.S.A. 34°13N 115°5W 171 L11
Dand Afghan. 31°28N 65°32E 124 D1
Dande ⌂ Zimbabwe 15°56S 30°16E 143 F3
Dandeldhura Nepal 29°20N 80°35E 125 E9
Dandeli India 15°5N 74°30E 127 G2
Dandenong Australia 38°0S 145°15E 153 E6
Dandī Iran 36°32N 47°37E 105 D12
Dandîl Egypt 29°10N 31°2E 137 F7
Dandong China 40°10N 124°20E 115 D13
Daneborg Greenland 74°18N 20°14W 57 C8
Danfeng China 33°45N 110°25E 114 H6
Dangan Liedao China 22°2N 114°8E 117 F10
Dangé-St-Romain France 46°56N 0°36E 72 B4
Dângeni Romania 47°51N 26°58E 81 C11
Danger Is. = Pukapuka Cook Is. 10°53S 165°49W 157 J11
Danger Pt. S. Africa 34°40S 19°17E 144 D2
Dangla Shan = Tanggula Shan China 32°40N 92°10E 110 E7
Dangora Nigeria 11°30N 8°7E 139 C6
Dangouadougou Burkina Faso 10°9N 4°56W 138 D4
Dangrek, Mts. = Dangrek, Phnom Thailand 14°20N 104°0E 120 E5
Dangrek, Phnom Thailand 14°20N 104°0E 120 E5
Dangriga Belize 17°0N 88°13W 181 D7
Dangshan China 34°27N 116°22E 114 G9
Dangtu China 31°32N 118°25E 117 B12
Dangyang China 30°52N 111°44E 117 B8
Daniel U.S.A. 42°52N 110°4W 168 E8
Daniel's Harbour Canada 50°13N 57°35W 165 B8
Danielskuil S. Africa 28°11S 23°33E 144 C3
Danielson U.S.A. 41°48N 71°53W 175 E13
Danielsville U.S.A. 34°8N 83°13W 178 A6
Danilov Russia 58°16N 40°13E 84 C11
Danilovgrad Montenegro 42°38N 19°4E 96 D3
Danilovka Russia 50°25N 44°12E 86 E7
Daning China 36°28N 110°45E 114 F6
Danja Nigeria 11°21N 7°30E 139 C6
Danjiangkou China 32°31N 111°30E 117 A8
Danjiangkou Shuiku China 32°37N 111°30E 117 A8
Ḑank Oman 23°33N 56°16E 129 F8
Dankalwa Nigeria 11°52N 12°12E 139 C7
Dankama Nigeria 13°20N 7°44E 139 C6
Dankhar Gompa India 32°10N 78°10E 124 C8
Dankov Russia 53°20N 39°5E 84 F10
Danleng China 30°1N 103°31E 116 B4
Danlí Honduras 14°4N 86°35W 182 D2
Danmark = Denmark ■ Europe 55°45N 10°0E 63 J3
Danmark Fjord Greenland 81°30N 22°0W 57 A8
Danmarkshavn Greenland 76°45N 18°50W 57 B9
Dannemora U.S.A. 44°43N 73°44W 175 B11
Dannenberg Germany 53°6N 11°5E 76 B7
Dannevirke N.Z. 40°12S 176°8E 154 G5
Dannhauser S. Africa 28°0S 30°3E 145 C5
Dansville U.S.A. 42°34N 77°42W 174 D7
Danta India 24°11N 72°46E 124 G5
Dantan India 21°57N 87°20E 125 J12
Dante = Xaafuun Somalia 10°25N 51°16E 131 E5
Dantewara India 18°54N 81°21E 126 E5
Danube = Dunărea → Europe 45°20N 29°40E 81 E14
Danvers U.S.A. 42°34N 70°56W 175 D14
Danville Ga., U.S.A. 32°37N 83°15W 178 C6
Danville Ill., U.S.A. 40°8N 87°37W 172 E10
Danville Ky., U.S.A. 37°39N 84°46W 173 G11
Danville Pa., U.S.A. 40°58N 76°37W 175 F8
Danville Va., U.S.A. 36°36N 79°23W 173 G14
Danville Vt., U.S.A. 44°25N 72°9W 175 B12
Danyang China 32°0N 119°31E 117 B12
Danzhai China 26°11N 107°48E 116 D6
Danzhou China 19°31N 109°33E 117 a
Danzig = Gdańsk Poland 54°22N 18°40E 82 D5
Dão → Portugal 40°20N 8°11W 88 E2
Dao Xian China 25°36N 111°31E 117 E8
Daocheng China 29°0N 100°10E 116 C3
Daoud = Aïn Beïda Algeria 35°50N 7°29E 136 A5
Daoukro Ivory C. 7°10N 3°58W 138 D4
Dapaong Togo 10°55N 0°16E 139 C5
Dapchi Nigeria 12°32N 11°31E 139 C7
Dapoli India 17°46N 73°11E 126 F1
Daqing China 46°35N 125°0E 111 B13
Daqing Shan China 40°40N 111°0E 114 D6
Daqq-e Sorkh, Kavīr Iran 33°45N 52°50E 129 C7
Daqu Shan China 30°25N 122°20E 117 B14
Dar Banda Africa 8°0N 23°0E 132 F6
Dar el Beida = Casablanca Morocco 33°36N 7°36W 136 B2
Dar es Salaam Tanzania 6°50S 39°12E 142 D4
Dar Mazār Iran 29°14N 57°20E 129 D8
Dar'ā Syria 32°36N 36°7E 130 C5
Dar'ā □ Syria 32°55N 36°10E 130 C5
Dārāb Iran 28°50N 54°30E 129 D7
Daraban Pakistan 31°44N 70°20E 124 D4
Darabani Romania 48°10N 26°39E 81 B11
Daraj Libya 30°10N 10°28E 135 B8
Dārān Iran 32°59N 50°24E 129 C6
Daravica = Gjeravicë Kosovo 42°32N 20°8E 96 D4
Darāyyā Syria 33°28N 36°15E 130 B5
Darazo Nigeria 11°1N 10°24E 139 C7
Darband Pakistan 34°20N 72°50E 124 B5
Darband, Kūh-e Iran 31°34N 57°8E 129 D8
Darbhanga India 26°15N 85°55E 125 F11
D'Arcy Canada 50°33N 122°29W 162 C4
Darda Croatia 45°40N 18°41E 80 E3
Dardanë Kosovo 42°35N 21°35E 96 D5
Dardanelle Ark., U.S.A. 35°13N 93°9W 176 D8
Dardanelle Calif., U.S.A. 38°20N 119°50W 170 G7
Dardanelles = Çanakkale Boğazı Turkey 40°17N 26°32E 97 F10
Darende Turkey 38°31N 37°30E 104 C7
Dārestān Iran 29°9N 58°42E 129 D8
Darfield N.Z. 43°29S 172°7E 155 D7
Darfo-Boario Terme Italy 45°53N 10°11E 92 C7
Dârfûr Sudan 13°40N 24°0E 135 F10
Dargai Pakistan 34°25N 71°55E 124 B4
Dargaville N.Z. 35°57S 173°52E 154 B2
Dargol Niger 13°54N 1°22E 139 C5
Darhan Mongolia 49°37N 106°21E 110 B10
Darhan Muminggan China 41°40N 110°28E 114 D6
Darıca Turkey 40°45N 29°23E 104 B3
Darien U.S.A. 31°23N 81°26W 178 D8
Darién, G. del Caribbean 9°0N 77°0W 186 B3
Darién △ Panama 7°36N 77°57W 182 E4
Dariganga = Ovoot Mongolia 45°21N 113°45E 114 B7
Daringbadi India 19°54N 84°8E 126 E7
Darjeeling = Darjiling India 27°3N 88°18E 125 F13
Darjiling India 27°3N 88°18E 125 F13
Darkan Australia 33°20S 116°43E 149 F2
Darke Peak Australia 33°27S 136°12E 152 B2
Darkhana Pakistan 30°39N 72°11E 124 D5
Darkhazīneh Iran 31°54N 48°39E 129 D6
Darkot Pass Pakistan 36°45N 73°26E 125 A5
Darling → Australia 34°4S 141°54E 152 C4
Darling Downs Australia 27°30S 150°30E 151 D5
Darling Ra. Australia 32°30S 116°20E 149 F2
Darlington U.K. 54°32N 1°33W 66 C6
Darlington Fla., U.S.A. 30°57N 86°3W 178 E3
Darlington S.C., U.S.A. 34°18N 79°52W 177 D15
Darlington □ U.K. 54°32N 1°33W 66 C6
Darlington, L. S. Africa 33°10S 25°9E 144 D4
Darlington Point Australia 34°37S 146°1E 153 C7
Darlot, L. Australia 27°48S 121°35E 149 E3
Darłowo Poland 54°25N 16°25E 82 D3
Dărmăneşti Bacău, Romania 46°21N 26°33E 81 D11
Dărmăneşti Suceava, Romania 47°44N 26°9E 81 C11
Darmstadt Germany 49°51N 8°39E 77 F4
Darnah Libya 32°45N 22°45E 135 B10
Darnall S. Africa 29°23S 31°18E 145 C5
Darney France 48°5N 6°2E 71 D13
Darnick Australia 32°48S 143°38E 152 B5
Darnley Australia 9°35S 143°46E 150 a
Darnley, C. Antarctica 68°0S 69°0E 55 C6
Darnley B. Canada 69°30N 123°30W 160 D7
Daroca Spain 41°9N 1°25W 90 D3
Darou-Mousti Senegal 15°3N 16°3W 138 B1
Darr → Australia 23°39S 143°50E 150 C3
Darra Pezu Pakistan 32°19N 70°44E 124 C4
Darran Mts. N.Z. 44°37S 167°59E 155 E2
Darreh Shahr Iran 33°7N 47°22E 105 F12
Darrequeira Argentina 37°42S 63°10W 190 D3
Darrington U.S.A. 48°15N 121°36W 168 B3
Darsi India 15°46N 79°44E 127 G4
Darsser Ort Germany 54°28N 12°32E 76 A8
Dart → U.K. 50°24N 3°39W 67 G4
Dartford U.K. 51°26N 0°13E 67 F8
Dartmoor Australia 37°56S 141°19E 152 D4
Dartmoor U.K. 50°38N 3°57W 67 G4
Dartmoor △ U.K. 50°37N 3°59W 67 G4
Dartmouth Canada 44°40N 63°30W 165 D7
Dartmouth U.K. 50°21N 3°36W 67 G4
Dartmouth, L. Queens., Australia 26°4S 145°18E 151 D4
Dartmouth, L. Vic., Australia 36°34S 147°32E 153 D7
Dartuch, C. = Artrutx, C. de Spain 39°55N 3°49E 100 B10
Daruvar Croatia 45°35N 17°14E 80 E2
Darvel, Teluk = Lahad Datu, Telok Malaysia 4°50N 118°20E 119 D5
Darvi Mongolia 46°27N 94°7E 109 C12
Darwen U.K. 53°42N 2°29W 66 D5
Darwendale Zimbabwe 17°41S 30°33E 145 A5
Darwha India 20°15N 77°45E 126 D3
Darwin Australia 12°25S 130°51E 148 B5
Darwin U.S.A. 36°15N 117°35W 171 J9
Darwin, Mt. Chile 54°47S 69°55W 192 D3
Darya Khan Pakistan 31°48N 71°6E 124 D4
Daryapur India 20°55N 77°20E 126 D3
Daryoi Amu = Amudarya → Uzbekistan 43°58N 59°34E 108 D5
Dās U.A.E. 25°20N 53°30E 129 E7
Dashen, Ras Ethiopia 13°8N 38°26E 131 E2
Dasher U.S.A. 30°45N 83°13W 178 E6
Dashetai China 41°0N 109°5E 114 D5
Dashiqiao China 40°38N 122°30E 115 D12
Dashkesan = Daşkäsän Azerbaijan 40°25N 46°0E 87 K7
Dashköpri Turkmenistan 36°16N 62°8E 129 B9
Dasht → Pakistan 25°10N 61°40E 122 G2
Daska Pakistan 32°20N 74°20E 124 C6
Daşkäsän Azerbaijan 40°25N 46°0E 87 K7
Daşoguz Turkmenistan 41°49N 59°58E 108 D5
Dassa Benin 7°46N 2°14E 139 D5
Dasuya India 31°49N 75°38E 124 D6
Datça Turkey 36°46N 27°40E 99 E9
Date Japan 42°28N 140°52E 112 C10
Datia India 25°39N 78°27E 125 G8
Datian China 25°40N 117°50E 117 E11
Datong Anhui, China 30°48N 117°44E 117 B11
Datong Qinghai, China 36°20N 102°50E 110 D9
Datong Shanxi, China 40°6N 113°18E 114 D7
Dattakhel Pakistan 32°54N 69°46E 124 C3
Dattapur = Dhamangaon India 20°48N 78°9E 126 D4
Datteln Germany 51°39N 7°21E 76 D3
Datu, Tanjung Indonesia 2°5N 109°39E 118 D3
Datu Piang Phil. 7°2N 124°30E 119 C6
Datuk, Tanjong = Datu, Tanjung Indonesia 2°5N 109°39E 118 D3
Daud Khel Pakistan 32°53N 71°34E 124 C4
Daudnagar India 25°2N 84°24E 125 G11
Daugava → Latvia 57°4N 24°3E 84 D3
Daugavpils Latvia 55°53N 26°32E 84 E4
Daulatabad India 19°57N 75°15E 126 E2
Daulpur India 26°45N 77°59E 124 F7
Daun Germany 50°11N 6°49E 77 E2
Daund India 18°26N 74°40E 126 E2
Daung Kyun Burma 12°13N 98°4E 121 F1
Dauphin Canada 51°9N 100°5W 163 C8
Dauphin U.S.A. 40°22N 76°56W 174 F8
Dauphin L. Canada 51°20N 99°45W 163 C9
Dauphiné France 45°15N 5°25E 73 C9
Daura Borno, Nigeria 11°31N 11°24E 139 C7
Daura Katsina, Nigeria 13°2N 8°21E 139 C6
Daurada, Costa Spain 41°12N 1°15E 90 D6
Dausa India 26°52N 76°20E 124 F7
Dāvāçi Azerbaijan 41°15N 48°57E 87 K9
Davangere India 14°25N 75°55E 127 G2
Davao Phil. 7°0N 125°40E 119 C7
Davao G. Phil. 6°30N 125°48E 119 C7
Dāvar Panāh = Sarāvān Iran 27°25N 62°15E 129 E9
Davenport Calif., U.S.A. 37°1N 122°12W 170 H4
Davenport Fla., U.S.A. 28°10N 81°36W 179 G8
Davenport Iowa, U.S.A. 41°32N 90°35W 172 E8
Davenport Wash., U.S.A. 47°39N 118°9W 168 C4
Davenport Ra. Australia 20°28S 134°0E 150 C1
Davenport Range △ Australia 20°36S 134°22E 150 C1
Daventry U.K. 52°16N 1°10W 67 E6
David Panama 8°30N 82°30W 182 E3
David City U.S.A. 41°15N 97°8W 172 E5
David Glacier Antarctica 75°20S 162°0E 55 D11
David Gorodok = Davyd Haradok Belarus 52°4N 27°8E 75 B14
Davidson Canada 51°16N 105°59W 163 C7
Davidson Mts. U.S.A. 68°41N 142°22W 166 B11
Davie U.S.A. 26°3N 80°14W 179 J9
Davis Antarctica 68°34S 77°55E 55 C6
Davis U.S.A. 38°33N 121°44W 170 G5
Davis Dam U.S.A. 35°12N 114°34W 171 K12
Davis Mts. U.S.A. 30°50N 103°55W 176 F3
Davis Sea Antarctica 66°0S 92°0E 55 C7
Davis Str. N. Amer. 65°0N 58°0W 161 D19
Davisboro U.S.A. 32°59N 82°36W 178 C7
Davlos Cyprus 35°25N 33°54E 101 D12
Davo → Ivory C. 5°0N 6°10W 138 D3
Davos Switz. 46°48N 9°49E 77 J5
Davutlar Turkey 37°43N 27°17E 99 D9
Davy L. Canada 58°53N 108°18W 163 B7
Davyd Haradok Belarus 52°4N 27°8E 75 B14
Dawaki Bauchi, Nigeria 9°25N 9°33E 139 D6
Dawaki Kano, Nigeria 12°5N 8°23E 139 C6
Dawei Burma 14°2N 98°12E 120 E2
Dawes Ra. Australia 24°40S 150°40E 150 C5
Dawlish U.K. 50°35N 3°28W 67 G4
Dawmat al Jandal Si. Arabia 29°55N 39°40E 128 D3
Dawna Ra. Burma 16°30N 98°30E 120 D2
Dawros Hd. Ireland 54°50N 8°33W 64 B3
Dawson U.S.A. 31°46N 84°27W 178 D5
Dawson, I. Chile 53°50S 70°50W 192 D2
Dawson B. Canada 52°53N 100°49W 163 C8
Dawson City Canada 64°10N 139°30W 160 E4
Dawson Creek Canada 55°45N 120°15W 162 B4
Dawson Inlet Canada 61°50N 93°25W 163 A10
Dawson Ra. Australia 24°30S 149°48E 150 C4
Dawu Hubei, China 31°34N 114°7E 117 B10
Dawu Sichuan, China 30°55N 101°10E 116 B3
Dax France 43°44N 1°3W 72 E2
Daxian China 31°15N 107°23E 116 B6
Daxin China 22°50N 107°11E 116 F6
Daxindian China 37°30N 120°50E 115 F11
Daxing China 39°47N 116°24E 114 E9
Daxinggou China 43°25N 129°40E 115 C15
Daxue Shan Sichuan, China 30°30N 101°30E 116 B3
Daxue Shan Yunnan, China 23°42N 99°48E 116 F2
Day U.S.A. 30°12N 83°17W 178 E6
Dayao China 25°43N 101°20E 116 E3
Daye China 30°6N 114°58E 117 B10
Dayet en Naharat Mali 17°39N 3°10W 138 B4
Dayi China 30°41N 103°29E 116 B4
Dāykondī □ Afghan. 34°0N 66°0E 122 C5
Daylesford Australia 37°21S 144°9E 152 D6
Dayong = Zhangjiajie China 29°11N 110°30E 117 C8
Dayr az Zawr Syria 35°20N 40°5E 105 E9
Dayr az Zawr □ Syria 34°50N 40°10E 105 E9
Daysland Canada 52°50N 112°20W 162 C6
Dayton Nev., U.S.A. 39°14N 119°36W 170 F7
Dayton Ohio, U.S.A. 39°45N 84°12W 173 F11
Dayton Pa., U.S.A. 40°53N 79°15W 174 F5
Dayton Tenn., U.S.A. 35°30N 85°1W 177 D12
Dayton Wash., U.S.A. 46°19N 117°59W 168 C5
Dayton Wyo., U.S.A. 44°53N 107°16W 168 D10
Daytona Beach U.S.A. 29°13N 81°1W 179 F8
Dayu China 25°24N 114°22E 117 E10
Dayville U.S.A. 44°28N 119°32W 168 D4
Dazhu China 30°41N 107°15E 116 B6
Dazkırı Turkey 37°57N 29°52E 99 D11
Dazu China 29°40N 105°42E 116 C5
De Aar S. Africa 30°39S 24°0E 144 D3
De Armanville U.S.A. 33°38N 85°45W 178 B4
De Bary U.S.A. 28°54N 81°18W 179 G8
De Funiak Springs U.S.A. 30°43N 86°7W 178 E3
De Grey → Australia 20°12S 119°13E 148 D2
De Haan Belgium 51°16N 3°2E 69 C3
De Hoop ⌂ S. Africa 34°30S 20°28E 144 D3
De Kalb Junction U.S.A. 44°30N 75°16W 175 B9
De Land U.S.A. 29°2N 81°18W 179 F8
De Leon U.S.A. 32°7N 98°32W 176 E5
De Leon Springs U.S.A. 29°7N 81°21W 179 F8
De Long Mts. U.S.A. 68°10N 163°30W 166 B7
De Panne Belgium 51°6N 2°34E 69 C2
De Pere U.S.A. 44°27N 88°4W 172 C9
De Queen U.S.A. 34°2N 94°21W 176 D7
De Quincy U.S.A. 30°27N 93°26W 176 F8
De Ruyters U.S.A. 42°45N 75°53W 175 D9
De Smet U.S.A. 44°23N 97°33W 172 C5
De Soto U.S.A. 38°8N 90°34W 172 F8
De Soto City U.S.A. 27°27N 81°24W 179 H8
De Tour Village U.S.A. 46°0N 83°56W 173 B12
De Witt U.S.A. 34°18N 91°20W 176 D9
Dead L. U.S.A. 30°10N 85°10W 178 E4
Dead Sea Asia 31°30N 35°30E 130 D4

Deadman B. U.S.A. 29°30N 83°30W 179 F6
Deadwood U.S.A. 44°23N 103°44W 172 C2
Deadwood L. Canada 59°10N 128°30W 162 B3
Deal U.K. 51°13N 1°25E 67 F9
Deal I. Australia 39°30S 147°20E 151 F4
Dealesville S. Africa 28°41S 25°44E 144 C4
De'an China 29°21N 115°46E 117 C10
Dean → Canada 52°49N 126°58W 162 C3
Dean, Forest of U.K. 51°45N 2°33W 67 F5
Dean Chan. Canada 52°30N 127°15W 162 C3
Deán Funes Argentina 30°20S 64°20W 190 C3
Dease → Canada 59°56N 128°32W 162 B3
Dease L. Canada 58°40N 130°5W 162 B2
Dease Lake Canada 58°25N 130°6W 162 B2
Death Valley U.S.A. 36°15N 116°50W 171 J10
Death Valley △ U.S.A. 36°29N 117°6W 171 J9
Death Valley Junction U.S.A. 36°20N 116°25W 171 J10
Deatnu = Tana → Norway 70°30N 28°14E 60 A23
Deauville France 49°23N 0°2E 70 C7
Deba Spain 43°18N 2°21W 90 B2
Deba Habe Nigeria 10°14N 11°20E 139 C7
Debagram India 23°41N 88°18E 125 H13
Debaltsevo Ukraine 48°22N 38°26E 85 H10
Debao China 23°21N 106°46E 116 F6
Debar Macedonia 41°31N 20°30E 96 E4
Debden Canada 53°30N 106°50W 163 C7
Debdou Morocco 33°59N 3°0W 136 B3
Dębica Poland 50°2N 21°25E 83 H8
Dęblin Poland 51°34N 21°50E 83 G8
Dębno Poland 52°44N 14°41E 83 F1
Débo, L. Mali 15°14N 4°15W 138 B4
DeBolt Canada 55°12N 118°1W 162 B5
Deborah East, L. Australia 30°45S 119°30E 149 F2
Deborah West, L. Australia 30°45S 119°5E 149 F2
Debrc Serbia 44°38N 19°53E 96 B3
Debre Markos Ethiopia 10°20N 37°40E 131 E2
Debre Tabor Ethiopia 11°50N 38°26E 131 E2
Debre Zeyit Ethiopia 8°50N 39°0E 131 F2
Debrecen Hungary 47°33N 21°42E 80 C6
Debrzno Poland 53°31N 17°14E 82 E4
Debundscha Cameroon 4°7N 8°59E 139 E6
Deçan Kosovo 42°30N 20°18E 96 D4
Decatur Ala., U.S.A. 34°36N 86°59W 177 D11
Decatur Ga., U.S.A. 33°46N 84°16W 178 B5
Decatur Ill., U.S.A. 39°51N 88°57W 172 F9
Decatur Ind., U.S.A. 40°50N 84°56W 173 E11
Decatur Tex., U.S.A. 33°14N 97°35W 176 E6
Decazeville France 44°34N 2°15E 72 D6
Deccan India 18°0N 79°0E 126 F4
Deception, Mt. Australia 30°42S 138°16E 152 A3
Deception Bay Australia 27°10S 153°5E 151 D5
Deception I. Antarctica 63°0S 60°15W 55 C17
Deception L. Canada 56°33N 104°13W 163 B8
Dechang China 27°25N 102°11E 116 D4
Dechhu India 26°46N 72°20E 124 F5
Decimomannu Italy 39°19N 8°58E 94 C1
Děčín Czech Rep. 50°47N 14°12E 78 A7
Decize France 46°50N 3°28E 71 F10
Deckerville U.S.A. 43°32N 82°44W 174 C2
Decollatura Italy 39°3N 16°21E 95 C9
Decorah U.S.A. 43°18N 91°48W 172 D8
Deda Romania 46°56N 24°50E 81 D9
Dedéagach = Alexandroupoli Greece 40°50N 25°54E 97 F9
Dedham U.S.A. 42°15N 71°10W 175 D13
Dedopolis Tsqaro Georgia 41°33N 46°0E 87 K8
Dédougou Burkina Faso 12°30N 3°25W 138 C4
Dedovichi Russia 57°32N 29°56E 84 D5
Dedza Malawi 14°20S 34°20E 143 E3
Dee → Aberds., U.K. 57°9N 2°5W 65 D6
Dee → Dumf. & Gall., U.K. 54°51N 4°3W 65 G4
Dee → Wales, U.K. 53°22N 3°17W 66 D4
Deep B. Canada 61°15N 116°35W 162 A5
Deep Bay = Shenzhen Wan China 22°27N 113°55E 111 a
Deep Lead Australia 37°0S 142°43E 152 D5
Deepwater Australia 29°25S 151°51E 151 D5
Deer → Canada 58°23N 94°13W 163 B10
Deer L. Canada 52°40N 94°20W 163 C10
Deer Lake Nfld. & L., Canada 49°11N 57°27W 165 C8
Deer Lake Ont., Canada 52°36N 94°20W 163 C10
Deer Lodge U.S.A. 46°24N 112°44W 168 C7
Deer Park Fla., U.S.A. 28°6N 80°54W 179 G9
Deer Park Wash., U.S.A. 47°57N 117°28W 168 C5
Deer River U.S.A. 47°20N 93°48W 172 B7
Deeragun Australia 19°16S 146°33E 150 B4
Deerfield Beach U.S.A. 26°19N 80°6W 179 J9
Defiance U.S.A. 41°17N 84°22W 173 E11
Degana India 26°50N 74°20E 124 F6
Dêgê China 31°44N 98°39E 116 B2
Degebe → Portugal 38°13N 7°29W 89 G3
Degeberga Sweden 55°51N 14°5E 63 J8
Dégelis Canada 47°30N 68°35W 165 C6
Degema Nigeria 4°50N 6°48E 139 E6
Degerfors Sweden 59°15N 14°27E 62 E8
Degerhamn Sweden 56°20N 16°24E 63 H10
Deggendorf Germany 48°50N 12°57E 77 G8
Degh → Pakistan 31°3N 73°21E 124 D5
Değirmendere Turkey 40°42N 29°47E 97 F13
Degirmenlik = Kythréa Cyprus 35°15N 33°29E 101 D12
Deh Bīd Iran 30°39N 53°11E 129 D7
Deh Dasht Iran 30°47N 50°33E 129 D6
Deh-e Shīr Iran 31°29N 53°45E 129 D7
Dehaj Iran 30°42N 54°53E 129 D7
Dehak Iran 27°11N 62°37E 129 E9
Dehdez Iran 31°43N 50°17E 129 D6
Dehej India 21°44N 72°40E 124 J5
Dehestān Iran 28°30N 55°35E 129 D7
Dehgolān Iran 35°17N 47°25E 105 E12
Dehibat Tunisia 32°0N 10°47E 136 B6
Dehiwala Sri Lanka 6°50N 79°51E 127 L4
Dehlorān Iran 32°41N 47°16E 105 F12
Dehnow-e Kūhestān Iran 27°58N 58°32E 129 E8
Dehra Dun India 30°20N 78°4E 124 D8
Dehri India 24°50N 84°15E 125 G11
Dehua China 25°26N 118°14E 117 E12
Dehui China 44°30N 125°40E 115 B13
Deinze Belgium 50°59N 3°32E 69 D3
Deir al Balah Gaza Strip 31°25N 34°21E 130 D3
Dej Romania 47°10N 23°52E 81 C8
Deje Sweden 59°35N 13°29E 62 E7
Dejiang China 28°18N 108°7E 116 C7
Deka → Zimbabwe 18°4S 26°42E 144 A4
DeKalb U.S.A. 41°56N 88°46W 172 E9
Dekese Dem. Rep. of the Congo 3°24S 21°24E 140 E4
Del Caño Rise Ind. Oc. 45°15S 44°15E 146 J3
Del Mar U.S.A. 32°58N 117°16W 171 N9
Del Norte U.S.A. 37°41N 106°21W 169 H10
Del Rio U.S.A. 29°22N 100°54W 176 G4
Delambre I. Australia 20°26S 117°5E 148 D2
Delano U.S.A. 35°46N 119°15W 171 K7
Delano Peak U.S.A. 38°22N 112°22W 168 G7
Delareyville S. Africa 26°41S 25°26E 144 C4
Delaronde L. Canada 54°3N 107°3W 163 C7
Delavan U.S.A. 42°38N 88°39W 172 D9
Delaware U.S.A. 40°18N 83°4W 173 E12
Delaware □ U.S.A. 39°0N 75°20W 173 F16
Delaware B. U.S.A. 39°0N 75°10W 173 F16
Delaware Water Gap ⌂ U.S.A. 41°10N 74°55W 175 E10
Delay → Canada 56°56N 71°28W 165 A5
Delbrück Germany 51°46N 8°34E 76 D4
Delčevo Macedonia 41°58N 22°46E 96 E6
Delegate Australia 37°4S 148°56E 153 D8
Delémont Switz. 47°22N 7°20E 77 H3
Delevan U.S.A. 42°29N 78°29W 174 D6
Delft Neths. 52°1N 4°22E 69 B4
Delft I. Sri Lanka 9°30N 79°40E 127 K4
Delfzijl Neths. 53°20N 6°55E 69 A6
Delgada, Punta Chile 52°28S 69°32W 192 D3
Delgado, C. Mozam. 10°45S 40°40E 143 E5
Delgerhet Mongolia 45°50N 110°30E 114 B6
Delgo Sudan 20°6N 30°40E 137 C3
Delhi Canada 42°51N 80°30W 174 D4
Delhi India 28°39N 77°13E 124 E7
Delhi La., U.S.A. 32°28N 91°30W 176 E9
Delhi N.Y., U.S.A. 42°17N 74°55W 175 D10
Deli Jovan Serbia 44°13N 22°9E 96 B6
Delia Canada 51°38N 112°23W 162 C6
Delice Turkey 39°54N 34°2E 104 C6
Delice → Turkey 40°45N 34°15E 104 B6
Delicias Mexico 28°13N 105°28W 180 B3
Delījān Iran 33°59N 50°40E 129 C6
Déline Canada 65°11N 123°25W 160 D7
Delingha China 37°23N 97°23E 110 D8
Delisle Canada 51°55N 107°8W 163 C7
Delitzsch Germany 51°31N 12°20E 76 D8
Deliverance I. Australia 9°31S 141°34E 150 a
Dell City U.S.A. 31°56N 105°12W 176 F2
Dell Rapids U.S.A. 43°50N 96°43W 172 D5
Delle France 47°30N 7°2E 71 E14
Dellys Algeria 36°57N 3°57E 136 A4
Delmar U.S.A. 42°37N 73°47W 175 D11
Delmenhorst Germany 53°3N 8°37E 76 B4
Delmiro Gouveia Brazil 9°24S 38°6W 189 B3
Delnice Croatia 45°23N 14°50E 93 C11
Delonga, Ostrova Russia 76°40N 149°20E 107 B15
Deloraine Australia 41°30S 146°40E 151 G4
Deloraine Canada 49°15N 100°29W 163 D8
Delos = Dilos Greece 37°23N 25°15E 99 D7
Delphi Greece 38°28N 22°30E 98 C4
Delphi U.S.A. 40°36N 86°41W 172 E10
Delphos U.S.A. 40°51N 84°21W 173 E11
Delportshoop S. Africa 28°22S 24°20E 144 C3
Delray Beach U.S.A. 26°28N 80°4W 179 J9
Delsbo Sweden 61°48N 16°32E 62 C10
Delta Ala., U.S.A. 33°26N 85°42W 178 B4
Delta Colo., U.S.A. 38°44N 108°4W 168 G9
Delta Utah, U.S.A. 39°21N 112°35W 168 G7
Delta □ Nigeria 5°30N 6°0E 139 D6
Delta del Ebre ⌂ Spain 40°43N 0°43E 90 E5
Delta del Po ⌂ Italy 44°50N 12°15E 93 D9
Delta du Saloum △ Senegal 13°42N 16°43W 138 C1
Delta Dunărea ⌂ Romania 45°15N 29°25E 81 E14
Delta Junction U.S.A. 64°2N 145°44W 160 E2
Deltebre Spain 40°43N 0°43E 90 E5
Deltona U.S.A. 28°54N 81°16W 179 G8
Delungra Australia 29°39S 150°51E 151 D5
Delvada India 20°46N 71°2E 124 J4
Delvinaki Greece 39°57N 20°32E 98 B2
Delvinë Albania 39°59N 20°6E 96 G4
Delyatyn Ukraine 48°32N 24°38E 81 B9
Demak Indonesia 6°53S 110°38E 119 G14
Demanda, Sierra de la Spain 42°15N 3°0W 90 C2
Demavend = Damāvand, Qolleh-ye Iran 35°56N 52°10E 129 C7
Dembia C.A.R. 4°56N 23°53E 142 B1
Dembia Dem. Rep. of the Congo 3°33N 25°48E 142 B2
Dembidolo Ethiopia 8°34N 34°50E 131 F1
Demchok India 32°42N 79°29E 125 C8
Demer → Belgium 50°57N 4°42E 69 D4
Demerara Abyssal Plain Atl. Oc. 10°0N 48°0W 56 F7
Demetrias Greece 39°22N 23°1E 98 B5
Demidov Russia 55°16N 31°30E 84 E6
Deming N. Mex., U.S.A. 32°16N 107°46W 169 K10
Deming Wash., U.S.A. 48°50N 122°13W 170 B4
Demini → Brazil 0°46S 62°56W 186 D6
Demirci Turkey 39°2N 28°38E 99 B10
Demirköprü Barajı Turkey 38°42N 28°25E 99 C10
Demirköy Turkey 41°49N 27°45E 97 E11
Demmin Germany 53°54N 13°2E 76 B9
Demnate Morocco 31°44N 6°59W 136 B2
Demonte Italy 44°19N 7°17E 92 D4
Demopolis U.S.A. 32°31N 87°50W 177 E11
Dempo Indonesia 4°2S 103°15E 118 E2
Demyansk Russia 57°40N 32°27E 84 D7
Den Bosch = 's-Hertogenbosch Neths. 51°42N 5°17E 69 C5
Den Burg Neths. 53°3N 4°47E 69 A4
Den Chai Thailand 17°59N 100°4E 120 D3
Den Haag = 's-Gravenhage Neths. 52°7N 4°17E 69 B4
Den Helder Neths. 52°57N 4°45E 69 B4
Den Oever Neths. 52°56N 5°2E 69 B5
Denain France 50°20N 3°22E 71 B10
Denair U.S.A. 37°32N 120°48W 170 H6
Denali = McKinley, Mt. U.S.A. 63°4N 151°0W 160 E1
Denau = Denov Uzbekistan 38°16N 67°54E 109 E7
Denbigh Canada 45°8N 77°15W 174 A7
Denbigh U.K. 53°12N 3°25W 66 D4
Denbighshire □ U.K. 53°8N 3°22W 66 D4
Dendang Indonesia 3°7S 107°56E 118 E3
Dendermonde Belgium 51°2N 4°5E 69 C4
Dengchuan China 25°59N 100°3E 116 E3
Denge Nigeria 12°52N 5°21E 139 C6
Dengfeng China 34°25N 113°2E 114 G7
Dengi Nigeria 9°25N 9°55E 139 D6
Dengkou China 40°18N 106°55E 114 D4
Denguélé □ Ivory C. 9°45N 7°30W 138 D3
Dengzhou China 32°34N 112°4E 117 A9
Denham Australia 25°56S 113°31E 149 E1
Denham, Mt. Jamaica 18°13N 77°32W 182 a
Denham Ra. Australia 21°55S 147°46E 150 C4
Denham Sd. Australia 25°45S 113°15E 149 E1
Denholm Canada 52°39N 108°1W 163 C7
Denia Spain 38°49N 0°8E 91 G5
Denial B. Australia 32°14S 133°32E 151 E1
Deniliquin Australia 35°30S 144°58E 153 C6
Denimoo = Fort Resolution Canada 61°10N 113°40W 162 A6
Denison Iowa, U.S.A. 42°1N 95°21W 172 D6
Denison Tex., U.S.A. 33°45N 96°33W 176 E6
Denison, C. Antarctica 67°0S 142°40E 55 C10
Denison Plains Australia 18°35S 128°0E 148 C4
Denisovka Kazakhstan 52°27N 61°39E 108 B6
Deniyaya Sri Lanka 6°21N 80°33E 127 L5
Denizli Turkey 37°42N 29°2E 99 D11
Denizli □ Turkey 37°45N 29°5E 99 D11
Denman Australia 32°24S 150°42E 153 B9
Denman Glacier Antarctica 66°45S 100°0E 55 C8
Denmark Australia 34°59S 117°25E 149 F2
Denmark U.S.A. 33°19N 81°9W 178 B8
Denmark ■ Europe 55°45N 10°0E 63 J3
Denmark Str. Atl. Oc. 66°0N 30°0W 57 D8
Dennery St. Lucia 13°55N 60°54W 183 f
Dennison U.S.A. 40°24N 81°19W 174 F3
Denny U.K. 56°1N 3°55W 65 E5
Denov Uzbekistan 38°16N 67°54E 109 E7
Denpasar Indonesia 8°39S 115°13E 118 F5
Denpasar ✕ (DPS) Indonesia 8°44S 115°10E 119 K18
Denton Ga., U.S.A. 31°44N 82°42W 178 D7
Denton Mont., U.S.A. 47°19N 109°57W 168 C9
Denton Tex., U.S.A. 33°13N 97°8W 176 E6
D'Entrecasteaux, Pt. Australia 34°50S 115°57E 149 F2
D'Entrecasteaux △ Australia 34°20S 115°33E 149 F2
D'Entrecasteaux Is. Papua N. G. 9°0S 151°0E 147 B8
Dentsville U.S.A. 34°4N 80°58W 178 A9
Denu Ghana 6°4N 1°8E 139 D5
Denver Colo., U.S.A. 39°42N 104°59W 168 G11
Denver Pa., U.S.A. 40°14N 76°8W 175 F8
Denver City U.S.A. 32°58N 102°50W 176 E3
Denver Int. ✕ (DEN) U.S.A. 39°52N 104°40W 168 G11
Deoband India 29°42N 77°43E 124 E7
Deobhog India 19°53N 82°44E 126 E6
Deodrug India 16°26N 76°55E 127 F3
Deogarh Odisha, India 21°32N 84°45E 126 D7
Deogarh Raj., India 25°32N 73°54E 124 G5
Deoghar India 24°30N 86°42E 125 G12
Deolali India 19°58N 73°50E 126 E1
Deoli = Devli India 25°50N 75°20E 124 G6
Déols France 46°50N 1°43E 71 F8
Deora India 26°22N 70°55E 124 F4
Deori India 23°24N 79°1E 125 H8
Deoria India 26°31N 83°48E 125 F10
Deosai Mts. Pakistan 35°40N 75°0E 125 B6
Deosri India 26°46N 90°29E 125 F14
Depalpur India 22°51N 75°33E 124 H6
Deposit U.S.A. 42°4N 75°25W 175 D9
Depuch I. Australia 20°37S 117°44E 148 D2
Deputatskiy Russia 69°18N 139°54E 107 C14
Dêqên China 28°34N 98°51E 116 C2
Deqing China 23°8N 111°42E 117 F8
Der-Chantecoq, L. du France 48°35N 4°40E 71 D11
Dera Ghazi Khan Pakistan 30°5N 70°43E 124 D4
Dera Ismail Khan Pakistan 31°50N 70°50E 124 D4
Derabugti Pakistan 29°2N 69°9E 124 E3
Derawar Fort Pakistan 28°46N 71°20E 124 E4
Derbent Russia 42°5N 48°15E 87 J9
Derbent Turkey 38°11N 28°33E 99 C10
Derby Australia 17°18S 123°38E 148 C3
Derby U.K. 52°56N 1°28W 66 E6
Derby Conn., U.S.A. 41°19N 73°5W 175 E11
Derby Kans., U.S.A. 37°33N 97°16W 172 G5
Derby N.Y., U.S.A. 42°41N 78°58W 174 D6
Derby City □ U.K. 52°56N 1°28W 66 E6
Derby Line U.S.A. 45°0N 72°6W 175 B12
Derbyshire □ U.K. 53°11N 1°38W 66 D6
Đerdap △ Serbia 44°40N 22°23E 96 B6
Derdepoort S. Africa 24°38S 26°24E 144 B4
Derecske Hungary 47°20N 21°33E 80 C6
Dereham U.K. 52°41N 0°57E 67 E8
Dereköy Turkey 41°55N 27°21E 97 E11
Dereli Turkey 40°44N 38°26E 105 B8
Derg → U.K. 54°44N 7°26W 64 B4
Derg, L. Ireland 53°0N 8°20W 64 D3
Dergachi = Derhaci Ukraine 50°9N 36°11E 85 G9
Derhaci Ukraine 50°9N 36°11E 85 G9
Deridder U.S.A. 30°51N 93°17W 176 F8
Derik Turkey 37°21N 40°18E 105 D9
Derinkuyu Turkey 38°22N 34°45E 104 C6
Dermantsi Bulgaria 43°8N 24°17E 97 C8
Dermott U.S.A. 33°32N 91°26W 176 E9
Dêrong China 28°44N 99°9E 116 C2
Derrinallum Australia 37°57S 143°15E 152 D5
Derry = Londonderry U.K. 55°0N 7°20W 64 B4
Derry = Londonderry □ U.K. 55°0N 7°20W 64 B4
Derry N.H., U.S.A. 42°53N 71°19W 175 D13
Derry Pa., U.S.A. 40°20N 79°18W 174 F5
Derryveagh Mts. Ireland 54°56N 8°11W 64 B3
Derval France 47°40N 1°41W 70 E5
Derveni Greece 38°8N 22°25E 98 C4
Derventa Bos.-H. 44°59N 17°55E 80 F2
Derwent → Cumb., U.K. 54°39N 3°33W 66 C4
Derwent → Derby, U.K. 52°57N 1°28W 66 E6
Derwent → N. Yorks., U.K. 53°45N 0°58W 66 D7
Derwent Water U.K. 54°35N 3°9W 66 C4
Derzhavīnsk Kazakhstan 51°6N 66°19E 109 B7
Des Moines Iowa, U.S.A. 41°35N 93°37W 172 E7
Des Moines N. Mex., U.S.A. 36°46N 103°50W 169 H12
Des Moines Wash., U.S.A. 47°22N 122°19W 170 C4
Des Moines → U.S.A. 40°23N 91°25W 172 E8
Desa Romania 43°52N 23°2E 80 G8
Desaguadero Peru 16°34S 69°3W 188 D4
Desaguadero → Argentina 34°30S 66°46W 190 C2
Desaguadero → Bolivia 16°35S 69°5W 188 D4
Desantne Ukraine 45°34N 29°32E 81 E14
Desaru Malaysia 1°31N 104°17E 121 d
Descanso, Pta. Mexico 32°21N 117°3W 171 N9
Descartes France 46°59N 0°42E 72 B4
Deschaillons-sur-St-Laurent Canada 46°32N 72°7W 165 C5
Deschambault L. Canada 54°50N 103°30W 163 C8
Deschutes → U.S.A. 45°38N 120°55W 168 D3
Descobrimento △ Brazil 16°53S 39°21W 189 D3
Dese Ethiopia 11°5N 39°40E 131 E2
Deseado, C. Chile 52°45S 74°42W 192 D2
Desenzano del Garda Italy 45°28N 10°32E 92 C7
Deseronto Canada 44°12N 77°3W 174 B7
Desert Center U.S.A. 33°43N 115°24W 171 M11
Desert Hot Springs U.S.A. 33°58N 116°30W 171 M10
Desfina Greece 38°25N 22°31E 98 C4
Deshnok India 27°48N 73°21E 124 F5
Desierto Central de Baja California ⌂ Mexico 29°40N 114°50W 180 B2
Deskati Greece 39°55N 21°49E 96 G5
Desna → Ukraine 50°33N 30°32E 75 C16
Desnătui → Romania 43°53N 23°35E 81 G8
Desnogorsk Russia 54°9N 33°17E 84 E7
Desolación, I. Chile 53°0S 74°0W 192 D2
Despeñaperros, Paso Spain 38°24N 3°30W 89 G7
Despeñaperros ⌂ Spain 38°23N 3°32W 89 G7
Despotiko Greece 36°57N 24°58E 98 E6
Despotovac Serbia 44°6N 21°30E 96 B5
Dessau Germany 51°51N 12°14E 76 D8
Dessye = Dese Ethiopia 11°5N 39°40E 131 E2
Destin U.S.A. 30°24N 86°30W 179 E3
D'Estrees B. Australia 35°55S 137°45E 152 C2
Desuri India 25°18N 73°35E 124 G5
Desvres France 50°40N 1°48E 71 B8
Det Udom Thailand 14°54N 105°5E 120 E5
Deta Romania 45°24N 21°13E 80 E6
Dete Zimbabwe 18°38S 26°50E 144 A4
Đetinja → Serbia 43°51N 20°5E 96 C4
Detmold Germany 51°56N 8°52E 76 D4
Detour, Pt. U.S.A. 45°40N 86°40W 172 C10
Detroit U.S.A. 42°19N 83°12W 174 D1
Detroit Lakes U.S.A. 46°49N 95°51W 172 B6
Detva Slovak Rep. 48°34N 19°25E 79 C12
Deua △ Australia 35°32S 149°46E 153 C8
Deurne Neths. 51°27N 5°49E 69 C5
Deutsch-Luxemburgischer ⌂ Germany 49°58N 6°12E 77 F2
Deutsche Bucht Germany 54°15N 8°0E 76 A4
Deutschland = Germany ■ Europe 51°0N 10°0E 76 E6
Deutschlandsberg Austria 46°49N 15°14E 78 E8
Deux-Sèvres □ France 46°35N 0°20W 70 F6
Deva Romania 45°53N 22°55E 80 E7
Devakottai India 9°55N 78°45E 127 K4
Devaprayag India 30°13N 78°35E 125 D8
Devarkonda India 16°42N 78°56E 126 F4
Dévaványa Hungary 47°2N 20°59E 80 C5
Deveci Dağları Turkey 40°6N 36°15E 104 B7
Devecikonağı Turkey 39°55N 28°34E 97 G12
Devecser Hungary 47°6N 17°26E 80 C2
Develi Turkey 38°23N 35°29E 104 C6
Deventer Neths. 52°15N 6°10E 69 B6
Devereux U.S.A. 33°13N 83°5W 178 B6
Deveron → U.K. 57°41N 2°32W 65 D6
Devesel Romania 44°28N 22°41E 80 F7
Devgad I. India 14°48N 74°5E 127 G2
Devgadh Bariya India 22°40N 73°55E 124 H5
Devgarh India 16°23N 73°23E 127 F1
Devi → India 19°59N 86°24E 126 E8
Devikot India 26°42N 71°12E 124 F4
Devil River Pk. N.Z. 40°56S 172°37E 155 A7
Devils Den U.S.A. 35°46N 119°58W 170 K7
Devils Hole = Death Valley △ U.S.A. 36°29N 117°6W 171 J9
Devils Lake U.S.A. 48°7N 98°52W 172 A4
Devils Paw Canada 58°47N 134°0W 162 B2
Devils Postpile ⌂ U.S.A. 37°37N 119°5W 170 H7
Devil's Pt. Sri Lanka 9°26N 80°6E 127 K5
Devils Tower U.S.A. 44°35N 104°42W 168 D11
Devils Tower △ U.S.A. 44°48N 104°55W 168 D11
Devin Bulgaria 41°44N 24°24E 97 E8
Devine U.S.A. 29°8N 98°54W 176 G5
Devipattinam India 9°29N 78°54E 127 K4
Devizes U.K. 51°22N 1°58W 67 F6
Devli India 25°50N 75°20E 124 G6
Devnya Bulgaria 43°13N 27°33E 97 C11
Devoll → Albania 40°57N 20°15E 96 F4
Devon Canada 53°24N 113°44W 162 C6
Devon □ U.K. 50°50N 3°40W 67 G4
Devon I. Canada 75°10N 85°0W 161 B15
Devonport Australia 41°10S 146°22E 151 G4
Devrek Turkey 41°13N 31°57E 104 B4
Devrekâni Turkey 41°36N 33°50E 104 B5
Devrez → Turkey 41°6N 34°25E 104 B6
Devrukh India 17°3N 73°37E 126 F1
Dewas India 22°59N 76°3E 124 H7
Dewetsdorp S. Africa 29°33S 26°39E 144 C4
Dewey Puerto Rico 18°18N 65°18W 183 d
Dexing China 28°46N 117°30E 117 C11
Dexter Maine, U.S.A. 45°1N 69°18W 173 C19
Dexter Mo., U.S.A. 36°48N 89°57W 172 G9
Dexter N. Mex., U.S.A. 33°12N 104°22W 169 K11
Dey-Dey, L. Australia 29°12S 131°4E 149 E5
Deyang China 31°3N 104°27E 116 B5
Deyhūk Iran 33°15N 57°30E 129 C8
Deyyer Iran 27°55N 51°55E 129 E6
Dez → Iran 31°39N 48°52E 105 F13
Dezadeash L. Canada 60°28N 136°58W 162 A1
Dezfūl Iran 32°20N 48°30E 105 F13
Dezhneva, Mys Russia 66°5N 169°40W 107 C19
Dezhou China 37°26N 116°18E 114 F9
Dhadhar → India 24°56N 85°24E 125 G11
Dhahabān Si. Arabia 21°58N 39°3E 137 C4
Dhahiriya = Az̧ Z̧āhirīyah West Bank 31°25N 34°58E 130 D3
Dhahran = Az̧ Z̧ahrān Si. Arabia 26°10N 50°7E 129 E6
Dhak Pakistan 32°25N 72°33E 124 C5
Dhaka Bangla. 23°43N 90°26E 125 H14
Dhaka □ Bangla. 24°25N 90°25E 125 G14
Dhali Cyprus 35°1N 33°25E 101 D12
Dhamangaon India 20°48N 78°9E 126 D4
Dhamār Yemen 14°30N 44°20E 131 E3
Dhampur India 29°19N 78°33E 125 E8
Dhamra → India 20°47N 86°58E 126 D8
Dhamtari India 20°42N 81°35E 126 D5
Dhanbad India 23°50N 86°30E 125 H12
Dhangarhi Nepal 28°55N 80°40E 125 E9
Dhankuta Nepal 26°55N 87°40E 125 F12
Dhanora India 20°20N 80°22E 126 D5
Dhanpuri India 23°13N 81°30E 125 H9
Dhanushkodi India 9°11N 79°24E 127 K4
Dhar India 22°35N 75°26E 124 H6
Dharampur India 22°13N 75°18E 124 H6
Dharamsala = Dharmsala India 32°16N 76°23E 124 C7
Dharan Nepal 26°49N 87°17E 125 F12
Dharangaon India 21°1N 75°16E 126 D2
Dharapuram India 10°45N 77°34E 127 J3
Dhariwal India 31°57N 75°19E 124 D6
Dharla → Bangla. 25°46N 89°42E 125 G13
Dharmapuri India 12°10N 78°10E 127 H4
Dharmavaram India 14°29N 77°44E 127 G3
Dharmjaygarh India 22°28N 83°13E 125 H10
Dharmsala India 32°16N 76°23E 124 C7
Dharni India 21°33N 76°53E 124 J7
Dharug △ Australia 33°20S 151°2E 153 B9
Dharur India 18°3N 76°8E 126 E3
Dharwad India 15°30N 75°4E 127 G2
Dhasan → India 25°48N 79°24E 125 G8
Dhaulagiri Nepal 28°39N 83°28E 125 E10
Dhebar, L. India 24°10N 74°0E 124 G6
Dheftera Cyprus 35°5N 33°16E 101 D12
Dhenkanal India 20°45N 85°35E 126 D7
Dherinia Cyprus 35°3N 33°57E 101 D12
Dheskáti = Deskati Greece 39°55N 21°49E 96 G5
Dhī Qār □ Iraq 31°0N 46°15E 128 D5
Dhiarrizos → Cyprus 34°41N 32°34E 101 E11
Dhībān Jordan 31°30N 35°46E 130 D4
Dhilwan India 31°31N 75°21E 124 D6
Dhimarkhera India 23°28N 80°22E 125 H9
Dholka India 22°44N 72°29E 124 H5
Dhomokós = Domokos Greece 39°10N 22°18E 98 B4
Dhond = Daund India 18°26N 74°40E 126 E2
Dhone India 15°25N 77°53E 127 G3
Dhoraji India 21°45N 70°37E 124 J4
Dhorpatan Nepal 28°29N 83°4E 125 E10
Dhragonísi = Tragonhsi Greece 37°27N 25°29E 99 D7
Dhrangadhra India 22°59N 71°31E 124 H4
Dhrol India 22°33N 70°25E 124 H4
Dhuburi India 26°2N 89°59E 123 F16
Dhule India 20°58N 74°50E 126 D2
Di-ib, W. → Sudan 22°38N 36°6E 137 C4
Di Linh Vietnam 11°35N 108°4E 121 G7
Di Linh, Cao Nguyen Vietnam 11°30N 108°0E 121 G7
Dia Greece 35°28N 25°14E 101 D7
Diabakania Guinea 10°38N 10°58W 138 C2
Diablo Range U.S.A. 37°20N 121°25W 170 J5
Diafarabé Mali 14°9N 4°57W 138 C4
Diala Mali 14°10N 9°58W 138 C3
Dialakoro Mali 12°18N 7°54W 138 C3
Dialakoto Senegal 13°21N 13°19W 138 C2
Diallassagou Mali 13°47N 3°41W 138 C4
Diamante Argentina 32°5S 60°40W 190 C3
Diamante Italy 39°41N 15°49E 95 C8
Diamante → Argentina 34°30S 66°46W 190 C2
Diamantina Brazil 18°17S 43°40W 189 D2
Diamantina → Australia 26°45S 139°10E 151 D2
Diamantina △ Australia 23°33S 141°23E 150 C3
Diamantino Brazil 14°30S 56°30W 187 F7
Diamond Bar U.S.A. 34°1N 117°48W 171 L9
Diamond Harbour India 22°11N 88°14E 125 H13
Diamond Is. Australia 17°25S 151°5E 150 B5
Diamond Mts. U.S.A. 39°40N 115°50W 168 G6
Diamond Springs U.S.A. 38°42N 120°49W 170 G6
Diamou Mali 14°5N 11°16W 138 C2
Dian Chi China 24°50N 102°43E 116 E4
Dianalund Denmark 55°32N 11°30E 63 J5
Dianbai China 21°33N 111°0E 117 G8
Diancheng China 21°30N 111°4E 117 G8
Dianjiang China 30°24N 107°20E 116 B6
Diano Marina Italy 43°54N 8°5E 92 E5
Dianópolis Brazil 11°38S 46°50W 189 C1
Dianra Ivory C. 8°45N 6°14W 138 D3
Diaoyu Dao = Senkaku-Shotō E. China Sea 25°45N 123°30E 113 M1
Diaoyu Tai = Senkaku-Shotō E. China Sea 25°45N 123°30E 113 M1
Diapaga Burkina Faso 12°5N 1°46E 139 C5
Diapangou Burkina Faso 12°5N 0°10E 139 C5
Diariguila Guinea 10°35N 10°2W 138 C2
Diavolo, Mt. India 12°40N 92°56E 127 H11
Diba = Dibbā al Ḩişn U.A.E. 25°45N 56°16E 129 E8
Dibagah Iraq 35°52N 43°48E 105 E10
Dibai India 28°13N 78°15E 124 E8
Dibaya Dem. Rep. of the Congo 6°30S 22°57E 140 F4
Dibaya-Lubue Dem. Rep. of the Congo 4°12S 19°54E 140 E3
Dibbā al Ḩişn U.A.E. 25°45N 56°16E 129 E8
Dibbeen △ Jordan 32°20N 35°45E 130 C4
Dibër □ Albania 41°30N 20°20E 96 E4
D'Iberville, Lac Canada 55°55N 73°15W 164 A5
Dibete Botswana 23°45S 26°32E 144 B4
Dibrugarh India 27°29N 94°55E 123 F19
Dickens U.S.A. 33°37N 100°50W 176 E4
Dickinson U.S.A. 46°53N 102°47W 172 B2
Dickson U.S.A. 36°5N 87°23W 177 C11
Dickson City U.S.A. 41°28N 75°36W 175 E9
Dicle Barajı Turkey 38°20N 40°11E 105 C9
Dicle Nehri → Turkey 37°44N 41°10E 105 D9
Dicomano Italy 43°53N 11°31E 93 E8
Didiéni Mali 13°53N 8°6W 138 C3
Didim Turkey 37°22N 27°16E 99 D9
Didimoticho Greece 41°22N 26°29E 97 E10
Didsbury Canada 51°35N 114°10W 162 C6
Didwana India 27°23N 74°36E 124 F6
Die France 44°47N 5°22E 73 D9
Diébougou Burkina Faso 11°0N 3°15W 138 C4
Diecke Guinea 7°27N 8°54W 138 D3
Diefenbaker, L. Canada 51°0N 106°55W 163 C7
Diego de Almagro Chile 26°22S 70°3W 190 B1
Diego Garcia Ind. Oc. 7°50S 72°50E 146 E6
Diego Ramírez, Islas Chile 56°30S 68°44W 192 E3
Diego Suarez = Antsiranana Madag. 12°25S 49°20E 141 G9
Diekirch Lux. 49°52N 6°10E 69 E6
Diéma Mali 14°32N 9°12W 138 C3
Diembéring Senegal 12°29N 16°47W 138 C1
Diemelsee ⌂ Germany 51°20N 8°40E 76 D4
Dien Ban Vietnam 15°53N 108°16E 120 E7
Dien Bien Phu Vietnam 21°20N 103°0E 116 G4
Dien Chau, Vinh Vietnam 19°0N 105°55E 120 C5
Dien Khanh Vietnam 12°15N 109°6E 121 F7
Diepholz Germany 52°37N 8°22E 76 C4
Dieppe France 49°54N 1°4E 70 C8
Dierks U.S.A. 34°7N 94°1W 176 D7
Diest Belgium 50°58N 5°4E 69 D5
Dietikon Switz. 47°24N 8°24E 77 H4
Dieulefit France 44°32N 5°4E 73 D9
Dieuze France 48°49N 6°43E 71 D13
Dif Somalia 0°59N 40°58E 131 G3
Diffa Niger 13°18N 12°36E 139 C7
Diffa □ Niger 14°0N 12°30E 139 C7
Differdange Lux. 49°31N 5°54E 69 E5
Dig India 27°28N 77°20E 124 F7
Digba Dem. Rep. of the Congo 4°25N 25°48E 142 B2
Digby Canada 44°38N 65°50W 165 D6
Digges Is. Canada 62°40N 77°50W 161 E16
Diggi India 26°22N 75°26E 124 F6
Dighinala Bangla. 23°15N 92°5E 123 H18
Dighton U.S.A. 38°29N 100°28W 172 F3
Diglur India 18°34N 77°33E 126 E3
Digna Mali 14°48N 8°10W 138 C3
Digne-les-Bains France 44°5N 6°12E 73 D10
Digoin France 46°29N 4°1E 71 F11
Digor Turkey 40°22N 43°25E 105 B10
Digos Phil. 6°45N 125°20E 119 C7
Digranes Iceland 66°4N 14°44W 60 C6
Digras India 20°6N 77°45E 126 D3
Digul → Indonesia 7°7S 138°42E 119 F9
Digya △ Ghana 7°15N 0°5E 139 D5
Dihang = Brahmaputra → Asia 23°40N 90°35E 125 H13
Dijlah, Nahr → Asia 31°0N 47°25E 128 D5
Dijon France 47°20N 5°3E 71 E12
Dikhil Djibouti 11°8N 42°20E 131 E3
Dikili Turkey 39°4N 26°53E 99 B8
Dikirnis Egypt 31°6N 31°35E 137 E7
Dikodougou Ivory C. 9°4N 5°45W 138 D3
Diksmuide Belgium 51°2N 2°52E 69 C2
Dikson Russia 73°40N 80°5E 106 B9
Dikti Oros Greece 35°8N 25°30E 101 D7
Dikwa Nigeria 12°4N 13°30E 139 C7
Dila Ethiopia 6°21N 38°22E 131 F2
Dilek Yarimadisi △ Turkey 37°40N 27°10E 99 D9
Dili E. Timor 8°39S 125°34E 119 F7
Diligent Strait India 12°11N 92°57E 127 H11
Dilijan Armenia 40°46N 44°57E 87 K7
Dilinata Greece 38°13N 20°31E 98 C2
Dilj Croatia 45°29N 18°1E 80 E3
Dillenburg Germany 50°43N 8°17E 76 E4
Dilley U.S.A. 28°40N 99°10W 176 G5
Dilli = Delhi India 28°39N 77°13E 124 E7
Dilli Mali 15°1N 7°40W 138 C3
Dillingen Bayern, Germany 48°36N 10°30E 77 G6
Dillingen Saarland, Germany 49°22N 6°43E 77 F2
Dillingham U.S.A. 59°3N 158°28W 166 D8
Dillon Canada 55°56N 108°35W 163 B7
Dillon Mont., U.S.A. 45°13N 112°38W 168 D7
Dillon S.C., U.S.A. 34°25N 79°22W 177 D15
Dillon → Canada 55°56N 108°56W 163 B7
Dillsburg U.S.A. 40°7N 77°2W 174 F7
Dilolo Dem. Rep. of the Congo 10°28S 22°18E 140 G4
Dilos Greece 37°23N 25°15E 99 D7
Dilove Ukraine 47°56N 24°11E 81 C9
Dimapur India 25°54N 93°45E 110 F7
Dimas Mexico 23°43N 106°47W 180 C3
Dimashq Syria 33°30N 36°18E 130 B5
Dimashq □ Syria 33°30N 36°30E 130 B5
Dimbaza S. Africa 32°50S 27°14E 145 D4
Dimbokro Ivory C. 6°45N 4°46W 138 D4
Dimboola Australia 36°28S 142°7E 152 D5
Dîmbovița = Dâmbovița → Romania 44°12N 26°26E 81 F11
Dimbulah Australia 17°8S 145°4E 150 B4
Dimitrovgrad Bulgaria 42°5N 25°35E 97 D9
Dimitrovgrad Russia 54°14N 49°39E 86 C9
Dimitrovgrad Serbia 43°2N 22°48E 96 C6
Dimitrovo = Pernik Bulgaria 42°35N 23°2E 96 D7
Dimitsana Greece 37°36N 22°3E 98 D4
Dimmitt U.S.A. 34°33N 102°19W 176 D3
Dimona Israel 31°2N 35°1E 130 D4
Dimovo Bulgaria 43°43N 22°50E 96 C6
Dinagat I. Phil. 10°10N 125°40E 119 B7
Dinajpur Bangla. 25°33N 88°43E 123 G16
Dinan France 48°28N 2°2W 70 D4
Dīnān Āb Iran 32°4N 56°49E 129 C8
Dinant Belgium 50°16N 4°55E 69 D4
Dinapur India 25°38N 85°5E 125 G11
Dinar Turkey 38°5N 30°10E 99 C12
Dīnār, Kūh-e Iran 30°42N 51°46E 129 D6
Dinara Planina Croatia 44°0N 16°30E 93 D13
Dinard France 48°38N 2°6W 70 D4
Dinaric Alps = Dinara Planina Croatia 44°0N 16°30E 93 D13
Dinbych-y-Pysgod = Tenby U.K. 51°40N 4°42W 67 F3
Dindanko Mali 14°8N 9°30W 138 C3
Dindi → India 16°24N 78°15E 127 F4
Dindigul India 10°25N 78°0E 127 J4
Dindori India 22°57N 81°5E 125 H9
Ding Xian = Dingzhou China 38°30N 114°59E 114 E8
Dinga Pakistan 25°26N 67°10E 124 G2

Ding'an *China* 19°42N 110°19E **117** a
Dingbian *China* 37°35N 107°32E **114** F4
Dingelstädt *Germany* 51°18N 10°19E **76** D6
Dingle *Ireland* 52°9N 10°17W **64** D1
Dingle *Sweden* 58°32N 11°35E **63** F5
Dingle B. *Ireland* 52°3N 10°20W **64** D1
Dingle Pen. *Ireland* 52°12N 10°5W **64** D1
Dingmans Ferry
U.S.A. 41°13N 74°55W **175** E10
Dingnan *China* 24°45N 115°0E **117** E10
Dingo *Australia* 23°38S 149°19E **150** C4
Dingolfing *Germany* 48°37N 12°30E **77** G8
Dingtao *China* 35°5N 115°35E **114** G8
Dinguiraye *Guinea* 11°18N 10°49W **138** C2
Dingwall *U.K.* 57°36N 4°26W **65** D4
Dingxi *China* 35°30N 104°33E **114** G3
Dingxiang *China* 38°30N 112°58E **114** E7
Dingyuan *China* 32°32N 117°41E **117** A11
Dingzhou *China* 38°30N 114°59E **114** E8
Dinh, Mui *Vietnam* 11°22N 109°1E **121** G7
Dinh Lap *Vietnam* 21°33N 107°6E **116** G6
Dinin → *Ireland* 52°43N 7°18W **64** D4
Dinira △ *Venezuela* 9°57N 70°6W **183** E6
Dinokwe *Botswana* 23°29S 26°37E **144** B4
Dinorwic *Canada* 49°41N 92°30W **163** D10
Dinosaur ⌂ *Canada* 50°47N 111°30W **162** C6
Dinosaur ⌂ *U.S.A.* 40°30N 108°45W **168** F9
Dinuba *U.S.A.* 36°32N 119°23W **170** J7
Diö *Sweden* 56°37N 14°15E **63** H8
Dioïla *Mali* 12°23N 6°50W **138** C3
Dioka *Mali* 14°57N 10°4W **138** C2
Diongoï *Mali* 14°38N 8°34W **138** C3
Dionisades *Greece* 35°20N 26°10E **101** D8
Diósgyör *Hungary* 48°7N 20°43E **80** B5
Diosig *Romania* 47°18N 22°2E **80** C7
Diougani *Mali* 14°19N 2°44W **138** C4
Diouloulou *Senegal* 13°5N 16°38W **138** C1
Dioura *Mali* 14°59N 5°12W **138** C3
Diourbel *Senegal* 14°39N 16°12W **138** C1
Diourbel □ *Senegal* 14°45N 16°15W **138** C1
Dipalpur *Pakistan* 30°40N 73°39E **124** D5
Dipkarpaz = Rizokarpaso
Cyprus 35°36N 34°23E **101** D13
Diplo *Pakistan* 24°35N 69°35E **124** G3
Dipolog *Phil.* 8°36N 123°20E **119** C6
Dipperu △ *Australia* 21°56S 148°42E **150** C4
Dipton *N.Z.* 45°54S 168°22E **155** F3
Dir *Pakistan* 35°8N 71°59E **122** B7
Diré *Mali* 16°20N 3°25W **138** B4
Dire Dawa *Ethiopia* 9°35N 41°45E **131** F3
Dirfis Oros *Greece* 38°40N 23°54E **98** C5
Diriamba *Nic.* 11°51N 86°19W **182** D2
Dirk Hartog I. *Australia* 25°50S 113°5E **149** E1
Dirranbandi *Australia* 28°33S 148°17E **151** D4
Disa *India* 24°18N 72°10E **124** G5
Disappointment, C.
U.S.A. 46°18N 124°5W **170** D2
Disappointment, L.
Australia 23°20S 122°40E **148** D3
Disaster B. *Australia* 37°15S 149°58E **153** D8
Discovery B. *Australia* 38°10S 140°40E **152** E4
Discovery B. *China* 22°18N 114°1E **111** a
Discovery Bay △
Australia 38°9S 141°16E **152** E4
Discovery Seamount
Atl. Oc. 42°0S 0°10E **56** L12
Disentis Muster *Switz.* 46°42N 8°50E **77** J4
Dishna *Egypt* 26°9N 32°32E **137** B3
Disina *Nigeria* 11°35N 9°50E **139** C6
Disko = Qeqertarsuaq
Greenland 69°45N 53°30W **57** D5
Disko Bugt *Greenland* 69°10N 52°0W **57** D5
Disna = Dzisna →
Belarus 55°34N 28°12E **84** E5
Disneyland Hong Kong
China 22°19N 114°2E **111** a
Diss *U.K.* 52°23N 1°7E **67** E9
Disteghil Sar *Pakistan* 36°20N 75°12E **125** A6
District of Columbia □
U.S.A. 38°55N 77°0W **173** F15
Distrito Federal □
Brazil 15°45S 47°45W **189** D1
Distrito Federal □
Mexico 19°15N 99°10W **181** D5
Disûq *Egypt* 31°8N 30°35E **137** E7
Diu *India* 20°45N 70°58E **124** J4
Dīvāndarreh *Iran* 35°55N 47°2E **105** E12
Dives → *France* 49°18N 0°7W **70** C6
Dives-sur-Mer *France* 49°18N 0°8W **70** C6
Divi Pt. *India* 15°59N 81°9E **127** G5
Divichi = Däväçi
Azerbaijan 41°15N 48°57E **87** K9
Divide *U.S.A.* 45°45N 112°45W **168** D7
Dividing Ra. *Australia* 27°45S 116°0E **149** E2
Divinópolis *Brazil* 20°10S 44°54W **189** E2
Divjake *Albania* 41°0N 19°32E **96** F3
Divnoye *Russia* 45°55N 43°21E **87** H6
Divo *Ivory C.* 5°48N 5°15W **138** D3
Divriği *Turkey* 39°22N 38°7E **105** C8
Dīwāl Kol *Afghan.* 34°23N 67°52E **124** B2
Dixie Mt. *U.S.A.* 39°55N 120°16W **170** F6
Dixie Union *U.S.A.* 31°20N 82°28W **178** D7
Dixon *Calif., U.S.A.* 38°27N 121°49W **170** G5
Dixon *Ill., U.S.A.* 41°50N 89°29W **172** E9
Dixon Entrance *U.S.A.* 54°30N 132°0W **160** G5
Dixville *Canada* 45°4N 71°46W **175** A13
Diyadin *Turkey* 39°33N 43°40E **105** C10
Diyālá □ *Iraq* 33°45N 44°50E **128** C5
Diyālá → *Iraq* 33°13N 44°30E **105** F11
Diyarbakır *Turkey* 37°55N 40°18E **105** D9
Diyarbakır □ *Turkey* 38°0N 40°10E **105** D9
Diyodar *India* 24°8N 71°50E **124** G4
Dizangué *Cameroon* 3°46N 9°59E **139** E6
Djakarta = Jakarta
Indonesia 6°9S 106°52E **118** F3
Djamâa *Algeria* 33°32N 5°59E **136** B5
Djamba *Angola* 16°45S 13°58E **144** A1
Djambala *Congo* 2°32S 14°30E **140** E2
Djanet *Algeria* 24°35N 9°32E **136** D5
Djawa = Jawa *Indonesia* 7°0S 110°0E **118** F3
Djebel Tazzeka △
Morocco 34°6N 4°11W **136** B3
Djebiniana *Tunisia* 35°1N 11°0E **136** A6
Djelfa *Algeria* 34°40N 3°15E **136** B4
Djelfa □ *Algeria* 34°20N 3°40E **136** B4
Djema *C.A.R.* 6°3N 25°15E **142** A2
Djémila *Algeria* 36°19N 5°44E **136** A5
Djendel *Algeria* 36°15N 2°25E **136** A4
Djenné *Mali* 14°0N 4°30W **138** C4
Djenoun, Garet el *Algeria* 25°4N 5°31E **136** C5
Djerba *Tunisia* 33°48N 10°54E **136** B6
Djerba, Î. de *Tunisia* 33°50N 10°48E **135** B8
Djerid, Chott *Tunisia* 33°42N 8°30E **136** B5
Djibo *Burkina Faso* 14°9N 1°35W **139** C4
Djibouti *Djibouti* 11°30N 43°5E **131** E3
Djibouti ■ *Africa* 12°0N 43°0E **131** E3
Djolu
Dem. Rep. of the Congo 0°35N 22°5E **140** D4
Djoudj △ *Senegal* 16°24N 16°14W **138** B1
Djougou *Benin* 9°40N 1°45E **139** D5
Djoum *Cameroon* 2°41N 12°35E **140** D2
Djourab, Erg du *Chad* 16°40N 18°50E **135** E9
Djugu
Dem. Rep. of the Congo 1°55N 30°35E **142** B3
Djukbinj △ *Australia* 12°11S 131°2E **148** B5
Djúpivogur *Iceland* 64°39N 14°17W **60** D6
Djurås *Sweden* 60°34N 15°8E **62** D9
Djurdjura △ *Algeria* 36°20N 4°15E **136** A4
Djurö △ *Sweden* 58°52N 13°28E **63** F7
Djursland *Denmark* 56°27N 10°45E **63** H4
Dmitriya Lapteva, Proliv
Russia 73°0N 140°0E **107** B15
Dmitriyev Lgovskiy
Russia 52°10N 35°0E **85** F8
Dmitrov *Russia* 56°25N 37°32E **84** D9
Dmitrovsk-Orlovskiy
Russia 52°29N 35°10E **85** F8
Dnepr = Dnipro →
Ukraine 46°30N 32°18E **85** J7
Dneprodzerzhinsk =
Dniprodzerzhynsk
Ukraine 48°32N 34°37E **85** H8
Dneprodzerzhinskoye Vdkhr. =
Dniprodzerzhynske Vdskh.
Ukraine 48°49N 34°8E **85** H8
Dnepropetrovsk =
Dnipropetrovsk
Ukraine 48°30N 35°0E **85** H8
Dneprorudnoye = Dniprorudne
Ukraine 47°21N 34°58E **85** J8
Dnestr = Dnister →
Europe 46°18N 30°17E **75** E16
Dnieper = Dnipro →
Ukraine 46°30N 32°18E **85** J7
Dniester = Dnister →
Europe 46°18N 30°17E **75** E16
Dnipro → *Ukraine* 46°30N 32°18E **85** J7
Dniprodzerzhynsk
Ukraine 48°32N 34°37E **85** H8
Dniprodzerzhynske Vdskh.
Ukraine 48°49N 34°8E **85** H8
Dnipropetrovsk *Ukraine* 48°30N 35°0E **85** H8
Dnipropetrovsk □
Ukraine 48°15N 34°50E **85** H8
Dniprorudne *Ukraine* 47°21N 34°58E **85** J8
Dnister → *Europe* 46°18N 30°17E **75** E16
Dnistrovskyy Lyman
Ukraine 46°15N 30°17E **85** J6
Dno *Russia* 57°50N 29°58E **84** D5
Dnyapro = Dnipro →
Ukraine 46°30N 32°18E **85** J7
Do Gonbadān = Gachsārān
Iran 30°15N 50°45E **129** D6
Doaktown *Canada* 46°33N 66°8W **165** C6
Doan Hung *Vietnam* 21°30N 105°10E **116** G5
Doba *Chad* 8°40N 16°50E **135** G9
Dobandi *Pakistan* 31°13N 66°50E **124** D2
Dobbiaco *Italy* 46°44N 12°14E **93** B9
Dobbyn *Australia* 19°44S 140°2E **150** B3
Dobczyce *Poland* 49°52N 20°5E **83** J7
Dobele *Latvia* 56°37N 23°16E **82** B10
Döbeln *Germany* 51°6N 13°7E **76** D9
Doberai, Jazirah
Indonesia 1°25S 133°0E **119** E8
Dobiegniew *Poland* 52°59N 15°45E **83** F2
Doblas *Argentina* 37°5S 64°0W **190** D3
Dobo *Indonesia* 5°45S 134°15E **119** F8
Doboj *Bos.-H.* 44°46N 18°4E **80** F3
Dobra *Wielkopolskie,*
Poland 51°55N 18°37E **83** G5
Dobra *Zachodnio-Pomorskie,*
Poland 53°34N 15°20E **82** E2
Dobra *Dâmbovita,*
Romania 44°52N 25°40E **81** F10
Dobra *Hunedoara,*
Romania 45°54N 22°36E **80** E7
Dobre Miasto *Poland* 53°58N 20°26E **82** E7
Dobrești *Romania* 46°51N 22°18E **80** D7
Dobrich *Bulgaria* 43°37N 27°49E **97** C11
Dobrich □ *Bulgaria* 43°37N 27°49E **97** C11
Dobrinishte *Bulgaria* 41°49N 23°34E **96** E7
Dobříš *Czech Rep.* 49°46N 14°10E **78** B7
Dobrodzień *Poland* 50°45N 18°25E **83** H5
Dobromyl *Ukraine* 49°34N 22°46E **83** J9
Dobron *Ukraine* 48°25N 22°23E **80** B7
Dobropole *Ukraine* 48°25N 37°2E **85** H9
Dobrovolsk *Russia* 54°46N 22°31E **82** D9
Dobruja *Europe* 44°30N 28°15E **81** F13
Dobrush *Belarus* 52°25N 31°22E **75** B16
Dobrzany *Poland* 53°22N 15°25E **82** E2
Dobrzyń nad Wisłą
Poland 52°39N 19°22E **83** F6
Doc, Mui *Vietnam* 17°58N 106°30E **120** D6
Doce → *Brazil* 19°37S 39°49W **189** D3
Docker River = Kaltukatjara
Australia 24°52S 129°5E **149** D4
Docksta *Sweden* 63°3N 18°18E **62** A12
Doctor Arroyo
Mexico 23°40N 100°11W **180** C4
Doctor Pedro P. Peña
Paraguay 22°27S 62°21W **190** A3
Doctors Inlet *U.S.A.* 30°6N 81°47W **178** E8
Doda *India* 33°10N 75°34E **125** C6
Doda, L. *Canada* 49°25N 75°13W **164** C4
Doda Betta *India* 11°24N 76°44E **127** J3
Dodballapur *India* 13°18N 77°32E **127** H3
Dodecanese = Dodekanisa
Greece 36°35N 27°0E **99** E8
Dodekanisa *Greece* 36°35N 27°0E **99** E8
Dodge City *U.S.A.* 37°45N 100°1W **172** G3
Dodge L. *Canada* 59°50N 105°36W **163** B7
Dodgeville *U.S.A.* 42°58N 90°8W **172** D8
Dodo *Cameroon* 7°30N 12°3E **139** D7
Dodoma *Tanzania* 6°8S 35°45E **142** D4
Dodoma □ *Tanzania* 6°0S 36°0E **142** D4
Dodoni *Greece* 39°40N 20°46E **98** B2
Dodori ⌂ *Kenya* 1°55S 41°7E **142** C5
Dodsland *Canada* 51°50N 108°45W **163** C7
Dodson *U.S.A.* 48°24N 108°15W **168** B9
Dodurga *Turkey* 39°49N 29°57E **99** B11
Doerun *U.S.A.* 31°19N 83°55W **178** D6
Doesburg *Neths.* 52°1N 6°9E **69** B6
Doetinchem *Neths.* 51°59N 6°18E **69** C6
Dog Creek *Canada* 51°35N 122°14W **162** C4
Dog I. *U.S.A.* 29°48N 84°36W **178** F5
Dog L. *Man., Canada* 51°2N 98°31W **163** C9
Dog L. *Ont., Canada* 48°48N 89°30W **164** C2
Doğanşehir *Turkey* 38°5N 37°53E **104** C7
Dogliani *Italy* 44°32N 7°56E **92** D4
Dogondoutchi *Niger* 13°38N 4°2E **139** C5
Dogons, Land of the =
Bandiagara, Falaise de
Mali 14°14N 3°29W **138** D4
Dogran *Pakistan* 31°48N 73°35E **124** D5
Doğubayazıt *Turkey* 39°31N 44°5E **105** C11
Doguéraoua *Niger* 14°0N 5°31E **139** C6
Doha = Ad Dawḥah
Qatar 25°15N 51°35E **129** E6
Doha Int. ✈ (DOH)
Qatar 25°16N 51°34E **129** E6
Dohazari *Bangla.* 22°10N 92°5E **123** H18
Dohrighat *India* 26°16N 83°31E **125** F10
Doi *Indonesia* 2°14N 127°49E **119** D7
Doi Inthanon *Thailand* 18°35N 98°29E **120** C2
Doi Inthanon △
Thailand 18°33N 98°34E **120** C2
Doi Khuntan △
Thailand 18°33N 99°14E **120** C2
Doi Luang *Thailand* 18°30N 101°0E **120** C3
Doi Luang △ *Thailand* 19°22N 99°35E **120** C2
Doi Phukha △ *Thailand* 19°8N 101°9E **120** C3
Doi Saket *Thailand* 18°52N 99°9E **120** C2
Doi Suthep Pui △
Thailand 18°49N 98°53E **120** C2
Doi Toa *Thailand* 17°55N 98°30E **120** D2
Dois Irmãos, Sa. *Brazil* 9°0S 42°30W **189** B2
Dojransko Jezero
Macedonia 41°13N 22°44E **96** E6
Dokdo = Liancourt Rocks
Asia 37°15N 131°52E **113** F5
Dokkum *Neths.* 53°20N 5°59E **69** A5
Dokos *Greece* 37°20N 23°20E **98** D5
Dokri *Pakistan* 27°25N 68°7E **124** F3
Dokuchayevsk *Ukraine* 47°44N 37°40E **85** J9
Dol-de-Bretagne *France* 48°34N 1°47W **70** D5
Dolak, Pulau *Indonesia* 8°0S 138°30E **119** F9
Dolbeau-Mistassini
Canada 48°53N 72°14W **165** C5
Dole *France* 47°7N 5°31E **71** E12
Dolenji Logatec = Logatec
Slovenia 45°56N 14°15E **93** C11
Dolgellau *U.K.* 52°45N 3°53W **66** E4
Dolgelley = Dolgellau
U.K. 52°45N 3°53W **66** E4
Dolhasca *Romania* 47°26N 26°36E **81** C11
Doliana *Greece* 39°54N 20°32E **98** B2
Dolianova *Italy* 39°22N 9°10E **94** C2
Dolinsk *Russia* 47°21N 142°48E **107** E15
Dolinskaya = Dolynska
Ukraine 48°6N 32°46E **85** H7
Dolj □ *Romania* 44°10N 23°30E **81** F8
Dollard *Neths.* 53°20N 7°10E **69** A7
Dolna Banya *Bulgaria* 42°18N 23°44E **96** D7
Dolni Chiflik *Bulgaria* 42°59N 27°43E **97** D11
Dolni Dŭbnik *Bulgaria* 43°24N 24°26E **97** C8
Dolnośląskie □ *Poland* 51°10N 16°30E **83** G3
Dolný Kubín
Slovak Rep. 49°12N 19°18E **79** B12
Dolo *Ethiopia* 4°11N 42°3E **131** G3
Dolo *Italy* 45°25N 12°5E **93** C9
Dolomites = Dolomiti
Italy 46°23N 11°51E **93** B8
Dolomiti *Italy* 46°23N 11°51E **93** B8
Dolomiti Bellunesi △
Italy 46°10N 12°5E **93** B9
Dolores *Argentina* 36°20S 57°40W **190** D4
Dolores *Uruguay* 33°34S 58°15W **190** C4
Dolores *U.S.A.* 37°28N 108°30W **169** H9
Dolores → *U.S.A.* 38°49N 109°17W **168** G9
Dolovo *Serbia* 44°55N 20°52E **80** F5
Dolphin, C. *Falk. Is.* 51°10S 59°0W **192** D5
Dolphin and Union Str.
Canada 69°5N 114°45W **160** D9
Dolsk *Poland* 51°59N 17°3E **83** G4
Dolyna *Ukraine* 48°58N 24°1E **81** B9
Dolynska *Ukraine* 48°6N 32°46E **85** H7
Dolynske *Ukraine* 47°32N 29°55E **81** C14
Dolzhanskaya *Russia* 46°37N 37°48E **85** J9
Dom Joaquim *Brazil* 18°57S 43°16W **189** D2
Dom Pedrito *Brazil* 31°0S 54°40W **191** C5
Dom Pedro *Brazil* 4°59S 44°27W **189** A2
Doma *Nigeria* 8°25N 8°18E **139** D6
Doma ⌂ *Zimbabwe* 16°28S 30°12E **143** F3
Domaniç *Turkey* 39°48N 29°36E **99** B11
Domariaganj → *India* 26°17N 83°44E **125** F10
Domasi *Malawi* 15°15S 35°22E **143** F4
Domažlice *Czech Rep.* 49°28N 12°58E **78** B5
Dombarovskiy *Russia* 50°46N 59°32E **106** D6
Dombås *Norway* 62°4N 9°8E **60** E13
Dombasle-sur-Meurthe
France 48°38N 6°21E **71** D13
Dombes *France* 45°58N 5°0E **73** C9
Dombóvár *Hungary* 46°21N 18°9E **80** D3
Dombrád *Hungary* 48°13N 21°54E **80** B6
Dome Argus *Antarctica* 80°50S 76°30E **55** E6
Dome C. *Antarctica* 75°12S 123°37E **55** D9
Dome Fuji *Antarctica* 77°20S 39°45E **55** D5
Domel I. = Letsôk-aw Kyun
Burma 11°30N 98°25E **121** G2
Domérat *France* 46°21N 2°32E **71** F9
Domett *N.Z.* 42°53S 173°12E **155** C8
Domeyko *Chile* 29°0S 71°0W **190** B1
Domeyko, Cordillera
Chile 24°30S 69°0W **190** A2
Domfront *France* 48°37N 0°40W **70** D6
Dominador *Chile* 24°21S 69°20W **190** A2
Dominica ■ *W. Indies* 15°20N 61°20W **183** C7
Dominica Passage
W. Indies 15°10N 61°20W **183** C7
Dominican Rep. ■
W. Indies 19°0N 70°30W **183** C5
Dömitz *Germany* 53°8N 11°15E **76** B7
Domme *France* 44°48N 1°12E **72** D5
Domnești *Romania* 45°12N 24°50E **81** E9
Domodedovo *Russia* 55°26N 37°46E **84** E9
Domodedovo Int., Moscow ✈
(DME) *Russia* 55°24N 37°54E **84** E9
Domodóssola *Italy* 46°7N 8°17E **92** B5
Domogled-Valea Cernei △
Romania 44°52N 22°27E **80** F7
Domokos *Greece* 39°10N 22°18E **98** B4
Dompaire *France* 48°14N 6°14E **71** D13
Dompierre-sur-Besbre
France 46°31N 3°41E **71** F10
Dompim *Ghana* 5°10N 2°5W **138** D4
Domrémy-la-Pucelle
France 48°26N 5°40E **71** D12
Domvena *Greece* 38°15N 22°59E **98** C4
Domville, Mt. *Australia* 28°1S 151°15E **151** D5
Domžale *Slovenia* 46°9N 14°35E **93** B11
Don → *India* 16°20N 76°15E **127** F3
Don → *Russia* 47°4N 39°18E **85** J10
Don → *Aberds., U.K.* 57°11N 2°5W **65** D6
Don → *S. Yorks., U.K.* 53°41N 0°52W **66** D7
Don, C. *Australia* 11°18S 131°46E **148** B5
Don Benito *Spain* 38°53N 5°51W **89** G5
Don Figuerero Mts.
Jamaica 18°5N 77°36W **182** a
Don Sak *Thailand* 9°18N 99°41E **121** b
Dona Ana = Nhamaabué
Mozam. 17°25S 35°5E **143** F4
Doña Mencía *Spain* 37°33N 4°21W **89** H6
Donaghadee *U.K.* 54°39N 5°33W **64** B6
Donaghmore *Ireland* 52°52N 7°36W **64** D4
Donald *Australia* 36°23S 143°0E **152** D5
Donaldsonville *U.S.A.* 30°6N 90°59W **176** F9
Donalsonville *U.S.A.* 31°3N 84°53W **178** D5
Doñana △ *Spain* 36°59N 6°23W **89** J4
Donau = Dunărea →
Europe 45°20N 29°40E **81** E14
Donau → *Austria* 48°10N 17°0E **79** C10
Donau Auen △ *Austria* 48°8N 16°44E **79** C9
Donaueschingen
Germany 47°56N 8°29E **77** H4
Donauwörth *Germany* 48°43N 10°47E **77** G6
Doncaster *U.K.* 53°32N 1°6W **66** D6
Dondo *Angola* 9°45S 14°25E **140** F2
Dondo *Mozam.* 19°33S 34°46E **143** F3
Dondo, Teluk *Indonesia* 0°50N 120°30E **119** D6
Dondra Head *Sri Lanka* 5°55N 80°40E **127** M5
Donduşeni *Moldova* 48°14N 27°36E **81** B12
Donegal *Ireland* 54°39N 8°5W **64** B3
Donegal □ *Ireland* 54°53N 8°0W **64** B4
Donegal B. *Ireland* 54°31N 8°49W **64** B3
Donets → *Russia* 47°33N 40°55E **87** G5
Donets Basin *Ukraine* 49°0N 38°0E **58** F13
Donetsk *Ukraine* 48°0N 37°45E **85** J9
Donetsk □ *Ukraine* 47°30N 37°50E **85** J9
Dong Ba Thin *Vietnam* 12°8N 109°13E **121** F7
Dong Dang *Vietnam* 21°54N 106°42E **116** G6
Dong Giam *Vietnam* 19°25N 105°31E **120** C5
Dong Ha *Vietnam* 16°55N 107°8E **120** D6
Dong Hene *Laos* 16°40N 105°18E **120** D5
Dong Hoi *Vietnam* 17°29N 106°36E **120** D6
Dong Jiang → *China* 23°6N 114°0E **117** F10
Dong Khe *Vietnam* 22°26N 106°27E **120** A6
Dong Phayayen
Thailand 14°20N 101°22E **120** E3
Dong Ujimqin Qi
China 45°32N 116°55E **114** B9
Dong Van *Vietnam* 23°16N 105°22E **120** A5
Dong Xoai *Vietnam* 11°32N 106°55E **121** G6
Donga *Nigeria* 7°45N 10°2E **139** D7
Donga → *Nigeria* 8°20N 9°58E **139** D7
Dong'an *China* 26°23N 111°12E **117** D8
Dongara *Australia* 29°14S 114°57E **149** E1
Dongargarh *India* 21°10N 80°40E **126** D5
Dongbei *China* 45°0N 125°0E **115** D13
Dongchuan *China* 26°8N 103°1E **116** D4
Donges *France* 47°18N 2°4W **70** E4
Dongfang *China* 18°50N 108°33E **117** a
Dongfeng *China* 42°40N 125°34E **115** C13
Donggala *Indonesia* 0°30S 119°40E **119** E5
Donggan *China* 23°22N 105°9E **116** F5
Donggou *China* 39°52N 124°10E **115** E13
Dongguan *China* 22°58N 113°44E **117** F9
Dongguang *China* 37°50N 116°30E **114** F9
Donghae *S. Korea* 37°29N 129°7E **115** F15
Donghai Dao *China* 21°0N 110°15E **117** G8
Dongjingcheng *China* 44°5N 129°10E **115** B15
Dongkou *China* 27°6N 110°35E **117** D8
Donglan *China* 24°30N 107°21E **116** E6
Dongliao He →
China 42°58N 123°32E **115** C12
Dongliu *China* 30°13N 116°55E **117** B11
Dongmen *China* 22°20N 107°48E **116** F6
Dongning *China* 44°2N 131°5E **115** B16
Dongnyi *China* 28°3N 100°15E **116** C3
Dongola *Sudan* 19°9N 30°22E **137** D3
Dongping *China* 35°55N 116°20E **114** G9
Dongsha Dao
S. China Sea 20°45N 116°43E **111** G12
Dongshan *China* 23°43N 117°30E **117** F11
Dongsheng = Ordos
China 39°50N 110°0E **114** E6
Dongtai *China* 32°51N 120°21E **117** A13
Dongting Hu *China* 29°18N 112°45E **117** C9
Dongtou *China* 27°51N 121°10E **117** D13
Dongxiang *China* 28°11N 116°34E **117** C11
Dongxing *China* 21°34N 108°0E **116** G7
Dongyang *China* 29°13N 120°15E **117** C13
Dongying *China* 37°37N 118°37E **115** F10
Dongyinggang *China* 37°55N 118°58E **115** F10
Dongzhi *China* 30°9N 117°0E **117** B11
Donington, C. *Australia* 34°45S 136°0E **152** C2
Doniphan *U.S.A.* 36°37N 90°50W **172** G8
Donja Stubica *Croatia* 45°59N 15°59E **93** C12
Donji Dušnik *Serbia* 43°12N 22°5E **96** C6
Donji Miholjac *Croatia* 45°45N 18°10E **80** E3
Donji Milanovac *Serbia* 44°28N 22°6E **96** B6
Donji Vakuf *Bos.-H.* 44°8N 17°24E **80** F2
Dønna *Norway* 66°6N 12°30E **60** C15
Donna *U.S.A.* 26°9N 98°4W **176** H5
Donnaconna *Canada* 46°41N 71°41W **165** C5
Donnelly's Crossing
N.Z. 35°42S 173°38E **154** B2
Donner Pass *U.S.A.* 39°19N 120°20W **170** F6
Donnybrook *Australia* 33°34S 115°48E **149** F2
Donnybrook *S. Africa* 29°59S 29°48E **145** C4
Donora *U.S.A.* 40°11N 79°52W **174** F5
Donostia = Donostia-San
Sebastián *Spain* 43°17N 1°58W **90** B3
Donostia-San Sebastián
Spain 43°17N 1°58W **90** B3
Donousa *Greece* 37°8N 25°48E **99** D7
Donskoy *Russia* 53°55N 38°15E **84** F10
Donwood *Canada* 44°19N 78°16W **174** B6
Donzère *France* 44°28N 4°43E **73** D8
Donzy *France* 47°20N 3°6E **71** E10
Dookie *Australia* 36°20S 145°41E **153** D6
Doomadgee *Australia* 17°56S 138°49E **150** B2
Doomadgee ✿
Australia 17°56S 138°42E **150** B2
Doon → *U.K.* 55°27N 4°39W **65** F4
Doon Doon ✿
Australia 16°18S 128°14E **148** C4
Dora, L. *Australia* 22°0S 123°0E **148** D3
Dora Báltea → *Italy* 45°11N 8°3E **92** C5
Dora Ripária → *Italy* 45°5N 7°44E **92** C4
Doran L. *Canada* 61°13N 108°6W **163** A7
Doraville *U.S.A.* 33°54N 84°17W **178** B5
Dorchester *U.K.* 50°42N 2°27W **67** G5
Dorchester, C. *Canada* 65°27N 77°27W **161** D16
Dordabis *Namibia* 22°52S 17°38E **144** B2
Dordogne □ *France* 45°5N 0°40E **72** C4
Dordogne → *France* 45°2N 0°36W **72** C3
Dordrecht *Neths.* 51°48N 4°39E **69** C4
Dordrecht *S. Africa* 31°20S 27°3E **144** D4
Dore → *France* 45°50N 3°35E **72** C7
Dore, Mts. *France* 45°32N 2°50E **72** C6
Doré L. *Canada* 54°46N 107°17W **163** C7
Dores do Indaiá *Brazil* 19°27S 45°36W **189** D1
Dorfen *Germany* 48°15N 12°8E **77** G8
Dorgali *Italy* 40°17N 9°35E **94** B2
Dori *Burkina Faso* 14°3N 0°2W **139** C4
Doring → *S. Africa* 31°54S 18°39E **144** D2
Doringbos *S. Africa* 31°59S 19°16E **144** D2
Dorking *U.K.* 51°14N 0°19W **67** F7
Dormaa-Ahenkro *Ghana* 7°15N 2°52W **138** D4
Dormans *France* 49°4N 3°38E **71** C10
Dornakal *India* 17°27N 80°10E **126** F5
Dornbirn *Austria* 47°25N 9°45E **78** D2
Dornes *France* 46°48N 3°18E **71** F10
Dornești *Romania* 47°52N 26°1E **81** C11
Dornie *U.K.* 57°17N 5°31W **65** D3
Dornoch *Canada* 44°18N 80°51W **174** B4
Dornoch *U.K.* 57°53N 4°2W **65** D4
Dornoch Firth *U.K.* 57°51N 4°4W **65** D4
Dornogovĭ □ *Mongolia* 44°0N 110°0E **114** C6
Doro *Mali* 16°9N 0°51W **139** B4
Doro, Kavo *Greece* 38°9N 24°38E **98** C6
Dorog *Hungary* 47°42N 18°45E **80** C3
Dorogobuzh *Russia* 54°50N 33°18E **84** E7
Dorohoi *Romania* 47°56N 26°23E **81** C11
Döröö Nuur *Mongolia* 48°0N 93°0E **109** C12
Dorr *Iran* 33°17N 50°38E **129** C6
Dorre I. *Australia* 25°13S 113°12E **149** E1
Dorrigo *Australia* 30°20S 152°44E **153** A10
Dorrigo △ *Australia* 30°22S 152°47E **153** A10
Dorris *U.S.A.* 41°58N 121°55W **168** F3
Dorset *Canada* 45°14N 78°54W **174** A6
Dorset *Ohio, U.S.A.* 41°40N 80°40W **174** E4
Dorset *Vt., U.S.A.* 43°15N 73°5W **175** C11
Dorset □ *U.K.* 50°45N 2°26W **67** G5
Dorsten *Germany* 51°40N 6°58E **76** D2
Dortmund *Germany* 51°30N 7°28E **76** D3
Dortmund-Ems-Kanal →
Germany 51°50N 7°26E **76** D3
Dörtyol *Turkey* 36°50N 36°13E **104** D7
Dorum *Germany* 53°41N 8°34E **76** B4
Doruma
Dem. Rep. of the Congo 4°42N 27°33E **142** B2
Dorūneh *Iran* 35°10N 57°18E **129** C8
Dos Bahías, C.
Argentina 44°58S 65°32W **192** B3
Dos Hermanas *Spain* 37°16N 5°55W **89** H5
Dos Palos *U.S.A.* 36°59N 120°37W **170** J6
Döşemealtı *Turkey* 37°4N 30°36E **99** D12
Dosso *Niger* 13°0N 3°13E **139** C5
Dosso □ *Niger* 13°30N 3°30E **139** C5
Dosso ⌂ *Niger* 12°36N 2°36E **139** C5
Dostyq *Kazakhstan* 45°15N 82°29E **109** C10
Dothan *U.S.A.* 31°13N 85°24W **178** D4
Doty *U.S.A.* 46°38N 123°17W **170** D3
Douai *France* 50°21N 3°4E **71** B10
Douako *Guinea* 9°45N 10°8W **138** D2
Douala *Cameroon* 4°0N 9°45E **139** E6
Douarnenez *France* 48°6N 4°21W **70** D2
Doubabougou *Mali* 14°13N 7°59W **138** C3
Double Cone *N.Z.* 45°4S 168°49E **155** F3
Double Island Pt.
Australia 25°56S 153°11E **151** D5
Double Mountain Fork →
U.S.A. 33°16N 100°0W **176** E4
Doubrava → *Czech Rep.* 50°2N 15°20E **78** A8
Doubs □ *France* 47°10N 6°20E **71** E13
Doubs → *France* 46°53N 5°1E **71** F12
Doubtful Sd. *N.Z.* 45°20S 166°49E **155** F1
Doubtless B. *N.Z.* 34°55S 173°26E **154** A2
Doudeville *France* 49°43N 0°47E **70** C7
Doué-la-Fontaine *France* 47°11N 0°16W **70** E6
Douentza *Mali* 14°58N 2°48W **138** C4
Douentza ⌂ *Mali* 15°40N 2°25W **138** B4
Douga *Tunisia* 36°25N 9°13E **136** A5
Dougga *Tunisia* 36°25N 9°13E **136** A5
Doughboy B. *N.Z.* 47°2S 167°40E **155** H2
Douglas *Canada* 45°31N 76°56W **174** A8
Douglas *I. of Man* 54°10N 4°28W **66** C3
Douglas *S. Africa* 29°4S 23°46E **144** C3
Douglas *Ariz., U.S.A.* 31°21N 109°33W **169** L9
Douglas *Ga., U.S.A.* 31°31N 82°51W **178** D7
Douglas *Wyo.,*
U.S.A. 42°45N 105°24W **168** E11
Douglas Apsley △
Australia 41°45S 148°11E **151** G4
Douglas Chan.
Canada 53°40N 129°20W **162** C3
Douglas Pt. *Canada* 44°19N 81°37W **174** B3
Douglasville *U.S.A.* 33°45N 84°45W **178** B5
Douirat *Morocco* 33°2N 4°11W **136** B3
Doukaton, Akra *Greece* 38°34N 20°33E **98** C2
Doukkala-Abda □
Morocco 32°10N 8°50W **136** B2
Doulevant-le-Château
France 48°23N 4°55E **71** D11
Doullens *France* 50°10N 2°20E **71** B9
Doumen *China* 22°10N 113°18E **117** F9
Douna *Mali* 13°13N 6°0W **138** C3
Dounreay *U.K.* 58°35N 3°44W **65** C5
Dourada, Serra *Brazil* 13°10S 48°45W **189** C1
Dourados *Brazil* 22°9S 54°50W **191** A5
Dourados → *Brazil* 21°58S 54°18W **191** A5
Dourados, Serra dos
Brazil 23°30S 53°30W **191** A5
Dourdan *France* 48°30N 2°1E **71** D9
Douro → *Europe* 41°8N 8°40W **88** D2
Douvaine *France* 46°19N 6°16E **71** F13
Douz *Tunisia* 33°25N 9°0E **136** B5
Douze → *France* 43°54N 0°30W **72** E3
Dove → *U.K.* 52°51N 1°36W **66** E6
Dove Creek *U.S.A.* 37°46N 108°54W **169** H9
Dover *Australia* 43°18S 147°2E **151** G4
Dover *U.K.* 51°7N 1°19E **67** F9
Dover *Del., U.S.A.* 39°10N 75°32W **173** F16
Dover *N.H., U.S.A.* 43°12N 70°56W **175** C14
Dover *N.J., U.S.A.* 40°53N 74°34W **175** F10
Dover *Ohio, U.S.A.* 40°32N 81°29W **174** F3
Dover, Pt. *Australia* 32°32S 125°32E **149** F4
Dover, Str. of *Europe* 51°0N 1°30E **67** G9
Dover-Foxcroft
U.S.A. 45°11N 69°13W **173** C19
Dover Plains *U.S.A.* 41°43N 73°35W **175** E11
Dovey = Dyfi → *U.K.* 52°32N 4°3W **67** E3
Dovhe *Ukraine* 48°22N 23°17E **81** B8
Dovrefjell *Norway* 62°15N 9°33E **60** E13
Dovrefjell-Sunndalsfjella △
Norway 62°23N 9°11E **60** E13
Dow Rūd *Iran* 33°28N 49°4E **129** C6
Dowa *Malawi* 13°38S 33°58E **143** E3
Dowagiac *U.S.A.* 41°59N 86°6W **172** E10
Dowerin *Australia* 31°12S 117°2E **149** F2
Dowgha'i *Iran* 36°54N 58°32E **129** B8
Dowlatābād *Kermān,*
Iran 28°20N 56°40E **129** D8
Dowlatābād *Khorāsān,*
Iran 35°16N 59°29E **129** C8
Dowling Park *U.S.A.* 30°15N 83°15W **178** E6
Down □ *U.K.* 54°23N 6°2W **64** B5
Downey *Calif., U.S.A.* 33°56N 118°9W **171** M8
Downey *Idaho, U.S.A.* 42°26N 112°7W **168** E7
Downham Market *U.K.* 52°37N 0°23E **67** E8
Downieville *U.S.A.* 39°34N 120°50W **170** F6
Downpatrick *U.K.* 54°20N 5°43W **64** B6
Downpatrick Hd. *Ireland* 54°20N 9°21W **64** B2
Downsville *U.S.A.* 42°5N 75°0W **175** D10
Downton, Mt. *Canada* 52°42N 124°52W **162** C4
Dowsārī *Iran* 28°25N 57°59E **129** D8
Doxato *Greece* 41°9N 24°16E **97** E8
Doyle *U.S.A.* 40°2N 120°6W **170** E6
Doylestown *U.S.A.* 40°21N 75°10W **175** F9
Dozois, Rés. *Canada* 47°30N 77°5W **164** C4
Dra Khel *Pakistan* 27°58N 66°45E **124** F2
Drâa, C. *Morocco* 28°47N 11°0W **134** C3
Drâa, Hamada du *Algeria* 28°0N 7°0W **136** C2
Drâa, Oued →
Morocco 28°40N 11°10W **136** C1
Drac → *France* 45°12N 5°42E **73** C9
Drac, Coves del *Spain* 39°31N 3°19E **100** B10
Dračevo *Macedonia* 41°56N 21°31E **96** E5
Drachten *Neths.* 53°7N 6°5E **69** A6
Drăgănești *Moldova* 47°43N 28°15E **81** C13
Drăgănești-Olt *Romania* 44°9N 24°32E **81** F9
Drăgănești-Vlașca
Romania 44°5N 25°33E **81** F10
Dragaš = Sharr *Kosovo* 42°5N 20°41E **96** D4
Drăgășani *Romania* 44°39N 24°17E **81** F9
Dragichyn *Belarus* 52°15N 25°8E **75** B13
Dragocvet *Serbia* 43°58N 21°15E **96** C5
Dragon's Mouths
Trin. & Tob. 11°0N 61°50W **187** K15
Dragovishtitsa *Bulgaria* 42°22N 22°39E **96** D6
Draguignan *France* 43°32N 6°27E **73** E10
Drahove *Ukraine* 48°14N 23°33E **81** B8
Drain *U.S.A.* 43°40N 123°19W **168** E2
Drake *U.S.A.* 47°55N 100°23W **172** B3
Drake Passage *S. Ocean* 58°0S 68°0W **55** B17
Drakensberg *S. Africa* 31°0S 28°0E **145** D4
Drama *Greece* 41°9N 24°10E **97** E8
Drammen *Norway* 59°42N 10°12E **61** G14
Drangajökull *Iceland* 66°9N 22°15W **60** C2
Dranov, Ostrovul
Romania 44°55N 29°30E **81** F14
Dras *India* 34°25N 75°48E **125** B6
Drastis, Akra *Greece* 39°48N 19°40E **101** A3
Drau = Drava →
Croatia 45°33N 18°55E **80** E3
Drava → *Croatia* 45°33N 18°55E **80** E3
Dravograd *Slovenia* 46°36N 15°5E **93** B12
Drawa → *Poland* 52°52N 15°59E **83** F2
Drawieński △ *Poland* 53°6N 15°58E **83** E2
Drawno *Poland* 53°13N 15°46E **83** E2
Drawsko Pomorskie
Poland 53°35N 15°50E **82** E2
Drayton *Canada* 43°46N 80°40W **174** C4
Drayton Valley
Canada 53°12N 114°58W **162** C6
Dreieich *Germany* 50°1N 8°41E **77** E4
Drenthe □ *Neths.* 52°52N 6°40E **69** B6
Drepano, Akra *Greece* 35°28N 24°14E **101** D6
Drepanum, C. *Cyprus* 34°54N 32°19E **101** E11
Dresden *Canada* 42°35N 82°11W **174** D2
Dresden *Germany* 51°3N 13°44E **76** D9
Dresden *U.S.A.* 42°41N 76°57W **174** D8
Dreux *France* 48°44N 1°23E **70** D8
Drezdenko *Poland* 52°50N 15°49E **83** F2
Driffield *U.K.* 54°0N 0°26W **66** C7
Driftwood *U.S.A.* 41°20N 78°8W **174** E6
Driggs *U.S.A.* 43°44N 111°6W **168** E8
Drin → *Albania* 42°1N 19°38E **96** D3
Drin i Zi → *Albania* 41°37N 20°28E **96** E4
Drina → *Bos.-H.* 44°53N 19°21E **96** B3
Drincea → *Romania* 44°20N 22°55E **80** F7
Drinjača → *Bos.-H.* 44°15N 19°8E **80** F4
Driopida *Greece* 37°25N 24°26E **98** D6
Drissa = Vyerkhnyadzvinsk
Belarus 55°45N 27°58E **84** E4
Drniš *Croatia* 43°51N 16°10E **93** E13
Drøbak *Norway* 59°39N 10°39E **61** G14
Drobeta-Turnu Severin
Romania 44°39N 22°41E **80** F7
Drobin *Poland* 52°42N 19°58E **83** F6
Drochia *Moldova* 48°2N 27°48E **81** B12
Drogheda *Ireland* 53°43N 6°22W **64** C5
Drogichin = Dragichyn
Belarus 52°15N 25°8E **75** B13
Drogobych = Drohobych
Ukraine 49°20N 23°30E **83** J10
Drohiczyn *Poland* 52°24N 22°39E **83** F9
Drohobych *Ukraine* 49°20N 23°30E **83** J10
Droichead Átha = Drogheda
Ireland 53°43N 6°22W **64** C5
Droichead na Bandan = Bandon
Ireland 51°44N 8°44W **64** E3
Droichead Nua = Newbridge
Ireland 53°11N 6°48W **64** C5
Droitwich *U.K.* 52°16N 2°8W **67** E5
Drôme □ *France* 44°38N 5°15E **73** D9
Drôme → *France* 44°46N 4°46E **73** D8
Dromedary, C.
Australia 36°17S 150°10E **153** D9
Drömling ⌂ *Germany* 52°29N 11°5E **76** C7
Dromore *Down, U.K.* 54°25N 6°9W **64** B5
Dromore *Tyrone, U.K.* 54°31N 7°28W **64** B4
Dromore West *Ireland* 54°15N 8°52W **64** B3
Dronero *Italy* 44°28N 7°22E **92** D4
Dronfield *U.K.* 53°19N 1°27W **66** D6
Dronne → *France* 45°2N 0°9W **72** C3
Dronning Ingrid Land
Greenland 64°25N 52°5W **57** E5
Dronning Maud Land
Antarctica 72°30S 12°0E **55** D3

Dronninglund *Denmark* 57°10N 10°19E **63** G4
Dronten *Neths.* 52°32N 5°43E **69** B5
Dropt → *France* 44°35N 0°6W **72** D3
Drosendorf *Austria* 48°52N 15°37E **78** C8
Droué *France* 48°3N 1°6E **70** D8
Drouin *Australia* 38°10S 145°53E **153** E6
Druk Yul = Bhutan ■ *Asia* 27°25N 90°30E **123** F17
Drumbo *Canada* 43°16N 80°35W **174** C4
Drumcliff *Ireland* 54°20N 8°29W **64** B3
Drumheller *Canada* 51°25N 112°40W **162** C6
Drummond *U.S.A.* 46°40N 113°9W **168** C7
Drummond I. *U.S.A.* 46°1N 83°39W **173** B12
Drummond Pt. *Australia* 34°9S 135°16E **151** E2
Drummond Ra. *Australia* 23°45S 147°10E **150** C4
Drummondville *Canada* 45°55N 72°25W **164** C5
Drumright *U.S.A.* 35°59N 96°36W **176** D6
Druskininkai *Lithuania* 54°3N 23°58E **84** E2
Drut → *Belarus* 53°8N 30°5E **75** B16
Druya *Belarus* 55°45N 27°28E **84** E4
Druzhba *Bulgaria* 43°15N 28°1E **97** C12
Druzhina *Russia* 68°14N 145°18E **107** C15
Druzhkivka *Ukraine* 48°38N 37°32E **85** H9
Drvar *Bos.-H.* 44°21N 16°23E **93** D13
Drvenik *Croatia* 43°27N 16°3E **93** E13
Drwęca → *Poland* 53°0N 18°42E **83** E5
Dry Harbour Mts. *Jamaica* 18°19N 77°24W **182** a
Dry Tortugas *U.S.A.* 24°38N 82°55W **177** J13
Dryander △ *Australia* 20°13S 148°34E **150** b
Dryanovo *Bulgaria* 42°59N 25°28E **97** D9
Dryden *Canada* 49°47N 92°50W **163** D10
Dryden *U.S.A.* 42°30N 76°18W **175** D8
Drygalski I. *Antarctica* 66°0S 92°0E **55** C7
Drygalski Ice Tongue *Antarctica* 75°24S 163°30E **55** D11
Drysdale → *Australia* 13°59S 126°51E **148** B4
Drysdale I. *Australia* 11°41S 136°0E **150** A2
Drysdale River △ *Australia* 14°56S 127°2E **148** B4
Drzewica *Poland* 51°27N 20°29E **83** G7
Drzewiczka → *Poland* 51°36N 20°36E **83** G7
Dschang *Cameroon* 5°32N 10°3E **139** D7
Du Gué → *Canada* 57°21N 70°45W **164** A5
Du He → *China* 32°48N 110°40E **117** A8
Du Quoin *U.S.A.* 38°1N 89°14W **172** F9
Du'an *China* 23°59N 108°3E **116** F7
Duanesburg *U.S.A.* 42°45N 74°11W **175** D10
Duaringa *Australia* 23°42S 149°42E **150** C4
Duarte, Pico *Dom. Rep.* 19°2N 70°59W **183** D5
Dubai = Dubayy *U.A.E.* 25°18N 55°20E **129** E7
Dubăsari *Moldova* 47°15N 29°10E **81** C14
Dubăsari Vdkhr. *Moldova* 47°30N 29°0E **81** C13
Dubawnt → *Canada* 64°33N 100°6W **163** A8
Dubawnt L. *Canada* 63°8N 101°28W **163** A8
Dubayy *U.A.E.* 25°18N 55°20E **129** E7
Dubbo *Australia* 32°11S 148°35E **153** B8
Dube → *Liberia* 5°16N 7°29W **138** D3
Dubele *Dem. Rep. of the Congo* 2°56N 29°35E **142** B2
Dübendorf *Switz.* 47°24N 8°37E **77** H4
Dubica *Bos.-H.* 45°10N 16°50E **93** C13
Dubica *Croatia* 45°11N 16°48E **93** C13
Dublin *Ireland* 53°21N 6°15W **64** C5
Dublin *Ga., U.S.A.* 32°32N 82°54W **178** C7
Dublin *Tex., U.S.A.* 32°5N 98°21W **176** E5
Dublin □ *Ireland* 53°24N 6°20W **64** C5
Dublin ✈ (DUB) *Ireland* 53°26N 6°15W **64** C5
Dubna *Russia* 56°44N 37°10E **84** D9
Dubnica nad Váhom *Slovak Rep.* 48°58N 18°11E **79** C11
Dubno *Ukraine* 50°25N 25°45E **75** C13
Dubois *Idaho, U.S.A.* 44°10N 112°14W **168** D7
DuBois *Pa., U.S.A.* 41°7N 78°46W **174** E6
Dubossary = Dubăsari *Moldova* 47°15N 29°10E **81** C14
Dubove *Ukraine* 48°10N 23°53E **81** B8
Dubovka *Russia* 49°5N 44°50E **87** F7
Dubovskoye *Russia* 47°28N 42°46E **87** G6
Dubrajpur *India* 23°48N 87°25E **125** H12
Dubréka *Guinea* 9°46N 13°31W **138** D2
Dubrovitsa = Dubrovytsya *Ukraine* 51°31N 26°35E **75** C14
Dubrovnik *Croatia* 42°39N 18°6E **96** D2
Dubrovytsya *Ukraine* 51°31N 26°35E **75** C14
Dubuque *U.S.A.* 42°30N 90°41W **172** D8
Dubysa → *Lithuania* 55°5N 23°26E **82** C10
Duc Tho *Vietnam* 18°32N 105°35E **120** C5
Duchang *China* 29°18N 116°12E **117** C11
Duchesne *U.S.A.* 40°10N 110°24W **168** F8
Duchess *Australia* 21°20S 139°50E **150** C2
Ducie I. *Pac. Oc.* 24°40S 124°48W **157** K15
Duck → *U.S.A.* 36°2N 87°52W **177** C11
Duck Cr. → *Australia* 22°37S 116°53E **148** D2
Duck Lake *Canada* 52°50N 106°16W **163** C7
Duck Mountain ⌂ *Canada* 51°45N 101°0W **163** C8
Duckwall, Mt. *U.S.A.* 37°58N 120°7W **170** H6
Duderstadt *Germany* 51°31N 10°15E **76** D6
Dudhi *India* 24°15N 83°10E **125** G10
Dudinka *Russia* 69°30N 86°13E **107** C9
Dudley *U.K.* 52°31N 2°5W **67** E5
Dudley *U.S.A.* 32°32N 83°5W **178** C6
Dudna → *India* 19°17N 76°54E **126** E3
Dudwa *India* 28°30N 80°41E **125** E9
Dudwa △ *India* 28°30N 80°40E **125** E9
Duékoué *Ivory C.* 6°40N 7°15W **138** D3
Dueñas *Spain* 41°52N 4°33W **88** D6
Duero = Douro → *Europe* 41°8N 8°40W **88** D2
Dufftown *U.K.* 57°27N 3°8W **65** D5
Dufourspitz *Switz.* 45°56N 7°52E **77** K3
Dugi Otok *Croatia* 44°0N 15°3E **93** D11
Dugo Selo *Croatia* 45°51N 16°18E **93** C13
Duisburg *Germany* 51°26N 6°45E **76** D2
Duiwelskloof = Modjadjiskloof *S. Africa* 23°42S 30°10E **145** B5
Dujiangyan *China* 31°2N 103°38E **116** B4
Dukat *Albania* 40°16N 19°32E **96** F3
Dūkdamīn *Iran* 35°59N 57°43E **129** C8
Dukelský Průsmyk *Slovak Rep.* 49°25N 21°42E **79** B14
Dukhān *Qatar* 25°25N 50°50E **129** E6
Dukhovshchina *Russia* 55°15N 32°27E **84** E7
Duki *Pakistan* 30°14N 68°25E **122** D6
Dukla *Poland* 49°30N 21°35E **83** J8
Duku *Bauchi, Nigeria* 10°43N 10°43E **139** C7
Duku *Sokoto, Nigeria* 11°11N 4°55E **139** C5
Dukuza = Stanger *S. Africa* 29°27S 31°14E **145** C5
Dulan *China* 36°0N 97°11E **110** D8
Dulce *U.S.A.* 36°56N 107°0W **169** H10
Dulce → *Argentina* 30°32S 62°33W **190** C3
Dulce, G. *Costa Rica* 8°40N 83°20W **182** E3
Dulf *Iraq* 35°7N 45°51E **128** C5
Dŭlgopol *Bulgaria* 43°3N 27°22E **97** C11
Duliu *China* 39°2N 116°55E **114** E9
Dulles Int. ✈ (IAD) *U.S.A.* 38°57N 77°27W **173** F15
Dullewala *Pakistan* 31°50N 71°25E **124** D4
Dullstroom *S. Africa* 25°27S 30°7E **145** C5
Dülmen *Germany* 51°49N 7°17E **76** D3
Dulovo *Bulgaria* 43°48N 27°9E **97** C11
Dulq Maghār *Syria* 36°22N 38°39E **105** D8
Duluth *Ga., U.S.A.* 34°0N 84°9W **178** A5
Duluth *Minn., U.S.A.* 46°47N 92°6W **172** B7
Dum Dum *India* 22°39N 88°26E **125** H13
Dum Duma *India* 27°40N 95°40E **123** F19
Dūmā *Syria* 33°34N 36°24E **130** B5
Dumaguete *Phil.* 9°17N 123°15E **119** C6
Dumai *Indonesia* 1°35N 101°28E **118** D2
Dumaran *Phil.* 10°33N 119°50E **119** B5
Dumas *Ark., U.S.A.* 33°53N 91°29W **176** E9
Dumas *Tex., U.S.A.* 35°52N 101°58W **176** D4
Ḑumayr *Syria* 33°39N 36°42E **130** B5
Dumbarton *U.K.* 55°57N 4°33W **65** F4
Ďumbier *Slovak Rep.* 48°56N 19°38E **79** C12
Dumbleyung *Australia* 33°17S 117°42E **149** F2
Dumbrăveni *Romania* 46°14N 24°34E **81** D9
Dumfries *U.K.* 55°4N 3°37W **65** F5
Dumfries & Galloway □ *U.K.* 55°9N 3°58W **65** F5
Dumitreşti *Romania* 45°33N 26°55E **81** E11
Dumka *India* 24°12N 87°15E **125** G12
Dumlupınar *Turkey* 38°53N 30°0E **99** C12
Dümmer *Germany* 52°31N 8°20E **76** C4
Dümmer ⌂ *Germany* 52°31N 8°21E **76** C4
Dumoine → *Canada* 46°13N 77°51W **164** C4
Dumoine, L. *Canada* 46°55N 77°55W **164** C4
Dumont d'Urville *Antarctica* 66°40S 140°0E **55** C10
Dumont d'Urville Sea *S. Ocean* 63°30S 138°0E **55** C9
Dumyât *Egypt* 31°24N 31°48E **137** E7
Dumyât, Masabb *Egypt* 31°28N 31°51E **137** E7
Dún Dealgan = Dundalk *Ireland* 54°1N 6°24W **64** B5
Dún Garbhán = Dungarvan *Ireland* 52°5N 7°37W **64** D4
Dún Laoghaire *Ireland* 53°17N 6°8W **64** C5
Dún Laoghaire-Rathdown □ *Ireland* 53°14N 6°11W **64** C5
Dun-le-Palestel *France* 46°18N 1°39E **71** F8
Dun-sur-Auron *France* 46°53N 2°33E **71** F9
Dun-sur-Meuse *France* 49°23N 5°11E **71** C12
Duna = Dunărea → *Europe* 45°20N 29°40E **81** E14
Duna-Drava △ *Hungary* 46°15N 18°50E **80** D3
Duna-völgyi-főcsatorna *Hungary* 46°40N 19°14E **80** D4
Dunaföldvár *Hungary* 46°50N 18°57E **80** D3
Dunagiri *India* 30°31N 79°52E **125** D8
Dunaj = Dunărea → *Europe* 45°20N 29°40E **81** E14
Dunajec → *Poland* 50°15N 20°44E **83** H7
Dunajská Streda *Slovak Rep.* 48°0N 17°37E **79** C10
Dunakeszi *Hungary* 47°37N 19°8E **80** C4
Dunapataj *Hungary* 46°39N 19°4E **80** D4
Dunărea → *Europe* 45°20N 29°40E **81** E14
Dunaszekcső *Hungary* 46°6N 18°45E **80** D3
Dunaújváros *Hungary* 46°58N 18°57E **80** D3
Dunav = Dunărea → *Europe* 45°20N 29°40E **81** E14
Dunavaţu de Jos *Romania* 44°59N 29°13E **81** F14
Dunavtsi *Bulgaria* 43°57N 22°53E **96** C6
Dunay *Russia* 42°52N 132°22E **112** C6
Dunayivtsi *Ukraine* 48°54N 26°50E **81** B11
Dunback *N.Z.* 45°23S 170°36E **155** F5
Dunbar *U.K.* 56°0N 2°31W **65** E6
Dunblane *U.K.* 56°11N 3°58W **65** E5
Duncan *Canada* 48°45N 123°40W **170** B3
Duncan *Ariz., U.S.A.* 32°43N 109°6W **169** K9
Duncan *Okla., U.S.A.* 34°30N 97°57W **176** D6
Duncan, L. *Canada* 53°29N 77°58W **164** B4
Duncan L. *Canada* 62°51N 113°58W **162** A6
Duncan Passage *India* 11°0N 92°0E **127** J11
Duncan Town *Bahamas* 22°15N 75°45W **182** B4
Duncannon *U.S.A.* 40°23N 77°2W **174** F7
Duncansby Head *U.K.* 58°38N 3°1W **65** C5
Duncansville *U.S.A.* 40°25N 78°26W **174** F6
Dund-Us *Mongolia* 48°1N 91°38E **109** C12
Dundaga *Latvia* 57°31N 22°21E **82** A9
Dundalk *Canada* 44°10N 80°24W **174** B4
Dundalk *Ireland* 54°1N 6°24W **64** B5
Dundalk *U.S.A.* 39°15N 76°31W **173** F15
Dundalk Bay *Ireland* 53°55N 6°15W **64** C5
Dundas = Uummannaq *Greenland* 77°33N 68°52W **57** B4
Dundas *Canada* 43°17N 79°59W **174** C5
Dundas, L. *Australia* 32°35S 121°50E **149** F3
Dundas I. *Canada* 54°30N 130°50W **162** C2
Dundas Str. *Australia* 11°15S 131°35E **148** B5
Dundee *S. Africa* 28°11S 30°15E **145** C5
Dundee *U.K.* 56°28N 2°59W **65** E6
Dundee *U.S.A.* 42°32N 76°59W **174** D8
Dundee City □ *U.K.* 56°30N 2°58W **65** E6
Dundgovĭ □ *Mongolia* 45°10N 106°0E **114** B4
Dundrum *U.K.* 54°16N 5°52W **64** B6
Dundrum B. *U.K.* 54°13N 5°47W **64** B6
Dunedin *N.Z.* 45°50S 170°33E **155** F5
Dunedin *U.S.A.* 28°1N 82°46W **179** G7
Dunedoo *Australia* 32°0S 149°25E **153** B8
Dunfanaghy *Ireland* 55°11N 7°58W **64** A4
Dunfermline *U.K.* 56°5N 3°27W **65** E5
Dungannon *Canada* 43°51N 81°36W **174** C3
Dungannon *U.K.* 54°31N 6°46W **64** B5
Dungarpur *India* 23°52N 73°45E **124** H5
Dungarvan *Ireland* 52°5N 7°37W **64** D4
Dungarvan Harbour *Ireland* 52°4N 7°35W **64** D4
Dungeness *U.K.* 50°54N 0°59E **67** G8
Dungiven *U.K.* 54°56N 6°56W **64** B5
Dunglow *Ireland* 54°57N 8°21W **64** B3
Dungo, L. do *Angola* 17°15S 19°0E **144** A2
Dungog *Australia* 32°22S 151°46E **153** B9
Dungu *Dem. Rep. of the Congo* 3°40N 28°32E **142** B2
Dungun *Malaysia* 4°45N 103°25E **121** K4
Dunguna *Sudan* 21°10N 37°9E **137** C4
Dungunâb, Khalîg *Sudan* 21°5N 37°12E **137** C4
Dunhua *China* 43°20N 128°14E **115** C15
Dunhuang *China* 40°8N 94°36E **110** C7
Dunk I. *Australia* 17°59S 146°29E **150** B4
Dunkassa *Benin* 10°21N 3°10E **139** C5
Dunkeld *Queens., Australia* 33°25S 149°29E **151** E4
Dunkeld *Vic., Australia* 37°40S 142°22E **152** D5
Dunkeld *U.K.* 56°34N 3°35W **65** E5
Dunkerque *France* 51°2N 2°20E **71** A9
Dunkery Beacon *U.K.* 51°9N 3°36W **67** F4
Dunkirk = Dunkerque *France* 51°2N 2°20E **71** A9
Dunkirk *U.S.A.* 42°29N 79°20W **174** D5
Dunkwa *Central, Ghana* 6°0N 1°47W **138** D4
Dunkwa *Central, Ghana* 5°30N 1°0W **139** D4
Dunleary = Dún Laoghaire *Ireland* 53°17N 6°8W **64** C5
Dunleer *Ireland* 53°50N 6°24W **64** C5
Dunmanus B. *Ireland* 51°31N 9°50W **64** E2
Dunmanway *Ireland* 51°43N 9°6W **64** E2
Dunmarra *Australia* 16°42S 133°25E **150** B1
Dunmore *U.S.A.* 41°25N 75°38W **175** E9
Dunmore East *Ireland* 52°9N 7°0W **64** D5
Dunmore Town *Bahamas* 25°30N 76°39W **182** A4
Dunn *U.S.A.* 35°19N 78°37W **177** D15
Dunnellon *U.S.A.* 29°3N 82°28W **179** F7
Dunnet Hd. *U.K.* 58°40N 3°21W **65** C5
Dunning *U.S.A.* 41°50N 100°6W **172** E3
Dunnville *Canada* 42°54N 79°36W **174** D5
Dunolly *Australia* 36°51S 143°44E **152** D5
Dunoon *U.K.* 55°57N 4°56W **65** F4
Dunqul *Egypt* 23°26N 31°37E **137** C3
Duns *U.K.* 55°47N 2°20W **65** F6
Dunseith *U.S.A.* 48°50N 100°3W **172** A3
Dunshaughlin *Ireland* 53°31N 6°33W **64** C5
Dunsmuir *U.S.A.* 41°13N 122°16W **168** F2
Dunstable *U.K.* 51°53N 0°32W **67** F7
Dunstan Mts. *N.Z.* 44°53S 169°35E **155** E4
Dunster *Canada* 53°8N 119°50W **162** C5
Duntroon *N.Z.* 44°51S 170°40E **155** E5
Dunvegan *U.K.* 57°27N 6°35W **65** D2
Dunvegan L. *Canada* 60°8N 107°10W **163** A7
Duolun *China* 42°12N 116°28E **114** C9
Duomula *China* 34°8N 82°29E **109** F10
Duong Dong *Vietnam* 10°13N 103°58E **121** G4
Dupree *U.S.A.* 45°4N 101°35W **172** C3
Dupuyer *U.S.A.* 48°13N 112°30W **168** B7
Duque de Caxias *Brazil* 22°46S 43°18W **191** A7
Duque de York, I. *Chile* 50°37S 75°25W **192** D1
Durack → *Australia* 15°33S 127°52E **148** C4
Durack Ra. *Australia* 16°50S 127°40E **148** C4
Durack River *Australia* 15°32S 127°39E **148** C4
Durağan *Turkey* 41°25N 35°3E **104** B6
Durak *Turkey* 39°42N 28°17E **99** B10
Đurakovac = Gjurakoc *Kosovo* 42°43N 20°29E **96** D4
Durance → *France* 43°55N 4°45E **73** E8
Durand *Ga., U.S.A.* 32°55N 84°46W **178** C5
Durand *Wis., U.S.A.* 44°38N 91°58W **172** C8
Durango *Mexico* 24°3N 104°39W **180** C4
Durango *Spain* 43°13N 2°40W **90** B2
Durango *U.S.A.* 37°16N 107°53W **169** H10
Durango □ *Mexico* 24°50N 105°20W **180** C4
Durankulak *Bulgaria* 43°41N 28°32E **97** C12
Durant *Miss., U.S.A.* 33°4N 89°51W **177** E10
Durant *Okla., U.S.A.* 33°59N 96°25W **176** E6
Duratón → *Spain* 41°37N 4°7W **88** D6
Durazno *Uruguay* 33°25S 56°31W **190** C4
Durazzo = Durrës *Albania* 41°19N 19°28E **96** E3
Durban *France* 42°59N 2°49E **72** F6
Durban *S. Africa* 29°49S 31°1E **145** C5
Durban ✈ (DUR) *S. Africa* 29°37S 31°7E **145** C5
Durbuy *Belgium* 50°21N 5°28E **69** D5
Dúrcal *Spain* 36°59N 3°34W **89** J7
Đurđevac *Croatia* 46°2N 17°3E **80** D2
Düren *Germany* 50°48N 6°29E **76** E2
Durg = Bhilainagar-Durg *India* 21°13N 81°26E **126** D5
Durgapur *India* 23°30N 87°20E **125** H12
Durham *Canada* 44°10N 80°49W **174** B4
Durham *U.K.* 54°47N 1°34W **66** C6
Durham *Calif., U.S.A.* 39°39N 121°48W **170** F5
Durham *N.C., U.S.A.* 35°59N 78°54W **177** D15
Durham *N.H., U.S.A.* 43°8N 70°56W **175** C14
Durham □ *U.K.* 54°42N 1°45W **66** C6
Durlas = Thurles *Ireland* 52°41N 7°49W **64** D4
Durleşti *Moldova* 47°1N 28°46E **81** C13
Ḑurmā *Si. Arabia* 24°37N 46°8E **128** E5
Durmitor *Montenegro* 43°10N 19°0E **96** C2
Durmitor △ *Montenegro* 43°15N 19°5E **96** C3
Durness *U.K.* 58°34N 4°45W **65** C4
Durrës *Albania* 41°19N 19°28E **96** E3
Durrow *Ireland* 52°51N 7°24W **64** D4
Dursey I. *Ireland* 51°36N 10°12W **64** E1
Dursley *U.K.* 51°40N 2°21W **67** F5
Dursunbey *Turkey* 39°35N 28°37E **99** B10
Durtal *France* 47°40N 0°18W **70** E6
Duru *Dem. Rep. of the Congo* 4°14N 28°50E **142** B2
Duru Gölü *Turkey* 41°20N 28°35E **97** E12
Durusu *Turkey* 41°17N 28°41E **97** E12
Durūz, Jabal ad *Jordan* 32°35N 36°40E **130** C5
D'Urville, Tanjung *Indonesia* 1°28S 137°54E **119** E9
D'Urville I. *N.Z.* 40°50S 173°55E **155** A8
Duryea *U.S.A.* 41°20N 75°45W **175** E9
Dûsh *Egypt* 24°35N 30°41E **137** C3
Dushak *Turkmenistan* 37°13N 60°1E **129** B9
Dushan *China* 25°48N 107°30E **116** E6
Dushanbe *Tajikistan* 38°33N 68°48E **109** E7
Dusheti *Georgia* 42°10N 44°42E **87** J7
Dushore *U.S.A.* 41°31N 76°24W **175** E8
Dusky Sd. *N.Z.* 45°47S 166°30E **155** F1
Dussejour, C. *Australia* 14°45S 128°13E **148** B4
Düsseldorf *Germany* 51°14N 6°47E **76** D2
Düsseldorf Rhein-Ruhr ✈ (DUS) *Germany* 51°17N 6°46E **76** D2
Dusti *Tajikistan* 37°20N 68°40E **109** E7
Duszniki-Zdrój *Poland* 50°24N 16°24E **83** H3
Dutch Harbor *U.S.A.* 53°53N 166°32W **166** E6
Dutlwe *Botswana* 23°58S 23°46E **144** B3
Dutsan Wai *Nigeria* 10°50N 8°10E **139** C6
Dutse *Nigeria* 11°46N 9°20E **139** C6
Dutton *Canada* 42°39N 81°30W **174** D3
Dutton → *Australia* 20°44S 143°10E **150** C3
Dutywa *S. Africa* 32°8S 28°18E **145** D4
Duved *Sweden* 63°23N 12°55E **62** A6
Düvertepe *Turkey* 39°14N 28°27E **99** B10
Duwayhin, Khawr *U.A.E.* 24°20N 51°25E **129** E6
Duyfken Pt. *Australia* 12°33S 141°38E **150** A3
Duyun *China* 26°18N 107°29E **116** D6
Düzağac *Turkey* 38°48N 30°10E **99** C12
Düzce = Akhna *Cyprus* 35°3N 33°47E **101** D12
Düzce *Turkey* 40°50N 31°10E **104** B4
Düzce □ *Turkey* 40°50N 31°10E **104** B4
Düziçi *Turkey* 37°15N 36°28E **104** D7
Dve Mogili *Bulgaria* 43°35N 25°55E **97** C9
Dvina, Severnaya → *Russia* 64°32N 40°30E **58** C14
Dvinsk = Daugavpils *Latvia* 55°53N 26°32E **84** E4
Dvor *Croatia* 45°4N 16°22E **93** C13
Dvůr Králové nad Labem *Czech Rep.* 50°27N 15°50E **78** A8
Dwarka *India* 22°18N 69°8E **124** H3
Dwellingup *Australia* 32°43S 116°4E **149** F2
Dwight *Canada* 45°20N 79°1W **174** A5
Dwight *U.S.A.* 41°5N 88°26W **172** E9
Dyakove *Ukraine* 48°1N 23°0E **80** B7
Dyatkovo *Russia* 53°40N 34°27E **84** F8
Dyatlovo = Dzyatlava *Belarus* 53°28N 25°28E **75** B13
Dyce *U.K.* 57°13N 2°12W **65** D6
Dyer, C. *Canada* 66°37N 61°16W **161** D19
Dyer Bay *Canada* 45°10N 81°20W **174** A3
Dyer Plateau *Antarctica* 70°45S 65°30W **55** D17
Dyersburg *U.S.A.* 36°3N 89°23W **177** C10
Dyfi → *U.K.* 52°32N 4°3W **67** E3
Dyje → *Czech Rep.* 48°37N 16°56E **79** C9
Dykh Tau *Russia* 43°3N 43°8E **87** J6
Dymer *Ukraine* 50°47N 30°18E **75** C16
Dynów *Poland* 49°50N 22°11E **83** J9
Dysart *Australia* 22°32S 148°23E **150** C4
Dytiki Ellas □ *Greece* 38°20N 21°30E **98** C3
Dyviziya *Ukraine* 45°55N 29°59E **81** E14
Dzaoudzi *Mayotte* 12°47S 45°16E **141** a
Dzavhan □ *Mongolia* 48°0N 96°0E **109** C13
Dzavhan Gol → *Mongolia* 48°54N 93°23E **110** B7
Dzerzhinsk *Russia* 56°14N 43°30E **86** B6
Dzhalal-Abad = Jalal-Abad *Kyrgyzstan* 40°56N 73°0E **109** D8
Dzhalinda *Russia* 53°26N 124°0E **107** D13
Dzhambeyty = Zhympity *Kazakhstan* 50°16N 52°35E **108** B4
Dzhambul = Taraz *Kazakhstan* 42°54N 71°22E **109** D8
Dzhankoy *Ukraine* 45°40N 34°20E **85** K8
Dzhanybek = Zhänibek *Kazakhstan* 49°25N 46°50E **86** F8
Dzharylhach, Ostriv *Ukraine* 46°2N 32°55E **85** J7
Dzhezkazgan = Zhezqazghan *Kazakhstan* 47°44N 67°40E **109** C7
Dzhizak = Jizzax *Uzbekistan* 40°6N 67°50E **109** D7
Dzhugba *Russia* 44°19N 38°48E **87** H4
Dzhugdzur, Khrebet *Russia* 57°30N 138°0E **107** D14
Dzhulynk *Ukraine* 48°26N 29°45E **81** B14
Dzhumgoltau, Khrebet *Kyrgyzstan* 42°15N 74°30E **109** D8
Dzhungarskiye Vorota = Dzungarian Gate *Asia* 45°10N 82°0E **109** C10
Dzhuryn *Ukraine* 48°41N 28°16E **81** B13
Dzhvari = Jvari *Georgia* 42°42N 42°4E **87** J6
Działdowo *Poland* 53°15N 20°15E **83** E7
Działoszyce *Poland* 50°22N 20°20E **83** H7
Działoszyn *Poland* 51°6N 18°50E **83** G5
Dzibilchaltún *Mexico* 21°10N 89°35W **181** C7
Dzierzgoń *Poland* 53°58N 19°20E **82** E6
Dzierżoniów *Poland* 50°45N 16°39E **83** H3
Dzilam de Bravo *Mexico* 21°24N 88°53W **181** C7
Dzioua *Algeria* 33°14N 5°14E **136** B5
Dzisna *Belarus* 55°34N 28°12E **84** E5
Dzisna → *Belarus* 55°34N 28°12E **84** E5
Dziwnów *Poland* 54°2N 14°45E **82** D1
Dzūkija △ *Lithuania* 54°10N 24°30E **61** J21
Dzungarian Basin = Junggar Pendi *China* 44°30N 86°0E **109** D11
Dzungarian Gate *Asia* 45°10N 82°0E **109** C10
Dzur *Mongolia* 49°39N 95°46E **109** C13
Dzüünbayan *Mongolia* 44°29N 110°2E **114** B6
Dzüünharaa *Mongolia* 48°52N 106°28E **110** B10
Dzüünmod *Mongolia* 47°45N 106°58E **110** B10
Dzyarzhynsk *Belarus* 53°40N 27°1E **75** B14
Dzyatlava *Belarus* 53°28N 25°28E **75** B13

E

E.C. Manning ⌂ *Canada* 49°5N 120°45W **162** D4
Eabamet L. *Canada* 51°30N 87°46W **164** B2
Eabametoong *Canada* 51°30N 88°0W **164** B2
Éadan Doire = Edenderry *Ireland* 53°21N 7°4W **64** C4
Eads *U.S.A.* 38°29N 102°47W **168** G12
Eagar *U.S.A.* 34°6N 109°17W **169** J9
Eagle *Alaska, U.S.A.* 64°47N 141°12W **160** E3
Eagle *Colo., U.S.A.* 39°39N 106°50W **168** G10
Eagle → *Canada* 53°36N 57°26W **165** B8
Eagle Butte *U.S.A.* 45°0N 101°10W **172** C3
Eagle Grove *U.S.A.* 42°40N 93°54W **172** D7
Eagle L. *Canada* 49°42N 93°13W **163** D10
Eagle L. *Calif., U.S.A.* 40°39N 120°45W **168** F3
Eagle L. *Maine, U.S.A.* 46°20N 69°22W **173** B19
Eagle Lake *Canada* 45°8N 78°29W **174** A6
Eagle Lake *Maine, U.S.A.* 47°3N 68°36W **173** B19
Eagle Lake *Tex., U.S.A.* 29°35N 96°20W **176** G6
Eagle Mountain *U.S.A.* 33°49N 115°27W **171** M11
Eagle Nest *U.S.A.* 36°33N 105°16W **169** H11
Eagle Pass *U.S.A.* 28°43N 100°30W **176** G4
Eagle Pk. *U.S.A.* 38°10N 119°25W **170** G7
Eagle Pt. *Australia* 16°11S 124°23E **148** C3
Eagle River *Mich., U.S.A.* 47°25N 88°18W **172** B9
Eagle River *Wis., U.S.A.* 45°55N 89°15W **172** C9
Eaglehawk *Australia* 36°44S 144°15E **152** D6
Eagles Mere *U.S.A.* 41°25N 76°33W **175** E8
Ealing □ *U.K.* 51°31N 0°20W **67** F7
Ear Falls *Canada* 50°38N 93°13W **163** C10
Earlimart *U.S.A.* 35°53N 119°16W **171** K7
Earlville *U.S.A.* 42°44N 75°32W **175** D9
Early Branch *U.S.A.* 32°45N 80°55W **178** C9
Earn → *U.K.* 56°21N 3°18W **65** E5
Earn, L. *U.K.* 56°23N 4°13W **65** E4
Earnslaw, Mt. *N.Z.* 44°32S 168°27E **155** E3
Earth *U.S.A.* 34°14N 102°24W **176** D3
Easley *U.S.A.* 34°50N 82°36W **177** D13
East Anglia *U.K.* 52°30N 1°0E **66** E9
East Angus *Canada* 45°30N 71°40W **165** C5
East Antarctica *Antarctica* 80°0S 90°0E **55** D7
East Aurora *U.S.A.* 42°46N 78°37W **174** D6
East Ayrshire □ *U.K.* 55°26N 4°11W **65** F4
East Bengal *Bangla.* 24°0N 90°0E **123** G17
East Beskids = Vychodné Beskydy *Europe* 49°20N 22°0E **79** B15
East Brady *U.S.A.* 40°59N 79°37W **174** F5
East Branch Clarion River L. *U.S.A.* 41°35N 78°35W **174** E6
East C. = Dezhneva, Mys *Russia* 66°5N 169°40W **107** C19
East C. *N.Z.* 37°42S 178°35E **154** D7
East Caroline Basin *Pac. Oc.* 4°0N 146°45E **156** G6
East Chicago *U.S.A.* 41°38N 87°27W **172** E10
East China Sea *Asia* 30°0N 126°0E **111** F14
East Coulee *Canada* 51°23N 112°27W **162** C6
East Dereham = Dereham *U.K.* 52°41N 0°57E **67** E8
East Dublin *U.S.A.* 32°32N 82°52W **178** C7
East Dunbartonshire □ *U.K.* 55°57N 4°13W **65** F4
East Falkland *Falk. Is.* 51°30S 58°30W **192** D5
East Grand Forks *U.S.A.* 47°56N 97°1W **172** B5
East Greenwich *U.S.A.* 41°40N 71°27W **175** E13
East Grinstead *U.K.* 51°7N 0°0 **67** F8
East Hartford *U.S.A.* 41°46N 72°39W **175** E12
East Haydon *Australia* 18°0S 141°30E **150** B3
East Helena *U.S.A.* 46°35N 111°56W **168** C8
East Indies *Asia* 0°0 120°0E **102** J14
East Kavango □ *Namibia* 18°0S 20°15E **144** A3
East Kilbride *U.K.* 55°47N 4°11W **65** F4
East Lamma Channel *China* 22°14N 114°9E **111** a
East Lansing *U.S.A.* 42°44N 84°29W **173** D11
East Liverpool *U.S.A.* 40°37N 80°35W **174** F4
East London *S. Africa* 33°0S 27°55E **145** D4
East Lothian □ *U.K.* 55°58N 2°44W **65** F6
East Main = Eastmain *Canada* 52°10N 78°30W **164** B4
East Mariana Basin *Pac. Oc.* 12°0N 153°0E **156** F7
East Naples *U.S.A.* 26°8N 81°46W **179** J8
East Northport *U.S.A.* 40°53N 73°19W **175** F11
East Orange *U.S.A.* 40°46N 74°12W **175** F10
East Pacific Rise *Pac. Oc.* 15°0S 110°0W **157** J17
East Palatka *U.S.A.* 29°39N 81°36W **178** F8
East Palestine *U.S.A.* 40°50N 80°33W **174** F4
East Pine *Canada* 55°48N 120°12W **162** B4
East Point *U.S.A.* 33°41N 84°25W **178** B5
East Providence *U.S.A.* 41°49N 71°23W **175** E13
East Pt. *Br. Virgin Is.* 18°40N 64°18W **183** e
East Pt. *Canada* 46°27N 61°58W **165** C7
East Renfrewshire □ *U.K.* 55°46N 4°21W **65** F4
East Retford = Retford *U.K.* 53°19N 0°56W **66** D7
East Riding of Yorkshire □ *U.K.* 53°55N 0°30W **66** D7
East Rochester *U.S.A.* 43°7N 77°29W **174** C7
East St. Louis *U.S.A.* 38°37N 90°9W **172** F8
East Schelde = Oosterschelde → *Neths.* 51°33N 4°0E **69** C4
East Sea = Japan, Sea of *Asia* 40°0N 135°0E **112** E7
East Siberian Sea *Russia* 73°0N 160°0E **107** B17
East Stroudsburg *U.S.A.* 41°1N 75°11W **175** E9
East Sussex □ *U.K.* 50°56N 0°19E **67** G8
East Tasman Plateau *Pac. Oc.* 43°30S 152°0E **156** M7
East Tawas *U.S.A.* 44°17N 83°29W **173** C12
East Timor ■ *Asia* 8°50S 126°0E **119** F7
East Toorale *Australia* 30°27S 145°28E **151** E4
East Walker → *U.S.A.* 38°52N 119°10W **170** G7
East Windsor *U.S.A.* 40°17N 74°34W **175** F10
Eastbourne *N.Z.* 41°19S 174°55E **154** H3
Eastbourne *U.K.* 50°46N 0°18E **67** G8
Eastend *Canada* 49°32N 108°50W **163** D7
Easter Fracture Zone *Pac. Oc.* 25°0S 115°0W **157** K16
Easter I. = Pascua, I. de *Chile* 27°7S 109°23W **157** K17
Eastern □ *Ghana* 6°30N 0°30W **139** D4
Eastern □ *S. Leone* 8°15N 11°0W **138** D2
Eastern Cape □ *S. Africa* 32°0S 26°0E **144** D4
Eastern Cr. → *Australia* 20°40S 141°35E **150** C3
Eastern Desert = Sharqîya, Es Sahrâ esh *Egypt* 27°30N 32°30E **137** B3
Eastern Ghats *India* 14°0N 78°50E **127** H4
Eastern Group = Lau Group *Fiji* 17°0S 178°30W **154** a
Eastern Group *Australia* 33°30S 124°30E **149** F3
Eastern Guruma ✪ *Australia* 22°0S 117°30E **148** D2
Eastern Transvaal = Mpumalanga □ *S. Africa* 26°0S 30°0E **145** C5
Easterville *Canada* 53°8N 99°49W **163** C9
Easthampton *U.S.A.* 42°16N 72°40W **175** D12
Eastlake *U.S.A.* 41°40N 81°26W **174** E3
Eastland *U.S.A.* 32°24N 98°49W **176** E5
Eastleigh *U.K.* 50°58N 1°21W **67** G6
Eastmain *Canada* 52°10N 78°30W **164** B4
Eastmain → *Canada* 52°27N 78°26W **164** B4
Eastman *Canada* 45°18N 72°19W **175** A12
Eastman *U.S.A.* 32°12N 83°11W **178** C6
Easton *Md., U.S.A.* 38°47N 76°5W **173** F15
Easton *Pa., U.S.A.* 40°41N 75°13W **175** F9
Easton *Wash., U.S.A.* 47°14N 121°11W **170** C5
Eastover *U.S.A.* 33°52N 80°41W **178** B9
Eastpoint *U.S.A.* 29°44N 84°53W **178** F5
Eastport *U.S.A.* 44°56N 67°0W **173** C20
Eastsound *U.S.A.* 48°42N 122°55W **170** B4
Eaton *U.S.A.* 40°32N 104°42W **168** F11
Eatonia *Canada* 51°13N 109°25W **163** C7
Eatonton *U.S.A.* 33°20N 83°23W **178** B6
Eatontown *U.S.A.* 40°19N 74°4W **175** F10
Eatonville *U.S.A.* 46°52N 122°16W **170** D4
Eau Claire *U.S.A.* 44°49N 91°30W **172** C8
Eau Claire, L. à l' *Canada* 56°10N 74°25W **164** A5
Eauripik Rise *Pac. Oc.* 2°0N 142°0E **156** G6
Eauze *France* 43°53N 0°7E **72** E4
Eban *Nigeria* 9°40N 4°50E **139** D5
Ebano *Mexico* 22°13N 98°24W **181** C5
Ebbegebirge ⌂ *Germany* 51°10N 7°55E **76** D3
Ebbw Vale *U.K.* 51°46N 3°12W **67** F4
Ebeltoft *Denmark* 56°12N 10°41E **63** H4
Ebeltoft Vig *Denmark* 56°10N 10°35E **63** H4
Ebensburg *U.S.A.* 40°29N 78°44W **174** F6
Ebensee *Austria* 47°48N 13°46E **78** D6
Eber Gölü *Turkey* 38°38N 31°11E **104** C4
Eberbach *Germany* 49°28N 8°59E **77** F4
Eberswalde-Finow *Germany* 52°50N 13°49E **76** C9
Ebetsu *Japan* 43°7N 141°34E **112** C10
Ebey's Landing ⌂ *U.S.A.* 48°12N 122°41W **170** B4
Ebian *China* 29°11N 103°13E **116** C4
Ebingen = Albstadt *Germany* 48°13N 9°1E **77** G5
Ebinur Hu *China* 44°55N 82°55E **109** D10
Éboli *Italy* 40°39N 15°2E **95** B8
Ebolowa *Cameroon* 2°55N 11°10E **139** E7
Ebonda *Dem. Rep. of the Congo* 2°12N 22°21E **140** D4
Ebonyi □ *Nigeria* 6°20N 8°0E **139** D6
Ebrach *Germany* 49°51N 10°29E **77** F6
Ebre = Ebro → *Spain* 40°43N 0°54E **90** E5
Ébrié, Lagune *Ivory C.* 5°12N 4°26W **138** D4
Ebro → *Spain* 40°43N 0°54E **90** E5
Ebro, Embalse del *Spain* 43°0N 3°58W **88** C7
Ebstorf *Germany* 53°2N 10°24E **76** B6
Ecatepec de Morelos *Mexico* 19°36N 99°3W **181** D5
Ecbatana = Hamadān *Iran* 34°52N 48°32E **105** E13
Eceabat *Turkey* 40°11N 26°21E **97** F10
Ech Chéliff *Algeria* 36°10N 1°20E **136** A4
Ech Chéliff □ *Algeria* 36°15N 1°30E **136** A4
Echechonnee → *U.S.A.* 32°39N 83°36W **178** C6
Echigo-Sammyaku *Japan* 36°50N 139°50E **113** F9
Echinos *Greece* 41°16N 25°1E **97** E9
Échirolles *France* 45°8N 5°44E **73** C9
Echizen *Japan* 35°50N 136°10E **113** G8
Echizen-Misaki *Japan* 35°59N 135°57E **113** G7
Echmiadzin = Ejmiatsin *Armenia* 40°12N 44°19E **87** K7
Echo *U.S.A.* 31°29N 85°28W **178** D4
Echo Bay *N.W.T., Canada* 66°5N 117°55W **160** D8
Echo Bay *Ont., Canada* 46°29N 84°4W **164** C3
Echoing → *Canada* 55°51N 92°5W **164** B1
Echterdingen, Stuttgart ✈ (STR) *Germany* 48°42N 9°11E **77** G5
Echternach *Lux.* 49°49N 6°25E **69** E6
Echuca *Australia* 36°10S 144°45E **153** D6
Écija *Spain* 37°30N 5°10W **89** H5
Eckental *Germany* 49°35N 11°12E **77** F7
Eckernförde *Germany* 54°28N 9°50E **76** A5
Eclectic *U.S.A.* 32°38N 86°2W **178** C3
Eclipse I. *Australia* 35°5S 117°58E **149** G2
Eclipse Is. *Australia* 13°54S 126°19E **148** B4
Eclipse Sd. *Canada* 72°38N 79°0W **161** C16
Écommoy *France* 47°50N 0°17E **70** E7
Ecoporanga *Brazil* 18°23S 40°50W **189** D2
Écouché *France* 48°42N 0°10W **70** D6
Ecrins △ *France* 44°54N 6°18E **73** D10
Ecuador ■ *S. Amer.* 2°0S 78°0W **186** D3
Écueillé *France* 47°5N 1°21E **70** E8
Ed *Sweden* 58°55N 11°55E **63** F5
Ed Da'ein *Sudan* 11°26N 26°9E **140** B5
Ed Damazin *Sudan* 11°46N 34°21E **135** F12
Ed Dâmer *Sudan* 17°27N 34°0E **135** E12
Ed Dar el Beida = Casablanca *Morocco* 33°36N 7°36W **136** B2
Ed Debba *Sudan* 18°0N 30°51E **137** D3
Ed Déffa *Egypt* 30°40N 26°30E **137** A2
Ed Dueim *Sudan* 14°0N 32°10E **135** F12
Edam *Canada* 53°11N 108°46W **163** C7
Edam *Neths.* 52°31N 5°3E **69** B5
Edane *Sweden* 59°38N 12°49E **62** E6
Edapally *India* 11°19N 78°3E **127** J4
Eday *U.K.* 59°11N 2°47W **65** B6
Eddrachillis B. *U.K.* 58°17N 5°14W **65** C3
Eddystone *U.K.* 50°11N 4°16W **67** G3
Eddystone Pt. *Australia* 40°59S 148°20E **151** G4
Ede *Neths.* 52°4N 5°40E **69** B5
Ede *Nigeria* 7°45N 4°29E **139** D5
Édéa *Cameroon* 3°51N 10°9E **139** E7
Edebäck *Sweden* 60°4N 13°32E **62** D7
Edehon L. *Canada* 60°25N 97°15W **163** A9
Edelény *Hungary* 48°18N 20°44E **80** B5
Eden *Australia* 37°3S 149°55E **153** D8
Eden *N.C., U.S.A.* 36°29N 79°53W **177** C15
Eden *N.Y., U.S.A.* 42°39N 78°55W **174** D6
Eden *Tex., U.S.A.* 31°13N 99°51W **176** F5
Eden → *U.K.* 54°57N 3°1W **66** C4
Edenburg *S. Africa* 29°43S 25°58E **144** C4
Edendale *N.Z.* 46°19S 168°48E **155** G3
Edendale *S. Africa* 29°39S 30°18E **145** C5
Edenderry *Ireland* 53°21N 7°4W **64** C4
Edenhope *Australia* 37°4S 141°19E **152** D4
Edenton *U.S.A.* 36°4N 76°39W **177** C16
Edenville *S. Africa* 27°37S 27°34E **145** C4
Eder → *Germany* 51°12N 9°28E **76** D5
Eder-Stausee *Germany* 51°10N 8°57E **76** D4
Edessa *Greece* 40°48N 22°5E **96** F6
Edewecht *Germany* 53°8N 7°58E **76** B3
Edfu = Idfû *Egypt* 24°55N 32°49E **137** C3
Edgar *U.S.A.* 40°22N 97°58W **172** E5
Edgartown *U.S.A.* 41°23N 70°31W **175** E14
Edge Hill *U.K.* 52°8N 1°26W **67** E6
Edgecumbe *N.Z.* 37°59S 176°47E **154** D5
Edgefield *U.S.A.* 33°47N 81°56W **178** B8
Edgeley *U.S.A.* 46°22N 98°43W **172** B4
Edgemont *U.S.A.* 43°18N 103°50W **172** D2
Edgeøya *Svalbard* 77°45N 22°30E **54** B9

Edgewater U.S.A. 28°59N 80°54W 179 G9
Édhessa = Edessa Greece 40°48N 22°5E 96 F6
Edievale N.Z. 45°49S 169°22E 155 F4
Edina Liberia 6°0N 10°10W 138 D2
Edina U.S.A. 40°10N 92°11W 172 E7
Edinboro U.S.A. 41°52N 80°8W 174 E4
Edinburg U.S.A. 26°18N 98°10W 176 H5
Edinburgh U.K. 55°57N 3°13W 65 F5
Edinburgh ✈ (EDI) U.K. 55°54N 3°22W 65 F5
Edinburgh, City of □ U.K. 55°57N 3°17W 65 F5
Edineț Moldova 48°9N 27°18E 81 B12
Edirne Turkey 41°40N 26°34E 97 E10
Edirne □ Turkey 41°12N 26°30E 97 E10
Edison Ga., U.S.A. 31°34N 84°44W 178 D5
Edison Wash., U.S.A. 48°33N 122°27W 170 B4
Edisto → U.S.A. 32°29N 80°21W 178 C9
Edisto Beach U.S.A. 32°29N 80°20W 178 C9
Edisto I. U.S.A. 32°35N 80°20W 178 C9
Edithburgh Australia 35°5S 137°43E 152 C2
Edjeleh Algeria 28°38N 9°50E 136 C5
Edmeston U.S.A. 42°42N 75°15W 175 D9
Edmond U.S.A. 35°39N 97°29W 176 D6
Edmonds U.S.A. 47°48N 122°22W 170 C4
Edmonton Australia 17°2S 145°46E 150 B4
Edmonton Canada 53°30N 113°30W 162 C6
Edmund L. Canada 54°45N 93°17W 164 B1
Edmundston Canada 47°23N 68°20W 165 C6
Edna U.S.A. 28°59N 96°39W 176 G6
Edo □ Nigeria 6°30N 6°0E 139 D6
Edolo Italy 46°10N 10°21E 92 B7
Edremit Turkey 39°34N 27°0E 99 B9
Edremit Körfezi Turkey 39°30N 26°45E 99 B8
Edsbro Sweden 59°54N 18°29E 62 E12
Edsbruk Sweden 58°1N 16°29E 63 F10
Edsbyn Sweden 61°23N 15°49E 62 C9
Edson Canada 53°35N 116°28W 162 C5
Eduardo Castex Argentina 35°50S 64°18W 190 D3
Eduardo Frei Montalva = Frei Antarctica 62°30S 58°0W 55 C18
Edward → Australia 35°5S 143°30E 152 C5
Edward, L. Africa 0°25S 29°40E 142 C2
Edward VII Land Antarctica 80°0S 150°0W 55 E13
Edwards Calif., U.S.A. 34°50N 117°40W 171 L9
Edwards N.Y., U.S.A. 44°20N 75°15W 175 B9
Edwards Plateau U.S.A. 30°45N 101°20W 176 F4
Edwardsville U.S.A. 41°15N 75°56W 175 E9
Edzná Mexico 19°39N 90°19W 181 D6
Edzo = Behchoko Canada 62°50N 116°3W 162 A5
Eeklo Belgium 51°11N 3°33E 69 C3
Eenhana Namibia 17°30S 16°23E 144 A2
Eesti = Estonia ■ Europe 58°30N 25°30E 84 C3
Eferding Austria 48°18N 14°1E 78 C7
Effigy Mounds ⌂ U.S.A. 43°5N 91°11W 172 D8
Effingham U.S.A. 39°7N 88°33W 172 F9
Eforie Romania 44°1N 28°37E 81 F13
Efxinoupoli Greece 39°12N 22°42E 98 B4
Ega → Spain 42°19N 1°55W 90 C3
Égadi, Ísole Italy 37°55N 12°16E 94 E5
Egan Range U.S.A. 39°35N 114°55W 168 G6
Eganville Canada 45°32N 77°5W 174 A7
Egedesminde = Aasiaat Greenland 68°43N 52°56W 57 D5
Eger = Cheb Czech Rep. 50°9N 12°28E 78 A5
Eger Hungary 47°53N 20°27E 80 C5
Eger → Hungary 47°38N 20°50E 80 C5
Egersund Norway 58°26N 6°1E 61 G12
Egg L. Canada 55°5N 105°30W 163 B7
Eggegebirge Südlicher Teutoburger Wald ⌂ Germany 51°40N 8°59E 76 D4
Eggenburg Austria 48°38N 15°50E 78 C8
Eggenfelden Germany 48°23N 12°46E 77 G8
Éghezée Belgium 50°35N 4°55E 69 D4
Egilsstaðir Iceland 65°16N 14°25W 60 D6
Egina Greece 37°45N 23°26E 98 D5
Eginio Greece 40°28N 22°28E 96 F6
Egio Greece 38°15N 22°5E 98 C4
Égletons France 45°24N 2°3E 72 C6
Eglinton I. Canada 75°48N 118°30W 161 B8
Egmont Canada 49°45N 123°56W 162 D4
Egmont, C. N.Z. 39°16S 173°45E 154 F2
Egmont, Mt. = Taranaki, Mt. N.Z. 39°17S 174°5E 154 F3
Egmont △ N.Z. 39°17S 174°4E 154 F3
Egra India 21°54N 87°32E 125 J12
Eğridir Turkey 37°52N 30°51E 104 D4
Eğridir Gölü Turkey 37°53N 30°50E 104 D4
Egtved Denmark 55°38N 9°18E 63 J3
Éguas → Brazil 13°26S 44°14W 189 C2
Éguzon-Chantôme France 46°27N 1°33E 71 F8
Egvekinot Russia 66°19N 179°50W 107 C19
Egyek Hungary 47°39N 20°52E 80 C5
Egypt ■ Africa 28°0N 31°0E 137 F7
Eha Amufu Nigeria 6°30N 7°46E 139 D6
Ehime □ Japan 33°30N 132°40E 113 H6
Ehingen Germany 48°16N 9°43E 77 G5
Ehrenberg U.S.A. 33°36N 114°31W 171 M12
Ehrhardt U.S.A. 33°6N 81°1W 178 B8
Ehrwald Austria 47°24N 10°56E 78 D3
Eibar Spain 43°11N 2°28W 90 B2
Eichstätt Germany 48°54N 11°11E 77 G7
Eider → Germany 54°19N 8°57E 76 A4
Eidsvold Australia 25°25S 151°12E 151 D5
Eidsvoll Norway 60°19N 11°14E 61 F14
Eielson U.S.A. 64°40N 147°4W 166 C10
Eifel Germany 50°15N 6°50E 77 E2
Eiffel Flats Zimbabwe 18°20S 30°0E 143 F3
Eiger Switz. 46°34N 8°1E 92 B5
Eigg U.K. 56°54N 6°10W 65 E2
Eighty Mile Beach Australia 19°30S 120°40E 148 C3
Eil, L. U.K. 56°51N 5°16W 65 E3
Eilat = Elat Israel 29°30N 34°56E 130 F3
Eildon Australia 37°14S 145°55E 153 D6
Eildon, L. Australia 37°10S 146°0E 153 D7
Eilean Siar □ U.K. 57°30N 7°10W 65 D1
Eilenburg Germany 51°27N 12°36E 76 D8
Einasleigh Australia 18°32S 144°5E 150 B3
Einasleigh → Australia 17°30S 142°17E 150 B3
Einbeck Germany 51°49N 9°53E 76 D5
Eindhoven Neths. 51°26N 5°28E 69 C5
Einsiedeln Switz. 47°7N 8°46E 77 H4
Eire = Ireland ■ Europe 53°50N 7°52W 64 C4
Eiríksjökull Iceland 64°46N 20°24W 60 D3
Eiriosgaigh = Eriskay U.K. 57°4N 7°18W 65 D1
Eirunepé Brazil 6°35S 69°53W 188 B4
Eiseb → Namibia 20°33S 20°59E 144 B2
Eisenach Germany 50°58N 10°19E 76 E6
Eisenberg Germany 50°58N 11°54E 76 E7
Eisenerz Austria 47°32N 14°54E 78 D7
Eisenhüttenstadt Germany 52°9N 14°38E 76 C10
Eisenkappel Austria 46°29N 14°36E 78 E7
Eisenstadt Austria 47°51N 16°31E 79 D9
Eisfeld Germany 50°25N 10°54E 76 E6
Eisleben Germany 51°32N 11°32E 76 D7
Eislingen Germany 48°41N 9°42E 77 G5
Eivissa Spain 38°54N 1°26E 100 C7
Eixe, Serra do Spain 42°24N 6°54W 88 C4
Ejea de los Caballeros Spain 42°7N 1°9W 90 C3
Ejmiatsin Armenia 40°12N 44°19E 87 K7
Ejura Ghana 7°23N 1°15W 139 D4
Ejutla Mexico 16°34N 96°44W 181 D5
Ekalaka U.S.A. 45°53N 104°33W 168 D11
Ekaterinburg = Yekaterinburg Russia 56°50N 60°30E 106 D7
Ekenäs = Raasepori Finland 60°0N 23°26E 84 B2
Ekenässjön Sweden 57°28N 15°1E 63 G9
Ekerö Sweden 59°16N 17°45E 62 E11
Eket Nigeria 4°38N 7°56E 139 E6
Eketahuna N.Z. 40°38S 175°43E 154 G4
Ekibastuz Kazakhstan 51°50N 75°10E 109 B9
Ekiti □ Nigeria 7°25N 5°20E 139 D6
Ekoli Dem. Rep. of the Congo 0°23S 24°13E 142 C1
Ekoln Sweden 59°45N 17°37E 62 E11
Ekshärad Sweden 60°10N 13°30E 62 D7
Eksjö Sweden 57°40N 14°58E 63 G8
Ekuma → Namibia 18°40S 16°2E 144 A2
Ekwan → Canada 53°12N 82°15W 164 B3
Ekwan Pt. Canada 53°16N 82°7W 164 B3
El Aaiún W. Sahara 27°9N 13°12W 134 C3
El Abanico Chile 37°20S 71°31W 190 D1
El Abiodh-Sidi-Cheikh Algeria 32°53N 0°31E 136 B4
El Adeb Larache Algeria 27°22N 8°52E 136 C5
El 'Agrûd Egypt 30°14N 34°24E 130 E3
El Aïoun Morocco 34°33N 2°30W 136 B3
El 'Aiyat Egypt 29°36N 31°15E 137 F7
El Alamein Egypt 30°48N 28°58E 137 E6
El Alto Peru 4°15S 81°14W 188 A1
El 'Aqaba, W. → Egypt 30°7N 33°54E 130 E2
El 'Arag Egypt 28°40N 26°20E 137 B2
El Aricha Algeria 34°13N 1°10W 136 B3
El Arīḥā West Bank 31°52N 35°27E 130 D4
El 'Arîsh Egypt 31°8N 33°50E 130 D2
El 'Arîsh, W. → Egypt 31°8N 33°47E 130 D2
El Arrouch Algeria 36°37N 6°53E 136 A5
El Asnam = Ech Chéliff Algeria 36°10N 1°20E 136 A4
El Astillero Spain 43°24N 3°49W 88 B7
El Badâri Egypt 27°4N 31°25E 137 B3
El Bahrein Egypt 28°30N 26°25E 137 B2
El Ballâs Egypt 26°2N 32°43E 137 B3
El Balyana Egypt 26°10N 32°3E 137 B3
El Baqeir Sudan 18°40N 33°40E 137 D3
El Barco de Ávila Spain 40°21N 5°31W 88 E5
El Barco de Valdeorras = O Barco Spain 42°23N 6°58W 88 C4
El Bauga Sudan 18°18N 33°52E 137 D3
El Bawiti Egypt 28°25N 28°45E 137 F6
El Bayadh Algeria 33°40N 1°1E 136 B4
El Bayadh □ Algeria 32°30N 1°10E 136 B4
El Bierzo Spain 42°45N 6°30W 88 C4
El Bluff Nic. 11°59N 83°40W 182 D3
El Bolsón Argentina 41°55S 71°30W 192 B2
El Bonillo Spain 38°57N 2°35W 91 G2
El Burgo de Osma Spain 41°35N 3°4W 90 D1
El Caín Argentina 41°38S 68°19W 192 B3
El Cajon U.S.A. 32°48N 116°58W 171 N10
El Calafate Argentina 50°19S 72°15W 192 D2
El Campello Spain 38°26N 0°24W 91 G4
El Campo U.S.A. 29°12N 96°16W 176 G6
El Capitan U.S.A. 37°44N 119°38W 170 H7
El Carbón Honduras 15°25N 85°32W 182 C2
El Carmen Colombia 9°43N 75°8W 186 B3
El Centro U.S.A. 32°48N 115°34W 171 N11
El Cerro Bolivia 17°30S 61°40W 186 G6
El Cerro de Andévalo Spain 37°45N 6°57W 89 H4
El Chaltén Argentina 49°19S 72°56W 192 C2
El Compadre Mexico 32°20N 116°14W 171 N10
El Corcovado Argentina 43°25S 71°35W 192 B2
El Coronil Spain 37°5N 5°38W 89 H5
El Cotillo Canary Is. 28°41N 14°1W 100 F5
El Cuy Argentina 39°55S 68°25W 192 A3
El Cuyo Mexico 21°31N 87°41W 181 C7
El Dab'a Egypt 31°0N 28°27E 137 E6
El Daheir Egypt 31°13N 34°10E 130 D3
El Deir Egypt 25°25N 32°20E 137 B3
El Descanso Mexico 32°12N 116°58W 171 N10
El Desemboque Mexico 30°33N 113°1W 180 A2
El Dilingat Egypt 30°50N 30°31E 137 E7
El Diviso Colombia 1°22N 78°14W 186 C3
El Djouf Mauritania 21°25N 6°40W 134 D4
El Dorado Mexico 24°17N 107°21W 180 C3
El Dorado Ark., U.S.A. 33°12N 92°40W 176 E8
El Dorado Kans., U.S.A. 37°49N 96°52W 172 G5
El Dorado Venezuela 6°55N 61°37W 186 B6
El Dorado Springs U.S.A. 37°52N 94°1W 172 G6
El Eglab Algeria 26°20N 4°30W 136 C3
El Ejido Spain 36°47N 2°49W 89 J8
El Escorial Spain 40°35N 4°7W 88 E6
El Espinar Spain 41°43N 4°15W 88 D6
El Eulma Algeria 36°9N 5°42E 136 A5
El Faiyûm Egypt 29°19N 30°50E 137 F7
El Faouar Tunisia 33°22N 8°45E 136 B5
El Fâsher Sudan 13°33N 25°26E 135 F11
El Fashn Egypt 28°50N 30°54E 137 F7
El Ferrol = Ferrol Spain 43°29N 8°15W 88 B2
El Fuerte Mexico 26°25N 108°39W 180 B3
El Gedida Egypt 25°40N 28°30E 137 B2
El Geneina = Al Junaynah Sudan 13°27N 22°45E 135 F10
El Gezira □ Sudan 15°0N 33°0E 135 F12
El Gir Sudan 19°50N 28°18E 137 D2
El Giza Egypt 30°0N 31°12E 137 F7
El Gogorrón △ Mexico 21°49N 100°57W 180 C4
El Goléa Algeria 30°30N 2°50E 136 B4
El Gouna Egypt 27°5N 33°47E 137 B3
El Guácharo △ Venezuela 10°8N 63°21W 183 D7
El Guache △ Venezuela 9°45N 69°30W 183 E6
El Hadjira Algeria 32°36N 5°30E 136 B5
El Hâi Egypt 29°39N 31°18E 137 F7
El Hajeb Morocco 33°43N 5°13W 136 B2
El Hamma Tunisia 33°54N 9°48E 136 B5
El Hammam Egypt 30°52N 29°25E 137 E6
El Homr Algeria 29°43N 1°45E 136 C4
El 'Idisât Egypt 25°30N 32°35E 137 B3
El Iskandarîya Egypt 31°13N 29°58E 137 H6
El Istiwa'iya Sudan 5°0N 28°0E 135 G11
El Jadida Morocco 33°11N 8°17W 136 B2
El Jardal Honduras 14°54N 88°50W 182 D2
El Jebha Morocco 35°11N 4°43W 136 A3
El Jem Tunisia 35°19N 10°42E 136 A6
El Kab Sudan 19°27N 32°46E 137 D3
El Kafr el Sharqi Egypt 31°16N 31°10E 137 E7
El Kala Algeria 36°53N 8°26E 136 A5
El Kantara Algeria 35°14N 5°45E 136 A5
El Kantara Tunisia 33°45N 10°58E 136 B6
El Karaba Sudan 18°32N 33°41E 137 D3
El Kef Tunisia 36°12N 8°47E 136 A5
El Kef □ Tunisia 36°0N 9°0E 136 A5
El Kelaâ de Srahna Morocco 32°4N 7°27W 136 B2
El Kelaâ M'Gouna Morocco 31°14N 6°7W 136 B2
El Khandaq Sudan 18°30N 30°30E 137 D3
El Khanka Egypt 30°13N 31°21E 137 E7
El Khârga Egypt 25°30N 30°33E 137 B3
El Khartûm Sudan 15°31N 32°35E 135 E12
El Khartûm Bahrî Sudan 15°40N 32°31E 135 E12
El Khroub Algeria 36°10N 6°55E 136 A5
El Kseur Algeria 36°46N 4°49E 136 A4
El Ksiba Morocco 32°45N 6°1W 136 B2
El Kuntilla Egypt 30°1N 34°45E 130 E3
El Leoncito △ Argentina 31°58S 69°10W 190 C2
El Lucero Mexico 30°37N 106°31W 180 A3
El Maestrazgo Spain 40°30N 0°25W 90 E4
El Maghra Egypt 30°15N 28°55E 137 E6
El Mahalla el Kubra Egypt 31°0N 31°0E 137 E7
El Mahârîq Egypt 25°35N 30°35E 137 B3
El Maîmûn Egypt 29°14N 31°12E 137 F7
El Maitén Argentina 42°3S 71°10W 192 B2
El Maiz Algeria 28°19N 0°9W 136 C3
El Maks el Bahari Egypt 24°30N 30°40E 137 C3
El Malpais ⌂ U.S.A. 34°53N 108°0W 169 J10
El Manshâh Egypt 26°26N 31°50E 137 B3
El Mansour Algeria 27°47N 0°14W 136 C3
El Mansûra Egypt 31°0N 31°19E 137 E7
El Manzala Egypt 31°10N 31°50E 137 E7
El Marâgha Egypt 26°35N 31°10E 137 B3
El Masnou Spain 41°28N 2°20E 90 D7
El Matarîya Egypt 31°15N 32°0E 137 E8
El Medano Canary Is. 28°3N 16°32W 100 F3
El Meghaier Algeria 33°55N 5°58E 136 B5
El Ménia = El Goléa Algeria 30°30N 2°50E 136 B4
El Meraguen Algeria 28°0N 0°7W 136 C3
El Milagro Argentina 30°59S 65°59W 190 C2
El Milia Algeria 36°51N 6°13E 136 A5
El Minyâ Egypt 28°7N 30°33E 137 F7
El Monte U.S.A. 34°4N 118°1W 171 L8
El Montseny Spain 41°55N 2°25E 90 D7
El Mreyye Mauritania 18°0N 6°0W 138 B3
El Obeid Sudan 13°8N 30°10E 135 F12
El Odaiya Sudan 12°8N 28°12E 135 F11
El Oro Mexico 19°51N 100°7W 181 D4
El Oued Algeria 33°20N 6°58E 136 B5
El Oued □ Algeria 33°10N 7°15E 136 B5
El Palmar △ Argentina 32°10S 58°31W 190 C4
El Paso U.S.A. 31°45N 106°29W 176 F1
El Paso de Robles = Paso Robles U.S.A. 35°38N 120°41W 170 K6
El Pedernoso Spain 39°29N 2°45W 91 F2
El Pedroso Spain 37°51N 5°45W 89 H5
El Pinacate y Gran Desierto de Altar = Gran Desierto del Pinacate △ Mexico 31°51N 113°32W 180 A2
El Pobo de Dueñas Spain 40°46N 1°39W 90 E3
El Portal U.S.A. 37°41N 119°47W 170 H7
El Porvenir Mexico 31°15N 105°51W 180 A3
El Prat Barcelona ✈ (BCN) Spain 41°18N 2°5E 90 D7
El Prat de Llobregat Spain 41°19N 2°5E 90 D7
El Progreso Honduras 15°26N 87°51W 182 C2
El Pueblo Canary Is. 28°36N 17°47W 100 F2
El Puente del Arzobispo Spain 39°48N 5°10W 88 F5
El Puerto de Santa María Spain 36°36N 6°13W 89 J4
El Qâhira Egypt 30°2N 31°13E 137 E7
El Qantara Egypt 30°51N 32°20E 130 E1
El Qasr Egypt 25°44N 28°42E 137 B2
El Qubâbât Egypt 29°28N 31°16E 137 F7
El Quseima Egypt 30°40N 34°15E 130 E3
El Qusîya Egypt 27°29N 30°44E 137 B3
El Râshda Egypt 25°36N 28°57E 137 B2
El Real de Santa María Panama 8°0N 77°40W 186 B3
El Reno U.S.A. 35°32N 97°57W 167 H20
El Rey △ Argentina 24°40S 64°34W 190 A3
El Ridisiya Egypt 24°56N 32°51E 137 C3
El Rio U.S.A. 34°14N 119°10W 171 L7
El Ronquillo Spain 37°44N 6°10W 89 H4
El Roque, Pta. Canary Is. 28°10N 15°25W 100 F4
El Rosario Mexico 30°1N 115°45W 180 A1
El Rubio Spain 37°22N 5°0W 89 H5
El Saff Egypt 29°34N 31°16E 137 F7
El Salto Mexico 23°47N 105°22W 180 C3
El Salvador ■ Cent. Amer. 13°50N 89°0W 182 D2
El Sauce Nic. 13°0N 86°40W 182 D2
El Saucejo Spain 37°4N 5°6W 89 H5
El Shallal Egypt 24°0N 32°53E 137 C3
El Simbillawein Egypt 30°48N 31°13E 137 E7
El Suweis Egypt 29°58N 32°31E 137 F8
El Tabbîn Egypt 29°47N 31°18E 137 F7
El Tamarâni, W. → Egypt 30°7N 34°43E 130 E3
El Tarf Algeria 36°46N 8°19E 136 A5
El Tarf □ Algeria 36°45N 8°10E 136 A5
El Thamad Egypt 29°40N 34°28E 130 F3
El Tigre Venezuela 8°44N 64°15W 186 B6
El Tîh, Gebel Egypt 29°40N 33°50E 130 F2
El Tîna Egypt 31°3N 32°22E 137 E8
El Tofo Chile 29°22S 71°18W 190 B1
El Tránsito Chile 28°52S 70°17W 190 B1
El Tûr Egypt 28°14N 33°36E 128 D2
El Turbio Argentina 51°45S 72°5W 192 D2
El Uqsur Egypt 25°41N 32°38E 137 B3
El Valle ⌂ Spain 37°56N 1°6W 91 H3
El Vendrell Spain 41°10N 1°30E 90 D6
El Vergel Mexico 26°28N 106°22W 180 B3
El Vigía Venezuela 8°38N 71°39W 186 B4
El Viso del Alcor Spain 37°23N 5°43W 89 H5
El Wabeira Egypt 29°34N 33°6E 130 F2
El Wuz Sudan 15°5N 30°7E 135 E12
Elafonisos Greece 36°29N 22°56E 98 E4
Elamanchili India 17°33N 82°50E 126 F6
Élancourt France 48°47N 1°58E 71 D8
Elands Australia 31°37S 152°20E 153 A10
Elasa Greece 35°18N 26°21E 99 F8
Elassona Greece 39°53N 22°12E 98 B4
Elat Israel 29°30N 34°56E 130 F3
Elatia Greece 38°37N 22°46E 98 C4
Elâzığ Turkey 38°37N 39°14E 105 C8
Elâzığ □ Turkey 38°40N 39°15E 105 C8
Elba Italy 42°46N 10°17E 92 F7
Elba U.S.A. 31°25N 86°4W 178 D3
Elbasan Albania 41°9N 20°9E 96 E4
Elbe U.S.A. 46°45N 122°10W 170 D4
Elbe → Europe 53°50N 9°0E 76 B4
Elbe-Seitenkanal Germany 52°45N 10°32E 76 C6
Elbert, Mt. U.S.A. 39°7N 106°27W 168 G10
Elberton U.S.A. 34°7N 82°52W 178 A7
Elbeuf France 49°17N 1°2E 70 C8
Elbing = Elbląg Poland 54°10N 19°25E 82 D6
Elbistan Turkey 38°13N 37°15E 104 C7
Elbląg Poland 54°10N 19°25E 82 D6
Elbow Canada 51°7N 106°35W 163 C7
Elbrus Russia 43°21N 42°30E 87 J6
Elbufer-Drawehn ⌂ Germany 53°8N 10°58E 76 B6
Elburz Mts. = Alborz, Reshteh-ye Kūhhā-ye Iran 36°0N 52°0E 129 C7
Elche Spain 38°15N 0°42W 91 G4
Elche de la Sierra Spain 38°27N 2°3W 91 G2
Elcho I. Australia 11°55S 135°45E 150 A2
Elda Spain 38°29N 0°47W 91 G4
Eldama Ravine Kenya 0°3N 35°43E 142 B4
Elde → Germany 53°7N 11°15E 76 B7
Eldon Mo., U.S.A. 38°21N 92°35W 172 F7
Eldon Wash., U.S.A. 47°33N 123°3W 170 C3
Eldora U.S.A. 42°22N 93°5W 172 D7
Eldorado Argentina 26°28S 54°43W 191 B5
Eldorado Canada 44°35N 77°31W 174 B7
Eldorado Ill., U.S.A. 37°49N 88°26W 172 G9
Eldorado Tex., U.S.A. 30°52N 100°36W 176 F4
Eldorendo U.S.A. 31°3N 84°39W 178 D5
Eldoret Kenya 0°30N 35°17E 142 B4
Eldred U.S.A. 41°58N 78°23W 174 E6
Elea, C. Cyprus 35°19N 34°4E 101 D13
Eleanora, Pk. Australia 32°57S 121°9E 149 F3
Elefantes → Africa 24°10S 32°40E 145 B5
Elefantes, G. Chile 46°28S 73°49W 192 C2
Elefsina Greece 38°4N 23°26E 98 C5
Eleftherios Venizelos ✈ (ATH) Greece 37°56N 23°56E 98 D5
Elektrogorsk Russia 55°56N 38°50E 84 E10
Elektrostal Russia 55°41N 38°32E 84 E10
Elele Nigeria 5°5N 6°50E 139 D6
Elemi Triangle = Ilemi Triangle Africa 5°0N 35°20E 142 B4
Elena Bulgaria 42°55N 25°53E 97 D9
Elephant Butte Res. U.S.A. 33°9N 107°11W 169 K10
Elephant I. Antarctica 61°0S 55°0W 55 C18
Elephant Pass Sri Lanka 9°35N 80°25E 127 K5
Elesbão Veloso Brazil 6°13S 42°8W 189 B2
Eleshnitsa Bulgaria 41°52N 23°36E 96 E7
Eleşkirt Turkey 39°50N 42°50E 105 C10
Eleuthera I. Bahamas 25°0N 76°20W 182 B4
Elevtheroupoli Greece 40°52N 24°20E 97 F8
Elgeyo-Marakwet □ Kenya 0°50N 35°35E 142 B4
Elgin Canada 44°36N 76°13W 175 B8
Elgin U.K. 57°39N 3°19W 65 D5
Elgin Ill., U.S.A. 42°2N 88°17W 172 D9
Elgin N. Dak., U.S.A. 46°24N 101°51W 172 B3
Elgin Oreg., U.S.A. 45°34N 117°55W 168 D5
Elgin S.C., U.S.A. 34°10N 80°48W 178 A9
Elgin Tex., U.S.A. 30°21N 97°22W 176 F6
Elgoibar Spain 43°13N 2°24W 90 B2
Elgon, Mt. Africa 1°10N 34°30E 142 B3
Eliase Indonesia 8°21S 130°48E 119 F8
Elikonos Oros Greece 38°18N 22°45E 98 C4
Elim Namibia 17°48S 15°31E 144 A2
Elim S. Africa 34°35S 19°45E 144 D2
Elin Pelin Bulgaria 42°40N 23°36E 96 D7
Elis = Ilia Greece 37°45N 21°35E 98 D3
Eliseu Martins Brazil 8°13S 43°42W 189 B2
Elista Russia 46°16N 44°14E 87 G7
Eliza, L. Australia 37°15S 139°50E 152 D3
Elizabeth Australia 34°42S 138°41E 152 C3
Elizabeth U.S.A. 40°39N 74°12W 175 F10
Elizabeth City U.S.A. 36°18N 76°14W 177 C16
Elizabethton U.S.A. 36°21N 82°13W 177 C13
Elizabethtown Ky., U.S.A. 37°42N 85°52W 173 G11
Elizabethtown N.Y., U.S.A. 44°13N 73°36W 175 B11
Elizabethtown Pa., U.S.A. 40°9N 76°36W 175 F8
Elizondo Spain 43°12N 1°30W 90 B3
Ełk Poland 53°50N 22°21E 82 E9
Elk → Canada 49°11N 115°14W 162 C5
Ełk → Poland 53°41N 22°28E 82 E9
Elk → U.S.A. 34°46N 87°16W 177 D11
Elk City U.S.A. 35°25N 99°25W 176 D5
Elk Creek U.S.A. 39°36N 122°32W 170 F4
Elk Grove U.S.A. 38°25N 121°22W 170 G5
Elk Island △ Canada 53°35N 112°59W 162 C6
Elk Lake Canada 47°40N 80°25W 164 C3
Elk Point Canada 53°54N 110°55W 163 C6
Elk River Idaho, U.S.A. 46°47N 116°11W 168 C5
Elk River Minn., U.S.A. 45°18N 93°35W 172 C7
Elkedra → Australia 21°8S 136°22E 150 C2
Elkhart Ind., U.S.A. 41°41N 85°58W 173 E11
Elkhart Kans., U.S.A. 37°0N 101°54W 172 G3
Elkhorn Canada 49°59N 101°14W 163 D8
Elkhorn → U.S.A. 41°8N 96°19W 172 E5
Elkhovo Bulgaria 42°10N 26°35E 97 D10
Elkin U.S.A. 36°15N 80°51W 177 C14
Elkins U.S.A. 38°55N 79°51W 173 F14
Elkland U.S.A. 41°59N 77°19W 174 E7
Elko Canada 49°20N 115°10W 162 D5
Elko U.S.A. 40°50N 115°46W 168 F6
Elkton U.S.A. 43°49N 83°11W 174 C1
Ellas = Greece ■ Europe 40°0N 23°0E 98 B3
Ellaville Fla., U.S.A. 30°23N 83°10W 178 E6
Ellaville Ga., U.S.A. 32°14N 84°19W 178 C5
Ellef Ringnes I. Canada 78°30N 102°2W 161 B11
Ellen, Mt. U.S.A. 44°9N 72°56W 175 B12
Ellenburg U.S.A. 44°54N 73°48W 175 B11
Ellendale U.S.A. 46°0N 98°32W 172 B4
Ellensburg U.S.A. 46°59N 120°34W 168 C3
Ellenville U.S.A. 41°43N 74°24W 175 E10
Ellerton Barbados 13°7N 59°33W 183 g
Ellery, Mt. Australia 37°28S 148°47E 153 D8
Ellesmere, L. N.Z. 43°47S 172°28E 155 D7
Ellesmere I. Canada 79°30N 80°0W 161 B16
Ellesmere Port U.K. 53°17N 2°54W 66 D5
Ellice Is. = Tuvalu ■ Pac. Oc. 8°0S 178°0E 147 B10
Ellicottville U.S.A. 42°17N 78°40W 174 D6
Ellington U.S.A. 42°13N 79°6W 174 D5
Elliot Australia 17°33S 133°32E 150 B1
Elliot S. Africa 31°22S 27°48E 145 D4
Elliot Lake Canada 46°25N 82°35W 164 C3
Elliotdale = Xhora S. Africa 31°55S 28°38E 145 D4
Elliott U.S.A. 34°6N 80°10W 178 A9
Elliott Key U.S.A. 25°27N 80°12W 179 K9
Ellis U.S.A. 38°56N 99°34W 172 F4
Elliston Australia 33°39S 134°53E 151 E1
Ellisville U.S.A. 31°36N 89°12W 177 F10
Ellon U.K. 57°22N 2°4W 65 D6
Ellora India 20°1N 75°10E 126 D2
Ellore = Eluru India 16°48N 81°8E 126 F5
Elloree U.S.A. 33°32N 80°34W 178 B9
Ellsworth Kans., U.S.A. 38°44N 98°14W 172 F4
Ellsworth Maine, U.S.A. 44°33N 68°25W 173 C19
Ellsworth Land Antarctica 76°0S 89°0W 55 D16
Ellsworth Mts. Antarctica 78°30S 85°0W 55 D16
Ellwangen Germany 48°57N 10°8E 77 G6
Ellwood City U.S.A. 40°52N 80°17W 174 F4
Ellzey U.S.A. 29°19N 82°48W 179 F7
Elm Switz. 46°54N 9°10E 77 J5
Elm-Lappwald ⌂ Germany 52°15N 10°50E 76 C6
Elma Canada 49°52N 95°55W 163 D9
Elma U.S.A. 47°0N 123°25W 170 D3
Elmadağ Turkey 39°55N 33°14E 104 C5
Elmalı Turkey 36°44N 29°56E 99 E11
Elmhurst U.S.A. 41°53N 87°56W 172 E10
Elmina Ghana 5°5N 1°21W 139 D4
Elmira Canada 43°36N 80°33W 174 C4
Elmira U.S.A. 42°6N 76°48W 174 D8
Elmira Heights U.S.A. 42°8N 76°50W 174 D8
Elmodel U.S.A. 31°21N 84°29W 178 D5
Elmore Australia 36°30S 144°37E 152 D6
Elmore U.S.A. 32°32N 86°19W 178 C3
Elmshorn Germany 53°43N 9°40E 76 B5
Elmvale Canada 44°35N 79°52W 174 B5
Elne France 42°36N 2°58E 72 F6
Elora Canada 43°41N 80°26W 174 C4
Elos Greece 36°46N 22°43E 98 E4
Elounda Greece 35°16N 25°42E 101 D7
Eloy U.S.A. 32°45N 111°33W 169 K8
Éloyes France 48°6N 6°36E 71 D13
Elphin Canada 44°55N 76°37W 175 B8
Elpitiya Sri Lanka 6°17N 80°10E 127 L5
Elrose Canada 51°12N 108°0W 163 C7
Elsby △ Australia 14°55S 133°10E 148 B5
Elsdorf Germany 50°55N 6°34E 76 E2
Elsie U.S.A. 45°52N 123°36W 170 E3
Elsinore = Helsingør Denmark 56°2N 12°35E 63 H6
Elster → Germany 51°25N 11°57E 76 D7
Elsterwerda Germany 51°27N 13°31E 76 D9
Eltanin Fracture Zone System S. Ocean 54°0S 130°0W 55 B14
Eltham N.Z. 39°26S 174°19E 154 F3
Elton Russia 49°5N 46°52E 87 F8
Elton, Ozero Russia 49°5N 46°42E 87 F8
Eltville Germany 50°2N 8°7E 77 E4
Eluru India 16°48N 81°8E 126 F5
Elvas Portugal 38°50N 7°10W 89 G3
Elven France 47°44N 2°36W 70 E4
Elverum Norway 60°53N 11°34E 60 F14
Elvire → Australia 17°51S 128°11E 148 C4
Elvire, Mt. Australia 29°22S 119°36E 149 E2
Elvo → Italy 45°23N 8°21E 92 C5
Elwell, L. = Tiber Res. U.S.A. 48°19N 111°6W 168 B8
Elwood Ind., U.S.A. 40°17N 85°50W 173 E11
Elwood Nebr., U.S.A. 40°36N 99°52W 172 E4
Elx = Elche Spain 38°15N 0°42W 91 G4
Ely U.K. 52°24N 0°16E 67 E8
Ely Minn., U.S.A. 47°55N 91°51W 172 B8
Ely Nev., U.S.A. 39°15N 114°54W 168 G6
Elyria U.S.A. 41°22N 82°7W 174 E2
Elyros Greece 35°15N 23°45E 98 F5
Elz → Germany 48°7N 7°44E 77 G3
Emajõgi → Estonia 58°25N 27°20E 84 C4
eMakhazeni S. Africa 25°42S 30°2E 145 C5
eMalahleni S. Africa 25°51S 29°14E 145 C4
Emāmrūd Iran 36°30N 55°0E 129 B7
Emån → Sweden 57°8N 16°30E 63 G10
eMbalenhle S. Africa 26°32S 29°4E 145 C4
Embarcación Argentina 23°10S 64°0W 190 A3
Embetsu Japan 44°44N 141°47E 112 B10
Embi Kazakhstan 48°50N 58°8E 108 C5
Embi → Kazakhstan 46°55N 53°28E 108 C4
Embonas Greece 36°13N 27°51E 101 C9
Embro Canada 43°9N 80°54W 174 C4
Embrun France 44°34N 6°30E 73 D10
Embu Kenya 0°32S 37°38E 142 C4
Emden Germany 53°21N 7°12E 76 B3
Emecik Turkey 36°46N 27°49E 99 E9
Emei Shan China 29°32N 103°46E 116 C4
Emeishan China 29°31N 103°23E 116 C4
Emerald Australia 23°32S 148°10E 150 C4
Emerald I. Canada 76°48N 114°10W 161 B9
Émeraude, Côte d' France 48°45N 2°40W 70 D4
Emerson Canada 49°0N 97°10W 163 D9
Emerson U.S.A. 34°8N 84°45W 178 A5
Emet Turkey 39°20N 29°15E 99 B11
Emgwenya S. Africa 25°40S 30°18E 145 C5
Emi Koussi Chad 19°45N 18°55E 135 E9
Emilia-Romagna □ Italy 44°45N 11°0E 92 D8
Emilius, Mte. Italy 45°45N 7°20E 92 C4
Emin China 46°34N 83°36E 109 C10
Eminabad Pakistan 32°2N 74°8E 124 C6
Emine, Nos Bulgaria 42°40N 27°56E 97 D11
Emirdağ Turkey 39°2N 31°8E 104 C4
Emissi, Tarso Chad 21°27N 18°36E 135 D9
eMkhondo = Piet Retief S. Africa 27°1S 30°50E 145 C5
Emlenton U.S.A. 41°11N 79°43W 174 E5
Emlichheim Germany 52°37N 6°51E 76 C2
Emmaboda Sweden 56°38N 15°32E 63 H9
Emmalane U.S.A. 32°46N 82°0W 178 C7
Emmaus S. Africa 29°2S 25°15E 144 C4
Emmaus U.S.A. 40°32N 75°30W 175 F9
Emme → Switz. 47°14N 7°32E 77 H3
Emmeloord Neths. 52°44N 5°46E 69 B5
Emmen Neths. 52°48N 6°57E 69 B6
Emmen Switz. 47°5N 8°18E 77 H4
Emmendingen Germany 48°6N 7°51E 77 G3
Emmental Switz. 46°55N 7°40E 77 J3
Emmerich Germany 51°50N 6°14E 76 D2
Emmet Australia 24°45S 144°30E 150 C3
Emmetsburg U.S.A. 43°7N 94°41W 172 D6
Emmett Idaho, U.S.A. 43°52N 116°30W 168 E5
Emmett Mich., U.S.A. 42°59N 82°46W 174 D2
Emmiganuru = Yemmiganur India 15°44N 77°29E 127 G3
Emmonak U.S.A. 62°47N 164°31W 166 C7
Emo Canada 48°38N 93°50W 163 D10
Emőd Hungary 47°57N 20°47E 80 C5
Emona Bulgaria 42°43N 27°53E 97 D11
Empalme Mexico 27°58N 110°51W 180 B2
Empangeni S. Africa 28°50S 31°52E 145 C5
Empedrado Argentina 28°0S 58°46W 190 B4
Emperor Seamount Chain Pac. Oc. 40°0N 170°0E 156 D9
Emperor Trough Pac. Oc. 43°0N 175°30E 156 C9
Empire U.S.A. 32°21N 83°18W 178 C6
Empoli Italy 43°43N 10°57E 92 E7
Emporia Kans., U.S.A. 38°25N 96°11W 172 F5
Emporia Va., U.S.A. 36°42N 77°32W 173 G15
Emporium U.S.A. 41°31N 78°14W 174 E6
Empress Canada 50°57N 110°0W 163 C7
Empty Quarter = Rub' al Khālī Si. Arabia 19°0N 48°0E 131 D4
Ems → Germany 53°20N 7°12E 76 B3
Emsdale Canada 45°32N 79°19W 174 A5
Emsdetten Germany 52°10N 7°32E 76 C3
Emu China 43°40N 128°6E 115 C15
Emu Park Australia 23°13S 150°50E 150 C5
eMuziwezinto S. Africa 30°15S 30°45E 145 D5
'En 'Avrona Israel 29°43N 35°0E 130 F4
'En Boqeq Israel 31°12N 35°21E 129 D4
'En Gedi Israel 31°28N 35°25E 129 D4
En Nahud Sudan 12°45N 28°25E 135 F11
Ena Japan 35°25N 137°25E 113 G8
Enånger Sweden 61°30N 17°9E 62 C11
Enard B. U.K. 58°5N 5°20W 65 C3
Enare träsk = Inarijärvi Finland 69°0N 28°0E 60 B23
Enarotali Indonesia 3°55S 136°21E 119 E9
Encampment U.S.A. 41°12N 106°47W 168 F10
Encantadas, Serra Brazil 30°40S 53°0W 191 C5
Encarnación Paraguay 27°15S 55°50W 191 B4
Encarnación de Diaz Mexico 21°31N 102°14W 180 C4
Enchi Ghana 5°53N 2°48W 138 D4
Encinitas U.S.A. 33°3N 117°17W 171 M9
Encino U.S.A. 34°39N 105°28W 169 J11
Encounter B. Australia 35°45S 138°45E 152 C3
Encruzilhada Brazil 15°31S 40°54W 189 D2
Encs Hungary 48°20N 21°8E 80 B6
Endako Canada 54°6N 125°2W 162 C3
Endau Kenya 1°18S 38°31E 142 C4
Endau Rompin △ Malaysia 2°27N 103°45E 121 L4
Ende Indonesia 8°45S 121°40E 119 F6
Endeavour Str. Australia 10°45S 142°0E 150 A3
Endelave Denmark 55°46N 10°18E 63 J4
Enderbury Kiribati 3°8S 171°5W 156 H10
Enderby Canada 50°35N 119°10W 162 C5
Enderby Abyssal Plain S. Ocean 60°0S 40°0E 55 C5
Enderby I. Australia 20°35S 116°30E 148 D2
Enderby Land Antarctica 66°0S 53°0E 55 C5
Enderlin U.S.A. 46°38N 97°36W 172 B5
Enderrocat, C. Spain 39°28N 2°43E 100 B9
Endicott U.S.A. 42°6N 76°4W 175 D8
Endicott Mts. U.S.A. 68°0N 152°0W 166 B9
Endimari → Brazil 8°46S 66°7W 188 B4
Endwell U.S.A. 42°6N 76°2W 175 D8
Endyalgout I. Australia 11°40S 132°35E 148 B5
Ené → Peru 11°10S 74°18W 188 C3
Eneabba Australia 29°49S 115°16E 149 E2
Enerhodar Ukraine 47°30N 34°28E 85 J8
Enewetak Atoll Marshall Is. 11°30N 162°15E 156 F8
Enez Turkey 40°45N 26°5E 97 F10
Enfer, Pte. d' Martinique 14°22N 60°54W 182 c
Enfield Canada 44°56N 63°32W 165 D7
Enfield Conn., U.S.A. 41°58N 72°36W 175 E12
Enfield N.C., U.S.A. 36°11N 77°41W 177 C16
Enfield N.H., U.S.A. 43°39N 72°9W 175 C12
Engadin Switz. 46°45N 10°10E 77 J6
Engaño, C. Dom. Rep. 18°30N 68°20W 183 C6
Engaño, C. Phil. 18°35N 122°23E 119 A6
Engaru Japan 44°3N 143°31E 112 B11
Engcobo = Ngcobo S. Africa 31°37S 28°0E 145 D4
Engelberg Switz. 46°48N 8°26E 77 J4
Engels Russia 51°28N 46°6E 86 E8
Engelsberg = Ängelsberg Sweden 59°58N 16°0E 62 E10
Engemann L. Canada 58°0N 106°55W 163 B7
Enggano Indonesia 5°20S 102°40E 118 F2
England U.S.A. 34°33N 91°58W 176 D9
England □ U.K. 53°0N 2°0W 67 E5
Englee Canada 50°45N 56°5W 165 B8
Englehart Canada 47°49N 79°52W 164 C4
Englewood U.S.A. 26°58N 82°21W 179 J7
English → Canada 49°12N 91°5W 163 C10
English Bazar = Ingraj Bazar India 24°58N 88°10E 125 G13
English Channel Europe 50°0N 2°0W 67 G6
English Company's Is., The Australia 11°50S 136°32E 150 A2
English River Canada 49°14N 91°0W 164 C1
Engures ezers Latvia 57°16N 23°6E 82 A10
Enguri → Georgia 42°27N 41°38E 87 J5
Enid U.S.A. 36°24N 97°53W 176 C6
Enipeas → Greece 39°22N 22°17E 98 B4
Eniwa Japan 43°0N 141°30E 112 C10
Enkhuizen Neths. 52°42N 5°17E 69 B5
Enköping Sweden 59°37N 17°4E 62 E11
Enle China 24°0N 101°9E 116 F3

Enna *Italy* 37°34N 14°16E **95** E7
Ennadai L. *Canada* 60°58N 101°20W **163** A8
Ennedi *Chad* 17°15N 22°0E **135** E10
Enngonia *Australia* 29°21S 145°50E **151** D4
Ennigerloh *Germany* 51°50N 8°2E **76** D4
Ennis *Ireland* 52°51N 8°59W **64** D3
Ennis *Mont., U.S.A.* 45°21N 111°44W **168** D8
Ennis *Tex., U.S.A.* 32°20N 96°38W **176** E6
Enniscorthy *Ireland* 52°30N 6°34W **64** D5
Enniskillen *U.K.* 54°21N 7°39W **64** B4
Ennistimon *Ireland* 52°57N 9°17W **64** D2
Enns *Austria* 48°12N 14°28E **78** C7
Enns → *Austria* 48°14N 14°32E **78** C7
Eno *Finland* 62°47N 30°10E **60** E24
Enosburg Falls *U.S.A.* 44°55N 72°48W **175** B12
Enping *China* 22°16N 112°21E **117** F9
Enriquillo, L. *Dom. Rep.* 18°20N 71°40W **183** C5
Enschede *Neths.* 52°13N 6°53E **69** B6
Ensenada *Argentina* 34°55S 57°55W **190** C4
Ensenada *Chile* 41°12S 72°33W **192** B2
Ensenada *Mexico* 31°52N 116°37W **180** A1
Ensenada de los Muertos
Mexico 23°59N 109°51W **180** C2
Enshi *China* 30°18N 109°29E **116** B7
Ensiola, Pta. de n' *Spain* 39°7N 2°55E **100** B9
Ensisheim *France* 47°50N 7°20E **71** E14
Ensley *U.S.A.* 30°31N 87°16W **179** E2
Entebbe *Uganda* 0°4N 32°28E **142** B3
Enterprise *Canada* 60°47N 115°45W **162** A5
Enterprise *Ala., U.S.A.* 31°19N 85°51W **178** D4
Enterprise *Oreg.,*
U.S.A. 45°25N 117°17W **168** D5
Entiako ⌂ *Canada* 53°15N 125°26W **162** C3
Entorno de Doñana ⌂
Spain 37°0N 6°26W **89** J4
Entrance, The
Australia 33°21S 151°30E **153** B9
Entraygues-sur-Truyère
France 44°38N 2°35E **72** D6
Entre Ríos *Bolivia* 21°30S 64°25W **190** A3
Entre Ríos *Brazil* 11°56S 38°5W **189** C3
Entre Ríos ☐ *Argentina* 30°30S 58°30W **190** C4
Entrepeñas, Embalse de
Spain 40°34N 2°42W **90** E2
Entroncamento *Portugal* 39°28N 8°28W **89** F2
Enugu *Nigeria* 6°30N 7°30E **139** D6
Enugu ☐ *Nigeria* 6°30N 7°45E **139** D6
Enugu Ezike *Nigeria* 7°0N 7°29E **139** D6
Enumclaw *U.S.A.* 47°12N 121°59W **170** C5
Envalira, Port d' *Europe* 42°33N 1°43E **90** C6
Envermeu *France* 49°53N 1°15E **70** C8
Enviken *Sweden* 60°49N 15°46E **62** D9
Envira *Brazil* 7°18S 70°13W **188** B3
Envira → *Brazil* 7°19S 70°15W **188** B3
Enying *Hungary* 46°56N 18°15E **80** D3
Enza → *Italy* 44°54N 10°31E **92** D7
Eochaill = Youghal
Ireland 51°56N 7°52W **64** E4
Eólie, Ís. *Italy* 38°30N 14°57E **95** D7
Epanomi *Greece* 40°25N 22°59E **96** F6
Epe *Neths.* 52°21N 5°59E **69** B5
Epe *Nigeria* 6°36N 3°59E **139** D5
Épernay *France* 49°3N 3°56E **71** C10
Épernon *France* 48°35N 1°40E **71** D8
Ephesus *Turkey* 37°55N 27°22E **99** D9
Ephraim *U.S.A.* 39°22N 111°35W **168** G8
Ephrata *Pa., U.S.A.* 40°11N 76°11W **175** F8
Ephrata *Wash., U.S.A.* 47°19N 119°33W **168** C4
Epidaurus = Epidavros
Greece 37°40N 23°7E **98** D5
Epidavros *Greece* 37°40N 23°7E **98** D5
Epidavros Limira *Greece* 36°46N 23°0E **98** E5
Épila *Spain* 41°36N 1°17W **90** D3
Épinac *France* 46°59N 4°31E **71** F11
Épinal *France* 48°10N 6°27E **71** D13
Epiros ☐ *Greece* 39°30N 20°30E **98** B2
Episkopi *Cyprus* 34°40N 32°54E **101** E11
Episkopi *Greece* 35°20N 24°20E **101** D6
Episkopi Bay *Cyprus* 34°35N 32°50E **101** E11
Epitalio *Greece* 37°37N 21°30E **98** D3
Epparlock, L. *Australia* 36°52S 144°34E **152** D6
Eppan = Appiano *Italy* 46°28N 11°15E **93** B8
Eppingen *Germany* 49°8N 8°53E **77** F4
Epsom *U.K.* 51°19N 0°16W **67** F7
Epukiro *Namibia* 21°40S 19°9E **144** B2
Equatoria = El Istiwa'iya
Sudan 5°0N 28°0E **135** G11
Equatorial Guinea ■ *Africa* 2°0N 8°0E **140** D1
Er Hai *China* 25°48N 100°11E **116** E3
Er Rachidia *Morocco* 31°58N 4°20W **136** B3
Er Rahad *Sudan* 12°45N 30°32E **135** F12
Er Rif *Morocco* 35°1N 4°1W **136** A3
Er Rogel *Sudan* 18°10N 35°25E **137** D4
Eraclea *Italy* 45°35N 12°40E **93** C9
Erandol *India* 20°56N 75°20E **126** D2
Erāwadī Myit = Ayeyawadi →
Burma 15°50N 95°6E **123** M19
Erāwadī Myitwanya = Irrawaddy, Mouths of the
Burma 15°30N 95°0E **123** M19
Erawan △ *Thailand* 14°25N 98°58E **120** E2
Erba *Italy* 45°48N 9°15E **92** C6
Erba *Sudan* 19°5N 36°51E **137** D4
Erba, J. *Sudan* 20°48N 36°47E **137** C4
Erbaa *Turkey* 40°42N 36°36E **104** B7
Erbeng Shan *China* 42°50N 84°59E **109** D10
Erbeskopf *Germany* 49°44N 7°2E **77** F3
Erçek *Turkey* 38°39N 43°36E **128** B4
Erçiş *Turkey* 39°2N 43°21E **105** C10
Erciyaş Dağı *Turkey* 38°30N 35°30E **128** B2
Érd *Hungary* 47°22N 18°56E **80** C3
Erdao Jiang → *China* 42°37N 128°0E **115** C14
Erdek *Turkey* 40°23N 27°47E **97** F11
Erdemli *Turkey* 36°36N 34°19E **104** D6
Erdene = Ulaan-Uul
Mongolia 46°4N 100°49E **110** B9
Erdenet *Mongolia* 49°2N 104°5E **110** B9
Erdenetsogt *Mongolia* 42°55N 106°5E **114** C4
Erding *Germany* 48°18N 11°54E **77** G7
Erdre → *France* 47°13N 1°32W **70** E5
Erebus, Mt. *Antarctica* 77°35S 167°0E **55** D11
Erechim *Brazil* 27°35S 52°15W **191** B5
Ereğli *Konya, Turkey* 37°31N 34°4E **104** D6
Ereğli *Zonguldak, Turkey* 41°15N 31°24E **104** B4
Erei, Monti *Italy* 37°20N 14°20E **95** E7
Erenhot *China* 43°48N 112°2E **114** C7
Eresma → *Spain* 41°26N 4°45W **88** D6
Eresos *Greece* 39°11N 25°57E **99** B7
Ereymentaū *Kazakhstan* 51°37N 73°6E **109** B8
Erfelek *Turkey* 41°53N 34°55E **104** B6
Erfenisdam *S. Africa* 28°30S 26°50E **144** C4
Erfoud *Morocco* 31°30N 4°15W **136** B3
Erftstadt *Germany* 50°50N 6°50E **76** E2
Erft → *Germany* 51°11N 6°44E **76** D2
Erfurt *Germany* 50°58N 11°2E **76** E7
Ergani *Turkey* 38°17N 39°49E **105** C8
Ergel *Mongolia* 43°8N 109°5E **114** C5
Ergene → *Turkey* 41°1N 26°22E **97** E10
Ergeni Vozvyshennost
Russia 47°0N 44°0E **87** G7
Ērgli *Latvia* 56°54N 25°38E **84** D3
Ergun He = Argun →
Russia 53°20N 121°28E **111** A13
Ergun Youqi *China* 50°15N 120°11E **111** A13
Erhlin *Taiwan* 23°54N 120°22E **117** F13
Eria → *Spain* 42°3N 5°44W **88** C5
Eriboll, L. *U.K.* 58°30N 4°42W **65** C4
Érice *Italy* 38°2N 12°35E **94** D5
Eridu *U.S.A.* 30°18N 83°45W **178** E6
Erie *U.S.A.* 42°8N 80°5W **174** D4
Erie, L. *N. Amer.* 42°15N 81°0W **174** D4
Erie Canal *U.S.A.* 43°5N 78°43W **174** C7
Erieau *Canada* 42°16N 81°57W **174** D3
Erigavo = Ceerigaabo
Somalia 10°35N 47°20E **131** E4
Erikoussa *Greece* 39°53N 19°34E **101** A3
Eriksdale *Canada* 50°52N 98°7W **163** C9
Erimanthos *Greece* 37°57N 21°50E **98** D3
Erimo-Misaki *Japan* 41°50N 143°15E **112** D11
Erin *Canada* 43°45N 80°7W **174** C4
Erin Pt. *Trin. & Tob.* 10°3N 61°39W **187** K15
Erinpura *India* 25°9N 73°3E **124** G5
Eriskay *U.K.* 57°4N 7°18W **65** D1
Erithres *Greece* 38°13N 23°20E **98** C5
Eritrea ■ *Africa* 14°0N 38°30E **131** D2
Erjas → *Portugal* 39°40N 7°1W **88** F3
Erkech-Tam Pass *Asia* 39°46N 74°2E **109** E8
Erkelenz *Germany* 51°4N 6°19E **76** D2
Erkner *Germany* 52°25N 13°44E **76** C9
Erlangen *Germany* 49°36N 11°0E **77** F6
Erldunda *Australia* 25°14S 133°12E **150** D1
Ermelo *Neths.* 52°18N 5°35E **69** B5
Ermelo *S. Africa* 26°31S 29°59E **145** C4
Ermenek *Turkey* 36°38N 33°0E **104** D5
Ermioni *Greece* 37°23N 23°15E **98** D5
Ermones *Greece* 39°37N 19°46E **101** A3
Ermoupoli *Greece* 37°28N 24°57E **98** D6
Ernakulam *India* 9°59N 76°22E **127** K3
Erne → *Ireland* 54°30N 8°16W **64** B3
Erne, Lower L. *U.K.* 54°28N 7°47W **64** B4
Erne, Upper L. *U.K.* 54°14N 7°32W **64** B4
Ernée *France* 48°18N 0°56W **70** D6
Ernest Giles Ra.
Australia 27°0S 123°45E **149** E3
Ernstberg *Germany* 50°13N 6°47E **77** E2
Erode *India* 11°24N 77°45E **127** J3
Eromanga *Australia* 26°40S 143°11E **151** D3
Erongo *Namibia* 21°39S 15°58E **144** B2
Erongo ☐ *Namibia* 22°20S 15°0E **144** B2
Erquy *France* 48°38N 2°29W **70** D4
Erramala Hills *India* 15°30N 78°15E **127** G4
Errenteria *Spain* 43°19N 1°54W **90** B3
Errigal *Ireland* 55°2N 8°6W **64** A3
Errinundra △
Australia 37°20S 148°47E **153** D8
Erris Hd. *Ireland* 54°17N 10°0W **64** B1
Ersekë *Albania* 40°22N 20°40E **96** F4
Erskine *U.S.A.* 47°40N 96°0W **172** B6
Erstein *France* 48°25N 7°38E **71** D14
Ertai *China* 46°3N 90°5E **109** C12
Ertan Shuiku *China* 27°5N 101°52E **116** D3
Ertholmene *Denmark* 55°19N 15°11E **63** J9
Ertil *Russia* 51°55N 40°50E **86** E5
Ertis = Irtysh → *Russia* 61°4N 68°52E **106** C7
Ertis *Kazakhstan* 53°20N 75°27E **109** B9
Ertis → *Kazakhstan* 47°52N 84°16E **109** C10
Eruh *Turkey* 37°46N 42°13E **105** D10
Ervy-le-Châtel *France* 48°2N 3°55E **71** D10
Erwin *U.S.A.* 36°9N 82°25W **177** C13
Eryuan *China* 26°7N 99°57E **116** D2
Erzgebirge *Germany* 50°27N 12°55E **76** E8
Erzin *Russia* 50°15N 95°10E **109** B13
Erzincan *Turkey* 39°46N 39°30E **105** C8
Erzincan ☐ *Turkey* 39°45N 39°30E **105** C8
Erzurum *Turkey* 39°57N 41°15E **105** C9
Erzurum ☐ *Turkey* 39°55N 41°15E **105** C9
Es Caló *Spain* 38°40N 1°30E **100** C8
Es Canar *Spain* 39°2N 1°36E **100** B8
Es Mercadal *Spain* 39°59N 4°5E **100** B11
Es Migjorn Gran *Spain* 39°57N 4°3E **100** B11
Es Sînâ' *Egypt* 29°0N 34°0E **130** F2
Es Vedrà *Spain* 38°52N 1°12E **100** C7
Esambo
Dem. Rep. of the Congo 3°48S 23°30E **142** C1
Esan-Misaki *Japan* 41°40N 141°10E **112** D10
Esashi *Hokkaidō, Japan* 44°56N 142°35E **112** B11
Esashi *Hokkaidō, Japan* 41°52N 140°7E **112** D10
Esbjerg *Denmark* 55°29N 8°29E **63** J2
Esbo = Espoo *Finland* 60°12N 24°40E **84** B3
Escada *Brazil* 8°22S 35°8W **189** B3
Escalante *U.S.A.* 37°47N 111°36W **169** H8
Escalante → *U.S.A.* 37°24N 110°57W **169** H8
Escalón *Mexico* 26°45N 104°20W **180** B4
Escambia → *U.S.A.* 30°32N 87°11W **179** E2
Escanaba *U.S.A.* 45°45N 87°4W **172** C10
Escárcega *Mexico* 18°37N 90°43W **181** D6
Esch-sur-Alzette *Lux.* 49°32N 6°0E **69** E6
Eschede *Germany* 52°44N 10°14E **76** C6
Eschwege *Germany* 51°11N 10°2E **76** D6
Eschweiler *Germany* 50°49N 6°15E **76** E2
Escoma *Bolivia* 15°40S 69°8W **188** D4
Escondido *U.S.A.* 33°7N 117°5W **171** M9
Escravos → *Nigeria* 5°35N 5°10E **139** D6
Escuinapa de Hidalgo
Mexico 22°50N 105°50W **180** C3
Escuintla *Guatemala* 14°20N 90°48W **182** D1
Eséka *Cameroon* 3°41N 10°44E **139** E7
Eşen → *Turkey* 36°27N 29°16E **99** E11
Esenguly *Turkmenistan* 37°37N 53°59E **108** E4
Esens *Germany* 53°38N 7°36E **76** B3
Esentepe = Áyios Amvrósios
Cyprus 35°20N 33°35E **101** D12
Esenyurt *Turkey* 41°3N 28°48E **97** E12
Esera → *Spain* 42°6N 0°15E **90** C5
Eşfahān *Iran* 32°39N 51°43E **129** C6
Eşfahān ☐ *Iran* 32°50N 51°50E **129** C6
Esfarāyen *Iran* 37°4N 57°30E **129** B8
Esfideh *Iran* 33°39N 59°46E **129** C8
Esgueva → *Spain* 41°40N 4°43W **88** D6
Esh Sham = Dimashq
Syria 33°30N 36°18E **130** B5
Esh Shamâliya ☐ *Sudan* 19°0N 29°0E **137** D2
Esha Ness *U.K.* 60°29N 1°38W **65** A7
Eshan *China* 24°11N 102°24E **116** E4
Esher *U.K.* 51°21N 0°20W **67** F7
Eshkāshem = Ishkashim
Tajikistan 36°44N 71°37E **109** E8
Eshkol △ *Israel* 31°20N 34°30E **130** D3
Eshowe *S. Africa* 28°50S 31°30E **145** C5
Esiama *Ghana* 4°56N 2°25W **138** E4
Esigodini *Zimbabwe* 20°18S 28°56E **145** B4
Esil = Ishim → *Russia* 57°45N 71°10E **106** D8
Esil *Kazakhstan* 51°57N 66°24E **109** B7
Esino → *Italy* 43°39N 13°22E **93** E10
Esk → *Dumf. & Gall., U.K.* 54°58N 3°2W **65** G5
Esk → *N. Yorks., U.K.* 54°30N 0°37W **66** C7
Eskān *Iran* 26°48N 63°9E **129** E9
Esker Siding *Canada* 53°53N 66°25W **165** B6
Eskifjörður *Iceland* 65°3N 13°55W **60** D7
Eskilsäter *Sweden* 58°57N 13°10E **63** F7
Eskilstuna *Sweden* 59°22N 16°32E **62** E10
Eskimalatya *Turkey* 38°24N 38°22E **105** C8
Eskimo Point = Arviat
Canada 61°6N 93°59W **163** A10
Eskişehir *Turkey* 39°50N 30°30E **99** B12
Eskişehir ☐ *Turkey* 39°40N 31°0E **99** B12
Esla → *Spain* 41°29N 6°3W **88** D4
Eslāmābād-e Gharb
Iran 34°10N 46°30E **105** E12
Eslāmshahr *Iran* 35°40N 51°10E **129** C6
Eslöv *Sweden* 55°50N 13°20E **63** J7
Eşme *Turkey* 38°23N 28°58E **99** C10
Esmeralda, I. *Chile* 48°55S 75°25W **192** C1
Esmeraldas *Ecuador* 1°0N 79°40W **186** C3
Esna = Isna *Egypt* 25°17N 32°30E **137** B3
Esnagi L. *Canada* 48°36N 84°33W **164** C3
Esom Hill *U.S.A.* 33°57N 85°23W **178** B4
Espalion *France* 44°32N 2°47E **72** D6
España = Spain ■ *Europe* 39°0N 4°0W **59** H5
Espanola *Canada* 46°15N 81°46W **164** C3
Espanola *U.S.A.* 35°59N 106°5W **169** J10
Esparreguera *Spain* 41°33N 1°52E **90** D6
Esparza *Costa Rica* 9°59N 84°40W **182** E3
Espelkamp *Germany* 52°24N 8°36E **76** C4
Esperança *Brazil* 7°1S 35°51W **189** B3
Esperance *Australia* 33°45S 121°55E **149** F3
Esperance B. *Australia* 33°48S 121°55E **149** F3
Esperance Harbour
St. Lucia 14°4N 60°55W **183** f
Esperantinópolis *Brazil* 4°53S 44°53W **189** A2
Esperanza *Antarctica* 65°0S 55°0W **55** C18
Esperanza *Santa Cruz, Argentina* 51°1S 70°49W **192** D2
Esperanza *Santa Fe, Argentina* 31°29S 61°3W **190** C3
Esperanza *Puerto Rico* 18°6N 65°28W **183** d
Espéraza *France* 42°56N 2°14E **72** F6
Espichel, C. *Portugal* 38°22N 9°16W **89** G1
Espiel *Spain* 38°11N 5°1W **89** G5
Espigão, Serra do
Brazil 26°35S 50°30W **191** B5
Espinar *Peru* 14°51S 71°24W **188** C3
Espinazo, Sierra del = Espinhaço, Serra do *Brazil* 17°30S 43°30W **189** D2
Espinhaço, Serra do
Brazil 17°30S 43°30W **189** D2
Espinho *Portugal* 41°1N 8°38W **88** D2
Espinilho, Serra do
Brazil 28°30S 55°0W **191** B5
Espinosa de los Monteros
Spain 43°5N 3°34W **88** B7
Espírito Santo ☐ *Brazil* 20°0S 40°45W **189** E2
Espírito Santo do Pinhal
Brazil 22°10S 46°46W **191** A6
Espíritu Santo *Vanuatu* 15°15S 166°50E **147** C9
Espíritu Santo, B. del
Mexico 19°20N 87°35W **181** D7
Espíritu Santo, I.
Mexico 24°30N 110°22W **180** C2
Espita *Mexico* 21°1N 88°19W **181** C7
Espiye *Turkey* 40°56N 38°43E **105** B8
Esplanada *Brazil* 11°47S 37°57W **189** C3
Espoo *Finland* 60°12N 24°40E **84** B3
Espuña, Sierra de *Spain* 37°51N 1°35W **91** H3
Espungabera *Mozam.* 20°29S 32°45E **145** B5
Esquel *Argentina* 42°55S 71°20W **192** B2
Esquimalt *Canada* 48°26N 123°25W **170** B3
Esquina *Argentina* 30°0S 59°30W **190** C4
Essaouira *Morocco* 31°32N 9°42W **136** B2
Essen *Belgium* 51°28N 4°28E **69** C4
Essen *Germany* 51°28N 7°2E **76** D3
Essendon, Mt. *Australia* 25°0S 120°29E **149** E3
Essequibo → *Guyana* 6°50N 58°30W **186** B7
Essex *Canada* 42°10N 82°49W **174** D2
Essex *Calif., U.S.A.* 34°44N 115°15W **171** L11
Essex *N.Y., U.S.A.* 44°19N 73°21W **175** B11
Essex ☐ *U.K.* 51°54N 0°27E **67** F8
Essex Junction *U.S.A.* 44°29N 73°7W **175** B11
Esslingen *Germany* 48°44N 9°18E **77** G5
Essonne ☐ *France* 48°30N 2°20E **71** D9
Estaca de Bares, C. de
Spain 43°46N 7°42W **88** B3
Estación Camacho
Mexico 24°25N 102°18W **180** C4
Estación Simón
Mexico 24°42N 102°35W **180** C4
Estadilla *Spain* 42°4N 0°16E **90** C5
Estados, I. de Los
Argentina 54°40S 64°30W **192** D4
Estagel *France* 42°47N 2°40E **72** F6
Eşţahbānāt *Iran* 29°8N 54°4E **129** D7
Estância *Brazil* 11°16S 37°26W **189** C3
Estancia *U.S.A.* 34°46N 106°4W **169** J10
Estancia Monte León
Argentina 50°14S 68°55W **192** D3
Estārm *Iran* 28°21N 58°21E **129** D8
Estarreja *Portugal* 40°45N 8°35W **88** E2
Estats, Pic d' *Spain* 42°40N 1°24E **90** C6
Estcourt *S. Africa* 29°0S 29°53E **145** C4
Este *Italy* 45°14N 11°39E **93** C8
Este △ *Dom. Rep.* 18°14N 68°42W **183** C6
Esteli *Nic.* 13°9N 86°22W **182** D2
Estella *Spain* 42°40N 2°2W **90** C2
Estellencs *Spain* 39°39N 2°29E **100** B9
Estena → *Spain* 39°23N 4°44W **89** F6
Estepa *Spain* 37°17N 4°52W **89** H6
Estepona *Spain* 36°24N 5°7W **89** J5
Esterhazy *Canada* 50°37N 102°5W **163** C8
Esternay *France* 48°44N 3°33E **71** D10
Esterri d'Aneu *Spain* 42°38N 1°5E **90** C6
Estevan *Canada* 49°10N 102°59W **163** D8
Estevan Group *Canada* 53°3N 129°38W **162** C3
Estherville *U.S.A.* 43°24N 94°50W **172** D6
Estill *U.S.A.* 32°45N 81°15W **178** C8
Estissac *France* 48°16N 3°48E **71** D10
Eston *Canada* 51°8N 108°40W **163** C7
Estonia ■ *Europe* 58°30N 25°30E **84** C3
Estoril *Portugal* 38°42N 9°23W **89** G1
Estouk *Mali* 18°14N 1°2E **139** B5
Estreito *Brazil* 6°32S 47°25W **187** E9
Estreito *Maranhão, Brazil* 6°34S 47°27W **189** B1
Estrela, Serra da *Portugal* 40°10N 7°45W **88** E3
Estrella *Spain* 38°25N 3°35W **89** G7
Estremoz *Portugal* 38°51N 7°39W **89** G3
Estrondo, Serra do *Brazil* 7°20S 48°0W **187** E9
Esztergom *Hungary* 47°47N 18°44E **80** C3
Et Tîdra *Mauritania* 19°45N 16°20W **138** B1
Etah *India* 27°35N 78°40E **125** F8
Étain *France* 49°13N 5°38E **71** C12
Étampes *France* 48°26N 2°10E **71** D9
Etanga *Namibia* 17°55S 13°0E **144** A1
Étaples *France* 50°30N 1°39E **71** B8
Etawah *India* 26°48N 79°6E **125** F8
Etawney L. *Canada* 57°50N 96°50W **163** B9
Etchojoa *Mexico* 26°55N 109°38W **180** B3
Ete *Nigeria* 7°2N 7°28E **139** D6
eThekwini = Durban
S. Africa 29°49S 31°1E **145** C5
Ethel *U.S.A.* 46°32N 122°46W **170** D4
Ethelbert *Canada* 51°32N 100°25W **163** C8
Ethiopia ■ *Africa* 8°0N 40°0E **131** F3
Ethiopian Highlands
Ethiopia 10°0N 37°0E **131** F2
Etili *Turkey* 39°59N 26°54E **97** G10
Etive, L. *U.K.* 56°29N 5°10W **65** E3
Etna *Italy* 37°50N 14°55E **95** E7
Etoile
Dem. Rep. of the Congo 11°33S 27°30E **143** E2
Etoliko *Greece* 38°26N 21°21E **98** C3
Etolin Strait *U.S.A.* 60°20N 165°15W **166** C6
Etoloakarnania *Greece* 38°45N 21°18E **98** C3
Etosha △ *Namibia* 19°0S 16°0E **144** A2
Etosha Pan *Namibia* 18°40S 16°30E **144** A2
Etowah *U.S.A.* 35°20N 84°32W **177** D12
Étréchy *France* 48°30N 2°12E **71** D9
Etrek *Turkmenistan* 37°36N 54°46E **129** B7
Étrépagny *France* 49°18N 1°36E **71** C8
Étretat *France* 49°42N 0°12E **70** C7
Etropole *Bulgaria* 42°50N 24°0E **97** D8
Ettelbruck *Lux.* 49°51N 6°5E **69** E6
Ettlingen *Germany* 48°56N 8°25E **77** G4
Ettrick Water → *U.K.* 55°31N 2°55W **65** F6
Etuku
Dem. Rep. of the Congo 3°42S 25°45E **142** C2
Etulia *Moldova* 45°32N 28°27E **81** E13
Etzná-Tixmucuy = Edzná
Mexico 19°39N 90°19W **181** D6
Eu *France* 50°3N 1°26E **70** B8
Euboea = Evia *Greece* 38°30N 24°0E **98** C6
Euchareena *Australia* 32°57S 149°6E **153** B8
Eucla *Australia* 31°41S 128°52E **149** F4
Euclid *U.S.A.* 41°34N 81°32W **174** E3
Euclides da Cunha
Brazil 10°31S 39°1W **189** C3
Eucumbene, L.
Australia 36°2S 148°40E **153** D8
Eudora *U.S.A.* 33°7N 91°16W **176** E9
Eudunda *Australia* 34°12S 139°7E **152** C3
Eufaula *Ala., U.S.A.* 31°54N 85°9W **178** D4
Eufaula *Okla., U.S.A.* 35°17N 95°35W **176** D7
Eufaula L. *U.S.A.* 35°18N 95°21W **176** D7
Eugene *U.S.A.* 44°5N 123°4W **168** D2
Eugowra *Australia* 33°22S 148°24E **153** B8
Eulo *Australia* 28°10S 145°3E **151** D4
Eunice *U.S.A.* 31°32N 81°26W **178** D8
Eumungerie *Australia* 31°56S 148°36E **153** A8
Eungella △ *Australia* 20°57S 148°40E **150** b
Eunice *La., U.S.A.* 30°30N 92°25W **176** F8
Eunice *N. Mex., U.S.A.* 32°26N 103°10W **169** K12
Eupen *Belgium* 50°37N 6°3E **69** D6
Euphrates = Furāt, Nahr al →
Asia 31°0N 47°25E **128** D5
Eure ☐ *France* 49°10N 1°0E **70** C8
Eure → *France* 49°18N 1°12E **70** C8
Eure-et-Loir ☐ *France* 48°22N 1°30E **70** D8
Eureka *Canada* 80°0N 85°56W **161** B14
Eureka *Calif., U.S.A.* 40°47N 124°9W **168** F1
Eureka *Kans., U.S.A.* 37°49N 96°17W **172** G5
Eureka *Mont., U.S.A.* 48°53N 115°3W **168** B6
Eureka *Nev., U.S.A.* 39°31N 115°58W **168** G6
Eureka *S.C., U.S.A.* 33°42N 81°46W **178** B8
Eureka *S. Dak., U.S.A.* 45°46N 99°38W **172** C4
Eureka, Mt. *Australia* 26°35S 121°35E **149** E3
Eureka Sd. *Canada* 79°0N 85°0W **161** B15
Eurelia *Australia* 32°33S 138°35E **152** B3
Eurinilla Cr. →
Australia 30°53S 140°11E **152** A4
Euroa *Australia* 36°44S 145°35E **153** D6
Euroairport, Basle ✕ **(EAP)**
France 47°36N 7°33E **71** E14
Europa, Île *Ind. Oc.* 22°20S 40°22E **145** B7
Europa, Picos de *Spain* 43°10N 4°49W **88** B6
Europa, Pt. *Gib.* 36°3N 5°21W **89** J5
Europe 50°0N 20°0E **58** E10
Europoort *Neths.* 51°57N 4°10E **69** C4
Euskadi = País Vasco ☐
Spain 42°50N 2°45W **90** C2
Euskirchen *Germany* 50°39N 6°48E **76** E2
Eustis *U.S.A.* 28°51N 81°41W **179** G8
Euston *Australia* 34°30S 142°46E **152** C5
Eutawville *U.S.A.* 33°24N 80°21W **178** B9
Eutin *Germany* 54°8N 10°36E **76** A6
Eutsuk L. *Canada* 53°20N 126°45W **162** C3
Evale *Angola* 16°33S 15°44E **144** A2
Evans *U.S.A.* 40°23N 104°41W **168** F11
Evans, L. *Canada* 50°50N 77°0W **164** B4
Evans City *U.S.A.* 40°46N 80°4W **174** F4
Evans Head *Australia* 29°7S 153°27E **151** D5
Evansburg *Canada* 53°36N 114°59W **162** C5
Evanston *Ill., U.S.A.* 42°3N 87°40W **172** D10
Evanston *Wyo.,*
U.S.A. 41°16N 110°58W **168** F8
Evansville *U.S.A.* 37°58N 87°35W **172** G10
Évaux-les-Bains *France* 46°12N 2°29E **71** F9
Evaz *Iran* 27°46N 53°59E **129** E7
Evciler *Afyon, Turkey* 38°3N 29°55E **99** C11
Evciler *Çanakkale, Turkey* 39°47N 26°44E **99** B8
Eveleth *U.S.A.* 47°28N 92°32W **172** B7
Evensk *Russia* 62°12N 159°30E **107** C16
Everard, L. *Australia* 31°30S 135°0E **151** E2
Everard Ranges
Australia 27°5S 132°28E **149** E5
Everest, Mt. *Nepal* 28°5N 86°58E **125** E12
Everett *Ga., U.S.A.* 31°24N 81°38W **178** D8
Everett *Pa., U.S.A.* 40°1N 78°23W **174** F6
Everett *Wash., U.S.A.* 47°59N 122°12W **170** C4
Everglades, The *U.S.A.* 25°50N 81°0W **179** K9
Everglades △ *U.S.A.* 25°30N 81°0W **179** K9
Everglades City *U.S.A.* 25°52N 81°23W **179** K8
Evergreen *Ala., U.S.A.* 31°26N 86°57W **177** F11
Evergreen *Mont.,*
U.S.A. 48°14N 114°17W **168** B6
Everöd *Sweden* 55°53N 14°5E **63** J8
Everton *Australia* 36°25S 146°33E **153** D7
Evertsberg *Sweden* 61°8N 13°58E **62** C7
Evesham *U.K.* 52°6N 1°56W **67** E6
Evia *Greece* 38°30N 24°0E **98** C6
Évian-les-Bains *France* 46°24N 6°35E **71** F13
Evinos → *Greece* 38°27N 21°40E **98** C3
Évisa *France* 42°15N 8°48E **73** F12
Evje *Norway* 58°36N 7°51E **61** G12
Évora *Portugal* 38°33N 7°57W **89** G3
Évora ☐ *Portugal* 38°33N 7°50W **89** G3
Evowghlī *Iran* 38°43N 45°13E **105** C11
Évreux *France* 49°3N 1°8E **70** C8
Evritania *Greece* 39°5N 21°30E **98** B3
Évron *France* 48°10N 0°24W **70** D6
Evros → *Greece* 41°40N 26°34E **97** F10
Evrotas → *Greece* 36°50N 22°40E **98** E4
Évry *France* 48°38N 2°27E **71** D9
Évvoia = Evia *Greece* 38°30N 24°0E **98** C6
Ewe, L. *U.K.* 57°49N 5°38W **65** D3
Ewing *U.S.A.* 42°16N 98°21W **172** D4
Ewo *Congo* 0°48S 14°45E **140** E2
Exaltación *Bolivia* 13°10S 65°20W **186** F5
Excelsior Springs
U.S.A. 39°20N 94°13W **172** F6
Excideuil *France* 45°20N 1°4E **72** C5
Exe → *U.K.* 50°41N 3°29W **67** G4
Exeter *Canada* 43°21N 81°29W **174** C3
Exeter *U.K.* 50°43N 3°31W **67** G4
Exeter *Calif., U.S.A.* 36°18N 119°9W **170** J7
Exeter *N.H., U.S.A.* 42°59N 70°57W **175** D14
Exmoor *U.K.* 51°12N 3°45W **67** F4
Exmoor △ *U.K.* 51°8N 3°42W **67** F4
Exmouth *Australia* 21°54S 114°10E **148** D1
Exmouth *U.K.* 50°37N 3°25W **67** G4
Exmouth G. *Australia* 22°15S 114°15E **148** D1
Exmouth Plateau
Ind. Oc. 19°0S 114°0E **156** J3
Expedition △ *Australia* 25°41S 149°7E **151** D4
Expedition Ra.
Australia 24°30S 149°12E **150** C4
Experiment = Highland Mills
U.S.A. 33°17N 84°17W **178** B5
Extremadura ☐ *Spain* 39°30N 6°5W **89** F4
Exuma Sound
Bahamas 24°30N 76°20W **182** B4
Eyasi, L. *Tanzania* 3°30S 35°0E **142** C4
Eye Pen. *U.K.* 58°13N 6°10W **65** C2
Eyemouth *U.K.* 55°52N 2°5W **65** F6
Eygues = Aigues →
France 44°7N 4°43E **73** D8
Eygurande *France* 45°40N 2°26E **71** G9
Eyjafjallajökull *Iceland* 63°38N 19°36W **60** E4
Eyjafjörður *Iceland* 66°15N 18°30W **60** C4
Eyl *Somalia* 8°0N 49°50E **131** F4
Eymet *France* 44°40N 0°25E **72** D4
Eymoutiers *France* 45°40N 1°45E **72** C5
Eynesil *Turkey* 41°4N 39°9E **105** B8
Eyre → *France* 44°39N 1°1W **72** D2
Eyre, L. = Kati Thanda-Lake Eyre
Australia 29°30S 137°26E **147** D6
Eyre Mts. *N.Z.* 45°25S 168°25E **155** F3
Eyre Pen. *Australia* 33°30S 136°17E **152** C1
Eysturoy *Færoe Is.* 62°13N 6°54W **60** E9
Eyvān = Jūy Zar *Iran* 33°50N 46°18E **105** F12
Eyvānkī *Iran* 35°24N 51°56E **129** C6
Ežerėlis *Lithuania* 54°53N 23°37E **82** D10
Ezcaray *Spain* 42°19N 3°0W **90** C1
Ezhou *China* 30°23N 114°50E **117** B10
Ezine *Turkey* 39°48N 26°20E **99** B8
Ezouza → *Cyprus* 34°44N 32°27E **101** E11

F

F.Y.R.O.M. = Macedonia ■
Europe 41°53N 21°40E **96** E5
Faaa *Tahiti* 17°34S 149°35W **155** b
Faaborg *Denmark* 55°6N 10°15E **63** J4
Faaone *Tahiti* 17°40S 149°21W **155** b
Fabala *Guinea* 9°44N 9°5W **138** D3
Fabens *U.S.A.* 31°30N 106°10W **176** F1
Fabero *Spain* 42°46N 6°37W **88** C4
Fabius *U.S.A.* 42°50N 75°59W **175** D9
Fabriano *Italy* 43°20N 12°54E **93** E9
Făcăeni *Romania* 44°32N 27°53E **81** F12
Faceville *U.S.A.* 30°45N 84°38W **178** E5
Fachi *Niger* 18°6N 11°34E **135** E8
Facundo *Argentina* 45°18S 69°58W **192** C3
Fada *Chad* 17°13N 21°34E **135** E10
Fada-n-Gourma
Burkina Faso 12°10N 0°30E **139** C5
Fadd *Hungary* 46°28N 18°49E **80** D3
Faddeyevskiy, Ostrov
Russia 76°0N 144°0E **107** B15
Fadghāmī *Syria* 35°53N 40°52E **105** E9
Faenza *Italy* 44°17N 11°53E **93** D8
Færingehavn = Kangerluarsoruseq
Greenland 63°45N 51°27W **57** E5
Færoe Is. = Føroyar ☑
Atl. Oc. 62°0N 7°0W **60** F9
Fafa *Mali* 15°22N 0°48E **139** B5
Fafe *Portugal* 41°27N 8°11W **88** D2
Fagam *Nigeria* 11°1N 10°1E **139** C7
Făgăraş *Romania* 45°48N 24°58E **81** E9
Făgăraş, Munţii
Romania 45°40N 24°40E **81** E9
Fågelfors *Sweden* 57°12N 15°51E **63** G9
Fågelmara *Sweden* 56°16N 15°58E **63** H9
Fagerhult *Sweden* 57°8N 15°40E **63** G9
Fagersta *Sweden* 60°1N 15°46E **62** D9
Făget *Romania* 45°52N 22°10E **80** E7
Făget, Munţii *Romania* 47°40N 23°10E **81** C8
Faggo *Nigeria* 11°21N 9°57E **139** C6
Fagnano, L. *Argentina* 54°30S 68°0W **192** D3
Fagnières *France* 48°58N 4°20E **71** D11
Faguibine, L. *Mali* 16°45N 4°0W **138** B4
Fahlīān *Iran* 30°11N 51°28E **129** D6
Fahraj *Kermān, Iran* 29°0N 59°0E **129** D8
Fahraj *Yazd, Iran* 31°46N 54°36E **129** D7
Fai Tsi Long *Vietnam* 21°0N 107°30E **116** G6
Faial *Azores* 38°34N 28°42W **134** a
Faial *Madeira* 32°47N 16°53W **100** D3
Faichan Kangri *India* 35°48N 76°34E **125** B7
Fair Haven *N.Y.,*
U.S.A. 43°18N 76°42W **175** C8
Fair Haven *Vt., U.S.A.* 43°36N 73°16W **175** C11
Fair Hd. *U.K.* 55°14N 6°9W **64** A5
Fair Isle *U.K.* 59°32N 1°38W **68** B6
Fair Oaks *U.S.A.* 38°39N 121°16W **170** G5
Fairbanks *Alaska,*
U.S.A. 64°51N 147°43W **160** E2
Fairbanks *Fla., U.S.A.* 29°44N 82°16W **178** F7
Fairburn *U.S.A.* 33°34N 84°35W **178** B5
Fairbury *U.S.A.* 40°8N 97°11W **172** E5
Fairfax *S.C., U.S.A.* 32°59N 81°15W **178** C8
Fairfax *Vt., U.S.A.* 44°40N 73°1W **175** B11
Fairfield *Australia* 33°53S 150°57E **153** B9
Fairfield *Calif., U.S.A.* 38°15N 122°3W **170** G4
Fairfield *Conn., U.S.A.* 41°9N 73°16W **175** E11
Fairfield *Idaho, U.S.A.* 43°21N 114°44W **168** E6
Fairfield *Ill., U.S.A.* 38°23N 88°22W **172** F9
Fairfield *Iowa, U.S.A.* 40°56N 91°57W **172** E8
Fairfield *Tex., U.S.A.* 31°44N 96°10W **176** F6
Fairford *Canada* 51°37N 98°38W **163** C9
Fairhope *U.S.A.* 30°31N 87°54W **177** F11
Fairlie *N.Z.* 44°5S 170°49E **155** E5
Fairmead *U.S.A.* 37°5N 120°10W **170** H6
Fairmont *Minn., U.S.A.* 43°39N 94°28W **172** D6
Fairmont *W. Va.,*
U.S.A. 39°29N 80°9W **173** F13
Fairmount *Calif.,*
U.S.A. 34°45N 118°26W **171** L8
Fairmount *N.Y., U.S.A.* 43°5N 76°12W **175** C8
Fairplay *U.S.A.* 39°15N 106°2W **168** G10
Fairport *U.S.A.* 43°6N 77°27W **174** C7
Fairport Harbor *U.S.A.* 41°45N 81°17W **174** E3
Fairview *Canada* 56°5N 118°25W **162** B5
Fairview *Mont.,*
U.S.A. 47°51N 104°3W **168** C11
Fairview *Okla., U.S.A.* 36°16N 98°29W **176** C5
Fairweather, Mt.
U.S.A. 58°55N 137°32W **162** B1
Faisalabad *Pakistan* 31°30N 73°5E **124** D5
Faith *U.S.A.* 45°2N 102°2W **172** C2
Faizabad *India* 26°45N 82°10E **125** F10
Faizpur *India* 21°14N 75°49E **126** D2
Fajardo *Puerto Rico* 18°20N 65°39W **183** d
Fajr, W. → *Si. Arabia* 29°10N 38°10E **128** D3
Fakenham *U.K.* 52°51N 0°51E **66** E8
Fåker *Sweden* 63°0N 14°34E **62** A8
Fakfak *Indonesia* 2°55S 132°18E **119** E8
Fakiya *Bulgaria* 42°10N 27°6E **97** D11
Fakobli *Ivory C.* 7°23N 7°23W **138** D3
Fakse *Denmark* 55°15N 12°8E **63** J6
Fakse Bugt *Denmark* 55°11N 12°15E **63** J6
Fakse Ladeplads *Denmark* 55°11N 12°9E **63** J6
Faku *China* 42°32N 123°21E **115** C12
Falaba *S. Leone* 9°54N 11°22W **138** D2
Falaise *France* 48°54N 0°12W **70** D6
Falakro Oros *Greece* 41°15N 23°58E **96** E7
Falam *Burma* 23°0N 93°45E **123** H18
Fălciu *Romania* 46°17N 28°7E **81** D13
Falcó, C. des *Spain* 38°50N 1°23E **100** C7
Falcon, C. *Algeria* 35°50N 0°50W **136** A3
Falcón, Presa *Mexico* 26°35N 99°10W **181** B5
Falcon Lake *Canada* 49°42N 95°15W **163** D9
Falcon Res. *U.S.A.* 26°34N 99°10W **176** H5
Falconara Marittima
Italy 43°37N 13°24E **93** E10
Falcone, C. del *Italy* 40°58N 8°12E **94** B1
Falconer *U.S.A.* 42°7N 79°12W **174** D5
Faleá *Mali* 12°16N 11°17W **138** C2
Falémé → *Senegal* 14°46N 12°14W **138** C2
Falerum *Sweden* 58°8N 16°13E **63** F10
Faleshty = Făleşti
Moldova 47°32N 27°44E **81** C12
Făleşti *Moldova* 47°32N 27°44E **81** C12
Falfurrias *U.S.A.* 27°14N 98°9W **176** H5
Falher *Canada* 55°44N 117°15W **162** B5
Faliraki *Greece* 36°22N 28°12E **101** C10
Falkenberg *Germany* 51°35N 13°14E **76** D9
Falkenberg *Sweden* 56°54N 12°30E **63** H6
Falkensee *Germany* 52°34N 13°4E **76** C9
Falkirk *U.K.* 56°0N 3°47W **65** F5
Falkirk ☐ *U.K.* 55°58N 3°49W **65** F5
Falkland *U.K.* 56°16N 3°12W **65** E5
Falkland, East, I.
Falk. Is. 51°40S 58°30W **192** D5
Falkland, West, I.
Falk. Is. 51°40S 60°0W **192** D4
Falkland Is. ☑ *Atl. Oc.* 51°30S 59°0W **192** D5
Falkland Plateau *Atl. Oc.* 51°0S 50°0W **56** M7
Falkland Ridge *Atl. Oc.* 49°20S 40°0W **56** L8
Falkland Sd. *Falk. Is.* 52°0S 60°0W **192** D4
Falkonera *Greece* 36°50N 23°52E **98** E5
Falköping *Sweden* 58°12N 13°33E **63** F7
Fall River *U.S.A.* 41°43N 71°10W **175** E13
Fallbrook *U.S.A.* 33°23N 117°15W **171** M9
Fallon *U.S.A.* 39°28N 118°47W **168** G4
Falls City *U.S.A.* 40°3N 95°36W **172** E6
Falls Creek *U.S.A.* 41°9N 78°48W **174** E6
Falmouth *Jamaica* 18°30N 77°40W **182** a
Falmouth *U.K.* 50°9N 5°5W **67** G2
Falmouth *U.S.A.* 41°33N 70°37W **175** E14
Falsa, Pta. *Mexico* 27°51N 115°3W **180** B1
False B. *S. Africa* 34°15S 18°40E **144** D2
False Divi Pt. *India* 15°43N 80°50E **127** G5
False Pt. *India* 20°18N 86°48E **126** D8
Falso, C. *Honduras* 15°12N 83°21W **182** C3
Falster *Denmark* 54°45N 11°55E **63** K5
Fălticeni *Romania* 47°21N 26°20E **81** C11
Falun *Sweden* 60°37N 15°37E **62** D9
Famagusta *Cyprus* 35°8N 33°55E **101** D12
Famagusta Bay *Cyprus* 35°15N 34°0E **101** D13
Famatina, Sierra de
Argentina 27°30S 68°0W **190** B2
Famenin *Iran* 35°5N 48°58E **105** E13
Family L. *Canada* 51°54N 95°27W **163** C9
Famoso *U.S.A.* 35°37N 119°12W **171** K7
Fan Xian *China* 35°55N 115°38E **114** G8
Fana *Mali* 13°0N 6°56W **138** C3
Fanad Hd. *Ireland* 55°17N 7°38W **64** A4
Fanari *Greece* 39°24N 21°47E **98** B3
Fânes-Sênnes-Braies ⌂
Italy 46°38N 12°4E **93** B9
Fang *Thailand* 19°55N 99°13E **120** C2
Fang Xian *China* 32°3N 110°40E **117** A8
Fangchang *China* 31°5N 118°4E **117** B12
Fangcheng *China* 33°18N 112°59E **114** H7
Fangchenggang *China* 21°42N 108°21E **116** G7
Fangliao *Taiwan* 22°22N 120°38E **117** F13
Fangshan *Beijing, China* 39°41N 116°0E **114** E9
Fangshan *Shanxi, China* 38°3N 111°25E **114** E6
Fangzi *China* 36°33N 119°10E **115** F10
Fani i Madh → *Albania* 41°56N 20°16E **96** E4
Fanjiatun *China* 43°40N 125°15E **115** C13
Fanling *China* 22°30N 114°8E **111** a

Fannich, L. U.K. 57°38N 4°59W 65 D4
Fannūj Iran 26°35N 59°38E 129 E8
Fanø Denmark 55°25N 8°25E 63 J2
Fano Italy 43°50N 13°1E 93 E10
Fanshi China 39°12N 113°20E 114 E7
Fao = Al Fāw Iraq 30°0N 48°30E 129 D6
Faqirwali Pakistan 29°27N 73°0E 124 E5
Fâqûs Egypt 30°44N 31°47E 137 E7
Far East = Dalnevostochnyy □ Russia 67°0N 140°0E 107 C14
Far East Asia 40°0N 130°0E 102 E14
Fara in Sabina Italy 42°12N 12°43E 93 F9
Faradje Dem. Rep. of the Congo 3°50N 29°45E 142 B2
Farafangana Madag. 22°49S 47°50E 141 J9
Farafenni Gambia 13°34N 15°36W 138 C1
Farâfra, El Wâhât el Egypt 27°15N 28°20E 137 B2
Farāh Afghan. 32°20N 62°7E 122 C3
Farāh □ Afghan. 32°25N 62°10E 122 C3
Faraid, Gebel Egypt 23°33N 35°19E 137 C4
Farako Ivory C. 10°45N 6°50W 138 D4
Faramana Burkina Faso 11°56N 4°45W 138 C4
Faranah Guinea 10°3N 10°45W 138 C2
Farap Turkmenistan 39°9N 63°36E 108 E6
Farasān, Jazā'ir Si. Arabia 16°45N 41°55E 131 D3
Farasan Is. = Farasān, Jazā'ir Si. Arabia 16°45N 41°55E 131 D3
Fardes → Spain 37°35N 3°0W 89 H7
Fareham U.K. 50°51N 1°11W 67 G6
Farewell, C. = Nunap Isua Greenland 59°48N 43°55W 57 F6
Farewell, C. N.Z. 40°29S 172°43E 155 A7
Farewell Spit N.Z. 40°35S 173°0E 155 A8
Färgelanda Sweden 58°34N 12°0E 63 F5
Fargo Ga., U.S.A. 30°41N 82°34W 178 E7
Fargo N. Dak., U.S.A. 46°53N 96°48W 172 B5
Farg'ona Uzbekistan 40°23N 71°19E 109 D8
Farg'ona □ Uzbekistan 40°30N 71°15E 109 D8
Farg'ona vodiysi Asia 40°46N 71°30E 109 D8
Fār'iah, W. al → West Bank 32°12N 35°27E 130 C4
Faribault U.S.A. 44°18N 93°16W 172 C7
Faridabad India 28°26N 77°19E 124 E6
Faridkot India 30°44N 74°45E 124 D6
Faridpur Bangla. 23°15N 89°55E 125 H13
Faridpur India 28°13N 79°33E 125 E8
Färila Sweden 61°48N 15°50E 62 C9
Farim Guinea-Biss. 12°27N 15°9W 138 C1
Farīmān Iran 35°40N 59°49E 129 C8
Farinha → Brazil 6°51S 47°30W 189 B1
Fariones, Pta. Canary Is. 29°13N 13°28W 100 E6
Fâriskûr Egypt 31°20N 31°43E 137 E7
Färjestaden Sweden 56°39N 16°27E 63 H10
Farkadona Greece 39°36N 22°4E 98 B4
Farleigh Australia 21°4S 149°8E 150 b
Farmakonisi Greece 37°17N 27°5E 99 D9
Farmerville U.S.A. 32°47N 92°24W 176 E8
Farmingdale U.S.A. 40°12N 74°10W 175 F10
Farmington Canada 55°54N 120°30W 162 B4
Farmington Calif., U.S.A. 37°55N 120°59W 170 H6
Farmington Ga., U.S.A. 33°47N 83°26W 178 B6
Farmington Maine, U.S.A. 44°40N 70°9W 173 C18
Farmington Mo., U.S.A. 37°47N 90°25W 172 G8
Farmington N.H., U.S.A. 43°24N 71°4W 175 C13
Farmington N. Mex., U.S.A. 36°44N 108°12W 169 H9
Farmington Utah, U.S.A. 40°59N 111°53W 168 F8
Farmington → U.S.A. 41°51N 72°38W 175 E12
Farmville U.S.A. 37°18N 78°24W 173 G14
Färnäs Sweden 61°0N 14°39E 62 D8
Farne Is. U.K. 55°38N 1°37W 66 B6
Färnebofjärden △ Sweden 60°10N 16°48E 62 D10
Farnham Canada 45°17N 72°59W 175 A12
Farnham, Mt. Canada 50°29N 116°30W 162 C5
Faro Brazil 2°10S 56°39W 187 D7
Faro Canada 62°11N 133°22W 160 E5
Faro Portugal 37°2N 7°55W 89 H3
Fårö Sweden 57°55N 19°5E 63 G13
Faro □ Portugal 37°12N 8°10W 89 H2
Faro ✈ (FAO) Portugal 37°2N 7°57W 89 H3
Fårösund Sweden 57°52N 19°2E 63 G13
Farquhar, C. Australia 23°50S 113°36E 149 D1
Farquhar Is. Seychelles 11°0S 52°0E 146 F4
Farrars Cr. → Australia 25°35S 140°43E 150 D3
Farrāshband Iran 28°57N 52°5E 129 D7
Farrell U.S.A. 41°13N 80°30W 174 E4
Farrer Islet Australia 33°48S 138°48E 152 B3
Farrokhī Iran 33°50N 59°31E 129 C8
Farruch, C. = Ferrutx, C. de Spain 39°47N 3°21E 100 B10
Farrukhabad India 27°24N 79°34E 126 A4
Fārs □ Iran 29°30N 55°0E 129 D7
Farsala Greece 39°17N 22°23E 98 B4
Fārsī Iran 27°58N 50°11E 129 E6
Farsø Denmark 56°46N 9°19E 63 H3
Farson U.S.A. 42°7N 109°26W 168 E9
Farsund Norway 58°5N 6°55E 61 G12
Fartak, Râs Si. Arabia 28°5N 34°34E 128 D2
Fartak, Ra's Yemen 15°38N 52°15E 131 D5
Fârțănești Romania 45°49N 27°59E 81 E12
Fartura, Serra da Brazil 26°21S 52°52W 191 B5
Faru Nigeria 12°48N 6°12E 139 C6
Fārūj Iran 37°14N 58°14E 129 B8
Fårup Denmark 56°33N 9°51E 63 H3
Farvel, Kap = Nunap Isua Greenland 59°48N 43°55W 57 F6
Farwell U.S.A. 34°23N 103°2W 176 D3
Fāryāb □ Afghan. 36°0N 65°0E 109 E7
Fasā Iran 29°0N 53°39E 129 D7
Fasano Italy 40°50N 17°22E 95 B10
Fassa Mali 13°26N 8°15W 138 C3
Fassalé Mauritania 15°33N 5°31W 138 B3
Fastiv Ukraine 50°7N 29°57E 75 C15
Fastnet Rock Ireland 51°22N 9°37W 64 E2
Fastov = Fastiv Ukraine 50°7N 29°57E 75 C15
Fatagartuing, Tanjung Indonesia 2°46S 131°57E 119 E8
Fatehabad Haryana, India 29°31N 75°27E 124 E6
Fatehabad Ut. P., India 27°1N 78°19E 124 F8
Fatehgarh India 27°25N 79°35E 125 F8
Fatehpur Bihar, India 24°38N 85°14E 125 G11
Fatehpur Raj., India 28°0N 74°40E 124 F6
Fatehpur Ut. P., India 25°56N 81°13E 125 G9
Fatehpur Ut. P., India 27°10N 81°13E 125 F9
Fatehpur Sikri India 27°6N 77°40E 124 F6
Fatesh Russia 52°8N 35°57E 85 F8
Fathom Five △ Canada 45°17N 81°40W 174 A3
Fatick Senegal 14°19N 16°27W 138 C1
Fatick □ Senegal 14°15N 16°30W 138 C1
Fatima Canada 47°24N 61°53W 165 C7
Fátima Portugal 39°37N 8°39W 89 F2
Fatoya Guinea 11°37N 9°10W 138 C3
Fatsa Turkey 41°2N 37°31E 104 B7
Faucille, Col de la France 46°22N 6°2E 71 F13
Faulkton U.S.A. 45°2N 99°8W 172 C4
Faulquemont France 49°3N 6°36E 71 C13
Faure I. Australia 25°52S 113°50E 149 E1
Făurei Romania 45°6N 27°19E 81 E12
Fauresmith S. Africa 29°44S 25°17E 144 C4
Fauske Norway 67°17N 15°25E 60 C16
Favara Italy 37°19N 13°39E 94 E6
Faváritx, C. de Spain 40°0N 4°15E 100 B11
Faverges France 45°45N 6°17E 73 C10
Favignana Italy 37°56N 12°20E 94 E5
Favignana, I. Italy 37°56N 12°19E 94 E5
Fawcett, Pt. Australia 11°46S 130°2E 148 B5
Fawn → Canada 55°20N 87°35W 164 A2
Fawnskin U.S.A. 34°16N 116°56W 171 L10
Faxaflói Iceland 64°29N 23°0W 60 D2
Faxälven → Sweden 63°13N 17°13E 62 A10
Faya-Largeau Chad 17°58N 19°6E 135 E9
Fayd Si. Arabia 27°1N 42°52E 128 E4
Fayence France 43°38N 6°42E 73 E10
Fayette Ala., U.S.A. 33°41N 87°50W 177 E11
Fayette Mo., U.S.A. 39°9N 92°41W 172 F7
Fayette N.Y., U.S.A. 42°48N 76°48W 175 D8
Fayetteville Ark., U.S.A. 36°4N 94°10W 176 C7
Fayetteville Ga., U.S.A. 33°27N 84°27W 178 B5
Fayetteville N.C., U.S.A. 35°3N 78°53W 177 D15
Fayetteville N.Y., U.S.A. 43°1N 76°0W 175 C9
Fayetteville Tenn., U.S.A. 35°9N 86°34W 177 D11
Fayied Egypt 30°18N 32°16E 137 E8
Faylakah Kuwait 29°27N 48°20E 129 D6
Fayón Spain 41°15N 0°20E 90 D5
Fazao-Malfakassa △ Togo 8°45N 0°50E 139 D5
Fazilka India 30°27N 74°2E 124 D6
Fazilpur Pakistan 29°18N 70°29E 124 E4
Fdérik Mauritania 22°40N 12°45W 134 D3
Feakle Ireland 52°56N 8°40W 64 D3
Feale → Ireland 52°27N 9°37W 64 D2
Fear, C. U.S.A. 33°50N 77°58W 177 E16
Feather → U.S.A. 38°47N 121°36W 170 G5
Feather Falls U.S.A. 39°36N 121°16W 170 F5
Featherston N.Z. 41°6S 175°20E 154 H4
Featherstone Zimbabwe 18°42S 30°55E 143 F3
Fécamp France 49°45N 0°22E 70 C7
Fedala = Mohammedia Morocco 33°44N 7°21W 136 B2
Federación Argentina 31°0S 57°55W 190 C4
Féderal Argentina 30°57S 58°48W 190 C4
Federal Capital Terr. □ Nigeria 9°0N 7°10E 139 D6
Federal Way U.S.A. 47°18N 122°19W 170 C4
Fedeshkūh Iran 28°49N 53°50E 129 D7
Fedorovka Kazakhstan 53°37N 62°42E 108 B6
Fehérgyarmat Hungary 47°58N 22°30E 80 C7
Fehmarn Germany 54°27N 11°7E 76 A7
Fehmarn Bælt Europe 54°35N 11°20E 63 K5
Fehmarn Belt = Fehmarn Bælt Europe 54°35N 11°20E 63 K5
Fei Xian China 35°18N 117°59E 115 G9
Feicheng China 36°14N 116°45E 114 F9
Feidong China 32°0N 117°35E 117 B11
Feijó Brazil 8°9S 70°21W 188 B3
Feilding N.Z. 40°13S 175°35E 154 G4
Feira de Santana Brazil 12°15S 38°57W 189 C3
Feixi China 31°43N 117°59E 117 B11
Feixiang China 36°30N 114°45E 114 F8
Fejaj, Chott el Tunisia 33°52N 9°14E 136 B5
Fejér □ Hungary 47°9N 18°30E 80 C3
Fejø Denmark 54°55N 11°30E 63 K5
Feke Turkey 37°48N 35°56E 104 D6
Fekete → Hungary 45°47N 18°15E 80 E3
Felanitx Spain 39°28N 3°9E 100 B10
Felda U.S.A. 26°34N 81°26W 179 J8
Feldbach Austria 46°57N 15°52E 78 E8
Feldberg Baden-W., Germany 47°52N 8°0E 77 H3
Feldberg Mecklenburg-Vorpommern, Germany 53°20N 13°25E 76 B9
Feldkirch Austria 47°15N 9°37E 78 D2
Feldkirchen Austria 46°44N 14°6E 78 E7
Félicité Seychelles 4°19S 55°52E 141 b
Felipe Carrillo Puerto Mexico 19°38N 88°3W 181 D7
Felixburg Zimbabwe 19°29S 30°51E 145 A5
Felixlândia Brazil 18°47S 44°55W 189 D2
Felixstowe U.K. 51°58N 1°23E 67 F9
Felletin France 45°53N 2°11E 72 C6
Fellingsbro Sweden 59°26N 15°37E 62 E9
Fellsmere U.S.A. 27°46N 80°36W 179 H9
Felton U.S.A. 37°3N 122°4W 170 H4
Feltre Italy 46°1N 11°54E 93 B8
Femer Bælt = Fehmarn Bælt Europe 54°35N 11°20E 63 K5
Femø Denmark 54°58N 11°35E 63 K5
Femunden Norway 62°10N 11°53E 60 E14
Femundsmarka △ Norway 62°18N 12°6E 60 E15
Fen He → China 35°36N 110°42E 114 G6
Fene Spain 43°27N 8°9W 88 B2
Fenelon Falls Canada 44°32N 78°45W 174 B6
Fener Burnu Turkey 36°58N 27°18E 99 E9
Feng Xian Jiangsu, China 34°43N 116°35E 114 G9
Feng Xian Shaanxi, China 33°54N 106°40E 114 H4
Fengari Greece 40°25N 25°32E 97 F9
Fengcheng Jiangxi, China 28°12N 115°48E 117 C10
Fengcheng Liaoning, China 40°28N 124°5E 115 D13
Fengdu China 29°55N 107°48E 116 C6
Fengfeng China 36°28N 114°8E 114 F8
Fenggang China 27°57N 107°47E 116 D6
Fenghua China 29°40N 121°25E 117 C13
Fenghuang China 27°57N 109°29E 116 D7
Fengjie China 31°3N 109°31E 116 B7
Fengkai China 23°24N 111°30E 117 F8
Fengkang Taiwan 22°12N 120°41E 117 F13
Fengle China 31°29N 112°29E 117 B9
Fenglin Taiwan 23°45N 121°26E 117 F13
Fengning China 41°10N 116°33E 114 D9
Fengqing China 24°38N 99°55E 116 E2
Fengqiu China 35°2N 114°25E 114 G8
Fengrun China 39°48N 118°8E 115 E10
Fengshan Guangxi Zhuangzu, China 24°39N 109°15E 116 E7
Fengshan Guangxi Zhuangzu, China 24°31N 107°3E 116 E6
Fengshan Taiwan 22°38N 120°21E 117 F13
Fengshun China 23°46N 116°10E 117 F11
Fengtai China 32°50N 116°40E 117 A11
Fengtongzhai △ China 30°32N 102°54E 116 B4
Fengxiang China 34°29N 107°25E 114 G4
Fengxin China 28°41N 115°18E 117 C10
Fengyang China 32°51N 117°29E 117 A11
Fengyi China 25°37N 100°20E 116 E3
Fengyüan Taiwan 24°15N 120°35E 117 E13
Fengzhen China 40°25N 113°2E 114 D7
Feno, C. de France 41°58N 8°33E 73 G12
Fenoarivo Atsinanana Madag. 17°22S 49°25E 141 H9
Fens, The U.K. 52°38N 0°2W 66 E7
Fensmark Denmark 55°17N 11°48E 63 J5
Fenton U.S.A. 42°48N 83°42W 173 D12
Fenxi China 36°40N 111°31E 114 F6
Fenyang China 37°18N 111°48E 114 F6
Fenyi China 27°45N 114°47E 117 D10
Feodosiya Ukraine 45°2N 35°16E 85 K8
Fer, C. de Algeria 37°3N 7°10E 136 A5
Ferbane Ireland 53°16N 7°50W 64 C4
Ferdows Iran 33°58N 58°2E 129 C8
Fère-Champenoise France 48°45N 3°59E 71 D10
Fère-en-Tardenois France 49°10N 3°30E 71 C10
Ferentino Italy 41°42N 13°15E 93 G10
Feres Greece 40°53N 26°10E 97 F10
Ferfer Somalia 5°4N 45°9E 131 F4
Fergana = Farg'ona Uzbekistan 40°23N 71°19E 109 D8
Fergana Range Asia 41°0N 73°50E 109 D8
Fergus Canada 43°43N 80°24W 174 C4
Fergus Falls U.S.A. 46°17N 96°4W 172 B5
Fériana Tunisia 34°59N 8°33E 136 B5
Feričanci Croatia 45°32N 18°0E 80 E2
Ferihegy, Budapest ✈ (BUD) Hungary 47°26N 19°14E 80 C4
Ferizaj Kosovo 42°23N 21°10E 96 D5
Ferkane Algeria 34°37N 7°26E 136 B5
Ferkéssédougou Ivory C. 9°35N 5°6W 138 D3
Ferlach Austria 46°32N 14°18E 78 E7
Ferland Canada 50°19N 88°27W 164 B2
Ferlo, Vallée du Senegal 15°15N 14°15W 138 B2
Ferlo-Nord △ Senegal 15°43N 14°0W 138 B2
Ferlo-Sud △ Senegal 15°43N 14°0W 138 B2
Fermanagh □ U.K. 54°21N 7°40W 64 B4
Fermo Italy 43°9N 13°43E 93 E10
Fermont Canada 52°47N 67°5W 165 B6
Fermoselle Spain 41°19N 6°27W 88 D4
Fermoy Ireland 52°9N 8°16W 64 D3
Fernán Núñez Spain 37°40N 4°44W 89 H6
Fernández Argentina 27°55S 63°50W 190 B3
Fernandina Beach U.S.A. 30°40N 81°27W 178 E8
Fernando de Noronha Brazil 4°0S 33°10W 187 D12
Fernando Póo = Bioko Eq. Guin. 3°30N 8°40E 139 E6
Ferndale Canada 44°58N 81°17W 174 B3
Ferndale U.S.A. 48°51N 122°36W 170 B4
Fernie Canada 49°30N 115°5W 162 D5
Fernlees Australia 23°51S 148°7E 150 C4
Fernley U.S.A. 39°36N 119°15W 168 G4
Fernwood U.S.A. 43°16N 73°38W 175 C11
Feroke India 11°9N 75°46E 127 J2
Ferozepore = Firozpur India 30°55N 74°40E 124 D6
Ferrandina Italy 40°29N 16°27E 95 B9
Ferrara Italy 44°50N 11°35E 93 D8
Ferrato, C. Italy 39°18N 9°38E 94 C2
Ferreira do Alentejo Portugal 38°4N 8°6W 89 G2
Ferreñafe Peru 6°42S 79°50W 188 B2
Ferrerias Spain 39°59N 4°1E 100 B11
Ferret, C. France 44°38N 1°15W 72 D2
Ferrette France 47°30N 7°20E 71 E14
Ferriday U.S.A. 31°38N 91°33W 176 F9
Ferriere Italy 44°40N 9°30E 92 D6
Ferrières France 48°5N 2°48E 71 D9
Ferro, Capo Italy 41°9N 9°31E 94 A2
Ferrol Spain 43°29N 8°15W 88 B2
Ferrol, Pen. de Peru 9°10S 78°35W 188 B2
Ferron U.S.A. 39°5N 111°8W 168 G8
Ferros Brazil 19°14S 43°2W 189 D2
Ferrutx, C. de Spain 39°47N 3°21E 100 B10
Ferry Pass U.S.A. 30°31N 87°13W 179 E2
Ferryland Canada 47°2N 52°53W 165 C9
Fertile U.S.A. 47°32N 96°17W 172 B5
Fertő-Hanság △ Hungary 47°25N 16°50E 80 C1
Fertőszentmiklós Hungary 47°35N 16°53E 80 C1
Fès Morocco 34°0N 5°0W 136 B3
Fès □ Morocco 34°0N 5°0W 136 B3
Fessenden U.S.A. 47°39N 99°38W 172 B4
Festus U.S.A. 38°13N 90°24W 172 F8
Feté Bowé Senegal 14°56N 13°30W 138 C2
Fetești Romania 44°22N 27°51E 81 F12
Fethiye Turkey 36°36N 29°6E 99 E11
Fethiye Körfezi Turkey 36°40N 28°50E 99 E10
Fetlar U.K. 60°36N 0°52W 65 A8
Feuilles → Canada 58°47N 70°4W 161 F17
Feurs France 45°45N 4°13E 73 C8
Feyzābād Afghan. 37°7N 70°33E 109 E8
Fez = Fès Morocco 34°0N 5°0W 136 B3
Fezzan Libya 27°0N 13°0E 135 C8
Fiambalá Argentina 27°45S 67°37W 190 B2
Fianarantsoa Madag. 21°26S 47°5E 141 J9
Fichtelgebirge Germany 50°2N 11°55E 77 E7
Fichtelgebirge △ Germany 50°10N 12°0E 77 E8
Ficksburg S. Africa 28°51S 27°53E 145 C4
Fidenza Italy 44°52N 10°3E 92 D7
Fiditi Nigeria 7°45N 3°53E 139 D5
Field → Australia 23°48S 138°0E 150 C2
Field I. Australia 12°5S 132°23E 148 B5
Fieni Romania 45°8N 25°25E 81 E10
Fier Albania 40°43N 19°33E 96 F3
Fierzë Albania 42°15N 20°1E 96 D4
Fife □ U.K. 56°16N 3°1W 65 E5
Fife Ness U.K. 56°17N 2°35W 65 E6
Fifth Cataract Sudan 18°22N 33°50E 137 D3
Figari France 41°29N 9°7E 73 G13
Figeac France 44°37N 2°2E 72 D6
Figeholm Sweden 57°22N 16°33E 63 G10
Figline Valdarno Italy 43°37N 11°28E 93 E8
Figtree Zimbabwe 20°22S 28°20E 143 G2
Figueira Castelo Rodrigo Portugal 40°57N 6°58W 88 E4
Figueira da Foz Portugal 40°7N 8°54W 88 E2
Figueiró dos Vinhos Portugal 39°55N 8°16W 88 F2
Figueres Spain 42°18N 2°58E 90 C7
Figuig Morocco 32°5N 1°11W 136 B3
Fiji ■ Pac. Oc. 17°20S 179°0E 154 a
Fika Nigeria 11°15N 11°13E 139 C7
Filabres, Sierra de los Spain 37°13N 2°20W 89 H8
Filabusi Zimbabwe 20°34S 29°20E 145 B4
Filadelfia Bolivia 11°20S 68°46W 188 C4
Filadélfia Brazil 7°21S 47°30W 189 B1
Filadelfia Italy 38°47N 16°17E 95 D9
Filadelfia Paraguay 22°21S 60°2W 190 A3
Fil'akovo Slovak Rep. 48°17N 19°50E 79 C12
Filchner Ice Shelf Antarctica 79°0S 40°0W 55 D1
Filey U.K. 54°12N 0°18W 66 C7
Filey B. U.K. 54°12N 0°15W 66 C7
Filfla Malta 35°47N 14°24E 101 D1
Filiași Romania 44°32N 23°31E 81 F8
Filiates Greece 39°38N 20°16E 98 B2
Filiatra Greece 37°9N 21°35E 98 D3
Filicudi Italy 38°35N 14°33E 95 D7
Filingué Niger 14°21N 3°22E 139 C5
Filiouri = Lissos → Greece 41°15N 25°40E 97 E9
Filipiada Greece 39°12N 20°53E 98 B2
Filipstad Sweden 59°43N 14°9E 62 E8
Filisur Switz. 46°41N 9°40E 77 J5
Filitosa France 41°45N 8°52E 73 G12
Fillmore Calif., U.S.A. 34°24N 118°55W 171 L8
Fillmore Utah, U.S.A. 38°58N 112°20W 168 G7
Filotio Greece 37°3N 25°30E 99 D7
Filottrano Italy 43°26N 13°21E 93 E10
Filyos Cayı → Turkey 41°35N 32°10E 104 B5
Fimbul Ice Shelf S. Ocean 69°30S 1°0W 55 C2
Fina △ Mali 13°15N 8°46W 138 C3
Finale Emília Italy 44°50N 11°18E 93 D8
Finale Ligure Italy 44°10N 8°20E 92 D5
Fiñana Spain 37°10N 2°50W 89 H8
Finch Canada 45°11N 75°7W 175 A9
Finch Hatton Australia 20°25S 148°39E 150 b
Findhorn → U.K. 57°38N 3°38W 65 D5
Fındıklı Turkey 41°16N 41°9E 105 B9
Findlay U.S.A. 41°2N 83°39W 173 E12
Fine U.S.A. 44°14N 75°8W 175 B9
Fingal □ Ireland 53°29N 6°14W 64 C5
Finger L. Canada 53°33N 93°30W 164 B1
Finger Lakes U.S.A. 42°40N 76°30W 175 D8
Fingoè Mozam. 15°55S 31°50E 143 F3
Finike Turkey 36°21N 30°10E 99 E12
Finike Körfezi Turkey 36°17N 30°16E 99 E12
Finiq Albania 39°54N 20°3E 96 G4
Finistère □ France 48°20N 4°0W 70 D3
Finisterre = Fisterra Spain 42°54N 9°16W 88 C1
Finisterre, C. = Fisterra, C. Spain 42°50N 9°19W 88 C1
Finke Australia 25°34S 134°35E 150 D1
Finke Gorge △ Australia 24°8S 132°49E 148 D5
Finland ■ Europe 63°0N 27°0E 60 E22
Finland, G. of Europe 60°0N 26°0E 84 C3
Finlay → Canada 57°0N 125°10W 162 B3
Finley Australia 35°38S 145°35E 153 C6
Finley U.S.A. 47°31N 97°50W 172 B5
Finn → Ireland 54°51N 7°28W 64 B4
Finnerödja Sweden 58°57N 14°24E 63 F8
Finnigan, Mt. Australia 15°49S 145°17E 150 B4
Finniss, C. Australia 33°8S 134°51E 151 E1
Finnmark Norway 69°37N 23°57E 60 B20
Finnsnes Norway 69°14N 18°0E 60 B18
Finspång Sweden 58°43N 15°47E 63 F9
Finsteraarhorn Switz. 46°31N 8°10E 77 J4
Finsterwalde Germany 51°37N 13°42E 76 D9
Fiora → Italy 42°20N 11°34E 93 F8
Fiordland △ N.Z. 45°46S 167°0E 155 F2
Fiorenzuola d'Arda Italy 44°56N 9°55E 92 D6
Fīq Syria 32°46N 35°41E 130 C4
Firat = Furāt, Nahr al → Asia 31°0N 47°25E 128 D5
Fire Island △ U.S.A. 40°38N 73°8W 175 F11
Firebag → Canada 57°45N 111°21W 163 B6
Firebaugh U.S.A. 36°52N 120°27W 170 J6
Firedrake L. Canada 61°25N 104°30W 163 A8
Firenze Italy 43°46N 11°15E 93 E8
Firenze Amerigo Vespucci ✈ (FLR) Italy 43°49N 11°13E 93 E8
Firenze Pisa ✈ (PSA) Italy 43°40N 10°22E 92 E7
Firenzuola Italy 44°7N 11°23E 93 D8
Firk, Sha'ib → Iraq 30°59N 44°34E 128 D5
Firmi France 44°33N 2°19E 72 D6
Firminy France 45°23N 4°18E 73 C8
Firozabad India 27°10N 78°25E 125 F8
Firozpur India 30°55N 74°40E 124 D6
Firozpur-Jhirka India 27°48N 76°57E 124 F7
Fīrūzābād Iran 28°52N 52°35E 129 D7
Fīrūzkūh Iran 35°50N 52°50E 129 C7
Firvale Canada 52°27N 126°13W 162 C3
Fish → Namibia 28°7S 17°10E 144 C2
Fish → S. Africa 31°30S 20°16E 144 D3
Fish River Canyon Namibia 27°40S 17°35E 144 C2
Fisheating Cr. → U.S.A. 26°57N 81°7W 179 J8
Fisher B. Canada 51°35N 97°13W 163 C9
Fishers I. U.S.A. 41°15N 72°0W 175 E13
Fishguard U.K. 52°0N 4°58W 67 E3
Fishing L. Canada 52°10N 95°24W 163 C9
Fishkill U.S.A. 41°32N 73°54W 175 E11
Fiskardo Greece 38°28N 20°35E 98 C2
Fiskenæsset = Qeqertarsuatsiaat Greenland 63°5N 50°45W 57 E5
Fismes France 49°20N 3°40E 71 C10
Fisterra Spain 42°54N 9°16W 88 C1
Fisterra, C. Spain 42°50N 9°19W 88 C1
Fitchburg Mass., U.S.A. 42°35N 71°48W 175 D13
Fitchburg Wis., U.S.A. 42°58N 89°28W 172 D9
Fitz Roy Argentina 47°0S 67°0W 192 C3
Fitz Roy, Cerro Argentina 49°17S 73°5W 192 C2
Fitzgerald Canada 59°51N 111°36W 162 B6
Fitzgerald U.S.A. 31°43N 83°15W 178 D6
Fitzgerald River △ Australia 33°53S 119°55E 149 F3
Fitzmaurice → Australia 14°45S 130°5E 148 B5
Fitzroy → Queens., Australia 23°32S 150°52E 150 C5
Fitzroy → W. Austral., Australia 17°31S 123°35E 148 C3
Fitzroy Crossing Australia 18°9S 125°38E 148 C4
Fitzwilliam I. Canada 45°30N 81°45W 174 A3
Fiuggi Italy 41°48N 13°13E 93 G10
Fiume = Rijeka Croatia 45°20N 14°21E 93 C11
Fiumicino Italy 41°46N 12°14E 94 A5
Fiumicino, Roma ✈ (FCO) Italy 41°48N 12°15E 93 G9
Five Points U.S.A. 36°26N 120°6W 170 J6
Fivizzano Italy 44°14N 10°8E 92 D7
Fizi Dem. Rep. of the Congo 4°17S 28°55E 142 C2
Fjällbacka Sweden 58°36N 11°17E 63 F5
Fjällnäs Sweden 62°36N 12°11E 62 B6
Fjärdhundra Sweden 59°47N 16°56E 62 E10
Fjellerup Denmark 56°29N 10°34E 63 H4
Fjerritslev Denmark 57°5N 9°15E 63 G3
Fjugesta Sweden 59°11N 14°52E 62 E8
Fkih ben Salah Morocco 32°32N 6°45W 136 B2
Flagler Beach U.S.A. 29°29N 81°8W 179 F8
Flagstaff U.S.A. 35°12N 111°39W 169 J8
Flagstaff L. U.S.A. 45°12N 70°18W 175 A14
Flaherty I. Canada 56°15N 79°15W 164 A4
Flåm Norway 60°50N 7°7E 60 F12
Flambeau → U.S.A. 45°18N 91°14W 172 C8
Flamborough Hd. U.K. 54°7N 0°5W 66 C7
Fläming Germany 52°6N 12°23E 76 C8
Flaming Gorge △ U.S.A. 41°10N 109°25W 168 F9
Flaming Gorge Res. U.S.A. 41°10N 109°25W 168 F9
Flamingo U.S.A. 25°8N 80°57W 179 K9
Flamingo, Teluk Indonesia 5°30S 138°0E 119 F9
Flanders = Flandre Europe 50°50N 2°30E 71 B9
Flandre Europe 50°50N 2°30E 71 B9
Flandre-Occidentale = West-Vlaanderen □ Belgium 51°0N 3°0E 69 D2
Flandre-Orientale = Oost-Vlaanderen □ Belgium 51°5N 3°50E 69 C3
Flandreau U.S.A. 44°3N 96°36W 172 C5
Flanigan U.S.A. 40°10N 119°53W 170 E7
Flannan Is. U.K. 58°17N 7°36W 65 C1
Flåsjön Sweden 64°5N 15°40E 60 D16
Flat → Canada 61°33N 125°18W 162 A3
Flat I. Mauritius 19°53S 57°35E 141 d
Flat I. S. China Sea 10°49N 115°49E 118 B5
Flat Pt. N.Z. 41°14S 175°57E 154 H4
Flathead L. U.S.A. 47°51N 114°8W 168 C6
Flattery, C. Australia 14°58S 145°21E 150 A4
Flattery, C. U.S.A. 48°23N 124°29W 170 B2
Flatwoods U.S.A. 38°31N 82°43W 173 F12
Fleetwood U.K. 53°55N 3°1W 66 D4
Fleetwood U.S.A. 40°27N 75°49W 175 F9
Flekkefjord Norway 58°18N 6°39E 61 G12
Flemington U.S.A. 41°7N 77°28W 174 E7
Flemish Cap Atl. Oc. 47°0N 45°0W 56 B7
Flen Sweden 59°4N 16°35E 62 E10
Flensburg Germany 54°47N 9°27E 76 A5
Flers France 48°47N 0°33W 70 D6
Flesherton Canada 44°16N 80°33W 174 B4
Flesko, Tanjung Indonesia 0°29N 124°30E 119 D6
Fleurance France 43°52N 0°40E 72 E4
Fleurie, Côte France 49°25N 0°40W 70 C6
Fleurier Switz. 46°54N 6°35E 77 J2
Fleurieu Pen. Australia 35°40S 138°5E 152 C3
Flevoland □ Neths. 52°30N 5°30E 69 B5
Flin Flon Canada 54°46N 101°53W 163 C8
Flinders → Australia 17°36S 140°36E 150 B3
Flinders B. Australia 34°19S 115°19E 149 F2
Flinders Chase △ Australia 35°50S 136°42E 152 C2
Flinders Group Australia 14°11S 144°15E 150 A3
Flinders I. S. Austral., Australia 33°44S 134°41E 151 E1
Flinders I. Tas., Australia 40°0S 148°0E 151 G4
Flinders Ranges Australia 31°30S 138°30E 152 A3
Flinders Ranges △ Australia 31°30S 138°40E 152 A3
Flinders Reefs Australia 17°37S 148°31E 150 B4
Flint U.K. 53°15N 3°8W 66 D4
Flint U.S.A. 43°1N 83°41W 173 D12
Flint → U.S.A. 30°57N 84°34W 178 E5
Flint I. Kiribati 11°26S 151°48W 157 J12
Flintshire □ U.K. 53°17N 3°17W 66 D4
Fliseryd Sweden 57°6N 16°15E 63 G10
Flix Spain 41°14N 0°32E 90 D5
Flixecourt France 50°1N 2°5E 71 B9
Floby Sweden 58°8N 13°20E 63 F7
Floda Sweden 57°49N 12°22E 63 G6
Flodden U.K. 55°37N 2°8W 66 B5
Flogny-la-Chapelle France 47°57N 3°57E 71 E10
Floodplains △ Sri Lanka 8°10N 81°10E 127 K5
Floodwood U.S.A. 46°56N 92°55W 172 B7
Flora U.S.A. 38°40N 88°29W 172 F9
Florac France 44°20N 3°37E 72 D7
Florahome U.S.A. 29°44N 81°54W 178 F8
Floral City U.S.A. 28°45N 82°17W 179 G7
Florala U.S.A. 31°0N 86°20W 177 F11
Florânia Brazil 6°8S 36°49W 189 B3
Florence = Firenze Italy 43°46N 11°15E 93 E8
Florence Ala., U.S.A. 34°48N 87°41W 177 D11
Florence Ariz., U.S.A. 33°2N 111°23W 169 K8
Florence Colo., U.S.A. 38°23N 105°8W 168 G11
Florence Oreg., U.S.A. 43°58N 124°7W 168 E1
Florence S.C., U.S.A. 34°12N 79°46W 177 D15
Florence, L. Australia 28°53S 138°9E 151 D2
Florencia Colombia 1°36N 75°36W 186 C3
Florennes Belgium 50°15N 4°35E 69 D4
Florensac France 43°23N 3°28E 72 E7
Florenville Belgium 49°40N 5°19E 69 E5
Flores Azores 39°26N 31°13W 134 a
Flores Brazil 7°51S 37°59W 189 B3
Flores Guatemala 16°59N 89°50W 182 C2
Flores Indonesia 8°35S 121°0E 119 F6
Flores I. Canada 49°20N 126°10W 162 D3
Flores Sea Indonesia 6°30S 120°0E 119 F6
Floresta Brazil 8°40S 37°26W 189 B3
Florești Moldova 47°53N 28°17E 81 C13
Floresville U.S.A. 29°8N 98°10W 176 G5
Floriano Brazil 6°50S 43°0W 189 B2
Florianópolis Brazil 27°30S 48°30W 191 B6
Florida Cuba 21°32N 78°14W 182 B4
Florida Uruguay 34°7S 56°10W 191 C4
Florida □ U.S.A. 28°0N 82°0W 179 H8
Florida, Straits of U.S.A. 25°0N 80°0W 182 B4
Florida B. U.S.A. 25°0N 80°45W 182 B3
Florida City U.S.A. 25°27N 80°29W 179 K9
Florida Keys U.S.A. 24°40N 81°0W 179 L8
Florídia Italy 37°5N 15°9E 95 E8
Florin U.S.A. 38°30N 121°24W 170 G5
Florina Greece 40°48N 21°26E 96 F5
Florissant U.S.A. 38°47N 90°19W 172 F8
Florø Norway 61°35N 5°1E 60 F11
Flower Station Canada 45°10N 76°41W 175 A8
Flowerpot I. Canada 45°18N 81°38W 174 A3
Floydada U.S.A. 33°59N 101°20W 176 E4
Fluk Indonesia 1°42S 127°44E 119 E7
Flúmen → Spain 41°43N 0°9W 90 D4
Flumendosa → Italy 39°26N 9°37E 94 C2
Fluminimaggiore Italy 39°26N 8°30E 94 C1
Flushing = Vlissingen Neths. 51°26N 3°34E 69 C3
Fluvià → Spain 42°12N 3°7E 90 C8
Fly → Papua N. G. 8°25S 143°0E 147 B7
Flying Fish, C. Antarctica 72°6S 102°29W 55 D15
Foam Lake Canada 51°40N 103°32W 163 C8
Foča Bos.-H. 43°31N 18°47E 96 C2
Foça Turkey 38°39N 26°46E 99 C8
Fochabers U.K. 57°37N 3°6W 65 D5
Focșani Romania 45°41N 27°15E 81 E12
Fodécontéa Guinea 10°50N 14°22W 138 C2
Fogang China 23°52N 113°30E 117 F9
Foggaret el Arab Algeria 27°13N 2°49E 136 C4
Foggaret ez Zoua Algeria 27°20N 2°53E 136 C4
Fóggia Italy 41°27N 15°34E 95 A8
Foglia → Italy 43°55N 12°54E 93 E9
Fogo Canada 49°43N 54°17W 165 C9
Fogo C. Verde Is. 15°5N 24°20W 134 b
Fogo I. Canada 49°40N 54°5W 165 C9
Fohnsdorf Austria 47°12N 14°40E 78 D7
Föhr Germany 54°43N 8°30E 76 A4
Fóia Portugal 37°19N 8°37W 89 H2
Foix France 42°58N 1°38E 72 F5
Fojnica Bos.-H. 43°59N 17°51E 80 G2
Fokida Greece 38°30N 22°15E 98 C4
Fokino Russia 53°30N 34°22E 84 F8
Fokku Nigeria 11°36N 4°32E 139 C5
Folda Nord-Trøndelag, Norway 64°32N 10°30E 60 D14
Folda Nordland, Norway 67°33N 14°50E 60 C16
Földeák Hungary 46°19N 20°30E 80 D5
Folegandros Greece 36°40N 24°55E 98 E6
Foley Botswana 21°34S 27°21E 144 B4
Foley Ala., U.S.A. 30°24N 87°41W 177 F11
Foley Fla., U.S.A. 30°4N 83°32W 178 E6
Foleyet Canada 48°15N 82°25W 164 C3
Folgefonna Norway 60°3N 6°23E 61 F12
Foligno Italy 42°57N 12°42E 93 F9
Folkestone U.K. 51°5N 1°12E 67 F9
Folkston U.S.A. 30°50N 82°0W 178 E7
Follansbee U.S.A. 40°19N 80°35W 174 F4
Follónica Italy 42°55N 10°45E 92 F7
Follónica, G. di Italy 42°54N 10°43E 92 F7
Folsom U.S.A. 38°40N 121°9W 170 G5
Folsom L. U.S.A. 38°42N 121°9W 170 G5
Foltești Romania 45°45N 28°3E 81 E13
Fomboni Comoros Is. 12°18S 43°46E 141 a
Fond-du-Lac Canada 59°19N 107°12W 163 B7
Fond du Lac U.S.A. 43°47N 88°27W 172 D9
Fond-du-Lac → Canada 59°17N 106°0W 163 B7
Fonda U.S.A. 42°57N 74°22W 175 D10
Fondi Italy 41°21N 13°25E 94 A6
Fonfría Spain 41°37N 6°9W 88 D4
Fongafale Tuvalu 8°31S 179°13E 147 B10
Fonni Italy 40°7N 9°15E 94 B2
Fonsagrada = A Fonsagrada Spain 43°8N 7°4W 88 B3
Fonseca, G. de Cent. Amer. 13°10N 87°40W 182 D2
Font-Romeu-Odeillo-Via France 42°31N 2°3E 72 F5
Fontaine-Française France 47°32N 5°21E 71 E12
Fontainebleau France 48°24N 2°40E 71 D9
Fontana U.S.A. 34°6N 117°26W 171 L9
Fontana, L. Argentina 44°55S 71°30W 192 B2
Fontas → Canada 58°14N 121°48W 162 B4
Fonte Boa Brazil 2°33S 66°0W 186 D5
Fontem Cameroon 5°32N 9°52E 139 D6
Fontenay-le-Comte France 46°28N 0°48W 72 B3
Fontenelle Res. U.S.A. 42°1N 110°3W 168 E8
Fontur Iceland 66°23N 14°32W 60 C6
Fonyód Hungary 46°44N 17°33E 80 D2
Foochow = Fuzhou China 26°5N 119°16E 117 D12
Foping China 33°41N 108°0E 114 H5
Foraker, Mt. U.S.A. 62°58N 151°24W 166 C9
Forbach France 49°10N 6°52E 71 C13
Forbes Australia 33°22S 148°5E 153 B8
Forbesganj India 26°17N 87°18E 125 F12
Forcados Nigeria 5°26N 5°26E 139 D6
Forcados → Nigeria 5°25N 5°19E 139 D6
Forcalquier France 43°58N 5°47E 73 E9
Forchheim Germany 49°43N 11°4E 77 F7
Ford City Calif., U.S.A. 35°9N 119°27W 171 K7
Ford City Pa., U.S.A. 40°46N 79°32W 174 F5
Førde Norway 61°27N 5°53E 60 F11
Fords Bridge Australia 29°41S 145°29E 151 D4
Fordyce U.S.A. 33°49N 92°25W 176 E8
Forécariah Guinea 9°28N 13°10W 138 D2
Forel, Mt. Greenland 66°52N 36°55W 57 D7
Foremost Canada 49°26N 111°34W 162 D6
Forest Canada 43°6N 82°0W 174 C3
Forest U.S.A. 32°22N 89°29W 177 E10
Forest Acres U.S.A. 34°1N 80°58W 178 A9
Forest City Iowa, U.S.A. 43°16N 93°39W 172 D7
Forest City N.C., U.S.A. 35°20N 81°52W 177 D14
Forest City Pa., U.S.A. 41°39N 75°28W 175 E9

Forest Grove U.S.A. 45°31N 123°7W 170 E3
Forest Park U.S.A. 33°37N 84°22W 178 B5
Forestburg Canada 52°35N 112°1W 162 C6
Foreste Casentinesi-Monte Falterona-Campigna △ Italy 43°50N 11°48E 93 E8
Foresthill U.S.A. 39°1N 120°49W 170 F6
Forestier Pen. Australia 43°0S 148°0E 151 G4
Forestville Canada 48°48N 69°2W 165 C6
Forestville Calif., U.S.A. 38°28N 122°54W 170 G4
Forestville N.Y., U.S.A. 42°28N 79°10W 174 D5
Forêt d'Orient ⌂ France 48°16N 4°25E 71 D11
Forez, Mts. du France 45°40N 3°50E 72 C7
Forfar U.K. 56°39N 2°53W 65 E6
Forillon △ Canada 48°46N 64°12W 165 C7
Forks U.S.A. 47°57N 124°23W 170 C2
Forksville U.S.A. 41°29N 76°35W 175 E8
Forlì Italy 44°13N 12°3E 93 D9
Forlì-Cesena □ Italy 44°10N 12°20E 93 D9
Forman U.S.A. 46°7N 97°38W 172 B5
Formazza Italy 46°22N 8°26E 92 B5
Formby Pt. U.K. 53°33N 3°6W 66 D4
Formentera Spain 38°43N 1°27E 100 C7
Formentor, C. de Spain 39°58N 3°13E 100 B10
Formentor, Pen. de Spain 39°56N 3°11E 100 B10
Former Yugoslav Republic of Macedonia = Macedonia ■ Europe 41°53N 21°40E 96 E5
Fórmia Italy 41°15N 13°37E 94 A6
Formiga Brazil 20°27S 45°25W 189 E1
Formigine Italy 44°37N 10°51E 92 D7
Formosa = Taiwan ■ Asia 23°30N 121°0E 117 F13
Formosa Argentina 26°15S 58°10W 190 B4
Formosa Brazil 15°32S 47°20W 189 D1
Formosa □ Argentina 25°0S 60°0W 190 B4
Formosa, Serra Brazil 12°0S 55°0W 187 F8
Formosa B. = Ungwana B. Kenya 2°45S 40°20E 142 C5
Formosa do Rio Prêto Brazil 11°2S 45°3W 189 C1
Fornells Spain 40°3N 4°7E 100 A11
Fornos de Algodres Portugal 40°38N 7°32W 88 E3
Fornovo di Taro Italy 44°42N 10°6E 92 D7
Forollhogna △ Norway 62°39N 10°41E 60 E14
Føroyar ☒ Atl. Oc. 62°0N 7°0W 60 F9
Forres U.K. 57°37N 3°37W 65 D5
Forrest Vic., Australia 38°33S 143°47E 152 E5
Forrest W. Austral., Australia 30°51S 128°6E 149 F4
Forrest, Mt. Australia 24°48S 127°45E 149 D4
Forrest City U.S.A. 35°1N 90°47W 177 D9
Fors Sweden 60°14N 16°20E 62 D10
Forsayth Australia 18°33S 143°34E 150 B3
Forserum Sweden 57°42N 14°30E 63 G8
Forshaga Sweden 59°33N 13°29E 62 E7
Förslöv Sweden 56°21N 12°48E 63 H6
Forsmo Sweden 63°16N 17°11E 62 A11
Forssa Finland 60°49N 23°38E 84 B2
Forst Germany 51°45N 14°37E 76 D10
Forster Australia 32°12S 152°31E 153 B10
Forsvik Sweden 58°35N 14°26E 63 F8
Forsyth Ga., U.S.A. 33°2N 83°56W 178 B6
Forsyth Mont., U.S.A. 46°16N 106°41W 168 C10
Forsyth I. N.Z. 40°58S 174°5E 155 A9
Fort Abbas Pakistan 29°12N 72°52E 124 E5
Fort Albany Canada 52°15N 81°35W 164 B3
Fort Assiniboine Canada 54°20N 114°45W 162 C6
Fort Augustus U.K. 57°9N 4°42W 65 D4
Fort Beaufort S. Africa 32°46S 26°40E 144 D4
Fort Benton U.S.A. 47°49N 110°40W 168 C8
Fort Bragg U.S.A. 39°26N 123°48W 168 G2
Fort Bridger U.S.A. 41°19N 110°23W 168 F8
Fort Caroline ⌂ U.S.A. 30°23N 81°30W 178 E8
Fort Chipewyan Canada 58°42N 111°8W 163 B6
Fort Clatsop = Lewis and Clark ⌂ U.S.A. 46°8N 123°53W 170 D3
Fort Collins U.S.A. 40°35N 105°5W 168 F11
Fort-Coulonge Canada 45°50N 76°45W 164 C4
Fort Covington U.S.A. 44°59N 74°29W 175 B10
Fort Dauphin = Taolanaro Madag. 25°2S 47°0E 141 K9
Fort Davis Ala., U.S.A. 32°15N 85°43W 178 C4
Fort Davis Tex., U.S.A. 30°35N 103°54W 176 F3
Fort-de-France Martinique 14°36N 61°5W 182 c
Fort Defiance U.S.A. 35°45N 109°5W 169 J9
Fort Dodge U.S.A. 42°30N 94°11W 172 D6
Fort Drum U.S.A. 27°32N 80°48W 179 H9
Fort Edward U.S.A. 43°16N 73°35W 175 C11
Fort Erie Canada 42°54N 78°56W 174 D6
Fort Fairfield U.S.A. 46°46N 67°50W 173 B20
Fort Frances Canada 48°36N 93°24W 163 D10
Fort Franklin = Déline Canada 65°11N 123°25W 160 D7
Fort Frederica ⌂ U.S.A. 31°13N 81°23W 178 D8
Fort Gaines U.S.A. 31°36N 85°3W 178 D4
Fort Garland U.S.A. 37°26N 105°26W 169 H11
Fort George = Chisasibi Canada 53°50N 79°0W 164 B4
Fort Good Hope Canada 66°14N 128°40W 160 D6
Fort Hancock U.S.A. 31°18N 105°51W 176 F2
Fort Hope = Eabametoong Canada 51°30N 88°0W 164 B2
Fort Irwin U.S.A. 35°16N 116°41W 171 K10
Fort Kent U.S.A. 47°15N 68°36W 173 B19
Fort Klamath U.S.A. 42°42N 122°0W 168 D3
Fort Laramie U.S.A. 42°13N 104°31W 168 E11
Fort Lauderdale U.S.A. 26°7N 80°8W 179 J9
Fort Liard Canada 60°14N 123°30W 162 A4
Fort Liberté Haiti 19°42N 71°51W 183 C5
Fort Lupton U.S.A. 40°5N 104°49W 168 F11
Fort MacKay Canada 57°12N 111°41W 162 B6
Fort Macleod Canada 49°45N 113°30W 162 D6
Fort McMurray Canada 56°44N 111°7W 162 B6
Fort McPherson Canada 67°30N 134°55W 160 D5
Fort Madison U.S.A. 40°38N 91°27W 172 E8
Fort Matanzas ⌂ U.S.A. 29°43N 81°14W 178 F8
Fort Meade U.S.A. 27°45N 81°48W 179 H8
Fort Mitchell U.S.A. 32°20N 85°1W 178 C4
Fort Morgan U.S.A. 40°15N 103°48W 168 F12
Fort Myers U.S.A. 26°39N 81°52W 179 J8
Fort Myers Beach U.S.A. 26°26N 81°52W 179 J8
Fort Myers Villas U.S.A. 26°33N 81°52W 179 J8
Fort Nelson Canada 58°50N 122°44W 162 B4
Fort Nelson → Canada 59°32N 124°0W 162 B4
Fort Norman = Tulita Canada 64°57N 125°30W 160 E6
Fort Ogden U.S.A. 27°5N 81°57W 179 H8
Fort Payne U.S.A. 34°26N 85°43W 177 D12
Fort Peck U.S.A. 48°1N 106°27W 168 B10
Fort Peck Dam U.S.A. 48°0N 106°26W 168 C10
Fort Peck L. U.S.A. 48°0N 106°26W 168 C10
Fort Pierce U.S.A. 27°27N 80°20W 179 H9
Fort Pierre U.S.A. 44°21N 100°22W 172 C3
Fort Plain U.S.A. 42°56N 74°37W 175 D10
Fort Portal Uganda 0°40N 30°20E 142 B3
Fort Providence Canada 61°3N 117°40W 162 A5
Fort Pulaski ⌂ U.S.A. 32°2N 80°56W 178 C9
Fort Qu'Appelle Canada 50°45N 103°50W 163 C8
Fort Resolution Canada 61°10N 113°40W 162 A6
Fort Rixon Zimbabwe 20°2S 29°17E 143 G2
Fort Ross U.S.A. 38°32N 123°13W 170 G3
Fort Rupert = Waskaganish Canada 51°30N 78°40W 164 B4
Fort St. James Canada 54°30N 124°10W 162 C4
Fort St. John Canada 56°15N 120°50W 162 B4
Fort Saskatchewan Canada 53°40N 113°15W 162 C6
Fort Scott U.S.A. 37°50N 94°42W 172 G6
Fort Severn Canada 56°0N 87°40W 164 A2
Fort Shevchenko Kazakhstan 44°35N 50°23E 87 H10
Fort Simpson Canada 61°45N 121°15W 162 A4
Fort Smith Canada 60°0N 111°51W 162 B6
Fort Smith U.S.A. 35°23N 94°25W 176 D7
Fort Stockton U.S.A. 30°53N 102°53W 176 F3
Fort Sumner U.S.A. 34°28N 104°15W 169 J11
Fort Thompson U.S.A. 44°3N 99°26W 172 C4
Fort Union ⌂ U.S.A. 35°54N 105°1W 169 J11
Fort Valley U.S.A. 32°33N 83°53W 178 C6
Fort Vermilion Canada 58°24N 116°0W 162 B5
Fort Walton Beach U.S.A. 30°25N 86°36W 179 E3
Fort Ware Canada 57°26N 125°41W 162 B3
Fort Wayne U.S.A. 41°4N 85°9W 173 E11
Fort White U.S.A. 29°55N 82°43W 178 F7
Fort William U.K. 56°49N 5°7W 65 E3
Fort Worth U.S.A. 32°43N 97°19W 176 E6
Fort Yates U.S.A. 46°5N 100°38W 172 B3
Fort Yukon U.S.A. 66°34N 145°16W 160 D2
Fortaleza Bolivia 12°6S 66°49W 188 C4
Fortaleza Brazil 3°45S 38°35W 189 A3
Forteau Canada 51°28N 56°58W 165 B8
Fortescue → Australia 21°0S 116°4E 148 D2
Fortescue River Roadhouse Australia 21°17S 116°8E 148 D2
Forth → U.K. 56°9N 3°50W 65 E5
Forth, Firth of U.K. 56°5N 2°55W 65 E6
Forthassa Rharbia Algeria 32°52N 1°18W 136 B3
Fortín Uno Argentina 38°50S 65°18W 192 A3
Fortore → Italy 41°55N 15°17E 93 G12
Fortrose N.Z. 46°38S 168°45E 155 G3
Fortrose U.K. 57°35N 4°9W 65 D4
Fortuna Spain 38°11N 1°7W 91 G3
Fortuna Calif., U.S.A. 40°36N 124°9W 168 F1
Fortuna N. Dak., U.S.A. 48°55N 103°47W 172 A2
Fortune Canada 47°4N 55°50W 165 C8
Fortune B. Canada 47°30N 55°22W 165 C8
Forūr Iran 26°17N 54°32E 129 E7
Fos-sur-Mer France 43°26N 4°56E 73 E8
Fosen Norway 63°50N 10°20E 60 E14
Foshan China 23°3N 113°9E 117 F9
Fosnavåg Norway 62°22N 5°38E 60 E11
Foso Ghana 5°43N 1°15W 139 D4
Fossano Italy 44°33N 7°43E 92 D4
Fossil U.S.A. 45°0N 120°9W 168 D3
Fossil Butte ⌂ U.S.A. 41°50N 110°27W 168 F8
Fossombrone Italy 43°41N 12°48E 93 E9
Foster Australia 38°40S 146°15E 153 E7
Foster Canada 45°17N 72°30W 175 A12
Foster → Canada 55°47N 105°49W 163 B7
Fosters Ra. Australia 21°35S 133°48E 150 C1
Fostoria U.S.A. 41°10N 83°25W 173 E12
Fouesnant France 47°53N 4°1W 70 E2
Fougères France 48°21N 1°14W 70 D5
Foul Pt. Sri Lanka 8°35N 81°18E 127 K5
Foula U.K. 60°10N 2°5W 65 A6
Foulalaba Mali 10°40N 7°20W 138 C3
Foulness I. U.K. 51°36N 0°55E 67 F8
Foulwind, C. N.Z. 41°45S 171°28E 155 B6
Foum Zguid Morocco 30°2N 6°59W 136 B2
Foumban Cameroon 5°45N 10°50E 139 D7
Foumbot Cameroon 5°31N 10°38E 139 D7
Foumbouni Comoros Is. 11°51S 43°29E 141 a
Foumirate Algeria 27°30N 3°12W 136 C3
Foundiougne Senegal 14°5N 16°32W 138 C1
Fountain Colo., U.S.A. 38°41N 104°42W 168 G11
Fountain Fla., U.S.A. 30°29N 85°25W 178 E4
Fountain Hills U.S.A. 33°37N 111°43W 169 K8
Fountain Springs U.S.A. 35°54N 118°51W 171 K8
Four Mountains, Is. of U.S.A. 53°0N 170°0W 166 E5
Fourchambault France 47°2N 3°3E 71 E10
Fouriesburg S. Africa 28°38S 28°14E 145 C4
Fourmies France 50°1N 4°2E 71 B11
Fourna Greece 39°3N 21°52E 98 B3
Fourni Greece 37°36N 26°32E 99 D8
Fours France 46°50N 3°42E 71 F10
Fourth Cataract Sudan 18°47N 32°3E 135 E12
Fouta Djallon Guinea 11°20N 12°10W 138 C2
Foux, Cap-à- Haiti 19°43N 73°27W 183 C5
Foveaux Str. N.Z. 46°42S 168°10E 155 G3
Fowey U.K. 50°20N 4°39W 67 G3
Fowler Calif., U.S.A. 36°38N 119°41W 170 J7
Fowler Colo., U.S.A. 38°8N 104°2W 168 G11
Fowler, Pt. Australia 32°2S 132°3E 149 F5
Fowlers B. Australia 31°59S 132°34E 149 F5
Fowman Iran 37°13N 49°19E 105 D13
Fox → Canada 56°3N 93°18W 163 B10
Fox Creek Canada 54°24N 116°48W 162 C5
Fox Is. U.S.A. 53°0N 168°0W 166 E6
Fox Lake Canada 58°28N 114°31W 162 B6
Fox Valley Canada 50°30N 109°25W 163 C7
Foxboro Canada 44°14N 77°26W 174 B7
Foxboro U.S.A. 42°4N 71°16W 175 D13
Foxdale Australia 20°22S 148°35E 150 b
Foxe Basin Canada 66°0N 77°0W 161 D16
Foxe Chan. Canada 65°0N 80°0W 161 E16
Foxe Pen. Canada 65°0N 76°0W 161 E16
Foxen Sweden 59°25N 11°55E 62 E5
Foxford Ireland 53°59N 9°7W 64 C2
Foxton N.Z. 40°29S 175°18E 154 G4
Foyle, Lough U.K. 55°7N 7°4W 64 A4
Foynes Ireland 52°37N 9°7W 64 D2
Foz Spain 43°33N 7°20W 88 B3
Foz do Cunene Angola 17°15S 11°48E 144 A1
Foz do Gregório Brazil 6°47S 70°44W 188 B3
Foz do Iguaçu Brazil 25°30S 54°30W 191 B5
Frackville U.S.A. 40°47N 76°14W 175 F8
Fraga Spain 41°32N 0°21E 90 D5
Fraile Muerto Uruguay 32°31S 54°32W 191 C5
Framingham U.S.A. 42°18N 71°24W 175 D13
Frampol Poland 50°41N 22°40E 83 H9
Franca Brazil 20°33S 47°30W 189 E1
Francavilla al Mare Italy 42°25N 14°17E 93 F11
Francavilla Fontana Italy 40°32N 17°35E 95 B10
France ■ Europe 47°0N 3°0E 59 F6
Frances Australia 36°41S 140°55E 152 D4
Frances → Canada 60°16N 129°10W 162 A3
Frances L. Canada 61°23N 129°30W 162 A3
Franceville Gabon 1°40S 13°32E 140 E2
Franche-Comté □ France 46°50N 5°55E 71 F12
Francis Case, L. U.S.A. 43°4N 98°34W 172 D4
Francisco Beltrão Brazil 26°5S 53°4W 191 B5
Francisco Ignacio Madero Coahuila, Mexico 25°48N 103°18W 180 B4
Francisco Ignacio Madero Durango, Mexico 24°26N 104°18W 180 C4
Francisco Ignacio Madero, Presa Mexico 28°10N 105°37W 180 B3
Francisco Sá Brazil 16°28S 43°30W 189 D2
Francistown Botswana 21°7S 27°33E 145 B4
Francofonte Italy 37°14N 14°53E 95 E7
François Canada 47°35N 56°45W 165 C8
François L. Canada 54°0N 125°30W 162 C3
Francois Peron △ Australia 25°42S 113°33E 149 E1
Francs Pk. U.S.A. 43°58N 109°20W 168 E9
Franeker Neths. 53°12N 5°33E 69 A5
Frank Hann △ Australia 32°52S 120°19E 149 F3
Frankenberg Germany 51°3N 8°48E 76 D4
Frankenhöhe ⌂ Germany 49°20N 10°25E 77 F6
Frankenwald Germany 50°20N 11°30E 77 E7
Frankenwald ⌂ Germany 50°15N 11°30E 77 E7
Frankford Canada 44°12N 77°36W 174 B7
Frankfort S. Africa 27°17S 28°30E 145 C4
Frankfort Ind., U.S.A. 40°17N 86°31W 172 E10
Frankfort Kans., U.S.A. 39°42N 96°25W 172 F5
Frankfort Ky., U.S.A. 38°12N 84°52W 173 F11
Frankfort N.Y., U.S.A. 43°2N 75°4W 175 C9
Frankfurt Brandenburg, Germany 52°20N 14°32E 76 C10
Frankfurt Hessen, Germany 50°7N 8°41E 77 E4
Frankfurt ✕ (FRA) Germany 50°1N 8°34E 77 E4
Fränkische Alb Germany 49°10N 11°23E 77 F7
Fränkische Rezat → Germany 49°11N 11°1E 77 F7
Fränkische Saale → Germany 50°3N 9°42E 77 E5
Fränkische Schweiz Germany 49°50N 11°16E 77 F7
Fränkische Schweiz-Veldensteiner Forst ⌂ Germany 49°45N 11°22E 77 F7
Frankland → Australia 35°0S 116°48E 149 G2
Franklin Ga., U.S.A. 33°17N 85°6W 178 B4
Franklin Ky., U.S.A. 36°43N 86°35W 172 G10
Franklin La., U.S.A. 29°48N 91°30W 176 G9
Franklin Mass., U.S.A. 42°5N 71°24W 175 D13
Franklin N.H., U.S.A. 43°27N 71°39W 175 C13
Franklin N.Y., U.S.A. 42°20N 75°9W 175 D9
Franklin Nebr., U.S.A. 40°6N 98°57W 172 E4
Franklin Pa., U.S.A. 41°24N 79°50W 174 E5
Franklin Va., U.S.A. 36°41N 76°56W 173 G15
Franklin W. Va., U.S.A. 38°39N 79°20W 173 F14
Franklin B. Canada 69°45N 126°0W 160 D6
Franklin D. Roosevelt L. U.S.A. 48°18N 118°9W 168 B4
Franklin-Gordon Wild Rivers △ Australia 42°19S 145°51E 151 G4
Franklin Harb. Australia 33°43S 136°55E 152 B2
Franklin I. Antarctica 76°10S 168°30E 55 D11
Franklin L. Canada 45°24N 80°20W 174 A4
Franklin L. U.S.A. 40°25N 115°22W 168 F6
Franklin Mts. Canada 65°0N 125°0W 160 D6
Franklin Mts. N.Z. 44°55S 167°45E 155 E2
Franklin Str. Canada 72°0N 96°0W 160 C12
Franklinton U.S.A. 30°51N 90°9W 177 F9
Franklinville U.S.A. 42°20N 78°27W 174 D6
Franklyn Mt. N.Z. 42°4S 172°42E 155 C7
Frankston Australia 38°8S 145°8E 153 E6
Frånö Sweden 62°55N 17°50E 62 B11
Fransfontein Namibia 20°12S 15°1E 144 B2
Fränsta Sweden 62°30N 16°11E 62 B10
Frantsa Iosifa, Zemlya Arctic 82°0N 55°0E 106 A6
Franz Canada 48°25N 84°30W 164 C3
Franz Josef Land = Frantsa Iosifa, Zemlya Arctic 82°0N 55°0E 106 A6
Franz Josef Strauss ✕ (MUC) Germany 48°21N 11°47E 77 G7
Franzburg Germany 54°11N 12°51E 76 A8
Frascati Italy 41°48N 12°41E 93 G9
Fraser U.S.A. 42°32N 82°57W 174 D2
Fraser → B.C., Canada 49°7N 123°11W 170 A3
Fraser → Nfld. & L., Canada 56°39N 62°10W 165 A7
Fraser, Mt. Australia 25°35S 118°20E 149 E2
Fraser I. Australia 25°15S 153°10E 151 D5
Fraser Lake Canada 54°0N 124°50W 162 C4
Fraserburg S. Africa 31°55S 21°30E 144 D3
Fraserburgh U.K. 57°42N 2°1W 65 D6
Fraserdale Canada 49°55N 81°37W 164 C3
Frasertown N.Z. 38°58S 177°28E 154 E6
Frashër Albania 40°23N 20°30E 96 F4
Frasne France 46°50N 6°10E 71 F13
Frăteşti Romania 43°58N 25°58E 81 G10
Frauenfeld Switz. 47°34N 8°54E 77 H4
Fray Bentos Uruguay 33°10S 58°15W 190 C4
Fray Jorge △ Chile 30°42S 71°40W 190 C1
Frazier Downs ☉ Australia 18°48S 121°42E 148 C3
Frechilla Spain 42°8N 4°50W 88 C6
Fredericia Denmark 55°34N 9°45E 63 J3
Frederick Md., U.S.A. 39°25N 77°25W 173 F15
Frederick Okla., U.S.A. 34°23N 99°1W 176 D5
Frederick S. Dak., U.S.A. 45°50N 98°31W 172 C4
Frederick E. Hyde Fjord Greenland 83°25N 29°0W 57 A8
Fredericksburg Pa., U.S.A. 40°27N 76°26W 175 F8
Fredericksburg Tex., U.S.A. 30°16N 98°52W 176 F5
Fredericksburg Va., U.S.A. 38°18N 77°28W 173 F15
Fredericktown Mo., U.S.A. 37°34N 90°18W 172 G8
Fredericktown Ohio, U.S.A. 40°29N 82°33W 174 F2
Frederico Westphalen Brazil 27°22S 53°24W 191 B5
Fredericton Canada 45°57N 66°40W 165 C6
Fredericton Junction Canada 45°41N 66°40W 165 C6
Frederikshåb = Paamiut Greenland 62°0N 49°43W 57 E6
Frederikshamn = Hamina Finland 60°34N 27°12E 84 B4
Frederikshavn Denmark 57°28N 10°31E 63 G4
Frederikssund Denmark 55°50N 12°3E 63 J6
Frederiksted U.S. Virgin Is. 17°43N 64°53W 183 C7
Frederiksværk Denmark 55°58N 12°4E 63 J6
Fredonia Ariz., U.S.A. 36°57N 112°32W 169 H7
Fredonia Kans., U.S.A. 37°32N 95°49W 172 G6
Fredonia N.Y., U.S.A. 42°26N 79°20W 174 D5
Fredriksberg Sweden 60°8N 14°23E 62 D8
Fredrikstad Norway 59°13N 10°57E 61 G14
Free State □ S. Africa 28°30S 27°0E 144 C4
Freehold U.S.A. 40°16N 74°17W 175 F10
Freeland U.S.A. 41°1N 75°54W 175 E9
Freels, C. Nfld. & L., Canada 49°15N 53°30W 165 C9
Freels, C. Nfld. & L., Canada 46°37N 53°32W 165 C9
Freeman Calif., U.S.A. 35°35N 117°53W 171 K9
Freeman S. Dak., U.S.A. 43°21N 97°26W 172 D5
Freeport Bahamas 26°30N 78°47W 182 A4
Freeport Fla., U.S.A. 30°30N 86°8W 178 E3
Freeport Ill., U.S.A. 42°17N 89°36W 172 D9
Freeport N.Y., U.S.A. 40°39N 73°35W 175 F11
Freeport Ohio, U.S.A. 40°12N 81°15W 174 F3
Freeport Pa., U.S.A. 40°41N 79°41W 174 F5
Freeport Tex., U.S.A. 28°57N 95°21W 176 G7
Freetown S. Leone 8°30N 13°17W 138 D2
Freeville U.S.A. 42°30N 76°20W 175 D8
Frégate, L. de la Canada 53°15N 74°45W 164 B5
Fregenal de la Sierra Spain 38°10N 6°39W 89 G4
Fregene Italy 41°51N 12°12E 93 G9
Fregon Australia 26°45S 132°1E 149 E5
Fréhel, C. France 48°40N 2°20W 70 D4
Frei Antarctica 62°30S 58°0W 55 C18
Freiberg Germany 50°55N 13°20E 76 E9
Freibourg = Fribourg Switz. 46°49N 7°9E 77 J3
Freiburg Baden-W., Germany 47°59N 7°51E 77 H3
Freiburg Niedersachsen, Germany 53°49N 9°16E 76 B5
Freilassing Germany 47°50N 12°58E 77 H8
Freire Chile 38°54S 72°38W 192 A2
Freirina Chile 28°30S 71°10W 190 B1
Freising Germany 48°24N 11°45E 77 G7
Freistadt Austria 48°30N 14°30E 78 C7
Freital Germany 51°1N 13°39E 76 D9
Fréjus France 43°25N 6°44E 73 E10
Fremantle Australia 32°7S 115°47E 149 F2
Fremont Calif., U.S.A. 37°32N 121°57W 170 H4
Fremont Mich., U.S.A. 43°28N 85°57W 173 D11
Fremont Nebr., U.S.A. 41°26N 96°30W 172 E5
Fremont Ohio, U.S.A. 41°21N 83°7W 173 E12
Fremont → U.S.A. 38°24N 110°42W 168 G8
French Camp U.S.A. 37°53N 121°16W 170 H5
French Cays = Plana Cays Bahamas 22°38N 73°30W 183 B5
French Creek → U.S.A. 41°24N 79°50W 174 E5
French Frigate Shoals U.S.A. 23°45N 166°10W 167 L6
French Guiana ☒ S. Amer. 4°0N 53°0W 187 C8
French I. Australia 38°20S 145°22E 153 E6
French Island △ Australia 38°20S 145°22E 153 E6
French Pass N.Z. 40°55S 173°55E 155 A8
French Polynesia ☒ Pac. Oc. 20°0S 145°0W 157 J13
French Riviera = Azur, Côte d' France 43°25N 7°10E 73 E11
Frenchman Cr. → N. Amer. 48°31N 107°10W 168 B10
Frenchman Cr. → U.S.A. 40°14N 100°50W 172 E3
Frenda Algeria 35°2N 1°1E 136 A4
Frenštát pod Radhoštěm Czech Rep. 49°33N 18°13E 79 B11
Fresco Ivory C. 5°3N 5°31W 138 D3
Fresco → Brazil 7°15S 51°30W 187 E8
Freshfield, C. Antarctica 68°25S 151°10E 55 C10
Fresnay-sur-Sarthe France 48°17N 0°1E 70 D7
Fresnillo Mexico 23°10N 102°53W 180 C4
Fresno U.S.A. 36°44N 119°47W 170 J7
Fresno Alhándiga Spain 40°42N 5°37W 88 E5
Fresno Res. U.S.A. 48°36N 109°57W 168 B9
Freudenstadt Germany 48°27N 8°24E 77 G4
Frévent France 50°15N 2°17E 71 B9
Frew → Australia 20°0S 135°38E 150 C2
Frewsburg U.S.A. 42°3N 79°10W 174 D5
Freycinet △ Australia 42°11S 148°19E 151 G4
Freycinet Pen. Australia 42°10S 148°25E 151 G4
Freyming-Merlebach France 49°8N 6°48E 71 C13
Freyung Germany 48°48N 13°31E 77 G9
Fria Guinea 10°27N 13°38W 138 C2
Fria, C. Namibia 18°0S 12°0E 144 A1
Friant U.S.A. 36°59N 119°43W 170 J7
Frías Argentina 28°40S 65°5W 190 B2
Fribourg Switz. 46°49N 7°9E 77 J3
Fribourg □ Switz. 46°40N 7°0E 77 J3
Fridafors Sweden 56°25N 14°39E 63 H8
Friday Harbor U.S.A. 48°32N 123°1W 170 B3
Friedberg Bayern, Germany 48°21N 10°59E 77 G6
Friedberg Hessen, Germany 50°19N 8°45E 77 E4
Friedens U.S.A. 40°3N 78°59W 174 F6
Friedland Germany 53°40N 13°33E 76 B9
Friedrichshafen Germany 47°39N 9°30E 77 H5
Friedrichskoog Germany 54°1N 8°53E 76 A4
Friedrichstadt Germany 54°23N 9°6E 76 A5
Friendship U.S.A. 42°12N 78°8W 174 D6
Friesach Austria 46°57N 14°24E 78 E7
Friesack Germany 52°44N 12°34E 76 C8
Friesland □ Neths. 53°5N 5°50E 69 A5
Friesoythe Germany 53°1N 7°51E 76 B3
Frigate Seychelles 4°35S 55°56E 141 b
Friggesund Sweden 61°54N 16°33E 62 C10
Frillesås Sweden 57°20N 12°12E 63 G6
Frinnaryd Sweden 57°55N 14°50E 63 G8
Frio → U.S.A. 28°26N 98°11W 176 G5
Frío, C. Brazil 22°50S 41°50W 184 F6
Friol Spain 43°2N 7°47W 88 B3
Friona U.S.A. 34°38N 102°43W 176 D3
Frisco U.S.A. 33°8N 96°49W 176 E6
Fristad Sweden 57°50N 13°0E 63 G6
Fritch U.S.A. 35°38N 101°36W 176 D4
Fritsla Sweden 57°33N 12°47E 63 G6
Fritzlar Germany 51°7N 9°16E 76 D5
Friuli-Venézia Giulia □ Italy 46°0N 13°0E 93 B9
Friza, Proliv Russia 45°30N 149°0E 107 E15
Frobisher B. Canada 62°30N 66°0W 161 E18
Frobisher Bay = Iqaluit Canada 63°44N 68°31W 161 E18
Frobisher L. Canada 56°20N 108°15W 163 B7
Frohavet Norway 64°0N 9°30E 60 E13
Frohnleiten Austria 47°16N 15°19E 78 D8
Frolovo Russia 49°45N 43°40E 86 F6
Frombork Poland 54°21N 19°41E 82 D6
Frome U.K. 51°14N 2°19W 67 F5
Frome → U.K. 50°41N 2°6W 67 G5
Frome, L. Australia 30°45S 139°45E 152 A3
Frome Downs Australia 31°13S 139°45E 152 A3
Frómista Spain 42°16N 4°25W 88 C6
Front Range U.S.A. 40°25N 105°45W 168 F11
Front Royal U.S.A. 38°55N 78°12W 173 F14
Fronteira Portugal 39°3N 7°39W 89 F3
Fronteiras Brazil 7°5S 40°37W 189 B2
Frontenac ⌂ Canada 44°32N 76°30W 175 B8
Frontera Canary Is. 27°47N 17°59W 100 G2
Frontera Mexico 18°32N 92°38W 181 D6
Fronteras Mexico 30°56N 109°31W 180 A3
Frontignan France 43°27N 3°45E 72 E7
Frosinone Italy 41°38N 13°19E 94 A6
Frostburg U.S.A. 39°39N 78°56W 173 F14
Frostisen Norway 68°14N 17°10E 60 B17
Frostproof U.S.A. 27°45N 81°32W 179 H8
Frouard France 48°47N 6°8E 71 D13
Frövi Sweden 59°28N 15°24E 62 E9
Frøya Norway 63°43N 8°40E 60 E13
Fruita U.S.A. 39°9N 108°44W 168 G9
Fruithurst U.S.A. 33°44N 85°26W 178 B4
Fruitland Park U.S.A. 28°51N 81°54W 179 G8
Frumoasa Romania 46°28N 25°48E 81 D10
Frunze = Bishkek Kyrgyzstan 42°54N 74°46E 109 D8
Frunzivka Ukraine 47°20N 29°45E 81 C14
Fruška Gora Serbia 45°7N 19°30E 80 E4
Fruška Gora △ Serbia 45°8N 19°40E 96 A3
Frutal Brazil 20°0S 49°0W 187 H9
Frutigen Switz. 46°35N 7°38E 77 J3
Frýdek-Místek Czech Rep. 49°40N 18°20E 79 B11
Frýdlant Czech Rep. 50°56N 15°9E 78 A8
Fryeburg U.S.A. 44°1N 70°59W 175 B14
Fryvaldov = Jeseník Czech Rep. 50°14N 17°8E 79 A10
Fthiotida Greece 38°50N 22°25E 98 C4
Fu Jiang → China 30°0N 106°16E 116 C6
Fu Xian = Wafangdian China 39°38N 121°58E 115 E11
Fu Xian China 36°0N 109°20E 114 G5
Fu'an China 27°11N 119°36E 117 D12
Fubian China 31°17N 102°22E 116 B4
Fucécchio Italy 43°44N 10°48E 92 E7
Fucheng China 37°50N 116°10E 114 F9
Fuchou = Fuzhou China 26°5N 119°16E 117 D12
Fuchū Japan 34°34N 133°14E 113 G6
Fuchuan China 24°50N 111°5E 117 E8
Fuchun Jiang → China 30°5N 120°5E 117 B13
Fúcino, Piana del Italy 42°1N 13°31E 93 F10
Fuding China 27°20N 120°12E 117 D13
Fuencaliente Canary Is. 28°28N 17°50W 100 F2
Fuencaliente Spain 38°25N 4°18W 89 G6
Fuencaliente, Pta. Canary Is. 28°27N 17°51W 100 F2
Fuengirola Spain 36°32N 4°41W 89 J6
Fuenlabrada Spain 40°17N 3°48W 88 E7
Fuensalida Spain 40°3N 4°12W 88 E6
Fuente-Álamo Spain 38°44N 1°24W 91 G3
Fuente Álamo de Murcia Spain 37°42N 1°6W 91 H3
Fuente de Cantos Spain 38°15N 6°18W 89 G4
Fuente del Maestre Spain 38°31N 6°28W 89 G4
Fuente el Fresno Spain 39°14N 3°46W 89 F7
Fuente Obejuna Spain 38°15N 5°25W 89 G5
Fuente Palmera Spain 37°42N 5°6W 89 H5
Fuentes de Andalucía Spain 37°28N 5°20W 89 H5
Fuentes de Ebro Spain 41°31N 0°38W 90 D4
Fuentes de León Spain 38°5N 6°32W 89 G4
Fuentes de Oñoro Spain 40°33N 6°52W 88 E4
Fuentesaúco Spain 41°15N 5°30W 88 D5
Fuerte → Mexico 25°54N 109°22W 180 B3
Fuerte Olimpo Paraguay 21°0S 57°51W 190 A4
Fuerteventura Canary Is. 28°30N 14°0W 100 F6
Fuerteventura ✕ (FUE) Canary Is. 28°24N 13°52W 100 F6
Fufeng China 34°22N 108°0E 114 G5
Fugong China 27°5N 98°47E 116 D2
Fugou China 34°3N 114°25E 114 G8
Fugu China 39°2N 111°3E 114 E6
Fuhai China 47°2N 87°25E 109 C11
Fuḩaymī Iraq 34°16N 42°10E 105 E10
Fuhlsbüttel, Hamburg ✕ (HAM) Germany 53°35N 9°59E 76 B5
Fuidhaigh = Wiay U.K. 57°24N 7°13W 65 D1
Fuji Japan 35°9N 138°39E 113 G9
Fuji-Hakone-Izu △ Japan 35°15N 138°45E 113 G9
Fuji-San Japan 35°22N 138°44E 113 G9
Fuji-Yoshida Japan 35°30N 138°46E 113 G9
Fujian □ China 26°0N 118°0E 117 E12
Fujin China 47°16N 132°1E 111 B15
Fujinomiya Japan 35°10N 138°40E 113 G9
Fujisawa Japan 35°22N 139°29E 113 G9
Fujiyama, Mt. = Fuji-San Japan 35°22N 138°44E 113 G9
Fukagawa Japan 43°43N 142°2E 112 C11
Fukang China 44°10N 87°59E 109 D11
Fukien = Fujian □ China 26°0N 118°0E 117 E12
Fukuchiyama Japan 35°19N 135°9E 113 G7
Fukue Japan 32°41N 128°51E 113 H4
Fukue-Shima Japan 32°40N 128°45E 113 H4
Fukui Japan 36°5N 136°10E 113 F8
Fukui □ Japan 36°0N 136°12E 113 G8
Fukuoka Japan 33°39N 130°21E 113 H5
Fukuoka □ Japan 33°30N 131°0E 113 H5
Fukushima Japan 37°44N 140°28E 112 F10
Fukushima □ Japan 37°30N 140°15E 112 F10
Fukuyama Japan 34°35N 133°20E 113 G6
Fulacunda Guinea-Biss. 11°44N 15°3W 138 C1
Fulaga Fiji 19°8S 178°33W 154 a
Fulan → Sweden 61°18N 13°4E 62 C7
Fulda Germany 50°32N 9°40E 76 E5
Fulda → Germany 51°25N 9°39E 76 D5
Fulford Harbour Canada 48°47N 123°27W 170 B3
Fuliang China 29°23N 117°14E 117 C11
Fuling China 29°39N 107°17E 116 C6
Fullerton Calif., U.S.A. 33°53N 117°56W 171 M9
Fullerton Nebr., U.S.A. 41°22N 97°58W 172 E5
Fulongquan China 44°20N 124°42E 115 B13
Fülöpszállás Hungary 46°49N 19°15E 80 D4
Fulton Mo., U.S.A. 38°52N 91°57W 172 F8
Fulton N.Y., U.S.A. 43°19N 76°25W 175 C8
Fulufjället Sweden 61°32N 12°41E 62 C6
Fumay France 49°58N 4°40E 71 C11
Fumel France 44°30N 0°58E 72 D4
Fumin China 25°10N 102°20E 116 E4
Funabashi Japan 35°45N 140°0E 113 G10
Funan China 32°39N 115°42E 117 A10
Funäsdalen Sweden 62°33N 12°32E 62 B6
Funchal Madeira 32°38N 16°54W 100 D3
Funchal ✕ (FNC) Madeira 32°42N 16°45W 100 D3
Fundación Colombia 10°31N 74°11W 186 A4
Fundão Brazil 19°55S 40°24W 189 D2
Fundão Portugal 40°8N 7°30W 88 E3
Fundong Cameroon 6°15N 10°16E 139 D7
Fundu Moldovei Romania 47°32N 25°24E 81 C10
Fundulea Romania 44°28N 26°31E 81 F11
Fundy, B. of Canada 45°0N 66°0W 165 D6
Fundy △ Canada 45°35N 65°10W 165 C6
Funhalouro Mozam. 23°3S 34°25E 145 B5
Funing Hebei, China 39°53N 119°12E 115 E10
Funing Jiangsu, China 33°45N 119°50E 115 H10
Funing Yunnan, China 23°35N 105°45E 116 F5
Funiu Shan China 33°30N 112°20E 114 H7
Funsi Ghana 10°21N 1°54W 138 C4
Funtua Nigeria 11°30N 7°18E 139 C6
Fuping Hebei, China 38°48N 114°12E 114 E8
Fuping Shaanxi, China 34°42N 109°10E 114 G5
Fuqing China 25°41N 119°21E 117 E12
Fuquan China 26°40N 107°27E 116 D6
Furano Japan 43°21N 142°23E 112 C11
Furāt, Nahr al → Asia 31°0N 47°25E 128 D5
Fūrg Iran 28°18N 55°13E 129 D7
Furman U.S.A. 32°41N 81°11W 178 C8
Furmanov Russia 57°10N 41°9E 86 B5
Furnás Spain 39°3N 1°32E 100 B8
Furnas, Represa de Brazil 20°50S 45°30W 191 A6
Furneaux Group Australia 40°10S 147°50E 151 G4
Furqlus Syria 34°36N 37°8E 130 A6
Fürstenau Germany 52°31N 7°40E 76 C3
Fürstenberg Germany 53°10N 13°8E 76 B9
Fürstenfeld Austria 47°3N 16°3E 78 D9
Fürstenfeldbruck Germany 48°11N 11°15E 77 G7
Fürstenwalde Germany 52°22N 14°3E 76 C10
Fürth Germany 49°28N 10°59E 77 F6
Fürth im Wald Germany 49°18N 12°50E 77 F8
Furtwangen Germany 48°2N 8°12E 77 G4
Furudal Sweden 61°10N 15°11E 62 C9
Furukawa = Ōsaki Japan 38°34N 140°58E 112 E10
Furulund Sweden 55°46N 13°6E 63 J7
Furuvik Sweden 61°38N 17°20E 62 D11
Fury and Hecla Str. Canada 69°56N 84°0W 161 D15
Fusagasugá Colombia 4°21N 74°22W 186 C4
Fuscaldo Italy 39°25N 16°2E 95 C9
Fushan Shandong, China 37°30N 121°15E 115 F11
Fushan Shanxi, China 35°58N 111°51E 114 G6
Fushë Arrëz Albania 42°4N 20°2E 96 D4
Fushë Kosovë Kosovo 42°40N 21°5E 96 D5
Fushë Krujë Albania 41°29N 19°43E 96 E3
Fushun Liaoning, China 41°50N 123°56E 115 D12
Fushun Sichuan, China 29°13N 104°52E 116 C5
Fusong China 42°20N 127°15E 115 C14
Füssen Germany 47°34N 10°42E 77 H6
Fusui China 22°40N 107°56E 116 F6
Fustic Barbados 13°16N 59°38W 183 g
Futian China 22°32N 114°4E 111 a
Futog Serbia 45°15N 19°42E 80 E4
Futrono Chile 40°8S 72°24W 192 B2
Fuwa Egypt 31°12N 30°33E 137 E7
Fuxian Hu China 24°30N 102°53E 116 E4
Fuxin China 42°5N 121°48E 115 C11
Fuyang Anhui, China 33°0N 115°48E 117 A10
Fuyang Zhejiang, China 30°5N 119°57E 117 B12
Fuyang He → China 38°12N 117°0E 114 E9
Fuying Dao China 26°34N 120°9E 117 D13
Fuyong China 22°40N 113°49E 111 a
Fuyu Heilongjiang, China 47°49N 124°27E 111 B13
Fuyu Jilin, China 45°12N 124°43E 115 B13

Fuyuan *China* 25°40N 104°16E **116** E5
Fuyun *China* 47°0N 89°28E **109** C11
Füzesgyarmat *Hungary* 47°6N 21°14E **80** C6
Fuzhou = Linchuan
China 27°57N 116°15E **117** D11
Fuzhou *China* 26°5N 119°16E **117** D12
Füzuli *Azerbaijan* 39°36N 47°8E **105** C12
Fyn *Denmark* 55°20N 10°30E **63** J4
Fyne, L. *U.K.* 55°59N 5°23W **65** F3
Fynshav *Denmark* 54°59N 9°59E **63** K3

G

Ga *Ghana* 9°47N 2°30W **138** D4
Gaalkacyo *Somalia* 6°30N 47°30E **131** F4
Gaanda *Nigeria* 10°10N 12°27E **139** C7
Gabas → *France* 43°46N 0°42W **72** E3
Gabba *Australia* 9°45S 142°38E **150** a
Gabela *Angola* 11°0S 14°24E **140** G2
Gabès *Tunisia* 33°53N 10°2E **136** B6
Gabès □ *Tunisia* 33°35N 9°30E **136** B5
Gabès, G. de *Tunisia* 34°0N 10°30E **136** B6
Gabgaba, W. → *Egypt* 22°10N 33°5E **137** C3
Gabia la Grande *Spain* 37°8N 3°40W **89** H7
Gąbin *Poland* 52°23N 19°41E **83** F6
Gabon ■ *Africa* 0°10S 10°0E **140** E2
Gaborone *Botswana* 24°45S 25°57E **144** B4
Gabriels *U.S.A.* 44°26N 74°12W **175** B10
Gābrīk *Iran* 25°44N 58°28E **129** E8
Gabrovo *Bulgaria* 42°52N 25°19E **97** D9
Gacé *France* 48°49N 0°20E **70** D7
Gāch Sār *Iran* 36°7N 51°19E **129** B6
Gachsārān *Iran* 30°15N 50°45E **129** D6
Gacko *Bos.-H.* 43°10N 18°33E **96** C2
Gad Hinglaj *India* 16°14N 74°21E **127** F2
Gadag *India* 15°30N 75°45E **127** G2
Gadap *Pakistan* 25°5N 67°28E **124** G2
Gadarwara *India* 22°50N 78°50E **125** H8
Gadebusch *Germany* 53°42N 11°7E **76** B7
Gadhada *India* 22°0N 71°35E **124** J4
Gádor, Sierra de *Spain* 36°57N 2°45W **89** J8
Gadra *Pakistan* 25°40N 70°38E **124** G4
Gadsden *Ala., U.S.A.* 34°1N 86°1W **178** A3
Gadsden *S.C., U.S.A.* 33°51N 80°46W **178** B9
Gadwal *India* 16°10N 77°50E **127** F3
Gadyach = Hadyach
Ukraine 50°21N 34°0E **85** G8
Găeşti *Romania* 44°48N 25°19E **81** F10
Gaeta *Italy* 41°12N 13°35E **94** A6
Gaeta, G. di *Italy* 41°6N 13°30E **94** A6
Gaffney *U.S.A.* 35°5N 81°39W **177** D14
Gafsa *Tunisia* 34°24N 8°43E **136** B5
Gafsa □ *Tunisia* 34°30N 8°48E **136** B5
Gagarawa *Nigeria* 12°25N 9°32E **139** C6
Gagaria *India* 25°43N 70°46E **124** G4
Gagarin *Russia* 55°38N 35°0E **84** E8
Găgăuzia □ *Moldova* 46°10N 28°40E **81** D13
Gaggenau *Germany* 48°48N 8°18E **77** G4
Gagino *Russia* 55°15N 45°1E **86** C7
Gagliano del Capo *Italy* 39°50N 18°22E **95** C11
Gagnef *Sweden* 60°36N 15°5E **62** D9
Gagnoa *Ivory C.* 6°56N 6°16W **138** D3
Gagnon *Canada* 51°50N 68°5W **165** B6
Gagnon, L. *Canada* 62°3N 110°27W **163** A6
Gagra *Georgia* 43°20N 40°10E **87** J5
Gahini *Rwanda* 1°50S 30°30E **142** C3
Gahmar *India* 25°27N 83°49E **125** G10
Gahnpa = Ganta *Liberia* 7°15N 8°59W **138** D3
Gai Xian = Gaizhou
China 40°22N 122°20E **115** D12
Gaidouronisi *Greece* 34°53N 25°41E **101** E7
Gail *U.S.A.* 32°46N 101°27W **176** E4
Gail → *Austria* 46°36N 13°53E **78** E6
Gaillac *France* 43°54N 1°54E **72** E5
Gaillimh = Galway
Ireland 53°17N 9°3W **64** C2
Gaillon *France* 49°10N 1°20E **70** C8
Gaimán *Argentina* 43°10S 65°25W **192** B3
Gaines *U.S.A.* 41°46N 77°35W **174** E7
Gainesville *Fla., U.S.A.* 29°40N 82°20W **179** F7
Gainesville *Ga., U.S.A.* 34°18N 83°50W **177** D13
Gainesville *Mo., U.S.A.* 36°36N 92°26W **172** G7
Gainesville *Tex., U.S.A.* 33°38N 97°8W **176** E6
Gainsborough *U.K.* 53°24N 0°46W **66** D7
Gairdner, L. *Australia* 31°30S 136°0E **152** A2
Gairloch *U.K.* 57°43N 5°41W **65** D3
Gairloch, L. *U.K.* 57°43N 5°45W **65** D3
Gaizhou *China* 40°22N 122°20E **115** D12
Gaj *Croatia* 45°28N 17°3E **80** E2
Gaj → *Pakistan* 26°26N 67°21E **124** F2
Gajendragarh *India* 15°44N 75°59E **127** G2
Gakuch *Pakistan* 36°7N 73°45E **125** A5
Gal Oya △ *Sri Lanka* 7°0N 81°20E **127** L5
Gal Oya Res. *Sri Lanka* 7°5N 81°30E **127** L5
Galâla, Gebel el *Egypt* 29°21N 32°22E **137** F8
Galán, Cerro *Argentina* 25°55S 66°52W **190** B2
Galana → *Kenya* 3°9S 40°8E **142** C5
Galanta *Slovak Rep.* 48°11N 17°45E **79** C10
Galapagar *Spain* 40°36N 3°58W **88** E7
Galápagos = Colón, Arch. de
Ecuador 0°0 91°0W **184** D1
Galapagos Fracture Zone
Pac. Oc. 3°0N 110°0W **157** G17
Galapagos Rise *Pac. Oc.* 15°0S 95°0W **157** J18
Galashiels *U.K.* 55°37N 2°49W **65** F6
Galatas *Greece* 37°30N 23°26E **98** D5
Galatea *N.Z.* 38°24S 176°45E **154** E5
Galateia *Cyprus* 35°25N 34°4E **101** D13
Galați *Romania* 45°27N 28°2E **81** E13
Galați □ *Romania* 45°45N 27°30E **81** E12
Galatia *Turkey* 39°30N 33°0E **104** C5
Galatina *Italy* 40°10N 18°10E **95** B11
Galátone *Italy* 40°9N 18°4E **95** B11
Galax *U.S.A.* 36°40N 80°56W **173** G13
Galaxidi *Greece* 38°22N 22°23E **98** C4
Galbīn Govĭ *Mongolia* 43°0N 107°0E **114** C4
Galcaio = Gaalkacyo
Somalia 6°30N 47°30E **131** F4
Galdhøpiggen *Norway* 61°38N 8°18E **60** F13
Galeana *Chihuahua, Mexico* 30°7N 107°38W **180** A3
Galeana *Nuevo León, Mexico* 24°50N 100°4W **180** A3
Galela *Indonesia* 1°50N 127°49E **119** D7
Galeota Pt. *Trin. & Tob.* 10°8N 60°59W **187** K16
Galera *Spain* 37°45N 2°33W **91** H2
Galera, Pta. *Chile* 39°59S 73°43W **192** A2
Galera Pt. *Trin. & Tob.* 10°49N 60°54W **183** D7
Galesburg *U.S.A.* 40°57N 90°22W **172** E8
Galestan △ *Iran* 37°30N 56°0E **129** B8
Galeton *U.S.A.* 41°44N 77°39W **174** E7
Galheirão → *Brazil* 12°23S 45°5W **189** C1
Gali *Georgia* 42°37N 41°46E **87** J5
Galicea Mare *Romania* 44°4N 23°19E **81** F8
Galich *Russia* 58°22N 42°24E **86** A6
Galiche *Bulgaria* 43°34N 23°53E **96** C7
Galicia □ *Spain* 42°43N 7°45W **88** C3
Galičica △ *Macedonia* 41°2N 20°55E **96** E4
Galilee = Hagalil *Israel* 32°53N 35°18E **130** C4
Galilee, L. *Australia* 22°20S 145°50E **150** C4
Galilee, Sea of = Yam Kinneret
Israel 32°45N 35°35E **130** C4
Galim *Cameroon* 7°6N 12°25E **139** D7
Galina Pt. *Jamaica* 18°24N 76°58W **182** a
Galinoporni *Cyprus* 35°31N 34°18E **101** D13
Galion *U.S.A.* 40°44N 82°47W **174** F2
Galite, Îs. de la *Tunisia* 37°30N 8°59E **136** A5
Galiuro Mts. *U.S.A.* 32°30N 110°20W **169** K8
Galiwinku *Australia* 12°2S 135°34E **150** A2
Gallan Hd. *U.K.* 58°15N 7°2W **65** C1
Gallarate *Italy* 45°40N 8°48E **92** C5
Gallatin *U.S.A.* 36°24N 86°27W **177** C11
Galle *Sri Lanka* 6°5N 80°10E **127** L5
Gállego → *Spain* 41°39N 0°51W **90** D4
Gallegos → *Argentina* 51°35S 69°0W **192** D3
Galley Hd. *Ireland* 51°32N 8°55W **64** E3
Galliate *Italy* 45°29N 8°42E **92** C5
Gallinas, Pta. *Colombia* 12°28N 71°40W **186** A4
Gallipoli = Gelibolu
Turkey 40°28N 26°43E **97** F10
Gallipoli *Italy* 40°3N 17°58E **95** B10
Gallipolis *U.S.A.* 38°49N 82°12W **173** F12
Gällivare *Sweden* 67°9N 20°40E **60** C19
Gallneukirchen *Austria* 48°21N 14°25E **78** C7
Gällö *Sweden* 62°55N 15°13E **62** B9
Gallo, C. *Italy* 38°13N 13°19E **94** D6
Gallocanta, L. de *Spain* 40°58N 1°30W **90** E3
Galloo I. *U.S.A.* 43°55N 76°25W **175** C8
Galloway *U.K.* 55°1N 4°29W **65** F4
Galloway, Mull of *U.K.* 54°39N 4°52W **65** G4
Gallup *U.S.A.* 35°32N 108°45W **169** J9
Gallur *Spain* 41°52N 1°19W **90** D3
Galltura *Italy* 41°5N 9°20E **94** A2
Galmudug *Somalia* 6°30N 48°0E **131** F4
Galong *Australia* 34°37S 148°34E **153** C8
Galoya *Sri Lanka* 8°10N 80°55E **127** K5
Galt *U.S.A.* 38°15N 121°18W **170** G5
Galten *Denmark* 56°9N 9°54E **63** H3
Galtür *Austria* 46°58N 10°11E **78** E3
Galty Mts. *Ireland* 52°22N 8°10W **64** D3
Galtymore *Ireland* 52°21N 8°11W **64** D3
Galugāh *Iran* 36°43N 53°48E **129** B7
Galva *U.S.A.* 41°10N 90°3W **172** E8
Galvarino *Chile* 38°24S 72°47W **192** A2
Galve de Sorbe *Spain* 41°13N 3°10W **90** D1
Galveston *U.S.A.* 29°18N 94°48W **176** G7
Galveston B. *U.S.A.* 29°36N 94°50W **176** G7
Gálvez *Argentina* 32°0S 61°14W **190** C3
Galway *Ireland* 53°17N 9°3W **64** C2
Galway □ *Ireland* 53°22N 9°1W **64** C2
Galway B. *Ireland* 53°13N 9°10W **64** C2
Gam → *Vietnam* 21°55N 105°12E **120** B5
Gamagōri *Japan* 34°50N 137°14E **113** G8
Gamawa *Nigeria* 12°10N 10°31E **139** C7
Gambaga *Ghana* 10°30N 0°28W **138** C4
Gambat *Pakistan* 27°17N 68°26E **124** F3
Gambhir → *India* 26°58N 77°27E **124** F6
Gambia ■ *W. Afr.* 13°25N 16°0W **138** C1
Gambia → *W. Afr.* 13°28N 16°34W **138** C1
Gambier *U.S.A.* 40°22N 82°23W **174** F2
Gambier, C. *Australia* 11°56S 130°57E **148** B5
Gambier, Îs.
French Polynesia 23°8S 134°58W **157** K14
Gambier Is. *Australia* 35°3S 136°30E **152** C2
Gambo *Canada* 48°47N 54°13W **165** C9
Gamboli *Pakistan* 29°53N 68°24E **124** E3
Gamboma *Congo* 1°55S 15°52E **140** E3
Gamka → *S. Africa* 33°18S 21°39E **144** D3
Gamkab → *Namibia* 28°4S 17°54E **144** C2
Gamla Uppsala *Sweden* 59°54N 17°40E **62** E11
Gamlakarleby = Kokkola
Finland 63°50N 23°8E **60** E20
Gamleby *Sweden* 57°54N 16°24E **63** G10
Gammon → *Canada* 51°24N 95°44W **163** C9
Gammon Ranges △
Australia 30°38S 139°8E **151** E2
Gamou *Niger* 14°20N 9°55E **139** C6
Gampaha *Sri Lanka* 7°5N 79°59E **127** L4
Gampola *Sri Lanka* 7°10N 80°34E **127** L5
Gamtoos → *S. Africa* 33°58S 25°1E **144** D4
Gamzigrad-Romuliana
Serbia 43°53N 22°11E **96** C6
Gan *France* 43°12N 0°27W **72** E3
Gan Gan *Argentina* 42°30S 68°10W **192** B3
Gan Goriama, Mts.
Cameroon 7°44N 12°45E **139** D7
Gan Jiang → *China* 29°15N 116°0E **117** C11
Ganado *U.S.A.* 35°43N 109°33W **169** J9
Gananita *Sudan* 18°22N 33°50E **137** D3
Gananoque *Canada* 44°20N 76°10W **175** B8
Ganāveh *Iran* 29°35N 50°35E **129** D6
Gäncä *Azerbaijan* 40°45N 46°20E **87** K8
Gancheng *China* 18°51N 108°37E **117** a
Gand = Gent *Belgium* 51°2N 3°42E **69** C3
Ganda *Angola* 13°3S 14°35E **141** G2
Gandajika
Dem. Rep. of the Congo 6°46S 23°58E **140** F4
Gandak → *India* 25°39N 85°13E **125** G11
Gandava *Pakistan* 28°32N 67°32E **124** E2
Gander *Canada* 48°58N 54°35W **165** C9
Gander L. *Canada* 48°58N 54°35W **165** C9
Ganderkesee *Germany* 53°2N 8°32E **76** B4
Ganderowe Falls
Zimbabwe 17°20S 29°10E **143** F2
Gandesa *Spain* 41°3N 0°26E **90** D5
Gandhi Sagar *India* 24°40N 75°40E **124** G6
Gandhinagar *India* 23°15N 72°45E **124** H5
Gandi *Nigeria* 12°55N 5°49E **139** C6
Gandia *Spain* 38°58N 0°9W **91** G4
Gandino *Italy* 45°49N 9°54E **92** C6
Gando, Pta. *Canary Is.* 27°55N 15°22W **100** G4
Gandole *Nigeria* 8°28N 11°35E **139** D7
Gandu *Brazil* 13°45S 39°30W **189** C3
Gangah *Mauritania* 18°29N 10°8W **138** B2
Ganedidalem = Gani
Indonesia 0°48S 128°14E **119** E7
Ganga → *India* 23°20N 90°30E **125** H14
Ganga Sagar *India* 21°38N 88°5E **125** J13
Gangafani *Mali* 14°20N 2°20W **138** C4
Gangakher *India* 18°57N 76°45E **126** E3
Gangan → *India* 28°38N 78°58E **125** E8
Ganganagar *India* 29°56N 73°56E **124** E5
Gangapur *Maharashtra, India* 19°41N 75°1E **126** E2
Gangapur *Raj., India* 26°32N 76°49E **124** F7
Gangara *Niger* 14°35N 8°29E **139** C6
Gangaw *Burma* 22°5N 94°5E **123** H19
Gangawati *India* 15°30N 76°36E **127** G3
Gangdisê Shan *China* 31°20N 81°0E **125** D9
Ganges = Ganga →
India 23°20N 90°30E **125** H14
Ganges *Canada* 48°51N 123°31W **162** D4
Ganges *France* 43°56N 3°42E **72** E7
Ganges, Mouths of the
India 21°30N 90°0E **125** J14
Ganggyeong *S. Korea* 36°10N 127°0E **115** F14
Gånghester *Sweden* 57°42N 13°1E **63** G7
Gangi *Italy* 37°48N 14°12E **95** E7
Gângiova *Romania* 43°54N 23°50E **81** G8
Gangneung *S. Korea* 37°45N 128°54E **115** F15
Gangoh *India* 29°46N 77°18E **124** E7
Gangotri *India* 30°50N 79°10E **125** D8
Gangotri △ *India* 30°50N 79°10E **125** D8
Gangseong *S. Korea* 38°24N 128°30E **115** E15
Gangtok *India* 27°20N 88°37E **123** F16
Gangu *China* 34°40N 105°15E **114** G3
Gangyao *China* 44°12N 126°37E **115** B14
Gani *Indonesia* 0°48S 128°14E **119** E7
Ganj *India* 27°45N 78°57E **125** F8
Ganjam *India* 19°23N 85°4E **126** E7
Ganluo *China* 28°58N 102°59E **116** C4
Ganmain *Australia* 34°47S 147°1E **153** C7
Gannat *France* 46°7N 3°11E **71** F10
Gannett Peak *U.S.A.* 43°11N 109°39W **168** E9
Ganquan *China* 36°20N 109°20E **114** F5
Gänserdorf *Austria* 48°20N 16°43E **79** C9
Ganshui *China* 28°40N 106°40E **116** C6
Gansu □ *China* 36°0N 104°0E **114** G3
Ganta *Liberia* 7°15N 8°59W **138** D3
Gantheaume, C.
Australia 36°4S 137°32E **152** D2
Gantheaume B.
Australia 27°40S 114°10E **149** E1
Gantsevichi = Hantsavichy
Belarus 52°49N 26°30E **75** B14
Ganvie *Benin* 6°28N 2°25E **139** D5
Ganye *Nigeria* 8°25N 12°4E **139** D7
Ganyem = Genyem
Indonesia 2°46S 140°12E **119** E10
Ganyu *China* 34°50N 119°8E **115** G10
Ganyushkino
Kazakhstan 46°35N 49°20E **87** G9
Ganzhou *China* 25°51N 114°56E **117** E10
Gao *Mali* 16°15N 0°5W **139** B4
Gao Xian *China* 28°21N 104°32E **116** C5
Gao'an *China* 28°26N 115°17E **117** C10
Gaobeidian *China* 39°19N 115°51E **114** E8
Gaocheng *China* 38°2N 114°49E **114** E8
Gaochun *China* 31°20N 118°49E **117** B12
Gaohebu *China* 30°43N 116°49E **117** B11
Gaokeng *China* 27°40N 113°58E **117** D9
Gaolan Dao *China* 21°55N 113°10E **117** G9
Gaoligong Shan *China* 24°45N 98°45E **116** E2
Gaomi *China* 36°20N 119°42E **115** F10
Gaoping *China* 35°45N 112°55E **114** G7
Gaotang *China* 36°50N 116°15E **114** F9
Gaoua *Burkina Faso* 10°20N 3°8W **138** C4
Gaoual *Guinea* 11°45N 13°25W **138** C2
Gaoyang *China* 38°40N 115°45E **114** E8
Gaoyao *China* 23°3N 112°27E **117** F9
Gaoyou *China* 32°47N 119°26E **117** A12
Gaoyou Hu *China* 32°45N 119°20E **117** A12
Gaoyuan *China* 37°8N 117°58E **115** F9
Gaozhou *China* 21°58N 110°50E **117** G8
Gap *France* 44°33N 6°5E **73** D10
Gapat → *India* 24°30N 82°28E **125** G10
Gapuwiyak *Australia* 12°25S 135°43E **150** A2
Gar *China* 32°10N 79°58E **110** E4
Gara, L. *Ireland* 53°57N 8°26W **64** C3
Garāb *Iran* 33°27N 47°16E **105** F12
Garabogazköl Aylagy
Turkmenistan 41°0N 53°30E **108** D4
Garachico *Canary Is.* 28°22N 16°46W **100** F3
Garachiné *Panama* 8°0N 78°12W **182** E4
Garafía *Canary Is.* 28°48N 17°57W **100** F2
Garagum *Turkmenistan* 39°30N 60°0E **129** B8
Garah *Australia* 29°5S 149°38E **151** D4
Garajonay *Canary Is.* 28°7N 17°14W **100** F2
Garajonay △ *Canary Is.* 28°7N 17°14W **100** F2
Garamba △
Dem. Rep. of the Congo 4°10N 29°40E **142** B2
Garango *Burkina Faso* 11°48N 0°34W **139** C4
Garanhuns *Brazil* 8°50S 36°30W **189** B3
Garautha *India* 25°34N 79°18E **125** G8
Garawa ◎ *Australia* 16°43S 136°51E **150** B2
Garawe *Liberia* 4°35N 8°0W **138** E3
Garba Tula *Kenya* 0°30N 38°32E **142** B4
Garberville *U.S.A.* 40°6N 123°48W **168** F2
Garbiyang *India* 30°8N 80°54E **125** D9
Garbsen *Germany* 52°26N 9°31E **76** C5
Garças → *Brazil* 8°43S 39°41W **189** B3
Gard □ *France* 44°2N 4°10E **73** D8
Gard → *France* 43°51N 4°37E **73** E8
Garda, L. di *Italy* 45°40N 10°41E **92** C7
Gardabani *Georgia* 41°27N 45°5E **87** K7
Gardanne *France* 43°27N 5°27E **73** E9
Gårdby *Sweden* 56°36N 16°38E **63** H10
Garde L. *Canada* 62°50N 106°13W **163** A7
Gardelegen *Germany* 52°32N 11°24E **76** C7
Garden City *Ga., U.S.A.* 32°6N 81°9W **178** C8
Garden City *Kans., U.S.A.* 37°58N 100°53W **172** G3
Garden City *Tex., U.S.A.* 31°52N 101°29W **176** F4
Garden Grove *U.S.A.* 33°47N 117°55W **171** M9
Gardens of Stone △
Australia 33°14S 150°11E **153** B9
Gardēz *Afghan.* 33°37N 69°9E **124** C3
Gardiki *Greece* 38°50N 21°55E **98** C3
Gardiner *Maine, U.S.A.* 44°14N 69°47W **173** C19
Gardiner *Mont., U.S.A.* 45°2N 110°22W **168** D8
Gardiners I. *U.S.A.* 41°6N 72°6W **175** E12
Gardner *Fla., U.S.A.* 27°21N 81°48W **179** H8
Gardner *Mass., U.S.A.* 42°34N 71°59W **175** D13
Gardner Canal *Canada* 53°27N 128°8W **162** C3
Gardner Pinnacles
U.S.A. 25°0N 167°55W **167** L6
Gardnerville *U.S.A.* 38°56N 119°45W **170** G7
Gardno, Jezioro *Poland* 54°40N 17°7E **82** D4
Gardo = Qardho *Somalia* 9°30N 49°6E **131** F4
Gardone Riviera *Italy* 45°37N 10°34E **92** C7
Gardone Val Trómpia
Italy 45°41N 10°11E **92** C7
Gárdony *Hungary* 47°12N 18°39E **80** C3
Gares = Puente la Reina
Spain 42°40N 1°49W **90** C3
Garešnica *Croatia* 45°36N 16°56E **93** C13
Garéssio *Italy* 44°12N 8°2E **92** D5
Garey *U.S.A.* 34°53N 120°19W **171** L6
Garfield *U.S.A.* 47°1N 117°9W **168** C5
Garforth *U.K.* 53°47N 1°24W **66** D6
Gargaliani *Greece* 37°4N 21°38E **98** D3
Gargan, Mt. *France* 45°37N 1°39E **72** C5
Gargano △ *Italy* 41°43N 15°52E **93** G12
Gargantua, C. *Canada* 47°36N 85°2W **173** B11
Gargett *Australia* 21°9S 148°46E **150** b
Gargouna *Mali* 15°56N 0°13E **139** B5
Gargždai *Lithuania* 55°43N 21°24E **82** C8
Garhchiroli *India* 20°10N 80°0E **126** D5
Garibaldi ⌓ *Canada* 49°50N 122°40W **162** D4
Gariep, L. *S. Africa* 30°40S 25°40E **144** D4
Garies *S. Africa* 30°32S 17°59E **144** D2
Garig Gunak Barlu △
Australia 11°26S 131°58E **148** B5
Garigliano → *Italy* 41°13N 13°45E **94** A6
Garissa *Kenya* 0°25S 39°40E **142** C4
Garissa □ *Kenya* 0°20S 40°10E **142** C5
Garkida *Nigeria* 10°27N 12°36E **139** C7
Garko *Nigeria* 11°45N 8°53E **139** C6
Garland *Tex., U.S.A.* 32°54N 96°38W **176** E6
Garland *Utah, U.S.A.* 41°45N 112°10W **168** F7
Garlasco *Italy* 45°12N 8°55E **92** C5
Garliava *Lithuania* 54°49N 23°52E **82** D10
Garlin *France* 43°33N 0°16W **72** E3
Garmāb *Semnān, Iran* 35°25N 56°45E **129** C8
Garmāb *Zanjān, Iran* 35°50N 48°11E **105** E13
Garmisch-Partenkirchen
Germany 47°30N 11°6E **77** H7
Garmsār *Iran* 35°20N 52°25E **129** C7
Garner *U.S.A.* 43°6N 93°36W **172** D7
Garnett *U.S.A.* 38°17N 95°14W **172** F6
Garnpung L. *Australia* 33°25S 143°10E **152** B5
Garo Hills *India* 25°30N 90°30E **125** G14
Garoe = Garoowe
Somalia 8°25N 48°33E **131** F4
Garonne → *France* 45°2N 0°36W **72** C3
Garonne, Canal Latéral à la
France 44°15N 0°18E **72** D4
Garoowe *Somalia* 8°25N 48°33E **131** F4
Garot *India* 24°19N 75°41E **124** G6
Garou, L. *Mali* 16°2N 2°45W **138** B4
Garoua *Cameroon* 9°19N 13°21E **139** D7
Garpenberg *Sweden* 60°19N 16°12E **62** D10
Garphyttan *Sweden* 59°18N 14°56E **62** E8
Garrauli *India* 25°5N 79°22E **125** G8
Garrel *Germany* 52°57N 8°1E **76** C4
Garrison *Mont., U.S.A.* 46°31N 112°49W **168** C7
Garrison *N. Dak., U.S.A.* 47°40N 101°25W **172** B3
Garrison Res. = Sakakawea, L.
U.S.A. 47°30N 101°25W **172** B3
Garron Pt. *U.K.* 55°3N 5°59W **64** A6
Garrovillas de Alconétar
Spain 39°40N 6°33W **89** F4
Garrucha *Spain* 37°11N 1°49W **91** H3
Garry → *U.K.* 56°44N 3°47W **65** E5
Garry, L. *Canada* 65°58N 100°18W **160** D11
Garrygala *Turkmenistan* 38°31N 56°29E **129** B8
Garsen *Kenya* 2°20S 40°5E **142** C5
Gärsnäs *Sweden* 55°32N 14°10E **63** J8
Garson L. *Canada* 56°19N 110°2W **163** B6
Garstang *U.K.* 53°55N 2°46W **66** D5
Gartempe → *France* 46°47N 0°49E **72** B4
Gartz *Germany* 53°13N 14°22E **76** B10
Garu *Ghana* 10°55N 0°11W **139** C4
Garu *India* 23°40N 84°14E **125** H11
Garub *Namibia* 26°37S 16°0E **144** C2
Garut *Indonesia* 7°14S 107°53E **119** G12
Garvão *Portugal* 37°42N 8°21W **89** H2
Garvie Mts. *N.Z.* 45°30S 168°50E **155** F3
Garwa = Garoua
Cameroon 9°19N 13°21E **139** D7
Garwa *India* 24°11N 83°47E **125** G10
Garwolin *Poland* 51°55N 21°38E **83** G8
Gary *U.S.A.* 41°36N 87°20W **172** E10
Garz *Germany* 54°19N 13°20E **76** A9
Garzê *China* 31°38N 100°1E **116** B3
Garzón *Colombia* 2°10N 75°40W **186** C3
Gas-San *Japan* 38°32N 140°1E **112** E10
Gasan Kuli = Esenguly
Turkmenistan 37°37N 53°59E **108** E4
Gascogne *France* 43°45N 0°20E **72** E4
Gascogne, G. de *Europe* 44°0N 2°0W **72** E2
Gascony = Gascogne
France 43°45N 0°20E **72** E4
Gascoyne → *Australia* 24°52S 113°37E **149** D1
Gascoyne Junction
Australia 25°2S 115°17E **149** E2
Gascueña *Spain* 40°18N 2°31W **90** E2
Gashagar *Nigeria* 13°22N 12°47E **139** C7
Gashaka *Nigeria* 7°20N 11°29E **139** D7
Gashaka-Gumti △
Nigeria 7°23N 11°34E **139** D7
Gasherbrum *Pakistan* 35°40N 76°40E **125** B7
Gashua *Nigeria* 12°54N 11°0E **139** C7
Gaspar Str. = Gelasa, Selat
Indonesia 2°50S 107°0E **118** E3
Gasparilla I. *U.S.A.* 26°46N 82°16W **179** J7
Gasparillo *Trin. & Tob.* 10°18N 61°26W **187** K15
Gaspé *Canada* 48°52N 64°30W **165** C7
Gaspé, C. de *Canada* 48°48N 64°7W **165** C7
Gaspé Pen. = Gaspésie, Pén. de la
Canada 48°45N 65°40W **165** C6
Gaspésie, Pén. de la
Canada 48°45N 65°40W **165** C6
Gaspésie ⌓ *Canada* 48°55N 66°10W **165** C6
Gassan *Burkina Faso* 12°49N 3°12W **138** C4
Gassol *Nigeria* 8°34N 10°25E **139** D7
Gasteiz = Vitoria-Gasteiz
Spain 42°50N 2°41W **90** C2
Gaston *U.S.A.* 33°49N 81°5W **178** B8
Gastonia *U.S.A.* 35°16N 81°11W **177** D14
Gastouni *Greece* 37°51N 21°15E **98** D3
Gastouri *Greece* 39°34N 19°54E **98** B1
Gastre *Argentina* 42°20S 69°15W **192** B3
Gästrikland *Sweden* 60°45N 16°40E **62** D10
Gata, C. *Cyprus* 34°34N 33°2E **101** E12
Gata, C. de *Spain* 36°41N 2°13W **91** J2
Gata, Sierra de *Spain* 40°20N 6°45W **88** E4
Gataga → *Canada* 58°35N 126°59W **162** B3
Gătaia *Romania* 45°26N 21°30E **80** E6
Gatchina *Russia* 59°35N 30°9E **84** C6
Gatehouse of Fleet *U.K.* 54°53N 4°12W **65** G4
Gates *U.S.A.* 43°9N 77°42W **174** C7
Gateshead *U.K.* 54°57N 1°35W **66** C6
Gateshead I. *Canada* 70°36N 100°26W **160** C11
Gatesville *U.S.A.* 31°26N 97°45W **176** F6
Gateway ⌓ *U.S.A.* 40°38N 73°51W **175** F11
Gaths *Zimbabwe* 20°2S 30°32E **143** G3
Gâtinais *France* 48°5N 2°40E **71** D9
Gâtine, Hauteurs de
France 46°35N 0°45W **72** B3
Gatineau *Canada* 45°29N 75°39W **175** A9
Gatineau → *Canada* 45°27N 75°42W **164** C4
Gatineau △ *Canada* 45°40N 76°0W **164** C4
Gattinara *Italy* 45°37N 8°22E **92** C5
Gatton *Australia* 27°32S 152°17E **151** D5
Gatún, L. *Panama* 9°7N 79°56W **182** E4
Gatwick, London ✈ (LGW)
U.K. 51°10N 0°11W **67** F7
Gatyana *S. Africa* 32°16S 28°31E **145** D4
Gau *Fiji* 18°2S 179°18E **154** a
Gaucín *Spain* 36°31N 5°19W **89** J5
Gauer L. *Canada* 57°0N 97°50W **163** B9
Gauhati = Guwahati
India 26°10N 91°45E **123** F17
Gauja → *Latvia* 57°10N 24°16E **84** D3
Gaujas △ *Latvia* 57°10N 24°50E **61** H21
Gaula → *Norway* 63°21N 10°14E **60** E14
Gaurdak = Gowurdak
Turkmenistan 37°50N 66°4E **109** E7
Gauri Phanta *India* 28°41N 80°36E **125** E9
Gauribidanur *India* 13°37N 77°32E **127** H3
Gaustatoppen *Norway* 59°48N 8°40E **61** G13
Gauteng □ *S. Africa* 26°0S 28°0E **145** C4
Gāv Koshī *Iran* 28°38N 57°12E **129** D8
Gāvakān *Iran* 29°37N 53°10E **129** D7
Gavar *Armenia* 40°21N 45°7E **87** K7
Gavarnie *France* 42°44N 0°1W **72** F3
Gaväter *Iran* 25°10N 61°31E **129** E9
Gāvbandī *Iran* 27°12N 53°4E **129** E7
Gavdopoula *Greece* 34°56N 24°0E **101** E6
Gavdos *Greece* 34°50N 24°5E **101** E6
Gavi *Italy* 44°41N 8°49E **92** D5
Gavião *Portugal* 39°28N 7°56W **89** F3
Gaviota *U.S.A.* 34°29N 120°13W **171** L6
Gāvkhūnī, Bāţlāq-e *Iran* 32°6N 52°52E **129** C7
Gävle *Sweden* 60°40N 17°9E **62** D11
Gävleborg □ *Sweden* 61°30N 16°15E **62** C10
Gävlebukten *Sweden* 60°40N 17°20E **62** D11
Gavorrano *Italy* 42°55N 10°54E **92** F7
Gavray *France* 48°55N 1°20W **70** D5
Gavrilov Yam *Russia* 57°18N 39°49E **84** D10
Gavrio *Greece* 37°54N 24°44E **98** D6
Gawachab *Namibia* 27°4S 17°55E **144** C2
Gawilgarh Hills *India* 21°15N 76°45E **126** D3
Gawler *Australia* 34°30S 138°42E **152** C3
Gawler Ranges
Australia 32°30S 135°45E **152** B2
Gawu *Nigeria* 9°14N 6°52E **139** D6
Gaxun Nur *China* 42°22N 100°30E **110** C9
Gay *Russia* 51°27N 58°27E **108** B5
Gay *U.S.A.* 33°6N 84°35W **178** B5
Gaya *India* 24°47N 85°4E **125** G11
Gaya *Niger* 11°52N 3°28E **139** C5
Gaya *Nigeria* 11°57N 9°0E **139** C6
Gayéri *Burkina Faso* 12°39N 0°29E **139** C5
Gaylord *U.S.A.* 45°2N 84°41W **173** C11
Gayndah *Australia* 25°35S 151°32E **151** D5
Gaysin = Haysyn
Ukraine 48°57N 29°25E **81** B14
Gayvoron = Hayvoron
Ukraine 48°22N 29°52E **81** B14
Gaza *Gaza Strip* 31°30N 34°28E **130** D3
Gaza □ *Mozam.* 23°10S 32°45E **145** B5
Gaza Strip ■ *Asia* 31°29N 34°25E **130** D3
Gazanjyk = Bereket
Turkmenistan 39°16N 55°32E **129** B7
Gazaoua *Niger* 13°32N 7°55E **139** C6
Gāzbor *Iran* 28°5N 58°51E **129** D8
Gazi *Dem. Rep. of the Congo* 1°3N 24°30E **142** B1
Gaziantep *Turkey* 37°6N 37°23E **104** D7
Gaziantep □ *Turkey* 37°0N 37°0E **104** D7
Gazimağusa = Famagusta
Cyprus 35°8N 33°55E **101** D12
Gazipaşa *Turkey* 36°16N 32°18E **104** D5
Gazli *Uzbekistan* 40°8N 63°27E **108** D6
Gazojak *Turkmenistan* 41°11N 61°24E **108** D6
Gbadolite
Dem. Rep. of the Congo 4°17N 21°1E **140** D4
Gbarnga *Liberia* 7°19N 9°13W **138** D3
Gboko *Nigeria* 7°17N 9°4E **139** D6
Gcoverega *Botswana* 19°8S 24°18E **144** A3
Gcuwa *S. Africa* 32°20S 28°11E **145** D4
Gdańsk *Poland* 54°22N 18°40E **82** D5
Gdańsk ✈ (GDN) *Poland* 54°22N 18°30E **82** D5
Gdansk B. = Gdańska, Zatoka
Poland 54°30N 19°20E **82** D6
Gdańska, Zatoka *Poland* 54°30N 19°20E **82** D6
Gdov *Russia* 58°48N 27°55E **84** C4
Gdynia *Poland* 54°35N 18°33E **82** D5
Geba → *Guinea-Biss.* 11°46N 15°36W **138** C1
Gebe *Indonesia* 0°5N 129°25E **119** D7
Gebeciler *Turkey* 38°46N 30°46E **99** C12
Gebeit Mine *Sudan* 21°3N 36°29E **137** C4
Gebel Abyad *Sudan* 19°0N 28°0E **137** D2
Gebel Iblyad *Egypt* 30°8N 32°13E **137** F8
Gebze *Turkey* 40°47N 29°25E **97** F13
Geçitkale = Lefkoniko
Cyprus 35°18N 33°44E **101** D12
Gedaref *Sudan* 14°2N 35°28E **135** F13
Gede, Tanjung
Indonesia 6°46S 105°12E **119** G11
Gediz *Turkey* 39°1N 29°24E **99** B11
Gediz → *Turkey* 38°35N 26°48E **99** C8
Gèdre *France* 42°47N 0°2E **72** F4
Gedser *Denmark* 54°35N 11°55E **63** K5
Gedung, Pulau *Malaysia* 5°17N 100°23E **121** c
Geegully Cr. →
Australia 18°32S 123°41E **148** C3
Geel *Belgium* 51°10N 4°59E **69** C4
Geelong *Australia* 38°10S 144°22E **152** E6
Geelvink B. = Cenderawasih,
Teluk *Indonesia* 3°0S 135°20E **119** E9
Geelvink Chan.
Australia 28°30S 114°0E **149** E1
Geesthacht *Germany* 53°26N 10°22E **76** B6
Geidam *Nigeria* 12°57N 11°57E **139** C7
Geikie → *Canada* 57°45N 103°52W **163** B8
Geikie Gorge △
Australia 18°3S 125°41E **148** C4
Geilenkirchen *Germany* 50°57N 6°7E **76** E2
Geisingen *Germany* 47°54N 8°38E **77** H4
Geislingen *Germany* 48°37N 9°50E **77** G5
Geistown *U.S.A.* 40°18N 78°52W **174** F6
Geita *Tanzania* 2°48S 32°12E **142** C3
Geita □ *Tanzania* 2°50S 32°10E **142** C3
Gejiu *China* 23°20N 103°10E **116** F4
Gel, Meydān-e *Iran* 29°4N 54°50E **129** D7
Gela *Italy* 37°4N 14°15E **95** F7
Gela, G. di *Italy* 37°0N 14°20E **95** F7
Gelahun *Liberia* 7°55N 10°28W **138** D2
Gelang Patah *Malaysia* 1°27N 103°35E **121** d
Gelasa, Selat *Indonesia* 2°50S 107°0E **118** E3
Gelderland □ *Neths.* 52°5N 6°10E **69** B6
Geldern *Germany* 51°31N 6°20E **76** D2
Geldrop *Neths.* 51°25N 5°32E **69** C5
Geleen *Neths.* 50°57N 5°49E **69** D5
Gelehun *S. Leone* 8°20N 11°40W **138** D2
Gelembe *Turkey* 39°10N 27°50E **99** B9
Gelendost *Turkey* 38°7N 31°1E **104** C4
Gelendzhik *Russia* 44°33N 38°10E **85** K10
Gelib = Jilib *Somalia* 0°29N 42°46E **131** G3
Gelibolu *Turkey* 40°28N 26°43E **97** F10
Gelibolu Yarımadası
Turkey 40°20N 26°30E **97** F10
Gelidonya Burnu
Turkey 36°12N 30°24E **104** D4
Gelnhausen *Germany* 50°11N 9°11E **77** E5
Gelnica *Slovak Rep.* 48°51N 20°55E **79** C13
Gelsenkirchen *Germany* 51°32N 7°6E **76** D3
Gelting *Germany* 54°45N 9°53E **76** A5
Gelugur *Malaysia* 5°22N 100°18E **121** c
Gemas *Malaysia* 2°37N 102°36E **121** L4
Gembloux *Belgium* 50°34N 4°43E **69** D4
Gembu *Nigeria* 6°42N 11°10E **139** D7
Gemena
Dem. Rep. of the Congo 3°13N 19°48E **140** D3
Gemerek *Turkey* 39°15N 36°10E **104** C7
Gemikonagı = Karavostasi
Cyprus 35°8N 32°50E **101** D11
Gemla *Sweden* 56°52N 14°39E **63** H8
Gemlik *Turkey* 40°26N 29°9E **97** F13
Gemlik Körfezi *Turkey* 40°25N 28°55E **97** F12
Gemona del Friuli *Italy* 46°16N 13°9E **93** B10
Gemsa *Egypt* 27°39N 33°35E **137** B3
Gemsbok △ *Botswana* 25°5S 21°1E **144** C3
Gemünden *Germany* 50°3N 9°42E **77** E5
Genadi *Greece* 36°2N 27°56E **101** C9
Genale → *Ethiopia* 6°2N 39°1E **131** F2
Genç *Turkey* 38°44N 40°34E **105** C9
Gençay *France* 46°23N 0°23E **72** B4
General Acha
Argentina 37°20S 64°38W **190** D3
General Alvear *B. Aires, Argentina* 36°0S 60°0W **190** D4
General Alvear *Mendoza, Argentina* 35°0S 67°40W **190** D2
General Artigas
Paraguay 26°52S 56°16W **190** B4
General Belgrano
Argentina 36°35S 58°47W **190** D4
General Bernardo O'Higgins
Antarctica 63°0S 58°3W **55** C18
General Cabrera
Argentina 32°53S 63°52W **190** C3
General Carrera, L.
S. Amer. 46°35S 72°0W **192** C2
General Cepeda
Mexico 25°21N 101°22W **180** B4
General Conesa
Argentina 40°6S 64°25W **192** B4
General Guido
Argentina 36°40S 57°50W **190** D4
General Juan Madariaga
Argentina 37°0S 57°0W **190** D4
General La Madrid
Argentina 37°17S 61°20W **190** D3
General Lorenzo Vintter
Argentina 40°45S 64°26W **192** B4
General MacArthur
Phil. 11°18N 125°28E **119** B7
General Martin Miguel de Güemes
Argentina 24°50S 65°0W **190** A3
General Pico *Argentina* 35°45S 63°50W **190** D3
General Pinedo
Argentina 27°15S 61°20W **190** B3
General Pinto
Argentina 34°45S 61°50W **190** C3
General Roca *Argentina* 39°2S 67°35W **192** A3
General Sampaio *Brazil* 4°2S 39°29W **189** A3
General Santos *Phil.* 6°5N 125°14E **119** C7
General Toshevo
Bulgaria 43°42N 28°6E **97** C12
General Treviño
Mexico 26°14N 99°29W **181** B5
General Trías *Mexico* 28°21N 106°22W **180** B3
General Viamonte
Argentina 35°1S 61°3W **190** D3
General Villegas
Argentina 35°5S 63°0W **190** D3
General Vintter, L.
Argentina 43°55S 71°40W **192** B2
Genesee *Idaho, U.S.A.* 46°33N 116°56W **168** C5
Genesee *Pa., U.S.A.* 41°59N 77°54W **174** E7
Genesee → *U.S.A.* 43°16N 77°36W **174** C7
Geneseo *Ill., U.S.A.* 41°27N 90°9W **172** E8
Geneseo *N.Y., U.S.A.* 42°48N 77°49W **174** D7
Geneva = Genève *Switz.* 46°12N 6°9E **77** J2
Geneva *Ala., U.S.A.* 31°2N 85°52W **178** D4
Geneva *Ga., U.S.A.* 32°35N 84°33W **178** C5
Geneva *N.Y., U.S.A.* 42°52N 76°59W **174** D8
Geneva *Nebr., U.S.A.* 40°32N 97°36W **172** E5
Geneva *Ohio, U.S.A.* 41°48N 80°57W **174** E4
Geneva, L. = Léman, L.
Europe 46°26N 6°30E **71** F13
Genève *Switz.* 46°12N 6°9E **77** J2
Gengenbach *Germany* 48°24N 8°1E **77** G4
Gengma *China* 23°32N 99°20E **116** F2
Genhe *China* 50°47N 121°31E **111** A13
Genichesk = Henichesk
Ukraine 46°12N 34°50E **85** J8
Genil → *Spain* 37°42N 5°19W **89** H5
Genisea *Greece* 41°1N 24°57E **97** E8
Genk *Belgium* 50°58N 5°32E **69** D5
Genlis *France* 47°11N 5°12E **71** E12
Gennargentu, Mti. del
Italy 40°1N 9°19E **94** B2
Gennes *France* 47°20N 0°17W **70** E6
Genoa = Génova *Italy* 44°25N 8°57E **92** D5
Genoa *Australia* 37°29S 149°35E **153** D8
Genoa *N.Y., U.S.A.* 42°40N 76°32W **175** D8
Genoa *Nebr., U.S.A.* 41°27N 97°44W **172** E5
Genoa *Nev., U.S.A.* 39°2N 119°50W **170** F7
Genoa → *Argentina* 44°55S 70°5W **192** B2
Génova *Italy* 44°25N 8°57E **92** D5
Génova ✈ (GOA) *Italy* 44°25N 8°51E **92** D5
Génova, G. di *Italy* 44°0N 9°0E **92** E6

Genriyetty, Ostrov Russia 77°6N 156°30E 107 B16
Gent Belgium 51°2N 3°42E 69 C3
Genteng Jawa Barat, Indonesia 7°22S 106°24E 119 G12
Genteng Jawa Timur, Indonesia 8°22S 114°9E 119 J17
Genthin Germany 52°25N 12°9E 76 C8
Gentio do Ouro Brazil 11°25S 42°30W 189 C2
Genyem Indonesia 2°46S 140°12E 119 E10
Genzano di Lucánia Italy 40°51N 16°2E 95 B9
Genzano di Roma Italy 41°42N 12°41E 93 G9
Geoagiu Romania 45°55N 23°12E 81 E8
Geochang S. Korea 35°41N 127°55E 115 G14
Geographe B. Australia 33°30S 115°15E 149 F2
Geographe Chan. Australia 24°30S 113°0E 149 D1
Geographical Society Ø Greenland 72°57N 23°15W 57 C8
Geoje S. Korea 34°51N 128°35E 115 G15
Geokchay = Göyçay Azerbaijan 40°42N 47°43E 87 K8
Georga, Zemlya Russia 80°30N 49°0E 106 A5
George S. Africa 33°58S 22°29E 144 D3
George → Canada 58°49N 66°10W 165 A6
George, L. N.S.W., Australia 35°10S 149°25E 153 C8
George, L. S. Austral., Australia 37°25S 140°0E 152 D4
George, L. W. Austral., Australia 22°45S 123°40E 148 D3
George, L. Uganda 0°5N 30°10E 142 B3
George, L. Fla., U.S.A. 29°17N 81°36W 179 F8
George, L. N.Y., U.S.A. 43°37N 73°33W 175 C11
George Bush Intercontinental, Houston ✗ (IAH) U.S.A. 29°59N 95°20W 176 G7
George Gill Ra. Australia 24°22S 131°45E 148 D5
George Pt. Australia 20°6S 148°36E 150 b
George River = Kangiqsualujjuaq Canada 58°30N 65°59W 161 F18
George Sound N.Z. 44°52S 167°25E 155 E2
George Town Australia 41°6S 146°49E 151 G4
George Town Bahamas 23°33N 75°47W 182 B4
George Town Cayman Is. 19°20N 81°24W 182 C3
George Town Malaysia 5°25N 100°20E 121 c
George V Land Antarctica 69°0S 148°0E 55 C10
George VI Sound Antarctica 71°0S 68°0W 55 D17
George West U.S.A. 28°20N 98°7W 176 G5
Georgetown = Janjanbureh Gambia 13°30N 14°47W 138 C2
Georgetown Australia 18°17S 143°33E 150 B3
Georgetown Ont., Canada 43°40N 79°56W 174 C5
Georgetown P.E.I., Canada 46°13N 62°24W 165 C7
Georgetown Guyana 6°50N 58°12W 186 B7
Georgetown Calif., U.S.A. 38°54N 120°50W 170 G6
Georgetown Colo., U.S.A. 39°42N 105°42W 168 G11
Georgetown Fla., U.S.A. 29°23N 81°38W 179 F8
Georgetown Ga., U.S.A. 31°53N 85°6W 178 D4
Georgetown Ky., U.S.A. 38°13N 84°33W 173 F11
Georgetown N.Y., U.S.A. 42°46N 75°44W 175 D9
Georgetown Ohio, U.S.A. 38°52N 83°54W 173 F12
Georgetown S.C., U.S.A. 33°23N 79°17W 177 E15
Georgetown Tex., U.S.A. 30°38N 97°41W 176 F6
Georgia □ U.S.A. 32°50N 83°15W 178 C6
Georgia ■ Asia 42°0N 43°0E 87 J6
Georgia, Str. of N. Amer. 49°25N 124°0W 170 A3
Georgia Basin S. Ocean 50°45S 35°30W 55 B1
Georgian B. Canada 45°15N 81°0W 174 A4
Georgian Bay Islands △ Canada 44°53N 79°52W 174 B5
Georgiyevka Kazakhstan 49°19N 84°34E 109 C10
Georgina → Australia 23°30S 139°47E 150 C2
Georgina I. Canada 44°22N 79°17W 174 B5
Georgioupoli Greece 35°20N 24°15E 101 D6
Georgiyevsk Russia 44°12N 43°28E 87 H6
Georgsmarienhütte Germany 52°13N 8°3E 76 C4
Gera Germany 50°53N 12°4E 76 E8
Geraardsbergen Belgium 50°45N 3°53E 69 D3
Geraki Greece 37°0N 22°42E 98 D4
Geral, Serra Bahia, Brazil 14°0S 41°0W 189 C2
Geral, Serra Goiás, Brazil 11°15S 46°30W 189 C1
Geral, Serra Sta. Catarina, Brazil 26°25S 50°0W 191 B6
Geral de Goiás, Serra Brazil 12°0S 46°0W 189 C1
Geral do Paraná, Serra Brazil 15°0S 47°30W 189 D1
Geraldine N.Z. 44°5S 171°15E 155 E6
Geraldine U.S.A. 47°36N 110°16W 168 C8
Geraldton Australia 28°48S 114°32E 149 E1
Geraldton Canada 49°44N 87°10W 164 C2
Geranium Australia 35°23S 140°11E 152 C4
Gérardmer France 48°3N 6°50E 71 D13
Gercüş Turkey 37°34N 41°23E 105 D9
Gerdine, Mt. U.S.A. 61°35N 152°27W 166 C9
Gerede Turkey 40°45N 32°10E 104 B5
Gerês, Sierra do Portugal 41°48N 8°0W 88 D3
Gereshk Afghan. 31°47N 64°35E 122 D4
Geretsried Germany 47°51N 11°28E 77 H7
Gérgal Spain 37°7N 2°31W 91 H2
Gerik Malaysia 5°50N 101°15E 121 K3
Gering U.S.A. 41°50N 103°40W 172 E2
Gerlach U.S.A. 40°39N 119°21W 168 F4
Gerlachovský štit Slovak Rep. 49°11N 20°7E 79 B13
German Bight = Deutsche Bucht Germany 54°15N 8°0E 76 A4
German Planina Macedonia 42°20N 22°0E 96 D6
Germania Land Greenland 77°5N 19°30W 57 B9
Germansen Landing Canada 55°43N 124°40W 162 B4
Germantown U.S.A. 35°5N 89°49W 177 D10
Germany ■ Europe 51°0N 10°0E 76 E6
Germencik Turkey 37°52N 27°37E 99 D9
Germering Germany 48°8N 11°22E 77 G7
Germersheim Germany 49°12N 8°22E 77 F4
Germī Iran 39°1N 48°3E 105 C13
Germiston S. Africa 26°13S 28°10E 145 C4
Gernika-Lumo Spain 43°19N 2°40W 90 B2
Gernsheim Germany 49°45N 8°29E 77 F4
Gero Japan 35°48N 137°14E 113 G8
Gerogery Australia 35°50S 147°1E 153 C7
Gerokgak Indonesia 8°11S 114°27E 119 J17
Gerolzhofen Germany 49°54N 10°21E 77 F6
Gerona = Girona Spain 41°58N 2°46E 90 D7
Geropotamos → Greece 35°3N 24°50E 101 D6
Gerrard Canada 50°30N 117°17W 162 C5
Gerringong Australia 34°46S 150°47E 153 C9
Gers □ France 43°35N 0°30E 72 E4
Gers → France 44°9N 0°39E 72 D4
Gersfeld Germany 50°27N 9°56E 76 E5
Gersoppa Falls India 14°12N 74°46E 127 G2
Gersthofen Germany 48°25N 10°53E 77 G6
Gertak Sanggul Malaysia 5°17N 100°12E 121 c
Gertak Sanggul, Tanjung Malaysia 5°16N 100°11E 121 c
Gerung Indonesia 8°43S 116°7E 119 K19
Gerzat France 45°48N 3°8E 72 C7
Gerze Turkey 41°48N 35°12E 104 B6
Geseke Germany 51°38N 8°31E 76 D4
Geser Indonesia 3°50S 130°54E 119 E8
Gesso → Italy 44°24N 7°33E 92 D4
Getafe Spain 40°18N 3°43W 88 E7
Getinge Sweden 56°49N 12°44E 63 H6
Gettysburg Pa., U.S.A. 39°50N 77°14W 173 F15
Gettysburg S. Dak., U.S.A. 45°1N 99°57W 172 C4
Getxo = Algorta Spain 43°21N 2°59W 90 B2
Getz Ice Shelf Antarctica 75°0S 130°0W 55 D14
Geurie Australia 32°22S 148°50E 153 B8
Gevaş Turkey 38°15N 43°6E 105 C10
Gévaudan France 44°40N 3°40E 72 D7
Gevgelija Macedonia 41°9N 22°30E 96 E6
Gévora → Spain 38°53N 6°57W 89 G4
Gevrai India 19°16N 75°45E 126 E2
Gex France 46°21N 6°3E 71 F13
Geyikli Turkey 39°48N 26°12E 99 B8
Geyser U.S.A. 47°16N 110°30W 168 C8
Geyserville U.S.A. 38°42N 122°54W 170 G4
Geyve Turkey 40°30N 30°18E 104 B4
Gezhouba Dam China 30°40N 111°20E 117 B8
Ghadāf, W. al → Iraq 32°56N 43°30E 105 F10
Ghadāmis Libya 30°11N 9°29E 135 B8
Ghaggar → India 29°30N 74°53E 124 E6
Ghaghara → India 25°45N 84°40E 125 G11
Ghaghat → Bangla. 25°19N 89°38E 125 G13
Ghagra India 23°17N 84°33E 125 H11
Ghallamane Mauritania 23°15N 10°0W 134 D4
Ghana ■ W. Afr. 8°0N 1°0W 139 D4
Ghanpokhara Nepal 28°17N 84°14E 125 E11
Ghansor India 22°39N 80°1E 125 H9
Ghanzi Botswana 21°50S 21°34E 144 B3
Ghanzi □ Botswana 22°30S 22°30E 144 B3
Gharb-Chrarda-Beni Hssen □ Morocco 35°35N 6°0W 136 A2
Gharbîya, Es Sahrâ el Egypt 27°40N 26°30E 137 B2
Ghardaïa Algeria 32°20N 3°37E 136 B4
Ghardaïa □ Algeria 31°5N 3°10E 136 B4
Ghârib, G. Egypt 28°6N 32°54E 137 F8
Gharm Tajikistan 39°0N 70°20E 106 F8
Gharyān Libya 32°10N 13°0E 135 B8
Ghāt Libya 24°59N 10°11E 135 D8
Ghatal India 22°40N 87°46E 125 H12
Ghatampur India 26°8N 80°13E 125 F9
Ghatgaon India 21°24N 85°53E 126 D7
Ghatprabha → India 16°15N 75°20E 127 F2
Ghats, Eastern India 14°0N 78°50E 127 H4
Ghats, Western India 14°0N 75°0E 127 H2
Ghatsila India 22°36N 86°29E 125 H12
Ghaṭṭī Si. Arabia 31°16N 37°31E 128 D3
Ghawdex = Gozo Malta 36°3N 14°15E 101 C1
Ghazal, Bahr el → Chad 13°0N 15°47E 135 F9
Ghazal, Bahr el → South Sudan 9°31N 30°25E 135 G12
Ghazaouet Algeria 35°8N 1°50W 136 A3
Ghaziabad India 28°42N 77°26E 124 E7
Ghazipur India 25°38N 83°35E 125 G10
Ghaznī Afghan. 33°30N 68°28E 124 C3
Ghaznī □ Afghan. 32°10N 68°20E 122 C6
Ghedi Italy 45°24N 10°16E 92 C7
Ghelari Romania 45°38N 22°45E 80 E7
Ghent = Gent Belgium 51°2N 3°42E 69 C3
Gheorghe Gheorghiu-Dej = Onești Romania 46°17N 26°47E 81 D11
Gheorgheni Romania 46°43N 25°41E 81 D10
Gherla Romania 47°2N 23°57E 81 C8
Ghidigeni Romania 46°3N 27°30E 81 D12
Ghilarza Italy 40°7N 8°50E 94 B1
Ghimeş-Făget Romania 46°35N 26°2E 81 D11
Ghīnah, Wādī al → Si. Arabia 30°27N 38°14E 128 D3
Ghisonaccia France 42°1N 9°26E 73 F13
Ghisoni France 42°7N 9°12E 73 F13
Ghizar → Pakistan 36°15N 73°43E 125 A5
Ghod → India 18°30N 74°35E 126 E2
Ghogha India 21°40N 72°20E 126 D1
Ghot Ogrein Egypt 31°10N 25°20E 137 A2
Ghotaru India 27°20N 70°1E 124 F4
Ghotki Pakistan 28°5N 69°21E 124 E3
Ghowr □ Afghan. 34°0N 64°20E 122 C4
Ghughri India 22°39N 80°41E 125 H9
Ghugus India 19°58N 79°12E 126 E4
Ghulam Mohammad Barrage Pakistan 25°30N 68°20E 124 G3
Ghūrīān Afghan. 34°17N 61°25E 122 B2
Gia Dinh Vietnam 10°49N 106°42E 121 G6
Gia Lai = Plei Ku Vietnam 13°57N 108°0E 120 F7
Gia Nghia Vietnam 11°58N 107°42E 121 G6
Gia Ngoc Vietnam 14°50N 108°58E 120 E7
Gia Vuc Vietnam 14°42N 108°34E 120 E7
Giali Greece 36°41N 27°11E 99 E9
Gialtra Greece 38°51N 22°59E 98 C4
Giamama = Jamaame Somalia 0°4N 42°44E 131 G3
Gianitsa Greece 40°46N 22°24E 96 F6
Giannutri Italy 42°15N 11°6E 92 F8
Giant Forest U.S.A. 36°36N 118°43W 170 J8
Giant Mts. = Krkonoše Czech Rep. 50°50N 15°35E 78 A8
Giant Sequoia ⌂ U.S.A. 36°10N 118°35W 170 K8
Giants Causeway U.K. 55°16N 6°29W 64 A5
Giant's Tank Sri Lanka 8°51N 80°2E 127 K5
Gianyar Indonesia 8°32S 115°20E 119 K18
Giarabub = Al Jaghbūb Libya 29°42N 24°38E 135 C10
Giaros Greece 37°32N 24°40E 98 D6
Giarre Italy 37°43N 15°11E 95 E8
Giaveno Italy 45°2N 7°21E 92 C4
Gibara Cuba 21°9N 76°11W 182 B4
Gibbon U.S.A. 40°45N 98°51W 172 E4
Gibe II Ethiopia 8°0N 37°30E 131 F2
Gibe III Ethiopia 7°0N 37°30E 131 F2
Gibellina Nuova Italy 37°47N 12°58E 94 E5
Gibeon Namibia 25°9S 17°43E 144 C2
Gibraleón Spain 37°23N 6°58W 89 H4
Gibraltar ☑ Europe 36°7N 5°22W 89 J5
Gibraltar, Str. of Medit. S. 35°55N 5°40W 89 K5
Gibraltar Range △ Australia 29°31S 152°19E 151 D5
Gibson U.S.A. 33°14N 82°36W 178 B7
Gibson Desert Australia 24°0S 126°0E 148 D4
Gibsons Canada 49°24N 123°32W 162 D4
Gibsonton U.S.A. 27°51N 82°23W 179 H7
Gibsonville U.S.A. 39°46N 120°54W 170 F6
Giddalur India 15°20N 78°57E 127 G4
Giddings U.S.A. 30°11N 96°56W 176 F6
Giebnegáisi = Kebnekaise Sweden 67°53N 18°33E 60 C18
Gien France 47°40N 2°36E 71 E9
Giengen Germany 48°37N 10°14E 77 G6
Giessen Germany 50°34N 8°41E 76 E4
Gīfān Iran 37°54N 57°28E 129 B8
Gifatin, Geziret Egypt 27°10N 33°50E 137 B3
Gifford U.S.A. 27°40N 80°25W 179 H9
Gifhorn Germany 52°30N 10°33E 76 C6
Gift Lake Canada 55°53N 115°49W 162 B5
Gifu Japan 35°30N 136°45E 113 G8
Gifu □ Japan 35°40N 137°0E 113 G8
Gigant Russia 46°28N 41°20E 87 G5
Giganta, Sa. de la Mexico 26°0N 111°39W 180 B2
Gigen Bulgaria 43°40N 24°28E 97 C8
Gigha U.K. 55°42N 5°44W 65 F3
Giglio Italy 42°20N 10°52E 92 F7
Gignac France 43°39N 3°32E 72 E7
Gigüela → Spain 39°8N 3°44W 89 F7
Gijón Spain 43°32N 5°42W 88 B5
Gikongoro Rwanda 2°28S 29°34E 142 C2
Gil I. Canada 53°12N 129°15W 162 C3
Gila → U.S.A. 32°43N 114°33W 169 K6
Gila Bend U.S.A. 32°57N 112°43W 169 K7
Gila Bend Mts. U.S.A. 33°10N 113°0W 169 K7
Gila Cliff Dwellings ⌂ U.S.A. 33°12N 108°16W 169 K9
Gīlān □ Iran 37°0N 50°0E 129 B6
Gīlān-e Gharb Iran 34°8N 45°55E 105 E11
Gilău Romania 46°45N 23°23E 81 D8
Gilbert → Australia 16°35S 141°15E 150 B3
Gilbert Is. Kiribati 1°0N 172°0E 147 A10
Gilbert River Australia 18°9S 142°52E 150 B3
Gilbert Seamounts Pac. Oc. 52°50N 150°10W 54 D18
Gilbués Brazil 9°50S 45°21W 189 B1
Gilead U.S.A. 44°24N 70°59W 175 B14
Gilf el Kebîr, Hadabat el Egypt 23°50N 25°50E 137 C2
Gilford I. Canada 50°40N 126°30W 162 C3
Gilgandra Australia 31°43S 148°39E 153 A8
Gilgil Kenya 0°30S 36°20E 142 C4
Gilgit India 35°50N 74°15E 125 B6
Gilgit → Pakistan 35°44N 74°37E 125 B6
Gilgit-Baltistan □ Pakistan 36°30N 73°0E 125 A5
Gilgunnia Australia 32°26S 146°2E 153 B7
Gili ⌂ Mozam. 16°39S 38°27E 143 F4
Gilimanuk Indonesia 8°10S 114°26E 119 J17
Giljeva Planina Europe 43°9N 20°0E 96 C3
Gillam Canada 56°20N 94°40W 163 B10
Gilleleje Denmark 56°8N 12°19E 63 H6
Gillen, L. Australia 26°11S 124°38E 149 E3
Gilles, L. Australia 32°50S 136°45E 152 B2
Gillespies Pt. N.Z. 43°24S 169°49E 155 D4
Gillette U.S.A. 44°18N 105°30W 168 D11
Gilliat Australia 20°40S 141°28E 150 C3
Gillingham U.K. 51°23N 0°33E 67 F8
Gilmer U.S.A. 32°44N 94°57W 176 E7
Gilmore, L. Australia 32°29S 121°37E 149 F3
Gilmour Canada 44°48N 77°37W 174 B7
Gilort → Romania 44°38N 23°32E 81 F8
Gilroy U.S.A. 37°1N 121°34W 170 H5
Gimcheon S. Korea 36°11N 128°4E 115 F15
Gimhae S. Korea 35°14N 128°53E 115 G15
Gimhwa S. Korea 38°17N 127°28E 115 E14
Gimie, Mt. St. Lucia 13°54N 61°0W 183 f
Gimje S. Korea 35°48N 126°45E 115 G14
Gimli Canada 50°40N 97°0W 163 C9
Gimo Sweden 60°11N 18°12E 62 D12
Gimone → France 44°0N 1°6E 72 E5
Gimont France 43°38N 0°52E 72 E4
Gin → Sri Lanka 6°5N 80°7E 127 L5
Gin Gin Australia 25°0S 151°58E 151 D5
Ginâh Egypt 25°21N 30°30E 137 B3
Gineifa Egypt 30°12N 32°25E 137 E8
Gingee India 12°15N 79°25E 127 H4
Gingin Australia 31°22S 115°54E 149 F2
Gingindlovu S. Africa 29°2S 31°30E 145 C5
Ginir Ethiopia 7°6N 40°40E 131 F3
Ginosa Italy 40°35N 16°45E 95 B9
Ginzo de Limia = Xinzo de Limia Spain 42°3N 7°47W 88 C3
Giofyros → Greece 35°20N 25°6E 101 D7
Giohar = Jawhar Somalia 2°48N 45°30E 131 G4
Gióia, G. di Italy 38°30N 15°45E 95 D8
Gióia del Colle Italy 40°48N 16°55E 95 B9
Gióia Táuro Italy 38°25N 15°54E 95 D8
Gioiosa Iônica Italy 38°20N 16°18E 95 D9
Gioiosa Marea Italy 38°10N 14°54E 95 D7
Giona, Oros Greece 38°38N 22°14E 98 C4
Giovi, Passo dei Italy 44°33N 8°57E 92 D5
Giovinazzo Italy 41°11N 16°40E 95 A9
Gippsland Australia 37°52S 147°0E 153 D7
Gipuzkoa □ Spain 43°12N 2°15W 90 B2
Gir △ India 21°0N 71°0E 124 J4
Gir Hills India 21°0N 71°0E 124 J4
Girab India 26°2N 70°38E 124 F4
Girâfi, W. → Egypt 29°58N 34°39E 130 F3
Giraltovce Slovak Rep. 49°7N 21°32E 79 B14
Girard St. Lucia 13°59N 60°57W 183 D7
Girard Ga., U.S.A. 33°3N 81°43W 178 B8
Girard Kans., U.S.A. 37°31N 94°51W 172 G6
Girard Ohio, U.S.A. 41°9N 80°42W 174 E4
Girard Pa., U.S.A. 42°0N 80°19W 174 E4
Girdle Ness U.K. 57°9N 2°3W 65 D6
Giresun Turkey 40°55N 38°30E 105 B8
Giresun □ Turkey 40°30N 38°30E 105 B8
Girga Egypt 26°17N 31°55E 137 B3
Giri → India 30°28N 77°41E 124 D7
Giridih India 24°10N 86°21E 125 G12
Girifalco Italy 38°49N 16°25E 95 D9
Giriftu Kenya 1°59N 39°46E 142 B4
Girilambone Australia 31°16S 146°57E 153 A7
Girne = Kyrenia Cyprus 35°20N 33°20E 101 D12
Giro Nigeria 11°7N 4°42E 139 C5
Giromagny France 47°45N 6°50E 71 E13
Giron = Kiruna Sweden 67°52N 20°15E 60 C19
Girona Spain 41°58N 2°46E 90 D7
Girona □ Spain 42°11N 2°30E 90 C7
Gironde □ France 44°45N 0°30W 72 D3
Gironde → France 45°32N 1°7W 72 C2
Gironella Spain 42°2N 1°53E 90 C6
Girraween △ Australia 28°46S 151°54E 151 D5
Girringun △ Australia 18°15S 145°32E 150 B4
Giru Australia 19°30S 147°5E 150 B4
Girvan U.K. 55°14N 4°51W 65 F4
Gisborne Australia 37°29S 144°36E 152 D6
Gisborne N.Z. 38°39S 178°5E 154 E7
Gisborne □ N.Z. 38°30S 178°0E 154 E7
Gisenyi Rwanda 1°41S 29°15E 142 C2
Gislaved Sweden 57°19N 13°32E 63 G7
Gisors France 49°15N 1°47E 71 C8
Gitarama Rwanda 2°4S 29°45E 142 C2
Gitega Burundi 3°26S 29°56E 142 C2
Githio Greece 36°46N 22°34E 98 E4
Giuba = Juba → Somalia 1°30N 42°35E 131 G3
Giugliano in Campania Italy 40°56N 14°12E 95 B7
Giulianova Italy 42°45N 13°57E 93 F10
Giura Greece 39°23N 24°10E 98 B6
Giurgeni Romania 44°45N 27°48E 81 F12
Giurgiu Romania 43°52N 25°57E 81 G10
Giurgiu □ Romania 44°20N 26°0E 81 F10
Giurgiulești Moldova 45°29N 28°12E 81 E13
Give Denmark 55°51N 9°13E 63 J3
Givet France 50°8N 4°49E 71 B11
Givors France 45°35N 4°45E 73 C8
Givry France 46°41N 4°46E 71 F11
Giyani S. Africa 23°19S 30°43E 145 B5
Giza = El Gîza Egypt 30°0N 31°12E 137 F7
Giza Pyramids Egypt 29°58N 31°9E 137 F7
Gizab Afghan. 33°22N 66°17E 124 C1
Gizhiga Russia 62°3N 160°30E 107 C17
Gizhiginskaya Guba Russia 61°0N 158°0E 107 C16
Giżycko Poland 54°2N 21°48E 82 D8
Gizzeria Italy 38°59N 16°12E 95 D9
Gjakovë Kosovo 42°22N 20°26E 96 D4
Gjalicë e Lumës, Mal. Albania 42°2N 20°25E 96 D4
Gjegjan Albania 41°58N 20°3E 96 E4
Gjeravicë Kosovo 42°32N 20°8E 96 D4
Gjilan Kosovo 42°28N 21°29E 96 D5
Gjirokastër Albania 40°7N 20°10E 96 F4
Gjoa Haven Canada 68°38N 95°53W 160 D12
Gjøvik Norway 60°47N 10°43E 60 F14
Gjuhës, Kep i Albania 40°28N 19°15E 96 F3
Gjurakoc Kosovo 42°43N 20°29E 96 D4
Glace Bay Canada 46°11N 59°58W 165 C8
Glacier △ Canada 51°15N 117°30W 162 C5
Glacier △ U.S.A. 48°42N 113°48W 168 B7
Glacier Bay U.S.A. 58°40N 136°0W 160 F4
Glacier Bay ⌂ U.S.A. 58°45N 136°30W 162 B1
Glacier Peak U.S.A. 48°7N 121°7W 168 B3
Gladewater U.S.A. 32°33N 94°56W 176 E7
Gladstone Queens., Australia 23°52S 151°16E 150 C5
Gladstone S. Austral., Australia 33°15S 138°22E 152 B3
Gladstone Canada 50°13N 98°57W 163 C9
Gladstone U.S.A. 45°51N 87°1W 172 C10
Gladwin U.S.A. 43°59N 84°29W 173 D11
Glafsfjorden Sweden 59°30N 12°37E 62 E6
Glagah Indonesia 8°13S 114°18E 119 J17
Glagów Małapolski Poland 50°10N 21°56E 83 H8
Glåma = Glomma → Norway 59°12N 10°57E 61 G14
Gláma Iceland 65°48N 23°0W 60 D2
Glamis U.S.A. 32°55N 115°5W 171 N11
Glamoč Bos.-H. 44°3N 16°51E 93 D13
Glamorgan, Vale of □ U.K. 51°28N 3°25W 67 F4
Glamsbjerg Denmark 55°17N 10°6E 63 J4
Glarus Switz. 47°3N 9°4E 77 H5
Glarus □ Switz. 47°0N 9°5E 77 J5
Glasco Kans., U.S.A. 39°22N 97°50W 172 F5
Glasco N.Y., U.S.A. 42°3N 73°57W 175 D11
Glasgow U.K. 55°51N 4°15W 65 F4
Glasgow Ky., U.S.A. 37°0N 85°55W 173 G11
Glasgow Mont., U.S.A. 48°12N 106°38W 168 B10
Glasgow City □ U.K. 55°51N 4°12W 65 F4
Glasgow Int. ✗ (GLA) U.K. 55°51N 4°21W 65 F4
Glaslyn Canada 53°22N 108°21W 163 C7
Glastonbury U.K. 51°9N 2°43W 67 F5
Glastonbury U.S.A. 41°43N 72°37W 175 E12
Glauchau Germany 50°49N 12°31E 76 E8
Glava Sweden 59°33N 12°35E 62 E6
Glavice Croatia 43°43N 16°41E 93 E13
Glazov Russia 58°9N 52°40E 86 A11
Gleichen Canada 50°52N 113°3W 162 C6
Gleisdorf Austria 47°6N 15°44E 78 D8
Gleiwitz = Gliwice Poland 50°22N 18°41E 83 H5
Glen U.S.A. 44°7N 71°11W 175 B13
Glen Affric U.K. 57°17N 5°1W 65 D3
Glen Afton N.Z. 37°37S 175°4E 154 D4
Glen Canyon U.S.A. 37°30N 110°40W 169 H8
Glen Canyon ⌂ U.S.A. 37°15N 111°0W 169 H8
Glen Canyon Dam U.S.A. 36°57N 111°29W 169 H8
Glen Coe U.K. 56°40N 5°0W 65 E3
Glen Cove U.S.A. 40°52N 73°38W 175 F11
Glen Garry U.K. 57°3N 5°7W 65 D3
Glen Innes Australia 29°44S 151°44E 151 D5
Glen Lyon U.S.A. 41°10N 76°5W 175 E8
Glen Massey N.Z. 37°38S 175°2E 154 D4
Glen Mor U.K. 57°9N 4°37W 65 D4
Glen Moriston U.K. 57°11N 4°52W 65 D4
Glen Robertson Canada 45°22N 74°30W 175 A10
Glen Spean U.K. 56°53N 4°40W 65 E4
Glen Ullin U.S.A. 46°49N 101°50W 172 B3
Glénan, Îs. de France 47°42N 4°0W 70 E3
Glenavy N.Z. 44°54S 171°7E 155 E6
Glenbeigh Ireland 52°3N 9°58W 64 D2
Glenburn Australia 37°27S 145°26E 153 D6
Glencoe Canada 42°45N 81°43W 174 D3
Glencoe S. Africa 28°11S 30°11E 145 C5
Glencoe Ala., U.S.A. 33°57N 85°56W 178 B4
Glencoe Minn., U.S.A. 44°46N 94°9W 172 C6
Glencolumbkille Ireland 54°43N 8°42W 64 B3
Glendale Ariz., U.S.A. 33°32N 112°11W 169 K7
Glendale Calif., U.S.A. 34°9N 118°15W 171 L8
Glendale Fla., U.S.A. 30°52N 86°7W 178 E3
Glendale Zimbabwe 17°22S 31°5E 143 F3
Glendive U.S.A. 47°7N 104°43W 168 C11
Glendo U.S.A. 42°30N 105°2W 168 E11
Glenelg Australia 34°58S 138°31E 152 C3
Glenelg → Australia 38°4S 140°59E 152 E4
Glenfield U.S.A. 43°43N 75°24W 175 C9
Glengad Hd. Ireland 55°20N 7°10W 64 A4
Glengarriff Ireland 51°45N 9°34W 64 E2
Glenham N.Z. 46°26S 168°52E 155 G3
Glenhope N.Z. 41°40S 172°39E 155 B7
Glenmary, Mt. N.Z. 43°55S 169°55E 155 D4
Glenmont U.S.A. 40°31N 82°6W 174 F2
Glenmorgan Australia 27°14S 149°42E 151 D4
Glenn U.S.A. 39°31N 122°1W 170 F4
Glennallen U.S.A. 62°7N 145°33W 160 E2
Glennamaddy Ireland 53°37N 8°33W 64 C3
Glenns Ferry U.S.A. 42°57N 115°18W 168 E6
Glennville U.S.A. 31°56N 81°56W 178 D8
Glenora Canada 44°2N 77°3W 174 B7
Glenorchy Tas., Australia 42°49S 147°18E 151 G4
Glenorchy Vic., Australia 36°55S 142°41E 152 D5
Glenorchy N.Z. 44°51S 168°24E 155 E3
Glenore Australia 17°50S 141°12E 150 B3
Glenreagh Australia 30°2S 153°1E 151 E5
Glenrock U.S.A. 42°52N 105°52W 168 E11
Glenrothes U.K. 56°12N 3°10W 65 E5
Glenrowan Australia 36°29S 146°13E 153 D7
Glens Falls U.S.A. 43°19N 73°39W 175 C11
Glenside U.S.A. 40°6N 75°9W 175 F9
Glenthompson Australia 37°38S 142°38E 152 D5
Glenties Ireland 54°48N 8°17W 64 B3
Glenveagh △ Ireland 55°3N 8°1W 64 A3
Glenville U.S.A. 38°56N 80°50W 173 F13
Glenwood Canada 49°0N 54°58W 165 C9
Glenwood Ark., U.S.A. 34°20N 93°33W 176 D8
Glenwood Ga., U.S.A. 32°11N 82°40W 178 C7
Glenwood Iowa, U.S.A. 41°3N 95°45W 172 E6
Glenwood Minn., U.S.A. 45°39N 95°23W 172 C6
Glenwood Wash., U.S.A. 46°1N 121°17W 170 D5
Glenwood Springs U.S.A. 39°33N 107°19W 168 G10
Glettinganes Iceland 65°30N 13°37W 60 D7
Glifada Greece 37°52N 23°45E 98 D5
Glimåkra Sweden 56°19N 14°7E 63 H8
Glin Ireland 52°34N 9°17W 64 D2
Glina Croatia 45°20N 16°6E 93 C13
Glinojeck Poland 52°49N 20°21E 83 F7
Gliwice Poland 50°22N 18°41E 83 H5
Globe U.S.A. 33°24N 110°47W 169 K8
Glodeanu Siliştea Romania 44°50N 26°48E 81 F11
Glodeni Moldova 47°45N 27°31E 81 C12
Glödnitz Austria 46°53N 14°7E 78 E7
Gloggnitz Austria 47°41N 15°56E 78 D8
Głogów Poland 51°37N 16°5E 83 G3
Głogówek Poland 50°21N 17°53E 83 H4
Glomma → Norway 59°12N 10°57E 61 G14
Glorieuses, Îs. Ind. Oc. 11°30S 47°20E 141 G9
Glosa Greece 39°10N 23°45E 98 B5
Glossop U.K. 53°27N 1°56W 66 D6
Gloucester Australia 32°0S 151°59E 153 B9
Gloucester U.K. 51°53N 2°15W 67 F5
Gloucester U.S.A. 42°37N 70°40W 175 D14
Gloucester I. Australia 20°0S 148°30E 150 b
Gloucester Island △ Australia 20°2S 148°30E 150 b
Gloucester Point U.S.A. 37°15N 76°30W 173 G15
Gloucestershire □ U.K. 51°46N 2°15W 67 F5
Gloversville U.S.A. 43°3N 74°21W 175 C10
Glovertown Canada 48°40N 54°3W 165 C9
Gloverville = Warrenville U.S.A. 33°33N 81°48W 178 B8
Głowno Poland 51°59N 19°42E 83 G6
Głubczyce Poland 50°13N 17°52E 83 H4
Glubokiy Russia 48°35N 40°25E 87 F5
Glubokoe Kazakhstan 50°8N 82°18E 109 B10
Glubokoye = Hlybokaye Belarus 55°10N 27°45E 84 E4
Głuchołazy Poland 50°19N 17°24E 83 H4
Glücksburg Germany 54°50N 9°33E 76 A5
Glückstadt Germany 53°45N 9°25E 76 B5
Glukhov = Hlukhiv Ukraine 51°40N 33°58E 85 G7
Glusk Belarus 52°53N 28°41E 75 B15
Głuszyca Poland 50°41N 16°23E 83 H3
Glyfada = Glifada Greece 37°52N 23°45E 98 D5
Glyn Ebwy = Ebbw Vale U.K. 51°46N 3°12W 67 F4
Glyngøre Denmark 56°46N 8°52E 63 H2
Gmünd Kärnten, Austria 46°54N 13°31E 78 E6
Gmünd Niederösterreich, Austria 48°45N 15°0E 78 C8
Gmunden Austria 47°55N 13°48E 78 D6
Gnarp Sweden 62°3N 17°16E 62 B11
Gnesta Sweden 59°3N 17°17E 62 E11
Gniew Poland 53°50N 18°50E 82 E5
Gniewkowo Poland 52°54N 18°25E 83 F5
Gniezno Poland 52°30N 17°35E 83 F4
Gnjilane = Gjilan Kosovo 42°28N 21°29E 96 D5
Gnoien Germany 53°58N 12°41E 76 B8
Gnosjö Sweden 57°22N 13°43E 63 G7
Gnowangerup Australia 33°58S 117°59E 149 F2
Go Cong Vietnam 10°22N 106°40E 121 G6
Gō-no-ura Japan 33°44N 129°40E 113 H4
Goa India 15°33N 73°59E 127 G1
Goa □ India 15°33N 73°59E 127 G1
Goalen Hd. Australia 36°33S 150°4E 153 D9
Goalpara India 26°10N 90°40E 123 F17
Goaltor India 22°43N 87°10E 125 H12
Goalundo Ghat Bangla. 23°50N 89°47E 125 H13
Goaso Ghana 6°48N 2°30W 138 D4
Goat Fell U.K. 55°38N 5°11W 65 F3
Goba Ethiopia 7°1N 39°59E 131 F2
Goba Mozam. 26°15S 32°13E 145 C5
Gobabis Namibia 22°30S 19°0E 144 B2
Göbel Turkey 40°0N 28°9E 97 F12
Gobernador Gregores Argentina 48°46S 70°15W 192 C2
Gobi Asia 44°0N 110°0E 114 C6
Gobi Gurvan Saykhan △ Mongolia 43°24N 101°24E 114 C2
Gobichettipalayam India 11°31N 77°21E 127 J3
Gobō Japan 33°53N 135°10E 113 H7
Gobustan Azerbaijan 40°7N 49°22E 105 B13
Göçbeyli Turkey 39°13N 27°25E 99 B9
Goch Germany 51°41N 6°9E 76 D2
Gochas Namibia 24°59S 18°55E 144 B2
Godalming U.K. 51°11N 0°36W 67 F7
Godavari → India 16°25N 82°18E 126 F6
Godavari Pt. India 17°0N 82°20E 126 F6
Godbout Canada 49°20N 67°38W 165 C6
Godda India 24°50N 87°13E 125 G12
Godech Bulgaria 43°1N 23°4E 96 C7
Goderich Canada 43°45N 81°41W 174 C3
Goderville France 49°38N 0°22E 70 C7
Godfrey Ra. Australia 24°0S 117°0E 149 D2
Godhavn = Qeqertarsuaq Greenland 69°15N 53°38W 57 D5
Godhra India 22°49N 73°40E 124 H5
Gödöllő Hungary 47°38N 19°25E 80 C4
Godoy Cruz Argentina 32°56S 68°52W 190 C2
Gods → Canada 56°22N 92°51W 164 A1
Gods L. Canada 54°40N 94°15W 164 B1
Gods River Canada 54°50N 94°5W 163 C10
Godthåb = Nuuk Greenland 64°10N 51°35W 57 E5
Goeie Hoop, Kaap die = Good Hope, C. of S. Africa 34°24S 18°30E 144 D2
Goéland, L. au Canada 49°50N 76°48W 164 C4
Goélands, L. aux Canada 55°27N 64°17W 165 A7
Goeree Neths. 51°50N 4°0E 69 C3
Goes Neths. 51°30N 3°55E 69 C3
Goffstown U.S.A. 43°1N 71°36W 175 C13
Gogama Canada 47°35N 81°43W 164 C3
Gogebic, L. U.S.A. 46°30N 89°35W 172 B9
Gogolin Poland 50°30N 18°0E 83 H5
Gogonou Benin 10°50N 2°50E 139 C5
Gogra = Ghaghara → India 25°45N 84°40E 125 G11
Gogrial South Sudan 8°30N 28°8E 135 G11
Gogui Mali 15°32N 9°25W 138 B3
Gôh-Djiboua □ Ivory C. 6°2N 5°33W 138 D3
Gohana India 29°8N 76°42E 124 E7
Goharganj India 23°1N 77°41E 124 H7
Goi → India 22°4N 74°46E 124 H6
Goiana Brazil 7°33S 34°59W 189 B4
Goiânia Brazil 16°43S 49°20W 187 G9
Goiás Brazil 15°55S 50°10W 187 G8
Goiás □ Brazil 12°10S 48°0W 187 F9
Goiatins Brazil 7°42S 47°10W 189 B1
Goio-Erê Brazil 24°12S 53°1W 191 A5
Góis Portugal 40°10N 8°6W 88 E2
Gojō Japan 34°21N 135°42E 113 G7
Gojra Pakistan 31°10N 72°40E 124 D5
Gokak India 16°11N 74°52E 127 F2
Gokarn India 14°33N 74°17E 127 G2
Gökçe Turkey 40°10N 25°55E 97 F9
Gökçeada Turkey 40°10N 25°50E 97 F9
Gökçedağ Turkey 39°33N 28°56E 99 B10
Gökçen Turkey 38°7N 27°53E 99 C9
Gökçeören Turkey 38°37N 28°35E 99 C10
Gökçeyazı Turkey 39°40N 27°40E 99 B9
Gökırmak → Turkey 41°25N 35°8E 104 B6
Gökova Turkey 37°1N 28°17E 99 D10
Gökova Körfezi Turkey 36°55N 27°50E 99 E9
Göksu → Turkey 36°19N 34°5E 104 D6
Göksun Turkey 38°2N 36°30E 104 C7
Gokteik Burma 22°26N 97°0E 123 H20
Göktepe Turkey 37°25N 28°34E 99 D10
Gokurt Pakistan 29°40N 67°26E 124 E2
Gokwe Zimbabwe 18°7S 28°58E 145 A4
Gol Gol Australia 34°12S 142°14E 152 C5
Gola India 28°3N 80°32E 125 E9
Golakganj India 26°8N 89°52E 125 F13
Golan Heights = Hagolan Syria 33°0N 35°45E 130 C4
Gołańcz Poland 52°57N 17°18E 83 F4
Golāshkerd Iran 27°59N 57°16E 129 E8
Golaya Pristen = Hola Prystan Ukraine 46°29N 32°32E 85 J7
Gölbaşı Adıyaman, Turkey 37°43N 37°25E 104 D7
Gölbaşı Ankara, Turkey 39°47N 32°49E 104 C5
Golconda India 17°24N 78°23E 126 F4
Golconda U.S.A. 40°58N 117°30W 168 F5
Gölcük Kocaeli, Turkey 40°42N 29°48E 97 F13
Gölcük Niğde, Turkey 38°14N 34°47E 104 C6
Gold U.S.A. 41°52N 77°50W 174 E7
Gold Beach U.S.A. 42°25N 124°25W 168 E1
Gold Coast W. Afr. 4°0N 1°40W 139 E4
Gold Hill U.S.A. 42°26N 123°3W 168 E2
Gold River Canada 49°46N 126°3W 162 D3
Goldap Poland 54°19N 22°18E 82 D9
Goldberg Germany 53°35N 12°4E 76 B8
Golden Canada 51°20N 116°59W 162 C5
Golden B. N.Z. 40°40S 172°50E 155 A7
Golden Gate U.S.A. 37°48N 122°29W 169 H2
Golden Gate Highlands △ S. Africa 28°40S 28°40E 145 C4
Golden Hinde Canada 49°40N 125°44W 162 D3
Golden Lake Canada 45°34N 77°21W 174 A7
Golden Rock India 10°45N 78°48E 127 J4
Golden Spike ⌂ U.S.A. 41°37N 112°33W 168 F7
Golden Vale Ireland 52°33N 8°17W 64 D3
Goldendale U.S.A. 45°49N 120°50W 168 D3
Goldfield U.S.A. 37°42N 117°14W 169 H5
Goldsand L. Canada 57°2N 101°8W 163 B8
Goldsboro U.S.A. 35°23N 77°59W 177 D16
Goldsmith U.S.A. 31°59N 102°37W 176 F3
Goldthwaite U.S.A. 31°27N 98°34W 176 F5
Golegã Portugal 39°24N 8°29W 89 F2
Goleniów Poland 53°35N 14°50E 82 E1
Golestān □ Iran 37°20N 55°25E 129 B7
Golestānak Iran 30°36N 54°14E 129 D7
Goleta U.S.A. 34°27N 119°50W 171 L7

Golfito Costa Rica 8°41N 83°5W 182 E3
Golfo Aranci Italy 40°59N 9°38E 94 B2
Golfo de Santa Clara Mexico 31°42N 114°30W 180 A2
Golfo di Orosei e del Gennargentu △ Italy 40°5N 9°15E 94 B2
Gölgeli Dağları Turkey 37°10N 28°55E 99 D10
Gölhisar Turkey 37°8N 29°31E 99 D11
Goliad U.S.A. 28°40N 97°23W 176 G6
Golija Montenegro 43°5N 18°45E 96 C2
Golija Serbia 43°22N 20°15E 96 C4
Golina Poland 52°15N 18°4E 83 F5
Gölköy Turkey 40°41N 37°37E 104 B7
Göllersdorf Austria 48°29N 16°7E 78 C9
Gölmarmara Turkey 38°42N 27°55E 99 C9
Golmud China 36°25N 94°53E 110 D7
Golo → France 42°31N 9°32E 73 F13
Gölova Turkey 36°48N 30°5E 99 E12
Golpāyegān Iran 33°27N 50°18E 129 C6
Gölpazarı Turkey 40°16N 30°18E 104 B4
Golra Pakistan 33°37N 72°56E 124 C5
Golspie U.K. 57°58N 3°59W 65 D5
Golub-Dobrzyń Poland 53°7N 19°2E 83 E6
Golubac Serbia 44°38N 21°38E 96 B5
Golyam Perelik Bulgaria 41°36N 24°33E 97 E8
Golyama Kamchiya → Bulgaria 43°10N 27°55E 97 C11
Goma Dem. Rep. of the Congo 1°37S 29°10E 142 C2
Gomal Pass Pakistan 31°56N 69°20E 124 D3
Gomati → India 25°32N 83°11E 125 G10
Gombari Dem. Rep. of the Congo 2°45N 29°3E 142 B2
Gombe Nigeria 10°19N 11°2E 139 C7
Gömbe Turkey 36°33N 29°38E 99 E11
Gombe □ Nigeria 10°0N 11°10E 139 C7
Gombe → Tanzania 4°38S 31°40E 142 C3
Gombe Stream △ Tanzania 4°42S 29°37E 142 C2
Gombi Nigeria 10°12N 12°30E 139 C7
Gomel = Homyel Belarus 52°28N 31°0E 75 B16
Gomera Canary Is. 28°7N 17°14W 100 F2
Gómez Palacio Mexico 25°34N 103°30W 180 B4
Gomfi Greece 39°26N 21°36E 98 B3
Gomīshān Iran 37°4N 54°6E 129 B7
Gommern Germany 52°4N 11°50E 76 C7
Gomogomo Indonesia 6°39S 134°43E 119 F8
Gomoh India 23°52N 86°10E 125 H12
Gomotartsi Bulgaria 44°6N 22°57E 96 B6
Gompa = Ganta Liberia 7°15N 8°59W 138 D3
Gonābād Iran 34°15N 58°45E 129 C8
Gonaïves Haiti 19°20N 72°42W 183 C5
Gonarezhou △ Zimbabwe 21°32S 31°55E 143 G3
Gonâve, G. de la Haiti 19°29N 72°42W 183 C5
Gonâve, Île de la Haiti 18°51N 73°3W 183 C5
Gonbad-e Kāvūs Iran 37°20N 55°25E 129 B7
Gönc Hungary 48°28N 21°14E 80 B6
Gonda India 27°9N 81°58E 125 F9
Gondal India 21°58N 70°52E 124 J4
Gonder Ethiopia 12°39N 37°30E 131 E2
Gondia India 21°23N 80°10E 126 D5
Gondola Mozam. 19°10S 33°37E 143 F3
Gondomar Portugal 41°10N 8°35W 88 D2
Gondrecourt-le-Château France 48°31N 5°30E 71 D12
Gönen Balıkesir, Turkey 40°6N 27°39E 97 F11
Gönen Isparta, Turkey 37°57N 30°31E 99 D12
Gönen → Turkey 40°6N 27°39E 97 F11
Gong Xian China 28°23N 104°47E 116 C5
Gong'an China 30°7N 112°12E 117 B9
Gongbei China 22°12N 113°32E 111 a
Gongchangling China 41°7N 123°27E 115 D12
Gongcheng China 24°50N 110°49E 117 E8
Gongga Shan China 29°40N 101°55E 116 C3
Gonggar China 29°23N 91°7E 110 F7
Gongguan China 21°48N 109°36E 116 G7
Gonghe China 36°18N 100°32E 110 D9
Gongju S. Korea 36°27N 127°7E 115 F14
Gongliu China 43°28N 82°8E 109 D10
Gongming China 22°47N 113°53E 111 a
Gongola → Nigeria 9°30N 12°4E 139 D7
Gongolgon Australia 30°21S 146°54E 151 E4
Gongshan China 27°43N 98°29E 116 D2
Gongtan China 28°55N 108°20E 116 C7
Gongyi China 34°45N 112°58E 114 G7
Gongzhuling China 43°30N 124°40E 115 C13
Goni Greece 39°52N 22°29E 98 B4
Goniadz Poland 53°30N 22°44E 82 E9
Goniri Nigeria 11°30N 12°15E 139 C7
Gonjo China 30°52N 98°17E 116 B2
Gonnesa Italy 39°16N 8°28E 94 C1
Gonnosfanádiga Italy 39°29N 8°39E 94 C1
Gonzales Calif., U.S.A. 36°30N 121°26W 170 J5
Gonzales Tex., U.S.A. 29°30N 97°27W 176 G6
González Mexico 22°48N 98°25W 181 C5
Goobang △ Australia 33°0S 148°32E 153 B8
Good Hope, C. of S. Africa 34°24S 18°30E 144 D2
Good Hope Lake Canada 59°16N 129°18W 162 B3
Gooderham Canada 44°54N 78°21W 174 B6
Goodhouse S. Africa 28°57S 18°13E 144 C2
Gooding U.S.A. 42°56N 114°43W 168 E6
Goodland U.S.A. 39°21N 101°43W 172 F3
Goodlands Mauritius 20°2S 57°39E 141 d
Goodlow Canada 56°20N 120°8W 162 B4
Goodooga Australia 29°3S 147°28E 151 D4
Goodsprings U.S.A. 35°49N 115°27W 171 K11
Goodwater U.S.A. 33°4N 86°3W 178 B3
Goole U.K. 53°42N 0°53W 66 D7
Goolgowi Australia 33°58S 145°41E 153 B6
Goolwa Australia 35°30S 138°47E 152 C3
Goomalling Australia 31°15S 116°49E 149 F2
Goomeri Australia 26°12S 152°6E 151 D5
Goonda Mozam. 19°48S 33°57E 143 F3
Goondiwindi Australia 28°30S 150°21E 151 D5
Goongarrie, L. Australia 30°3S 121°9E 149 F3
Goongarrie △ Australia 30°7S 121°30E 149 F3
Goonyella Australia 21°47S 147°58E 150 C4
Goose → Canada 53°20N 60°35W 165 B7
Goose Creek U.S.A. 32°59N 80°2W 178 C9
Goose L. U.S.A. 41°56N 120°26W 168 F3
Gooty India 15°7N 77°41E 127 G3
Gop India 22°5N 69°50E 124 H3
Gopalganj India 26°28N 84°30E 125 F11
Göppingen Germany 48°42N 9°39E 77 G5
Gor Spain 37°23N 2°58W 89 H8
Góra Dolnośląskie, Poland 51°40N 16°31E 83 G3
Góra Mazowieckie, Poland 52°39N 20°6E 83 F7
Góra Kalwaria Poland 51°59N 21°14E 83 G8
Gorakhpur India 26°47N 83°23E 125 F10
Goražde Bos.-H. 43°38N 18°58E 80 G3
Gorbatov Russia 56°12N 43°2E 86 B6
Gorbea Spain 43°1N 2°50W 90 B2
Gorczański △ Poland 49°30N 20°10E 83 J7
Gorda, Pta. Canary Is. 28°45N 18°0W 100 F2
Gorda, Pta. Nic. 14°20N 83°10W 182 D3
Gordan B. Australia 11°35S 130°10E 148 B5
Gördes Turkey 38°54N 28°17E 99 C10
Gordon Ga., U.S.A. 32°54N 83°20W 178 C6
Gordon Nebr., U.S.A. 42°48N 102°12W 172 D2
Gordon → Australia 42°27S 145°30E 151 G4
Gordon, I. Chile 54°55S 69°30W 192 D3
Gordon Bay Canada 45°12N 79°47W 174 A5
Gordon L. Alta., Canada 56°30N 110°25W 163 B6
Gordon L. N.W.T., Canada 63°5N 113°11W 162 A6
Gordonvale Australia 17°5S 145°50E 150 B4
Goré Chad 7°59N 16°31E 135 G9
Gore Ethiopia 8°12N 35°32E 131 F2
Gore N.Z. 46°5S 168°58E 155 G3
Gore Bay Canada 45°57N 82°28W 164 C3
Gorée, Île de Senegal 14°40N 17°23W 138 C1
Görele Turkey 41°2N 39°0E 105 B8
Göreme Turkey 38°35N 34°52E 104 C6
Gorey Ireland 52°41N 6°18W 64 D5
Gorg Iran 29°29N 59°43E 129 D8
Gorgān Iran 36°55N 54°30E 129 B7
Gorgol □ Mauritania 15°45N 13°0W 138 B2
Gorgona Italy 43°26N 9°54E 92 E6
Gorgona, I. Colombia 3°0N 78°10W 186 C3
Gorgoram Nigeria 12°40N 10°45E 139 C7
Gorham U.S.A. 44°23N 71°10W 175 B13
Gori Georgia 42°0N 44°7E 87 J7
Goribidnur = Gauribidanur India 13°37N 77°32E 127 H3
Goriganga → India 29°45N 80°23E 125 E9
Gorinchem Neths. 51°50N 4°59E 69 C4
Goris Armenia 39°31N 46°22E 105 C12
Goritsy Russia 57°4N 36°43E 84 D9
Gorizia Italy 45°56N 13°37E 93 C10
Gorj □ Romania 45°5N 23°25E 81 E8
Gorki = Horki Belarus 54°17N 30°59E 84 E6
Gorkiy = Nizhniy Novgorod Russia 56°20N 44°0E 86 B7
Gorkovskoye Vdkhr. Russia 57°2N 43°4E 86 B6
Gorleston-on-Sea U.K. 52°35N 1°44E 67 E9
Gorlice Poland 49°35N 21°11E 83 J8
Görlitz Germany 51°9N 14°58E 76 D10
Gorlovka = Horlivka Ukraine 48°19N 38°5E 85 H10
Gorman U.S.A. 34°47N 118°51W 171 L8
Gorna Dzhumayo = Blagoevgrad Bulgaria 42°2N 23°5E 96 D7
Gorna Oryakhovitsa Bulgaria 43°7N 25°40E 97 C9
Gornja Radgona Slovenia 46°40N 16°2E 93 B13
Gornja Tuzla Bos.-H. 44°35N 18°46E 80 F3
Gornji Grad Slovenia 46°20N 14°52E 93 B11
Gornji Milanovac Serbia 44°3N 20°29E 96 B4
Gornji Vakuf Bos.-H. 43°57N 17°34E 80 G2
Gorno Ablanovo Bulgaria 43°37N 25°43E 97 C9
Gorno-Altay □ Russia 51°0N 86°0E 109 B11
Gorno-Altaysk Russia 51°50N 86°5E 109 B11
Gorno-Badakhshan = Kŭhiston-Badakhshon □ Tajikistan 38°30N 73°0E 109 E8
Gornozavodsk Russia 46°33N 141°50E 107 E15
Gornyak Russia 50°59N 81°27E 109 B10
Gornyatskiy Russia 48°18N 40°56E 87 F5
Gornyy Primorsk, Russia 44°57N 133°59E 112 B6
Gornyy Saratov, Russia 51°50N 48°30E 86 E9
Gorodenka = Horodenka Ukraine 48°41N 25°29E 81 B10
Gorodets Russia 56°38N 43°28E 86 B6
Gorodishche = Horodyshche Ukraine 49°17N 31°27E 85 H6
Gorodishche Russia 53°13N 45°40E 86 D7
Gorodnya = Horodnya Ukraine 51°55N 31°33E 85 G6
Gorodok = Haradok Belarus 55°30N 30°3E 84 E6
Gorodok = Horodok Ukraine 49°46N 23°32E 75 D12
Gorodovikovsk Russia 46°8N 41°58E 87 G5
Goroke Australia 36°43S 141°29E 152 D4
Gorokhov = Horokhiv Ukraine 50°30N 24°45E 75 C13
Gorokhovets Russia 56°13N 42°39E 86 B6
Gorom Gorom Burkina Faso 14°26N 0°14W 139 C4
Goromonzi Zimbabwe 17°52S 31°22E 143 F3
Gorong, Kepulauan Indonesia 3°59S 131°25E 119 E8
Gorongose → Mozam. 20°30S 34°40E 145 B5
Gorongoza Mozam. 18°44S 34°2E 143 F3
Gorongoza, Sa. da Mozam. 18°27S 34°2E 143 F3
Gorongoza △ Mozam. 18°50S 34°29E 145 A5
Gorontalo Indonesia 0°35N 123°5E 119 D6
Gorontalo □ Indonesia 0°50N 122°20E 119 D6
Goronyo Nigeria 13°29N 5°39E 139 C6
Górowo Iławeckie Poland 54°17N 20°30E 82 D7
Gorron France 48°25N 0°50W 70 D6
Gorshechnoye Russia 51°31N 38°2E 85 G10
Gort Ireland 53°3N 8°49W 64 C3
Gortis Greece 35°4N 24°58E 101 D6
Gorumahisani India 22°20N 86°24E 126 C8
Góry Bystrzyckie Poland 50°16N 16°33E 83 H3
Goryachiy Klyuch Russia 44°38N 39°8E 87 H4
Goryeong S. Korea 35°44N 128°15E 115 G15
Gorzkowice Poland 51°13N 19°36E 83 G6
Górzno Poland 53°12N 19°38E 83 E6
Gorzów Śląski Poland 51°3N 18°22E 83 G5
Gorzów Wielkopolski Poland 52°43N 15°15E 83 F2
Gosford Australia 33°23S 151°18E 153 B9
Goshen Calif., U.S.A. 36°21N 119°25W 170 J7
Goshen Ind., U.S.A. 41°35N 85°50W 173 E11
Goshen N.Y., U.S.A. 41°24N 74°20W 175 E10
Goshogawara Japan 40°48N 140°27E 112 D10
Goslar Germany 51°54N 10°25E 76 D6
Gospič Croatia 44°35N 15°23E 93 D12
Gosport U.K. 50°48N 1°9W 67 G6
Gossas Senegal 14°28N 16°0W 138 C1
Gosse → Australia 19°32S 134°37E 150 B1
Gossi Mali 15°48N 1°20W 139 B4
Gostivar Macedonia 41°48N 20°57E 96 E4
Gostyń Poland 51°50N 17°3E 83 G4
Gostynin Poland 52°26N 19°29E 83 F6
Göta älv → Sweden 57°42N 11°54E 63 G5
Göta kanal Sweden 58°30N 15°58E 63 F10
Götaland Sweden 57°30N 14°30E 63 G8
Göteborg Sweden 57°43N 11°59E 63 G5
Götene Sweden 58°32N 13°30E 63 F7
Goteşti Moldova 46°9N 28°10E 81 D13
Gotha Germany 50°56N 10°42E 76 E6
Gothenburg = Göteborg Sweden 57°43N 11°59E 63 G5
Gothenburg U.S.A. 40°56N 100°10W 172 E3
Gothèye Niger 13°52N 1°34E 139 C5
Gotland Sweden 57°30N 18°33E 63 G12
Gotland □ Sweden 57°15N 18°30E 63 G12
Gotō = Fukue Japan 32°41N 128°51E 113 H4
Gotō-Rettō Japan 32°55N 129°5E 113 H4
Gotse Delchev Bulgaria 41°36N 23°46E 96 E7
Gotska Sandön Sweden 58°24N 19°15E 63 F13
Gōtsu Japan 35°0N 132°14E 113 G6
Göttero, Monte Italy 44°22N 9°42E 92 D6
Göttingen Germany 51°31N 9°55E 76 D5
Gottskär Sweden 57°25N 12°2E 63 G6
Gottwald = Zmiyev Ukraine 49°39N 36°27E 85 H9
Gottwaldov = Zlín Czech Rep. 49°14N 17°40E 79 B10
Goubangzi China 41°20N 121°52E 115 D11
Gouda Neths. 52°1N 4°42E 69 B4
Goudiri Senegal 14°15N 12°45W 138 C2
Goudoumaria Niger 13°40N 11°10E 139 C7
Goudouras, Akra Greece 34°59N 26°6E 101 E8
Gouéké Guinea 8°2N 8°43W 138 D3
Gough I. Atl. Oc. 40°10S 9°45W 56 L11
Gouin, Rés. Canada 48°35N 74°40W 164 C5
Gouitafla Ivory C. 7°30N 5°53W 138 D3
Goulburn Australia 34°44S 149°44E 153 C8
Goulburn Is. Australia 11°40S 133°20E 150 A1
Goulburn River △ Australia 32°19S 150°10E 153 B9
Goulds U.S.A. 25°33N 80°23W 179 K9
Goulia Ivory C. 10°1N 7°11W 138 C3
Goulimima Morocco 31°41N 4°57W 136 B3
Goumbou Mali 15°2N 7°25W 138 B3
Goumenissa Greece 40°56N 22°37E 96 F6
Goundam Mali 16°27N 3°40W 138 B4
Goura Greece 37°56N 22°20E 98 D4
Gouraya Algeria 36°31N 1°56E 136 A4
Gourbassi Mali 13°24N 11°38W 138 C2
Gourdon France 44°44N 1°23E 72 D5
Gouré Niger 14°0N 10°10E 139 C7
Gourin France 48°8N 3°37W 70 D3
Gourits → S. Africa 34°21S 21°52E 144 D3
Gourma-Rharous Mali 16°55N 1°50W 139 B4
Gournay-en-Bray France 49°29N 1°44E 71 C8
Gournes Greece 35°19N 25°16E 101 D7
Gourock U.K. 55°57N 4°49W 65 F4
Gourock Ra. Australia 36°0S 149°25E 153 D8
Goursi Burkina Faso 12°42N 2°37W 138 C4
Gouvea Brazil 18°27S 43°44W 189 D2
Gouverneur U.S.A. 44°20N 75°28W 175 B9
Gouvia Greece 39°39N 19°50E 101 A3
Gouzon France 46°12N 2°14E 71 F9
Gove Peninsula Australia 12°17S 136°49E 150 A2
Governador Valadares Brazil 18°15S 41°57W 189 D2
Governor's Harbour Bahamas 25°10N 76°14W 182 A4
Govĭaltay □ Mongolia 45°30N 96°0E 109 C13
Govindgarh India 24°23N 81°18E 125 G9
Gowan Ra. Australia 25°0S 145°0E 150 D4
Gowanda U.S.A. 42°28N 78°56W 174 D6
Gower U.K. 51°35N 4°10W 67 F3
Gowers Corner U.S.A. 28°20N 82°30W 179 G7
Gowna, L. Ireland 53°51N 7°34W 64 C4
Gowurdak Turkmenistan 37°50N 66°4E 109 E7
Goya Argentina 29°10S 59°10W 190 B4
Goyang S. Korea 37°39N 126°50E 115 F14
Göyçay Azerbaijan 40°42N 47°43E 87 K8
Goyder Lagoon Australia 27°3S 138°58E 151 D2
Goygöl Azerbaijan 40°37N 46°12E 87 K8
Goyllarisquizga Peru 10°31S 76°24W 188 C2
Göynük Antalya, Turkey 36°41N 30°33E 99 E12
Göynük Bolu, Turkey 40°24N 30°48E 104 B4
Goz Beïda Chad 12°10N 21°20E 135 F10
Gozdnica Poland 51°28N 15°4E 83 G2
Gozo Malta 36°3N 14°15E 101 C1
Graaff-Reinet S. Africa 32°13S 24°32E 144 D3
Grabo Ivory C. 4°57N 7°30W 138 D3
Grabow Germany 53°17N 11°34E 76 B7
Grabów nad Prosną Poland 51°31N 18°7E 83 G5
Gračac Croatia 44°18N 15°57E 93 D12
Gračanica Bos.-H. 44°43N 18°18E 80 F3
Graçay France 47°10N 1°50E 71 E8
Graceville U.S.A. 30°58N 85°31W 178 E4
Gracewood U.S.A. 33°22N 82°2W 178 B7
Gracias a Dios, C. Honduras 15°0N 83°10W 182 D3
Graciosa Azores 39°4N 28°0W 134 a
Graciosa, I. Canary Is. 29°15N 13°32W 100 E6
Grad Sofiya □ Bulgaria 42°35N 23°20E 96 D7
Gradac Montenegro 43°23N 19°9E 96 C3
Gradačac Bos.-H. 44°52N 18°26E 80 F3
Gradeška Planina Macedonia 41°30N 22°15E 96 E6
Gradets Bulgaria 42°46N 26°30E 97 D10
Gradišče Slovenia 46°37N 15°50E 93 B12
Gradiška Bos.-H. 45°10N 17°15E 80 E2
Grădiştea de Munte Romania 45°37N 23°13E 81 E8
Grado Italy 45°40N 13°23E 93 C10
Grado Spain 43°23N 6°4W 88 B4
Grady U.S.A. 34°49N 103°19W 169 J12
Graeca, Lacul Romania 44°5N 26°10E 81 F11
Grafenau Germany 48°51N 13°22E 77 G9
Gräfenberg Germany 49°39N 11°14E 77 F7
Grafham Water U.K. 52°19N 0°18W 67 E7
Grafton Australia 29°38S 152°58E 151 D5
Grafton N. Dak., U.S.A. 48°25N 97°25W 172 A5
Grafton W. Va., U.S.A. 39°21N 80°2W 173 F13
Graham Canada 49°20N 90°30W 164 C1
Graham Ga., U.S.A. 31°50N 82°30W 178 D7
Graham Tex., U.S.A. 33°6N 98°35W 176 E5
Graham, Mt. U.S.A. 32°42N 109°52W 169 K9
Graham Bell, Ostrov = Greem-Bell, Ostrov Russia 81°0N 62°0E 106 A7
Graham I. B.C., Canada 53°40N 132°30W 162 C2
Graham I. Nunavut, Canada 77°25N 90°30W 161 B13
Graham Land Antarctica 65°0S 64°0W 55 C17
Grahamstown S. Africa 33°19S 26°31E 144 D4
Grahamsville U.S.A. 41°51N 74°33W 175 E10
Grahovo Montenegro 42°40N 18°40E 96 D2
Graïba Tunisia 34°30N 10°13E 136 B6
Graie, Alpi Europe 45°30N 7°10E 73 C11
Grain Coast W. Afr. 4°20N 10°0W 138 E3
Grajagan Indonesia 8°35S 114°13E 119 K17
Grajaú Brazil 5°50S 46°4W 189 B1
Grajaú → Brazil 3°41S 44°48W 189 A2
Grajewo Poland 53°39N 22°30E 82 E9
Gramada Bulgaria 43°49N 22°39E 96 C6
Gramat France 44°48N 1°43E 72 D5
Grammichele Italy 37°13N 14°38E 95 E7
Grámmos, Óros Greece 40°18N 20°47E 96 F4
Grampian U.S.A. 40°58N 78°37W 174 F6
Grampian Highlands = Grampian Mts. U.K. 56°50N 4°0W 65 E5
Grampian Mts. U.K. 56°50N 4°0W 65 E5
Grampians, The Australia 37°15S 142°20E 152 D5
Grampians △ Australia 37°15S 142°28E 152 D5
Gramsh Albania 40°52N 20°12E 96 F4
Gran Altiplanicie Central Argentina 49°0S 69°30W 192 C3
Gran Canaria Canary Is. 27°55N 15°35W 100 G4
Gran Chaco S. Amer. 25°0S 61°0W 190 B3
Gran Desierto del Pinacate ⌂ Mexico 31°51N 113°32W 180 A2
Gran Laguna Salada Argentina 44°24S 67°23W 192 B3
Gran Pajonal Peru 10°45S 74°30W 188 C3
Gran Paradiso Italy 45°33N 7°17E 92 C4
Gran Sasso d'Itália Italy 42°27N 13°42E 93 F10
Gran Sasso e Monti Della Laga △ Italy 42°32N 13°22E 93 F10
Gran Tarajal Canary Is. 28°13N 14°1W 100 F5
Granada Nic. 11°58N 86°0W 182 D2
Granada Spain 37°10N 3°35W 89 H7
Granada U.S.A. 38°4N 102°19W 168 G12
Granada □ Spain 37°18N 3°0W 89 H7
Granadilla de Abona Canary Is. 28°7N 16°33W 100 F3
Granard Ireland 53°47N 7°30W 64 C4
Granbury U.S.A. 32°27N 97°47W 176 E6
Granby Canada 45°25N 72°45W 175 A12
Granby U.S.A. 40°5N 105°56W 168 F11
Grand → Canada 42°51N 79°34W 174 D5
Grand → Mo., U.S.A. 39°23N 93°7W 172 F7
Grand → S. Dak., U.S.A. 45°40N 100°45W 172 C3
Grand-Anse = Portsmouth Dominica 15°34N 61°27W 183 C7
Grand Bahama I. Bahamas 26°40N 78°30W 182 A4
Grand Baie Mauritius 20°0S 57°35E 141 d
Grand Bank Canada 47°6N 55°48W 165 C8
Grand Banks Atl. Oc. 45°0N 52°0W 56 B6
Grand Bassam Ivory C. 5°10N 3°49W 138 D4
Grand Bend Canada 43°18N 81°45W 174 C3
Grand Béréby Ivory C. 4°38N 6°55W 138 E3
Grand-Bourg Guadeloupe 15°53N 61°19W 182 b
Grand Canal = Da Yunhe → China 34°25N 120°5E 115 H10
Grand Canyon U.S.A. 36°3N 112°9W 169 H7
Grand Canyon △ U.S.A. 36°15N 112°30W 169 H7
Grand Canyon-Parashant ⌂ U.S.A. 36°30N 113°45W 169 H7
Grand Cayman Cayman Is. 19°20N 81°20W 182 C3
Grand Cess Liberia 4°40N 8°12W 138 E3
Grand Coulee U.S.A. 47°57N 119°0W 168 C4
Grand Coulee Dam U.S.A. 47°57N 118°59W 168 C4
Grand Falls Canada 47°3N 67°44W 165 C6
Grand Falls-Windsor Canada 48°56N 55°40W 165 C8
Grand Forks Canada 49°0N 118°30W 162 D5
Grand Forks U.S.A. 47°55N 97°3W 172 B5
Grand Gorge U.S.A. 42°21N 74°29W 175 D10
Grand Haven U.S.A. 43°4N 86°13W 172 D10
Grand I. Mich., U.S.A. 46°31N 86°40W 172 B10
Grand I. N.Y., U.S.A. 43°0N 78°58W 174 D6
Grand Island U.S.A. 40°55N 98°21W 172 E4
Grand Isle La., U.S.A. 29°14N 90°0W 177 G9
Grand Isle Vt., U.S.A. 44°43N 73°18W 175 B11
Grand Junction U.S.A. 39°4N 108°33W 168 G9
Grand L. N.B., Canada 45°57N 66°7W 165 C6
Grand L. Nfld. & L., Canada 49°0N 57°30W 165 C8
Grand L. Nfld. & L., Canada 53°40N 60°30W 165 B7
Grand L. U.S.A. 29°55N 92°47W 176 G8
Grand Lahou Ivory C. 5°10N 5°5W 138 D3
Grand Lake U.S.A. 40°15N 105°49W 168 F11
Grand-Lieu, L. de France 47°6N 1°40W 70 E5
Grand Manan I. Canada 44°45N 66°52W 165 D6
Grand Marais Mich., U.S.A. 46°40N 85°59W 173 B11
Grand Marais Minn., U.S.A. 47°45N 90°25W 164 C1
Grand-Mère Canada 46°36N 72°40W 164 C5
Grand Popo Benin 6°15N 1°57E 139 D5
Grand Portage U.S.A. 47°58N 89°41W 172 B9
Grand Prairie U.S.A. 32°44N 96°59W 176 E6
Grand Rapids Canada 53°12N 99°19W 163 C9
Grand Rapids Mich., U.S.A. 42°58N 85°40W 173 D11
Grand Rapids Minn., U.S.A. 47°14N 93°31W 172 B7
Grand Ridge U.S.A. 30°43N 85°1W 178 E4
Grand St-Bernard, Col du Europe 45°50N 7°10E 77 K3
Grand Staircase-Escalante ⌂ U.S.A. 37°25N 111°33W 169 H8
Grand Teton U.S.A. 43°54N 110°50W 168 E8
Grand Teton △ U.S.A. 43°50N 110°50W 168 E8
Grand Union Canal U.K. 52°7N 0°53W 67 E7
Grandas Spain 43°13N 6°53W 88 B4
Grande → Jujuy, Argentina 24°20S 65°2W 190 A2
Grande → Mendoza, Argentina 36°52S 69°45W 190 D2
Grande → Bolivia 15°51S 64°39W 186 G6
Grande → Bahia, Brazil 11°30S 44°30W 189 C2
Grande → Minas Gerais, Brazil 20°6S 51°4W 187 H8
Grande, B. Argentina 50°30S 68°20W 192 D3
Grande, Rio → N. Amer. 25°58N 97°9W 176 J6
Grande, Serra Piauí, Brazil 8°0S 45°10W 189 B1
Grande, Serra Tocantins, Brazil 11°15S 46°30W 189 C1
Grande Anse Seychelles 4°18S 55°45E 141 b
Grande Baleine → Canada 55°16N 77°47W 164 A4
Grande Cache Canada 53°53N 119°8W 162 C5
Grande Casse, Pte. de la France 45°24N 6°49E 73 C10
Grande Comore Comoros Is. 11°35S 43°20E 141 a
Grande-Entrée Canada 47°30N 61°40W 165 C7
Grande Prairie Canada 55°10N 118°50W 162 B5
Grande-Rivière Canada 48°26N 64°30W 165 C7
Grande Sertão Veredas △ Brazil 15°10S 45°40W 189 D1
Grande-Terre Guadeloupe 16°20N 61°25W 182 b
Grande-Vallée Canada 49°14N 65°8W 165 C6
Grande Vigie, Pte. de la Guadeloupe 16°32N 61°27W 182 b
Grandfalls U.S.A. 31°20N 102°51W 176 F3
Grândola Portugal 38°12N 8°35W 89 G2
Grandpré France 49°20N 4°50E 71 C11
Grands Causses ⌂ France 44°5N 2°58E 72 D6
Grands-Jardins ⌂ Canada 47°41N 70°51W 165 C5
Grandview Canada 51°10N 100°42W 163 C8
Grandview U.S.A. 46°15N 119°54W 168 C4
Grandvilliers France 49°40N 1°57E 71 C8
Graneros Chile 34°5S 70°45W 190 C1
Grangemouth U.K. 56°1N 3°42W 65 E5
Granger U.S.A. 41°35N 109°58W 168 F9
Grängesberg Sweden 60°6N 15°1E 62 D9
Grangeville U.S.A. 45°56N 116°7W 168 D5
Granisle Canada 54°53N 126°13W 162 C3
Granit Rose, Côte France 48°50N 4°10W 70 D2
Granite City U.S.A. 38°42N 90°8W 172 F8
Granite Falls U.S.A. 44°49N 95°33W 172 C6
Granite L. Canada 48°8N 57°5W 165 C8
Granite Mt. U.S.A. 33°5N 116°28W 171 M10
Granite Pk. U.S.A. 45°10N 109°48W 168 D9
Graniteville S.C., U.S.A. 33°34N 81°49W 178 B8
Graniteville Vt., U.S.A. 44°8N 72°29W 175 B12
Granitola, C. Italy 37°34N 12°39E 94 E5
Granity N.Z. 41°39S 171°51E 155 B6
Granja Brazil 3°7S 40°50W 189 A2
Granja de Moreruela Spain 41°48N 5°44W 88 D5
Granja de Torrehermosa Spain 38°19N 5°35W 89 G5
Gränna Sweden 58°1N 14°28E 63 F8
Granollers Spain 41°39N 2°18E 90 D7
Gransee Germany 53°1N 13°8E 76 B9
Grant Fla., U.S.A. 27°56N 80°32W 179 H9
Grant Nebr., U.S.A. 40°50N 101°43W 172 E3
Grant, Mt. U.S.A. 38°34N 118°48W 168 G4
Grant City U.S.A. 40°29N 94°25W 172 E6
Grant I. Australia 11°10S 132°52E 148 B5
Grant Range U.S.A. 38°30N 115°25W 168 G6
Grantham U.K. 52°55N 0°38W 66 E7
Grantown-on-Spey U.K. 57°20N 3°36W 65 D5
Grants U.S.A. 35°9N 107°52W 169 J10
Grants Pass U.S.A. 42°26N 123°19W 168 E2
Grantsville U.S.A. 40°36N 112°28W 168 F7
Grantville U.S.A. 33°14N 84°50W 178 B5
Granville France 48°50N 1°35W 70 D5
Granville N. Dak., U.S.A. 48°16N 100°47W 172 A3
Granville N.Y., U.S.A. 43°24N 73°16W 175 C11
Granville Ohio, U.S.A. 40°4N 82°31W 174 F2
Granville L. Canada 56°18N 100°30W 163 B8
Graskop S. Africa 24°56S 30°49E 145 B5
Gräsö Sweden 60°28N 18°35E 62 D12
Grass → Canada 56°3N 96°33W 163 B9
Grass Range U.S.A. 47°2N 108°48W 168 C9
Grass River ⌂ Canada 54°40N 100°50W 163 C8
Grass Valley Calif., U.S.A. 39°13N 121°4W 170 F6
Grass Valley Oreg., U.S.A. 45°22N 120°47W 168 D3
Grassano Italy 40°38N 16°17E 95 B9
Grasse France 43°38N 6°56E 73 E10
Grassflat U.S.A. 41°0N 78°6W 174 F6
Grasslands △ Canada 49°11N 107°38W 163 D7
Grassy Australia 40°3S 144°5E 151 G3
Gråsten Denmark 54°55N 9°35E 63 K3
Grästorp Sweden 58°20N 12°40E 63 F6
Gratkorn Austria 47°8N 15°21E 78 D8
Graubünden □ Switz. 46°45N 9°30E 77 J5
Graulhet France 43°45N 1°59E 72 E5
Graus Spain 42°11N 0°20E 90 C5
Grave, Pte. de France 45°34N 1°4W 72 C2
Gravelbourg Canada 49°50N 106°35W 163 D7
Gravelines France 51°1N 2°10E 71 A9
's-Gravenhage Neths. 52°7N 4°17E 69 B4
Gravenhurst Canada 44°52N 79°20W 174 B5
Gravesend Australia 29°35S 150°20E 151 D5
Gravesend U.K. 51°26N 0°22E 67 F8
Gravina in Púglia Italy 40°49N 16°25E 95 B9
Gravois, Pointe-à- Haiti 18°2N 73°56W 183 C5
Gravona → France 41°58N 8°45E 73 G12
Gray France 47°22N 5°35E 71 E12
Gray U.S.A. 33°1N 83°32W 178 B6
Grayling U.S.A. 44°40N 84°43W 173 C11
Grays U.K. 51°28N 0°21E 67 F8
Grays Harbor U.S.A. 46°59N 124°1W 170 D2
Grays L. U.S.A. 43°4N 111°26W 168 E8
Grays River U.S.A. 46°21N 123°37W 170 D3
Grayvoron Russia 50°29N 35°41E 85 G8
Graz Austria 47°4N 15°27E 78 D8
Grdelica Serbia 42°55N 22°3E 96 D6
Greasy L. Canada 62°55N 122°12W 162 A4
Great Abaco I. = Abaco I. Bahamas 26°25N 77°10W 182 A4
Great Artesian Basin Australia 23°0S 144°0E 150 C3
Great Australian Bight Australia 33°30S 130°0E 149 F5
Great Bahama Bank Bahamas 23°15N 78°0W 182 B4
Great Barrier I. N.Z. 36°11S 175°25E 154 C4
Great Barrier Reef Australia 18°0S 146°50E 150 B4
Great Barrier Reef ⌂ Australia 20°0S 150°0E 150 B4
Great Barrington U.S.A. 42°12N 73°22W 175 D11
Great Basalt Wall △ Australia 19°52S 145°43E 150 B4
Great Basin U.S.A. 40°0N 117°0W 168 G5
Great Basin △ U.S.A. 38°56N 114°15W 168 G6
Great Basses Sri Lanka 6°11N 81°29E 127 L5
Great Bear → Canada 65°0N 126°0W 160 E7
Great Bear L. Canada 65°30N 120°0W 160 D8
Great Belt = Store Bælt Denmark 55°20N 11°0E 63 J4
Great Bend Kans., U.S.A. 38°22N 98°46W 172 F4
Great Bend Pa., U.S.A. 41°58N 75°45W 175 E9
Great Blasket I. Ireland 52°6N 10°32W 64 D1
Great Britain Europe 54°0N 2°15W 58 E5
Great Camanoe Br. Virgin Is. 18°30N 64°35W 183 e
Great Channel Asia 6°0N 94°0E 127 L11
Great Coco I. = Koko Kyunzu Burma 14°7N 93°22E 127 G11
Great Codroy Canada 47°51N 59°16W 165 C8
Great Divide, The = Great Dividing Ra. Australia 23°0S 146°0E 150 C4
Great Divide Basin U.S.A. 42°0N 108°0W 168 E9
Great Dividing Ra. Australia 23°0S 146°0E 150 C4
Great Driffield = Driffield U.K. 54°0N 0°26W 66 C7
Great Exuma I. Bahamas 23°30N 75°50W 182 B4
Great Falls U.S.A. 47°30N 111°17W 168 C8
Great Fish = Groot-Vis → S. Africa 33°28S 27°5E 144 D4
Great Guana Cay Bahamas 24°0N 76°20W 182 B4
Great Himalayan △ India 31°30N 77°30E 124 D7
Great Inagua I. Bahamas 21°0N 73°20W 183 B5
Great Indian Desert = Thar Desert India 28°0N 72°0E 124 F5
Great Karoo S. Africa 31°55S 21°0E 144 D3
Great Khingan Mts. = Da Hinggan Ling China 48°0N 121°0E 111 B13
Great Lake Australia 41°50S 146°40E 151 G4
Great Lakes N. Amer. 46°0N 84°0W 158 E11
Great Limpopo Transfrontier △ Africa 23°0S 31°45E 145 B5
Great Malvern U.K. 52°7N 2°18W 67 E5
Great Miami → U.S.A. 39°7N 84°49W 173 F11
Great Nicobar India 7°0N 93°50E 127 L11
Great Ormes Head U.K. 53°20N 3°52W 66 D4
Great Otway △ Australia 38°50S 143°50E 152 E5
Great Ouse → U.K. 52°48N 0°21E 66 E8
Great Palm I. Australia 18°45S 146°40E 150 B4
Great Pedro Bluff Jamaica 17°51N 77°44W 182 a
Great Pee Dee → U.S.A. 33°21N 79°10W 177 E15
Great Plains N. Amer. 47°0N 105°0W 158 E9
Great Ruaha → Tanzania 7°56S 37°52E 142 D4
Great Sacandaga L. U.S.A. 43°6N 74°16W 175 C10
Great Saint Bernard Pass = Grand St-Bernard, Col du Europe 45°50N 7°10E 77 K3
Great Salt Desert = Kavīr, Dasht-e Iran 34°30N 55°0E 129 C7
Great Salt L. U.S.A. 41°15N 112°40W 168 F7
Great Salt Lake Desert U.S.A. 40°50N 113°30W 168 F7
Great Salt Plains L. U.S.A. 36°45N 98°8W 176 C5
Great Sand Dunes ⌂ U.S.A. 37°48N 105°45W 169 H11
Great Sandy △ Australia 26°13S 153°2E 151 D5
Great Sandy Desert Australia 21°0S 124°0E 148 D3
Great Sangi = Sangihe, Pulau Indonesia 3°35N 125°30E 119 D7
Great Scarcies → S. Leone 9°0N 13°0W 138 D2
Great Sea Reef Fiji 16°15S 179°0E 154 a
Great Sitkin I. U.S.A. 52°3N 176°6W 166 E4
Great Skellig Ireland 51°47N 10°33W 64 E1
Great Slave L. Canada 61°23N 115°38W 162 A5
Great Smoky Mts. △ U.S.A. 35°40N 83°40W 177 D13
Great Stour = Stour → U.K. 51°18N 1°22E 67 F9
Great Victoria Desert Australia 29°30S 126°30E 149 E4
Great Wall Antarctica 62°30S 58°0W 55 C18
Great Wall China 38°30N 109°30E 114 E5
Great Whernside U.K. 54°10N 1°58W 66 C6
Great Yarmouth U.K. 52°37N 1°44E 67 E9
Great Zab = Zāb al Kabīr → Iraq 36°1N 43°24E 105 D10
Great Zimbabwe Zimbabwe 20°16S 30°54E 143 G3
Greater Antilles W. Indies 17°40N 74°0W 183 C5
Greater London □ U.K. 51°31N 0°6W 67 F7
Greater Manchester □ U.K. 53°30N 2°15W 66 D5
Greater Sudbury Canada 46°30N 81°0W 164 C3
Greater Sunda Is. Indonesia 7°0S 112°0E 118 F4
Grebbestad Sweden 58°42N 11°15E 63 F5
Grebenka = Hrebenka Ukraine 50°9N 32°22E 85 G7
Greco, C. Cyprus 34°57N 34°5E 101 E13
Greco, Mte. Italy 41°48N 13°58E 93 G10
Gredos, Sierra de Spain 40°20N 5°0W 88 E6
Greece U.S.A. 43°13N 77°41W 174 C7
Greece ■ Europe 40°0N 23°0E 98 B3
Greeley Colo., U.S.A. 40°25N 104°42W 168 F11
Greeley Nebr., U.S.A. 41°33N 98°32W 172 E4
Greeleyville U.S.A. 33°40N 79°59W 178 B10
Greely Fd. Canada 80°30N 85°0W 161 A15

Greem-Bell, Ostrov Russia 81°0N 62°0E 106 A7
Green → Ky., U.S.A. 37°54N 87°30W 172 G10
Green → Utah, U.S.A. 38°11N 109°53W 168 G9
Green B. U.S.A. 45°0N 87°30W 172 C10
Green Bay U.S.A. 44°31N 88°0W 172 C9
Green C. Australia 37°13S 150°1E 153 D9
Green Cove Springs U.S.A. 29°59N 81°42W 178 F8
Green I. = Lütao Taiwan 22°40N 121°30E 117 F13
Green Lake Canada 54°17N 107°47W 163 C7
Green Mts. U.S.A. 43°45N 72°45W 175 C12
Green Pond U.S.A. 32°44N 80°37W 178 C9
Green River Utah, U.S.A. 38°59N 110°10W 168 G8
Green River Wyo., U.S.A. 41°32N 109°28W 168 F9
Green Valley U.S.A. 31°52N 110°56W 169 L8
Greenacres U.S.A. 26°38N 80°7W 179 J9
Greenbank U.S.A. 48°6N 122°34W 170 B4
Greenbush Mich., U.S.A. 44°35N 83°19W 174 B1
Greenbush Minn., U.S.A. 48°42N 96°11W 172 A5
Greencastle U.S.A. 39°38N 86°52W 172 F10
Greene U.S.A. 42°20N 75°46W 175 D9
Greeneville U.S.A. 36°10N 82°50W 177 C13
Greenfield Calif., U.S.A. 36°19N 121°15W 170 J5
Greenfield Calif., U.S.A. 35°15N 119°0W 171 K8
Greenfield Ind., U.S.A. 39°47N 85°46W 173 F11
Greenfield Iowa, U.S.A. 41°18N 94°28W 172 E6
Greenfield Mass., U.S.A. 42°35N 72°36W 175 D12
Greenfield Mo., U.S.A. 37°25N 93°51W 172 G7
Greenfield Park Canada 45°29N 73°28W 175 A11
Greenland ⊠ N. Amer. 66°0N 45°0W 57 D6
Greenland Sea Arctic 73°0N 10°0W 57 B10
Greenock U.K. 55°57N 4°46W 65 F4
Greenore Ireland 54°1N 6°9W 64 B5
Greenore Pt. Ireland 52°14N 6°19W 64 D5
Greenough Australia 28°58S 114°43E 149 E1
Greenough → Australia 28°51S 114°38E 149 E1
Greenough Pt. Canada 44°58N 81°26W 174 B3
Greenport U.S.A. 41°6N 72°22W 175 E12
Greensboro Fla., U.S.A. 30°34N 84°45W 178 E5
Greensboro Ga., U.S.A. 33°35N 83°11W 178 B6
Greensboro N.C., U.S.A. 36°4N 79°48W 177 C15
Greensboro Vt., U.S.A. 44°36N 72°18W 175 B12
Greensburg Ind., U.S.A. 39°20N 85°29W 173 F11
Greensburg Kans., U.S.A. 37°36N 99°18W 172 G4
Greensburg Pa., U.S.A. 40°18N 79°33W 174 F5
Greenstone = Geraldton Canada 49°44N 87°10W 164 C2
Greenstone Pt. U.K. 57°55N 5°37W 65 D3
Greenvale Australia 18°59S 145°7E 150 B4
Greenville Liberia 5°1N 9°6W 138 D3
Greenville Ala., U.S.A. 31°50N 86°38W 177 F11
Greenville Calif., U.S.A. 40°8N 120°57W 170 E6
Greenville Fla., U.S.A. 30°28N 83°38W 178 E6
Greenville Ga., U.S.A. 33°2N 84°43W 178 B5
Greenville Maine, U.S.A. 45°28N 69°35W 173 C19
Greenville Mich., U.S.A. 43°11N 85°15W 173 D11
Greenville Miss., U.S.A. 33°24N 91°4W 177 E9
Greenville Mo., U.S.A. 37°8N 90°27W 172 G8
Greenville N.C., U.S.A. 35°37N 77°23W 177 D16
Greenville N.H., U.S.A. 42°46N 71°49W 175 D13
Greenville N.Y., U.S.A. 42°25N 74°1W 175 D10
Greenville Ohio, U.S.A. 40°6N 84°38W 173 E11
Greenville Pa., U.S.A. 41°24N 80°23W 174 E4
Greenville S.C., U.S.A. 34°51N 82°24W 177 D13
Greenville Tex., U.S.A. 33°8N 96°7W 176 E6
Greenwater Lake ⌓ Canada 52°32N 103°30W 163 C8
Greenwich Conn., U.S.A. 41°2N 73°38W 175 E11
Greenwich N.Y., U.S.A. 43°5N 73°30W 175 C11
Greenwich Ohio, U.S.A. 41°2N 82°31W 174 E2
Greenwich □ U.K. 51°29N 0°1E 67 F8
Greenwood Canada 49°10N 118°40W 162 D5
Greenwood Ark., U.S.A. 35°13N 94°16W 176 D7
Greenwood Fla., U.S.A. 30°52N 85°10W 178 E4
Greenwood Ind., U.S.A. 39°37N 86°7W 172 F10
Greenwood Miss., U.S.A. 33°31N 90°11W 177 E9
Greenwood S.C., U.S.A. 34°12N 82°10W 178 A7
Greenwood, Mt. Australia 13°48S 130°4E 148 B5
Gregbe Ivory C. 6°48N 6°43W 138 D3
Gregório → Brazil 6°50S 70°46W 188 B3
Gregory U.S.A. 43°14N 99°26W 172 D4
Gregory → Australia 17°53S 139°17E 150 B2
Gregory, L. S. Austral., Australia 28°55S 139°0E 151 D2
Gregory, L. W. Austral., Australia 20°0S 127°40E 148 D4
Gregory, L. W. Austral., Australia 25°38S 119°58E 149 E2
Gregory △ Australia 15°38S 131°15E 148 C5
Gregory Downs Australia 18°35S 138°45E 150 B2
Gregory Ra. Queens., Australia 19°30S 143°40E 150 B3
Gregory Ra. W. Austral., Australia 21°20S 121°12E 148 D3
Greiffenberg Germany 53°5N 13°57E 76 B9
Greifswald Germany 54°5N 13°23E 76 A9
Greifswalder Bodden Germany 54°12N 13°35E 76 A9
Grein Austria 48°14N 14°51E 78 C7
Greiz Germany 50°39N 12°10E 76 E8
Gremikha Russia 67°59N 39°47E 106 C4
Grenaa Denmark 56°25N 10°53E 63 H4
Grenada U.S.A. 33°47N 89°49W 177 E10
Grenada ■ W. Indies 12°10N 61°40W 183 D7
Grenade France 43°47N 1°17E 72 E5
Grenadier I. U.S.A. 44°3N 76°22W 175 B8
Grenadines, The St. Vincent 12°40N 61°20W 183 D7
Grenchen Switz. 47°12N 7°24E 77 H3
Grenen Denmark 57°44N 10°40E 63 G4
Grenfell Australia 33°52S 148°8E 153 B8
Grenfell Canada 50°30N 102°56W 163 C8
Grenoble France 45°12N 5°42E 73 C9
Grenville, C. Australia 12°0S 143°13E 150 A3
Grenville Chan. Canada 53°40N 129°46W 162 C3
Gréoux-les-Bains France 43°45N 5°52E 73 E9
Gresham U.S.A. 45°30N 122°25W 170 E4
Gresik Indonesia 7°13S 112°38E 119 G15
Gretna U.K. 55°0N 3°3W 65 F5
Gretna Fla., U.S.A. 30°37N 84°40W 178 E5
Gretna La., U.S.A. 29°54N 90°3W 177 G9
Greve Strand Denmark 55°34N 12°18E 63 J6
Greven Germany 52°6N 7°37E 76 C3
Grevena Greece 40°4N 21°25E 96 F5
Grevenbroich Germany 51°5N 6°35E 76 D2
Grevenmacher Lux. 49°41N 6°26E 69 E6
Grevesmühlen Germany 53°52N 11°12E 76 B7
Grey → Canada 47°34N 57°6W 165 C8
Grey → N.Z. 42°27S 171°12E 155 C6
Grey, C. Australia 13°0S 136°35E 150 A2
Grey Is. Canada 50°50N 55°35W 161 G20
Grey Ra. Australia 27°0S 143°30E 151 D3
Greybull U.S.A. 44°30N 108°3W 168 D9
Greymouth N.Z. 42°29S 171°13E 155 C6
Greystones Ireland 53°9N 6°5W 64 C5
Greytown N.Z. 41°5S 175°29E 154 H4
Greytown S. Africa 29°1S 30°36E 145 C5
Gribanovsky Russia 51°28N 41°50E 86 E5
Gribbell I. Canada 53°23N 129°0W 162 C3
Gribës, Mal i Albania 40°17N 19°45E 96 F3
Gridley U.S.A. 39°22N 121°42W 170 F5
Griekwastad S. Africa 28°49S 23°15E 144 C3
Griesheim Germany 49°51N 8°33E 77 F4
Grieskirchen Austria 48°16N 13°48E 78 C6
Griffin U.S.A. 33°15N 84°16W 178 B5
Griffin, L. U.S.A. 28°52N 81°51W 179 G8
Griffith Australia 34°18S 146°2E 153 C7
Griffith Canada 45°15N 77°10W 174 A7
Griffith I. Canada 44°50N 80°55W 174 B4
Grignols France 44°23N 0°2W 72 D3
Grigoriopol Moldova 47°9N 29°18E 81 C14
Grimaylov = Hrymayliv Ukraine 49°20N 26°5E 75 D14
Grimes U.S.A. 39°4N 121°54W 170 F5
Grimma Germany 51°14N 12°43E 76 D8
Grimmen Germany 54°7N 13°2E 76 A9
Grimsay U.K. 57°29N 7°14W 65 D1
Grimsby Canada 43°12N 79°34W 174 C5
Grimsby U.K. 53°34N 0°5W 66 D7
Grimsey Iceland 66°33N 17°58W 60 C5
Grimshaw Canada 56°10N 117°40W 162 B5
Grimslöv Sweden 56°44N 14°34E 63 H8
Grimstad Norway 58°20N 8°35E 61 G13
Grindelwald Switz. 46°38N 8°2E 77 J4
Grindsted Denmark 55°46N 8°55E 63 J2
Grindstone I. U.S.A. 44°17N 76°27W 175 B8
Grindu Romania 44°44N 26°50E 81 F11
Grinnell U.S.A. 41°45N 92°43W 172 E7
Grinnell Pen. Canada 76°40N 95°0W 161 B13
Grintavec Slovenia 46°22N 14°32E 93 B11
Griomasaigh = Grimsay U.K. 57°29N 7°14W 65 D1
Gris-Nez, C. France 50°52N 1°35E 71 B8
Grise Fiord Canada 76°25N 82°57W 161 B15
Grisolles France 43°49N 1°19E 72 E5
Grisons = Graubünden □ Switz. 46°45N 9°30E 77 J5
Grisslehamn Sweden 60°5N 18°49E 62 D12
Grmeč Planina Bos.-H. 44°43N 16°16E 93 D13
Groais I. Canada 50°55N 55°35W 165 B8
Grobiņa Latvia 56°33N 21°10E 82 B8
Groblersdal S. Africa 25°15S 29°25E 145 C4
Grobming Austria 47°27N 13°54E 78 D6
Grocka Serbia 44°40N 20°42E 96 B4
Gródek Poland 53°6N 23°40E 83 E10
Grodków Poland 50°43N 17°21E 83 H4
Grodno = Hrodna Belarus 53°42N 23°52E 82 E10
Grodzisk Mazowiecki Poland 52°7N 20°37E 83 F7
Grodzisk Wielkopolski Poland 52°15N 16°22E 83 F3
Grodzyanka = Hrodzyanka Belarus 53°31N 28°42E 75 B15
Groesbeck U.S.A. 31°31N 96°32W 176 F6
Groix France 47°38N 3°29W 70 E3
Groix, Î. de France 47°38N 3°28W 70 E3
Grójec Poland 51°50N 20°58E 83 G7
Gronau Niedersachsen, Germany 52°5N 9°47E 76 C5
Gronau Nordrhein-Westfalen, Germany 52°12N 7°2E 76 C3
Grong Norway 64°25N 12°8E 60 D15
Grönhögen Sweden 56°16N 16°24E 63 H10
Groningen Neths. 53°15N 6°35E 69 A6
Groningen □ Neths. 53°16N 6°40E 69 A6
Grønlands △ Greenland 75°0N 35°0W 57 C7
Grønnedal = Kangilinnguit Greenland 61°20N 47°57W 57 E6
Groom U.S.A. 35°12N 101°6W 176 D4
Groot → S. Africa 33°45S 24°36E 144 D3
Groot-Berg → S. Africa 32°47S 18°8E 144 D2
Groot-Brakrivier S. Africa 34°2S 22°18E 144 D3
Groot Karasberge Namibia 27°20S 18°40E 144 C2
Groot-Kei → S. Africa 32°41S 28°22E 145 D4
Groot-Vis → S. Africa 33°28S 27°5E 144 D4
Grootdrink S. Africa 28°33S 21°42E 144 C3
Groote Eylandt Australia 14°0S 136°40E 150 A2
Groote Peel △ Neths. 51°22N 5°49E 69 C5
Grootfontein Namibia 19°31S 18°6E 144 A2
Grootlaagte → Africa 20°55S 21°27E 144 B3
Grootvloer → S. Africa 30°0S 20°40E 144 D3
Gros C. Canada 61°59N 113°32W 162 A6
Gros Islet St. Lucia 14°5N 60°58W 183 f
Gros Morne △ Canada 49°40N 57°50W 165 C8
Gros Piton St. Lucia 13°49N 61°5W 183 f
Gros Piton Pt. St. Lucia 13°49N 61°5W 183 f
Grosio Italy 46°18N 10°16E 92 B7
Grosne → France 46°42N 4°56E 71 F11
Grossa, Pta. Spain 39°6N 1°36E 100 B8
Grosse Point U.S.A. 42°23N 82°54W 174 D2
Grossenbrode Germany 54°21N 11°4E 76 A7
Grossenhain Germany 51°17N 13°32E 76 D9
Grosser Arber Germany 49°6N 13°8E 77 F9
Grosser Plöner See Germany 54°10N 10°22E 76 A6
Grosseto Italy 42°46N 11°8E 93 F8
Grossgerungs Austria 48°34N 14°57E 78 C7
Grossglockner Austria 47°5N 12°40E 78 D5
Groswater B. Canada 54°20N 57°40W 165 B8
Groton Conn., U.S.A. 41°21N 72°5W 175 E12
Groton N.Y., U.S.A. 42°36N 76°22W 175 D8
Groton S. Dak., U.S.A. 45°27N 98°6W 172 C4
Grottáglie Italy 40°32N 17°26E 95 B10
Grottaminarda Italy 41°4N 15°2E 95 A8
Grottammare Italy 42°59N 13°52E 93 F10
Grotte Chauvet-Pont d'Arc France 44°23N 4°25E 73 D8
Grouard Mission Canada 55°33N 116°9W 162 B5
Grouin, Pte. du France 48°43N 1°51W 70 D5
Groulx, Mts. Canada 51°27N 68°41W 165 B6
Groundhog → Canada 48°45N 82°58W 164 C3
Grouw Neths. 53°5N 5°51E 69 A5
Grove City Fla., U.S.A. 26°56N 82°19W 179 J7
Grove City Pa., U.S.A. 41°10N 80°5W 174 E4
Grove Hill U.S.A. 31°42N 87°47W 177 F11
Groveland Calif., U.S.A. 37°50N 120°14W 170 H6
Groveland Fla., U.S.A. 28°34N 81°51W 179 G8
Grover Beach U.S.A. 35°7N 120°37W 171 K6
Groves U.S.A. 29°57N 93°54W 176 G8
Groveton U.S.A. 44°36N 71°31W 175 B13
Grovetown U.S.A. 33°27N 82°12W 178 B7
Grožnjan Croatia 45°22N 13°43E 93 C10
Groznyy Russia 43°20N 45°45E 87 J7
Grubišno Polje Croatia 45°44N 17°12E 80 E2
Grudovo Bulgaria 42°21N 27°10E 97 D11
Grudusk Poland 53°3N 20°38E 83 E7
Grudziądz Poland 53°30N 18°47E 82 E5
Gruinard B. U.K. 57°56N 5°35W 65 D3
Gruissan France 43°8N 3°7E 72 E7
Grumo Áppula Italy 41°1N 16°42E 95 A9
Grums Sweden 59°22N 13°5E 62 E7
Grünberg Germany 50°35N 8°58E 76 E4
Gründau Germany 50°10N 9°9E 77 E5
Grundy Center U.S.A. 42°22N 92°47W 172 D7
Grünstadt Germany 49°34N 8°9E 77 F4
Gruppo di Tessa △ Italy 46°47N 11°0E 92 B8
Gruvberget Sweden 61°6N 16°10E 62 C10
Gruver U.S.A. 36°16N 101°24W 176 C4
Gruyères Switz. 46°35N 7°4E 77 J3
Gruža Serbia 43°54N 20°46E 96 C4
Gryazi Russia 52°30N 39°58E 85 F10
Gryazovets Russia 58°50N 40°10E 84 C11
Grybów Poland 49°36N 20°55E 83 J7
Gryckbo Sweden 60°40N 15°29E 62 D9
Gryfice Poland 53°55N 15°13E 82 E2
Gryfino Poland 53°16N 14°29E 83 E1
Gryfów Śląski Poland 51°2N 15°24E 83 G2
Gryt Sweden 58°12N 16°48E 63 F10
Grythyttan Sweden 59°41N 14°32E 62 E8
Grytviken S. Georgia 54°19S 36°33W 56 M8
Gstaad Switz. 46°28N 7°18E 77 J3
Gua India 22°18N 85°20E 125 H11
Gua Musang Malaysia 4°53N 101°58E 121 K3
Guabún, Pta. Chile 41°48S 74°2W 192 B2
Guacanayabo, G. de Cuba 20°40N 77°20W 182 B4
Guachípas → Argentina 25°40S 65°30W 190 B2
Guadajoz → Spain 37°50N 4°51W 89 H6
Guadalajara Mexico 20°40N 103°20W 180 C4
Guadalajara Spain 40°37N 3°12W 90 E1
Guadalajara □ Spain 40°47N 2°30W 90 E2
Guadalaviar = Turia → Spain 39°27N 0°19W 91 F4
Guadalcanal Solomon Is. 9°32S 160°12E 147 B9
Guadalcanal Spain 38°5N 5°52W 89 G5
Guadalén → Spain 38°5N 3°32W 89 G7
Guadales Argentina 34°30S 67°55W 190 C2
Guadalete → Spain 36°35N 6°13W 89 J4
Guadalimar → Spain 38°5N 3°28W 89 G7
Guadalmena → Spain 38°19N 2°56W 89 G8
Guadalmez → Spain 38°46N 5°4W 89 G5
Guadalope → Spain 41°15N 0°3W 90 D4
Guadalquivir → Spain 36°47N 6°22W 89 J4
Guadalupe = Guadeloupe ⊠ W. Indies 16°15N 61°40W 182 b
Guadalupe Brazil 6°44S 43°47W 189 B2
Guadalupe Mexico 22°45N 102°31W 180 C4
Guadalupe Spain 39°27N 5°17W 89 F5
Guadalupe U.S.A. 34°58N 120°34W 171 L6
Guadalupe → U.S.A. 28°27N 96°47W 176 G6
Guadalupe, Sierra de Spain 39°28N 5°30W 89 F5
Guadalupe de Bravo Mexico 31°23N 106°7W 180 A3
Guadalupe I. Pac. Oc. 29°0N 118°50W 158 G8
Guadalupe Mts. △ U.S.A. 31°40N 104°30W 176 F2
Guadalupe Peak U.S.A. 31°50N 104°52W 176 F2
Guadalupe y Calvo Mexico 26°6N 106°58W 180 B3
Guadarrama, Sierra de Spain 41°0N 4°0W 88 E7
Guadeloupe ⊠ W. Indies 16°15N 61°40W 182 b
Guadeloupe △ Guadeloupe 16°10N 61°40W 182 b
Guadeloupe Passage W. Indies 16°50N 62°15W 183 C7
Guadelupe Peru 7°15S 79°29W 188 B2
Guadiamar → Spain 36°55N 6°24W 89 J4
Guadiana → Portugal 37°14N 7°22W 89 H3
Guadiana Menor → Spain 37°56N 3°15W 89 H7
Guadiaro → Spain 36°17N 5°17W 89 J5
Guadiato → Spain 37°48N 5°5W 89 H5
Guadiela → Spain 40°22N 2°49W 90 E2
Guadix Spain 37°18N 3°11W 89 H7
Guafo, Boca del Chile 43°35S 74°0W 192 B2
Guafo, I. Chile 43°35S 74°50W 192 B2
Guåhån = Guam ⊠ Pac. Oc. 13°27N 144°45E 156 F6
Guaico Trin. & Tob. 10°35N 61°9W 187 K15
Guainía → Colombia 2°1N 67°7W 186 C5
Guaíra Brazil 24°5S 54°10W 191 A5
Guaíra □ Paraguay 25°45S 56°30W 190 B4
Guaire = Gorey Ireland 52°41N 6°18W 64 D5
Guaitecas, Is. Chile 44°0S 74°30W 192 B2
Guajará-Mirim Brazil 10°50S 65°20W 186 F5
Guajira, Pen. de la Colombia 12°0N 72°0W 186 A4
Gualán Guatemala 15°8N 89°22W 182 C2
Gualdo Tadino Italy 43°14N 12°47E 93 E9
Gualeguay Argentina 33°10S 59°14W 190 C4
Gualeguaychú Argentina 33°3S 59°31W 190 C4
Gualequay → Argentina 33°19S 59°39W 190 C4
Gualicho, Salina Argentina 40°25S 65°20W 192 B3
Gualjaina Argentina 42°45S 70°30W 192 B2
Guam ⊠ Pac. Oc. 13°27N 144°45E 156 F6
Guamblin, I. Chile 44°50S 75°0W 192 C1
Guamini Argentina 37°1S 62°28W 190 D3
Guamúchil Mexico 25°28N 108°6W 180 B3
Guana I. Br. Virgin Is. 18°30N 64°30W 183 e
Guanabacoa Cuba 23°8N 82°18W 182 B3
Guanacaste, Cordillera de Costa Rica 10°40N 85°4W 182 D2
Guanacaste △ Costa Rica 10°57N 85°30W 182 D2
Guanaceví Mexico 25°56N 105°57W 180 B3
Guanahani = San Salvador I. Bahamas 24°0N 74°30W 183 B5
Guanaja Honduras 16°30N 85°55W 182 C2
Guanajay Cuba 22°56N 82°42W 182 B3
Guanajuato Mexico 21°1N 101°15W 180 C4
Guanajuato □ Mexico 21°0N 101°0W 180 C4
Guanambi Brazil 14°13S 42°47W 189 C2
Guandacol Argentina 29°30S 68°40W 190 B2
Guandi Shan China 37°53N 111°29E 114 F6
Guane Cuba 22°10N 84°7W 182 B3
Guang'an China 30°28N 106°35E 116 B6
Guangchang China 26°50N 116°21E 117 D11
Guangde China 30°54N 119°25E 117 B12
Guangdong □ China 23°0N 113°0E 117 F9
Guangfeng China 28°20N 118°15E 117 C12
Guanghan China 30°58N 104°17E 116 B5
Guangling China 39°47N 114°22E 114 E8
Guangnan China 24°5N 105°4E 116 E5
Guangning China 23°40N 112°22E 117 F9
Guangrao China 37°5N 118°25E 115 F10
Guangshui China 31°37N 114°0E 117 B10
Guangshun China 26°8N 106°21E 116 D6
Guangwu China 37°48N 105°57E 114 F3
Guangxi Zhuangzu Zizhiqu □ China 24°0N 109°0E 116 F7
Guangyuan China 32°26N 105°51E 114 H3
Guangze China 27°30N 117°12E 117 D11
Guangzhou China 23°6N 113°13E 117 F9
Guangzhou Baiyun Int. ✕ (CAN) China 23°24N 113°18E 117 F9
Guanhães Brazil 18°47S 42°57W 189 D2
Guanica Puerto Rico 17°58N 66°55W 183 d
Guanipa → Venezuela 9°56N 62°26W 186 B6
Guanling China 25°56N 105°35E 116 E5
Guannan China 34°8N 119°21E 115 G10
Guantánamo Cuba 20°10N 75°14W 183 B4
Guantánamo B. Cuba 19°59N 75°10W 183 C4
Guantao China 36°42N 115°25E 114 F8
Guanting Shuiku China 40°14N 115°35E 114 D8
Guanyang China 25°30N 111°8E 117 E8
Guanyun China 34°20N 119°18E 115 G10
Guapay = Grande → Bolivia 15°51S 64°39W 186 G6
Guápiles Costa Rica 10°10N 83°46W 182 D3
Guapo B. Trin. & Tob. 10°12N 61°41W 187 K15
Guaporé Brazil 28°51S 51°54W 191 B5
Guaporé → Brazil 11°55S 65°4W 186 F5
Guaqui Bolivia 16°41S 68°54W 188 D4
Guara, Sierra de Spain 42°19N 0°15W 90 C4
Guarabira Brazil 6°51S 35°29W 189 B3
Guaramacal △ Venezuela 9°13N 70°12W 183 E5
Guarapari Brazil 20°40S 40°30W 189 E2
Guarapuava Brazil 25°20S 51°30W 191 B5
Guaratinguetá Brazil 22°49S 45°9W 191 A6
Guaratuba Brazil 25°53S 48°38W 191 B6
Guarda Portugal 40°32N 7°20W 88 E3
Guarda □ Portugal 40°40N 7°20W 88 E3
Guardafui, C. = Asir, Ras Somalia 11°55N 51°10E 131 E5
Guardamar del Segura Spain 38°5N 0°39W 91 G4
Guardavalle Italy 38°30N 16°30E 95 D9
Guárdia Sanframondi Italy 41°15N 14°36E 95 A7
Guardiagrele Italy 42°11N 14°13E 93 F11
Guardo Spain 42°47N 4°50W 88 C6
Guareña Spain 38°51N 6°6W 89 G4
Guareña → Spain 41°29N 5°23W 88 D5
Guárico □ Venezuela 8°40N 66°35W 186 B5
Guarujá Brazil 24°2S 46°25W 191 A6
Guarulhos Brazil 23°29S 46°33W 191 A6
Guasave Mexico 25°34N 108°27W 180 B3
Guasdualito Venezuela 7°15N 70°44W 186 B4
Guastalla Italy 44°55N 10°39E 92 D7
Guatemala Guatemala 14°40N 90°22W 182 D1
Guatemala ■ Cent. Amer. 15°40N 90°30W 182 C1
Guatemala Basin Pac. Oc. 11°0N 95°0W 157 F18
Guatemala Trench Pac. Oc. 14°0N 95°0W 158 H10
Guatopo △ Venezuela 10°5N 66°30W 183 D6
Guatuaro Pt. Trin. & Tob. 10°19N 60°59W 187 K16
Guaviare → Colombia 4°3N 67°44W 186 C5
Guaxupé Brazil 21°10S 47°5W 191 A6
Guayaguayare Trin. & Tob. 10°8N 61°2W 187 K15
Guayama Puerto Rico 17°59N 66°7W 183 d
Guayaneco, Arch. Chile 47°45S 75°10W 192 C1
Guayaquil Ecuador 2°15S 79°52W 186 D3
Guayaquil Mexico 29°59N 115°4W 180 B1
Guayaquil, G. de Ecuador 3°10S 81°0W 186 D2
Guaymas Mexico 27°56N 110°54W 180 B2
Guba Dem. Rep. of the Congo 10°38S 26°27E 143 E2
Gûbâl, Madîq Egypt 27°30N 34°0E 137 B3
Gubbi India 13°19N 76°56E 127 H3
Gúbbio Italy 43°21N 12°35E 93 E9
Guben Germany 51°57N 14°42E 76 D10
Gubin Poland 51°57N 14°43E 83 G1
Gubio Nigeria 12°30N 12°42E 139 C7
Gubkin Russia 51°17N 37°32E 85 G9
Gubkinskiy Russia 64°27N 76°36E 106 C8
Guča Serbia 43°46N 20°15E 96 C4
Gucheng China 32°20N 111°30E 117 A8
Gudalur India 11°30N 76°29E 127 J3
Gudauta Georgia 43°7N 40°32E 87 J5
Gudbrandsdalen Norway 61°33N 10°10E 60 F14
Guddu Barrage Pakistan 28°30N 69°50E 124 E3
Gudenå → Denmark 56°29N 10°13E 63 H4
Gudermes Russia 43°24N 46°5E 87 J8
Gudhjem Denmark 55°12N 14°58E 63 J8
Gudivada India 16°30N 81°3E 127 F5
Gudiyattam India 12°57N 78°55E 127 H4
Gudur India 14°12N 79°55E 127 G4
Guebwiller France 47°55N 7°12E 71 E14
Guecho = Algorta Spain 43°21N 2°59W 90 B2
Guékédou Guinea 8°40N 10°5W 138 D2
Guéle Mendouka Cameroon 4°23N 12°55E 139 E7
Guelma Algeria 36°25N 7°29E 136 A5
Guelma □ Algeria 36°25N 7°25E 136 A5
Guelmim Morocco 28°56N 10°0W 134 C3
Guelph Canada 43°35N 80°20W 174 C4
Guemar Algeria 33°30N 6°49E 136 B5
Guéméné-Penfao France 47°38N 1°50W 70 E5
Guéméné-sur-Scorff France 48°4N 3°13W 70 D3
Guéné Benin 11°44N 3°16E 139 C5
Guer France 47°54N 2°8W 70 E4
Güer Aike Argentina 51°39S 69°35W 192 D3
Guérande France 47°20N 2°26W 70 E4
Guercif Morocco 34°14N 3°21W 136 B3
Guéret France 46°11N 1°51E 71 F8
Guérigny France 47°6N 3°10E 71 E10
Guerneville U.S.A. 38°30N 123°0W 170 G4
Guernica = Gernika-Lumo Spain 43°19N 2°40W 90 B2
Guernsey U.K. 49°26N 2°35W 67 H5
Guernsey U.S.A. 42°16N 104°45W 168 E11
Guerrara Oasis, Algeria 32°51N 4°22E 136 B4
Guerrara Saoura, Algeria 28°5N 0°8W 136 C3
Guerrero □ Mexico 17°40N 100°0W 181 D5
Guerzim Algeria 29°39N 1°40W 136 C3
Guessou-Sud Benin 10°3N 2°38E 139 C5
Gueugnon France 46°36N 4°4E 71 F11
Guéyo Ivory C. 5°25N 6°5W 138 D3
Gügher Iran 29°28N 56°27E 129 D8
Guglionesi Italy 41°55N 14°55E 93 G11
Gui Jiang → China 23°30N 111°15E 117 F8
Guia Canary Is. 28°8N 15°38W 100 F4
Guia de Isora Canary Is. 28°12N 16°46W 100 F3
Guia Lopes da Laguna Brazil 21°26S 56°7W 191 A4
Guiana Highlands S. Amer. 5°10N 60°40W 184 C4
Guibéroua Ivory C. 6°14N 6°10W 138 D3
Guichen B. Australia 37°10S 139°45E 152 D3
Guichi China 30°39N 117°27E 117 B11
Guider Cameroon 9°56N 13°57E 139 D7
Guidiguir Niger 13°40N 9°50E 139 C6
Guidimaka □ Mauritania 15°20N 12°0W 138 B2
Guidimouni Niger 13°42N 9°31E 139 C6
Guiding China 26°34N 107°11E 116 D6
Guidong China 26°7N 113°57E 117 D9
Guidónia-Montecélio Italy 42°1N 12°45E 93 F9
Guiers, L. de Senegal 16°10N 15°50W 138 B1
Guigang China 23°8N 109°35E 116 F7
Guiglo Ivory C. 6°45N 7°30W 138 D3
Guijá Mozam. 24°27S 33°0E 145 B5
Guijuelo Spain 40°33N 5°40W 88 E5
Guildford U.K. 51°14N 0°34W 67 F7
Guilford U.S.A. 41°17N 72°41W 175 E12
Guilin China 25°18N 110°15E 117 E8
Guillaume-Delisle, L. Canada 56°15N 76°17W 164 A4
Guillaumes France 44°5N 6°52E 73 D10
Guillestre France 44°39N 6°40E 73 D10
Guilvinec France 47°48N 4°17W 70 E2
Güimar Canary Is. 28°18N 16°24W 100 F3
Guimarães Portugal 41°28N 8°24W 88 D2
Guimaras □ Phil. 10°35N 122°37E 119 B6
Guinda U.S.A. 38°50N 122°12W 170 G4
Guinea Africa 8°0N 8°0E 132 F4
Guinea ■ W. Afr. 10°20N 11°30W 138 C2
Guinea, Gulf of Atl. Oc. 3°0N 2°30E 139 E5
Guinea Basin Atl. Oc. 0°0 5°0W 56 G11
Guinea-Bissau ■ Africa 12°0N 15°0W 138 C2
Güines Cuba 22°50N 82°0W 182 B3
Guingamp France 48°34N 3°10W 70 D3
Guinguinéo Senegal 14°20N 15°57W 138 C1
Guipavas France 48°26N 4°29W 70 D2
Guiping China 23°21N 110°2E 117 F8
Guir Mali 18°52N 2°52W 138 B4
Guir, O. → Algeria 31°29N 2°17W 136 B3
Guirel Mauritania 15°30N 7°3W 138 B3
Güiria Venezuela 10°32N 62°18W 186 A6
Guiscard France 49°40N 3°1E 71 C10
Guise France 49°52N 3°35E 71 C10
Guissona Spain 41°47N 1°17E 90 D6
Guitiriz Spain 43°11N 7°50W 88 B3
Guitri Ivory C. 5°30N 5°14W 138 D3
Guiuan Phil. 11°5N 125°55E 119 B7
Guixi China 28°16N 117°15E 117 C11
Guiyang Guizhou, China 26°32N 106°40E 116 D6
Guiyang Hunan, China 25°46N 112°42E 117 E9
Guizhou □ China 27°0N 107°0E 116 D6
Gujan-Mestras France 44°38N 1°4W 72 D2
Gujar Khan Pakistan 33°16N 73°19E 124 C5
Gujarat □ India 23°20N 71°0E 124 H4
Gujiang China 27°11N 114°47E 117 D10
Gujiao China 37°54N 112°8E 114 F7
Gujō Japan 35°45N 136°57E 113 G8
Gujranwala Pakistan 32°10N 74°12E 124 C6
Gujrat Pakistan 32°40N 74°2E 124 C6
Gukovo Russia 48°1N 39°58E 87 F5
Gulargambone Australia 31°20S 148°30E 153 A8
Gulbarga = Kalaburagi India 17°20N 76°50E 126 F3
Gulbene Latvia 57°8N 26°52E 84 D4
Gülchö Kyrgyzstan 40°19N 73°26E 109 D8
Guledagudda India 16°3N 75°48E 127 F2
Gulf, The = Persian Gulf Asia 27°0N 50°0E 129 E6
Gulf Breeze U.S.A. 30°21N 87°9W 179 E2
Gulf Hammock U.S.A. 29°15N 82°43W 179 F7
Gulf Islands ⌓ U.S.A. 30°10N 87°10W 179 K2
Gulfport Fla., U.S.A. 27°44N 82°42W 179 H7
Gulfport Miss., U.S.A. 30°22N 89°6W 177 F10
Gulgong Australia 32°20S 149°49E 153 B8
Gulian China 52°56N 122°21E 111 A13
Gulin China 28°1N 105°50E 116 C5
Gulistan Pakistan 30°30N 66°35E 124 D2
Guliston Uzbekistan 40°29N 68°46E 109 D7
Gulja = Yining China 43°58N 81°10E 109 D10
Gull Lake Canada 50°10N 108°29W 163 C7
Gullbrandstorp Sweden 56°42N 12°43E 63 H6
Gullivan B. U.S.A. 25°45N 81°40W 179 K8
Gullspång Sweden 58°59N 14°6E 63 F8
Güllük Turkey 37°14N 27°35E 99 D9
Güllük Dağı △ Turkey 37°0N 30°29E 99 E12
Güllük Korfezi Turkey 37°12N 27°30E 99 D9
Gulma Nigeria 12°40N 4°23E 139 C5
Gulmarg India 34°3N 74°25E 125 B6
Gülnar Turkey 36°19N 33°24E 104 D5
Gulnare Australia 33°27S 138°27E 152 B3
Gülpınar Turkey 39°32N 26°7E 99 B8
Gülşehir Turkey 38°44N 34°37E 104 C6
Gülshat Kazakhstan 46°38N 74°21E 109 C8
Gulu Uganda 2°48N 32°17E 142 B3
Gŭlŭbovo Bulgaria 42°8N 25°55E 97 D9
Gulwe Tanzania 6°30S 36°25E 142 D4
Gulyaypole = Hulyaypole Ukraine 47°45N 36°21E 85 J9
Gum Lake Australia 32°42S 143°9E 152 B5
Gumal → Pakistan 31°40N 71°50E 124 D4
Gumbaz Pakistan 30°2N 69°0E 124 D3
Gumdag Turkmenistan 39°9N 54°56E 108 E4
Gumel Nigeria 12°39N 9°22E 139 C6
Gumi S. Korea 36°10N 128°12E 115 F15
Gumiel de Izán Spain 41°46N 3°41W 88 D7
Gumla India 23°3N 84°33E 125 H11
Gumlu Australia 19°53S 147°41E 150 B4
Gummersbach Germany 51°1N 7°34E 76 D3
Gummi Nigeria 12°4N 5°9E 139 C6
Gümüldür Turkey 38°6N 27°0E 99 C9
Gümüşçay Turkey 40°16N 27°17E 97 F11
Gümüşhacıköy Turkey 40°50N 35°18E 104 B6
Gümüşhane Turkey 40°30N 39°30E 105 B8
Gümüşsu Turkey 38°14N 30°1E 99 C12
Gumzai Indonesia 5°28S 134°42E 119 F8
Guna India 24°40N 77°19E 124 G7
Gunbalanya Australia 12°20S 133°4E 148 B5
Gundabooka △ Australia 30°30S 145°20E 151 E4
Gundagai Australia 35°3S 148°6E 153 C8
Gundarehi India 20°57N 81°17E 126 D5
Gundelfingen Germany 48°34N 10°22E 77 G6
Gundlakamma → India 15°30N 80°15E 127 G5
Gundlupet India 11°48N 76°41E 127 J3
Gunebang Australia 33°1S 146°38E 153 B7
Güney Burdur, Turkey 37°29N 29°34E 99 D11
Güney Denizli, Turkey 38°9N 29°4E 99 C11
Güneydoğu Toroslar Turkey 38°20N 40°30E 105 C9
Gungal Australia 32°17S 150°32E 153 B9
Gunisao → Canada 53°56N 97°53W 163 C9
Gunisao L. Canada 53°33N 96°15W 163 C9
Gunjur Gambia 13°12N 16°44W 138 C1
Gunjyal Pakistan 32°20N 71°55E 124 C4
Günlüce Turkey 36°50N 28°20E 99 E10
Gunma □ Japan 36°30N 138°20E 113 F9
Gunnarskog Sweden 59°49N 12°34E 62 E6
Gunnbjørn Fjeld Greenland 68°55N 29°47W 57 D8
Gunnebo Sweden 57°44N 16°32E 63 G10
Gunnedah Australia 30°59S 150°15E 153 A9
Gunnewin Australia 25°59S 148°33E 151 D4
Gunningbar Cr. → Australia 31°14S 147°6E 153 A7
Gunnison Colo., U.S.A. 38°33N 106°56W 168 G10
Gunnison Utah, U.S.A. 39°9N 111°49W 168 G8
Gunnison → U.S.A. 39°4N 108°35W 168 G9
Gunsan S. Korea 35°59N 126°45E 115 G14
Guntakal India 15°11N 77°27E 127 G3
Gunter Canada 44°52N 77°32W 174 B7
Guntersville U.S.A. 34°21N 86°18W 177 D11
Guntong Malaysia 4°36N 101°3E 121 K3
Guntur India 16°23N 80°30E 127 F5
Gunung Ciremay △ Indonesia 6°53S 108°24E 119 G13
Gunungapi Indonesia 6°45S 126°30E 119 F7
Gunungsitoli Indonesia 1°15N 97°30E 118 D1
Gunupur India 19°5N 83°50E 126 E6
Günz → Germany 48°27N 10°16E 77 G6
Gunza Angola 10°50S 13°50E 140 G2
Günzburg Germany 48°26N 10°17E 77 G6
Gunzenhausen Germany 49°7N 10°44E 77 F6
Guo He → China 32°59N 117°10E 117 A11
Guoyang China 33°32N 116°12E 114 H9
Gupis Pakistan 36°15N 73°20E 125 A5
Gura Humorului Romania 47°35N 25°53E 81 C10
Gura-Teghii Romania 45°30N 26°25E 81 E11
Gurahonț Romania 46°16N 22°21E 80 D7
Gurbantünggüt Shamo China 45°8N 87°20E 109 C11
Gurdaspur India 32°5N 75°31E 124 C6
Gurdon U.S.A. 33°55N 93°9W 176 E8
Güre Balıkesir, Turkey 39°36N 26°54E 99 B8
Güre Uşak, Turkey 38°39N 29°10E 99 C11
Gurgaon India 28°27N 77°1E 124 E7
Gürgentepe Turkey 40°51N 37°50E 104 B7
Gurghiu, Munții Romania 46°41N 25°15E 81 D10
Gurgueia → Brazil 6°50S 43°24W 189 B2
Gurha India 25°12N 71°39E 124 G4
Guri, Embalse de Venezuela 7°50N 62°52W 186 B6
Gurin Nigeria 9°5N 12°54E 139 D7
Gurjaani Georgia 41°43N 45°52E 87 K7
Gurk → Austria 46°35N 14°31E 78 E7
Gurkha Nepal 28°5N 84°40E 125 E11
Gurla Mandhata = Naimona'nyi Feng China 30°26N 81°18E 125 D9
Gurley Australia 29°45S 149°48E 151 D4
Gurnet Point U.S.A. 42°1N 70°34W 175 D14
Guro Mozam. 17°26S 32°30E 143 F3
Güroymak Turkey 38°35N 42°1E 105 C10
Gürpınar İstanbul, Turkey 40°59N 28°37E 97 F12
Gürpınar Van, Turkey 38°18N 43°25E 105 C10
Gürsu Turkey 40°13N 29°11E 97 F13
Gurué Mozam. 15°25S 36°58E 143 F4
Gurun Malaysia 5°49N 100°27E 121 K3
Gürün Turkey 38°43N 37°15E 104 C7
Gurupá Brazil 1°25S 51°35W 187 D8
Gurupá, I. Grande de Brazil 1°25S 51°45W 187 D8
Gurupi Brazil 11°43S 49°4W 187 F9
Gurupi → Brazil 1°13S 46°6W 187 D9
Gurupi, Serra do Brazil 5°0S 47°50W 189 B1

Guruwe Zimbabwe 16°40S 30°42E 145 A5
Gurvan Sayhan Uul Mongolia 43°50N 104°0E 114 C3
Guryev = Atyraū Kazakhstan 47°5N 52°0E 108 C4
Guryevsk Russia 54°47N 20°38E 82 D7
Gus-Khrustalnyy Russia 55°42N 40°44E 86 C5
Gusau Nigeria 12°12N 6°40E 139 C6
Gusev Russia 54°35N 22°10E 82 D9
Gushan China 39°50N 123°35E 115 E12
Gushgy = Serhetabat Turkmenistan 35°20N 62°18E 129 C9
Gushi China 32°11N 115°41E 117 A10
Gushiago Ghana 9°55N 0°15W 139 D4
Gusinje Montenegro 42°35N 19°50E 96 D3
Gusinoozersk Russia 51°16N 106°27E 107 D11
Gúspini Italy 39°32N 8°37E 94 C1
Güssing Austria 47°3N 16°20E 79 D9
Gustav Holm, Kap Greenland 66°36N 34°15W 57 D7
Gustavus U.S.A. 58°25N 135°44W 162 B1
Gustine U.S.A. 37°16N 121°0W 170 H6
Güstrow Germany 53°47N 12°10E 76 B8
Gusum Sweden 58°16N 16°30E 63 F10
Guta = Kolárovo Slovak Rep. 47°54N 18°0E 79 D10
Gütersloh Germany 51°54N 8°24E 76 D4
Gutha Australia 28°58S 115°55E 149 E2
Guthalungra Australia 19°52S 147°50E 150 B4
Guthrie Canada 44°28N 79°32W 174 B5
Guthrie Okla., U.S.A. 35°53N 97°25W 176 D6
Guthrie Tex., U.S.A. 33°37N 100°19W 176 E4
Gutian China 26°32N 118°43E 117 D12
Guttenberg U.S.A. 42°47N 91°6W 172 D8
Gutu Zimbabwe 19°41S 31°9E 145 A5
Guwahati India 26°10N 91°45E 123 F17
Guy Fawkes River △ Australia 30°0S 152°20E 151 D5
Guyana ■ S. Amer. 5°0N 59°0W 186 C7
Guyane française = French Guiana ☐ S. Amer. 4°0N 53°0W 187 C8
Guyang China 41°0N 110°5E 114 D6
Guyenne France 44°30N 0°40E 72 D4
Guymon U.S.A. 36°41N 101°29W 176 C4
Guyra Australia 30°15S 151°40E 151 E5
Guyton U.S.A. 32°20N 81°24W 178 C8
Guyuan Hebei, China 41°37N 115°40E 114 D8
Guyuan Ningxia Huizu, China 36°0N 106°20E 114 F4
Güzelbahçe Turkey 38°21N 26°54E 99 C8
Güzelyurt = Morphou Cyprus 35°12N 32°59E 101 D11
Guzhang China 28°42N 109°58E 116 C7
Guzhen China 33°22N 117°18E 115 H9
Guzmán, L. de Mexico 31°20N 107°30W 180 A3
G'uzor Uzbekistan 38°36N 66°15E 109 E7
Gvardeysk Russia 54°39N 21°5E 82 D8
Gvardeyskoye Ukraine 45°7N 34°1E 85 K8
Gwa Burma 17°36N 94°34E 123 L19
Gwaai Zimbabwe 19°15S 27°45E 143 F2
Gwaai → Zimbabwe 17°59S 26°52E 143 F2
Gwabegar Australia 30°37S 148°59E 153 A8
Gwadabawa Nigeria 13°28N 5°15E 139 C6
Gwādar Pakistan 25°10N 62°18E 122 G3
Gwagwada Nigeria 10°15N 7°15E 139 C6
Gwaii Haanas △ Canada 52°21N 131°26W 162 C2
Gwalior India 26°12N 78°10E 124 F8
Gwanara Nigeria 8°55N 3°9E 139 D5
Gwanda Zimbabwe 20°55S 29°0E 143 G2
Gwandu Nigeria 12°30N 4°41E 139 C5
Gwane Dem. Rep. of the Congo 4°45N 25°48E 142 B2
Gwangju S. Korea 35°9N 126°54E 115 G14
Gwangyang S. Korea 34°56N 127°41E 115 G14
Gwanju = Gwangju S. Korea 35°9N 126°54E 115 G14
Gwaram Nigeria 10°15N 10°25E 139 C7
Gwarzo Nigeria 12°20N 8°55E 139 C6
Gwasero Nigeria 9°29N 3°30E 139 D5
Gwda → Poland 53°3N 16°44E 83 E3
Gweebarra B. Ireland 54°51N 8°23W 64 B3
Gweedore Ireland 55°3N 8°14W 64 A3
Gweru Zimbabwe 19°28S 29°45E 143 F2
Gwi Nigeria 9°0N 7°10E 139 D6
Gwinn U.S.A. 46°19N 87°27W 172 B10
Gwio Kura Nigeria 12°40N 11°2E 139 C7
Gwoza Nigeria 11°5N 13°40E 139 C7
Gwydir → Australia 29°27S 149°48E 151 D4
Gwynedd ☐ U.K. 52°52N 4°10W 66 E3
Gyandzha = Gäncä Azerbaijan 40°45N 46°20E 87 K8
Gyangzê China 29°5N 89°47E 110 F6
Gyaring Hu China 34°50N 97°40E 110 E8
Gydanskiy Poluostrov Russia 70°0N 78°0E 106 C8
Gyeonggi-man S. Korea 37°0N 125°30E 115 F13
Gyeongju S. Korea 35°51N 129°14E 115 G15
Gyldenløve Fjord Greenland 64°15N 40°30W 57 E6
Gympie Australia 26°11S 152°38E 151 D5
Gyomaendrőd Hungary 46°56N 20°50E 80 D5
Gyöngyös Hungary 47°48N 19°56E 80 C4
Győr Hungary 47°41N 17°40E 80 C2
Győr-Moson-Sopron ☐ Hungary 47°40N 17°20E 80 C2
Gypsum Pt. Canada 61°53N 114°35W 162 A6
Gypsumville Canada 51°45N 98°40W 163 C9
Gyueshevo Bulgaria 42°14N 22°28E 96 D6
Gyula Hungary 46°38N 21°17E 80 D6
Gyumri Armenia 40°47N 43°50E 87 K6
Gyzylarbat = Serdar Turkmenistan 39°4N 56°23E 129 B8
Gyzyletrek = Etrek Turkmenistan 37°36N 54°46E 129 B7
Gyzylgaya Turkmenistan 40°40N 55°30E 108 D5
Gzhatsk = Gagarin Russia 55°38N 35°0E 84 E8

H

H. Neely Henry L. U.S.A. 33°55N 86°2W 178 B3
Ha 'Arava → Israel 30°50N 35°20E 130 E4
Ha Coi Vietnam 21°26N 107°46E 116 G6
Ha Dong Vietnam 20°58N 105°46E 116 G5
Ha Giang Vietnam 22°50N 104°59E 116 F5
Ha Karmel, Har Israel 32°44N 35°3E 130 C4
Ha Karmel △ Israel 32°45N 35°5E 130 C4
Ha Long = Hong Gai Vietnam 20°57N 107°5E 116 G6
Ha Long, Vinh Vietnam 20°56N 107°3E 120 B6
Ha Tien Vietnam 10°23N 104°29E 121 G5
Ha Tinh Vietnam 18°20N 105°54E 120 C5
Ha Trung Vietnam 19°58N 105°50E 120 C5
Haakon VII Topp = Beerenberg Norway 71°0N 8°20W 57 C10
Haaksbergen Neths. 52°9N 6°45E 69 B6
Haapsalu Estonia 58°56N 23°30E 84 C2
Haarby Denmark 55°13N 10°7E 63 J4
Haarlem Neths. 52°23N 4°39E 69 B4
Haast N.Z. 43°51S 169°1E 155 D4
Haast → N.Z. 43°50S 169°2E 155 D4
Haast Pass N.Z. 44°6S 169°21E 155 E4
Haasts Bluff Australia 23°22S 132°0E 148 D5
Haasts Bluff ✪ Australia 23°39S 130°34E 148 D5
Hab → Pakistan 24°53N 66°41E 124 G3
Hab Nadi Chauki Pakistan 25°0N 66°50E 124 G2
Habahe China 48°3N 86°23E 109 C11
Habaswein Kenya 1°2N 39°30E 142 B4
Habay Canada 58°50N 118°44W 162 B5
Ḩabbānīyah Iraq 33°17N 43°29E 105 F10
Ḩabbānīyah, Hawr al Iraq 33°17N 43°29E 105 F10
Habibas, Îles Algeria 35°44N 1°8W 91 K3
Habichtswald ⌂ Germany 51°15N 9°15E 76 D5
Habirag China 42°17N 115°42E 114 C8
Habo Sweden 57°55N 14°6E 63 G8
Haboro Japan 44°22N 141°42E 112 B10
Ḩabshān U.A.E. 23°50N 53°37E 129 F7
Hachenburg Germany 50°40N 7°49E 76 E3
Hachijō-Jima Japan 33°5N 139°45E 113 H9
Hachiman = Gujō Japan 35°45N 136°57E 113 G8
Hachinohe Japan 40°30N 141°29E 112 D10
Hachiōji Japan 35°40N 139°20E 113 G9
Hacı Zeynalabdin Azerbaijan 40°37N 49°33E 87 K9
Hacıbektaş Turkey 38°56N 34°33E 104 C6
Hacılar Turkey 38°38N 35°26E 104 C6
Hack, Mt. Australia 30°45S 138°55E 152 A3
Hackås Sweden 62°56N 14°30E 62 B8
Hackensack U.S.A. 40°52N 74°4W 175 F10
Hackettstown U.S.A. 40°51N 74°50W 175 F10
Håckrenmagasinet Sweden 63°15N 13°30E 62 C7
Hadali Pakistan 32°16N 72°11E 124 C5
Hadarba, Ras Sudan 22°4N 36°51E 137 C4
Hadarom ☐ Israel 31°0N 35°0E 130 E4
Ḩadd, Ra's al Oman 22°35N 59°50E 131 C6
Haddington U.K. 55°57N 2°47W 65 F6
Haddock U.S.A. 33°2N 83°26W 178 B6
Hadejia Nigeria 12°30N 10°5E 139 C7
Hadejia → Nigeria 12°50N 10°51E 139 C7
Ḩadera Israel 32°27N 34°55E 130 C3
Ḩadera, N. → Israel 32°28N 34°52E 130 C3
Haderslev Denmark 55°15N 9°30E 63 J3
Hadgaon India 19°30N 77°40E 126 E3
Hadhramaut = Ḩaḑramawt ☐ Yemen 15°30N 49°30E 131 D4
Hadiboh Yemen 12°39N 54°2E 131 E5
Hadilik China 37°56N 86°6E 109 E11
Hadım Turkey 36°58N 32°26E 104 D5
Ḩādīshahr Iran 38°51N 45°40E 105 C11
Hadjadj, O. el → Algeria 28°18N 5°20E 136 C5
Hadjeb el Aioun Tunisia 35°21N 9°32E 136 A5
Hadley B. Canada 72°31N 108°12W 160 C10
Hadong S. Korea 35°5N 127°44E 115 G14
Ḩaḑramawt ☐ Yemen 15°30N 49°30E 131 D4
Ḩadrānīyah Iraq 35°38N 43°14E 128 C4
Hadrian's Wall U.K. 55°0N 2°30W 66 B5
Hadsten Denmark 56°19N 10°3E 63 H4
Hadsund Denmark 56°44N 10°8E 63 H4
Hadyach Ukraine 50°21N 34°0E 85 G8
Hae, Ko Thailand 7°44N 98°22E 121 a
Haeju N. Korea 38°3N 125°45E 115 E13
Hā'ena U.S.A. 22°14N 159°34W 167 L8
Haenam S. Korea 34°34N 126°35E 115 G14
Haenertsburg S. Africa 24°0S 29°50E 145 B4
Haerhpin = Harbin China 45°48N 126°40E 115 B14
Hafar al Bāţin Si. Arabia 28°32N 45°52E 128 D5
Hafik Turkey 39°51N 37°23E 104 C7
Ḩafirat al 'Aydā Si. Arabia 26°26N 39°12E 128 E3
Ḩafit Oman 23°59N 55°49E 129 F7
Hafizabad Pakistan 32°5N 73°40E 124 C5
Haflong India 25°10N 93°5E 123 G18
Haft Gel Iran 31°30N 49°32E 129 D6
Hagalil Israel 32°53N 35°18E 130 C4
Hagari → India 15°40N 77°0E 127 G3
Hagby Sweden 56°34N 16°11E 63 H10
Hagemeister I. U.S.A. 58°39N 160°54W 166 D7
Hagen Germany 51°21N 7°27E 76 D3
Hagenow Germany 53°26N 11°12E 76 B7
Hagerman U.S.A. 33°7N 104°20W 169 K11
Hagerman Fossil Beds ⌂ U.S.A. 42°48N 114°57W 168 E6
Hagerstown U.S.A. 39°39N 77°43W 173 F15
Hagersville Canada 42°58N 80°3W 174 D4
Hagetmau France 43°39N 0°37W 72 E3
Hagfors Sweden 60°3N 13°45E 62 D7
Hagi Japan 34°30N 131°22E 113 G5
Hagolan Syria 33°0N 35°45E 130 C4
Hagondange France 49°16N 6°11E 71 C13
Hags Hd. Ireland 52°57N 9°28W 64 D2
Hague, C. de la France 49°44N 1°56W 70 C5
Hague, The = 's-Gravenhage Neths. 52°7N 4°17E 69 B4
Haguenau France 48°49N 7°47E 71 D14
Hahira U.S.A. 30°59N 83°22W 178 E6
Hai Duong Vietnam 20°56N 106°19E 116 G6
Hai'an Guangdong, China 20°18N 110°11E 117 a
Hai'an Jiangsu, China 32°37N 120°27E 117 A13
Haicheng China 40°50N 122°45E 115 D12
Haida Gwaii Canada 53°20N 132°10W 162 C2
Haidar Khel Afghan. 33°58N 68°38E 124 C3
Haidarâbâd = Hyderabad India 17°22N 78°29E 126 F4
Haidargarh India 26°37N 81°22E 125 F9
Haifa = Ḩefa Israel 32°46N 35°0E 130 C4
Haifeng China 22°58N 115°10E 117 F10
Haiger Germany 50°43N 8°12E 76 E4
Haikou China 20°1N 110°16E 117 a
Ḩā'il Si. Arabia 27°28N 41°45E 128 E4
Ḩā'il ☐ Si. Arabia 26°40N 41°40E 128 E4
Hailar China 49°10N 119°38E 111 B12
Hailey U.S.A. 43°31N 114°19W 168 E6
Haileybury Canada 47°30N 79°38W 164 C4
Hailin China 44°37N 129°30E 115 B15
Hailing Dao China 21°35N 111°47E 117 G8
Hailun China 47°28N 126°50E 111 B14
Hailuoto Finland 65°3N 24°45E 60 D21
Haimen Guangdong, China 23°15N 116°38E 117 F11
Haimen Jiangsu, China 31°52N 121°10E 117 B13
Hainan ☐ China 19°0N 109°30E 117 a
Hainan Dao China 19°0N 109°30E 117 a
Hainan Str. = Qiongzhou Haixia China 20°10N 110°15E 117 a
Hainaut ☐ Belgium 50°30N 4°0E 69 D4
Hainburg Austria 48°9N 16°56E 79 C9
Haines Alaska, U.S.A. 59°14N 135°26W 162 B1
Haines Oreg., U.S.A. 44°55N 117°56W 168 D5
Haines City U.S.A. 28°7N 81°38W 179 G8
Haines Junction Canada 60°45N 137°30W 162 A1
Hainfeld Austria 48°3N 15°48E 78 C8
Haining China 30°28N 120°40E 117 B13
Haiphong Vietnam 20°47N 106°41E 116 G6
Haitan Dao China 25°30N 119°45E 117 E12
Haiti ■ W. Indies 19°0N 72°30W 183 C5
Haiya Sudan 18°20N 36°21E 137 D4
Haiyan Qinghai, China 36°53N 100°59E 110 D9
Haiyan Zhejiang, China 30°28N 120°58E 117 B13
Haiyang China 36°47N 121°9E 115 F11
Haiyuan Guangxi Zhuangzu, China 22°8N 107°35E 116 F6
Haiyuan Ningxia Huizu, China 36°35N 105°52E 114 F3
Haizhou China 34°37N 119°7E 115 G10
Haizhou Wan China 34°50N 119°20E 115 G10
Hajdú-Bihar ☐ Hungary 47°30N 21°30E 80 C6
Hajdúböszörmény Hungary 47°40N 21°30E 80 C6
Hajdúdorog Hungary 47°48N 21°30E 80 C6
Hajdúhadház Hungary 47°40N 21°40E 80 C6
Hajdúnánás Hungary 47°50N 21°26E 80 C6
Hajdúsámson Hungary 47°37N 21°42E 80 C6
Hajdúszoboszló Hungary 47°27N 21°22E 80 C6
Haji Ibrahim Iraq 36°40N 44°30E 105 D11
Hajipur India 25°45N 85°13E 125 G11
Ḩājj Ali Qolī, Kavīr-e Iran 35°55N 54°50E 129 C7
Ḩajjah Yemen 15°42N 43°36E 131 D3
Ḩājjīābād Hormozgān, Iran 28°19N 55°55E 129 D7
Ḩājjīābād Khorāsān, Iran 33°37N 60°0E 129 C9
Ḩājjīābād-e Zarrīn Iran 33°9N 54°51E 129 C7
Hajnówka Poland 52°47N 23°35E 83 F10
Hakansson, Mts. Dem. Rep. of the Congo 8°40S 25°45E 143 D2
Hakataramea N.Z. 44°43S 170°30E 155 E5
Hakkâri Turkey 37°34N 43°44E 105 D10
Hakkâri ☐ Turkey 37°30N 44°0E 105 D10
Hakkâri Dağları Turkey 38°2N 42°58E 105 C10
Hakken-Zan Japan 34°10N 135°54E 113 G7
Hakkōda San Japan 40°50N 141°0E 112 D10
Hakodate Japan 41°45N 140°44E 112 D10
Hakos Namibia 23°13S 16°21E 144 B2
Håksberg Sweden 60°11N 15°12E 62 D9
Hakskeenpan S. Africa 26°48S 20°13E 144 C3
Haku-San Japan 36°9N 136°46E 113 F8
Haku-San △ Japan 36°15N 136°45E 113 F8
Hakui Japan 36°53N 136°47E 113 F8
Hakusan Japan 36°31N 136°34E 113 F8
Hala Pakistan 25°43N 68°20E 122 G6
Ḩalab Syria 36°10N 37°15E 104 D7
Ḩalab ☐ Syria 36°10N 37°10E 104 D7
Ḩalabjah Iraq 35°10N 45°58E 105 E11
Halaib Sudan 22°12N 36°30E 137 C4
Halaib Triangle Africa 22°30N 35°20E 137 C4
Hālat 'Ammār Si. Arabia 29°10N 36°4E 128 D3
Halbā Lebanon 34°34N 36°6E 130 A5
Halberstadt Germany 51°54N 11°3E 76 D7
Halcombe N.Z. 40°8S 175°30E 154 G4
Halcon, Mt. Phil. 13°16N 121°0E 119 B6
Halde Fjäll = Haltiatunturi Finland 69°17N 21°18E 60 B19
Halden Norway 59°9N 11°23E 61 G14
Haldensleben Germany 52°17N 11°24E 76 C7
Haldia Bangla. 22°1N 88°3E 125 H13
Haldwani India 29°31N 79°30E 125 E8
Hale → Australia 24°56S 135°53E 150 C2
Halesowen U.K. 52°27N 2°3W 67 E5
Halesworth U.K. 52°20N 1°31E 67 E9
Haleyville U.S.A. 34°14N 87°37W 177 D11
Half Assini Ghana 5°1N 2°50W 138 D4
Half Dome U.S.A. 37°44N 119°32W 170 H7
Halfeti Turkey 37°15N 37°52E 104 D7
Halfmoon Bay N.Z. 46°50S 168°5E 155 G3
Halfway → Canada 56°12N 121°32W 162 B4
Halia India 24°50N 82°19E 125 G10
Haliburton Canada 45°3N 78°30W 174 A6
Halifax Australia 18°32S 146°22E 150 B4
Halifax Canada 44°38N 63°35W 165 D7
Halifax U.K. 53°43N 1°52W 66 D6
Halifax U.S.A. 40°25N 76°55W 174 F8
Halifax B. Australia 18°50S 147°0E 150 B4
Halifax I. Namibia 26°38S 15°4E 144 C2
Halik Shan China 42°20N 81°22E 109 D10
Halīl → Iran 27°40N 58°30E 129 E8
Halimun △ Indonesia 6°42S 106°26E 119 G11
Halki = Chalki Greece 36°17N 27°35E 99 E9
Halkida = Chalkida Greece 38°27N 23°42E 98 C5
Halkidiki = Chalkidiki Greece 40°25N 23°20E 96 F7
Halkirk U.K. 58°30N 3°29W 65 C5
Hall Beach Canada 68°46N 81°12W 161 D15
Hall in Tirol Austria 47°17N 11°30E 78 D4
Hall Pen. Canada 63°30N 66°0W 161 E18
Hall Pt. Australia 15°40S 124°23E 148 C3
Hallabro Sweden 56°22N 15°5E 63 H9
Halland Sweden 57°8N 12°47E 61 H15
Halland ☐ Sweden 57°0N 12°40E 63 H6
Hallandale Beach U.S.A. 25°58N 80°8W 179 K9
Hallands Väderö Sweden 56°27N 12°34E 63 H6
Hallandsås Sweden 56°22N 13°0E 63 H7
Ḩallāniyat, Jazā'ir al Oman 17°30N 55°58E 131 D6
Hallasan S. Korea 33°22N 126°32E 115 H14
Hällbybrunn Sweden 59°24N 16°25E 62 E10
Halle Belgium 50°44N 4°13E 69 D4
Halle Nordrhein-Westfalen, Germany 52°3N 8°22E 76 C4
Halle Sachsen-Anhalt, Germany 51°30N 11°56E 76 D7
Hällefors Sweden 59°47N 14°31E 62 E8
Hälleforsnäs Sweden 59°10N 16°30E 62 E10
Hallein Austria 47°40N 13°5E 78 D6
Hällekis Sweden 58°38N 13°27E 63 F7
Hallen Sweden 63°11N 14°4E 62 A8
Hallett Australia 33°25S 138°55E 152 B3
Hallettsville U.S.A. 29°27N 96°57W 176 G6
Halley Antarctica 75°35S 26°39W 55 D1
Hallia → India 16°55N 79°20E 126 F4
Hallim S. Korea 33°24N 126°15E 115 H14
Hallingdalselva → Norway 60°23N 9°35E 60 F13
Hallingskarvet △ Norway 60°37N 7°45E 60 F12
Hallock U.S.A. 48°47N 96°57W 172 A5
Halls Creek Australia 18°16S 127°38E 148 C4
Halls Gap Australia 37°8S 142°34E 151 F3
Halls Lake Canada 45°7N 78°45W 174 A6
Hallsberg Sweden 59°5N 15°7E 62 E9
Hallstahammar Sweden 59°38N 16°15E 62 E10
Hallstatt Austria 47°33N 13°38E 78 D6
Hallstavik Sweden 60°5N 18°37E 62 D12
Hallstead U.S.A. 41°58N 75°45W 175 E9
Halmahera Indonesia 0°40N 128°0E 119 D7
Halmahera Sea Indonesia 0°25N 130°0E 119 D7
Halmeu Romania 47°57N 23°2E 80 C8
Halmstad Sweden 56°41N 12°52E 63 H6
Halong Bay = Ha Long, Vinh Vietnam 20°56N 107°3E 120 B6
Halq el Oued = La Goulette Tunisia 36°53N 10°18E 94 F3
Hals Denmark 57°0N 10°18E 63 H4
Hälsingborg = Helsingborg Sweden 56°3N 12°42E 63 H6
Hälsingland Sweden 61°40N 16°5E 62 C10
Halstead U.K. 51°57N 0°40E 67 F8
Haltern Germany 51°44N 7°11E 76 D3
Haltiatunturi Finland 69°17N 21°18E 60 B19
Halton ☐ U.K. 53°22N 2°45W 66 D5
Haltwhistle U.K. 54°58N 2°26W 66 C5
Ḩālūl Qatar 25°40N 52°40E 129 E7
Halvad India 23°1N 71°11E 124 H4
Ḩalvān Iran 33°57N 56°15E 129 C8
Ham France 49°45N 3°4E 71 C10
Hamab Namibia 28°7S 19°16E 144 C2
Hamada Japan 34°56N 132°4E 113 G6
Hamadān Iran 34°52N 48°32E 105 E13
Hamadān ☐ Iran 35°0N 49°0E 129 C6
Hamadia Algeria 35°28N 1°57E 136 A4
Ḩamāh Syria 35°5N 36°40E 104 E7
Ḩamāh ☐ Syria 35°10N 37°0E 104 E7
Hamale Ghana 10°56N 2°45W 138 C4
Hamamatsu Japan 34°45N 137°45E 113 G8
Hamar Norway 60°48N 11°7E 60 F14
Hamâta, Gebel Egypt 24°17N 35°0E 128 E2
Hamatonbetsu Japan 45°10N 142°20E 112 B11
Hambantota Sri Lanka 6°10N 81°10E 127 L5
Hamber ⌂ Canada 52°20N 118°0W 162 C5
Hamburg Germany 53°33N 9°59E 76 B5
Hamburg Ark., U.S.A. 33°14N 91°48W 176 E9
Hamburg N.Y., U.S.A. 42°43N 78°50W 174 D6
Hamburg Pa., U.S.A. 40°33N 75°59W 175 F9
Hamburg ☐ Germany 53°30N 10°0E 76 B5
Hamburg Fuhlsbüttel ✈ (HAM) Germany 53°35N 9°59E 76 B5
Ḩamḑ, W. al → Si. Arabia 24°55N 36°20E 128 E3
Hamden U.S.A. 41°23N 72°54W 175 E12
Hamdibey Turkey 39°50N 27°15E 99 B9
Häme Finland 61°38N 25°10E 60 F21
Hämeenlinna Finland 61°0N 24°28E 84 B3
Hamelin Pool Australia 26°22S 114°20E 149 E1
Hameln Germany 52°6N 9°21E 76 C5
Hamerkaz ☐ Israel 32°15N 34°55E 130 C3
Hamersley Ra. Australia 22°0S 117°45E 148 D2
Hamhŭng N. Korea 39°54N 127°30E 115 E14
Hami China 42°55N 93°25E 110 C7
Hamilton Australia 37°45S 142°2E 152 D5
Hamilton Bermuda 32°17N 64°47W 56 C5
Hamilton Canada 43°15N 79°50W 174 C5
Hamilton N.Z. 37°47S 175°19E 154 D4
Hamilton U.K. 55°46N 4°2W 65 F4
Hamilton Ala., U.S.A. 34°9N 87°59W 177 D11
Hamilton Ga., U.S.A. 32°45N 84°53W 178 C5
Hamilton Mont., U.S.A. 46°15N 114°10W 168 C6
Hamilton N.Y., U.S.A. 42°50N 75°33W 175 D9
Hamilton Ohio, U.S.A. 39°24N 84°34W 173 F11
Hamilton Tex., U.S.A. 31°42N 98°7W 176 F5
Hamilton → Queens., Australia 23°30S 139°47E 150 C2
Hamilton → S. Austral., Australia 26°40S 135°19E 151 D2
Hamilton City U.S.A. 39°45N 122°1W 170 F4
Hamilton I. Australia 20°21S 148°56E 150 b
Hamilton Inlet Canada 54°0N 57°30W 165 B8
Hamilton Mt. U.S.A. 43°25N 74°22W 175 C10
Hamina Finland 60°34N 27°12E 84 B4
Hamirpur H.P., India 31°41N 76°31E 124 D7
Hamirpur Ut. P., India 25°57N 80°9E 125 G9
Hamitabat Turkey 41°30N 27°17E 97 E11
Hamlet U.S.A. 34°53N 79°42W 177 D15
Hamley Bridge Australia 34°17S 138°35E 152 C3
Hamlin = Hameln Germany 52°6N 9°21E 76 C5
Hamlin N.Y., U.S.A. 43°17N 77°55W 174 C7
Hamlin Tex., U.S.A. 32°53N 100°8W 176 E4
Hamm Germany 51°40N 7°50E 76 D3
Hammām al 'Alīl Iraq 36°9N 43°15E 105 D10
Hammam Bouhadjar Algeria 35°23N 0°58W 136 A3
Hammamet Tunisia 36°24N 10°38E 136 A6
Ḩammār, Hawr al Iraq 30°50N 47°10E 128 D5
Hammarstrand Sweden 63°7N 16°20E 62 A10
Hammelburg Germany 50°6N 9°53E 77 E5
Hammeren Denmark 55°18N 14°47E 63 J8
Hammerfest Norway 70°39N 23°41E 60 A20
Hammerum Denmark 56°8N 9°3E 63 H3
Hamminkeln Germany 51°43N 6°35E 76 D2
Hammond Ind., U.S.A. 41°38N 87°30W 172 E10
Hammond La., U.S.A. 30°30N 90°28W 177 F9
Hammond N.Y., U.S.A. 44°27N 75°42W 175 B9
Hammondsport U.S.A. 42°25N 77°13W 174 D7
Hammonton U.S.A. 39°39N 74°48W 173 F16
Hampden N.Z. 45°18S 170°50E 155 F5
Hampi India 15°18N 76°28E 127 G3
Hampshire ☐ U.K. 51°7N 1°23W 67 F6
Hampshire Downs U.K. 51°15N 1°10W 67 F6
Hampton N.B., Canada 45°32N 65°51W 165 C6
Hampton Ont., Canada 43°58N 78°45W 174 C6
Hampton Ark., U.S.A. 33°32N 92°28W 176 E8
Hampton Ga., U.S.A. 33°23N 84°17W 178 B5
Hampton Iowa, U.S.A. 42°45N 93°13W 172 D7
Hampton N.H., U.S.A. 42°57N 70°50W 175 D14
Hampton S.C., U.S.A. 32°52N 81°7W 178 C8
Hampton Va., U.S.A. 37°2N 76°21W 173 G15
Hampton Bays U.S.A. 40°53N 72°30W 175 F12
Hampton Springs U.S.A. 30°5N 83°40W 178 E6
Hampton Tableland Australia 32°0S 127°0E 149 F4
Hamra Sweden 61°39N 14°59E 62 C8
Ḩamrīn, Jabal Iraq 34°30N 44°30E 105 E11
Hamur Turkey 39°37N 43°3E 105 C10
Hamyang S. Korea 35°32N 127°42E 115 G14
Han = Hangang → S. Korea 37°50N 126°30E 115 F14
Han i Hotit Albania 42°19N 19°27E 96 D3
Han Jiang → China 23°25N 116°40E 117 F11
Han Shui → China 30°34N 114°17E 117 B10
Hanahan U.S.A. 32°55N 80°0W 178 C9
Hanak Si. Arabia 25°32N 37°0E 128 E3
Hanak Turkey 41°14N 42°50E 105 B10
Hanamaki Japan 39°23N 141°7E 112 E10
Hanang Tanzania 4°30S 35°25E 142 C4
Hanau Germany 50°7N 8°56E 77 E4
Hanbogd = Ihbulag Mongolia 43°11N 107°10E 114 C4
Hançalar Turkey 38°8N 29°24E 99 C11
Hânceşti Moldova 46°50N 28°36E 81 D13
Hancheng China 35°31N 110°25E 114 G6
Hanchuan China 30°40N 113°50E 117 B9
Hancock Mich., U.S.A. 47°8N 88°35W 172 B9
Hancock N.Y., U.S.A. 41°57N 75°17W 175 E9
Hancock Vt., U.S.A. 43°55N 72°50W 175 C12
Handa Japan 34°53N 136°55E 113 G8
Handa I. U.K. 58°23N 5°11W 65 C3
Handan China 36°35N 114°28E 114 F8
Handeni Tanzania 5°25S 38°2E 142 D4
Handlová Slovak Rep. 48°45N 18°35E 79 C11
Handub Sudan 19°15N 37°16E 137 D4
Handwara India 34°21N 74°20E 125 B6
Hanegev Israel 30°50N 35°0E 130 E4
Hanford U.S.A. 36°20N 119°39W 170 J7
Hanford Reach ⌂ U.S.A. 46°40N 119°30W 168 C4
Hang Chat Thailand 18°20N 99°21E 120 C2
Hangang → S. Korea 37°50N 126°30E 115 F14
Hangayn Nuruu Mongolia 47°30N 99°0E 110 B8
Hangchou = Hangzhou China 30°18N 120°11E 117 B13
Hanger Sweden 57°6N 13°58E 63 G7
Hanggin Houqi China 40°58N 107°4E 114 D4
Hanggin Qi China 39°52N 108°50E 114 E5
Hangu China 39°18N 117°53E 115 E9
Hangzhou China 30°18N 120°11E 117 B13
Hangzhou Wan China 30°15N 120°45E 117 B13
Hangzhou Xiaoshan Int. ✈ (HGH) China 30°14N 120°26E 117 B13
Hanh Mongolia 51°32N 100°35E 110 A9
Hanhöhiy Uul Mongolia 49°30N 94°30E 109 C12
Hanhongor Mongolia 43°55N 104°28E 114 C3
Hani Turkey 38°24N 40°23E 105 C9
Hania = Chania Greece 35°30N 24°4E 101 D6
Ḩanīdh Si. Arabia 26°35N 48°38E 129 E6
Ḩanīsh Yemen 13°45N 42°46E 131 E3
Haniska Slovak Rep. 48°37N 21°15E 79 C14
Hanjiang China 25°26N 119°6E 117 E12
Hankinson U.S.A. 46°4N 96°54W 172 B5
Hankö Finland 59°50N 22°57E 84 C2
Hankou China 30°35N 114°30E 117 B10
Hanksville U.S.A. 38°22N 110°43W 168 G8
Hanle India 32°42N 79°4E 125 C8
Hanmer Springs N.Z. 42°32S 172°50E 155 C7
Hann → Australia 17°26S 126°17E 148 C4
Hann, Mt. Australia 15°45S 126°0E 148 C4
Hanna Canada 51°40N 111°54W 162 C6
Hanna U.S.A. 41°52N 106°34W 168 F10
Hannah B. Canada 51°40N 80°0W 164 B4
Hannibal Mo., U.S.A. 39°42N 91°22W 172 F8
Hannibal N.Y., U.S.A. 43°19N 76°35W 175 C8
Hannik Sudan 18°12N 32°20E 137 D3
Hannover Germany 52°22N 9°46E 76 C5
Hanö Sweden 56°1N 14°50E 63 H8
Hanöbukten Sweden 55°35N 14°30E 63 J8
Hanoi Vietnam 21°5N 105°55E 116 G5
Hanover = Hannover Germany 52°22N 9°46E 76 C5
Hanover Canada 44°9N 81°2W 174 B3
Hanover S. Africa 31°4S 24°29E 144 D3
Hanover N.H., U.S.A. 43°42N 72°17W 175 C12
Hanover Ohio, U.S.A. 40°4N 82°16W 174 F2
Hanover Pa., U.S.A. 39°48N 76°59W 173 F15
Hanover, I. Chile 51°0S 74°50W 192 D2
Hans Lollik I. U.S. Virgin Is. 18°24N 64°53W 183 e
Hansdiha India 24°36N 87°5E 125 G12
Hanshou China 28°56N 111°50E 117 C8
Hansi H.P., India 32°27N 77°50E 124 C7
Hansi Haryana, India 29°10N 75°57E 124 E6
Hanson, L. Australia 31°0S 136°15E 152 A2
Hanstholm Denmark 57°7N 8°36E 63 G2
Hanting China 36°46N 119°12E 115 F10
Hantsavichy Belarus 52°49N 26°30E 75 B14
Hanumangarh India 29°35N 74°19E 124 E6
Hanyin China 32°54N 108°28E 114 H5
Hanyuan China 29°21N 102°40E 116 C4
Hanzhong China 33°10N 107°1E 116 A6
Hanzhuang China 34°33N 117°23E 115 G9
Haora India 22°34N 88°18E 125 H13
Haoxue China 30°3N 112°24E 117 B9
Haparanda Sweden 65°52N 24°8E 60 D21
Haparanda Skärgård △ Sweden 65°35N 23°44E 60 D20
Hapeville U.S.A. 33°39N 84°24W 178 B5
Happy U.S.A. 34°45N 101°52W 176 D4
Happy Camp U.S.A. 41°48N 123°23W 168 F2
Happy Valley-Goose Bay Canada 53°15N 60°20W 165 B7
Hapsu N. Korea 41°13N 128°51E 115 D15
Hapur India 28°45N 77°45E 124 E7
Ḩaql Si. Arabia 29°10N 34°58E 130 F3
Haquira Peru 14°14S 72°12W 188 C3
Har Indonesia 5°16S 133°14E 119 F8
Har-Ayrag Mongolia 45°47N 109°16E 114 B5
Har Hu China 38°20N 97°38E 110 D8
Har Us Nuur Mongolia 48°0N 92°0E 109 C12
Har Yehuda Israel 31°35N 34°57E 130 D3
Ḩaraḑ Si. Arabia 24°22N 49°0E 131 C4
Haradok Belarus 55°30N 30°3E 84 E6
Häradsbäck Sweden 56°32N 14°26E 63 H8
Haramosh Pakistan 35°50N 74°54E 125 B6
Haranomachi = Minamisōma Japan 37°38N 140°58E 112 F10
Harar = Harer Ethiopia 9°20N 42°8E 131 F3
Harare Zimbabwe 17°43S 31°2E 143 F3
Harazé Chad 9°57N 20°48E 135 G10
Harbel Liberia 6°16N 10°20W 138 D2
Harbhanga India 20°38N 84°36E 126 D7
Harbin China 45°48N 126°40E 115 B14
Harbiye Turkey 36°10N 36°8E 104 D7
Harbo Sweden 60°7N 17°12E 62 D11
Harboøre Denmark 56°38N 8°10E 63 H2
Harbor Beach U.S.A. 43°51N 82°39W 174 C2
Harborcreek U.S.A. 42°9N 79°57W 174 D5
Harbour Breton Canada 47°29N 55°50W 165 C8
Harbour Deep Canada 50°25N 56°32W 165 B8
Harburg Germany 53°27N 9°58E 76 B5
Harburger Berge ⌂ Germany 53°26N 9°51E 76 B5
Harda India 22°27N 77°5E 124 H7
Hardangerfjorden Norway 60°5N 6°0E 61 F12
Hardangervidda Norway 60°7N 7°20E 60 F12
Hardap ☐ Namibia 24°0S 17°0E 144 B2
Hardap △ Namibia 24°29S 17°45E 144 B2
Hardap Dam Namibia 24°32S 17°50E 144 B2
Hardeeville U.S.A. 32°17N 81°5W 178 C8
Harden Australia 34°32S 148°24E 153 C8
Hardenberg Neths. 52°34N 6°37E 69 B6
Harderwijk Neths. 52°21N 5°38E 69 B5
Hardey → Australia 22°45S 116°8E 148 D2
Hardin U.S.A. 45°44N 107°37W 168 D10
Harding S. Africa 30°35S 29°55E 145 D4
Harding, L. U.S.A. 32°40N 85°5W 178 C4
Harding Ra. Australia 16°17S 124°55E 148 C3
Hardisty Canada 52°40N 111°18W 162 C6
Hardoi India 27°26N 80°6E 125 F9
Hardwar = Haridwar India 29°58N 78°9E 124 E8
Hardwick Ga., U.S.A. 33°4N 83°14W 178 B6
Hardwick Vt., U.S.A. 44°30N 72°22W 175 B12
Hardwicke B. Australia 34°55S 137°20E 152 C2
Hardwood Lake Canada 45°12N 77°26W 174 A7
Hardy, Pen. Chile 55°30S 68°20W 192 E3
Hardy, Pte. St. Lucia 14°6N 60°56W 183 f
Hare B. Canada 51°15N 55°45W 165 B8
Hareid Norway 62°22N 6°1E 60 E12
Haren Germany 52°47N 7°13E 76 C3
Harer Ethiopia 9°20N 42°8E 131 F3
Harfleur France 49°30N 0°10E 70 C7
Hargeisa Somalia 9°30N 44°2E 131 F3
Harghita ☐ Romania 46°30N 25°30E 81 D10
Harghita, Munţii Romania 46°25N 25°35E 81 D10
Hargshamn Sweden 60°12N 18°30E 62 D12
Hari → Indonesia 1°16S 104°5E 118 E2
Haría Canary Is. 29°8N 13°32W 100 E6
Haridwar India 29°58N 78°9E 124 E8
Harihar India 14°32N 75°44E 127 G2
Harihari N.Z. 43°9S 170°33E 155 D5
Hariharpur Garhi Nepal 27°19N 85°29E 125 F11
Harim, Jabal al Oman 25°58N 56°14E 129 E8
Haringhata → Bangla. 22°0N 89°58E 123 J16
Haripad India 9°14N 76°28E 127 K3
Harīr, W. al → Syria 32°44N 35°59E 130 C4
Harīrūd → Asia 37°24N 60°38E 129 B9
Härjedalen Sweden 62°22N 13°5E 62 B7
Harlan Iowa, U.S.A. 41°39N 95°19W 172 E6
Harlan Ky., U.S.A. 36°51N 83°19W 173 G12
Hârlău Romania 47°23N 26°55E 81 C11
Harlech U.K. 52°52N 4°6W 66 E3
Harlem Ga., U.S.A. 33°25N 82°19W 178 B7
Harlem Mont., U.S.A. 48°32N 108°47W 168 B9
Hårlev Denmark 55°21N 12°14E 63 J6
Harleyville U.S.A. 33°13N 80°27W 178 B9
Harlingen Neths. 53°11N 5°25E 69 A5
Harlingen U.S.A. 26°12N 97°42W 176 H6
Harlow U.K. 51°46N 0°8E 67 F8
Harlowton U.S.A. 46°26N 109°50W 168 C9
Harmancık Turkey 39°41N 29°9E 99 B11
Harmånger Sweden 61°55N 17°20E 62 C11
Harnai India 17°48N 73°6E 126 F1
Harnai Pakistan 30°6N 67°56E 124 D2
Harney, L. U.S.A. 28°45N 81°3W 179 G8
Harney Basin U.S.A. 43°0N 119°30W 168 E4
Harney L. U.S.A. 43°14N 119°8W 168 E4
Harney Peak U.S.A. 43°52N 103°32W 172 D2
Härnön Sweden 62°36N 18°0E 62 B12
Härnösand Sweden 62°38N 17°55E 62 B11
Haro Spain 42°35N 2°55W 90 C2
Harold U.S.A. 30°40N 86°53W 179 E3
Haroldswick U.K. 60°48N 0°50W 65 A8
Harp L. Canada 55°5N 61°50W 165 A7
Harpanahalli India 14°47N 76°2E 127 G3
Harper Liberia 4°25N 7°43W 138 E3
Harper, Mt. U.S.A. 64°14N 143°51W 166 C11
Harplinge Sweden 56°45N 12°45E 63 H6
Harrai India 22°37N 79°13E 125 H8
Harrand Pakistan 29°28N 70°3E 124 E4
Harricana → Canada 50°56N 79°32W 164 B4
Harriman U.S.A. 35°56N 84°33W 177 D12
Harrington Australia 31°52S 152°42E 153 A10
Harrington Harbour Canada 50°31N 59°30W 165 B8
Harris U.K. 57°50N 6°55W 65 D2
Harris, L. Australia 31°10S 135°10E 151 E2
Harris, L. U.S.A. 28°47N 81°49W 179 G8
Harris, Sd. of U.K. 57°44N 7°6W 65 D1
Harris Mts. N.Z. 44°49S 168°49E 155 E3
Harris Pt. Canada 43°6N 82°9W 174 C2
Harrisburg Ill., U.S.A. 37°44N 88°32W 172 G9
Harrisburg Nebr., U.S.A. 41°33N 103°44W 172 E2
Harrisburg Pa., U.S.A. 40°16N 76°53W 174 F8
Harrismith S. Africa 28°15S 29°8E 145 C4
Harrison Ark., U.S.A. 36°14N 93°7W 176 C8
Harrison Maine, U.S.A. 44°7N 70°39W 175 B14
Harrison Nebr., U.S.A. 42°41N 103°53W 172 D2
Harrison, C. Canada 54°55N 57°55W 165 B8
Harrison Bay U.S.A. 70°40N 151°0W 166 A9
Harrison L. Canada 49°33N 121°50W 162 D4
Harrisonburg U.S.A. 38°27N 78°52W 173 F14
Harrisonville U.S.A. 38°39N 94°21W 172 F6
Harriston Canada 43°57N 80°53W 174 C4

Harrisville Mich., U.S.A. 44°39N 83°17W 174 B1
Harrisville N.Y., U.S.A. 44°9N 75°19W 175 B9
Harrisville Pa., U.S.A. 41°8N 80°0W 174 E5
Harrodsburg U.S.A. 37°46N 84°51W 173 G11
Harrogate U.K. 54°0N 1°33W 66 C6
Harrow Australia 37°9S 141°35E 152 D4
Harrow Canada 42°2N 82°55W 174 D2
Harrow □ U.K. 51°35N 0°21W 67 F7
Harrowsmith Canada 44°24N 76°40W 175 B8
Harry S. Truman Res. U.S.A. 38°16N 93°24W 172 F7
Harsefeld Germany 53°27N 9°30E 76 B5
Harsewinkel Germany 51°56N 8°14E 76 D4
Harsīn Iran 34°18N 47°33E 105 E12
Hârşova Romania 44°40N 27°59E 81 F12
Harstad Norway 68°48N 16°30E 60 B17
Harsud India 22°6N 76°44E 124 H7
Hart U.S.A. 43°42N 86°22W 172 D10
Hart, L. Australia 31°10S 136°25E 152 A2
Hartbees → S. Africa 28°45S 20°32E 144 C3
Hartberg Austria 47°17N 15°58E 78 D8
Hartford Ala., U.S.A. 31°6N 85°42W 178 D4
Hartford Conn., U.S.A. 41°46N 72°41W 175 E12
Hartford Ky., U.S.A. 37°27N 86°55W 172 G10
Hartford S. Dak., U.S.A. 43°38N 96°57W 172 D5
Hartford Vt., U.S.A. 43°40N 72°20W 175 C12
Hartford Wis., U.S.A. 43°19N 88°22W 172 D9
Hartford City U.S.A. 40°27N 85°22W 173 E11
Hartland Canada 46°20N 67°32W 165 C6
Hartland Pt. U.K. 51°1N 4°32W 67 F3
Hartlepool U.K. 54°42N 1°13W 66 C6
Hartlepool □ U.K. 54°42N 1°17W 66 C6
Hartley Bay Canada 53°25N 129°15W 162 C3
Hartmannberge Namibia 17°0S 13°0E 144 A1
Hartney Canada 49°30N 100°35W 163 D8
Hârtop Moldova 46°39N 28°40E 81 D13
Harts → S. Africa 28°24S 24°17E 144 C3
Harts Range Australia 23°6S 134°55E 150 C1
Hartselle U.S.A. 34°27N 86°56W 177 D11
Hartsfield-Jackson Atlanta Int. ✕ (ATL) U.S.A. 33°38N 84°26W 178 B5
Hartshorne U.S.A. 34°51N 95°34W 176 D7
Hartstown U.S.A. 41°33N 80°23W 174 E4
Hartsville U.S.A. 34°23N 80°4W 177 D14
Hartswater S. Africa 27°34S 24°43E 144 C3
Hartwell U.S.A. 34°21N 82°56W 177 D13
Harunabad Pakistan 29°35N 73°8E 124 E5
Harur India 12°3N 78°29E 127 H4
Harvand Iran 28°25N 55°43E 129 D7
Harvey Australia 33°5S 115°54E 149 F2
Harvey Ill., U.S.A. 41°36N 87°50W 172 E10
Harvey N. Dak., U.S.A. 47°47N 99°56W 172 B4
Harwich U.K. 51°56N 1°17E 67 F9
Haryana □ India 29°0N 76°10E 124 E7
Haryn → Belarus 52°7N 27°17E 75 B14
Harz Germany 51°38N 10°44E 76 D6
Harz △ Germany 51°40N 10°18E 76 D6
Harzgerode Germany 51°38N 11°8E 76 D7
Hasa Si. Arabia 25°50N 49°0E 129 E6
Ḥasā, W. al → Jordan 31°4N 35°29E 130 D4
Ḥasanābād Iran 32°8N 52°44E 129 C7
Hasankeyf Turkey 37°42N 41°24E 105 D9
Hasanparti India 18°4N 79°32E 126 E4
Ḥasb, W. → Iraq 31°45N 44°17E 128 D5
Hasdo → India 21°44N 82°44E 125 J10
Haselünne Germany 52°40N 7°29E 76 C3
Hashimoto Japan 34°19N 135°37E 113 G7
Hashtjerd Iran 35°52N 50°40E 129 C6
Hashtpur = Tālesh Iran 37°58N 48°58E 105 D13
Hashtrud Iran 37°28N 47°4E 105 D12
Haskell U.S.A. 33°10N 99°44W 176 E5
Haskovo = Khaskovo Bulgaria 41°56N 25°30E 97 E9
Hasköy Turkey 41°38N 26°52E 97 E10
Haslach Germany 48°16N 8°5E 77 G4
Hasle Denmark 55°11N 14°44E 63 J8
Haslemere U.K. 51°5N 0°43W 67 F7
Haslev Denmark 55°18N 11°57E 63 J5
Hasparren France 43°24N 1°18W 72 E2
Hassa Turkey 36°48N 36°29E 104 D7
Hassan India 13°0N 76°5E 127 H3
Hassberge ⌓ Germany 50°8N 10°45E 77 E6
Hassela Sweden 62°7N 16°42E 62 B10
Hasselt Belgium 50°56N 5°21E 69 D5
Hassfurt Germany 50°2N 10°30E 77 E6
Hassi bel Guebbour Algeria 28°30N 6°41E 136 C5
Hassi bou Khelala Algeria 30°17N 0°18W 136 B3
Hassi Bourarchet Algeria 27°26N 9°19E 136 C5
Hassi Djafou Algeria 30°55N 3°35E 136 B4
Hassi el Hadjar Algeria 31°28N 4°45E 136 B4
Hassi Imoulaye Algeria 29°54N 9°10E 136 C5
Hassi Inifeg Algeria 28°15N 1°30W 136 C3
Hassi Inifel Algeria 29°50N 3°41E 136 C4
Hassi Mana Algeria 28°48N 2°37W 136 C3
Hassi Marroket Algeria 30°10N 3°0E 136 B4
Hassi Mengoub Algeria 29°49N 5°26W 136 C2
Hassi Messaoud Algeria 31°51N 6°1E 136 B5
Hassi Sougoued Algeria 26°50N 9°28E 136 C5
Hassi Tartrat Algeria 30°5N 6°28E 136 B5
Hassi Zerzour Morocco 30°51N 3°56W 136 B3
Hassi Zguilma Morocco 30°19N 6°10W 136 B2
Hässleholm Sweden 56°10N 13°46E 63 H7
Hasslö Sweden 56°7N 15°28E 63 H9
Hassloch Germany 49°22N 8°16E 77 F4
Hästholmen Sweden 58°17N 14°38E 63 F8
Hastings Australia 38°18S 145°12E 153 E6
Hastings N.Z. 39°39S 176°52E 154 F5
Hastings U.K. 50°51N 0°35E 67 G8
Hastings Fla., U.S.A. 29°43N 81°31W 178 F8
Hastings Mich., U.S.A. 42°39N 85°17W 173 D11
Hastings Minn., U.S.A. 44°44N 92°51W 172 C7
Hastings Nebr., U.S.A. 40°35N 98°23W 172 E4
Hastings Ra. Australia 31°15S 152°14E 153 A10
Hästveda Sweden 56°17N 13°55E 63 H7
Hat Ukraine 48°19N 22°38E 80 B7
Hat Head △ Australia 31°3S 153°1E 153 A10
Hat Lot Vietnam 21°15N 104°7E 120 B5
Hat Yai Thailand 7°1N 100°27E 121 J3
Hatanbulag = Ergel Mongolia 43°8N 109°5E 114 C5
Hatay Turkey 36°14N 36°10E 104 D7
Hatay □ Turkey 36°25N 36°15E 104 D7
Hatch U.S.A. 32°40N 107°9W 169 K10
Hatchet L. Canada 58°36N 103°40W 163 B8
Haţeg Romania 45°36N 22°55E 80 E7
Hateruma-Shima Japan 24°3N 123°47E 113 M1
Hatfield Australia 33°54S 143°49E 152 B5
Hatgal Mongolia 50°26N 100°9E 110 A9
Hathras India 27°36N 78°6E 124 F8
Hatia Bangla. 22°30N 91°5E 123 H17
Hatia Nepal 27°43N 87°21E 125 F12
Ḩāţibah, Ra's Si. Arabia 21°55N 38°57E 137 C4
Hatid India 17°17N 75°3E 126 F2
Hato Mayor Dom. Rep. 18°46N 69°15W 183 C6
Hatra = Al Ḥaḍr Iraq 35°35N 42°44E 105 E10
Hatta India 24°7N 79°36E 125 G8
Hatta U.A.E. 24°45N 56°4E 129 E8
Hattah Australia 34°48S 142°17E 152 C5
Hattah Kulkyne △ Australia 34°16S 142°33E 152 C5
Hatteras, C. U.S.A. 35°14N 75°32W 177 D17
Hatteras Abyssal Plain Atl. Oc. 28°0N 72°0W 56 D4
Hattiesburg U.S.A. 31°20N 89°17W 177 F10
Hattusa Turkey 40°0N 34°37E 104 B6
Hatvan Hungary 47°40N 19°45E 80 C4
Hau → Vietnam 9°30N 106°13E 121 H6
Haugesund Norway 59°23N 5°13E 61 G11
Hauhungaroa Ra. N.Z. 38°42S 175°40E 154 E4
Haukipudas Finland 65°12N 25°20E 60 D21
Haultain → Canada 55°51N 106°46W 163 B7
Hauraki G. N.Z. 36°35S 175°5E 154 C4
Hauroko L. N.Z. 45°59S 167°21E 155 F2
Hausruck Austria 48°6N 13°30E 78 C6
Haut Atlas Morocco 32°30N 5°0W 136 B3
Haut-Jura ⌓ France 46°23N 2°23E 71 F9
Haut-Languedoc ⌓ France 43°30N 2°43E 72 E6
Haut-Niger △ Guinea 10°20N 10°20W 138 C2
Haut-Rhin □ France 48°0N 7°15E 71 E14
Haute-Corse □ France 42°30N 9°30E 73 F13
Haute-Garonne □ France 43°30N 1°30E 72 E5
Haute-Loire □ France 45°5N 3°50E 72 C7
Haute-Marne □ France 48°10N 5°20E 71 D12
Haute-Normandie □ France 49°20N 1°0E 70 C7
Haute-Saône □ France 47°45N 6°10E 71 E13
Haute-Savoie □ France 46°0N 6°20E 73 C10
Haute-Vienne □ France 45°50N 1°10E 72 C5
Hautes-Alpes □ France 44°42N 6°20E 73 D10
Hautes-Fagnes = Hohes Venn Belgium 50°30N 6°5E 69 D6
Hautes-Pyrénées □ France 43°0N 0°10E 72 F4
Hauteville-Lompnès France 45°58N 5°36E 73 C9
Hautmont France 50°15N 3°55E 71 B10
Hauts-de-Seine □ France 48°52N 2°15E 71 D9
Hauts Plateaux Algeria 35°0N 1°0E 136 B4
Hauzenberg Germany 48°40N 13°37E 77 G9
Havana = La Habana Cuba 23°8N 82°22W 182 B3
Havana Fla., U.S.A. 30°37N 84°25W 178 E5
Havana Ill., U.S.A. 40°18N 90°4W 172 E8
Havant U.K. 50°51N 0°58W 67 G7
Havârna Romania 48°4N 26°43E 81 B11
Havasor = Kığzı Turkey 38°18N 43°25E 128 B4
Havasu, L. U.S.A. 34°18N 114°28W 171 L12
Havdhem Sweden 57°10N 18°20E 63 G12
Havel → Germany 52°50N 12°3E 76 C8
Havelian Pakistan 34°2N 73°10E 124 B5
Havelock Canada 44°26N 77°53W 174 B7
Havelock N.Z. 41°17S 173°48E 155 B8
Havelock U.S.A. 34°53N 76°54W 177 D16
Havelock I. India 11°58N 93°0E 127 J11
Havelock North N.Z. 39°40S 176°53E 154 F5
Haverfordwest U.K. 51°48N 4°58W 67 F3
Haverhill U.K. 52°5N 0°28E 67 E8
Haverhill Fla., U.S.A. 26°42N 80°7W 179 J9
Haverhill Mass., U.S.A. 42°47N 71°5W 175 D13
Haveri India 14°53N 75°24E 127 G2
Havern Sweden 62°18N 15°7E 62 B9
Haverstraw U.S.A. 41°12N 73°58W 175 E11
Håverud Sweden 58°50N 12°28E 63 F6
Havirga Mongolia 45°41N 113°5E 114 B7
Havířov Czech Rep. 49°46N 18°20E 79 B11
Havlíčkův Brod Czech Rep. 49°36N 15°33E 78 B8
Havneby Denmark 55°5N 8°34E 63 J2
Havran Turkey 39°33N 27°6E 99 B9
Havre U.S.A. 48°33N 109°41W 168 B9
Havre-Aubert Canada 47°12N 61°56W 165 C7
Havre-St.-Pierre Canada 50°18N 63°33W 165 B7
Havsa Turkey 41°31N 26°48E 97 E10
Havza Turkey 41°0N 35°35E 104 B6
Haw → U.S.A. 35°36N 79°3W 177 D15
Hawai'i U.S.A. 19°30N 155°30W 167 M8
Hawai'i □ U.S.A. 19°30N 156°30W 167 M8
Hawaiian Is. Pac. Oc. 20°30N 156°0W 157 E12
Hawaiian Ridge Pac. Oc. 24°0N 165°0W 157 E11
Hawarden U.S.A. 43°0N 96°29W 172 D5
Hawea, L. N.Z. 44°28S 169°19E 155 E4
Hawea Flat N.Z. 44°40S 169°19E 155 E4
Hawera N.Z. 39°35S 174°19E 154 F3
Hawi U.S.A. 20°14N 155°50W 167 L8
Hawick U.K. 55°26N 2°47W 65 F6
Hawk Junction Canada 48°5N 84°38W 164 C3
Hawkdun Ra. N.Z. 44°53S 170°5E 155 E5
Hawke B. N.Z. 39°25S 177°20E 154 F6
Hawker Australia 31°59S 138°22E 152 A3
Hawke's Bay Canada 50°36N 57°10W 165 B8
Hawke's Bay □ N.Z. 39°45S 176°35E 154 F5
Hawkesbury Canada 45°37N 74°37W 164 C5
Hawkesbury I. Canada 53°37N 129°3W 162 C3
Hawkesbury Pt. Australia 11°55S 134°5E 150 A1
Hawkinsville U.S.A. 32°17N 83°28W 178 C6
Hawks Nest Australia 32°41S 152°11E 153 B10
Hawley Minn., U.S.A. 46°53N 96°19W 172 B5
Hawley Pa., U.S.A. 41°28N 75°11W 175 E9
Ḩawrān, W. → Iraq 33°58N 42°34E 105 F10
Ḩawsh Mūssá Lebanon 33°45N 35°55E 130 B4
Hawthorne Fla., U.S.A. 29°36N 82°5W 179 F7
Hawthorne Nev., U.S.A. 38°32N 118°38W 168 G4
Hay Australia 34°30S 144°51E 153 C6
Hay → Australia 24°50S 138°0E 150 C2
Hay → Canada 60°50N 116°26W 162 A5
Hay, C. Australia 14°5S 129°29E 148 B4
Hay I. Canada 44°53N 80°58W 174 B4
Hay L. Canada 58°50N 118°50W 162 B5
Hay-on-Wye U.K. 52°5N 3°8W 67 E4
Hay Point Australia 21°18S 149°17E 150 C4
Hay River Canada 60°51N 115°44W 162 A5
Hay Springs U.S.A. 42°41N 102°41W 172 D2
Hayachine-San Japan 39°34N 141°29E 112 E10
Hayange France 49°20N 6°2E 71 C13
Hayastan = Armenia ■ Asia 40°20N 45°0E 87 K7
Haydān, W. al → Jordan 31°29N 35°34E 130 D4
Haydarlı Turkey 38°16N 30°23E 99 C12
Hayden U.S.A. 40°30N 107°16W 168 F10
Hayes U.S.A. 44°23N 101°1W 172 C3
Hayes → Canada 57°3N 92°12W 164 A1
Hayes, Mt. U.S.A. 63°37N 146°43W 166 C10
Hayes Creek Australia 13°43S 131°22E 148 B5
Hayle U.K. 50°11N 5°26W 67 G2
Hayling I. U.K. 50°48N 0°59W 67 G7
Hayman I. Australia 20°4S 148°53E 150 b
Haymana Turkey 39°26N 32°31E 104 C5
Hayneville U.S.A. 32°23N 83°37W 178 C6
Hayrabolu Turkey 41°12N 27°5E 97 E11
Hays Canada 50°6N 111°48W 162 C6
Hays U.S.A. 38°53N 99°20W 172 F4
Haysyn Ukraine 48°57N 29°25E 81 B14
Hayvoron Ukraine 48°22N 29°52E 81 B14
Hayward Calif., U.S.A. 37°40N 122°4W 170 H4
Hayward Wis., U.S.A. 46°1N 91°29W 172 B8
Haywards Heath U.K. 51°0N 0°5W 67 G7
Hazafon □ Israel 32°40N 35°20E 130 C4
Hazar Turkmenistan 39°34N 53°16E 108 E4
Hazārān, Kūh-e Iran 29°35N 57°20E 129 D8
Hazard U.S.A. 37°15N 83°12W 173 G12
Hazaribag India 23°58N 85°26E 125 H11
Hazaribag Road India 24°12N 85°57E 125 G11
Hazebrouck France 50°42N 2°31E 71 B9
Hazelton Canada 55°20N 127°42W 162 B3
Hazelton U.S.A. 46°29N 100°17W 172 B3
Hazen U.S.A. 47°18N 101°38W 172 B3
Hazen, L. Canada 81°47N 71°1W 57 A3
Hazlehurst Ga., U.S.A. 31°52N 82°36W 178 D7
Hazlehurst Miss., U.S.A. 31°52N 90°24W 177 F9
Hazlet U.S.A. 40°25N 74°12W 175 F10
Hazleton U.S.A. 40°57N 75°59W 175 F9
Hazlett, L. Australia 21°30S 128°48E 148 D4
Hazro Turkey 38°15N 40°47E 128 B4
He Xian = Hezhou China 24°27N 111°30E 117 E8
He Xian China 31°45N 118°20E 117 B12
Head of Bight Australia 31°30S 131°25E 149 F5
Head-Smashed-In Buffalo Jump Canada 49°44N 113°37W 162 D6
Headland U.S.A. 31°21N 85°21W 178 D4
Headlands Zimbabwe 18°15S 32°2E 143 F3
Healdsburg U.S.A. 38°37N 122°52W 170 G4
Healdton U.S.A. 34°14N 97°29W 176 D6
Healesville Australia 37°35S 145°30E 153 D6
Healy U.S.A. 63°52N 148°58W 166 C10
Heany Junction Zimbabwe 20°6S 28°54E 145 B4
Heard I. Ind. Oc. 53°6S 72°36E 146 K6
Hearne U.S.A. 30°53N 96°36W 176 F6
Hearst Canada 49°40N 83°41W 164 C3
Heart → U.S.A. 46°46N 100°50W 172 B3
Heart's Content Canada 47°54N 53°27W 165 C9
Heath → Bolivia 12°31S 68°38W 188 C4
Heath, Pte. Canada 49°8N 61°40W 165 C7
Heath Mts. N.Z. 45°39S 167°9E 155 F2
Heathcote Australia 36°56S 144°45E 153 D6
Heathrow, London ✕ (LHR) U.K. 51°28N 0°27W 67 F7
Heavener U.S.A. 34°53N 94°36W 176 D7
Hebbronville U.S.A. 27°18N 98°41W 176 H5
Hebei □ China 39°0N 116°0E 114 E9
Hebel Australia 28°58S 147°47E 151 D4
Heber U.S.A. 32°44N 115°32W 171 N11
Heber Springs U.S.A. 35°30N 92°2W 176 D8
Hebgen L. U.S.A. 44°52N 111°20W 168 D8
Hebi China 35°57N 114°7E 114 G8
Hebrides U.K. 57°30N 7°0W 58 D4
Hebrides, Sea of the U.K. 57°5N 7°0W 65 D2
Hebron = Al Khalīl West Bank 31°32N 35°6E 130 D4
Hebron Canada 58°5N 62°30W 161 F19
Hebron N. Dak., U.S.A. 46°54N 102°3W 172 B2
Hebron Nebr., U.S.A. 40°10N 97°35W 172 E5
Heby Sweden 59°56N 16°53E 62 E10
Hecate Str. Canada 53°10N 130°30W 162 C2
Heceta I. U.S.A. 55°46N 133°40W 162 B2
Hechi China 24°40N 108°2E 116 E7
Hechingen Germany 48°21N 8°57E 77 G4
Hechuan China 30°2N 106°12E 116 B6
Hecla U.S.A. 45°53N 98°9W 172 C4
Hecla I. Canada 51°10N 96°43W 163 C9
Hedal Norway 60°37N 9°41E 62 D3
Hédé France 48°18N 1°49W 70 D5
Hede Sweden 62°23N 13°30E 62 B7
Hedemora Sweden 60°18N 15°58E 62 D9
Hedensted Denmark 55°46N 9°42E 63 J3
Hedesunda Sweden 60°24N 17°0E 62 D10
Hedgehope N.Z. 46°12S 168°34E 155 G3
Heerde Neths. 52°24N 6°2E 69 B6
Heerenveen Neths. 52°57N 5°55E 69 B5
Heerhugowaard Neths. 52°40N 4°51E 69 B4
Heerlen Neths. 50°55N 5°58E 69 D5
Ḩefa Israel 32°46N 35°0E 130 C4
Ḩefa □ Israel 32°40N 35°0E 130 C4
Hefei China 31°52N 117°18E 117 B11
Hefeng China 29°55N 109°52E 116 C7
Heflin U.S.A. 33°39N 85°35W 178 B4
Hegang China 47°20N 130°19E 111 B15
Heglig Sudan 10°0N 29°24E 135 G11
Hei Ling Chau China 22°15N 114°2E 111 a
Heichengzhen China 36°24N 106°3E 114 F4
Heide Germany 54°11N 9°6E 76 A5
Heidelberg Germany 49°24N 8°42E 77 F4
Heidelberg S. Africa 34°6S 20°59E 144 D3
Heidelburg S. Africa 26°30S 28°21E 145 C4
Heidenau Germany 50°57N 13°52E 76 E9
Heidenheim Germany 48°41N 10°9E 77 G6
Heihe China 50°10N 127°30E 111 A14
Heijing China 25°22N 101°44E 116 E3
Heilbad Heiligenstadt Germany 51°22N 10°8E 76 D6
Heilbron S. Africa 27°16S 27°59E 145 C4
Heilbronn Germany 49°9N 9°13E 77 F5
Heiligenblut Austria 47°2N 12°51E 78 D5
Heiligenhafen Germany 54°22N 10°59E 76 A6
Heilongjiang □ China 48°0N 126°0E 111 B14
Heiloo Neths. 52°36N 4°42E 69 B4
Heilprin Land Greenland 82°5N 33°0W 57 A7
Heilunkiang = Heilongjiang □ China 48°0N 126°0E 111 B14
Heimaey Iceland 63°26N 20°17W 60 E3
Heinola Finland 61°13N 26°2E 84 B4
Heinsberg Germany 51°3N 6°5E 76 D2
Heinze Chaung Burma 14°42N 97°52E 120 E1
Heinze Kyun Burma 14°25N 97°45E 120 E1
Heishan China 41°40N 122°5E 115 D12
Heishui Liaoning, China 42°8N 119°30E 115 C10
Heishui Sichuan, China 32°4N 103°2E 116 A4
Hejaz = Ḩijāz Si. Arabia 24°0N 40°0E 128 E3
Hejian China 38°25N 116°5E 114 E9
Hejiang China 28°43N 105°46E 116 C5
Hejin China 35°35N 110°42E 114 G6
Hejing China 42°18N 86°22E 109 D11
Hekimhan Turkey 38°50N 37°55E 104 C7
Hekla Iceland 63°56N 19°35W 60 E4
Hekou Gansu, China 36°10N 103°26E 114 F2
Hekou Guangdong, China 23°13N 112°45E 117 F9
Hekou Yunnan, China 22°30N 103°59E 116 F4
Hel Poland 54°37N 18°47E 82 D5
Helagsfjället Sweden 62°54N 12°25E 62 B6
Helan Shan China 38°30N 105°55E 114 E3
Helechosa de los Montes Spain 39°22N 4°53W 89 F6
Helen Atoll Palau 2°40N 132°0E 119 D8
Helena Ga., U.S.A. 32°5N 82°55W 178 C7
Helena Mont., U.S.A. 46°36N 112°2W 168 C7
Helena -West Helena U.S.A. 34°32N 90°36W 177 D9
Helendale U.S.A. 34°44N 117°19W 171 L9
Helensburgh Australia 34°11S 151°1E 153 C9
Helensburgh U.K. 56°1N 4°43W 65 E4
Helensville N.Z. 36°41S 174°29E 154 C3
Helenvale Australia 15°43S 145°14E 150 B4
Helgasjön Sweden 56°55N 14°50E 63 H8
Helgeland Norway 66°7N 13°29E 60 C15
Helgoland Germany 54°10N 7°53E 76 A3
Helheim Gletscher Greenland 66°24N 38°12W 57 D7
Heligoland = Helgoland Germany 54°10N 7°53E 76 A3
Heligoland B. = Deutsche Bucht Germany 54°15N 8°0E 76 A4
Heliopolis = Masr el Gedida Egypt 30°5N 31°21E 137 E7
Hell Hole Gorge △ Australia 25°31S 144°12E 150 D3
Hella Iceland 63°50N 20°24W 60 E3
Hellas = Greece ■ Europe 40°0N 23°0E 98 B3
Hellertown U.S.A. 40°35N 75°21W 175 F9
Hellespont = Çanakkale Boğazı Turkey 40°17N 26°32E 97 F10
Hellevoetsluis Neths. 51°50N 4°8E 69 C4
Hellin Spain 38°31N 1°40W 91 G3
Hells Canyon ⌓ U.S.A. 45°30N 117°45W 168 D5
Hell's Gate △ Kenya 0°54S 36°19E 142 C4
Helmand □ Afghan. 31°20N 64°0E 122 D4
Helmand → Afghan. 31°12N 61°34E 122 D2
Helme → Germany 51°20N 11°21E 76 D7
Helmeringhausen Namibia 25°54S 16°57E 144 C2
Helmond Neths. 51°29N 5°41E 69 C5
Helmsdale U.K. 58°7N 3°39W 65 C5
Helmsdale → U.K. 58°8N 3°43W 65 C5
Helmstedt Germany 52°12N 11°0E 76 C7
Helong China 42°40N 129°0E 115 C15
Helper U.S.A. 39°41N 110°51W 168 G8
Helsingborg Sweden 56°3N 12°42E 63 H6
Helsinge Denmark 56°2N 12°12E 63 H6
Helsingfors = Helsinki Finland 60°10N 24°55E 84 B3
Helsingør Denmark 56°2N 12°35E 63 H6
Helsinki Finland 60°10N 24°55E 84 B3
Helska, Mierzeja Poland 54°45N 18°40E 82 D5
Helston U.K. 50°6N 5°17W 67 G2
Helvellyn U.K. 54°32N 3°1W 66 C4
Helvetinjärvi △ Finland 62°5N 23°47E 60 E20
Helwân Egypt 29°50N 31°20E 137 F7
Hemavati → India 12°30N 76°20E 127 H3
Hemel Hempstead U.K. 51°44N 0°28W 67 F7
Hemet U.S.A. 33°45N 116°58W 171 M10
Hemingford U.S.A. 42°19N 103°4W 172 D2
Hemis △ India 34°10N 77°15E 124 B7
Hemmingford Canada 45°3N 73°35W 175 A11
Hempstead N.Y., U.S.A. 40°42N 73°37W 175 F11
Hempstead Tex., U.S.A. 30°6N 96°5W 176 F6
Hemse Sweden 57°15N 18°22E 63 G12
Hemsön Sweden 62°42N 18°5E 62 B12
Hen and Chickens Is. N.Z. 35°58S 174°45E 154 B3
Henån Sweden 58°14N 11°40E 63 F5
Henan □ China 34°0N 114°0E 114 H8
Henares → Spain 40°24N 3°30W 88 E7
Henashi-Misaki Japan 40°37N 139°51E 112 D9
Hendaye France 43°23N 1°47W 72 E2
Hendek Turkey 40°48N 30°44E 104 B4
Henderson Argentina 36°18S 61°43W 190 D3
Henderson Ga., U.S.A. 32°21N 83°47W 178 C6
Henderson Ky., U.S.A. 37°50N 87°35W 172 G10
Henderson N.C., U.S.A. 36°20N 78°25W 177 C15
Henderson N.Y., U.S.A. 43°50N 76°10W 175 C8
Henderson Nev., U.S.A. 36°2N 114°58W 171 J12
Henderson Tenn., U.S.A. 35°26N 88°38W 177 D10
Henderson Tex., U.S.A. 32°9N 94°48W 176 E7
Henderson I. Pac. Oc. 24°22S 128°19W 157 K15
Hendersonville N.C., U.S.A. 35°19N 82°28W 177 D13
Hendersonville Tenn., U.S.A. 36°18N 86°37W 177 C11
Hendījān Iran 30°14N 49°43E 129 D6
Hendorābī Iran 26°40N 53°37E 129 E7
Heng Jiang → China 28°40N 104°25E 116 C5
Heng Xian China 22°40N 109°17E 116 F7
Hengām Iran 26°38N 55°53E 129 E7
Hengcheng China 38°18N 106°28E 114 E4
Hengch'un Taiwan 22°0N 120°44E 117 F13
Hengdaohezi China 44°52N 129°0E 115 B15
Hengduan Shan China 28°30N 98°50E 116 C2
Hengelo Neths. 52°16N 6°48E 69 B6
Henggang China 22°39N 114°12E 111 a
Hengmen China 22°33N 113°35E 111 a
Hengshan Hunan, China 27°16N 112°45E 117 D9
Hengshan Shaanxi, China 37°58N 109°5E 114 F5
Hengshui China 37°41N 115°40E 114 F8
Hengyang China 26°59N 112°22E 117 D9
Henichesk Ukraine 46°12N 34°50E 85 J8
Hénin-Beaumont France 50°25N 2°58E 71 B9
Henley-on-Thames U.K. 51°32N 0°54W 67 F7
Henlopen, C. U.S.A. 38°48N 75°6W 173 F16
Hennan Sweden 62°2N 15°54E 62 B9
Hennebont France 47°49N 3°19W 70 E3
Hennenman S. Africa 27°59S 27°1E 144 C4
Hennessey U.S.A. 36°6N 97°54W 176 C6
Hennigsdorf Germany 52°38N 13°12E 76 C9
Henri Pittier △ Venezuela 10°26N 67°37W 183 D6
Henrietta N.Y., U.S.A. 43°4N 77°37W 174 C7
Henrietta Tex., U.S.A. 33°49N 98°12W 176 E5
Henrietta, Ostrov = Genriyetty, Ostrov Russia 77°6N 156°30E 107 B16
Henrietta Maria, C. Canada 55°9N 82°20W 164 A3
Henry U.S.A. 41°7N 89°22W 172 E9
Henry Ice Rise Antarctica 80°35S 62°0W 55 E17
Henry Lawrence I. India 12°9N 93°5E 127 H11
Henryetta U.S.A. 35°27N 95°59W 176 D7
Henryville Canada 45°8N 73°11W 175 A11
Hensall Canada 43°26N 81°30W 174 C3
Henstedt-Ulzburg Germany 53°47N 10°0E 76 B6
Hentiesbaai Namibia 22°8S 14°18E 144 B1
Hentiyn Nuruu Mongolia 48°30N 108°30E 111 B10
Henty Australia 35°30S 147°3E 153 C7
Henzada = Hinthada Burma 17°38N 95°26E 123 L19
Hephaestia Greece 39°55N 25°14E 99 B7
Hephzibah U.S.A. 33°19N 82°6W 178 B7
Heping China 24°29N 115°0E 117 E10
Heppner U.S.A. 45°21N 119°33W 168 D4
Hepu China 21°40N 109°12E 116 G7
Hepworth Canada 44°37N 81°9W 174 B3
Heqing China 26°37N 100°11E 116 D3
Hequ China 39°20N 111°15E 114 E6
Héraðsflói Iceland 65°42N 14°12W 60 D6
Héraðsvötn → Iceland 65°45N 19°25W 60 D4
Heraklion = Iraklio Greece 35°20N 25°12E 101 D7
Herald Cays Australia 16°58S 149°9E 150 B4
Herangi Ra. N.Z. 38°33S 174°48E 154 E3
Herat Afghan. 34°20N 62°7E 108 F6
Herāt □ Afghan. 35°0N 62°0E 122 B3
Hérault □ France 43°34N 3°15E 72 E7
Hérault → France 43°17N 3°26E 72 E7
Herbault France 47°36N 1°8E 70 E8
Herbert Canada 50°30N 107°10W 163 C7
Herbert → Australia 18°31S 146°17E 150 B4
Herbertabad India 11°43N 92°37E 127 J11
Herberton Australia 17°20S 145°25E 150 B4
Herbertsdale S. Africa 34°1S 21°46E 144 D3
Herbertville N.Z. 40°30S 176°33E 154 G5
Herbignac France 47°27N 2°18W 70 E4
Herborn Germany 50°40N 8°18E 76 E4
Herby Poland 50°45N 18°50E 83 H5
Herceg-Novi Montenegro 42°30N 18°33E 96 D2
Herchmer Canada 57°22N 94°10W 163 B10
Herðubreið Iceland 65°11N 16°21W 60 D5
Hereford U.K. 52°4N 2°43W 67 E5
Hereford U.S.A. 34°49N 102°24W 176 D3
Herefordshire □ U.K. 52°8N 2°40W 67 E5
Herekino N.Z. 35°18S 173°11E 154 B2
Herencia Spain 39°21N 3°22W 89 F7
Herentals Belgium 51°12N 4°51E 69 C4
Herford Germany 52°7N 8°39E 76 C4
Héricourt France 47°32N 6°45E 71 E13
Herington U.S.A. 38°40N 96°57W 172 F5
Herīs Iran 38°14N 47°6E 105 C12
Herisau Switz. 47°22N 9°17E 77 H5
Hérisson France 46°32N 2°42E 71 F9
Herkimer U.S.A. 43°2N 74°59W 175 D10
Herlen → Asia 48°48N 117°0E 111 B12
Herlong U.S.A. 40°8N 120°8W 170 E6
Herm U.K. 49°30N 2°28W 67 H5
Hermakivka Ukraine 48°42N 26°11E 81 B11
Herman U.S.A. 45°49N 96°9W 172 C5
Hermann U.S.A. 38°42N 91°27W 172 F8
Hermannsburg Australia 23°57S 132°45E 148 D5
Hermannsburg Germany 52°50N 10°5E 76 C6
Hermanus S. Africa 34°27S 19°12E 144 D2
Herment France 45°45N 2°24E 72 C6
Hermidale Australia 31°30S 146°42E 153 A7
Hermiston U.S.A. 45°51N 119°17W 168 D4
Hermon Canada 45°6N 77°37W 174 A7
Hermon U.S.A. 44°28N 75°14W 175 B9
Hermon, Mt. = Shaykh, J. ash Lebanon 33°25N 35°50E 130 B4
Hermosillo Mexico 29°10N 111°0W 180 B2
Hernád → Hungary 47°56N 21°8E 80 C6
Hernandarias Paraguay 25°20S 54°40W 191 B5
Hernandez U.S.A. 36°24N 120°46W 170 J6
Hernando Argentina 32°28S 63°40W 190 C3
Hernando Fla., U.S.A. 28°54N 82°23W 179 G7
Hernando Miss., U.S.A. 34°50N 90°0W 177 D10
Hernando de Magallanes △ Chile 54°0S 72°40W 192 D2
Hernani Spain 43°16N 1°58W 90 B3
Herndon U.S.A. 40°43N 76°51W 174 F8
Herne Germany 51°32N 7°14E 76 D3
Herne Bay U.K. 51°21N 1°8E 67 F9
Herning Denmark 56°8N 8°58E 63 H2
Herod U.S.A. 31°42N 84°26W 178 D5
Heroica Caborca = Caborca Mexico 30°37N 112°6W 180 A2
Heroica Nogales = Nogales Mexico 31°19N 110°56W 180 A2
Heron Bay Canada 48°40N 86°25W 164 C2
Heron I. Australia 23°27S 151°55E 150 C5
Herradura, Pta. de la Canary Is. 28°26N 14°8W 100 F5
Herreid U.S.A. 45°50N 100°4W 172 C3
Herrenberg Germany 48°35N 8°52E 77 G4
Herrera Spain 37°26N 4°55W 89 H6
Herrera de Alcántara Spain 39°39N 7°25W 89 F3
Herrera de Pisuerga Spain 42°35N 4°20W 88 C6
Herrera del Duque Spain 39°10N 5°3W 89 F5
Herrestad Sweden 58°21N 11°50E 63 F5
Herrin U.S.A. 37°48N 89°2W 172 G9
Herriot Canada 56°22N 101°16W 163 B8
Herrljunga Sweden 58°5N 13°1E 63 F7
Hersbruck Germany 49°30N 11°26E 77 F7
Herschel I. Canada 69°35N 139°5W 54 C1
Hershey U.S.A. 40°17N 76°39W 175 F8
Herso = Cherso Greece 41°5N 22°47E 96 E6
Herstal Belgium 50°40N 5°38E 69 D5
Hertford U.K. 51°48N 0°4W 67 F7
Hertfordshire □ U.K. 51°51N 0°5W 67 F7
's-Hertogenbosch Neths. 51°42N 5°17E 69 C5
Hertsa Ukraine 48°9N 26°15E 81 B11
Hertzogville S. Africa 28°9S 25°30E 144 C4
Hervás Spain 40°16N 5°52W 88 E5
Hervey B. Australia 25°0S 152°52E 150 C5
Herzberg Brandenburg, Germany 51°41N 13°14E 76 D9
Herzberg Niedersachsen, Germany 51°38N 10°20E 76 D6
Herzliyya Israel 32°10N 34°50E 130 C3
Herzogenburg Austria 48°17N 15°41E 78 C8
Ḩeşār Fārs, Iran 29°52N 50°16E 129 D6
Ḩeşār Markazī, Iran 35°50N 49°12E 129 C6
Hesdin France 50°21N 2°2E 71 B9
Heshan Guangdong, China 22°34N 113°4E 117 F9
Heshan Guangxi Zhuangzu, China 23°50N 108°53E 116 F7
Heshui China 35°48N 108°0E 114 G5
Heshun China 37°22N 113°32E 114 F7
Hesperia U.S.A. 34°25N 117°18W 171 L9
Hesse = Hessen □ Germany 50°30N 9°0E 76 E4
Hessen □ Germany 50°30N 9°0E 76 E4
Hessenreuther und Manteler Wald ⌓ Germany 49°45N 12°1E 77 F8
Hessle U.K. 53°44N 0°24W 66 D7
Hesso Australia 32°8S 137°58E 152 B2
Hestra Sweden 57°26N 13°35E 63 G7
Hetauda Nepal 27°25N 85°2E 125 F11
Hetch Hetchy Aqueduct U.S.A. 37°29N 122°19W 170 H5
Hetta Enontekiö Finland 68°23N 23°37E 60 B20
Hettinger U.S.A. 46°0N 102°42W 172 B2
Hettstedt Germany 51°39N 11°31E 76 D7
Heuksando S. Korea 34°40N 125°30E 115 G13
Heunghae S. Korea 36°12N 129°21E 115 F15
Heuvelton U.S.A. 44°37N 75°25W 175 B9
Heves Hungary 47°36N 20°17E 80 C5
Heves □ Hungary 47°50N 20°0E 80 C5
Hewitt U.S.A. 31°28N 97°12W 176 F6
Hexham U.K. 54°58N 2°4W 66 C5
Hexi Yunnan, China 24°9N 102°38E 116 E4
Hexi Zhejiang, China 27°58N 119°38E 117 D12
Hexigten Qi China 43°18N 117°30E 115 C9
Ḩeydarābād Iran 30°33N 55°38E 129 D7
Heyfield Australia 37°59S 146°47E 153 D7
Heysham U.K. 54°3N 2°53W 66 C5
Heyuan China 23°39N 114°40E 117 F10
Heywood Australia 38°8S 141°37E 152 E4
Heze China 35°14N 115°20E 114 G8
Hezhang China 27°8N 104°41E 116 D5
Hezhou China 24°27N 111°30E 117 E8
Hi Vista U.S.A. 34°45N 117°46W 171 L9
Hialeah U.S.A. 25°51N 80°16W 179 K9
Hiawatha U.S.A. 39°51N 95°32W 172 F6
Hibbing U.S.A. 47°25N 92°56W 172 B7
Hibernia Reef Australia 12°0S 123°23E 148 B3
Hickman U.S.A. 36°34N 89°11W 172 G9
Hickory U.S.A. 35°44N 81°21W 177 D14
Hicks, Pt. Australia 37°49S 149°17E 153 D8
Hicks Bay N.Z. 37°34S 178°21E 154 D7
Hicks L. Canada 61°25N 100°0W 163 A9
Hicksville U.S.A. 40°46N 73°32W 175 F11
Hicpochee, L. U.S.A. 26°48N 81°9W 179 J8
Hida Romania 47°10N 23°19E 81 C8
Hida-Gawa → Japan 35°26N 137°3E 113 G8
Hida-Sammyaku Japan 36°30N 137°40E 113 F8
Hidaka Japan 42°30N 142°10E 112 C11
Hidaka-Sammyaku Japan 42°35N 142°45E 112 C11
Hidalgo □ Mexico 20°30N 99°0W 181 C5
Hidalgo del Parral Mexico 26°56N 105°40W 180 B3
Hiddensee Germany 54°32N 13°6E 76 A9
Hieflau Austria 47°36N 14°46E 78 D7
Hiendelaencina Spain 41°5N 3°0W 90 D2
Hierapolis-Pamukkale Turkey 37°55N 29°7E 99 D11
Hierro Canary Is. 27°44N 18°0W 100 G1
Higashiajima-San Japan 37°40N 140°10E 112 F10
Higashiōsaka Japan 34°39N 135°37E 113 G7
Higgins U.S.A. 36°7N 100°2W 176 C4
Higgins Corner U.S.A. 39°2N 121°5W 170 F5
High Bridge U.S.A. 40°40N 74°54W 175 F10
High Desert U.S.A. 43°40N 120°20W 168 E3
High Island Res. China 22°22N 114°21E 111 a
High Level Canada 58°31N 117°8W 162 B5
High Point U.S.A. 35°57N 80°0W 177 D15
High Prairie Canada 55°30N 116°30W 162 B5
High River Canada 50°30N 113°50W 162 C6
High Springs U.S.A. 29°50N 82°36W 178 F7
High Tatra = Tatry Slovak Rep. 49°20N 20°0E 79 B13
High Veld Africa 27°0S 27°0E 132 J6
High Wycombe U.K. 51°37N 0°45W 67 F7
Highbank N.Z. 43°37S 171°45E 155 D6
Highland □ U.K. 57°17N 4°21W 65 D4
Highland City U.S.A. 27°58N 81°53W 179 H8
Highland Home U.S.A. 31°57N 86°19W 178 D3
Highland Mills U.S.A. 33°17N 84°17W 178 B5
Highland Park U.S.A. 42°11N 87°48W 172 D10
Highland View U.S.A. 29°50N 85°19W 178 F4
Highmore U.S.A. 44°31N 99°27W 172 C4
Highrock L. Canada 55°45N 100°30W 163 B8
Higüey Dom. Rep. 18°37N 68°42W 183 C6
Hihya Egypt 30°40N 31°36E 137 E7
Hiidenportti △ Finland 63°53N 29°0E 60 E23
Hiiumaa Estonia 58°50N 22°45E 84 C2
Híjar Spain 41°10N 0°27W 90 D4
Ḩijārah, Şaḩrā' al Iraq 30°25N 44°30E 128 D5
Ḩijāz Si. Arabia 24°0N 40°0E 128 E3
Hijo = Tagum Phil. 7°33N 125°53E 119 C7
Hikari Japan 33°58N 131°58E 113 H5
Hikkaduwa Sri Lanka 6°8N 80°6E 127 L5
Hikmak, Ras el Egypt 31°15N 27°51E 137 A2
Hiko U.S.A. 37°32N 115°14W 170 H11
Hikone Japan 35°15N 136°10E 113 G8
Hikurangi Gisborne, N.Z. 37°55S 178°4E 154 D7
Hikurangi Northland, N.Z. 35°36S 174°17E 154 B3
Hiland Park U.S.A. 30°12N 85°33W 178 E4
Hildburghausen Germany 50°25N 10°42E 76 E6
Hildesheim Germany 52°9N 9°56E 76 C5

Hill → Australia 30°23S 115°3E 149 F2
Hill City Idaho, U.S.A. 43°18N 115°3W 168 E6
Hill City Kans., U.S.A. 39°22N 99°51W 172 F4
Hill City Minn., U.S.A. 46°59N 93°36W 172 B7
Hill City S. Dak., U.S.A. 43°56N 103°35W 172 D2
Hill Island L. Canada 60°30N 109°50W 163 A7
Hillaby, Mt. Barbados 13°12N 59°35W 183 g
Hillared Sweden 57°37N 13°10E 63 G7
Hillcrest Barbados 13°13N 59°31W 183 g
Hillegom Neths. 52°18N 4°35E 69 B4
Hillerød Denmark 55°56N 12°19E 63 J6
Hillerstorp Sweden 57°20N 13°52E 63 G7
Hilliard U.S.A. 30°41N 81°55W 178 E8
Hillsboro Ga., U.S.A. 33°11N 83°38W 178 B6
Hillsboro Kans., U.S.A. 38°21N 97°12W 172 F5
Hillsboro N. Dak., U.S.A. 47°26N 97°3W 172 B5
Hillsboro Ohio, U.S.A. 39°12N 83°37W 173 F12
Hillsboro Oreg., U.S.A. 45°31N 122°59W 170 E4
Hillsboro Tex., U.S.A. 32°1N 97°8W 176 E6
Hillsboro Canal U.S.A. 26°30N 80°15W 179 J9
Hillsborough Grenada 12°28N 61°28W 183 D7
Hillsborough U.S.A. 43°7N 71°54W 175 C13
Hillsborough Channel Australia 20°56S 149°15E 150 b
Hillsdale Mich., U.S.A. 41°56N 84°38W 173 E11
Hillsdale N.Y., U.S.A. 42°11N 73°32W 175 D11
Hillsport Canada 49°27N 85°34W 164 C2
Hillston Australia 33°30S 145°31E 153 B6
Hilltonia U.S.A. 32°53N 81°40W 178 C8
Hilo U.S.A. 19°44N 155°5W 167 M8
Hilton U.S.A. 43°17N 77°48W 174 C7
Hilton Head Island U.S.A. 32°13N 80°45W 178 C9
Hilvan Turkey 37°34N 38°58E 105 D8
Hilversum Neths. 52°14N 5°10E 69 B5
Himachal Pradesh □ India 31°30N 77°0E 124 D7
Himalaya Asia 29°0N 84°0E 125 E11
Himalchuli Nepal 28°27N 84°38E 125 E11
Himarë Albania 40°8N 19°43E 96 F3
Himatnagar India 23°37N 72°57E 124 H5
Himeji Japan 34°50N 134°40E 113 G7
Himi Japan 36°50N 136°55E 113 F8
Himmerland Denmark 56°45N 9°30E 63 H3
Ḩimş Syria 34°40N 36°45E 130 A5
Ḩimş □ Syria 34°30N 37°0E 130 A6
Hin Khom, Laem Thailand 9°25N 99°56E 121 b
Hinche Haiti 19°9N 72°1W 183 C5
Hinchinbrook I. Australia 18°20S 146°15E 150 B4
Hinchinbrook Island △ Australia 18°14S 146°6E 150 B4
Hinckley U.K. 52°33N 1°22W 67 E6
Hinckley U.S.A. 46°1N 92°56W 172 B7
Hindaun India 26°44N 77°5E 124 F7
Hindmarsh, L. Australia 36°5S 141°55E 152 D4
Hindol India 20°40N 85°10E 126 D7
Hinds N.Z. 43°59S 171°36E 155 D6
Hindsholm Denmark 55°30N 10°40E 63 J4
Hindu Bagh Pakistan 30°56N 67°50E 124 D2
Hindu Kush Asia 36°0N 71°0E 109 E8
Hindupur India 13°49N 77°32E 127 H3
Hines Creek Canada 56°20N 118°40W 162 B5
Hinesville U.S.A. 31°51N 81°36W 178 D8
Hinganghat India 20°30N 78°52E 126 D4
Hingham U.S.A. 48°33N 110°25W 168 B8
Hingir India 21°57N 83°41E 125 J10
Hingoli India 19°41N 77°15E 126 E3
Hinis Turkey 39°22N 41°43E 105 C9
Hinna = Imi Ethiopia 6°28N 42°10E 131 F3
Hinna Nigeria 10°25N 11°35E 139 C7
Hinnerup Denmark 56°16N 10°4E 63 H4
Hinnøya Norway 68°35N 15°50E 60 B16
Hinojosa del Duque Spain 38°30N 5°9W 89 G5
Hinsdale U.S.A. 42°47N 72°29W 175 D12
Hinterrhein → Switz. 46°40N 9°25E 77 J5
Hinthada Burma 17°38N 95°26E 123 L19
Hinton Canada 53°26N 117°34W 162 C5
Hinton U.S.A. 37°40N 80°54W 173 G13
Hios = Chios Greece 38°27N 26°9E 99 C8
Hirado Japan 33°22N 129°33E 113 H4
Hirakud Dam India 21°32N 83°45E 126 D6
Hiran → India 23°6N 79°21E 125 H8
Hirapur India 24°22N 79°13E 125 G8
Hirara = Miyakojima Japan 24°48N 125°17E 113 M2
Hiratsuka Japan 35°19N 139°21E 113 G9
Hirekerur India 14°28N 75°23E 127 G2
Hirfanlı Barajı Turkey 39°18N 33°31E 104 C5
Hirhafok Algeria 23°49N 5°45E 136 D5
Hiroo Japan 42°17N 143°19E 112 C11
Hirosaki Japan 40°34N 140°28E 112 D10
Hiroshima Japan 34°24N 132°30E 113 G6
Hiroshima □ Japan 34°50N 133°0E 113 G6
Hirson France 49°55N 4°4E 71 C11
Hirtshals Denmark 57°36N 9°57E 63 G3
Hisar India 29°12N 75°45E 124 E6
Hisarcık Turkey 39°15N 29°14E 99 B11
Hisaria Bulgaria 42°30N 24°44E 97 D8
Hisb, Sha'ib = Ḩasb, W. → Iraq 31°45N 44°17E 128 D5
Ḩismá Si. Arabia 28°30N 36°0E 128 D3
Hispaniola W. Indies 19°0N 71°0W 183 C5
Hīt Iraq 33°38N 42°49E 105 F10
Hita Japan 33°20N 130°58E 113 H5
Hitachi Japan 36°36N 140°39E 113 F10
Hitan, W. el Egypt 29°19N 30°10E 137 F7
Hitchin U.K. 51°58N 0°16W 67 F7
Hitiaa Tahiti 17°36S 149°18W 155 b
Hitoyoshi Japan 32°13N 130°45E 113 H5
Hitra Norway 63°30N 8°45E 60 E13
Hitzacker Germany 53°9N 11°2E 76 B7
Hiva Oa French Polynesia 9°45S 139°0W 157 H14
Hixon Canada 53°25N 122°35W 162 C4
Hiyyon, N. → Israel 30°25N 35°10E 130 E4
Hjalmar L. Canada 61°33N 109°25W 163 A7
Hjälmaren Sweden 59°18N 15°40E 62 E9
Hjältevad Sweden 57°38N 15°20E 63 G9
Hjo Sweden 58°22N 14°17E 63 F8
Hjørring Denmark 57°29N 9°59E 63 G3
Hjort Trench S. Ocean 58°0S 157°30E 55 B10
Hjortkvarn Sweden 58°54N 15°26E 63 F9
Hkakabo Razi Burma 28°25N 97°23E 116 C1
Hkamti Burma 26°0N 95°39E 123 G19
Hlinsko Czech Rep. 49°45N 15°54E 78 B8
Hlobane S. Africa 27°42S 31°0E 145 C5
Hlohovec Slovak Rep. 48°26N 17°49E 79 C10
Hlučín Czech Rep. 49°54N 18°11E 79 B11
Hluhluwe S. Africa 28°1S 32°15E 145 C5
Hluhluwe ⌓ S. Africa 22°10S 32°5E 145 B5
Hlukhiv Ukraine 51°40N 33°58E 85 G7
Hlyboka Ukraine 48°5N 25°56E 81 B10
Hlybokaye Belarus 55°10N 27°45E 84 E4
Hnúšťa Slovak Rep. 48°35N 19°58E 79 C12
Ho Ghana 6°37N 0°27E 139 D5
Ho Chi Minh City = Thanh Pho Ho Chi Minh Vietnam 10°58N 106°40E 121 G6
Ho Hoa Binh Vietnam 20°50N 105°0E 116 G5
Ho Thac Ba Vietnam 21°42N 105°1E 120 A5
Ho Thuong Vietnam 19°32N 105°48E 120 C5
Hoa Binh Vietnam 20°50N 105°20E 116 G5
Hoa Hiep Vietnam 11°34N 105°51E 121 G5
Hoai Nhon Vietnam 14°28N 109°1E 120 E7
Hoang Lien △ Vietnam 21°30N 105°32E 120 B5
Hoang Lien Son Vietnam 22°0N 104°0E 116 F4
Hoang Sa, Dao = Paracel Is. S. China Sea 15°50N 112°0E 118 A4
Hoanib → Namibia 19°27S 12°46E 144 A2
Hoare B. Canada 65°17N 62°30W 161 D19
Hoarusib → Namibia 19°3S 12°36E 144 A2
Hobart Australia 42°50S 147°21E 151 G4
Hobart U.S.A. 35°1N 99°6W 176 D5
Hobbs U.S.A. 32°42N 103°8W 169 K12
Hobbs Coast Antarctica 74°50S 131°0W 55 D14
Hobe Sound U.S.A. 27°4N 80°8W 179 H9
Hoboken Ga., U.S.A. 31°11N 82°8W 178 D7
Hoboken N.J., U.S.A. 40°44N 74°3W 175 F10
Hobro Denmark 56°39N 9°46E 63 H3
Hoburgen Sweden 56°55N 18°7E 63 H12
Hobyo Somalia 5°25N 48°30E 131 F4
Hocalar Turkey 38°36N 30°0E 99 C11
Hochfeld Namibia 21°28S 17°58E 144 B2
Hochharz △ Germany 51°48N 10°38E 76 D6
Hochschwab Austria 47°35N 15°0E 78 D8
Höchstadt Germany 49°42N 10°47E 77 F6
Hochtaunus ⌓ Germany 50°20N 8°30E 77 E4
Hockenheim Germany 49°19N 8°32E 77 F4
Hodaka-Dake Japan 36°17N 137°39E 113 F8
Hodeida = Al Ḩudaydah Yemen 14°50N 43°0E 131 E3
Hodgeville Canada 50°7N 106°58W 163 C7
Hodgson Canada 51°13N 97°36W 163 C9
Hodh El Gharbi □ Mauritania 16°30N 10°0W 138 B3
Hódmezővásárhely Hungary 46°28N 20°22E 80 D5
Hodna, Chott el Algeria 35°26N 4°43E 136 A4
Hodonín Czech Rep. 48°50N 17°10E 79 C10
Hœdic, Î. de France 47°20N 2°53W 70 E4
Hoek van Holland Neths. 52°0N 4°7E 69 C4
Hoengseong S. Korea 37°29N 127°59E 115 F14
Hoeryong N. Korea 42°30N 129°45E 115 C15
Hoeyang N. Korea 38°43N 127°36E 115 E14
Hof Germany 50°19N 11°55E 77 E7
Hofgeismar Germany 51°29N 9°23E 76 D5
Hofheim Germany 50°5N 8°26E 77 E4
Hofmeyr S. Africa 31°39S 25°50E 144 D4
Höfn Iceland 64°15N 15°13W 60 D6
Hofors Sweden 60°31N 16°15E 62 D10
Hofsjökull Iceland 64°49N 18°48W 60 D4
Hōfu Japan 34°3N 131°34E 113 G5
Hogan Group Australia 39°13S 147°1E 151 F4
Höganäs Sweden 56°12N 12°33E 63 H6
Hogansville U.S.A. 33°10N 84°55W 178 B5
Hogarth, Mt. Australia 21°48S 136°58E 150 C2
Hoge Kempen △ Belgium 51°6N 5°35E 69 C5
Hoge Veluwe △ Neths. 52°5N 5°46E 69 B5
Hogenakai Falls India 12°6N 77°50E 127 H3
Hoggar = Ahaggar Algeria 23°0N 6°30E 136 D5
Högsäter Sweden 58°38N 12°5E 63 F6
Högsby Sweden 57°10N 16°1E 63 G10
Högsjö Sweden 59°4N 15°44E 62 E9
Hogsty Reef Bahamas 21°41N 73°48W 183 B5
Hoh → U.S.A. 47°45N 124°29W 170 C2
Hoh Xil Shan China 36°30N 89°0E 110 D6
Hohd ech Chargui □ Mauritania 19°0N 7°15W 138 B3
Hohe Acht Germany 50°22N 7°0E 77 E3
Hohe Tauern Austria 47°11N 12°40E 78 D5
Hohe Tauern △ Austria 47°5N 12°20E 78 D5
Hohenau Austria 48°36N 16°55E 79 C9
Hohenems Austria 47°22N 9°42E 78 D2
Hohenloher Ebene Germany 49°14N 9°36E 77 F5
Hohenwald U.S.A. 35°33N 87°33W 177 D11
Hohenwestedt Germany 54°5N 9°40E 76 A5
Hoher Rhön = Rhön Germany 50°24N 9°58E 76 E5
Hoher Vogelsberg ⌓ Germany 51°45N 9°35E 76 D5
Hohes Venn Belgium 50°30N 6°5E 69 D6
Hohes Venn-Eifel ⌓ Europe 50°30N 6°10E 76 E2
Hohhot China 40°52N 111°40E 114 D6
Hohoe Ghana 7°8N 0°32E 139 D5
Hoi An Vietnam 15°53N 108°19E 120 E7
Hoi Xuan Vietnam 20°25N 105°9E 116 G5
Hoisington U.S.A. 38°31N 98°47W 172 F4
Hojambaz Turkmenistan 38°7N 65°0E 108 E6
Højer Denmark 54°58N 8°42E 63 K2
Hōjō Japan 33°58N 132°46E 113 H6
Hok Sweden 57°31N 14°16E 63 G8
Hökensås Sweden 58°0N 14°5E 63 G8
Hökerum Sweden 57°51N 13°16E 63 G7
Hokianga Harbour N.Z. 35°31S 173°22E 154 B2
Hokitika N.Z. 42°42S 171°0E 155 C6
Hokkaidō □ Japan 43°30N 143°0E 112 C11
Hokuto Japan 41°49N 140°39E 112 D10
Hola Kenya 1°29S 40°2E 142 B4
Hola Prystan Ukraine 46°29N 32°32E 85 J7
Holakas Greece 35°57N 27°53E 101 D9
Holalkere India 14°2N 76°11E 127 G3
Holašovice Czech Rep. 48°57N 14°15E 78 C7
Holbæk Denmark 55°43N 11°43E 63 J5
Holbrook Australia 35°42S 147°18E 153 C7
Holbrook U.S.A. 34°54N 110°10W 169 J8
Holcomb U.S.A. 42°54N 77°25W 174 D7
Holden U.S.A. 39°6N 112°16W 168 G7
Holdenville U.S.A. 35°5N 96°24W 176 D6
Holdich Argentina 45°57S 68°13W 192 C3
Holdrege U.S.A. 40°26N 99°23W 172 E4
Hole-Narsipur India 12°48N 76°16E 127 H3
Holešov Czech Rep. 49°20N 17°35E 79 B10
Holetown Barbados 13°11N 59°38W 183 g
Holguín Cuba 20°50N 76°20W 182 B4
Holič Slovak Rep. 48°49N 17°10E 79 C10
Holice Czech Rep. 50°5N 16°0E 78 A8
Holiday U.S.A. 28°11N 82°44W 179 G7
Höljes Sweden 60°50N 12°35E 62 D6
Hollabrunn Austria 48°34N 16°5E 78 C9
Hollams Bird I. Namibia 24°40S 14°30E 144 B1
Holland = Netherlands ■ Europe 52°0N 5°30E 69 C5
Holland Mich., U.S.A. 42°47N 86°7W 172 D10
Holland N.Y., U.S.A. 42°38N 78°32W 174 D6
Holland Centre Canada 44°23N 80°47W 174 B4
Holland Patent U.S.A. 43°14N 75°15W 175 C9
Hollandale U.S.A. 33°10N 90°51W 177 E9
Holley U.S.A. 43°14N 78°2W 174 C6
Hollfeld Germany 49°56N 11°18E 77 F7
Hollidaysburg U.S.A. 40°26N 78°24W 174 F6
Hollis U.S.A. 34°41N 99°55W 176 D5
Hollister Calif., U.S.A. 36°51N 121°24W 170 J5
Hollister Idaho, U.S.A. 42°21N 114°35W 168 E6
Höllviken Sweden 55°26N 12°58E 63 J6
Höllviksnäs = Höllviken Sweden 55°26N 12°58E 63 J6
Holly Hill Fla., U.S.A. 29°16N 81°3W 179 F8
Holly Hill S.C., U.S.A. 33°19N 80°25W 178 B9
Holly Springs Ga., U.S.A. 34°10N 84°30W 178 A5
Holly Springs Miss., U.S.A. 34°46N 89°27W 177 D10
Hollywood Ireland 53°6N 6°35W 64 B6
Hollywood U.S.A. 26°0N 80°8W 179 J9
Holman = Ulukhaktok Canada 70°44N 117°44W 160 C8
Hólmavík Iceland 65°42N 21°40W 60 D3
Holmen U.S.A. 43°58N 91°15W 172 D8
Holmes Beach U.S.A. 27°31N 82°43W 179 H7
Holmes Cr. → U.S.A. 30°30N 85°50W 178 E4
Holmes Reefs Australia 16°27S 148°0E 150 B4
Holmsjö Sweden 56°25N 15°32E 63 H9
Holmsjön Västernorrland, Sweden 62°41N 16°33E 62 B10
Holmsjön Västernorrland, Sweden 62°26N 15°20E 62 B9
Holmsland Klit Denmark 56°0N 8°5E 63 J2
Holmsund Sweden 63°41N 20°20E 60 E19
Holod Romania 46°49N 22°8E 80 D7
Holon Israel 32°0N 34°46E 130 C3
Holopaw U.S.A. 28°8N 81°5W 179 G8
Holovne Ukraine 51°20N 24°5E 83 G11
Holozubyntsi Ukraine 48°50N 26°55E 81 B11
Holroyd → Australia 14°10S 141°36E 150 A3
Holstebro Denmark 56°22N 8°37E 63 H2
Holsteinische Schweiz ⌓ Germany 54°8N 10°30E 76 A6
Holsteinsborg = Sisimiut Greenland 66°40N 53°30W 57 D5
Holsworthy U.K. 50°48N 4°22W 67 G3
Holt U.S.A. 30°43N 86°45W 179 E3
Holton Canada 54°31N 57°12W 165 B8
Holton U.S.A. 39°28N 95°44W 172 F6
Holtville U.S.A. 32°49N 115°23W 171 N11
Holwerd Neths. 53°22N 5°54E 69 A5
Holy Cross U.S.A. 62°12N 159°46W 166 C8
Holy I. Anglesey, U.K. 53°17N 4°37W 66 D3
Holy I. Northumberland, U.K. 55°40N 1°47W 66 B6
Holyhead U.K. 53°18N 4°38W 66 D3
Holyoke Colo., U.S.A. 40°35N 102°18W 168 F12
Holyoke Mass., U.S.A. 42°12N 72°37W 175 D12
Holyrood Canada 47°27N 53°8W 165 C9
Holzkirchen Germany 47°52N 11°42E 77 H7
Holzminden Germany 51°50N 9°28E 76 D5
Homa Bay Kenya 0°36S 34°30E 142 C3
Homalin Burma 24°55N 95°0E 123 G19
Homand Iran 32°28N 59°37E 129 C8
Homathko → Canada 51°0N 124°56W 162 C4
Homberg Germany 51°2N 9°25E 76 D5
Hombori Mali 15°20N 1°38W 139 B4
Hombori Tondo Mali 15°16N 1°40W 139 B4
Homburg Germany 49°28N 7°18E 77 F3
Home B. Canada 68°40N 67°10W 161 D18
Home Hill Australia 19°43S 147°25E 150 B4
Homedale U.S.A. 43°37N 116°56W 168 E5
Homeland U.S.A. 30°51N 82°1W 178 E7
Homer Alaska, U.S.A. 59°39N 151°33W 160 F1
Homer La., U.S.A. 32°48N 93°4W 176 E8
Homer N.Y., U.S.A. 42°38N 76°10W 175 D8
Homer City U.S.A. 40°32N 79°10W 174 F5
Homert ⌓ Germany 51°15N 8°0E 76 D4
Homerville U.S.A. 31°2N 82°45W 178 D7
Homestead Australia 20°20S 145°40E 150 C4
Homestead U.S.A. 25°28N 80°29W 179 K9
Homestead ⌓ U.S.A. 40°17N 96°50W 172 E5
Homnabad India 17°45N 77°11E 126 F3
Homoine Mozam. 23°55S 35°8E 145 B6
Homoljske Planina Serbia 44°10N 21°45E 96 B5
Homorod Romania 46°5N 25°15E 81 D10
Homosassa Springs U.S.A. 28°48N 82°35W 179 G7
Homs = Ḩimş Syria 34°40N 36°45E 130 A5
Homyel Belarus 52°28N 31°0E 75 B16
Homyel □ Belarus 52°40N 30°10E 85 F6
Hon Chong Vietnam 10°25N 104°30E 121 G5
Hon Hai Vietnam 10°0N 109°0E 121 H7
Hon Me Vietnam 19°23N 105°56E 120 C5
Honan = Henan □ China 34°0N 114°0E 114 H8
Honavar India 14°17N 74°27E 127 G2
Honaz Turkey 37°46N 29°18E 99 D11
Honbetsu Japan 43°7N 143°37E 112 C11
Honcut U.S.A. 39°20N 121°32W 170 F5
Hondarribia Spain 43°22N 1°47W 90 B3
Hondeklipbaai S. Africa 30°19S 17°17E 144 D2
Hondo Japan 32°27N 130°12E 113 H5
Hondo U.S.A. 29°21N 99°9W 176 G5
Hondo, Río → Belize 18°25N 88°21W 181 D7
Honduras ■ Cent. Amer. 14°40N 86°30W 182 D2
Honduras, G. de Caribbean 16°50N 87°0W 182 C2
Hønefoss Norway 60°10N 10°18E 61 F14
Honesdale U.S.A. 41°34N 75°16W 175 E9
Honey Harbour Canada 44°52N 79°49W 174 B5
Honey L. U.S.A. 40°15N 120°19W 170 E6
Honfleur France 49°25N 0°13E 70 C7
Høng Denmark 55°31N 11°18E 63 J5
Hong → Asia 20°16N 106°34E 120 B5
Hong Gai Vietnam 20°57N 107°5E 116 G6
Hong He → China 32°25N 115°35E 117 A10
Hong Hu China 29°54N 113°24E 117 C9
Hong Kong □ China 22°11N 114°14E 111 a
Hong Kong I. China 22°16N 114°12E 111 a
Hong Kong Int. ✕ (HKG) China 22°19N 113°57E 111 a
Hong'an China 31°20N 114°40E 117 B10
Hongcheon S. Korea 37°44N 127°53E 115 F14
Honghai Wan China 22°40N 115°0E 117 F10
Honghe China 23°25N 102°25E 116 F4
Honghu China 29°50N 113°30E 117 C9
Hongjiang China 27°7N 109°59E 116 D7
Hongliu He → China 38°0N 109°50E 114 F5
Hongor Mongolia 45°45N 112°50E 114 B7
Hongseong S. Korea 36°37N 126°38E 115 F14
Hongshan China 36°38N 117°58E 115 F9
Hongshui He → China 23°48N 109°30E 116 F7
Hongtong China 36°16N 111°40E 114 F6
Honguedo, Détroit d' Canada 49°15N 64°0W 165 C7
Hongwon N. Korea 40°0N 127°56E 115 E14
Hongya China 29°57N 103°22E 116 C4
Hongyuan China 32°51N 102°40E 116 A4
Hongze Hu China 33°15N 118°35E 115 H10
Honiara Solomon Is. 9°27S 159°57E 147 B8
Honiton U.K. 50°47N 3°11W 67 G4
Honjō = Yurihonjō Japan 39°23N 140°3E 112 E10
Honkorâb, Ras Egypt 24°35N 35°10E 137 C4
Honnali India 14°15N 75°40E 127 G2
Honningsvåg Norway 70°59N 25°59E 60 A21
Hönö Sweden 57°41N 11°39E 63 G5
Honolulu U.S.A. 21°19N 157°52W 167 L8
Honshū Japan 36°0N 138°0E 113 F9
Hontoria del Pinar Spain 41°50N 3°10W 90 D1
Hood, Mt. U.S.A. 45°23N 121°42W 168 D3
Hood, Pt. Australia 34°23S 119°34E 149 F2
Hood River U.S.A. 45°43N 121°31W 168 D3
Hoodsport U.S.A. 47°24N 123°9W 170 C3
Hooge Germany 54°34N 8°33E 76 A4
Hoogeveen Neths. 52°44N 6°28E 69 B6
Hoogezand-Sappemeer Neths. 53°9N 6°45E 69 A6
Hooghly = Hugli → India 21°56N 88°4E 125 J13
Hooghly-Chinsura = Chunchura India 22°53N 88°27E 125 H13
Hook Hd. Ireland 52°7N 6°56W 64 D5
Hook I. Australia 20°4S 149°0E 150 b
Hook of Holland = Hoek van Holland Neths. 52°0N 4°7E 69 C4
Hooker U.S.A. 36°52N 101°13W 176 C4
Hooker Creek = Lajamanu Australia 18°23S 130°38E 148 C5
Hooker Creek ◎ Australia 18°6S 130°23E 148 C5
Hoonah U.S.A. 58°7N 135°27W 162 B1
Hooper Bay U.S.A. 61°32N 166°6W 166 C6
Hoopeston U.S.A. 40°28N 87°40W 172 E10
Hoopstad S. Africa 27°50S 25°55E 144 C4
Höör Sweden 55°56N 13°33E 63 J7
Hoorn Neths. 52°38N 5°4E 69 B5
Hoover U.S.A. 33°24N 86°49W 177 E11
Hoover Dam U.S.A. 36°1N 114°44W 171 K12
Hooversville U.S.A. 40°9N 78°55W 174 F6
Hop Bottom U.S.A. 41°42N 75°46W 175 E9
Hopa Turkey 41°28N 41°30E 105 B9
Hope Canada 49°25N 121°25W 162 D4
Hope Ariz., U.S.A. 33°43N 113°42W 171 M13
Hope Ark., U.S.A. 33°40N 93°36W 176 E8
Hope, L. S. Austral., Australia 28°24S 139°18E 151 D2
Hope, L. W. Austral., Australia 32°35S 120°15E 149 F3
Hope, Pt. U.S.A. 68°21N 166°47W 158 C3
Hope I. Canada 44°55N 80°11W 174 B4
Hope Town Bahamas 26°35N 76°57W 182 A4
Hope Vale Australia 15°16S 145°20E 150 B4
Hope Vale ◎ Australia 15°8S 145°15E 150 B4
Hopedale Canada 55°28N 60°13W 165 A7
Hopedale U.S.A. 42°8N 71°33W 175 D13
Hopefield S. Africa 33°3S 18°22E 144 D2
Hopei = Hebei □ China 39°0N 116°0E 114 E9
Hopelchén Mexico 19°46N 89°51W 181 D7
Hopetoun Vic., Australia 35°42S 142°22E 152 C5
Hopetoun W. Austral., Australia 33°57S 120°7E 149 F3
Hopetown S. Africa 29°34S 24°3E 144 C3
Hopewell U.S.A. 37°18N 77°17W 173 G15
Hopfgarten Austria 47°27N 12°10E 78 D5
Hopkins, L. Australia 24°15S 128°35E 148 D4
Hopkinsville U.S.A. 36°52N 87°29W 172 G10
Hopland U.S.A. 38°58N 123°7W 170 G3
Hoquiam U.S.A. 46°59N 123°53W 170 D3
Hora Hoverla Ukraine 48°7N 24°41E 81 B9
Horana Sri Lanka 6°43N 80°4E 127 L5
Horasan Turkey 40°3N 42°11E 105 B10
Horažďovice Czech Rep. 49°19N 13°42E 78 B6
Horb Germany 48°26N 8°47E 77 G4
Hörby Sweden 55°51N 13°40E 63 J7
Horcajo de Santiago Spain 39°50N 3°1W 90 F1
Hordern Hills Australia 20°15S 130°0E 148 D5
Horezu Romania 45°6N 24°0E 81 E8
Horgen Switz. 47°15N 8°35E 77 H4
Horgos China 44°10N 80°25E 109 D10
Horgoš Serbia 46°10N 20°0E 80 D4
Horinchove Ukraine 48°16N 23°26E 81 B8
Horinger China 40°28N 111°48E 114 D6
Horizontina Brazil 27°37S 54°19W 191 B5
Horki Belarus 54°17N 30°59E 84 E6
Horlick Mts. Antarctica 84°0S 102°0W 55 E15
Horlivka Ukraine 48°19N 38°5E 85 H10
Hormak Iran 29°58N 60°51E 129 D9
Hormoz Iran 27°35N 55°0E 129 E7
Hormoz, Jaz.-ye Iran 27°8N 56°28E 129 E8
Hormozgān □ Iran 27°30N 56°0E 129 E8
Hormuz, Kūh-e Iran 27°27N 55°10E 129 E7
Hormuz, Str. of The Gulf 26°30N 56°30E 129 E8
Horn Austria 48°39N 15°40E 78 C8
Horn Sweden 57°54N 15°51E 63 G9
Horn → Canada 61°30N 118°1W 162 A5
Horn, Cape = Hornos, C. de Chile 55°50S 67°30W 192 E3
Horn Head Ireland 55°14N 8°0W 64 A3
Horn I. Australia 10°37S 142°17E 150 A3
Horn Plateau Canada 62°15N 119°15W 162 A5
Hornachuelos Spain 37°50N 5°14W 89 H5
Hornavan Sweden 66°15N 17°30E 60 C17
Hornbeck U.S.A. 31°20N 93°24W 176 F8
Hornbrook U.S.A. 41°55N 122°33W 168 F2
Hornburg Germany 52°2N 10°37E 76 C6
Hornby N.Z. 43°33S 172°33E 155 D7
Horncastle U.K. 53°13N 0°7W 66 D7
Horndal Sweden 60°18N 16°23E 62 D10
Hornell U.S.A. 42°20N 77°40W 174 D7
Hornell L. Canada 62°20N 119°25W 162 A5
Hornepayne Canada 49°14N 84°48W 164 C3
Horní Planá Czech Rep. 48°46N 14°2E 78 C7
Hornings Mills Canada 44°9N 80°12W 174 B4
Hornitos U.S.A. 37°30N 120°14W 170 H6
Hornopirén △ Chile 41°58S 72°17W 192 B2
Hornos, C. de Chile 55°50S 67°30W 192 E3
Hornoy-le-Bourg France 49°50N 1°54E 71 C8
Hornsby Australia 33°42S 151°2E 153 B9
Hornsea U.K. 53°55N 0°11W 66 D7
Hornslandet Sweden 61°35N 17°37E 62 C11
Hörnum Germany 54°45N 8°17E 76 A4
Horobetsu = Noboribetsu Japan 42°24N 141°6E 112 C10
Horodenka Ukraine 48°41N 25°29E 81 B10
Horodnya Ukraine 51°55N 31°33E 85 G6
Horodok Khmelnytskyy, Ukraine 49°10N 26°34E 75 D14
Horodok Lviv, Ukraine 49°46N 23°32E 75 D12
Horodyshche Ukraine 49°17N 31°27E 85 H6
Horokhiv Ukraine 50°30N 24°45E 75 C13
Horovice Czech Rep. 49°48N 13°53E 78 B6
Horqin Youyi Qianqi China 46°5N 122°3E 115 A12
Horqin Zuoyi Zhongqi China 44°8N 123°18E 115 B12
Horqueta Paraguay 23°15S 56°55W 190 A4
Horred Sweden 57°22N 12°28E 63 G6
Horse Cr. → U.S.A. 41°57N 103°58W 168 F12
Horse I. Canada 53°20N 99°6W 163 C9
Horse Is. Canada 50°15N 55°50W 165 B8
Horsefly L. Canada 52°25N 121°0W 162 C4
Horseheads U.S.A. 42°10N 76°49W 174 D8
Horsens Denmark 55°52N 9°51E 63 J3
Horseshoe Bend ⌓ U.S.A. 32°59N 85°44W 178 C4
Horseshoe Lake Canada 45°17N 79°51W 174 A5
Horsham Australia 36°44S 142°13E 152 D5
Horsham U.K. 51°4N 0°20W 67 F7
Horšovský Týn Czech Rep. 49°31N 12°58E 78 B5
Horta Azores 38°32N 28°38W 134 a
Horten Norway 59°25N 10°32E 61 G14
Hortense U.S.A. 31°20N 81°57W 178 D8
Horti India 17°7N 75°47E 126 F2
Hortobágy → Hungary 47°30N 21°6E 80 C6
Hortobágyi △ Hungary 47°36N 21°10E 80 C6
Horton U.S.A. 39°40N 95°32W 172 F6
Horton → Canada 69°56N 126°52W 160 D6
Horwood L. Canada 48°5N 82°20W 164 C3
Hosapete India 15°15N 76°20E 127 G3
Hosdrug = Kanhangad India 12°21N 74°58E 127 H2
Hosdurga India 13°49N 76°17E 127 H3
Ḩoseynābād Khuzestān, Iran 32°45N 48°20E 129 C6
Ḩoseynābād Kordestān, Iran 35°33N 47°8E 105 E12
Hosford U.S.A. 30°23N 84°48W 178 E5
Hôsh 'Īsa Egypt 30°55N 30°17E 137 E7
Hoshangabad India 22°45N 77°45E 124 H7
Hoshiarpur India 31°30N 75°58E 124 D6
Hoskote India 13°4N 77°48E 127 H3
Hospet = Hosapete India 15°15N 76°20E 127 G3
Hossegor France 43°39N 1°25W 72 E2
Hoste, I. Chile 55°0S 69°0W 192 E3
Hostens France 44°30N 0°40W 72 D3
Hosur India 12°43N 77°49E 127 H3
Hot Thailand 18°8N 98°29E 120 C2
Hot Creek Range U.S.A. 38°40N 116°20W 168 G5
Hot Springs Ark., U.S.A. 34°31N 93°3W 176 D8
Hot Springs S. Dak., U.S.A. 43°26N 103°29W 172 D2
Hot Springs △ U.S.A. 34°31N 93°3W 176 D8
Hotagen Sweden 63°59N 14°12E 60 E16
Hotan China 37°25N 79°55E 109 E9
Hotan He → China 40°22N 80°56E 109 D10
Hotazel S. Africa 27°17S 22°58E 144 C3
Hotchkiss U.S.A. 38°48N 107°43W 168 G10
Hotham, C. Australia 12°2S 131°18E 148 B5
Hoting Sweden 64°8N 16°15E 60 D17
Hotolisht Albania 41°10N 20°25E 96 E4
Hotspur Seamount Atl. Oc. 17°55S 35°55W 56 H8
Hotte, Massif de la Haiti 18°30N 73°45W 183 C5
Hottentotsbaai Namibia 26°8S 14°59E 144 C1
Hou Hai China 22°32N 113°56E 111 a
Houat, Î. de France 47°24N 2°58W 70 E4
Houdan France 48°48N 1°35E 71 D8
Houei Sai Laos 20°18N 100°26E 116 G3
Houeillès France 44°12N 0°2E 72 D4
Houffalize Belgium 50°8N 5°48E 69 D5
Houghton Mich., U.S.A. 47°7N 88°34W 172 B9
Houghton N.Y., U.S.A. 42°25N 78°10W 174 D6
Houghton L. U.S.A. 44°21N 84°44W 173 C11
Houghton-le-Spring U.K. 54°51N 1°28W 66 C6
Houhora Heads N.Z. 34°49S 173°9E 154 A2
Houlton U.S.A. 46°8N 67°51W 173 B20
Houma China 35°36N 111°20E 114 G6
Houma U.S.A. 29°36N 90°43W 177 G9
Houndé Burkina Faso 11°34N 3°31W 138 C4
Hourtin France 45°11N 1°4W 72 C2
Hourtin-Carcans, L. d' France 45°10N 1°6W 72 C2
Housatonic → U.S.A. 41°10N 73°7W 175 E11
Houston Canada 54°25N 126°39W 162 C3
Houston Fla., U.S.A. 30°15N 82°54W 178 E7
Houston Mo., U.S.A. 37°22N 91°58W 172 G8
Houston Tex., U.S.A. 29°45N 95°21W 176 G7
Houston George Bush Intercontinental ✕ (IAH) U.S.A. 29°59N 95°20W 176 G7
Hout = Mogwadi → S. Africa 23°4S 29°36E 145 B4
Houtkraal S. Africa 30°23S 24°5E 144 D3
Houtman Abrolhos Australia 28°43S 113°48E 149 E1
Hovd = Dund-Us Mongolia 48°1N 91°38E 109 C12
Hovd □ Mongolia 48°2N 91°37E 109 C12
Hove U.K. 50°50N 0°10W 67 G7
Hovedstaden □ Denmark 56°0N 10°0E 63 J6
Hovenweep ⌓ U.S.A. 37°20N 109°0W 169 H9
Hoveyzeh Iran 31°27N 48°4E 129 D6
Hovgaard Ø Greenland 79°55N 18°50W 57 B9
Hovmantorp Sweden 56°47N 15°7E 63 H9
Hövsgöl Mongolia 43°37N 109°39E 114 C5
Hövsgöl Nuur Mongolia 51°0N 100°30E 110 A9
Hovsta Sweden 59°22N 15°15E 62 E9
Howar, Wadi → Sudan 17°30N 27°8E 135 E11
Howard Australia 25°16S 152°32E 151 D5
Howard Pa., U.S.A. 41°1N 77°40W 174 F7
Howard S. Dak., U.S.A. 44°1N 97°32W 172 C5
Howe U.S.A. 43°48N 113°0W 168 E7
Howe, C. Australia 37°30S 150°0E 153 D9
Howe, West Cape Australia 35°8S 117°36E 149 G2
Howe I. Canada 44°16N 76°17W 175 B8
Howell U.S.A. 42°36N 83°56W 173 D12
Howick Canada 45°11N 73°51W 175 A11
Howick N.Z. 36°54S 174°56E 154 C3
Howick S. Africa 29°28S 30°14E 145 C5
Howick Group Australia 14°20S 145°30E 150 A4
Howitt, L. Australia 27°40S 138°40E 151 D2
Howland I. Pac. Oc. 0°48N 176°38W 156 G10
Howlong Australia 35°59S 146°38E 153 C7
Howrah = Haora India 22°34N 88°18E 125 H13
Howth Ireland 53°23N 6°7W 64 C5
Howth Hd. Ireland 53°22N 6°4W 64 C5
Höxter Germany 51°46N 9°22E 76 D5
Hoxtolgay China 46°35N 85°59E 109 C11
Hoxud China 42°15N 86°51E 109 D11
Hoy U.K. 58°50N 3°15W 65 C5
Hoya Germany 52°49N 9°8E 76 C5
Høyanger Norway 61°13N 6°4E 60 F12
Hoyerswerda Germany 51°26N 14°14E 76 D10
Hoyos Spain 40°9N 6°45W 88 E4
Hpa-an = Pa-an Burma 16°51N 97°40E 123 L20
Hpunan Pass Asia 27°30N 96°55E 123 F20
Hpyu = Pyu Burma 18°30N 96°28E 123 K20
Hradec Králové Czech Rep. 50°15N 15°50E 78 A8
Hrádek Czech Rep. 48°46N 16°16E 79 C9
Hranice Czech Rep. 49°34N 17°45E 79 B10
Hrazdan Armenia 40°30N 44°46E 87 K7
Hrebenka Ukraine 50°9N 32°22E 85 G7
Hrisoupoli = Chrisoupoli Greece 40°58N 24°42E 97 F8
Hrodna Belarus 53°42N 23°52E 82 E10
Hrodna □ Belarus 53°20N 24°45E 84 F3
Hrodzyanka Belarus 53°31N 28°42E 75 B15
Hron → Slovak Rep. 47°49N 18°45E 79 D11
Hrubieszów Poland 50°49N 23°51E 83 H10
Hrubý Jeseník Czech Rep. 50°5N 17°10E 79 A10
Hrvatska = Croatia ■ Europe 45°20N 16°0E 93 C13
Hrymayliv Ukraine 49°20N 26°5E 75 D14
Hrynyava Ukraine 47°59N 24°53E 81 C9
Hsenwi Burma 23°22N 97°55E 123 H20
Hsiamen = Xiamen China 24°25N 118°4E 117 E12
Hsian = Xi'an China 34°15N 109°0E 114 G5
Hsinchu Taiwan 24°48N 120°58E 117 E13
Hsinhailien = Lianyungang China 34°40N 119°11E 115 G10
Hsinkai = Bhamo Burma 24°15N 97°15E 123 G20
Hsinying Taiwan 23°21N 120°17E 117 F13
Hsopket Burma 23°11N 98°26E 116 F2
Hsüchou = Xuzhou China 34°18N 117°10E 115 G9
Htawei = Dawei Burma 14°2N 98°12E 120 E2
Hu Xian China 34°8N 108°42E 114 G5
Hua Hin Thailand 12°34N 99°58E 120 F2
Hua Muang Laos 20°13N 103°52E 120 B4
Hua Shan China 34°28N 110°4E 114 G6
Hua Xian Henan, China 35°30N 114°30E 114 G8
Hua Xian Shaanxi, China 34°30N 109°48E 114 G5
Hua'an China 25°1N 117°32E 117 E11
Huab → Namibia 20°52S 13°25E 144 A2
Huachacalla Bolivia 18°45S 68°17W 188 D4
Huacheng China 24°4N 115°37E 117 E10
Huachinera Mexico 30°9N 108°55W 180 A3
Huacho Peru 11°10S 77°35W 188 C2
Huachón Peru 10°35S 76°0W 188 C2
Huade China 41°55N 113°59E 114 D7
Huadian China 43°0N 126°40E 115 C14
Huadu China 23°22N 113°12E 117 F9
Huahine, Î. French Polynesia 16°46S 150°58W 157 J12
Huai Hat △ Thailand 16°52N 104°17E 120 D5
Huai He → China 33°0N 118°30E 117 A12
Huai Kha Khaeng ⌓ Thailand 15°20N 98°55E 120 E2
Huai Nam Dang △ Thailand 19°30N 98°30E 120 C2
Huai Yot Thailand 7°45N 99°37E 121 J2
Huai'an Hebei, China 40°30N 114°20E 114 D8
Huai'an Jiangsu, China 33°30N 119°10E 115 H10
Huaibei China 34°0N 116°48E 114 G9
Huaibin China 32°32N 115°27E 117 A10
Huaide = Gongzhuling China 43°30N 124°40E 115 C13
Huaidezhen China 43°48N 124°50E 115 C13
Huaihua China 27°32N 109°57E 116 D7
Huaiji China 23°55N 112°12E 117 F9
Huainan China 32°38N 116°58E 117 A11
Huaining China 30°24N 116°40E 117 B11
Huairen China 39°48N 113°20E 114 E7
Huairou China 40°20N 116°35E 114 D9
Huaiyang China 33°40N 114°52E 114 H8
Huaiyin China 33°30N 119°2E 115 H10
Huaiyuan Anhui, China 32°55N 117°10E 117 A11
Huaiyuan Guangxi Zhuangzu, China 24°31N 108°22E 116 E7
Huajuapán de León Mexico 17°48N 97°46W 181 D5
Hualapai Peak U.S.A. 35°5N 113°54W 171 K13
Hualien Taiwan 23°59N 121°36E 117 F13
Huallaga → Peru 5°15S 75°30W 188 B2
Huallanca Peru 8°50S 77°56W 188 B2
Huamachuco Peru 7°50S 78°5W 188 B2
Huambo Angola 12°42S 15°54E 141 G3
Huan Jiang → China 34°28N 109°0E 114 G5
Huan Xian China 36°33N 107°7E 114 F4
Huancabamba Peru 5°10S 79°15W 188 B2
Huancane Peru 15°10S 69°44W 188 D4
Huancapi Peru 13°40S 74°0W 188 C3
Huancavelica Peru 12°50S 75°5W 188 C2
Huancavelica □ Peru 13°0S 75°0W 188 C3
Huancayo Peru 12°5S 75°12W 188 C2
Huanchaca Bolivia 20°15S 66°40W 186 H5
Huang Hai = Yellow Sea China 35°0N 123°0E 115 G12
Huang He → China 37°55N 118°50E 115 F10

Huang Xian China 37°38N 120°30E 115 F11
Huangchuan China 32°15N 115°10E 117 A10
Huangdao China 36°0N 120°7E 115 G11
Huanggang China 30°29N 114°52E 117 B10
Huangguoshu China 26°0N 105°40E 116 E5
Huanghua China 38°22N 117°20E 115 E9
Huanghuagang China 38°20N 117°54E 115 E9
Huangling China 35°34N 109°15E 114 G5
Huanglong China 35°30N 109°59E 114 G5
Huanglong △ China 32°44N 103°50E 116 A4
Huanglongtan China 32°40N 110°33E 117 A8
Huangmei China 30°5N 115°56E 117 B10
Huangpi China 30°50N 114°22E 117 B10
Huangping China 26°52N 107°54E 116 D6
Huangshan Anhui, China 30°8N 118°9E 117 B12
Huangshan Anhui, China 29°42N 118°25E 117 C12
Huangshi China 30°10N 115°3E 117 B10
Huangsongdian China 43°45N 127°25E 115 C14
Huangyan China 28°38N 121°19E 117 C13
Huangyangsi China 26°33N 111°39E 117 D8
Huaning China 24°17N 102°56E 116 E4
Huanjiang China 24°50N 108°18E 116 E7
Huanren China 41°23N 125°20E 115 D13
Huanta Peru 12°55S 74°20W 188 C3
Huantai China 36°58N 117°56E 115 F9
Huánuco Peru 9°55S 76°15W 188 B2
Huánuco □ Peru 9°55S 76°14W 188 B2
Huanzo, Cordillera de Peru 14°35S 73°20W 188 C3
Huaping China 26°46N 101°25E 116 D3
Huara Chile 19°59S 69°47W 188 D4
Huaral Peru 11°32S 77°13W 188 C2
Huaraz Peru 9°30S 77°32W 188 B2
Huari Peru 9°14S 77°14W 188 B2
Huarmey Peru 10°5S 78°5W 188 C2
Huarochiri Peru 12°9S 76°15W 188 C2
Huarocondo Peru 13°26S 72°14W 188 C3
Huarong China 29°29N 112°30E 117 C9
Huascarán, Nevado Peru 9°7S 77°37W 188 B2
Huasco Chile 28°30S 71°15W 190 B1
Huasco → Chile 28°27S 71°13W 190 B1
Huasna U.S.A. 35°6N 120°24W 171 K6
Huatabampo Mexico 26°50N 109°38W 180 B3
Huauchinango Mexico 20°12N 98°3W 181 C5
Huautla de Jiménez Mexico 18°8N 96°51W 181 D5
Huaxi China 26°25N 106°40E 116 D6
Huayhuash, Cordillera Peru 10°30S 76°45W 188 B2
Huayin China 34°35N 110°5E 114 G6
Huaying China 30°8N 106°44E 116 B6
Huayllay Peru 11°3S 76°21W 188 C2
Huayuan China 28°37N 109°29E 116 C7
Huazhou China 21°33N 110°33E 117 G8
Hubballi India 15°22N 75°15E 127 G2
Hubbard Ohio, U.S.A. 41°9N 80°34W 174 E4
Hubbard Tex., U.S.A. 31°51N 96°48W 176 F6
Hubbard Glacier Canada 60°18N 139°22W 160 E4
Hubbart Pt. Canada 59°21N 94°41W 163 B10
Hubei □ China 31°0N 112°0E 117 B9
Hubli = Hubballi India 15°22N 75°15E 127 G2
Huch'ang N. Korea 41°25N 127°2E 115 D14
Hucknall U.K. 53°3N 1°13W 66 D6
Huddersfield U.K. 53°39N 1°47W 66 D6
Huddinge Sweden 59°14N 18°0E 62 E12
Hude Germany 53°7N 8°26E 76 B4
Hudiksvall Sweden 61°43N 17°10E 62 C11
Hudson Canada 50°6N 92°9W 164 B1
Hudson Fla., U.S.A. 28°22N 82°42W 179 G7
Hudson Mass., U.S.A. 42°23N 71°34W 175 D13
Hudson N.Y., U.S.A. 42°15N 73°46W 175 D11
Hudson Wis., U.S.A. 44°58N 92°45W 172 C7
Hudson Wyo., U.S.A. 42°54N 108°35W 168 E9
Hudson → U.S.A. 40°42N 74°2W 175 F10
Hudson, C. Antarctica 68°21S 153°45E 55 C10
Hudson, Vol. Chile 46°4S 72°55W 192 C2
Hudson Bay Nunavut, Canada 60°0N 86°0W 161 F14
Hudson Bay Sask., Canada 52°51N 102°23W 163 C8
Hudson Falls U.S.A. 43°18N 73°35W 175 C11
Hudson Mts. Antarctica 74°32S 99°20W 55 D16
Hudson Str. Canada 62°0N 70°0W 161 E18
Hudson's Hope Canada 56°0N 121°54W 162 B4
Hue Vietnam 16°30N 107°35E 120 D6
Huebra → Spain 41°2N 6°48W 88 D4
Huedin Romania 46°52N 23°2E 80 D8
Huehuetenango Guatemala 15°20N 91°28W 182 C1
Huejúcar Mexico 22°21N 103°13W 180 C4
Huélamo Spain 40°17N 1°48W 90 E3
Huelgoat France 48°22N 3°46W 70 D3
Huelma Spain 37°39N 3°28W 89 H7
Huelva Spain 37°18N 6°57W 89 H4
Huelva □ Spain 37°40N 7°0W 89 H4
Huelva → Spain 37°27N 6°0W 89 H5
Huentelauquén Chile 31°38S 71°33W 190 C1
Huércal-Overa Spain 37°23N 1°57W 91 H3
Huerquehue △ Chile 39°6S 71°42W 192 A2
Huerta, Sa. de la Argentina 31°10S 67°30W 190 C2
Huertas, C. de las Spain 38°21N 0°24W 91 G4
Huerva → Spain 41°39N 0°52W 90 D4
Huesca Spain 42°8N 0°25W 90 C4
Huesca □ Spain 42°20N 0°1E 90 C5
Huéscar Spain 37°44N 2°35W 91 H2
Huetamo Mexico 18°35N 100°53W 180 D4
Huete Spain 40°10N 2°43W 90 E2
Huger U.S.A. 33°6N 79°48W 178 B10
Hugh → Australia 25°1S 134°1E 150 D1
Hughenden Australia 20°52S 144°10E 150 C3
Hughesville U.S.A. 41°14N 76°44W 175 E8
Hugli → India 21°56N 88°4E 125 J13
Hugo Colo., U.S.A. 39°8N 103°28W 168 G12
Hugo Okla., U.S.A. 34°1N 95°31W 176 D7
Hugoton U.S.A. 37°11N 101°21W 172 G3
Hui Xian = Huixian China 35°27N 113°12E 114 G7
Hui Xian China 33°50N 106°4E 114 H4
Hui'an China 25°1N 118°43E 117 E12
Hui'anbu China 37°28N 106°38E 114 F4
Huiarau Ra. N.Z. 38°45S 176°55E 154 E5
Huichang China 25°32N 115°45E 117 E10
Huichapan Mexico 20°23N 99°39W 181 C5
Huichon N. Korea 40°10N 126°16E 115 D14
Huidong Guangdong, China 22°58N 114°43E 117 F10
Huidong Sichuan, China 26°34N 102°35E 116 D4
Huifa He → China 43°0N 127°50E 115 C14
Huila, Nevado del Colombia 3°0N 76°0W 186 C3
Huilai China 23°0N 116°18E 117 F11
Huili China 26°35N 102°17E 116 D4
Huimin China 37°27N 117°28E 115 F9
Huinan China 42°40N 126°2E 115 C14
Huinca Renancó Argentina 34°51S 64°22W 190 C3
Huining China 35°38N 105°0E 114 G3
Huinong China 39°5N 106°35E 114 E4
Huiroa N.Z. 39°15S 174°30E 154 F3
Huishui China 26°7N 106°38E 116 D6
Huisne → France 47°59N 0°11E 70 E7
Huiting China 34°5N 116°5E 114 G9
Huitong China 26°51N 109°45E 116 D7
Huixian China 35°27N 113°12E 114 G7
Huixtla Mexico 15°9N 92°28W 181 D6
Huize China 26°24N 103°15E 116 D4
Huizhou China 23°0N 114°23E 117 F10
Hukawng Valley Burma 26°30N 96°30E 123 F20
Hukeri India 16°14N 74°36E 127 F2
Hukou China 29°45N 116°21E 117 C11
Hukuntsi Botswana 23°58S 21°45E 144 B3
Ḩulayfā' Si. Arabia 25°58N 40°45E 128 E4
Hulin China 45°48N 132°59E 111 B15
Hulin He → China 45°0N 122°10E 115 B12
Hull = Kingston upon Hull U.K. 53°45N 0°21W 66 D7
Hull Canada 45°26N 75°43W 175 A9
Hull → U.K. 53°44N 0°20W 66 D7
Hulst Neths. 51°17N 4°2E 69 C4
Hultsfred Sweden 57°30N 15°52E 63 G9
Huludao China 40°45N 120°50E 115 D11
Hulun Nur China 49°0N 117°30E 111 B12
Hulunbuir = Hailar China 49°10N 119°38E 111 B12
Hulyaypole Ukraine 47°45N 36°21E 85 J9
Huma, Tanjung Malaysia 5°29N 100°16E 121 c
Humacao Puerto Rico 18°9N 65°50W 183 d
Humahuaca Argentina 23°10S 65°25W 190 A2
Humaitá Brazil 7°35S 63°1W 186 E6
Humaitá Paraguay 27°2S 58°31W 190 B4
Humansdorp S. Africa 34°2S 24°46E 144 D3
Humbe Angola 16°40S 14°55E 144 A1
Humber → U.K. 53°42N 0°27W 66 D7
Humboldt Canada 52°15N 105°9W 163 C7
Humboldt Iowa, U.S.A. 42°44N 94°13W 172 D6
Humboldt Tenn., U.S.A. 35°50N 88°55W 177 D10
Humboldt → U.S.A. 39°59N 118°36W 168 G4
Humboldt Gletscher = Sermersuaq Greenland 79°30N 62°0W 57 B4
Humboldt Mts. N.Z. 44°30S 168°15E 155 E3
Hume U.S.A. 36°48N 118°54W 170 J8
Hume, L. Australia 36°0S 147°5E 153 D7
Humen China 22°50N 113°40E 111 a
Humenné Slovak Rep. 48°55N 21°50E 79 C14
Hummelsta Sweden 59°34N 16°58E 62 E10
Humphreys, Mt. U.S.A. 37°17N 118°40W 170 H8
Humphreys Peak U.S.A. 35°21N 111°41W 169 J8
Humpolec Czech Rep. 49°31N 15°20E 78 B8
Humptulips U.S.A. 47°14N 123°57W 170 C3
Humula Australia 35°30S 147°46E 153 C7
Hūn Libya 29°2N 16°0E 135 C9
Hun Jiang → China 40°50N 125°38E 115 D13
Húnaflói Iceland 65°50N 20°50W 60 D3
Hunan □ China 27°30N 112°0E 117 D9
Hunchun China 42°52N 130°28E 115 C16
Hundested Denmark 55°58N 11°52E 63 J5
Hundewali Pakistan 31°55N 72°38E 124 D5
Hundred Mile House Canada 51°38N 121°18W 162 C4
Hunedoara Romania 45°40N 22°50E 80 E7
Hunedoara □ Romania 45°50N 22°54E 80 E7
Hünfeld Germany 50°39N 9°46E 76 E5
Hung Yen Vietnam 20°39N 106°4E 116 G6
Hungary ■ Europe 47°20N 19°20E 79 D12
Hungary, Plain of Europe 47°0N 20°0E 58 F10
Hungerford Australia 28°58S 144°24E 151 D3
Hŭngnam N. Korea 39°49N 127°45E 115 E14
Hungt'ou Hsü = Lan Yü Taiwan 22°4N 121°25E 117 F13
Huni Valley Ghana 5°33N 1°56W 138 D4
Hunjiang China 41°54N 126°26E 115 D14
Hunneberg Sweden 58°18N 12°30E 63 F6
Hunnebostrand Sweden 58°27N 11°18E 63 F5
Hunsberge Namibia 27°45S 17°12E 144 C2
Hunsrück Germany 49°56N 7°27E 77 F3
Hunstanton U.K. 52°56N 0°29E 66 E8
Hunsur India 12°16N 76°16E 127 H3
Hunte → Germany 53°14N 8°28E 76 B4
Hunter N.Z. 44°36S 171°2E 155 E6
Hunter U.S.A. 42°13N 74°13W 175 D10
Hunter → Australia 32°52S 151°46E 153 B9
Hunter → N.Z. 44°21S 169°27E 155 E4
Hunter Hills, The N.Z. 44°26S 170°46E 155 E5
Hunter I. Australia 40°30S 144°45E 151 G3
Hunter I. Canada 51°55N 128°0W 162 C3
Hunter Mts. N.Z. 45°43S 167°25E 155 F2
Hunter Ra. Australia 32°45S 150°15E 153 B9
Hunters Road Zimbabwe 19°9S 29°49E 143 F2
Hunterville N.Z. 39°56S 175°35E 154 F4
Huntingburg U.S.A. 38°18N 86°57W 172 F10
Huntingdon U.K. 52°20N 0°11W 67 E7
Huntingdon U.S.A. 40°30N 78°1W 174 F6
Huntington Ind., U.S.A. 40°53N 85°30W 173 E11
Huntington N.Y., U.S.A. 40°52N 73°26W 175 F11
Huntington Oreg., U.S.A. 44°21N 117°16W 168 D5
Huntington Utah, U.S.A. 39°20N 110°58W 168 G8
Huntington W. Va., U.S.A. 38°25N 82°27W 173 F12
Huntington Beach U.S.A. 33°40N 118°5W 171 M9
Huntly N.Z. 37°34S 175°11E 154 D4
Huntly U.K. 57°27N 2°47W 65 D6
Huntsville Canada 45°20N 79°14W 174 A5
Huntsville Ala., U.S.A. 34°44N 86°35W 177 D11
Huntsville Tex., U.S.A. 30°43N 95°33W 176 F7
Hunyani → Zimbabwe 15°57S 30°39E 143 F3
Hunyuan China 39°42N 113°42E 114 E7
Hunza → India 35°54N 74°20E 125 B6
Huo Shan China 36°26N 111°52E 114 F6
Huo Xian = Huozhou China 36°36N 111°42E 114 F6
Huocheng China 44°0N 80°48E 109 D10
Huolin Gol China 45°32N 119°38E 115 B10
Huong Khe Vietnam 18°13N 105°41E 120 C5
Huonville Australia 43°0S 147°5E 151 G4
Huoqiu China 32°20N 116°12E 117 A11
Huoshan China 31°25N 116°20E 117 B11
Huoshao Dao = Lütao Taiwan 22°40N 121°30E 117 F13
Huozhou China 36°36N 111°42E 114 F6
Hupeh = Hubei □ China 31°0N 112°0E 117 B9
Ḩūr Iran 30°50N 57°7E 129 D8
Hurānd Iran 38°51N 47°22E 105 C12
Ḩuraymīla Si. Arabia 25°8N 46°8E 128 E5
Hurbanovo Slovak Rep. 47°51N 18°11E 79 D11
Hurd, C. Canada 45°13N 81°44W 174 A3
Hure Qi China 42°45N 121°45E 115 C11
Hurezani Romania 44°49N 23°40E 81 F8
Hurghada Egypt 27°15N 33°50E 137 B3
Hurley N. Mex., U.S.A. 32°42N 108°8W 169 K9
Hurley Wis., U.S.A. 46°27N 90°11W 172 B8
Huron Calif., U.S.A. 36°12N 120°6W 170 J6
Huron Ohio, U.S.A. 41°24N 82°33W 174 E2
Huron S. Dak., U.S.A. 44°22N 98°13W 172 C4
Huron, L. U.S.A. 44°30N 82°40W 174 B2
Huron East Canada 43°37N 81°18W 174 C3
Hurricane U.S.A. 37°11N 113°17W 169 H7
Hurtsboro U.S.A. 32°15N 85°25W 178 C4
Hurungwe △ Zimbabwe 16°7S 29°5E 143 F2
Hurunui → N.Z. 42°54S 173°18E 155 C8
Hurup Denmark 56°46N 8°25E 63 H2
Húsavík Iceland 66°3N 17°21W 60 C5
Huşi Romania 46°41N 28°7E 81 D13
Huskisson Australia 35°2S 150°41E 153 C9
Huskvarna Sweden 57°47N 14°15E 63 G8
Hustadvika Norway 63°0N 7°0E 60 E12
Hustontown U.S.A. 40°3N 78°2W 174 F6
Hustopeče Czech Rep. 48°57N 16°43E 79 C9
Husum Germany 54°28N 9°4E 76 A5
Husum Sweden 63°21N 19°12E 62 A13
Hutchinson Kans., U.S.A. 38°5N 97°56W 172 F5
Hutchinson Minn., U.S.A. 44°54N 94°22W 172 C6
Hutiao Xia China 27°13N 100°9E 116 D3
Hutte Sauvage, L. de la Canada 56°15N 64°45W 165 A7
Hüttenberg Austria 46°56N 14°33E 78 E7
Hüttener Berge △ Germany 54°24N 9°40E 76 A5
Hutton, Mt. Australia 25°51S 148°20E 151 D4
Huwaki Indonesia 7°55S 126°30E 119 F7
Huy Belgium 50°31N 5°15E 69 D5
Huzhou China 30°51N 120°8E 117 B13
Huzurabad India 18°12N 79°25E 126 E4
Huzurnagar India 16°54N 79°53E 126 F4
Hvalpsund Denmark 56°42N 9°11E 63 H3
Hvammstangi Iceland 65°24N 20°57W 60 D3
Hvar Croatia 43°11N 16°28E 93 E13
Hvarski Kanal Croatia 43°15N 16°35E 93 E13
Hvítá → Iceland 64°30N 21°58W 60 D3
Hvizdets Ukraine 48°35N 25°17E 81 B10
Hwacheon-Cheosuji S. Korea 38°5N 127°50E 115 E14
Hwang Ho = Huang He → China 37°55N 118°50E 115 F10
Hwange Zimbabwe 18°18S 26°30E 143 F2
Hwange △ Zimbabwe 19°0S 26°30E 144 A4
Hwllfordd = Haverfordwest U.K. 51°48N 4°58W 67 F3
Hyannis Mass., U.S.A. 41°39N 70°17W 173 E18
Hyannis Nebr., U.S.A. 42°0N 101°46W 172 E3
Hyargas Nuur Mongolia 49°0N 93°0E 109 C12
Hybo Sweden 61°49N 16°15E 62 C10
Hydaburg U.S.A. 55°15N 132°50W 162 B2
Hyde N.Z. 45°18S 170°16E 155 F5
Hyde Park U.S.A. 41°47N 73°56W 175 E11
Hyden Australia 32°24S 118°53E 149 F2
Hyder U.S.A. 55°55N 130°5W 162 B2
Hyderabad India 17°22N 78°29E 126 F4
Hyderabad Pakistan 25°23N 68°24E 124 G3
Hydra Greece 37°20N 23°28E 98 D5
Hyères France 43°8N 6°9E 73 E10
Hyères, Îs. d' France 43°0N 6°20E 73 F10
Hyesan N. Korea 41°20N 128°10E 115 D15
Hyland → Canada 59°52N 128°12W 162 B3
Hyltebruk Sweden 56°59N 13°15E 63 H7
Hyndman Peak U.S.A. 43°45N 114°8W 168 E6
Hyōgo □ Japan 35°15N 134°50E 113 G7
Hyrum U.S.A. 41°38N 111°51W 168 F8
Hysham U.S.A. 46°18N 107°14W 168 C10
Hythe U.K. 51°4N 1°5E 67 F9
Hyūga Japan 32°25N 131°35E 113 H5
Hyvinge = Hyvinkää Finland 60°38N 24°50E 84 B3
Hyvinkää Finland 60°38N 24°50E 84 B3

I

I-n-Akhmed Mali 19°49N 0°56W 139 B4
I-n-Azaoua Algeria 25°42N 6°54E 136 C5
I-n-Ezzane Algeria 23°29N 11°15E 136 D6
I-n-Gall Niger 16°51N 7°1E 139 B6
I-n-Kelemet Algeria 26°57N 5°47E 136 C5
I-n-Oudad Algeria 20°17N 4°38E 139 A5
I-n-Ouzzal Algeria 20°41N 2°34E 139 A5
I-n-Tadreft Niger 19°5N 6°38E 139 B6
Iabès, Erg Algeria 27°30N 2°2W 136 C3
Iablaniţa Romania 44°57N 22°19E 80 F7
Iaco → Brazil 9°3S 68°34W 188 B4
Iacobeni Romania 47°25N 25°20E 81 C10
Iaçu Brazil 12°45S 40°13W 189 C2
Ialissos Greece 36°24N 28°10E 101 C10
Ialomiţa □ Romania 44°30N 27°30E 81 F12
Ialomiţa → Romania 44°42N 27°51E 81 F12
Ialoveni Moldova 46°56N 28°47E 81 D13
Ialpug → Moldova 45°41N 28°35E 81 E13
Iamonia L. U.S.A. 30°38N 84°14W 178 E5
Ianca Romania 45°6N 27°29E 81 E12
Iara Romania 46°31N 23°35E 81 D8
Iargara Moldova 46°24N 28°23E 81 D13
Iaşi Romania 47°10N 27°40E 81 C12
Iaşi □ Romania 47°20N 27°0E 81 C12
Iasmos Greece 41°8N 25°11E 97 E9
Ib → India 21°34N 83°48E 125 J10
Iba Phil. 15°22N 120°0E 119 A6
Ibadan Nigeria 7°22N 3°58E 139 D5
Ibagué Colombia 4°20N 75°20W 186 C3
Iballë Albania 42°12N 20°2E 96 D4
Ibăneşti Botoşani, Romania 48°4N 26°22E 81 B11
Ibăneşti Mureş, Romania 46°45N 24°57E 81 D9
Ibar → Serbia 43°43N 20°45E 96 C4
Ibaraki □ Japan 36°10N 140°10E 113 F10
Ibarra Ecuador 0°21N 78°7W 186 C3
Ibb Yemen 14°2N 44°10E 131 E3
Ibbenbüren Germany 52°16N 7°43E 76 C3
Ibembo Dem. Rep. of the Congo 2°35N 23°35E 142 B1
Ibenga → Congo 2°19N 18°9E 140 D3
Ibera, L. Argentina 28°30S 57°9W 190 B4
Iberia Peru 11°21S 69°35W 188 C4
Iberian Peninsula Europe 40°0N 5°0W 58 H5
Iberville Canada 45°19N 73°17W 175 A11
Iberville, Mt. d' Canada 58°50N 63°50W 161 F19
Ibeto Nigeria 10°29N 5°8E 139 C6
Ibi Nigeria 8°15N 9°44E 139 D6
Ibi Spain 38°38N 0°34W 91 G4
Ibiá Brazil 19°30S 46°30W 189 D1
Ibiapaba, Sa. da Brazil 4°0S 41°30W 189 A2
Ibicaraí Brazil 14°51S 39°36W 189 C3
Ibicuí Brazil 14°51S 39°59W 189 C3
Ibicuí → Brazil 29°25S 56°47W 191 B4
Ibicuy Argentina 33°55S 59°10W 190 C4
Ibitiara Brazil 12°39S 42°13W 189 C2
Ibiza = Eivissa Spain 38°54N 1°26E 100 C7
Ibiza ✕ (IBZ) Spain 38°53N 1°22E 91 G6
Íblei, Monti Italy 37°15N 14°45E 95 E7
Ibo Mozam. 12°22S 40°40E 143 E5
Ibonma Indonesia 3°29S 133°31E 119 E8
Ibotirama Brazil 12°13S 43°12W 189 C2
Ibrāhīm → Lebanon 34°4N 35°38E 130 A4
'Ibrī Oman 23°14N 56°30E 131 C6
İbriktepe Turkey 41°0N 26°30E 97 E10
Ibshawâi Egypt 29°21N 30°40E 137 F7
Ibu Indonesia 1°35N 127°33E 119 D7
Ibusuki Japan 31°12N 130°40E 113 J5
Ica Peru 14°0S 75°48W 188 C2
Ica □ Peru 14°20S 75°30W 188 C2
Içá → Brazil 2°55S 67°58W 188 A4
Icacos Pt. Trin. & Tob. 10°3N 61°57W 187 K15
Içana Brazil 0°21N 67°19W 186 C5
Içana → Brazil 0°26N 67°19W 186 C5
Icatu Brazil 2°46S 44°4W 189 A2
İçel = Mersin Turkey 36°51N 34°36E 104 D6
Iceland ■ Europe 64°45N 19°0W 60 D4
Iceland Basin Atl. Oc. 61°0N 19°0W 54 C7
Icelandic Plateau Arctic 64°0N 10°0W 54 C7
İçeriçumra Turkey 37°34N 32°39E 104 D5
Ichalkaranji India 16°40N 74°33E 126 F2
Ich'ang = Yichang China 30°40N 111°20E 117 B8
Ichchapuram India 19°10N 84°40E 126 E7
Ichhawar India 23°1N 77°1E 124 H7
Ichigat Muja-Cordillera del Condor △ Peru 4°20S 77°30W 188 A2
Ichihara Japan 35°28N 140°5E 113 G10
Ichikawa Japan 35°43N 139°54E 113 G9
Ichilo → Bolivia 15°57S 64°50W 186 G6
Ichinohe Japan 40°13N 141°17E 112 D10
Ichinomiya Japan 35°18N 136°48E 113 G8
Ichinoseki Japan 38°55N 141°8E 112 E10
Ichkeul △ Tunisia 37°5N 9°37E 136 A5
Ichnya Ukraine 50°52N 32°24E 85 G7
Icht Morocco 29°6N 8°54W 136 C2
Icó Brazil 6°24S 38°51W 189 B3
Icod Canary Is. 28°22N 16°43W 100 F3
Içoguz Turkmenistan 40°11N 58°24E 108 D5
Icy C. U.S.A. 70°20N 161°52W 158 B3
Ida Grove U.S.A. 42°21N 95°28W 172 D6
Idabel U.S.A. 33°54N 94°50W 176 E7
Idah Nigeria 7°5N 6°40E 139 D6
Idaho □ U.S.A. 45°0N 115°0W 168 D6
Idaho City U.S.A. 43°50N 115°50W 168 E6
Idaho Falls U.S.A. 43°30N 112°2W 168 E7
Idalia △ Australia 24°49S 144°36E 150 C3
Idanha-a-Nova Portugal 39°50N 7°15W 88 F3
Idar-Oberstein Germany 49°43N 7°16E 77 F3
Idelès Algeria 23°50N 5°53E 136 D5
Idensalmi = Iisalmi Finland 63°32N 27°10E 60 E22
Idfû Egypt 24°55N 32°49E 137 C3
Idi Indonesia 5°2N 97°37E 118 C1
Idi, Oros = Psiloritis, Oros Greece 35°15N 24°45E 101 D6
İdil Turkey 37°20N 41°53E 105 D9
Idiofa Dem. Rep. of the Congo 4°55S 19°42E 140 E3
Idkerberget Sweden 60°22N 15°15E 62 D9
Idku Egypt 31°18N 30°17E 137 E7
Idku, Bahra el Egypt 31°18N 30°18E 137 E7
Idlib Syria 35°55N 36°36E 104 E7
Idlib □ Syria 35°45N 36°45E 104 E7
Idra = Hydra Greece 37°20N 23°28E 98 D5
Idre Sweden 61°52N 12°42E 62 C6
Idria U.S.A. 36°25N 120°41W 170 J6
Idrija Slovenia 46°0N 14°5E 93 C11
Idritsa Russia 56°17N 28°53E 84 D5
Idutywa = Dutywa S. Africa 32°8S 28°18E 145 D4
Ieper Belgium 50°51N 2°53E 69 D2
Ierapetra Greece 35°1N 25°44E 101 E7
Ierissos Greece 40°22N 23°52E 96 F7
Ierissos Kolpos Greece 40°27N 23°57E 96 F7
Iernut Romania 46°27N 24°15E 81 D9
Iesi Italy 43°31N 13°14E 93 E10
Ifac, Penyal d' Spain 38°38N 0°5E 91 G5
Ifakara Tanzania 8°8S 36°41E 140 F7
'Ifâl, W. al → Si. Arabia 28°7N 35°3E 128 D2
Ife Nigeria 7°30N 4°31E 139 D5
Iférouâne Niger 19°5N 8°24E 139 B6
Ifetesene Algeria 25°30N 4°33E 136 C4
Iffley Australia 18°53S 141°12E 150 B3
Ifon Nigeria 6°58N 5°40E 139 D6
Iforas, Adrar des Africa 19°40N 1°40E 139 B5
Ifould, L. Australia 30°52S 132°6E 149 F5
Ifrane Morocco 33°33N 5°7W 136 B2
Igalo Montenegro 42°28N 18°30E 96 D2
Iganga Uganda 0°37N 33°28E 142 B3
Igarapava Brazil 20°3S 47°47W 189 E1
Igarka Russia 67°30N 86°33E 106 C9
Igatpuri India 19°40N 73°35E 126 E1
Igbetti Nigeria 8°44N 4°8E 139 D5
Igbo-Ora Nigeria 7°29N 3°15E 139 D5
Igboho Nigeria 8°53N 3°50E 139 D5
Igbor Nigeria 7°27N 8°34E 139 D6
Iğdır Turkey 39°55N 44°2E 105 C11
Igelfors Sweden 58°52N 15°41E 63 F9
Iggesund Sweden 61°39N 17°10E 62 C11
Ighil Izane = Relizane Algeria 35°44N 0°31E 136 A4
Iglésias Italy 39°19N 8°32E 94 C1
Igli Algeria 30°25N 2°19W 136 B3
Igloolik = Iglulik Canada 69°20N 81°49W 161 D15
Igluligaarjuk = Chesterfield Inlet Canada 63°30N 90°45W 160 E13
Iglulik Canada 69°20N 81°49W 161 D15
'Igma, G. el Egypt 29°10N 34°0E 137 F8
Ignace Canada 49°30N 91°40W 164 C1
İğneada Turkey 41°52N 27°59E 97 E11
İğneada Burnu Turkey 41°53N 28°2E 97 E12
Igoumenitsa Greece 39°32N 20°18E 98 B2
Igrim Russia 63°12N 64°30E 106 C7
Iguaçu → Brazil 25°36S 54°36W 191 B5
Iguaçu, Cat. del Brazil 25°41S 54°26W 191 B5
Iguaçu △ Brazil 25°30S 54°0W 191 B5
Iguaçu Falls = Iguaçu, Cat. del Brazil 25°41S 54°26W 191 B5
Iguala Mexico 18°21N 99°32W 181 D5
Igualada Spain 41°37N 1°37E 90 D6
Iguassu = Iguaçu → Brazil 25°36S 54°36W 191 B5
Iguatu Brazil 6°20S 39°18W 189 B3
Iguazú △ Argentina 25°42S 54°22W 191 B5
Iguidi, Erg Africa 27°0N 6°0W 136 C2
Iharana Madag. 13°25S 50°0E 141 G10
Ihbulag Mongolia 43°11N 107°10E 114 C4
Iheya-Shima Japan 27°4N 127°58E 113 L3
Ihiala Nigeria 5°51N 6°55E 139 D6
Ihosy Madag. 22°24S 46°8E 141 J9
Ihugh Nigeria 7°2N 9°0E 139 D6
Ii Finland 65°19N 25°22E 60 D21
Ii-Shima Japan 26°43N 127°47E 113 L3
Iida Japan 35°35N 137°50E 113 G8
Iijoki → Finland 65°20N 25°20E 60 D21
Iisalmi Finland 63°32N 27°10E 60 E22
Iiyama Japan 36°51N 138°22E 113 F9
Iizuka Japan 33°38N 130°42E 113 H5
Ijâfene Mauritania 20°40N 8°0W 134 D4
Ijebu-Igbo Nigeria 6°56N 4°1E 139 D5
Ijebu-Ode Nigeria 6°47N 3°58E 139 D5
Ijevan Armenia 40°52N 45°8E 87 K7
IJmuiden Neths. 52°28N 4°35E 69 B4
Ijo älv = Iijoki → Finland 65°20N 25°20E 60 D21
IJssel → Neths. 52°35N 5°50E 69 B5
IJsselmeer Neths. 52°45N 5°20E 69 B5
Ijuí Brazil 28°23S 53°55W 191 B5
Ijuí → Brazil 27°58S 55°20W 191 B4
Ikamatua N.Z. 42°16S 171°41E 155 C6
Ikang Nigeria 4°49N 8°30E 139 E6
Ikanga Kenya 1°42S 38°4E 142 C4
Ikara Nigeria 11°12N 8°15E 139 C6
Ikare Nigeria 7°32N 5°40E 139 D6
Ikaria Greece 37°35N 26°10E 99 D8
Ikast Denmark 56°8N 9°10E 63 H3
Ikeda Japan 34°1N 133°48E 113 G6
Ikeja Nigeria 6°35N 3°20E 139 D5
Ikela Dem. Rep. of the Congo 1°6S 23°6E 140 E4
Ikere Nigeria 7°25N 5°19E 139 D6
Ikhtiman Bulgaria 42°27N 23°48E 96 D7
Iki Japan 33°45N 129°42E 113 H4
Ikimba L. Tanzania 1°30S 31°20E 142 C3
Ikire Nigeria 7°23N 4°15E 139 D5
İkizdere Turkey 40°46N 40°32E 105 B9
Ikom Nigeria 6°0N 8°42E 139 D6
Ikopa → Madag. 16°45S 46°40E 141 H9
Ikorongo △ Tanzania 1°50S 34°53E 142 C3
Ikot Ekpene Nigeria 5°12N 7°40E 139 D6
Ikparjuk = Arctic Bay Canada 73°1N 85°7W 161 C14
Iksan S. Korea 35°59N 127°0E 115 G14
Ikungu Tanzania 1°33S 33°42E 142 C3
Ikuntji = Haasts Bluff Australia 23°22S 132°0E 148 D5
Ikurun Nigeria 7°54N 4°40E 139 D5
Ila Nigeria 8°0N 4°39E 139 D5
Ilagan Phil. 17°7N 121°53E 119 A6
Īlām Iran 33°36N 46°36E 105 F12
Ilam Nepal 26°58N 87°58E 125 F12
Īlām □ Iran 33°0N 47°0E 128 C5
Ilan Taiwan 24°45N 121°44E 117 E13
Ilanskiy Russia 56°14N 96°3E 107 D10
Ilaro Nigeria 6°53N 3°3E 139 D5
Ilatane Niger 16°30N 4°45E 139 B5
Ilave Peru 16°5S 69°40W 188 D4
Iława Poland 53°36N 19°34E 82 E6
Ilayangudi India 9°34N 78°37E 127 K4
Ile → Kazakhstan 45°53N 77°10E 109 C9
Île-à-la-Crosse Canada 55°27N 107°53W 163 B7
Île-à-la-Crosse, Lac Canada 55°40N 107°45W 163 B7
Ile-Ala Tau △ Kazakhstan 43°5N 77°5E 109 D9
Île-de-France □ France 49°0N 2°20E 71 D9
Ileanda Romania 47°20N 23°38E 81 C8
Ilebo Dem. Rep. of the Congo 4°17S 20°55E 140 E4
Ilek Russia 51°32N 53°21E 108 B4
Ilemi Triangle Africa 5°0N 35°20E 142 B4
Ilero Nigeria 8°0N 3°20E 139 D5
Ilesha Kwara, Nigeria 8°57N 3°28E 139 D5
Ilesha Oyo, Nigeria 7°37N 4°40E 139 D5
Ilford Canada 56°4N 95°35W 163 B9
Ilfov □ Romania 44°36N 26°7E 81 F11
Ilfracombe Australia 23°30S 144°30E 150 C3
Ilfracombe U.K. 51°12N 4°8W 67 F3
Ilgaz Turkey 40°55N 33°37E 104 B5
Ilgaz Dağları Turkey 41°10N 33°50E 104 B5
Ilgın Turkey 38°16N 31°55E 104 C4
Ilha Grande, Represa Brazil 23°10S 53°5W 191 A5
Ilha Grande △ Brazil 23°10S 53°20W 191 A5
Ílhavo Portugal 40°33N 8°43W 88 E2
Ilhéus Brazil 14°49S 39°2W 189 C3
Ili = Ile → Kazakhstan 45°53N 77°10E 109 C9
Ilia Greece 37°45N 21°35E 98 D3
Ilia Romania 45°57N 22°40E 80 E7
Iliamna L. U.S.A. 59°30N 155°0W 166 D8
Ilias, Profitis Greece 36°17N 27°56E 101 C9
Ilıç Turkey 39°27N 38°33E 105 C8
Ilica Turkey 39°52N 27°46E 99 B9
Iligan Phil. 8°12N 124°13E 119 C6
Ilion U.S.A. 43°1N 75°2W 175 D9
Ilirska-Bistrica Slovenia 45°34N 14°14E 93 C11
Ilkal India 15°57N 76°8E 127 G3
Ilkeston U.K. 52°58N 1°19W 66 E6
Ilkley U.K. 53°56N 1°48W 66 D6
Illampu = Ancohuma, Nevado Bolivia 16°0S 68°50W 188 D4
Illana B. Phil. 7°35N 123°45E 119 C6
Illapel Chile 32°0S 71°10W 190 C1
Ille-et-Vilaine □ France 48°10N 1°30W 70 D5
Ille-sur-Têt France 42°40N 2°38E 72 F6
Illéla Niger 14°32N 5°20E 139 C6
Iller → Germany 48°23N 9°58E 77 G5
Illertissen Germany 48°12N 10°7E 77 G6
Illes Balears = Baleares, Is. Spain 39°30N 3°0E 100 B10
Illescas Spain 40°8N 3°51W 88 E7
Illetas Spain 39°32N 2°35E 100 B9
Illichivsk Ukraine 46°20N 30°35E 85 J6
Illiers-Combray France 48°18N 1°15E 70 D8
Illimani, Nevado Bolivia 16°30S 67°50W 188 D4
Illinois □ U.S.A. 40°15N 89°30W 172 E9
Illinois → U.S.A. 38°58N 90°28W 172 F8
Illizi Algeria 26°31N 8°32E 136 C5
Illizi □ Algeria 26°50N 8°10E 136 C5
Illkirch-Graffenstaden France 48°34N 7°42E 71 D14
Íllora Spain 37°17N 3°53W 89 H7
Ilm → Germany 51°6N 11°40E 76 D7
Ilma, L. Australia 29°13S 127°46E 149 E4
Ilmajoki Finland 62°44N 22°34E 60 E20
Ilmen, Ozero Russia 58°15N 31°10E 84 C6
Ilmenau Germany 50°41N 10°54E 76 E6
Ilnytsya Ukraine 48°21N 23°5E 80 B8
Ilo Peru 17°40S 71°20W 188 D3
Ilobu Nigeria 7°45N 4°25E 139 D5
Iloilo Phil. 10°45N 122°33E 119 B6
Ilomantsi Finland 62°38N 30°57E 60 E24
Ilora Nigeria 7°45N 3°50E 139 D5
Ilorin Nigeria 8°30N 4°35E 139 D5
Ilovatka Russia 50°30N 45°50E 86 E7
Ilovlya Russia 49°15N 44°2E 87 F7
Ilovlya → Russia 49°14N 44°2E 87 F7
Iłowa Poland 51°30N 15°10E 83 G2
Ilulissat Greenland 69°12N 51°10W 57 D5
Ilva Mică Romania 47°17N 24°40E 81 C9
Ilwaco U.S.A. 46°19N 124°3W 170 D2
Ilyichevsk = Illichivsk Ukraine 46°20N 30°35E 85 J6
Iłża Poland 51°10N 21°15E 83 G8
Iłżanka → Poland 51°14N 21°48E 83 G8
Imabari Japan 34°4N 133°0E 113 G6
İmamoğlu Turkey 37°15N 35°38E 104 D6
Imandra, Ozero Russia 67°30N 33°0E 60 C25
Imari Japan 33°15N 129°52E 113 H4
Imatra Finland 61°12N 28°48E 84 B5
Iménas Mali 16°20N 0°40E 139 B5
imeni 26 Bakinskikh Komissarov = Neftçala Azerbaijan 39°19N 49°12E 105 C13
imeni 26 Bakinskikh Komissarov Turkmenistan 39°22N 54°10E 129 B7
imeni Ismail Samani, Pik Tajikistan 39°0N 72°2E 109 E8
imeni Karl Libknekhta Russia 51°40N 35°35E 85 G8
Imeri, Serra Brazil 0°50N 65°25W 186 C5
Imfolozi △ S. Africa 28°18S 31°50E 145 C5
Imi Ethiopia 6°28N 42°10E 131 F3
Imişli Azerbaijan 39°55N 48°4E 87 L9
Imitek Morocco 29°43N 8°10W 136 C2
Imlay U.S.A. 40°40N 118°9W 168 F4
Imlay City U.S.A. 43°2N 83°5W 174 D1
Immenstadt Germany 47°33N 10°13E 77 H6
Immingham U.K. 53°37N 0°13W 66 D7
Immokalee U.S.A. 26°25N 81°25W 179 J8
Imo □ Nigeria 5°30N 7°10E 139 D6
Imo → Nigeria 4°36N 7°35E 139 E6
Imola Italy 44°20N 11°42E 93 D8
Imotski Croatia 43°27N 17°12E 93 E14
Imperatriz Amazonas, Brazil 5°18S 67°11W 188 B4
Imperatriz Maranhão, Brazil 5°30S 47°29W 189 B1
Impéria Italy 43°53N 8°3E 92 E5
Imperial Canada 51°21N 105°28W 163 C7
Imperial Peru 13°4S 76°21W 188 C2
Imperial Calif., U.S.A. 32°51N 115°34W 171 N11
Imperial Nebr., U.S.A. 40°31N 101°39W 172 E3
Imperial Beach U.S.A. 32°35N 117°6W 171 N9
Imperial Dam U.S.A. 32°55N 114°25W 171 N12
Imperial Res. U.S.A. 32°53N 114°28W 171 N12
Imperial Valley U.S.A. 33°0N 115°30W 171 N11
Imperieuse Reef Australia 17°36S 118°50E 148 C2
Impfondo Congo 1°40N 18°0E 140 D3
Imphal India 24°48N 93°56E 123 G18
Imphy France 46°55N 3°16E 71 F10
İmranlı Turkey 39°54N 38°7E 105 C8
İmroz = Gökçeada Turkey 40°10N 25°50E 97 F9
Imst Austria 47°15N 10°44E 78 D3
Imuris Mexico 30°47N 110°52W 180 A2
Imuruan B. Phil. 10°40N 119°10E 119 B5
In Aleï Mali 17°42N 2°30W 138 B4
In Amenas Algeria 28°5N 9°33E 136 C5
In Amguel Algeria 23°41N 5°9E 136 D5
In Belbel Algeria 27°55N 1°12E 136 C4
In Delimane Mali 15°52N 1°31E 139 B5
In Ghar Algeria 27°10N 1°59E 136 C4
In Guezzam Algeria 19°37N 5°52E 139 B6
In Koufi Mali 19°11N 1°25E 139 B5
In Salah Algeria 27°10N 2°32E 136 C4
In Tallak Mali 16°19N 3°15E 139 B5
In Tebezas Mali 17°49N 1°53E 139 B5
Ina Japan 35°50N 137°55E 113 G8
Inaccessible I. Atl. Oc. 37°18S 12°40W 56 K10
Inagua △ Bahamas 21°5N 73°24W 183 B5
Inajá Brazil 8°54S 37°49W 189 B3
Inambari → Peru 12°41S 69°44W 188 C4
Inangahua N.Z. 41°52S 171°59E 155 B6
Inanwatan Indonesia 2°8S 132°10E 119 E8
Iñapari Peru 11°0S 69°40W 188 C4
Inari Finland 68°54N 27°1E 60 B22
Inarijärvi Finland 69°0N 28°0E 60 B23
Inawashiro-Ko Japan 37°29N 140°6E 112 F10
Inbhear Mór, An = Arklow Ireland 52°48N 6°10W 64 D5
Inca Spain 39°43N 2°54E 100 B9
Inca de Oro Chile 26°45S 69°54W 190 B2
Incahuasi Argentina 27°2S 68°18W 190 B2
Incahuasi Chile 29°12S 71°5W 190 B1
İnce Burun Turkey 42°7N 34°56E 104 A6
İncekum Burnu Turkey 36°13N 33°57E 104 D5
İncesu Turkey 38°38N 35°11E 104 C6
Incheon S. Korea 37°27N 126°40E 115 F14
Inchiri □ Mauritania 20°0N 15°0W 138 B2

Incio = A Cruz do Incio Spain 42°39N 7°21W 88 C3
İncirliova Turkey 37°50N 27°41E 99 D9
Incline Village U.S.A. 39°10N 119°58W 170 F7
Incomáti → Mozam. 25°46S 32°43E 145 C5
Incudine, Mte. France 41°50N 9°12E 73 G13
Indal Sweden 62°35N 17°5E 62 B11
Indalsälven → Sweden 62°36N 17°30E 62 B11
Indaw Burma 24°15N 96°5E 123 G20
Independence Calif., U.S.A. 36°48N 118°12W 170 J8
Independence Iowa, U.S.A. 42°28N 91°54W 172 D8
Independence Kans., U.S.A. 37°14N 95°42W 172 G6
Independence Ky., U.S.A. 38°57N 84°33W 173 F11
Independence Mo., U.S.A. 39°6N 94°25W 172 F6
Independence Fjord Greenland 82°10N 29°0W 57 A8
Independence Mts. U.S.A. 41°20N 116°0W 168 F5
Independência Brazil 5°23S 40°19W 189 B2
Independencia, I. Peru 14°16S 76°12W 188 C2
Independenţa Romania 45°25N 27°42E 81 E12
Inderbor Kazakhstan 48°33N 51°47E 108 C4
Index U.S.A. 47°50N 121°33W 170 C5
Indi India 17°10N 75°58E 126 F2
India ■ Asia 20°0N 78°0E 122 K11
Indialantic U.S.A. 28°6N 80°34W 179 G9
Indian → U.S.A. 27°59N 80°34W 179 G9
Indian Cabins Canada 59°52N 117°40W 162 B5
Indian Harbour Canada 54°27N 57°13W 165 B8
Indian Harbour Beach U.S.A. 28°10N 80°35W 179 G9
Indian Head Canada 50°30N 103°41W 163 C8
Indian L. U.S.A. 43°46N 74°16W 175 C10
Indian Lake U.S.A. 43°47N 74°16W 175 C10
Indian Ocean 5°0S 75°0E 146 E6
Indian Rocks Beach U.S.A. 27°52N 82°51W 179 H7
Indian Springs U.S.A. 36°35N 115°40W 171 J11
Indiana U.S.A. 40°37N 79°9W 174 F5
Indiana □ U.S.A. 40°0N 86°0W 173 F11
Indianapolis U.S.A. 39°46N 86°9W 172 F10
Indianola Iowa, U.S.A. 41°22N 93°34W 172 E7
Indianola Miss., U.S.A. 33°27N 90°39W 177 E9
Indiantown U.S.A. 27°1N 80°28W 179 H9
Indigirka → Russia 70°48N 148°54E 107 B15
Inđija Serbia 45°6N 20°7E 80 E5
Indio U.S.A. 33°43N 116°13W 171 M10
Indira Gandhi Canal India 28°0N 72°0E 124 F5
Indira Pt. India 6°44N 93°49E 127 L11
Indira Sagar India 22°15N 76°40E 124 H7
Indo-China Asia 15°0N 102°0E 102 G12
Indonesia ■ Asia 5°0S 115°0E 118 F5
Indore India 22°42N 75°53E 124 H6
Indramayu Indonesia 6°20S 108°19E 119 G13
Indravati → India 19°20N 80°20E 126 E5
Indre □ France 46°50N 1°39E 71 F8
Indre → France 47°16N 0°11E 70 E7
Indre-et-Loire □ France 47°20N 0°40E 70 E7
Indrio U.S.A. 27°31N 80°21W 179 H9
Indulkana Australia 26°58S 133°5E 151 D1
Indura Belarus 53°26N 23°53E 82 E10
Indus → Pakistan 24°20N 67°47E 124 G2
Indus, Mouths of the Pakistan 24°0N 68°0E 124 H3
İnebolu Turkey 41°55N 33°40E 104 B5
İnecik Turkey 40°56N 27°16E 97 F11
İnegöl Turkey 40°5N 29°31E 97 F13
Inés, Mt. Argentina 48°30S 69°40W 192 C3
Ineu Romania 46°26N 21°51E 80 D6
Inezgane Morocco 30°25N 9°29W 136 B2
Infantes = Villanueva de los Infantes Spain 38°43N 3°1W 89 G7
Infiernillo, Presa del Mexico 18°35N 101°50W 180 D4
Infiesto Spain 43°21N 5°21W 88 B5
Inga, Barrage d' Dem. Rep. of the Congo 5°39S 13°39E 140 F2
Ingaro Sweden 59°12N 18°45E 62 E12
Ingelstad Sweden 56°45N 14°56E 63 H8
Ingeniero Jacobacci Argentina 41°20S 69°36W 192 B3
Ingenio Canary Is. 27°55N 15°26W 100 G4
Ingenio Santa Ana Argentina 27°25S 65°40W 190 B2
Ingersoll Canada 43°4N 80°55W 174 C4
Ingham Australia 18°43S 146°10E 150 B4
Ingleborough U.K. 54°10N 2°22W 66 C5
Inglefield Land Greenland 78°30N 70°0W 57 B4
Inglewood Queens., Australia 28°25S 151°2E 151 D5
Inglewood Vic., Australia 36°29S 143°53E 152 D5
Inglewood N.Z. 39°9S 174°14E 154 F3
Inglewood U.S.A. 33°58N 118°21W 171 M8
Inglis U.S.A. 29°2N 82°40W 179 F7
Ingolf Fjord Greenland 80°35N 17°30W 57 A9
Ingólfshöfði Iceland 63°48N 16°39W 60 E5
Ingolstadt Germany 48°46N 11°26E 77 G7
Ingomar U.S.A. 46°35N 107°23W 168 C10
Ingonish Canada 46°42N 60°18W 165 C7
Ingore Guinea-Biss. 12°24N 15°48W 138 C1
Ingraj Bazar India 24°58N 88°10E 125 G13
Ingrid Christensen Coast Antarctica 69°30S 76°0E 55 C6
Ingul = Inhul → Ukraine 46°50N 32°0E 85 J7
Ingulec = Inhulec Ukraine 47°42N 33°14E 85 J7
Ingulets = Inhulets → Ukraine 46°46N 32°47E 85 J7
Inguri = Enguri → Georgia 42°27N 41°38E 87 J5
Ingushetia □ Russia 43°20N 44°50E 87 J7
Ingwavuma S. Africa 27°9S 31°59E 145 C5
Inhaca Mozam. 26°1S 32°57E 145 C5
Inhaca Pen. Mozam. 26°13S 32°55E 145 C5
Inhafenga Mozam. 20°36S 33°53E 145 B5
Inhambane Mozam. 23°54S 35°30E 145 B6
Inhambane □ Mozam. 22°30S 34°20E 145 B5
Inhambupe Brazil 11°47S 38°21W 189 C3
Inhaminga Mozam. 18°26S 35°0E 143 F4
Inharrime Mozam. 24°30S 35°0E 145 B6
Inharrime → Mozam. 24°30S 35°0E 145 B6
Inhisar Turkey 40°3N 30°23E 99 A12
Inhul → Ukraine 46°50N 32°0E 85 J7
Inhulec Ukraine 47°42N 33°14E 85 J7
Inhulets → Ukraine 46°46N 32°47E 85 J7
Inhuma Brazil 6°40S 41°42W 189 B2
Iniesta Spain 39°27N 1°45W 91 F3
Ining = Yining China 43°58N 81°10E 109 D10
Inírida → Colombia 3°55N 67°52W 186 C5
Inis = Ennis Ireland 52°51N 8°59W 64 D3
Inishbofin Ireland 53°37N 10°13W 64 C1
Inisheer Ireland 53°3N 9°32W 64 C2
Inishfree B. Ireland 55°4N 8°23W 64 A3
Inishkea North Ireland 54°9N 10°11W 64 B1
Inishkea South Ireland 54°7N 10°12W 64 B1
Inishmaan Ireland 53°5N 9°35W 64 C2
Inishmore Ireland 53°8N 9°45W 64 C2
Inishmurray Ireland 54°26N 8°39W 64 B3
Inishowen Pen. Ireland 55°14N 7°15W 64 A4
Inishshark Ireland 53°37N 10°16W 64 C1
Inishturk Ireland 53°42N 10°7W 64 C1
Inishvickillane Ireland 52°3N 10°37W 64 D1
Injāna Iraq 34°29N 44°38E 105 E11
Injinoo ⊙ Australia 10°56S 142°15E 150 A3
Injune Australia 25°53S 148°32E 151 D4
Inklin → N. Amer. 58°50N 133°10W 162 B2
Inland Kaikoura Ra. N.Z. 41°59S 173°41E 155 B8
Inland Sea = Setonaikai Japan 34°20N 133°30E 113 G6
Inle L. Burma 20°30N 96°58E 123 J20
Inlet U.S.A. 43°45N 74°48W 175 C10
Inn → Austria 48°35N 13°28E 78 C6
Innamincka Australia 27°44S 140°46E 151 D3
Inner Hebrides U.K. 57°0N 6°30W 65 E2
Inner Mongolia = Nei Mongol Zizhiqu □ China 42°0N 112°0E 114 D7
Inner Sound U.K. 57°30N 5°55W 65 D3
Innerkip Canada 43°13N 80°42W 174 C4
Innes △ Australia 35°52S 136°53E 152 C2
Innetalling I. Canada 56°0N 79°0W 164 A4
Innisfail Australia 17°33S 146°5E 150 B4
Innisfail Canada 52°2N 113°57W 162 C6
In'noshima Japan 34°19N 133°10E 113 G6
Innsbruck Austria 47°16N 11°23E 78 D4
Innviertel Austria 48°15N 13°15E 78 C6
Inny → Ireland 53°32N 7°51W 64 C4
Inongo Dem. Rep. of the Congo 1°55S 18°30E 140 E3
İnönü Turkey 39°48N 30°9E 99 B12
Inoucdjouac = Inukjuak Canada 58°25N 78°15W 161 F16
Inousses Greece 38°33N 26°14E 99 C8
Inowrocław Poland 52°50N 18°12E 83 F5
Inquisivi Bolivia 16°50S 67°10W 188 D4
Inscription, C. Australia 25°29S 112°59E 149 E1
Insein Burma 16°50N 96°5E 123 L20
Insjön Sweden 60°41N 15°6E 62 D9
Ińsko Poland 53°25N 15°32E 82 E2
Însurăţei Romania 44°50N 27°40E 81 F12
Inta Russia 66°5N 60°8E 106 C6
Intendente Alvear Argentina 35°12S 63°32W 190 D3
İntepe Turkey 40°1N 26°20E 99 A8
Interlachen U.S.A. 29°37N 81°53W 179 F8
Interlaken Switz. 46°41N 7°50E 77 J3
Interlaken U.S.A. 42°37N 76°44W 175 D8
International Falls U.S.A. 48°36N 93°25W 172 A7
Interview I. India 12°55N 92°43E 127 H11
Intiyaco Argentina 28°43S 60°5W 190 B3
Întorsura Buzăului Romania 45°41N 26°2E 81 E11
Inukjuak Canada 58°25N 78°15W 161 F16
Inútil, B. Chile 53°30S 70°15W 192 D2
Inuvik Canada 68°16N 133°40W 160 D5
Inveraray U.K. 56°14N 5°5W 65 E3
Inverbervie U.K. 56°51N 2°17W 65 E6
Invercargill N.Z. 46°24S 168°24E 155 G3
Inverclyde □ U.K. 55°55N 4°49W 65 F4
Inverell Australia 29°45S 151°8E 151 D5
Invergordon U.K. 57°41N 4°10W 65 D4
Inverleigh Australia 38°6S 144°3E 152 E6
Inverloch Australia 38°38S 145°45E 151 F4
Invermere Canada 50°30N 116°2W 162 C5
Inverness Canada 46°15N 61°19W 165 C7
Inverness U.K. 57°29N 4°13W 65 D4
Inverness Ala., U.S.A. 32°1N 85°45W 178 C4
Inverness Fla., U.S.A. 28°50N 82°20W 179 G7
Inverurie U.K. 57°17N 2°23W 65 D6
Investigator Group Australia 34°45S 134°20E 151 E1
Investigator Ridge Ind. Oc. 11°30S 98°10E 146 F8
Investigator Str. Australia 35°30S 137°0E 152 C2
Inya Russia 50°28N 86°37E 109 B11
Inyanga Zimbabwe 18°12S 32°40E 143 F3
Inyangani Zimbabwe 18°5S 32°50E 143 F3
Inyantue Zimbabwe 18°33S 26°39E 144 A4
Inyo Mts. U.S.A. 36°40N 118°0W 170 J9
Inyokern U.S.A. 35°39N 117°49W 171 K9
Inyonga Tanzania 6°45S 32°5E 142 D3
Inza Russia 53°55N 46°25E 86 D8
Inzhavino Russia 52°22N 42°30E 86 D6
Iō-Jima Japan 30°48N 130°18E 113 J5
Ioannina Greece 39°42N 20°47E 98 B2
Iola U.S.A. 37°55N 95°24W 172 G6
Ion Corvin Romania 44°7N 27°50E 81 F12
Iona U.K. 56°20N 6°25W 65 E2
Ione U.S.A. 38°21N 120°56W 170 G6
Ionia U.S.A. 42°59N 85°4W 173 D11
Ionian Is. = Ionioi Nisoi Greece 38°40N 20°0E 98 C2
Ionian Sea Medit. S. 37°30N 17°30E 58 H9
Ionioi Nisoi Greece 38°40N 20°0E 98 C2
Ionioi Nisoi □ Greece 38°40N 20°0E 98 C2
Iony, Ostrov Russia 56°24N 143°22E 107 D15
Ios Greece 36°41N 25°20E 99 E7
Iowa □ U.S.A. 42°18N 93°30W 172 D7
Iowa → U.S.A. 41°10N 91°1W 172 E8
Iowa City U.S.A. 41°40N 91°32W 172 E8
Iowa Falls U.S.A. 42°31N 93°16W 172 D7
Iowa Park U.S.A. 33°57N 98°40W 176 E5
Ipala Tanzania 4°30S 32°52E 142 C3
Ipameri Brazil 17°44S 48°9W 189 D1
Ipanema Brazil 19°47S 41°44W 189 D2
Ipária Peru 9°17S 74°29W 188 B3
Ipati Greece 38°52N 22°14E 98 C4
Ipatinga Brazil 19°32S 42°30W 189 D2
Ipatovo Russia 45°45N 42°50E 87 H6
Ipel' → Europe 47°48N 18°53E 79 D11
Ipiales Colombia 0°50N 77°37W 186 C3
Ipiaú Brazil 14°8S 39°44W 189 C3
Ipin = Yibin China 28°45N 104°32E 116 C5
Ipirá Brazil 12°10S 39°44W 189 C3
Ipixuna Brazil 7°0S 71°40W 188 B3
Ipixuna → Brazil 7°11S 71°51W 188 B3
Ipoh Malaysia 4°35N 101°5E 121 K3
Ippy C.A.R. 6°5N 21°7E 140 C4
İpsala Turkey 40°55N 26°23E 97 F10
Ipsario, Oros Greece 40°40N 24°40E 97 F8
Ipswich Australia 27°35S 152°40E 151 D5
Ipswich U.K. 52°4N 1°10E 67 E9
Ipswich Mass., U.S.A. 42°41N 70°50W 175 D14
Ipswich S. Dak., U.S.A. 45°27N 99°2W 172 C4
Ipu Brazil 4°23S 40°44W 189 A2
Ipueiras Brazil 4°33S 40°43W 189 A2
Ipupiara Brazil 11°49S 42°37W 189 C2
Iqaluit Canada 63°44N 68°31W 161 E18
Iqaluktuutiaq = Cambridge Bay Canada 69°10N 105°0W 160 D11
Iquique Chile 20°19S 70°5W 188 E3
Iquitos Peru 3°45S 73°10W 186 D4
Irabu-Jima Japan 24°50N 125°10E 113 M2
Iracoubo Fr. Guiana 5°30N 53°10W 187 B8
Īrafshān Iran 26°42N 61°56E 129 E9
Iraklia Cyclades, Greece 36°50N 25°28E 99 E7
Iraklia Serres, Greece 41°10N 23°16E 96 E7
Iraklio Greece 35°20N 25°12E 101 D7
Iráklion = Iraklio Greece 35°20N 25°12E 101 D7
Irakliou, Kolpos Greece 35°23N 25°8E 101 D7
Irala Paraguay 25°55S 54°35W 191 B5
Iran ■ Asia 33°0N 53°0E 129 C7
Iran, Pegunungan Malaysia 2°20N 114°50E 118 D4
Iran Ra. = Iran, Pegunungan Malaysia 2°20N 114°50E 118 D4
Iranamadu Tank Sri Lanka 9°23N 80°29E 127 K5
Īrānshahr Iran 27°15N 60°40E 129 E9
Irapuato Mexico 20°41N 101°28W 180 C4
Iraq ■ Asia 33°0N 44°0E 105 F10
Irati Brazil 25°25S 50°38W 191 B5
Irazú, Volcan Costa Rica 9°59N 83°51W 182 D3
Irbes saurums Latvia 57°45N 22°5E 82 A9
Irbid Jordan 32°35N 35°48E 130 C4
Irbid □ Jordan 32°30N 35°50E 130 C5
Irbil = Arbīl Iraq 36°15N 44°5E 105 D11
Irebu Dem. Rep. of the Congo 0°40S 17°46E 140 E3
Irecê Brazil 11°18S 41°52W 189 C2
Iregua → Spain 42°27N 2°24E 90 C7
Ireland ■ Europe 53°50N 7°52W 64 C4
Irele Nigeria 7°40N 5°40E 139 D6
Irgiz = Yrghyz Kazakhstan 48°37N 61°16E 108 C6
Irgiz = Yrghyz → Kazakhstan 48°6N 62°30E 108 C6
Irgiz, Bolshaya → Russia 52°10N 49°10E 86 D9
Irharhar, O. → Algeria 28°3N 6°15E 136 C5
Irherm Morocco 30°7N 8°18W 136 B2
Irhil M'Goun Morocco 31°30N 6°28W 136 B2
Iri = Iksan S. Korea 35°59N 127°0E 115 G14
Irian Jaya = Papua □ Indonesia 4°0S 137°0E 119 E9
Irian Jaya Barat □ Indonesia 2°5S 132°50E 119 E8
Irié Guinea 8°15N 9°10W 138 D3
Iriklinskoye Vdkhr. Russia 52°0N 59°0E 108 B5
Iringa Tanzania 7°48S 35°43E 142 D4
Iringa □ Tanzania 7°48S 35°43E 142 D4
Irinjalakuda India 10°21N 76°14E 127 J3
Iriomote ⌂ Japan 24°29N 123°53E 113 M1
Iriomote-Jima Japan 24°19N 123°48E 113 M1
Iriona Honduras 15°57N 85°11W 182 C2
Iriri → Brazil 3°52S 52°37W 187 D8
Irish Sea Europe 53°38N 4°48W 66 D3
Irkeshtam Pass = Erkech-Tam Pass Asia 39°46N 74°2E 109 E8
Irkutsk Russia 52°18N 104°20E 110 A9
Irlığanlı Turkey 37°53N 29°12E 99 D11
Irma Canada 52°55N 111°14W 163 C6
Irō-Zaki Japan 34°36N 138°51E 113 G9
Iroise, Mer d' France 48°15N 4°45W 70 D2
Iron Baron Australia 32°58S 137°11E 152 B2
Iron Gate = Portile de Fier Europe 44°44N 22°30E 80 F7
Iron Knob Australia 32°46S 137°8E 152 B2
Iron Mountain U.S.A. 45°49N 88°4W 172 C9
Iron Range △ Australia 12°34S 143°18E 150 A3
Iron River U.S.A. 46°6N 88°39W 172 B9
Irondequoit U.S.A. 43°13N 77°35W 174 C7
Ironton Mo., U.S.A. 37°36N 90°38W 172 G8
Ironton Ohio, U.S.A. 38°32N 82°41W 173 F12
Ironwood U.S.A. 46°27N 90°9W 172 B8
Ironwood Forest ⌂ U.S.A. 32°32N 111°28W 169 K8
Iroquois Canada 44°51N 75°19W 175 B9
Iroquois Falls Canada 48°46N 80°41W 164 C3
Irpin Ukraine 50°30N 30°15E 75 C16
Irrara Cr. → Australia 29°35S 145°31E 151 D4
Irrawaddy = Ayeyawadi → Burma 15°50N 95°6E 123 M19
Irrawaddy □ Burma 17°0N 95°0E 123 L19
Irrawaddy, Mouths of the Burma 15°30N 95°0E 123 M19
Irricana Canada 51°19N 113°37W 162 C6
Irrunytju Australia 26°3S 128°56E 149 E4
Irshava Ukraine 48°19N 23°3E 80 B8
Irsina Italy 40°45N 16°14E 95 B9
Irtysh → Russia 61°4N 68°52E 106 C7
Irumu Dem. Rep. of the Congo 1°32N 29°53E 142 B2
Irún Spain 43°20N 1°52W 90 B3
Irunea = Pamplona-Iruña Spain 42°48N 1°38W 90 C3
Irurzun Spain 42°55N 1°50W 90 C3
Irvine Canada 49°57N 110°16W 163 D6
Irvine U.K. 55°37N 4°41W 65 F4
Irvine Calif., U.S.A. 33°41N 117°46W 171 M9
Irvine Ky., U.S.A. 37°42N 83°58W 173 G12
Irvinestown U.K. 54°28N 7°39W 64 B4
Irving U.S.A. 32°48N 96°56W 176 E6
Irvona U.S.A. 40°46N 78°33W 174 F6
Irwin → Australia 29°15S 114°54E 149 E1
Irwinton U.S.A. 32°49N 83°10W 178 C6
Irwinville U.S.A. 31°39N 83°23W 178 D6
Irymple Australia 34°14S 142°8E 152 C5
Is, Jebel Sudan 22°3N 35°28E 137 C4
Is-sur-Tille France 47°30N 5°8E 71 E12
Isa Nigeria 13°14N 6°24E 139 C6
Isa Khel Pakistan 32°41N 71°17E 124 C4
Isaac → Australia 22°55S 149°20E 150 C4
Isabel U.S.A. 45°24N 101°26W 172 C3
Isabel, I. Mexico 21°51N 105°55W 180 C3
Isabela Phil. 6°40N 121°59E 119 C6
Isabela Puerto Rico 18°30N 67°2W 183 d
Isabela, Cord. Nic. 13°30N 85°25W 182 D2
Isabella Ra. Australia 21°0S 121°4E 148 D3
Isaccea Romania 45°16N 28°28E 81 E13
Isachsen, C. Canada 79°20N 105°28W 161 B10
Isachsen Mt. Antarctica 72°8S 26°5E 55 D4
Ísafjarðardjúp Iceland 66°10N 23°0W 60 C2
Ísafjörður Iceland 66°5N 23°9W 60 C2
Isagarh India 24°48N 77°51E 124 G7
Isahaya Japan 32°52N 130°2E 113 H5
Isaka Tanzania 3°56S 32°59E 142 C3
Işalniţa Romania 44°24N 23°44E 81 F8
Isan → India 26°51N 80°7E 125 F9
Isana = Içana → Brazil 0°26N 67°19W 186 C5
Isangano ⌂ Zambia 11°8S 30°35E 143 E3
Isanlu Makutu Nigeria 8°20N 5°50E 139 D6
Isar → Germany 48°48N 12°57E 77 G8
Isarco → Italy 46°27N 11°18E 93 B8
Isaris Greece 37°22N 22°0E 98 D3
Íscar Spain 41°22N 4°32W 88 D6
İscehisar Turkey 38°51N 30°45E 99 C12
Íschia Italy 40°44N 13°57E 94 B6
Ischigualasto △ Argentina 30°0S 68°0W 190 B2
Isdell → Australia 16°27S 124°51E 148 C3
Ise Japan 34°25N 136°45E 113 G8
Ise-Shima △ Japan 34°25N 136°48E 113 G8
Ise-Wan Japan 34°43N 136°43E 113 G8
Isefjord Denmark 55°53N 11°50E 63 J5
Isel → Austria 46°50N 12°47E 78 E5
Iseo Italy 45°39N 10°3E 92 C7
Iseo, L. d' Italy 45°43N 10°4E 92 C7
Iseramagazi Tanzania 4°37S 32°10E 142 C3
Isère □ France 45°15N 5°40E 73 C9
Isère → France 44°59N 4°51E 73 D8
Iserlohn Germany 51°22N 7°41E 76 D3
Isérnia Italy 41°36N 14°14E 95 A7
Iseyin Nigeria 8°0N 3°36E 139 D5
Isfahan = Eşfahān Iran 32°39N 51°43E 129 C6
Ishëm Albania 41°33N 19°34E 96 E3
Ishigaki Japan 24°26N 124°10E 113 M2
Ishigaki-Shima Japan 24°20N 124°10E 113 M2
Ishikari Japan 43°20N 141°15E 112 C10
Ishikari-Gawa → Japan 43°15N 141°23E 112 C10
Ishikari-Sammyaku Japan 43°30N 143°0E 112 C11
Ishikari-Wan Japan 43°25N 141°1E 112 C10
Ishikawa Japan 26°25N 127°49E 113 L3
Ishikawa □ Japan 36°30N 136°30E 113 F8
Ishim Russia 56°10N 69°30E 106 D7
Ishim → Russia 57°45N 71°10E 106 D8
Ishimbay Russia 53°28N 56°2E 108 B5
Ishinomaki Japan 38°32N 141°20E 112 E10
Ishioka Japan 36°11N 140°16E 113 F10
Ishkashim Tajikistan 36°44N 71°37E 109 E8
Ishkoman Pakistan 36°30N 73°50E 125 A5
Ishpeming U.S.A. 46°29N 87°40W 172 B10
Isigny-sur-Mer France 49°19N 1°6W 70 C5
Işıklar Dağı Turkey 40°45N 27°15E 97 F11
Işıklı Turkey 38°19N 29°51E 99 C11
Isil Kul Russia 54°55N 71°16E 109 B8
Ísili Italy 39°44N 9°6E 94 C2
iSimangaliso ⌂ S. Africa 27°50S 32°32E 145 C5
Isiolo Kenya 0°24N 37°33E 142 B4
Isiolo □ Kenya 1°0N 37°30E 142 B4
Isiro Dem. Rep. of the Congo 2°53N 27°40E 142 B2
Isisford Australia 24°15S 144°21E 150 C3
İskele = Trikomo Cyprus 35°17N 33°52E 101 D12
İskenderun Turkey 36°32N 36°10E 104 D7
İskenderun Körfezi Turkey 36°40N 35°50E 104 D6
İskilip Turkey 40°45N 34°29E 104 B6
Iskitim Russia 54°38N 83°18E 109 B10
Iskŭr → Bulgaria 43°45N 24°25E 97 C8
Iskŭr, Yazovir Bulgaria 42°23N 23°30E 96 D7
Iskut → Canada 56°45N 131°49W 162 B2
Isla → U.K. 56°32N 3°20W 65 E5
Isla Coiba △ Panama 7°33N 81°36W 182 E3
Isla Cristina Spain 37°13N 7°17W 89 H3
Isla de Salamanca △ Colombia 10°59N 74°40W 183 D5
Isla Gorge △ Australia 25°10S 149°57E 150 D4
Isla Guamblin △ Chile 44°50S 75°4W 192 B1
Isla Isabel △ Mexico 21°54N 105°58W 180 C3
Isla Magdalena △ Chile 44°20S 73°13W 192 B2
Isla Tiburón y San Esteban ⌂ Mexico 29°0N 112°27W 180 B2
Isla Vista U.S.A. 34°25N 119°53W 171 L7
İslahiye Turkey 37°0N 36°35E 104 D7
Islam Headworks Pakistan 29°49N 72°33E 124 E5
Islamabad Pakistan 33°40N 73°10E 124 C5
Islamgarh Pakistan 27°51N 70°48E 124 F4
Islamkot Pakistan 24°42N 70°13E 124 G4
Islamorada U.S.A. 24°56N 80°37W 179 L9
Islampur Bihar, India 25°9N 85°12E 125 G11
Islampur Maharashtra, India 17°2N 74°20E 126 F2
Islampur Paschimbanga, India 26°16N 88°12E 125 F13
Island = Iceland ■ Europe 64°45N 19°0W 60 D4
Island L. Canada 53°47N 94°25W 163 C10
Island Lagoon Australia 31°30S 136°40E 152 A2
Island Pond U.S.A. 44°49N 71°53W 175 B13
Islands, B. of Canada 49°11N 58°15W 165 C8
Islands, B. of N.Z. 35°15S 174°6E 154 B3
Islas Atlánticas de Galicia △ Spain 42°23N 8°55W 88 C2
Islay U.K. 55°46N 6°10W 65 F2
Isle → France 44°55N 0°15W 72 D3
Isle aux Morts Canada 47°35N 59°0W 165 C8
Isle of Hope U.S.A. 31°58N 81°5W 178 D8
Isle of Wight □ U.K. 50°41N 1°17W 67 G6
Isle Royale △ U.S.A. 48°0N 88°55W 172 B9
Isleton U.S.A. 38°10N 121°37W 170 G5
Ismail = Izmayil Ukraine 45°22N 28°46E 81 E13
Ismâ'iliya Egypt 30°37N 32°18E 137 E8
Ismaning Germany 48°13N 11°40E 77 G7
Isna Egypt 25°17N 32°30E 137 B3
Isojärvi △ Finland 61°40N 25°0E 60 F21
Ísola del Liri Italy 41°41N 13°34E 93 G10
Ísola della Scala Italy 45°16N 11°0E 92 C7
Ísola di Capo Rizzuto Italy 38°58N 17°6E 95 D10
Isparta Turkey 37°47N 30°30E 99 D12
Isparta □ Turkey 38°0N 31°0E 104 D4
Isperikh Bulgaria 43°43N 26°50E 97 C10
Íspica Italy 36°47N 14°55E 95 F7
İspir Turkey 40°28N 40°59E 105 B9
Israel ■ Asia 32°0N 34°50E 130 D3
Issakly Russia 54°8N 51°32E 86 C10
Issaouane, Erg Algeria 26°58N 8°42E 136 C5
Issia Ivory C. 6°33N 6°33W 138 D3
Issoire France 45°32N 3°15E 72 C7
Issoudun France 46°57N 1°59E 71 F8
Issyk-Kul = Balykchy Kyrgyzstan 42°26N 76°12E 109 D9
Issyk-Kul, Ozero = Ysyk-Köl Kyrgyzstan 42°25N 77°15E 109 D9
Ist Croatia 44°17N 14°47E 93 D11
Istállós-kő Hungary 48°4N 20°26E 80 B5
İstanbul Turkey 41°0N 28°58E 97 E12
İstanbul □ Turkey 41°0N 29°0E 97 E12
İstanbul ✕ (IST) Turkey 40°59N 28°49E 97 F12
İstanbul Boğazı Turkey 41°5N 29°3E 97 E13
Istaravshan Tajikistan 39°55N 69°1E 109 E7
Istiea Greece 38°57N 23°9E 98 C5
Isto, Mt. U.S.A. 69°12N 143°48W 166 B11
Istok = Burim Kosovo 42°45N 20°24E 96 D4
Istokpoga, L. U.S.A. 27°23N 81°17W 179 H8
Istra Croatia 45°10N 14°0E 93 C10
Istres France 43°31N 4°59E 73 E8
Istria = Istra Croatia 45°10N 14°0E 93 C10
Itá Paraguay 25°29S 57°21W 190 B4
Itabaiana Paraíba, Brazil 7°18S 35°19W 189 B3
Itabaiana Sergipe, Brazil 10°41S 37°37W 189 C3
Itabaianinha Brazil 11°16S 37°47W 189 C3
Itaberaba Brazil 12°32S 40°18W 189 C2
Itabira Brazil 19°37S 43°13W 189 D2
Itabirito Brazil 20°15S 43°48W 189 E2
Itabuna Brazil 14°48S 39°16W 189 C3
Itacajá Brazil 8°19S 47°46W 189 B1
Itacaunas → Brazil 5°21S 49°8W 187 E9
Itacoatiara Brazil 3°8S 58°25W 186 D7
Itaguaí Brazil 22°15S 43°46W 191 A7
Itaguari → Brazil 14°11S 44°40W 189 C2
Itaguatins Brazil 5°47S 47°29W 189 B1
Itaim → Brazil 7°2S 42°2W 189 B2
Itainópolis Brazil 7°24S 41°31W 189 B2
Itaipú, Represa de Brazil 25°30S 54°30W 191 B5
Itäisen Suomenlahti △ Finland 60°25N 27°15E 60 F22
Itaituba Brazil 4°10S 55°50W 187 D7
Itajaí Brazil 27°50S 48°39W 191 B6
Itajubá Brazil 22°24S 45°30W 191 A6
Itajuípe Brazil 14°41S 39°22W 189 C3
Itaka Tanzania 8°50S 32°49E 143 D3
Itala ⌂ S. Africa 27°30S 31°7E 145 C5
Italy ■ Europe 42°0N 13°0E 59 G8
Itamaraju Brazil 17°4S 39°32W 189 D3
Itamarati Brazil 6°24S 68°15W 188 B4
Itamataré Brazil 2°16S 46°24W 189 A1
Itambacuri Brazil 18°1S 41°42W 189 D2
Itambé Brazil 15°15S 40°37W 189 D2
Itanhém Brazil 17°9S 40°20W 189 D2
Itapagé Brazil 3°41S 39°34W 189 A3
Itaparica, I. de Brazil 12°54S 38°42W 189 C3
Itaparica, Represa de Brazil 11°3S 42°47W 189 C2
Itapebi Brazil 15°56S 39°32W 189 D3
Itapecuru Mirim Brazil 3°24S 44°20W 189 A2
Itaperuna Brazil 21°10S 41°54W 191 A7
Itapetinga Brazil 15°15S 40°15W 189 D2
Itapetininga Brazil 23°36S 48°7W 191 A6
Itapeva Brazil 23°59S 48°59W 191 A6
Itapicuru → Bahia, Brazil 11°47S 37°32W 189 C3
Itapicuru → Maranhão, Brazil 2°52S 44°12W 189 A2
Itapipoca Brazil 3°30S 39°35W 189 A3
Itapiúna Brazil 4°33S 38°57W 189 A3
Itaporanga Brazil 7°18S 38°0W 189 B3
Itapuá □ Paraguay 26°40S 55°40W 191 B4
Itaquai → Brazil 4°20S 70°12W 188 A3
Itaquí Maranhão, Brazil 2°34S 44°22W 189 A2
Itaquí Rio Grande do S., Brazil 29°8S 56°30W 190 B4
Itararé Brazil 24°6S 49°23W 191 A6
Itarsi India 22°36N 77°51E 124 H7
Itatí Argentina 27°16S 58°15W 190 B4
Itatiaia △ Brazil 22°22S 44°38W 191 A7
Itatira Brazil 4°30S 39°37W 189 A3
Itaueira Brazil 7°36S 43°2W 189 B2
Itaueira → Brazil 6°41S 42°55W 189 B2
Itaúna Brazil 20°4S 44°34W 189 E2
Itcha Ilgachuz ⌂ Canada 52°42N 124°58W 162 C3
Itchen → U.K. 50°55N 1°22W 67 G6
Ite Peru 17°55S 70°57W 188 D3
Itea Greece 38°25N 22°25E 98 C4
Itezhi Tezhi, L. Zambia 15°30S 25°30E 143 F2
Ithaca = Ithaki Greece 38°25N 20°40E 98 C2
Ithaca U.S.A. 42°27N 76°30W 175 D8
Ithaki Greece 38°25N 20°40E 98 C2
Iti △ Greece 38°50N 22°15E 98 C4
Itinga Brazil 16°36S 41°47W 189 D2
Itiquira → Brazil 17°18S 56°44W 187 G7
Itiruçu Brazil 13°31S 40°9W 189 C2
Itiúba Brazil 10°43S 39°51W 189 C3
Itiyuro → Argentina 22°40S 63°50W 190 A3
Itō Japan 34°58N 139°5E 113 G9
Itoigawa Japan 37°2N 137°51E 113 F8
Iton → France 49°9N 1°12E 70 C8
Itonamas → Bolivia 12°28S 64°24W 186 F6
Itri Italy 41°17N 13°32E 94 A6
Itsa Egypt 29°15N 30°47E 137 F7
Ittiri Italy 40°36N 8°34E 94 B1
Ittoqqortoormiit Greenland 70°20N 23°0W 57 C8
Itu Brazil 23°17S 47°15W 191 A6
Itu Nigeria 5°10N 7°58E 139 D6
Itu Aba I. S. China Sea 10°23N 114°21E 118 B4
Ituaçu Brazil 13°50S 41°18W 189 C2
Ituiutaba Brazil 19°0S 49°25W 187 G9
Itumbiara Brazil 18°20S 49°10W 187 G9
Ituna Canada 51°10N 103°24W 163 C8
Itunge Port Tanzania 9°40S 33°55E 143 D3
Iturbe Argentina 23°0S 65°25W 190 A2
Ituri Dem. Rep. of the Congo 2°30N 29°30E 142 B2
Ituri → Dem. Rep. of the Congo 1°40N 27°1E 142 B2
Iturup, Ostrov Russia 45°0N 148°0E 107 E15
Ituverava Brazil 20°20S 47°47W 189 E1
Ituxi → Brazil 7°18S 64°51W 186 E6
Itzehoe Germany 53°55N 9°31E 76 B5
Ivaí → Brazil 23°18S 53°42W 191 A5
Ivalo Finland 68°38N 27°35E 60 B22
Ivalojoki → Finland 68°40N 27°40E 60 B22
Ivanava Belarus 52°7N 25°29E 75 B13
Ivančice Czech Rep. 49°6N 16°23E 79 B9
Ivane-Puste Ukraine 48°39N 26°10E 81 B11
Ivăneşti Romania 46°39N 27°27E 81 D12
Ivangorod Russia 59°27N 28°13E 84 C5
Ivanhoe N.S.W., Australia 32°56S 144°20E 152 B6
Ivanhoe Vic., Australia 37°45S 145°3E 153 D6
Ivanhoe Canada 44°23N 77°28W 174 B7
Ivanhoe Calif., U.S.A. 36°23N 119°13W 170 J7
Ivanhoe Minn., U.S.A. 44°28N 96°15W 172 C5
Ivanhorod Ukraine 48°48N 29°58E 81 B14
Ivanić Grad Croatia 45°41N 16°25E 93 C13
Ivanjica Serbia 43°35N 20°12E 96 C4
Ivanjska Bos.-H. 44°55N 17°4E 80 F2
Ivankoyskoye Vdkhr. Russia 56°37N 36°32E 84 D9
Ivano-Frankivsk Ukraine 48°40N 24°40E 81 B9
Ivano-Frankivsk □ Ukraine 48°45N 24°30E 81 B9
Ivanovo = Ivanava Belarus 52°7N 25°29E 75 B13
Ivanovo Bulgaria 43°43N 25°58E 97 C9
Ivanovo Russia 57°5N 41°0E 84 D11
Ivanovo □ Russia 57°10N 41°50E 86 B5
Ivanščica Croatia 46°12N 16°13E 93 B13
Ivatsevichy Belarus 52°43N 25°21E 75 B13
Ivaylovgrad Bulgaria 41°32N 26°8E 97 E10
Iveragh Pen. Ireland 51°52N 10°15W 64 E1
Ivinheima → Brazil 23°14S 53°42W 191 A5
Ivinhema Brazil 22°10S 53°37W 191 A5
Ivittuut Greenland 61°14N 48°12W 57 E6
Ivory Coast W. Afr. 4°20N 5°0W 138 E4
Ivory Coast ■ Africa 7°30N 5°0W 138 D4
Ivösjön Sweden 56°8N 14°25E 63 H8
Ivrea Italy 45°28N 7°52E 92 C4
İvrindi Turkey 39°34N 27°30E 99 B9
Ivujivik Canada 62°24N 77°55W 161 E16
Ivvavik △ Canada 69°6N 139°30W 160 D4
Ivybridge U.K. 50°23N 3°56W 67 G4
Iwaizumi Japan 39°50N 141°45E 112 E10
Iwaki Japan 37°3N 140°55E 113 F10
Iwakuni Japan 34°15N 132°8E 113 G6
Iwamizawa Japan 43°12N 141°46E 112 C10
Iwanai Japan 42°58N 140°30E 112 C10
Iwata Japan 34°42N 137°51E 113 G8
Iwate □ Japan 39°30N 141°30E 112 E10
Iwate-San Japan 39°51N 141°0E 112 E10
Iwo Nigeria 7°39N 4°9E 139 D5
Iwŏn N. Korea 40°19N 128°39E 115 D15
Iwonicz-Zdrój Poland 49°37N 21°47E 83 J8
Ixiamas Bolivia 13°50S 68°5W 188 C4
Ixopo S. Africa 30°11S 30°5E 145 D5
Ixtepec Mexico 16°34N 95°6W 181 D5
Ixtlán del Río Mexico 21°2N 104°22W 180 C4
Iyo Japan 33°45N 132°45E 113 H6
Izabal, L. de Guatemala 15°30N 89°10W 182 C2
Izamal Mexico 20°56N 89°1W 181 C7
Izberbash Russia 42°35N 47°52E 87 J8
Izbica Poland 50°53N 23°10E 83 H10
Izbica Kujawska Poland 52°25N 18°40E 83 F5
Izbiceni Romania 43°45N 24°40E 81 G9
Izena-Shima Japan 26°56N 127°56E 113 L3
Izgrev Bulgaria 43°36N 26°58E 97 C10
Izhevsk Russia 56°51N 53°14E 106 D6
Izmayil Ukraine 45°22N 28°46E 81 E13
İzmir Turkey 38°25N 27°8E 99 C9
İzmir □ Turkey 38°15N 27°40E 99 C9
İzmir Adnan Menderes ✕ (ADB) Turkey 38°23N 27°6E 99 C9
İzmir Körfezi Turkey 38°30N 26°50E 99 C8
İzmit = Kocaeli Turkey 40°45N 29°50E 97 F13
Iznájar Spain 37°15N 4°19W 89 H6
Iznalloz Spain 37°24N 3°30W 89 H7
İznik Turkey 40°23N 29°46E 104 B3
İznik Gölü Turkey 40°27N 29°30E 97 F13
Izobil'nyy Russia 45°25N 41°44E 87 H5
Izola Slovenia 45°32N 13°39E 93 C10
Izra Syria 32°51N 36°15E 130 C5
Iztochni Rodopi Bulgaria 41°45N 25°30E 97 E9
Izu-Hantō Japan 34°45N 139°0E 113 G9
Izu-Shotō Japan 34°30N 140°0E 113 G10
Izúcar de Matamoros Mexico 18°36N 98°28W 181 D5
Izumi Japan 32°5N 130°22E 113 H5
Izumi-Sano Japan 34°23N 135°18E 113 G7
Izumo Japan 35°20N 132°46E 113 G6
Izyaslav Ukraine 50°5N 26°50E 75 C14
Izyum Ukraine 49°12N 37°19E 85 H9

J

J.F.K. Int. ✕ (JFK) U.S.A. 40°38N 73°47W 175 F11
J.P. Koch Fjord Greenland 82°45N 44°0W 57 A6
J. Strom Thurmond L. U.S.A. 33°40N 82°12W 178 B7
Ja-ela Sri Lanka 7°5N 79°53E 127 L4
Jabalón → Spain 38°53N 4°5W 89 G6
Jabalpur India 23°9N 79°58E 125 H8
Jabālya Gaza Strip 31°32N 34°29E 130 D3
Jabbūl Syria 36°4N 37°30E 128 B3
Jabiru Australia 12°40S 132°53E 148 B5
Jablah Syria 35°20N 36°0E 104 E6
Jablanac Croatia 44°42N 14°56E 93 D11
Jablanica Bos.-H. 43°40N 17°45E 80 G2
Jablonec nad Nisou Czech Rep. 50°43N 15°10E 78 A8
Jablonica Slovak Rep. 48°37N 17°26E 79 C10
Jabłonowo Pomorskie Poland 53°23N 19°10E 82 E6
Jablunkov Czech Rep. 49°35N 18°46E 79 B11
Jaboatão Brazil 8°7S 35°1W 189 B3
Jabotabek = Jakarta Indonesia 6°9S 106°52E 118 F3
Jaboticabal Brazil 21°15S 48°17W 191 A6
Jabukovac Serbia 44°22N 22°21E 96 B6
Jaca Spain 42°35N 0°33W 90 C4
Jacaré → Brazil 10°3S 42°13W 189 C2

Jacareí Brazil 23°20S 46°0W 191 A6
Jacarèzinho Brazil 23°5S 49°58W 191 A6
Jacinto Brazil 16°10S 40°17W 189 D2
Jack River △ Australia 14°58S 144°19E 150 A3
Jackman U.S.A. 45°37N 70°15W 173 C18
Jacksboro U.S.A. 33°13N 98°10W 176 E5
Jackson Barbados 13°7N 59°36W 183 g
Jackson Ala., U.S.A. 31°31N 87°53W 177 F11
Jackson Calif., U.S.A. 38°21N 120°46W 170 G6
Jackson Ga., U.S.A. 33°20N 83°57W 178 B6
Jackson Ky., U.S.A. 37°33N 83°23W 173 G12
Jackson Mich., U.S.A. 42°15N 84°24W 173 D11
Jackson Minn., U.S.A. 43°37N 95°1W 172 D6
Jackson Miss., U.S.A. 32°18N 90°12W 177 E9
Jackson Mo., U.S.A. 37°23N 89°40W 172 G9
Jackson N.H., U.S.A. 44°10N 71°11W 175 B13
Jackson Ohio, U.S.A. 39°3N 82°39W 173 F12
Jackson S.C., U.S.A. 33°20N 81°47W 178 B8
Jackson Tenn., U.S.A. 35°37N 88°49W 177 D10
Jackson Wyo., U.S.A. 43°29N 110°46W 168 E8
Jackson, C. N.Z. 40°59S 174°20E 155 A9
Jackson B. N.Z. 43°58S 168°42E 155 D3
Jackson Hd. N.Z. 43°58S 168°37E 155 D3
Jackson L. Fla., U.S.A. 30°30N 84°17W 178 E5
Jackson L. Ga., U.S.A. 33°19N 83°50W 178 B6
Jackson L. Wyo., U.S.A. 43°52N 110°36W 168 E8
Jacksons N.Z. 42°46S 171°32E 155 C6
Jackson's Arm Canada 49°52N 56°47W 165 C8
Jacksonville Ala., U.S.A. 33°49N 85°46W 178 B4
Jacksonville Ark., U.S.A. 34°52N 92°7W 176 D8
Jacksonville Calif., U.S.A. 37°52N 120°24W 170 H6
Jacksonville Fla., U.S.A. 30°20N 81°39W 178 E8
Jacksonville Ga., U.S.A. 31°49N 82°59W 178 D7
Jacksonville Ill., U.S.A. 39°44N 90°14W 172 F8
Jacksonville N.C., U.S.A. 34°45N 77°26W 177 D16
Jacksonville Tex., U.S.A. 31°58N 95°17W 176 F7
Jacksonville Beach U.S.A. 30°17N 81°24W 178 E8
Jacksonville Int. ✕ (JAX) U.S.A. 30°30N 81°41W 178 E8
Jacmel Haiti 18°14N 72°32W 183 C5
Jacob Lake U.S.A. 36°43N 112°13W 169 H7
Jacobabad Pakistan 28°20N 68°29E 124 E3
Jacobina Brazil 11°11S 40°30W 189 C2
Jacques-Cartier, Dét. de Canada 50°0N 63°30W 165 C7
Jacques-Cartier, Mt. Canada 48°57N 66°0W 165 C6
Jacques-Cartier ⌂ Canada 47°15N 71°33W 165 C5
Jacqueville Ivory C. 5°12N 4°25W 138 D4
Jacuí → Brazil 30°2S 51°15W 191 C5
Jacumba U.S.A. 32°37N 116°11W 171 N10
Jacundá → Brazil 1°57S 50°26W 187 D8
Jadcherla India 16°46N 78°9E 126 F4
Jade Germany 53°20N 8°14E 76 B4
Jade, Côte de France 46°40N 2°0W 70 F4
Jade City Canada 59°15N 129°37W 162 B3
Jade Dragon Snow Mt. = Yulong Xueshan China 27°6N 100°10E 116 D3
Jade Mt. = Yü Shan Taiwan 23°25N 120°52E 117 F13
Jadebusen Germany 53°29N 8°12E 76 B4
Jadovnik Serbia 43°20N 19°45E 96 C3
Jadraque Spain 40°55N 2°55W 90 E2
Jaén Peru 5°25S 78°40W 188 B2
Jaén Spain 37°44N 3°43W 89 H7
Jaén □ Spain 37°50N 3°30W 89 H7
Jafarabad India 20°52N 71°22E 124 J4
Jaffa = Tel Aviv-Yafo Israel 32°4N 34°48E 130 C3
Jaffa, C. Australia 36°58S 139°40E 152 D3
Jaffna Sri Lanka 9°45N 80°2E 127 K5
Jaffrey U.S.A. 42°49N 72°2W 175 D12
Jagadhri India 30°10N 77°20E 124 D7
Jagadishpur India 25°30N 84°21E 125 G11
Jagat Nepal 28°19N 84°53E 125 E11
Jagdalpur India 19°3N 82°0E 126 E6
Jagdaqi China 50°25N 124°7E 111 A13
Jagersfontein S. Africa 29°44S 25°27E 144 C4
Jaghīn → Iran 27°17N 57°13E 129 E8
Jagodina Serbia 44°5N 21°15E 96 B5
Jagraon India 30°50N 75°25E 124 D6
Jagst → Germany 49°14N 9°10E 77 F5
Jagtial India 18°50N 79°0E 126 E4
Jaguaquara Brazil 13°32S 39°58W 189 C3
Jaguariaíva Brazil 24°10S 49°50W 191 A6
Jaguaribe Brazil 5°53S 38°37W 189 B3
Jaguaribe → Brazil 4°25S 37°45W 189 A3
Jaguaruana Brazil 4°50S 37°47W 189 A3
Jagüey Grande Cuba 22°35N 81°7W 182 B3
Jagungal, Mt. Australia 36°8S 148°22E 153 D8
Jahanabad India 25°13N 84°59E 125 G11
Jahazpur India 25°37N 75°17E 124 G6
Jahrom Iran 28°30N 53°31E 129 D7
Jaicós Brazil 7°21S 41°8W 189 B2
Jaigarh India 17°17N 73°13E 126 F1
Jaijon India 31°21N 76°9E 124 D7
Jailolo Indonesia 1°5N 127°30E 119 D7
Jailolo, Selat Indonesia 0°5N 129°5E 119 D7
Jaipur India 27°0N 75°50E 124 F6
Jais India 26°15N 81°32E 125 F9
Jaisalmer India 26°55N 70°54E 124 F4
Jaisinghnagar India 23°38N 78°34E 125 H8
Jaitaran India 26°12N 73°56E 124 F5
Jaithari India 23°14N 78°37E 125 H8
Jajarkot Nepal 28°42N 82°14E 125 E10
Jājarm Iran 36°58N 56°27E 129 B8
Jajce Bos.-H. 44°19N 17°17E 80 F2
Jajpur India 20°53N 86°22E 126 D8
Jakam → India 23°54N 74°13E 124 H6
Jakarta Indonesia 6°9S 106°52E 118 F3
Jakarta Sukarno-Hatta Int. ✕ (CGK) Indonesia 6°7S 106°40E 119 G12
Jakhal India 29°48N 75°50E 124 E6
Jakhau India 23°13N 68°43E 124 H3
Jakobshavn = Ilulissat Greenland 69°12N 51°10W 57 D5
Jakobstad = Pietarsaari Finland 63°40N 22°43E 60 E20
Jakupica Macedonia 41°45N 21°22E 96 E5
Jal U.S.A. 32°7N 103°12W 169 K12
Jalājil Si. Arabia 25°40N 45°27E 128 E5
Jalal-Abad Kyrgyzstan 40°56N 73°0E 109 D8
Jalal-Abad □ Kyrgyzstan 41°30N 72°30E 109 D8
Jalālābād Afghan. 34°30N 70°29E 124 B4
Jalalabad India 27°41N 79°42E 125 F8
Jalalpur Jattan Pakistan 32°38N 74°11E 124 C6
Jalama U.S.A. 34°29N 120°29W 171 L6
Jalandhar India 31°20N 75°40E 124 D6
Jalapa Guatemala 14°39N 89°59W 182 D2
Jalapa Enríquez = Xalapa Mexico 19°32N 96°55W 181 D5
Jalasjärvi Finland 62°29N 22°47E 60 E20
Jalaun India 26°8N 79°25E 125 F8
Jaldhaka → Bangla. 26°16N 89°16E 125 F13
Jalesar India 27°29N 78°19E 124 F8
Jaleswar Nepal 26°38N 85°48E 125 F11
Jalgaon India 21°0N 75°42E 126 D2
Jalībah Iraq 30°35N 46°32E 128 D5
Jalingo Nigeria 8°55N 11°25E 139 D7
Jalisco □ Mexico 20°20N 103°40W 180 D4
Jalkot Pakistan 35°14N 73°24E 125 B5
Jalna India 19°48N 75°38E 126 E2
Jalón → Spain 41°47N 1°4W 90 D3
Jalor India 25°21N 72°37E 124 G5
Jalpa Mexico 21°38N 102°58W 180 C4
Jalpaiguri India 26°32N 88°46E 123 F16
Jalpan Mexico 21°14N 99°29W 181 C5
Jaluit I. Marshall Is. 6°0N 169°30E 156 G8
Jalūlā Iraq 34°16N 45°10E 105 E11
Jamaame Somalia 0°4N 42°44E 131 G3
Jamaari Nigeria 11°44N 9°53E 139 C6
Jamaica ■ W. Indies 18°10N 77°30W 182 a
Jamalpur Bangla. 24°52N 89°56E 123 G16
Jamalpur India 25°18N 86°28E 125 G12
Jamalpurganj India 23°2N 87°59E 125 H13
Jamanxim → Brazil 4°43S 56°18W 187 D7
Jambewangi Indonesia 8°17S 114°7E 119 J17
Jambi Indonesia 1°38S 103°30E 118 E2
Jambi □ Indonesia 1°30S 102°30E 118 E2
Jambongan, Pulau Malaysia 6°45N 117°20E 118 C5
Jambusar India 22°3N 72°51E 124 H5
James U.S.A. 32°58N 83°29W 178 C6
James → S. Dak., U.S.A. 42°52N 97°18W 172 D5
James → Va., U.S.A. 36°56N 76°27W 173 G15
James B. Canada 54°0N 80°0W 164 B3
James I. Gambia 13°19N 16°21W 138 C1
James Island U.S.A. 32°45N 79°55W 178 C10
James Ranges Australia 24°10S 132°30E 148 D5
James Ross I. Antarctica 63°58S 57°50W 55 C18
James Ross Str. Canada 69°40N 96°10W 160 D12
Jamesabad Pakistan 25°17N 69°15E 124 G3
Jameson Land Greenland 71°0N 23°30W 57 C8
Jamestown Australia 33°10S 138°32E 152 B3
Jamestown S. Africa 31°6S 26°45E 144 D4
Jamestown N. Dak., U.S.A. 46°54N 98°42W 172 B4
Jamestown N.Y., U.S.A. 42°6N 79°14W 174 D5
Jamestown Pa., U.S.A. 41°29N 80°27W 174 E4
Jamestown S.C., U.S.A. 33°17N 79°42W 178 B10
Jamīlābād Iran 34°24N 48°28E 129 C6
Jamira → India 21°35N 88°28E 125 J13
Jämjö Sweden 56°12N 15°49E 63 H9
Jamkhandi India 16°30N 75°15E 126 F2
Jamkhed India 18°43N 75°19E 126 E2
Jammalamadugu India 14°51N 78°25E 127 G4
Jammerbugten Denmark 57°15N 9°20E 63 G3
Jammu India 32°43N 74°54E 124 C6
Jammu & Kashmir □ India 34°25N 77°0E 125 B7
Jamnagar India 22°30N 70°6E 124 H4
Jamner India 20°45N 75°52E 126 D2
Jamni → India 25°13N 78°35E 125 G8
Jampur Pakistan 29°39N 70°40E 124 E4
Jamrud Pakistan 33°59N 71°24E 124 C4
Jämsä Finland 61°53N 25°10E 84 B3
Jamshedpur India 22°44N 86°12E 125 H12
Jamtara India 23°59N 86°49E 125 H12
Jämtland Sweden 63°31N 14°0E 60 E16
Jämtland □ Sweden 63°0N 14°40E 62 B7
Jan L. Canada 54°56N 102°55W 163 C8
Jan Mayen Arctic 71°0N 9°0W 54 B7
Janakkala Finland 60°54N 24°36E 84 B3
Janakpur Nepal 26°42N 85°55E 126 A7
Janaúba Brazil 15°48S 43°19W 189 D2
Jand Pakistan 33°30N 72°6E 124 C5
Jandanku ✪ Australia 16°20S 135°45E 150 B2
Jandaq Iran 34°3N 54°22E 129 C7
Jandia Canary Is. 28°6N 14°21W 100 F5
Jandía, Pta. de Canary Is. 28°3N 14°31W 100 F5
Jandía △ Canary Is. 28°4N 14°19W 100 F5
Jandola Pakistan 32°20N 70°9E 124 C4
Jandowae Australia 26°45S 151°7E 151 D5
Jándula → Spain 38°3N 4°6W 89 G6
Jane Pk. N.Z. 45°15S 168°20E 155 F3
Janesville U.S.A. 42°41N 89°1W 172 D9
Janga Ghana 10°5N 1°0W 139 C4
Jangamo Mozam. 24°6S 35°21E 145 B6
Janghai India 25°33N 82°19E 125 G10
Jangheung S. Korea 34°41N 126°52E 115 G14
Jangipur India 24°28N 88°4E 125 G12
Jangoon India 17°44N 79°5E 126 F4
Janikowo Poland 52°45N 18°7E 83 F5
Janja Bos.-H. 44°40N 19°14E 80 F4
Janjanbureh Gambia 13°30N 14°47W 138 C2
Janjevë Kosovo 42°35N 21°19E 96 D5
Janjgir India 22°1N 82°34E 125 J10
Janjina Croatia 42°58N 17°25E 93 F14
Janos Mexico 30°54N 108°10W 180 A3
Jánoshalma Hungary 46°18N 19°21E 80 D4
Jánosháza Hungary 47°8N 17°12E 80 C2
Jánossomorja Hungary 47°47N 17°11E 80 C2
Janów Poland 50°44N 19°27E 83 H6
Janów Lubelski Poland 50°48N 22°23E 83 H9
Janów Podlaski Poland 52°11N 23°11E 83 F10
Janowiec Wielkopolski Poland 52°45N 17°30E 83 F4
Januária Brazil 15°25S 44°25W 189 D2
Janūb Sīnī □ Egypt 29°30N 33°50E 130 F2
Janubio Canary Is. 28°56N 13°50W 100 F6
Janville France 48°10N 1°50E 71 D8
Janwada India 18°0N 77°29E 126 E3
Janzé France 47°55N 1°28W 70 E5
Jaora India 23°40N 75°10E 124 H6
Japan ■ Asia 36°0N 136°0E 113 G8
Japan, Sea of Asia 40°0N 135°0E 112 E7
Japan Trench Pac. Oc. 32°0N 142°0E 156 D6
Japen = Yapen Indonesia 1°50S 136°0E 119 E9
Japiim Brazil 7°37S 72°54W 188 B3
Japla India 24°33N 84°1E 125 G11
Japurá → Brazil 3°8S 65°46W 186 D5
Jaquarão Brazil 32°34S 53°23W 191 C5
Jaqué Panama 7°27N 78°8W 182 E4
Jarābulus Syria 36°49N 38°1E 105 D8
Jaraguá do Sul Brazil 26°29S 49°4W 191 B6
Jaraicejo Spain 39°40N 5°49W 89 F5
Jaraíz de la Vera Spain 40°4N 5°45W 88 E5
Jarama → Spain 40°24N 3°32W 88 E7
Jaramānah Syria 33°29N 36°21E 104 F7
Jaramillo Argentina 47°10S 67°7W 192 C3
Jarandilla de la Vera Spain 40°8N 5°39W 88 E5
Jaranwala Pakistan 31°15N 73°26E 124 D5
Jarash Jordan 32°17N 35°54E 130 C4
Jarash □ Jordan 32°17N 35°54E 130 C4
Järbo Sweden 60°43N 16°36E 62 D10
Jardim Brazil 21°28S 56°2W 190 A4
Jardín → Spain 38°50N 2°10W 91 G2
Jardín América Argentina 27°3S 55°14W 191 B4
Jardine River △ Australia 11°9S 142°21E 150 A3
Jardines de la Reina, Arch. de los Cuba 20°50N 78°50W 182 B4
Jargalang China 43°5N 122°55E 115 C12
Jari → Brazil 1°9S 51°54W 187 D8
Jarīr, W. al → Si. Arabia 25°38N 42°30E 128 E4
Järlåsa Sweden 59°53N 17°12E 62 E11
Jarmen Germany 53°54N 13°20E 76 B9
Järna Sweden 59°6N 17°34E 62 E11
Jarnac France 45°40N 0°11W 72 C3
Jarny France 49°9N 5°53E 71 C12
Jarocin Poland 51°59N 17°29E 83 G4
Jaroměř Czech Rep. 50°22N 15°52E 78 A8
Jarosław Poland 50°2N 22°42E 83 H9
Järpås Sweden 58°23N 12°57E 63 F6
Järpen Sweden 63°21N 13°26E 62 A7
Jarrahdale Australia 32°24S 116°5E 149 F2
Jarrahi → Iran 30°49N 48°48E 129 D6
Jartai China 39°45N 105°48E 114 E3
Jarud Qi China 44°28N 120°50E 115 B11
Järvenpää Finland 60°29N 25°5E 84 B3
Jarvis Canada 42°53N 80°6W 174 D4
Jarvis I. Pac. Oc. 0°15S 160°5W 157 H11
Jarvorník Czech Rep. 50°23N 17°2E 79 A10
Järvsö Sweden 61°43N 16°10E 62 C10
Jarwa India 27°38N 82°30E 125 F10
Jaša Tomić Serbia 45°26N 20°50E 80 E5
Jasdan India 22°2N 71°12E 124 H4
Jashpurnagar India 22°54N 84°9E 125 H11
Jasidih India 24°31N 86°39E 125 G12
Jasień Poland 51°46N 15°0E 83 G2
Jāsimīyah Iraq 33°45N 44°41E 105 F11
Jasin Malaysia 2°20N 102°26E 121 L4
Jāsk Iran 25°38N 57°45E 129 E8
Jasliq Uzbekistan 43°58N 57°10E 108 D5
Jasło Poland 49°45N 21°30E 83 J8
Jasmund Germany 54°32N 13°35E 76 A9
Jasmund △ Germany 54°31N 13°38E 76 A9
Jaso India 24°30N 80°29E 125 G9
Jason Is. Falk. Is. 51°0S 61°0W 192 D4
Jasper Alta., Canada 52°55N 118°5W 162 C5
Jasper Ont., Canada 44°52N 75°57W 175 B9
Jasper Ala., U.S.A. 33°50N 87°17W 177 E11
Jasper Fla., U.S.A. 30°31N 82°57W 178 E7
Jasper Ind., U.S.A. 38°24N 86°56W 172 F10
Jasper Tex., U.S.A. 30°56N 94°1W 176 F7
Jasper △ Canada 52°50N 118°8W 162 C5
Jasrasar India 27°43N 73°49E 124 F5
Jassān Iraq 32°58N 45°52E 105 G11
Jastarnia Poland 54°42N 18°40E 82 D5
Jastrebarsko Croatia 45°41N 15°39E 93 C12
Jastrowie Poland 53°26N 16°49E 82 E3
Jastrzębie Zdrój Poland 49°57N 18°35E 83 J5
Jász-Nagykun-Szolnok □ Hungary 47°15N 20°30E 80 C5
Jászapáti Hungary 47°32N 20°10E 80 C5
Jászárokszállás Hungary 47°39N 19°58E 80 C4
Jászberény Hungary 47°30N 19°55E 80 C4
Jászkisér Hungary 47°27N 20°20E 80 C5
Jászladány Hungary 47°23N 20°10E 80 C5
Jataí Brazil 17°58S 51°48W 187 G8
Jath India 17°3N 75°13E 126 F2
Jati Pakistan 24°20N 68°19E 124 G3
Jatibarang Indonesia 6°28S 108°18E 119 G13
Jatiluwih Indonesia 8°23S 115°8E 119 J18
Jatinegara Indonesia 6°13S 106°52E 119 G12
Játiva = Xátiva Spain 38°59N 0°32W 91 G4
Jättendal Sweden 61°58N 17°15E 62 C11
Jaú Brazil 22°10S 48°30W 191 A6
Jauja Peru 11°45S 75°15W 188 C2
Jaunpur India 25°46N 82°44E 125 G10
Java = Jawa Indonesia 7°0S 110°0E 118 F3
Java Sea Indonesia 4°35S 107°15E 118 E3
Java Trench Ind. Oc. 9°0S 105°0E 118 F3
Javadi Hills India 12°40N 78°40E 127 H4
Javalambre, Sa. de Spain 40°6N 1°0W 90 E4
Javānrud Iran 34°47N 46°31E 105 E12
Jávea Spain 38°48N 0°10E 91 G5
Javier, I. Chile 47°5S 74°25W 192 C2
Javla India 17°18N 75°9E 126 F2
Jawa Indonesia 7°0S 110°0E 118 F3
Jawa Barat □ Indonesia 7°0S 107°0E 119 G12
Jawa Tengah □ Indonesia 7°0S 110°0E 119 G14
Jawa Timur □ Indonesia 8°0S 113°0E 119 G15
Jawad India 24°36N 74°51E 124 G6
Jawhar India 19°55N 73°14E 126 E1
Jawhar Somalia 2°48N 45°30E 131 G4
Jawor Poland 51°4N 16°11E 83 G3
Jaworzno Poland 50°13N 19°11E 83 H6
Jaworzyna Śląska Poland 50°55N 16°28E 83 H3
Jawoyn ✪ Australia 14°16S 132°28E 148 B5
Jay U.S.A. 30°57N 87°9W 179 E2
Jay Peak U.S.A. 44°55N 72°32W 175 B12
Jaya, Puncak Indonesia 3°57S 137°17E 119 E9
Jayanca Peru 6°24S 79°50W 188 B2
Jayanti India 26°45N 89°40E 123 F16
Jayapura Indonesia 2°28S 140°38E 119 E10
Jayawijaya, Pegunungan Indonesia 5°0S 139°0E 119 F9
Jaynagar India 26°43N 86°9E 125 F12
Jaypur = Jeypore India 18°50N 82°38E 126 E6
Jayrūd Syria 33°49N 36°44E 104 F7
Jayton U.S.A. 33°15N 100°34W 176 E4
Jāz Mūrīān, Hāmūn-e Iran 27°20N 58°55E 129 E8
Jazīreh-ye Shīf Iran 29°4N 50°54E 129 D6
Jazminal Mexico 24°52N 101°24W 180 C4
Jazzīn Lebanon 33°31N 35°35E 130 B4
Jean U.S.A. 35°47N 115°20W 171 K11
Jean Marie River Canada 61°32N 120°38W 162 A4
Jean-Rabel Haiti 19°50N 73°5W 183 C5
Jeanerette U.S.A. 29°55N 91°40W 176 G9
Jeanette, Ostrov = Zhannetty, Ostrov Russia 76°43N 158°0E 107 B16
Jeannette U.S.A. 40°20N 79°36W 174 F5
Jebāl Bārez, Kūh-e Iran 28°30N 58°20E 129 D8
Jebba Nigeria 9°9N 4°48E 139 D5
Jebel, Bahr el → South Sudan 9°30N 30°25E 135 G12
Jebel Ali = Minā' Jabal 'Alī U.A.E. 25°2N 55°8E 129 E7
Jebel Elba △ Egypt 22°11N 36°22E 137 C4
Jeberos Peru 5°15S 76°10W 188 B2
Jecheon S. Korea 37°8N 128°12E 115 F15
Jedburgh U.K. 55°29N 2°33W 65 F6
Jedda = Jiddah Si. Arabia 21°29N 39°10E 131 C2
Jeddore L. Canada 48°3N 55°55W 165 C8
Jedlicze Poland 49°43N 21°40E 83 J8
Jędrzejów Poland 50°35N 20°15E 83 H7
Jedwabne Poland 53°17N 22°18E 83 E9
Jeetzel → Germany 53°9N 11°3E 76 B7
Jefferson Ga., U.S.A. 34°7N 83°35W 178 A6
Jefferson Iowa, U.S.A. 42°1N 94°23W 172 D6
Jefferson Ohio, U.S.A. 41°44N 80°46W 174 E4
Jefferson Tex., U.S.A. 32°46N 94°21W 176 E7
Jefferson, Mt. Nev., U.S.A. 38°47N 116°56W 168 G5
Jefferson, Mt. Oreg., U.S.A. 44°41N 121°48W 168 D3
Jefferson City Mo., U.S.A. 38°34N 92°10W 172 F7
Jefferson City Tenn., U.S.A. 36°7N 83°30W 177 C13
Jeffersontown U.S.A. 38°12N 85°35W 173 F11
Jeffersonville Ga., U.S.A. 32°41N 83°20W 178 C6
Jeffersonville Ind., U.S.A. 38°17N 85°44W 173 F11
Jeffrey City U.S.A. 42°30N 107°49W 168 E10
Jega Nigeria 12°15N 4°23E 139 C5
Jeju S. Korea 33°31N 126°32E 115 H14
Jeju-do S. Korea 33°29N 126°34E 115 H14
Jeju Haehyop S. Korea 33°50N 126°30E 115 H14
Jēkabpils Latvia 56°29N 25°57E 84 D3
Jekyll I. U.S.A. 31°4N 81°25W 178 D8
Jelcz-Laskowice Poland 51°2N 17°19E 83 G4
Jelenia Góra Poland 50°50N 15°45E 83 H2
Jelgava Latvia 56°41N 23°49E 82 B10
Jelica Serbia 43°50N 20°17E 96 C4
Jelšava Slovak Rep. 48°37N 20°15E 79 C13
Jemaluang Malaysia 2°16N 103°52E 121 L4
Jember Indonesia 8°11S 113°41E 119 H15
Jena Germany 50°54N 11°35E 76 E7
Jena U.S.A. 31°41N 92°8W 176 F8
Jenbach Austria 47°24N 11°47E 78 D4
Jendouba Tunisia 36°29N 8°47E 136 A5
Jendouba □ Tunisia 36°34N 8°52E 136 A5
Jengish Chokusu = Pobedy, Pik Asia 42°0N 79°58E 109 D9
Jenīn West Bank 32°28N 35°18E 130 C4
Jenkins U.S.A. 37°10N 82°38W 173 G12
Jenner U.S.A. 38°27N 123°7W 170 G3
Jennings Fla., U.S.A. 30°36N 83°6W 178 E6
Jennings La., U.S.A. 30°13N 92°40W 176 F8
Jensen Beach U.S.A. 27°15N 80°14W 179 H9
Jeong-eup S. Korea 35°35N 126°50E 115 G14
Jeongseon S. Korea 37°20N 128°45E 115 F15
Jeonju S. Korea 35°50N 127°4E 115 G14
Jepara Indonesia 7°40S 109°14E 119 G14
Jeparit Australia 36°8S 142°1E 152 D5
Jequié Brazil 13°51S 40°5W 189 C2
Jequitaí → Brazil 17°4S 44°50W 189 D2
Jequitinhonha Brazil 16°30S 41°0W 189 D2
Jequitinhonha → Brazil 15°51S 38°53W 189 D3
Jerada Morocco 34°17N 2°10W 136 B3
Jerantut Malaysia 3°56N 102°22E 121 L4
Jerejak, Pulau Malaysia 5°19N 100°19E 121 c
Jérémie Haiti 18°40N 74°10W 183 C5
Jeremoabo Brazil 10°4S 38°21W 189 C3
Jerez, Pta. Mexico 22°58N 97°40W 181 C5
Jerez de García Salinas Mexico 22°39N 103°0W 180 C4
Jerez de la Frontera Spain 36°41N 6°7W 89 J4
Jerez de los Caballeros Spain 38°20N 6°45W 89 G4
Jericho = El Arīḥā West Bank 31°52N 35°27E 130 D4
Jericho Australia 23°38S 146°6E 150 C4
Jerichow Germany 52°30N 12°1E 76 C8
Jerid, Chott el = Djerid, Chott Tunisia 33°42N 8°30E 136 B5
Jerilderie Australia 35°20S 145°41E 153 C6
Jermyn U.S.A. 41°32N 75°33W 175 E9
Jerome U.S.A. 42°44N 114°31W 168 E6
Jerramungup Australia 33°55S 118°55E 149 F2
Jersey U.K. 49°11N 2°7W 67 H5
Jersey City U.S.A. 40°42N 74°4W 175 F10
Jersey Shore U.S.A. 41°12N 77°15W 174 E7
Jerseyville U.S.A. 39°7N 90°20W 172 F8
Jerumenha Brazil 7°5S 43°30W 189 B2
Jerusalem Israel/West Bank 31°47N 35°10E 130 D4
Jervis B. Australia 35°8S 150°46E 153 C9
Jervis Bay △ Australia 35°5S 150°44E 153 C9
Jervis Inlet Canada 50°0N 123°57W 162 C4
Jerzu Italy 39°47N 9°31E 94 C2
Jesenice Slovenia 46°28N 14°3E 93 B11
Jeseník Czech Rep. 50°14N 17°8E 79 A10
Jesenké Slovak Rep. 48°20N 20°10E 79 C13
Jesi = Iesi Italy 43°31N 13°14E 93 E10
Jésolo Italy 45°32N 12°38E 93 C9
Jessnitz Germany 51°40N 12°18E 76 D8
Jessore Bangla. 23°10N 89°10E 123 H16
Jesup U.S.A. 31°36N 81°53W 178 D8
Jesup, L. U.S.A. 28°43N 81°14W 179 G8
Jesús Peru 7°15S 78°25W 188 B2
Jesús Carranza Mexico 17°26N 95°2W 181 D5
Jesús María Argentina 30°59S 64°5W 190 C3
Jetmore U.S.A. 38°4N 99°54W 172 F4
Jetpur India 21°45N 70°10E 124 J4
Jeumont France 50°18N 4°6E 71 B11
Jevnaker Norway 60°15N 10°26E 61 F14
Jewett U.S.A. 40°22N 81°2W 174 F3
Jewett City U.S.A. 41°36N 71°59W 175 E13
Jeyḩūnābād Iran 34°58N 48°59E 129 C6
Jeypore India 18°50N 82°38E 126 E6
Jeziorak, Jezioro Poland 53°40N 19°35E 82 E6
Jeziorany Poland 53°58N 20°46E 82 E7
Jeziorka → Poland 52°8N 21°9E 83 F8
Jha Jha India 24°46N 86°22E 125 G12
Jhaarkand = Jharkhand □ India 24°0N 85°50E 125 H11
Jhabua India 22°46N 74°36E 124 H6
Jhajjar India 28°37N 76°42E 124 E7
Jhal Pakistan 28°17N 67°27E 124 E2
Jhal Jhao Pakistan 26°20N 65°35E 122 F4
Jhalawar India 24°40N 76°10E 124 G7
Jhalida India 23°22N 85°58E 125 H11
Jhalrapatan India 24°33N 76°10E 124 G7
Jhang Maghiana Pakistan 31°15N 72°22E 124 D5
Jhang Sadr = Jhang Maghiana Pakistan 31°15N 72°22E 124 D5
Jhansi India 25°30N 78°36E 125 G8
Jhargram India 22°27N 86°59E 125 H12
Jharia India 23°45N 86°26E 125 H12
Jharkhand □ India 24°0N 85°50E 125 H11
Jharsuguda India 21°56N 84°5E 126 D7
Jhelum Pakistan 33°0N 73°45E 124 C5
Jhelum → Pakistan 31°20N 72°10E 124 D5
Jhilmilli India 23°24N 82°51E 125 H10
Jhudo Pakistan 24°58N 69°18E 124 G3
Jhunjhunun India 28°10N 75°30E 124 E6
Ji-Paraná Brazil 10°52S 62°57W 186 F6
Ji Xian China 36°7N 110°40E 114 F6
Jia Xian Henan, China 33°59N 113°12E 114 H7
Jia Xian Shaanxi, China 38°12N 110°28E 114 E6
Jiahe China 25°38N 112°19E 117 E9
Jiaji = Qionghai China 19°15N 110°26E 117 a
Jialing Jiang → China 29°30N 106°20E 116 C6
Jiamusi China 46°40N 130°26E 111 B15
Ji'an Jiangxi, China 27°6N 114°59E 117 D10
Ji'an Jilin, China 41°5N 126°10E 115 D14
Jianchang China 40°55N 120°35E 115 D11
Jianchuan China 26°38N 99°55E 116 D2
Jiande China 29°23N 119°15E 117 C12
Jiang'an China 28°40N 105°3E 116 C5
Jiangbei China 29°40N 106°34E 116 C6
Jiangcheng China 22°36N 101°52E 116 F3
Jiangchuan China 24°8N 102°39E 116 E4
Jiangdi China 26°57N 103°37E 116 D4
Jiangdu China 32°27N 119°36E 117 A12
Jiange China 32°4N 105°32E 116 A5
Jianghua China 25°0N 111°47E 117 E8
Jiangjin China 29°14N 106°14E 116 C6
Jiangkou China 27°40N 108°49E 116 D7
Jiangle China 26°42N 117°23E 117 D11
Jiangmen China 22°32N 113°0E 117 F9
Jiangning China 31°55N 118°50E 117 B12
Jiangshan China 28°40N 118°37E 117 C12
Jiangsu □ China 33°0N 120°0E 115 H11
Jiangxi □ China 27°30N 116°0E 117 D11
Jiangyan China 32°30N 120°7E 117 A13
Jiangyin China 31°54N 120°17E 117 B13
Jiangyong China 25°20N 111°22E 117 E8
Jiangyou China 31°44N 104°43E 116 B5
Jiangyuan China 42°2N 126°34E 115 C14
Jianhe China 26°37N 108°31E 116 D7
Jianli China 29°46N 112°56E 117 C9
Jianning China 26°50N 116°50E 117 D11
Jian'ou China 27°3N 118°17E 117 D12
Jianping China 41°53N 119°42E 115 D10
Jianshi China 30°37N 109°38E 116 B7
Jianshui China 23°36N 102°43E 116 F4
Jianyang Fujian, China 27°20N 118°5E 117 D12
Jianyang Sichuan, China 30°24N 104°32E 116 B5
Jiao Xian = Jiaozhou China 36°18N 120°1E 115 F11
Jiaohe Hebei, China 38°2N 116°20E 114 E9
Jiaohe Jilin, China 43°40N 127°22E 115 C14
Jiaoling China 24°41N 116°12E 117 E11
Jiaonan China 35°52N 119°58E 115 G10
Jiaozhou China 36°18N 120°1E 115 F11
Jiaozhou Wan China 36°5N 120°10E 115 F11
Jiaozuo China 35°16N 113°12E 114 G7
Jiawang China 34°28N 117°26E 115 G9
Jiaxiang China 35°25N 116°20E 114 G9
Jiaxing China 30°49N 120°45E 117 B13
Jiayu China 29°55N 113°55E 117 C9
Jiayuguan China 39°49N 98°18E 110 D8
Jibão, Serra do Brazil 14°48S 45°0W 189 C2
Jibiya Nigeria 13°5N 7°12E 139 C6
Jibou Romania 47°15N 23°17E 81 C8
Jibuti = Djibouti ■ Africa 12°0N 43°0E 131 E3
Jicarón, I. Panama 7°10N 81°50W 182 E3
Jičín Czech Rep. 50°25N 15°28E 78 A8
Jiddah Si. Arabia 21°29N 39°10E 131 C2
Jido India 29°2N 94°58E 123 E19
Jieshou China 33°18N 115°22E 114 H8
Jiexiu China 37°2N 111°55E 114 F6
Jieyang China 23°35N 116°21E 117 F11
Jigalong Australia 23°21S 120°47E 148 D3
Jigalong ✪ Australia 23°21S 120°46E 148 D3
Jigawa □ Nigeria 12°0N 9°45E 139 C6
Jigni India 25°45N 79°25E 125 G8
Jihlava Czech Rep. 49°28N 15°35E 78 B8
Jihlava → Czech Rep. 48°55N 16°36E 79 C9
Jihočeský □ Czech Rep. 49°8N 14°35E 78 B7
Jihomoravský □ Czech Rep. 49°5N 16°30E 79 B9
Jijel Algeria 36°52N 5°50E 136 A5
Jijel □ Algeria 36°45N 6°0E 136 A5
Jijiga Ethiopia 9°20N 42°50E 131 F3
Jikamshi Nigeria 12°12N 7°45E 139 C6
Jilib Somalia 0°29N 42°46E 131 G3
Jilin China 43°44N 126°30E 115 C14
Jilin □ China 44°0N 127°0E 115 C14
Jiloca → Spain 41°21N 1°39W 90 D3
Jim Thorpe U.S.A. 40°52N 75°44W 175 F9
Jima Ethiopia 7°40N 36°47E 131 F2
Jimbaran, Teluk Indonesia 8°46S 115°9E 119 K18
Jimbolia Romania 45°47N 20°43E 80 E5
Jimena de la Frontera Spain 36°27N 5°24W 89 J5
Jiménez Mexico 27°8N 104°54W 180 B4
Jimeta Nigeria 9°17N 12°28E 139 D7
Jimo China 36°23N 120°30E 115 F11
Jimsar China 43°59N 89°4E 109 D11
Jin Jiang → China 28°24N 115°48E 117 C10
Jin Xian = Jinzhou China 38°55N 121°42E 115 E11
Jinan China 36°38N 117°1E 114 F9
Jinchang China 38°30N 102°10E 110 D9
Jincheng China 35°29N 112°50E 114 G7
Jinchuan China 31°30N 102°3E 116 B4
Jind India 29°19N 76°22E 124 E7
Jindabyne Australia 36°25S 148°35E 153 D8
Jinding China 22°22N 113°33E 111 a
Jindo S. Korea 34°28N 126°15E 115 G14
Jindřichův Hradec Czech Rep. 49°10N 15°2E 78 B8
Jing He → China 34°27N 109°4E 114 G5
Jing Shan China 31°20N 111°35E 117 B8
Jing Xian China 30°38N 118°25E 117 B12
Jing'an China 28°50N 115°17E 117 C10
Jingbian China 37°20N 108°30E 114 F5
Jingchuan China 35°20N 107°20E 114 G4
Jingde China 30°15N 118°27E 117 B12
Jingdezhen China 29°20N 117°11E 117 C11
Jingdong China 24°23N 100°47E 116 E3
Jinggangshan China 26°58N 114°15E 117 D10
Jinggu China 23°35N 100°41E 116 F3
Jinghai Guangdong, China 22°59N 116°31E 117 F11
Jinghai Tianjin, China 38°55N 116°55E 114 E9
Jinghong China 22°0N 100°45E 116 G3
Jinghong Dam China 22°10N 100°46E 116 F3
Jingjiang China 32°2N 120°16E 117 A13
Jingle China 38°20N 111°55E 114 E6
Jingmen China 31°0N 112°10E 117 B9
Jingning China 35°30N 105°43E 114 G3
Jingpo Hu China 43°55N 128°55E 115 C15
Jingshan China 31°1N 113°7E 117 B9
Jingtai China 37°10N 104°6E 114 F3
Jingtang China 39°10N 119°5E 115 E10
Jingxi China 23°8N 106°27E 116 F6
Jingyang China 34°30N 108°50E 114 G5
Jingyu China 42°25N 126°45E 115 C14
Jingyuan China 36°30N 104°40E 114 F3
Jingzhou Hubei, China 30°21N 112°11E 117 B9
Jingzhou Hunan, China 26°33N 109°40E 116 D7
Jingziguan China 33°15N 111°0E 114 H6
Jinhua China 29°8N 119°38E 117 C12
Jining Nei Monggol Zizhiqu, China 41°5N 113°0E 114 D7
Jining Shandong, China 35°22N 116°34E 114 G9
Jinja Uganda 0°25N 33°12E 142 B3
Jinjang Malaysia 3°13N 101°39E 121 L3
Jinji China 37°58N 106°8E 114 F4
Jinjiang Fujian, China 24°43N 118°33E 117 E12
Jinjiang Yunnan, China 26°14N 100°34E 116 D3
Jinjini Ghana 7°26N 2°42W 138 D4
Jinju S. Korea 35°12N 128°2E 115 G15
Jinkou China 30°20N 114°8E 117 B10
Jinkouhe China 29°18N 103°4E 116 C4
Jinmu Jiao China 18°9N 109°34E 117 a
Jinnah Barrage Pakistan 32°58N 71°33E 124 C4
Jinning China 24°38N 102°38E 116 E4
Jinotega Nic. 13°6N 85°59W 182 D2
Jinotepe Nic. 11°50N 86°10W 182 D2
Jinping Guizhou, China 26°41N 109°10E 116 D7
Jinping Yunnan, China 22°45N 103°18E 116 F4
Jinping Bend Dams China 28°1N 101°39E 116 C3
Jinsha China 27°29N 106°12E 116 D6
Jinsha Jiang → China 28°50N 104°36E 116 C5
Jinshi China 29°40N 111°50E 117 C8
Jintan China 31°42N 119°36E 117 B12
Jintur India 19°37N 76°42E 126 E3
Jinxi Jiangxi, China 27°56N 116°45E 117 D11
Jinxi Liaoning, China 40°52N 120°50E 115 D11
Jinxian China 28°26N 116°17E 117 C11
Jinxiang China 35°5N 116°22E 114 G9
Jinyang China 27°28N 103°5E 116 D4
Jinyun China 28°35N 120°5E 117 C13
Jinzhai China 31°40N 115°53E 117 B10
Jinzhong China 37°42N 112°46E 114 F7
Jinzhou Liaoning, China 38°55N 121°42E 115 E11
Jinzhou Liaoning, China 41°5N 121°3E 115 D11
Jiparaná → Brazil 8°3S 62°52W 186 E6
Jipijapa Ecuador 1°0S 80°40W 186 D2
Jiquilpan Mexico 19°59N 102°43W 180 D4
Jirisan S. Korea 35°20N 127°44E 115 G14
Jiroft Iran 28°45N 57°50E 129 D8
Jishan China 35°34N 110°58E 114 G6
Jishou China 28°21N 109°43E 116 C7
Jishui China 27°12N 115°8E 117 D10
Jisr ash Shughūr Syria 35°49N 36°18E 104 E7
Jitarning Australia 32°48S 117°57E 149 F2
Jitra Malaysia 6°16N 100°25E 121 J3
Jiu → Romania 43°47N 23°48E 81 G8
Jiudengkou China 39°56N 106°40E 114 E4
Jiujiang Guangdong, China 22°50N 113°0E 117 F9
Jiujiang Jiangxi, China 29°42N 115°58E 117 C10
Jiuling Shan China 28°40N 114°40E 117 C10
Jiulong = Kowloon China 22°19N 114°11E 117 F10
Jiulong China 28°57N 101°31E 116 C3
Jiuquan China 39°50N 98°20E 110 D8
Jiutai China 44°10N 125°50E 115 B13
Jiuxincheng China 39°17N 115°59E 114 E8
Jiuzhaigou △ China 33°8N 103°52E 116 A4
Jiwani Pakistan 25°1N 61°44E 122 G2
Jixi Anhui, China 30°5N 118°34E 117 B12
Jixi Heilongjiang, China 45°20N 130°50E 115 B16
Jiyang China 37°0N 117°12E 115 F9
Jiyuan China 35°7N 112°57E 114 G7
Jīzān Si. Arabia 17°0N 42°20E 131 D3
Jize China 36°54N 114°56E 114 F8
Jizera → Czech Rep. 50°10N 14°43E 78 A7
Jizhou China 37°35N 115°30E 114 F8
Jizl, Wādī al → Si. Arabia 25°39N 38°25E 128 E3
Jizō-Zaki Japan 35°34N 133°20E 113 G6
Jizzax Uzbekistan 40°6N 67°50E 109 D7
Jizzax □ Uzbekistan 40°20N 67°40E 109 D7
Joaçaba Brazil 27°5S 51°31W 191 B5
Joaíma Brazil 16°39S 41°2W 189 D2
Joal Fadiout Senegal 14°9N 16°50W 138 C1
João Amaro Brazil 12°46S 40°22W 189 C2
João Câmara Brazil 5°32S 35°48W 189 B3
João Neiva Brazil 19°45S 40°24W 189 D2
João Pessoa Brazil 7°10S 34°52W 189 B4
João Pinheiro Brazil 17°45S 46°10W 189 D1
Joaquín V. González Argentina 25°10S 64°0W 190 B3
Jobat India 22°25N 74°34E 124 H6
Jobourg, Nez de France 49°41N 1°57W 70 C5
Jódar Spain 37°50N 3°21W 89 H7
Jodhpur India 26°23N 73°8E 124 F5
Jodiya India 22°42N 70°18E 124 H4
Joensuu Finland 62°37N 29°49E 60 E23
Jōetsu Japan 37°12N 138°10E 113 F9

Jœuf France 49°12N 6°0E 71 C12
Jofane Mozam. 21°15S 34°18E 145 B5
Jog Falls = Gersoppa Falls India 14°12N 74°46E 127 G2
Jogbani India 26°25N 87°15E 125 F12
Jõgeva Estonia 58°45N 26°24E 84 C4
Jogjakarta = Yogyakarta Indonesia 7°49S 110°22E 118 F4
Johannesburg S. Africa 26°11S 28°2E 145 C4
Johannesburg U.S.A. 35°22N 117°38W 171 K9
Johansfors Sweden 56°42N 15°32E 63 H9
Johilla → India 23°37N 81°14E 125 H9
John Crow Mts. Jamaica 18°5N 76°25W 182 a
John Day U.S.A. 44°25N 118°57W 168 D4
John Day → U.S.A. 45°44N 120°39W 168 D3
John Day Fossil Beds ⌂ U.S.A. 44°33N 119°38W 168 D4
John D'or Prairie Canada 58°30N 115°8W 162 B5
John F. Kennedy Space Center U.S.A. 28°40N 80°42W 179 G9
John H. Kerr Res. U.S.A. 36°36N 78°18W 177 C15
John o' Groats U.K. 58°38N 3°4W 65 C5
Johnnie U.S.A. 36°25N 116°5W 171 J10
Johns Creek U.S.A. 34°2N 84°12W 178 A5
Johns I. U.S.A. 32°47N 80°7W 178 C9
John's Ra. Australia 21°55S 133°23E 150 C1
Johnson U.S.A. 44°38N 72°41W 175 B12
Johnson City Kans., U.S.A. 37°34N 101°45W 172 G3
Johnson City N.Y., U.S.A. 42°7N 75°58W 175 D9
Johnson City Tenn., U.S.A. 36°19N 82°21W 177 C13
Johnson City Tex., U.S.A. 30°17N 98°25W 176 F5
Johnsonburg U.S.A. 41°29N 78°41W 174 E6
Johnsondale U.S.A. 35°58N 118°32W 171 K8
Johnsons Crossing Canada 60°29N 133°18W 162 A2
Johnsonville N.Z. 41°13S 174°48E 154 H3
Johnston U.S.A. 33°50N 81°48W 178 B8
Johnston, L. Australia 32°25S 120°30E 149 F3
Johnston Atoll Pac. Oc. 17°10N 169°8W 157 F11
Johnston Falls = Mambilima Falls Zambia 10°31S 28°45E 143 E2
Johnstone Str. Canada 50°28N 126°0W 162 C3
Johnstown Ireland 52°45N 7°33W 64 D4
Johnstown N.Y., U.S.A. 43°0N 74°22W 175 C10
Johnstown Ohio, U.S.A. 40°9N 82°41W 174 F2
Johnstown Pa., U.S.A. 40°20N 78°55W 174 F6
Johor □ Malaysia 2°5N 103°20E 121 M4
Johor, Selat Asia 1°28N 103°47E 121 d
Johor Bahru Malaysia 1°28N 103°46E 121 d
Johor Port Malaysia 1°26N 103°53E 121 d
Jõhvi Estonia 59°22N 27°27E 84 C4
Joigny France 47°58N 3°20E 71 E10
Joinville Brazil 26°15S 48°55W 191 B6
Joinville France 48°27N 5°10E 71 D12
Joinville I. Antarctica 65°0S 55°30W 55 C18
Jojutla Mexico 18°37N 99°11W 181 D5
Jokelbugten Greenland 78°25N 20°20W 57 B9
Jokkmokk Sweden 66°35N 19°50E 60 C18
Jökulsá á Bru → Iceland 65°40N 14°16W 60 D6
Jökulsá á Fjöllum → Iceland 66°10N 16°30W 60 C5
Jökulsárgljúfur △ Iceland 65°56N 16°31W 60 D5
Jolfā Āzarbājān-e Sharqī, Iran 38°57N 45°38E 105 C11
Jolfā Eşfahan, Iran 32°58N 51°37E 129 C6
Joliet U.S.A. 41°32N 88°5W 172 E9
Joliette Canada 46°3N 73°24W 164 C5
Jolo Phil. 6°0N 121°0E 119 C6
Jolon U.S.A. 35°58N 121°9W 170 K5
Jombang Indonesia 7°33S 112°14E 119 G15
Jomda China 31°28N 98°12E 116 B2
Jonåker Sweden 58°45N 16°45E 63 F10
Jonava Lithuania 55°8N 24°12E 84 E3
Jones Sound Canada 76°0N 85°0W 161 B15
Jonesboro Ark., U.S.A. 35°50N 90°42W 177 D9
Jonesboro Ga., U.S.A. 33°31N 84°22W 178 B5
Jonesboro La., U.S.A. 32°15N 92°43W 176 E8
Jong → S. Leone 7°32N 12°23W 138 D2
Joniškis Lithuania 56°13N 23°35E 82 B10
Jönköping Sweden 57°45N 14°8E 63 G8
Jönköping □ Sweden 57°30N 14°30E 63 G8
Jonquière Canada 48°27N 71°14W 165 C5
Jonsered Sweden 57°45N 12°10E 63 G6
Jonzac France 45°27N 0°28W 72 C3
Joplin U.S.A. 37°6N 94°31W 172 G6
Jora India 26°20N 77°49E 124 F6
Jordan Mont., U.S.A. 47°19N 106°55W 168 C10
Jordan N.Y., U.S.A. 43°4N 76°29W 175 C8
Jordan ■ Asia 31°0N 36°0E 130 E5
Jordan → Asia 31°48N 35°32E 130 D4
Jordan Valley U.S.A. 42°59N 117°3W 168 E5
Jordânia Brazil 15°55S 40°11W 189 D2
Jordanów Poland 49°41N 19°49E 83 J6
Jorge, C. Chile 51°40S 75°35W 192 D1
Jorgen Brønlund Fjord Greenland 82°30N 31°0W 57 A7
Jorhat India 26°45N 94°12E 123 F19
Jori → Norway 62°4N 9°5E 62 B3
Jörn Sweden 65°4N 20°1E 60 D19
Jorong Indonesia 3°58S 114°56E 118 E4
Jørpeland Norway 59°3N 6°1E 61 G12
Jorquera → Chile 28°3S 69°58W 190 B2
Joru S. Leone 7°41N 11°3W 138 D2
Jos Nigeria 9°53N 8°51E 139 D6
Jos Plateau Nigeria 9°55N 9°0E 139 D6
Jošanička Banja Serbia 43°24N 20°47E 96 C4
José Batlle y Ordóñez Uruguay 33°20S 55°10W 191 C4
José de San Martín Argentina 44°4S 70°26W 192 B2
Joseni Romania 46°42N 25°29E 81 D10
Joseph, L. Canada 45°10N 79°44W 174 A5
Joseph Banks Group Australia 34°36S 136°16E 152 C2
Joseph Bonaparte G. Australia 14°35S 128°50E 148 B4
Joseph L. Canada 52°45N 65°18W 165 B6
Joshinath India 30°34N 79°34E 125 D8
Joshinetsu-Kōgen △ Japan 36°42N 138°32E 113 F9
Joshua Tree U.S.A. 34°8N 116°19W 171 L10
Joshua Tree △ U.S.A. 33°55N 116°0W 171 M10
Josselin France 47°57N 2°33W 70 E4
Jost Van Dyke I. Br. Virgin Is. 18°29N 64°47W 183 e
Jostedalsbreen Norway 61°40N 6°59E 60 F12
Jotunheimen Norway 61°35N 8°25E 60 F13
Joubertberge Namibia 18°30S 14°0E 144 A1
Joué-lès-Tours France 47°21N 0°40E 70 E7
Jourdanton U.S.A. 28°55N 98°33W 176 G5
Joutseno Finland 61°7N 28°31E 84 B5
Jovellanos Cuba 22°40N 81°10W 182 B3
Jowkār Iran 34°25N 48°40E 105 E13
Jowzjān □ Afghan. 36°10N 66°0E 109 E7
Joyeuse France 44°29N 4°16E 73 D8
Józefów Lubelskie, Poland 50°28N 23°2E 83 H10
Józefów Mazowieckie, Poland 52°10N 21°11E 83 F8
Ju Xian China 35°35N 118°20E 115 G10
Juan Aldama Mexico 24°19N 103°21W 180 C4
Juan Bautista Alberdi Argentina 34°26S 61°48W 190 C3
Juan de Fuca, Str of. N. Amer. 48°15N 124°0W 170 B3
Juan de Nova Ind. Oc. 17°3S 43°45E 145 A7
Juan Fernández, Arch. de Pac. Oc. 33°50S 80°0W 184 G2
Juan José Castelli Argentina 25°27S 60°57W 190 B3
Juan L. Lacaze Uruguay 34°26S 57°25W 190 C4
Juanjuí Peru 7°10S 76°45W 188 B2
Juankoski Finland 63°3N 28°19E 60 E23
Juárez Mexico 27°37N 100°44W 180 B4
Juárez, Sa. de Mexico 32°0N 115°50W 180 A1
Juàzeiro Brazil 9°30S 40°30W 189 B2
Juàzeiro do Norte Brazil 7°10S 39°18W 189 B3
Juazohn Liberia 5°22N 8°50W 138 D3
Juba South Sudan 4°50N 31°35E 135 H12
Juba → Somalia 1°30N 42°35E 131 G3
Jubail = Al Jubayl Si. Arabia 27°0N 49°50E 129 E6
Jubany = Carlini Base Antarctica 62°30S 58°0W 55 C18
Jubayl Lebanon 34°5N 35°39E 130 A4
Jubbah Si. Arabia 28°2N 40°56E 128 D4
Jubbal India 31°5N 77°40E 124 D7
Jubbulpore = Jabalpur India 23°9N 79°58E 125 H8
Jübek Germany 54°33N 9°22E 76 A5
Jubilee L. Australia 29°0S 126°50E 149 E4
Juby, C. Morocco 28°0N 12°59W 134 C3
Júcar = Xúquer → Spain 39°5N 0°10W 91 F4
Júcaro Cuba 21°37N 78°51W 182 B4
Juchitán de Zaragoza Mexico 16°26N 95°1W 181 D5
Judea = Har Yehuda Israel 31°35N 34°57E 130 D3
Judenburg Austria 47°12N 14°38E 78 D7
Judith → U.S.A. 47°44N 109°39W 168 C9
Judith, Pt. U.S.A. 41°22N 71°29W 175 E13
Judith Gap U.S.A. 46°41N 109°45W 168 C9
Juelsminde Denmark 55°43N 10°1E 63 J4
Juigalpa Nic. 12°6N 85°26W 182 D2
Juillac France 45°20N 1°19E 72 C5
Juist Germany 53°40N 6°59E 76 B2
Juiz de Fora Brazil 21°43S 43°19W 191 A7
Jujuy □ Argentina 23°20S 65°40W 190 A2
Julesburg U.S.A. 40°59N 102°16W 168 F12
Juli Peru 16°10S 69°25W 188 D4
Julia Cr. → Australia 20°0S 141°11E 150 C3
Julia Creek Australia 20°39S 141°44E 150 C3
Juliaca Peru 15°25S 70°10W 188 D3
Julian U.S.A. 33°4N 116°38W 171 M10
Julian, L. Canada 54°25N 77°57W 164 B4
Julian Alps = Julijske Alpe Slovenia 46°15N 14°1E 93 B11
Julianatop Suriname 3°40N 56°30W 187 C7
Julianehåb = Qaqortoq Greenland 60°43N 46°0W 57 E6
Jülich Germany 50°55N 6°22E 76 E2
Juliette, L. U.S.A. 33°2N 83°50W 178 B6
Julijske Alpe Slovenia 46°15N 14°1E 93 B11
Julimes Mexico 28°25N 105°27W 180 B3
Jullundur = Jalandhar India 31°20N 75°40E 124 D6
Julu China 37°15N 115°2E 114 F8
Jumbo Zimbabwe 17°30S 30°58E 143 F3
Jumbo Pk. U.S.A. 36°12N 114°11W 171 J12
Jumentos Cays Bahamas 23°0N 75°40W 182 B4
Jumilla Spain 38°28N 1°19W 91 G3
Jumla Nepal 29°15N 82°13E 125 E10
Jumna = Yamuna → India 25°30N 81°53E 125 G9
Jumunjin S. Korea 37°55N 128°54E 115 F15
Junagadh India 21°30N 70°30E 124 J4
Junan China 35°12N 118°53E 115 G10
Junction Tex., U.S.A. 30°29N 99°46W 176 F5
Junction Utah, U.S.A. 38°14N 112°13W 169 G7
Junction B. Australia 11°52S 133°55E 150 A1
Junction City Ga., U.S.A. 32°36N 84°28W 178 C5
Junction City Kans., U.S.A. 39°2N 96°50W 172 F5
Junction City Oreg., U.S.A. 44°13N 123°12W 168 D2
Junction Pt. Australia 11°45S 133°50E 150 A1
Jundah Australia 24°46S 143°2E 150 C3
Jundiaí Brazil 24°30S 47°0W 191 A6
Juneau U.S.A. 58°18N 134°25W 162 B2
Junee Australia 34°53S 147°35E 153 C7
Jungar Qi China 39°49N 110°57E 114 E6
Jungfrau Switz. 46°32N 7°58E 77 J3
Junggar Pendi China 44°30N 86°0E 109 D11
Jungshahi Pakistan 24°52N 67°44E 124 G2
Juniata → U.S.A. 40°24N 77°1W 174 F7
Junín Argentina 34°33S 60°57W 190 C3
Junín Peru 11°12S 76°0W 188 C2
Junín □ Peru 11°30S 75°0W 188 C3
Junín, L. de Peru 11°2S 76°6W 188 C2
Junín de los Andes Argentina 39°45S 71°0W 192 A2
Jūniyah Lebanon 33°59N 35°38E 130 B4
Junkerdal △ Norway 66°50N 15°50E 60 C16
Junlian China 28°8N 104°29E 116 C5
Junnar India 19°12N 73°58E 126 E1
Juno Beach U.S.A. 26°52N 80°3W 179 J9
Juntas Chile 28°24S 69°58W 190 B2
Juntura U.S.A. 43°45N 118°5W 168 E4
Juparanã, L. Brazil 19°16S 40°8W 189 D2
Jupiter U.S.A. 26°57N 80°6W 179 J9
Jur → South Sudan 8°45N 29°15E 135 G11
Jura = Jura, Mts. du Europe 46°40N 6°5E 71 F13
Jura = Schwäbische Alb Germany 48°20N 9°30E 77 G5
Jura U.K. 56°0N 5°50W 65 F3
Jura □ France 46°47N 5°45E 71 F12
Jura □ Switz. 47°20N 7°20E 77 H3
Jūra → Lithuania 55°3N 22°9E 82 C9
Jura, Mts. du Europe 46°40N 6°5E 71 F13
Jura, Sd. of U.K. 55°57N 5°45W 65 F3
Jurassic Coast U.K. 50°42N 2°50W 67 G5
Jurbarkas Lithuania 55°4N 22°46E 82 C9
Jurien Bay Australia 30°18S 115°2E 149 F2
Jurilovca Romania 44°46N 28°52E 81 F13
Jūrmala Latvia 56°58N 23°34E 82 B10
Jurong China 31°57N 119°9E 117 B12
Jurong Singapore 1°19N 103°42E 121 d
Juruá → Brazil 2°37S 65°44W 186 D5
Juruena Brazil 13°0S 58°10W 186 F7
Juruena → Brazil 7°20S 58°3W 186 E7
Juruti Brazil 2°9S 56°4W 187 D7
Jussey France 47°50N 5°55E 71 E12
Justo Daract Argentina 33°52S 65°12W 190 C2
Jutaí Brazil 5°11S 68°54W 188 B4
Jutaí → Brazil 2°43S 66°57W 186 D5
Jüterbog Germany 51°59N 13°5E 76 D9
Juticalpa Honduras 14°40N 86°12W 182 D2
Jutland = Jylland Denmark 56°25N 9°30E 63 H3
Juuka Finland 63°13N 29°17E 60 E23
Juventud, I. de la Cuba 21°40N 82°40W 182 B3
Juvigny-sous-Andaine France 48°32N 0°30W 70 D6
Jūy Zar Iran 33°50N 46°18E 105 F12
Juye China 35°22N 116°5E 114 G9
Juzennecourt France 48°10N 4°58E 71 D11
Jvari Georgia 42°42N 42°4E 87 J6
Jwaneng Botswana 24°45S 24°50E 141 J4
Jyderup Denmark 55°40N 11°26E 63 J5
Jylland Denmark 56°25N 9°30E 63 H3
Jyväskylä Finland 62°14N 25°50E 84 A3

K

K2 Pakistan 35°58N 76°32E 125 B7
Ka → Nigeria 11°40N 4°10E 139 C5
Kaakha = Kaka Turkmenistan 37°21N 59°36E 129 B8
Kaap Plateau S. Africa 28°30S 24°0E 144 C3
Kaapkruis Namibia 21°55S 13°57E 144 B1
Kaapstad = Cape Town S. Africa 33°55S 18°22E 144 D2
Kaba Guinea 10°9N 11°40W 138 C2
Kabaena Indonesia 5°15S 122°0E 119 F6
Kabala S. Leone 9°38N 11°37W 138 D2
Kabale Uganda 1°15S 30°0E 142 C3
Kabalo Dem. Rep. of the Congo 6°0S 27°0E 142 D2
Kabambare Dem. Rep. of the Congo 4°41S 27°39E 142 C2
Kabango Dem. Rep. of the Congo 8°35S 28°30E 143 D2
Kabanjahe Indonesia 3°6N 98°30E 118 D1
Kabankalan Phil. 9°59N 122°49E 119 C6
Kabara Fiji 18°59S 178°56W 154 a
Kabara Mali 16°40N 2°50W 138 B4
Kabardinka Russia 44°40N 37°57E 85 K10
Kabardino-Balkaria □ Russia 43°30N 43°30E 87 J6
Kabarega Falls = Murchison Falls Uganda 2°15N 31°30E 142 B3
Kabarnet Kenya 0°30N 35°45E 142 B4
Kabasalan Phil. 7°47N 122°44E 119 C6
Kabat Indonesia 8°16S 114°19E 119 J17
Kabba Nigeria 7°50N 6°3E 139 D6
Kabbani → India 12°13N 76°54E 127 H3
Kabin Buri Thailand 13°57N 101°43E 120 F3
Kabinakagami L. Canada 48°54N 84°25W 164 C3
Kabinda Dem. Rep. of the Congo 6°19S 24°20E 140 F4
Kabna Sudan 19°6N 32°40E 137 D3
Kabompo Zambia 13°36S 24°14E 143 E1
Kabompo → Zambia 14°11S 23°11E 141 G4
Kabondo Dem. Rep. of the Congo 8°58S 25°40E 143 D2
Kabongo Dem. Rep. of the Congo 7°22S 25°33E 142 D2
Kabot Guinea 10°48N 14°57W 138 C2
Kabou Togo 9°28N 0°55E 139 D5
Kabrīt, G. el Egypt 29°42N 33°16E 130 F2
Kabrousse Senegal 12°25N 16°45W 138 C1
Kabūd Gonbad Iran 37°5N 59°45E 129 B8
Kabudar Ahang Iran 35°11N 48°43E 105 E13
Kābul Afghan. 34°28N 69°11E 124 B3
Kābul □ Afghan. 34°30N 69°0E 109 F7
Kābul → Pakistan 33°55N 72°14E 124 C5
Kabunga Dem. Rep. of the Congo 1°38S 28°3E 142 C2
Kaburuang Indonesia 3°50N 126°30E 119 D7
Kabwe Zambia 14°30S 28°29E 143 E2
Kaçanik Kosovo 42°13N 21°12E 96 D5
Kačerginė Lithuania 54°56N 23°42E 82 D10
Kachar Kazakhstan 53°23N 62°55E 108 B6
Kachchh, Gulf of India 22°50N 69°15E 124 H3
Kachchh, Rann of India 24°0N 70°0E 124 H4
Kachchhidhana India 21°44N 78°46E 125 J8
Kachebera Zambia 13°50S 32°50E 143 E3
Kachia Nigeria 9°50N 7°55E 139 D6
Kachikau Botswana 18°8S 24°26E 144 A3
Kachin □ Burma 26°0N 97°30E 116 D1
Kachira, L. Uganda 0°40S 31°7E 142 C3
Kachiry Kazakhstan 53°10N 75°50E 109 B9
Kachnara India 23°50N 75°6E 124 H6
Kachot Cambodia 11°30N 103°3E 121 G4
Kaçkar Turkey 40°45N 41°10E 105 B9
Kadaiyanallur India 9°3N 77°22E 127 K3
Kadam, Mt. Uganda 1°45N 34°45E 142 B3
Kadan Czech Rep. 50°23N 13°16E 78 A6
Kadan Kyun Burma 12°30N 98°20E 120 F2
Kadanai → Afghan. 31°22N 65°45E 124 D1
Kadapa India 14°30N 78°47E 127 G4
Kadarkút Hungary 46°13N 17°39E 80 D2
Kadavu Fiji 19°0S 178°15E 154 a
Kadavu Passage Fiji 18°45S 178°0E 154 a
Kade Ghana 6°7N 0°56W 139 D4
Kadhimain = Al Kāzimīyah Iraq 33°22N 44°18E 105 F11
Kadi India 23°18N 72°23E 124 H5
Kadiana Mali 10°45N 6°30W 138 C3
Kadina Australia 33°55S 137°43E 152 B2
Kadınhanı Turkey 38°14N 32°13E 104 C5
Kadiolo Mali 10°35N 7°41W 138 C3
Kadipur India 26°10N 82°23E 125 F10
Kadirabad India 19°51N 75°54E 126 E2
Kadiri India 14°12N 78°13E 127 G4
Kadirli Turkey 37°23N 36°5E 104 D7
Kadiyevka = Stakhanov Ukraine 48°35N 38°40E 85 H10
Kadmat I. India 11°14N 72°47E 127 J1
Kadoka U.S.A. 43°50N 101°31W 172 D3
Kadom Russia 54°37N 42°30E 86 C6
Kadoma Zimbabwe 18°20S 29°52E 143 F2
Kadugli Sudan 11°0N 29°45E 135 F11
Kaduna Nigeria 10°30N 7°21E 139 C6
Kaduna □ Nigeria 11°0N 7°30E 139 C6
Kaduna → Nigeria 8°45N 5°48E 139 D6
Kadur India 13°34N 76°1E 127 H3
Kaduy Russia 59°12N 37°9E 84 C9
Kaédi Mauritania 16°9N 13°28W 138 B2
Kaélé Cameroon 10°7N 14°27E 139 C7
Kaeng Khoi Thailand 14°35N 101°0E 120 E3
Kaeng Krachan △ Thailand 12°57N 99°23E 120 F2
Kaeng Krung △ Thailand 9°30N 98°50E 121 H2
Kaeng Tana △ Thailand 15°25N 105°32E 120 E5
Kaeo N.Z. 35°6S 173°49E 154 B2
Kaesŏng N. Korea 37°58N 126°35E 115 F14
Kāf Si. Arabia 31°25N 37°29E 128 D3
Kafan = Kapan Armenia 39°18N 46°27E 105 C12
Kafanchan Nigeria 9°40N 8°20E 139 D6
Kafareti Nigeria 10°25N 11°12E 139 C7
Kaffrine Senegal 14°8N 15°36W 138 C1
Kafin Nigeria 9°30N 7°4E 139 D6
Kafin Madaki Nigeria 10°41N 9°46E 139 C6
Kafinda Zambia 12°32S 30°20E 143 E3
Kafireos, Stenon Greece 37°55N 24°35E 98 D6
Kafr el Battikh Egypt 31°25N 31°44E 137 E7
Kafr el Dauwâr Egypt 31°8N 30°8E 137 E7
Kafr el Sheikh Egypt 31°15N 30°50E 137 E7
Kafr el Zaiyât Egypt 30°49N 30°48E 137 E7
Kafue Zambia 15°46S 28°9E 143 F2
Kafue → Zambia 15°30S 29°0E 141 H5
Kafue △ Zambia 15°12S 25°38E 143 F2
Kafue Flats Zambia 15°40S 27°25E 143 F2
Kafulwe Zambia 9°0S 29°1E 143 D2
Kaga Afghan. 34°14N 70°10E 124 B4
Kaga Bandoro C.A.R. 7°0N 19°10E 140 C3
Kagarko Nigeria 9°28N 7°36E 139 D6
Kagawa □ Japan 34°15N 134°0E 113 G7
Kagera □ Tanzania 2°0S 31°30E 142 C3
Kagera → Uganda 0°57S 31°47E 142 C3
Kağızman Turkey 40°5N 43°10E 105 B10
Kagoro Nigeria 9°36N 8°23E 139 D6
Kagoshima Japan 31°35N 130°33E 113 J5
Kagoshima □ Japan 31°30N 130°30E 113 J5
Kagul = Cahul Moldova 45°50N 28°15E 81 E13
Kahak Iran 36°6N 49°46E 129 B6
Kahama Tanzania 4°8S 32°30E 142 C3
Kahan Pakistan 29°18N 68°54E 124 E3
Kahang Malaysia 2°12N 103°32E 121 L4
Kahayan → Indonesia 3°40S 114°0E 118 E4
Kahe Tanzania 3°30S 37°25E 142 C4
Kahemba Dem. Rep. of the Congo 7°18S 18°55E 140 F3
Kaherekoau Mts. N.Z. 45°45S 167°15E 155 F2
Kahnūj Iran 27°55N 57°40E 129 E8
Kahoka U.S.A. 40°25N 91°44W 172 E8
Kaho'olawe U.S.A. 20°33N 156°37W 167 L8
Kahramanmaraş Turkey 37°37N 36°53E 104 D7
Kahramanmaraş □ Turkey 37°35N 36°33E 104 D7
Kâhta Turkey 37°46N 38°36E 105 D8
Kahul, Ozero Ukraine 45°24N 28°24E 81 E13
Kahului U.S.A. 20°54N 156°28W 167 L8
Kahurangi △ N.Z. 41°10S 172°32E 155 B7
Kahurangi Pt. N.Z. 40°50S 172°10E 155 A7
Kahuta Pakistan 33°35N 73°24E 124 C5
Kahuzi-Biega △ Dem. Rep. of the Congo 1°50S 27°55E 142 C2
Kai, Kepulauan Indonesia 5°55S 132°45E 119 F8
Kai Besar Indonesia 5°35S 133°0E 119 F8
Kai Is. = Kai, Kepulauan Indonesia 5°55S 132°45E 119 F8
Kai Kecil Indonesia 5°45S 132°40E 119 F8
Kai Xian China 31°11N 108°21E 116 B7
Kaiama Nigeria 9°36N 4°1E 139 D5
Kaiapoi N.Z. 43°24S 172°40E 155 D7
Kaidu He → China 41°46N 86°31E 110 C6
Kaieteur Falls Guyana 5°1N 59°10W 186 B7
Kaifeng China 34°48N 114°21E 114 G8
Kaihua China 29°12N 118°20E 117 C12
Kaijiang China 31°7N 107°55E 116 B6
Kaikohe N.Z. 35°25S 173°49E 154 B2
Kaikoura N.Z. 42°25S 173°43E 155 C8
Kaikoura Pen. N.Z. 42°25S 173°43E 155 C8
Kailahun S. Leone 8°18N 10°39W 138 D2
Kailash = Kangrinboqe Feng China 31°0N 81°25E 125 D9
Kaili China 26°33N 107°59E 116 D6
Kailu China 43°38N 121°18E 115 C11
Kailua Kona U.S.A. 19°39N 155°59W 167 M8
Kaimaktsalan Oros = Voras Oros Greece 40°57N 21°45E 96 F5
Kaimana Indonesia 3°39S 133°45E 119 E8
Kaimanawa Mts. N.Z. 39°15S 175°56E 154 F4
Kaimata N.Z. 42°34S 171°28E 155 C6
Kaimganj India 27°33N 79°24E 125 F8
Kaimur Hills India 24°30N 82°0E 125 G10
Kainab → Namibia 28°32S 19°34E 144 C2
Kainji Dam Nigeria 9°55N 4°35E 139 D5
Kainji Lake △ Nigeria 10°5N 4°6E 139 C5
Kainji Res. Nigeria 10°1N 4°40E 139 C5
Kainuu □ Finland 64°30N 29°7E 60 D23
Kaipara Harbour N.Z. 36°25S 174°14E 154 C3
Kaiping China 22°23N 112°42E 117 F9
Kaipokok B. Canada 54°54N 59°47W 165 B8
Kaira India 22°45N 72°50E 124 H5
Kairana India 29°24N 77°15E 124 E7
Kaironi Indonesia 0°47S 133°40E 119 E8
Kairouan Tunisia 35°45N 10°5E 136 A6
Kairouan □ Tunisia 35°30N 9°46E 136 A5
Kaiserslautern Germany 49°26N 7°45E 77 F3
Kaiserstuhl Germany 48°4N 7°40E 77 G3
Kaitaia N.Z. 35°8S 173°17E 154 B2
Kaitangata N.Z. 46°17S 169°51E 155 G4
Kaithal India 29°48N 76°26E 124 E7
Kaitu → Pakistan 33°10N 70°30E 124 C4
Kaiwi Channel U.S.A. 21°15N 157°30W 167 L8
Kaiyang China 27°4N 106°59E 116 D6
Kaiyuan Liaoning, China 42°28N 124°1E 115 C13
Kaiyuan Yunnan, China 23°40N 103°12E 116 F4
Kaiyuh Mts. U.S.A. 64°30N 158°0W 166 C8
Kajaani Finland 64°17N 27°46E 60 D22
Kajabbi Australia 20°0S 140°1E 150 C3
Kajana = Kajaani Finland 64°17N 27°46E 60 D22
Kajang Malaysia 2°59N 101°48E 121 L3
Kajaran Armenia 39°10N 46°7E 105 C12
Kajiado Kenya 1°53S 36°48E 142 C4
Kajiado □ Kenya 2°0S 36°50E 142 C4
Kajo Kaji South Sudan 3°58N 31°40E 135 H12
Kajuru Nigeria 10°15N 7°34E 139 C6
Kaka Turkmenistan 37°21N 59°36E 129 B8
Kakabeka Falls Canada 48°24N 89°37W 164 C2
Kakadu △ Australia 12°0S 132°3E 148 B5
Kakamas S. Africa 28°45S 20°33E 144 C3
Kakamega Kenya 0°20N 34°46E 142 B3
Kakana India 9°7N 92°48E 127 K11
Kakanj Bos.-H. 44°4N 18°4E 80 F3
Kakanui Mts. N.Z. 45°10S 170°30E 155 F5
Kakata Liberia 6°35N 10°20W 138 D2
Kakdwip India 21°53N 88°11E 125 J13
Kake Japan 34°36N 132°19E 113 G6
Kake U.S.A. 56°59N 133°57W 162 B2
Kakegawa Japan 34°45N 138°1E 113 G9
Kakeroma-Jima Japan 28°8N 129°14E 113 K4
Kākhak Iran 34°9N 58°38E 129 C8
Kakhib Russia 42°28N 46°34E 87 J8
Kakhovka Ukraine 46°45N 33°30E 85 J7
Kakhovske Vdskh. Ukraine 47°5N 34°0E 85 J7
Kakinada India 16°57N 82°11E 126 F6
Kakisa Canada 60°56N 117°25W 162 A5
Kakisa → Canada 61°3N 118°10W 162 A5
Kakisa L. Canada 60°56N 117°43W 162 A5
Kakogawa Japan 34°46N 134°51E 113 G7
Kakum △ Ghana 5°24N 1°20W 139 D4
Kakuma Kenya 3°43N 34°52E 142 B3
Kakwa → Canada 54°37N 118°28W 162 C5
Kāl Gūsheh Iran 30°59N 58°12E 129 D8
Kal Sefīd Iran 34°52N 47°23E 105 E12
Kala Nigeria 12°2N 14°40E 139 C7
Kala Oya → Sri Lanka 8°20N 79°45E 127 K4
Kalaallit Nunaat = Greenland ☒ N. Amer. 66°0N 45°0W 57 D6
Kalabagh Pakistan 33°0N 71°28E 124 C4
Kalabahi Indonesia 8°13S 124°31E 119 F6
Kalabana Mali 14°10N 8°35W 138 C3
Kalaburagi India 17°20N 76°50E 126 F3
Kalach Russia 50°22N 41°0E 86 E5
Kalach na Donu Russia 48°43N 43°32E 87 F6
Kalachinsk Russia 55°3N 74°33E 109 A8
Kaladan → Burma 20°20N 93°5E 123 J18
Kaladar Canada 44°37N 77°5W 174 B7
Kalahari Africa 24°0S 21°30E 144 B3
Kalahari Gemsbok △ S. Africa 25°30S 20°30E 144 C3
Kalaikhum Tajikistan 38°28N 70°46E 109 E8
Kalajoki Finland 64°12N 24°10E 60 D21
Kalajun-Ku'erdening ⌂ China 43°10N 81°50E 109 D10
Kalakamati Botswana 20°40S 27°25E 145 B4
Kalakan Russia 55°15N 116°45E 107 D12
K'alak'unlun Shank'ou = Karakoram Pass Asia 35°33N 77°50E 125 B7
Kalam Pakistan 35°34N 72°30E 125 B5
Kalama Dem. Rep. of the Congo 2°52S 28°35E 142 C2
Kalama U.S.A. 46°1N 122°51W 170 E4
Kalamaria Greece 40°33N 22°55E 96 F6
Kalamata Greece 37°3N 22°10E 98 D4
Kalamazoo U.S.A. 42°17N 85°35W 173 D11
Kalamazoo → U.S.A. 42°40N 86°10W 172 D10
Kalamb India 18°3N 74°48E 126 E2
Kalambaka Greece 39°42N 21°39E 98 B3
Kalambo Falls Tanzania 8°37S 31°35E 143 D3
Kalamnuri India 19°40N 77°20E 126 E3
Kalamos Attiki, Greece 38°17N 23°52E 98 C5
Kalamos Lefkada, Greece 38°37N 20°55E 98 C2
Kalan = Tunceli Turkey 39°6N 39°31E 105 C8
Kalangadoo Australia 37°34S 140°41E 152 D4
Kalankalan Guinea 10°7N 8°54W 138 C3
Kalannie Australia 30°22S 117°5E 149 F2
Kalāntarī Iran 32°10N 54°8E 129 C7
Kalao Indonesia 7°21S 121°0E 119 F6
Kalaotoa Indonesia 7°20S 121°50E 119 F6
Kälarne Sweden 62°59N 16°5E 62 B10
Kalasin Thailand 16°26N 103°30E 120 D4
Kalat Iran 25°29N 59°22E 129 E8
Kalat Pakistan 29°8N 66°31E 122 E5
Kalāteh Iran 36°33N 55°41E 129 B7
Kalāteh-ye Ganj Iran 27°31N 57°55E 129 E8
Kalathos Greece 36°9N 28°8E 99 E10
Kalaus → Russia 45°40N 44°7E 87 H7
Kalavrita Greece 38°3N 22°8E 98 C4
Kalbā U.A.E. 25°5N 56°22E 129 E8
Kalbarri Australia 27°40S 114°10E 149 E1
Kalbarri △ Australia 27°51S 114°30E 149 E1
Kalce Slovenia 45°54N 14°13E 74 F8
Kale Antalya, Turkey 36°14N 30°0E 99 E12
Kale Denizli, Turkey 37°27N 28°49E 99 D10
Kaleburnu = Galinoporni Cyprus 35°31N 34°18E 101 D13
Kalecik Turkey 40°4N 33°26E 104 B5
Kalegauk Kyun Burma 15°33N 97°35E 120 E1
Kalehe Dem. Rep. of the Congo 2°6S 28°50E 142 C2
Kalema Tanzania 1°12S 31°55E 142 C3
Kalemie Dem. Rep. of the Congo 5°55S 29°9E 142 D2
Kalety Poland 50°35N 18°52E 83 H5
Kalewa Burma 23°10N 94°15E 123 H19
Kaleybar Iran 38°47N 47°2E 105 C12
Kalghatgi India 15°11N 74°58E 127 G2
Kalgoorlie-Boulder Australia 30°40S 121°22E 149 F3
Kali → India 27°6N 79°55E 125 F8
Kali Sindh → India 25°32N 76°17E 124 G6
Kaliakra, Nos Bulgaria 43°21N 28°30E 97 C12
Kalianda Indonesia 5°50S 105°45E 118 F3
Kalibo Phil. 11°43N 122°22E 119 B6
Kalima Dem. Rep. of the Congo 2°33S 26°32E 142 C2
Kalimantan Indonesia 0°0 114°0E 118 E4
Kalimantan Barat □ Indonesia 0°0 110°30E 118 E4
Kalimantan Selatan □ Indonesia 2°30S 115°30E 118 E5
Kalimantan Tengah □ Indonesia 2°0S 113°30E 118 E4
Kalimantan Timur □ Indonesia 1°30N 116°30E 118 D5
Kálimnos Greece 37°0N 27°0E 99 D8
Kalimpong India 27°4N 88°35E 125 F13
Kalinadi → India 14°50N 74°7E 127 G2
Kalinikinsk Russia 51°29N 44°28E 108 B2
Kaliningrad Russia 54°42N 20°32E 82 D7
Kaliningrad ✕ (KGD) Russia 54°45N 20°33E 82 D7
Kalininsk Russia 51°30N 44°40E 86 E7
Kalinkavichy Belarus 52°12N 29°20E 75 B15
Kalinkovichi = Kalinkavichy Belarus 52°12N 29°20E 75 B15
Kalinovik Bos.-H. 43°31N 18°25E 96 C2
Kalipetrovo Bulgaria 44°5N 27°14E 97 B11
Kalirachi Greece 40°40N 24°35E 97 F8
Kaliro Uganda 0°56N 33°30E 142 B3
Kalispell U.S.A. 48°12N 114°19W 168 B6
Kalisz Poland 51°45N 18°8E 83 G5
Kalisz Pomorski Poland 53°17N 15°55E 83 E2
Kalithea Greece 37°56N 23°43E 98 D5
Kaliua Tanzania 5°5S 31°48E 142 D3
Kaliveli Tank India 12°5N 79°50E 127 H4
Kalivia Thorikou Greece 37°50N 23°55E 98 D5
Kalix Sweden 65°53N 23°12E 60 D20
Kalixälven → Sweden 65°50N 23°11E 60 D20
Kalka India 30°46N 76°57E 124 D7
Kalkan Turkey 36°15N 29°23E 99 E11
Kalkarindji Australia 17°30S 130°47E 148 C5
Kalkaska U.S.A. 44°44N 85°11W 173 C11
Kalkfeld Namibia 20°57S 16°14E 144 B2
Kalkfontein Botswana 22°4S 20°57E 144 B3
Kalkım Turkey 39°48N 27°13E 99 B9
Kalkrand Namibia 24°1S 17°35E 144 B2
Kallakkurichchi India 11°44N 79°1E 127 J4
Kallam India 18°36N 76°2E 126 E3
Kållandsö Sweden 58°40N 13°5E 63 F7
Kallavesi Finland 62°58N 27°30E 60 E22
Källby Sweden 58°30N 13°8E 63 F7
Kållered Sweden 57°32N 12°4E 63 G6
Kallidaikurichi India 8°38N 77°31E 127 K3
Kallimasia Greece 38°18N 26°6E 99 C8
Kallinge Sweden 56°15N 15°18E 63 H9
Kallmet Albania 41°51N 19°41E 96 E3
Kallsjön Sweden 63°38N 13°0E 60 E15
Kalmalo Nigeria 13°40N 5°20E 139 C6
Kalmar Sweden 56°40N 16°20E 63 H10
Kalmar □ Sweden 57°25N 16°0E 63 G10
Kalmar sund Sweden 56°40N 16°25E 63 H10
Kalmunai Sri Lanka 7°25N 81°49E 127 L5
Kalmykia □ Russia 46°5N 46°1E 87 G8
Kalna India 23°13N 88°25E 125 H13
Kalnai India 22°46N 83°30E 125 H10
Kalo Nero Greece 37°20N 21°38E 98 D3
Kalocsa Hungary 46°32N 19°0E 80 D4
Kalofer Bulgaria 42°37N 24°59E 97 D8
Kalokhorio Cyprus 34°51N 33°2E 101 E12
Kaloko Dem. Rep. of the Congo 6°47S 25°48E 142 D2
Kalol Gujarat, India 22°37N 73°31E 124 H5
Kalol Gujarat, India 23°15N 72°33E 124 H5
Kalolimnos Greece 37°4N 27°5E 99 D9
Kalomo Zambia 17°0S 26°30E 143 F2
Kaloni Greece 39°14N 26°12E 99 B8
Kaloni, Kolpos Greece 39°10N 26°10E 99 B8
Kalpeni I. India 10°5N 73°38E 127 J1
Kalpi India 26°8N 79°47E 125 F8
Kalpitiya Sri Lanka 8°14N 79°46E 127 K4
Kalputhi I. India 10°49N 72°10E 127 J1
Kalrayan Hills India 11°45N 78°40E 127 J4
Kalsubai India 19°35N 73°45E 126 E1
Kaltag U.S.A. 64°20N 158°43W 166 C8
Kaltern = Caldaro Italy 46°25N 11°14E 93 B8
Kaltukatjara Australia 24°52S 129°5E 149 D4
Kaltungo Nigeria 9°48N 11°19E 139 D7
Kalu Pakistan 25°5N 67°39E 124 G2
Kaluga Russia 54°35N 36°10E 84 E9
Kaluga □ Russia 54°15N 34°50E 84 E8
Kalulushi Zambia 12°50S 28°3E 143 E2
Kalumburu Australia 14°17S 126°38E 148 B4
Kalumburu ⊛ Australia 14°17S 126°38E 148 B4
Kalundborg Denmark 55°41N 11°5E 63 J5
Kalush Ukraine 49°3N 24°23E 75 D13
Kałuszyn Poland 52°13N 21°52E 83 F8
Kalutara Sri Lanka 6°35N 80°0E 127 L5
Kalvarija Lithuania 54°24N 23°14E 82 D10
Kalwakurti India 16°41N 78°30E 126 F4
Kalyan = Basavakalyan India 17°52N 76°57E 126 F3
Kalyan Maharashtra, India 20°30N 74°3E 126 D2
Kalyan Maharashtra, India 19°15N 73°9E 126 E1
Kalyandurg India 14°33N 77°6E 127 G3
Kalyansingapuram India 19°30N 83°19E 126 E6
Kalyazin Russia 57°15N 37°55E 84 D9
Kam Albania 42°17N 20°18E 96 D4
Kam → Nigeria 8°15N 1°10E 139 D7
Kama Dem. Rep. of the Congo 3°30S 27°5E 142 C2
Kama Japan 33°33N 130°49E 113 H5
Kama → Russia 55°45N 52°0E 106 D6
Kamachumu Tanzania 1°37S 31°37E 142 C3
Kamaishi Japan 39°16N 141°53E 112 E10
Kamalapurum India 14°35N 78°39E 127 G4
Kamalia Pakistan 30°44N 72°42E 124 D5
Kaman India 27°39N 77°16E 124 F6
Kaman Turkey 39°22N 33°44E 104 C5
Kamanjab Namibia 19°35S 14°51E 144 A2
Kamapanda Zambia 12°5S 24°0E 143 E1
Kamara Mali 14°38N 9°23W 138 C3
Kamarān Yemen 15°21N 42°35E 131 D3
Kamareddi India 18°19N 78°21E 126 E4
Kamativi Zimbabwe 18°20S 27°6E 144 A4
Kamba Nigeria 11°50N 3°45E 139 C5
Kambalda West Australia 31°10S 121°37E 149 F3
Kambam India 9°45N 77°16E 127 K3
Kambangan, Nusa Indonesia 7°40S 108°10E 119 G13
Kambar Pakistan 27°37N 68°1E 124 F3
Kambia S. Leone 9°3N 12°53W 138 D2
Kambolé Togo 8°43N 1°39E 139 D5
Kambolé Zambia 8°47S 30°48E 143 D3
Kambos Cyprus 35°2N 32°44E 101 D11

Kambove Dem. Rep. of the Congo 10°51S 26°33E 143 E2
Kamchatka, Poluostrov Russia 57°0N 160°0E 107 D17
Kamchatka Pen. = Kamchatka, Poluostrov Russia 57°0N 160°0E 107 D17
Kamchiya → Bulgaria 43°4N 27°44E 97 C11
Kame Ruins Zimbabwe 20°7S 28°25E 143 G2
Kameda-Hantō Japan 41°50N 141°0E 112 D10
Kamen Russia 53°50N 81°30E 109 B10
Kamen-Rybolov Russia 44°46N 132°2E 112 B5
Kamenica Serbia 43°27N 22°27E 96 C6
Kamenica Serbia 44°25N 19°45E 96 B3
Kamenice nad Lipou Czech Rep. 49°18N 15°2E 78 B8
Kamenjak, Rt Croatia 44°47N 13°55E 93 D10
Kamenka = Kamyanka Ukraine 49°3N 32°6E 85 H7
Kamenka Kazakhstan 51°7N 50°19E 86 E10
Kamenka Penza, Russia 53°10N 44°5E 86 D6
Kamenka Voronezh, Russia 50°47N 39°20E 85 G10
Kamenka Bugskaya = Kamyanka-Buzka Ukraine 50°8N 24°16E 75 C13
Kamenka Dneprovskaya = Kamyanka-Dniprovska Ukraine 47°29N 34°28E 85 J8
Kamennomostskiy Russia 44°18N 40°13E 87 H5
Kameno Bulgaria 42°34N 27°18E 97 D11
Kamenolomini Russia 47°40N 40°14E 87 G5
Kamensk-Shakhtinskiy Russia 48°23N 40°20E 87 F5
Kamensk Uralskiy Russia 56°25N 62°2E 106 D7
Kamenskiy Russia 50°48N 45°25E 86 E7
Kamenskoye Russia 62°45N 165°30E 107 C17
Kamenyak Bulgaria 43°24N 26°57E 97 C10
Kamenz Germany 51°15N 14°5E 76 D10
Kameoka Japan 35°0N 135°35E 113 G7
Kamet India 30°55N 79°35E 125 D8
Kamiah U.S.A. 46°14N 116°2W 168 C5
Kamień Krajeński Poland 53°32N 17°32E 82 E4
Kamień Pomorski Poland 53°57N 14°43E 82 E1
Kamienna → Poland 51°6N 21°47E 83 G8
Kamienna Góra Poland 50°47N 16°2E 83 H3
Kamieńsk Poland 51°12N 19°29E 83 G6
Kamieskroon S. Africa 30°9S 17°56E 144 D2
Kamilukuak L. Canada 62°22N 101°40W 163 A8
Kamin-Kashyrskyy Ukraine 51°39N 24°56E 75 C13
Kamina Dem. Rep. of the Congo 8°45S 25°0E 143 D2
Kaminak L. Canada 62°10N 95°0W 163 A10
Kaminoyama Japan 38°9N 140°17E 112 E10
Kamiros Greece 36°20N 27°56E 101 C9
Kamituga Dem. Rep. of the Congo 3°2S 28°10E 142 C2
Kamla → India 25°35N 86°36E 125 G12
Kamloops Canada 50°40N 120°20W 162 C4
Kamnik Slovenia 46°14N 14°37E 93 B11
Kamo Japan 37°39N 139°3E 112 F9
Kamo N.Z. 35°42S 174°20E 154 B3
Kamoke Pakistan 32°4N 74°4E 124 C6
Kamp → Austria 48°23N 15°42E 78 C8
Kampala Uganda 0°20N 32°32E 142 B3
Kampar Malaysia 4°18N 101°9E 121 K3
Kampar → Indonesia 0°30N 103°8E 118 D2
Kampen Neths. 52°33N 5°53E 69 B5
Kampene Dem. Rep. of the Congo 3°36S 26°40E 140 E5
Kamphaeng Phet Thailand 16°28N 99°30E 120 D2
Kampinoski △ Poland 52°21N 20°40E 83 F7
Kampolombo, L. Zambia 11°37S 29°42E 143 E2
Kampong Cham Cambodia 12°0N 105°30E 121 G5
Kampong Chhnang Cambodia 12°20N 104°35E 121 F5
Kampong Pengerang Malaysia 1°22N 104°7E 121 d
Kampong Punggai Malaysia 1°27N 104°18E 121 d
Kampong Saom Cambodia 10°38N 103°30E 121 G4
Kampong Saom, Chaak Cambodia 10°50N 103°32E 121 G4
Kampong Tanjong Langsat Malaysia 1°28N 104°1E 121 d
Kampong Telok Ramunia Malaysia 1°22N 104°15E 121 d
Kampot Cambodia 10°36N 104°10E 121 G5
Kampti Burkina Faso 10°7N 3°25W 138 C4
Kampuchea = Cambodia ■ Asia 12°15N 105°0E 120 F5
Kampung Air Putih Malaysia 4°15N 103°10E 121 K4
Kampung Jerangau Malaysia 4°50N 103°10E 121 K4
Kampung Raja Malaysia 5°45N 102°35E 121 K4
Kampungbaru = Tolitoli Indonesia 1°5N 120°50E 119 D6
Kamrau, Teluk Indonesia 3°30S 133°36E 119 E8
Kamsack Canada 51°34N 101°54W 163 C8
Kamsar Guinea 10°40N 14°36W 138 C2
Kamskoye Ustye Russia 55°10N 49°20E 86 C9
Kamthi India 21°9N 79°19E 126 D4
Kamuchawie L. Canada 56°18N 101°59W 163 B8
Kamui-Misaki Japan 43°20N 140°21E 112 C10
Kamyanets-Podilskyy Ukraine 48°45N 26°40E 81 B11
Kamyanka Ukraine 49°3N 32°6E 85 H7
Kamyanka-Buzka Ukraine 50°8N 24°16E 75 C13
Kamyanka-Dniprovska Ukraine 47°29N 34°28E 85 J8
Kamyanyets Belarus 52°23N 23°49E 83 F10
Kamyanyuki Belarus 52°32N 23°49E 83 F10
Kāmyārān Iran 34°47N 46°56E 105 E12
Kamyshin Russia 50°10N 45°24E 86 E7
Kamyzyak Russia 46°4N 48°10E 87 G9
Kanaaupscow → Canada 54°2N 76°30W 164 B4
Kanab U.S.A. 37°3N 112°32W 169 H7
Kanab Cr. → U.S.A. 36°24N 112°38W 169 H7
Kanacea Lau Group, Fiji 17°15S 179°6W 154 a
Kanacea Taveuni, Fiji 16°59S 179°56E 154 a
Kanaga I. U.S.A. 51°45N 177°22W 166 E4
Kanagi Japan 40°54N 140°27E 112 D10
Kanairiktok → Canada 55°2N 60°18W 165 A7
Kanakapura India 12°33N 77°28E 127 H3
Kanalia Greece 39°30N 22°53E 98 B4
Kananga Dem. Rep. of the Congo 5°55S 22°18E 140 F4
Kanangra-Boyd △ Australia 33°57S 150°15E 153 B9
Kanash Russia 55°30N 47°32E 86 C8
Kanaskat U.S.A. 47°19N 121°54W 170 C5
Kanastraion, Ákra = Paliouri, Akra Greece 39°57N 23°45E 96 G7
Kanawha → U.S.A. 38°50N 82°9W 173 F12
Kanazawa Japan 36°30N 136°38E 113 F8
Kanchanaburi Thailand 14°2N 99°31E 120 E2
Kanchenjunga Nepal 27°50N 88°10E 125 F13
Kanchenjunga △ India 27°42N 88°8E 125 F13
Kanchipuram India 12°52N 79°45E 127 H4
Kańczuga Poland 49°59N 22°25E 83 J9
Kandaghat India 30°59N 77°7E 124 D7
Kandahār Afghan. 31°32N 65°43E 122 D4
Kandahar India 18°52N 77°12E 126 E3
Kandahār □ Afghan. 31°0N 65°0E 122 D4
Kandalaksha Russia 67°9N 32°30E 60 C25
Kandangan Indonesia 2°50S 115°20E 118 E5
Kandanos Greece 35°19N 23°44E 101 D5
Kandava Latvia 57°2N 22°46E 82 A9
Kandavu = Kadavu Fiji 19°0S 178°15E 154 a
Kandavu Passage = Kadavu Passage Fiji 18°45S 178°0E 154 a
Kandé = Kanté Togo 9°57N 1°3E 139 D5
Kandhkot Pakistan 28°16N 69°8E 124 E3
Kandhla India 29°18N 77°19E 124 E7
Kandi Benin 11°7N 2°55E 139 C5
Kandi India 23°58N 88°5E 125 H13
Kandiaro Pakistan 27°4N 68°13E 124 F3
Kandila Greece 37°46N 22°22E 98 D4
Kandıra Turkey 41°4N 30°9E 104 B4
Kandla India 23°0N 70°10E 124 H4
Kandos Australia 32°45S 149°58E 153 B8
Kandy Sri Lanka 7°18N 80°43E 127 L5
Kane U.S.A. 41°40N 78°49W 174 E6
Kane Basin Greenland 79°1N 70°0W 57 B4
Kanel Senegal 15°30N 13°18W 138 B2
Kanevskaya Russia 46°3N 38°57E 87 G4
Kanfanar Croatia 45°7N 13°50E 93 C10
Kang Botswana 23°41S 22°50E 144 B3
Kangaamiut Greenland 65°50N 53°20W 57 D5
Kangaatsiaq Greenland 68°18N 53°28W 57 D5
Kangaba Mali 11°56N 8°25W 138 C3
Kangal Turkey 39°14N 37°23E 104 C7
Kangān Fārs, Iran 27°50N 52°3E 129 E7
Kangān Hormozgān, Iran 25°48N 57°28E 129 E8
Kangar Malaysia 6°27N 100°12E 121 J3
Kangaré Mali 11°36N 8°4W 138 C3
Kangaroo I. Australia 35°45S 137°0E 152 C2
Kangaroo Mts. Australia 23°29S 141°51E 150 C3
Kangasala Finland 61°28N 24°4E 84 B3
Kangāvar Iran 34°40N 48°0E 105 E12
Kangding China 30°2N 101°57E 116 B3
Kangdong N. Korea 39°9N 126°5E 115 E14
Kangean, Kepulauan Indonesia 6°55S 115°23E 118 F5
Kangean Is. = Kangean, Kepulauan Indonesia 6°55S 115°23E 118 F5
Kangerdlugssuak Greenland 68°10N 32°20W 57 D7
Kangerluarsoruseq Greenland 63°45N 51°27W 57 E5
Kangerluarsoruset = Kangerluarsoruseq Greenland 63°45N 51°27W 57 E5
Kangerlussuaq Greenland 66°59N 50°40W 57 D5
Kangertittivaq = Scoresby Sund Greenland 70°28N 21°46W 57 C8
Kanggye N. Korea 41°0N 126°35E 115 D14
Kangikajik Greenland 70°7N 22°0W 57 C8
Kangilinnguit Greenland 61°20N 47°57W 57 E6
Kangiqliniq = Rankin Inlet Canada 62°30N 93°0W 160 E13
Kangiqsualujjuaq Canada 58°30N 65°59W 161 F18
Kangiqsujuaq Canada 61°30N 72°0W 161 E17
Kangiqtugaapik = Clyde River Canada 70°30N 68°30W 161 C18
Kangirsuk Canada 60°0N 70°0W 161 F18
Kangkar Chemaran Malaysia 1°34N 104°12E 121 d
Kangkar Sungai Tiram Malaysia 1°35N 103°55E 121 d
Kangkar Teberau Malaysia 1°32N 103°51E 121 d
Kangping China 42°43N 123°18E 115 C12
Kangra India 32°6N 76°16E 124 C7
Kangrinboqe Feng China 31°0N 81°25E 125 D9
Kangto China 27°50N 92°35E 123 F18
Kanha △ India 22°15N 80°40E 125 H9
Kanhan → India 21°4N 79°34E 126 D4
Kanhangad India 12°21N 74°58E 127 H2
Kanhar → India 24°28N 83°8E 125 G10
Kani Ivory C. 8°29N 6°36W 138 D3
Kaniama Dem. Rep. of the Congo 7°30S 24°12E 142 D1
Kaniapiskau = Caniapiscau → Canada 56°40N 69°30W 165 A6
Kaniapiskau, L. = Caniapiscau, L. Canada 54°10N 69°55W 165 B6
Kaniere, L. N.Z. 42°50S 171°10E 155 C6
Kanigiri India 15°24N 79°31E 127 G4
Kanin, Poluostrov Russia 68°0N 45°0E 58 B14
Kanin Nos, Mys Russia 68°39N 43°32E 106 C5
Kanin Pen. = Kanin, Poluostrov Russia 68°0N 45°0E 58 B14
Kaninë Albania 40°23N 19°30E 96 F3
Kaniva Australia 36°22S 141°18E 152 D4
Kanjiža Serbia 46°3N 20°4E 80 D5
Kanjut Sar Pakistan 36°7N 75°25E 125 A6
Kankaanpää Finland 61°44N 22°50E 84 B2
Kankakee U.S.A. 41°7N 87°52W 172 E10
Kankakee → U.S.A. 41°23N 88°15W 172 E9
Kankan Guinea 10°23N 9°15W 138 C3
Kankendy = Xankändi Azerbaijan 39°52N 46°49E 105 C12
Kanker India 20°10N 81°40E 126 D5
Kankesanturai Sri Lanka 9°49N 80°2E 127 K5
Kankossa Mauritania 15°54N 11°31W 138 B2
Kankroli India 25°4N 73°53E 124 G5
Kanmaw Kyun Burma 11°40N 98°28E 121 G2
Kannapolis U.S.A. 35°30N 80°37W 177 D14
Kannauj India 27°3N 79°56E 125 F8
Kanniyakumari India 8°5N 77°34E 127 K3
Kannod India 22°45N 76°40E 122 H10
Kannur India 11°53N 75°27E 127 J2
Kannyakumari India 8°3N 77°40E 127 K3
Kano Nigeria 12°2N 8°30E 139 C6
Kano □ Nigeria 11°30N 8°30E 139 C6
Kan'onji Japan 34°7N 133°39E 113 G6
Kanoroba Ivory C. 9°7N 6°8W 138 D3
Kanowit Malaysia 2°14N 112°20E 118 D4
Kanoya Japan 31°25N 130°50E 113 J5
Kanpetlet Burma 21°10N 93°59E 123 J18
Kanpur India 26°28N 80°20E 125 F9
Kansas □ U.S.A. 38°30N 99°0W 172 F4
Kansas → U.S.A. 39°7N 94°37W 172 F6
Kansas City Kans., U.S.A. 39°7N 94°38W 172 F6
Kansas City Mo., U.S.A. 39°6N 94°35W 172 F6
Kansenia Dem. Rep. of the Congo 10°20S 26°0E 143 E2
Kansk Russia 56°20N 95°37E 107 D10
Kansu = Gansu □ China 36°0N 104°0E 114 G3
Kantaphor India 22°35N 76°34E 124 H7
Kantchari Burkina Faso 12°37N 1°37E 139 C5
Kantché Niger 13°31N 8°30E 139 C6
Kanté Togo 9°57N 1°3E 139 D5
Kantemirovka Russia 49°43N 39°55E 85 H10
Kantharalak Thailand 14°39N 104°39E 120 E5
Kanthi = Contai India 21°54N 87°46E 125 J12
Kantli → India 28°20N 75°30E 124 E6
Kantō □ Japan 36°15N 139°30E 113 F9
Kantō-Sanchi Japan 35°59N 138°50E 113 G9
Kanturk Ireland 52°11N 8°54W 64 D3
Kanuma Japan 36°34N 139°42E 113 F9
Kanus Namibia 27°50S 18°39E 144 C2
Kanye Botswana 24°55S 25°28E 144 B4
Kanzenze Dem. Rep. of the Congo 10°30S 25°12E 143 E2
Kanzi, Ras Tanzania 7°1S 39°33E 142 D4
Kao Phara Thailand 8°3N 98°22E 121 a
Kaohsiung Taiwan 22°35N 120°16E 117 F13
Kaokoveld Namibia 19°15S 14°30E 144 A1
Kaolack Senegal 14°5N 16°8W 138 C1
Kaolack □ Senegal 14°0N 15°15W 138 C1
Kaoshan China 44°38N 124°50E 115 B13
Kapa'a U.S.A. 22°5N 159°19W 167 L8
Kapadvanj India 23°5N 73°0E 124 H5
Kapaklı Turkey 41°19N 27°59E 97 E11
Kapan Armenia 39°18N 46°27E 105 C12
Kapanga Dem. Rep. of the Congo 8°30S 22°40E 140 F4
Kapchagai = Qapshaghay Kazakhstan 43°51N 77°14E 109 D9
Kapchagaiskoye Vdkhr. = Qapshaghay Bögeni Kazakhstan 43°45N 77°50E 109 D9
Kapedo Kenya 1°10N 36°6E 142 B4
Kapela = Velika Kapela Croatia 45°10N 15°5E 93 C12
Kapellskär Sweden 59°44N 19°2E 62 E13
Kapelo, Akra Greece 36°9N 23°3E 98 E5
Kapema Dem. Rep. of the Congo 10°45S 28°22E 143 E2
Kapenguria Kenya 1°14N 35°7E 142 B4
Kapfenberg Austria 47°26N 15°18E 78 D8
Kapı Dağı Turkey 40°28N 27°50E 97 F11
Kapiri Mposhi Zambia 13°59S 28°43E 143 E2
Kāpīsā □ Afghan. 35°0N 69°20E 122 B6
Kapiskau → Canada 52°47N 81°55W 164 B3
Kapit Malaysia 2°0N 112°55E 118 D4
Kapiti I. N.Z. 40°50S 174°56E 154 G3
Kaplan U.S.A. 30°0N 92°17W 176 F8
Kaplıca = Davlos Cyprus 35°25N 33°54E 101 D12
Kaplice Czech Rep. 48°42N 14°30E 78 C7
Kapoe Thailand 9°34N 98°32E 121 H2
Kapoeta South Sudan 4°50N 33°35E 135 H12
Kápolnásnyék Hungary 47°16N 18°41E 80 C3
Kaponga N.Z. 39°29S 174°9E 154 F3
Kapos → Hungary 46°44N 18°30E 80 D3
Kaposvár Hungary 46°25N 17°47E 80 D2
Kapowsin U.S.A. 46°59N 122°13W 170 D4
Kappeln Germany 54°40N 9°56E 76 A5
Kappelshamn Sweden 57°52N 18°47E 63 G12
Kapps Namibia 22°32S 17°18E 144 B2
Kaprije Croatia 43°42N 15°43E 93 E12
Kapsabet Kenya 0°12N 35°6E 142 B4
Kapsan N. Korea 41°4N 128°19E 115 D15
Kapsukas = Marijampolė Lithuania 54°33N 23°19E 82 D10
Kaptai L. Bangla. 22°40N 92°20E 123 H18
Kapuas → Indonesia 0°25S 109°20E 118 E3
Kapuas Hulu, Pegunungan Malaysia 1°30N 113°30E 118 D4
Kapuas Hulu Ra. = Kapuas Hulu, Pegunungan Malaysia 1°30N 113°30E 118 D4
Kapulo Dem. Rep. of the Congo 8°18S 29°15E 143 D2
Kapunda Australia 34°20S 138°56E 152 C3
Kapuni N.Z. 39°29S 174°8E 154 F3
Kapurthala India 31°23N 75°25E 124 D6
Kapuskasing Canada 49°25N 82°30W 164 C3
Kapuskasing → Canada 49°49N 82°0W 164 C3
Kapustin Yar Russia 48°37N 45°40E 87 F7
Kaputar, Mt. Australia 30°15S 150°10E 151 E5
Kaputir Kenya 2°5N 35°28E 142 B4
Kapuvár Hungary 47°36N 17°1E 80 C2
Kara Russia 69°10N 65°0E 106 C7
Kara, W. → Si. Arabia 20°45N 41°42E 137 C5
Kara Ada Turkey 36°58N 27°28E 99 E9
Kara-Balta Kyrgyzstan 42°50N 73°49E 109 D8
Kara Bogaz Gol, Zaliv = Garabogazköl Aylagy Turkmenistan 41°0N 53°30E 108 D4
Kara Burun Turkey 36°32N 27°58E 99 E9
Kara Kala = Garrygala Turkmenistan 38°31N 56°29E 129 B8
Kara Kalpak Republic = Qoraqalpog'iston □ Uzbekistan 43°0N 58°0E 108 D5
Kara-Köl Kyrgyzstan 41°40N 72°43E 109 D8
Kara Kum = Garagum Turkmenistan 39°30N 60°0E 129 B8
Kara Sea Russia 75°0N 70°0E 106 B8
Karaadilli Turkey 38°18N 30°37E 99 C12
Karabiğa Turkey 40°23N 27°17E 97 F11
Karabük Turkey 41°12N 32°37E 104 B5
Karabük □ Turkey 41°10N 32°30E 104 B5
Karaburun Albania 40°25N 19°20E 96 F3
Karaburun Turkey 38°41N 26°28E 99 C8
Karabutak = Qarabutaq Kazakhstan 50°0N 60°14E 108 C6
Karacabey Turkey 40°12N 28°21E 97 F12
Karacakılavuz Turkey 41°8N 27°21E 97 E11
Karacaköy Turkey 41°24N 28°22E 97 E12
Karacasu Turkey 37°43N 28°35E 99 D10
Karachala = Qaraçala Azerbaijan 39°45N 48°53E 87 L9
Karachayevsk Russia 43°50N 41°55E 87 J5
Karachev Russia 53°10N 35°5E 85 F8
Karachey-Cherkessia □ Russia 43°40N 41°30E 87 J5
Karachi Pakistan 24°50N 67°0E 124 G2
Karad India 17°15N 74°10E 126 F2
Karadirek Turkey 38°34N 30°11E 99 C12
Karaga Ghana 9°58N 0°28W 139 D4
Karaganda = Qaraghandy Kazakhstan 49°50N 73°10E 109 C8
Karagayly = Qaraghayly Kazakhstan 49°26N 76°0E 106 E8
Karaginskiy, Ostrov Russia 58°45N 164°0E 107 D17
Karagola Road India 25°29N 87°23E 125 G12
Karagüney Dağları Turkey 40°30N 34°40E 104 B6
Karahallı Turkey 38°21N 29°33E 99 C11
Karaikal India 10°59N 79°50E 127 J4
Karaikkudi India 10°5N 78°45E 127 J4
Karaisali Turkey 37°16N 35°2E 104 D6
Karaitivu I. Sri Lanka 9°45N 79°52E 127 K4
Karaj Iran 35°48N 51°0E 129 C6
Karajarri ◎ Australia 19°0S 122°30E 148 C3
Karak Malaysia 3°25N 102°2E 121 L4
Karakalpakstan = Qoraqalpog'iston □ Uzbekistan 43°0N 58°0E 108 D5
Karakaya Barajı Turkey 38°31N 38°23E 105 C8
Karakelong Indonesia 4°35N 126°50E 119 D7
Karakitang Indonesia 3°14N 125°28E 119 D7
Karakoçan Turkey 38°57N 40°2E 105 C9
Karakol Kyrgyzstan 42°30N 78°20E 109 D9
Karakoram Pass Asia 35°33N 77°50E 125 B7
Karakoram Ra. Pakistan 35°30N 77°0E 125 B7
Karakul = Qorako'l Uzbekistan 39°32N 63°50E 108 E6
Karakul Tajikistan 39°2N 73°33E 109 E8
Karakul, Ozero Tajikistan 39°5N 73°25E 109 E8
Karakurt Turkey 40°10N 42°37E 105 B10
Karakuwisa Namibia 18°56S 19°40E 144 A2
Karalon Russia 57°5N 115°50E 107 D12
Karama Jordan 31°57N 35°35E 130 D4
Karaman Balıkesir, Turkey 39°39N 28°0E 99 B9
Karaman Konya, Turkey 37°14N 33°13E 104 D5
Karamanlı Turkey 37°23N 29°47E 99 D11
Karamay China 45°30N 84°58E 109 C10
Karambu Indonesia 3°53S 116°6E 118 E5
Karamea N.Z. 41°14S 172°6E 155 B7
Karamea → N.Z. 41°13S 172°26E 155 B7
Karamea Bight N.Z. 41°22S 171°40E 155 B6
Karamnasa → India 25°31N 83°52E 125 G10
Karamürsel Turkey 40°41N 29°36E 97 F13
Karān Si. Arabia 27°43N 49°49E 129 E6
Karand Iran 34°16N 46°15E 105 E12
Karangana Mali 12°15N 5°4W 138 C3
Karanganyar Indonesia 7°38S 109°37E 119 G13
Karangasem = Amlapura Indonesia 8°27S 115°37E 119 J18
Karanja Maharashtra, India 21°11N 78°24E 126 D4
Karanja Maharashtra, India 20°29N 77°31E 126 D3
Karanjia India 21°47N 85°58E 125 J11
Karankasso Burkina Faso 10°50N 3°53W 138 C4
Karaova Turkey 37°5N 27°40E 99 D9
Karapınar Turkey 37°41N 33°30E 104 D5
Karapiro N.Z. 37°53S 175°32E 154 D4
Karas □ Namibia 27°0S 17°30E 144 C2
Karasburg Namibia 28°0S 18°44E 144 C2
Karasino Russia 66°50N 86°50E 106 C9
Karasjok Norway 69°27N 25°30E 60 B21
Karasu Turkey 41°4N 30°46E 104 B4
Karasu → Turkey 36°18N 30°10E 99 E12
Karasuk Russia 53°44N 78°2E 109 B9
Karasuyama Japan 36°39N 140°9E 113 F10
Karataş Adana, Turkey 36°36N 35°21E 104 D6
Karataş Manisa, Turkey 38°35N 28°16E 99 C10
Karataş Burnu Turkey 36°31N 35°24E 104 D6
Karatau, Khrebet = Qarataū Kazakhstan 43°30N 69°30E 109 D7
Karatax Shan China 35°57N 81°0E 109 E10
Karateki Shan China 40°40N 77°50E 109 D9
Karativu Sri Lanka 8°22N 79°47E 127 K4
Karatoprak = Turgutreis Turkey 37°2N 27°15E 99 D9
Karatsu Japan 33°26N 129°58E 113 H5
Karaul Russia 70°6N 82°15E 106 B9
Karauli India 26°30N 77°4E 124 F7
Karavastasë, L. e Albania 40°55N 19°30E 96 F3
Karavia Greece 36°49N 23°37E 98 E5
Karavostasi Cyprus 35°8N 32°50E 101 D11
Karawang Indonesia 6°30S 107°15E 119 G12
Karawanken Europe 46°30N 14°40E 78 E7
Karayazı Turkey 39°41N 42°9E 105 C10
Karazhal = Qarazhal Kazakhstan 48°2N 70°49E 106 E8
Karbalā' Iraq 32°36N 44°3E 105 F11
Karbalā' □ Iraq 32°30N 43°50E 105 F10
Kårböle Sweden 61°59N 15°22E 62 C9
Karcag Hungary 47°19N 20°57E 80 C5
Karcha → Pakistan 34°45N 76°10E 125 B7
Karchana India 25°17N 81°56E 125 G9
Karczew Poland 52°5N 21°15E 83 F8
Kardam Bulgaria 43°45N 28°6E 97 C12
Kardamila Greece 38°35N 26°5E 99 C8
Kardamili Greece 36°53N 22°13E 98 E4
Kardeljovo = Ploče Croatia 43°4N 17°26E 93 E14
Karditsa Greece 39°23N 21°54E 98 B3
Kärdla Estonia 59°0N 22°45E 84 C2
Kardzhali = Kŭrdzhali Bulgaria 41°38N 25°21E 97 E9
Kareeberge S. Africa 30°59S 21°50E 144 D3
Kareha → India 25°44N 86°21E 125 G12
Kareima Sudan 18°30N 31°49E 137 D3
Karelia □ Russia 65°30N 32°30E 106 C4
Karelian Republic = Karelia □ Russia 65°30N 32°30E 106 C4
Karera India 25°32N 78°9E 124 G8
Kārevāndar Iran 27°53N 60°44E 129 E9
Kargasok Russia 59°3N 80°53E 106 D9
Kargat Russia 55°10N 80°15E 106 D9
Kargi Kenya 2°31N 37°34E 142 B4
Kargı Turkey 41°11N 34°30E 104 B6
Kargil India 34°32N 76°12E 125 B7
Kargopol Russia 61°30N 38°58E 84 B10
Kargowa Poland 52°5N 15°51E 83 F2
Karguéri Niger 13°27N 10°30E 139 C7
Karia Greece 38°45N 20°39E 98 C2
Karia ba Mohammed Morocco 34°22N 5°12W 136 B2
Karīān Iran 26°57N 57°14E 129 E8
Kariba Zimbabwe 16°28S 28°50E 143 F2
Kariba, L. Zimbabwe 16°40S 28°25E 143 F2
Kariba Dam Zimbabwe 16°30S 28°35E 143 F2
Kariba Gorge Zambia 16°30S 28°50E 143 F2
Karibib Namibia 22°0S 15°56E 144 B2
Karies Greece 40°14N 24°19E 97 F8
Karijini △ Australia 23°8S 118°15E 148 D2
Karikari, C. N.Z. 34°46S 173°24E 154 A2
Karimata, Kepulauan Indonesia 1°25S 109°0E 118 E3
Karimata, Selat Indonesia 2°0S 108°40E 118 E3
Karimata Is. = Karimata, Kepulauan Indonesia 1°25S 109°0E 118 E3
Karimnagar India 18°26N 79°10E 126 E4
Karimun, Pulau Indonesia 1°3N 103°22E 121 d
Karimun Kecil, Pulau Indonesia 1°8N 103°22E 121 d
Karimunjawa, Kepulauan Indonesia 5°50S 110°30E 118 F4
Karin Somalia 10°50N 45°52E 131 E4
Karistos Greece 38°1N 24°29E 98 C6
Karīt Iran 33°29N 56°55E 129 C8
Kariya Japan 34°58N 137°1E 113 G8
Kariyangwe Zimbabwe 18°0S 27°38E 145 A4
Karjala Finland 62°0N 30°25E 84 A5
Karjat India 18°33N 75°0E 126 E2
Karkal India 13°15N 74°56E 127 H2
Karkaralinsk = Qarqaraly Kazakhstan 49°26N 75°30E 109 C9
Karkheh → Iran 31°2N 47°29E 128 D5
Karki Azerbaijan 39°47N 44°57E 105 C11
Karkinitska Zatoka Ukraine 45°56N 33°0E 85 K7
Karkinitskiy Zaliv = Karkinitska Zatoka Ukraine 45°56N 33°0E 85 K7
Karkuk = Kirkūk Iraq 35°30N 44°21E 105 E11
Karkur Tohl Egypt 22°5N 25°5E 137 C2
Karl Liebknecht = imeni Karl Libknekhta Russia 51°40N 35°35E 85 G8
Karla, L. = Volvi, L. Greece 40°40N 23°34E 96 F7
Karlantijpa North ◎ Australia 19°27S 133°33E 148 C5
Karlantijpa South ◎ Australia 20°31S 133°9E 148 D5
Karleby = Kokkola Finland 63°50N 23°8E 60 E20
Karlholmsbruk Sweden 60°31N 17°37E 62 D11
Karlino Poland 54°3N 15°53E 82 D2
Karlıova Turkey 39°17N 41°0E 105 C9
Karlivka Ukraine 49°29N 35°8E 85 H8
Karlobag Croatia 44°32N 15°5E 93 D12
Karlovac Croatia 45°31N 15°36E 93 C12
Karlovarský □ Czech Rep. 50°10N 12°50E 78 A5
Karlovasi Greece 37°45N 26°42E 99 D8
Karlovka = Karlivka Ukraine 49°29N 35°8E 85 H8
Karlovo Bulgaria 42°38N 24°47E 97 D8
Karlovy Vary Czech Rep. 50°13N 12°51E 78 A5
Karlsbad = Karlovy Vary Czech Rep. 50°13N 12°51E 78 A5
Karlsborg Sweden 58°33N 14°33E 63 F8
Karlsena, Mys Russia 77°0N 67°42E 106 B7
Karlshamn Sweden 56°10N 14°51E 63 H8
Karlskoga Sweden 59°28N 14°33E 62 E8
Karlskrona Sweden 56°10N 15°35E 63 H9
Karlsruhe Germany 49°0N 8°23E 77 F4
Karlstad Sweden 59°23N 13°30E 62 E7
Karlstad U.S.A. 48°35N 96°31W 172 A5
Karlstadt Germany 49°57N 9°47E 77 F5
Karma Niger 13°38N 1°52E 139 C5
Karmala India 18°25N 75°12E 126 E2
Karmi'el Israel 32°55N 35°18E 130 C4
Karnak Egypt 25°43N 32°39E 137 B3
Karnal India 29°42N 77°2E 124 E7
Karnali = Ghaghara → India 25°45N 84°40E 125 G11
Karnali → Nepal 28°45N 81°16E 125 E9
Karnaphuli Res. = Kaptai L. Bangla. 22°40N 92°20E 123 H18
Karnaprayag India 30°16N 79°15E 125 D8
Karnataka □ India 13°15N 77°0E 127 H3
Karnes City U.S.A. 28°53N 97°54W 176 G6
Karnische Alpen Europe 46°36N 13°0E 78 E6
Karnobat Bulgaria 42°39N 26°59E 97 D10
Kärnten □ Austria 46°52N 13°30E 78 E6
Karo Mali 12°16N 3°18W 138 C4
Karoi Zimbabwe 16°48S 29°45E 143 F2
Karon, Ao Thailand 7°51N 98°17E 121 a
Karonga Malawi 9°57S 33°55E 143 D3
Karoo △ S. Africa 32°18S 22°27E 144 D3
Karoonda Australia 35°1S 139°59E 152 C3
Karor Pakistan 31°15N 70°59E 124 D4
Karora Sudan 17°44N 38°15E 135 E13
Karounga Mali 15°20N 7°35W 138 B3
Karousades Greece 39°47N 19°45E 98 B1
Karpacz Poland 50°46N 15°46E 83 H2
Karpasia Cyprus 35°32N 34°15E 101 D13
Karpathos Greece 35°37N 27°10E 99 F9
Karpathou, Stenon Greece 36°0N 27°30E 99 F9
Karpatsky △ Ukraine 48°20N 24°35E 81 B9
Karpenisi Greece 38°55N 21°40E 98 C3
Karpuz Burnu = Apostolos Andreas, C. Cyprus 35°42N 34°35E 101 D13
Karpuzlu Turkey 37°33N 27°51E 99 D9
Karratha Australia 20°44S 116°52E 148 D2
Kars Turkey 40°40N 43°5E 105 B10
Kars □ Turkey 40°40N 43°0E 105 B10
Karsakpay Kazakhstan 47°55N 66°40E 109 C7
Karsha Kazakhstan 49°45N 51°35E 86 F10
Karshi = Qarshi Uzbekistan 38°53N 65°48E 109 E7
Karsiyang India 26°56N 88°18E 125 F13
Karsog India 31°23N 77°12E 124 D7
Karst = Kras Slovenia 45°35N 14°0E 93 C10
Kartal Turkey 40°53N 29°11E 97 F13
Kartala Comoros Is. 11°45S 43°21E 141 a
Kartaly Russia 53°3N 60°40E 108 B6
Kartapur India 31°27N 75°32E 124 D6
Karthaus U.S.A. 41°8N 78°9W 174 E6
Kartuzy Poland 54°22N 18°10E 82 D5
Karuah Australia 32°37S 151°56E 153 B9
Karufa Indonesia 3°50S 133°20E 119 E8
Karula △ Estonia 57°43N 26°30E 84 D4
Karuma ⌓ Uganda 2°5N 32°15E 142 B3
Karumba Australia 17°31S 140°50E 150 B3
Karumo Tanzania 2°25S 32°50E 142 C3
Karumwa Tanzania 3°12S 32°38E 142 C3
Kārūn → Iran 30°26N 48°10E 129 D6
Karungu Kenya 0°50S 34°10E 142 C3
Karup Denmark 56°19N 9°10E 63 H3
Karur India 10°59N 78°2E 127 J4
Karviná Czech Rep. 49°53N 18°31E 79 B11
Karwan → India 27°26N 78°4E 124 F8
Karwar India 14°55N 74°13E 127 G2
Karwendel ⌓ Austria 47°25N 11°30E 78 D4
Karwi India 25°12N 80°57E 125 G9
Karymskoye Russia 51°36N 114°21E 107 D12
Kaş Turkey 36°11N 29°37E 99 E11
Kasaba Turkey 36°18N 29°44E 99 E11
Kasache Malawi 13°25S 34°20E 143 E3
Kasai → Dem. Rep. of the Congo 3°30S 16°10E 140 E3
Kasai-Oriental □ Dem. Rep. of the Congo 5°0S 24°30E 142 D1
Kasaji Dem. Rep. of the Congo 10°25S 23°27E 143 E1
Kasama Zambia 10°16S 31°9E 143 E3
Kasan-dong N. Korea 41°18N 126°55E 115 D14
Kasane Namibia 17°34S 24°50E 144 A3
Kasanga Tanzania 8°30S 31°10E 143 D3
Kasanka △ Zambia 11°34S 30°15E 143 E3
Kasar, Ras Sudan 18°2N 38°36E 137 D4
Kasaragod India 12°30N 74°58E 127 H2
Kasba L. Canada 60°20N 102°10W 163 A8
Kasba Tadla Morocco 32°36N 6°17W 136 B2
Kāseh Garān Iran 34°5N 46°2E 128 C5
Kasempa Zambia 13°30S 25°44E 143 E2
Kasenga Dem. Rep. of the Congo 10°20S 28°45E 143 E2
Kasese Uganda 0°13N 30°3E 142 B3
Kasganj India 27°48N 78°42E 125 F8
Kashabowie Canada 48°40N 90°26W 164 C1
Kashaf Iran 35°58N 61°7E 129 C9
Kāshān Iran 34°5N 51°30E 129 C6
Kashechewan Canada 52°18N 81°37W 164 B3
Kashgān → Iran 33°5N 47°31E 105 F12
Kashgar = Kashi China 39°30N 76°2E 109 E9
Kashi China 39°30N 76°2E 109 E9
Kashimbo Dem. Rep. of the Congo 11°12S 26°19E 143 E2
Kashin Russia 57°20N 37°36E 84 D9
Kashipur Odisha, India 19°16N 83°3E 126 E6
Kashipur Uttarakhand, India 29°15N 79°0E 125 E8
Kashira Russia 54°45N 38°10E 84 E10
Kashiwazaki Japan 37°22N 138°33E 113 F9
Kashk-e Kohneh Afghan. 34°55N 62°30E 122 B3
Kashksaray Iran 38°27N 45°34E 105 C11
Kashkū'īyeh Iran 30°31N 55°40E 129 D7
Kāshmar Iran 35°16N 58°26E 129 C8
Kashmir Asia 34°0N 76°0E 125 C7
Kashmor Pakistan 28°28N 69°32E 124 E3
Kashpirovka Russia 53°0N 48°30E 86 D9
Kashun Noerh = Gaxun Nur China 42°22N 100°30E 110 C9
Kasiari India 22°8N 87°14E 125 H12
Kasimov Russia 54°55N 41°20E 86 C5
Kasinge Dem. Rep. of the Congo 6°15S 26°58E 142 D2
Kasiruta Indonesia 0°25S 127°12E 119 E7
Kaskaskia → U.S.A. 37°58N 89°57W 172 G9
Kaskattama → Canada 57°3N 90°4W 163 B10
Kaskinen Finland 62°22N 21°15E 60 E19
Kaskö = Kaskinen Finland 62°22N 21°15E 60 E19
Kaslo Canada 49°55N 116°55W 162 D5
Kasmere L. Canada 59°34N 101°10W 163 B8
Kasongo Dem. Rep. of the Congo 4°30S 26°33E 142 C2
Kasongo Lunda Dem. Rep. of the Congo 6°35S 16°49E 140 F3
Kasos Greece 35°20N 26°55E 99 F8
Kasou, Stenon Greece 35°30N 26°30E 99 F8
Kaspi Georgia 41°59N 44°26E 87 K7
Kaspichan Bulgaria 43°18N 27°11E 97 C11
Kaspiysk Russia 42°52N 47°40E 87 J8
Kaspiyskiy Russia 45°22N 47°23E 87 H8
Kassaba Egypt 22°40N 29°55E 137 C2
Kassalâ Sudan 15°30N 36°0E 135 E13
Kassandra Greece 40°0N 23°30E 96 F7
Kassandra Kolpos Greece 40°5N 23°30E 96 F7
Kassandras, Akra Greece 39°57N 23°30E 96 G7
Kassandria Greece 40°1N 23°27E 96 F7
Kassel Germany 51°18N 9°26E 76 D5
Kasserine Tunisia 35°10N 8°50E 136 A5
Kasserine □ Tunisia 35°15N 9°0E 136 A5
Kassinger Sudan 18°46N 31°51E 137 D3
Kassiopi Greece 39°48N 19°53E 101 A3
Kasson U.S.A. 44°2N 92°45W 172 C7
Kastamonu Turkey 41°25N 33°43E 104 B5
Kastamonu □ Turkey 41°20N 34°0E 104 B5
Kastav Croatia 45°22N 14°20E 93 C11
Kasteli = Kissamos Greece 35°29N 23°38E 101 D5
Kastelli Greece 35°12N 25°20E 101 D7
Kastellorizo = Megisti Greece 36°8N 29°34E 99 E11
Kastelo, Akra Greece 35°30N 27°15E 99 F9
Kasterlee Belgium 51°15N 4°59E 69 C4
Kastlösa Sweden 56°26N 16°25E 63 H10
Kastoria Greece 40°30N 21°19E 96 F5
Kastorias, L. Greece 40°30N 21°20E 96 F5
Kastorio Greece 37°10N 22°17E 98 D4
Kastornoye Russia 51°55N 38°2E 85 G10
Kastos Greece 38°35N 20°55E 98 C2
Kastro = Myrina Greece 39°53N 25°4E 99 B7
Kastrom Mefa'a = Umm al Rasas Jordan 31°30N 35°55E 130 D4
Kastrosikia Greece 39°6N 20°38E 98 B2

Kastrup, København ✈ (CPH) Denmark 55°37N 12°39E 63 J6
Kastsyukovichy Belarus 53°20N 32°4E 85 F7
Kasubi Tombs Uganda 0°20N 32°30E 142 B3
Kasulu Tanzania 4°37S 30°5E 142 C3
Kasumi Japan 35°38N 134°38E 113 G7
Kasumkent Russia 41°47N 48°15E 87 K9
Kasungu Malawi 13°0S 33°29E 143 E3
Kasungu △ Malawi 12°53S 33°9E 143 E3
Kasur Pakistan 31°5N 74°25E 124 D6
Kata, Ao Thailand 7°48N 98°18E 121 J2
Kata Archanes Greece 35°15N 25°10E 101 D7
Kata Tjuta Australia 25°20S 130°50E 149 E5
Kataba Zambia 16°5S 25°10E 143 F2
Katagum Nigeria 12°18N 10°21E 139 C7
Katahdin, Mt. U.S.A. 45°54N 68°56W 173 C19
Kataka = Cuttack India 20°25N 85°57E 126 D7
Katako Kombe Dem. Rep. of the Congo 3°25S 24°20E 142 C1
Katakolo Greece 37°38N 21°19E 98 D3
Katale Tanzania 4°52S 31°7E 142 C3
Katamatite Australia 36°6S 145°41E 153 D6
Katanda Katanga, Dem. Rep. of the Congo 7°52S 24°13E 142 D1
Katanda Nord-Kivu, Dem. Rep. of the Congo 0°55S 29°21E 142 C2
Katanga □ Dem. Rep. of the Congo 8°0S 25°0E 142 D2
Katangi India 21°56N 79°50E 126 D4
Katanning Australia 33°40S 117°33E 149 F2
Katastari Greece 37°50N 20°45E 98 D2
Katavi □ Tanzania 6°0S 31°0E 142 D3
Katavi △ Tanzania 6°51S 31°3E 142 D3
Katavi Swamp Tanzania 6°50S 31°10E 142 D3
Katchall India 7°57N 93°22E 127 L11
Katerini Greece 40°18N 22°37E 96 F6
Katghora India 22°30N 82°33E 125 H10
Katha Burma 24°10N 96°30E 123 G20
Katherîna, Gebel Egypt 28°30N 33°57E 128 D2
Katherine Australia 14°27S 132°20E 148 B5
Katherine Gorge = Nitmiluk △ Australia 14°6S 132°15E 148 B5
Kathi India 21°47N 74°3E 124 J6
Kathiawar India 22°20N 71°0E 124 H4
Kathikas Cyprus 34°55N 32°25E 101 E11
Kathleen U.S.A. 28°7N 82°2W 179 G7
Kathmandu Nepal 27°45N 85°20E 125 F11
Kathua India 32°23N 75°34E 124 C6
Kati Mali 12°41N 8°4W 138 C3
Kati Thanda-Lake Eyre Australia 29°30S 137°26E 147 D6
Kati Thanda-Lake Eyre (North) Australia 28°30S 137°20E 151 D2
Kati Thanda-Lake Eyre (South) Australia 29°18S 137°25E 151 D2
Katihar India 25°34N 87°36E 125 G12
Katikati N.Z. 37°32S 175°57E 154 D4
Katima Mulilo Namibia 17°28S 24°13E 144 A3
Katimbira Malawi 12°40S 34°0E 143 E3
Katingan = Mendawai ➔ Indonesia 3°30S 113°0E 118 E4
Katiola Ivory C. 8°10N 5°10W 138 D3
Katiti ✪ Australia 25°1S 131°11E 149 E5
Katlabukh, Ozero Ukraine 45°28N 29°0E 81 E14
Katlanovo Macedonia 41°52N 21°40E 96 E5
Katmandu = Kathmandu Nepal 27°45N 85°20E 125 F11
Katni India 23°51N 80°24E 125 H9
Kato Achaia Greece 38°8N 21°33E 98 C3
Kato Chorio Greece 35°3N 25°47E 101 D7
Kato Korakiana Greece 39°42N 19°45E 101 A3
Kato Pyrgos Cyprus 35°11N 32°41E 101 D11
Katochi Greece 38°26N 21°15E 98 C3
Katol India 21°17N 78°38E 126 D4
Katompe Dem. Rep. of the Congo 6°2S 26°23E 142 D2
Katong Singapore 1°18N 103°53E 121 d
Katonga ➔ Uganda 0°34N 31°50E 142 B3
Katoomba Australia 33°41S 150°19E 153 B9
Katouna Greece 38°47N 21°7E 98 C3
Katowice Poland 50°17N 19°5E 83 H6
Katrancı Dağı Turkey 37°27N 30°25E 99 D12
Katrine, L. U.K. 56°15N 4°30W 65 E4
Katrineholm Sweden 59°0N 16°12E 62 E10
Katsina Nigeria 13°0N 7°32E 139 C6
Katsina □ Nigeria 12°30N 7°30E 139 C6
Katsina Ala Nigeria 7°10N 9°30E 139 D6
Katsina Ala ➔ Nigeria 7°10N 9°20E 139 D6
Katsumoto Japan 33°51N 129°42E 113 H4
Katsuura Japan 35°10N 140°20E 113 G10
Katsuyama Japan 36°3N 136°30E 113 F8
Kattaqo'rg'on Uzbekistan 39°55N 66°15E 109 E7
Kattavia Greece 35°57N 27°46E 101 D9
Kattegat Denmark 56°40N 11°20E 63 H5
Katthammarsvik Sweden 57°26N 18°51E 63 G12
Katumba Dem. Rep. of the Congo 7°40S 25°17E 142 D2
Katun ➔ Russia 52°25N 85°1E 109 B11
Katwa India 23°30N 88°5E 125 H13
Katwijk Neths. 52°12N 4°24E 69 B4
Kąty Wrocławskie Poland 51°2N 16°45E 83 G3
Kau-Ye Kyun Burma 11°1N 98°32E 121 G2
Kaua'i U.S.A. 22°3N 159°30W 167 L8
Kaub Germany 50°5N 7°46E 77 E3
Kaudom △ Namibia 18°45S 20°51E 144 A3
Kaufbeuren Germany 47°53N 10°37E 77 H6
Kaufman U.S.A. 32°35N 96°19W 176 E6
Kauhajoki Finland 62°25N 22°10E 60 E20
Kauhaneva-Pohjankangas △ Finland 62°13N 22°20E 60 E20
Kaukauna U.S.A. 44°17N 88°17W 172 C9
Kaukauveld Namibia 20°0S 20°15E 144 B3
Ka'ula I. U.S.A. 21°40N 160°33W 167 L7
Kaunas Lithuania 54°54N 23°54E 82 D10
Kaunas ✈ (KUN) Lithuania 54°57N 24°3E 82 D11
Kaunia Bangla. 25°46N 89°26E 125 G13
Kaunos Turkey 36°49N 28°39E 99 E10
Kaura Namoda Nigeria 12°37N 6°33E 139 C6
Kauru Nigeria 10°33N 8°12E 139 C6
Kautokeino Norway 69°0N 23°4E 60 B20
Kauwapur India 27°31N 82°18E 125 F10
Kavacha Russia 60°16N 169°51E 107 C17
Kavadarci Macedonia 41°26N 22°3E 96 E6
Kavajë Albania 41°11N 19°33E 96 E3
Kavak Turkey 41°4N 36°3E 104 B7
Kavak Dağı Turkey 37°10N 28°2E 99 D10
Kavaklı Turkey 41°39N 27°10E 97 E11
Kavaklıdere Turkey 37°27N 28°21E 99 D10
Kavala Greece 40°57N 24°28E 97 F8
Kavala Kolpos Greece 40°50N 24°25E 97 F8
Kavalerovo Russia 44°15N 135°4E 112 B7
Kavali India 14°55N 80°1E 127 G5
Kavango = Cubango ➔ Africa 18°50S 22°25E 144 A3
Kavār Iran 29°11N 52°44E 129 D7
Kavaratti India 10°34N 72°37E 127 J1
Kavaratti I. India 10°33N 72°38E 127 J1
Kavarna Bulgaria 43°26N 28°22E 97 C12
Kaveri = Cauvery ➔ India 11°9N 78°52E 127 J4
Kavi India 22°12N 72°38E 124 H5
Kavimba Botswana 18°2S 24°38E 144 A3
Kavīr, Dasht-e Iran 34°30N 55°0E 129 C7
Kavīr △ Iran 34°40N 52°0E 129 C7
Kävlinge Sweden 55°47N 13°9E 63 J7
Kavos Greece 39°23N 20°3E 101 B4
Kavousi Greece 35°7N 25°51E 99 F7
Kaw Fr. Guiana 4°30N 52°15W 187 C8
Kawagama L. Canada 45°18N 78°45W 174 A6
Kawagoe Japan 35°55N 139°29E 113 G9
Kawaguchi Japan 35°52N 139°45E 113 G9
Kawah Ijen △ Indonesia 8°3S 114°14E 119 H15
Kawakawa N.Z. 35°23S 174°6E 154 B3
Kawambwa Zambia 9°48S 29°3E 143 D2
Kawanoe = Shikokochūō Japan 34°1N 133°34E 113 G6
Kawardha India 22°0N 81°17E 125 J9
Kawasaki Japan 35°31N 139°43E 113 G9
Kawasi Indonesia 1°38S 127°28E 119 E7
Kawau I. N.Z. 36°25S 174°52E 154 C3
Kawawachikamach Canada 54°48N 66°50W 165 B6
Kaweka Ra. N.Z. 39°17S 176°19E 154 F5
Kawerau N.Z. 38°7S 176°42E 154 E5
Kawhia N.Z. 38°4S 174°49E 154 E3
Kawhia Harbour N.Z. 38°5S 174°51E 154 E3
Kawio, Kepulauan Indonesia 4°30N 125°30E 119 D7
Kawthaung Burma 10°5N 98°36E 121 H2
Kawthoolei = Kayin □ Burma 18°0N 97°30E 123 L20
Kawthule = Kayin □ Burma 18°0N 97°30E 123 L20
Kaxgar He ➔ China 39°45N 78°24E 109 E9
Kaxholmen Sweden 57°51N 14°19E 63 G8
Kaya Burkina Faso 13°4N 1°10W 139 C4
Kayah □ Burma 19°15N 97°15E 123 K20
Kayak I. U.S.A. 59°56N 144°23W 166 D11
Kayalıköy Barajı Turkey 41°50N 27°5E 97 E11
Kayamkulam India 9°10N 76°33E 127 K3
Kayan ➔ Indonesia 2°55N 117°35E 118 D5
Kaycee U.S.A. 43°43N 106°38W 168 E10
Kayeli Indonesia 3°20S 127°10E 119 E7
Kayenta U.S.A. 36°44N 110°15W 169 H8
Kayes Mali 14°25N 11°30W 138 C2
Kayes □ Mali 14°0N 11°0W 138 C2
Kayı Turkey 39°12N 30°46E 99 B12
Kayima S. Leone 8°54N 11°15W 138 D2
Kayin □ Burma 18°0N 97°30E 123 L20
Kaymakçı Turkey 38°10N 28°8E 99 C10
Kayoa Indonesia 0°1N 127°28E 119 D7
Kayomba Zambia 13°3S 23°51E 143 E1
Kaysatskoye Russia 49°47N 46°49E 86 F8
Kayseri Turkey 38°45N 35°30E 104 C6
Kayseri □ Turkey 38°40N 36°0E 104 C7
Kaysville U.S.A. 41°2N 111°56W 168 F8
Kayts Sri Lanka 9°42N 79°51E 127 K4
Kaz Dağı Turkey 39°42N 26°50E 99 B8
Kazachye Russia 70°52N 135°58E 107 B14
Kazakhstan ■ Asia 50°0N 70°0E 109 C8
Kazaly = Qazaly Kazakhstan 45°45N 62°6E 108 C6
Kazan Russia 55°50N 49°10E 86 C9
Kazan Turkey 40°14N 32°41E 104 B5
Kazan ➔ Canada 64°2N 95°29W 163 A9
Kazan-Rettō Pac. Oc. 25°0N 141°0E 156 E6
Kazanlŭk Bulgaria 42°38N 25°20E 97 D9
Kazanskaya Russia 49°50N 41°10E 86 F5
Kazatin = Kozyatyn Ukraine 49°45N 28°50E 75 D15
Kazaure Nigeria 12°42N 8°28E 139 C6
Kazbek Russia 42°42N 44°30E 87 J7
Kāzerūn Iran 29°38N 51°40E 129 D6
Kazi Magomed = Qazımämmäd Azerbaijan 40°3N 49°0E 87 K9
Kazimierz Dolny Poland 51°19N 21°57E 83 G8
Kazimierza Wielka Poland 50°15N 20°30E 83 H7
Kazincbarcika Hungary 48°17N 20°36E 80 B5
Kazipet India 17°58N 79°30E 126 F4
Kazlų Rūda Lithuania 54°46N 23°30E 82 D10
Kaztalovka Kazakhstan 49°47N 48°43E 86 F9
Kazuma Pan △ Zimbabwe 18°20S 25°48E 143 F2
Kazuno Japan 40°10N 140°45E 112 D10
Kazym ➔ Russia 63°54N 65°50E 106 C7
Kcynia Poland 53°0N 17°30E 83 F4
Ké-Macina Mali 13°58N 5°22W 138 C3
Kea Greece 37°35N 24°22E 98 D6
Keady U.K. 54°15N 6°42W 64 B5
Kearney U.S.A. 40°42N 99°5W 172 E4
Kearney ✪ Australia 20°10S 128°4E 148 D4
Kearny U.S.A. 33°3N 110°55W 169 K8
Kearsarge, Mt. U.S.A. 43°22N 71°50W 175 C13
Keban Turkey 38°50N 38°50E 105 C8
Keban Barajı Turkey 38°41N 38°33E 105 C8
Kebbi □ Nigeria 11°35N 4°0E 139 C5
Kébémèr Senegal 15°23N 16°34W 138 B1
Kébi Ivory C. 9°18N 6°37W 138 D3
Kébili Tunisia 33°47N 9°0E 136 B5
Kébili □ Tunisia 33°30N 8°50E 136 B5
Kebnekaise Sweden 67°53N 18°33E 60 C18
Kebri Dehar Ethiopia 6°45N 44°17E 131 F3
Kebumen Indonesia 7°42S 109°40E 119 G13
Kecel Hungary 46°31N 19°16E 80 D4
Kechika ➔ Canada 59°41N 127°12W 162 B3
Keçiborlu Turkey 37°57N 30°18E 99 D12
Kecskemét Hungary 46°57N 19°42E 80 D4
Kedah □ Malaysia 5°50N 100°40E 121 K3
Kėdainiai Lithuania 55°15N 24°2E 82 C11
Kedarnath India 30°44N 79°4E 125 D8
Kedgwick Canada 47°40N 67°20W 165 C6
Kediri Indonesia 7°51S 112°1E 118 F4
Kedjebi Ghana 8°12N 0°25E 139 D5
Kédougou Senegal 12°35N 12°10W 138 C2
Kedros Oros Greece 35°11N 24°37E 101 D6
Kędzierzyn-Koźle Poland 50°20N 18°12E 83 H5
Keeler U.S.A. 36°29N 117°52W 170 J9
Keeley L. Canada 54°54N 108°8W 163 C7
Keeling Is. = Cocos Is. Ind. Oc. 12°10S 96°55E 146 F8
Keelung = Chilung Taiwan 25°3N 121°45E 117 E13
Keene Canada 44°15N 78°10W 174 B6
Keene Calif., U.S.A. 35°13N 118°33W 171 K8
Keene N.H., U.S.A. 42°56N 72°17W 175 D12
Keene N.Y., U.S.A. 44°16N 73°46W 175 B11
Keep River △ Australia 15°49S 129°8E 148 C4
Keeper Hill Ireland 52°45N 8°16W 64 D3
Keepit, L. Australia 30°50S 150°30E 153 A9
Keerweer, C. Australia 14°0S 141°32E 150 A3
Keeseville U.S.A. 44°29N 73°30W 175 B11
Keetmanshoop Namibia 26°35S 18°8E 144 C2
Keewatin Canada 49°46N 94°34W 163 D10
Keewatin ➔ Canada 56°29N 100°46W 163 B8
Kefalonia Greece 38°15N 20°30E 98 C2
Kefalos Greece 36°45N 26°59E 99 E8
Kefamenanu Indonesia 9°28S 124°29E 119 F6
Kefar Sava Israel 32°11N 34°54E 130 C3
Keffi Nigeria 8°55N 7°43E 139 D6
Keffin Hausa Nigeria 12°13N 9°59E 139 C6
Keflavík Iceland 64°2N 22°35W 60 D2
Keg River Canada 57°54N 117°55W 162 B5
Kegalla Sri Lanka 7°15N 80°21E 127 L5
Kegaska Canada 50°9N 61°18W 165 B7
Kehancha Kenya 1°11S 34°37E 142 C3
Keheili Sudan 19°25N 32°50E 137 D3
Kehl Germany 48°34N 7°50E 77 G3
Keighley U.K. 53°52N 1°54W 66 D6
Keila Estonia 59°18N 24°25E 84 C3
Keimoes S. Africa 28°41S 20°59E 144 C3
Keita Niger 14°46N 5°56E 139 C6
Keitele Finland 63°10N 26°20E 60 E22
Keith Australia 36°6S 140°20E 152 D4
Keith U.K. 57°32N 2°57W 65 D6
Keiyasi Fiji 17°53S 177°46E 154 a
Keizer U.S.A. 44°57N 123°1W 168 D2
Kejimkujik △ Canada 44°25N 65°25W 165 D6
Kejserr Franz Joseph Fd. Greenland 73°30N 24°30W 57 C8
Kekri India 26°0N 75°10E 124 G6
Kelan China 38°43N 111°31E 114 E6
Kelang = Klang Malaysia 3°2N 101°26E 121 L3
Kelani Ganga ➔ Sri Lanka 6°58N 79°50E 127 L4
Kelantan □ Malaysia 5°10N 102°0E 121 K3
Kelantan ➔ Malaysia 6°13N 102°14E 121 J4
Këlcyrë Albania 40°20N 20°12E 96 F4
Kelkeçi Turkey 37°15N 29°20E 99 D11
Keles Turkey 39°54N 29°14E 97 G13
Keleti-főcsatorna Hungary 47°45N 21°20E 80 C6
Kelheim Germany 48°54N 11°52E 77 G7
Kelibia Tunisia 36°50N 11°3E 136 A6
Kelkit Turkey 40°7N 39°16E 105 B8
Kelkit ➔ Turkey 40°45N 36°32E 104 B7
Kellé Niger 14°16N 10°7E 139 C7
Keller U.S.A. 31°50N 81°15W 178 D8
Kellerberrin Australia 31°36S 117°38E 149 F2
Kellett, C. Canada 72°0N 126°0W 54 B1
Kelleys I. U.S.A. 41°36N 82°42W 174 E2
Kellogg U.S.A. 47°32N 116°7W 168 C5
Kells Ireland 53°44N 6°53W 64 C5
Kelmė Lithuania 55°38N 22°56E 82 C9
Kelmentsi Ukraine 48°28N 26°50E 81 B11
Kélo Chad 9°10N 15°45E 135 G9
Kelokedhara Cyprus 34°48N 32°39E 101 E11
Kelowna Canada 49°50N 119°25W 162 D5
Kelsey Creek Australia 20°26S 148°31E 150 b
Kelseyville U.S.A. 38°59N 122°50W 170 G4
Kelso N.Z. 45°54S 169°15E 155 F4
Kelso U.K. 55°36N 2°26W 65 F6
Kelso U.S.A. 46°9N 122°54W 170 D4
Keluang = Kluang Malaysia 2°3N 103°18E 121 L4
Kelud Indonesia 7°56N 112°18E 119 H15
Kelvington Canada 52°10N 103°30W 163 C8
Kem Russia 65°0N 34°38E 106 C4
Kem-Kem Morocco 30°40N 4°30W 136 B3
Kema Indonesia 1°22N 125°8E 119 D7
Kemah Turkey 39°32N 39°5E 105 C8
Kemaliye Erzincan, Turkey 39°16N 38°29E 105 C8
Kemaliye Manisa, Turkey 38°27N 28°25E 99 C10
Kemalpaşa Turkey 38°25N 27°27E 99 C9
Kemaman Malaysia 4°12N 103°18E 121 K4
Kemano Canada 53°35N 128°0W 162 C3
Kemasik Malaysia 4°25N 103°27E 121 K4
Kemer Antalya, Turkey 36°36N 30°34E 99 E12
Kemer Burdur, Turkey 37°21N 30°4E 99 D12
Kemer Muğla, Turkey 36°40N 29°22E 99 E11
Kemer Barajı Turkey 37°30N 28°37E 99 D10
Kemerovo Russia 55°20N 86°5E 106 D9
Kemerovo □ Russia 55°0N 86°0E 109 B11
Ķemeru △ Latvia 56°58N 23°25E 82 B10
Kemi Finland 65°44N 24°34E 60 D21
Kemi älv = Kemijoki ➔ Finland 65°47N 24°32E 60 D21
Kemi träsk = Kemijärvi Finland 66°43N 27°22E 60 C22
Kemijärvi Finland 66°43N 27°22E 60 C22
Kemijoki ➔ Finland 65°47N 24°32E 60 D21
Kemmerer U.S.A. 41°48N 110°32W 168 F8
Kemmuna = Comino Malta 36°1N 14°20E 101 C1
Kemp, L. U.S.A. 33°46N 99°9W 176 E5
Kemp Land Antarctica 69°0S 55°0E 55 C5
Kempas Malaysia 1°33N 103°42E 121 d
Kempsey Australia 31°1S 152°50E 153 A10
Kempt, L. Canada 47°25N 74°22W 164 C5
Kempten Germany 47°45N 10°17E 77 H6
Kempton Australia 42°31S 147°12E 151 G4
Kemptville Canada 45°0N 75°38W 175 B9
Ken ➔ India 25°13N 80°27E 125 G9
Kenadsa Algeria 31°48N 2°26W 136 B3
Kenai U.S.A. 60°33N 151°16W 160 E1
Kenai Mts. U.S.A. 60°0N 150°0W 166 D9
Kenamuke Swamp South Sudan 5°55N 33°48E 142 A3
Kenansville U.S.A. 27°53N 80°59W 179 H9
Kendai India 22°45N 82°37E 125 H10
Kendal Indonesia 6°56S 110°14E 119 G14
Kendal U.K. 54°20N 2°44W 66 C5
Kendall Australia 31°35S 152°44E 153 A10
Kendall U.S.A. 25°40N 80°19W 179 K9
Kendall ➔ Australia 14°4S 141°35E 150 A3
Kendallville U.S.A. 41°27N 85°16W 173 E11
Kendari Indonesia 3°50S 122°30E 119 E6
Kendawangan Indonesia 2°32S 110°17E 118 E4
Kende Nigeria 11°30N 4°12E 139 C5
Kendi, Pulau Malaysia 5°13N 100°11E 121 c
Kendrapara India 20°35N 86°30E 126 D8
Këndrevicës, Maja e Albania 40°15N 19°52E 96 F3
Kendrew S. Africa 32°32S 24°30E 144 D3
Kendrick U.S.A. 29°15N 82°10W 179 F7
Kene Thao Laos 17°44N 101°10E 120 D3
Kenedy U.S.A. 28°49N 97°51W 176 G6
Kenema S. Leone 7°50N 11°14W 138 D2
Keng Kok Laos 16°26N 105°12E 120 D5
Keng Tawng Burma 20°45N 98°18E 123 J21
Keng Tung Burma 21°18N 99°39E 120 B2
Kengeja Tanzania 5°26S 39°45E 142 D4
Kenhardt S. Africa 29°19S 21°12E 144 C3
Kéniéba Mali 12°54N 11°17W 138 C2
Kenitra Morocco 34°15N 6°40W 136 B2
Kenli China 37°30N 118°20E 115 F10
Kenmare Ireland 51°53N 9°36W 64 E2
Kenmare U.S.A. 48°41N 102°5W 172 A2
Kenmare River ➔ Ireland 51°48N 9°51W 64 E2
Kennebago Lake U.S.A. 45°4N 70°40W 175 A14
Kennebec U.S.A. 43°54N 99°52W 172 D4
Kennebec ➔ U.S.A. 43°45N 69°46W 173 D19
Kennebunk U.S.A. 43°23N 70°33W 175 C14
Kennedy Zimbabwe 18°52S 27°10E 144 A4
Kennedy Channel Arctic 80°50N 66°0W 57 A4
Kennedy Ra. Australia 24°45S 115°10E 149 D2
Kennedy Range △ Australia 24°34S 115°2E 149 D2
Kennedy Space Center U.S.A. 28°40N 80°42W 179 G9
Kennemerduinen △ Neths. 52°27N 4°33E 69 B4
Kenner U.S.A. 29°59N 90°14W 177 G9
Kennesaw U.S.A. 34°1N 84°37W 178 A5
Kennet ➔ U.K. 51°27N 0°57W 67 F7
Kenneth Ra. Australia 23°50S 117°8E 149 D2
Kennett U.S.A. 36°14N 90°3W 172 G8
Kennewick U.S.A. 46°12N 119°7W 168 C4
Kennisis Lake Canada 45°13N 78°36W 174 A6
Kenogami ➔ Canada 51°6N 84°28W 164 B3
Kenora Canada 49°47N 94°29W 163 D10
Kenosha U.S.A. 42°35N 87°49W 172 D10
Kenozersky △ Russia 62°5N 38°10E 106 C1
Kensington Canada 46°28N 63°34W 165 C7
Kent Ohio, U.S.A. 41°9N 81°22W 174 E3
Kent Tex., U.S.A. 31°4N 104°13W 176 F2
Kent Wash., U.S.A. 47°22N 122°14W 170 C4
Kent □ U.K. 51°12N 0°40E 67 F8
Kent Group Australia 39°30S 147°20E 151 F4
Kent Pen. Canada 68°30N 107°0W 160 D10
Kentaū Kazakhstan 43°32N 68°36E 109 D7
Kentland U.S.A. 40°46N 87°27W 172 E10
Kenton U.S.A. 40°39N 83°37W 173 E12
Kentucky □ U.S.A. 37°0N 84°0W 173 G11
Kentucky ➔ U.S.A. 38°41N 85°11W 173 F11
Kentucky L. U.S.A. 37°1N 88°16W 172 G9
Kentville Canada 45°6N 64°29W 165 C7
Kentwood U.S.A. 30°56N 90°31W 177 F9
Kenya ■ Africa 1°0N 38°0E 142 B4
Kenya, Mt. Kenya 0°10S 37°18E 142 C4
Kenyir, Tasik Malaysia 5°1N 102°54E 121 K4
Keo Neua, Deo Vietnam 18°23N 105°10E 120 C5
Keokuk U.S.A. 40°24N 91°24W 172 E8
Keoladeo △ India 27°0N 77°20E 124 F7
Keonjhargarh India 21°28N 85°35E 125 J11
Kep Cambodia 10°29N 104°19E 121 G5
Kep Vietnam 21°24N 106°16E 120 B6
Kep △ Cambodia 10°30N 104°18E 121 G5
Kepala Batas Malaysia 5°31N 100°26E 121 c
Kepez Turkey 40°5N 26°24E 97 F10
Kepi Indonesia 6°32S 139°19E 119 F9
Kępice Poland 54°16N 16°51E 82 D3
Kepler Mts. N.Z. 45°25S 167°20E 155 F2
Kępno Poland 51°18N 17°58E 83 G4
Kepsut Turkey 39°40N 28°9E 99 B10
Kerala □ India 11°0N 76°15E 127 J3
Kerama-Rettō Japan 26°5N 127°15E 113 L3
Keramoti Greece 40°52N 24°42E 97 F8
Keran Pakistan 34°35N 73°59E 125 B5
Keran △ Togo 10°9N 0°41E 139 C5
Kerang Australia 35°40S 143°55E 152 C5
Keratea Greece 37°48N 23°58E 98 D5
Keraudren, C. Australia 19°58S 119°45E 148 C2
Kerava Finland 60°25N 25°5E 84 B3
Kerch Ukraine 45°20N 36°20E 85 K9
Kerchenskiy Proliv Black Sea 45°10N 36°30E 85 K9
Kerchoual Mali 17°12N 0°20E 139 B5
Kerempe Burnu Turkey 42°2N 33°20E 104 A5
Kerepakupai-Meru = Angel Falls Venezuela 5°57N 62°30W 186 B6
Kerewan Gambia 13°29N 16°10W 138 C1
Kerguelen Ind. Oc. 49°15S 69°10E 146 J5
Kerguelen Plateau S. Ocean 55°0S 75°0E 146 K6
Keri Greece 37°40N 20°49E 98 D2
Kerian, Kuala Malaysia 5°10N 100°25E 121 c
Kericho Kenya 0°22S 35°15E 142 C4
Kerikeri N.Z. 35°12S 173°59E 154 B2
Kerinci Indonesia 1°40S 101°15E 118 E2
Kériya He ➔ China 38°30N 82°10E 109 E10
Kerkenna, Îs. Tunisia 34°48N 11°11E 136 B6
Kerki = Atamyrat Turkmenistan 37°50N 65°12E 109 E7
Kerkini, L. Greece 41°12N 23°10E 96 E7
Kerkouane Tunisia 36°58N 11°2E 94 F4
Kerkrade Neths. 50°53N 6°4E 69 D6
Kerkyra Greece 39°38N 19°50E 101 A3
Kerkyra ✈ (CFU) Greece 39°35N 19°54E 101 B3
Kerkyras, Notio Steno Greece 39°34N 20°0E 101 A4
Kerma Sudan 19°33N 30°32E 137 D3
Kermadec Is. Pac. Oc. 30°0S 178°15W 147 E11
Kermadec Trench Pac. Oc. 30°30S 176°0W 156 L10
Kermān Iran 30°15N 57°1E 129 D8
Kerman U.S.A. 36°43N 120°4W 170 J6
Kermān □ Iran 30°0N 57°0E 129 D8
Kermān, Bīābān-e Iran 28°45N 59°45E 129 D8
Kermānshāh Iran 34°23N 47°0E 105 E12
Kermānshāh □ Iran 34°0N 46°30E 128 C5
Kermen Bulgaria 42°30N 26°16E 97 D10
Kermit U.S.A. 31°52N 103°6W 176 F3
Kern ➔ U.S.A. 35°16N 119°18W 171 K7
Kernavė Lithuania 54°53N 24°49E 84 E3
Kernhof Austria 47°49N 15°32E 78 D8
Kernow = Cornwall □ U.K. 50°26N 4°40W 67 G3
Kernville U.S.A. 35°45N 118°26W 171 K8
Keroh Malaysia 5°43N 101°1E 121 K3
Keros Greece 36°54N 25°40E 99 E7
Kérou Benin 10°50N 2°5E 139 C5
Kérouane Guinea 9°15N 9°0W 138 D3
Kerpen Germany 50°51N 6°41E 76 E2
Kerrera U.K. 56°24N 5°33W 65 E3
Kerrobert Canada 51°56N 109°8W 163 C7
Kerrville U.S.A. 30°3N 99°8W 176 F5
Kerry □ Ireland 52°7N 9°35W 64 D2
Kerry Hd. Ireland 52°25N 9°56W 64 D2
Kerulen = Herlen ➔ Asia 48°48N 117°0E 111 B12
Kervo = Kerava Finland 60°25N 25°5E 84 B3
Kerzaz Algeria 29°29N 1°37W 136 C3
Kesagami ➔ Canada 51°40N 79°45W 164 B4
Kesagami L. Canada 50°23N 80°15W 164 B3
Keşan Turkey 40°49N 26°38E 97 F10
Kesennuma Japan 38°54N 141°35E 112 E10
Keshāvar Iran 36°50N 46°22E 105 D12
Keshit Iran 29°43N 58°17E 129 D8
Kesigi = Kosgi India 15°51N 77°16E 127 G3
Keşiş Dağ Turkey 39°47N 39°46E 105 C8
Keskal India 20°5N 81°35E 126 D5
Keskin Turkey 39°40N 33°36E 104 C5
Kestenga Russia 65°50N 31°45E 60 D24
Keswick U.K. 54°36N 3°8W 66 C4
Keszthely Hungary 46°50N 17°15E 80 D2
Ket ➔ Russia 58°55N 81°32E 106 D9
Keta Ghana 5°49N 1°0E 139 D5
Keta Lagoon Ghana 5°55N 1°0E 139 D5
Ketapang Jawa Timur, Indonesia 8°9S 114°23E 119 J17
Ketapang Kalimantan Barat, Indonesia 1°55S 110°0E 118 E4
Ketchenery Russia 47°18N 44°32E 87 G7
Ketchikan U.S.A. 55°21N 131°39W 162 B2
Ketchum U.S.A. 43°41N 114°22W 168 E6
Kete Krachi Ghana 7°46N 0°1W 139 D4
Keti Bandar Pakistan 24°8N 67°27E 124 G2
Kétou Benin 7°25N 2°45E 139 D5
Ketri India 28°1N 75°50E 124 E6
Kętrzyn Poland 54°7N 21°22E 82 D8
Kettering U.K. 52°24N 0°43W 67 E7
Kettering U.S.A. 39°41N 84°10W 173 F11
Kettle ➔ Canada 56°40N 89°34W 163 B11
Kettle Falls U.S.A. 48°37N 118°3W 168 B4
Kettle Point Canada 43°10N 82°1W 174 C2
Kettle Pt. Canada 43°13N 82°1W 174 C2
Kettleman City U.S.A. 36°1N 119°58W 170 J7
Kęty Poland 49°51N 19°16E 83 J6
Keuka L. U.S.A. 42°30N 77°9W 174 D7
Keuruu Finland 62°16N 24°41E 84 A3
Kevelaer Germany 51°36N 6°15E 76 D2
Kewanee U.S.A. 41°14N 89°56W 172 E9
Keware Nepal 27°57N 83°47E 125 F10
Kewaunee U.S.A. 44°27N 87°31W 172 C10
Keweenaw B. U.S.A. 47°0N 88°15W 172 B9
Keweenaw Pen. U.S.A. 47°15N 88°15W 172 B9
Keweenaw Pt. U.S.A. 47°25N 87°43W 172 B10
Key, L. Ireland 54°0N 8°15W 64 C3
Key Colony Beach U.S.A. 24°45N 80°57W 179 L9
Key Lake Mine Canada 57°5N 105°32W 163 B7
Key Largo U.S.A. 25°5N 80°27W 179 K9
Key West U.S.A. 24°33N 81°48W 179 L8
Keynsham U.K. 51°24N 2°29W 67 F5
Keyser U.S.A. 39°26N 78°59W 173 F14
Keystone Heights U.S.A. 29°47N 82°2W 178 F7
Kezhma Russia 58°59N 101°9E 107 D11
Kezi Zimbabwe 20°58S 28°32E 145 B4
Kežmarok Slovak Rep. 49°10N 20°28E 79 B13
Kgalagadi □ Botswana 24°30S 22°0E 144 B3
Kgalagadi Transfrontier △ Africa 25°10S 21°0E 144 C3
Khabarovsk Russia 48°30N 135°5E 111 B16
Khabr △ Iran 28°51N 56°22E 129 D8
Khābūr ➔ Syria 35°17N 40°35E 105 E9
Khachmas = Xaçmaz Azerbaijan 41°31N 48°42E 87 K9
Khachrod India 23°25N 75°20E 124 H6
Khadro Pakistan 26°11N 68°50E 124 F3
Khadyzhensk Russia 44°26N 39°32E 87 H4
Khadzhilyangar = Dahongliutan China 35°45N 79°20E 125 B8
Khaga India 25°47N 81°7E 125 G9
Khagaria India 25°30N 86°32E 125 G12
Khaipur Pakistan 29°34N 72°17E 124 E5
Khair India 27°57N 77°46E 124 F7
Khairabad India 27°33N 80°47E 125 F9
Khairagarh India 21°27N 81°2E 125 J9
Khairpur Pakistan 27°32N 68°49E 124 F3
Khairpur Nathan Shah Pakistan 27°6N 67°44E 124 F2
Khairwara India 23°58N 73°38E 124 H5
Khaisor ➔ Pakistan 31°17N 68°59E 124 D3
Khajuraho India 24°51N 79°55E 125 G8
Khajuri Kach Pakistan 32°4N 69°51E 124 C3
Khakassia □ Russia 53°0N 90°0E 109 B12
Khakhea Botswana 24°48S 23°22E 144 B3
Khalafābād Iran 30°54N 49°24E 129 D6
Khalilabad India 26°48N 83°5E 125 F10
Khalīlī Iran 27°38N 53°17E 129 E7
Khalkhāl Iran 37°37N 48°32E 105 D13
Khalkís = Chalkida Greece 38°27N 23°42E 98 C5
Khalmer Yu Russia 67°58N 65°1E 106 C7
Khalūf Oman 20°30N 58°13E 131 C6
Kham Keut Laos 18°15N 104°43E 120 C5
Khamaria India 23°5N 80°48E 125 H9
Khambhaliya India 22°14N 69°41E 124 H3
Khambhat India 22°23N 72°33E 124 H5
Khambhat, G. of India 20°45N 72°30E 122 J8
Khamgaon India 20°42N 76°37E 126 D3
Khami Ruins = Kame Ruins Zimbabwe 20°7S 28°25E 143 G2
Khamīr Iran 26°57N 55°36E 129 E7
Khamir Yemen 16°2N 44°0E 131 D3
Khamīs Mushayṭ Si. Arabia 18°18N 42°44E 131 D3
Khammam India 17°11N 80°6E 126 F5
Khamsa Egypt 30°27N 32°23E 130 E1
Khan ➔ Namibia 22°37S 14°56E 144 B2
Khān Abū Shāmat Syria 33°39N 36°53E 130 B5
Khān al Baghdādī Iraq 33°51N 42°32E 105 G11
Khān al Ḩammād Iraq 32°19N 44°16E 105 G11
Khān Azād Iraq 33°7N 44°22E 128 C5
Khān Mujiddah Iraq 32°21N 43°48E 128 C4
Khān Shaykhūn Syria 35°26N 36°38E 104 E7
Khan Tengri, Pik Asia 42°12N 80°10E 109 D10
Khān Yūnis Gaza Strip 31°21N 34°18E 130 D3
Khanai Pakistan 30°30N 67°8E 124 D2
Khānaqīn Iraq 34°23N 45°25E 105 E11
Khānbāghī Iran 36°10N 55°25E 129 B7
Khandwa India 21°49N 76°22E 126 D3
Khandyga Russia 62°42N 135°35E 107 C14
Khanewal Pakistan 30°20N 71°55E 124 D4
Khangah Dogran Pakistan 31°50N 73°37E 124 D5
Khangchendzonga = Kanchenjunga △ India 27°42N 88°8E 125 F13
Khanh Duong Vietnam 12°44N 108°44E 120 F7
Khaniá = Chania Greece 35°30N 24°4E 101 D6
Khaniadhana India 25°1N 78°8E 124 G8
Khanka, L. Asia 45°0N 132°24E 112 B6
Khankendy = Xankändi Azerbaijan 39°52N 46°49E 105 C12
Khanna India 30°42N 76°16E 124 D7
Khanozai Pakistan 30°37N 67°19E 124 D2
Khanpur Pakistan 28°42N 70°35E 124 E4
Khanty-Mansiysk Russia 61°0N 69°0E 106 C7
Khao Khitchakut △ Thailand 12°50N 102°10E 120 F4
Khao Laem △ Thailand 14°56N 98°31E 120 E2
Khao Laem Res. Thailand 14°50N 98°30E 120 E2
Khao Lak △ Malaysia 8°38N 98°18E 121 H2
Khao Luang △ Thailand 8°34N 99°42E 121 H2
Khao Nam Khang △ Thailand 6°32N 100°35E 121 J3
Khao Phlu Thailand 9°29N 99°59E 121 b
Khao Pu -Khao Ya △ Thailand 7°26N 99°57E 121 J2
Khao Sam Roi Yot △ Thailand 12°13N 99°57E 121 F2
Khao Sok △ Thailand 8°55N 98°38E 121 H2
Khao Yai △ Thailand 14°21N 101°29E 120 E3
Khaoen Si Nakarin △ Thailand 14°47N 99°0E 120 E2
Khapalu Pakistan 35°10N 76°20E 125 B7
Khapcheranga Russia 49°42N 112°24E 107 E12
Khaptao △ Nepal 29°20N 81°10E 125 E9
Kharabali Russia 47°25N 47°15E 87 G8
Kharagauli Georgia 42°1N 43°12E 87 J6
Kharaghoda India 23°11N 71°46E 124 H4
Kharagpur India 22°20N 87°25E 125 H12
Kharan Kalat Pakistan 28°34N 65°21E 122 E4
Kharānaq Iran 32°20N 54°45E 129 C7
Kharda India 18°40N 75°34E 126 E2
Khardung La India 34°20N 77°43E 125 B7
Kharg = Khārk, Jazīreh-ye Iran 29°15N 50°28E 129 D6
Khârga, El Wâhât el Egypt 25°10N 30°35E 137 B3
Khargon India 21°45N 75°40E 126 D2
Khari ➔ India 25°54N 74°31E 124 G6
Kharian Pakistan 32°49N 73°52E 124 C5
Khariar India 20°17N 82°46E 126 D6
Kharit, Wadi el ➔ Egypt 24°26N 33°3E 137 C3
Khārk, Jazīreh-ye Iran 29°15N 50°28E 129 D6
Kharkiv Ukraine 49°58N 36°20E 85 H9
Kharkiv □ Ukraine 48°20N 36°20E 85 H9
Kharkov = Kharkiv Ukraine 49°58N 36°20E 85 H9
Kharmanli Bulgaria 41°55N 25°55E 97 E9
Kharovsk Russia 59°56N 40°13E 84 C11
Kharsawangarh India 22°48N 85°50E 125 H11
Kharta Turkey 40°55N 29°7E 104 B3
Khartoum = El Khartûm Sudan 15°31N 32°35E 135 E12
Khartum Canada 45°15N 77°5W 174 A7
Khasan Russia 42°25N 130°40E 112 C5
Khasavyurt Russia 43°16N 46°40E 87 J8
Khāsh Iran 28°15N 61°15E 129 D9
Khashm el Girba Sudan 14°59N 35°58E 135 F13
Khashuri Georgia 42°3N 43°35E 87 J6
Khaskovo Bulgaria 41°56N 25°30E 97 E9
Khaskovo □ Bulgaria 42°0N 25°40E 97 E9
Khat, Laem Thailand 8°6N 98°26E 121 a
Khatanga Russia 72°0N 102°20E 107 B11
Khatanga ➔ Russia 72°55N 106°0E 107 B11
Khatauli India 29°17N 77°43E 124 E7
Khatlon □ Tajikistan 37°50N 69°0E 109 E7
Khatra India 22°59N 86°51E 125 H12
Khātūnābād Iran 30°1N 55°25E 129 D7
Khatyrka Russia 62°3N 175°15E 107 C18
Khavda India 23°51N 69°43E 124 H3
Khawr Fakkān U.A.E. 25°21N 56°22E 129 E8
Khay' Si. Arabia 18°45N 41°24E 137 D5
Khaybar, Ḩarrat Si. Arabia 25°30N 39°45E 128 E4
Khāzimiyah Iraq 34°46N 43°37E 128 C4
Khe Bo Vietnam 19°8N 104°41E 120 C5
Khe Long Vietnam 21°29N 104°46E 120 B5
Khe Sanh Vietnam 16°37N 106°45E 120 D6
Khed Maharashtra, India 17°43N 73°27E 126 F1
Khed Maharashtra, India 18°51N 73°56E 126 E1
Khed Brahma India 24°7N 73°5E 124 G5
Khekra India 28°52N 77°20E 124 E7
Khemarak Phouminville = Krong Kaoh Kong Cambodia 11°37N 102°59E 121 G4
Khemisset Morocco 33°50N 6°1W 136 B2
Khemmarat Thailand 16°10N 105°15E 120 D5
Khenāmān Iran 30°27N 56°29E 129 D8
Khenchela Algeria 35°28N 7°11E 136 A5
Khenchela □ Algeria 35°0N 7°0E 136 B5
Khenifra Morocco 32°58N 5°46W 136 B2
Khenifra □ Morocco 32°50N 5°45W 136 B2
Kherrata Algeria 36°27N 5°13E 136 A5
Khersān ➔ Iran 31°33N 50°22E 129 D6
Kherson Ukraine 46°35N 32°35E 85 J7
Kherson □ Ukraine 46°15N 33°10E 85 J7
Kheta ➔ Russia 71°54N 102°6E 107 B11
Khewari Pakistan 26°36N 68°52E 124 F3
Khilchipur India 24°2N 76°34E 124 G7
Khilok Russia 51°30N 110°45E 107 D12
Khimki Russia 55°50N 37°20E 84 E9
Khíos = Chios Greece 38°27N 26°9E 99 C8
Khirsadoh India 22°11N 78°47E 125 H8

Khiuma = Hiiumaa Estonia 58°50N 22°45E 84 C2
Khiva = Xiva Uzbekistan 41°30N 60°18E 108 D6
Khiwa = Xiva Uzbekistan 41°30N 60°18E 108 D6
Khlebarovo Bulgaria 43°37N 26°15E 97 C10
Khlong Khlung Thailand 16°12N 99°43E 120 D2
Khlong Lan △ Thailand 16°12N 99°13E 120 D2
Khlong Phanom △ Thailand 8°45N 98°38E 121 H2
Khmelnik Ukraine 49°33N 27°58E 75 D14
Khmelnytskyy Ukraine 49°23N 27°0E 75 D14
Khmelnytskyy □ Ukraine 49°50N 26°40E 75 D14
Khmer Rep. = Cambodia ■ Asia 12°15N 105°0E 120 F5
Khoai, Hon Vietnam 8°26N 104°50E 121 H5
Khobar = Al Khubar Si. Arabia 26°17N 50°12E 129 E6
Khodoriv Ukraine 49°24N 24°19E 75 D13
Khodzent = Khŭjand Tajikistan 40°17N 69°37E 109 D7
Khojak Pass Afghan. 30°51N 66°34E 124 D2
Khojayli = Xo'jayli Uzbekistan 42°29N 59°31E 108 D5
Khok Kloi Thailand 8°17N 98°19E 121 a
Khok Pho Thailand 6°43N 101°6E 121 J3
Khok Samrong Thailand 15°3N 100°43E 120 E3
Kholm Afghan. 36°45N 67°40E 109 E7
Kholm Russia 57°10N 31°15E 84 D6
Kholmsk Russia 47°40N 142°5E 107 E15
Khomārlu Iran 39°6N 47°3E 105 C12
Khomas □ Namibia 23°30S 17°0E 144 B2
Khomas Hochland Namibia 22°40S 16°0E 144 B2
Khombole Senegal 14°43N 16°42W 138 C1
Khomeyn Iran 33°40N 50°7E 129 C6
Khomeynī Shahr Iran 32°41N 51°31E 129 C6
Khomodino Botswana 22°46S 23°52E 144 B3
Khon Kaen Thailand 16°30N 102°47E 120 D4
Khong → Cambodia 13°32N 105°58E 120 F5
Khong Sedone Laos 15°34N 105°49E 120 E5
Khonuu Russia 66°30N 143°12E 107 C15
Khoper → Russia 49°30N 42°20E 86 F6
Khorāsān-e Janūb □ Iran 32°0N 59°0E 129 C8
Khorāsān-e Razavī □ Iran 35°0N 59°0E 129 C8
Khorāsān-e Shemālī □ Iran 37°0N 57°0E 129 B8
Khorat = Nakhon Ratchasima Thailand 14°59N 102°12E 120 E4
Khorat, Cao Nguyen Thailand 15°30N 102°50E 120 E4
Khorazm = Xorazm □ Uzbekistan 43°0N 60°0E 108 D6
Khorb el Ethel Algeria 28°30N 6°17W 136 C2
Khorixas Namibia 20°16S 14°59E 144 B1
Khorol Ukraine 49°48N 33°15E 85 H7
Khorramābād Khorāsān, Iran 35°6N 57°57E 129 C8
Khorramābād Lorestān, Iran 33°30N 48°25E 105 F13
Khorramdarreh Iran 36°11N 49°11E 105 D13
Khorramshahr Iran 30°29N 48°15E 129 D6
Khorugh Tajikistan 37°30N 71°36E 109 E8
Khosravī Iran 30°48N 51°28E 129 D6
Khosrowābād Khuzestān, Iran 30°10N 48°25E 129 D6
Khosrowābād Kordestān, Iran 35°31N 47°38E 105 E12
Khost Pakistan 30°13N 67°35E 124 D2
Khosūyeh Iran 28°32N 54°26E 129 D7
Khotang Nepal 27°1N 86°51E 125 F12
Khotyn Ukraine 48°31N 26°27E 81 B11
Khouribga Morocco 32°58N 6°57W 136 B2
Khowst Afghan. 33°22N 69°58E 124 C3
Khowst □ Afghan. 33°20N 70°0E 122 C6
Khoyniki Belarus 51°54N 29°55E 75 C15
Khram, Ko Thailand 12°42N 100°47E 120 F3
Khrami → Georgia 41°25N 45°0E 87 K7
Khrenovoye Russia 51°4N 40°16E 86 E5
Khromtaū Kazakhstan 50°17N 58°27E 108 B5
Khrysokhou B. Cyprus 35°6N 32°25E 101 D11
Khuan Wa Thailand 7°53N 98°17E 121 a
Khudzhand = Khŭjand Tajikistan 40°17N 69°37E 109 D7
Khuff Si. Arabia 24°55N 44°53E 128 E5
Khūgīānī Afghan. 31°34N 66°32E 124 D2
Khuis Botswana 26°40S 21°49E 144 C3
Khuiyala India 27°9N 70°25E 124 F4
Khŭjand Tajikistan 40°17N 69°37E 109 D7
Khujner India 23°47N 76°36E 124 H7
Khukhan Thailand 14°42N 104°12E 120 E5
Khulna Bangla. 22°45N 89°34E 123 H16
Khulna □ Bangla. 22°25N 89°35E 123 H16
Khulo Georgia 41°33N 42°19E 87 K6
Khumago Botswana 20°26S 24°32E 144 B3
Khunjerab △ Pakistan 36°40N 75°30E 125 A6
Khunjerab Pass = Kinjirap Daban Asia 36°40N 75°25E 109 E9
Khūnsorkh Iran 27°9N 56°7E 129 E8
Khunti India 23°5N 85°17E 125 H11
Khūr Iran 32°55N 58°18E 129 C8
Khurai India 24°3N 78°23E 124 G8
Khurayş Si. Arabia 25°6N 48°2E 129 E6
Khurda India 20°11N 85°37E 126 D7
Khurja India 28°15N 77°58E 124 E7
Khūrmāl Iraq 35°18N 46°2E 105 E12
Khurr, Wādī al Iraq 32°3N 43°52E 128 C4
Khūsf Iran 32°46N 58°53E 129 C8
Khushab Pakistan 32°20N 72°20E 124 C5
Khust Ukraine 48°10N 23°18E 81 B8
Khutse ⌂ Botswana 23°31S 24°12E 144 B3
Khuzdar Pakistan 27°52N 66°30E 124 F2
Khūzestān □ Iran 31°0N 49°0E 129 D6
Khvāf Iran 34°33N 60°8E 129 C9
Khvājeh Iran 38°9N 46°35E 128 B5
Khvalynsk Russia 52°30N 48°2E 86 D9
Khvalynsky △ Russia 52°30N 48°0E 86 D9
Khvānsār Iran 29°56N 54°8E 129 D7
Khvatovka Russia 52°24N 46°32E 86 D8
Khvor Iran 33°45N 55°0E 129 C7
Khvorgū Iran 27°34N 56°27E 129 E8
Khvormūj Iran 28°40N 51°30E 129 D6
Khvoy Iran 38°35N 45°0E 105 C11
Khvoynaya Russia 58°58N 34°28E 84 C8
Khwae Noi → Thailand 14°1N 99°32E 120 E2
Khyber Pakhtunkhwa □ Pakistan 34°0N 72°0E 124 B5
Khyber Pass Afghan. 34°10N 71°8E 124 B4
Khyriv Ukraine 49°32N 22°50E 83 J9
Kia Fiji 16°16S 179°8E 154 a
Kiabukwa Dem. Rep. of the Congo 8°40S 24°48E 143 D1
Kiadho → India 19°37N 77°40E 126 E3
Kiama Australia 34°40S 150°50E 153 C9
Kiamba Phil. 6°2N 124°46E 119 C6
Kiambi Dem. Rep. of the Congo 7°15S 28°0E 142 D2
Kiambu □ Kenya 1°10S 36°50E 142 C4
Kiang West △ Gambia 13°25N 15°50W 138 C1
Kiangsi = Jiangxi □ China 27°30N 116°0E 117 D11
Kiangsu = Jiangsu □ China 33°0N 120°0E 115 H11
Kiato Greece 38°1N 22°45E 98 C4
Kibæk Denmark 56°2N 8°51E 63 H2
Kibale △ Uganda 0°16N 30°18E 142 B3
Kibanga Port Uganda 0°10N 32°58E 142 B3
Kibara Tanzania 2°8S 33°30E 142 C3
Kibare, Mts. Dem. Rep. of the Congo 8°25S 27°10E 142 D2
Kibira △ Burundi 3°6S 30°24E 142 C3
Kiboga Uganda 0°58N 31°45E 142 B3
Kibombo Dem. Rep. of the Congo 3°57S 25°53E 142 C2
Kibondo Tanzania 3°35S 30°45E 142 C3
Kibre Mengist Ethiopia 5°54N 38°59E 131 F2
Kıbrıs = Cyprus ■ Asia 35°0N 33°0E 101 E12
Kibumbu Burundi 3°32S 29°45E 142 C2
Kibungo Rwanda 2°10S 30°32E 142 C3
Kibuye Burundi 3°39S 29°59E 142 C2
Kibuye Rwanda 2°3S 29°21E 142 C2
Kibwesa Tanzania 6°30S 29°58E 142 D2
Kibwezi Kenya 2°27S 37°57E 142 C4
Kicasalih Turkey 41°23N 26°48E 97 E10
Kičevo Macedonia 41°34N 20°59E 96 E4
Kichha → India 28°41N 79°18E 125 E8
Kicking Horse Pass Canada 51°28N 116°16W 162 C5
Kidal Mali 18°26N 1°22E 139 B5
Kidal □ Mali 19°55N 1°5E 139 B5
Kidderminster U.K. 52°24N 2°15W 67 E5
Kidepo Valley △ Uganda 3°52N 33°50E 142 B3
Kidete Tanzania 6°25S 37°17E 142 D4
Kidira Senegal 14°28N 12°13W 138 C2
Kidnappers, C. N.Z. 39°38S 177°5E 154 F6
Kidsgrove U.K. 53°5N 2°14W 66 D5
Kidston Australia 18°52S 144°8E 150 B3
Kidugallo Tanzania 6°49S 38°15E 142 D4
Kiel Germany 54°19N 10°8E 76 A6
Kiel Canal = Nord-Ostsee-Kanal Germany 54°12N 9°32E 76 A5
Kielce Poland 50°52N 20°42E 83 H7
Kielder Water U.K. 55°11N 2°31W 66 B5
Kieler Bucht Germany 54°35N 10°25E 76 A6
Kiembara Burkina Faso 13°15N 2°44W 138 C4
Kienge Dem. Rep. of the Congo 10°30S 27°30E 143 E2
Kiessé Niger 13°29N 4°1E 139 C5
Kiev = Kyyiv Ukraine 50°30N 30°28E 75 C16
Kifaya Guinea 12°10N 13°4W 138 C2
Kiffa Mauritania 16°37N 11°24W 138 B2
Kifisos → Greece 38°35N 23°20E 98 C5
Kifissia Greece 38°4N 23°49E 98 C5
Kifrī Iraq 34°45N 45°0E 105 E11
Kigali Rwanda 1°59S 30°4E 142 C3
Kigarama Tanzania 1°1S 31°50E 142 C3
Kigezi ⌂ Uganda 0°34S 29°55E 142 C2
Kiği Turkey 39°18N 40°21E 105 C9
Kigoma □ Tanzania 5°0S 30°0E 142 D3
Kigoma-Ujiji Tanzania 4°55S 29°36E 142 C2
Kigomasha, Ras Tanzania 4°58S 38°58E 142 C4
Kigosi ⌂ Tanzania 4°10S 31°45E 142 C3
Kığzı Turkey 38°18N 43°25E 128 B4
Kihikihi N.Z. 38°2S 175°22E 154 E4
Kihnu Estonia 58°9N 24°1E 84 C3
Kii-Sanchi Japan 34°20N 136°0E 113 G8
Kii-Suidō Japan 33°40N 134°45E 113 H7
Kiira Dam Uganda 0°25N 33°0E 142 B3
Kikaiga-Shima Japan 28°19N 129°59E 113 K4
Kikiak = Rigolet Canada 54°10N 58°23W 165 B8
Kikinda Serbia 45°50N 20°30E 80 E5
Kikládhes = Kyklades Greece 37°0N 24°30E 98 E6
Kikoira Australia 33°39S 146°40E 153 B7
Kikuchi Japan 32°59N 130°47E 113 H5
Kikuyu Kenya 1°15S 36°40E 142 C4
Kikwit Dem. Rep. of the Congo 5°0S 18°45E 140 F3
Kil Sweden 59°30N 13°20E 62 E7
Kilafors Sweden 61°14N 16°36E 62 C10
Kilakkarai India 9°12N 78°47E 127 K4
Kilar India 33°6N 76°25E 124 C7
Kilbeggan Ireland 53°22N 7°30W 64 C4
Kilbrannan Sd. U.K. 55°37N 5°26W 65 F3
Kilbuck Mts. U.S.A. 60°36N 159°53W 166 C8
Kilchu N. Korea 40°57N 129°25E 115 D15
Kilcoy Australia 26°59S 152°30E 151 D5
Kildare Ireland 53°9N 6°55W 64 C5
Kildare □ Ireland 53°10N 6°50W 64 C5
Kildinstroy Russia 68°48N 33°6E 60 B25
Kilfinnane Ireland 52°21N 8°28W 64 D3
Kilgarvan Ireland 51°54N 9°27W 64 E2
Kilgore U.S.A. 32°23N 94°53W 176 E7
Kilgoris Kenya 1°0S 34°53E 142 C3
Kilibo Benin 8°32N 2°38E 139 D5
Kilifi Kenya 3°40S 39°48E 142 C4
Kilimanjaro Tanzania 3°7S 37°20E 142 C4
Kilimanjaro □ Tanzania 4°0S 38°0E 142 C4
Kilimanjaro △ Tanzania 3°2S 37°19E 142 C4
Kilimli Turkey 41°28N 31°50E 104 B4
Kilindini Kenya 4°4S 39°40E 142 C4
Kilinochchi Sri Lanka 9°24N 80°25E 127 K5
Kilis Turkey 36°42N 37°6E 104 D7
Kilis □ Turkey 36°50N 37°10E 104 D7
Kiliya Ukraine 45°28N 29°16E 81 E14
Kilkee Ireland 52°41N 9°39W 64 D2
Kilkeel U.K. 54°7N 5°55W 64 B5
Kilkenny Ireland 52°39N 7°15W 64 D4
Kilkenny □ Ireland 52°35N 7°15W 64 D4
Kilkieran B. Ireland 53°20N 9°41W 64 C2
Kilkis Greece 40°58N 22°57E 96 F6
Killala Ireland 54°13N 9°13W 64 B2
Killala B. Ireland 54°16N 9°8W 64 B2
Killaloe Canada 45°33N 77°25W 174 A7
Killaloe Ireland 52°48N 8°28W 64 D3
Killarney Australia 28°20S 152°18E 151 D5
Killarney Canada 49°10N 99°40W 163 D9
Killarney Ireland 52°4N 9°30W 64 D2
Killarney ⌂ Canada 46°2N 81°35W 164 C3
Killarney △ Ireland 52°0N 9°33W 64 D2
Killary Harbour Ireland 53°38N 9°52W 64 C2
Killdeer U.S.A. 47°22N 102°45W 172 B2
Killeberg Sweden 56°29N 14°5E 63 H8
Killeen U.S.A. 31°7N 97°44W 176 F6
Killin U.K. 56°28N 4°19W 65 E4
Killiney Ireland 53°15N 6°7W 64 C5
Killington Pk. U.S.A. 43°36N 72°49W 175 C12
Killini = Kyllini Greece 37°55N 21°8E 98 D3
Killini Greece 37°54N 22°25E 98 D4
Killiniq I. Canada 60°24N 64°37W 161 E19
Killorglin Ireland 52°6N 9°47W 64 D2
Killybegs Ireland 54°38N 8°26W 64 B3
Kilmarnock U.K. 55°37N 4°29W 65 F4
Kilmez Russia 56°58N 50°55E 86 B10
Kilmez → Russia 56°58N 50°28E 86 B10
Kilmore Australia 37°25S 144°53E 153 D6
Kilmore Quay Ireland 52°10N 6°36W 64 D5
Kilondo Tanzania 9°45S 34°20E 143 D3
Kilosa Tanzania 6°48S 37°0E 142 D4
Kilrush Ireland 52°38N 9°29W 64 D2
Kiltan I. India 11°29N 73°0E 127 J1
Kilwa Kisiwani Tanzania 8°58S 39°32E 143 D4
Kilwa Kivinje Tanzania 8°45S 39°25E 143 D4
Kilwa Masoko Tanzania 8°55S 39°30E 143 D4
Kilwinning U.K. 55°39N 4°43W 65 F4
Kim U.S.A. 37°15N 103°21W 169 H12
Kim → Cameroon 5°28N 11°7E 139 D7
Kimaam Indonesia 7°58S 138°53E 119 F9
Kimamba Tanzania 6°45S 37°10E 142 D4
Kimba Australia 33°8S 136°23E 152 B2
Kimball Nebr., U.S.A. 41°14N 103°40W 172 E2
Kimball S. Dak., U.S.A. 43°45N 98°57W 172 D4
Kimberley Australia 16°20S 127°0E 148 C4
Kimberley B.C., Canada 49°40N 115°59W 162 D5
Kimberley Ont., Canada 44°23N 80°32W 174 B4
Kimberley S. Africa 28°43S 24°46E 144 C3
Kimberly U.S.A. 42°32N 114°22W 168 E6
Kimch'aek N. Korea 40°40N 129°10E 115 D15
Kimhae = Gimhae S. Korea 35°14N 128°53E 115 G15
Kimi Greece 38°38N 24°6E 98 C6
Kimmirut Canada 62°50N 69°50W 161 E18
Kimolos Greece 36°48N 24°37E 98 E6
Kimovsk Russia 54°0N 38°29E 84 E10
Kimparana Mali 12°48N 5°0W 138 C4
Kimpese Dem. Rep. of the Congo 5°33S 14°26E 140 F2
Kimry Russia 56°55N 37°15E 84 D9
Kimstad Sweden 58°35N 15°58E 63 F9
Kinabalu, Gunung Malaysia 6°3N 116°14E 118 C5
Kinango Kenya 4°8S 39°19E 142 C4
Kinard U.S.A. 30°16N 85°15W 178 E4
Kinaros Greece 36°59N 26°15E 99 E8
Kinaskan L. Canada 57°38N 130°8W 162 B2
Kinbasket L. Canada 52°0N 118°10W 162 C5
Kincardine Canada 44°10N 81°40W 174 B3
Kinchafoonee Cr. → U.S.A. 31°38N 84°10W 178 D5
Kinchega △ Australia 32°27S 142°15E 152 B5
Kincolith Canada 55°0N 129°57W 162 C3
Kinda Dem. Rep. of the Congo 9°18S 25°4E 143 D2
Kindberg Austria 47°30N 15°27E 78 D8
Kinde U.S.A. 43°56N 83°0W 174 C2
Kinder Scout U.K. 53°24N 1°52W 66 D6
Kindersley Canada 51°30N 109°10W 163 C7
Kindia Guinea 10°0N 12°52W 138 D2
Kindu Dem. Rep. of the Congo 2°55S 25°50E 142 C2
Kinel Russia 53°15N 50°40E 86 D10
Kineshma Russia 57°30N 42°5E 86 B6
Kinesi Tanzania 1°25S 33°50E 142 C3
King, L. Australia 33°10S 119°35E 149 F2
King, Mt. Australia 25°10S 147°30E 150 D4
King Abdullah Economic City Si. Arabia 22°24N 39°5E 137 C4
King Christian I. Canada 77°48N 101°40W 161 B11
King City U.S.A. 36°13N 121°8W 170 J5
King Cr. → Australia 24°35S 139°30E 150 C2
King Edward → Australia 14°14S 126°35E 148 B4
King Edward Point S. Georgia 54°17S 36°30W 55 B1
King Frederick VI Land = Kong Frederik VI.s Kyst Greenland 63°0N 43°0W 57 E6
King George B. Falk. Is. 51°30S 60°30W 192 D4
King George I. Antarctica 60°0S 60°0W 55 C18
King George Is. Canada 57°20N 80°30W 161 F15
King George Sd. Australia 35°5S 118°0E 149 G2
King I. = Kadan Kyun Burma 12°30N 98°20E 120 F2
King I. Australia 39°50S 144°0E 151 F3
King I. Canada 52°10N 127°40W 162 C3
King Khalid Int. ✈ (RUH) Si. Arabia 24°57N 46°42E 128 E4
King Khalid Military City = Madinat al Malik Khālid al Askarīyah Si. Arabia 27°54N 45°31E 128 E5
King Leopold Ranges Australia 17°30S 125°45E 148 C4
King of Prussia U.S.A. 40°5N 75°23W 175 F9
King Sd. Australia 16°50S 123°20E 148 C3
King Sejong Antarctica 62°30S 58°0W 55 C18
King Shaka Int. ✈ (DUR) S. Africa 29°37S 31°7E 145 C5
King William I. Canada 69°10N 97°25W 160 D12
King William's Town S. Africa 32°51S 27°22E 144 D4
Kingaok = Bathurst Inlet Canada 66°50N 108°1W 160 D10
Kingaroy Australia 26°32S 151°51E 151 D5
Kingfisher U.S.A. 35°52N 97°56W 176 D6
Kingirbān Iraq 34°40N 44°54E 128 C5
Kingisepp = Kuressaare Estonia 58°15N 22°30E 84 C2
Kingisepp Russia 59°25N 28°40E 84 C5
Kinglake △ Australia 37°30S 145°22E 153 D6
Kingman Ariz., U.S.A. 35°12N 114°4W 171 K12
Kingman Kans., U.S.A. 37°39N 98°7W 172 G4
Kingoonya Australia 30°55S 135°19E 151 E2
Kingri Pakistan 30°27N 69°49E 124 D3
Kings → U.S.A. 36°3N 119°50W 170 J7
Kings Canyon Australia 24°15S 131°34E 148 D5
Kings Canyon △ U.S.A. 36°50N 118°40W 170 J8
King's Lynn U.K. 52°45N 0°24E 66 E8
Kings Park U.S.A. 40°53N 73°16W 175 F11
Kings Peak U.S.A. 40°46N 110°23W 168 F8
King's Trough Atl. Oc. 43°48N 22°0W 56 B9
Kingsbridge U.K. 50°17N 3°47W 67 G4
Kingsburg U.S.A. 36°31N 119°33W 170 J7
Kingscote Australia 35°40S 137°38E 152 C2
Kingscourt Ireland 53°54N 6°48W 64 C5
Kingsford U.S.A. 45°48N 88°4W 172 C9
Kingsland U.S.A. 30°48N 81°41W 178 E8
Kingsport U.S.A. 36°33N 82°33W 177 C13
Kingston Canada 44°14N 76°30W 175 B8
Kingston Jamaica 17°55N 76°50W 182 a
Kingston N.Z. 45°20S 168°43E 155 F3
Kingston N.H., U.S.A. 42°56N 71°3W 175 D13
Kingston N.Y., U.S.A. 41°56N 73°59W 175 E11
Kingston Pa., U.S.A. 41°16N 75°54W 175 E9
Kingston R.I., U.S.A. 41°29N 71°30W 175 E13
Kingston Pk. U.S.A. 35°44N 115°55W 171 K11
Kingston South East Australia 36°51S 139°55E 152 D3
Kingston upon Hull U.K. 53°45N 0°21W 66 D7
Kingston upon Hull □ U.K. 53°45N 0°21W 66 D7
Kingston-upon-Thames □ U.K. 51°24N 0°17W 67 F7
Kingstown Australia 30°29S 151°6E 153 A9
Kingstown St. Vincent 13°10N 61°10W 183 D7
Kingstree U.S.A. 33°40N 79°50W 178 B10
Kingsville Canada 42°2N 82°45W 174 D2
Kingsville U.S.A. 27°31N 97°52W 176 H6
Kingussie U.K. 57°6N 4°2W 65 D4
Kingwood U.S.A. 30°2N 95°16W 176 F7
Kınık Antalya, Turkey 36°20N 29°20E 99 E11
Kınık İzmir, Turkey 39°6N 27°24E 99 B9
Kinistino Canada 52°57N 105°2W 163 C7
Kinjirap Daban Asia 36°40N 75°25E 109 E9
Kinkala Congo 4°18S 14°49E 140 E2
Kinki □ Japan 33°45N 136°0E 113 H8
Kinleith N.Z. 38°20S 175°56E 154 E4
Kinlochleven U.K. 56°43N 5°0W 65 E4
Kinmount Canada 44°48N 78°45W 174 B6
Kinna Sweden 57°32N 12°42E 63 G6
Kinnairds Hd. U.K. 57°43N 2°1W 65 D6
Kinnared Sweden 57°2N 13°7E 63 G7
Kinnarodden = Nordkinn Norway 71°8N 27°40E 60 A22
Kinnarp Sweden 58°5N 13°32E 63 F7
Kinneviken Sweden 58°35N 13°15E 63 F7
Kinngait Canada 64°14N 76°32W 161 E16
Kinniyai Sri Lanka 8°29N 81°11E 127 K5
Kino Nuevo Mexico 28°52N 112°3W 180 B2
Kinoje → Canada 52°8N 81°25W 164 B3
Kinomoto Japan 35°30N 136°13E 113 G8
Kinoni Uganda 0°41S 30°28E 142 C3
Kinoosao Canada 57°5N 102°1W 163 B8
Kinross U.K. 56°13N 3°25W 65 E5
Kinsale Ireland 51°42N 8°31W 64 E3
Kinsale, Old Hd. of Ireland 51°37N 8°33W 64 E3
Kinsha = Chang Jiang → China 31°48N 121°10E 117 B13
Kinshasa Dem. Rep. of the Congo 4°20S 15°15E 140 E3
Kinsley U.S.A. 37°55N 99°25W 172 G4
Kinsman U.S.A. 41°26N 80°35W 174 E4
Kinston Ala., U.S.A. 31°13N 86°10W 178 D3
Kinston N.C., U.S.A. 35°16N 77°35W 177 D16
Kintamani Indonesia 8°14S 115°19E 119 J18
Kintampo Ghana 8°5N 1°41W 139 D4
Kintore U.K. 57°14N 2°20W 65 D6
Kintore Ra. Australia 23°15S 128°47E 148 D4
Kintyre U.K. 55°30N 5°35W 65 F3
Kintyre, Mull of U.K. 55°17N 5°47W 65 F3
Kinushseo → Canada 55°15N 83°45W 164 A3
Kinuso Canada 55°20N 115°25W 162 B5
Kinvarra Ireland 53°8N 8°56W 64 C3
Kinwat India 19°38N 78°12E 126 E4
Kinyangiri Tanzania 4°25S 34°37E 142 C3
Kinyeti South Sudan 3°57N 32°54E 142 B3
Kinzig → Germany 48°36N 7°49E 77 G3
Kinzua U.S.A. 41°52N 78°58W 174 E6
Kioni Greece 38°27N 20°41E 98 C2
Kiosk Canada 46°6N 78°53W 164 C4
Kiowa Kans., U.S.A. 37°1N 98°29W 172 G4
Kiowa Okla., U.S.A. 34°43N 95°54W 176 D7
Kipahigan L. Canada 55°20N 101°55W 163 B8
Kipanga Tanzania 6°15S 35°20E 142 D4
Kiparissia Greece 37°15N 21°40E 98 D3
Kiparissiakos Kolpos Greece 37°25N 21°25E 98 D3
Kipawa, L. Canada 46°50N 79°0W 164 C4
Kipembawe Tanzania 7°38S 33°27E 142 D3
Kipengere Ra. Tanzania 9°12S 34°15E 143 D3
Kipili Tanzania 7°28S 30°32E 142 D3
Kipini Kenya 2°30S 40°32E 142 C5
Kipling Canada 50°6N 102°38W 163 C8
Kippure Ireland 53°11N 6°21W 64 C5
Kipushi Dem. Rep. of the Congo 11°48S 27°12E 143 E2
Kira Uganda 0°24N 32°38E 142 B3
Kira Panagia Greece 39°17N 24°4E 98 B6
Kirandul India 18°33N 81°10E 126 E5
Kirane Mali 15°20N 10°20W 138 B2
Kiraz Turkey 38°14N 28°13E 99 C10
Kirazlı Turkey 40°2N 26°41E 97 F10
Kirchhain Germany 50°47N 8°56E 76 E4
Kirchheim Germany 48°39N 9°27E 77 G5
Kirchheimbolanden Germany 49°40N 8°0E 77 F3
Kirchschlag Austria 47°30N 16°19E 79 D9
Kireç Turkey 39°33N 28°22E 99 B10
Kirensk Russia 57°50N 107°55E 107 D11
Kirghiz Range Asia 42°40N 73°40E 109 D8
Kirghizia = Kyrgyzstan ■ Asia 42°0N 75°0E 109 D9
Kirgiziya Steppe Eurasia 50°0N 55°0E 108 C5
Kiri Buru India 22°0N 85°0E 126 D7
Kiribati ■ Pac. Oc. 3°0S 180°0E 147 B10
Kırıkhan Turkey 36°31N 36°21E 104 D7
Kırıkkale Turkey 39°51N 33°32E 104 C5
Kirikopuni N.Z. 35°50S 174°1E 154 B3
Kirillov Russia 59°49N 38°24E 84 C10
Kirin = Jilin China 43°44N 126°30E 115 C14
Kirindi Oya → Sri Lanka 6°15N 81°20E 127 L5
Kirinyaga = Kenya, Mt. Kenya 0°10S 37°18E 142 C4
Kirinyaga □ Kenya 0°30S 37°20E 142 C4
Kirirom △ Cambodia 11°18N 104°5E 121 G5
Kirishi Russia 59°28N 32°0E 84 C7
Kirishima Japan 31°44N 130°46E 113 J5
Kirishima Yaku △ Japan 31°24N 130°50E 113 J5
Kiritimati Kiribati 1°58N 157°27W 157 G12
Kirka Turkey 39°17N 30°33E 99 B12
Kirkağaç Turkey 39°8N 27°40E 99 B9
Kirkby U.K. 53°30N 2°54W 66 D5
Kirkby-in-Ashfield U.K. 53°6N 1°14W 66 D6
Kirkby Lonsdale U.K. 54°12N 2°36W 66 C5
Kirkby Stephen U.K. 54°29N 2°21W 66 C5
Kirkcaldy U.K. 56°7N 3°9W 65 E5
Kirkcudbright U.K. 54°50N 4°2W 65 G4
Kirkenes Norway 69°40N 30°5E 60 B24
Kirkfield Canada 44°34N 78°59W 174 B6
Kirkintilloch U.K. 55°56N 4°8W 65 F4
Kirkjubæjarklaustur Iceland 63°47N 18°4W 60 E4
Kirkkonummi Finland 60°8N 24°26E 84 B3
Kirkland U.S.A. 47°40N 122°12W 170 C4
Kirkland Lake Canada 48°9N 80°2W 164 C3
Kirklareli Turkey 41°44N 27°15E 97 E11
Kirklareli □ Turkey 41°45N 27°15E 97 E11
Kirkliston Ra. N.Z. 44°25S 170°34E 155 E5
Kirkpatrick, Mt. Antarctica 84°20S 166°25E 55 E11
Kirksville U.S.A. 40°12N 92°35W 172 E7
Kirkūk Iraq 35°30N 44°21E 105 E11
Kirkwall U.K. 58°59N 2°58W 65 C6
Kirkwood S. Africa 33°22S 25°15E 144 D4
Kirlampudi India 17°12N 82°12E 126 F6
Kirn Germany 49°47N 7°26E 77 F3
Kirov Kaluga, Russia 54°3N 34°20E 84 E8
Kirov Kirov, Russia 58°35N 49°40E 106 D5
Kirovabad = Gäncä Azerbaijan 40°45N 46°20E 87 K8
Kirovograd = Kirovohrad Ukraine 48°35N 32°20E 85 H7
Kirovohrad Ukraine 48°35N 32°20E 85 H7
Kirovohrad □ Ukraine 48°30N 31°30E 85 H6
Kirovskiy = Balpyq Bī Kazakhstan 44°52N 78°12E 109 D9
Kirovskiy Astrakhan, Russia 45°51N 48°11E 87 H9
Kirovskiy Kamchatka, Russia 54°27N 155°42E 107 D16
Kirovskiy Primorsk, Russia 45°7N 133°30E 112 B6
Kirriemuir U.K. 56°41N 3°1W 65 E5
Kirsanov Russia 52°35N 42°40E 86 D6
Kırşehir Turkey 39°14N 34°5E 104 C6
Kirtachi Niger 12°52N 2°30E 139 C5
Kirthar △ Pakistan 25°45N 67°30E 124 F2
Kirthar Range Pakistan 27°0N 67°0E 124 F2
Kirtland U.S.A. 36°44N 108°21W 169 H9
Kiruna Sweden 67°52N 20°15E 60 C19
Kirundu Dem. Rep. of the Congo 0°50S 25°35E 142 C2
Kirya Russia 55°8N 46°55E 86 C8
Kiryū Japan 36°24N 139°20E 113 F9
Kisa Sweden 58°0N 15°39E 63 G9
Kisaga Tanzania 4°30S 34°23E 142 C3
Kisalföld Hungary 47°30N 17°0E 80 C2
Kisanga Dem. Rep. of the Congo 2°30N 26°35E 142 B2
Kisangani Dem. Rep. of the Congo 0°35N 25°15E 142 B2
Kisar Indonesia 8°5S 127°10E 119 F7
Kisarawe Tanzania 6°53S 39°0E 142 D4
Kisarazu Japan 35°23N 139°55E 113 G9
Kisbér Hungary 47°30N 18°2E 80 C3
Kiselevsk Russia 54°5N 86°39E 109 B11
Kish = Qeys Iran 26°32N 53°58E 129 E7
Kishanganga → Pakistan 34°18N 73°28E 125 B5
Kishanganj India 26°3N 88°14E 125 F13
Kishangarh Raj., India 26°34N 74°52E 124 F6
Kishangarh Raj., India 27°50N 70°30E 124 F4
Kishi Nigeria 9°1N 3°52E 139 D5
Kishinev = Chişinău Moldova 47°2N 28°50E 81 C13
Kishiwada Japan 34°28N 135°22E 113 G7
Kishkenekol Kazakhstan 53°38N 72°20E 109 B8
Kishtwar India 33°20N 75°48E 124 C6
Kisielice Poland 53°36N 19°16E 82 E6
Kisigo ⌂ Tanzania 6°27S 34°17E 142 D3
Kisii Kenya 0°40S 34°45E 142 C3
Kisiju Tanzania 7°23S 39°19E 142 D4
Kisir Turkey 41°0N 43°5E 105 B10
Kisizi Uganda 1°0S 29°58E 142 C2
Kiska I. U.S.A. 51°59N 177°30E 166 E3
Kiskomárom = Zalakomár Hungary 46°33N 17°10E 80 D2
Kiskőrei-víztároló Hungary 47°31N 20°36E 80 C5
Kiskőrös Hungary 46°37N 19°20E 80 D4
Kiskundorozsma Hungary 46°16N 20°5E 80 D5
Kiskunfélegyháza Hungary 46°42N 19°53E 80 D4
Kiskunhalas Hungary 46°28N 19°37E 80 D4
Kiskunmajsa Hungary 46°30N 19°48E 80 D4
Kiskunsági △ Hungary 46°39N 19°30E 80 D4
Kislovodsk Russia 43°50N 42°45E 87 J6
Kismaayo Somalia 0°22S 42°32E 131 H3
Kiso-Gawa → Japan 35°20N 136°45E 113 G8
Kiso-Sammyaku Japan 35°45N 137°45E 113 G8
Kisofukushima Japan 35°52N 137°43E 113 G8
Kisoro Uganda 1°17S 29°48E 142 C2
Kissamos Greece 35°29N 23°38E 101 D5
Kissamou, Kolpos Greece 35°30N 23°38E 101 D5
Kissidougou Guinea 9°5N 10°5W 138 D2
Kissimmee U.S.A. 28°18N 81°24W 179 G8
Kissimmee → U.S.A. 27°9N 80°52W 179 H8
Kissimmee, L. U.S.A. 27°55N 81°17W 179 H8
Kississing L. Canada 55°10N 101°20W 163 B8
Kissónerga Cyprus 34°49N 32°24E 101 E11
Kissu, J. Sudan 21°37N 25°10E 137 C2
Kistanje Croatia 43°58N 15°55E 93 E12
Kisújszállás Hungary 47°12N 20°50E 80 C5
Kisumu Kenya 0°3S 34°45E 142 C3
Kisvárda Hungary 48°14N 22°4E 80 B7
Kiswani Tanzania 4°5S 37°57E 142 C4
Kiswere Tanzania 9°27S 39°30E 143 D4
Kit Carson U.S.A. 38°46N 102°48W 168 G12
Kita Mali 13°5N 9°25W 138 C3
Kitaibaraki Japan 36°50N 140°45E 113 F10
Kitakami Japan 39°20N 141°10E 112 E10
Kitakami-Gawa → Japan 38°25N 141°19E 112 E10
Kitakami-Sammyaku Japan 39°30N 141°30E 112 E10
Kitakata Japan 37°39N 139°52E 112 F9
Kitakyūshū Japan 33°50N 130°50E 113 H5
Kitale Kenya 1°0N 35°0E 142 B4
Kitami Japan 43°48N 143°54E 112 C11
Kitami-Sammyaku Japan 44°22N 142°43E 112 B11
Kitangiri, L. Tanzania 4°5S 34°20E 142 C3
Kitaya Tanzania 10°38S 40°8E 143 E5
Kitchener Canada 43°27N 80°29W 174 C4
Kitee Finland 62°5N 30°8E 84 A6
Kitega = Gitega Burundi 3°26S 29°56E 142 C2
Kitengo Dem. Rep. of the Congo 7°26S 24°8E 142 D1
Kitgum Uganda 3°17N 32°52E 142 B3
Kíthira = Kythira Greece 36°8N 23°0E 98 E5
Kíthnos = Kythnos Greece 37°26N 24°27E 98 D6
Kiti Cyprus 34°50N 33°34E 101 E12
Kiti, C. Cyprus 34°48N 33°36E 101 E12
Kitikmeot Canada 67°0N 110°0W 160 D9
Kitimat Canada 54°3N 128°38W 162 C3
Kitinen → Finland 67°14N 27°27E 60 C22
Kitros Greece 40°22N 22°34E 96 F6
Kitsman Ukraine 48°26N 25°46E 81 B10
Kitsuki Japan 33°25N 131°37E 113 H5
Kittakittaooloo, L. Australia 28°3S 138°14E 151 D2
Kittanning U.S.A. 40°49N 79°31W 174 F5
Kittatinny Mt. U.S.A. 41°19N 74°39W 175 F10
Kittery U.S.A. 43°5N 70°45W 175 C14
Kittilä Finland 67°40N 24°51E 60 C21
Kitui Kenya 1°17S 38°0E 142 C4
Kitui □ Kenya 1°30S 38°25E 142 C4
Kitwanga Canada 55°6N 128°4W 162 B3
Kitwe Zambia 12°54S 28°13E 143 E2
Kitzbühel Austria 47°27N 12°24E 78 D5
Kitzbühler Alpen Austria 47°20N 12°20E 78 D5
Kitzingen Germany 49°44N 10°9E 77 F6
Kiunga Marine ⌂ Kenya 2°1S 41°14E 142 C5
Kivalliq Canada 62°0N 97°30W 160 E12
Kivarli India 24°33N 72°46E 124 G5
Kivertsi Ukraine 50°50N 25°28E 75 C13
Kividhes Cyprus 34°46N 32°51E 101 E11
Kivik Sweden 55°41N 14°13E 63 J8
Kivotos Greece 40°13N 21°26E 96 F5
Kivu, L. Dem. Rep. of the Congo 1°48S 29°0E 142 C2
Kiwirrkurra Australia 22°49S 127°45E 148 D4
Kiwirrkurra ✪ Australia 22°49S 127°45E 148 D4
Kiyev = Kyyiv Ukraine 50°30N 30°28E 75 C16
Kiyevskoye Vdkhr. = Kyyivske Vdskh. Ukraine 51°0N 30°25E 75 C16
Kıyıköy Turkey 41°38N 28°5E 97 E12
Kizhi, Ostrov Russia 62°4N 35°13E 84 B8
Kiziba-Baluba ⌂ Dem. Rep. of the Congo 11°50S 28°0E 143 E2
Kiziguru Rwanda 1°46S 30°23E 142 C3
Kızıl Adalar Turkey 40°52N 29°5E 97 F13
Kızıl Irmak → Turkey 41°44N 35°58E 104 B6
Kizil Jilga China 35°26N 78°50E 125 B8
Kizil Yurt Russia 43°13N 46°54E 87 J8
Kızılcabölük Turkey 37°37N 29°1E 99 D11
Kızılcadağ Turkey 37°1N 29°58E 99 D11
Kızılcahamam Turkey 40°30N 32°30E 104 B5
Kızıldağ △ Turkey 38°5N 31°20E 128 B1
Kızılhisar Turkey 37°32N 29°17E 104 D3
Kızılırmak Turkey 40°21N 33°59E 104 B5
Kızılkaya Turkey 37°18N 30°27E 99 D12
Kızılören Turkey 38°15N 30°10E 99 C12
Kızıltepe Turkey 37°12N 40°35E 105 D9
Kizimkazi Tanzania 6°28S 39°30E 142 D4
Kizlyar Russia 43°51N 46°40E 87 J8
Kizyl-Arvat = Serdar Turkmenistan 39°4N 56°23E 129 B8
Kjellerup Denmark 56°17N 9°25E 63 H3
Kjölur Iceland 64°50N 19°25W 60 D4
Kladanj Bos.-H. 44°14N 18°42E 80 F3
Kladnica Serbia 43°23N 20°2E 96 C4
Kladno Czech Rep. 50°10N 14°7E 78 A7
Kladovo Serbia 44°36N 22°33E 96 B6
Klaeng Thailand 12°47N 101°39E 120 F3
Klagenfurt Austria 46°38N 14°20E 78 E7
Klaipėda Lithuania 55°43N 21°10E 82 C8
Klaipėda □ Lithuania 55°43N 21°7E 82 C8
Klaksvík Færoe Is. 62°14N 6°35W 60 E9
Klamath → U.S.A. 41°33N 124°5W 168 F1
Klamath Falls U.S.A. 42°13N 121°46W 168 E3
Klamath Mts. U.S.A. 41°50N 123°20W 168 F2
Klamono Indonesia 1°8S 131°30E 119 E8
Klang Malaysia 3°2N 101°26E 121 L3
Klanjec Croatia 46°3N 15°45E 93 B12
Klappan → Canada 58°0N 129°43W 162 B3
Klarälven → Sweden 59°23N 13°32E 62 E7
Klässbol Sweden 59°33N 12°45E 62 E6
Klatovy Czech Rep. 49°23N 13°18E 78 B6
Klawer S. Africa 31°44S 18°36E 144 D2
Klazienaveen Neths. 52°44N 7°0E 69 B6
Klé Mali 12°0N 6°28W 138 C3
Klecko Poland 52°38N 17°25E 83 F4
Kleczew Poland 52°22N 18°9E 83 F5
Kleena Kleene Canada 52°0N 124°59W 162 C4
Klein-Karas Namibia 27°33S 18°7E 144 C2
Kleinbegin S. Africa 28°54S 21°40E 144 C3
Klekovača Bos.-H. 44°25N 16°32E 93 D13
Klembivka Ukraine 48°23N 28°25E 81 B13
Klenoec Macedonia 41°32N 20°49E 96 E4
Klenovec Slovak Rep. 48°36N 19°54E 79 C12
Klerksdorp S. Africa 26°53S 26°38E 144 C4
Kleszczele Poland 52°35N 23°19E 83 F10
Kletnya Russia 53°23N 33°12E 84 F7
Kletsk = Klyetsk Belarus 53°5N 26°45E 75 B14
Kletskiy Russia 49°16N 43°11E 87 F6
Kleve Germany 51°47N 6°7E 76 D2
Klickitat U.S.A. 45°49N 121°9W 168 D3
Klickitat → U.S.A. 45°42N 121°17W 170 E5
Klidhes Cyprus 35°42N 34°36E 101 D13
Klimovichi Belarus 53°36N 32°0E 84 F6
Klimovsk Russia 55°21N 37°28E 84 E9
Klin Russia 56°20N 36°48E 84 D9
Klinaklini → Canada 51°21N 125°40W 162 C3
Klinë Kosovo 42°37N 20°35E 96 D4
Klintehamn Sweden 57°24N 18°12E 63 G12

Klintsy Russia 52°50N 32°10E 85 F7
Klip → S. Africa 27°3S 29°3E 145 C4
Klipdale S. Africa 34°19S 19°57E 144 D2
Klippan Sweden 56°8N 13°10E 63 H7
Klipplaat S. Africa 33°1S 24°22E 144 D3
Klishkivtsi Ukraine 48°26N 26°16E 81 B11
Klisura Bulgaria 42°40N 24°28E 97 D8
Kljajićevo Serbia 45°45N 19°17E 80 E4
Ključ Bos.-H. 44°32N 16°48E 93 D13
Kłobuck Poland 50°55N 18°55E 83 H5
Klockestrand Sweden 62°53N 17°55E 62 B11
Kłodawa Poland 52°15N 18°55E 83 F5
Kłodzko Poland 50°28N 16°38E 83 H3
Klondike Canada 64°0N 139°26W 160 E4
Klong Wang Chao △ Thailand 16°20N 99°9E 120 D2
Klos Albania 41°28N 20°10E 96 E4
Klosterneuburg Austria 48°18N 16°19E 79 C9
Klosters Switz. 46°52N 9°52E 77 J5
Klötze Germany 52°37N 11°10E 76 C7
Klouto Togo 6°57N 0°44E 139 D5
Klövsjö Sweden 62°32N 14°11E 62 B8
Kluane △ Canada 60°45N 139°30W 162 A1
Kluane L. Canada 61°15N 138°40W 160 E4
Kluang Malaysia 2°3N 103°18E 121 L4
Kluczbork Poland 50°58N 18°12E 83 H5
Klukwan U.S.A. 59°24N 135°54W 162 B1
Klungkung Indonesia 8°32S 115°24E 119 K18
Klyetsk Belarus 53°5N 26°45E 75 B14
Klyuchevskaya, Sopka Russia 55°50N 160°30E 107 D17
Klyuchi Russia 56°18N 160°51E 107 D17
Knäred Sweden 56°31N 13°19E 63 H7
Knaresborough U.K. 54°1N 1°28W 66 C6
Knee L. Man., Canada 55°3N 94°45W 164 A1
Knee L. Sask., Canada 55°51N 107°0W 163 B7
Kneïss, Îs. Tunisia 34°22N 10°18E 136 B6
Knezha Bulgaria 43°30N 24°5E 97 C8
Knight Inlet Canada 50°45N 125°40W 162 C3
Knighton U.K. 52°21N 3°3W 67 E4
Knights Ferry U.S.A. 37°50N 120°40W 170 H6
Knights Landing U.S.A. 38°48N 121°43W 170 G5
Knin Croatia 44°3N 16°17E 93 D13
Knislinge Sweden 56°12N 14°5E 63 H8
Knittelfeld Austria 47°13N 14°51E 78 D7
Knivsta Sweden 59°43N 17°48E 62 E11
Knjaževac Serbia 43°35N 22°18E 96 C6
Knob, C. Australia 34°32S 119°16E 149 F2
Knock Ireland 53°48N 8°55W 64 C3
Knockmealdown Mts. Ireland 52°14N 7°56W 64 D4
Knokke-Heist Belgium 51°21N 3°17E 69 C3
Knossos Greece 35°16N 25°10E 101 D7
Knowlton Canada 45°13N 72°31W 175 A12
Knox U.S.A. 41°18N 86°37W 172 E10
Knox Coast Antarctica 66°30S 108°0E 55 C8
Knoxville Ga., U.S.A. 32°47N 83°59W 178 C6
Knoxville Iowa, U.S.A. 41°19N 93°6W 172 E7
Knoxville Pa., U.S.A. 41°57N 77°27W 174 E7
Knoxville Tenn., U.S.A. 35°58N 83°55W 177 D13
Knud Rasmussen Land Greenland 78°0N 60°0W 57 B4
Knysna S. Africa 34°2S 23°2E 144 D3
Knyszyn Poland 53°20N 22°56E 82 E9
Ko Kha Thailand 18°11N 99°24E 120 C2
Ko Tarutao △ Thailand 6°31N 99°26E 121 J2
Ko Yao Thailand 8°7N 98°35E 121 a
Koani Tanzania 6°8S 39°17E 142 D4
Koartac = Quaqtaq Canada 60°55N 69°40W 161 E18
Koba Indonesia 6°37S 134°37E 119 F8
Kobarid Slovenia 46°15N 13°30E 93 B10
Kobayashi Japan 31°56N 130°59E 113 J5
Kōbe Japan 34°41N 135°13E 113 G7
Kobelyaky Ukraine 49°11N 34°9E 85 H8
København Denmark 55°40N 12°26E 63 J6
København ✈ (CPH) Denmark 55°37N 12°39E 63 J6
Kobenni Mauritania 15°58N 9°24W 138 B3
Kōbi-Sho E. China Sea 25°56N 123°41E 113 M1
Koblenz Germany 50°21N 7°36E 77 E3
Kobryn Belarus 52°15N 24°22E 75 B13
Kobuk → U.S.A. 66°54N 160°38W 166 B7
Kobuleti Georgia 41°55N 41°45E 87 K5
Kobyletska Polyana Ukraine 48°3N 24°4E 81 B9
Kobylin Poland 51°43N 17°12E 83 G4
Kobyłka Poland 52°20N 21°10E 83 F8
Kobylkino Russia 54°8N 43°56E 86 C6
Koca → Turkey 40°8N 27°57E 97 F11
Kocabaş Turkey 37°49N 29°20E 99 D11
Kocaeli Turkey 40°45N 29°50E 97 F13
Kocaeli □ Turkey 40°45N 29°55E 97 F13
Kočane Serbia 43°12N 21°52E 96 C5
Kočani Macedonia 41°55N 22°25E 96 E6
Koçarlı Turkey 37°45N 27°43E 99 D9
Koceljevo Serbia 44°28N 19°50E 96 B3
Kočevje Slovenia 45°39N 14°50E 93 C11
Koch Bihar India 26°22N 89°29E 123 F16
Kochas India 25°15N 83°56E 125 G10
Kocher → Germany 49°13N 9°12E 77 F5
Kochi India 9°58N 76°20E 127 K3
Kōchi Japan 33°30N 133°35E 113 H6
Kōchi □ Japan 33°40N 133°30E 113 H6
Kochiu = Gejiu China 23°20N 103°10E 116 F4
Kochkor Kyrgyzstan 42°13N 75°46E 109 D9
Kochubey Russia 44°23N 46°32E 87 H8
Kock Poland 51°38N 22°27E 83 G9
Kodala India 19°38N 84°57E 126 E7
Kodarma India 24°28N 85°36E 125 G11
Koddiyar B. Sri Lanka 8°33N 81°15E 127 K5
Kode Sweden 57°57N 11°51E 63 G5
Kodiak U.S.A. 57°47N 152°24W 166 D9
Kodiak I. U.S.A. 57°30N 152°45W 166 D9
Kodikkarai = Point Calimere India 10°17N 79°49E 127 J4
Kodinar India 20°46N 70°46E 124 J4
Kodinsk Russia 58°40N 99°10E 107 D10
Kodlipet India 12°48N 75°53E 127 H2
Kodori → Georgia 42°47N 41°10E 87 J5
Kodungallur = Cranganore India 10°13N 76°13E 127 J3
Kodyma Ukraine 48°6N 29°7E 81 B14
Koedoesberge S. Africa 32°40S 20°11E 144 D3
Koes Namibia 26°0S 19°15E 144 C2
Kofarnihon Tajikistan 38°33N 69°1E 109 E7
Kofçaz Turkey 41°58N 27°12E 97 E11
Koffiefontein S. Africa 29°30S 25°0E 144 C4
Kofiau Indonesia 1°11S 129°50E 119 E7
Köflach Austria 47°4N 15°15E 78 D8
Koforidua Ghana 6°3N 0°17W 139 D4
Kōfu Japan 35°40N 138°30E 113 G9
Koga Japan 36°11N 139°43E 113 F9
Kogaluc → Canada 56°12N 61°44W 165 A7
Køge Denmark 55°27N 12°11E 63 J6
Køge Bugt Denmark 55°34N 12°24E 63 J6
Kogi □ Nigeria 7°45N 6°45E 139 D6
Kogin Baba Nigeria 7°55N 11°35E 139 D7
Kogon Uzbekistan 39°43N 64°33E 108 E6
Koh-i-Khurd Afghan. 33°30N 65°59E 124 C1
Koh-i-Maran Pakistan 29°18N 66°50E 124 E2
Koh Ker Cambodia 13°47N 104°32E 120 F5
Koh Wai Thailand 11°54N 102°25E 121 H4
Kohat Pakistan 33°40N 71°29E 124 C4
Kohima India 25°35N 94°10E 123 G19
Kohkīlūyeh va Būyer Aḩmadi □ Iran 31°30N 50°30E 129 D6
Kohler Ra. Antarctica 77°0S 110°0W 55 D15
Kohlu Pakistan 29°54N 69°15E 124 E3
Kohtla-Järve Estonia 59°20N 27°20E 84 C4
Kohukohu N.Z. 35°22S 173°38E 154 B2
Kohylnyk → Ukraine 45°49N 29°40E 81 E14
Koi Sanjaq Iraq 36°5N 44°38E 105 D11
Koidu S. Leone 8°38N 10°59W 138 D2
Koihoa India 8°12N 93°29E 127 K11
Koilkuntla India 15°14N 78°19E 127 G4
Koillismaa Finland 65°44N 28°36E 60 D23
Koin N. Korea 40°28N 126°18E 115 D14
Koinare Bulgaria 43°21N 24°8E 97 C8
Koindu S. Leone 8°26N 10°19W 138 D2
Kojetín Czech Rep. 49°21N 17°20E 79 B10
Kojŏ N. Korea 38°58N 127°58E 115 E14
Kojonup Australia 33°48S 117°10E 149 F2
Kojūr Iran 36°23N 51°43E 129 B6
Kokand = Qo'qon Uzbekistan 40°31N 70°56E 109 D8
Kokang Burma 23°45N 98°30E 116 F2
Kokas Indonesia 2°42S 132°26E 119 E8
Kokava Slovak Rep. 48°35N 19°50E 79 C12
Kokcha → Afghan. 37°9N 69°24E 109 E7
Kokchetav = Kökshetaū Kazakhstan 53°20N 69°25E 109 B7
Kokemäenjoki → Finland 61°32N 21°44E 84 B1
Kokhma Russia 56°57N 41°8E 86 B5
Koki Senegal 15°30N 15°59W 138 B1
Kokkilai Sri Lanka 9°0N 80°57E 127 K5
Kokkola Finland 63°50N 23°8E 60 E20
Koko Nigeria 11°28N 4°29E 139 C5
Koko Kyunzu Burma 14°7N 93°22E 127 G11
Koko Nur = Qinghai Hu China 36°40N 100°10E 110 D9
Kokologo Burkina Faso 12°11N 1°53W 138 C4
Kokolopozo Ivory C. 5°8N 6°5W 138 D3
Kokomo U.S.A. 40°29N 86°8W 172 E10
Kokopo Papua N. G. 4°22S 152°19E 156 H7
Kokoro Niger 14°12N 0°55E 139 C5
Koksan N. Korea 38°46N 126°40E 115 E14
Kökshetaū Kazakhstan 53°20N 69°25E 109 B7
Koksoak → Canada 58°30N 68°10W 161 F18
Kokstad S. Africa 30°32S 29°29E 145 D4
Köktal Kazakhstan 44°8N 79°48E 109 D9
Kokubu = Kirishima Japan 31°44N 130°46E 113 J5
Kokyar China 37°23N 77°10E 109 E9
Kola Indonesia 5°35S 134°30E 119 F8
Kola Russia 68°45N 33°8E 60 B25
Kola Pen. = Kolskiy Poluostrov Russia 67°30N 38°0E 58 B13
Kolachel India 8°10N 77°15E 127 K3
Kolachi → Pakistan 27°8N 67°2E 124 F2
Kolahoi India 34°12N 75°22E 125 B6
Kolahun Liberia 8°15N 10°4W 138 D2
Kolaka Indonesia 4°3S 121°46E 119 E6
Kolar India 13°12N 78°15E 127 H4
Kolar Gold Fields India 12°58N 78°16E 127 H4
Kolaras India 25°14N 77°36E 124 G6
Kolari Finland 67°20N 23°48E 60 C20
Kolárovo Slovak Rep. 47°54N 18°0E 79 D10
Kolasib India 24°15N 92°45E 123 G18
Kolašin Montenegro 42°50N 19°31E 96 D3
Kolayat India 27°50N 72°50E 124 F5
Kolbäck Sweden 59°34N 16°15E 62 E10
Kolbäcksån → Sweden 59°36N 16°16E 62 E10
Kolbermoor Germany 47°51N 12°4E 77 H8
Kolbuszowa Poland 50°15N 21°46E 83 H8
Kolchugino Russia 56°17N 39°22E 84 D10
Kolda Senegal 12°55N 14°57W 138 C2
Kolda □ Senegal 13°5N 14°50W 138 C2
Kolding Denmark 55°30N 9°29E 63 J3
Koléa Algeria 36°38N 2°46E 136 A4
Kolepom = Dolak, Pulau Indonesia 8°0S 138°30E 119 F9
Kolguyev, Ostrov Russia 69°20N 48°30E 106 C5
Kolhapur India 16°43N 74°15E 126 F2
Kolia Ivory C. 9°46N 6°28W 138 D3
Kolimbia Greece 36°15N 28°10E 101 C10
Kolín Czech Rep. 50°2N 15°9E 78 A8
Kolind Denmark 56°21N 10°34E 63 H4
Kolkas rags Latvia 57°46N 22°37E 82 A9
Kolkata India 22°34N 88°21E 125 H13
Kollam India 8°50N 76°38E 127 K3
Kölleda Germany 51°11N 11°15E 76 D7
Kollegal India 12°9N 77°9E 127 H3
Kolleru L. India 16°40N 81°10E 126 F5
Kollum Neths. 53°17N 6°10E 69 A6
Kolmanskop Namibia 26°45S 15°14E 144 C2
Köln Germany 50°56N 6°57E 76 E2
Kolno Poland 53°25N 21°56E 82 E8
Koło Poland 52°14N 18°40E 83 F5
Kołobrzeg Poland 54°10N 15°35E 82 D2
Kolochava Ukraine 48°26N 23°41E 81 B8
Kolokani Mali 13°35N 7°45W 138 C3
Koloko Burkina Faso 11°5N 5°19W 138 C3
Kolomna Russia 55°8N 38°45E 84 E10
Kolomyya Ukraine 48°31N 25°2E 81 B10
Kolondiéba Mali 11°5N 6°54W 138 C3
Kolonodale Indonesia 2°0S 121°19E 119 E6
Kolonowskie Poland 50°39N 18°22E 83 H5
Kolpashevo Russia 58°20N 83°5E 106 D9
Kolpino Russia 59°44N 30°39E 84 C6
Kolpny Russia 52°17N 37°1E 85 F9
Kolskiy Poluostrov Russia 67°30N 38°0E 58 B13
Kolskiy Zaliv Russia 69°23N 34°0E 60 B26
Kolsva Sweden 59°36N 15°51E 62 E9
Kolubara → Serbia 44°35N 20°15E 96 B4
Koluszki Poland 51°45N 19°46E 83 G6
Kolwezi Dem. Rep. of the Congo 10°40S 25°25E 143 E2
Kolyma → Russia 69°30N 161°0E 107 C17
Kolymskoye Nagorye Russia 63°0N 157°0E 107 C16
Kôm Hamâda Egypt 30°46N 30°41E 137 E7
Kôm Ombo Egypt 24°25N 32°52E 137 C3
Koma Tou Yialou Cyprus 35°25N 34°8E 101 D13
Komadugu Gana → Nigeria 13°5N 12°24E 139 C7
Komandorskiye Is. = Komandorskiye Ostrova Russia 55°0N 167°0E 107 D17
Komandorskiye Ostrova Russia 55°0N 167°0E 107 D17
Komárno Slovak Rep. 47°49N 18°5E 79 D11
Komarnyky Ukraine 48°59N 23°8E 80 B8
Komárom Hungary 47°43N 18°7E 80 C3
Komárom-Esztergom □ Hungary 47°35N 18°20E 80 C3
Komatipoort S. Africa 25°25S 31°55E 145 C5
Komatsu Japan 36°25N 136°30E 113 F8
Komatsushima Japan 34°0N 134°35E 113 H7
Kombissiri Burkina Faso 12°4N 1°20W 139 C4
Kombori Burkina Faso 13°26N 3°56W 138 C4
Komboti Greece 39°6N 21°5E 98 B3
Kome Channel Uganda 0°10S 32°35E 142 C3
Komen Slovenia 45°49N 13°45E 93 C10
Komenda Ghana 5°4N 1°28W 139 D4
Komi Cyprus 35°24N 34°0E 101 D13
Komi □ Russia 64°0N 55°0E 106 C6
Komiža Croatia 43°3N 16°11E 93 E13
Komló Hungary 46°15N 18°16E 80 D3
Kommamur Canal India 16°0N 80°25E 127 G5
Kommunarsk = Alchevsk Ukraine 48°30N 38°45E 85 H10
Kommunizma, Pik = imeni Ismail Samani, Pik Tajikistan 39°0N 72°2E 109 E8
Komodo Indonesia 8°37S 119°20E 119 F5
Komoran, Pulau Indonesia 8°18S 138°45E 119 F9
Komoro Japan 36°19N 138°26E 113 F9
Komotini Greece 41°9N 25°26E 97 E9
Komovi Montenegro 42°41N 19°39E 96 D3
Kompasberg S. Africa 31°45S 24°32E 144 D3
Kompong Chhnang = Kampong Chhnang Cambodia 12°20N 104°35E 121 F5
Kompong Chikreng Cambodia 13°5N 104°18E 120 F5
Kompong Kleang Cambodia 13°6N 104°8E 120 F5
Kompong Luong Cambodia 11°49N 104°48E 121 G5
Kompong Pranak Cambodia 13°35N 104°55E 120 F5
Kompong Som = Kampong Saom Cambodia 10°38N 103°30E 121 G4
Kompong Som, Chhung = Kampong Saom, Chaak Cambodia 10°50N 103°32E 121 G4
Kompong Speu Cambodia 11°26N 104°32E 121 G5
Kompong Sralau Cambodia 14°5N 105°46E 120 E5
Kompong Thom Cambodia 12°35N 104°51E 120 F5
Kompong Trabeck Cambodia 13°6N 105°14E 120 F5
Kompong Trach Cambodia 11°25N 105°48E 121 G5
Kompong Tralach Cambodia 11°54N 104°47E 121 G5
Komrat = Comrat Moldova 46°18N 28°40E 81 D13
Komsberg S. Africa 32°40S 20°45E 144 D3
Komsomolets = Qarabalyq Kazakhstan 53°45N 62°2E 108 B6
Komsomolets, Ostrov Russia 80°30N 95°0E 107 A10
Komsomolsk Russia 57°2N 40°20E 84 D11
Komsomolsk Ukraine 49°1N 33°38E 85 H7
Komsomolsk-na-Amur Russia 50°30N 137°0E 111 A16
Komsomolskiy Russia 54°27N 45°33E 86 C7
Komsomolskoe Kazakhstan 50°25N 60°5E 108 B6
Kömür Burnu Turkey 38°39N 26°12E 99 C8
Kon Ka Kinh △ Vietnam 14°19N 107°23E 120 E6
Kon Tum Vietnam 14°24N 108°0E 120 E7
Kon Tum, Plateau du Vietnam 14°30N 108°30E 120 E7
Kona Mali 14°57N 3°53W 138 C4
Kona Nigeria 8°57N 11°21E 139 D7
Konakovo Russia 56°40N 36°51E 84 D9
Konar □ Afghan. 34°30N 71°3E 122 B7
Konarak India 19°54N 86°7E 126 E8
Konārak Iran 25°21N 60°23E 129 E9
Konārī Iran 28°13N 51°36E 129 D6
Konch India 26°0N 79°10E 125 G8
Kondagaon India 19°35N 81°35E 126 E5
Konde Tanzania 4°57S 39°45E 142 C4
Kondias Greece 39°49N 25°10E 99 B7
Kondinin Australia 32°34S 118°8E 149 F2
Kondoa Tanzania 4°55S 35°50E 142 C4
Kondopoga Russia 62°12N 34°17E 84 A8
Kondoz Afghan. 36°50N 68°50E 109 E7
Kondoz → Afghan. 37°0N 68°16E 109 E7
Kondratyevo Russia 57°22N 98°15E 107 D10
Kondrovo Russia 54°48N 35°56E 84 E8
Konduga Nigeria 11°35N 13°26E 139 C7
Kondukur India 15°12N 79°57E 127 G4
Kondūz □ Afghan. 36°50N 68°50E 109 E7
Köneürgench Turkmenistan 42°19N 59°10E 108 D5
Konevo Russia 62°8N 39°20E 84 A10
Kong = Khong → Cambodia 13°32N 105°58E 120 F5
Kong Ivory C. 8°54N 4°36W 138 D4
Kong, Koh Cambodia 11°20N 103°0E 121 G4
Kong Christian IX.s Land Greenland 68°0N 36°0W 57 D7
Kong Christian X.s Land Greenland 74°0N 29°0W 57 C8
Kong Frederik IX.s Land Greenland 67°0N 52°0W 57 D5
Kong Frederik VI.s Kyst Greenland 63°0N 43°0W 57 E6
Kong Frederik VIII.s Land Greenland 78°30N 26°0W 57 B8
Kong Karls Land Svalbard 79°0N 28°0E 57 B13
Kong Oscar Fjord Greenland 72°20N 24°0W 57 C8
Kongeå → Denmark 55°23N 8°39E 63 J2
Kongernes Nordsjælland △ Denmark 56°5N 12°15E 63 H6
Kongerslev Denmark 56°54N 10°6E 63 H4
Konglu Burma 27°13N 97°57E 123 F20
Kongolo Liberia 7°20N 11°6W 138 D2
Kongola Namibia 17°45S 23°20E 144 A3
Kongolo Kasai-Or., Dem. Rep. of the Congo 5°26S 24°49E 142 D1
Kongolo Katanga, Dem. Rep. of the Congo 5°22S 27°0E 142 D2
Kongossambougou △ Mali 14°0N 8°30W 138 C3
Kongoussi Burkina Faso 13°19N 1°32W 139 C4
Kongsberg Norway 59°39N 9°39E 61 G13
Kongsvinger Norway 60°12N 12°2E 61 F15
Kongur Shan China 38°34N 75°18E 109 E9
Kongwa Tanzania 6°11S 36°26E 142 D4
Koni Dem. Rep. of the Congo 10°40S 27°11E 143 E2
Koniakari Mali 14°35N 10°50W 138 C2
Koniecpol Poland 50°46N 19°40E 83 H6
Königs Wusterhausen Germany 52°19N 13°38E 76 C9
Königsbrunn Germany 48°16N 10°54E 77 G6
Königslutter Germany 52°15N 10°49E 76 C6
Konin Poland 52°12N 18°15E 83 F5
Konispol Albania 39°42N 20°10E 96 G4
Konitsa Greece 40°5N 20°48E 98 A2
Köniz Switz. 46°56N 7°25E 77 J3
Konjic Bos.-H. 43°42N 17°58E 80 G2
Konkiep Namibia 26°49S 17°15E 144 C2
Konkouré → Guinea 9°50N 13°42W 138 D2
Könnern Germany 51°41N 11°47E 76 D7
Konnur India 16°14N 74°49E 127 F2
Kono S. Leone 8°30N 11°5W 138 D2
Kononogo Ghana 6°40N 1°15W 139 D4
Konosha Russia 61°0N 40°5E 84 B11
Kōnosu Japan 36°3N 139°31E 113 F9
Konotop Ukraine 51°12N 33°7E 85 G7
Konqi He → China 40°45N 90°10E 109 D11
Końskie Poland 51°15N 20°23E 83 G7
Konsankoro Guinea 9°2N 9°0W 138 D3
Konstancin-Jeziorna Poland 52°5N 21°7E 83 F8
Konstantinovka = Kostyantynivka Ukraine 48°32N 37°39E 85 H9
Konstantinovsk Russia 47°33N 41°10E 87 G5
Konstantynów Łódźki Poland 51°45N 19°20E 83 G6
Konstanz Germany 47°40N 9°10E 77 H5
Kont Iran 26°55N 61°50E 129 E9
Konta India 17°48N 81°23E 126 F5
Kontagora Nigeria 10°23N 5°27E 139 C6
Kontcha Cameroon 7°59N 12°15E 139 D7
Kontiolahti Finland 62°46N 29°50E 60 E23
Kontokali Greece 39°38N 19°51E 101 A3
Konya Turkey 37°52N 32°35E 104 D5
Konya □ Turkey 37°46N 32°20E 104 D5
Konya Ovası Turkey 38°9N 33°5E 104 C5
Konz Germany 49°42N 6°34E 77 F2
Konza Kenya 1°45S 37°7E 142 C4
Koo-wee-rup Australia 38°13S 145°28E 153 E6
Koocanusa, L. Canada 49°20N 115°15W 168 B6
Kookynie Australia 29°17S 121°22E 149 E3
Koolyanobbing Australia 30°48S 119°36E 149 F2
Koondrook Australia 35°33S 144°8E 152 C6
Koonibba Australia 31°54S 133°25E 151 E1
Koorawatha Australia 34°2S 148°33E 153 C8
Koorda Australia 30°48S 117°35E 149 F2
Kooskia U.S.A. 46°9N 115°59W 168 C6
Kootenay → U.S.A. 49°19N 117°39W 162 D5
Kootenay △ Canada 51°0N 116°0W 162 C5
Kootenay L. Canada 49°45N 116°50W 168 B5
Kootingal Australia 31°3S 151°4E 153 A9
Kootjieskolk S. Africa 31°15S 20°21E 144 D3
Kopanovka Russia 47°28N 46°50E 87 G8
Kopaonik Serbia 43°10N 20°50E 96 C4
Kopaonik △ Serbia 43°20N 20°50E 96 C4
Kopargaon India 19°51N 74°28E 126 E2
Kópavogur Iceland 64°6N 21°55W 60 D3
Kopayhorod Ukraine 48°52N 27°53E 81 B12
Koper Slovenia 45°31N 13°44E 93 C10
Kopervik Norway 59°17N 5°17E 61 G11
Kopet Dagh Asia 38°0N 58°0E 129 B8
Kopeysk Russia 55°7N 61°37E 108 A6
Kopi Australia 33°24S 135°40E 151 E2
Köping Sweden 59°31N 16°3E 62 E10
Köpingsvik Sweden 56°53N 16°43E 63 H10
Kopište Croatia 42°48N 16°42E 93 F13
Kopliku Albania 42°15N 19°25E 96 D3
Köpmanholmen Sweden 63°10N 18°35E 62 A12
Koppa India 13°33N 75°21E 127 H2
Koppal India 15°23N 76°5E 127 G3
Kopparberg Sweden 59°52N 15°0E 62 E9
Koppeh Dāgh = Kopet Dagh Asia 38°0N 58°0E 129 B8
Koppies S. Africa 27°20S 27°30E 145 C4
Koppom Sweden 59°43N 12°10E 62 E6
Koprivlen Bulgaria 41°31N 23°53E 96 E7
Koprivnica Croatia 46°12N 16°45E 93 B13
Kopřivnice Czech Rep. 49°36N 18°9E 79 B11
Koprivshtitsa Bulgaria 42°40N 24°19E 97 D8
Köprübaşı Turkey 38°43N 28°23E 99 C10
Köprülü △ Turkey 37°20N 31°5E 128 B1
Kopychyntsi Ukraine 49°7N 25°58E 75 D13
Kora △ Kenya 0°14S 38°44E 142 C4
Korab Macedonia 41°44N 20°40E 96 E4
Koral India 21°50N 73°12E 124 J5
Korangal India 17°6N 77°38E 126 E3
Koraput India 18°50N 82°40E 126 E6
Korarou, L. Mali 15°15N 3°15W 138 B4
Korba India 22°20N 82°45E 125 H10
Korbach Germany 51°16N 8°52E 76 D4
Korbu, Gunung Malaysia 4°41N 101°18E 121 K3
Korçë Albania 40°37N 20°50E 96 F4
Korčula Croatia 42°56N 16°57E 93 F13
Korčulanski Kanal Croatia 43°3N 16°40E 93 E13
Kord Kūy Iran 36°48N 54°7E 129 B7
Kord Sheykh Iran 28°31N 52°53E 129 D7
Kordestan = Kurdistan Asia 37°20N 43°30E 105 D10
Kordestān □ Iran 36°0N 47°0E 128 C5
Kordofân Sudan 13°0N 29°0E 135 F11
Koré Mayroua Niger 13°18N 3°55E 139 C5
Korea, North ■ Asia 40°0N 127°0E 115 E14
Korea, South ■ Asia 36°0N 128°0E 115 G15
Korea Bay Korea 39°0N 124°0E 115 E13
Korea Strait Asia 34°0N 129°30E 115 H15
Koregaon India 17°40N 74°10E 126 F2
Korenevo Russia 51°27N 34°55E 85 G8
Korenovsk Russia 45°30N 39°22E 87 H4
Korets Ukraine 50°40N 27°5E 75 C14
Korfantów Poland 50°29N 17°36E 83 H4
Körfez Turkey 40°47N 29°44E 97 F13
Korff Ice Rise Antarctica 79°0S 69°30W 55 D17
Korgalzhyn = Qorghalzhyn Kazakhstan 50°25N 69°11E 109 B7
Korgan Turkey 40°44N 37°13E 104 B7
Korgus Sudan 19°16N 33°29E 137 D3
Korhogo Ivory C. 9°29N 5°28W 138 D3
Koribundu S. Leone 7°41N 11°46W 138 D2
Korienzé Mali 15°22N 3°50W 138 B4
Korinthiakos Kolpos Greece 38°16N 22°30E 98 C4
Korinthos Greece 37°56N 22°55E 98 D4
Korioumé Mali 16°35N 3°0W 138 B4
Korissia, L. Greece 39°27N 19°53E 101 B3
Kōriyama Japan 37°24N 140°23E 112 F10
Korkino Russia 54°54N 61°23E 108 B6
Korkuteli Turkey 37°4N 30°13E 99 D12
Korla China 41°45N 86°4E 109 D11
Kormakiti, C. Cyprus 35°23N 32°56E 101 D11
Körmend Hungary 47°5N 16°35E 80 C1
Kormor Iraq 35°8N 44°50E 105 E11
Kornat Croatia 43°50N 15°20E 93 E12
Kornat △ Croatia 43°50N 15°12E 93 E12
Korneshty = Cornești Moldova 47°21N 28°1E 81 C13
Korneuburg Austria 48°20N 16°20E 79 C9
Kórnik Poland 52°15N 17°6E 83 F4
Koro Fiji 17°19S 179°23E 154 a
Koro Ivory C. 8°32N 7°30W 138 D3
Koro Mali 14°1N 2°58W 138 C4
Koro Sea Fiji 17°30S 179°45W 154 a
Korocha Russia 50°54N 37°19E 85 G9
Köroğlu Dağları Turkey 40°38N 33°0E 104 B5
Korogwe Tanzania 5°5S 38°25E 142 D4
Koroit Australia 38°18S 142°24E 152 E5
Koroleve Ukraine 48°9N 23°8E 81 B8
Korolevu Fiji 18°12S 177°46E 154 a
Korona U.S.A. 29°25N 81°12W 179 F8
Koronadal Phil. 6°12N 124°51E 119 C6
Korong Vale Australia 36°22S 143°45E 152 D5
Koroni Greece 36°48N 21°57E 98 E3
Koronia, L. Greece 40°47N 23°10E 96 F7
Koronos Greece 37°12N 25°35E 99 D7
Koronowo Poland 53°19N 17°55E 83 E4
Koropets Ukraine 48°56N 25°10E 81 B10
Körös → Hungary 46°43N 20°12E 80 D5
Körös Maros △ Hungary 47°8N 20°52E 80 C5
Köröstarcsa Hungary 46°53N 21°3E 80 D6
Korosten Ukraine 50°54N 28°36E 75 C15
Korostyshev Ukraine 50°19N 29°4E 75 C15
Korotoyak Russia 51°1N 39°2E 85 G10
Korovou Fiji 17°47S 178°32E 154 a
Koroyanitu △ Fiji 17°40S 177°35E 154 a
Korsakov Russia 46°36N 142°42E 107 E15
Korsberga Sweden 57°19N 15°7E 63 G9
Korshiv Ukraine 48°39N 25°1E 81 B10
Korshunovo Russia 58°37N 110°10E 107 D12
Korsør Denmark 55°20N 11°9E 63 J5
Korsun Shevchenkovskiy Ukraine 49°26N 31°16E 85 H6
Korsze Poland 54°11N 21°9E 82 D8
Korti Sudan 18°6N 31°33E 137 D3
Kortrijk Belgium 50°50N 3°17E 69 D3
Korucu Turkey 39°28N 27°22E 99 B9
Korumburra Australia 38°26S 145°50E 153 E6
Korwai India 24°7N 78°5E 124 G8
Koryakskoye Nagorye Russia 61°0N 171°0E 107 C18
Koryukovka Ukraine 51°46N 32°16E 85 G7
Kos Greece 36°50N 27°15E 99 E9
Kosan N. Korea 38°52N 127°25E 115 E14
Kosaya Gora Russia 54°10N 37°30E 84 E9
Kościan Poland 52°5N 16°40E 83 F3
Kościerzyna Poland 54°8N 17°59E 82 D4
Kosciusko U.S.A. 33°4N 89°35W 177 E10
Kosciuszko, Mt. Australia 36°27S 148°16E 153 D8
Kosciuszko △ Australia 36°30S 148°20E 153 D8
Kosély → Hungary 47°25N 21°5E 80 C6
Kosgi Andhra Pradesh, India 16°58N 77°43E 126 F3
Kosgi Andhra Pradesh, India 15°51N 77°16E 127 G3
Kosha Sudan 20°50N 30°30E 137 C3
Koshava Bulgaria 44°4N 23°2E 96 B7
K'oshih = Kashi China 39°30N 76°2E 109 E9
Koshiki-Rettō Japan 31°45N 129°49E 113 J4
Koshim → Kazakhstan 49°20N 50°30E 86 F10
Kosi India 27°48N 77°29E 124 F7
Kosi → India 28°41N 78°57E 125 E8
Košice Slovak Rep. 48°42N 21°15E 79 C14
Košický □ Slovak Rep. 48°45N 21°0E 79 C14
Kosiv Ukraine 48°19N 25°6E 81 B10
Kosjerić Serbia 44°0N 19°55E 96 B3
Köşk Turkey 37°50N 28°3E 99 D10
Koskinou Greece 36°23N 28°13E 101 C10
Koslan Russia 63°34N 49°14E 106 C5
Kosmach Ukraine 48°20N 24°50E 81 B9
Kosŏng N. Korea 38°40N 128°22E 115 E15
Kosovo ■ Europe 42°30N 21°0E 96 D4
Kosovo Polje = Fushë Kosovë Kosovo 42°40N 21°5E 96 D5
Kosovska Kamenica = Dardanë Kosovo 42°35N 21°35E 96 D5
Kosovska Mitrovica = Mitrovicë Kosovo 42°54N 20°52E 96 D4
Kossou, L. de Ivory C. 6°59N 5°31W 138 D3
Kosta Sweden 56°50N 15°24E 63 H9
Kostajnica Bos.-H. 45°11N 16°33E 93 C13
Kostajnica Croatia 45°17N 16°30E 93 C13
Kostanjevica Slovenia 45°51N 15°27E 93 C12
Kostenets Bulgaria 42°15N 23°52E 96 D7
Koster S. Africa 25°52S 26°54E 144 C4
Kôstî Sudan 13°8N 32°43E 135 F12
Kostinbrod Bulgaria 42°49N 23°13E 96 D7
Kostolac Serbia 44°37N 21°15E 96 B5
Kostomuksha Russia 64°41N 30°49E 60 D24
Kostopil Ukraine 50°51N 26°22E 75 C14
Kostroma Russia 57°50N 40°58E 84 D11
Kostromo □ Russia 58°10N 42°50E 86 A6
Kostromskoye Vdkhr. Russia 57°52N 40°49E 84 D11
Kostryzhivka Ukraine 48°39N 25°43E 81 B10
Kostrzyn Lubuskie, Poland 52°35N 14°39E 83 F1
Kostrzyn Wielkopolskie, Poland 52°24N 17°14E 83 F4
Kostyantynivka Ukraine 48°32N 37°39E 85 H9
Kostyukovichi = Kastsyukovichy Belarus 53°20N 32°4E 85 F7
Koszalin Poland 54°11N 16°8E 82 D3
Kőszeg Hungary 47°23N 16°33E 80 C1
Kot Addu Pakistan 30°30N 71°0E 124 D4
Kot Kapura India 30°35N 74°50E 124 D6
Kot Moman Pakistan 32°13N 73°0E 124 C5
Kot Sultan Pakistan 30°46N 70°56E 124 D4
Kota India 25°14N 75°49E 124 G6
Kota Barrage India 25°6N 75°51E 124 G6
Kota Belud Malaysia 6°21N 116°26E 118 C5
Kota Bharu Malaysia 6°7N 102°14E 121 J4
Kota I. = Loaita I. S. China Sea 10°41N 114°25E 118 B4
Kota Kinabalu Malaysia 6°0N 116°4E 118 C5
Kota Tinggi Malaysia 1°44N 103°53E 121 M4
Kotaagung Indonesia 5°38S 104°29E 118 F2
Kotabaru Indonesia 3°20S 116°20E 118 E5
Kotabumi Indonesia 4°49S 104°54E 118 E2
Kotamobagu Indonesia 0°57N 124°31E 119 D6
Kotapad India 19°9N 82°21E 126 E6
Kotapinang Indonesia 1°53N 100°5E 121 M3
Kotcho L. Canada 59°7N 121°12W 162 B4
Kotdwara India 29°45N 78°32E 125 E8
Kotel Bulgaria 42°52N 26°26E 97 D10
Kotelnich Russia 58°22N 48°24E 86 A9
Kotelnikovo Russia 47°38N 43°8E 87 G6
Kotelnyy, Ostrov Russia 75°10N 139°0E 107 B14
Kothapet India 19°21N 79°28E 126 E4
Kothari → India 25°20N 75°4E 124 G6
Köthen Germany 51°45N 11°59E 76 D7
Kothi Chhattisgarh, India 23°21N 82°3E 125 H10
Kothi Mad. P., India 24°45N 80°40E 125 G9
Kotiro Pakistan 26°17N 67°13E 124 F2
Kotka Finland 60°28N 26°58E 84 B4
Kotlas Russia 61°17N 46°43E 106 C5
Kotlenska Planina Bulgaria 42°56N 26°30E 97 D10
Kotli Pakistan 33°30N 73°55E 124 C5
Kotlik U.S.A. 63°2N 163°33W 166 C7
Kotma India 23°12N 81°58E 125 H9
Koton-Karifi Nigeria 8°0N 6°48E 139 D6
Kotonkoro Nigeria 11°3N 5°58E 139 C6
Kotor Montenegro 42°25N 18°47E 96 D2
Kotor Varoš Bos.-H. 44°38N 17°22E 80 F2
Kotoriba Croatia 46°23N 16°48E 93 B13
Kotovo Russia 50°22N 44°45E 86 E7
Kotovsk Russia 52°36N 41°32E 86 D5
Kotovsk Ukraine 47°45N 29°35E 75 E15
Kotputli India 27°43N 76°12E 124 F7
Kotri Pakistan 25°22N 68°22E 124 G3
Kotri → India 19°15N 80°35E 126 E5
Kotronas Greece 36°38N 22°29E 98 E4
Kötschach-Mauthen Austria 46°41N 13°1E 78 E6
Kottagudem India 17°30N 80°40E 126 F5
Kottayam India 9°35N 76°33E 127 K3
Kotto → C.A.R. 4°14N 22°2E 140 D4
Kottur India 10°34N 76°56E 127 J3
Kotturu India 14°45N 76°10E 127 G3
Kotuy → Russia 71°54N 102°6E 107 B11
Kotyuzhany Ukraine 48°48N 27°42E 81 B12
Kotzebue U.S.A. 66°53N 162°39W 166 B7
Kotzebue Sound U.S.A. 66°20N 163°0W 166 B7
Kouchibouguac △ Canada 46°50N 65°0W 165 C6
Koudougou Burkina Faso 12°10N 2°20W 138 C4
Koufonisi Iraklio, Greece 34°56N 26°8E 101 E8
Koufonisi Notio Aigaio, Greece 36°57N 25°35E 99 E7
Kougaberge S. Africa 33°48S 23°50E 144 D3
Kouibli Ivory C. 7°15N 7°14W 138 D3
Kouilou → Congo 4°10S 12°5E 140 E2
Koukdjuak → Canada 66°43N 73°0W 161 D17
Koula Greece 41°23N 24°44E 97 E8
Koula Moutou Gabon 1°15S 12°25E 140 E2
Koulen = Kulen Cambodia 13°50N 104°40E 120 F5
Koulikoro Mali 12°40N 7°50W 138 C3
Koulikoro □ Mali 14°0N 7°45W 138 C3
Kouloura Greece 39°42N 19°54E 101 A3
Koumala Australia 21°38S 149°15E 150 C4
Koumankou Mali 11°58N 6°6W 138 C3
Koumbia Burkina Faso 11°10N 3°50W 138 C4
Koumbia Guinea 11°48N 13°29W 138 C2
Koumboum Guinea 10°25N 13°0W 138 C2
Koumpenntoum Senegal 13°59N 14°34W 138 C2
Koumra Chad 8°50N 17°35E 135 G9
Koun-Fao Ivory C. 7°30N 3°15W 138 D4
Koundara Guinea 12°29N 13°18W 138 C2
Koungheul Senegal 14°0N 14°50W 138 C2
Kountze U.S.A. 30°22N 94°19W 176 F7
Koupéla Burkina Faso 12°11N 0°21W 139 C4
Kourémalé Mali 11°59N 8°42W 138 C3
Kouris → Cyprus 34°38N 32°54E 101 E11
Kourou Fr. Guiana 5°9N 52°39W 187 B8
Kourouba Mali 13°22N 10°57W 138 C2
Koûroudjél Mauritania 16°12N 11°30W 138 B2
Kouroukoto Mali 12°35N 10°5W 138 C2
Kourouma Burkina Faso 11°35N 4°50W 138 C4
Kourouninkoto Mali 13°52N 9°35W 138 C3
Koussanar Senegal 13°52N 14°5W 138 C2
Koussané Mali 14°53N 11°14W 138 C2
Koussané Senegal 14°10N 12°22W 138 C2
Kousseri Cameroon 12°0N 14°55E 135 F8
Koutiala Mali 12°25N 5°23W 138 C3
Kouto Ivory C. 9°53N 6°25W 138 D3
Kouvé Togo 6°25N 1°25E 139 D5
Kouvola Finland 60°52N 26°43E 84 B4
Kovačica Serbia 45°5N 20°38E 80 E5
Kovdor Russia 67°34N 30°24E 60 C24
Kovel Ukraine 51°11N 24°38E 75 C13
Kovilpatti India 9°10N 77°50E 127 K3
Kovin Serbia 44°44N 20°59E 80 F5
Kovrov Russia 56°25N 41°25E 86 B5
Kovur Andhra Pradesh, India 17°3N 81°39E 126 F5
Kovur Andhra Pradesh, India 14°30N 80°1E 127 G5
Kowal Poland 52°32N 19°7E 83 F6
Kowalewo Pomorskie Poland 53°10N 18°52E 83 E5
Kowanyama Australia 15°29S 141°44E 150 B3

Kowanyama ✪ Australia 15°20S 141°47E 150 B3
Kowloon China 22°19N 114°11E 117 F10
Kowŏn N. Korea 39°26N 127°14E 115 E14
Koyampattur = Coimbatore India 11°2N 76°59E 127 J3
Köyceğiz Turkey 36°57N 28°40E 99 E10
Köyceğiz Gölü Turkey 36°56N 28°42E 99 E10
Koyukuk → U.S.A. 64°55N 157°32W 166 C8
Koyulhisar Turkey 40°20N 37°52E 104 B7
Koyunyeri Turkey 40°50N 26°26E 97 F10
Koza = Okinawa Japan 26°19N 127°46E 113 L3
Kozak Turkey 39°15N 27°6E 99 B9
Kozaklı Turkey 39°13N 34°49E 104 C6
Kozan Turkey 37°26N 35°50E 104 D6
Kozani Greece 40°19N 21°47E 96 F5
Kozara Bos.-H. 45°0N 17°0E 93 D14
Kozara Δ Bos.-H. 45°0N 17°0E 80 F2
Kozarac Bos.-H. 44°58N 16°48E 93 D13
Kozelets Ukraine 50°55N 31°7E 85 G6
Kozelsk Russia 54°2N 35°48E 84 E8
Kozhikode India 11°15N 75°43E 127 J2
Koziegłowy Poland 50°37N 19°8E 83 H6
Kozienice Poland 51°35N 21°34E 83 G8
Kozje Slovenia 46°5N 15°35E 93 B12
Kozloduy Bulgaria 43°45N 23°42E 96 C7
Kozlovets Bulgaria 43°30N 25°20E 97 C9
Kozlovka Russia 55°52N 48°14E 86 C9
Kozlu Turkey 41°26N 31°45E 104 B4
Kozluk Turkey 38°11N 41°31E 105 C9
Koźmin Poland 51°48N 17°27E 83 G4
Kozmodemyansk Russia 56°20N 46°36E 86 B8
Kōzu-Shima Japan 34°13N 139°10E 113 G9
Kożuchów Poland 51°45N 15°31E 83 G2
Kozyatyn Ukraine 49°45N 28°50E 75 D15
Kozyrevsk Russia 56°3N 159°51E 107 D16
Kpabia Ghana 9°10N 0°20W 139 D4
Kpalimé Togo 6°57N 0°44E 139 D5
Kpandae Ghana 8°30N 0°2W 139 D4
Kpessi Togo 8°4N 1°16E 139 D5
Kra, Isthmus of = Kra, Kho Khot Thailand 10°15N 99°30E 121 G2
Kra, Kho Khot Thailand 10°15N 99°30E 121 G2
Kra Buri Thailand 10°22N 98°46E 121 G2
Kraai → S. Africa 30°40S 26°45E 144 D4
Krabi Thailand 8°4N 98°55E 121 H2
Kracheh = Kratie Cambodia 12°32N 106°10E 120 F6
Kragan Indonesia 6°43S 111°38E 119 G14
Kragerø Norway 58°52N 9°25E 61 G13
Kragujevac Serbia 44°2N 20°56E 96 B4
Krajenka Poland 53°18N 16°59E 83 E3
Krakatau = Rakata, Pulau Indonesia 6°10S 105°20E 119 G11
Krakatoa = Rakata, Pulau Indonesia 6°10S 105°20E 119 G11
Krakor Cambodia 12°32N 104°12E 120 F5
Kraków Poland 50°4N 19°57E 83 H6
Kraków ✕ (KRK) Poland 50°5N 19°52E 83 H6
Kraksaan Indonesia 7°43S 113°23E 119 G16
Kralanh Cambodia 13°35N 103°25E 120 F4
Králíky Czech Rep. 50°6N 16°45E 79 A9
Kraljevo Serbia 43°44N 20°41E 96 C4
Královéhradecký □ Czech Rep. 50°25N 15°50E 78 A8
Královský Chlmec Slovak Rep. 48°27N 22°0E 79 C14
Kralupy nad Vltavou Czech Rep. 50°13N 14°20E 78 A7
Kramatorsk Ukraine 48°50N 37°30E 85 H9
Kramfors Sweden 62°55N 17°48E 62 B11
Kramis, C. Algeria 36°26N 0°45E 136 A4
Krania Greece 39°53N 21°18E 96 G5
Krania Elassonas Greece 39°57N 22°2E 98 B4
Kranidi Greece 37°20N 23°10E 98 D5
Kranj Slovenia 46°16N 14°22E 93 B11
Kranjska Gora Slovenia 46°29N 13°48E 93 B10
Krankskop S. Africa 28°0S 30°47E 145 C5
Krapina Croatia 46°10N 15°52E 93 B12
Krapina → Croatia 45°50N 15°50E 93 C12
Krapkowice Poland 50°29N 17°56E 83 H4
Kras Slovenia 45°35N 14°0E 93 C10
Krasieo Res. Thailand 14°49N 99°30E 120 E2
Kraskino Russia 42°44N 130°48E 112 C5
Krāslava Latvia 55°54N 27°10E 84 E4
Kraslice Czech Rep. 50°19N 12°31E 78 A5
Krasnaya Gorbatka Russia 55°52N 41°45E 86 C5
Krasnaya Polyana Russia 43°40N 40°13E 87 J5
Krasne Ukraine 46°7N 29°15E 81 D14
Krasni Okny Ukraine 47°32N 29°27E 81 C14
Kraśnik Poland 50°55N 22°15E 83 H9
Krasnoarmeisk Ukraine 48°18N 37°11E 85 H9
Krasnoarmeysk = Tayynsha Kazakhstan 53°50N 69°45E 109 B7
Krasnoarmeysk Russia 51°0N 45°42E 86 E7
Krasnoarmeyskiy Russia 47°0N 42°12E 87 G6
Krasnobrod Poland 50°33N 23°12E 83 H10
Krasnodar Russia 45°5N 39°0E 87 H4
Krasnodar □ Russia 46°30N 39°30E 87 G4
Krasnodarskoye Vdkhr. Russia 45°1N 39°23E 87 H4
Krasnodon Ukraine 48°17N 39°44E 85 H10
Krasnogorskiy Russia 56°10N 48°28E 86 B9
Krasnograd = Krasnohrad Ukraine 49°27N 35°27E 85 H8
Krasnogvardeysk Ukraine 45°32N 34°16E 85 K8
Krasnogvardeyskoye Russia 45°52N 41°33E 87 H5
Krasnohrad Ukraine 49°27N 35°27E 85 H8
Krasnokamensk Russia 50°3N 118°0E 107 D12
Krasnokutsk Ukraine 50°10N 34°50E 85 G8
Krasnolesnyy Russia 51°53N 39°35E 85 G10
Krasnoperekopsk Ukraine 46°0N 33°54E 85 J7
Krasnorechenskiy Russia 44°41N 135°14E 112 B7
Krasnoselkup Russia 65°20N 82°10E 106 C9
Krasnoslobodsk Mordvinia, Russia 54°25N 43°45E 86 C6
Krasnoslobodsk Volgograd, Russia 48°42N 44°33E 87 F7
Krasnoturinsk Russia 59°46N 60°12E 106 D7
Krasnoyarsk Russia 56°8N 93°0E 107 D10
Krasnoyarskoye Russia 54°31N 21°56E 82 D8
Krasnoyarskoye Vdkhr. Russia 56°0N 92°30E 107 D10
Krasnoye = Krasnyy Russia 54°25N 31°30E 84 E6
Krasnoyilsk Ukraine 47°59N 25°38E 81 C10
Krasnozavodsk Russia 56°27N 38°25E 84 D10
Krasnoznamensk Russia 54°57N 22°30E 82 D9
Krasnystaw Poland 50°57N 23°5E 83 H10
Krasnyy Russia 54°25N 31°30E 84 E6
Krasnyy Kholm Russia 58°10N 37°10E 84 C9
Krasnyy Kut Russia 50°50N 47°0E 86 E8
Krasnyy Liman Ukraine 48°58N 37°50E 85 H9
Krasnyy Luch Ukraine 48°13N 39°0E 85 H10
Krasnyy Profintern Russia 57°45N 40°27E 84 D11
Krasnyy Sulin Russia 47°52N 40°8E 87 G5
Krasnyy Yar Astrakhan, Russia 46°43N 48°23E 87 G9
Krasnyy Yar Samara, Russia 53°30N 50°22E 86 D10
Krasnyy Yar Volgograd, Russia 50°42N 44°45E 86 E7
Krasnyye Baki Russia 57°8N 45°10E 86 B7
Krasnyyoskolske Vdskh. Ukraine 49°27N 37°40E 85 H9
Kraszna → Hungary 48°4N 22°20E 80 B7
Kratie Cambodia 12°32N 106°10E 120 F6
Kratovo Macedonia 42°6N 22°10E 96 D6
Krau Indonesia 3°19S 140°5E 119 E10
Kraulshavn = Nuussauq Greenland 74°8N 57°3W 57 C5
Kravanh, Chuor Phnum Cambodia 12°0N 103°32E 121 G4
Krefeld Germany 51°20N 6°33E 76 D2
Kremaston, L. Greece 38°52N 21°30E 98 C3
Kremen Croatia 44°28N 15°53E 93 D12
Kremenchuk Ukraine 49°5N 33°25E 85 H7
Kremenchuksk Vdskh. Ukraine 49°20N 32°30E 85 H7
Kremenets Ukraine 50°8N 25°43E 75 C13
Kremennaya Ukraine 49°1N 38°10E 85 H10
Kremges = Svitlovodsk Ukraine 49°2N 33°13E 85 H7
Kremmen Germany 52°45N 13°1E 76 C9
Kremmling U.S.A. 40°4N 106°24W 168 F10
Kremnica Slovak Rep. 48°45N 18°50E 79 C11
Krems an der Donau Austria 48°25N 15°36E 78 C8
Kremsmünster Austria 48°3N 14°8E 78 C7
Krestena Greece 37°35N 21°37E 98 D3
Kretinga Lithuania 55°53N 21°15E 82 C8
Krettamia Algeria 28°47N 3°27W 136 C3
Krettsy Russia 58°15N 32°30E 84 C7
Kreuzberg Germany 50°22N 9°58E 77 E5
Kreuztal Germany 50°57N 8°0E 76 E4
Kria Vrisi Greece 40°41N 22°18E 96 F6
Kribi Cameroon 2°57N 9°56E 139 E6
Krichem Bulgaria 42°8N 24°28E 97 D8
Krichev = Krychaw Belarus 53°40N 31°41E 75 B16
Kril'on, Mys Russia 45°53N 142°5E 112 B11
Krim Slovenia 45°53N 14°30E 93 C11
Krios, Akra Greece 35°13N 23°34E 101 D5
Krishna → India 15°57N 80°59E 127 G5
Krishnagiri India 12°32N 78°16E 127 H4
Krishnanagar India 23°24N 88°33E 125 H13
Krishnaraja Sagar India 12°20N 76°30E 127 H3
Kristdala Sweden 57°24N 16°13E 63 G10
Kristiansand Norway 58°8N 8°1E 61 G13
Kristianstad Sweden 56°2N 14°9E 63 H8
Kristiansund Norway 63°7N 7°45E 60 E12
Kristiinankaupunki Finland 62°16N 21°21E 60 E19
Kristinehamn Sweden 59°18N 14°7E 62 E8
Kristinestad = Kristiinankaupunki Finland 62°16N 21°21E 60 E19
Kriti Greece 35°15N 25°0E 101 D7
Kritsa Greece 35°10N 25°41E 101 D7
Kriva → Macedonia 42°5N 21°47E 96 D5
Kriva Palanka Macedonia 42°11N 22°19E 96 D6
Krivaja → Bos.-H. 44°27N 18°9E 80 F3
Krivelj Serbia 44°10N 22°5E 96 B6
Křivoklátsko ⌂ Czech Rep. 50°1N 13°51E 78 A6
Krivoy Rog = Kryvyy Rih Ukraine 47°51N 33°20E 85 J7
Križevci Croatia 46°3N 16°32E 93 B13
Krk Croatia 45°8N 14°40E 93 C11
Krka → Slovenia 45°50N 15°30E 93 C12
Krka Δ Croatia 43°53N 15°56E 93 E12
Krkonoše Czech Rep. 50°50N 15°35E 78 A8
Krkonoše Δ Czech Rep. 50°43N 15°39E 78 A8
Krnov Czech Rep. 50°5N 17°40E 79 A10
Krobia Poland 51°47N 16°59E 83 G3
Krokees Greece 36°53N 22°32E 98 E4
Krokek Sweden 58°40N 16°24E 63 F10
Krokodil = Umgwenya → Mozam. 25°14S 32°18E 145 C5
Krokom Sweden 63°20N 14°30E 62 A8
Krokowa Poland 54°47N 18°9E 82 D5
Krolevets Ukraine 51°35N 33°20E 85 G7
Kroměříž Czech Rep. 49°18N 17°21E 79 B10
Krompachy Slovak Rep. 48°54N 20°52E 79 C13
Kromy Russia 52°48N 35°48E 85 F8
Kronach Germany 50°14N 11°19E 77 E7
Krong Kaoh Kong Cambodia 11°37N 102°59E 121 G4
Kronoberg □ Sweden 56°45N 14°30E 63 H8
Kronprins Christian Land Greenland 80°30N 22°0W 57 A8
Kronprins Frederik Land Greenland 81°0N 45°0W 57 A6
Kronprins Olav Kyst Antarctica 69°0S 42°0E 55 C5
Kronprinsesse Märtha Kyst Antarctica 73°30S 10°0W 55 D2
Kronshtadt Russia 59°57N 29°51E 84 C5
Kroonstad S. Africa 27°43S 27°19E 144 C4
Kröpelin Germany 54°4N 11°47E 76 A7
Kropotkin Russia 45°28N 40°28E 87 H5
Kropp Germany 54°24N 9°31E 76 A5
Krosna Lithuania 54°23N 23°33E 82 D10
Krośniewice Poland 52°15N 19°11E 83 F6
Krosno Poland 49°42N 21°46E 83 J8
Krosno Odrzańskie Poland 52°3N 15°7E 83 F2
Krotoszyn Poland 51°42N 17°23E 83 G4
Krotovka Russia 53°18N 51°10E 86 D10
Krousonas Greece 35°13N 24°59E 101 D6
Krrabë Albania 41°13N 20°0E 96 E3
Krško Slovenia 45°57N 15°30E 93 C12
Krstača Serbia 42°57N 20°8E 96 D4
Kruger Δ S. Africa 24°50S 26°10E 145 B4
Krugersdorp S. Africa 26°5S 27°46E 145 C4
Kruisfontein S. Africa 33°59S 24°43E 144 D3
Krujë Albania 41°32N 19°46E 96 E3
Krulevshchina = Krulyewshchyna Belarus 55°5N 27°45E 84 E4
Krulyewshchyna Belarus 55°5N 27°45E 84 E4
Krumbach Germany 48°13N 10°22E 77 G6
Krumë Albania 42°14N 20°28E 96 D4
Krumovgrad Bulgaria 41°29N 25°38E 97 E9
Krung Thep = Bangkok Thailand 13°45N 100°35E 120 F3
Krupanj Serbia 44°25N 19°22E 96 B3
Krupina Slovak Rep. 48°22N 19°5E 79 C12
Krupinica → Slovak Rep. 48°4N 18°55E 79 C11
Krupki Belarus 54°19N 29°8E 75 A15
Kruševac Serbia 43°35N 21°28E 96 C5
Kruševo Macedonia 41°23N 21°19E 96 E5
Krushë e Madhe Kosovo 42°19N 20°39E 96 D4
Krushelnyksya Ukraine 49°7N 23°29E 83 J10
Kruszwica Poland 52°40N 18°20E 83 F5
Kruzenshterna, Proliv Russia 48°0N 154°0E 107 E16
Krychaw Belarus 53°40N 31°41E 75 B16
Krymsk Russia 44°50N 38°0E 85 K10
Krymskiy Poluostrov = Krymskyy Pivostriv Ukraine 45°0N 34°0E 85 K8
Krymskyy Pivostriv Ukraine 45°0N 34°0E 85 K8
Krynica Poland 49°25N 20°57E 83 J7
Krynica Morska Poland 54°23N 19°28E 82 D6
Krynki Poland 53°17N 23°43E 83 E10
Krynychne Ukraine 45°32N 28°40E 81 E13
Kryvyy Rih Ukraine 47°51N 33°20E 85 J7
Kryzhopil Ukraine 48°23N 28°53E 81 B13
Krzepice Poland 50°58N 18°50E 83 H5
Krzeszów Poland 50°24N 22°21E 83 H9
Krzna → Poland 52°8N 23°32E 83 F10
Krzywiń Poland 51°58N 16°50E 83 G3
Krzyż Wielkopolski Poland 52°52N 16°0E 83 F3
Ksabi Morocco 32°51N 4°13W 136 B3
Ksar Chellala Algeria 35°13N 2°19E 136 A4
Ksar el Boukhari Algeria 35°51N 2°52E 136 A4
Ksar el Kebir Morocco 35°0N 6°0W 136 B2
Ksar es Souk = Er Rachidia Morocco 31°58N 4°20W 136 B3
Ksar es Srhir Morocco 35°51N 5°34W 89 E3
Ksar Rhilane Tunisia 33°0N 9°39E 136 B5
Ksiąz Wielkopolski Poland 52°4N 17°14E 83 F4
Ksour, Mts. des Algeria 32°45N 0°30W 136 B3
Kstovo Russia 56°12N 44°13E 86 B7
Ku-Ring-Gai Chase Δ Australia 33°39S 151°14E 153 B9
Kuah Malaysia 6°19N 99°51E 121 J2
Kuala Belait Malaysia 4°35N 114°11E 118 D4
Kuala Berang Malaysia 5°5N 103°1E 121 K4
Kuala Dungun = Dungun Malaysia 4°45N 103°25E 121 K4
Kuala Kangsar Malaysia 4°46N 100°56E 121 K3
Kuala Kelawang Malaysia 2°56N 102°5E 121 L4
Kuala Kerai Malaysia 5°30N 102°12E 121 K4
Kuala Kubu Bharu Malaysia 3°34N 101°39E 121 L3
Kuala Lipis Malaysia 4°10N 102°3E 121 K4
Kuala Lumpur Malaysia 3°9N 101°41E 121 L3
Kuala Lumpur Int. ✕ (KUL) Malaysia 2°44N 101°42E 121 L3
Kuala Nerang Malaysia 6°16N 100°37E 121 J3
Kuala Pilah Malaysia 2°45N 102°15E 121 L4
Kuala Rompin Malaysia 2°49N 103°29E 121 L4
Kuala Selangor Malaysia 3°20N 101°15E 121 L3
Kuala Sepetang Malaysia 4°49N 100°28E 121 K3
Kuala Terengganu Malaysia 5°20N 103°8E 121 K4
Kualajelai Indonesia 2°58S 110°46E 118 E4
Kualakapuas Indonesia 2°55S 114°20E 118 E4
Kualakurun Indonesia 1°10S 113°50E 118 E4
Kualapembuang Indonesia 3°14S 112°38E 118 E4
Kualasimpang Indonesia 4°17N 98°3E 118 D1
Kuancheng China 40°37N 118°30E 115 D10
Kuandang Indonesia 0°56N 123°1E 119 D6
Kuandian China 40°45N 124°45E 115 D13
Kuangchou = Guangzhou China 23°6N 113°13E 117 F9
Kuanshan Taiwan 23°3N 121°9E 117 F13
Kuantan Malaysia 3°49N 103°20E 121 L4
Kuba = Quba Azerbaijan 41°21N 48°32E 87 K9
Kuban → Russia 45°20N 37°30E 85 K9
Kuban Depression = Prikubanskaya Nizmennost Russia 45°39N 38°33E 87 H4
Kubaysah Iraq 33°35N 42°37E 105 G10
Kubenskoye, Ozero Russia 59°40N 39°25E 84 C10
Kubokawa = Shimanto Japan 33°12N 133°8E 113 H6
Kubrat Bulgaria 43°49N 26°31E 97 C10
Kubu Indonesia 8°16S 115°35E 119 J18
Kubutambahan Indonesia 8°5S 115°10E 119 J18
Kucar, Tanjung Indonesia 8°39S 114°34E 119 K18
Kučevo Serbia 44°30N 21°40E 96 B5
Kuchaman India 27°13N 74°47E 124 F6
Kuchchaveli Sri Lanka 8°49N 81°6E 127 K5
Kuchenspitze Austria 47°7N 10°12E 78 D3
Kuchinda India 21°44N 84°21E 125 J11
Kuching Malaysia 1°33N 110°25E 118 D4
Kuchino-eruba-Jima Japan 30°28N 130°12E 113 J5
Kuchino-Shima Japan 29°57N 129°55E 113 K4
Kuchinotsu Japan 32°36N 130°11E 113 H5
Kuchl Austria 47°37N 13°9E 78 D6
Kuchurhan → Ukraine 46°33N 29°57E 81 D14
Kucing = Kuching Malaysia 1°33N 110°25E 118 D4
Kuçovë Albania 40°47N 19°57E 96 F3
Küçükbahçe Turkey 38°33N 26°24E 99 C8
Küçükköy Turkey 39°16N 26°42E 99 B8
Küçükkuyu Turkey 39°32N 26°36E 99 B8
Küçükmenderes → Turkey 37°57N 27°16E 99 D9
Kud → Pakistan 26°5N 66°20E 124 F2
Kuda India 23°10N 71°15E 124 H4
Kudal India 16°2N 73°41E 127 F1
Kudalier → India 18°35N 79°48E 126 E4
Kudat Malaysia 6°55N 116°55E 118 C5
Kudirkos Naumiestis Lithuania 54°46N 22°53E 82 D9
Kudowa-Zdrój Poland 50°27N 16°15E 83 H3
Kudremukh India 13°15N 75°20E 127 H2
Kudus Indonesia 6°48S 110°51E 119 G14
Kudymkar Russia 59°1N 54°39E 106 D6
Kueiyang = Guiyang China 26°32N 106°40E 116 D6
Kufra Oasis = Al Kufrah Libya 24°17N 23°15E 135 D10
Kufstein Austria 47°35N 12°11E 78 D5
Kugaaruk = Pelly Bay Canada 68°38N 89°50W 161 D14
Kugluktuk Canada 67°50N 115°5W 160 D8
Kugong I. Canada 56°18N 79°50W 164 A4
Kūh Dasht Iran 33°32N 47°36E 105 F12
Kūh-e Sorkh Iran 35°30N 58°45E 108 E5
Kūhak Iran 27°12N 63°10E 129 E9
Kuhan Pakistan 28°19N 67°14E 124 E2
Kūhbonān Iran 31°23N 56°19E 129 D8
Kūhestak Iran 26°47N 57°2E 129 E8
Kuhin Iran 36°22N 49°40E 129 B6
Kūhīrī Iran 26°55N 61°2E 129 E9
Kūhiston-Badakhshon □ Tajikistan 38°30N 73°0E 109 E8
Kuhmo Finland 64°7N 29°31E 60 D23
Kuhn Chae Δ Thailand 19°8N 99°24E 120 C2
Kuhnsdorf Austria 46°37N 14°38E 78 E7
Kūhpāyeh Eşfahan, Iran 32°44N 52°20E 129 C7
Kūhpāyeh Kermān, Iran 30°35N 57°15E 129 D8
Kūhrān, Kūh-e Iran 26°46N 58°12E 129 E8
Kui Buri Thailand 12°3N 99°52E 121 F2
Kuiburi Δ Thailand 12°10N 99°37E 121 F2
Kuichong China 22°38N 114°25E 111 a
Kuiseb → Namibia 22°59S 14°31E 144 B1
Kuito Angola 12°22S 16°55E 141 G3
Kuiu I. U.S.A. 57°45N 134°10W 162 B2
Kujalleq □ Greenland 61°0N 44°0W 57 E6
Kujang N. Korea 39°57N 126°1E 115 E14
Kujawsko-Pomorskie □ Poland 53°20N 18°30E 82 E5
Kuji Japan 40°11N 141°46E 112 D10
Kujū-San Japan 33°5N 131°15E 113 H5
Kukava Ukraine 48°37N 27°43E 81 B12
Kukavica Serbia 42°48N 21°57E 96 D5
Kukawa Nigeria 12°58N 13°27E 139 C7
Kukës Albania 42°5N 20°27E 96 D4
Kukmor Russia 56°11N 50°54E 86 B10
Kukup Malaysia 1°20N 103°27E 121 d
Kukup, Pulau Malaysia 1°18N 103°25E 121 d
Kukvidze Russia 50°40N 43°0E 86 E6
Kula Bulgaria 43°52N 22°36E 96 C6
Kula Serbia 45°37N 19°32E 80 E4
Kula Turkey 38°32N 28°40E 99 C10
K'ula Shan Bhutan 28°14N 90°36E 110 F7
Kulachi Pakistan 31°56N 70°27E 124 D4
Kulai Malaysia 1°44N 103°35E 121 M4
Kulaly Aral Kazakhstan 45°0N 50°5E 87 H10
Kulasekarappattinam India 8°20N 78°5E 127 K4
Kulautuva Lithuania 54°56N 23°36E 82 D10
Kuldīga Latvia 56°58N 21°59E 82 B8
Kulebaki Russia 55°22N 42°25E 86 C6
Kulen Cambodia 13°50N 104°40E 120 F5
Kulen Vakuf Bos.-H. 44°35N 16°2E 93 D13
Kulgam India 33°36N 75°2E 125 C6
Kulgera Australia 25°50S 133°18E 150 D1
Kulim Malaysia 5°22N 100°34E 121 K3
Kulin Australia 32°40S 118°2E 149 F2
Kulittalai India 10°55N 78°25E 127 J4
Kulkayu = Hartley Bay Canada 53°25N 129°15W 162 C3
Kullen Sweden 56°18N 12°26E 63 H6
Kullu India 31°58N 77°6E 124 D7
Kulmbach Germany 50°6N 11°26E 77 E7
Kŭlob Tajikistan 37°55N 69°50E 109 E7
Kulp Turkey 38°29N 41°2E 105 C9
Kulpawn → Ghana 10°20N 1°5W 139 D4
Kulsary = Qulsary Kazakhstan 46°59N 54°1E 108 C4
Kulti India 23°43N 86°50E 125 H12
Kulu Turkey 39°5N 33°4E 104 C5
Kulunda Russia 52°35N 78°57E 109 B9
Kulundinskoye, Ozero Russia 53°0N 79°36E 109 B9
Kulungar Afghan. 34°0N 69°2E 124 C3
Kūlvand Iran 31°21N 54°35E 129 D7
Kulwin Australia 35°2S 142°42E 152 C5
Kulyab = Kŭlob Tajikistan 37°55N 69°50E 109 E7
Kuma → Russia 44°55N 47°0E 87 H8
Kumafşarı Turkey 37°19N 29°32E 99 D11
Kumaganum Nigeria 13°8N 10°38E 139 C7
Kumagaya Japan 36°9N 139°22E 113 F9
Kumai Indonesia 2°44S 111°43E 118 E4
Kumalar Dağı Turkey 38°15N 30°20E 99 C12
Kumamba, Kepulauan Indonesia 1°36S 138°45E 119 E9
Kumamoto Japan 32°45N 130°45E 113 H5
Kumamoto □ Japan 32°55N 130°55E 113 H5
Kumanovo Macedonia 42°9N 21°42E 96 D5
Kumar → Afghan. 34°30N 70°28E 109 F8
Kumara N.Z. 42°37S 171°12E 155 C6
Kumarina Roadhouse Australia 24°41S 119°32E 149 D2
Kumasi Ghana 6°41N 1°38W 138 D4
Kumba Cameroon 4°36N 9°24E 139 E6
Kumbağ Turkey 40°51N 27°27E 97 F11
Kumbakonam India 10°58N 79°25E 127 J4
Kumbarilla Australia 27°15S 150°55E 151 D5
Kumbatine Δ Australia 31°8S 152°35E 153 A10
Kumbhalgarh Δ India 25°10N 73°35E 124 G5
Kumbhraj India 24°22N 77°3E 124 G7
Kumbia Australia 26°41S 151°39E 151 D5
Kumbo Cameroon 6°15N 10°36E 139 D7
Kumbukkan Oya → Sri Lanka 6°35N 81°40E 127 L5
Kŭmch'ŏn N. Korea 38°10N 126°29E 115 E14
Kume-Shima Japan 26°20N 126°47E 113 L3
Kumeny Russia 58°10N 49°47E 86 A9
Kumertau Russia 52°45N 55°57E 108 B5
Kumharsain India 31°19N 77°27E 124 D7
Kumi Uganda 1°30N 33°58E 142 B3
Kumkale Turkey 39°59N 26°11E 97 G10
Kumla Sweden 59°8N 15°10E 62 E9
Kumluca Turkey 36°22N 30°20E 99 E12
Kummerower See Germany 53°49N 12°51E 76 B8
Kumo Nigeria 10°1N 11°12E 139 C7
Kumo älv = Kokemäenjoki → Finland 61°32N 21°44E 84 B1
Kumon Bum Burma 26°30N 97°15E 123 F20
Kumta India 14°29N 74°25E 127 G2
Kumtag Shamo China 39°40N 92°0E 110 D7
Kumul = Hami China 42°55N 93°25E 110 C7
Kumyalı = Koma Tou Yialou Cyprus 35°25N 34°8E 101 D13
Kumylzhenskaya Russia 49°51N 42°38E 86 F6
Kuna U.S.A. 43°30N 116°25W 168 E5
Kunágota Hungary 46°26N 21°3E 80 D6
Kunashir, Ostrov Russia 44°0N 146°0E 107 E15
Kunchha Nepal 28°8N 84°20E 125 E11
Kunda Estonia 59°30N 26°34E 84 C4
Kunda India 25°43N 81°31E 125 G9
Kundar → Pakistan 31°56N 69°19E 124 D3
Kundelungu Δ Dem. Rep. of the Congo 10°30S 27°40E 143 E2
Kundelungu Ouest Δ Dem. Rep. of the Congo 9°55S 27°17E 143 D2
Kundian Pakistan 32°27N 71°28E 124 C4
Kundla India 21°21N 71°25E 124 J4
Kunene □ Namibia 20°0S 14°0E 144 A1
Kung, Ao Thailand 8°5N 98°24E 121 a
Kunga → Bangla. 21°46N 89°30E 125 J13
Kungälv Sweden 57°53N 11°59E 63 G5
Kunghit I. Canada 52°6N 131°3W 162 C2
Kungrad = Qŭnghirot Uzbekistan 43°2N 58°50E 108 D5
Kungsängen Sweden 59°29N 17°45E 62 E11
Kungsbacka Sweden 57°30N 12°5E 63 G6
Kungsgården Sweden 60°37N 16°35E 62 D10
Kungshamn Sweden 58°22N 11°15E 63 F5
Kungsör Sweden 59°25N 16°5E 62 E10
Kungur Russia 57°25N 56°57E 106 D6
Kungurri Australia 21°4S 148°45E 150 b
Kunhar → Pakistan 34°20N 73°30E 125 B5
Kunhegyes Hungary 47°22N 20°36E 80 C5
Kuningan Indonesia 6°59S 108°29E 119 G13
Kunlara Australia 34°54S 139°55E 152 C3
Kunlong Burma 23°20N 98°50E 116 F2
Kunlun Antarctica 80°25S 77°7E 55 E6
Kunlun Shan Asia 36°0N 86°30E 109 E11
Kunlun Shankou China 35°38N 94°4E 110 D7
Kunmadaras Hungary 47°28N 20°45E 80 C5
Kunming China 25°1N 102°41E 116 E4
Kunming Changshui Int. ✕ (KMG) China 24°59N 102°45E 116 E4
Kunmunya ✪ Australia 15°26S 124°42E 148 C3
Kunnamkulam India 10°38N 76°7E 127 J3
Kunów Poland 50°57N 21°17E 83 H8
Kunshan China 31°22N 120°58E 117 B13
Kunszentmárton Hungary 46°50N 20°20E 80 D5
Kunszentmiklós Hungary 47°2N 19°8E 80 C4
Kuntaur Senegal 13°40N 14°48W 138 C2
Kununurra Australia 15°40S 128°50E 148 C4
Kunwari → India 26°26N 79°11E 125 F8
Kunya-Urgench = Köneürgench Turkmenistan 42°19N 59°10E 108 D5
Künzelsau Germany 49°17N 9°42E 77 F5
Kuopio Finland 62°53N 27°35E 60 E22
Kupa → Croatia 45°28N 16°24E 93 C13
Kupang Indonesia 10°19S 123°39E 119 F6
Kupino Russia 54°21N 77°16E 109 B9
Kupreanof I. U.S.A. 56°50N 133°30W 162 B2
Kupres Bos.-H. 43°56N 17°15E 80 G2
Kupyansk Ukraine 49°52N 37°35E 85 H9
Kupyansk-Uzlovoi Ukraine 49°40N 37°43E 85 H9
Kuqa China 41°35N 82°30E 109 D10
Kür → Azerbaijan 39°29N 49°15E 105 C13
Kür Dili Azerbaijan 39°3N 49°13E 105 C13
Kura = Kür → Azerbaijan 39°29N 49°15E 105 C13
Kuranda Australia 16°48S 145°35E 150 B4
Kuranga India 22°4N 69°10E 124 H3
Kurashiki Japan 34°40N 133°50E 113 G6
Kurayn Si. Arabia 27°39N 49°50E 129 E6
Kurayoshi Japan 35°26N 133°50E 113 G6
Kurchatov Kazakhstan 50°45N 78°32E 109 B9
Kurchatov Russia 51°40N 35°39E 85 G8
Kürdämir Azerbaijan 40°25N 48°3E 87 K9
Kurdistan Asia 37°20N 43°30E 105 D10
Kurduvadi India 18°8N 75°29E 126 E2
Kŭrdzhali Bulgaria 41°38N 25°21E 97 E9
Kŭrdzhali □ Bulgaria 41°38N 25°21E 97 E9
Kure Japan 34°14N 132°32E 113 G6
Küre Turkey 41°48N 33°43E 104 B5
Küre Dağları Turkey 41°50N 34°10E 104 B6
Kure I. U.S.A. 28°25N 178°25W 167 K4
Kuressaare Estonia 58°15N 22°30E 84 C2
Kurgan Russia 55°26N 65°18E 108 A7
Kurgan-Tyube = Qŭrghonteppa Tajikistan 37°50N 68°47E 109 E7
Kurganinsk Russia 44°54N 40°34E 87 H5
Kurgannaya = Kurganinsk Russia 44°54N 40°34E 87 H5
Kuri India 26°37N 70°43E 124 F4
Kuria Maria Is. = Ḩallānīyat, Jazā'ir al Oman 17°30N 55°58E 131 D6
Kurichchi India 11°36N 77°35E 127 J3
Kuridala Australia 21°16S 140°29E 150 C3
Kurigram Bangla. 25°49N 89°39E 123 G16
Kurikka Finland 62°36N 22°24E 60 E20
Kuril Basin Pac. Oc. 47°0N 150°0E 54 E15
Kuril Is. = Kurilskiye Ostrova Russia 45°0N 150°0E 107 E16
Kuril-Kamchatka Trench Pac. Oc. 44°0N 153°0E 156 C7
Kurilsk Russia 45°14N 147°53E 107 E15
Kurilskiye Ostrova Russia 45°0N 150°0E 107 E16
Kurino Japan 31°57N 130°43E 113 J5
Kurinskaya Kosa = Kür Dili Azerbaijan 39°3N 49°13E 105 C13
Kurkheda India 20°37N 80°12E 126 D5
Kurkur Egypt 23°50N 32°0E 137 C3
Kurla India 19°4N 72°52E 126 E1
Kurlkuta ✪ Australia 24°0S 127°5E 148 D4
Kurlovskiy Russia 55°25N 40°40E 86 C5
Kurnool India 15°45N 78°0E 127 G4
Kuro-Shima Kagoshima, Japan 30°50N 129°57E 113 J4
Kuro-Shima Okinawa, Japan 24°14N 124°1E 113 M2
Kuror, J. Sudan 20°27N 31°30E 137 C3
Kurow N.Z. 44°44S 170°29E 155 E5
Kurów Poland 51°23N 22°12E 83 G9
Kurrajong Australia 33°33S 150°42E 153 B9
Kurram → Pakistan 32°36N 71°20E 124 C4
Kurri Kurri Australia 32°50S 151°28E 153 B9
Kurrimine Australia 17°47S 146°6E 150 B4
Kursavka Russia 44°29N 42°32E 87 H6
Kurse Korhi India 20°14N 80°46E 126 D5
Kurseong = Karsiyang India 26°56N 88°18E 125 F13
Kürshim Kazakhstan 48°34N 83°39E 109 C10
Kurshskaya Kosa ⌂ Russia 55°7N 20°45E 82 C7
Kurshskiy Zaliv Russia 55°9N 21°6E 82 C8
Kuršių Nerijos Δ Lithuania 55°30N 21°6E 82 C8
Kursk Russia 51°42N 36°11E 85 G9
Kursk □ Russia 51°50N 36°10E 85 G9
Kuršumlija Serbia 43°9N 21°19E 96 C5
Kuršumlijska Banja Serbia 43°3N 21°11E 96 C5
Kurşunlu Bursa, Turkey 40°3N 29°40E 97 F13
Kurşunlu Çankırı, Turkey 40°51N 33°15E 104 B5
Kurtalan Turkey 37°56N 41°44E 105 D9
Kurtbey Turkey 41°9N 26°35E 97 E10
Kurucaşile Turkey 41°49N 32°42E 104 B5
Kuruçay Turkey 39°39N 38°29E 128 B3
Kurukshetra = Thanesar India 30°1N 76°52E 124 D7
Kuruktag China 41°0N 89°0E 109 D11
Kuruman S. Africa 27°28S 23°28E 144 C3
Kuruman → S. Africa 26°56S 20°39E 144 C3
Kurume Japan 33°15N 130°30E 113 H5
Kurunegala Sri Lanka 7°30N 80°23E 127 L5
Kurya Russia 61°42N 57°9E 106 C6
Kus Gölü Turkey 40°10N 27°55E 97 F11
Kuşadası Turkey 37°52N 27°15E 104 D2
Kuşadası Körfezi Turkey 37°56N 27°0E 99 D8
Kusamba Indonesia 8°34S 115°27E 119 K18
Kusatsu Japan 36°37N 138°36E 113 F9
Kusawa L. Canada 60°20N 136°13W 162 A1
Kusel Germany 49°32N 7°24E 77 F3
Kushaka Nigeria 10°32N 6°48E 139 C6
Kushalgarh India 23°10N 74°27E 124 H6
Kushalnagar India 12°14N 75°57E 127 H2
Kushchevskaya Russia 46°33N 39°35E 87 G4
Kusheriki Nigeria 10°33N 6°28E 139 C6
Kushikino Japan 31°44N 130°16E 113 J5
Kushima Japan 31°29N 131°14E 113 J5
Kushimoto Japan 33°28N 135°47E 113 H7
Kushiro Japan 43°0N 144°25E 112 C12
Kushiro-Gawa → Japan 42°59N 144°23E 112 C12
Kushiro Shitsugen Δ Japan 43°9N 144°26E 112 C12
Kūshk Iran 28°46N 56°51E 129 D8
Kushka = Serhetabat Turkmenistan 35°20N 62°18E 129 C9
Kushmurun = Qusmuryn Kazakhstan 52°27N 64°36E 108 B6
Kushnytsya Ukraine 48°27N 23°15E 81 B8
Kushol India 33°40N 76°36E 125 C7
Kushtia Bangla. 23°55N 89°5E 123 H16
Kuskokwim → U.S.A. 60°5N 162°25W 166 C7
Kuskokwim B. U.S.A. 59°45N 162°25W 166 D7
Kuskokwim Mts. U.S.A. 62°30N 156°0W 166 C8
Kusmi India 23°17N 83°55E 125 H10
Kusŏng N. Korea 39°59N 125°15E 115 E13
Kussharo-Ko Japan 43°38N 144°21E 112 C12
Kustanay = Qostanay Kazakhstan 53°10N 63°35E 108 B6
Kut, Ko Thailand 11°40N 102°35E 121 G4
Kuta Indonesia 8°43S 115°11E 119 K18
Kütahya Turkey 39°30N 30°2E 99 B12
Kütahya □ Turkey 39°10N 29°30E 99 B11
Kutaisi Georgia 42°19N 42°40E 87 J6
Kutaraja = Banda Aceh Indonesia 5°35N 95°20E 118 C1
Kutch, Gulf of = Kachchh, Gulf of India 22°50N 69°15E 124 H3
Kutch, Rann of = Kachchh, Rann of India 24°0N 70°0E 124 H4
Kutina Croatia 45°29N 16°48E 93 C13
Kutiyana India 21°36N 70°2E 124 J4
Kutjevo Croatia 45°23N 17°55E 80 E2
Kutkashen = Qäbälä Azerbaijan 40°58N 47°47E 87 K8
Kutná Hora Czech Rep. 49°57N 15°16E 78 B8
Kutno Poland 52°15N 19°23E 83 F6
Kutru India 19°5N 80°46E 126 E5
Kutse Botswana 21°7S 22°16E 144 B3
Kuttabul Australia 21°1S 148°54E 150 b
Kutu Dem. Rep. of the Congo 2°40S 18°11E 140 E3
Kutum Sudan 14°10N 24°40E 135 F10
Kúty Slovak Rep. 48°40N 17°3E 79 C10
Kuty Ukraine 48°16N 25°11E 81 B10
Kuujjuaq Canada 58°6N 68°15W 161 F18
Kuujjuarapik Canada 55°20N 77°35W 164 A4
Kuusamo Finland 65°57N 29°8E 60 D23
Kuusankoski Finland 60°55N 26°38E 84 B4
Kuvshinovo Russia 57°2N 34°11E 84 D8
Kuwait = Al Kuwayt Kuwait 29°30N 48°0E 128 D5
Kuwait ■ Asia 29°30N 47°30E 128 D5
Kuwana Japan 35°5N 136°43E 113 G8
Kuwana → India 26°25N 83°15E 125 F10
Kuybyshev = Samara Russia 53°8N 50°6E 86 D10
Kuybyshev Russia 55°27N 78°19E 106 D8
Kuybyshevo Ukraine 47°25N 36°40E 85 J9
Kuybyshevskoye Vdkhr. Russia 55°2N 49°30E 86 C9
Kuye He → China 38°23N 110°46E 114 E6
Kūyeh Iran 38°45N 47°57E 128 B5
Kuyto, Ozero Russia 65°6N 31°20E 60 D24
Kuytun China 44°25N 85°0E 109 D11
Kuyucak Turkey 37°55N 28°28E 99 D10
Kuyumba Russia 60°58N 96°59E 107 C10
Kuzey Anadolu Dağları Turkey 41°0N 36°45E 104 B7
Kuzhithurai India 8°18N 77°11E 127 K3
Kuzmin Serbia 45°2N 19°25E 80 E4
Kuznetsk Russia 53°12N 46°40E 86 D8
Kuzomen Russia 66°22N 36°50E 106 C4
Kvænangen Norway 70°5N 21°15E 60 A19
Kværndrup Denmark 55°10N 10°31E 63 J4
Kvaløya Norway 69°40N 18°30E 60 B18
Kvänum Sweden 58°18N 13°11E 63 F7

Kvareli = Qvareli Georgia 41°57N 45°47E 87 K7
Kvarner Croatia 44°50N 14°10E 93 D11
Kvarnerič Croatia 44°43N 14°37E 93 D11
Kvicksund Sweden 59°27N 16°19E 62 E10
Kvillsfors Sweden 57°24N 15°29E 63 G9
Kvismare kanal Sweden 59°11N 15°35E 62 E9
Kvissleby Sweden 62°18N 17°22E 62 B11
Kvitøya Svalbard 80°8N 32°35E 57 A14
Kwabhaca S. Africa 30°51S 29°0E 145 D4
Kwai = Khwae Noi → Thailand 14°1N 99°32E 120 E2
Kwajalein Marshall Is. 9°5N 167°20E 156 G8
Kwakhanai Botswana 21°39S 21°16E 144 B3
Kwakoegron Suriname 5°12N 55°25W 187 B7
Kwale Kenya 4°15S 39°31E 142 C4
Kwale Nigeria 5°46N 6°26E 139 D6
KwaMashu S. Africa 29°45S 30°58E 145 C5
Kwando → Africa 18°27S 23°32E 144 A3
Kwangchow = Guangzhou China 23°6N 113°13E 117 F9
Kwangdaeri N. Korea 40°34N 127°33E 115 D14
Kwango → Dem. Rep. of the Congo 3°14S 17°22E 140 E3
Kwangsi-Chuang = Guangxi Zhuangzu Zizhiqu □ China 24°0N 109°0E 116 F7
Kwangtung = Guangdong □ China 23°0N 113°0E 117 F9
Kwara □ Nigeria 8°45N 4°30E 139 D6
Kwataboahegan → Canada 51°9N 80°50W 164 B3
Kwatisore Indonesia 3°18S 134°50E 119 E8
KwaZulu Natal □ S. Africa 29°0S 30°0E 145 C5
Kweichow = Guizhou □ China 27°0N 107°0E 116 D6
Kwekwe Zimbabwe 18°58S 29°48E 143 F2
Kweneng □ Botswana 24°0S 25°0E 144 B3
Kwidzyn Poland 53°44N 18°55E 82 E5
Kwilu → Dem. Rep. of the Congo 3°22S 17°22E 140 E3
Kwinana Australia 32°15S 115°47E 149 F2
Kwisa → Poland 51°34N 15°24E 83 G2
Kwoka Indonesia 0°31S 132°27E 119 E8
Kwolla Nigeria 9°0N 9°15E 139 D6
Kwun Tong China 22°19N 114°13E 111 a
Kyabra Cr. → Australia 25°36S 142°55E 151 D3
Kyabram Australia 36°19S 145°4E 153 D6
Kyaikto Burma 17°20N 97°3E 120 D1
Kyaing Tong = Keng Tung Burma 21°18N 99°39E 120 B2
Kyakhta Russia 50°30N 106°25E 107 D11
Kyambura ⌂ Uganda 0°7S 30°9E 142 C3
Kyancutta Australia 33°8S 135°33E 151 E2
Kyaukpadaung Burma 20°52N 95°8E 123 J19
Kyaukpyu Burma 19°28N 93°30E 123 K18
Kyaukse Burma 21°36N 96°10E 123 J20
Kybartai Lithuania 54°39N 22°45E 82 D9
Kyburz U.S.A. 38°47N 120°18W 170 G6
Kyelang India 32°35N 77°2E 124 C7
Kyenjojo Uganda 0°40N 30°37E 142 B3
Kyjov Czech Rep. 49°1N 17°7E 79 B10
Kyklades Greece 37°0N 24°30E 98 E6
Kyle Canada 50°50N 108°2W 163 C7
Kyle U.S.A. 29°59N 97°53W 176 F6
Kyle Dam = Mutirikwe Dam Zimbabwe 20°15S 31°0E 143 G3
Kyle of Lochalsh U.K. 57°17N 5°44W 65 D3
Kyll → Germany 49°48N 6°41E 77 F2
Kyllburg Germany 50°2N 6°34E 77 E2
Kyllini Greece 37°55N 21°8E 98 D3
Kymijoki → Finland 60°30N 26°55E 84 B4
Kymmene älv = Kymijoki → Finland 60°30N 26°55E 84 B4
Kyneton Australia 37°10S 144°29E 152 D6
Kynuna Australia 21°37S 141°55E 150 C3
Kyō-ga-Saki Japan 35°45N 135°15E 113 G7
Kyoga, L. Uganda 1°35N 33°0E 142 B3
Kyogle Australia 28°40S 153°0E 151 D5
Kyŏngju = Gyeongju S. Korea 35°51N 129°14E 115 G15
Kyŏngsŏng N. Korea 41°35N 129°36E 115 D15
Kyonpyaw Burma 17°12N 95°10E 123 L19
Kyōto Japan 35°0N 135°45E 113 G7
Kyōto □ Japan 35°15N 135°45E 113 G7
Kyparissovouno Cyprus 35°19N 33°10E 101 D12
Kyperounda Cyprus 34°56N 32°58E 101 E11
Kypros = Cyprus ■ Asia 35°0N 33°0E 101 E12
Kyrenia Cyprus 35°20N 33°20E 101 D12
Kyrgyzstan ■ Asia 42°0N 75°0E 109 D9
Kyritz Germany 52°56N 12°24E 76 C8
Kyrkhult Sweden 56°22N 14°34E 63 H8
Kyrnasivka Ukraine 48°35N 28°58E 81 B13
Kyrnychky Ukraine 45°42N 29°4E 81 E14
Kyro älv = Kyrönjoki → Finland 63°14N 21°45E 60 E19
Kyrönjoki → Finland 63°14N 21°45E 60 E19
Kystatyam Russia 67°20N 123°10E 107 C13
Kysucké Nové Mesto Slovak Rep. 49°18N 18°47E 79 B11
Kytay, Ozero Ukraine 45°40N 29°13E 81 E14
Kythira Greece 36°8N 23°0E 98 E5
Kythnos Greece 37°26N 24°27E 98 D6
Kythréa Cyprus 35°15N 33°29E 101 D12
Kyunhla Burma 23°25N 95°15E 123 H19
Kyuquot Sound Canada 50°2N 127°22W 162 D3
Kyurdamir = Kürdämir Azerbaijan 40°25N 48°3E 87 K9
Kyūshū Japan 33°0N 131°0E 113 H5
Kyūshū □ Japan 33°0N 131°0E 113 H5
Kyūshū-Palau Ridge Pac. Oc. 20°0N 136°0E 156 E5
Kyūshū-Sanchi Japan 32°35N 131°17E 113 H5
Kyustendil Bulgaria 42°16N 22°41E 96 D6
Kyustendil □ Bulgaria 42°16N 22°41E 96 D6
Kyusyur Russia 70°19N 127°30E 107 B13
Kywong Australia 34°58S 146°44E 153 C7
Kyyiv Ukraine 50°30N 30°28E 75 C16
Kyyiv □ Ukraine 50°5N 30°45E 85 G6
Kyyivske Vdskh. Ukraine 51°0N 30°25E 75 C16
Kyzyl Russia 51°50N 94°30E 109 B12
Kyzyl-Adyr Kyrgyzstan 42°39N 71°35E 109 D8
Kyzyl Kum Uzbekistan 42°30N 65°0E 109 D7
Kyzyl-Kyya Kyrgyzstan 40°16N 72°8E 109 D8
Kyzyl Orda = Qyzylorda Kazakhstan 44°48N 65°28E 108 D7
Kyzyl-Suu Kyrgyzstan 42°20N 78°0E 109 D9

L

La Albuera Spain 38°45N 6°49W 89 G4
La Alcarria Spain 40°31N 2°45W 90 E2
La Almarcha Spain 39°41N 2°24W 90 F2
La Almunia de Doña Godina Spain 41°29N 1°23W 90 D3
La Amistad △ Cent. Amer. 9°28N 83°18W 182 E3
La Asunción Venezuela 11°2N 63°51W 186 A6
La Baie Canada 48°19N 70°53W 165 C5
La Banda Argentina 27°45S 64°10W 190 B3
La Bañeza Spain 42°17N 5°54W 88 C5
La Barca Mexico 20°17N 102°34W 180 C4
La Barge U.S.A. 42°16N 110°12W 168 E8
La Barra Nic. 12°54N 83°33W 182 D3
La Bastide-Puylaurent France 44°35N 3°55E 72 D7
La Baule France 47°17N 2°24W 70 E4
La Belle U.S.A. 26°46N 81°26W 179 J8
La Biche → Canada 59°57N 123°50W 162 B4
La Biche, L. Canada 54°50N 112°3W 162 C6
La Bisbal d'Empordà Spain 41°58N 3°2E 90 D8
La Brea Peru 4°40S 81°7W 188 A1
La Brea Trin. & Tob. 10°15N 61°37W 187 K15
La Brède France 44°41N 0°32W 72 D3
La Bresse France 48°2N 6°53E 71 D13
La Bureba Spain 42°36N 3°24W 88 C7
La Calera Chile 32°50S 71°10W 190 C1
La Campana △ Chile 32°58S 71°14W 190 C1
La Campiña Spain 37°45N 4°45W 89 H6
La Canal = Sa Canal Spain 38°51N 1°23E 100 C7
La Cañiza = A Cañiza Spain 42°13N 8°16W 88 C2
La Canourgue France 44°26N 3°13E 72 D7
La Capelle France 49°59N 3°50E 71 C10
La Carlota Argentina 33°30S 63°20W 190 C3
La Carlota Spain 37°40N 4°56W 89 H6
La Carolina Spain 38°17N 3°38W 89 G7
La Cavalerie France 44°1N 3°10E 72 D7
La Ceiba Honduras 15°40N 86°50W 182 C2
La Chaise-Dieu France 45°18N 3°42E 72 C7
La Chapelle d'Angillon France 47°21N 2°25E 71 E9
La Chapelle-St-Luc France 48°20N 4°3E 71 D11
La Chapelle-sur-Erdre France 47°18N 1°34W 70 E5
La Charité-sur-Loire France 47°10N 3°1E 71 E10
La Chartre-sur-le-Loir France 47°44N 0°34E 70 E7
La Châtaigneraie France 46°39N 0°44W 72 B3
La Châtre France 46°35N 2°0E 71 F9
La Chaux-de-Fonds Switz. 47°7N 6°50E 77 H2
La Chorrera Panama 8°53N 79°47W 182 E4
La Ciotat France 43°10N 5°37E 73 E9
La Clayette France 46°17N 4°19E 71 F11
La Cocha Argentina 27°50S 65°40W 190 B2
La Concepción Panama 8°31N 82°37W 182 E3
La Concordia Mexico 16°5N 92°38W 181 D6
La Coruña = A Coruña Spain 43°20N 8°25W 88 B2
La Côte-St-André France 45°24N 5°15E 73 C9
La Courtine France 45°41N 2°15E 72 C6
La Crau Bouches-du-Rhône, France 43°32N 4°40E 73 E8
La Crau Var, France 43°9N 6°4E 73 E10
La Crescent U.S.A. 43°50N 91°18W 172 D8
La Crete Canada 58°11N 116°24W 162 B5
La Crosse Fla., U.S.A. 29°51N 82°24W 178 F7
La Crosse Kans., U.S.A. 38°32N 99°18W 172 F4
La Crosse Wis., U.S.A. 43°48N 91°15W 172 D8
La Cruz Costa Rica 11°4N 85°39W 182 D2
La Cruz Mexico 23°55N 106°54W 180 C3
La Désirade Guadeloupe 16°18N 61°3W 182 b
La Digue Seychelles 4°20S 55°51E 141 b
La Esperanza Argentina 40°26S 68°32W 192 B3
La Esperanza Cuba 22°46N 83°44W 182 B3
La Esperanza Honduras 14°15N 88°10W 182 D2
La Estrada = A Estrada Spain 42°43N 8°27W 88 C2
La Faouët France 48°2N 3°30W 70 D3
La Fayette U.S.A. 34°42N 85°17W 177 D12
La Fé Cuba 22°2N 84°15W 182 B3
La Fère France 49°39N 3°21E 71 C10
La Ferté-Bernard France 48°10N 0°40E 70 D7
La Ferté-Gaucher France 48°47N 3°19E 71 D10
La Ferté-Macé France 48°35N 0°22W 70 D6
La Ferté-St-Aubin France 47°42N 1°57E 71 E8
La Ferté-sous-Jouarre France 48°56N 3°8E 71 D10
La Ferté-Vidame France 48°37N 0°53E 70 D7
La Flèche France 47°42N 0°4W 70 E6
La Follette U.S.A. 36°23N 84°7W 177 C12
La Fregeneda Spain 40°58N 6°54W 88 E4
La Fuente de San Esteban Spain 40°49N 6°15W 88 E4
La Gacilly France 47°45N 2°8W 70 E4
La Gi Vietnam 10°40N 107°45E 121 G6
La Gineta Spain 39°8N 2°1W 91 F2
La Goulette Tunisia 36°53N 10°18E 94 F3
La Grand'Combe France 44°13N 4°2E 73 D8
La Grande U.S.A. 45°20N 118°5W 168 D4
La Grande → Canada 53°50N 79°0W 164 B5
La Grande 3, Rés. Canada 53°40N 75°10W 164 B4
La Grande 4, Rés. Canada 54°0N 73°15W 164 B5
La Grande-Motte France 43°23N 4°5E 73 E8
La Grange Calif., U.S.A. 37°42N 120°27W 170 H6
La Grange Ga., U.S.A. 33°2N 85°2W 178 B4
La Grange Ky., U.S.A. 38°24N 85°22W 173 F11
La Grange Tex., U.S.A. 29°54N 96°52W 176 G6
La Grave France 45°3N 6°18E 73 C10
La Guaira Venezuela 10°36N 66°56W 186 A5
La Guarda △ Mexico 29°20N 113°27W 180 B2
La Guardia = A Guarda Spain 41°56N 8°52W 88 D2
La Gudiña = A Gudiña Spain 42°4N 7°8W 88 C3
La Guerche-de-Bretagne France 47°57N 1°16W 70 E5
La Guerche-sur-l'Aubois France 46°58N 2°56E 71 F9
La Habana Cuba 23°8N 82°22W 182 B3
La Haute Vallée de Chevreuse ⌂ France 48°35N 1°58E 71 D8
La Haye-du-Puits France 49°17N 1°33W 70 C5
La Horra Spain 41°44N 3°53W 88 D7
La Independencia Mexico 16°15N 92°1W 181 D6
La Isabela Dom. Rep. 19°58N 71°2W 183 C5
La Jonquera Spain 42°25N 2°53E 90 C7
La Joya Peru 16°43S 71°52W 188 D3
La Junta U.S.A. 37°59N 103°33W 168 H12
La Laguna = San Cristóbal de La Laguna Canary Is. 28°28N 16°18W 100 F3
La Libertad = Puerto Libertad Mexico 29°55N 112°43W 180 B2
La Libertad Guatemala 16°47N 90°7W 182 C1
La Libertad □ Peru 8°0S 78°30W 188 B2
La Ligua Chile 32°30S 71°16W 190 C1
La Línea de la Concepción Spain 36°15N 5°23W 89 J5
La Loche Canada 56°29N 109°26W 163 B7
La Londe-les-Maures France 43°8N 6°14E 73 E10
La Lora Spain 42°45N 4°0W 88 C7
La Loupe France 48°29N 1°0E 70 D8
La Louvière Belgium 50°27N 4°10E 69 D4
La Lune Trin. & Tob. 10°3N 61°22W 187 K15
La Machine France 46°54N 3°27E 71 F10
La Maddalena Italy 41°13N 9°24E 94 A2
La Malbaie Canada 47°40N 70°10W 165 C5
La Malinche △ Mexico 19°15N 98°3W 181 D5
La Mancha Spain 39°10N 2°54W 91 F2
La Mariña Spain 43°30N 7°40W 88 B3
La Martre, L. Canada 63°15N 117°55W 162 A5
La Merced Peru 11°3S 75°19W 188 C2
La Mercy ✕ (DUR) S. Africa 29°37S 31°7E 145 C5
La Mesa Mexico 32°30N 116°57W 171 N10
La Mesa U.S.A. 32°46N 117°1W 171 N9
La Mesilla U.S.A. 32°16N 106°48W 169 K10
La Mothe-Achard France 46°37N 1°40W 70 F5
La Motte-Chalançon France 44°30N 5°21E 73 D9
La Motte-du-Caire France 44°20N 6°3E 73 D10
La Motte-Servolex France 45°35N 5°53E 73 C9
La Moure U.S.A. 46°21N 98°18W 172 B4
La Muela Spain 41°36N 1°7W 90 D3
La Mure France 44°55N 5°48E 73 D9
La Negra Chile 23°46S 70°18W 190 A1
La Oliva Canary Is. 28°36N 13°57W 100 F6
La Oraya Peru 11°32S 75°54W 188 C2
La Orotava Canary Is. 28°22N 16°31W 100 F3
La Oroya Peru 11°32S 75°54W 188 C2
La Pacaudière France 46°11N 3°52E 71 F10
La Palma Canary Is. 28°40N 17°50W 100 F2
La Palma Panama 8°15N 78°0W 182 E4
La Palma del Condado Spain 37°21N 6°38W 89 H4
La Palmyre France 45°43N 1°9W 72 C2
La Paloma Chile 30°35S 71°0W 190 C1
La Pampa □ Argentina 36°50S 66°0W 190 D2
La Paragua Venezuela 6°50N 63°20W 186 B6
La Paz Entre Ríos, Argentina 30°50S 59°45W 190 C4
La Paz San Luis, Argentina 33°30S 67°20W 190 C2
La Paz Bolivia 16°20S 68°10W 188 D4
La Paz Honduras 14°20N 87°47W 182 D2
La Paz Mexico 24°10N 110°18W 180 C2
La Paz □ Bolivia 15°30S 68°0W 188 D4
La Paz Centro Nic. 12°20N 86°41W 182 D2
La Pedrera Colombia 1°18S 69°43W 186 D5
La Pérade Canada 46°35N 72°12W 165 C5
La Perla Mexico 28°18N 104°32W 180 B4
La Perouse Str. Asia 45°40N 142°0E 112 B11
La Pesca Mexico 23°46N 97°47W 181 C5
La Piedad Mexico 20°21N 102°0W 180 C4
La Pine U.S.A. 43°40N 121°30W 168 E3
La Plata Argentina 35°0S 57°55W 190 D4
La Plata, L. Argentina 44°55S 71°50W 192 B2
La Pobla de Lillet Spain 42°16N 1°59E 90 C6
La Pobla de Segur Spain 42°15N 0°58E 90 C5
La Pocatière Canada 47°22N 70°2W 165 C5
La Pola de Gordón Spain 42°51N 5°41W 88 C5
La Porta France 42°25N 9°21E 73 F13
La Porte U.S.A. 29°40N 95°1W 176 G7
La Presanella Italy 46°13N 10°40E 92 B7
La Puebla = Sa Pobla Spain 39°46N 3°1E 90 F8
La Puebla de Cazalla Spain 37°10N 5°20W 89 H5
La Puebla de los Infantes Spain 37°47N 5°24W 89 H5
La Puebla de Montalbán Spain 39°52N 4°22W 88 F6
La Puebla del Río Spain 37°16N 6°3W 89 H4
La Puerta de Segura Spain 38°22N 2°45W 89 G8
La Purísima Mexico 26°10N 112°4W 180 B2
La Push U.S.A. 47°55N 124°38W 170 C2
La Quiaca Argentina 22°5S 65°35W 190 A2
La Réole France 44°35N 0°1W 72 D3
La Restinga Canary Is. 27°38N 17°59W 100 G2
La Rinconada Peru 14°38S 69°27W 188 C4
La Rioja Argentina 29°20S 67°0W 190 B2
La Rioja □ Argentina 29°30S 67°0W 190 B2
La Rioja □ Spain 42°20N 2°20W 90 C2
La Robla Spain 42°50N 5°41W 88 C5
La Roche-Bernard France 47°31N 2°19W 70 E4
La Roche-Canillac France 45°12N 1°57E 72 C5
La Roche-en-Ardenne Belgium 50°11N 5°35E 69 D5
La Roche-sur-Foron France 46°4N 6°19E 71 F13
La Roche-sur-Yon France 46°40N 1°25W 70 F5
La Rochefoucauld France 45°44N 0°24E 72 C4
La Rochelle France 46°10N 1°9W 72 B2
La Roda Spain 39°13N 2°15W 91 F2
La Roda de Andalucía Spain 37°12N 4°46W 89 H6
La Romaine Canada 50°13N 60°40W 165 B7
La Romana Dom. Rep. 18°27N 68°57W 183 C6
La Ronge Canada 55°5N 105°20W 163 B7
La Rumorosa Mexico 32°34N 116°6W 171 N10
La Sabina = Sa Savina Spain 38°44N 1°25E 100 C7
La Sagra Spain 37°57N 2°35W 91 H2
La Salle U.S.A. 41°20N 89°6W 172 E9
La Sanabria Spain 42°0N 6°30W 88 C4
La Santa Canary Is. 29°5N 13°40W 100 E6
La Sarre Canada 48°45N 79°15W 164 C4
La Scie Canada 49°57N 55°36W 165 C8
La Selva Spain 42°0N 2°45E 90 C7
La Selva Beach U.S.A. 36°56N 121°51W 170 J5
La Selva del Camp Spain 41°13N 1°8E 90 D6
La Serena Chile 29°55S 71°10W 190 B1
La Serena Spain 38°45N 5°40W 89 G5
La Seu d'Urgell Spain 42°22N 1°23E 90 C6
La Seyne-sur-Mer France 43°7N 5°52E 73 E9
La Sila Italy 39°15N 16°35E 95 C9
La Solana Spain 38°59N 3°14W 89 G7
La Soufrière St. Vincent 13°20N 61°11W 183 D7
La Souterraine France 46°15N 1°30E 71 F8
La Spézia Italy 44°7N 9°50E 92 D6
La Suze-sur-Sarthe France 47°53N 0°2E 70 E7
La Tagua Colombia 0°3N 74°40W 186 C4
La Teste-de-Buch France 44°37N 1°8W 72 D2
La Tortuga, I. Venezuela 11°0N 65°22W 183 D6
La Tour-du-Pin France 45°33N 5°27E 73 C9
La Tranche-sur-Mer France 46°20N 1°27W 70 F5
La Tremblade France 45°46N 1°8W 72 C2
La Trinité Martinique 14°45N 60°58W 182 c
La Tuque Canada 47°30N 72°50W 164 C5
La Unión Chile 40°10S 73°0W 192 B2
La Unión El Salv. 13°20N 87°50W 182 D2
La Unión Mexico 17°58N 101°49W 180 D4
La Unión Peru 9°43S 76°45W 188 B2
La Unión Spain 37°38N 0°53W 91 H4
La Urbana Venezuela 7°8N 66°56W 186 B5
La Vache Pt. Trin. & Tob. 10°47N 61°28W 187 K15
La Vall d'Uixó Spain 39°49N 0°15W 90 F4
La Vecilla Spain 42°51N 5°27W 88 C5
La Vega Dom. Rep. 19°20N 70°30W 183 C5
La Vega Peru 10°41S 77°44W 188 C2
La Vela de Coro Venezuela 11°27N 69°34W 186 A5
La Veleta Spain 37°1N 3°22W 89 H7
La Venta Mexico 18°5N 94°3W 181 D6
La Vergne U.S.A. 36°1N 86°35W 177 C11
La Villa Joiosa = Villajoyosa Spain 38°30N 0°12W 91 G4
La Voulte-sur-Rhône France 44°48N 4°46E 73 D8
Laa an der Thaya Austria 48°43N 16°23E 79 C9
Laaber, Grosse → Germany 48°55N 12°30E 77 G8
Laage Germany 53°55N 12°21E 76 B8
Laascaanood = Las Anod Somali Rep. 8°26N 47°19E 131 F4
Laatzen Germany 52°19N 9°48E 76 C5
Laba → Russia 45°11N 39°42E 87 H4
Labasa Fiji 16°30S 179°27E 154 a
Labastide-Murat France 44°39N 1°33E 72 D5
Labastide-Rouairoux France 43°28N 2°39E 72 E6
Labbézenga Mali 15°2N 0°48E 139 B5
Labdah = Leptis Magna Libya 32°40N 14°12E 135 B8
Labe = Elbe → Europe 53°50N 9°0E 76 B4
Labé Guinea 11°24N 12°16W 138 C2
Laberge, L. Canada 61°11N 135°12W 162 A1
Labin Croatia 45°5N 14°8E 93 C11
Labinsk Russia 44°40N 40°48E 87 H5
Labis Malaysia 2°22N 103°2E 121 L4
Łabiszyn Poland 52°57N 17°54E 83 F4
Laboe Germany 54°24N 10°13E 76 A6
Laborec → Slovak Rep. 48°37N 21°58E 79 C14
Laborie St. Lucia 13°45N 61°2W 183 f
Labouheyre France 44°13N 0°55W 72 D3
Laboulaye Argentina 34°10S 63°30W 190 C3
Labrador Canada 53°20N 61°0W 165 B7
Labrador City Canada 52°57N 66°55W 165 B6
Labrador Sea Atl. Oc. 57°0N 54°0W 161 F21
Lábrea Brazil 7°15S 64°51W 186 E6
Labruguière France 43°31N 2°16E 72 E6
Labuan □ Malaysia 5°20N 115°12E 118 C4
Labuha Indonesia 0°30S 127°30E 119 E7
Labuhan Indonesia 6°22S 105°50E 119 G11
Labuhanbajo Indonesia 8°28S 119°54E 119 F6
Labuhanbilik Indonesia 2°31N 100°10E 121 L3
Labuk, Telok Malaysia 6°10N 117°50E 118 C5
Labyrinth, L. Australia 30°40S 135°11E 151 E2
Labytnangi Russia 66°39N 66°21E 106 C7
Laç Albania 41°38N 19°43E 96 E3
Lac-Bouchette Canada 48°16N 72°11W 165 C5
Lac-Édouard Canada 47°40N 72°16W 165 C5
Lac La Biche Canada 54°45N 111°58W 162 C6
Lac la Martre = Wha Ti Canada 63°8N 117°16W 160 E8
Lac La Ronge ⌂ Canada 55°9N 104°41W 163 B7
Lac-Mégantic Canada 45°35N 70°53W 165 C5
Lac Thien Vietnam 12°25N 108°11E 120 F7
Lacanau France 44°58N 1°5W 72 D2
Lacanau, L. de France 44°58N 1°7W 72 D2
Lacantún → Mexico 16°36N 90°39W 181 D6
Lácara → Spain 38°55N 6°25W 89 G4
Lacaune France 43°43N 2°40E 72 E6
Lacaune, Mts. de France 43°43N 2°50E 72 E6
Laccadive Is. = Lakshadweep Is. India 10°0N 72°30E 127 J1
Lacepede B. Australia 36°40S 139°40E 152 D3
Lacepede Is. Australia 16°55S 122°0E 148 C3
Lacerdónia Mozam. 18°3S 35°35E 143 F4
Lacey U.S.A. 47°7N 122°49W 170 C4
Lachania Greece 35°58N 27°54E 101 D9
Lachay, Pta. Peru 11°17S 77°44W 188 C2
Lachhmangarh India 27°50N 75°4E 124 F6
Lachi Pakistan 33°25N 71°20E 124 C4
Lachine Canada 45°26N 73°42W 164 C5
Lachlan → Australia 34°22S 143°55E 152 C5
Lachoc Peru 12°50S 75°6W 188 C2
Lachute Canada 45°39N 74°21W 164 C5
Laçın Azerbaijan 39°38N 46°33E 105 C12
Lackagh Hills Ireland 54°16N 8°10W 64 B3
Lackawanna U.S.A. 42°50N 78°50W 174 D6
Lackawaxen U.S.A. 41°29N 74°59W 175 E10
Lacolle Canada 45°5N 73°22W 175 A11
Lacombe Canada 52°30N 113°44W 162 C6
Lacona U.S.A. 43°39N 76°10W 175 C8
Láconi Italy 39°54N 9°4E 94 C2
Laconia = Lakonia Greece 36°55N 22°30E 98 E4
Laconia U.S.A. 43°32N 71°28W 175 C13
Lacoochee U.S.A. 28°28N 82°11W 179 G7
Lacq France 43°25N 0°35W 72 E3
Lacs □ Ivory C. 7°1N 4°46W 138 D4
Ladakh Ra. India 34°0N 78°0E 125 C8
Lądek-Zdrój Poland 50°21N 16°53E 83 H3
Lâdik Turkey 40°57N 35°58E 104 B6
Ladismith S. Africa 33°28S 21°15E 144 D3
Ladispoli Italy 41°56N 12°5E 93 G9
Lādīz Iran 28°55N 61°15E 129 D9
Ladnun India 27°38N 74°25E 124 F6
Ladoga, L. = Ladozhskoye Ozero Russia 61°15N 30°30E 84 B6
Ladonas → Greece 37°40N 21°50E 98 D3
Ladozhskoye Ozero Russia 61°15N 30°30E 84 B6
Ladrillero, G. Chile 49°20S 75°35W 192 C1
Ladson U.S.A. 32°59N 80°6W 178 C9
Ladushkin Russia 54°34N 20°10E 82 D7
Lady Elliott I. Australia 24°7S 152°42E 150 C5
Lady Frere S. Africa 31°42S 27°14E 144 D4
Lady Grey S. Africa 30°43S 27°13E 144 D4
Lady Lake U.S.A. 28°55N 81°55W 179 G8
Ladybrand S. Africa 29°9S 27°29E 144 C4
Ladysmith Canada 49°0N 123°49W 170 B3
Ladysmith S. Africa 28°32S 29°46E 145 C4
Ladysmith U.S.A. 45°28N 91°12W 172 C8
Ladyznyn Ukraine 48°40N 29°15E 81 B14
Lae Papua N. G. 6°40S 147°2E 147 B7
Laem Chabang Thailand 13°5N 100°53E 120 F3
Laem Ngop Thailand 12°10N 102°26E 121 F4
Laem Son △ Thailand 9°29N 98°24E 121 H2
Laerma Greece 36°9N 27°57E 101 C9
Læsø Denmark 57°15N 11°5E 63 G5
Læsø Rende Denmark 57°20N 10°45E 63 G4
Lafayette Ala., U.S.A. 32°54N 85°24W 178 C4
Lafayette Ind., U.S.A. 40°25N 86°54W 172 E10
Lafayette La., U.S.A. 30°14N 92°1W 176 F8
Lafayette Tenn., U.S.A. 36°31N 86°2W 177 C11
Laferte → Canada 61°53N 117°44W 162 A5
Lafia Nigeria 8°30N 8°34E 139 D6
Lafiagi Nigeria 8°52N 5°20E 139 D6
Lafkos Greece 39°9N 23°14E 98 B5
Lafleche Canada 49°45N 106°40W 163 D7
Laful India 7°10N 93°52E 127 L11
Lagan Sweden 56°56N 13°58E 63 H7
Lagan → Sweden 56°30N 12°58E 63 H6
Lagan → U.K. 54°36N 5°55W 64 B6
Lagarfljót → Iceland 65°40N 14°18W 60 D6
Lagarto Brazil 10°54S 37°41W 189 C3
Lagdo, L. de Cameroon 8°40N 14°0E 135 G8
Lage Germany 51°59N 8°48E 76 D4
Lågen → Oppland, Norway 61°8N 10°25E 60 F14
Lågen → Vestfold, Norway 59°3N 10°3E 61 G14
Lägerdorf Germany 53°53N 9°34E 76 B5
Lages Brazil 27°48S 50°20W 191 B5
Laghouat Algeria 33°50N 2°59E 136 B4
Laghouat □ Algeria 33°35N 2°40E 136 B4
Lagnieu France 45°55N 5°20E 73 C9
Lagny-sur-Marne France 48°52N 2°44E 71 D9
Lago Italy 39°10N 16°9E 95 C9
Lago de Sanabria y Entorno △ Spain 42°9N 6°45W 88 C4
Lago Posadas Argentina 47°30S 71°40W 192 C2
Lago Puelo △ Argentina 42°30S 71°55W 192 B2
Lago Ranco Chile 40°19S 72°30W 192 B2
Lagôa Portugal 37°8N 8°27W 89 H2
Lagoa do Peixe △ Brazil 31°12S 50°55W 191 C5
Lagoa Vermelha Brazil 28°13S 51°32W 191 B5
Lagoaça Portugal 41°11N 6°44W 88 D4
Lagodekhi Georgia 41°50N 46°22E 87 K8
Lagónegro Italy 40°8N 15°45E 95 B8
Lagonoy G. Phil. 13°35N 123°50E 119 B6
Lagos Greece 41°1N 25°6E 97 E9
Lagos Nigeria 6°25N 3°27E 139 D5
Lagos Portugal 37°5N 8°41W 89 H2
Lagos □ Nigeria 6°28N 3°25E 139 D5
Lagos de Moreno Mexico 21°21N 101°55W 180 C4
Lagrange = Bidyadanga Australia 18°45S 121°43E 148 C3
Lagrange B. Australia 18°38S 121°42E 148 C3
Laguardia Spain 42°33N 2°35W 90 C2
Laguépie France 44°8N 1°57E 72 D5
Laguna Brazil 28°30S 48°50W 191 B6
Laguna U.S.A. 35°2N 107°25W 169 J10
Laguna, Sa. de la Mexico 23°35N 109°55W 180 C3
Laguna Beach U.S.A. 33°33N 117°47W 171 M9
Laguna Blanca △ Argentina 39°0S 70°5W 192 A2
Laguna de Duero Spain 41°35N 4°43W 88 D6
Laguna de la Restinga △ Venezuela 10°58N 64°0W 183 D6
Laguna de Lachuá △ Guatemala 15°55N 90°40W 182 C1
Laguna del Laja △ Chile 37°27S 71°20W 190 D1
Laguna del Tigre △ Guatemala 17°32N 90°56W 182 C1
Laguna Limpia Argentina 26°32S 59°45W 190 B4
Laguna San Rafael △ Chile 46°54S 73°31W 192 C2
Lagunas Chile 21°0S 69°45W 190 A2
Lagunas Peru 5°10S 75°35W 188 B2
Lagunas de Chacahua △ Mexico 16°0N 97°43W 181 D5
Lagunas de Montebello △ Mexico 16°4N 91°42W 181 D6
Lagunas de Ruidera △ Spain 38°57N 2°52W 91 G2
Lagunes □ Ivory C. 5°47N 4°12W 138 D4
Lahad Datu Malaysia 5°0N 118°20E 119 D5
Lahad Datu, Telok Malaysia 4°50N 118°20E 119 D5
Lahan Sai Thailand 14°25N 102°52E 120 E4
Lahanam Laos 16°16N 105°16E 120 D5
Lahar India 26°12N 78°57E 125 F8
Laharpur India 27°43N 80°56E 125 F9
Lahat Indonesia 3°45S 103°30E 118 E2
Lahewa Indonesia 1°22N 97°12E 118 D1
Lāhījān Iran 37°10N 50°6E 129 B6
Lahn → Germany 50°19N 7°37E 77 E3
Lahnstein Germany 50°19N 7°37E 77 E3
Laholm Sweden 56°30N 13°2E 63 H7
Laholmsbukten Sweden 56°30N 12°45E 63 H6
Lahore Pakistan 31°32N 74°22E 124 D6
Lahr Germany 48°20N 7°53E 77 G3
Lahri Pakistan 29°11N 68°13E 124 E3
Lāhrūd Iran 38°30N 47°52E 105 C12
Lahti Finland 60°58N 25°40E 84 B3
Lahtis = Lahti Finland 60°58N 25°40E 84 B3
Lahugala Kitulana △ Sri Lanka 6°50N 81°40E 127 L5
Laï Chad 9°25N 16°18E 135 G9
Lai Chau Vietnam 22°5N 103°3E 116 F4
Lai'an China 32°28N 118°30E 117 A12
Laibin China 23°42N 109°14E 116 F7
Laifeng China 29°27N 109°20E 116 C7
L'Aigle France 48°46N 0°38E 70 D7
Laignes France 47°50N 4°20E 71 E11
L'Aiguillon-sur-Mer France 46°20N 1°18W 72 B2
Laikipia □ Kenya 0°10N 36°40E 142 B4
Laila = Layla Si. Arabia 22°10N 46°40E 131 C4
Laingsburg S. Africa 33°9S 20°52E 144 D3
Lainioälven → Sweden 67°35N 22°40E 60 C20
Lairg U.K. 58°2N 4°24W 65 C4
Laisamis Kenya 1°36N 37°48E 142 B4
Laissac France 44°23N 2°50E 72 D6
Láives Italy 46°26N 11°20E 93 B8
Laiwu China 36°15N 117°40E 115 F9
Laixi China 36°50N 120°31E 115 F11
Laiyang China 36°59N 120°45E 115 F11
Laiyuan China 39°20N 114°40E 114 E8
Laizhou China 37°8N 119°57E 115 F10
Laizhou Wan China 37°30N 119°30E 115 F10
Lajamanu Australia 18°23S 130°38E 148 C5
Lajere Nigeria 12°10N 11°25E 139 C7
Lajes Brazil 5°41S 36°14W 189 B3
Lajinha Brazil 20°9S 41°37W 189 E2
Lajkovac Serbia 44°27N 20°14E 96 B4
Lajosmizse Hungary 47°3N 19°32E 80 C4
Lak Sao Laos 18°11N 104°59E 120 C5
Lakaband Pakistan 31°2N 69°15E 124 D3
Lakamané Mali 14°35N 9°44W 138 C3
Lake U.S.A. 44°33N 110°24W 168 D8
Lake Alfred U.S.A. 28°6N 81°44W 179 G8
Lake Alpine U.S.A. 38°29N 120°0W 170 G7
Lake Andes U.S.A. 43°9N 98°32W 172 D4
Lake Arthur U.S.A. 30°5N 92°41W 176 F8
Lake Bindegolly △ Australia 28°0S 144°12E 151 D3
Lake Boga Australia 35°26S 143°38E 152 C5
Lake Butler U.S.A. 30°1N 82°21W 178 E7
Lake Cargelligo Australia 33°15S 146°22E 153 B7
Lake Charles U.S.A. 30°14N 93°13W 176 F8
Lake City Colo., U.S.A. 38°2N 107°19W 168 G10
Lake City Fla., U.S.A. 30°11N 82°38W 178 E7
Lake City Mich., U.S.A. 44°20N 85°13W 173 C11
Lake City Minn., U.S.A. 44°27N 92°16W 172 C7
Lake City Pa., U.S.A. 42°1N 80°21W 174 D4
Lake City S.C., U.S.A. 33°52N 79°45W 178 B10
Lake Coleridge N.Z. 43°17S 171°30E 155 D6
Lake Cowichan Canada 48°49N 124°3W 162 D4
Lake District △ U.K. 54°30N 3°21W 66 C4
Lake Eildon △ Australia 37°10S 145°56E 153 D6
Lake Elsinore U.S.A. 33°38N 117°20W 171 M9
Lake Eyre △ Australia 28°40S 137°31E 151 D2
Lake Gairdner △ Australia 31°41S 135°51E 151 E2
Lake George U.S.A. 43°26N 73°43W 175 C11
Lake Grace Australia 33°7S 118°28E 149 F2
Lake Gregory ☼ Australia 20°12S 127°27E 148 D4
Lake Harbor U.S.A. 26°42N 80°48W 179 J9
Lake Harbour = Kimmirut Canada 62°50N 69°50W 161 E18
Lake Havasu City U.S.A. 34°27N 114°22W 171 L12
Lake Helen U.S.A. 28°59N 81°14W 179 G8
Lake Hughes U.S.A. 34°41N 118°26W 171 L8
Lake Isabella U.S.A. 35°38N 118°28W 171 K8
Lake Jackson U.S.A. 29°3N 95°27W 176 G7
Lake King Australia 33°5S 119°45E 149 F2
Lake Lenore Canada 52°24N 104°59W 163 C8
Lake Louise Canada 51°30N 116°10W 162 C5
Lake Mackay ☼ Australia 21°48S 129°46E 148 D4
Lake Mburo △ Uganda 0°33S 30°56E 142 C3
Lake Mead ⌂ U.S.A. 36°30N 114°22W 171 K12
Lake Meredith ⌂ U.S.A. 35°50N 101°50W 176 D4
Lake Mills U.S.A. 43°25N 93°32W 172 D7
Lake Nakura △ Kenya 0°21S 36°8E 142 C4
Lake Park Fla., U.S.A. 26°48N 80°3W 179 J9
Lake Park Ga., U.S.A. 30°41N 83°11W 178 E6
Lake Placid Fla., U.S.A. 27°18N 81°22W 179 H8
Lake Placid N.Y., U.S.A. 44°17N 73°59W 175 B11
Lake Pleasant U.S.A. 43°28N 74°25W 175 C10
Lake Providence U.S.A. 32°48N 91°10W 176 E9
Lake Pukaki N.Z. 44°11S 170°8E 155 E5
Lake Roosevelt ⌂ U.S.A. 48°5N 118°14W 168 B4
Lake St. Peter Canada 45°18N 78°2W 174 A6
Lake Stevens U.S.A. 48°1N 122°4W 170 B4
Lake Superior ⌂ Canada 47°45N 84°45W 164 C3
Lake Tekapo N.Z. 44°0S 170°30E 155 E5
Lake Torrens △ Australia 30°55S 137°40E 151 E2
Lake Village U.S.A. 33°20N 91°17W 176 E9
Lake Wales U.S.A. 27°54N 81°35W 179 H8
Lake Worth U.S.A. 26°37N 80°3W 179 J9
Lakeba Fiji 18°13S 178°47W 154 a
Lakeba Passage Fiji 18°0S 178°45W 154 a
Lakefield = Rinyirru △ Australia 15°24S 144°26E 150 B3
Lakefield Canada 44°25N 78°16W 174 B6
Lakehurst U.S.A. 40°1N 74°19W 175 F10
Lakeland Australia 15°49S 144°57E 150 B3
Lakeland Fla., U.S.A. 28°3N 81°57W 179 G8
Lakeland Ga., U.S.A. 31°2N 83°4W 178 D6
Lakemba = Lakeba Fiji 18°13S 178°47W 154 a
Lakeport Calif., U.S.A. 39°3N 122°55W 170 F4
Lakeport Mich., U.S.A. 43°7N 82°30W 174 C2
Lakes Entrance Australia 37°50S 148°0E 153 D8
Lakeside Calif., U.S.A. 32°52N 116°55W 171 N10
Lakeside Nebr., U.S.A. 42°3N 102°26W 172 D2
Lakeview U.S.A. 42°11N 120°21W 168 E3
Lakeville U.S.A. 44°39N 93°14W 172 C7
Lakewood Colo., U.S.A. 39°42N 105°4W 168 G11
Lakewood N.J., U.S.A. 40°6N 74°13W 175 F10
Lakewood N.Y., U.S.A. 42°6N 79°19W 174 D5
Lakewood Ohio, U.S.A. 41°28N 81°47W 174 E3
Lakewood Wash., U.S.A. 47°11N 122°32W 170 C4

Lakewood Park U.S.A. 27°33N 80°24W 179 H9
Lakha India 26°9N 70°54E 124 F4
Lakhimpur India 27°57N 80°46E 125 F9
Lakhisarai India 25°11N 86°5E 125 G12
Lakhnadon India 22°36N 79°36E 125 H8
Lakhnau = Lucknow India 26°50N 81°0E 125 F9
Lakhonpheng Laos 15°54N 105°34E 120 E5
Lakhpat India 23°48N 68°47E 124 H3
Lâki Azerbaijan 40°34N 47°22E 87 K8
Lakin U.S.A. 37°57N 101°15W 172 G3
Lakitusaki → Canada 54°21N 82°25W 164 B3
Lakki Greece 35°24N 23°57E 101 D5
Lakki Pakistan 32°36N 70°55E 124 C4
Lakonia Greece 36°55N 22°30E 98 E4
Lakonikos Kolpos Greece 36°40N 22°40E 98 E4
Lakor Indonesia 8°15S 128°17E 119 F7
Lakota Ivory C. 5°50N 5°30W 138 D3
Lakota U.S.A. 48°2N 98°21W 172 A4
Laksar India 29°46N 78°3E 124 E8
Laksefjorden Norway 70°45N 26°50E 60 A22
Lakselv Norway 70°2N 25°0E 60 A21
Laksettipet India 18°52N 79°13E 126 E4
Lakshadweep □ India 10°0N 72°30E 127 J1
Lakshadweep Is. India 10°0N 72°30E 127 J1
Lakshmanpur India 22°58N 83°3E 125 H10
Lakshmeshwar India 15°9N 75°28E 127 G2
Lakshmikantapur India 22°5N 88°20E 125 H13
Lala Musa Pakistan 32°40N 73°57E 124 C5
Lalaghat India 24°30N 92°40E 123 G18
Lalago Tanzania 3°28S 33°58E 142 C3
Lalapanzi Zimbabwe 19°20S 30°15E 143 F3
Lalapaşa Turkey 41°49N 26°44E 97 E10
Lalbenque France 44°19N 1°34E 72 D5
Lalbert Australia 35°38S 143°20E 152 C5
L'Albufera Spain 39°20N 0°27W 91 F4
L'Alcora Spain 40°5N 0°14W 90 E4
L'Alfàs del Pi Spain 38°35N 0°5W 91 G4
Lalganj India 25°52N 85°13E 125 G11
Lalgola India 24°25N 88°15E 125 G13
Lālī Iran 32°21N 49°6E 129 C6
Lalibela Ethiopia 12°3N 39°0E 131 E2
Lalin China 45°12N 127°0E 115 B14
Lalín Spain 42°40N 8°5W 88 C2
Lalin He → China 45°32N 125°40E 115 B13
Lalinde France 44°50N 0°44E 72 D4
Lalitpur India 24°42N 78°28E 125 G8
Lalitpur Nepal 27°40N 85°20E 125 F11
Lalkua India 29°5N 79°31E 125 E8
Lalsot India 26°34N 76°20E 124 F7
Lam Nam Nan △ Thailand 17°55N 100°28E 120 D3
Lam Pao Res. Thailand 16°50N 103°15E 120 D4
Lama Kara Togo 9°30N 1°15E 139 D5
Lamae Thailand 9°51N 99°5E 121 H2
Lamaing Burma 15°25N 97°53E 120 E1
Lamar Colo., U.S.A. 38°5N 102°37W 168 G12
Lamar Mo., U.S.A. 37°30N 94°16W 172 G6
Lamarque Argentina 39°24S 65°40W 192 A3
Lamas Peru 6°28S 76°31W 188 B2
Lamastre France 44°59N 4°35E 73 D8
Lamayuru India 34°25N 76°56E 125 B7
Lambach Austria 48°6N 13°51E 78 C6
Lamballe France 48°29N 2°31W 70 D4
Lambaréné Gabon 0°41S 10°12E 140 E2
Lambasa = Labasa Fiji 16°30S 179°27E 154 a
Lambay I. Ireland 53°29N 6°1W 64 C5
Lambayeque □ Peru 6°45S 80°0W 188 B2
Lambert's Bay S. Africa 32°5S 18°17E 144 D2
Lambesc France 43°39N 5°16E 73 E9
Lambeth Canada 42°54N 81°18W 174 D3
Lambia Greece 37°52N 21°53E 98 D3
Lambro → Italy 45°8N 9°32E 92 C6
Lame Nigeria 10°30N 9°20E 139 C6
Lame Deer U.S.A. 45°37N 106°40W 168 D10
Lamego Portugal 41°5N 7°52W 88 D3
Lamèque Canada 47°45N 64°38W 165 C7
Lameroo Australia 35°19S 140°33E 152 C4
Lamesa U.S.A. 32°44N 101°58W 176 E4
L'Ametlla de Mar Spain 40°53N 0°48E 90 E5
Lamezia Terme Italy 38°55N 16°16E 95 D9
Lamia Greece 38°55N 22°26E 98 C4
Lamington △ Australia 28°13S 153°12E 151 D5
Lamma I. China 22°12N 114°7E 111 a
Lammermuir Hills U.K. 55°50N 2°40W 65 F6
Lammhult Sweden 57°10N 14°35E 63 G8
Lamoille → U.S.A. 44°38N 73°13W 175 B11
Lamon B. Phil. 14°30N 122°20E 119 B6
Lamont Canada 53°46N 112°50W 162 C6
Lamont Calif., U.S.A. 35°15N 118°55W 171 K8
Lamont Fla., U.S.A. 30°23N 83°49W 178 E6
Lamont Wyo., U.S.A. 42°13N 107°29W 168 E10
Lamotte-Beuvron France 47°36N 2°2E 71 E9
Lampa Peru 15°22S 70°22W 188 D3
Lampang Thailand 18°16N 99°32E 120 C2
Lampasas U.S.A. 31°4N 98°11W 176 F5
Lampazos de Naranjo Mexico 27°1N 100°31W 180 B4
Lampertheim Germany 49°35N 8°27E 77 F4
Lampeter U.K. 52°7N 4°4W 67 E3
Lamphun Thailand 18°40N 99°2E 120 C2
Lampman Canada 49°25N 102°50W 163 D8
Lamprechtshausen Austria 48°0N 12°58E 78 D5
Lampung □ Indonesia 5°30S 104°30E 118 F2
Lamta India 22°8N 80°7E 125 H9
Lamu Kenya 2°16S 40°55E 142 C5
Lamud Peru 6°10S 77°57W 188 B2
Lamy U.S.A. 35°29N 105°53W 169 J11
Lan Xian China 38°15N 111°35E 114 E6
Lan Yü Taiwan 22°4N 121°25E 117 F13
Lāna'i U.S.A. 20°50N 156°55W 167 L8
Lanak La China 34°27N 79°32E 125 B8
Lanak'o Shank'ou = Lanak La China 34°27N 79°32E 125 B8
Lanark Canada 45°1N 76°22W 175 A8
Lanark U.K. 55°40N 3°47W 65 F5
Lanbi Kyun Burma 10°50N 98°20E 121 G2
Lancang China 22°36N 99°58E 116 F2
Lancang Jiang → China 21°40N 101°10E 116 G3
Lancashire □ U.K. 53°50N 2°48W 66 D5
Lancaster Canada 45°10N 74°30W 175 A10
Lancaster U.K. 54°3N 2°48W 66 C5
Lancaster Calif., U.S.A. 34°42N 118°8W 171 L8
Lancaster Ky., U.S.A. 37°37N 84°35W 173 G11
Lancaster N.H., U.S.A. 44°29N 71°34W 175 B13
Lancaster Ohio, U.S.A. 39°43N 82°36W 173 F12
Lancaster Pa., U.S.A. 40°2N 76°19W 175 F8
Lancaster S.C., U.S.A. 34°43N 80°46W 177 D14
Lancaster Wis., U.S.A. 42°51N 90°43W 172 D8
Lancaster Sd. Canada 74°13N 84°0W 161 C15
Lancelin Australia 31°0S 115°18E 149 F2
Lanchow = Lanzhou China 36°1N 103°52E 114 F2
Lanchyn Ukraine 48°33N 24°45E 81 B9
Lanciano Italy 42°14N 14°23E 93 F11
Lanco Chile 39°24S 72°46W 192 A2
Lancones Peru 4°30S 80°30W 188 A1
Lancun China 36°25N 120°10E 115 F11
Łańcut Poland 50°10N 22°13E 83 H9
Land Between the Lakes ⌂ U.S.A. 36°25N 88°0W 177 C11
Landau Bayern, Germany 48°40N 12°41E 77 G8
Landau Rhld-Pfz., Germany 49°12N 8°6E 77 F4
Landeck Austria 47°9N 10°34E 78 D3
Lander U.S.A. 42°50N 108°44W 168 E9
Lander → Australia 22°0S 132°0E 148 D5
Landerneau France 48°28N 4°17W 70 D2
Landeryd Sweden 57°7N 13°15E 63 G7
Landes France 44°0N 1°0W 72 D2
Landes □ France 43°57N 0°48W 72 E3
Landes de Gascogne ⌂ France 44°23N 0°50W 72 D3
Landete Spain 39°56N 1°25W 90 F3
Landfall I. India 13°40N 93°2E 127 H11
Landi Kotal Pakistan 34°7N 71°6E 124 B4
Landisburg U.S.A. 40°21N 77°19W 174 F7
Landivisiau France 48°31N 4°6W 70 D2
Landmannalaugar Iceland 63°59N 19°4W 60 E4
Landquart Switz. 46°58N 9°32E 77 J5
Landrecies France 50°7N 3°40E 71 B10
Land's End U.K. 50°4N 5°44W 67 G2
Landsberg Germany 48°2N 10°53E 77 G6
Landsborough Cr. → Australia 22°28S 144°35E 150 C3
Landsbro Sweden 57°24N 14°56E 63 G8
Landshut Germany 48°34N 12°8E 77 G8
Landskrona Sweden 55°53N 12°50E 63 J6
Landstuhl Germany 49°24N 7°34E 77 F3
Landvetter Sweden 57°41N 12°17E 63 G6
Lane U.S.A. 33°32N 79°53W 178 B10
Lanesboro U.S.A. 41°57N 75°34W 175 E9
Lanester France 47°46N 3°22W 70 E3
Lanett U.S.A. 32°52N 85°12W 178 C4
Lang Shan China 41°0N 106°30E 114 D4
Lang Son Vietnam 21°52N 106°42E 116 G6
Lang Suan Thailand 9°57N 99°4E 121 H2
Langå Denmark 56°23N 9°54E 63 H3
La'nga Co China 30°45N 81°15E 125 D9
Langadas Greece 40°46N 23°6E 96 F7
Langadia Greece 37°43N 22°1E 98 D4
Långan → Sweden 63°19N 14°44E 62 A8
Langar Iran 35°23N 60°25E 129 C9
Langara I. Canada 54°14N 133°1W 162 C2
Langarūd Iran 37°11N 50°8E 129 B6
Langås Sweden 56°58N 12°26E 63 H6
Langdai China 26°6N 105°21E 116 D5
Langdon U.S.A. 48°45N 98°22W 172 A4
Långe Jan = Ölands södra udde Sweden 56°12N 16°23E 63 H10
Langeac France 45°7N 3°29E 72 C7
Langeais France 47°20N 0°24E 70 E7
Langeb Baraka → Sudan 17°28N 36°50E 137 D4
Langeberg S. Africa 33°55S 21°0E 144 D3
Langeberge S. Africa 28°15S 22°33E 144 C3
Langeland Denmark 54°56N 10°48E 63 K4
Langelands Bælt Denmark 54°50N 10°55E 63 K4
Langen Hessen, Germany 49°59N 8°40E 77 F4
Langen Niedersachsen, Germany 53°36N 8°36E 76 B4
Langenburg Canada 50°51N 101°43W 163 C8
Langeneß Germany 54°38N 8°36E 76 A4
Langenlois Austria 48°29N 15°40E 78 C8
Langeoog Germany 53°45N 7°32E 76 B3
Langeskov Denmark 55°22N 10°35E 63 J4
Langfang China 39°30N 116°41E 114 E9
Långhem Sweden 57°36N 13°14E 63 G7
Langhirano Italy 44°37N 10°16E 92 D7
Langholm U.K. 55°9N 3°0W 65 F5
Langjökull Iceland 64°39N 20°12W 60 D3
Langkawi, Pulau Malaysia 6°25N 99°45E 121 J2
Langklip S. Africa 28°12S 20°20E 144 C3
Langkon Malaysia 6°30N 116°40E 118 C5
Langley Canada 49°7N 122°39W 170 A4
Langnau Switz. 46°56N 7°47E 77 J3
Langogne France 44°43N 3°50E 72 D7
Langon France 44°33N 0°16W 72 D3
Langøya Norway 68°45N 14°50E 60 B16
Langreo Spain 43°18N 5°40W 88 B5
Langres France 47°52N 5°20E 71 E12
Langres, Plateau de France 47°45N 5°3E 71 E12
Langsa Indonesia 4°30N 97°57E 118 D1
Långsele Sweden 63°12N 17°4E 62 A11
Långshyttan Sweden 60°27N 16°2E 62 D10
Langtang △ Nepal 28°10N 85°30E 125 E11
Langtou China 40°1N 124°19E 115 D13
Langtry U.S.A. 29°49N 101°34W 176 G4
Langu Thailand 6°53N 99°47E 121 J2
Langue de Barbarie △ Senegal 14°54N 16°30W 138 C1
Languedoc France 43°58N 3°55E 72 E7
Languedoc-Roussillon □ France 43°25N 3°0E 72 E6
Langwang China 22°38N 113°27E 111 a
Langxi China 31°10N 119°12E 117 B12
Langzhong China 31°38N 105°58E 116 B5
Lanigan Canada 51°51N 105°2W 163 C7
Lanín △ Argentina 40°0S 71°58W 192 A2
Lanjigarh India 19°43N 83°23E 126 E6
Lankao China 34°48N 114°50E 114 G8
Länkäran Azerbaijan 38°48N 48°52E 105 C13
Lanmeur France 48°39N 3°43W 70 D3
Lannemezan France 43°8N 0°23E 72 E4
Lannilis France 48°35N 4°32W 70 D2
Lannion France 48°46N 3°29W 70 D3
L'Annonciation Canada 46°25N 74°55W 164 C5
Lanouaille France 45°24N 1°9E 72 C5
Lanping China 26°28N 99°15E 116 D2
Lansang △ Thailand 16°45N 99°0E 120 D2
Lansdale U.S.A. 40°14N 75°17W 175 F9
Lansdowne Australia 31°48S 152°30E 153 A10
Lansdowne Canada 44°24N 76°1W 175 B8
Lansdowne India 29°50N 78°41E 125 E8
Lansdowne House = Neskantaga Canada 52°14N 87°53W 164 B2
L'Anse U.S.A. 46°45N 88°27W 172 B9
L'Anse au Loup Canada 51°32N 56°50W 165 B8
L'Anse aux Meadows Canada 51°36N 55°32W 165 B8
Lansford U.S.A. 40°50N 75°53W 175 F9
Lanshan China 25°24N 112°10E 117 E9
Lanshantou China 35°5N 119°20E 115 G10
Länsi-Turunmaa Finland 60°18N 22°18E 84 B2
Lansing U.S.A. 42°44N 84°33W 173 D11
Lanslebourg-Mont-Cenis France 45°17N 6°52E 73 C10
Lanta, Ko Thailand 7°35N 99°3E 121 J2
Lantana U.S.A. 26°35N 80°3W 179 J9
Lantau I. China 22°15N 113°56E 111 a
Lantewa Nigeria 12°16N 11°44E 139 C7
Lantian China 34°11N 109°20E 114 G5
Lanus Argentina 34°42S 58°23W 190 C4
Lanusei Italy 39°52N 9°34E 94 C2
Lanxi China 29°13N 119°28E 117 C12
Lanzarote Canary Is. 29°0N 13°40W 100 F6
Lanzarote ✕ (ACE) Canary Is. 28°57N 13°40W 100 F6
Lanzhou China 36°1N 103°52E 114 F2
Lanzo Torinese Italy 45°16N 7°28E 92 C4
Lao → Italy 39°47N 15°48E 95 C8
Lao Cai Vietnam 22°30N 103°57E 116 F4
Laoag Phil. 18°7N 120°34E 119 A6
Laoang Phil. 12°32N 125°8E 119 B7
Laoha He → China 43°25N 120°35E 115 C11
Laohekou China 32°22N 111°38E 117 A8
Laois □ Ireland 52°57N 7°27W 64 D4
Laon France 49°33N 3°35E 71 C10
Laona U.S.A. 45°34N 88°40W 172 C9
Laos ■ Asia 17°45N 105°0E 120 D5
Lapa Brazil 25°46S 49°44W 191 B6
Lapai Nigeria 9°5N 6°32E 139 D6
Lapalisse France 46°15N 3°38E 71 F10
Lapeer U.S.A. 43°3N 83°19W 173 D12
Lapeyrade France 44°4N 0°2W 72 D3
Lapithos Cyprus 35°21N 33°11E 101 D12
Lapland = Lappland Europe 68°7N 24°0E 60 B21
LaPorte Ind., U.S.A. 41°36N 86°43W 172 E10
Laporte Pa., U.S.A. 41°25N 76°30W 175 E8
Lapovo Serbia 44°10N 21°7E 96 B5
Lappeenranta Finland 61°3N 28°12E 84 B5
Lappland Europe 68°7N 24°0E 60 B21
Lappo = Lapua Finland 62°58N 23°0E 60 E20
Laprida Argentina 37°34S 60°45W 190 D3
Lâpseki Turkey 40°20N 26°41E 97 F10
Lapta = Lapithos Cyprus 35°21N 33°11E 101 D12
Laptev Sea Russia 76°0N 125°0E 107 B13
Lapua Finland 62°58N 23°0E 60 E20
Lăpuş → Romania 47°25N 23°40E 81 C8
Lăpuş, Munţii Romania 47°20N 23°50E 81 C8
Lăpuşna Moldova 46°53N 28°25E 81 D13
Łapy Poland 52°59N 22°52E 83 F9
Laqiya Arba'in Sudan 20°1N 28°1E 137 C2
Laqiya Umran Sudan 19°55N 28°18E 137 D2
L'Àquila Italy 42°22N 13°22E 93 F10
Lār Iran 27°40N 54°14E 129 E7
Lara Australia 38°2S 144°26E 152 E6
Larabanga Ghana 9°16N 1°56W 138 D4
Larache Morocco 35°10N 6°5W 136 A2
Laragne-Montéglin France 44°18N 5°49E 73 D9
Lārak Iran 26°51N 56°21E 129 E8
Laramie U.S.A. 41°19N 105°35W 168 F11
Laramie Mts. U.S.A. 42°0N 105°30W 168 F11
Laranda = Karaman Turkey 37°14N 33°13E 104 D5
Laranjeiras do Sul Brazil 25°23S 52°23W 191 B5
Larantuka Indonesia 8°21S 122°55E 119 F6
Larat Indonesia 7°0S 132°0E 119 F8
L'Arbresle France 45°50N 4°36E 73 C8
Lärbro Sweden 57°47N 18°50E 63 G12
Larde Mozam. 16°28S 39°43E 143 F4
Larder Lake Canada 48°5N 79°40W 164 C4
Lardos Greece 36°6N 28°1E 101 C10
Lardos, Akra = Lindos, Akra Greece 36°4N 28°10E 101 C10
Lardos, Ormos Greece 36°4N 28°2E 101 C10
Lare Kenya 0°20N 37°56E 142 C4
Laredo Spain 43°26N 3°28W 88 B7
Laredo U.S.A. 27°30N 99°30W 176 H5
Laredo Sd. Canada 52°30N 128°53W 162 C3
Largentière France 44°34N 4°18E 73 D8
L'Argentière-la-Bessée France 44°47N 6°33E 73 D10
Largo U.S.A. 27°54N 82°47W 179 H7
Largo, Key U.S.A. 25°15N 80°15W 179 K9
Largs U.K. 55°47N 4°52W 65 F4
Lari Italy 43°34N 10°35E 92 E7
Lariang Indonesia 1°26S 119°17E 119 E5
Larimore U.S.A. 47°54N 97°38W 172 B5
Larino Italy 41°48N 14°54E 93 G11
Lario, Il = Como, L. di Italy 46°0N 9°11E 92 B6
Larisa Greece 39°36N 22°27E 98 B4
Larkana Pakistan 27°32N 68°18E 124 F3
Larnaca Cyprus 34°55N 33°38E 101 E12
Larnaca Bay Cyprus 34°53N 33°45E 101 E12
Larne U.K. 54°51N 5°51W 64 B6
Larned U.S.A. 38°11N 99°6W 172 F4
Laroquebrou France 44°58N 2°12E 72 D6
Larose U.S.A. 29°34N 90°23W 177 G9
Larrimah Australia 15°35S 133°12E 148 C5
Larsen Ice Shelf Antarctica 67°0S 62°0W 55 C17
Laruns France 43°0N 0°26W 72 F3
Larvik Norway 59°4N 10°2E 61 G14
Larzac, Causse du France 43°50N 3°17E 72 E7
Las Alpujarras Spain 36°55N 3°20W 91 J1
Las Animas U.S.A. 38°4N 103°13W 168 G12
Las Anod Somalia 8°26N 47°19E 131 F4
Las Arenas Spain 43°17N 4°50W 88 B6
Las Batuecas ⌂ Spain 40°32N 6°5W 88 E4
Las Breñas Argentina 27°5S 61°7W 190 B3
Las Cabezas de San Juan Spain 36°57N 5°58W 89 J5
Las Cañadas del Teide △ Canary Is. 28°15N 16°37W 100 F3
Las Cejas Argentina 26°53S 64°44W 190 B3
Las Chimeneas Mexico 32°8N 116°5W 171 N10
Las Coloradas Argentina 39°34S 70°36W 192 A2
Las Cruces U.S.A. 32°19N 106°47W 169 K10
Las Flores Argentina 36°10S 59°7W 190 D4
Las Gabias = Gabia la Grande Spain 37°8N 3°40W 89 H7
Las Heras Mendoza, Argentina 32°51S 68°49W 190 C2
Las Heras Santa Cruz, Argentina 46°33S 68°57W 192 C3
Las Horquetas Argentina 48°14S 71°11W 192 C2
Las Lajas Argentina 38°30S 70°25W 192 A2
Las Lomas Peru 4°40S 80°10W 188 A1
Las Lomitas Argentina 24°43S 60°35W 190 A3
Las Manos, Cueva de Argentina 47°9S 70°40W 192 C2
Las Marismas Spain 37°5N 6°20W 89 H4
Las Médulas Spain 42°28N 6°46W 88 C4
Las Minas Spain 38°20N 1°41W 91 G3
Las Navas de la Concepción Spain 37°56N 5°30W 89 H5
Las Navas del Marqués Spain 40°36N 4°20W 88 E6
Las Palmas Argentina 27°8S 58°45W 190 B4
Las Palmas → Mexico 32°31N 116°58W 171 N10
Las Palmas ✕ (LPA) Canary Is. 27°55N 15°25W 100 G4
Las Palmas de Gran Canaria Canary Is. 28°7N 15°26W 100 F4
Las Pedroñeras Spain 39°26N 2°40W 91 F2
Las Piedras Uruguay 34°44S 56°14W 191 C4
Las Pipinas Argentina 35°30S 57°19W 190 D4
Las Plumas Argentina 43°40S 67°15W 192 B3
Las Rosas Argentina 32°30S 61°35W 190 C3
Las Rozas Spain 40°29N 3°52W 88 E7
Las Tablas Panama 7°49N 80°14W 182 E3
Las Toscas Argentina 28°21S 59°18W 190 B4
Las Tunas Cuba 20°58N 76°59W 182 B4
Las Varillas Argentina 31°50S 62°50W 190 C3
Las Vegas N. Mex., U.S.A. 35°36N 105°13W 169 J11
Las Vegas Nev., U.S.A. 36°10N 115°8W 171 J11
Las Vegas McCarran Int. ✕ (LAS) U.S.A. 36°5N 115°9W 171 J11
Lasarte-Oria Spain 43°16N 2°1W 90 B2
Lascano Uruguay 33°35S 54°12W 191 C5
Lascelles Australia 35°34S 142°34E 152 C5
Lash-e Joveyn Afghan. 31°45N 61°30E 122 D2
Lashburn Canada 53°10N 109°40W 163 C7
Lashio Burma 22°56N 97°45E 123 H20
Lashkar India 26°10N 78°10E 124 F8
Lasin Poland 53°30N 19°2E 82 E6
Lasithi Greece 35°11N 25°31E 101 D7
Lāsjerd Iran 35°24N 53°4E 129 C7
Lask Poland 51°34N 19°8E 83 G6
Łaskarzew Poland 51°48N 21°36E 83 G8
Laško Slovenia 46°10N 15°16E 93 B12
Lassance Brazil 17°54S 44°34W 189 D2
Lassay-les-Châteaux France 48°27N 0°30W 70 D6
Lassen Pk. U.S.A. 40°29N 121°30W 168 F3
Lassen Volcanic △ U.S.A. 40°30N 121°20W 168 F3
Last Mountain L. Canada 51°5N 105°14W 163 C7
Lastchance Cr. → U.S.A. 40°2N 121°15W 170 E5
Lastoursville Gabon 0°55S 12°38E 140 E2
Lastovo Croatia 42°46N 16°55E 93 F13
Lastovski Kanal Croatia 42°50N 17°0E 93 F14
Lat Yao Thailand 15°45N 99°48E 120 E2
Latacunga Ecuador 0°50S 78°35W 186 D3
Latady I. Antarctica 70°45S 74°35W 55 D17
Latakia = Al Lādhiqīyah Syria 35°30N 35°45E 104 E6
Latchford Canada 47°20N 79°50W 164 C4
Latehar India 23°45N 84°30E 125 H11
Laterza Italy 40°37N 16°48E 95 B9
Latham Australia 29°44S 116°20E 149 E2
Lathen Germany 52°52N 7°19E 76 C3
Lathi India 27°43N 71°23E 124 F4
Lathrop Wells U.S.A. 36°39N 116°24W 171 J10
Latiano Italy 40°33N 17°43E 95 B10
Latina Italy 41°28N 12°52E 94 A5
Latisana Italy 45°47N 13°0E 93 C10
Latium = Lazio □ Italy 42°10N 12°30E 93 F9
Laton U.S.A. 36°26N 119°41W 170 J7
Latorytsya → Slovak Rep. 48°28N 21°50E 79 C14
Latouche Treville, C. Australia 18°27S 121°49E 148 C3
Latrobe Australia 41°14S 146°30E 151 G4
Latrobe U.S.A. 40°19N 79°23W 174 F5
Latrónico Italy 40°5N 16°1E 95 B9
Latur India 18°25N 76°40E 126 E3
Latvia ■ Europe 56°50N 24°0E 84 D2
Lau Nigeria 9°11N 11°19E 139 D7
Lau Group Fiji 17°0S 178°30W 154 a
Lauca → Bolivia 19°9S 68°10W 188 D4
Lauchhammer Germany 51°29N 13°47E 76 D9
Lauda-Königshofen Germany 49°33N 9°42E 77 F5
Laudio = Llodio Spain 43°9N 2°58W 90 B2
Lauenburg Germany 53°22N 10°32E 76 B6
Lauenburgische Seen ⌂ Germany 53°38N 10°45E 76 B6
Lauf Germany 49°30N 11°16E 77 F7
Lauge Koch Kyst Greenland 75°45N 57°45W 161 B20
Laughlin U.S.A. 35°10N 114°34W 171 K12
Lauhanvuori △ Finland 62°8N 22°4E 60 E20
Laujar de Andarax Spain 37°0N 2°54W 91 H2
Laukaa Finland 62°24N 25°56E 60 E21
Launceston Australia 41°24S 147°8E 151 G4
Launceston U.K. 50°38N 4°22W 67 G3
Laune → Ireland 52°7N 9°47W 64 D2
Launglon Bok Burma 13°50N 97°54E 120 F1
Laupheim Germany 48°14N 9°52E 77 G5
Laura Queens., Australia 15°32S 144°32E 150 B3
Laura S. Austral., Australia 33°10S 138°18E 152 B3
Laureana di Borrello Italy 38°30N 16°5E 95 D9
Laurel Fla., U.S.A. 27°8N 82°27W 179 H7
Laurel Miss., U.S.A. 31°41N 89°8W 177 F10
Laurel Mont., U.S.A. 45°40N 108°46W 168 D9
Laurel Bay U.S.A. 32°27N 80°47W 178 C9
Laurel Hill U.S.A. 40°14N 79°6W 174 F5
Laurencekirk U.K. 56°50N 2°28W 65 E6
Laurens U.S.A. 34°30N 82°1W 177 D13
Laurentian Plateau Canada 52°0N 70°0W 165 B6
Lauria Italy 40°2N 15°50E 95 B8
Laurie L. Canada 56°35N 101°57W 163 B8
Laurinburg U.S.A. 34°47N 79°28W 177 D15
Laurium U.S.A. 47°14N 88°27W 172 B9
Lausanne Switz. 46°32N 6°38E 77 J2
Laut Indonesia 4°45N 108°0E 118 D3
Laut, Pulau Indonesia 3°40S 116°10E 118 E5
Laut Kecil, Kepulauan Indonesia 4°45S 115°40E 118 E5
Lautaro Chile 38°31S 72°27W 192 A2
Lauterbach Germany 50°37N 9°24E 76 E5
Lauterecken Germany 49°38N 7°35E 77 F3
Lautoka Fiji 17°37S 177°27E 154 a
Lauwersmeer △ Neths. 53°22N 6°11E 69 A6
Lauzès France 44°34N 1°35E 72 D5
Lava → Russia 54°37N 21°14E 82 D8
Lava Beds ⌂ U.S.A. 41°40N 121°30W 168 F3
Lavagh More Ireland 54°46N 8°6W 64 B3
Lavagna Italy 44°18N 9°20E 92 D6
Laval France 48°4N 0°48W 70 D6
Laval-des-Rapides Canada 45°33N 73°42W 164 C5
Lavalle Argentina 28°15S 65°15W 190 B2
Lāvān Iran 26°48N 53°22E 129 E7
Lavant Canada 45°3N 76°42W 175 A8
Lāvar Meydān Iran 30°20N 54°30E 129 D7
Lavara Greece 41°19N 26°22E 97 E10
Lavardac France 44°12N 0°20E 72 D4
Lavaur France 43°40N 1°49E 72 E5
Lavelanet France 42°57N 1°51E 72 F5
Lavello Italy 41°3N 15°48E 95 A8
Lavers Hill Australia 38°40S 143°25E 152 E5
Laverton Australia 28°44S 122°29E 149 E3
Lavezzi, Îs. France 41°22N 9°16E 73 G13
Lavis Italy 46°8N 11°7E 92 B8
Lavos Portugal 40°6N 8°49W 88 E2
Lavradio Portugal 38°40N 9°2W 89 G1
Lavras Brazil 21°20S 45°0W 191 A7
Lavre Portugal 38°46N 8°22W 89 G2
Lavrio Greece 37°40N 24°4E 98 D6
Lavris Greece 35°25N 24°40E 101 D6
Lavumisa Swaziland 27°20S 31°55E 145 C5
Lavushi Manda △ Zambia 12°46S 31°0E 143 E3
Lawak I. = Nanshan I. S. China Sea 10°45N 115°49E 118 B5
Lawaki Fiji 17°40S 178°35E 154 a
Lawas Malaysia 4°55N 115°25E 118 D5
Lawele Indonesia 5°13S 122°57E 119 F6
Lawn Hill = Boodjamulla △ Australia 18°15S 138°6E 150 B2
Lawqah Si. Arabia 29°49N 42°45E 128 D4
Lawra Ghana 10°39N 2°51W 138 C4
Lawrence N.Z. 45°55S 169°41E 155 F4
Lawrence Ind., U.S.A. 39°50N 86°2W 172 F10
Lawrence Kans., U.S.A. 38°58N 95°14W 172 F6
Lawrence Mass., U.S.A. 42°43N 71°10W 175 D13
Lawrenceburg Ind., U.S.A. 39°6N 84°52W 173 F11
Lawrenceburg Tenn., U.S.A. 35°14N 87°20W 177 D11
Lawrenceville Ga., U.S.A. 33°57N 83°59W 178 B6
Lawrenceville Pa., U.S.A. 41°59N 77°8W 174 E7
Laws U.S.A. 37°24N 118°20W 170 H8
Lawtey U.S.A. 30°3N 82°5W 178 E7
Lawton U.S.A. 34°37N 98°25W 176 D5
Lawu Indonesia 7°40S 111°13E 119 G14
Lawz, J. al Si. Arabia 28°39N 35°18E 137 B4
Laxå Sweden 58°59N 14°37E 63 F8
Laxford, L. U.K. 58°24N 5°6W 65 C3
Laxiwa Dam China 36°4N 101°11E 110 D9
Laxou France 48°41N 6°8E 71 D13
Lay → France 46°18N 1°17W 72 B2
Layla Si. Arabia 22°10N 46°40E 131 C4
Laylān Iraq 35°18N 44°31E 128 C5
Layon → France 47°20N 0°45W 70 E6
Laysan I. U.S.A. 25°50N 171°50W 167 K5
Layton Fla., U.S.A. 24°50N 80°47W 179 L9
Layton Utah, U.S.A. 41°4N 111°58W 168 F8
Laytonville U.S.A. 39°41N 123°29W 168 G2
Lazarev Russia 52°13N 141°30E 107 D15
Lazarev Sea S. Ocean 67°30S 3°0W 55 C2
Lazarevac Serbia 44°23N 20°17E 96 B4
Lazarevskoye Russia 43°55N 39°21E 87 J4
Lázaro Cárdenas Mexico 17°55N 102°11W 180 D4
Lazdijai Lithuania 54°14N 23°31E 82 D10
Lazhuglung China 34°52N 81°24E 109 F10
Lazio □ Italy 42°10N 12°30E 93 F9
Lazo Moldova 47°33N 28°2E 81 C13
Lazo Russia 43°25N 133°55E 112 C6
Le Beausset France 43°12N 5°48E 73 E9
Le Bic Canada 48°20N 68°41W 165 C6
Le Blanc France 46°37N 1°3E 72 B5
Le Bleymard France 44°30N 3°42E 72 D7
Le Bourgneuf-la-Fôret France 48°10N 0°59W 70 D6
Le Bugue France 44°55N 0°56E 72 D4
Le Cateau Cambrésis France 50°7N 3°32E 71 B10
Le Caylar France 43°51N 3°19E 72 E7
Le Chambon-Feugerolles France 45°24N 4°19E 73 C8
Le Châtelet France 46°38N 2°16E 71 F9
Le Chesne France 49°30N 4°45E 71 C11
Le Cheylard France 44°55N 4°25E 73 D8
Le Conquet France 48°21N 4°46W 70 D2
Le Creusot France 46°48N 4°24E 71 F11
Le Croisic France 47°18N 2°30W 70 E4
Le Donjon France 46°22N 3°48E 71 F10
Le Dorat France 46°14N 1°5E 72 B5
Le François Martinique 14°38N 60°57W 182 c
Le Gosier Guadeloupe 16°14N 61°29W 182 b
Le Grand-Lucé France 47°52N 0°28E 70 E7
Le Grand-Pressigny France 46°55N 0°48E 70 F7
Le Grand-Quevilly France 49°24N 1°3E 70 C8
Le Gris Gris Mauritius 20°31S 57°32E 141 d
Le Havre France 49°30N 0°5E 70 C7
Le Lamentin Martinique 14°35N 61°2W 182 c
Le Lavandou France 43°8N 6°22E 73 E10
Le Lion-d'Angers France 47°37N 0°43W 70 E6
Le Louroux-Béconnais France 47°30N 0°55W 70 E6
Le Luc France 43°23N 6°21E 73 E10
Le Lude France 47°39N 0°9E 70 E7
Le Maire, Estr. de Argentina 54°50S 65°0W 192 D4
Le Mans France 48°0N 0°10E 70 E7
Le Marin Martinique 14°27N 60°55W 182 c
Le Mars U.S.A. 42°47N 96°10W 172 D5
Le Mayet-de-Montagne France 46°4N 3°40E 71 F10
Le Mêle-sur-Sarthe France 48°31N 0°22E 70 D7
Le Monastier-sur-Gazeille France 44°57N 3°59E 72 D7
Le Monêtier-les-Bains France 44°58N 6°30E 73 D10
Le Mont-Dore France 45°35N 2°49E 72 C6
Le Mont-St-Michel France 48°40N 1°30W 70 D5
Le Moule Guadeloupe 16°20N 61°22W 182 b
Le Moyne, L. Canada 56°45N 68°47W 165 A6
Le Muy France 43°28N 6°34E 73 E10
Le Palais France 47°20N 3°10W 70 E3
Le Perthus France 42°30N 2°53E 72 F6
Le Port Réunion 20°56S 55°18E 141 c
Le Prêcheur Martinique 14°50N 61°12W 182 c
Le Puy-en-Velay France 45°3N 3°52E 72 C7
Le Raysville U.S.A. 41°50N 76°10W 175 E8
Le Robert Martinique 14°40N 60°56W 182 c
Le Roy U.S.A. 42°58N 77°59W 174 D7
Le St-Esprit Martinique 14°34N 60°56W 182 c
Le Sueur U.S.A. 44°28N 93°55W 172 C7
Le Tampon Réunion 21°16S 55°32E 141 c
Le Teil France 44°33N 4°40E 73 D8
Le Teilleul France 48°32N 0°53W 70 D6
Le Theil France 48°16N 0°42E 70 D7
Le Thillot France 47°53N 6°46E 71 E13
Le Thuy Vietnam 17°14N 106°49E 120 D6
Le Touquet-Paris-Plage France 50°30N 1°36E 71 B8
Le Tréport France 50°3N 1°20E 70 B8
Le Val-André France 48°35N 2°32W 70 D4
Le Val-d'Ajol France 47°55N 6°30E 71 E13
Le Verdon-sur-Mer France 45°33N 1°4W 72 C2
Le Vigan France 43°59N 3°36E 72 E7
Lea → U.K. 51°31N 0°1E 67 F8
Leach Cambodia 12°21N 103°46E 121 F4
Lead U.S.A. 44°21N 103°46W 172 C2
Leader Canada 50°50N 109°30W 163 C7
Leadville U.S.A. 39°15N 106°18W 168 G10
Leaf → U.S.A. 30°59N 88°44W 177 F10
Leaf Rapids Canada 56°30N 99°59W 163 B9
Leaghur, L. Australia 33°35S 143°3E 152 B5
League City U.S.A. 29°31N 95°6W 176 G7
Leamington Canada 42°3N 82°36W 174 D2
Leamington N.Z. 37°55S 175°30E 154 D4
Leamington U.S.A. 39°32N 112°17W 168 G7
Leamington Spa = Royal Leamington Spa U.K. 52°18N 1°31W 67 E6
Le'an China 27°22N 115°48E 117 D10
Leander U.S.A. 30°34N 97°52W 176 F5
Leandro Norte Alem Argentina 27°34S 55°15W 191 B4
Leane, L. Ireland 52°2N 9°32W 64 D2
Learmonth Australia 22°13S 114°10E 148 D1
Leary U.S.A. 31°29N 84°31W 178 D5
Leask Canada 53°5N 106°45W 163 C7
Leatherhead U.K. 51°18N 0°20W 67 F7
Leavdnja = Lakselv Norway 70°2N 25°0E 60 A21
Leavenworth Kans., U.S.A. 39°19N 94°55W 172 F6
Leavenworth Wash., U.S.A. 47°36N 120°40W 168 C3
Leawood U.S.A. 38°58N 94°37W 172 F6
Łeba Poland 54°45N 17°32E 82 D4
Łeba → Poland 54°46N 17°33E 82 D4
Lebach Germany 49°25N 6°54E 77 F2
Lebak Phil. 6°32N 124°5E 119 C6
Lebam U.S.A. 46°34N 123°33W 170 D3
Lebane Serbia 42°56N 21°44E 96 D5
Lebanon Fla., U.S.A. 29°10N 82°37W 179 F7
Lebanon Ind., U.S.A. 40°3N 86°28W 172 E10
Lebanon Kans., U.S.A. 39°49N 98°33W 172 F4
Lebanon Ky., U.S.A. 37°34N 85°15W 173 G11
Lebanon Mo., U.S.A. 37°41N 92°40W 172 G7
Lebanon N.H., U.S.A. 43°39N 72°15W 175 C12
Lebanon Oreg., U.S.A. 44°32N 122°55W 168 D2
Lebanon Pa., U.S.A. 40°20N 76°26W 175 F8
Lebanon Tenn., U.S.A. 36°12N 86°18W 177 C11
Lebanon ■ Asia 34°0N 36°0E 130 B5
Lebap □ Turkmenistan 40°0N 63°0E 108 D6
Lebec U.S.A. 34°51N 118°52W 171 L8
Lebedyan Russia 53°0N 39°10E 85 F10
Lebedyn Ukraine 50°35N 34°30E 85 G8
Lebel-sur-Quévillon Canada 49°3N 76°59W 164 C4
Lebomboberge S. Africa 24°30S 32°0E 145 B5
Lębork Poland 54°33N 17°46E 82 D4
Lebowakgomo S. Africa 24°12S 29°30E 145 B4
Lebrija Spain 36°53N 6°5W 89 J4
Łebsko, Jezioro Poland 54°40N 17°25E 82 D4
Lebu Chile 37°40S 73°47W 190 D1
Leça da Palmeira Portugal 41°12N 8°42W 88 D2
Lecce Italy 40°23N 18°11E 95 B11
Lecco Italy 45°51N 9°23E 92 C6
Lecco, L. di Italy 45°55N 9°19E 92 C6
Lécera Spain 41°13N 0°43W 90 D4
Lech Austria 47°13N 10°9E 78 D3
Lech → Germany 48°43N 10°56E 77 G6
Lechang China 25°10N 113°20E 117 E9
Lechena Greece 37°57N 21°16E 98 D3
Lechtaler Alpen Austria 47°15N 10°30E 78 D3
Lecontes Mills U.S.A. 41°5N 78°17W 174 E6
Lectoure France 43°56N 0°38E 72 E4
Łęczna Poland 51°18N 22°53E 83 G9
Łęczyca Poland 52°5N 19°15E 83 F6
Ledang, Gunung Malaysia 2°22N 102°37E 121 L4
Ledesma Spain 41°6N 5°59W 88 D5
Lednice Czech Rep. 48°46N 16°46E 79 C9
Ledong China 18°41N 109°5E 117 a
Leduc Canada 53°15N 113°30W 162 C6
Lee Fla., U.S.A. 30°25N 83°18W 178 E6
Lee Mass., U.S.A. 42°19N 73°15W 175 D11
Lee → Ireland 51°53N 8°56W 64 E3
Lee Vining U.S.A. 37°58N 119°7W 170 H7
Leech L. U.S.A. 47°10N 94°24W 172 B6
Leechburg U.S.A. 40°37N 79°36W 174 F5
Leeds U.K. 53°48N 1°33W 66 D6
Leeds U.S.A. 33°33N 86°33W 177 E11
Leek Neths. 53°10N 6°24E 69 A6
Leek U.K. 53°7N 2°1W 66 D5

Leeman Australia 29°57S 114°58E 149 E1
Leeper U.S.A. 41°22N 79°18W 174 E5
Leer Germany 53°13N 7°26E 76 B3
Leesburg Fla., U.S.A. 28°49N 81°53W 179 G8
Leesburg Ga., U.S.A. 31°44N 84°10W 178 D5
Leeston N.Z. 43°45S 172°19E 155 D7
Leesville U.S.A. 31°8N 93°16W 176 F8
Leeton Australia 34°33S 146°23E 153 C7
Leetonia U.S.A. 40°53N 80°45W 174 F4
Leeu Gamka S. Africa 32°47S 21°59E 144 D3
Leeuwarden Neths. 53°15N 5°48E 69 A5
Leeuwin, C. Australia 34°20S 115°9E 149 F2
Leeuwin Naturaliste △ Australia 34°6S 115°3E 149 F2
Leeward Is. Atl. Oc. 16°30N 63°30W 183 C7
Lefka Cyprus 35°6N 32°51E 101 D11
Lefkada Greece 38°40N 20°43E 98 C2
Lefkimi Greece 39°25N 20°3E 101 B4
Lefkimis, Akra Greece 39°29N 20°4E 101 B4
Lefkoniko Cyprus 35°18N 33°44E 101 D12
Lefkosia = Nicosia Cyprus 35°10N 33°25E 101 D12
Lefroy Canada 44°16N 79°34W 174 B5
Lefroy, L. Australia 31°21S 121°40E 149 F3
Łeg → Poland 50°42N 21°50E 83 H8
Leganés Spain 40°19N 3°45W 88 E7
Legazpi Phil. 13°10N 123°45E 119 B6
Lège-Cap-Ferret France 44°48N 1°9W 72 D2
Legendre I. Australia 20°22S 116°55E 148 D2
Leghorn = Livorno Italy 43°33N 10°19E 92 E7
Legian Indonesia 8°42S 115°10E 119 K18
Legionowo Poland 52°25N 20°50E 83 F7
Legnago Italy 45°11N 11°18E 93 C8
Legnano Italy 45°36N 8°54E 92 C5
Legnica Poland 51°12N 16°10E 83 G3
Legrad Croatia 46°17N 16°51E 93 B13
Leh India 34°9N 77°35E 125 B7
Lehigh Acres U.S.A. 26°36N 81°39W 179 J8
Lehighton U.S.A. 40°50N 75°43W 175 F9
Lehliu Romania 44°29N 26°50E 81 F11
Lehrte Germany 52°22N 9°58E 76 C5
Lehututu Botswana 23°54S 21°55E 144 B3
Lei Shui → China 26°55N 112°35E 117 D9
Leiah Pakistan 30°58N 70°58E 124 D4
Leibnitz Austria 46°47N 15°34E 78 E8
Leibo China 28°11N 103°34E 116 C4
Leicester U.K. 52°38N 1°8W 67 E6
Leicester City □ U.K. 52°38N 1°8W 67 E6
Leicestershire □ U.K. 52°41N 1°17W 67 E6
Leichhardt → Australia 17°35S 139°48E 150 B2
Leichhardt Ra. Australia 20°46S 147°40E 150 C4
Leiden Neths. 52°9N 4°30E 69 B4
Leie → Belgium 51°2N 3°45E 69 C3
Leifers = Láives Italy 46°26N 11°20E 93 B8
Leigh → Australia 38°18S 144°30E 152 E6
Leigh Creek Australia 30°38S 138°26E 152 A3
Leimen Germany 49°21N 8°41E 77 F4
Leimus Nic. 14°40N 84°3W 182 D3
Leine → Germany 52°43N 9°36E 76 C5
Leinefelde-Worbris Germany 51°23N 10°19E 76 D6
Leinster Australia 27°51S 120°36E 149 E3
Leinster □ Ireland 53°3N 7°8W 64 C4
Leinster, Mt. Ireland 52°37N 6°46W 64 D5
Leipalingis Lithuania 54°5N 23°51E 82 D10
Leipzig Germany 51°18N 12°22E 76 D8
Leiria Portugal 39°46N 8°53W 88 F2
Leiria □ Portugal 39°46N 8°53W 88 F2
Leirvik Norway 59°47N 5°28E 61 G11
Leishan China 26°15N 108°20E 116 D7
Leisler, Mt. Australia 23°23S 129°20E 148 D4
Leisure City U.S.A. 25°30N 80°26W 179 K9
Leith U.K. 55°59N 3°11W 65 F5
Leith Hill U.K. 51°11N 0°22W 67 F7
Leitha → Europe 47°50N 17°15E 79 D10
Leitir Ceanainn = Letterkenny Ireland 54°57N 7°45W 64 B4
Leitrim Ireland 54°0N 8°5W 64 B3
Leitrim □ Ireland 54°8N 8°0W 64 B3
Leitza Spain 43°5N 1°55W 90 B3
Leixlip Ireland 53°22N 6°30W 64 C5
Leiyang China 26°27N 112°45E 117 D9
Leizhou China 20°52N 110°8E 117 G8
Leizhou Bandao China 21°0N 110°0E 116 G7
Leizhou Wan China 20°50N 110°20E 117 G8
Lek → Neths. 51°54N 4°35E 69 C4
Leka Norway 65°5N 11°35E 60 D14
Lekani Greece 41°10N 24°35E 97 E8
Lekbibaj Albania 42°17N 19°56E 96 D3
Lekeitio Spain 43°20N 2°32W 90 B2
Lekki Lagoon Nigeria 6°30N 4°7E 139 D5
Léko Mali 13°37N 9°2W 138 C3
Lekou Burkina Faso 12°37N 3°40W 138 C4
Leksand Sweden 60°44N 15°1E 62 D9
Leland Mich., U.S.A. 45°1N 85°45W 173 C11
Leland Miss., U.S.A. 33°24N 90°54W 177 E9
Lelång Sweden 59°10N 12°5E 62 E6
Leleque Argentina 42°28S 71°0W 192 B2
Leling China 37°44N 117°13E 115 F9
Lélouma Guinea 11°11N 12°56W 138 C2
Lelystad Neths. 52°30N 5°25E 69 B5
Lem Denmark 56°1N 8°24E 63 H2
Lema Nigeria 12°58N 4°13E 139 C5
Léman, L. Europe 46°26N 6°30E 71 F13
Lembar Indonesia 8°45S 116°4E 119 K19
Lembongan, Nusa Indonesia 8°40S 115°27E 119 K18
Lembuak Indonesia 8°36S 116°11E 119 K19
Lemera Dem. Rep. of the Congo 3°0S 28°55E 142 C2
Lemesós = Limassol Cyprus 34°42N 33°1E 101 E12
Lemhi Ra. U.S.A. 44°0N 113°0W 168 D7
Lemmenjoki △ Finland 68°40N 25°30E 60 B21
Lemmer Neths. 52°51N 5°43E 69 B5
Lemmon U.S.A. 45°57N 102°10W 172 C2
Lemon Grove U.S.A. 32°44N 117°1W 171 N9
Lemoore U.S.A. 36°18N 119°46W 170 J7
Lempdes-sur-Allagnon France 45°22N 3°17E 72 C7
Lemvig Denmark 56°33N 8°20E 63 H2
Lena → Russia 72°52N 126°40E 107 B13
Lena Pillars = Lenskiy Stolby Russia 60°55N 126°0E 107 C13
Lenadoon Pt. Ireland 54°18N 9°3W 64 B2
Lenart Slovenia 46°36N 15°48E 93 B12
Lenartovce Slovak Rep. 48°18N 20°19E 79 C13
Lencloître France 46°50N 0°20E 70 F7
Lençóis Brazil 12°35S 41°24W 189 C2
Lençóis Maranhenses △ Brazil 2°30S 43°0W 189 A2
Lendava Slovenia 46°35N 16°25E 93 B13
Lendinara Italy 45°5N 11°36E 93 C8
Lenger Kazakhstan 42°12N 69°54E 109 D7
Lengerich Germany 52°11N 7°52E 76 C3
Lenggong Malaysia 5°6N 100°58E 121 K3
Lenggries Germany 47°41N 11°35E 77 H7
Lengshuijiang China 27°40N 111°26E 117 D8
Lengshuitan China 26°27N 111°35E 117 D8
Lengua de Vaca, Pta. Chile 30°14S 71°38W 190 C1
Lengwe △ Malawi 16°14S 34°45E 143 F3
Lengyeltóti Hungary 46°40N 17°40E 80 D2
Lenhovda Sweden 57°0N 15°16E 63 G9
Lenina, Kanal → Russia 43°44N 45°17E 87 J7
Lenine Ukraine 45°17N 35°46E 85 K8
Leningrad □ Russia 59°40N 32°0E 84 C7
Leninogorsk = Ridder Kazakhstan 50°20N 83°30E 109 B10
Leninogorsk Russia 54°36N 52°30E 108 B4
Leninsk Russia 48°40N 45°15E 87 F7
Leninsk-Kuznetskiy Russia 54°44N 86°10E 109 B11
Leninskoye Russia 58°23N 47°3E 86 A8
Lenk Switz. 46°27N 7°28E 77 J3
Lenkoran = Länkäran Azerbaijan 38°48N 48°52E 105 C13
Lenmalu Indonesia 1°45S 130°15E 119 E8
Lennartsfors Sweden 59°20N 11°55E 62 E5
Lenne → Germany 51°25N 7°29E 76 D3
Lennestadt Germany 51°8N 8°2E 76 D4
Lennox U.S.A. 43°21N 96°53W 172 D5
Lennox, I. Chile 55°18S 66°50W 192 E3
Lennoxville Canada 45°22N 71°51W 175 A13
Leno Italy 45°22N 10°13E 92 C7
Lenoir U.S.A. 35°55N 81°32W 177 D14
Lenoir City U.S.A. 35°48N 84°16W 177 D12
Lenore L. Canada 52°30N 104°59W 163 C8
Lenox Ga., U.S.A. 31°16N 83°28W 178 D6
Lenox Mass., U.S.A. 42°22N 73°17W 175 D11
Lens France 50°26N 2°50E 71 B9
Lensahn Germany 54°13N 10°53E 76 A6
Lensk Russia 60°48N 114°55E 107 C12
Lenskiy Stolby Russia 60°55N 126°0E 107 C13
Lentas Greece 34°56N 24°56E 101 E6
Lentekhi Georgia 42°47N 42°45E 87 J6
Lenti Hungary 46°37N 16°33E 80 D1
Lentini Italy 37°17N 15°0E 95 E8
Lenwood U.S.A. 34°53N 117°7W 171 L9
Lenya Burma 11°33N 98°57E 121 G2
Lenzen Germany 53°5N 11°29E 76 B7
Léo Burkina Faso 11°3N 2°2W 138 C4
Leoben Austria 47°22N 15°5E 78 D8
Leodhais = Lewis U.K. 58°9N 6°40W 65 C2
Leola U.S.A. 45°43N 98°56W 172 C4
Leominster U.K. 52°14N 2°43W 67 E5
Leominster U.S.A. 42°32N 71°46W 175 D13
Léon France 43°53N 1°18W 72 E2
León Mexico 21°6N 101°41W 180 C4
León Nic. 12°27N 86°51W 182 D2
León Spain 42°38N 5°34W 88 C5
Leon U.S.A. 40°44N 93°45W 172 E7
León □ Spain 42°40N 5°55W 88 C5
Leon → U.S.A. 31°14N 97°28W 176 F6
León, Montes de Spain 42°30N 6°18W 88 C4
Leonardo da Vinci, Roma ✕ (FCO) Italy 41°48N 12°15E 93 G9
Leonardtown U.S.A. 38°17N 76°38W 173 F15
Leonardville Namibia 23°29S 18°49E 144 B2
Leonárisso Cyprus 35°28N 34°8E 101 D13
Leonberg Germany 48°48N 9°1E 77 G5
Leonding Austria 48°16N 14°15E 78 C7
Leonessa Italy 42°34N 12°58E 93 F9
Leonforte Italy 37°38N 14°23E 95 E7
Leongatha Australia 38°30S 145°58E 153 E6
Leonia U.S.A. 30°55N 86°1W 178 E3
Leonidio Greece 37°9N 22°52E 98 D4
Leonora Australia 28°49S 121°19E 149 E3
Leopoldina Brazil 21°28S 42°40W 191 A7
Leopoldo Bulhões Brazil 16°37S 48°46W 189 D1
Leopoldsburg Belgium 51°7N 5°13E 69 C5
Leoti U.S.A. 38°29N 101°21W 172 F3
Leova Moldova 46°28N 28°15E 81 D13
Leoville Canada 53°39N 107°33W 163 C7
Lepe Spain 37°15N 7°12W 89 H3
Lepel = Lyepyel Belarus 54°50N 28°40E 84 E5
Lepenou Greece 38°42N 21°17E 98 C3
Leping China 28°47N 117°7E 117 C11
Lépo, L. do Angola 17°0S 19°0E 144 A2
Lepontine, Alpi Italy 46°22N 8°27E 92 B5
Leposavić Kosovo 43°6N 20°48E 96 C4
Leppävirta Finland 62°29N 27°46E 60 E22
Lepsény Hungary 47°0N 18°15E 80 D3
Leptis Magna Libya 32°40N 14°12E 135 B8
Lequeitio = Lekeitio Spain 43°20N 2°32W 90 B2
Lercara Friddi Italy 37°45N 13°36E 94 E6
Léré Chad 9°39N 14°13E 139 D7
Léré Mali 15°45N 4°55W 138 B4
Lere Bauchi, Nigeria 9°43N 9°18E 139 D6
Lere Kaduna, Nigeria 10°23N 8°35E 139 C6
Leribe Lesotho 28°51S 28°3E 145 C4
Lérici Italy 44°4N 9°55E 92 D6
Lérida = Lleida Spain 41°37N 0°39E 90 D5
Lérins, Îs. de France 43°31N 7°3E 73 E11
Lerma Spain 42°0N 3°47W 88 C7
Leros Greece 37°10N 26°50E 99 D8
Lérouville France 48°44N 5°30E 71 D12
Lerum Sweden 57°46N 12°16E 63 G6
Lerwick U.K. 60°9N 1°9W 65 A7
Les Romania 46°58N 21°50E 80 D6
Les Abrets France 45°32N 5°35E 73 C9
Les Andelys France 49°15N 1°25E 70 C8
Les Borges Blanques Spain 41°31N 0°52E 90 D5
Les Cayes Haiti 18°15N 73°46W 183 C5
Les Coteaux Canada 45°15N 74°13W 175 A10
Les Escoumins Canada 48°21N 69°24W 165 C6
Les Essarts France 46°47N 1°12W 70 F5
Les Herbiers France 46°52N 1°1W 70 F5
Les Minquiers, Plateau des Chan. Is. 48°58N 2°8W 70 D4
Les Pieux France 49°30N 1°48W 70 C5
Les Ponts-de-Cé France 47°25N 0°30W 70 E6
Les Riceys France 47°59N 4°22E 71 E11
Les Sables-d'Olonne France 46°30N 1°45W 72 B2
Les Vans France 44°25N 4°7E 73 D8
Lesbos Greece 39°10N 26°20E 99 B8
L'Escala Spain 42°7N 3°8E 90 C8
Leshan China 29°33N 103°41E 116 C4
Leshwe ⌓ Dem. Rep. of the Congo 12°45S 29°30E 143 E2
Lésina Italy 41°52N 15°21E 93 G12
Lésina, L. di Italy 41°53N 15°26E 93 G12
Lesjöfors Sweden 59°58N 14°11E 62 E8
Lesko Poland 49°30N 22°23E 83 J9
Leskov I. Antarctica 56°0S 28°0W 55 B1
Leskovac Serbia 43°0N 21°58E 96 C5
Leskovik Albania 40°10N 20°34E 96 F4
Leslie U.S.A. 31°57N 84°5W 178 D5
Leśna Poland 51°1N 15°15E 83 G2
Lesneven France 48°35N 4°20W 70 D2
Leśnica Poland 50°26N 18°11E 83 H5
Lešnica Serbia 44°39N 19°20E 96 B3
Lesnoye Russia 58°15N 35°18E 84 C8
Lesopilnoye Russia 46°44N 134°20E 112 A7
Lesotho ■ Africa 29°40S 28°0E 145 C4
Lesozavodsk Russia 45°30N 133°29E 112 B6
Lesparre-Médoc France 45°18N 0°57W 72 C3
L'Espluga de Francoli Spain 41°24N 1°7E 90 D6
Lessay France 49°14N 1°30W 70 C5
Lesse → Belgium 50°15N 4°54E 69 D4
Lesse et Lomme ⌓ Belgium 50°8N 5°9E 69 D5
Lessebo Sweden 56°45N 15°16E 63 H9
Lesser Antilles W. Indies 15°0N 61°0W 183 D7
Lesser Slave L. Canada 55°30N 115°25W 162 B5
Lesser Sunda Is. Indonesia 8°0S 120°0E 119 F6
Lessines Belgium 50°42N 3°50E 69 D3
Lester B. Pearson Int., Toronto ✕ (YYZ) Canada 43°46N 79°35W 174 C5
Lestock Canada 51°19N 103°59W 163 C8
Lesueur I. Australia 13°50S 127°17E 148 B4
Lesueur △ Australia 30°11S 115°10E 149 F2
Lésvos = Lesbos Greece 39°10N 26°20E 99 B8
Leszno Poland 51°50N 16°30E 83 G3
Letaba S. Africa 23°59S 31°50E 145 B5
Letälven → Sweden 59°5N 14°20E 62 E8
Létavértes Hungary 47°23N 21°55E 80 C6
Letchworth Garden City U.K. 51°59N 0°13W 67 F7
Letea, Ostrovul Romania 45°18N 29°20E 81 E14
Lethbridge Canada 49°45N 112°45W 162 D6
Lethem Guyana 3°20N 59°50W 186 C7
Leti, Kepulauan Indonesia 8°10S 128°0E 119 F7
Leti Is. = Leti, Kepulauan Indonesia 8°10S 128°0E 119 F7
Letiahau → Botswana 21°16S 24°0E 144 B3
Leticia Colombia 4°9S 70°0W 186 D5
Leting China 39°23N 118°55E 115 E10
Letjiesbos S. Africa 32°34S 22°16E 144 D3
Letlhakane Botswana 21°27S 25°30E 144 B4
Letlhakeng Botswana 24°0S 24°59E 144 B3
Letpadan Burma 17°45N 95°45E 123 L19
Letpan Burma 19°28N 94°10E 123 K19
Letsôk-aw Kyun Burma 11°30N 98°25E 121 G2
Letterkenny Ireland 54°57N 7°45W 64 B4
Leu Romania 44°10N 24°0E 81 F9
Leucadia U.S.A. 33°4N 117°18W 171 M9
Leucate France 42°56N 3°3E 72 F7
Leucate, Étang de France 42°50N 3°0E 72 F7
Leuchars U.K. 56°24N 2°53W 65 E6
Leuk Switz. 46°19N 7°37E 77 J3
Leuşeni Moldova 46°49N 28°12E 81 D13
Leuser, Gunung Indonesia 3°46N 97°12E 118 D1
Leutkirch Germany 47°49N 10°1E 77 H6
Leuven Belgium 50°52N 4°42E 69 D4
Leuze-en-Hainaut Belgium 50°36N 3°37E 69 D3
Lev Tolstoy Russia 53°13N 39°29E 84 F10
Levan Albania 40°40N 19°28E 96 F3
Levanger Norway 63°45N 11°19E 60 E14
Levant, Î. du France 43°3N 6°28E 73 E10
Lévanto Italy 44°10N 9°38E 92 D6
Lévanzo Italy 38°0N 12°20E 94 D5
Levelland U.S.A. 33°35N 102°23W 176 E3
Leven U.K. 56°12N 3°0W 65 E6
Leven, L. U.K. 56°12N 3°22W 65 E5
Leveque C. Australia 16°20S 123°0E 148 C3
Leverano Italy 40°17N 18°0E 95 B10
Leverkusen Germany 51°1N 7°1E 76 D3
Levice Slovak Rep. 48°13N 18°35E 79 C11
Lévico Terme Italy 46°0N 11°18E 93 C8
Levie France 41°40N 9°7E 73 G13
Levier France 46°58N 6°8E 71 F13
Levin N.Z. 40°37S 175°18E 154 G4
Lévis Canada 46°48N 71°9W 165 C5
Levis, L. Canada 62°37N 117°58W 162 A5
Levitha Greece 37°0N 26°28E 99 D8
Levittown N.Y., U.S.A. 40°44N 73°31W 175 F11
Levittown Pa., U.S.A. 40°9N 74°51W 175 F10
Levka Bulgaria 41°52N 26°15E 97 E10
Levka Oros Greece 35°18N 24°3E 101 D6
Levkás = Lefkada Greece 38°40N 20°43E 98 C2
Levoča Slovak Rep. 49°2N 20°35E 79 B13
Levroux France 46°59N 1°38E 71 F8
Levski Bulgaria 43°21N 25°10E 97 C9
Levskigrad = Karlovo Bulgaria 42°38N 24°47E 97 D8
Levuka Fiji 17°34S 179°0E 154 a
Lewes U.K. 50°52N 0°1E 67 G8
Lewes U.S.A. 38°46N 75°9W 173 F16
Lewin Brzeski Poland 50°45N 17°37E 83 H4
Lewis U.K. 58°9N 6°40W 65 C2
Lewis → U.S.A. 45°51N 122°48W 170 E4
Lewis, Butt of U.K. 58°31N 6°16W 65 C2
Lewis and Clark ⌓ U.S.A. 46°8N 123°53W 170 D3
Lewis Pass N.Z. 42°31S 172°11E 155 C7
Lewis Ra. Australia 20°3S 128°50E 148 D4
Lewis Range U.S.A. 48°5N 113°5W 168 B7
Lewis Run U.S.A. 41°52N 78°40W 174 E6
Lewisburg Pa., U.S.A. 40°58N 76°54W 174 F8
Lewisburg Tenn., U.S.A. 35°27N 86°48W 177 D11
Lewisburg W. Va., U.S.A. 37°48N 80°27W 173 G13
Lewisporte Canada 49°15N 55°3W 165 C8
Lewiston Idaho, U.S.A. 46°25N 117°1W 168 C5
Lewiston Maine, U.S.A. 44°6N 70°13W 173 C18
Lewiston N.Y., U.S.A. 43°11N 79°3W 174 C5
Lewistown Mont., U.S.A. 47°4N 109°26W 168 C9
Lewistown Pa., U.S.A. 40°36N 77°34W 174 F7
Lexington Ga., U.S.A. 33°52N 83°7W 178 B6
Lexington Ill., U.S.A. 40°39N 88°47W 172 E9
Lexington Ky., U.S.A. 38°3N 84°30W 173 F11
Lexington Mich., U.S.A. 43°16N 82°32W 174 C2
Lexington Mo., U.S.A. 39°11N 93°52W 172 F7
Lexington N.C., U.S.A. 35°49N 80°15W 177 D14
Lexington N.Y., U.S.A. 42°15N 74°22W 175 D10
Lexington Nebr., U.S.A. 40°47N 99°45W 172 E4
Lexington Ohio, U.S.A. 40°41N 82°35W 174 F2
Lexington S.C., U.S.A. 33°59N 81°11W 178 B8
Lexington Tenn., U.S.A. 35°39N 88°24W 177 D10
Lexington Va., U.S.A. 37°47N 79°27W 173 G14
Lexington Park U.S.A. 38°16N 76°27W 173 F15
Leyburn U.K. 54°19N 1°48W 66 C6
Leye China 24°48N 106°29E 116 E6
Leyland U.K. 53°42N 2°43W 66 D5
Leyte □ Phil. 11°0N 125°0E 119 B7
Leżajsk Poland 50°16N 22°25E 83 H9
Lezay France 46°15N 0°1W 72 B3
Lezhë Albania 41°47N 19°39E 96 E3
Lezhi China 30°19N 104°58E 116 B5
Lézignan-Corbières France 43°13N 2°43E 72 E6
Lezoux France 45°49N 3°21E 72 C7
Lgov Russia 51°42N 35°16E 85 G8
Lhasa China 29°25N 90°58E 110 F7
Lhazê China 29°5N 87°38E 110 F6
L'Hermite, I. Chile 55°50S 68°0W 192 E3
Lhokkruet Indonesia 4°55N 95°24E 118 D1
Lhokseumawe Indonesia 5°10N 97°10E 118 C1
L'Hospitalet de Llobregat Spain 41°21N 2°6E 90 D7
Li Thailand 17°48N 98°57E 120 D2
Li Jiang → China 24°40N 110°40E 117 E8
Li Jiang ⌓ China 24°38N 110°38E 117 E8
Li Shan China 35°30N 111°56E 114 G6
Li Shui → China 29°24N 112°1E 117 C9
Li Xian Gansu, China 34°10N 105°5E 114 G3
Li Xian Hebei, China 38°30N 115°35E 114 E8
Li Xian Hunan, China 29°36N 111°42E 117 C8
Liadi Greece 36°50N 26°11E 99 E8
Liancheng China 25°42N 116°40E 117 E11
Liancourt Rocks Asia 37°15N 131°52E 113 F5
Lianga Phil. 8°38N 126°6E 119 C7
Liangcheng Nei Monggol Zizhiqu, China 40°28N 112°25E 114 D7
Liangcheng Shandong, China 35°32N 119°37E 115 G10
Liangdang China 33°56N 106°18E 114 H4
Lianghe China 24°50N 98°20E 116 E2
Lianghekou China 29°11N 108°44E 116 C7
Liangping China 30°38N 107°47E 116 B6
Liangpran Indonesia 1°4N 114°23E 118 D4
Lianhua China 27°3N 113°54E 117 D9
Lianhua Shan China 23°40N 115°48E 117 F10
Lianjiang Fujian, China 26°12N 119°27E 117 D12
Lianjiang Guangdong, China 21°40N 110°20E 117 G8
Lianping China 24°26N 114°30E 117 E10
Lianshan China 24°38N 112°8E 117 E9
Lianshanguan China 40°53N 123°43E 115 D12
Lianshui China 33°42N 119°20E 115 H10
Lianyuan China 27°40N 111°38E 117 D8
Lianyungang China 34°40N 119°11E 115 G10
Lianzhou China 24°51N 112°22E 117 E9
Liao He → China 41°0N 121°50E 115 D11
Liaocheng China 36°28N 115°58E 114 F8
Liaodong Bandao China 40°0N 122°30E 115 E12
Liaodong Wan China 40°20N 121°10E 115 D11
Liaoning □ China 41°40N 122°30E 115 D12
Liaotung, G. of = Liaodong Wan China 40°20N 121°10E 115 D11
Liaoyang China 41°15N 122°58E 115 D12
Liaoyuan China 42°58N 125°2E 115 C13
Liaozhong China 41°23N 122°50E 115 D12
Liapades Greece 39°42N 19°40E 101 A3
Liard → Canada 61°51N 121°18W 162 A4
Liard River Canada 59°25N 126°5W 162 B3
Liari Pakistan 25°37N 66°30E 124 G2
Libanggaon Nepal 28°18N 82°38E 125 E10
Libau = Liepāja Latvia 56°30N 21°0E 82 B8
Libby U.S.A. 48°23N 115°33W 168 B6
Libenge Dem. Rep. of the Congo 3°40N 18°55E 140 D3
Liberal U.S.A. 37°3N 100°55W 172 G3
Liberdade Brazil 10°5S 70°20W 188 C3
Liberec Czech Rep. 50°47N 15°7E 78 A8
Liberecký □ Czech Rep. 50°45N 15°0E 78 A8
Liberia Costa Rica 10°40N 85°30W 182 D2
Liberia ■ W. Afr. 6°30N 9°30W 138 D3
Libertador □ Chile 34°15S 70°45W 190 C1
Liberty Mo., U.S.A. 39°15N 94°25W 172 F6
Liberty N.Y., U.S.A. 41°48N 74°45W 175 E10
Liberty Pa., U.S.A. 41°34N 77°6W 174 E7
Liberty Tex., U.S.A. 30°3N 94°48W 176 F7
Liberty-Newark Int. ✕ (EWR) U.S.A. 40°42N 74°10W 175 F10
Libiąż Poland 50°7N 19°21E 83 H6
Lîbîya, Sahrâ' Africa 25°0N 25°0E 135 C10
Libo China 25°22N 107°53E 116 E6
Libobo, Tanjung Indonesia 0°54S 128°28E 119 E7
Libode S. Africa 31°33S 29°2E 145 D4
Libohovë Albania 40°3N 20°10E 96 F4
Libong, Ko Thailand 7°15N 99°23E 121 J2
Libourne France 44°55N 0°14W 72 D3
Libramont Belgium 49°55N 5°23E 69 E5
Librazhd Albania 41°12N 20°22E 96 E4
Libreville Gabon 0°25N 9°26E 140 D1
Libya ■ N. Afr. 27°0N 17°0E 135 C9
Libyan Desert = Lîbîya, Sahrâ' Africa 25°0N 25°0E 135 C10
Libyan Plateau = Ed Déffa Egypt 30°40N 26°30E 137 A2
Licantén Chile 35°55S 72°0W 190 D1
Licata Italy 37°6N 13°56E 94 E6
Lice Turkey 38°27N 40°39E 105 C9
Licheng China 36°28N 113°20E 114 F7
Lichfield U.K. 52°41N 1°49W 67 E6
Lichinga Mozam. 13°13S 35°11E 143 E4
Lichtenburg S. Africa 26°8S 26°8E 144 C4
Lichtenfels Germany 50°8N 11°4E 77 E7
Lichuan Hubei, China 30°18N 108°57E 116 B7
Lichuan Jiangxi, China 27°18N 116°55E 117 D11
Licking → U.S.A. 39°6N 84°30W 173 F11
Licosa, Punta Italy 40°15N 14°54E 95 B7
Licungo → Mozam. 17°40S 37°15E 143 F4
Lida Belarus 53°53N 25°15E 75 B13
Liden Sweden 62°42N 16°48E 62 B10
Lidhult Sweden 56°50N 13°27E 63 H7
Lidköping Sweden 58°31N 13°7E 63 F7
Lido Niger 12°54N 3°44E 139 C5
Lido di Roma = Óstia, Lido di Italy 41°43N 12°17E 93 G9
Lidoriki Greece 38°32N 22°12E 98 C4
Lidzbark Poland 53°15N 19°49E 83 E6
Lidzbark Warmiński Poland 54°7N 20°34E 82 D7
Liebenwalde Germany 52°52N 13°24E 76 C9
Lieberose Germany 51°59N 14°17E 76 D10
Liebig, Mt. Australia 23°18S 131°22E 148 D5
Liebling Romania 45°36N 21°20E 80 E6
Liechtenstein ■ Europe 47°8N 9°35E 77 H5
Liège Belgium 50°38N 5°35E 69 D5
Liège □ Belgium 50°32N 5°35E 69 D5
Liegnitz = Legnica Poland 51°12N 16°10E 83 G3
Lieksa Finland 63°18N 30°2E 60 E24
Lienart Dem. Rep. of the Congo 3°3N 25°31E 142 B2
Lienyünchiangshih = Lianyungang China 34°40N 119°11E 115 G10
Lienz Austria 46°50N 12°46E 78 E5
Liepāja Latvia 56°30N 21°0E 82 B8
Liepājas ezers Latvia 56°27N 21°3E 82 B8
Lier Belgium 51°7N 4°34E 69 C4
Liernais France 47°13N 4°16E 71 E11
Lierne △ Norway 64°20N 13°50E 60 D15
Liești Romania 45°38N 27°34E 81 E12
Lietuva = Lithuania ■ Europe 55°30N 24°0E 84 E2
Liévin France 50°24N 2°47E 71 B9
Lièvre → Canada 45°31N 75°26W 164 C4
Liezen Austria 47°34N 14°15E 78 D7
Liffey → Ireland 53°21N 6°13W 64 C5
Lifford Ireland 54°51N 7°29W 64 B4
Liffré France 48°12N 1°30W 70 D5
Lifudzin Russia 44°21N 134°58E 112 B7
Lighthouse Point U.S.A. 26°15N 80°7W 179 J9
Lighthouse Pt. U.S.A. 29°54N 84°21W 178 F5
Lightning Ridge Australia 29°22S 148°0E 151 D4
Lignano Sabbiadoro Italy 45°42N 13°9E 93 C10
Ligny-en-Barrois France 48°36N 5°20E 71 D12
Ligonha → Mozam. 16°54S 39°9E 143 F4
Ligonier U.S.A. 40°15N 79°14W 174 F5
Ligourio Greece 37°37N 23°2E 98 D5
Ligueil France 47°2N 0°49E 70 E7
Liguria □ Italy 44°30N 8°50E 92 D5
Ligurian Sea Medit. S. 43°20N 9°0E 92 E5
Lihou Reefs and Cays Australia 17°25S 151°40E 150 B5
Lihué Calel △ Argentina 38°0S 65°10W 190 D2
Lijiang China 26°55N 100°20E 116 D3
Lik → Laos 18°31N 102°30E 120 C4
Likasi Dem. Rep. of the Congo 10°55S 26°48E 143 E2
Likenäs Sweden 60°37N 13°3E 62 D7
Likhoslavl Russia 57°12N 35°30E 84 D8
Likhovskoy Russia 48°10N 40°10E 87 F5
Likoma I. Malawi 12°3S 34°45E 143 E3
Likumburu Tanzania 9°43S 35°8E 143 D4
L'Île-Bouchard France 47°7N 0°26E 70 E7
L'Île-Rousse France 42°38N 8°57E 73 F12
Liling China 27°42N 113°29E 117 D9
Lilla Edet Sweden 58°9N 12°8E 63 F6
Lille France 50°38N 3°3E 71 B10
Lille Bælt Denmark 55°20N 9°45E 63 J3
Lillebonne France 49°30N 0°32E 70 C7
Lillehammer Norway 61°8N 10°30E 60 F14
Lillesand Norway 58°15N 8°23E 61 G13
Lillhärdal Sweden 61°51N 14°5E 62 C8
Lillian Pt. Australia 27°40S 126°6E 149 E4
Lillo Spain 39°45N 3°20W 88 F7
Lillooet Canada 50°44N 121°57W 162 C4
Lillooet → Canada 49°15N 121°57W 162 D4
Lilongwe Malawi 14°0S 33°48E 143 E3
Liloy Phil. 8°4N 122°39E 119 C6
Lim → Europe 43°45N 19°15E 96 C3
Lim Chu Kang Singapore 1°26N 103°43E 121 d
Lima Indonesia 3°39S 127°58E 119 E7
Lima Peru 12°3S 77°2W 188 C2
Lima Mont., U.S.A. 44°38N 112°36W 168 D7
Lima N.Y., U.S.A. 42°54N 77°36W 174 D7
Lima Ohio, U.S.A. 40°44N 84°6W 173 E11
Lima → Portugal 41°41N 8°50W 88 D2
Lima □ Peru 12°3S 77°3W 188 C2
Liman Azerbaijan 38°53N 48°47E 105 C13
Liman Russia 45°45N 47°12E 87 H8
Limanowa Poland 49°42N 20°22E 83 J7
Limassol Cyprus 34°42N 33°1E 101 E12
Limavady U.K. 55°3N 6°56W 64 A5
Limay → Argentina 39°0S 68°0W 192 A3
Limay Mahuida Argentina 37°10S 66°45W 190 D2
Limbach-Oberfrohna Germany 50°52N 12°43E 76 E8
Limbang Malaysia 4°42N 115°6E 118 D5
Limbara, Mte. Italy 40°51N 9°10E 94 B2
Limbaži Latvia 57°31N 24°42E 84 D3
Limbdi India 22°34N 71°51E 124 H4
Limbe Cameroon 4°1N 9°10E 139 E6
Limburg Germany 50°22N 8°4E 77 E4
Limburg □ Belgium 51°2N 5°25E 69 C5
Limburg □ Neths. 51°20N 5°55E 69 C5
Limedsforsen Sweden 60°52N 13°25E 62 D7
Limeira Brazil 22°35S 47°28W 191 A6
Limenaria Greece 40°38N 24°32E 97 F8
Limenas = Thasos Greece 40°40N 24°40E 97 F8
Limenas Chersonisou Greece 35°18N 25°21E 99 F7
Limerick Ireland 52°40N 8°37W 64 D3
Limerick U.S.A. 43°41N 70°48W 175 C14
Limerick □ Ireland 52°30N 8°50W 64 D3
Limestone U.S.A. 42°2N 78°38W 174 D6
Limestone → Canada 56°31N 94°7W 163 B10
Limfjorden Denmark 56°55N 9°0E 63 H3
Limia = Lima → Portugal 41°41N 8°50W 88 D2
Limingen Norway 64°48N 13°35E 60 D15
Limmared Sweden 57°34N 13°20E 63 G7
Limmen ◎ Australia 15°15S 135°30E 150 B2
Limmen Bight Australia 14°40S 135°35E 150 A2
Limmen Bight → Australia 15°7S 135°44E 150 B2
Limni Greece 38°43N 23°18E 98 C5
Limnos Greece 39°50N 25°5E 99 B7
Limoeiro Brazil 7°52S 35°27W 189 B3
Limoeiro do Norte Brazil 5°5S 38°0W 189 B3
Limoges Canada 45°20N 75°16W 175 A9
Limoges France 45°50N 1°15E 72 C5
Limón Costa Rica 10°0N 83°2W 182 E3
Limon U.S.A. 39°16N 103°41W 168 G12
Limone Italy 45°48N 10°47E 92 C7
Limone Piemonte Italy 44°12N 7°34E 92 D4
Limousin □ France 45°30N 1°30E 72 C5
Limousin, Plateaux du France 45°45N 1°15E 72 C5
Limoux France 43°4N 2°12E 72 E6
Limpopo □ S. Africa 24°5S 29°0E 145 B4
Limpopo → Africa 25°5S 33°30E 145 C5
Limuru Kenya 1°2S 36°35E 140 E7
Lin Xian China 37°57N 110°58E 114 F6
Lin'an China 30°15N 119°42E 117 B12
Linares Chile 35°50S 71°40W 190 D1
Linares Mexico 24°52N 99°34W 181 C5
Linares Spain 38°10N 3°40W 89 G7
Linaria Greece 38°52N 24°31E 98 C6
Linaro, Capo Italy 42°2N 11°50E 93 F8
Linas Mte. Italy 39°25N 8°38E 94 C1
Linate, Milano ✕ (LIN) Italy 45°27N 9°16E 92 C6
Lincang China 23°58N 100°1E 116 F3
Lincheng China 37°25N 114°30E 114 F8
Linchuan China 27°57N 116°15E 117 D11
Lincoln = Beamsville Canada 43°12N 79°28W 174 C5
Lincoln Argentina 34°55S 61°30W 190 C3
Lincoln N.Z. 43°38S 172°30E 155 D7
Lincoln U.K. 53°14N 0°32W 66 D7
Lincoln Calif., U.S.A. 38°54N 121°17W 170 G5
Lincoln Ill., U.S.A. 40°9N 89°22W 172 E9
Lincoln Kans., U.S.A. 39°3N 98°9W 172 F4
Lincoln Maine, U.S.A. 45°22N 68°30W 173 C19
Lincoln N.H., U.S.A. 44°3N 71°40W 175 B13
Lincoln N. Mex., U.S.A. 33°30N 105°23W 169 K11
Lincoln Nebr., U.S.A. 40°49N 96°41W 172 E5
Lincoln City U.S.A. 44°57N 124°1W 168 D1
Lincoln Hav = Lincoln Sea Arctic 84°0N 55°0W 57 A5
Lincoln Park U.S.A. 32°52N 84°20W 178 C5
Lincoln Sea Arctic 84°0N 55°0W 57 A5
Lincolnshire □ U.K. 53°14N 0°32W 66 D7
Lincolnshire Wolds U.K. 53°26N 0°13W 66 D7
Lincolnton Ga., U.S.A. 33°48N 82°29W 178 B7
Lincolnton N.C., U.S.A. 35°29N 81°16W 177 D14
Lind U.S.A. 46°58N 118°37W 168 C4
Linda U.S.A. 39°8N 121°34W 170 F5
Lindale U.S.A. 34°11N 85°11W 178 A4
Lindau Germany 47°33N 9°42E 77 H5
Lindeman I. Australia 20°27S 149°3E 150 b
Lindeman Islands △ Australia 20°28S 149°5E 150 b
Linden Guyana 6°0N 58°10W 186 B7
Linden Ala., U.S.A. 32°18N 87°48W 177 E11
Linden Calif., U.S.A. 38°1N 121°5W 170 G5
Linden Tex., U.S.A. 33°1N 94°22W 176 E7
Lindenhurst U.S.A. 40°41N 73°23W 175 F11
Lindenow Fjord Greenland 60°30N 43°25W 57 E6
Lindesberg Sweden 59°36N 15°15E 62 E9
Lindesnes Norway 57°58N 7°3E 61 H12
Lindi Tanzania 9°58S 39°38E 143 D4
Lindi □ Tanzania 9°40S 38°30E 143 D4
Lindi → Dem. Rep. of the Congo 0°33N 25°5E 142 B2
Lindley U.S.A. 42°1N 77°8W 174 D7
Lindö Sweden 58°37N 16°15E 63 F10
Lindome Sweden 57°35N 12°5E 63 G6
Lindos Greece 36°6N 28°4E 101 C10
Lindos, Akra Greece 36°4N 28°10E 101 C10
Lindoso Portugal 41°52N 8°11W 88 D2
Lindow Germany 52°58N 12°59E 76 C8
Lindsay Canada 44°22N 78°43W 174 B6
Lindsay Calif., U.S.A. 36°12N 119°5W 170 J7
Lindsay Okla., U.S.A. 34°50N 97°38W 176 D6
Lindsborg U.S.A. 38°35N 97°40W 172 F5
Lindsdal Sweden 56°44N 16°18E 63 H10
Line Islands Pac. Oc. 7°0N 160°0W 157 H12
Linesville U.S.A. 41°39N 80°26W 174 E4
Lineville U.S.A. 33°19N 85°45W 178 B4
Linfen China 36°3N 111°30E 114 F6
Ling Xian Hunan, China 26°29N 113°48E 117 D9
Ling Xian Shandong, China 37°22N 116°30E 114 F9
Lingal India 16°17N 78°31E 127 F4
Linganamakki Res. India 14°6N 74°52E 127 G2
Lingao China 19°56N 109°42E 117 a
Lingayen Phil. 16°1N 120°14E 119 A6
Lingayen G. Phil. 16°10N 120°15E 119 A6
Lingbao China 34°31N 110°51E 114 G6
Lingbi China 33°33N 117°33E 115 H9
Lingbo Sweden 61°3N 16°41E 62 C10
Lingchuan Guangxi Zhuangzu, China 25°26N 110°21E 117 E8
Lingchuan Shanxi, China 35°45N 113°12E 114 G7
Lingding Yang China 22°25N 113°44E 111 a
Lingen Germany 52°31N 7°19E 76 C3
Lingga Indonesia 0°12S 104°37E 118 E2
Lingga, Kepulauan Indonesia 0°10S 104°30E 118 E2
Lingga Arch. = Lingga, Kepulauan Indonesia 0°10S 104°30E 118 E2
Linghai China 41°11N 121°22E 115 D11
Linghed Sweden 60°48N 15°55E 62 D9
Linghem Sweden 58°26N 15°47E 63 F9
Lingle U.S.A. 42°8N 104°21W 168 E11
Lingqiu China 39°28N 114°22E 114 E8
Lingshan China 22°25N 109°18E 116 F7
Lingshi China 36°48N 111°48E 114 F6
Lingshou China 38°20N 114°20E 114 E8
Lingshui China 18°27N 110°0E 117 a
Lingsugur India 16°10N 76°31E 127 F3
Lingtai China 35°0N 107°40E 114 G4
Linguère Senegal 15°25N 15°5W 138 B1
Lingui China 25°12N 110°2E 117 E8
Lingwu China 38°6N 106°20E 114 E4
Lingyuan China 41°10N 119°15E 115 D10
Lingyun China 25°2N 106°35E 116 E6
Linhai China 28°50N 121°8E 117 C13

Linhares Brazil 19°25S 40°4W 189 D2
Linhe China 40°48N 107°20E 114 D4
Linjiang China 41°50N 127°0E 115 D14
Linköping Sweden 58°28N 15°36E 63 F9
Linkou China 45°15N 130°18E 115 B16
Linli China 29°27N 111°30E 117 C8
Linnansaari △ Finland 62°3N 28°40E 60 E23
Linnhe, L. U.K. 56°36N 5°25W 65 E3
Linqi China 35°45N 113°52E 114 G7
Linqing China 36°50N 115°42E 114 F8
Linqu China 36°25N 118°30E 115 F10
Linquan China 33°5N 115°17E 117 A10
Lins Brazil 21°40S 49°44W 191 A6
Linshu China 34°53N 118°38E 115 G10
Linshui China 30°21N 106°57E 116 B6
Linstead Jamaica 18°8N 77°2W 182 a
Lintao China 35°26N 103°58E 114 G2
Linth ➔ Switz. 47°7N 9°7E 77 H5
Linthal Switz. 46°54N 9°0E 77 J5
Linton Ind., U.S.A. 39°2N 87°10W 172 F10
Linton N. Dak., U.S.A. 46°16N 100°14W 172 B3
Lintong China 34°20N 109°10E 114 G5
Linwood Canada 43°35N 80°43W 174 C4
Linwu China 25°19N 112°31E 117 E9
Linxi Hebei, China 39°42N 118°26E 115 E10
Linxi Liaoning, China 43°36N 118°2E 115 C10
Linxia China 35°36N 103°10E 110 D9
Linxiang China 29°28N 113°23E 117 C9
Linyanti ➔ Africa 17°50S 25°5E 144 A4
Linyi Shandong, China 37°13N 116°54E 114 F9
Linyi Shandong, China 35°5N 118°21E 115 G10
Linying China 33°48N 113°56E 114 H7
Linz Austria 48°18N 14°18E 78 C7
Linz Germany 50°34N 7°17E 76 E3
Linzhenzhen China 36°30N 109°59E 114 F5
Linzhou China 36°4N 113°49E 114 F7
Linzi China 36°50N 118°20E 115 F10
Lion, G. du France 43°10N 4°0E 72 E7
Lioni Italy 40°52N 15°11E 95 B8
Lions, G. of = Lion, G. du France 43°10N 4°0E 72 E7
Lion's Den Zimbabwe 17°15S 30°5E 143 F3
Lion's Head Canada 44°58N 81°15W 174 B3
Liozno = Lyozna Belarus 55°0N 30°50E 84 E6
Lipa Phil. 13°57N 121°10E 119 B6
Lipali Mozam. 15°50S 35°50E 143 F4
Lipany Slovak Rep. 49°9N 20°58E 79 B13
Lípari Italy 38°26N 14°58E 95 D7
Lípari, I. Italy 38°29N 14°56E 95 D7
Lípari, Is. = Eólie, Ís. Italy 38°30N 14°57E 95 D7
Lipcani Moldova 48°14N 26°48E 81 B11
Liperi Finland 62°31N 29°24E 60 E23
Lipetsk Russia 52°37N 39°35E 85 F10
Lipetsk □ Russia 52°50N 38°50E 86 D4
Lipiany Poland 53°2N 14°58E 83 E1
Liping China 26°15N 109°7E 116 D7
Lipisi Greece 37°19N 26°50E 99 D8
Lipjan Kosovo 42°31N 21°7E 96 D5
Lipkany = Lipcani Moldova 48°14N 26°48E 81 B11
Lipnik nad Bečvou Czech Rep. 49°32N 17°36E 79 B10
Lipno Poland 52°49N 19°15E 83 F6
Lipova Romania 46°8N 21°42E 80 D6
Lipovets Ukraine 49°12N 29°1E 75 D15
Lippe ➔ Germany 51°39N 6°36E 76 D2
Lippstadt Germany 51°41N 8°22E 76 D4
Lipscomb U.S.A. 36°14N 100°16W 176 C4
Lipsk Poland 53°44N 23°24E 82 E10
Lipsko Poland 51°9N 21°40E 83 G8
Liptovský Hrádok Slovak Rep. 49°2N 19°44E 79 B12
Liptovský Milkuláš Slovak Rep. 49°6N 19°35E 79 B12
Liptrap, C. Australia 38°50S 145°55E 153 E6
Lipu China 24°30N 110°22E 117 E8
Lira Uganda 2°17N 32°57E 142 B3
Liri ➔ Italy 41°25N 13°52E 94 A6
Liria = Llíria Spain 39°37N 0°35W 91 F4
Lisakovsk Kazakhstan 52°33N 62°37E 108 B6
Lisala Dem. Rep. of the Congo 2°12N 21°38E 140 D4
Lisboa Portugal 38°42N 9°8W 89 G1
Lisboa □ Portugal 39°0N 9°12W 89 F1
Lisboa ✕ (LIS) Portugal 38°46N 9°8W 89 G1
Lisbon = Lisboa Portugal 38°42N 9°8W 89 G1
Lisbon N. Dak., U.S.A. 46°27N 97°41W 172 B5
Lisbon N.H., U.S.A. 44°13N 71°55W 175 B13
Lisbon N.Y., U.S.A. 44°43N 75°19W 175 B9
Lisbon Ohio, U.S.A. 40°46N 80°46W 174 F4
Lisbon Falls U.S.A. 44°0N 70°4W 173 D18
Lisburn U.K. 54°31N 6°3W 64 B5
Lisburne, C. U.S.A. 68°53N 166°13W 166 B6
Liscannor B. Ireland 52°55N 9°24W 64 D2
Liscia ➔ Italy 41°11N 9°9E 94 A2
Lisdoonvarna Ireland 53°2N 9°18W 64 C2
Lishe Jiang ➔ China 24°15N 101°35E 116 E3
Lishi China 37°31N 111°8E 114 F6
Lishu China 43°20N 124°18E 115 C13
Lishui Jiangsu, China 31°38N 119°2E 117 B12
Lishui Zhejiang, China 28°28N 119°54E 117 C12
Lisianski I. U.S.A. 26°2N 174°0W 167 K5
Lisichansk = Lysychansk Ukraine 48°55N 38°30E 85 H10
Lisieux France 49°10N 0°12E 70 C7
Liski Russia 51°3N 39°30E 85 G10
L'Isle-Jourdain Gers, France 43°36N 1°5E 72 E5
L'Isle-Jourdain Vienne, France 46°13N 0°31E 72 B4
L'Isle-sur-la-Sorgue France 43°54N 5°2E 73 E9
Lisle-sur-Tarn France 43°52N 1°49E 72 E5
Lismore Australia 28°44S 153°21E 151 D5
Lismore Ireland 52°8N 7°55W 64 D4
Lissos ➔ Greece 41°15N 25°40E 97 E9
Lista Norway 58°7N 6°39E 61 G12
Lister, Mt. Antarctica 78°0S 162°0E 55 D11
Liston Australia 28°39S 152°6E 151 D5
Listowel Canada 43°44N 80°58W 174 C4
Listowel Ireland 52°27N 9°29W 64 D2
Lit Sweden 63°19N 14°51E 62 A8
Lit-et-Mixe France 44°2N 1°15W 72 D2
Litang Guangxi Zhuangzu, China 23°12N 109°8E 116 F7
Litang Sichuan, China 30°1N 100°17E 116 B3
Litang Qu ➔ China 28°4N 101°32E 116 C3
Litani ➔ Lebanon 33°20N 35°15E 130 B4
Litchfield Australia 36°18S 142°52E 152 D5
Litchfield Calif., U.S.A. 40°24N 120°23W 170 E6
Litchfield Conn., U.S.A. 41°45N 73°11W 175 E11
Litchfield Ill., U.S.A. 39°11N 89°39W 172 F9
Litchfield Minn., U.S.A. 45°8N 94°32W 172 C6
Litchfield △ Australia 13°14S 131°1E 148 B5
Liteni Romania 47°32N 26°32E 81 C11
Lithgow Australia 33°25S 150°8E 153 B9
Lithino, Akra Greece 34°55N 24°44E 101 E6
Lithuania ■ Europe 55°30N 24°0E 84 E2
Litija Slovenia 46°3N 14°50E 93 B11
Lititz U.S.A. 40°9N 76°18W 175 F8
Litochoro Greece 40°8N 22°34E 96 F6
Litoměřice Czech Rep. 50°33N 14°10E 78 A7
Litomyšl Czech Rep. 49°52N 16°20E 79 B9
Litschau Austria 48°58N 15°4E 78 C8
Little Abaco Bahamas 26°50N 77°30W 182 A4
Little Andaman I. India 10°45N 92°30E 127 J11
Little Aral Sea = Northern Aral Sea Kazakhstan 46°20N 60°30E 108 C6
Little Barrier I. N.Z. 36°12S 175°8E 154 C4
Little Basses Sri Lanka 6°24N 81°43E 127 L5
Little Belt Mts. U.S.A. 46°40N 110°45W 168 C8
Little Bighorn Battlefield ⌂ U.S.A. 45°34N 107°25W 168 D10
Little Blue ➔ U.S.A. 39°42N 96°41W 172 F5
Little Buffalo ➔ Canada 61°0N 113°46W 162 A6
Little Cayman Cayman Is. 19°41N 80°3W 182 C3
Little Churchill ➔ Canada 57°30N 95°22W 163 B9
Little Coco I. Burma 14°0N 93°13E 127 H11
Little Colorado ➔ U.S.A. 36°12N 111°48W 169 H8
Little Current Canada 45°55N 82°0W 164 C3
Little Current ➔ Canada 50°57N 84°36W 164 B3
Little Desert △ Australia 37°25S 141°30E 152 D4
Little Diomede I. U.S.A. 65°45N 168°56W 166 B6
Little Falls Minn., U.S.A. 45°59N 94°22W 172 C6
Little Falls N.Y., U.S.A. 43°3N 74°51W 175 C10
Little Fork ➔ U.S.A. 48°31N 93°35W 172 A7
Little Grand Rapids Canada 52°0N 95°29W 163 C9
Little Humboldt ➔ U.S.A. 41°1N 117°43W 168 F5
Little Inagua I. Bahamas 21°40N 73°50W 183 B5
Little Karoo S. Africa 33°45S 21°0E 144 D3
Little Khingan Mts. = Xiao Hinggan Ling China 49°0N 127°0E 111 B14
Little Lake U.S.A. 35°56N 117°55W 171 K9
Little Laut Is. = Laut Kecil, Kepulauan Indonesia 4°45S 115°40E 118 E5
Little Mecatina = Petit-Mécatina ➔ Canada 50°40N 59°30W 165 B8
Little Minch U.K. 57°35N 6°45W 65 D2
Little Missouri ➔ U.S.A. 47°36N 102°25W 172 B2
Little Nicobar India 7°20N 93°40E 127 L11
Little Ouse ➔ U.K. 52°22N 1°12E 67 E9
Little Rann India 23°25N 71°25E 124 H4
Little Red ➔ U.S.A. 35°11N 91°27W 176 D9
Little River N.Z. 43°45S 172°49E 155 D7
Little Rock U.S.A. 34°45N 92°17W 176 D8
Little Ruaha ➔ Tanzania 7°57S 37°53E 142 D4
Little Sable Pt. U.S.A. 43°38N 86°33W 172 D10
Little Scarcies ➔ S. Leone 8°50N 13°10W 138 D2
Little Sioux ➔ U.S.A. 41°48N 96°4W 172 E5
Little Smoky ➔ Canada 54°44N 117°11W 162 C5
Little Snake ➔ U.S.A. 40°27N 108°26W 168 F9
Little Tobago Trin. & Tob. 11°18N 60°30W 187 J16
Little Valley U.S.A. 42°15N 78°48W 174 D6
Little Wabash ➔ U.S.A. 37°55N 88°5W 172 G9
Little White ➔ U.S.A. 43°40N 100°40W 172 D3
Little Zab = Zāb aş Şaghīr ➔ Iraq 35°17N 43°29E 105 E10
Littlefield U.S.A. 33°55N 102°20W 176 E3
Littlehampton U.K. 50°49N 0°32W 67 G7
Littleton U.S.A. 44°18N 71°46W 175 B13
Littoral □ Cameroon 4°0N 10°0E 139 E7
Litvinov Czech Rep. 50°36N 13°37E 78 A6
Liu He ➔ China 40°55N 121°35E 115 D11
Liu Jiang ➔ China 23°55N 109°30E 116 F7
Liuba China 33°38N 106°55E 116 A6
Liucheng China 24°38N 109°14E 116 E7
Liugou China 40°57N 118°15E 115 D10
Liuhe China 42°17N 125°43E 115 C13
Liuheng Dao China 29°40N 122°5E 117 C14
Liujiang China 24°26N 109°11E 116 E7
Liukang Tenggaja = Sabalana, Kepulauan Indonesia 6°45S 118°50E 119 F5
Liuli Tanzania 11°3S 34°38E 143 E3
Liupan Shan China 35°39N 106°12E 114 G4
Liupanshui China 26°38N 104°48E 116 D5
Liuwa Plain Zambia 14°20S 22°30E 141 G4
Liuyang China 28°10N 113°37E 117 C9
Liuzhou China 24°22N 109°22E 116 E7
Liuzhuang China 33°12N 120°18E 115 H11
Livada Romania 47°52N 23°5E 80 C8
Livadero Greece 40°2N 21°57E 96 F5
Livadhia Cyprus 34°57N 33°38E 101 E12
Livadi Greece 40°8N 22°9E 98 A4
Livadia Greece 38°27N 22°54E 98 C4
Livarot France 48°58N 0°9E 70 D7
Live Oak Calif., U.S.A. 39°17N 121°40W 170 F5
Live Oak Fla., U.S.A. 30°18N 82°59W 178 E7
Lively Canada 46°26N 81°9W 173 B13
Liveras Cyprus 35°23N 32°57E 101 D11
Livermore U.S.A. 37°41N 121°47W 170 H5
Livermore, Mt. U.S.A. 30°38N 104°11W 176 F2
Livermore Falls U.S.A. 44°29N 70°11W 173 C18
Liverpool Australia 33°54S 150°58E 153 B9
Liverpool Canada 44°5N 64°41W 165 D7
Liverpool U.K. 53°25N 3°0W 66 D4
Liverpool U.S.A. 43°6N 76°13W 175 C8
Liverpool Bay U.K. 53°30N 3°20W 66 D4
Liverpool Plains Australia 31°15S 150°15E 153 A9
Liverpool Ra. Australia 31°50S 150°30E 153 A9
Livigno Italy 46°35N 10°10E 92 B7
Livingston Guatemala 15°50N 88°50W 182 C2
Livingston U.K. 55°54N 3°30W 65 F5
Livingston Ala., U.S.A. 32°35N 88°11W 177 E10
Livingston Calif., U.S.A. 37°23N 120°43W 170 H6
Livingston Mont., U.S.A. 45°40N 110°34W 168 D8
Livingston S.C., U.S.A. 33°38N 81°7W 178 B8
Livingston Tenn., U.S.A. 36°23N 85°19W 177 C12
Livingston Tex., U.S.A. 30°43N 94°56W 176 F7
Livingston, L. U.S.A. 30°50N 95°10W 176 F7
Livingston Manor U.S.A. 41°54N 74°50W 175 E10
Livingstone Zambia 17°46S 25°52E 143 F2
Livingstone △ Australia 35°22S 147°22E 153 C7
Livingstone Mts. N.Z. 45°15S 168°9E 155 F3
Livingstone Mts. Tanzania 9°40S 34°20E 143 D3
Livingstonia Malawi 10°38S 34°5E 143 E3
Livno Bos.-H. 43°50N 17°1E 80 G2
Livny Russia 52°30N 37°30E 85 F9
Livonia Mich., U.S.A. 42°23N 83°23W 173 D12
Livonia N.Y., U.S.A. 42°49N 77°40W 174 D7
Livorno Italy 43°33N 10°19E 92 E7
Livradois-Forez ⌂ France 44°0N 3°0E 72 E7
Livramento Brazil 30°55S 55°30W 191 C4
Livramento do Brumado Brazil 13°39S 41°50W 189 C2
Livron-sur-Drôme France 44°46N 4°51E 73 D8
Livyntsi Ukraine 48°25N 26°37E 81 B11
Liwale Tanzania 9°48S 37°58E 143 D4
Liwiec ➔ Poland 52°36N 21°34E 83 F8
Liwonde Malawi 15°4S 35°13E 143 F4
Liwonde △ Malawi 14°48S 35°20E 143 E4
Lixi China 26°23N 101°59E 116 D3
Lixian China 31°23N 103°13E 116 B4
Lixin China 33°8N 116°13E 117 A11
Lixouri Greece 38°12N 20°26E 98 C2
Liyang China 31°26N 119°28E 117 B12
Lizard I. Australia 14°42S 145°30E 150 A4
Lizard Pt. U.K. 49°57N 5°13W 67 H2
Lizarda Brazil 9°36S 46°41W 189 B1
Lizarra = Estella Spain 42°40N 2°2W 90 C2
Lizella U.S.A. 32°48N 83°49W 178 C6
Lizzano Italy 40°23N 17°27E 95 B10
Ljig Serbia 44°13N 20°18E 96 B4
Ljubija Bos.-H. 44°55N 16°35E 93 D13
Ljubinje Bos.-H. 42°58N 18°5E 96 D2
Ljubišnja Europe 43°18N 19°6E 96 C3
Ljubljana Slovenia 46°4N 14°33E 93 B11
Ljubljana ✕ (LJU) Slovenia 46°14N 14°33E 93 B11
Ljubno Slovenia 46°25N 14°46E 93 B11
Ljubovija Serbia 44°11N 19°22E 96 B3
Ljugarn Sweden 57°20N 18°43E 63 G12
Ljung Sweden 57°59N 13°3E 63 G7
Ljungan ➔ Sweden 62°18N 17°23E 62 B11
Ljungaverk Sweden 62°30N 16°5E 62 B10
Ljungby Sweden 56°49N 13°55E 63 H7
Ljungbyholm Sweden 56°39N 16°5E 63 H10
Ljungdalen Sweden 62°51N 12°47E 62 B6
Ljungsbro Sweden 58°31N 15°30E 63 F9
Ljungskile Sweden 58°14N 11°55E 63 F5
Ljusdal Sweden 61°46N 16°3E 62 C10
Ljusfallshammar Sweden 58°48N 15°30E 63 F9
Ljusnan ➔ Sweden 61°12N 17°8E 62 C11
Ljusne Sweden 61°13N 17°7E 62 C11
Ljusterö Sweden 59°31N 18°37E 62 E12
Ljustorp Sweden 62°38N 17°19E 62 B11
Ljutomer Slovenia 46°31N 16°11E 93 B13
Llagostera Spain 41°50N 2°54E 90 D7
Llamellín Peru 9°0S 76°54W 188 B2
Llançà Spain 42°22N 3°9E 90 C8
Llancanelo, Salina Argentina 35°40S 69°8W 190 D2
Llandeilo U.K. 51°53N 3°59W 67 F4
Llandovery U.K. 51°59N 3°48W 67 F4
Llandrindod Wells U.K. 52°14N 3°22W 67 E4
Llandudno U.K. 53°19N 3°50W 66 D4
Llanelli U.K. 51°41N 4°10W 67 F3
Llanes Spain 43°25N 4°50W 88 B6
Llanfair-ym-Muallt = Builth Wells U.K. 52°9N 3°25W 67 E4
Llangollen U.K. 52°58N 3°11W 66 E4
Llanidloes U.K. 52°27N 3°31W 67 E4
Llano U.S.A. 30°45N 98°41W 176 F5
Llano ➔ U.S.A. 30°39N 98°26W 176 F5
Llano Estacado U.S.A. 33°30N 103°0W 176 E3
Llanos S. Amer. 5°0N 71°35W 186 C4
Llanos de Challe △ Chile 28°8S 71°1W 190 B1
Llanquihue, L. Chile 41°10S 72°50W 192 B1
Llanwrtyd Wells U.K. 52°7N 3°38W 67 E4
Llata Peru 9°25S 76°47W 188 B2
Llebeig, C. des Spain 39°33N 2°18E 100 B9
Lleida Spain 41°37N 0°39E 90 D5
Lleida □ Spain 42°6N 1°0E 90 C6
Llentrisca, C. Spain 38°52N 1°15E 100 C7
Llera de Canales Mexico 23°19N 99°1W 181 C5
Llerena Spain 38°17N 6°0W 89 G5
Lleyn Peninsula U.K. 52°51N 4°36W 66 E3
Llica Bolivia 19°52S 68°16W 188 D4
Llico Chile 34°46S 72°5W 190 C1
Llíria Spain 39°37N 0°35W 91 F4
Llivia Spain 42°28N 1°59E 72 F5
Llobregat ➔ Spain 41°19N 2°5E 90 D7
Llodio Spain 43°9N 2°58W 90 B2
Lloret de Mar Spain 41°41N 2°53E 90 D7
Lloseta Spain 39°43N 2°52E 100 B9
Lloyd B. Australia 12°45S 143°27E 150 A3
Lloyd L. Canada 57°22N 108°57W 163 B7
Lloydminster Canada 53°17N 110°0W 163 C7
Llubí Spain 39°42N 3°0E 100 B10
Llucena del Cid Spain 40°9N 0°17W 90 E4
Llucmajor Spain 39°29N 2°53E 100 B9
Llullaillaco, Volcán S. Amer. 24°43S 68°30W 190 A2
Llullaillaco △ Chile 24°50S 68°51W 190 A2
Lo ➔ Vietnam 21°18N 105°25E 120 B5
Loa U.S.A. 38°24N 111°39W 168 G8
Loa ➔ Chile 21°26S 70°41W 190 A1
Loaita I. S. China Sea 10°41N 114°25E 118 B4
Loange ➔ Dem. Rep. of the Congo 4°17S 20°2E 140 E4
Loano Italy 44°8N 8°15E 92 D5
Lobamba Swaziland 26°28S 31°12E 145 C5
Lobatse Botswana 25°12S 25°40E 144 C4
Löbau Germany 51°5N 14°40E 76 D10
Lobenstein Germany 50°25N 11°39E 76 E7
Lobería Argentina 38°10S 58°40W 190 D4
Löberöd Sweden 55°47N 13°31E 63 J7
Łobez Poland 53°38N 15°39E 82 E2
Lobito Angola 12°18S 13°35E 141 G2
Lobo ➔ Ivory C. 6°2N 6°45W 138 D3
Lobos Argentina 35°10S 59°0W 190 D4
Lobos, I. Mexico 27°20N 110°36W 180 B2
Lobos, I. de Canary Is. 28°45N 13°50W 100 F6
Lobos de Afuera, Islas Peru 6°57S 80°42W 188 B1
Lobos de Tierra, I. Peru 6°27S 80°52W 188 B1
Łobżenica Poland 53°18N 17°15E 83 E4
Loc Binh Vietnam 21°46N 106°54E 120 B6
Loc Ninh Vietnam 11°50N 106°34E 121 G6
Locarno Switz. 46°10N 8°47E 77 J4
Loch Garman = Wexford Ireland 52°20N 6°28W 64 D5
Loch Lomond and the Trossachs △ U.K. 56°10N 4°40W 65 E4
Lochaber U.K. 56°59N 5°1W 65 E3
Locharbriggs U.K. 55°7N 3°35W 65 F5
Lochboisdale U.K. 57°9N 7°20W 65 D1
Loche, L. La Canada 56°30N 109°30W 163 B7
Lochem Neths. 52°9N 6°26E 69 B6
Loches France 47°7N 1°0E 70 E7
Lochgilphead U.K. 56°2N 5°26W 65 E3
Lochinvar △ Zambia 15°55S 27°15E 143 F2
Lochinver U.K. 58°9N 5°14W 65 C3
Lochloosa L. U.S.A. 29°30N 82°7W 179 F7
Lochmaddy U.K. 57°36N 7°10W 65 D1
Lochnagar Australia 23°33S 145°38E 150 C4
Lochnagar U.K. 56°57N 3°15W 65 E5
Łochów Poland 52°33N 21°42E 83 F8
Lochy, L. U.K. 57°0N 4°53W 65 E4
Lock Australia 33°34S 135°46E 151 E2
Lock Haven U.S.A. 41°8N 77°28W 174 E7
Lockeford U.S.A. 38°10N 121°9W 170 G5
Lockeport Canada 43°47N 65°4W 165 D6
Lockerbie U.K. 55°7N 3°21W 65 F5
Lockhart Australia 35°14S 146°40E 153 C7
Lockhart U.S.A. 29°53N 97°40W 176 G6
Lockhart, L. Australia 33°15S 119°3E 149 F2
Lockhart River Australia 12°58S 143°30E 150 A3
Lockhart River ☼ Australia 12°47S 143°20E 150 A3
Lockney U.S.A. 34°7N 101°27W 176 D4
Lockport U.S.A. 43°10N 78°42W 174 C6
Locminé France 47°54N 2°51W 70 E4
Locri Italy 38°14N 16°16E 95 D9
Locronan France 48°7N 4°15W 70 D2
Locust Grove U.S.A. 33°21N 84°7W 178 B5
Lod Israel 31°57N 34°54E 130 D3
Lodeinoye Pole Russia 60°44N 33°33E 84 B7
Lodève France 43°44N 3°19E 72 E7
Lodge Bay Canada 52°14N 55°51W 165 B8
Lodge Grass U.S.A. 45°19N 107°22W 168 D10
Lodhran Pakistan 29°32N 71°30E 124 E4
Lodi Italy 45°19N 9°30E 92 C6
Lodi Calif., U.S.A. 38°8N 121°16W 170 G5
Lodi Ohio, U.S.A. 41°2N 82°1W 174 E3
Lodja Dem. Rep. of the Congo 3°30S 23°23E 142 C1
Lodosa Spain 42°25N 2°4W 90 C2
Lödöse Sweden 58°2N 12°9E 63 F6
Lodwar Kenya 3°7N 35°36E 142 B4
Łódź Poland 51°45N 19°27E 83 G6
Łódzkie □ Poland 51°30N 19°30E 83 G6
Loei Thailand 17°29N 101°35E 120 D3
Loengo Dem. Rep. of the Congo 4°48S 26°30E 142 C2
Loeriesfontein S. Africa 31°0S 19°26E 144 D2
Lofa ➔ Liberia 6°35N 11°8W 138 D2
Lofa Mano △ Liberia 7°55N 10°25W 138 D2
Lofer Austria 47°35N 12°41E 78 D5
Lofoten Norway 68°30N 13°59E 60 B16
Lofsdalen Sweden 62°10N 13°20E 62 B7
Lofsen ➔ Sweden 62°7N 13°57E 62 B7
Loftahammar Sweden 57°54N 16°41E 63 G10
Loga Niger 13°40N 3°15E 139 C5
Logan Iowa, U.S.A. 41°39N 95°47W 172 E6
Logan Ohio, U.S.A. 39°32N 82°25W 173 F12
Logan Utah, U.S.A. 41°44N 111°50W 168 F8
Logan W. Va., U.S.A. 37°51N 81°59W 173 G13
Logan, Mt. Canada 60°34N 140°23W 160 E3
Logan Martin L. U.S.A. 33°26N 86°20W 178 B3
Logandale U.S.A. 36°36N 114°29W 171 J12
Logansport Ind., U.S.A. 40°45N 86°22W 172 E10
Logansport La., U.S.A. 31°58N 94°0W 176 F8
Loganville U.S.A. 33°50N 83°54W 178 B6
Logatec Slovenia 45°56N 14°15E 93 C11
Logodoro Italy 40°35N 8°45E 94 B1
Logone ➔ Chad 12°6N 15°2E 135 F9
Logroño Spain 42°28N 2°27W 90 C2
Logrosán Spain 39°20N 5°32W 89 F5
Løgstør Denmark 56°58N 9°14E 63 H3
Løgumkloster Denmark 55°4N 8°57E 63 J2
Lohals Denmark 55°8N 10°55E 63 J4
Lohardaga India 23°27N 84°45E 125 H11
Loharia India 23°45N 74°14E 124 H6
Loharu India 28°27N 75°49E 124 E6
Lohja Finland 60°12N 24°5E 84 B3
Löhne Germany 52°11N 8°40E 76 C4
Lohr Germany 49°59N 9°35E 77 F5
Lohri Wah ➔ Pakistan 27°27N 67°37E 124 F2
Loikaw Burma 19°40N 97°17E 123 K20
Loimaa Finland 60°50N 23°5E 84 B2
Loir ➔ France 47°33N 0°32W 70 E6
Loir-et-Cher □ France 47°40N 1°20E 70 E8
Loire □ France 45°40N 4°5E 73 C8
Loire ➔ France 47°16N 2°10W 70 E4
Loire-Anjou-Touraine ⌂ France 47°14N 0°5W 70 E6
Loire-Atlantique □ France 47°25N 1°40W 70 E5
Loiret □ France 47°55N 2°30E 71 E9
Loitz Germany 53°58N 13°8E 76 B9
Loja Ecuador 3°59S 79°16W 188 A2
Loja Spain 37°10N 4°10W 89 H6
Loji = Kawasi Indonesia 1°38S 127°28E 119 E7
Lojo = Lohja Finland 60°12N 24°5E 84 B3
Løjt Kirkeby Denmark 55°7N 9°26E 63 J3
Lojung China 24°27N 109°36E 116 E7
Lokandu Dem. Rep. of the Congo 2°30S 25°45E 142 C2
Lokeren Belgium 51°6N 3°59E 69 C3
Lokgwabe Botswana 24°10S 21°50E 144 B3
Lokhvytsya Ukraine 50°25N 33°18E 85 G7
Lokichar Kenya 2°23N 35°39E 142 B4
Lokichokio Kenya 4°19N 34°13E 142 B3
Lokitaung Kenya 4°12N 35°48E 142 B4
Lokkan tekojärvi Finland 67°55N 27°35E 60 C22
Løkken Denmark 57°22N 9°41E 63 G3
Loknya Russia 56°49N 30°4E 84 D6
Loko Nigeria 8°1N 7°53E 139 D6
Lokoja Nigeria 7°47N 6°45E 139 D6
Lokolo ➔ Dem. Rep. of the Congo 1°43S 18°23E 140 E3
Lokot Russia 52°34N 34°36E 85 F8
Lola Guinea 7°52N 8°29W 138 D3
Lola, Mt. U.S.A. 39°26N 120°22W 170 F6
Lolgorien Kenya 1°14S 34°48E 142 C3
Loliondo Tanzania 2°2S 35°39E 142 C4
Lolland Denmark 54°45N 11°30E 63 K5
Lollar Germany 50°37N 8°43E 76 E4
Lolo U.S.A. 46°45N 114°5W 168 C6
Lolodorf Cameroon 3°16N 10°49E 139 E7
Lom Bulgaria 43°48N 23°12E 96 C7
Lom ➔ Bulgaria 43°45N 23°15E 96 C7
Lom Kao Thailand 16°53N 101°14E 120 D3
Lom Sak Thailand 16°47N 101°15E 120 D3
Loma U.S.A. 47°56N 110°30W 168 C8
Loma Linda U.S.A. 34°3N 117°16W 171 L9
Loma Mansa S. Leone 9°13N 11°7W 138 D2
Loma Mts. S. Leone 9°10N 11°7W 138 D2
Lomaloma Fiji 17°17S 178°59W 154 a
Lomami ➔ Dem. Rep. of the Congo 0°46N 24°16E 142 B1
Lomas de Zamora Argentina 34°45S 58°24W 190 C4
Lombadina Australia 16°31S 122°54E 148 C3
Lombárdia □ Italy 45°40N 9°30E 92 C6
Lombardy = Lombárdia □ Italy 45°40N 9°30E 92 C6
Lombez France 43°29N 0°55E 72 E4
Lomblen Indonesia 8°30S 123°32E 119 F6
Lombok Indonesia 8°45S 116°30E 118 F5
Lombok, Selat Indonesia 8°30S 115°50E 119 K18
Lomé Togo 6°9N 1°20E 139 D5
Lomela Dem. Rep. of the Congo 2°19S 23°15E 140 E4
Lomela ➔ Dem. Rep. of the Congo 0°15S 20°40E 140 E4
Lomianki Poland 52°21N 20°54E 83 F7
Lomma Sweden 55°43N 13°6E 63 J7
Lommel Belgium 51°14N 5°19E 69 C5
Lomond Canada 50°24N 112°36W 162 C6
Lomond, L. U.K. 56°8N 4°38W 65 E4
Lomonosov Ridge Arctic 88°0N 140°0E 54 A
Lomphat Cambodia 13°30N 106°59E 120 F6
Lompobatang Indonesia 5°24S 119°56E 119 F5
Lompoc U.S.A. 34°38N 120°28W 171 L6
Lomża Poland 53°10N 22°2E 83 E9
Lon, Ko Thailand 7°47N 98°23E 121 a
Lonavale India 18°46N 73°29E 126 E1
Loncoche Chile 39°20S 72°50W 192 A2
Loncopué Argentina 38°4S 70°37W 192 A2
Londa India 15°30N 74°30E 127 G2
Londiani Kenya 0°10S 35°33E 142 C4
Londinières France 49°50N 1°25E 70 C8
London Canada 42°59N 81°15W 174 D3
London U.K. 51°30N 0°3W 67 F7
London Ky., U.S.A. 37°8N 84°5W 173 G11
London Ohio, U.S.A. 39°53N 83°27W 173 F12
London, Greater □ U.K. 51°36N 0°5W 67 F7
London Gateway U.K. 51°31N 0°29E 67 F8
London Gatwick ✕ (LGW) U.K. 51°10N 0°11W 67 F7
London Heathrow ✕ (LHR) U.K. 51°28N 0°27W 67 F7
London Stansted ✕ (STN) U.K. 51°54N 0°14E 67 F8
Londonderry U.K. 55°0N 7°20W 64 B4
Londonderry □ U.K. 55°0N 7°20W 64 B4
Londonderry, C. Australia 13°45S 126°55E 148 B4
Londonderry, I. Chile 55°0S 71°0W 192 E2
Londres Argentina 27°46S 67°7W 190 B2
Londrina Brazil 23°18S 51°10W 191 A5
Lone Pine U.S.A. 36°36N 118°4W 170 J8
Lonely Mine Zimbabwe 19°30S 28°49E 145 A4
Long B. U.S.A. 33°35N 78°45W 177 E15
Long Beach Calif., U.S.A. 33°46N 118°11W 171 M8
Long Beach N.Y., U.S.A. 40°35N 73°39W 175 F11
Long Beach Wash., U.S.A. 46°21N 124°3W 170 D2
Long Branch U.S.A. 40°18N 74°0W 175 F11
Long Creek U.S.A. 44°43N 119°6W 168 D4
Long Eaton U.K. 52°53N 1°15W 66 E6
Long I. Australia 20°22S 148°51E 150 b
Long I. Bahamas 23°20N 75°10W 183 B4
Long I. Canada 54°50N 79°20W 164 B4
Long I. Ireland 51°30N 9°34W 64 E2
Long I. U.S.A. 40°45N 73°30W 175 F11
Long Island Sd. U.S.A. 41°10N 73°0W 175 E12
Long L. Canada 49°30N 86°50W 164 C2
Long L. U.S.A. 44°0N 74°23W 175 C10
Long Lake U.S.A. 43°58N 74°25W 175 C10
Long Point Canada 42°34N 80°25W 174 D4
Long Point B. Canada 42°40N 80°10W 174 D4
Long Prairie U.S.A. 45°59N 94°52W 172 C6
Long Prairie ➔ U.S.A. 46°20N 94°36W 172 B6
Long Pt. Ont., Canada 42°35N 80°2W 174 D4
Long Pt. Ont., Canada 43°56N 76°53W 175 C8
Long Pt. N.Z. 46°34S 169°36E 155 G4
Long Range Mts. Canada 49°30N 57°30W 165 C8
Long Reef Australia 14°1S 125°48E 148 B4
Long Sault Canada 45°2N 74°53W 175 A10
Long Str. = Longa, Proliv Russia 70°0N 175°0E 107 C18
Long Thanh Vietnam 10°47N 106°57E 121 G6
Long Xian China 34°55N 106°55E 114 G4
Long Xuyen Vietnam 10°19N 105°28E 121 G5
Longa Greece 36°53N 21°55E 98 E3
Longa, Proliv Russia 70°0N 175°0E 107 C18
Long'an China 23°10N 107°40E 116 F6
Longarone Italy 46°16N 12°18E 93 B9
Longbenton U.K. 55°1N 1°31W 66 B6
Longboat Key U.S.A. 27°23N 82°39W 179 H7
Longburn N.Z. 40°23S 175°35E 154 G4
Longchang China 29°18N 105°15E 116 C5
Longchuan Guangdong, China 24°5N 115°17E 117 E10
Longchuan Yunnan, China 24°23N 97°58E 116 E1
Longde China 35°30N 106°20E 114 G4
Longeau-Percey France 47°47N 5°20E 71 E12
Longford Australia 41°32S 147°3E 151 G4
Longford Ireland 53°43N 7°49W 64 C4
Longford □ Ireland 53°42N 7°45W 64 C4
Longfort, An = Longford Ireland 53°43N 7°49W 64 C4
Longhai China 24°25N 117°46E 117 E11
Longhua Guangdong, China 22°39N 114°0E 111 a
Longhua Hebei, China 41°18N 117°45E 115 D9
Longhui China 27°7N 111°2E 117 D8
Longido Tanzania 2°43S 36°42E 142 C4
Longiram Indonesia 0°5S 115°45E 118 E5
Longjing China 42°46N 129°25E 115 C15
Longkou Jiangxi, China 26°8N 115°10E 117 D10
Longkou Shandong, China 37°40N 120°18E 115 F11
Longlac Canada 49°45N 86°25W 164 C2
Longli China 26°25N 106°58E 116 D6
Longlin China 24°47N 105°20E 116 E5
Longling China 24°37N 98°39E 116 E2
Longmeadow U.S.A. 42°3N 72°34W 175 D12
Longmen China 23°40N 114°18E 117 F10
Longmen Shiku China 34°28N 112°28E 114 G7
Longming China 22°59N 107°7E 116 F6
Longmont U.S.A. 40°10N 105°6W 168 F11
Longnan China 24°55N 114°47E 117 E10
Longnawan Indonesia 1°51N 114°55E 118 D4
Longobucco Italy 39°27N 16°37E 95 C9
Longquan China 28°7N 119°10E 117 C12
Longreach Australia 23°28S 144°14E 150 C3
Longshan China 29°29N 109°25E 116 C7
Longsheng China 25°48N 110°0E 117 E8
Longtan Dam China 25°5N 107°0E 116 E6
Longtan Shuiku China 25°10N 106°50E 116 E6
Longué-Jumelles France 47°22N 0°8W 70 E6
Longueau France 49°52N 2°21E 71 C9
Longueuil Canada 45°31N 73°29W 175 A11
Longuyon France 49°27N 5°35E 71 C12
Longvic France 47°17N 5°4E 71 E12
Longview Tex., U.S.A. 32°30N 94°44W 176 E7
Longview Wash., U.S.A. 46°8N 122°57W 170 D4
Longwood U.S.A. 28°42N 81°21W 179 G8
Longwy France 49°30N 5°46E 71 C12
Longxi China 34°53N 104°40E 114 G3
Longxue Dao China 22°41N 113°38E 111 a
Longyan China 25°10N 117°0E 117 E11
Longyearbyen Svalbard 78°13N 15°40E 54 B8
Longyou China 29°1N 119°8E 117 C12
Longzhou China 22°22N 106°50E 116 F6
Lonigo Italy 45°23N 11°23E 93 C8
Löningen Germany 52°44N 7°46E 76 C3
Lonja ➔ Croatia 45°22N 16°40E 93 C13
Lonoke U.S.A. 34°47N 91°54W 176 D9
Lonquimay Chile 38°26S 71°14W 192 A2
Lons-le-Saunier France 46°40N 5°31E 71 F12
Lönsboda Sweden 56°24N 14°20E 63 H8
Looe U.K. 50°22N 4°28W 67 G3
Lookout, C. Canada 55°18N 83°56W 164 A3
Lookout, C. U.S.A. 34°35N 76°32W 177 D16
Loolmalasin Tanzania 3°0S 35°53E 142 C4
Loon ➔ Alta., Canada 57°8N 115°3W 162 B5
Loon ➔ Man., Canada 55°53N 101°59W 163 B8
Loon Lake Canada 54°2N 109°10W 163 C7
Loongana Australia 30°52S 127°5E 149 F4
Loop Hd. Ireland 52°34N 9°56W 64 D2
Lop China 37°3N 80°11E 109 E10
Lop Nor = Lop Nur China 40°20N 90°10E 109 D12
Lop Nur China 40°20N 90°10E 109 D12
Lopare Bos.-H. 44°39N 18°46E 80 F3
Lopatin Russia 43°50N 47°35E 87 J8
Lopatina, Gora Russia 50°47N 143°10E 107 D15
Lopatka, Mys Russia 50°52N 156°40E 107 D16
Lopburi Thailand 14°48N 100°37E 120 E3
Lopez U.S.A. 41°27N 76°20W 175 E8
Lopez, C. Gabon 0°47S 8°40E 140 E1
Lopphavet Norway 70°27N 21°15E 60 A19
Lora ➔ Afghan. 31°35N 66°32E 122 D4
Lora, Hāmūn-i- Pakistan 29°38N 64°58E 122 E4
Lora Cr. ➔ Australia 28°10S 135°22E 151 D2
Lora del Río Spain 37°39N 5°33W 89 H5
Lorain U.S.A. 41°28N 82°11W 174 E2
Loralai Pakistan 30°20N 68°41E 124 D3
Lorca Spain 37°41N 1°42W 91 H3
Lord Howe I. Pac. Oc. 31°33S 159°6E 147 E8
Lord Howe Rise Pac. Oc. 30°0S 162°30E 156 L8
Lord Loughborough I. Burma 10°25N 97°54E 121 G1
Lordsburg U.S.A. 32°21N 108°43W 169 K9
Lorestān □ Iran 33°30N 48°40E 129 C6
Loreto Brazil 7°5S 45°10W 189 B1
Loreto Italy 43°26N 13°36E 93 E10
Loreto Mexico 26°0N 111°21W 180 B2
Lorgues France 43°28N 6°22E 73 E10
Lorhosso = Loropéni Burkina Faso 10°17N 3°38W 138 C4
Lorient France 47°45N 3°23W 70 E3
Lőrinci Hungary 47°44N 19°41E 80 C4
Lormi India 22°17N 81°41E 125 H9
Lorn U.K. 56°26N 5°10W 65 E3
Lorn, Firth of U.K. 56°20N 5°40W 65 E3
Lorne Australia 38°33S 143°59E 152 E5
Loropéni Burkina Faso 10°17N 3°38W 138 C4
Lorovouno Cyprus 35°8N 32°36E 101 D11
Lörrach Germany 47°36N 7°40E 77 H3
Lorraine □ France 48°53N 6°0E 71 D13
Lorraine ⌂ France 48°55N 5°50E 71 D12
Los Sweden 61°45N 15°10E 62 C9
Los, Îles de Guinea 9°30N 13°50W 138 D2
Los Alamos Calif., U.S.A. 34°44N 120°17W 171 L6
Los Alamos N. Mex., U.S.A. 35°53N 106°19W 169 J10
Los Alcornocales ⌂ Spain 36°21N 5°32W 89 J5
Los Alerces △ Argentina 42°55S 71°55W 192 B2
Los Altos U.S.A. 37°23N 122°7W 170 H4
Los Andes Chile 32°50S 70°40W 190 C1
Los Angeles Chile 37°28S 72°23W 190 D1
Los Angeles U.S.A. 34°4N 118°15W 171 M8
Los Angeles Aqueduct U.S.A. 35°22N 118°5W 171 K9
Los Angeles Int. ✕ (LAX) U.S.A. 33°57N 118°25W 171 M8
Los Antiguos Argentina 46°35S 71°40W 192 C2
Los Banos U.S.A. 37°4N 120°51W 170 H6
Los Barrios Spain 36°11N 5°30W 89 J5
Los Blancos Argentina 23°40S 62°30W 190 A3
Los Cabos Int. ✕ (SJD) Mexico 23°9N 109°43W 180 C3

Los Cardones △ *Argentina* 25°8S 65°55W **190** B2
Los Chiles *Costa Rica* 11°2N 84°43W **182** D3
Los Corrales de Buelna *Spain* 43°16N 4°4W **88** B6
Los Cristianos *Canary Is.* 28°3N 16°42W **100** F3
Los Gallardos *Spain* 37°10N 1°57W **91** H3
Los Gatos *U.S.A.* 37°14N 121°59W **170** H5
Los Glaciares △ *Argentina* 50°0S 73°55W **192** C2
Los Haïtises △ *Dom. Rep.* 19°4N 69°36W **183** C6
Los Hermanos, Is. *Venezuela* 11°45N 64°25W **183** D7
Los Huemules △ *Chile* 46°10S 73°23W **192** C2
Los Islotes *Canary Is.* 29°4N 13°44W **100** E6
Los Lagos *Chile* 39°51S 72°50W **192** A2
Los Llanos de Aridane *Canary Is.* 28°38N 17°54W **100** F2
Los Loros *Chile* 27°50S 70°6W **190** B1
Los Lunas *U.S.A.* 34°48N 106°44W **169** J10
Los Menucos *Argentina* 40°50S 68°10W **192** B3
Los Mochis *Mexico* 25°45N 108°57W **180** B3
Los Monegros *Spain* 41°29N 0°13W **90** D4
Los Monos *Argentina* 46°1S 69°36W **192** C3
Los Muermos *Chile* 41°24S 73°29W **192** B2
Los Nietos *Spain* 37°39N 0°47W **91** H4
Los Olivos *U.S.A.* 34°40N 120°7W **171** L6
Los Palacios *Cuba* 22°35N 83°15W **182** B3
Los Palacios y Villafranca *Spain* 37°10N 5°55W **89** H5
Los Queñes *Chile* 35°1S 70°48W **190** D1
Los Reyes de Salgado *Mexico* 19°35N 102°29W **180** D4
Los Roques, Is. *Venezuela* 11°50N 66°45W **183** D6
Los Santos de Maimona *Spain* 38°27N 6°22W **89** G4
Los Teques *Venezuela* 10°21N 67°2W **186** A5
Los Testigos, Is. *Venezuela* 11°23N 63°6W **186** A6
Los Vilos *Chile* 32°10S 71°30W **190** C1
Los Yébenes *Spain* 39°36N 3°55W **89** F7
Łosice *Poland* 52°13N 22°43E **83** F9
Lošinj *Croatia* 44°30N 14°30E **93** D11
Loskop Dam *S. Africa* 25°23S 29°20E **145** C4
Løsning *Denmark* 55°48N 9°42E **63** J3
Lossiemouth *U.K.* 57°42N 3°17W **65** D5
Lossnen *Sweden* 62°26N 12°45E **62** B6
Lostwithiel *U.K.* 50°24N 4°41W **67** G3
Lot □ *France* 44°39N 1°40E **72** D5
Lot → *France* 44°18N 0°20E **72** D4
Lot-et-Garonne □ *France* 44°22N 0°30E **72** D4
Lota *Chile* 37°5S 73°10W **190** D1
Lotagipi Swamp *Kenya* 4°36N 34°55E **142** B3
Lotfābād *Iran* 37°32N 59°20E **129** B8
Lothair *S. Africa* 26°22S 30°27E **145** C5
Lotorp *Sweden* 58°44N 15°50E **63** F9
Lötschbergtunnel *Switz.* 46°26N 7°43E **77** J3
Lotta → *Europe* 68°42N 31°6E **60** B24
Lottefors *Sweden* 61°25N 16°24E **62** C10
Löttorp *Sweden* 57°10N 17°0E **63** G11
Lotung *Taiwan* 24°41N 121°46E **117** E13
Loubomo *Congo* 4°9S 12°47E **140** E2
Loudéac *France* 48°11N 2°47W **70** D4
Loudi *China* 27°42N 111°59E **117** D8
Loudonville *U.S.A.* 40°38N 82°14W **174** F2
Loudun *France* 47°3N 0°5E **70** E7
Loue → *France* 47°1N 5°27E **71** E12
Louga *Senegal* 15°45N 16°5W **138** B1
Louga □ *Senegal* 15°20N 15°35W **138** B1
Loughborough *U.K.* 52°47N 1°11W **66** E6
Lougheed I. *Canada* 77°26N 105°6W **161** B10
Loughman *U.S.A.* 28°14N 81°34W **179** G8
Loughrea *Ireland* 53°12N 8°33W **64** C3
Loughros More B. *Ireland* 54°48N 8°32W **64** B3
Louhans *France* 46°38N 5°12E **71** F12
Louis Trichardt *S. Africa* 23°1S 29°43E **145** B4
Louis XIV, Pte. *Canada* 54°37N 79°45W **164** B4
Louisa *U.S.A.* 38°7N 82°36W **173** F12
Louisbourg *Canada* 45°55N 60°0W **165** C8
Louisburgh *Ireland* 53°46N 9°49W **64** C2
Louise I. *Canada* 52°55N 131°50W **162** C2
Louiseville *Canada* 46°20N 72°56W **164** C5
Louisiade Arch. *Papua N. G.* 11°10S 153°0E **147** C8
Louisiana *U.S.A.* 39°27N 91°3W **172** F8
Louisiana □ *U.S.A.* 30°50N 92°0W **176** F9
Louisville *Ala., U.S.A.* 31°47N 85°33W **178** D4
Louisville *Ga., U.S.A.* 33°0N 82°25W **178** B7
Louisville *Ky., U.S.A.* 38°15N 85°46W **173** F11
Louisville *Miss., U.S.A.* 33°7N 89°3W **177** E10
Louisville *Ohio, U.S.A.* 40°50N 81°16W **174** F3
Louisville Ridge *Pac. Oc.* 31°0S 172°30W **156** L10
Loulay *France* 46°3N 0°30W **72** B3
Loulé *Portugal* 37°9N 8°0W **89** H3
Louloui̇ni *Mali* 10°54N 5°36W **138** C3
Loum *Cameroon* 4°42N 9°44E **139** E6
Louny *Czech Rep.* 50°20N 13°48E **78** A6
Loup City *U.S.A.* 41°17N 98°58W **172** E4
Loups Marins, Lacs des *Canada* 56°30N 73°45W **164** A5
Lourdes *France* 43°6N 0°3W **72** E3
Lourdes-de-Blanc-Sablon *Canada* 51°24N 57°12W **165** B8
Lourinhã *Portugal* 39°14N 9°17W **89** F1
Louroujina *Cyprus* 35°0N 33°28E **101** E12
Lousã *Portugal* 40°7N 8°14W **88** E2
Louta *Burkina Faso* 13°30N 3°10W **138** C4
Louth *Australia* 30°30S 145°8E **153** A6
Louth *Ireland* 53°58N 6°32W **64** C5
Louth *U.K.* 53°22N 0°1W **66** D7
Louth □ *Ireland* 53°56N 6°34W **64** C5
Louth B. *Australia* 34°33S 135°56E **152** C1
Loutra Edipsou *Greece* 38°54N 23°2E **98** C5
Loutraki *Greece* 37°58N 22°57E **98** D4
Loutropoli Thermis *Greece* 39°11N 26°29E **99** B8
Louvain = Leuven *Belgium* 50°52N 4°42E **69** D4
Louvale *U.S.A.* 32°10N 84°50W **178** C5
Louviers *France* 49°12N 1°10E **70** C8
Louwsburg *S. Africa* 27°37S 31°7E **145** C5
Lovat → *Russia* 58°14N 31°28E **84** C6
Lovćen *Montenegro* 42°23N 18°51E **96** D2
Lovćen △ *Montenegro* 42°20N 18°50E **96** D2
Lovech *Bulgaria* 43°8N 24°42E **97** C8
Lovech □ *Bulgaria* 43°0N 24°45E **97** D8
Loveland *U.S.A.* 40°24N 105°5W **168** F11
Lovell *U.S.A.* 44°50N 108°24W **168** D9
Lovelock *U.S.A.* 40°11N 118°28W **168** F4
Lóvere *Italy* 45°49N 10°4E **92** C7
Lövestad *Sweden* 55°40N 13°54E **63** J7
Loviisa *Finland* 60°28N 26°12E **84** B4
Lovina *Indonesia* 8°9S 115°1E **119** J18
Loving *U.S.A.* 32°17N 104°6W **169** K11
Lovington *U.S.A.* 32°57N 103°21W **169** K12
Lovisa = Loviisa *Finland* 60°28N 26°12E **84** B4
Lovosice *Czech Rep.* 50°30N 14°2E **78** A7
Lovran *Croatia* 45°18N 14°15E **93** C11
Lovrin *Romania* 45°58N 20°48E **80** E5
Lövstabruk *Sweden* 60°25N 17°53E **62** D11
Lövstabukten *Sweden* 60°35N 17°45E **62** D11
Low, L. *Canada* 52°29N 76°17W **164** B4
Low Pt. *Australia* 32°25S 127°25E **149** F4
Low Tatra = Nízké Tatry *Slovak Rep.* 48°55N 19°30E **79** C12
Lowa *Dem. Rep. of the Congo* 1°25S 25°47E **142** C2
Lowa → *Dem. Rep. of the Congo* 1°24S 25°51E **142** C2
Lowell *U.S.A.* 42°38N 71°19W **175** D13
Lowellville *U.S.A.* 41°2N 80°32W **174** E4
Löwen → *Namibia* 26°51S 18°17E **144** C2
Lower Alkali L. *U.S.A.* 41°16N 120°2W **168** F3
Lower Arrow L. *Canada* 49°40N 118°5W **162** D5
Lower Austria = Niederösterreich □ *Austria* 48°25N 15°40E **78** C8
Lower California = Baja California *Mexico* 31°10N 115°12W **180** A1
Lower Glenelg △ *Australia* 38°4S 141°41E **152** E4
Lower Hutt *N.Z.* 41°10S 174°55E **154** H3
Lower Lake *U.S.A.* 38°55N 122°37W **170** G4
Lower Manitou L. *Canada* 49°15N 93°0W **163** D10
Lower Post *Canada* 59°58N 128°30W **162** B3
Lower Red L. *U.S.A.* 47°58N 95°0W **172** B6
Lower Saxony = Niedersachsen □ *Germany* 52°50N 9°0E **76** C4
Lower Tunguska = Tunguska, Nizhnyaya → *Russia* 65°48N 88°4E **107** C9
Lower Zambezi △ *Zambia* 15°25S 29°40E **143** F2
Lowestoft *U.K.* 52°29N 1°45E **67** E9
Lowgar □ *Afghan.* 34°0N 69°0E **122** B6
Łowicz *Poland* 52°6N 19°55E **83** F6
Lowly, Pt. *Australia* 33°0S 137°46E **152** B2
Lowther I. *Canada* 74°33N 97°30W **161** C12
Lowville *U.S.A.* 43°47N 75°29W **175** C9
Loxton *Australia* 34°28S 140°31E **152** C4
Loxton *S. Africa* 31°30S 22°22E **144** D3
Loyalton *U.S.A.* 39°41N 120°14W **170** F6
Loyalty Is. = Loyauté, Îs. *N. Cal.* 20°50S 166°30E **147** D9
Loyang = Luoyang *China* 34°40N 112°26E **114** G7
Loyauté, Îs. *N. Cal.* 20°50S 166°30E **147** D9
Loyev = Loyew *Belarus* 51°56N 30°46E **75** C16
Loyew *Belarus* 51°56N 30°46E **75** C16
Loyoro *Uganda* 3°22N 34°14E **142** B3
Lož *Slovenia* 45°43N 14°30E **93** C11
Lozère □ *France* 44°35N 3°30E **72** D7
Loznica *Serbia* 44°32N 19°12E **96** B3
Lozova *Ukraine* 49°0N 36°20E **85** H9
Ltalaltuma ◎ *Australia* 23°57S 132°25E **148** D5
Lü Shan *China* 29°30N 115°55E **117** C10
Lü Shan △ *China* 29°26N 115°52E **117** C10
Lu Wo *China* 22°33N 114°6E **111** a
Luachimo *Angola* 7°23S 20°48E **140** F4
Luajan → *India* 24°44N 85°1E **125** G11
Lualaba → *Dem. Rep. of the Congo* 0°26N 25°20E **142** B2
Luambe △ *Zambia* 12°30S 32°15E **143** E3
Luampa *Zambia* 15°4S 24°20E **143** F1
Lu'an *China* 31°45N 116°29E **117** B11
Luan Chau *Vietnam* 21°38N 103°24E **116** G4
Luan He → *China* 39°20N 119°5E **115** E10
Luan Xian *China* 39°40N 118°40E **115** E10
Luancheng *Guangxi Zhuangzu, China* 22°48N 108°55E **116** F7
Luancheng *Hebei, China* 37°53N 114°40E **114** F8
Luanco *Spain* 43°37N 5°48W **88** B5
Luanda *Angola* 8°50S 13°15E **140** F2
Luang, Doi *Thailand* 18°30N 101°15E **120** C3
Luang, Thale *Thailand* 7°30N 100°15E **121** J3
Luang Nam Tha *Laos* 20°58N 101°30E **116** G3
Luang Prabang *Laos* 19°52N 102°10E **116** H4
Luangwa *Zambia* 15°35S 30°16E **143** F3
Luangwa → *Zambia* 14°25S 30°25E **143** E3
Luangwa Valley *Zambia* 13°30S 31°30E **143** E3
Luangwe = Loange → *Dem. Rep. of the Congo* 4°17S 20°2E **140** E4
Luanne *China* 40°55N 117°40E **115** D9
Luanping *China* 40°53N 117°23E **115** D9
Luanshya *Zambia* 13°3S 28°28E **143** E2
Luapula □ *Zambia* 11°0S 29°0E **143** E2
Luapula → *Africa* 9°26S 28°33E **143** D2
Luarca *Spain* 43°32N 6°32W **88** B4
Luashi *Dem. Rep. of the Congo* 10°50S 23°36E **143** E1
Luau *Angola* 10°40S 22°10E **140** G4
Lubaczów *Poland* 50°10N 23°8E **83** H10
Lubań *Poland* 51°5N 15°15E **83** G2
Lubana, Ozero = Lubānas Ezers *Latvia* 56°45N 27°0E **84** D4
Lubānas Ezers *Latvia* 56°45N 27°0E **84** D4
Lubang Is. *Phil.* 13°50N 120°12E **119** B6
Lubango *Angola* 14°55S 13°30E **141** G2
Lubao *Dem. Rep. of the Congo* 5°17S 25°42E **142** D2
Lubartów *Poland* 51°28N 22°42E **83** G9
Lubawa *Poland* 53°30N 19°48E **82** E6
Lübbecke *Germany* 52°18N 8°37E **76** C4
Lübben *Germany* 51°56N 13°54E **76** D9
Lübbenau *Germany* 51°52N 13°57E **76** D9
Lubbock *U.S.A.* 33°35N 101°51W **176** E4
Lübeck *Germany* 53°52N 10°40E **76** B6
Lübecker Bucht *Germany* 54°3N 10°54E **76** A6
Lubefu *Dem. Rep. of the Congo* 4°47S 24°27E **142** C1
Lubefu → *Dem. Rep. of the Congo* 4°10S 23°0E **142** C1
Lubelskie □ *Poland* 51°20N 22°50E **83** G9
Lubero = Luofu *Dem. Rep. of the Congo* 0°10S 29°15E **142** C2
Luberon ⌂ *France* 43°52N 5°25E **73** E9
Lubersac *France* 45°26N 1°23E **72** C5
Lubicon L. *Canada* 56°23N 115°56W **162** B5
Lubień Kujawski *Poland* 52°23N 19°9E **83** F6
Lubilash → *Dem. Rep. of the Congo* 6°2S 23°45E **140** F4
Lubin *Poland* 51°24N 16°11E **83** G3
Lublin *Poland* 51°12N 22°38E **83** G9
Lubliniec *Poland* 50°43N 18°45E **83** H5
Lubnān = Lebanon ■ *Asia* 34°0N 36°0E **130** B5
Lubnān, Jabal *Lebanon* 33°45N 35°40E **130** B4
Lubniewice *Poland* 52°31N 15°15E **83** F2
Lubny *Ukraine* 50°3N 32°58E **85** G7
Lubomierz *Poland* 51°1N 15°31E **83** G2
Luboń *Poland* 52°21N 16°51E **83** F3
Lubongola *Dem. Rep. of the Congo* 2°35S 27°50E **142** C2
L'ubotín *Slovak Rep.* 49°17N 20°53E **79** B13
Lubraniec *Poland* 52°33N 18°50E **83** F5
Lubsko *Poland* 51°45N 14°57E **83** G1
Lübtheen *Germany* 53°18N 11°5E **76** B7
Lubudi *Dem. Rep. of the Congo* 9°57S 25°58E **140** F5
Lubudi → *Dem. Rep. of the Congo* 9°0S 25°35E **143** D2
Lubuklinggau *Indonesia* 3°15S 102°55E **118** E2
Lubuksikaping *Indonesia* 0°10N 100°15E **118** D2
Lubumbashi *Dem. Rep. of the Congo* 11°40S 27°28E **143** E2
Lubunda *Dem. Rep. of the Congo* 5°12S 26°41E **142** D2
Lubungu *Zambia* 14°35S 26°24E **143** E2
Lubuskie □ *Poland* 52°10N 15°20E **83** F2
Lubutu *Dem. Rep. of the Congo* 0°45S 26°30E **142** C2
Luc-en-Diois *France* 44°36N 5°28E **73** D9
Lucan *Canada* 43°11N 81°24W **174** C3
Lucan *Ireland* 53°22N 6°28W **64** C5
Lucania, Mt. *Canada* 61°1N 140°27W **160** E3
Lucas Channel = Main Channel *Canada* 45°21N 81°45W **174** A3
Lucca *Italy* 43°50N 10°29E **92** E7
Lucé *France* 48°26N 1°27E **70** D8
Luce Bay *U.K.* 54°45N 4°48W **65** G4
Lucea *Jamaica* 18°27N 78°10W **182** a
Lucedale *U.S.A.* 30°56N 88°35W **177** F10
Lucena *Phil.* 13°56N 121°37E **119** B6
Lucena *Spain* 37°27N 4°31W **89** H6
Lučenec *Slovak Rep.* 48°18N 19°42E **79** C12
Lucera *Italy* 41°30N 15°20E **95** A8
Lucerne = Luzern *Switz.* 47°3N 8°18E **77** H4
Lucerne *U.S.A.* 39°6N 122°48W **170** F4
Lucerne Valley *U.S.A.* 34°27N 116°57W **171** L10
Luchena → *Spain* 37°44N 1°50W **91** H3
Lucheng *China* 36°20N 113°11E **114** F7
Lucheringo → *Mozam.* 11°43S 36°17E **143** E4
Lüchow *Germany* 52°58N 11°8E **76** C7
Luchuan *China* 22°21N 110°12E **117** F8
Lucia *U.S.A.* 36°2N 121°33W **170** J5
Lucinda *Australia* 18°32S 146°20E **150** B4
Lucindale *Australia* 36°58S 140°26E **152** D4
Luckau *Germany* 51°50N 13°42E **76** D9
Luckenwalde *Germany* 52°5N 13°10E **76** C9
Luckhoff *S. Africa* 29°44S 24°43E **144** C3
Lucknow *Canada* 43°57N 81°31W **174** C3
Lucknow *India* 26°50N 81°0E **125** F9
Luçon *France* 46°28N 1°10W **72** B2
Lüda = Dalian *China* 38°50N 121°40E **115** E11
Luda Kamchiya → *Bulgaria* 43°3N 27°29E **97** C11
Ludbreg *Croatia* 46°15N 16°38E **93** B13
Lüdenscheid *Germany* 51°13N 7°37E **76** D3
Lüderitz *Namibia* 26°41S 15°8E **144** C2
Lüderitzbaai *Namibia* 26°36S 15°8E **144** C2
Ludhiana *India* 30°57N 75°56E **124** D6
Ludian *China* 27°10N 103°33E **116** D4
Luding Qiao *China* 29°53N 102°12E **116** C4
Lüdinghausen *Germany* 51°46N 7°27E **76** D3
Ludington *U.S.A.* 43°57N 86°27W **172** D10
Ludlow *U.K.* 52°22N 2°42W **67** E5
Ludlow *Calif., U.S.A.* 34°43N 116°10W **171** L10
Ludlow *Pa., U.S.A.* 41°43N 78°56W **174** E6
Ludlow *Vt., U.S.A.* 43°24N 72°42W **175** C12
Ludowici *U.S.A.* 31°43N 81°45W **178** D8
Luduş *Romania* 46°29N 24°5E **81** D9
Ludvika *Sweden* 60°8N 15°14E **62** D9
Ludwigsburg *Germany* 48°53N 9°11E **77** G5
Ludwigsfelde *Germany* 52°17N 13°17E **76** C9
Ludwigshafen *Germany* 49°29N 8°26E **77** F4
Ludwigslust *Germany* 53°19N 11°30E **76** B7
Ludza *Latvia* 56°32N 27°43E **84** D4
Lue *Australia* 32°38S 149°50E **153** B8
Lueki *Dem. Rep. of the Congo* 3°20S 25°48E **142** C2
Luena *Dem. Rep. of the Congo* 9°28S 25°43E **143** D2
Luena *Zambia* 10°40S 30°25E **143** E3
Luena Flats *Zambia* 14°47S 23°17E **141** G4
Luenha = Ruenya → *Africa* 16°24S 33°48E **143** F3
Lüeyang *China* 33°22N 106°10E **116** A6
Lufeng *Guangdong, China* 22°57N 115°38E **117** F10
Lufeng *Yunnan, China* 25°0N 102°5E **116** E4
Lufira → *Dem. Rep. of the Congo* 9°30S 27°0E **143** D2
Lufkin *U.S.A.* 31°21N 94°44W **176** F7
Lufupa *Dem. Rep. of the Congo* 10°37S 24°56E **143** E1
Luga *Russia* 58°40N 29°55E **84** C5
Luga → *Russia* 59°40N 28°18E **84** C5
Lugano *Switz.* 46°1N 8°57E **77** J4
Lugano, L. di *Switz.* 46°0N 9°0E **92** C6
Lugansk = Luhansk *Ukraine* 48°38N 39°15E **85** H10
Lugard's Falls *Kenya* 3°6S 38°41E **142** C4
Lugela *Mozam.* 16°25S 36°43E **143** F4
Lugenda → *Mozam.* 11°25S 38°33E **143** E4
Lugh = Luuq *Somalia* 3°48N 42°34E **131** G3
Lugnaquilla *Ireland* 52°58N 6°28W **64** D5
Lugnvik *Sweden* 62°56N 17°55E **62** B11
Lugo *Italy* 44°25N 11°54E **93** D8
Lugo *Spain* 43°2N 7°35W **88** B3
Lugo □ *Spain* 43°0N 7°30W **88** C3
Lugoj *Romania* 45°42N 21°57E **80** E6
Lugovoy = Qulan *Kazakhstan* 42°55N 72°43E **106** E8
Luhansk *Ukraine* 48°38N 39°15E **85** H10
Luhansk □ *Ukraine* 49°10N 38°40E **85** H10
Luhe *China* 32°19N 118°50E **117** A12
Luhe → *Germany* 53°23N 10°13E **76** B6
Luhuo *China* 31°21N 100°48E **116** B3
Lui → *Angola* 8°21S 17°33E **140** F3
Luiana *Angola* 17°25S 22°59E **144** A3
Luiana → *Angola* 17°24S 23°3E **141** H4
Luichow Pen. = Leizhou Bandao *China* 21°0N 110°0E **116** G7
Luimneach = Limerick *Ireland* 52°40N 8°37W **64** D3
Luing *U.K.* 56°14N 5°39W **65** E3
Luino *Italy* 45°59N 8°44E **92** C5
Luís Correia *Brazil* 3°0S 41°35W **189** A2
Luitpold Coast *Antarctica* 78°30S 32°0W **55** D1
Luiza *Dem. Rep. of the Congo* 7°40S 22°30E **140** F4
Luizi *Dem. Rep. of the Congo* 6°0S 27°25E **142** D2
Luján *Argentina* 34°45S 59°5W **190** C4
Lujiang *China* 31°20N 117°15E **117** B11
Lukang *Taiwan* 24°1N 120°22E **117** E13
Lukanga Swamp *Zambia* 14°30S 27°40E **143** E2
Lukavac *Bos.-H.* 44°33N 18°32E **80** F3
Lukenie → *Dem. Rep. of the Congo* 3°0S 18°50E **140** E3
Lŭki *Bulgaria* 41°50N 24°43E **97** E8
Lukla *Nepal* 27°42N 86°43E **125** F12
Lukolela *Dem. Rep. of the Congo* 5°23S 24°32E **142** D1
Lukosi *Zimbabwe* 18°30S 26°30E **143** F2
Lukovë *Albania* 39°59N 19°54E **96** G3
Lukovit *Bulgaria* 43°13N 24°11E **97** C8
Łuków *Poland* 51°55N 22°23E **83** G9
Lukoyanov *Russia* 55°2N 44°29E **86** C7
Lukusuzi △ *Zambia* 12°43S 32°36E **143** E3
Lülang Shan *China* 38°0N 111°15E **114** F6
Luleå *Sweden* 65°35N 22°10E **60** D20
Luleälven → *Sweden* 65°35N 22°10E **60** D20
Lüleburgaz *Turkey* 41°23N 27°22E **97** E11
Luliang *China* 25°0N 103°40E **116** E4
Lulima *Dem. Rep. of the Congo* 4°12S 25°36E **142** C2
Luling *U.S.A.* 29°41N 97°39W **176** G6
Lulong *China* 39°53N 118°51E **115** E10
Lulonga → *Dem. Rep. of the Congo* 1°0N 18°10E **140** D3
Lulu *U.S.A.* 30°7N 82°29W **178** E7
Lulua → *Dem. Rep. of the Congo* 4°30S 20°30E **140** E4
Lumajang *Indonesia* 8°8S 113°13E **119** H15
Lumār *Iran* 33°33N 46°49E **105** F12
Lumbala N'guimbo *Angola* 14°18S 21°18E **141** G4
Lumber City *U.S.A.* 31°56N 82°41W **178** D7
Lumberton *N.C., U.S.A.* 34°37N 79°0W **177** D15
Lumberton *Tex., U.S.A.* 30°16N 94°12W **176** F7
Lumière, Côte de *France* 46°50N 2°10W **70** F4
Lumpkin *U.S.A.* 32°3N 84°48W **178** C5
Lumsden *Canada* 50°39N 104°52W **163** C8
Lumsden *N.Z.* 45°44S 168°27E **155** F3
Lumut *Malaysia* 4°13N 100°37E **121** K3
Lumut, Tanjung *Indonesia* 3°50S 105°58E **118** E3
Lumwana *Zambia* 11°50S 25°8E **143** E2
Luna *India* 23°43N 69°16E **124** H3
Lunan *China* 24°40N 103°18E **116** E4
Lunavada *India* 23°8N 73°37E **124** H5
Lunca *Romania* 47°22N 25°1E **81** C10
Lunca Corbului *Romania* 44°42N 24°45E **81** F9
Lund *Sweden* 55°44N 13°12E **63** J7
Lundazi *Zambia* 12°20S 33°7E **143** E3
Lunde *Sweden* 62°53N 17°51E **62** B11
Lunderskov *Denmark* 55°29N 9°19E **63** J3
Lundi → *Zimbabwe* 21°43S 32°34E **143** G3
Lundu *Malaysia* 1°40N 109°50E **118** D3
Lundy *U.K.* 51°10N 4°41W **67** F3
Lune → *U.K.* 54°0N 2°51W **66** C5
Lüneburg *Germany* 53°15N 10°24E **76** B6
Lüneburg Heath = Lüneburger Heide *Germany* 53°10N 10°12E **76** B6
Lüneburger Heide *Germany* 53°10N 10°12E **76** B6
Lunel *France* 43°39N 4°9E **73** E8
Lünen *Germany* 51°37N 7°32E **76** D3
Lunenburg *Canada* 44°22N 64°18W **165** D7
Lunéville *France* 48°36N 6°30E **71** D13
Lunga → *Zambia* 14°34S 26°25E **143** E2
Lunga Lunga *Kenya* 4°33S 39°7E **142** C4
Lungi *S. Leone* 8°40N 13°17W **138** D2
Lunglei *India* 22°55N 92°45E **123** H18
Luni *India* 26°0N 73°6E **124** G5
Luni → *India* 24°41N 71°14E **124** G4
Luninets = Luninyets *Belarus* 52°15N 26°50E **75** B14
Luning *U.S.A.* 38°30N 118°11W **168** G4
Lunino *Russia* 53°38N 45°18E **86** D7
Luninyets *Belarus* 52°15N 26°50E **75** B14
Lunkaransar *India* 28°29N 73°44E **124** E5
Lunsar *S. Leone* 8°41N 12°32W **138** D2
Lunsemfwa → *Zambia* 14°54S 30°12E **143** E3
Lunsemfwa Falls *Zambia* 14°30S 29°6E **143** E2
Luntai *China* 41°46N 84°14E **109** D10
Luo He → *China* 34°35N 110°20E **114** G6
Luocheng *China* 24°48N 108°53E **116** E7
Luochuan *China* 35°45N 109°26E **114** G5
Luoci *China* 25°19N 102°18E **116** E4
Luodian *China* 25°24N 106°43E **116** E6
Luoding *China* 22°45N 111°40E **117** F8
Luofu *Dem. Rep. of the Congo* 0°10S 29°15E **142** C2
Luohe *China* 33°32N 114°2E **114** H8
Luojiang *China* 31°18N 104°33E **116** B5
Luonan *China* 34°5N 110°10E **114** G6
Luoning *China* 34°35N 111°40E **114** G6
Luoshan *China* 32°13N 114°30E **117** A10
Luotian *China* 30°46N 115°22E **117** B10
Luoxiao Shan *China* 26°30N 114°1E **117** D10
Luoyang *China* 34°40N 112°26E **114** G7
Luoyuan *China* 26°28N 119°30E **117** D12
Luozigou *China* 43°42N 130°18E **115** C16
Lupeni *Romania* 45°21N 23°13E **81** E8
Lupilichi *Mozam.* 11°47S 35°13E **143** E4
Łupków *Poland* 49°15N 22°4E **83** J9
Luqiao *China* 24°53N 104°21E **116** E5
Luquan *Hebei, China* 38°4N 114°17E **114** E8
Luquan *Yunnan, China* 25°35N 102°25E **116** E4
Luque *Paraguay* 25°19S 57°25W **190** B4
Luquillo, Sierra de *Puerto Rico* 18°20N 65°47W **183** d
Lúras *Italy* 40°56N 9°10E **94** B2
Luray *U.S.A.* 38°40N 78°28W **173** F14
Lure *France* 47°40N 6°30E **71** E13
Lurgan *U.K.* 54°27N 6°20W **64** B5
Luribay *Bolivia* 17°6S 67°39W **188** D4
Lurín *Peru* 12°17S 76°52W **188** C2
Lúrio *Mozam.* 13°32S 40°30E **143** E5
Lurio → *Mozam.* 13°35S 40°30E **143** E5
Lusaka *Zambia* 15°28S 28°16E **143** F2
Lusaka □ *Zambia* 15°30S 29°0E **143** F2
Lusambo *Dem. Rep. of the Congo* 4°58S 23°28E **142** C1
Lusangaye *Dem. Rep. of the Congo* 4°54S 26°0E **142** C2
Luseland *Canada* 52°5N 109°24W **163** C7
Lusenga Plain △ *Zambia* 9°22S 29°14E **143** D2
Lushan *Henan, China* 33°45N 112°55E **114** H7
Lushan *Sichuan, China* 30°12N 102°52E **116** B4
Lushi *China* 34°3N 111°3E **114** G6
Lushnjë *Albania* 40°55N 19°41E **96** F3
Lushoto *Tanzania* 4°47S 38°20E **142** C4
Lushui *China* 25°58N 98°44E **116** E2
Lüshun *China* 38°45N 121°15E **115** E11
Lusignan *France* 46°26N 0°8E **72** B4
Lusigny-sur-Barse *France* 48°16N 4°15E **71** D11
Lusk *U.S.A.* 42°46N 104°27W **168** E11
Luso *Portugal* 40°23N 8°23W **88** E2
Lussac-les-Châteaux *France* 46°24N 0°43E **72** B4
Lustenau *Austria* 47°26N 9°39E **78** D2
Lūt, Dasht-e *Iran* 31°30N 58°0E **129** D8
Luta = Dalian *China* 38°50N 121°40E **115** E11
Lütao *Taiwan* 22°40N 121°30E **117** F13
Lutherstadt Wittenberg *Germany* 51°53N 12°39E **76** D8
Luthersville *U.S.A.* 33°13N 84°45W **178** B5
Luton *U.K.* 51°53N 0°24W **67** F7
Luton □ *U.K.* 51°53N 0°24W **67** F7
Lutselk'e *Canada* 62°24N 110°44W **163** A6
Lutsk *Ukraine* 50°50N 25°15E **75** C13
Lutto = Lotta → *Europe* 68°42N 31°6E **60** B24
Lutz *U.S.A.* 28°9N 82°28W **179** G7
Lützow Holmbukta *Antarctica* 69°10S 37°30E **55** C4
Lutzputs *S. Africa* 28°3S 20°40E **144** C3
Luuq *Somalia* 3°48N 42°34E **131** G3
Luverne *Ala., U.S.A.* 31°43N 86°16W **178** D3
Luverne *Minn., U.S.A.* 43°39N 96°13W **172** D5
Luvua *Dem. Rep. of the Congo* 8°48S 25°17E **143** D2
Luvua → *Dem. Rep. of the Congo* 6°50S 27°30E **142** D2
Luvuvhu → *S. Africa* 22°25S 31°18E **145** B5
Luwegu → *Tanzania* 8°31S 37°23E **143** D4
Luwero *Uganda* 0°50N 32°28E **142** B3
Luwuk *Indonesia* 0°56S 122°47E **119** E6
Luxembourg *Lux.* 49°37N 6°9E **69** E6
Luxembourg □ *Belgium* 49°58N 5°30E **69** E5
Luxembourg ■ *Europe* 49°45N 6°0E **69** E5
Luxembourg ✕ (LUX) *Lux.* 49°37N 6°10E **69** E6
Luxeuil-les-Bains *France* 47°49N 6°24E **71** E13
Luxi *Hunan, China* 28°20N 110°7E **117** C8
Luxi *Yunnan, China* 24°40N 103°55E **116** E4
Luxi *Yunnan, China* 24°27N 98°36E **116** E2
Luxian *China* 29°9N 105°24E **116** C5
Luxor = El Uqsur *Egypt* 25°41N 32°38E **137** B3
Luy-de-Béarn → *France* 43°39N 0°48W **72** E3
Luy-de-France → *France* 43°39N 0°48W **72** E3
Luyi *China* 33°50N 115°35E **114** H8
Luykau = Loikaw *Burma* 19°40N 97°17E **123** K20
Luz-St-Sauveur *France* 42°53N 0°0 **72** F4
Luzern *Switz.* 47°3N 8°18E **77** H4
Luzern □ *Switz.* 47°2N 7°55E **77** H3
Luzhai *China* 24°29N 109°42E **116** E7
Luzhany *Ukraine* 48°22N 25°47E **81** B10
Luzhi *China* 26°21N 105°16E **116** D5
Luzhou *China* 28°52N 105°20E **116** C5
Luziânia *Brazil* 16°20S 48°0W **189** D1
Luzilândia *Brazil* 3°28S 42°22W **189** A2
Lužnice → *Czech Rep.* 49°14N 14°23E **78** B7
Luzon *Phil.* 16°0N 121°0E **119** A6
Luzon Strait *Asia* 21°0N 120°40E **117** G13
Luzy *France* 46°47N 3°58E **71** F10
Luzzi *Italy* 39°27N 16°17E **95** C9
Lviv *Ukraine* 49°50N 24°0E **75** D13
Lviv □ *Ukraine* 49°30N 23°45E **75** D12
Lvov = Lviv *Ukraine* 49°50N 24°0E **75** D13
Lwówek *Poland* 52°28N 16°10E **83** F3
Lwówek Śląski *Poland* 51°7N 15°38E **83** G2
Lyakhavichy *Belarus* 53°2N 26°32E **75** B14
Lyakhovskiye, Ostrova *Russia* 73°40N 141°0E **107** B15
Lyaki = Läki *Azerbaijan* 40°34N 47°22E **87** K8
Lyal I. *Canada* 44°57N 81°24W **174** B3
Lyall Mt. *N.Z.* 45°16S 167°32E **155** F2
Lyaskovets *Bulgaria* 43°6N 25°44E **97** C9
Lyasnaya → *Belarus* 52°9N 23°31E **83** F10
Lybster *U.K.* 58°18N 3°15W **65** C5
Lycaonia *Turkey* 38°0N 33°0E **104** D5
Lychen *Germany* 53°12N 13°18E **76** B9
Lychkova *Russia* 57°55N 32°24E **84** D7
Lycia *Turkey* 36°30N 29°30E **99** E11
Lyckebyån → *Sweden* 56°12N 15°39E **63** H9
Lycksele *Sweden* 64°38N 18°40E **60** D18
Lycosura *Greece* 37°20N 22°3E **98** D4
Lydda = Lod *Israel* 31°57N 34°54E **130** D3
Lyddan I. *Antarctica* 74°0S 21°0W **55** D2
Lydenburg *S. Africa* 25°10S 30°29E **145** C5
Lydia *Turkey* 38°48N 28°19E **99** C10
Łydynia → *Poland* 52°43N 20°26E **83** F7
Lyell *N.Z.* 41°48S 172°4E **155** B7
Lyell I. *Canada* 52°40N 131°35W **162** C2
Lyepyel *Belarus* 54°50N 28°40E **84** E5
Lygnern *Sweden* 57°30N 12°15E **63** G6
Lykens *U.S.A.* 40°34N 76°42W **175** F8
Lyman *Ukraine* 45°41N 29°45E **81** E14
Lyman *U.S.A.* 41°20N 110°18W **168** F8
Lymanske *Ukraine* 46°40N 29°58E **81** D14
Lyme B. *U.K.* 50°42N 2°53W **67** G4
Lyme Regis *U.K.* 50°43N 2°57W **67** G5
Lymington *U.K.* 50°45N 1°32W **67** G6
Łyna → *Poland* 54°37N 21°14E **82** D8
Lynchburg *S.C., U.S.A.* 34°3N 80°4W **178** A9
Lynchburg *Va., U.S.A.* 37°25N 79°9W **173** G14
Lynd → *Australia* 16°28S 143°18E **150** B3
Lynd Ra. *Australia* 25°30S 149°20E **151** D4
Lynden *Canada* 43°14N 80°9W **174** C4
Lynden *U.S.A.* 48°57N 122°27W **170** B4
Lyndhurst *Australia* 30°15S 138°18E **151** E2
Lyndon → *Australia* 23°29S 114°6E **149** D1
Lyndonville *N.Y., U.S.A.* 43°20N 78°23W **174** C6
Lyndonville *Vt., U.S.A.* 44°31N 72°1W **175** B12
Lyngen *Norway* 69°45N 20°30E **60** B19
Lynher Reef *Australia* 15°27S 121°55E **148** C3
Lynn *U.S.A.* 42°28N 70°57W **175** D14
Lynn Canal *U.S.A.* 58°50N 135°15W **166** D12
Lynn Haven *U.S.A.* 30°15N 85°39W **178** E4
Lynn Lake *Canada* 56°51N 101°3W **163** B8
Lynne *U.S.A.* 29°12N 81°55W **179** F8
Lynnwood *U.S.A.* 47°49N 122°18W **170** C4
Lynton *U.K.* 51°13N 3°50W **67** F4
Lyntupy *Belarus* 55°4N 26°23E **84** E4
Lynx L. *Canada* 62°25N 106°15W **163** A7
Lyon *France* 45°46N 4°50E **73** C8
Lyon St-Exupery ✕ (LYS) *France* 45°44N 5°2E **73** C9
Lyonnais *France* 45°45N 4°15E **73** C8
Lyons = Lyon *France* 45°46N 4°50E **73** C8
Lyons *Ga., U.S.A.* 32°12N 82°19W **178** C7
Lyons *Kans., U.S.A.* 38°21N 98°12W **172** F4
Lyons *N.Y., U.S.A.* 43°5N 77°0W **174** C8
Lyons → *Australia* 25°2S 115°9E **149** E2
Lyons Falls *U.S.A.* 43°37N 75°22W **175** C9
Lyozna *Belarus* 55°0N 30°50E **84** E6
Lys = Leie → *Belgium* 51°2N 3°45E **69** C3
Lysá nad Labem *Czech Rep.* 50°11N 14°51E **78** A7
Lysekil *Sweden* 58°17N 11°26E **63** F5
Lysi *Cyprus* 35°6N 33°41E **101** D12
Lyskovo *Russia* 56°0N 45°3E **86** B7
Lystrup *Denmark* 56°14N 10°14E **63** H4
Lysvik *Sweden* 60°1N 13°9E **62** D7
Lysychansk *Ukraine* 48°55N 38°30E **85** H10
Lytham St. Anne's *U.K.* 53°45N 3°0W **66** D4
Lyttelton *N.Z.* 43°35S 172°44E **155** D7
Lytton *Canada* 50°13N 121°31W **162** C4
Lyuban *Russia* 59°16N 31°18E **84** C6
Lyubertsy *Russia* 55°40N 37°51E **84** E9
Lyubim *Russia* 58°20N 40°39E **84** C11
Lyubimets *Bulgaria* 41°50N 26°5E **97** E10
Lyuboml *Ukraine* 51°11N 24°4E **83** G11
Lyubotyn *Ukraine* 50°0N 36°0E **85** H8
Lyubytino *Russia* 58°50N 33°16E **84** C7
Lyudinovo *Russia* 53°52N 34°28E **84** F8

M

M.R. Štefánik, Bratislava ✕ (BTS) *Slovak Rep.* 48°11N 17°9E **79** C10
Ma → *Vietnam* 19°47N 105°56E **116** H5
Ma, O. el → *Algeria* 27°45N 7°52W **136** C2
Ma On Shan *China* 22°23N 114°12E **111** a
Ma'adaba *Jordan* 30°43N 35°47E **130** D4
Ma'alot-Tarshiha *Israel* 33°1N 35°17E **130** B4
Maamba *Zambia* 17°17S 26°28E **144** A4
Ma'ān *Jordan* 30°12N 35°44E **130** E4
Ma'ān □ *Jordan* 30°0N 36°0E **130** F5
Maanselkä *Finland* 63°52N 28°32E **60** C23
Ma'anshan *China* 31°44N 118°29E **117** B12
Maarianhamina = Mariehamn *Finland* 60°5N 19°55E **61** F18
Maarmorilik *Greenland* 71°3N 51°0W **57** C5
Ma'arrat an Nu'mān *Syria* 35°43N 36°43E **104** E7
Maas → *Neths.* 51°45N 4°32E **69** C4
Maaseik *Belgium* 51°6N 5°45E **69** C5
Maasin *Phil.* 10°8N 124°50E **119** B6
Maastricht *Neths.* 50°50N 5°40E **69** D5
Maave *Mozam.* 21°4S 34°47E **145** B5
Mababe Depression *Botswana* 18°50S 24°15E **144** A3
Mabalane *Mozam.* 23°37S 32°31E **145** B5
Mabel L. *Canada* 50°35N 118°43W **162** C5
Mabenge *Dem. Rep. of the Congo* 4°15N 24°12E **142** B1
Maberly *Canada* 44°50N 76°32W **175** B8
Mabesi, L. *S. Leone* 7°10N 11°42W **138** D2
Mabian *China* 28°47N 103°37E **116** C4
Mablethorpe *U.K.* 53°20N 0°15E **66** D8
Mableton *U.S.A.* 33°49N 84°35W **178** B5
Mably *France* 46°5N 4°4E **71** F11
Maboma *Dem. Rep. of the Congo* 2°30N 28°10E **142** B2
Mabonto *S. Leone* 8°53N 11°50W **138** D2
Mabrouk *Mali* 19°29N 1°15W **139** B4
Mabuasehube ⌂ *Botswana* 25°5S 21°10E **144** C3
Mabuiag *Australia* 9°57S 142°11E **150** a
Mac Bac *Vietnam* 9°46N 106°7E **121** H6
Macachín *Argentina* 37°10S 63°43W **190** D3
Macaé *Brazil* 22°20S 41°43W **191** A7
Macael *Spain* 37°20N 2°18W **91** H2
Macaíba *Brazil* 5°51S 35°21W **189** B3
Macajuba *Brazil* 12°9S 40°22W **189** C2
McAlester *U.S.A.* 34°56N 95°46W **176** D7
McAllen *U.S.A.* 26°12N 98°14W **176** H5
McAlpin *U.S.A.* 30°8N 82°57W **178** E7
MacAlpine L. *Canada* 66°32N 102°45W **160** D11
Macamic *Canada* 48°45N 79°0W **164** C4
Macao = Macau *China* 22°12N 113°33E **117** F9
Macão *Portugal* 39°35N 7°59W **89** F3
Macapá *Brazil* 0°5N 51°4W **187** C8
Macarani *Brazil* 15°33S 40°24W **189** D2
Macarao △ *Venezuela* 10°22N 67°7W **183** D6
Macarthur *Australia* 38°5S 142°0E **152** E5
McArthur → *Australia* 15°54S 136°40E **150** B2
McArthur, Port *Australia* 16°4S 136°23E **150** B2
Macate *Peru* 8°48S 78°7W **188** B2
Macau *Brazil* 5°15S 36°40W **189** B3
Macau *China* 22°12N 113°33E **117** F9
Macaúbas *Brazil* 13°2S 42°42W **189** C2
McBride *Canada* 53°20N 120°19W **162** C4
McCall *U.S.A.* 44°55N 116°6W **168** D5
McCamey *U.S.A.* 31°8N 102°14W **176** F3
McCammon *U.S.A.* 42°39N 112°12W **168** E7
McCarran Int., Las Vegas ✕ (LAS) *U.S.A.* 36°5N 115°9W **171** J11
McCauley I. *Canada* 53°40N 130°15W **162** C2
McCleary *U.S.A.* 47°3N 123°16W **170** C3
Macclenny *U.S.A.* 30°17N 82°7W **178** E7
Macclesfield *U.K.* 53°15N 2°8W **66** D5
Macclesfield Bank *S. China Sea* 16°0N 114°30E **118** A4
M'Clintock Chan. *Canada* 72°0N 102°0W **160** C11
McClintock Ra. *Australia* 18°44S 127°38E **148** C4
McCloud *U.S.A.* 41°15N 122°8W **168** F2
McCluer I. *Australia* 11°5S 133°0E **148** B5
McClure *U.S.A.* 40°42N 77°19W **174** F7

McClure, L. U.S.A. 37°35N 120°16W 170 H6
M'Clure Str. Canada 75°0N 119°0W 161 C8
McClusky U.S.A. 47°29N 100°27W 172 B3
McComb U.S.A. 31°15N 90°27W 177 F9
McCook U.S.A. 40°12N 100°38W 172 E3
McCormick U.S.A. 33°55N 82°17W 178 B7
McCreary Canada 50°47N 99°29W 163 C9
McCullough Mt. U.S.A. 35°35N 115°13W 171 K11
McCusker → Canada 55°32N 108°39W 163 B7
McDavid U.S.A. 30°52N 87°19W 179 E2
McDermitt U.S.A. 41°59N 117°43W 168 F5
McDonald U.S.A. 40°22N 80°14W 174 F4
Macdonald, L. Australia 23°30S 129°0E 148 D4
McDonald Is. Ind. Oc. 53°0S 73°0E 146 K6
MacDonnell Ranges Australia 23°40S 133°0E 148 D5
McDonough U.S.A. 33°27N 84°9W 178 B5
McDougalls Well Australia 31°8S 141°15E 152 A4
MacDowell L. Canada 52°15N 92°45W 164 B1
Macduff U.K. 57°40N 2°31W 65 D6
Maceda Spain 42°16N 7°39W 88 C3
Macedonia U.S.A. 41°19N 81°31W 174 E3
Macedonia ■ Europe 41°53N 21°40E 96 E5
Maceió Brazil 9°40S 35°41W 189 B3
Maceira Portugal 39°41N 8°55W 88 F2
Macenta Guinea 8°35N 9°32W 138 D3
Macerata Italy 43°18N 13°27E 93 E10
McFarland U.S.A. 35°41N 119°14W 171 K7
McFarlane → Canada 59°12N 107°58W 163 B7
Macfarlane, L. Australia 32°0S 136°40E 152 B2
McGehee U.S.A. 33°38N 91°24W 176 E9
McGill U.S.A. 39°23N 114°47W 168 G6
Macgillycuddy's Reeks Ireland 51°58N 9°45W 64 E2
McGraw U.S.A. 42°36N 76°8W 175 D8
McGregor U.S.A. 43°1N 91°11W 172 D8
McGregor Ra. Australia 27°0S 142°45E 151 D3
McGuire, Mt. Australia 20°18S 148°23E 150 b
Mach Pakistan 29°50N 67°20E 124 E2
Māch Kowr Iran 25°48N 61°28E 129 E9
Machacalis Brazil 17°5S 40°45W 189 D2
Machado = Jiparaná → Brazil 8°3S 62°52W 186 E6
Machagai Argentina 26°56S 60°2W 190 B3
Machakos Kenya 1°30S 37°15E 142 C4
Machakos □ Kenya 1°15S 34°35E 142 C4
Machala Ecuador 3°20S 79°57W 186 D3
Machanga Mozam. 20°59S 35°0E 145 B6
Machattie, L. Australia 24°50S 139°48E 150 C2
Machault France 49°21N 4°29E 71 C11
Machava Mozam. 25°54S 32°28E 145 C5
Machecoul France 47°0N 1°49W 70 F5
Macheke Zimbabwe 18°5S 31°51E 145 A5
Macheng China 31°12N 115°2E 117 B10
Macherla India 16°29N 79°26E 126 F4
Machero Spain 39°21N 4°20W 89 F6
Machgaon India 20°5N 86°17E 126 D8
Machhu → India 23°6N 70°46E 124 H4
Machiara △ Pakistan 34°40N 73°30E 124 B5
Machias Maine, U.S.A. 44°43N 67°28W 173 C20
Machias N.Y., U.S.A. 42°25N 78°29W 174 D6
Machichi → Canada 57°3N 92°6W 163 B10
Machico Madeira 32°43N 16°44W 100 D3
Machilipatnam India 16°12N 81°8E 127 F5
Machiques Venezuela 10°4N 72°34W 186 A4
Machu Picchu Peru 13°8S 72°30W 188 C3
Machynlleth U.K. 52°35N 3°50W 67 E4
Macia Mozam. 25°2S 33°8E 145 C5
Maciejowice Poland 51°36N 21°26E 83 G8
McIlwraith Ra. Australia 13°50S 143°20E 150 A3
Măcin Romania 45°16N 28°8E 81 E13
Macina Mali 14°50N 5°0W 138 C4
McInnes L. Canada 52°13N 93°45W 163 C10
McIntosh U.S.A. 45°55N 101°21W 172 C3
McIntosh L. Canada 55°45N 105°0W 163 B8
Macintosh Ra. Australia 27°39S 125°32E 149 E4
Macintyre → Australia 28°37S 150°47E 151 D5
Macizo Galaico Spain 42°30N 7°30W 88 C3
Maçka Turkey 40°49N 39°36E 105 B8
Mackay Australia 21°8S 149°11E 150 K7
Mackay U.S.A. 43°55N 113°37W 168 E7
MacKay → Canada 57°10N 111°38W 162 B6
Mackay, L. Australia 22°30S 129°0E 148 D4
McKay Ra. Australia 23°0S 122°30E 148 D3
McKeesport U.S.A. 40°20N 79°51W 174 F5
McKellar Canada 45°30N 79°55W 174 A5
McKenna U.S.A. 46°56N 122°33W 170 D4
Mackenzie = Linden Guyana 6°0N 58°10W 186 B7
Mackenzie Canada 55°20N 123°5W 162 B4
McKenzie U.S.A. 36°8N 88°31W 177 C10
Mackenzie → Australia 23°38S 149°46E 150 C4
Mackenzie → Canada 69°10N 134°20W 160 D5
McKenzie → U.S.A. 44°7N 123°6W 168 D2
Mackenzie Bay Canada 69°0N 137°30W 158 C6
Mackenzie King I. Canada 77°45N 111°0W 161 B9
Mackenzie Mts. Canada 64°0N 130°0W 158 C6
Mackenzie Plains N.Z. 44°10S 170°25E 155 E5
McKerrow, L. N.Z. 44°25S 168°5E 155 E3
Mackinac, Straits of U.S.A. 45°50N 84°40W 173 C11
Mackinaw City U.S.A. 45°47N 84°44W 173 C11
McKinlay Australia 21°16S 141°18E 150 C3
McKinlay → Australia 20°50S 141°28E 150 C3
McKinley, Mt. U.S.A. 63°4N 151°0W 160 E1
McKinley Sea Arctic 82°0N 0°0 57 A11
McKinney U.S.A. 33°12N 96°37W 176 E6
Mackinnon Road Kenya 3°40S 39°1E 142 C4
McKittrick U.S.A. 35°18N 119°37W 171 K7
Macklin Canada 52°20N 109°56W 163 C7
Macksville Australia 30°40S 152°56E 153 A10
McLaren Vale Australia 35°13S 138°31E 152 C3
McLaughlin U.S.A. 45°49N 100°49W 172 C3
Maclean Australia 29°26S 153°16E 151 D5
McLean U.S.A. 35°14N 100°36W 176 D4
McLeansboro U.S.A. 38°6N 88°32W 172 F9
Maclear S. Africa 31°2S 28°23E 145 D4
Maclear, C. Malawi 13°58S 34°49E 143 E3
Macleay → Australia 30°56S 153°0E 153 A10
McLennan Canada 55°42N 116°50W 162 B5
McLeod → Canada 54°9N 115°44W 162 C5
MacLeod, L. Australia 24°9S 113°47E 149 D1
MacLeod B. Canada 62°53N 110°0W 163 A7
MacLeod Lake Canada 54°58N 123°0W 162 C4
McLoughlin, Mt. U.S.A. 42°27N 122°19W 168 E2
McMechen U.S.A. 39°57N 80°44W 174 G4
McMinnville Oreg., U.S.A. 45°13N 123°12W 168 D2
McMinnville Tenn., U.S.A. 35°41N 85°46W 177 D12
McMurdo Antarctica 77°51S 166°37E 55 D11
McMurdo Sd. Antarctica 77°0S 170°0E 55 D11
McMurray = Fort McMurray Canada 56°44N 111°7W 162 B6
McMurray U.S.A. 48°19N 122°14W 170 B4
Maçobere Mozam. 21°13S 32°47E 143 G3
Macodoene Mozam. 23°32S 35°5E 145 B6
Macomb U.S.A. 40°27N 90°40W 172 E8
Macomer Italy 40°16N 8°47E 94 B1
Mâcon France 46°19N 4°50E 71 F11
Macon Ga., U.S.A. 32°51N 83°38W 178 C6
Macon Miss., U.S.A. 33°7N 88°34W 177 E10
Macon Mo., U.S.A. 39°44N 92°28W 172 F7
Macossa Mozam. 17°55S 33°56E 143 F3
Macoun L. Canada 56°32N 103°40W 163 B8
Macovane Mozam. 21°30S 35°2E 145 B6
McPherson U.S.A. 38°22N 97°40W 172 F5
McPherson Pk. U.S.A. 34°53N 119°53W 171 L7
McPherson Ra. Australia 28°15S 153°15E 151 D5
Macquarie → Australia 30°7S 147°24E 153 A7
Macquarie Harbour Australia 42°15S 145°23E 151 G4
Macquarie I. Pac. Oc. 54°36S 158°55E 156 N7
Macquarie Ridge S. Ocean 57°0S 159°0E 55 B10
McRae U.S.A. 32°4N 82°54W 178 C7
MacRobertson Land Antarctica 71°0S 64°0E 55 D6
Macroom Ireland 51°54N 8°57W 64 E3
MacTier Canada 45°8N 79°46W 174 A5
Macubela Mozam. 16°53S 37°49E 143 F4
Macugnaga Italy 45°58N 7°58E 92 C4
Macuira △ Colombia 12°9N 71°21W 183 D5
Macumba → Australia 27°52S 137°12E 151 D2
Macuro Venezuela 10°42N 61°55W 187 K15
Macusani Peru 14°4S 70°29W 188 C3
Macuse Mozam. 17°45S 37°10E 143 F4
Macuspana Mexico 17°46N 92°36W 181 D6
Macusse Angola 17°48S 20°23E 144 A3
Mada → Nigeria 7°59N 7°55E 139 D6
Ma'dabā □ Jordan 31°43N 35°47E 130 D4
Madadeni S. Africa 27°43S 30°3E 145 C5
Madagali Nigeria 10°56N 13°33E 139 C7
Madagascar ■ Africa 20°0S 47°0E 141 J9
Madā'in Sālih Si. Arabia 26°46N 37°57E 128 E3
Madakasira India 13°56N 77°16E 127 H3
Madama Niger 22°0N 13°40E 135 D8
Madame, I. Canada 45°30N 60°58W 165 C7
Madan Bulgaria 41°30N 24°57E 97 E8
Madanapalle India 13°33N 78°28E 127 H4
Madang Papua N. G. 5°12S 145°49E 147 B7
Madaoua Niger 14°5N 6°27E 139 C6
Madara Bulgaria 43°17N 27°8E 97 C11
Madara Nigeria 11°45N 10°35E 139 C7
Madaripur Bangla. 23°19N 90°15E 123 H17
Madauk Burma 17°56N 96°52E 123 L20
Madawaska Canada 45°30N 78°0W 174 A7
Madawaska → Canada 45°27N 76°21W 174 A7
Madaya Burma 22°12N 96°10E 123 H20
Maddalena Italy 41°16N 9°23E 94 A2
Maddaloni Italy 41°2N 14°23E 95 A7
Maddur India 12°36N 77°4E 127 H3
Madeira Atl. Oc. 32°50N 17°0W 100 D3
Madeira → Brazil 3°22S 58°45W 186 D7
Madeleine, Îs. de la Canada 47°30N 61°40W 165 C7
Maden Turkey 38°23N 39°40E 105 C8
Madera Mexico 29°12N 108°7W 180 B3
Madera Calif., U.S.A. 36°57N 120°3W 170 J6
Madera Pa., U.S.A. 40°49N 78°26W 174 F6
Madgaon India 15°12N 73°58E 127 G1
Madha India 18°0N 75°30E 126 F2
Madhavpur India 21°15N 69°58E 124 J3
Madhepura India 26°11N 86°23E 125 F12
Madhira India 16°55N 80°22E 126 F5
Madhubani India 26°21N 86°7E 125 F12
Madhugiri India 13°40N 77°12E 127 H3
Madhupur India 24°16N 86°39E 125 G12
Madhya Pradesh □ India 22°50N 78°0E 124 J8
Madidi → Bolivia 12°32S 66°52W 188 C4
Madikeri India 12°30N 75°45E 127 H2
Madikwe ⌂ S. Africa 27°38S 32°15E 145 C5
Madill U.S.A. 34°6N 96°46W 176 D6
Madimba Dem. Rep. of the Congo 4°58S 15°5E 140 E3
Ma'din Syria 35°45N 39°36E 105 E8
Madina Mali 13°25N 8°50W 138 C3
Madinani Ivory C. 9°37N 6°57W 138 D3
Madinat al Malik Khālid al Askarīyah Si. Arabia 27°54N 45°31E 128 E5
Madīnat ath Thawrah Syria 35°50N 38°32E 105 E8
Madīnat Masdar U.A.E. 24°26N 54°37E 129 E7
Madingou Congo 4°10S 13°33E 140 E2
Madison Calif., U.S.A. 38°41N 121°59W 170 G5
Madison Fla., U.S.A. 30°28N 83°25W 178 E6
Madison Ga., U.S.A. 33°36N 83°28W 178 B6
Madison Ind., U.S.A. 38°44N 85°23W 173 F11
Madison Nebr., U.S.A. 41°50N 97°27W 172 E5
Madison Ohio, U.S.A. 41°46N 81°3W 174 E3
Madison S. Dak., U.S.A. 44°0N 97°7W 172 C5
Madison Wis., U.S.A. 43°4N 89°24W 172 D9
Madison → U.S.A. 45°56N 111°31W 168 D8
Madison Heights U.S.A. 37°25N 79°8W 173 G14
Madisonville Ky., U.S.A. 37°20N 87°30W 172 G10
Madisonville Tex., U.S.A. 30°57N 95°55W 176 F7
Madista Botswana 21°15S 25°6E 144 B4
Madiun Indonesia 7°38S 111°32E 118 F4
Mado Gashi Kenya 0°44N 39°10E 142 B4
Madoc Canada 44°30N 77°28W 174 B7
Madoi China 34°46N 98°18E 110 E8
Madon → France 48°36N 6°6E 71 D13
Madona Latvia 56°53N 26°5E 84 D4
Madonie Italy 37°50N 13°50E 94 E6
Madonna di Campíglio Italy 46°14N 10°49E 92 B7
Madra Dağı Turkey 39°23N 27°12E 99 B9
Madrakah, Ra's al Oman 19°0N 57°50E 131 D6
Madras = Chennai India 13°8N 80°19E 127 H5
Madras = Tamil Nadu □ India 11°0N 77°0E 127 J3
Madras U.S.A. 44°38N 121°8W 168 D3
Madre, L. U.S.A. 26°50N 97°30W 176 J6
Madre, Sierra Phil. 17°0N 122°0E 119 A6
Madre de Dios □ Peru 12°0S 70°15W 188 C3
Madre de Dios → Bolivia 10°59S 66°8W 188 C4
Madre de Dios, I. Chile 50°20S 75°10W 192 D1
Madre del Sur, Sierra Mexico 17°30N 100°0W 181 D5
Madre Occidental, Sierra Mexico 27°0N 107°0W 180 B3
Madre Oriental, Sierra Mexico 25°0N 100°0W 180 C5
Madri India 24°16N 73°32E 124 G5
Madrid Spain 40°24N 3°42W 88 E7
Madrid Ala., U.S.A. 31°2N 85°24W 178 D4
Madrid N.Y., U.S.A. 44°45N 75°8W 175 B9
Madrid □ Spain 40°30N 3°45W 88 E7
Madrid Barajas ✕ (MAD) Spain 40°26N 3°34W 88 E7
Madridejos Spain 39°28N 3°33W 89 F7
Madrigal de las Altas Torres Spain 41°5N 5°0W 88 D6
Madrona, Sierra Spain 38°27N 4°16W 89 G6
Madroñera Spain 39°26N 5°42W 89 F5
Madula Dem. Rep. of the Congo 0°27N 25°22E 142 B2
Madura Australia 31°55S 127°0E 149 F4
Madura Indonesia 7°30S 114°0E 119 G15
Madura, Selat Indonesia 7°30S 113°20E 119 G15
Madura Oya △ Sri Lanka 7°20N 81°10E 127 L5
Madurai India 9°55N 78°10E 127 K4
Madurantakam India 12°30N 79°50E 127 H4
Madzhalis Russia 42°9N 47°47E 87 J8
Mae Chan Thailand 20°9N 99°52E 120 B2
Mae Charim △ Thailand 18°17N 100°59E 120 C3
Mae Hong Son Thailand 19°16N 97°56E 120 C2
Mae Khlong → Thailand 13°24N 100°0E 120 F3
Mae Moei △ Thailand 17°26N 98°7E 120 D2
Mae Phang △ Thailand 19°7N 99°13E 120 C2
Mae Phrik Thailand 17°27N 99°7E 120 D2
Mae Ping △ Thailand 17°37N 98°51E 120 D2
Mae Ramat Thailand 16°58N 98°31E 120 D2
Mae Rim Thailand 18°54N 98°57E 120 C2
Mae Sai Thailand 20°20N 99°55E 116 G2
Mae Sot Thailand 16°43N 98°34E 120 D2
Mae Suai Thailand 19°39N 99°33E 116 H2
Mae Tha Thailand 18°28N 99°8E 120 C2
Mae Tup Res. Thailand 17°52N 98°45E 120 D2
Mae Wa △ Thailand 17°23N 99°16E 120 D2
Mae Wong △ Thailand 15°54N 99°12E 120 E2
Mae Yom △ Thailand 18°43N 100°15E 120 C3
Maebaru Japan 33°33N 130°12E 113 H5
Maebashi Japan 36°24N 139°4E 113 F9
Maella Spain 41°8N 0°7E 90 D5
Maelpaeg L. Canada 48°20N 56°30W 165 C8
Maestra, Sierra Cuba 20°15N 77°0W 182 B4
Maevatanana Madag. 16°56S 46°49E 141 H9
Mafadi S. Africa 29°12S 29°21E 145 C4
Mafeking = Mafikeng S. Africa 25°50S 25°38E 144 C4
Mafeking Canada 52°40N 101°10W 163 C8
Maféré Ivory C. 5°30N 3°2W 138 D4
Mafeteng Lesotho 29°51S 27°15E 144 C4
Maffra Australia 37°53S 146°58E 153 D7
Mafia I. Tanzania 7°45S 39°50E 142 D4
Mafikeng S. Africa 25°50S 25°38E 144 C4
Mafra Brazil 26°10S 49°55W 191 B6
Mafra Portugal 38°55N 9°20W 89 G1
Mafungabusi Plateau Zimbabwe 18°30S 29°8E 143 F2
Magadan Russia 59°38N 150°50E 107 D16
Magadi India 12°58N 77°14E 127 H3
Magadi Kenya 1°54S 36°19E 142 C4
Magadi, L. Kenya 1°54S 36°19E 142 C4
Magaliesburg S. Africa 26°0S 27°32E 145 C4
Magallanes □ Chile 52°0S 72°0W 192 D2
Magallanes, Estrecho de Chile 52°30S 75°0W 192 D2
Magaluf Spain 39°29N 2°32E 91 F7
Magangué Colombia 9°14N 74°45W 186 B4
Magaria Niger 13°4N 9°5E 139 C6
Magburaka S. Leone 8°47N 12°0W 138 D2
Magdagachi Russia 53°27N 125°48E 107 D13
Magdalen Is. = Madeleine, Îs. de la Canada 47°30N 61°40W 165 C7
Magdalena Argentina 35°5S 57°30W 190 D4
Magdalena Bolivia 13°13S 63°57W 186 F6
Magdalena U.S.A. 34°7N 107°15W 169 J10
Magdalena → Colombia 11°6N 74°51W 186 A4
Magdalena, B. Mexico 24°35N 112°0W 180 C2
Magdalena, I. Chile 44°40S 73°0W 192 B2
Magdalena, I. Mexico 24°40N 112°15W 180 C2
Magdalena, Llano de Mexico 25°0N 111°25W 180 C2
Magdalena de Kino Mexico 30°38N 110°57W 180 A2
Magdeburg Germany 52°7N 11°38E 76 C7
Magdelaine Cays Australia 16°33S 150°18E 150 B5
Magee U.S.A. 31°52N 89°44W 177 F10
Magelang Indonesia 7°29S 110°13E 118 F4
Magellan's Str. = Magallanes, Estrecho de Chile 52°30S 75°0W 192 D2
Magenta Italy 45°28N 8°53E 92 C5
Magenta, L. Australia 33°30S 119°2E 149 F2
Magerøya Norway 71°3N 25°40E 60 A21
Maggea Australia 34°28S 140°2E 152 C4
Maggia → Switz. 46°18N 8°36E 77 J4
Maggiorasca, Mte. Italy 44°33N 9°29E 92 D6
Maggiore, L. Italy 45°57N 8°39E 92 C5
Maggotty Jamaica 18°9N 77°46W 182 a
Maghâgha Egypt 28°38N 30°50E 137 F7
Maghama Mauritania 15°32N 12°57W 138 B2
Maghera U.K. 54°51N 6°41W 64 B5
Magherafelt U.K. 54°45N 6°37W 64 B5
Maghnia Algeria 34°50N 1°43W 136 B3
Maghreb N. Afr. 32°0N 4°0W 132 C3
Magione Italy 43°8N 12°12E 93 E9
Magistralnyy Russia 56°16N 107°36E 107 D11
Maglaj Bos.-H. 44°33N 18°7E 80 F3
Magliano in Toscana Italy 42°36N 11°17E 93 F8
Máglie Italy 40°7N 18°18E 95 B11
Magnac-Laval France 46°13N 1°11E 72 B5
Magnesia = Magnisia Greece 39°15N 23°0E 98 B5
Magnetic Pole (North) Arctic 85°9N 149°0W 54 A1
Magnetic Pole (South) Antarctica 64°8S 138°8E 55 C9
Magnisia Greece 39°15N 23°0E 98 B5
Magnitogorsk Russia 53°27N 59°4E 108 B5
Magnolia Ark., U.S.A. 33°16N 93°14W 176 E8
Magnolia Miss., U.S.A. 31°9N 90°28W 177 F9
Magny-en-Vexin France 49°9N 1°47E 71 C8
Mago Fiji 17°26S 179°8W 154 a
Magog Canada 45°18N 72°9W 175 A12
Magoro Uganda 1°45N 34°12E 142 B3
Magoulades Greece 39°45N 19°42E 101 A3
Magoye Zambia 16°1S 27°30E 143 F2
Magpie, L. Canada 51°0N 64°41W 165 B7
Magrath Canada 49°25N 112°50W 162 D6
Magre → Spain 39°11N 0°25W 91 F4
Magta Lahjar Mauritania 17°28N 13°17W 138 B2
Magu Tanzania 2°30S 33°30E 142 C3
Maguan China 23°0N 104°21E 116 F5
Maguarinho, C. Brazil 0°15S 48°30W 187 D9
Magude Mozam. 25°2S 32°40E 145 C5
Magurski △ Poland 49°30N 21°30E 83 J8
Mağusa = Famagusta Cyprus 35°8N 33°55E 101 D12
Maguse L. Canada 61°37N 95°10W 163 A9
Maguse Pt. Canada 61°20N 93°50W 163 A10
Magvana India 23°13N 69°22E 124 H3
Magway Burma 20°10N 95°0E 123 J19
Magyarorszag = Hungary ■ Europe 47°20N 19°20E 79 D12
Maha Oya Sri Lanka 7°31N 81°22E 127 L5
Maha Sarakham Thailand 16°12N 103°16E 120 D4
Mahābād Iran 36°50N 45°45E 105 D11
Mahabaleshwar India 17°58N 73°43E 126 F1
Mahabalipuram India 12°37N 80°11E 127 H5
Mahabharat Lekh Nepal 28°30N 82°0E 125 E10
Mahabo Madag. 20°23S 44°40E 141 J8
Mahad India 18°6N 73°29E 126 E1
Mahadeo Hills India 22°20N 78°30E 125 H8
Mahadeopur India 18°48N 80°0E 126 E5
Mahaffey U.S.A. 40°53N 78°44W 174 F6
Mahagi Dem. Rep. of the Congo 2°20N 31°0E 142 B3
Mahajan India 28°48N 73°56E 124 E5
Mahajanga Madag. 15°40S 46°25E 141 H9
Mahakam → Indonesia 0°35S 117°17E 118 E5
Mahalapye Botswana 23°1S 26°51E 144 B4
Mahale Mts. Tanzania 6°20S 30°0E 142 D3
Mahale Mts. △ Tanzania 6°10S 29°50E 142 D2
Maḩallāt Iran 33°55N 50°30E 129 C6
Māhān Iran 30°5N 57°18E 129 D8
Mahan → India 23°30N 82°50E 125 H10
Mahanadi → India 20°20N 86°25E 126 D8
Mahananda → India 25°12N 87°52E 125 G12
Mahanoro Madag. 19°54S 48°48E 141 H9
Mahanoy City U.S.A. 40°49N 76°9W 175 F8
Maharashtra □ India 20°30N 75°30E 126 D2
Maharès Tunisia 34°32N 10°29E 136 B6
Mahasamund India 21°6N 82°6E 126 D6
Mahasham, W. → Egypt 30°15N 34°10E 130 E3
Mahattat ash Shīdīyah Jordan 29°55N 35°55E 130 F4
Mahattat 'Unayzah Jordan 30°30N 35°47E 130 E4
Mahaweli Ganga → Sri Lanka 8°27N 81°13E 127 K5
Mahaxay Laos 17°22N 105°12E 120 D5
Mahbubabad India 17°42N 80°2E 126 F5
Mahbubnagar India 16°45N 77°59E 126 F3
Mahda U.A.E. 25°20N 56°15E 129 E8
Mahḍah Oman 24°24N 55°59E 129 E7
Mahdia Tunisia 35°28N 11°0E 136 A6
Mahdia □ Tunisia 35°20N 10°35E 136 A6
Mahe Jammu & Kashmir, India 33°10N 78°32E 125 C8
Mahé Pondicherry, India 11°42N 75°34E 127 J2
Mahé Seychelles 5°0S 55°30E 141 b
Mahé ✕ (SEZ) Seychelles 4°40S 55°31E 141 b
Mahébourg Mauritius 20°24S 57°42E 141 d
Mahendra Giri India 8°20N 77°30E 127 K3
Mahendragarh India 28°17N 76°14E 124 E7
Mahendranagar Nepal 28°55N 80°20E 125 E9
Mahenge Tanzania 8°45S 36°41E 143 D4
Maheno N.Z. 45°10S 170°50E 155 F5
Mahesana India 23°39N 72°26E 124 H5
Maheshwar India 22°11N 75°35E 124 H6
Mahgawan India 26°29N 78°37E 125 F8
Mahi → India 22°15N 72°55E 124 H5
Mahia Pen. N.Z. 39°9S 177°55E 154 F6
Mahikeng = Mafikeng S. Africa 25°50S 25°38E 144 C4
Mahilyow Belarus 53°55N 30°18E 75 B16
Mahilyow □ Belarus 54°10N 30°50E 84 E6
Mahim India 19°39N 72°44E 126 E1
Mahina Tahiti 17°30S 149°27W 155 b
Mahirija Morocco 34°0N 3°16W 136 B3
Mahmud Kot Pakistan 30°16N 71°0E 124 D4
Mahmudia Romania 45°5N 29°5E 81 E14
Mahmudiye Turkey 39°48N 30°15E 99 B12
Mahmutbey Turkey 41°3N 28°49E 97 E12
Māhneshān Iran 36°44N 47°39E 105 D12
Mahnomen U.S.A. 47°19N 95°58W 172 B6
Maho Sri Lanka 7°49N 80°16E 127 L5
Mahoba India 25°15N 79°55E 125 G8
Mahón = Maó Spain 39°53N 4°16E 100 B11
Mahon, Menorca ✕ (MAH) Spain 39°50N 4°16E 90 F9
Mahone Bay Canada 44°27N 64°23W 165 D7
Mahongo ⌂ Namibia 18°0S 23°15E 144 B3
Mahopac U.S.A. 41°22N 73°45W 175 E11
Mahuta Nigeria 11°32N 4°58E 139 C5
Mahuva India 21°5N 71°48E 124 J4
Mahya Dağı Turkey 41°47N 27°36E 97 E11
Mai-Ndombe, L. Dem. Rep. of the Congo 2°0S 18°20E 140 E3
Mai Thon, Ko Thailand 7°40N 98°28E 121 a
Maia Portugal 41°14N 8°37W 88 D2
Maials Spain 41°22N 0°30E 90 D5
Maîche France 47°16N 6°48E 71 E13
Maicuru → Brazil 2°14S 54°17W 187 D8
Máida Italy 38°51N 16°22E 95 D9
Maidan Khula Afghan. 33°36N 69°50E 124 C3
Maidenhead U.K. 51°31N 0°42W 67 F7
Maidstone Canada 53°5N 109°20W 163 C7
Maidstone U.K. 51°16N 0°32E 67 F8
Maiduguri Nigeria 12°0N 13°20E 139 C7
Maiella △ Italy 42°5N 14°5E 93 F11
Măieruş Romania 45°53N 25°31E 81 E10
Maigatari Nigeria 12°46N 9°27E 139 C6
Maigh Nuad = Maynooth Ireland 53°23N 6°34W 64 C5
Maignelay Montigny France 49°32N 2°30E 71 C9
Maihar India 24°16N 80°45E 125 G9
Maikala Ra. India 22°0N 81°0E 126 D5
Maiko △ Dem. Rep. of the Congo 0°30S 27°50E 142 C2
Mailani India 28°17N 80°21E 125 E9
Maillezais France 46°22N 0°45W 72 B3
Mailsi Pakistan 29°48N 72°15E 124 E5
Main → Germany 50°0N 8°18E 77 F4
Main → U.K. 54°48N 6°18W 64 B5
Main Channel Canada 45°21N 81°45W 174 A3
Main Range △ Australia 28°11S 152°27E 151 D5
Main Ridge Trin. & Tob. 11°16N 60°40W 187 J16
Mainburg Germany 48°38N 11°47E 77 G7
Maindargi India 17°28N 76°18E 126 F3
Maine France 48°20N 0°15W 70 D6
Maine □ U.S.A. 45°20N 69°0W 173 C19
Maine → Ireland 52°9N 9°45W 64 D2
Maine, G. of U.S.A. 43°0N 68°30W 167 G26
Maine-et-Loire □ France 47°31N 0°30W 70 E6
Maïne-Soroa Niger 13°13N 12°2E 139 C7
Maingkwan Burma 26°15N 96°37E 123 F20
Mainistir na Corann = Midleton Ireland 51°55N 8°10W 64 E3
Mainit, L. Phil. 9°31N 125°30E 119 C7
Mainland Orkney, U.K. 58°59N 3°8W 65 C5
Mainland Shet., U.K. 60°15N 1°22W 65 A7
Mainpuri India 27°18N 79°4E 125 F8
Maintal Germany 50°7N 8°52E 77 E4
Maintenon France 48°35N 1°35E 71 D8
Maintirano Madag. 18°3S 44°1E 141 H8
Mainz Germany 50°1N 8°14E 77 E4
Maio C. Verde Is. 15°10N 23°10W 134 b
Maipú Argentina 36°52S 57°50W 190 D4
Maiquetía Venezuela 10°36N 66°57W 186 A5
Máira → Italy 44°49N 7°38E 92 D4
Mairabari India 26°30N 92°22E 123 F18
Mairena del Aljarafe Spain 37°20N 6°6W 89 H4
Maisi Cuba 20°17N 74°9W 183 B5
Maisí, Pta. de Cuba 20°10N 74°10W 183 B5
Maitland N.S.W., Australia 32°33S 151°36E 153 B9
Maitland S. Austral., Australia 34°23S 137°40E 152 C2
Maitland → Canada 43°45N 81°43W 174 C3
Maitri Antarctica 70°0S 3°0W 55 D3
Maiyema Nigeria 12°5N 4°25E 139 C5
Maiyuan China 25°34N 117°28E 117 E11
Maiz, Is. del Nic. 12°15N 83°4W 182 D3
Maizuru Japan 35°25N 135°22E 113 G7
Majalengka Indonesia 6°50S 108°13E 119 G13
Majanji Uganda 0°16N 34°0E 142 B3
Majella = Maiella △ Italy 42°5N 14°5E 93 F11
Majene Indonesia 3°38S 118°57E 119 E5
Majete ⌂ Malawi 15°54S 34°34E 143 F3
Majevica Bos.-H. 44°45N 18°50E 80 F3
Majiang China 26°28N 107°32E 116 D6
Majorca = Mallorca Spain 39°30N 3°0E 100 B10
Majors Creek Australia 35°33S 149°45E 153 C8
Majuro Marshall Is. 7°9N 171°12E 156 G9
Mak, Ko Thailand 11°49N 102°29E 121 G4
Maka Senegal 13°40N 14°10W 138 C2
Makaha Zimbabwe 17°20S 32°39E 145 A5
Makak Cameroon 3°36N 11°0E 139 E7
Makalamabedi Botswana 20°19S 23°51E 144 B3
Makale Indonesia 3°6S 119°51E 119 E5
Makalu Nepal 27°55N 87°8E 125 F12
Makalu-Barun △ Nepal 27°45N 87°10E 125 F12
Makamba Burundi 4°8S 29°49E 142 C2
Makarewa Junction N.Z. 46°20S 168°21E 155 G3
Makari Cameroon 12°35N 10°27E 139 C7
Makarikari = Makgadikgadi Salt Pans Botswana 20°40S 25°45E 144 B4
Makarov Basin Arctic 87°0N 150°0W 54 A
Makarovo Russia 57°40N 107°45E 107 D11
Makarska Croatia 43°20N 17°2E 93 E14
Makaryev Russia 57°52N 43°50E 86 B6
Makassar Indonesia 5°10S 119°20E 119 F5
Makassar, Selat Indonesia 1°0S 118°20E 119 E5
Makassar, Str. of = Makassar, Selat Indonesia 1°0S 118°20E 119 E5
Makat = Maqat Kazakhstan 47°39N 53°19E 108 C4
Makedonija = Macedonia ■ Europe 41°53N 21°40E 96 E5
Makeni S. Leone 8°55N 12°5W 138 D2
Makeyevka = Makiyivka Ukraine 48°0N 38°0E 85 H9
Makgadikgadi △ Botswana 20°27S 24°47E 144 B3
Makgadikgadi Salt Pans Botswana 20°40S 25°45E 144 B4
Makhachkala Russia 43°0N 47°30E 87 J8
Makhado = Louis Trichardt S. Africa 23°1S 29°43E 145 B4
Makham, Ao Thailand 7°51N 98°25E 121 a
Makharadze = Ozurgeti Georgia 41°55N 42°0E 87 K5
Makhfar al Buşayyah Iraq 30°0N 46°10E 128 D5
Makhmūr Iraq 35°46N 43°35E 105 E10
Makhtal India 16°30N 77°31E 127 E3
Makian Indonesia 0°20N 127°20E 119 D7
Makindu Kenya 2°18S 37°50E 142 C4
Makinsk Kazakhstan 52°37N 70°26E 109 B8
Makira = San Cristóbal Solomon Is. 10°30S 161°0E 147 C9
Makiyivka Ukraine 48°0N 38°0E 85 H9
Makkah Si. Arabia 21°30N 39°54E 137 C4
Makkovik Canada 55°10N 59°10W 165 A8
Makó Hungary 46°14N 20°33E 80 D5
Mako Senegal 12°52N 12°20W 138 C2
Makogai Fiji 17°28S 179°0E 154 a
Makokou Gabon 0°40N 12°50E 140 D2
Makongo Dem. Rep. of the Congo 3°25N 26°17E 142 B2
Makoro Dem. Rep. of the Congo 3°10N 29°59E 142 B2
Maków Mazowiecki Poland 52°52N 21°6E 83 F8
Maków Podhalański Poland 49°43N 19°45E 83 J6
Makra Greece 36°15N 25°54E 99 E7
Makrai India 22°2N 77°0E 124 H7
Makran Coast Range Pakistan 25°40N 64°0E 122 G4
Makrana India 27°2N 74°46E 124 F6
Makrany Belarus 51°48N 24°17E 83 G11
Makri Greece 40°52N 25°40E 97 F9
Makri India 19°46N 81°55E 126 E5
Makrigialos Greece 35°2N 25°59E 101 D7
Makthar Tunisia 35°48N 9°12E 136 A5
Mākū Iran 39°15N 44°31E 105 C11
Makueni □ Kenya 1°50S 37°40E 142 C4
Makunda Botswana 22°30S 20°7E 144 B3
Makung Taiwan 23°34N 119°34E 117 F12
Makurazaki Japan 31°15N 130°20E 113 J5
Makurdi Nigeria 7°43N 8°35E 139 D6
Makushin Volcano U.S.A. 53°53N 166°55W 166 E6
Makūyeh Iran 28°7N 53°9E 129 D7
Makwassie S. Africa 27°17S 26°0E 144 C4
Makwiro Zimbabwe 17°58S 30°25E 145 A5
Mâl Mauritania 16°58N 13°23W 138 B2
Mal B. Ireland 52°50N 9°30W 64 D2
Mala = Mallow Ireland 52°8N 8°39W 64 D3
Mala Peru 12°40S 76°38W 188 C2
Mala ⚙ Australia 21°39S 130°45E 148 D5
Mala, Pta. Panama 7°28N 80°2W 182 E3
Mala Belozërka Ukraine 47°12N 34°56E 85 J8
Malá Fatra △ Slovak Rep. 49°10N 19°0E 79 B12
Mala Kapela Croatia 44°45N 15°30E 93 D12
Mala Panew → Poland 50°43N 17°54E 83 H4
Mala Vyska Ukraine 48°39N 31°36E 85 H6
Malabar U.S.A. 28°0N 80°34W 179 H9
Malabar Coast India 11°0N 75°0E 127 J2
Malabu Nigeria 9°32N 12°48E 139 D7
Malacca, Straits of Indonesia 3°0N 101°0E 121 L3
Malacky Slovak Rep. 48°27N 17°0E 79 C10
Malad City U.S.A. 42°12N 112°15W 168 E7
Maladeta Spain 42°39N 0°39E 90 C5
Maladzyechna Belarus 54°20N 26°50E 75 A14
Málaga Spain 36°43N 4°23W 89 J6
Málaga □ Spain 36°38N 4°58W 89 J6
Malagarasi Tanzania 5°5S 30°50E 142 D3
Malagarasi → Tanzania 5°12S 29°47E 142 D2
Malagasy Rep. = Madagascar ■ Africa 20°0S 47°0E 141 J9
Malagón Spain 39°11N 3°52W 89 F7
Malagón → Spain 37°35N 7°29W 89 H3
Malahide Ireland 53°26N 6°9W 64 C5
Malaimbandy Madag. 20°20S 45°36E 141 J9
Malaita Solomon Is. 9°0S 161°0E 147 B9
Malakal South Sudan 9°33N 31°40E 135 G12
Malakanagiri India 18°21N 81°54E 126 E5
Malakand Pakistan 34°40N 71°55E 124 B4
Malakula Vanuatu 16°15S 167°30E 147 C9
Malakwal Pakistan 32°34N 73°13E 124 C5
Malamala Indonesia 3°21S 120°55E 119 E6
Malanda Australia 17°22S 145°35E 150 B4
Malang Indonesia 7°59S 112°45E 118 F4
Malanga Mozam. 13°28S 36°7E 143 E4
Malangen Norway 69°24N 18°37E 60 B18
Malangwa Nepal 26°52N 85°34E 125 F11
Malanje Angola 9°36S 16°17E 140 F3
Malappuram India 11°7N 76°11E 127 J3
Mälaren Sweden 59°30N 17°10E 62 E11
Malargüe Argentina 35°32S 69°30W 190 D2
Malartic Canada 48°9N 78°9W 164 C4
Malaryta Belarus 51°50N 24°3E 83 G11
Malaspina Glacier U.S.A. 59°50N 140°30W 166 D11
Malatya Turkey 38°25N 38°20E 105 C8
Malatya □ Turkey 38°15N 38°0E 104 C7
Malawi ■ Africa 11°55S 34°0E 143 E3
Malawi, L. Africa 12°30S 34°30E 143 E3
Malay Pen. Asia 7°25N 100°0E 121 J3
Malaya Belozërka = Mala Belozërka Ukraine 47°12N 34°56E 85 J8
Malaya Vishera Russia 58°55N 32°25E 84 C7
Malaya Viska = Mala Vyska Ukraine 48°39N 31°36E 85 H6
Malaybalay Phil. 8°5N 125°7E 119 C7
Malāyer Iran 34°19N 48°51E 105 E13
Malaysia ■ Asia 5°0N 110°0E 118 D4
Malazgirt Turkey 39°10N 42°33E 105 C10
Malbaza Niger 13°59N 5°38E 139 C6
Malbon Australia 21°5S 140°17E 150 C3
Malbooma Australia 30°41S 134°11E 151 E1
Malbork Poland 54°3N 19°1E 82 D6
Malcésine Italy 45°46N 10°48E 92 C7
Malchin Germany 53°44N 12°44E 76 B8
Malchow Germany 53°28N 12°25E 76 B8
Malcolm Australia 28°51S 121°25E 149 E3
Malcolm, Pt. Australia 33°48S 123°45E 149 F3
Malczyce Poland 51°14N 16°29E 83 G3
Maldah India 25°2N 88°9E 125 G13
Maldegem Belgium 51°14N 3°26E 69 C3
Malden Mass., U.S.A. 42°26N 71°3W 175 D13
Malden Mo., U.S.A. 36°34N 89°57W 177 G9
Malden I. Kiribati 4°3S 155°1W 157 H12
Maldives ■ Ind. Oc. 5°0N 73°0E 103 H9
Maldon Australia 37°0S 144°6E 152 D6
Maldon U.K. 51°44N 0°42E 67 F8
Maldonado Uruguay 34°59S 55°0W 191 C5
Maldonado, Pta. Mexico 16°20N 98°33W 181 D5
Malè Italy 46°21N 10°55E 92 B7
Malé Maldives 4°10N 73°28E 146 D6
Malé Karpaty Slovak Rep. 48°30N 17°20E 79 C10
Maleas, Akra Greece 36°28N 23°7E 98 E5
Malebo, Pool Africa 4°17S 15°20E 140 E3
Malegaon India 20°30N 74°38E 126 D2
Malei Mozam. 17°12S 36°58E 143 F4
Malek Kandī Iran 37°9N 46°6E 105 D12
Malela Dem. Rep. of the Congo 4°22S 26°8E 142 C2
Malema Mozam. 14°57S 37°20E 143 E4
Maleme Greece 35°31N 23°49E 101 D5
Maler Kotla India 30°32N 75°58E 124 D6
Målerås Sweden 56°54N 15°34E 63 H9
Males Greece 35°6N 25°35E 101 D7
Malesherbes France 48°15N 2°24E 71 D9

Maleshevska Planina Europe 41°38N 23°7E 96 E7
Malesina Greece 38°37N 23°14E 98 C5
Malestroit France 47°49N 2°25W 70 E4
Malfa Italy 38°35N 14°50E 95 D7
Malgobek Russia 43°30N 44°34E 87 J7
Malgomaj Sweden 64°40N 16°30E 60 D17
Malgrat de Mar Spain 41°39N 2°46E 90 D7
Malha Sudan 15°8N 25°10E 135 E11
Malhada Brazil 14°21S 43°47W 189 C2
Malhargarh India 24°17N 74°59E 124 G6
Malheur → U.S.A. 44°4N 116°59W 168 D5
Malheur L. U.S.A. 43°20N 118°48W 168 E4
Mali Guinea 12°10N 12°20W 138 C2
Mali ■ Africa 17°0N 3°0W 138 B4
Mali → Burma 25°42N 97°30E 123 G20
Mali Kanal Serbia 45°36N 19°24E 80 E4
Mali Kyun Burma 13°0N 98°20E 120 F2
Malia Greece 35°17N 25°32E 101 D7
Malia, Kolpos Greece 35°19N 25°27E 101 D7
Malibu U.S.A. 34°2N 118°41W 171 L8
Maliku = Minicoy I. India 8°17N 73°2E 127 K1
Maliku Indonesia 0°39S 123°16E 119 E6
Malili Indonesia 2°42S 121°6E 119 E6
Målilla Sweden 57°23N 15°48E 63 G9
Malimba, Mts. Dem. Rep. of the Congo 7°30S 29°30E 142 D2
Malin Hd. Ireland 55°23N 7°23W 64 A4
Malin Pen. Ireland 55°20N 7°17W 64 A4
Malindi Kenya 3°12S 40°5E 142 C5
Malindi Marine ⌂ Kenya 3°15S 40°7E 142 C5
Malines = Mechelen Belgium 51°2N 4°29E 69 C4
Malino Indonesia 1°0N 121°0E 119 D6
Malinyi Tanzania 8°56S 36°0E 143 D4
Malipo China 23°7N 104°42E 116 F5
Maliq Albania 40°45N 20°48E 96 F4
Malita Phil. 6°19N 125°39E 119 C7
Maliwun Burma 10°17N 98°40E 121 G2
Maliya India 23°5N 70°46E 124 H4
Maljenik Serbia 43°54N 21°43E 96 C5
Malka Mari △ Kenya 4°11N 40°46E 142 B5
Malkapur India 20°53N 76°12E 126 D3
Malkara Turkey 40°53N 26°53E 97 F10
Malkhangiri = Malakanagiri India 18°21N 81°54E 126 E5
Małkinia Górna Poland 52°42N 22°5E 83 F9
Malko Tŭrnovo Bulgaria 41°59N 27°31E 97 E11
Mallacoota Australia 37°40S 149°40E 153 D8
Mallacoota Inlet Australia 37°34S 149°40E 153 D8
Mallaig U.K. 57°0N 5°50W 65 D3
Mallala Australia 34°26S 138°30E 152 C3
Mallaoua Niger 13°2N 9°36E 139 C6
Mallawan India 27°4N 80°12E 125 F9
Mallawi Egypt 27°44N 30°44E 137 B3
Mallee Cliffs △ Australia 34°16S 142°32E 152 C5
Mallemort France 43°43N 5°11E 73 E9
Málles Venosta Italy 46°41N 10°32E 92 B7
Mallicolo = Malakula Vanuatu 16°15S 167°30E 147 C9
Mallorca Spain 39°30N 3°0E 100 B10
Mallorytown Canada 44°29N 75°53W 175 B9
Mallow Ireland 52°8N 8°39W 64 D3
Malmbäck Sweden 57°34N 14°28E 63 G8
Malmberget Sweden 67°11N 20°40E 60 C19
Malmédy Belgium 50°25N 6°2E 69 D6
Malmesbury S. Africa 33°28S 18°41E 144 D2
Malmivaara = Malmberget Sweden 67°11N 20°40E 60 C19
Malmköping Sweden 59°8N 16°44E 62 E10
Malmö Sweden 55°36N 12°59E 63 J7
Malmslätt Sweden 58°27N 15°33E 63 F9
Malmyzh Russia 56°31N 50°41E 86 B10
Malnaş Romania 46°2N 25°49E 81 D10
Malo Konare Bulgaria 42°12N 24°24E 97 D8
Maloarkhangelsk Russia 52°28N 36°30E 85 F9
Malolo Fiji 17°45S 177°11E 154 a
Malolos Phil. 14°50N 120°49E 119 B6
Malolotja ⌂ Swaziland 26°4S 31°6E 145 C5
Malombe L. Malawi 14°40S 35°15E 143 E4
Małomice Poland 51°34N 15°29E 83 G2
Malomir Bulgaria 42°16N 26°32E 97 D10
Malone Fla., U.S.A. 30°57N 85°10W 178 E4
Malone N.Y., U.S.A. 44°51N 74°18W 175 B10
Malong China 25°24N 103°34E 116 E4
Małopolskie □ Poland 49°50N 20°20E 83 J7
Malorad Bulgaria 43°28N 23°41E 96 C7
Maloti Mts. = Drakensberg S. Africa 31°0S 28°0E 145 D4
Måløy Norway 61°57N 5°6E 60 F11
Maloyaroslovets Russia 55°2N 36°20E 84 E9
Malpartida de Cáceres Spain 39°26N 6°30W 89 F4
Malpaso Canary Is. 27°43N 18°3W 100 G1
Malpaso, Presa = Netzahualcóyotl, Presa Mexico 17°8N 93°35W 181 D6
Malpelo, I. de Colombia 4°3N 81°35W 186 C2
Malpica de Bergantiños Spain 43°19N 8°50W 88 B2
Malprabha → India 16°20N 76°5E 127 F3
Malpur India 23°21N 73°27E 124 H5
Malpura India 26°17N 75°23E 124 F6
Mals = Málles Venosta Italy 46°41N 10°32E 92 B7
Malsiras India 17°52N 74°55E 126 F2
Malta Brazil 6°54S 37°31W 189 B3
Malta Idaho, U.S.A. 42°18N 113°22W 168 E7
Malta Mont., U.S.A. 48°21N 107°52W 168 B10
Malta ■ Europe 35°55N 14°26E 101 D2
Malta Freeport Malta 35°49N 14°32E 101 D2
Maltahöhe Namibia 24°55S 17°0E 144 B2
Maltepe Turkey 40°55N 29°8E 97 F13
Malton Canada 43°42N 79°38W 174 C5
Malton U.K. 54°8N 0°49W 66 C7
Maluku Indonesia 1°0S 127°0E 119 E7
Maluku □ Indonesia 3°0S 128°0E 119 E7
Maluku Sea = Molucca Sea Indonesia 0°0 125°0E 119 E6
Malumfashi Nigeria 11°48N 7°39E 139 C6
Malung Sweden 60°42N 13°44E 62 D7
Malungsfors Sweden 60°44N 13°33E 62 D7
Malur India 13°0N 77°55E 127 H3
Maluwe Ghana 8°40N 2°17W 138 D4
Malvalli India 12°28N 77°8E 127 H3
Malvan India 16°2N 73°30E 127 F1
Malvern U.S.A. 34°22N 92°49W 176 D8
Malvern Hills U.K. 52°0N 2°19W 67 E5
Malvinas, Is. = Falkland Is. ☒ Atl. Oc. 51°30S 59°0W 192 D5
Malý Dunaj → Slovak Rep. 47°45N 18°9E 79 D11
Malya Tanzania 3°5S 33°38E 142 C3
Malye Derbety Russia 47°57N 44°42E 87 G7
Malyn Ukraine 50°46N 29°3E 75 C15
Malyy Lyakhovskiy, Ostrov Russia 74°7N 140°36E 107 B15
Malyy Taymyr, Ostrov Russia 78°6N 107°15E 107 B11
Mama Russia 58°18N 112°54E 107 D12
Mamaku N.Z. 38°5S 176°8E 154 E5
Mamanguape Brazil 6°50S 35°4W 189 B3
Mamanuca Group Fiji 17°35S 177°5E 154 a
Mamarr Mitlā Egypt 30°2N 32°54E 130 E1
Mamasa Indonesia 2°55S 119°20E 119 E5
Mambasa Dem. Rep. of the Congo 1°22N 29°3E 142 B2
Mamberamo → Indonesia 2°0S 137°50E 119 E9
Mambilima Falls Zambia 10°31S 28°45E 143 E2
Mambirima Dem. Rep. of the Congo 11°25S 27°33E 143 E2
Mambo Tanzania 4°52S 38°22E 142 C4
Mambrui Kenya 3°5S 40°5E 142 C5
Mamburao Phil. 13°13N 120°39E 119 B6
Mamedkala Russia 42°10N 48°7E 87 J9
Mameigwess L. Canada 52°35N 87°50W 164 B2
Mamers France 48°21N 0°22E 70 D7
Mamfé Cameroon 5°50N 9°15E 139 D6
Mamili △ Namibia 18°2S 24°1E 144 A3
Mamiña Chile 20°5S 69°14W 188 E4
Mamlyutka Kazakhstan 54°56N 68°32E 109 B7
Mammoth U.S.A. 32°43N 110°39W 169 K8
Mammoth Cave △ U.S.A. 37°8N 86°13W 172 G10
Mammoth Lakes U.S.A. 37°39N 118°59W 170 H8
Mamonovo Russia 54°28N 19°55E 82 D6
Mamoré → Bolivia 10°23S 65°53W 186 F5
Mamou Guinea 10°15N 12°0W 138 C2
Mamoudzou Mayotte 12°48S 45°14E 141 a
Mampong Ghana 7°6N 1°26W 139 D4
Mamry, Jezioro Poland 54°5N 21°50E 82 D8
Mamuil Malal, Paso S. Amer. 39°35S 71°28W 192 A2
Mamuju Indonesia 2°41S 118°50E 119 E5
Mamuno Botswana 22°16S 20°1E 144 B3
Mamuras Albania 41°34N 19°41E 96 E3
Man Ivory C. 7°30N 7°40W 138 D3
Man → India 17°31N 75°32E 126 F2
Man, I. of India 8°28N 93°36E 127 K11
Man, I. of U.K. 54°15N 4°30W 66 C3
Man-Bazar India 23°4N 86°39E 125 H12
Man Na Burma 23°27N 97°19E 123 H20
Mānā U.S.A. 22°2N 159°47W 167 L8
Mana → Fr. Guiana 5°45N 53°55W 187 B8
Mana Pools △ Zimbabwe 15°56S 29°25E 143 F2
Manaar, G. of = Mannar, G. of Asia 8°30N 79°0E 127 K4
Manacapuru Brazil 3°16S 60°37W 186 D6
Manacor Spain 39°34N 3°13E 100 B10
Manado Indonesia 1°29N 124°51E 119 D6
Managua Nic. 12°6N 86°20W 182 D2
Managua, L. de Nic. 12°20N 86°30W 182 D2
Manaia N.Z. 39°33S 174°8E 154 F3
Manakara Madag. 22°8S 48°1E 141 J9
Manakau N.Z. 42°15S 173°42E 155 C8
Manali India 32°16N 77°10E 124 C7
Manama = Al Manāmah Bahrain 26°10N 50°30E 129 E6
Manangatang Australia 35°5S 142°54E 152 C5
Mananjary Madag. 21°13S 48°20E 141 J9
Manankoro Mali 10°28N 7°25W 138 C3
Manantali, L. de Mali 13°12N 10°28W 138 C2
Manantavadi India 11°49N 76°1E 127 J3
Manantenina Madag. 24°17S 47°19E 141 J9
Manaos = Manaus Brazil 3°0S 60°0W 186 D7
Manapire → Venezuela 7°42N 66°7W 186 B5
Manapouri N.Z. 45°34S 167°39E 155 F2
Manapouri, L. N.Z. 45°32S 167°32E 155 F2
Manapparai India 10°36N 78°25E 127 J4
Manar → India 18°50N 77°20E 126 E3
Manār, Jabal Yemen 14°2N 44°17E 131 E3
Manas China 44°17N 86°10E 109 D11
Manas → India 26°12N 90°40E 123 F17
Manas He → China 45°38N 85°12E 110 B6
Manas Hu China 45°45N 85°55E 109 C11
Manaslu Nepal 28°33N 84°33E 125 E11
Manasquan U.S.A. 40°8N 74°3W 175 F10
Manassa U.S.A. 37°11N 105°56W 169 H11
Manatí Puerto Rico 18°26N 66°29W 183 d
Manaus Brazil 3°0S 60°0W 186 D7
Manavgat Turkey 36°47N 31°26E 104 D4
Manawan L. Canada 55°24N 103°14W 163 B8
Manawatu → N.Z. 40°28S 175°12E 154 G4
Manawatu-Wanganui □ N.Z. 39°50S 175°30E 154 F4
Manbij Syria 36°31N 37°57E 104 D7
Mancha Real Spain 37°48N 3°39W 89 H7
Manche □ France 49°10N 1°20W 70 C5
Manchegorsk Russia 67°54N 32°58E 106 C4
Manchester U.K. 53°29N 2°12W 66 D5
Manchester Calif., U.S.A. 38°58N 123°41W 170 G3
Manchester Conn., U.S.A. 41°47N 72°31W 175 E12
Manchester Ga., U.S.A. 32°51N 84°37W 178 C5
Manchester Iowa, U.S.A. 42°29N 91°27W 172 D8
Manchester Ky., U.S.A. 37°9N 83°46W 173 G12
Manchester N.H., U.S.A. 42°59N 71°28W 175 D13
Manchester N.Y., U.S.A. 42°56N 77°16W 174 D7
Manchester Pa., U.S.A. 40°4N 76°43W 175 F8
Manchester Tenn., U.S.A. 35°29N 86°5W 177 D11
Manchester Vt., U.S.A. 43°10N 73°5W 175 C11
Manchester Int. ✕ (MAN) U.K. 53°21N 2°17W 66 D5
Manchhar L. Pakistan 26°25N 67°39E 124 F2
Manchuria = Dongbei China 45°0N 125°0E 115 D13
Manchurian Plain China 47°0N 124°0E 102 D14
Manciano Italy 42°35N 11°31E 93 F8
Máncora Peru 4°9S 81°1W 188 A1
Mand → India 21°42N 83°15E 125 J10
Mand → Iran 28°20N 52°30E 129 D7
Manda Ludewe, Tanzania 10°30S 34°40E 143 E3
Manda Mbeya, Tanzania 7°58S 32°29E 142 D3
Manda Mbeya, Tanzania 8°30S 32°49E 143 D3
Mandaguari Brazil 23°32S 51°42W 191 A5
Mandah = Töhöm Mongolia 44°27N 108°2E 114 B5
Mandal Norway 58°2N 7°25E 61 G12
Mandala, Puncak Indonesia 4°44S 140°20E 119 E10
Mandalay Burma 22°0N 96°4E 123 J20
Mandale = Mandalay Burma 22°0N 96°4E 123 J20
Mandalgarh India 25°12N 75°6E 124 G6
Mandalgovĭ Mongolia 45°45N 106°10E 114 B4
Mandalī Iraq 33°43N 45°28E 105 F11
Mandan U.S.A. 46°50N 100°54W 172 B3
Mandar, Teluk Indonesia 3°32S 119°21E 119 E5
Mándas Italy 39°40N 9°8E 94 C2
Mandaue Phil. 10°20N 123°56E 119 B6
Mandelieu-la-Napoule France 43°34N 6°57E 73 E10
Mandera Kenya 3°55N 41°53E 142 B5
Mandera □ Kenya 3°20N 40°40E 142 B5
Mandeville Jamaica 18°2N 77°31W 182 a
Mandi India 31°39N 76°58E 124 D7
Mandi Burewala Pakistan 30°9N 72°41E 124 D5
Mandi Dabwali India 29°58N 74°42E 124 E6
Mandiana Guinea 10°37N 8°39W 138 C3
Mandimba Mozam. 14°20S 35°40E 143 E4
Mandioli Indonesia 0°40S 127°20E 119 E7
Mandla India 22°39N 80°30E 125 H9
Mandø Denmark 55°18N 8°33E 63 J2
Mandorah Australia 12°32S 130°42E 148 B5
Mandoudi Greece 38°48N 23°29E 98 C5
Mandra Greece 38°4N 23°30E 98 C5
Mandra Pakistan 33°23N 73°12E 124 C5
Mandraki Greece 36°36N 27°11E 99 E9
Mandritsara Madag. 15°50S 48°49E 141 H9
Mandsaur India 24°3N 75°8E 124 G6
Mandurah Australia 32°36S 115°48E 149 F2
Mandúria Italy 40°24N 17°38E 95 B10
Mandvi India 22°51N 69°22E 124 H3
Mandya India 12°30N 77°0E 127 H3
Mandzai Pakistan 30°55N 67°6E 124 D2
Mané Burkina Faso 12°59N 1°21W 139 C4
Maneh Iran 37°39N 57°7E 129 B8
Manengouba, Mts. Cameroon 5°0N 9°50E 139 E6
Maner → India 18°30N 79°40E 126 E4
Manérbio Italy 45°21N 10°8E 92 C7
Maneroo Cr. → Australia 23°21S 143°53E 150 C3
Manfalût Egypt 27°20N 30°52E 137 B3
Manfred Australia 33°19S 143°45E 152 B5
Manfredónia Italy 41°38N 15°55E 93 G12
Manfredónia, G. di Italy 41°35N 16°5E 93 G13
Manga Brazil 14°46S 43°56W 189 C2
Manga Burkina Faso 11°40N 1°4W 139 C4
Manga Niger 15°0N 14°0E 139 C7
Mangabeiras, Chapada das Brazil 10°0S 46°30W 189 C1
Mangaia Cook Is. 21°55S 157°55W 157 K12
Mangakino N.Z. 38°22S 175°47E 154 E4
Mangalagiri India 16°26N 80°36E 127 F5
Mangalia Romania 43°50N 28°35E 81 G13
Mangalore = Mangaluru India 12°55N 74°47E 127 H2
Mangaluru India 12°55N 74°47E 127 H2
Mangalvedha India 17°31N 75°28E 126 F2
Mangan India 27°31N 88°32E 125 F13
Mangaon India 18°15N 73°20E 126 E1
Mangarrayi ◎ Australia 15°5S 133°10E 150 B1
Mangawan India 24°41N 81°33E 125 G9
Mangaweka N.Z. 39°48S 175°47E 154 F4
Mangaweka, Mt. N.Z. 39°49S 176°5E 154 F5
Mangetti △ Namibia 18°43S 19°8E 144 A2
Manggar Indonesia 2°50S 108°10E 118 E3
Manggawitu Indonesia 4°8S 133°32E 119 E8
Mangghystaū Kazakhstan 43°40N 51°13E 108 D4
Mangghystaū □ Kazakhstan 45°0N 53°0E 108 D4
Mangghystaū Tübegi Kazakhstan 44°30N 52°30E 108 D4
Manggis Indonesia 8°29S 115°31E 119 J18
Mangkalihat, Tanjung Indonesia 1°2N 118°59E 119 D5
Mangkururrpa ◎ Australia 20°35S 129°43E 148 D4
Mangla Pakistan 33°7N 73°39E 124 C5
Mangla Dam Pakistan 33°9N 73°44E 125 C5
Manglaur India 29°44N 77°49E 124 E7
Manglisi Georgia 41°41N 44°22E 87 K7
Mangnai China 37°52N 91°43E 110 D7
Mangnai Zhen China 38°24N 90°14E 109 E12
Mango Togo 10°20N 0°30E 139 C5
Mangoche Malawi 14°25S 35°16E 143 E4
Mangoky → Madag. 21°29S 43°41E 141 J8
Mangole Indonesia 1°50S 125°55E 119 E6
Mangombe Dem. Rep. of the Congo 1°20S 26°48E 142 C2
Mangonui N.Z. 35°1S 173°32E 154 B2
Mangrol Mad. P., India 21°7N 70°7E 124 J4
Mangrol Raj., India 25°20N 76°31E 124 G6
Mangrul Pir India 20°19N 77°21E 126 D3
Mangshi = Luxi China 24°27N 98°36E 116 E2
Mangualde Portugal 40°38N 7°48W 88 E3
Mangueira, L. da Brazil 33°0S 52°50W 191 C5
Mangum U.S.A. 34°53N 99°30W 176 D5
Manguri Australia 28°58S 134°22E 151 A1
Mangyshlak, Poluostrov = Mangghystaū Tübegi Kazakhstan 44°30N 52°30E 108 D4
Manhattan U.S.A. 39°11N 96°35W 172 F5
Manhiça Mozam. 25°23S 32°49E 145 C5
Manhuaçu Brazil 20°15S 42°2W 189 E2
Manhumirim Brazil 20°22S 41°57W 189 E2
Maniago Italy 46°10N 12°43E 93 B9
Manica Mozam. 18°58S 32°59E 145 A5
Manica □ Mozam. 19°10S 33°45E 145 A5
Manicaland □ Zimbabwe 19°0S 32°30E 143 F3
Manicoré Brazil 5°48S 61°16W 186 E6
Manicouagan → Canada 49°30N 68°30W 165 C6
Manicouagan, Rés. Canada 51°5N 68°40W 165 B6
Maniema □ Dem. Rep. of the Congo 3°0S 26°0E 142 C2
Manīfah Si. Arabia 27°44N 49°0E 129 E6
Manifold, C. Australia 22°41S 150°50E 150 C5
Maniganggo China 31°56N 99°10E 116 B2
Manigotagan Canada 51°6N 96°18W 163 C9
Manigotagan → Canada 51°7N 96°20W 163 C9
Manihari India 25°21N 87°38E 125 G12
Manihiki Cook Is. 10°24S 161°1W 157 J11
Manihiki Plateau Pac. Oc. 11°0S 164°0W 157 J11
Maniitsoq Greenland 65°26N 52°55W 57 D5
Manika, Plateau de la Dem. Rep. of the Congo 10°0S 25°5E 143 E2
Manikpur India 25°4N 81°7E 125 G9
Manila Phil. 14°35N 120°58E 119 B6
Manila U.S.A. 40°59N 109°43W 168 F9
Manila B. Phil. 14°40N 120°35E 119 B6
Manildra Australia 33°11S 148°41E 153 B8
Manilla Australia 30°45S 150°43E 153 A9
Manilva Spain 36°23N 5°15W 89 J5
Manimpé Mali 14°11N 5°28W 138 C3
Maningrida Australia 12°3S 134°13E 150 A1
Maninian Ivory C. 10°3N 7°52W 138 C3
Manipa, Selat Indonesia 3°20S 127°25E 119 E7
Manipur □ India 25°0N 94°0E 123 G19
Manipur → Burma 23°45N 94°20E 123 H19
Manisa Turkey 38°38N 27°30E 99 C9
Manisa □ Turkey 38°40N 28°0E 99 C9
Manistee U.S.A. 44°15N 86°19W 172 C10
Manistee → U.S.A. 44°15N 86°21W 172 C10
Manistique U.S.A. 45°57N 86°15W 172 C10
Manitoba □ Canada 53°30N 97°0W 163 B9
Manitoba, L. Canada 51°0N 98°45W 163 C9
Manitou Canada 49°15N 98°32W 163 D9
Manitou, L. Canada 50°55N 65°17W 165 B6
Manitou Is. U.S.A. 45°8N 86°0W 172 C10
Manitou L. Canada 52°43N 109°43W 163 C7
Manitou Springs U.S.A. 38°52N 104°55W 168 G11
Manitoulin I. Canada 45°40N 82°30W 164 C3
Manitouwadge Canada 49°8N 85°48W 164 C2
Manitowoc U.S.A. 44°5N 87°40W 172 C10
Maniyachi India 8°51N 77°55E 127 K3
Manizales Colombia 5°5N 75°32W 186 B3
Manjacaze Mozam. 24°45S 34°0E 145 B5
Manjakandriana Madag. 18°55S 47°47E 141 H9
Manjhand Pakistan 25°50N 68°10E 124 G3
Manjimup Australia 34°15S 116°6E 149 F2
Manjlegaon India 19°9N 76°14E 126 E3
Manjo Cameroon 4°50N 9°49E 139 E6
Manjra → India 18°49N 77°52E 126 E3
Mankato Kans., U.S.A. 39°47N 98°13W 172 F4
Mankato Minn., U.S.A. 44°10N 94°0W 172 C6
Mankayane Swaziland 26°40S 31°4E 145 C5
Mankera Pakistan 31°23N 71°26E 124 D4
Mankim Cameroon 5°6N 12°3E 139 D7
Mankono Ivory C. 8°1N 6°10W 138 D3
Mankota Canada 49°25N 107°5W 163 D7
Mankulam Sri Lanka 9°8N 80°26E 127 K5
Manlay = Üydzin Mongolia 44°9N 107°0E 114 B4
Manlleu Spain 42°2N 2°17E 90 C7
Manly Australia 33°47S 151°17E 153 B9
Manmad India 20°18N 74°28E 126 D2
Mann Ranges Australia 26°6S 130°5E 149 E5
Manna Indonesia 4°25S 102°55E 118 E2
Mannahill Australia 32°25S 140°0E 152 B4
Mannar Sri Lanka 9°1N 79°54E 127 K4
Mannar, G. of Asia 8°30N 79°0E 127 K4
Mannar I. Sri Lanka 9°5N 79°45E 127 K4
Mannargudi India 10°45N 79°51E 127 J4
Mannheim Germany 49°29N 8°29E 77 F4
Manning Canada 56°53N 117°39W 162 B5
Manning Oreg., U.S.A. 45°45N 123°13W 170 E3
Manning S.C., U.S.A. 33°42N 80°13W 178 B9
Manning → Australia 31°52S 152°43E 153 A10
Mannu → Italy 39°16N 9°0E 94 C2
Mannu, C. Italy 40°3N 8°21E 94 B1
Mannum Australia 34°50S 139°20E 152 C3
Mano S. Leone 8°3N 12°2W 138 D2
Mano → Liberia 6°56N 11°30W 138 D2
Manoharpur India 22°23N 85°12E 125 H11
Manokwari Indonesia 0°54S 134°0E 119 E8
Manolada Greece 38°4N 21°21E 98 C3
Manombo Madag. 22°57S 43°28E 141 J8
Manono Dem. Rep. of the Congo 7°15S 27°25E 142 D2
Manoppello Italy 42°15N 14°3E 93 F11
Manorhamilton Ireland 54°18N 8°11W 64 B3
Manosque France 43°49N 5°47E 73 E9
Manotick Canada 45°13N 75°41W 175 A9
Manouane → Canada 49°30N 71°10W 165 C5
Manouane, L. Canada 50°45N 70°45W 165 B5
Manp'o N. Korea 41°6N 126°24E 115 D14
Manpojin = Manp'o N. Korea 41°6N 126°24E 115 D14
Manpur Chhattisgarh, India 23°17N 83°35E 125 H10
Manpur Chhattisgarh, India 20°22N 80°43E 126 D5
Manpur Mad. P., India 22°26N 75°37E 124 H6
Manresa Spain 41°48N 1°50E 90 D6
Mansa Gujarat, India 23°27N 72°45E 124 H5
Mansa Punjab, India 30°0N 75°27E 124 E6
Mansa Zambia 11°13S 28°55E 143 E2
Mansa Konko Gambia 13°28N 15°33W 138 C1
Månsåsen Sweden 63°5N 14°18E 62 A8
Mansehra Pakistan 34°20N 73°15E 124 B5
Mansel I. Canada 62°0N 80°0W 161 E15
Mansfield Australia 37°4S 146°6E 153 D7
Mansfield U.K. 53°9N 1°11W 66 D6
Mansfield Ga., U.S.A. 33°31N 83°44W 178 B6
Mansfield La., U.S.A. 32°2N 93°43W 176 E8
Mansfield Mass., U.S.A. 42°2N 71°13W 175 D13
Mansfield Ohio, U.S.A. 40°45N 82°31W 174 F2
Mansfield Pa., U.S.A. 41°48N 77°5W 174 E7
Mansfield Tex., U.S.A. 32°33N 97°8W 176 E6
Mansfield, Mt. U.S.A. 44°33N 72°49W 175 B12
Mansidão Brazil 10°43S 44°2W 189 C2
Mansilla de las Mulas Spain 42°30N 5°25W 88 C5
Mansle France 45°52N 0°12E 72 C4
Manso → Brazil 13°50S 47°0W 189 C1
Mansôa Guinea-Biss. 12°0N 15°20W 138 C1
Manson Creek Canada 55°37N 124°32W 162 B4
Mansoura Algeria 36°1N 4°31E 136 A4
Manta Ecuador 1°0S 80°40W 186 D2
Mantalingajan, Mt. Phil. 8°55N 117°45E 118 C5
Mantare Tanzania 2°42S 33°13E 142 C3
Mantaro → Peru 12°16S 73°57W 188 C3
Manteca U.S.A. 37°48N 121°13W 170 H5
Mantena Brazil 18°47S 40°59W 189 D2
Manteo U.S.A. 35°55N 75°40W 177 D17
Mantes-la-Jolie France 48°58N 1°41E 71 D8
Mantha India 19°40N 76°23E 126 E3
Manthani India 18°40N 79°35E 126 E4
Manti U.S.A. 39°16N 111°38W 168 G8
Mantiqueira, Serra da Brazil 22°0S 44°0W 191 A7
Manton U.S.A. 44°25N 85°24W 173 C11
Mantorp Sweden 58°21N 15°20E 63 F9
Mántova Italy 45°9N 10°48E 92 C7
Mänttä Vilppula Finland 62°3N 24°40E 84 A3
Mantua = Mántova Italy 45°9N 10°48E 92 C7
Mantung Australia 34°35S 140°3E 152 C4
Manturovo Russia 58°23N 44°45E 86 A7
Manú Peru 12°10S 70°51W 188 C3
Manú → Peru 12°16S 70°55W 188 C3
Manuel Alves → Brazil 11°19S 48°28W 189 C1
Manuel Alves Grande → Brazil 7°27S 47°35W 189 B1
Manuel Urbano Brazil 8°53S 69°18W 188 B4
Manui Indonesia 3°35S 123°5E 119 E6
Manukau N.Z. 37°0S 174°52E 154 D3
Manukau Harbour N.Z. 37°3S 174°45E 154 D3
Manunui N.Z. 38°54S 175°21E 154 E4
Manuoha N.Z. 38°39S 177°7E 154 E6
Manuripi → Bolivia 11°6S 67°36W 188 C4
Manvi India 15°57N 76°59E 127 G3
Manwan Dam China 24°44N 100°20E 116 E3
Manwath India 19°19N 76°32E 126 E3
Many U.S.A. 31°34N 93°29W 176 F8
Manyallaluk ◎ Australia 14°16S 132°49E 148 B5
Manyani Kenya 3°5S 38°30E 142 C4
Manyara □ Tanzania 4°30S 37°10E 142 C4
Manyara, L. Tanzania 3°40S 35°50E 142 C4
Manyara △ Tanzania 3°35S 35°50E 142 C4
Manyas Turkey 40°2N 27°59E 97 F11
Manyava Ukraine 48°39N 24°21E 81 B9
Manych → Russia 47°13N 40°40E 87 G5
Manych-Gudilo, Ozero Russia 46°24N 42°38E 87 G6
Manyonga → Tanzania 4°10S 34°15E 142 C3
Manyoni Tanzania 5°45S 34°55E 142 D3
Manzai Pakistan 32°12N 70°15E 124 C4
Manzala, Bahra el Egypt 31°10N 31°56E 137 E7
Manzanar ⌂ U.S.A. 36°44N 118°9W 170 J7
Manzanares Spain 39°2N 3°22W 89 F7
Manzaneda Spain 42°12N 7°15W 88 C3
Manzanillo Cuba 20°20N 77°31W 182 B4
Manzanillo Mexico 19°3N 104°20W 180 D4
Manzanillo, Pta. Panama 9°30N 79°40W 182 E4
Manzano Mts. U.S.A. 34°40N 106°20W 169 J10
Manzarīyeh Iran 34°53N 50°50E 129 C6
Manzhouli China 49°35N 117°25E 111 B12
Manzini Swaziland 26°30S 31°25E 145 C5
Manzouli = Manzhouli China 49°35N 117°25E 111 B12
Manzur Vadisi △ Turkey 39°10N 39°30E 128 B3
Mao Chad 14°4N 15°19E 135 F9
Maó Spain 39°53N 4°16E 100 B11
Maoke, Pegunungan Indonesia 3°40S 137°30E 119 E9
Maolin China 43°58N 123°30E 115 C12
Maoming China 21°50N 110°54E 117 G8
Maopi T'ou China 21°56N 120°43E 117 G13
Maouri, Dallol → Niger 12°5N 3°30E 139 C5
Maoxian China 31°41N 103°49E 116 B4
Maoxing China 45°28N 124°40E 115 B13
Mapam Yumco China 30°45N 81°28E 125 D9
Mapastepec Mexico 15°26N 92°54W 181 D6
Maphrao, Ko Thailand 7°56N 98°26E 121 a
Mapia, Kepulauan Indonesia 0°50N 134°20E 119 D8
Mapimí Mexico 25°49N 103°51W 180 B4
Mapimí, Bolsón de Mexico 27°0N 104°15W 180 B4
Maping China 31°34N 113°32E 117 B9
Mapinga Tanzania 6°40S 39°12E 142 D4
Mapinhane Mozam. 22°20S 35°0E 145 B6
Maple Creek Canada 49°55N 109°29W 163 D7
Maple Valley U.S.A. 47°25N 122°3W 170 C4
Mapleton U.S.A. 44°2N 123°52W 168 D2
Mapoon ◎ Australia 11°44S 142°8E 150 A3
Mapourika, L. N.Z. 43°16S 170°12E 155 D5
Mapuca India 15°36N 73°46E 127 G1
Mapuera → Brazil 1°5S 57°2W 186 D7
Mapulanguene Mozam. 24°29S 32°6E 145 B5
Mapungubwe △ S. Africa 22°12S 29°22E 145 B4
Maputo Mozam. 25°58S 32°32E 145 C5
Maputo □ Mozam. 26°0S 32°25E 145 C5
Maputo, B. de Mozam. 25°50S 32°45E 145 C5
Maputo ⌂ Mozam. 26°23S 32°48E 145 C5
Maqanshy Kazakhstan 46°47N 82°1E 109 C10
Maqat Kazakhstan 47°39N 53°19E 108 C4
Maqên China 34°24N 100°6E 110 E9
Maqên Gangri China 34°55N 99°18E 110 E8
Maqiaohe China 44°40N 130°30E 115 B16
Maqnā Si. Arabia 28°25N 34°50E 128 D2
Maqteïr Mauritania 21°50N 11°40W 134 D3
Maqu China 33°52N 101°42E 110 E9
Maquan He = Brahmaputra → Asia 23°40N 90°35E 125 H13
Maqueda Spain 40°4N 4°22W 88 E6
Maquela do Zombo Angola 6°0S 15°15E 140 F3
Maquinchao Argentina 41°15S 68°50W 192 B3
Maquoketa U.S.A. 42°4N 90°40W 172 D8
Mar Canada 44°49N 81°12W 174 B3
Mar, Serra do Brazil 25°30S 49°0W 191 B6
Mar Chiquita, L. Argentina 30°40S 62°50W 190 C3
Mar del Plata Argentina 38°0S 57°30W 190 D4
Mar Menor Spain 37°40N 0°45W 91 H4
Mara Tanzania 1°30S 34°32E 142 C3
Mara □ Tanzania 1°45S 34°20E 142 C3
Maraã Brazil 1°52S 65°25W 186 D5
Maraa Tahiti 17°46S 149°34W 155 b
Marabá Brazil 5°20S 49°5W 187 E9
Maraboon, L. Australia 23°41S 148°0E 150 C4
Maracá, I. de Brazil 2°10N 50°30W 187 C8
Maracaibo Venezuela 10°40N 71°37W 186 A4
Maracaibo, L. de Venezuela 9°40N 71°30W 186 B4
Maracaju Brazil 21°38S 55°9W 191 A4
Maracanaú Brazil 3°52S 38°38W 189 A3
Maracás Brazil 13°26S 40°18W 189 C2
Maracas Bay Village Trin. & Tob. 10°46N 61°28W 187 K15
Maracay Venezuela 10°15N 67°28W 186 A5
Maracena Spain 37°12N 3°38W 89 H7
Maradi Niger 13°29N 7°20E 139 C6
Maradi □ Niger 14°15N 7°15E 139 C6
Marāgheh Iran 37°30N 46°12E 105 D12
Maragogipe Brazil 12°46S 38°55W 189 C3
Marāh Si. Arabia 25°0N 45°35E 128 E5
Marahoué △ Ivory C. 8°0N 7°8W 138 D3
Marais du Cotentin et du Bessin ⌂ France 49°10N 1°30W 70 C5
Marais Poitevin, Val de Sèvre et Vendée ⌂ France 46°18N 0°35W 72 B3
Marajo, I. de Brazil 1°0S 49°30W 187 D9
Marākand Iran 38°51N 45°16E 128 B5
Marakele △ S. Africa 24°30S 25°30E 145 B4
Maralal Kenya 1°0N 36°38E 142 B4
Maralinga Australia 30°13S 131°32E 149 F5
Maralinga Tjarutja ◎ Australia 29°30S 131°0E 149 E5
Marama Australia 35°10S 140°10E 152 C4
Maramaraereğlisi Turkey 40°57N 27°57E 97 F11
Marambio Antarctica 64°0S 56°0W 55 C18
Maramureş □ Romania 47°45N 24°0E 81 C9
Maran Malaysia 3°35N 102°45E 121 L4
Marana U.S.A. 32°27N 111°13W 169 K8
Maranboy Australia 14°40S 132°39E 148 B5
Maranchón Spain 41°6N 2°15W 90 D2
Marand Iran 38°30N 45°45E 105 C11
Maranello Italy 44°32N 10°52E 92 D7
Marang Malaysia 5°12N 103°13E 121 K4
Maranguape Brazil 3°55S 38°50W 189 A3
Maranhão = São Luís Brazil 2°39S 44°15W 189 A2
Maranhão □ Brazil 5°0S 46°0W 189 B1
Marano, L. di Italy 45°44N 13°10E 93 C10
Maranoa → Australia 27°50S 148°37E 151 D4
Marañón → Peru 4°30S 73°35W 188 A3
Marão Mozam. 24°18S 34°2E 145 B5
Marari Brazil 5°43S 67°47W 188 B4
Maraş = Kahramanmaraş Turkey 37°37N 36°53E 104 D7
Mărăşeşti Romania 45°52N 27°14E 81 E12
Maratea Italy 39°59N 15°43E 95 C8
Marateca Portugal 38°34N 8°40W 89 G2
Marathasa Cyprus 34°59N 32°51E 101 E11
Marathokambos Greece 37°43N 26°42E 99 D8
Marathon Australia 20°51S 143°32E 150 C3
Marathon Canada 48°44N 86°23W 164 C2
Marathon Fla., U.S.A. 24°43N 81°5W 179 L8
Marathon N.Y., U.S.A. 42°27N 76°2W 175 D8
Marathon Tex., U.S.A. 30°12N 103°15W 176 F3
Marathonas Greece 38°11N 23°58E 98 C5
Marathóvounos Cyprus 35°13N 33°37E 101 D12
Maratua Indonesia 2°10N 118°35E 119 D5
Maraú Brazil 14°6S 39°0W 189 C3
Maraval Trin. & Tob. 10°42N 61°31W 187 K15
Maravatío Mexico 19°54N 100°27W 180 D4
Marāwih U.A.E. 24°18N 53°18E 129 E7
Marazliyivka Ukraine 46°8N 30°3E 81 D15
Marbella Spain 36°30N 4°57W 89 J6
Marble Bar Australia 21°9S 119°44E 148 D2
Marblehead Mass., U.S.A. 42°29N 70°51W 175 D14
Marblehead Ohio, U.S.A. 41°32N 82°44W 174 E2
Marburg Germany 50°47N 8°46E 76 E4
Marca, Pta. do Angola 16°31S 11°43E 141 H2
Marcal → Hungary 47°41N 17°40E 80 C2
Marcali Hungary 46°35N 17°25E 80 D2
Marcapata Peru 13°31S 70°52W 188 C3
Marcaria Italy 45°7N 10°32E 92 C7
Mărcăuţi Moldova 48°20N 27°14E 81 B12
March U.K. 52°33N 0°5E 67 E8
Marchand = Rommani Morocco 33°31N 6°40W 136 B2
Marche France 46°5N 1°20E 72 B5
Marche □ Italy 43°30N 13°15E 93 E10
Marche-en-Famenne Belgium 50°14N 5°19E 69 D5
Marchena Spain 37°18N 5°23W 89 H5
Marches = Marche □ Italy 43°30N 13°15E 93 E10
Marchesale ⌂ Italy 38°32N 16°13E 95 D9
Marciana Marina Italy 42°48N 10°12E 92 F7
Marcianise Italy 41°2N 14°17E 95 A7
Marcigny France 46°17N 4°2E 71 F11
Marcillat-en-Combraille France 46°12N 2°38E 71 F9
Marck France 50°57N 1°57E 71 B8
Marckolsheim France 48°10N 7°30E 71 D14
Marco Island U.S.A. 25°58N 81°44W 179 K8
Marcona Peru 15°10S 75°0W 188 D3
Marcos Juárez Argentina 32°42S 62°5W 190 C3
Mărculeşti Moldova 47°52N 28°14E 81 C13
Marcus Baker, Mt. U.S.A. 61°26N 147°45W 166 C10
Marcus I. = Minami-Tori-Shima Pac. Oc. 24°20N 153°58E 156 E7
Marcy, Mt. U.S.A. 44°7N 73°56W 175 B11
Mardan Pakistan 34°20N 72°0E 124 B5
Mardarivka Ukraine 47°32N 29°44E 81 C14
Mardie Australia 21°12S 115°59E 148 D2
Mardin Turkey 37°20N 40°43E 105 D9
Mårdsjö Sweden 63°18N 15°35E 62 A9
Mare e Brăila, I. Romania 45°0N 28°5E 81 F13
Marécchia → Italy 44°4N 12°34E 93 D9
Marechal Deodoro Brazil 9°43S 35°54W 189 B3
Maree, L. U.K. 57°40N 5°26W 65 D3
Mareeba Australia 16°59S 145°28E 150 B4
Mareetsane S. Africa 26°9S 25°25E 144 C4
Maremma Italy 42°30N 11°30E 93 F8
Maremma ⌂ Italy 42°35N 11°8E 92 F8
Maréna Kayes, Mali 14°36N 10°45W 138 C2
Maréna Koulikouro, Mali 13°55N 7°20W 138 C3
Marengo U.S.A. 41°48N 92°4W 172 E7

Marennes France 45°49N 1°7W 72 C2
Marettimo Italy 37°58N 12°4E 94 E5
Mareuil France 45°26N 0°29E 72 C4
Marfa U.S.A. 30°19N 104°1W 176 F2
Marfa Pt. Malta 35°59N 14°19E 101 D1
Marganets = Marhanets Ukraine 47°40N 34°40E 85 J8
Margao = Madgaon India 15°12N 73°58E 127 G1
Margaret → Australia 18°9S 125°41E 148 C4
Margaret Bay Canada 51°20N 127°35W 162 C3
Margaret L. Canada 58°56N 115°25W 162 B5
Margaret River Australia 33°57S 115°4E 149 F2
Margarita, I. de Venezuela 11°0N 64°0W 186 A6
Margariti Greece 39°22N 20°26E 98 B2
Margaritovo Russia 43°25N 134°45E 112 C7
Margate S. Africa 30°50S 30°20E 145 D5
Margate U.K. 51°23N 1°23E 67 F9
Margate U.S.A. 26°15N 80°12W 179 J9
Margeride, Mts. de la France 44°43N 3°38E 72 D7
Margherita di Savóia Italy 41°22N 16°9E 95 A9
Margherita Pk. Uganda 0°22N 29°51E 142 B3
Marghita Romania 47°22N 22°22E 80 C7
Marg'ilon Uzbekistan 40°27N 71°42E 109 D8
Margonin Poland 52°58N 17°5E 83 F4
Märgow, Dasht-e Afghan. 30°40N 62°30E 122 D3
Marguerite Canada 52°30N 122°25W 162 C4
Marhanets Ukraine 47°40N 34°40E 85 J8
Marhoum Algeria 34°27N 0°11W 136 B3
Mari El □ Russia 56°30N 48°0E 86 B8
Mari Indus Pakistan 32°57N 71°34E 124 C4
Mari Republic = Mari El □ Russia 56°30N 48°0E 86 B8
María, Sa. de Spain 37°39N 2°14W 91 H2
María de la Salut Spain 39°40N 3°5E 100 B10
María Elena Chile 22°18S 69°40W 190 A2
María Grande Argentina 31°45S 59°55W 190 C4
Maria I. N. Terr., Australia 14°52S 135°45E 150 A2
Maria I. Tas., Australia 42°35S 148°0E 151 G4
Maria Island △ Australia 42°38S 148°5E 151 G4
Maria van Diemen, C. N.Z. 34°29S 172°40E 154 A1
Mariager Denmark 56°40N 9°59E 63 H3
Mariager Fjord Denmark 56°42N 10°19E 63 H4
Mariakani Kenya 3°50S 39°27E 142 C4
Mariala △ Australia 25°57S 145°2E 151 D4
Marian Australia 21°9S 148°57E 150 b
Marian L. Canada 63°0N 116°15W 162 A5
Mariana Trench Pac. Oc. 13°0N 145°0E 156 F6
Marianna Ark., U.S.A. 34°46N 90°46W 177 D9
Marianna Fla., U.S.A. 30°46N 85°14W 178 E4
Mariannelund Sweden 57°37N 15°35E 63 G9
Mariánské Lázně Czech Rep. 49°58N 12°41E 78 B5
Marias → U.S.A. 47°56N 110°30W 168 C8
Marías, Is. Mexico 21°25N 106°28W 180 C3
Mariato, Punta Panama 7°12N 80°52W 182 E3
Mariazell Austria 47°47N 15°19E 78 D8
Maribo Denmark 54°48N 11°30E 63 K5
Maribor Slovenia 46°36N 15°40E 93 B12
Marico → Africa 23°35S 26°57E 144 B4
Maricopa Ariz., U.S.A. 33°4N 112°3W 169 K7
Maricopa Calif., U.S.A. 35°4N 119°24W 171 K7
Marié → Brazil 0°27S 66°26W 186 D5
Marie Byrd Land Antarctica 79°30S 125°0W 55 D14
Marie-Galante Guadeloupe 15°56N 61°16W 182 b
Mariecourt = Kangiqsujuaq Canada 61°30N 72°0W 161 E17
Mariefred Sweden 59°15N 17°12E 62 E11
Mariehamn Finland 60°5N 19°55E 61 F18
Marieholm Sweden 55°53N 13°10E 63 J7
Mariembourg Belgium 50°6N 4°31E 69 D4
Marienbad = Mariánské Lázně Czech Rep. 49°58N 12°41E 78 B5
Marienberg Germany 50°39N 13°9E 76 E9
Mariental Namibia 24°36S 18°0E 144 B2
Marienville U.S.A. 41°28N 79°8W 174 E5
Mariestad Sweden 58°43N 13°50E 63 F7
Marietta Ga., U.S.A. 33°57N 84°33W 178 B5
Marietta Ohio, U.S.A. 39°25N 81°27W 173 F13
Marieville Canada 45°26N 73°10W 175 A11
Mariga → Nigeria 9°40N 5°55E 139 C6
Marignane France 43°25N 5°13E 73 E9
Mariinsk Russia 56°10N 87°20E 106 D9
Mariinskiy Posad Russia 56°10N 47°45E 86 B8
Marijampolė Lithuania 54°33N 23°19E 82 D10
Marijampolė □ Lithuania 54°34N 23°21E 82 D10
Marília Brazil 22°13S 50°0W 191 A6
Marín Spain 42°23N 8°42W 88 C2
Marina U.S.A. 36°41N 121°48W 170 J5
Marinduque Phil. 13°25N 122°0E 119 B6
Marine City U.S.A. 42°43N 82°30W 174 D2
Marineland U.S.A. 29°40N 81°13W 178 F8
Marineo Italy 37°57N 13°25E 94 E6
Marinette U.S.A. 45°6N 87°38W 172 C10
Maringá Brazil 23°26S 52°2W 191 A5
Marinha Grande Portugal 39°45N 8°56W 88 F2
Marinho dos Abrolhos △ Brazil 17°50S 39°0W 189 D3
Marino Italy 41°46N 12°39E 93 G9
Marino di Campo Italy 42°46N 10°11E 92 F7
Marion Ala., U.S.A. 32°38N 87°19W 177 E11
Marion Ark., U.S.A. 35°13N 90°12W 172 H8
Marion Ill., U.S.A. 37°44N 88°56W 172 G9
Marion Ind., U.S.A. 40°32N 85°40W 173 E11
Marion Iowa, U.S.A. 42°2N 91°36W 172 D8
Marion Kans., U.S.A. 38°21N 97°1W 172 F5
Marion N.C., U.S.A. 35°41N 82°1W 177 D13
Marion Ohio, U.S.A. 40°35N 83°8W 173 E12
Marion S.C., U.S.A. 34°11N 79°24W 177 D15
Marion Va., U.S.A. 36°50N 81°31W 173 G13
Marion, L. U.S.A. 33°28N 80°10W 178 B9
Marion Bay Australia 35°12S 136°59E 152 C2
Marion I. Ind. Oc. 47°0S 38°0E 146 J2
Mariposa U.S.A. 37°29N 119°58W 170 H7
Mariscal Estigarribia Paraguay 22°3S 60°40W 190 A3
Maritime Alps = Maritimes, Alpes Europe 44°10N 7°10E 73 D11
Maritimes, Alpes Europe 44°10N 7°10E 73 D11
Maritsa = Evros → Greece 41°40N 26°34E 97 F10
Maritsa Greece 36°22N 28°8E 101 C10
Mariupol Ukraine 47°5N 37°31E 85 J9
Mariusa △ Venezuela 9°24N 61°27W 183 E7
Marīvān Iran 35°30N 46°25E 105 E12
Mariy Chodra △ Russia 56°10N 48°30E 86 B9
Marj 'Uyūn Lebanon 33°21N 35°34E 130 B4
Marka Si. Arabia 18°14N 41°19E 137 D5
Marka Somalia 1°48N 44°50E 131 G3
Markam China 29°42N 98°38E 116 C2
Markapur India 15°44N 79°19E 127 G4
Markaryd Sweden 56°28N 13°35E 63 H7
Markazī □ Iran 34°0N 49°30E 129 C6
Markdale Canada 44°19N 80°39W 174 B4
Marked Tree U.S.A. 35°32N 90°25W 177 D9
Markelsdorfer Huk Germany 54°33N 11°4E 76 A7
Market Drayton U.K. 52°54N 2°29W 66 E5
Market Harborough U.K. 52°29N 0°55W 67 E7
Market Rasen U.K. 53°24N 0°20W 66 D7
Markham Canada 43°52N 79°16W 174 C5
Markham, Mt. Antarctica 83°0S 164°0E 55 E11
Marki Poland 52°19N 21°6E 83 F8
Märkische Schweiz ⌂ Germany 52°34N 14°2E 76 C10
Markit China 38°54N 77°40E 109 E9
Markkleeberg Germany 51°16N 12°23E 76 D8
Markleeville U.S.A. 38°42N 119°47W 170 G7
Markopoulo Greece 37°53N 23°57E 98 D5
Markovac Serbia 44°14N 21°7E 96 B5
Markovo Russia 64°40N 170°24E 107 C17
Markoye Burkina Faso 14°39N 0°2E 139 C5
Marks Russia 51°45N 46°50E 86 E8
Marksville U.S.A. 31°8N 92°4W 176 F8
Markt Schwaben Germany 48°11N 11°52E 77 G7
Marktoberdorf Germany 47°45N 10°37E 77 H6
Marktredwitz Germany 50°1N 12°6E 77 E8
Marl Germany 51°39N 7°4E 76 D3
Marla Australia 27°19S 133°33E 151 D1
Marlbank Canada 44°26N 77°6W 174 B7
Marlboro U.S.A. 41°36N 73°59W 175 E11
Marlborough Australia 22°46S 149°52E 150 C4
Marlborough U.K. 51°25N 1°43W 67 F6
Marlborough U.S.A. 42°21N 71°33W 175 D13
Marlborough □ N.Z. 41°40S 173°50E 155 B8
Marlborough Downs U.K. 51°27N 1°53W 67 F6
Marle France 49°43N 3°47E 71 C10
Marlin U.S.A. 31°18N 96°54W 176 F6
Marlow Germany 54°9N 12°33E 76 A8
Marlow U.K. 51°34N 0°46W 67 F7
Marlow U.S.A. 34°39N 97°58W 176 D6
Marmagao India 15°25N 73°56E 127 G1
Marmande France 44°30N 0°10E 72 D4
Marmara Turkey 40°35N 27°34E 97 F11
Marmara, Sea of = Marmara Denizi Turkey 40°45N 28°15E 97 F12
Marmara Denizi Turkey 40°45N 28°15E 97 F12
Marmara Gölü Turkey 38°37N 28°2E 99 C10
Marmaris Turkey 36°50N 28°14E 99 E10
Marmaris Limanı Turkey 36°50N 28°19E 99 E10
Marmion, Mt. Australia 29°16S 119°50E 149 E2
Marmion L. Canada 48°55N 91°20W 164 C1
Marmolada, Mte. Italy 46°26N 11°51E 93 B8
Marmolejo Spain 38°3N 4°13W 89 G6
Marmora Canada 44°28N 77°41W 174 B7
Mármora, La Italy 39°59N 9°20E 94 C2
Marnay France 47°16N 5°48E 71 E12
Marne Germany 53°56N 9°2E 76 B5
Marne □ France 48°50N 4°10E 71 D11
Marne → France 48°47N 2°29E 71 D9
Marneuli Georgia 41°30N 44°48E 87 K7
Marnoo Australia 36°40S 142°52E 152 D5
Maro Reef U.S.A. 25°25N 170°35W 167 K5
Maroantsetra Madag. 15°26S 49°44E 141 H9
Maroelaboom Namibia 19°15S 18°53E 144 A2
Marondera Zimbabwe 18°5S 31°42E 143 F3
Maroni → Fr. Guiana 5°30N 54°0W 187 B8
Maronia Greece 40°53N 25°30E 97 F9
Maronne → France 45°5N 1°56E 72 C5
Maroochydore Australia 26°29S 153°5E 151 D5
Maroona Australia 37°27S 142°54E 152 D5
Maros → Hungary 46°15N 20°13E 80 D5
Maróstica Italy 45°44N 11°40E 93 C8
Maroua Cameroon 10°40N 14°20E 139 C7
Marovoay Madag. 16°6S 46°39E 141 H9
Marqakōl Kazakhstan 48°45N 85°45E 109 C11
Marquard S. Africa 28°40S 27°28E 144 C4
Marquesas Fracture Zone Pac. Oc. 9°0S 125°0W 157 H15
Marquesas Is. = Marquises, Îs. French Polynesia 9°30S 140°0W 157 H14
Marquesas Keys U.S.A. 24°35N 82°10W 179 L7
Marquette U.S.A. 46°33N 87°24W 172 B10
Marquis St. Lucia 14°2N 60°54W 183 f
Marquise France 50°50N 1°40E 71 B8
Marquises, Îs. French Polynesia 9°30S 140°0W 157 H14
Marra, Djebel Sudan 13°10N 24°22E 135 F10
Marra Cr. → Australia 30°8S 147°15E 153 A7
Marra-Marra △ Australia 33°30S 151°4E 153 B9
Marracuene Mozam. 25°45S 32°35E 145 C5
Marradi Italy 44°4N 11°37E 93 D8
Marrakech Morocco 31°9N 8°0W 136 B2
Marratxí Spain 39°39N 2°48E 90 F7
Marrawah Australia 40°55S 144°42E 151 G3
Marrecas, Serra das Brazil 9°0S 41°0W 189 B2
Marree Australia 29°39S 138°1E 151 D2
Marrero U.S.A. 29°53N 90°6W 177 G9
Marrimane Mozam. 22°58S 33°34E 145 B5
Marromeu Mozam. 18°15S 36°25E 145 A6
Marromeu ⌂ Mozam. 19°0S 36°0E 145 A6
Marroquí, Punta Spain 36°0N 5°37W 89 K5
Marrowie Cr. → Australia 33°23S 145°40E 153 B6
Marrubane Mozam. 18°0S 37°0E 143 F4
Marrúbiu Italy 39°40N 8°35E 94 C1
Marrupa Mozam. 13°8S 37°30E 143 E4
Mars Hill U.S.A. 46°31N 67°52W 173 B20
Marsá 'Alam Egypt 25°5N 34°54E 137 B3
Marsá Matrûh Egypt 31°19N 27°9E 137 A2
Marsa Sha'b Sudan 22°52N 35°47E 137 C4
Marsabit Kenya 2°18N 38°0E 142 B4
Marsabit □ Kenya 3°0N 37°30E 142 B4
Marsabit △ Kenya 2°23N 37°56E 142 B4
Marsala Italy 37°48N 12°26E 94 E5
Marsalforn Malta 36°4N 14°16E 101 C1
Marşani Romania 44°1N 24°1E 81 F9
Marsberg Germany 51°28N 8°52E 76 D4
Marsciano Italy 42°54N 12°20E 93 F9
Marsden Australia 33°47S 147°32E 153 B7
Marsden Point N.Z. 35°50S 174°31E 154 B3
Marseillan France 43°23N 3°31E 72 E7
Marseille France 43°18N 5°23E 73 E9
Marseille-Marignane ✕ (MRS) France 43°26N 5°14E 73 E9
Marseilles = Marseille France 43°18N 5°23E 73 E9
Marsh I. U.S.A. 29°34N 91°53W 176 G9
Marshall Liberia 6°8N 10°22W 138 D2
Marshall Ark., U.S.A. 35°55N 92°38W 176 D8
Marshall Mich., U.S.A. 42°16N 84°58W 173 D11
Marshall Minn., U.S.A. 44°27N 95°47W 172 C6
Marshall Mo., U.S.A. 39°7N 93°12W 172 F7
Marshall Tex., U.S.A. 32°33N 94°23W 176 E7
Marshall → Australia 22°59S 136°59E 150 C2
Marshall Is. ■ Pac. Oc. 9°0N 171°0E 156 G9
Marshalltown U.S.A. 42°3N 92°55W 172 D7
Marshallville U.S.A. 32°27N 83°56W 178 C6
Marshbrook Zimbabwe 18°33S 31°9E 145 A5
Marshfield Mo., U.S.A. 37°15N 92°54W 172 G7
Marshfield Vt., U.S.A. 44°20N 72°20W 175 B12
Marshfield Wis., U.S.A. 44°40N 90°10W 172 C8
Marshūn Iran 36°19N 49°23E 129 B6
Mársico Nuovo Italy 40°25N 15°44E 95 B8
Märsta Sweden 59°37N 17°52E 62 E11
Marstal Denmark 54°51N 10°30E 63 K4
Marstrand Sweden 57°53N 11°35E 63 G5
Mart U.S.A. 31°33N 96°50W 176 F6
Marta → Italy 42°14N 11°42E 93 F8
Martaban Burma 16°30N 97°35E 123 L20
Martaban, G. of = Mottama, G. of Burma 16°5N 96°30E 123 L20
Martano Italy 40°12N 18°18E 95 B11
Martapura Kalimantan Selatan, Indonesia 3°22S 114°47E 118 E4
Martapura Sumatera Selatan, Indonesia 4°19S 104°22E 118 E2
Marte Nigeria 12°23N 13°46E 139 C7
Marte R. Gômez, Presa Mexico 26°10N 99°0W 181 B5
Martel France 44°57N 1°37E 72 D5
Martelange Belgium 49°49N 5°43E 69 E5
Martellago Italy 45°33N 12°9E 93 C9
Martés, Sierra Spain 39°20N 1°0W 91 F4
Martfű Hungary 47°1N 20°17E 80 C5
Marthaguy Cr. → Australia 30°16S 147°35E 153 A7
Marthapal India 19°24N 81°37E 126 E5
Martha's Vineyard U.S.A. 41°25N 70°38W 175 E14
Martigné-Ferchaud France 47°50N 1°20W 70 E5
Martigny Switz. 46°6N 7°3E 77 J3
Martigues France 43°24N 5°4E 73 E9
Martil Morocco 35°36N 5°15W 136 A2
Martin Slovak Rep. 49°6N 18°58E 79 B11
Martin S. Dak., U.S.A. 43°11N 101°44W 172 D3
Martin Tenn., U.S.A. 36°21N 88°51W 177 C10
Martín → Spain 41°18N 0°19W 90 D4
Martin L. U.S.A. 32°41N 85°55W 178 C4
Martin Vaz Atl. Oc. 20°30S 28°51W 56 J9
Martina Franca Italy 40°42N 17°20E 95 B10
Martinborough N.Z. 41°14S 175°29E 154 H4
Martinez Calif., U.S.A. 38°1N 122°8W 170 G4
Martinez Ga., U.S.A. 33°31N 82°5W 178 B7
Martinho Campos Brazil 19°20S 45°13W 189 D1
Martinique ☒ W. Indies 14°40N 61°0W 182 c
Martinique Passage W. Indies 15°15N 61°0W 183 C7
Martino Greece 38°35N 23°12E 98 C5
Martinópolis Brazil 22°11S 51°12W 191 A5
Martins Bay Barbados 13°12N 59°29W 183 g
Martins Ferry U.S.A. 40°6N 80°44W 174 F4
Martinsberg Austria 48°22N 15°9E 78 C8
Martinsburg Pa., U.S.A. 40°19N 78°20W 174 F6
Martinsburg W. Va., U.S.A. 39°27N 77°58W 173 F15
Martinsicuro Italy 42°54N 13°54E 93 F10
Martinsville Ind., U.S.A. 39°26N 86°25W 172 F10
Martinsville Va., U.S.A. 36°41N 79°52W 173 G14
Marton N.Z. 40°4S 175°23E 154 G4
Martorell Spain 41°28N 1°56E 90 D6
Martos Spain 37°44N 3°58W 89 H7
Martu ✪ Australia 22°30S 122°30E 148 D3
Martuni Armenia 40°8N 45°20E 87 K7
Maru Nigeria 12°22N 6°22E 139 C6
Marudi Malaysia 4°11N 114°19E 118 D4
Maruf Afghan. 31°30N 67°6E 122 D5
Marugame Japan 34°15N 133°40E 113 G6
Maruia → N.Z. 41°47S 172°13E 155 B7
Maruim Brazil 10°45S 37°5W 189 C3
Marulan Australia 34°43S 150°3E 153 C9
Marunga Angola 17°28S 20°2E 144 A3
Marungu, Mts. Dem. Rep. of the Congo 7°30S 30°0E 142 D3
Maruwa ✪ Australia 22°30S 127°30E 148 D4
Marv Dasht Iran 29°50N 52°40E 129 D7
Marvão Portugal 39°24N 7°20W 89 F3
Marvast Iran 30°30N 54°15E 129 D7
Marvejols France 44°33N 3°19E 72 D7
Marvel Loch Australia 31°28S 119°29E 149 F2
Marwar India 25°43N 73°45E 124 G5
Mary Turkmenistan 37°40N 61°50E 129 B9
Mary Esther U.S.A. 30°25N 86°40W 179 E3
Maryborough = Portlaoise Ireland 53°2N 7°18W 64 C4
Maryborough Queens., Australia 25°31S 152°37E 151 D5
Maryborough Vic., Australia 37°3S 143°44E 152 D5
Maryfield Canada 49°50N 101°35W 163 D8
Maryland □ U.S.A. 39°0N 76°30W 173 F15
Maryland Junction Zimbabwe 17°45S 30°31E 143 F3
Maryport U.K. 54°44N 3°28W 66 C4
Mary's Harbour Canada 52°18N 55°51W 165 B8
Marystown Canada 47°10N 55°10W 165 C8
Marysville Calif., U.S.A. 39°9N 121°35W 170 F5
Marysville Kans., U.S.A. 39°51N 96°39W 172 F5
Marysville Mich., U.S.A. 42°54N 82°29W 174 D2
Marysville Ohio, U.S.A. 40°14N 83°22W 173 E12
Marysville Wash., U.S.A. 48°3N 122°11W 170 B4
Maryville Mo., U.S.A. 40°21N 94°52W 172 E6
Maryville Tenn., U.S.A. 35°46N 83°58W 177 D13
Masada Israel 31°18N 35°21E 130 D4
Masahunga Tanzania 2°6S 33°18E 142 C3
Masai Malaysia 1°29N 103°55E 121 d
Masai Mara △ Kenya 1°25S 35°5E 142 C4
Masai Steppe Tanzania 4°30S 36°30E 142 C4
Masaka Uganda 0°21S 31°45E 142 C3
Māsāl Iran 37°23N 49°8E 105 D12
Masalembo, Kepulauan Indonesia 5°35S 114°30E 118 F4
Masalima, Kepulauan Indonesia 5°4S 117°5E 118 F5
Masallı Azerbaijan 39°3N 48°40E 105 C13
Masamba Indonesia 2°30S 120°15E 119 E6
Masan S. Korea 35°11N 128°32E 115 G15
Masandam, Ra's Oman 26°30N 56°30E 129 E8
Masasi Tanzania 10°45S 38°52E 143 E4
Masaya Nic. 12°0N 86°7W 182 D2
Masba Nigeria 11°35N 13°1E 139 C7
Masbate Phil. 12°21N 123°36E 119 B6
Máscali Italy 37°45N 15°12E 95 E8
Mascara Algeria 35°26N 0°6E 136 A4
Mascara □ Algeria 35°25N 0°10E 136 A4
Mascarene Is. Ind. Oc. 22°0S 55°0E 132 J9
Mascota Mexico 20°32N 104°49W 180 C4
Masdar City = Madīnat Masdar U.A.E. 24°26N 54°37E 129 E7
Masela Indonesia 8°9S 129°51E 119 F7
Maseru Lesotho 29°18S 27°30E 144 C4
Mashaba Zimbabwe 20°2S 30°29E 143 G3
Mashābih Si. Arabia 25°35N 36°30E 128 E3
Mashan China 23°40N 108°11E 116 F7
Mashang China 36°48N 117°57E 115 F9
Mashatu ⌂ Botswana 22°45S 29°5E 145 B4
Mashegu Nigeria 10°0N 5°35E 139 D6
Masherbrum Pakistan 35°38N 76°18E 125 B7
Mashhad Iran 36°20N 59°35E 129 B8
Mashi Nigeria 13°0N 7°54E 139 C6
Mashīz Iran 29°56N 56°37E 129 D8
Māshkel, Hāmūn-i- Pakistan 28°20N 62°56E 129 D9
Mashki Chāh Pakistan 29°5N 62°30E 122 E3
Mashonaland Zimbabwe 16°30S 31°0E 141 H6
Mashonaland Central □ Zimbabwe 17°30S 31°0E 145 A5
Mashonaland East □ Zimbabwe 18°0S 32°0E 145 A5
Mashonaland West □ Zimbabwe 17°30S 29°30E 145 A4
Mashrakh India 26°7N 84°48E 125 F11
Masi Manimba Dem. Rep. of the Congo 4°40S 17°54E 140 E3
Masig Australia 9°45S 143°24E 150 a
Masindi Uganda 1°40N 31°43E 142 B3
Masindi Port Uganda 1°43N 32°2E 142 B3
Masinga Res. Kenya 0°58S 37°38E 142 C4
Maşīrah, Jazīrat Oman 21°0N 58°50E 131 C6
Maşīrah, Khalīj Oman 20°10N 58°10E 131 C6
Masisea Peru 8°35S 74°22W 188 B3
Masisi Dem. Rep. of the Congo 1°23S 28°49E 142 C2
Masjed Soleyman Iran 31°55N 49°18E 129 D6
Mask, L. Ireland 53°36N 9°22W 64 C2
Maski India 15°56N 76°46E 127 G3
Maskin Oman 23°44N 56°52E 129 F8
Maslen Nos Bulgaria 42°18N 27°48E 97 D11
Maslinica Croatia 43°24N 16°13E 93 E13
Masnou = El Masnou Spain 41°28N 2°20E 90 D7
Masoala, Tanjon' i Madag. 15°59S 50°13E 141 H10
Masohi = Amahai Indonesia 3°20S 128°55E 119 E7
Mason Nev., U.S.A. 38°56N 119°8W 170 G7
Mason Tex., U.S.A. 30°45N 99°14W 176 F5
Mason B. N.Z. 46°55S 167°45E 155 G2
Mason City U.S.A. 43°9N 93°12W 172 D7
Maspalomas Canary Is. 27°46N 15°35W 100 G4
Maspalomas, Pta. Canary Is. 27°43N 15°36W 100 G4
Masqat Oman 23°37N 58°36E 131 C6
Masr el Gedida Egypt 30°5N 31°21E 137 E7
Massa Italy 44°1N 10°9E 92 D7
Massa, O. → Morocco 30°2N 9°40W 136 B2
Massa e Carrara □ Italy 44°10N 10°10E 92 D7
Massa Maríttima Italy 43°3N 10°52E 92 E7
Massachusetts □ U.S.A. 42°30N 72°0W 175 D13
Massachusetts B. U.S.A. 42°25N 70°50W 175 D14
Massafra Italy 40°35N 17°7E 95 B10
Massakory Chad 13°0N 15°49E 135 F9
Massamba Mozam. 15°58S 33°31E 143 F3
Massanella Spain 39°48N 2°51E 100 B9
Massangena Mozam. 21°34S 33°0E 145 B5
Massango Angola 8°2S 16°21E 140 F3
Massapê Brazil 3°31S 40°19W 189 A2
Massat France 42°53N 1°21E 72 F5
Massawa = Mitsiwa Eritrea 15°35N 39°25E 131 D2
Massena U.S.A. 44°56N 74°54W 175 B10
Massenya Chad 11°21N 16°9E 135 F9
Masset Canada 54°2N 132°10W 162 C2
Masseube France 43°25N 0°34E 72 E4
Massiac France 45°15N 3°11E 72 C7
Massiah Street Barbados 13°9N 59°29W 183 g
Massif Central France 44°55N 3°0E 72 D7
Massif des Bauges ⌂ France 45°40N 6°10E 71 G13
Massigui Mali 11°48N 6°50W 138 C3
Massillon U.S.A. 40°48N 81°32W 174 F3
Massine, O. → Algeria 36°13N 2°12E 136 A4
Massinga Mozam. 23°15S 35°22E 145 B6
Massingir Mozam. 23°51S 32°4E 145 B5
Masson-Angers Canada 45°32N 75°25W 175 A9
Masson I. Antarctica 66°10S 93°20E 55 C7
Maştağa Azerbaijan 40°35N 50°1E 87 K10
Mastanli = Momchilgrad Bulgaria 41°33N 25°23E 97 E9
Masterton N.Z. 40°56S 175°39E 154 G4
Mastic U.S.A. 40°47N 72°54W 175 F12
Mastuj Pakistan 36°20N 72°36E 125 A5
Mastung Pakistan 29°50N 66°56E 122 E5
Mastūrah Si. Arabia 23°7N 38°52E 137 C4
Masty Belarus 53°27N 24°38E 75 B13
Masuda Japan 34°40N 131°51E 113 G5
Masuku = Franceville Gabon 1°40S 13°32E 140 E2
Masurian Lakes = Mazurski, Pojezierze Poland 53°50N 21°0E 82 E7
Masvingo Zimbabwe 20°8S 30°49E 143 G3
Masvingo □ Zimbabwe 21°0S 31°30E 143 G3
Maswa ⌂ Tanzania 2°58S 34°19E 142 C3
Maşyāf Syria 35°4N 36°20E 104 E7
Maszewo Poland 53°29N 15°3E 82 E2
Mat → Albania 41°40N 19°35E 96 E3
Mata-au = Clutha → N.Z. 46°20S 169°49E 155 G4
Mata de São João Brazil 12°31S 38°17W 189 C3
Matabeleland Zimbabwe 18°0S 27°0E 141 H5
Matabeleland North □ Zimbabwe 19°0S 28°0E 143 F2
Matabeleland South □ Zimbabwe 21°0S 29°0E 143 G2
Matachel → Spain 38°50N 6°17W 89 G4
Matachewan Canada 47°56N 80°39W 164 C3
Matadi Dem. Rep. of the Congo 5°52S 13°31E 140 F2
Matagalpa Nic. 13°0N 85°58W 182 D2
Matagami Canada 49°45N 77°34W 164 C4
Matagami, L. Canada 49°50N 77°40W 164 C4
Matagorda B. U.S.A. 28°40N 96°12W 176 G6
Matagorda I. U.S.A. 28°15N 96°30W 176 G6
Mataiea Tahiti 17°46S 149°25W 155 b
Matak Indonesia 3°18N 106°16E 118 D3
Matakana Australia 32°59S 145°54E 153 B6
Matakana N.Z. 36°21S 174°43E 154 C3
Matala Greece 34°59N 24°45E 101 E6
Matalaque Peru 16°26S 70°49W 188 D3
Matale Sri Lanka 7°30N 80°37E 127 L5
Matam Senegal 15°34N 13°17W 138 B2
Matam □ Senegal 15°37N 13°19W 138 B2
Matamata N.Z. 37°48S 175°47E 154 D4
Matameye Niger 13°26N 8°28E 139 C6
Matamoros Coahuila, Mexico 25°32N 103°15W 180 B4
Matamoros Tamaulipas, Mexico 25°53N 97°30W 181 B5
Ma'ţan as Sarra Libya 21°45N 22°0E 135 D10
Matandu → Tanzania 8°45S 34°19E 143 D3
Matane Canada 48°50N 67°33W 165 C6
Matang China 23°30N 104°7E 116 F5
Matankari Niger 13°46N 4°1E 139 C5
Matanomadh India 23°33N 68°57E 124 H3
Matanzas Cuba 23°0N 81°40W 182 B3
Matapa Botswana 23°11S 24°39E 144 B3
Matapan, C. = Tenaro, Akra Greece 36°22N 22°27E 98 E4
Matapédia Canada 48°0N 66°59W 165 C6
Matapo △ Zimbabwe 20°30S 29°40E 143 G2
Mataporquera Spain 42°52N 4°10W 88 C6
Matara Sri Lanka 5°58N 80°30E 127 M5
Mataram Indonesia 8°35S 116°7E 118 F5
Matarani Peru 17°0S 72°10W 188 D3
Mataranka Australia 14°55S 133°4E 148 B5
Matarma, Râs Egypt 30°27N 32°44E 130 E1
Mataró Spain 41°32N 2°29E 90 D7
Matarraña → Spain 41°14N 0°22E 90 D5
Mataruška Banja Serbia 43°40N 20°40E 96 C4
Matata N.Z. 37°54S 176°48E 154 D5
Matatiele S. Africa 30°20S 28°49E 145 D4
Matatila Dam India 25°0N 78°22E 126 B4
Mataura N.Z. 46°11S 168°51E 155 G3
Mataura → N.Z. 46°34S 168°44E 155 G3
Matavai, B. de Tahiti 17°30S 149°23W 155 b
Matehuala Mexico 23°39N 100°39W 180 C4
Mateke Hills Zimbabwe 21°48S 31°0E 143 G3
Matelot Trin. & Tob. 10°50N 61°7W 187 K15
Matera Italy 40°40N 16°36E 95 B9
Matese, Monti del Italy 41°27N 14°22E 95 A7
Matese ⌂ Italy 41°24N 14°23E 95 A7
Mátészalka Hungary 47°58N 22°20E 80 C7
Matetsi Zimbabwe 18°12S 26°0E 143 F2
Mateur Tunisia 37°0N 9°40E 136 A5
Matfors Sweden 62°21N 17°2E 62 B11
Matha France 45°52N 0°20W 72 C3
Matheniko ⌂ Uganda 2°49N 34°27E 142 B3
Mathis U.S.A. 28°6N 97°50W 176 G6
Mathoura Australia 35°50S 144°55E 153 C6
Mathraki Greece 39°48N 19°31E 101 A3
Mathura India 27°30N 77°40E 124 F7
Mati Phil. 6°55N 126°15E 119 C7
Matiakoali Burkina Faso 12°28N 1°2E 139 C5
Matiali India 26°56N 88°49E 125 F13
Matías Romero Mexico 16°53N 95°2W 181 D5
Matibane Mozam. 14°49S 40°45E 143 E5
Matiri Ra. N.Z. 41°38S 172°20E 155 B7
Matjiesfontein S. Africa 33°14S 20°35E 144 D3
Matla → India 21°40N 88°40E 125 J13
Matlamanyane Botswana 19°33S 25°57E 144 A4
Matli Pakistan 25°2N 68°39E 124 G3
Matlock U.K. 53°9N 1°33W 66 D6
Matmata Tunisia 33°37N 9°59E 136 B5
Mato Grosso □ Brazil 14°0S 55°0W 187 F8
Mato Grosso, Planalto do Brazil 15°0S 55°0W 187 G8
Mato Grosso do Sul □ Brazil 18°0S 55°0W 187 G8
Matobo = Matapo △ Zimbabwe 20°30S 29°40E 143 G2
Matochkin Shar, Proliv Russia 73°23N 55°12E 106 B6
Matola Mozam. 25°57S 32°27E 145 C5
Matopo Hills Zimbabwe 20°36S 28°20E 143 G2
Matopos Zimbabwe 20°20S 28°29E 143 G2
Matosinhos Portugal 41°11N 8°42W 88 D2
Matour France 46°19N 4°29E 71 F11
Matroosberg S. Africa 33°23S 19°40E 144 D2
Maţruḩ Oman 23°37N 58°30E 131 C6
Matsalu △ Estonia 58°45N 23°36E 84 C2
Matsena Nigeria 13°5N 10°5E 139 C7
Matsesta Russia 43°34N 39°51E 87 J4
Matsu Tao Taiwan 26°8N 119°56E 117 D12
Matsue Japan 35°25N 133°10E 113 G6
Matsum, Ko Thailand 9°22N 99°59E 121 b
Matsumae Japan 41°26N 140°7E 112 D10
Matsumae-Hantō Japan 41°30N 140°15E 112 D10
Matsumoto Japan 36°15N 138°0E 113 F9
Matsusaka Japan 34°34N 136°32E 113 G8
Matsushima Japan 38°20N 141°10E 112 E10
Matsuura Japan 33°20N 129°49E 113 H4
Matsuyama Japan 33°45N 132°45E 113 H6
Mattagami → Canada 50°43N 81°29W 164 B3
Mattancheri India 9°50N 76°15E 127 K3
Mattawa Canada 46°20N 78°45W 164 C4
Matterhorn Switz. 45°58N 7°39E 77 K3
Mattersburg Austria 47°44N 16°24E 79 D9
Matthew Town Bahamas 20°57N 73°40W 183 B5
Matthews Ridge Guyana 7°37N 60°10W 186 B6
Mattice Canada 49°40N 83°20W 164 C3
Mattili India 18°33N 82°12E 126 E6
Mattituck U.S.A. 40°59N 72°32W 175 F12
Mattō = Hakusan Japan 36°31N 136°34E 113 F8
Mattoon U.S.A. 39°29N 88°23W 172 F9
Matuba Mozam. 24°28S 32°49E 145 B5
Matucana Peru 11°55S 76°25W 188 C2
Matugama Sri Lanka 6°31N 80°7E 127 L5
Matuku Fiji 19°10S 179°44E 154 a
Matūn = Khowst Afghan. 33°22N 69°58E 124 C3
Matura B. Trin. & Tob. 10°39N 61°1W 187 K15
Maturín Venezuela 9°45N 63°11W 186 B6
Matusadona △ Zimbabwe 16°58S 28°42E 143 F2
Matveyev Kurgan Russia 47°35N 38°57E 85 J10
Matxitxako, C. Spain 43°28N 2°47W 90 B2
Mau Mad. P., India 26°17N 78°41E 125 F8
Mau Ut. P., India 25°56N 83°33E 125 G10
Mau Ut. P., India 25°17N 81°23E 125 G9
Mau Escarpment Kenya 0°40S 36°0E 142 C4
Mau Ranipur India 25°16N 79°8E 125 G8
Maua Kenya 0°14N 37°56E 142 C4
Maua Mozam. 13°53S 37°10E 143 E4
Maubeuge France 50°17N 3°57E 71 B10
Maubin Burma 16°44N 95°39E 123 L19
Maubourguet France 43°29N 0°1E 72 E4
Maud, Pt. Australia 23°6S 113°45E 148 D1
Maud Rise S. Ocean 66°0S 3°0E 55 C3
Maude Australia 34°29S 144°18E 152 C6
Maudin Sun Burma 16°0N 94°30E 123 M19
Maués Brazil 3°20S 57°45W 186 D7
Mauganj India 24°50N 81°55E 125 G9
Maughold Hd. I. of Man 54°18N 4°18W 66 C3
Mauguio France 43°37N 4°1E 72 E7
Maui U.S.A. 20°48N 156°20W 167 L8
Maulamyaing = Mawlamyine Burma 16°30N 97°40E 123 L20
Maule □ Chile 36°5S 72°30W 190 D1
Mauléon-Licharre France 43°14N 0°54W 72 E3
Maullín Chile 41°38S 73°37W 192 B2
Maumee U.S.A. 41°34N 83°39W 173 E12
Maumee → U.S.A. 41°42N 83°28W 173 E12
Maumere Indonesia 8°38S 122°13E 119 F6
Maumusson, Pertuis de France 45°48N 1°14W 72 C2
Maun Botswana 20°0S 23°26E 144 B3
Mauna Kea U.S.A. 19°50N 155°28W 167 M8
Mauna Loa U.S.A. 19°30N 155°35W 167 M8
Maunath Bhanjan = Mau India 25°56N 83°33E 125 G10
Maungaturoto N.Z. 36°6S 174°23E 154 C3
Maungmagan Kyunzu Burma 14°0N 97°48E 120 E1
Maungu Kenya 3°33S 38°45E 142 C4
Maupin U.S.A. 45°11N 121°5W 168 D3
Maure-de-Bretagne France 47°59N 1°58W 70 E5
Maurepas, L. U.S.A. 30°15N 90°30W 177 F9
Maures France 43°15N 6°15E 73 E10
Mauriac France 45°13N 2°19E 72 C6
Maurice, L. Australia 29°30S 131°0E 149 E5
Mauriceville N.Z. 40°45S 175°42E 154 G4
Mauricie △ Canada 46°45N 73°0W 164 C5
Maurienne France 45°13N 6°30E 73 C10
Mauritania ■ Africa 20°50N 10°0W 134 E3
Mauritius ■ Ind. Oc. 20°0S 57°0E 141 d
Mauron France 48°9N 2°18W 70 D4
Maurs France 44°43N 2°12E 72 D6
Mauston U.S.A. 43°48N 90°5W 172 D8
Mauterndorf Austria 47°9N 13°40E 78 D6
Mauthen Austria 46°40N 13°0E 78 E6
Mauvezin France 43°44N 0°53E 72 E4
Mauzé-sur-le-Mignon France 46°12N 0°41W 72 B3
Mavli India 24°45N 73°55E 124 G5
Mavoko = Athi River Kenya 1°28S 36°58E 142 C4
Mavrovë Albania 40°26N 19°32E 96 F3
Mavrovo △ Macedonia 41°36N 20°45E 96 E4
Mavuradonha Mts. Zimbabwe 16°30S 31°30E 143 F3
Mawa Dem. Rep. of the Congo 2°45N 26°40E 142 B2
Mawai India 22°30N 81°4E 125 H9
Mawana India 29°6N 77°58E 124 E7
Mawand Pakistan 29°33N 68°38E 124 E3
Mawat Iraq 35°54N 45°24E 105 E11
Mawjib, W. al → Jordan 31°28N 35°36E 130 D4
Mawkmai Burma 20°14N 97°37E 123 J20
Mawlaik Burma 23°40N 94°26E 123 H19
Mawlamyine Burma 16°30N 97°40E 123 L20
Mawqaq Si. Arabia 27°25N 41°8E 128 E4
Mawson Antarctica 67°30S 62°53E 55 C6
Mawson Coast Antarctica 68°30S 63°0E 55 C6
Mawson Pk. Heard I. 53°6S 73°31E 146 K6
Max U.S.A. 47°49N 101°18W 172 B3
Maxcanú Mexico 20°35N 90°0W 181 C6
Maxesibeni S. Africa 30°49S 29°23E 145 D4
Maxeys U.S.A. 33°45N 83°11W 178 B6
Maxhamish L. Canada 59°50N 123°17W 162 B4
Maxixe Mozam. 23°54S 35°17E 145 B6
Maxville Canada 45°17N 74°51W 175 A10
Maxwell N.Z. 39°51S 174°49E 154 F3
Maxwell U.S.A. 39°17N 122°11W 170 F4
Maxwelton Australia 20°43S 142°41E 150 C3
May, C. U.S.A. 38°56N 74°58W 173 F16
May Pen Jamaica 17°58N 77°15W 182 a
Maya → Russia 60°28N 134°28E 107 D14
Maya, Costa Mexico 18°44N 87°42W 181 D7
Maya Mts. Belize 16°30N 89°0W 181 D7
Mayabandar India 12°56N 92°56E 127 H11
Mayaguana I. Bahamas 22°30N 72°44W 183 B5
Mayaguana Passage Bahamas 22°32N 73°15W 183 B5

Mayagüez *Puerto Rico* 18°12N 67°9W **183** d
Mayahi *Niger* 13°58N 7°40E **139** C6
Mayaky *Ukraine* 47°26N 29°33E **81** C14
Mayals = Maials *Spain* 41°22N 0°30E **90** D5
Mayāmey *Iran* 36°24N 55°42E **129** B7
Mayang *China* 27°53N 109°49E **116** D7
Mayanup *Australia* 33°57S 116°27E **149** F2
Mayapán *Mexico* 20°29N 89°11W **181** C7
Mayari *Cuba* 20°40N 75°41W **183** B4
Mayaro *Trin. & Tob.* 10°17N 61°1W **187** K15
Mayaro B.
Trin. & Tob. 10°14N 60°59W **187** K16
Mayavaram = Mayiladuthurai
India 11°3N 79°42E **127** J4
Maybell *U.S.A.* 40°31N 108°5W **168** F9
Maybole *U.K.* 55°21N 4°42W **65** F4
Maydān *Iraq* 34°55N 45°37E **105** E11
Maydan *Ukraine* 48°36N 23°29E **81** B8
Mayen *Germany* 50°19N 7°13E **77** E3
Mayenne *France* 48°20N 0°38W **70** D6
Mayenne □ *France* 48°10N 0°40W **70** D6
Mayenne → *France* 47°30N 0°32W **70** E6
Mayer *U.S.A.* 34°24N 112°14W **169** J7
Mayerthorpe *Canada* 53°57N 115°8W **162** C5
Mayesville *U.S.A.* 34°0N 80°12W **178** A9
Mayfield *Ky., U.S.A.* 36°44N 88°38W **172** G9
Mayfield *N.Y., U.S.A.* 43°6N 74°16W **175** C10
Mayhill *U.S.A.* 32°53N 105°29W **169** K11
Mayiladuthurai *India* 11°3N 79°42E **127** J4
Maykop *Russia* 44°35N 40°10E **87** H5
Mayma *Russia* 52°3N 85°55E **109** B11
Maymyo = Pyin-U-Lwin
Burma 22°2N 96°28E **120** A1
Maynard *Mass.,*
U.S.A. 42°26N 71°27W **175** D13
Maynard *Wash.,*
U.S.A. 47°59N 122°55W **170** C4
Maynard Hills
Australia 28°28S 119°49E **149** E2
Mayne → *Australia* 23°40S 141°55E **150** C3
Maynooth *Canada* 45°13N 77°56W **174** A7
Maynooth *Ireland* 53°23N 6°34W **64** C5
Mayo *Canada* 63°38N 135°57W **160** E4
Mayo *U.S.A.* 30°3N 83°10W **178** E6
Mayo □ *Ireland* 53°53N 9°3W **64** C2
Mayo → *Argentina* 45°45S 69°45W **192** C3
Mayo → *Peru* 6°38S 76°15W **188** B2
Mayo Daga *Nigeria* 6°59N 11°25E **139** D7
Mayo Faran *Nigeria* 8°57N 12°4E **139** D7
Mayon Volcano *Phil.* 13°15N 123°41E **119** B6
Mayor Buratovich
Argentina 39°15S 62°37W **192** A4
Mayor I. *N.Z.* 37°16S 176°17E **154** D5
Mayorga *Spain* 42°10N 5°16W **88** C5
Mayotte ⊠ *Ind. Oc.* 12°50S 45°10E **141** a
Mayqayyng *Kazakhstan* 51°27N 75°47E **109** B9
Maysān □ *Iraq* 31°55N 47°15E **128** D5
Mayskiy *Russia* 43°47N 44°2E **87** J7
Maysville *U.S.A.* 38°39N 83°46W **173** F12
Mayu *Indonesia* 1°30N 126°30E **119** D7
Mayuram = Mayiladuthurai
India 11°3N 79°42E **127** J4
Mayville *N. Dak.,*
U.S.A. 47°30N 97°20W **172** B5
Mayville *N.Y., U.S.A.* 42°15N 79°30W **174** D5
Mazabuka *Zambia* 15°52S 27°44E **143** F2
Mazagán = El Jadida
Morocco 33°11N 8°17W **136** B2
Mazagão *Brazil* 0°7S 51°16W **187** D8
Mazamet *France* 43°30N 2°20E **72** E6
Mazán *Peru* 3°30S 73°0W **186** D4
Māzandarān □ *Iran* 36°30N 52°0E **129** B7
Mazapil *Mexico* 24°39N 101°34W **180** C4
Mazar *China* 36°32N 77°1E **109** E9
Mazar, O. → *Algeria* 31°50N 1°36E **136** B4
Mazār-e Sharīf *Afghan.* 36°41N 67°0E **109** E7
Mazara del Vallo *Italy* 37°39N 12°35E **94** E5
Mazarredo *Argentina* 47°10S 66°50W **192** C3
Mazarrón *Spain* 37°38N 1°19W **91** H3
Mazarrón, G. de *Spain* 37°27N 1°19W **91** H3
Mazaruni → *Guyana* 6°25N 58°35W **186** B7
Mazatán *Mexico* 29°0N 110°8W **180** B2
Mazatenango
Guatemala 14°35N 91°30W **182** D1
Mazatlán *Mexico* 23°13N 106°25W **180** C3
Mažeikiai *Lithuania* 56°20N 22°20E **82** B9
Māzhān *Iran* 32°30N 59°0E **129** C8
Mazıdağı *Turkey* 37°28N 40°29E **105** D9
Mazīnān *Iran* 36°19N 56°56E **129** B8
Mazo Cruz *Peru* 16°45S 69°44W **188** D4
Mazoe *Mozam.* 16°42S 33°7E **143** F3
Mazoe → *Mozam.* 16°20S 33°30E **143** F3
Mazowe *Zimbabwe* 17°28S 30°58E **143** F3
Mazowieckie □ *Poland* 52°40N 21°0E **83** F8
Mazurski, Pojezierze
Poland 53°50N 21°0E **82** E7
Mazyr *Belarus* 51°59N 29°15E **75** B15
Mba *Fiji* 17°33S 177°41E **154** a
Mbaba *Senegal* 14°59N 16°44W **138** C1
Mbabane *Swaziland* 26°18S 31°6E **145** C5
Mbagne *Mauritania* 16°6N 14°47W **138** B2
M'bahiakro *Ivory C.* 7°33N 4°19W **138** D4
Mbaïki *C.A.R.* 3°53N 18°1E **140** D3
Mbala *Zambia* 8°46S 31°24E **143** D3
Mbalabala *Zimbabwe* 20°27S 29°3E **145** B4
Mbale *Uganda* 1°8N 34°12E **142** B3
Mbalmayo *Cameroon* 3°33N 11°33E **139** E7
Mbam → *Cameroon* 4°24N 11°17E **139** E7
Mbamba Bay *Tanzania* 11°13S 34°49E **143** E3
Mbandaka
Dem. Rep. of the Congo 0°1N 18°18E **140** D3
Mbanga *Cameroon* 4°30N 9°33E **139** E6
Mbanza Congo *Angola* 6°18S 14°16E **140** F2
Mbanza Ngungu
Dem. Rep. of the Congo 5°12S 14°53E **140** F2
Mbarangandu *Tanzania* 10°11S 36°48E **143** D4
Mbarara *Uganda* 0°35S 30°40E **142** C3
Mbatto *Ivory C.* 6°28N 4°22W **138** D4
Mbengga = Beqa *Fiji* 18°23S 178°8E **154** a
Mbenkuru → *Tanzania* 9°25S 39°50E **143** D4
Mberengwa *Zimbabwe* 20°29S 29°57E **143** G2
Mberengwa, Mt.
Zimbabwe 20°37S 29°55E **143** G2
Mberubu *Nigeria* 6°10N 7°38E **139** D6
Mbesuma *Zambia* 10°0S 32°2E **143** E3
Mbeya *Tanzania* 8°54S 33°29E **143** D3
Mbeya □ *Tanzania* 8°15S 33°30E **142** D3
Mbhashe → *S. Africa* 32°15S 28°54E **145** D4
Mbinga *Tanzania* 10°50S 35°0E **143** E4
Mbini = Río Muni □
Eq. Guin. 1°30N 10°0E **140** D2
Mbizi *Zimbabwe* 21°23S 31°1E **143** G3
Mbombela *S. Africa* 25°29S 30°59E **145** C5
Mbomou = Bomu →
C.A.R. 4°40N 22°30E **140** D4
M'bonge *Cameroon* 4°33N 9°5E **139** E6
Mboro *Senegal* 15°9N 16°54W **138** B1
Mbouda *Cameroon* 5°38N 10°15E **139** D7
M'boukou, L. de
Cameroon 6°23N 12°50E **139** D7
Mboune *Senegal* 14°42N 13°34W **138** C2
Mbour *Senegal* 14°22N 16°54W **138** C1
Mbout *Mauritania* 16°1N 12°38W **138** B2
Mbuji-Mayi
Dem. Rep. of the Congo 6°9S 23°40E **142** D1
Mbulu *Tanzania* 3°45S 35°30E **142** C4
Mburucuyá *Argentina* 28°1S 58°14W **190** B4
Mburucuyá △
Argentina 28°1S 58°12W **190** B4
Mcherrah *Algeria* 27°0N 4°30W **136** C3
Mchinga *Tanzania* 9°44S 39°45E **143** D4
Mchinji *Malawi* 13°47S 32°58E **143** E3
Mdantsane *S. Africa* 32°56S 27°46E **145** D4
Mead, L. *U.S.A.* 36°0N 114°44W **171** J12
Meade *U.S.A.* 37°17N 100°20W **172** G3
Meade River = Atqasuk
U.S.A. 70°28N 157°24W **166** A8
Meadow Lake *Canada* 54°10N 108°26W **163** C7
Meadow Lake △
Canada 54°27N 109°0W **163** C7
Meadow Valley Wash →
U.S.A. 36°40N 114°34W **171** J12
Meadville *U.S.A.* 41°39N 80°9W **174** E4
Meaford *Canada* 44°36N 80°35W **174** B4
Meakan Dake *Japan* 45°15N 144°0E **112** C11
Mealhada *Portugal* 40°22N 8°27W **88** E2
Mealy Mts. *Canada* 53°10N 58°0W **165** B8
Meander River *Canada* 59°2N 117°42W **162** B5
Meares, C. *U.S.A.* 45°37N 124°0W **168** D1
Mearim → *Brazil* 3°4S 44°35W **189** A2
Meath □ *Ireland* 53°40N 6°57W **64** C5
Meath Park *Canada* 53°27N 105°22W **163** C7
Meaulne *France* 46°36N 2°36E **71** F9
Meaux *France* 48°58N 2°50E **71** D9
Mebechi-Gawa →
Japan 40°31N 141°31E **112** D10
Mebulu, Tanjung
Indonesia 8°50S 115°5E **119** K18
Mecanhelas *Mozam.* 15°12S 35°54E **143** F4
Mecca = Makkah
Si. Arabia 21°30N 39°54E **137** C4
Mecca *U.S.A.* 33°34N 116°5W **171** M10
Mechanicsburg *U.S.A.* 40°13N 77°1W **174** F8
Mechanicville *U.S.A.* 42°54N 73°41W **175** D11
Mechelen *Belgium* 51°2N 4°29E **69** C4
Mecheria *Algeria* 33°35N 0°18W **136** B3
Mechernich *Germany* 50°35N 6°39E **76** E2
Mechetinskaya *Russia* 46°45N 40°32E **87** G5
Mechra Bel Ksiri
Morocco 34°34N 5°57W **136** B2
Mechra Benâbbou
Morocco 32°39N 7°48W **136** B2
Mecidiye *Turkey* 40°38N 26°32E **97** F10
Mecitözü *Turkey* 40°32N 35°17E **104** B6
Meckenburg *Germany* 53°33N 11°40E **74** B7
Mecklenburg-Vorpommern □
Germany 53°45N 12°15E **76** B8
Mecklenburger Bucht
Germany 54°20N 11°40E **76** A7
Meconta *Mozam.* 14°59S 39°50E **143** E4
Mecsek *Hungary* 46°10N 18°18E **80** D3
Mecubúri *Mozam.* 14°39S 38°54E **143** E4
Mecubúri → *Mozam.* 14°10S 40°30E **143** E5
Mecúfi *Mozam.* 13°20S 40°32E **143** E5
Mêda *Portugal* 40°57N 7°18W **88** E3
Medak *India* 18°1N 78°15E **126** E4
Medan *Indonesia* 3°40N 98°38E **118** D1
Médanos *Argentina* 38°50S 62°42W **192** A4
Médanos de Coro △
Venezuela 11°35N 69°44W **183** D6
Medanosa, Pta.
Argentina 48°8S 66°0W **192** C3
Medart *U.S.A.* 30°5N 84°23W **178** E5
Medawachchiya
Sri Lanka 8°30N 80°30E **127** K5
Medchal *India* 17°37N 78°29E **126** F4
Mede *Italy* 45°6N 8°44E **92** C5
Médéa *Algeria* 36°12N 2°50E **136** A4
Médéa □ *Algeria* 36°0N 3°0E **136** A4
Medebach *Germany* 51°11N 8°42E **76** D4
Medeiros Neto *Brazil* 17°20S 40°14W **189** D2
Medellín *Colombia* 6°15N 75°35W **186** B3
Medelpad *Sweden* 62°33N 16°30E **62** B10
Medemblik *Neths.* 52°46N 5°8E **69** B5
Medenine *Tunisia* 33°21N 10°30E **136** B6
Médenine □ *Tunisia* 32°20N 10°0E **136** B6
Mederdra *Mauritania* 17°0N 15°38W **138** B1
Medford *Mass., U.S.A.* 42°25N 71°7W **175** D13
Medford *Oreg., U.S.A.* 42°19N 122°52W **168** E2
Medford *Wis., U.S.A.* 45°9N 90°20W **172** C8
Medgidia *Romania* 44°15N 28°19E **81** F13
Media Agua *Argentina* 31°58S 68°25W **190** C2
Media Luna *Argentina* 34°45S 66°44W **190** C2
Medianeira *Brazil* 25°17S 54°5W **191** B5
Mediaş *Romania* 46°9N 24°22E **81** D9
Medicina *Italy* 44°28N 11°38E **93** D8
Medicine Bow
U.S.A. 41°54N 106°12W **168** F10
Medicine Bow Mts.
U.S.A. 40°40N 106°0W **168** F10
Medicine Hat *Canada* 50°0N 110°45W **163** D6
Medicine Lake
U.S.A. 48°30N 104°30W **168** B11
Medicine Lodge *U.S.A.* 37°17N 98°35W **172** G4
Medina = Al Madīnah
Si. Arabia 24°35N 39°52E **128** E3
Medina *Brazil* 16°15S 41°29W **189** D2
Medina *N. Dak., U.S.A.* 46°54N 99°18W **172** B4
Medina *N.Y., U.S.A.* 43°13N 78°23W **174** C6
Medina *Ohio, U.S.A.* 41°8N 81°52W **174** E3
Medina → *U.S.A.* 29°16N 98°29W **176** G5
Medina de Pomar *Spain* 42°56N 3°29W **88** C7
Medina de Rioseco *Spain* 41°53N 5°3W **88** D5
Medina del Campo *Spain* 41°18N 4°55W **88** D6
Médina Gounas *Senegal* 13°8N 13°45W **138** C2
Medina L. *U.S.A.* 29°32N 98°56W **176** G5
Medina Sidonia *Spain* 36°28N 5°57W **89** J5
Medinaceli *Spain* 41°12N 2°30W **90** D2
Medinipur *India* 22°25N 87°21E **125** H12
Medio-Campidano □
Italy 39°35N 8°30E **94** C1
Mediterranean Sea *Europe* 35°0N 15°0E **58** H7
Mednogorsk *Russia* 51°24N 57°37E **108** B5
Médoc *France* 45°10N 0°50W **72** C3
Medulin *Croatia* 44°49N 13°55E **93** D10
Medveđa *Serbia* 42°50N 21°32E **96** D5
Medvedevo *Russia* 56°37N 47°47E **86** B8
Medveditsa → *Tver,*
Russia 57°5N 37°30E **84** D9
Medveditsa → *Volgograd,*
Russia 49°35N 42°41E **86** F6
Medvedok *Russia* 57°20N 50°1E **86** B10
Medvezhi, Ostrava
Russia 71°0N 161°0E **107** B17
Medvezhyegorsk *Russia* 63°0N 34°25E **106** C4
Medway □ *U.K.* 51°25N 0°32E **67** F8
Medway → *U.K.* 51°27N 0°46E **67** F8
Medzev *Slovak Rep.* 48°43N 20°55E **79** C13
Medzilaborce
Slovak Rep. 49°17N 21°52E **79** B14
Međžitlija *Macedonia* 40°56N 21°26E **96** F5
Meekatharra *Australia* 26°32S 118°29E **149** E2
Meeker *U.S.A.* 40°2N 107°55W **168** F10
Meeniyan *Australia* 38°35S 146°3E **153** E7
Meersburg *Germany* 47°41N 9°16E **77** H5
Meerut *India* 29°1N 77°42E **124** E7
Meeteetse *U.S.A.* 44°9N 108°52W **168** D9
Mega *Ethiopia* 3°57N 38°19E **131** G2
Megalo Chorio *Greece* 36°27N 27°24E **99** E9
Megalopoli *Greece* 37°25N 22°7E **98** D4
Meganisi *Greece* 38°38N 20°46E **98** C2
Megara *Greece* 37°58N 23°22E **98** D5
Megasini *India* 21°38N 86°21E **125** J12
Megdovas = Tavropos →
Greece 39°10N 21°45E **98** B3
Megève *France* 45°51N 6°37E **73** C10
Meghalaya □ *India* 25°50N 91°0E **123** G17
Meghna → *Bangla.* 22°50N 90°50E **123** H17
Megion *Russia* 61°3N 76°6E **106** C8
Mégiscane, L. *Canada* 48°35N 75°55W **164** C4
Megisti *Greece* 36°8N 29°34E **99** E11
Megra *Russia* 60°11N 37°14E **84** B9
Mehadia *Romania* 44°56N 22°23E **80** F7
Mehaïguene, O. →
Algeria 32°15N 2°59E **136** B4
Meharry, Mt.
Australia 22°59S 118°35E **148** D2
Mehedeby *Sweden* 60°27N 17°25E **62** D11
Mehedinţi □ *Romania* 44°40N 22°45E **80** F7
Meheisa *Sudan* 19°38N 32°57E **137** D3
Mehekar *India* 20°9N 76°34E **126** D3
Mehlville *U.S.A.* 38°31N 90°19W **172** F8
Mehmetçik = Galateia
Cyprus 35°25N 34°4E **101** D13
Mehndawal *India* 26°58N 83°5E **125** F10
Mehr Jān *Iran* 33°50N 55°6E **129** C7
Mehrābād *Iran* 36°53N 47°55E **105** D12
Mehrān *Iran* 38°4N 47°7E **105** C12
Mehrān *Iran* 33°7N 46°10E **105** F12
Mehrān → *Iran* 26°45N 55°26E **129** E7
Mehrgarh *Pakistan* 29°30N 67°30E **124** E2
Mehrīz *Iran* 31°35N 54°28E **129** D7
Mehun-sur-Yèvre *France* 47°10N 2°13E **71** E9
Mei Jiang → *China* 24°25N 116°35E **117** E11
Mei Xian *China* 34°18N 107°55E **114** G4
Meicheng *China* 29°29N 119°16E **117** C12
Meichengzhen *China* 28°9N 111°40E **117** C8
Meichuan *China* 30°8N 115°31E **117** B10
Meighen I. *Canada* 80°0N 99°30W **161** B12
Meigs *U.S.A.* 31°4N 84°6W **178** D5
Meigu *China* 28°16N 103°20E **116** C4
Meihekou *China* 42°32N 125°40E **115** C13
Meiktila *Burma* 20°53N 95°54E **123** J19
Meili Xue Shan *China* 28°30N 98°39E **116** C2
Meimyu = Pyin-U-Lwin
Burma 22°2N 96°28E **120** A1
Meinerzhagen *Germany* 51°6N 7°38E **76** D3
Meiningen *Germany* 50°34N 10°25E **76** E6
Meio → *Brazil* 13°36S 44°7W **189** C2
Meira, Serra de *Spain* 43°15N 7°15W **88** B3
Meiringen *Switz.* 46°43N 8°12E **77** J4
Meishan *China* 30°3N 103°23E **116** B4
Meissen *Germany* 51°9N 13°29E **76** D9
Meissner *Germany* 51°14N 9°50E **76** D5
Meissner-Kaufunger Wald △
Germany 51°16N 9°45E **76** D5
Meitan *China* 27°45N 107°29E **116** D6
Meizhou *China* 24°16N 116°6E **117** E11
Meja *India* 25°9N 82°7E **125** G10
Mejillones *Chile* 23°10S 70°30W **190** A1
Mekele *Ethiopia* 13°33N 39°30E **131** E2
Mekerghene, Sebkra
Algeria 26°21N 1°30E **136** C4
Mékhé *Senegal* 15°7N 16°38W **138** B1
Mekhtar *Pakistan* 30°30N 69°15E **122** D6
Meknès *Morocco* 33°57N 5°33W **136** B2
Meknès-Tafilalet □
Morocco 33°3N 5°35W **136** B2
Meko *Nigeria* 7°27N 2°52E **139** D5
Mekong → *Asia* 9°30N 106°15E **121** H6
Mekongga *Indonesia* 3°39S 121°15E **119** E6
Mekrou → *Benin* 12°25N 2°50E **139** C5
Mekvari = Kür →
Azerbaijan 39°29N 49°15E **105** C13
Mel *Italy* 46°4N 12°5E **93** B9
Melagiri Hills *India* 12°20N 77°30E **127** H3
Melah, Oued el →
Algeria 32°20N 2°28E **136** B4
Melaka *Malaysia* 2°15N 102°15E **121** L4
Melaka □ *Malaysia* 2°15N 102°15E **121** L4
Melambes *Greece* 35°8N 24°40E **101** D6
Melanesia *Pac. Oc.* 4°0S 155°0E **156** H7
Melanesian Basin
Pac. Oc. 0°5N 160°35E **156** G8
Melapalaiyam *India* 8°39N 77°44E **127** K3
Melaya *Indonesia* 8°17S 114°30E **119** J17
Melbourne *Australia* 37°48S 144°58E **153** D6
Melbourne *U.S.A.* 28°5N 80°37W **179** G9
Melchor Múzquiz
Mexico 27°53N 101°31W **180** B4
Melchor Ocampo
Mexico 24°51N 101°39W **180** C4
Méldola *Italy* 44°7N 12°5E **93** D9
Meldorf *Germany* 54°5N 9°5E **76** A5
Melegnano *Italy* 45°21N 9°19E **92** C6
Melekeok *Palau* 7°27N 134°38E **156** G5
Melenci *Serbia* 45°32N 20°20E **80** E5
Melenki *Russia* 55°20N 41°37E **86** C5
Meleuz *Russia* 52°58N 55°55E **108** B5
Mélèzes → *Canada* 57°40N 69°29W **164** A5
Melfi *Italy* 41°0N 15°39E **95** B8
Melfort *Canada* 52°50N 104°37W **163** C8
Melfort *Zimbabwe* 18°0S 31°25E **143** F3
Melgaço *Portugal* 42°7N 8°15W **88** C2
Melgar de Fernamental
Spain 42°27N 4°17W **88** C6
Melhus *Norway* 63°17N 10°18E **60** E14
Melide *Spain* 42°55N 8°1W **88** C2
Meligalas *Greece* 37°15N 21°59E **98** D3
Melilla *N. Afr.* 35°21N 2°57W **134** A5
Melilli *Italy* 37°11N 15°7E **95** E8
Melipilla *Chile* 33°42S 71°15W **190** C1
Melissa *Canada* 45°24N 79°14W **174** A5
Melissa, Akra *Greece* 35°6N 24°33E **101** D6
Melissa Oros *Greece* 37°32N 26°4E **99** D8
Melita *Canada* 49°15N 101°0W **163** D8
Mélito di Porto Salvo
Italy 37°55N 15°47E **95** E8
Melitopol *Ukraine* 46°50N 35°22E **85** J8
Melk *Austria* 48°13N 15°20E **78** C8
Mellan Fryken *Sweden* 59°45N 13°10E **62** E7
Mellansel *Sweden* 63°26N 18°19E **60** E18
Mellbystrand *Sweden* 56°30N 12°56E **63** H6
Melle *France* 46°14N 0°10W **72** B3
Melle *Germany* 52°12N 8°20E **76** C4
Mellègue, O. → *Tunisia* 36°36N 9°14E **136** A5
Mellen *U.S.A.* 46°20N 90°40W **172** B8
Mellerud *Sweden* 58°41N 12°28E **63** F6
Mellette *U.S.A.* 45°9N 98°30W **172** C4
Mellid = Melide *Spain* 42°55N 8°1W **88** C2
Mellieha *Malta* 35°57N 14°22E **101** D1
Mellizo Sur, Cerro
Chile 48°33S 73°10W **192** C2
Mellrichstadt *Germany* 50°25N 10°17E **76** E6
Melnik *Bulgaria* 41°30N 23°25E **96** E7
Mělník *Czech Rep.* 50°22N 14°23E **78** A7
Melnytsya Podilska
Ukraine 48°37N 26°10E **81** B11
Melo *Uruguay* 32°20S 54°10W **191** C5
Melolo *Indonesia* 9°53S 120°40E **119** F6
Melouprey *Cambodia* 13°48N 105°16E **120** F5
Melrhir, Chott *Algeria* 34°13N 6°30E **136** B5
Melrose *Australia* 32°42S 146°57E **153** B7
Melrose *U.K.* 55°36N 2°43W **65** F6
Melrose *Minn., U.S.A.* 45°40N 94°49W **172** C6
Melrose *N. Mex.,*
U.S.A. 34°26N 103°38W **169** J12
Melstone *U.S.A.* 46°36N 107°52W **168** C10
Melsungen *Germany* 51°7N 9°32E **76** D5
Melton *Australia* 37°41S 144°35E **152** D6
Melton Mowbray *U.K.* 52°47N 0°54W **66** E7
Melun *France* 48°32N 2°39E **71** D9
Melung *Nepal* 27°31N 86°3E **125** F12
Melur *India* 10°2N 78°23E **127** J4
Melville *Canada* 50°55N 102°50W **163** C8
Melville, C. *Australia* 14°11S 144°30E **150** A3
Melville, L. *Canada* 53°30N 60°0W **165** B8
Melville B. *Australia* 12°0S 136°45E **150** A2
Melville B. *Greenland* 75°30N 63°0W **57** B4
Melville I. *Australia* 11°30S 131°0E **148** B5
Melville I. *Canada* 75°30N 112°0W **161** B9
Melville Pen. *Canada* 68°0N 84°0W **161** D15
Melvin, Lough *Ireland* 54°26N 8°10W **64** B3
Mélykút *Hungary* 46°11N 19°25E **80** D4
Memaliaj *Albania* 40°25N 19°56E **96** F3
Memba *Mozam.* 14°11S 40°30E **143** E5
Memboro *Indonesia* 9°30S 119°30E **148** A2
Membrilla *Spain* 38°59N 3°21W **89** G7
Memel = Klaipėda
Lithuania 55°43N 21°10E **82** C8
Memel *S. Africa* 27°38S 29°36E **145** C4
Memmingen *Germany* 47°58N 10°10E **77** H6
Mempawah *Indonesia* 0°30N 109°5E **118** D3
Memphis *Egypt* 29°52N 31°12E **137** F7
Memphis *Mich., U.S.A.* 42°54N 82°46W **174** D2
Memphis *Tenn., U.S.A.* 35°8N 90°2W **177** D9
Memphis *Tex., U.S.A.* 34°44N 100°33W **176** D4
Memphrémagog, L.
N. Amer. 45°8N 72°17W **175** B12
Mena *Ukraine* 51°31N 32°13E **85** G7
Mena *U.S.A.* 34°35N 94°15W **176** D7
Menado = Manado
Indonesia 1°29N 124°51E **119** D6
Menai Strait *U.K.* 53°11N 4°13W **66** D3
Ménaka *Mali* 15°59N 2°18E **139** B5
Menan = Chao Phraya →
Thailand 13°40N 100°31E **120** F3
Menard *U.S.A.* 30°55N 99°47W **176** F5
Menard Fracture Zone
Pac. Oc. 43°0S 97°0W **157** M18
Mendaña Fracture Zone
Pac. Oc. 16°0S 91°0W **157** J18
Mendawai → *Indonesia* 3°30S 113°0E **118** E4
Mende *France* 44°31N 3°30E **72** D7
Mendeleyev Ridge
Arctic 80°0N 178°0W **54** B17
Menden *Germany* 51°26N 7°47E **76** D3
Menderes *Turkey* 38°14N 27°8E **99** C9
Mendhar *India* 33°35N 74°10E **125** C6
Mendip Hills *U.K.* 51°17N 2°40W **67** F5
Mendocino *U.S.A.* 39°19N 123°48W **168** G2
Mendocino, C. *U.S.A.* 40°26N 124°25W **168** F1
Mendocino Fracture Zone
Pac. Oc. 40°0N 142°0W **157** D13
Mendooran *Australia* 31°50S 149°6E **153** A8
Mendota *Calif., U.S.A.* 36°45N 120°23W **170** J6
Mendota *Ill., U.S.A.* 41°33N 89°7W **172** E9
Mendoyo *Indonesia* 8°23S 114°42E **119** J17
Mendoza *Argentina* 32°50S 68°52W **190** C2
Mendoza □ *Argentina* 33°0S 69°0W **190** C2
Mene Grande *Venezuela* 9°49N 70°56W **186** B4
Menemen *Turkey* 38°34N 27°3E **99** C9
Menen *Belgium* 50°47N 3°7E **69** D3
Menéndez, L. *Argentina* 42°40S 71°51W **192** B2
Menfi *Italy* 37°36N 12°58E **94** E5
Mengcheng *China* 33°12N 116°36E **114** H9
Mengdingjie *China* 23°31N 98°58E **116** F2
Mengeš *Slovenia* 46°10N 14°35E **93** B11
Menggala *Indonesia* 4°30S 105°15E **118** E3
Menghai *China* 21°49N 100°55E **116** G3
Mengibar *Spain* 37°58N 3°48W **89** H7
Mengjin *China* 34°55N 112°45E **114** G7
Mengla *China* 21°20N 101°25E **116** G3
Menglian *China* 22°21N 99°27E **116** F2
Mengshan *China* 24°14N 110°55E **117** E8
Mengyin *China* 35°40N 117°58E **115** G9
Mengzhe *China* 22°2N 100°15E **116** F3
Mengzi *China* 23°20N 103°22E **116** F4
Menifee *U.S.A.* 33°41N 117°10W **171** M9
Menihek *Canada* 54°28N 56°36W **165** B6
Menihek L. *Canada* 54°0N 67°0W **165** B6
Menin = Menen *Belgium* 50°47N 3°7E **69** D3
Menindee *Australia* 32°20S 142°25E **152** B5
Menindee L. *Australia* 32°20S 142°25E **152** B5
Meningie *Australia* 35°50S 139°18E **152** C3
Menjangan, Pulau
Indonesia 8°7S 114°31E **119** J17
Menkrour *Algeria* 26°27N 8°9E **136** C5
Menlo Park *U.S.A.* 37°27N 122°12W **170** H4
Mennengen ⊛ *Australia* 15°21S 131°16E **148** C5
Menominee *U.S.A.* 45°6N 87°37W **172** C10
Menominee → *U.S.A.* 45°6N 87°35W **172** C10
Menomonie *U.S.A.* 44°53N 91°55W **172** C8
Menongue *Angola* 14°48S 17°52E **141** G3
Menorca *Spain* 40°0N 4°0E **100** B11
Menorca ✈ (MAH) *Spain* 39°50N 4°16E **90** F9
Mentakab *Malaysia* 3°29N 102°21E **121** L4
Mentawai, Kepulauan
Indonesia 2°0S 99°0E **118** E1
Menton *France* 43°50N 7°29E **73** E11
Mentor *U.S.A.* 41°40N 81°21W **174** E3
Menzel-Bourguiba
Tunisia 37°9N 9°49E **136** A5
Menzel-Chaker *Tunisia* 35°0N 10°26E **136** B6
Menzies *Australia* 29°40S 121°2E **149** E3
Meob B. *Namibia* 24°25S 14°34E **144** B1
Meoqui *Mexico* 28°17N 105°29W **180** B3
Mepaco *Mozam.* 15°57S 30°48E **143** F3
Meppel *Neths.* 52°42N 6°12E **69** B6
Meppen *Germany* 52°42N 7°17E **76** C3
Mequinenza *Spain* 41°22N 0°17E **90** D5
Mequinenza, Embalse de
Spain 41°25N 0°15E **90** D5
Mer *France* 47°42N 1°30E **70** E8
Merak *Indonesia* 6°10N 106°26E **119** F12
Meramangye, L.
Australia 28°25S 132°13E **149** E5
Meran = Merano *Italy* 46°40N 11°9E **93** B8
Merano *Italy* 46°40N 11°9E **93** B8
Merate *Italy* 45°42N 9°25E **92** C6
Merauke *Indonesia* 8°29S 140°24E **119** F10
Merbein *Australia* 34°10S 142°2E **152** C5
Merca = Marka *Somalia* 1°48N 44°50E **131** G3
Mercantour △ *France* 44°16N 6°43E **73** D10
Mercato Saraceno *Italy* 43°57N 12°12E **93** E9
Merced *U.S.A.* 37°18N 120°29W **170** H6
Merced → *U.S.A.* 37°21N 120°59W **170** H6
Merced Pk. *U.S.A.* 37°36N 119°24W **170** H7
Mercedes *B. Aires,*
Argentina 34°40S 59°30W **190** C4
Mercedes *Corrientes,*
Argentina 29°10S 58°5W **190** B4
Mercedes *San Luis,*
Argentina 33°40S 65°21W **190** C2
Mercedes *Uruguay* 33°12S 58°0W **190** C4
Merceditas *Chile* 28°20S 70°35W **190** B1
Mercer *N.Z.* 37°16S 175°5E **154** D4
Mercer *U.S.A.* 41°14N 80°15W **174** E4
Mercer Island *U.S.A.* 47°34N 122°13W **170** C4
Mercier *Bolivia* 10°42S 68°5W **188** C4
Mercury *U.S.A.* 36°40N 115°59W **171** J11
Mercury B. *N.Z.* 36°48S 175°45E **154** C4
Mercury Is. *N.Z.* 36°37S 175°52E **154** C4
Mercy, C. *Canada* 65°0N 63°30W **161** E19
Merdrignac *France* 48°11N 2°27W **70** D4
Mere *U.K.* 51°6N 2°16W **67** F5
Merebuk, Gunung
Indonesia 8°13S 114°39E **119** J17
Meredith *Australia* 37°49S 144°5E **152** D6
Meredith, C. *Falk. Is.* 52°15S 60°40W **192** D4
Meredith, L. *U.S.A.* 35°43N 101°33W **176** D4
Merefa *Ukraine* 49°48N 36°3E **85** H9
Merei *Romania* 45°7N 26°43E **81** E11
Merga = Nukheila
Sudan 19°1N 26°21E **137** D2
Mergui *Burma* 12°26N 98°34E **120** F2
Mergui Arch. = Myeik Kyunzu
Burma 11°30N 97°30E **121** G1
Meribah *Australia* 34°43S 140°51E **152** C4
Méribel-les-Allues
France 45°25N 6°34E **73** C10
Meriç *Turkey* 41°11N 26°25E **97** E10
Meriç → *Turkey* 40°52N 26°12E **97** F10
Mérida *Mexico* 20°58N 89°37W **181** C7
Mérida *Spain* 38°55N 6°25W **89** G4
Mérida *Venezuela* 8°24N 71°8W **186** B4
Mérida, Cord. de
Venezuela 9°0N 71°0W **186** B4
Meriden *U.K.* 52°26N 1°38W **67** E6
Meriden *U.S.A.* 41°32N 72°48W **175** E12
Meridian *Calif., U.S.A.* 39°9N 121°55W **170** F5
Meridian *Ga., U.S.A.* 31°27N 81°23W **178** D8
Meridian *Idaho, U.S.A.* 43°37N 116°24W **168** E5
Meridian *Miss., U.S.A.* 32°22N 88°42W **177** E10
Mérignac *France* 44°51N 0°39W **72** D3
Merimbula *Australia* 36°53S 149°54E **153** D8
Merinda *Australia* 20°2S 148°11E **150** C4
Mering *Germany* 48°16N 10°59E **77** G6
Meringa *Nigeria* 10°44N 12°9E **139** C7
Meringur *Australia* 34°20S 141°19E **152** C4
Merir *Palau* 4°10N 132°30E **119** D8
Merirumã *Brazil* 1°15N 54°50W **187** C8
Merkel *U.S.A.* 32°28N 100°1W **176** E4
Mermaid Reef *Australia* 17°6S 119°36E **148** C2
Meroe *India* 7°33N 93°33E **127** L11
Merowe *Sudan* 18°29N 31°46E **137** D3
Merowe Dam *Sudan* 18°35N 31°56E **137** D3
Merredin *Australia* 31°28S 118°18E **149** F2
Merrick *U.K.* 55°8N 4°28W **65** F4
Merrickville *Canada* 44°55N 75°50W **175** B9
Merrill *Oreg., U.S.A.* 42°1N 121°36W **168** E3
Merrill *Wis., U.S.A.* 45°11N 89°41W **172** C9
Merrimack → *U.S.A.* 42°49N 70°49W **175** D14
Merriman *U.S.A.* 42°55N 101°42W **172** D3
Merritt *Canada* 50°10N 120°45W **162** C4
Merritt Island *U.S.A.* 28°21N 80°42W **179** G9
Merriwa *Australia* 32°6S 150°22E **153** B9
Merriwagga *Australia* 33°47S 145°43E **153** B6
Merry I. *Canada* 55°29N 77°31W **164** A4
Merrygoen *Australia* 31°51S 149°12E **153** A8
Merryville *U.S.A.* 30°45N 93°33W **176** F8
Mersch *Lux.* 49°44N 6°7E **69** E6
Merse → *Italy* 43°5N 11°22E **93** E8
Mersea I. *U.K.* 51°47N 0°58E **67** F8
Merseburg *Germany* 51°22N 11°59E **76** D7
Mersey → *U.K.* 53°25N 3°1W **66** D4
Merseyside □ *U.K.* 53°31N 3°2W **66** D4
Mersin *Turkey* 36°51N 34°36E **104** D6
Mersin □ *Turkey* 36°45N 34°0E **104** D5
Mersing *Malaysia* 2°25N 103°50E **121** L4
Merta *India* 26°39N 74°4E **124** F6
Merta Road *India* 26°43N 73°55E **124** F5
Merthyr Tydfil *U.K.* 51°45N 3°22W **67** F4
Merthyr Tydfil □ *U.K.* 51°46N 3°21W **67** F4
Merti *Kenya* 1°4N 38°40E **142** B4
Mértola *Portugal* 37°40N 7°40W **89** H3
Mertz Glacier
Antarctica 67°30S 144°45E **55** C10
Mertzon *U.S.A.* 31°16N 100°49W **176** F4
Méru *France* 49°13N 2°8E **71** C9
Meru *Kenya* 0°3N 37°40E **142** B4
Meru *Tanzania* 3°15S 36°46E **142** C4
Meru △ *Kenya* 0°5N 38°10E **142** B4
Meru Betiri △
Indonesia 8°27S 113°51E **119** H15
Merville *France* 50°38N 2°38E **71** B9
Méry-sur-Seine *France* 48°31N 3°54E **71** D10
Merzifon *Turkey* 40°53N 35°32E **104** B6
Merzig *Germany* 49°26N 6°38E **77** F2
Merzouga, Erg Tin
Algeria 24°0N 11°4E **136** D6
Mesa *U.S.A.* 33°25N 111°50W **169** K8
Mesa Verde △ *U.S.A.* 37°11N 108°29W **169** H9
Mesada = Masada
Israel 31°18N 35°21E **130** D4
Mesagne *Italy* 40°34N 17°48E **95** B10
Mesanagros *Greece* 36°1N 27°49E **101** C9
Mesaoría *Cyprus* 35°12N 33°14E **101** D12
Meschede *Germany* 51°20N 8°18E **76** D4
Mescit *Turkey* 40°21N 41°11E **105** B9
Mesgouez, L. *Canada* 51°20N 75°0W **164** B5
Meshchovsk *Russia* 54°22N 35°17E **84** E8
Meshchyora △ *Russia* 55°30N 40°20E **86** C5
Meshchyorsky △ *Russia* 54°50N 41°0E **86** C5
Meshed = Mashhad
Iran 36°20N 59°35E **129** B8
Meshgīn Shahr *Iran* 38°30N 47°45E **105** C12
Meshoppen *U.S.A.* 41°36N 76°3W **175** E8
Mesilinka → *Canada* 56°6N 124°30W **162** B4
Meslay-du-Maine *France* 47°58N 0°33W **70** E6
Mesocco *Switz.* 46°23N 9°12E **77** J5
Mesolongi *Greece* 38°21N 21°28E **98** C3
Mesongi *Greece* 39°29N 19°56E **101** B3
Mesopotamia = Al Jazirah
Iraq 33°30N 44°0E **105** E10
Mesopotamia *U.S.A.* 41°27N 80°57W **174** E4
Mesopotamo *Greece* 39°14N 20°32E **98** B2
Mesoraca *Italy* 39°5N 16°48E **95** C9
Mésou Volímais = Volimes
Greece 37°52N 20°39E **98** D2
Mesquite *Nev., U.S.A.* 36°48N 114°4W **169** H6
Mesquite *Tex., U.S.A.* 32°47N 96°36W **176** E6
Messaad *Algeria* 34°8N 3°30E **136** B4
Messac *France* 47°49N 1°50W **70** E5
Messalo → *Mozam.* 12°25S 39°15E **143** E4
Messaména *Cameroon* 3°48N 12°49E **139** E7
Messara, Kolpos *Greece* 35°6N 24°47E **101** D6
Messene *Greece* 37°4N 22°1E **98** D4
Messier, Canal *Chile* 48°20S 74°33W **192** C2
Messina = Musina
S. Africa 22°20S 30°5E **145** B5
Messina *Italy* 38°11N 15°34E **95** D8
Messina, Str. di *Italy* 38°15N 15°35E **95** D8
Messiniakos Kolpos
Greece 36°45N 22°5E **98** E4
Messkirch *Germany* 47°59N 9°7E **77** H5
Messlingen *Sweden* 62°40N 12°50E **62** B6
Mesta = Nestos →
Europe 40°54N 24°49E **97** F8
Mesta, Akra *Greece* 38°16N 25°53E **99** C7
Mestanza *Spain* 38°35N 4°4W **89** G6
Mestersvig *Greenland* 72°10N 23°40W **57** C8
Mestre *Italy* 45°29N 12°15E **93** C9
Mestre, Espigão *Brazil* 12°30S 46°10W **189** C1
Mesudiye *Turkey* 40°28N 37°46E **104** B7
Meta → *S. Amer.* 6°12N 67°28W **186** B5
Meta Incognita Pen.
Canada 62°45N 68°30W **161** E18
Metabetchouan
Canada 48°26N 71°52W **165** C5
Metairie *U.S.A.* 29°59N 90°9W **177** G9
Metalici, Munţii
Romania 46°15N 22°50E **80** D7
Metaline Falls *U.S.A.* 48°52N 117°22W **168** B5
Metallifere, Colline *Italy* 43°10N 11°0E **92** E8
Metán *Argentina* 25°30S 65°0W **190** B3
Metangula *Mozam.* 12°40S 34°50E **143** E3
Metauro → *Italy* 43°50N 13°3E **93** E10
Metcalf *U.S.A.* 30°43N 83°59W **178** E6
Metcalfe *Canada* 45°14N 75°28W **175** A9
Metema *Ethiopia* 12°58N 36°12E **131** E2
Metengobalame
Mozam. 14°49S 34°30E **143** E3
Meteora *Greece* 39°43N 21°37E **98** B3
Methana *Greece* 37°35N 23°23E **98** D5
Methoni *Greece* 36°49N 21°42E **98** E3
Methven *N.Z.* 43°38S 171°40E **155** D6
Metil *Mozam.* 16°24S 39°0E **143** F4
Metkovets *Bulgaria* 43°37N 23°10E **96** C7
Metković *Croatia* 43°6N 17°39E **93** E14
Metlakatla *U.S.A.* 55°8N 131°35W **160** F5
Metlaoui *Tunisia* 34°24N 8°24E **136** B5
Metlika *Slovenia* 45°40N 15°20E **93** C12
Metlili Chaamba *Algeria* 32°16N 3°38E **136** B4
Metropolis *U.S.A.* 37°9N 88°44W **172** G9
Metropolitana □ *Chile* 33°30S 70°50W **190** C1
Metsovo *Greece* 39°48N 21°12E **98** B3
Metter *U.S.A.* 32°24N 82°3W **178** C7
Mettuppalaiyam *India* 11°18N 76°59E **127** J3
Mettur *India* 11°48N 77°47E **127** J3
Metu *Ethiopia* 8°18N 35°35E **131** F2
Metz *France* 49°8N 6°10E **71** C13
Metzingen *Germany* 48°31N 9°17E **77** G5
Meulaboh *Indonesia* 4°11N 96°3E **118** D1
Meung-sur-Loire *France* 47°50N 1°40E **71** E8
Meureudu *Indonesia* 5°19N 96°10E **118** C1
Meurthe → *France* 48°47N 6°9E **71** D13
Meurthe-et-Moselle □
France 48°52N 6°0E **71** D13
Meuse □ *France* 49°8N 5°25E **71** C12
Meuse → *Europe* 50°45N 5°41E **69** D5
Meuselwitz *Germany* 51°2N 12°17E **76** D8
Mexia *U.S.A.* 31°41N 96°29W **176** F6
Mexiana, I. *Brazil* 0°0 49°30W **187** D9
Mexicali *Mexico* 32°40N 115°30W **171** N11
Mexican Plateau
Mexico 25°0N 104°0W **158** G9
Mexican Water
U.S.A. 36°57N 109°32W **169** H9
Mexico *Maine, U.S.A.* 44°34N 70°33W **175** B14
Mexico *Mo., U.S.A.* 39°10N 91°53W **172** F8
Mexico *N.Y., U.S.A.* 43°28N 76°14W **175** C8
México □ *Mexico* 19°20N 99°30W **181** D5
Mexico ■ *Cent. Amer.* 25°0N 105°0W **180** C4
México, Ciudad de
Mexico 19°24N 99°9W **181** D5
Mexico, G. of *Cent. Amer.* 25°0N 90°0W **181** C7
Mexico B. *U.S.A.* 43°35N 76°20W **175** C8
Mexico Beach *U.S.A.* 29°57N 85°25W **178** F4
Meydān-e Naftūn *Iran* 31°56N 49°18E **129** D6
Meydani, Ra's-e *Iran* 25°24N 59°6E **129** E8
Meyenburg *Germany* 53°18N 12°14E **76** B8

Meyers Chuck U.S.A. 55°45N 132°15W 162 B2
Meymac France 45°32N 2°10E 72 C6
Meymaneh Afghan. 35°53N 64°38E 108 E6
Meyrueis France 44°12N 3°27E 72 D7
Meyssac France 45°3N 1°40E 72 C5
Meyzieu France 45°46N 4°59E 73 C8
Mezdra Bulgaria 43°12N 23°42E 96 C7
Mèze France 43°27N 3°36E 72 E7
Mezen Russia 65°50N 44°20E 106 C5
Mezen → Russia 65°44N 44°22E 58 B14
Mézenc, Mt. France 44°54N 4°11E 73 D8
Mezeş, Munţii Romania 47°5N 23°5E 80 C8
Mezha → Russia 55°44N 31°33E 84 E6
Mezhdurechensk
Russia 53°41N 88°3E 109 B11
Mezhdurechenskiy
Russia 59°36N 65°56E 106 D7
Mézidon-Canon France 49°5N 0°1W 70 C6
Mézières-en-Brenne
France 46°49N 1°13E 72 B5
Mézilhac France 44°49N 4°21E 73 D8
Mézin France 44°4N 0°16E 72 D4
Mezőberény Hungary 46°49N 21°3E 80 D6
Mezőfalva Hungary 46°55N 18°49E 80 D3
Mezőhegyes Hungary 46°19N 20°49E 80 D5
Mezőkövácsháza
Hungary 46°25N 20°57E 80 D5
Mezőkövesd Hungary 47°49N 20°35E 80 C5
Mézos France 44°5N 1°10W 72 D2
Mezőtúr Hungary 47°1N 20°41E 80 C5
Mezquital Mexico 23°29N 104°23W 180 C4
Mezzolombardo Italy 46°13N 11°5E 92 B8
Mfolozi → S. Africa 28°25S 32°26E 145 C5
Mgeta Tanzania 8°22S 36°6E 143 D4
Mglin Russia 53°2N 32°50E 85 F7
Mhamid Morocco 29°49N 5°43W 136 C2
Mhlaba Hills Zimbabwe 18°30S 30°30E 143 F3
Mhow India 22°33N 75°50E 124 H6
Miahuatlán Mexico 16°20N 96°36W 181 D5
Miajadas Spain 39°9N 5°54W 89 F5
Miami Fla., U.S.A. 25°46N 80°11W 179 K9
Miami Okla., U.S.A. 36°53N 94°53W 176 C7
Miami Tex., U.S.A. 35°42N 100°38W 176 D4
Miami Beach U.S.A. 25°47N 80°7W 179 K9
Miami Canal U.S.A. 25°45N 80°12W 179 K9
Miami Gardens U.S.A. 25°56N 80°15W 179 C1
Miami Int. ✕ (MIA)
U.S.A. 25°48N 80°17W 179 K9
Miami Shores U.S.A. 25°51N 80°11W 179 K9
Miami Springs U.S.A. 25°49N 80°17W 179 K9
Mian Xian China 33°10N 106°32E 116 A6
Mianchi China 34°48N 111°48E 114 G6
Mīāndarreh Iran 35°37N 53°39E 129 C7
Mīāndowāb Iran 37°0N 46°5E 105 D12
Miandrivazo Madag. 19°31S 45°29E 141 H9
Mīāneh Iran 37°30N 47°40E 105 D12
Mianning China 28°32N 102°9E 116 C4
Mianwali Pakistan 32°38N 71°28E 124 C4
Mianyang China 31°22N 104°47E 116 B5
Mianzhu China 31°22N 104°7E 116 B5
Miao Ling China 26°5N 107°30E 116 D6
Miaodao Qundao
China 38°10N 120°45E 115 E11
Miaoli Taiwan 24°37N 120°49E 117 E13
Miass Russia 54°59N 60°6E 108 B6
Miasteczko Krajeńskie
Poland 53°7N 17°1E 83 E4
Miastko Poland 54°0N 16°58E 82 D3
Mica S. Africa 24°10S 30°48E 145 B5
Micanopy U.S.A. 29°30N 82°17W 179 F7
Micăsasa Romania 46°7N 24°7E 81 D9
Micco U.S.A. 27°53N 80°30W 179 H9
Miccosukee U.S.A. 30°36N 84°3W 178 E5
Miccosukee, L. U.S.A. 30°33N 83°53W 178 E6
Michalovce Slovak Rep. 48°47N 21°58E 79 C14
Michigan □ U.S.A. 44°0N 85°0W 173 C11
Michigan, L. U.S.A. 44°0N 87°0W 172 D10
Michigan City U.S.A. 41°43N 86°54W 172 E10
Michika Nigeria 10°36N 13°23E 139 C7
Michipicoten I. Canada 47°40N 85°40W 164 C2
Michoacán □ Mexico 19°10N 101°50W 180 D4
Michurin Bulgaria 42°9N 27°51E 97 D11
Michurinsk Russia 52°58N 40°27E 86 D5
Micoud St. Lucia 13°49N 60°54W 183 f
Micronesia Pac. Oc. 11°0N 160°0E 156 G7
Micronesia, Federated States of ■
Pac. Oc. 9°0N 150°0E 156 G7
Mid-Atlantic Ridge Atl. Oc. 0°0 20°0W 56 J10
Mid-Indian Ocean Basin
Ind. Oc. 10°0S 80°0E 146 F7
Mid-Indian Ridge Ind. Oc. 30°0S 75°0E 146 H6
Mid-Oceanic Ridge
Ind. Oc. 42°0S 90°0E 156 M1
Mid-Pacific Seamounts
Pac. Oc. 18°0N 177°0W 156 F10
Midai Indonesia 3°0N 107°47E 118 D3
Midale Canada 49°25N 103°20W 163 D8
Middelburg Neths. 51°30N 3°36E 69 C3
Middelburg Eastern Cape,
S. Africa 31°30S 25°0E 144 D4
Middelburg Mpumalanga,
S. Africa 25°49S 29°28E 145 C4
Middelfart Denmark 55°30N 9°43E 63 J3
Middelpos S. Africa 31°55S 20°13E 144 D3
Middelwit S. Africa 24°51S 27°3E 144 B4
Middle Alkali L. U.S.A. 41°27N 120°5W 168 F3
Middle America Trench =
Guatemala Trench
Pac. Oc. 14°0N 95°0W 158 H10
Middle Andaman I.
India 12°30N 92°50E 127 H11
Middle Bass I. U.S.A. 41°41N 82°48W 174 E2
Middle East Asia 35°0N 40°0E 102 E5
Middle Fork Feather →
U.S.A. 38°33N 121°30W 170 F5
Middle I. Australia 34°6S 123°11E 149 F3
Middle Loup → U.S.A. 41°17N 98°24W 172 E4
Middleboro U.S.A. 41°54N 70°55W 175 E14
Middleburg Fla., U.S.A. 30°4N 81°52W 178 E8
Middleburg Pa., U.S.A. 40°47N 77°3W 174 F7
Middleburgh U.S.A. 42°36N 74°20W 175 D10
Middlebury U.S.A. 44°1N 73°10W 175 B11
Middlefield U.S.A. 41°27N 81°4W 174 E3
Middlemarch N.Z. 45°30S 170°9E 155 F5
Middlemount
Australia 22°50S 148°40E 150 C4
Middleport N.Y.,
U.S.A. 43°13N 78°29W 174 C6
Middleport Ohio, U.S.A. 39°0N 82°3W 173 F12
Middlesboro U.S.A. 36°36N 83°43W 173 G12
Middlesbrough U.K. 54°35N 1°13W 66 C6
Middlesbrough □ U.K. 54°28N 1°13W 66 C6
Middlesex Belize 17°2N 88°31W 182 C2
Middlesex N.J., U.S.A. 40°36N 74°30W 175 F10
Middlesex N.Y., U.S.A. 42°42N 77°16W 174 D7
Middleton Australia 22°22S 141°32E 150 C3
Middleton Canada 44°57N 65°4W 165 D6
Middleton Cr. →
Australia 22°35S 141°51E 150 C3
Middleton I. U.S.A. 59°26N 146°20W 166 D10
Middletown U.K. 54°17N 6°51W 64 B5
Middletown Calif.,
U.S.A. 38°45N 122°37W 170 G4
Middletown Conn.,
U.S.A. 41°34N 72°39W 175 E12
Middletown N.Y.,
U.S.A. 41°27N 74°25W 175 E10
Middletown Ohio,
U.S.A. 39°31N 84°24W 173 F11
Middletown Pa., U.S.A. 40°12N 76°44W 175 F8
Midelt Morocco 32°46N 4°44W 136 B3
Midge Point Australia 20°39S 148°43E 150 b
Midhirst N.Z. 39°17S 174°18E 154 F3
Midhurst Canada 44°26N 79°43W 174 B5
Midhurst U.K. 50°59N 0°44W 67 G7
Midi, Canal du → France 43°45N 1°21E 72 E5
Midi d'Ossau, Pic du
France 42°50N 0°26W 72 F3
Midi-Pyrénées □ France 43°55N 1°45E 72 E5
Midland Australia 31°54S 116°1E 149 F2
Midland Canada 44°45N 79°50W 174 B5
Midland Calif.,
U.S.A. 33°52N 114°48W 171 M12
Midland Mich., U.S.A. 43°37N 84°14W 173 D11
Midland Pa., U.S.A. 40°39N 80°27W 174 F4
Midland Tex., U.S.A. 32°0N 102°3W 176 F3
Midlands □ Zimbabwe 19°40S 29°0E 143 F2
Midleton Ireland 51°55N 8°10W 64 E3
Midlothian □ U.K. 55°51N 3°5W 65 F5
Midnapore = Medinipur
India 22°25N 87°21E 125 H12
Midou → France 43°54N 0°30W 72 E3
Midouze → France 43°48N 0°51W 72 E3
Midtjylland □ Denmark 56°30N 9°0E 63 H2
Midu China 25°18N 100°30E 116 E3
Midville U.S.A. 32°49N 82°14W 178 C7
Midway Ala., U.S.A. 32°5N 85°31W 178 C4
Midway Fla., U.S.A. 30°30N 84°27W 178 E5
Midway Is. Pac. Oc. 28°13N 177°22W 167 K4
Midway Wells U.S.A. 32°41N 115°7W 171 N11
Midwest U.S.A. 42°0N 90°0W 167 G22
Midwest Wyo.,
U.S.A. 43°25N 106°16W 168 E10
Midwest City U.S.A. 35°27N 97°24W 176 D6
Midyat Turkey 37°25N 41°23E 105 D9
Midžor Bulgaria 43°24N 22°40E 96 C6
Mie □ Japan 34°30N 136°10E 113 G8
Miechów Poland 50°21N 20°5E 83 H7
Miedwie, Jezioro Poland 53°17N 14°54E 83 E1
Międzybórz Poland 51°25N 17°34E 83 G4
Międzychód Poland 52°35N 15°53E 83 F2
Międzylesie Poland 50°8N 16°40E 83 H3
Międzyrzec Podlaski
Poland 51°58N 22°45E 83 G9
Międzyrzecz Poland 52°26N 15°35E 83 F2
Międzyzdroje Poland 53°56N 14°26E 82 E1
Miejska Górka Poland 51°39N 16°58E 83 G3
Miélan France 43°27N 0°19E 72 E4
Mielec Poland 50°15N 21°25E 83 H8
Mienga Angola 17°12S 19°48E 144 A2
Miercurea-Ciuc
Romania 46°21N 25°48E 81 D10
Miercurea Sibiului
Romania 45°53N 23°48E 81 E8
Mieres Spain 43°18N 5°48W 88 B5
Mieroszów Poland 50°40N 16°11E 83 H3
Mieszkowice Poland 52°47N 14°30E 83 F1
Mifflintown U.S.A. 40°34N 77°24W 174 F7
Mifraz Hefa Israel 32°52N 35°0E 130 C4
Migang Shan China 35°32N 106°13E 114 G4
Migennes France 47°58N 3°31E 71 E10
Migliarino Italy 44°46N 11°56E 93 D8
Migliarino-San Rossore-
Massaciuccoli △ Italy 43°44N 10°20E 92 E7
Migori Kenya 1°4S 34°28E 142 C3
Miguasha △ Canada 48°5N 66°26W 165 C6
Miguel Alemán, Presa
Mexico 18°15N 96°32W 181 D5
Miguel Alves Brazil 4°11S 42°55W 189 A2
Miguel Calmon Brazil 11°26S 40°36W 189 C2
Miguel Hidalgo, Presa
Mexico 26°30N 108°34W 180 B3
Miguelturra Spain 38°58N 3°53W 89 G7
Mihăileni Romania 47°58N 26°9E 81 C11
Mihăileşti Romania 44°20N 25°54E 81 F10
Mihailovca Moldova 46°33N 28°56E 81 D13
Mihalgazi Turkey 40°2N 30°34E 99 A12
Mihalıççık Turkey 39°53N 31°30E 104 C4
Mihara Japan 34°24N 133°5E 113 G6
Miheşu de Cîmpie
Romania 46°41N 24°9E 81 D9
Mijas Spain 36°36N 4°40W 89 J6
Mikese Tanzania 6°48S 37°55E 142 D4
Mikha-Tskhakaya = Senaki
Georgia 42°15N 42°1E 87 J6
Mikhailovka = Mykhaylivka
Ukraine 47°12N 35°15E 85 J8
Mikhaylov Russia 54°14N 39°0E 84 E10
Mikhaylovgrad = Montana
Bulgaria 43°27N 23°16E 96 C7
Mikhaylovka Russia 50°3N 43°5E 86 E6
Mikhaylovsk Russia 45°8N 42°0E 87 H5
Mikhnevo Russia 55°4N 37°59E 84 E9
Mikkeli Finland 61°43N 27°15E 84 B4
Mikkwa → Canada 58°25N 114°46W 162 B6
Mikołajki Poland 53°49N 21°37E 82 E8
Míkonos = Mykonos
Greece 37°30N 25°25E 99 D7
Mikri Prespa, L. Greece 40°47N 21°3E 96 F5
Mikro Derio Greece 41°19N 26°6E 97 E10
Mikstat Poland 51°32N 17°59E 83 G4
Mikulov Czech Rep. 48°48N 16°39E 79 C9
Mikumi Tanzania 7°26S 37°0E 142 D4
Mikumi △ Tanzania 7°35S 37°15E 142 D4
Mila Algeria 36°27N 6°16E 136 A5
Mila □ Algeria 36°25N 6°10E 136 A5
Milaca U.S.A. 45°45N 93°39W 172 C7
Milagro Ecuador 2°11S 79°36W 186 D3
Milan = Milano Italy 45°28N 9°10E 92 C6
Milan Ga., U.S.A. 32°1N 83°4W 178 C6
Milan Mo., U.S.A. 40°12N 93°7W 172 E7
Milan Tenn., U.S.A. 35°55N 88°46W 177 D10
Milang Australia 35°24S 138°58E 152 C3
Milange Mozam. 16°3S 35°45E 143 F4
Milano Italy 45°28N 9°10E 92 C6
Milano Linate ✕ (LIN)
Italy 45°27N 9°16E 92 C6
Milâs Turkey 37°20N 27°50E 99 D9
Milatos Greece 35°18N 25°34E 101 D7
Milazzo Italy 38°13N 15°15E 95 D8
Milbank U.S.A. 45°13N 96°38W 172 C5
Milbanke Sd. Canada 52°19N 128°33W 162 C3
Milden Canada 51°29N 107°32W 163 C7
Mildenhall U.K. 52°21N 0°32E 67 E8
Mildmay Canada 44°3N 81°7W 174 B3
Mildura Australia 34°13S 142°9E 152 C5
Mile China 24°28N 103°20E 116 E4
Miles Australia 26°40S 150°9E 151 D5
Miles City U.S.A. 46°25N 105°51W 168 C11
Mileşti Moldova 47°13N 28°3E 81 C13
Milestone Canada 49°59N 104°31W 163 D8
Mileto Italy 38°36N 16°4E 95 D9
Miletto, Mte. Italy 41°27N 14°22E 95 A7
Miletus Turkey 37°30N 27°18E 99 D9
Milevsko Czech Rep. 49°27N 14°21E 78 B7
Milford Calif., U.S.A. 40°10N 120°22W 170 E6
Milford Conn., U.S.A. 41°14N 73°3W 175 E11
Milford Del., U.S.A. 38°55N 75°26W 173 F16
Milford Mass., U.S.A. 42°8N 71°31W 175 D13
Milford N.H., U.S.A. 42°50N 71°39W 175 D13
Milford N.Y., U.S.A. 42°35N 74°56W 175 D10
Milford Pa., U.S.A. 41°19N 74°48W 175 E10
Milford Utah, U.S.A. 38°24N 113°1W 168 G7
Milford Haven U.K. 51°42N 5°7W 67 F2
Milford Sd. N.Z. 44°41S 167°47E 155 E2
Milḩ, Baḩr al = Razāzah,
Buḩayrat ar Iraq 32°40N 43°35E 105 F10
Miliana Aïn Salah, Algeria 27°20N 2°32E 136 C4
Miliana Médéa, Algeria 36°20N 2°15E 136 A4
Milicz Poland 51°31N 17°19E 83 G4
Milies Greece 39°20N 23°9E 98 B5
Milikapiti Australia 11°26S 130°40E 148 B5
Miling Australia 30°30S 116°17E 149 F2
Militello in Val di Catánia
Italy 37°16N 14°48E 95 E7
Milk, Wadi el → Sudan 17°55N 30°20E 137 D3
Milk River Canada 49°10N 112°5W 162 D6
Mill → U.S.A. 42°57N 83°23W 174 D1
Mill I. Antarctica 66°0S 101°30E 55 C8
Mill I. Canada 63°58N 77°47W 161 E16
Mill Valley U.S.A. 37°54N 122°32W 170 H4
Millárs → Spain 39°55N 0°1W 90 F4
Millau France 44°8N 3°4E 72 D7
Millbridge Canada 44°41N 77°36W 174 B7
Millbrook Canada 44°10N 78°29W 174 B6
Millbrook Ala., U.S.A. 32°29N 86°22W 177 E11
Millbrook N.Y., U.S.A. 41°47N 73°42W 175 E11
Mille Lacs, L. des
Canada 48°45N 90°35W 164 C1
Mille Lacs L. U.S.A. 46°15N 93°39W 172 B7
Milledgeville U.S.A. 33°5N 83°14W 178 B6
Millen U.S.A. 32°48N 81°57W 178 C8
Millennium I. = Caroline I.
Kiribati 9°58S 150°13W 157 H12
Miller U.S.A. 44°31N 98°59W 172 C4
Miller Lake Canada 45°6N 81°26W 174 A3
Millerovo Russia 48°57N 40°28E 87 F5
Miller's Flat N.Z. 45°39S 169°23E 155 F4
Millersburg Ohio,
U.S.A. 40°33N 81°55W 174 F3
Millersburg Pa., U.S.A. 40°32N 76°58W 174 F8
Millerton N.Z. 41°39S 171°54E 155 B6
Millerton U.S.A. 41°57N 73°31W 175 E11
Millerton L. U.S.A. 37°1N 119°41W 170 J7
Millet St. Lucia 13°55N 60°59W 183 f
Millevaches, Plateau de
France 45°45N 2°0E 72 C6
Millheim U.S.A. 40°54N 77°29W 174 F7
Millicent Australia 37°34S 140°21E 152 D4
Milligan U.S.A. 30°45N 86°38W 179 E3
Millington U.S.A. 35°20N 89°53W 177 D10
Millinocket U.S.A. 45°39N 68°43W 173 C19
Millmerran Australia 27°53S 151°16E 151 D5
Millom U.K. 54°13N 3°16W 66 C4
Mills L. Canada 61°30N 118°20W 162 A5
Millsboro U.S.A. 40°0N 80°0W 174 G5
Millstream Chichester △
Australia 21°35S 117°6E 148 D2
Millstreet Ireland 52°4N 9°4W 64 D2
Millthorpe Australia 33°26S 149°12E 153 B8
Milltown Malbay Ireland 52°52N 9°24W 64 D2
Millville N.J., U.S.A. 39°24N 75°2W 173 F16
Millville Pa., U.S.A. 41°7N 76°32W 175 E8
Millwood L. U.S.A. 33°42N 93°58W 176 E8
Milna Croatia 43°20N 16°28E 93 E13
Milne → Australia 21°10S 137°33E 150 C2
Milne Land Greenland 70°40N 26°30W 57 C8
Milo U.S.A. 45°15N 68°59W 173 C19
Milo → Guinea 8°52N 9°0W 138 D3
Milon, Akra Greece 36°15N 28°11E 101 C10
Milos Greece 36°44N 24°25E 98 E6
Miłosław Poland 52°12N 17°32E 83 F4
Milot Albania 41°41N 19°43E 96 E3
Milparinka Australia 29°46S 141°57E 151 D3
Milpitas U.S.A. 37°26N 121°55W 170 H5
Miltenberg Germany 49°41N 9°16E 77 F5
Milton Australia 35°20S 150°27E 153 C9
Milton N.S., Canada 44°4N 64°45W 165 D7
Milton Ont., Canada 43°31N 79°53W 174 C5
Milton N.Z. 46°7S 169°59E 155 G4
Milton Calif., U.S.A. 38°3N 120°51W 170 G6
Milton Fla., U.S.A. 30°38N 87°3W 179 E2
Milton Pa., U.S.A. 41°1N 76°51W 174 F8
Milton Vt., U.S.A. 44°38N 73°7W 175 B11
Milton-Freewater
U.S.A. 45°56N 118°23W 168 D4
Milton Keynes U.K. 52°1N 0°44W 67 E7
Milton Keynes □ U.K. 52°1N 0°44W 67 E7
Miluo China 29°0N 112°59E 117 C9
Milverton Canada 43°34N 80°55W 174 C4
Milwaukee U.S.A. 43°2N 87°54W 172 D10
Milwaukee Deep
Atl. Oc. 19°50N 68°0W 183 C6
Milwaukie U.S.A. 45°26N 122°38W 170 E4
Mim Ghana 6°57N 2°33W 138 D4
Mimili Australia 27°0S 132°42E 149 E5
Mimizan France 44°12N 1°13W 72 D2
Mimoň Czech Rep. 50°38N 14°43E 78 A7
Mimoso Brazil 15°10S 48°5W 189 D1
Mims U.S.A. 28°40N 80°51W 179 G9
Min Jiang → Fujian,
China 26°0N 119°35E 117 E12
Min Jiang → Sichuan,
China 28°45N 104°40E 116 C5
Min Xian China 34°25N 104°5E 114 G3
Mīnā' al Aḩmadī Kuwait 29°5N 48°10E 129 D6
Minā' Jabal 'Alī U.A.E. 25°2N 55°8E 129 E7
Mina Pirquitas
Argentina 22°40S 66°30W 190 A2
Mīnā Su'ud Si. Arabia 28°45N 48°28E 129 D6
Minago → Canada 54°33N 98°59W 163 C9
Minaki Canada 49°59N 94°40W 163 D10
Minamata Japan 32°10N 130°30E 113 H5
Minami-Arapusa △
Japan 35°30N 138°9E 113 G9
Minami-Tori-Shima
Pac. Oc. 24°20N 153°58E 156 E7
Minamiaizu Japan 37°12N 139°46E 113 F9
Minamiawaji Japan 34°10N 134°42E 113 G7
Minamisōma Japan 37°38N 140°58E 112 F10
Minas Uruguay 34°20S 55°10W 191 C4
Minas, Sierra de las
Guatemala 15°9N 89°31W 182 C2
Minas Basin Canada 45°20N 64°12W 165 C7
Minas de Riotinto Spain 37°42N 6°35W 89 H4
Minas Gerais □ Brazil 18°50S 46°0W 189 D1
Minas Novas Brazil 17°15S 42°36W 189 D2
Minatitlán Mexico 17°59N 94°31W 181 D6
Minbu Burma 20°10N 94°52E 123 J19
Minchinabad Pakistan 30°10N 73°34E 124 D5
Mincio → Italy 45°4N 10°59E 92 C7
Minčol Slovak Rep. 49°15N 20°58E 79 B13
Mindanao Phil. 8°0N 125°0E 119 C7
Mindanao Sea = Bohol Sea
Phil. 9°0N 124°0E 119 C6
Mindanao Trench
Pac. Oc. 12°0N 126°6E 119 B7
Mindel → Germany 48°31N 10°23E 77 G6
Mindelheim Germany 48°2N 10°29E 77 G6
Mindelo C. Verde Is. 16°24N 25°0W 134 b
Minden Canada 44°55N 78°43W 174 B6
Minden Germany 52°17N 8°55E 76 C4
Minden La., U.S.A. 32°37N 93°17W 176 E8
Minden Nev., U.S.A. 38°57N 119°46W 170 G7
Mindibungu = Billiluna
Australia 19°37S 127°41E 148 C4
Mindiptana Indonesia 5°55S 140°22E 119 F10
Mindona L. Australia 33°6S 142°6E 152 B5
Mindoro Phil. 13°0N 121°0E 119 B6
Mindoro Str. Phil. 12°30N 120°30E 119 B6
Mine Japan 34°12N 131°7E 113 G5
Minehead U.K. 51°12N 3°29W 67 F4
Mineola N.Y., U.S.A. 40°44N 73°38W 175 F11
Mineola Tex., U.S.A. 32°40N 95°29W 176 E7
Mineral King U.S.A. 36°27N 118°36W 170 J8
Mineral Wells U.S.A. 32°48N 98°7W 176 E5
Mineralnyye Vody Russia 44°15N 43°8E 87 H6
Miners Bay Canada 44°49N 78°46W 174 B6
Minersville U.S.A. 40°41N 76°16W 175 F8
Minerva N.Y., U.S.A. 43°47N 73°59W 175 C11
Minerva Ohio, U.S.A. 40°44N 81°6W 174 F3
Minervino Murge Italy 41°5N 16°5E 95 A9
Minetto U.S.A. 43°24N 76°28W 175 C8
Minfeng China 37°4N 82°46E 109 E10
Ming-Kush Kyrgyzstan 41°40N 74°28E 109 D8
Mingäçevir Azerbaijan 40°45N 47°0E 87 K8
Mingäçevir Su Anbarı
Azerbaijan 40°57N 46°50E 87 K8
Mingan Canada 50°20N 64°0W 165 B7
Mingary Australia 32°8S 140°45E 152 B4
Mingechaur = Mingäçevir
Azerbaijan 40°45N 47°0E 87 K8
Mingechaurskoye Vdkhr. =
Mingäçevir Su Anbarı
Azerbaijan 40°57N 46°50E 87 K8
Mingela Australia 19°52S 146°38E 150 B4
Mingenew Australia 29°12S 115°21E 149 E2
Mingera Cr. →
Australia 20°38S 137°45E 150 C2
Minggang China 32°24N 114°3E 117 A10
Mingguang China 32°46N 117°59E 117 A11
Mingin Burma 22°50N 94°30E 123 H19
Mingir Moldova 46°40N 28°20E 81 D13
Minglanilla Spain 39°34N 1°38W 91 F3
Minglun China 25°10N 108°21E 116 E7
Mingo Junction U.S.A. 40°19N 80°37W 174 F4
Mingora Pakistan 34°48N 72°22E 125 B5
Mingorria Spain 40°45N 4°40W 88 E6
Mingshan China 30°6N 103°10E 116 B4
Mingteke Daban = Mintaka Pass
Pakistan 37°0N 74°58E 125 A6
Mingxi China 26°18N 117°12E 117 D11
Mingyuegue China 43°2N 128°50E 115 C15
Minhe China 36°9N 102°45E 110 D9
Minho = Miño → Spain 41°52N 8°40W 88 D2
Minhou China 26°0N 119°15E 117 E12
Miničevo Serbia 43°42N 22°18E 80 G7
Minicoy I. India 8°17N 73°2E 127 K1
Minidoka U.S.A. 42°45N 113°29W 168 E7
Minigwal, L. Australia 29°31S 123°14E 149 E3
Minilya → Australia 23°45S 114°0E 149 D1
Minilya Roadhouse
Australia 23°55S 114°0E 149 D1
Mininera Australia 37°37S 142°58E 152 D5
Minipi L. Canada 52°25N 60°45W 165 B7
Minjilang Australia 11°8S 132°33E 148 B5
Mink L. Canada 61°54N 117°40W 162 A5
Minlaton Australia 34°45S 137°35E 152 C2
Minna Nigeria 9°37N 6°30E 139 D6
Minneapolis Kans.,
U.S.A. 39°8N 97°42W 172 F5
Minneapolis Minn.,
U.S.A. 44°57N 93°16W 172 C7
Minneapolis-St. Paul Int. ✕ (MSP)
U.S.A. 44°53N 93°13W 172 C7
Minnedosa Canada 50°14N 99°50W 163 C9
Minnesota □ U.S.A. 46°0N 94°15W 172 B6
Minnesota → U.S.A. 44°54N 93°9W 172 C7
Minnewaukan U.S.A. 48°4N 99°15W 172 A4
Minnipa Australia 32°51S 135°9E 151 E2
Minnitaki L. Canada 49°57N 92°10W 164 C1
Miño = A Carreira Spain 43°21N 8°12W 88 B2
Mino Japan 35°32N 136°55E 113 G8
Miño → Spain 41°52N 8°40W 88 D2
Minoa Greece 35°6N 25°45E 99 F7
Minorca = Menorca
Spain 40°0N 4°0E 100 B11
Minore Australia 32°14S 148°27E 153 B8
Minot U.S.A. 48°14N 101°18W 172 A3
Minqin China 38°38N 103°20E 114 E2
Minqing China 26°15N 118°50E 117 D12
Minsen Germany 53°41N 7°58E 76 B3
Minsk Belarus 53°52N 27°30E 75 B14
Minsk □ Belarus 53°15N 27°30E 84 F4
Mińsk Mazowiecki
Poland 52°10N 21°33E 83 F8
Mintabie Australia 27°15S 133°7E 151 D1
Mintaka Pass Pakistan 37°0N 74°58E 125 A6
Minto Canada 46°5N 66°5W 165 C6
Minto, L. Canada 57°13N 75°0W 164 A5
Minton Canada 49°10N 104°35W 163 D8
Minturn U.S.A. 39°35N 106°26W 168 G10
Minturno Italy 41°15N 13°45E 94 A6
Minudasht Iran 37°17N 56°7E 129 B8
Minûf Egypt 30°26N 30°52E 137 E7
Minusinsk Russia 53°43N 91°20E 109 B12
Minutang India 28°15N 96°30E 123 E20
Minvoul Gabon 2°9N 12°8E 140 D2
Minya el Qamh Egypt 30°31N 31°21E 137 E7
Minya Konka = Gongga Shan
China 29°40N 101°55E 116 C3
Minyip Australia 36°29S 142°36E 152 D5
Minzhong China 22°37N 113°30E 111 a
Mionica Bos.-H. 44°51N 18°29E 80 F3
Mionica Serbia 44°14N 20°6E 96 B4
Mioveni Romania 44°56N 24°54E 81 F9
Miquan China 43°58N 87°42E 109 D11
Miquelon Canada 49°25N 76°27W 164 C4
Miquelon St-P. & M. 47°8N 56°22W 165 C8
Mir Belarus 53°27N 26°28E 75 B14
Mir Niger 14°5N 11°59E 139 C7
Mīr Kūh Iran 26°22N 58°55E 129 E8
Mīr Shahdād Iran 26°15N 58°29E 129 E8
Mira Italy 45°26N 12°8E 93 C9
Mira Portugal 40°26N 8°44W 88 E2
Mira → Portugal 37°43N 8°47W 89 H2
Mira por vos Cay
Bahamas 22°9N 74°30W 183 B5
Mirabella Eclano Italy 41°2N 14°59E 95 A7
Mirabello, Kolpos
Greece 35°10N 25°50E 101 D7
Miracema do Norte
Brazil 9°33S 48°24W 189 B1
Mirador Brazil 6°22S 44°22W 189 B2
Mirador-Río Azul △
Guatemala 17°45N 89°50W 182 C2
Miraj India 16°50N 74°45E 126 F2
Miram Shah Pakistan 33°0N 70°2E 124 C4
Miramar Argentina 38°15S 57°50W 190 D4
Miramar Mozam. 23°50S 35°35E 145 B6
Miramas France 43°33N 4°59E 73 E8
Mirambeau France 45°23N 0°35W 72 C3
Miramichi Canada 47°2N 65°28W 165 C6
Miramichi B. Canada 47°15N 65°0W 165 C7
Miramont-de-Guyenne
France 44°37N 0°21E 72 D4
Miranda Brazil 20°10S 56°15W 187 H7
Miranda → Brazil 19°25S 57°20W 186 G7
Miranda de Ebro Spain 42°41N 2°57W 90 C2
Miranda do Corvo
Portugal 40°6N 8°20W 88 E2
Miranda do Douro
Portugal 41°30N 6°16W 88 D4
Mirande France 43°31N 0°25E 72 E4
Mirandela Portugal 41°32N 7°10W 88 D3
Mirándola Italy 44°53N 11°4E 92 D8
Mirandópolis Brazil 21°9S 51°6W 191 A5
Mirango Malawi 13°32S 34°58E 143 E3
Mirani Australia 21°8S 148°53E 150 b
Mirano Italy 45°30N 12°7E 93 C9
Miras Albania 40°30N 20°56E 96 F4
Mirassol Brazil 20°46S 49°28W 191 A6
Mirbāţ Oman 17°0N 54°45E 131 D5
Mirboo North
Australia 38°24S 146°10E 153 E7
Mirear Egypt 23°15N 35°41E 137 C4
Mirebeau France 46°49N 0°10E 70 F7
Mirebeau-sur-Bèze
France 47°25N 5°20E 71 E12
Mirecourt France 48°20N 6°10E 71 D13
Mires Greece 35°4N 24°56E 101 D6
Mirgorod = Myrhorod
Ukraine 49°58N 33°37E 85 H7
Miri Malaysia 4°23N 113°59E 118 D4
Mirialguda India 16°52N 79°35E 126 F4
Miriam Vale Australia 24°20S 151°33E 150 C5
Miribel France 45°50N 4°57E 71 G11
Mirigama Sri Lanka 7°15N 80°8E 127 L5
Mirim, L. S. Amer. 32°45S 52°50W 191 C5
Miriuwung Gajerrong ◎
Australia 15°0S 128°45E 148 C4
Mīrjāveh Iran 29°1N 61°30E 129 D9
Mirnyy Antarctica 66°50S 92°30E 55 C14
Mirnyy Russia 62°33N 113°53E 107 C12
Miroč Serbia 44°32N 22°16E 96 B6
Mirokhan Pakistan 27°46N 68°6E 124 F3
Mirond L. Canada 55°6N 102°47W 163 B8
Mirosławiec Poland 53°20N 16°5E 82 E3
Mirpur Pakistan 33°32N 73°56E 125 C5
Mirpur Batoro Pakistan 24°44N 68°16E 124 G3
Mirpur Bibiwari
Pakistan 28°33N 67°44E 124 E2
Mirpur Khas Pakistan 25°30N 69°0E 124 G3
Mirpur Sakro Pakistan 24°33N 67°41E 124 G2
Mirria Niger 13°43N 9°7E 139 C6
Mirrool Australia 34°19S 147°10E 153 C7
Mirs Bay = Tai Pang Wan
China 22°33N 114°24E 111 a
Mirsk Poland 50°58N 15°23E 83 H2
Mirtağ Turkey 38°23N 41°56E 128 B4
Mirtoo Sea Greece 37°0N 23°20E 98 D5
Miryang S. Korea 35°31N 128°44E 115 G15
Mirzaani Georgia 41°24N 46°5E 87 K8
Mirzapur India 25°10N 82°34E 125 G10
Mirzapur-cum-Vindhyachal =
Mirzapur India 25°10N 82°34E 125 G10
Misantla Mexico 19°56N 96°50W 181 D5
Misawa Japan 40°41N 141°24E 112 D10
Miscou I. Canada 47°57N 64°31W 165 C7
Misha India 7°59N 93°20E 127 L10
Mish'āb, Ra's al
Si. Arabia 28°15N 48°43E 129 D6
Mishagua → Peru 11°12S 72°58W 188 C3
Mishamo Tanzania 5°45S 30°41E 142 D3
Mishan China 45°37N 131°48E 112 B5
Mishawaka U.S.A. 41°40N 86°11W 172 E10
Mishbih, Gebel Egypt 22°38N 34°44E 137 C3
Mishima Japan 35°10N 138°52E 113 G9
Misión Mexico 32°6N 116°53W 171 N10
Misión Fagnano
Argentina 54°32S 67°17W 192 D3
Misiones □ Argentina 27°0S 55°0W 191 B5
Misiones □ Paraguay 27°0S 56°0W 190 B4
Miskah Si. Arabia 24°49N 42°56E 128 E4
Miskitos, Cayos Nic. 14°26N 82°50W 182 D3
Miskolc Hungary 48°7N 20°50E 80 B5
Misoke
Dem. Rep. of the Congo 0°42S 28°2E 142 C2
Misool Indonesia 1°52S 130°10E 119 E8
Mişr = Egypt ■ Africa 28°0N 31°0E 137 F7
Mişrātah Libya 32°24N 15°3E 135 B9
Missanabie Canada 48°20N 84°6W 164 C3
Missão Velha Brazil 7°15S 39°10W 189 B3
Missinaibi → Canada 50°43N 81°29W 164 B3
Missinaibi L. Canada 48°23N 83°40W 164 C3
Mission Canada 49°10N 122°15W 162 D4
Mission S. Dak.,
U.S.A. 43°18N 100°39W 172 D3
Mission Tex., U.S.A. 26°13N 98°20W 176 H5
Mission Beach Australia 17°53S 146°6E 150 B4
Mission Viejo U.S.A. 33°36N 117°40W 171 M9
Missirah Senegal 13°40N 16°30W 138 C1
Missisa L. Canada 52°20N 85°7W 164 B2
Missisicabi → Canada 51°14N 79°31W 164 B4
Mississagi → Canada 46°15N 83°9W 164 C3
Mississauga Canada 43°32N 79°35W 174 C5
Mississippi □ U.S.A. 33°0N 90°0W 177 E10
Mississippi → U.S.A. 29°9N 89°15W 177 G10
Mississippi L. Canada 45°5N 76°10W 175 A8
Mississippi River Delta
U.S.A. 29°10N 89°15W 177 G10
Mississippi Sd. U.S.A. 30°20N 89°0W 177 F10
Missoula U.S.A. 46°52N 114°1W 168 C6
Missour Morocco 33°3N 4°0W 136 B3
Missouri □ U.S.A. 38°25N 92°30W 172 F7
Missouri → U.S.A. 38°49N 90°7W 172 F8
Missouri City U.S.A. 29°37N 95°32W 176 G7
Missouri Valley U.S.A. 41°34N 95°53W 172 E6
Mist U.S.A. 45°59N 123°15W 170 E3
Mistassibi → Canada 48°53N 72°13W 165 B5
Mistassini Canada 48°53N 72°12W 165 C5
Mistassini → Canada 48°42N 72°20W 165 C5
Mistassini, L. Canada 51°0N 73°30W 164 B5
Mistastin L. Canada 55°57N 63°20W 165 A7
Mistelbach Austria 48°34N 16°34E 79 C9
Misterbianco Italy 37°31N 15°1E 95 E8
Misti, Volcán Peru 16°18S 71°24W 188 D3
Mistinibi, L. Canada 55°56N 64°17W 165 A7
Mistissini Canada 48°53N 72°12W 165 C5
Mistras = Mystras Greece 37°4N 22°22E 98 D4
Mistretta Italy 37°56N 14°22E 95 E7
Misty L. Canada 58°53N 101°40W 163 B8
Misurata = Mişrātah
Libya 32°24N 15°3E 135 B9
Mît Ghamr Egypt 30°42N 31°12E 137 E7
Mitande Mozam. 14°6S 35°58E 143 E4
Mitchell Australia 26°29S 147°58E 151 D4
Mitchell Canada 43°28N 81°12W 174 C3
Mitchell Ga., U.S.A. 33°13N 82°42W 178 B7
Mitchell Nebr., U.S.A. 41°57N 103°49W 172 E2
Mitchell Oreg., U.S.A. 44°34N 120°9W 168 D3
Mitchell S. Dak., U.S.A. 43°43N 98°2W 172 D4
Mitchell → Australia 15°12S 141°35E 150 B3
Mitchell, Mt. U.S.A. 35°46N 82°16W 177 D13
Mitchell-Alice Rivers △
Australia 15°28S 142°5E 150 B3
Mitchell Ra. Australia 12°49S 135°36E 150 A2
Mitchell River △
Australia 37°37S 147°22E 153 D7
Mitchelstown Ireland 52°15N 8°16W 64 D3
Mitha Tiwana Pakistan 32°13N 72°6E 124 C5
Mithi Pakistan 24°44N 69°48E 124 G3
Mithimna Greece 39°20N 26°12E 99 B8
Mithrao Pakistan 27°28N 69°40E 124 F3
Mitiamo Australia 36°12S 144°15E 152 D6
Mitilini Greece 39°6N 26°35E 99 B8
Mitilinii Greece 37°42N 26°56E 99 D8
Mitla Pass = Mamarr Mitlā
Egypt 30°2N 32°54E 130 E1
Mito Japan 36°20N 140°30E 113 F10
Mitre, Mt. N.Z. 40°50S 175°30E 154 G4
Mitrofanovka Russia 49°58N 39°42E 85 H10
Mitrovicë Kosovo 42°54N 20°52E 96 D4
Mitsamiouli Comoros Is. 11°20S 43°16E 141 a
Mitsiwa Eritrea 15°35N 39°25E 131 D2
Mitsukaidō Japan 36°1N 139°59E 113 F9
Mittagong Australia 34°28S 150°29E 153 C9
Mittelberg Austria 47°20N 10°10E 78 D3
Mittelfranken □
Germany 49°25N 10°40E 77 F6
Mittellandkanal →
Germany 52°20N 8°28E 76 C4
Mittenwalde Germany 52°15N 13°31E 76 C9
Mittersill Austria 47°16N 12°29E 78 D5
Mitterteich Germany 49°57N 12°14E 77 F8
Mittimatalik = Pond Inlet
Canada 72°40N 77°0W 161 C16
Mittweida Germany 50°59N 12°59E 76 E8
Mitú Colombia 1°15N 70°13W 186 C4
Mitumba Tanzania 7°8S 31°2E 142 D3
Mitumba, Mts.
Dem. Rep. of the Congo 7°0S 27°30E 142 D2
Mitwaba
Dem. Rep. of the Congo 8°2S 27°17E 143 D2
Mityana Uganda 0°23N 32°2E 142 B3
Mixteco → Mexico 18°11N 98°30W 181 D5
Miyagi □ Japan 38°15N 140°45E 112 E10
Miyâh, W. el → Egypt 25°0N 33°23E 137 C3
Miyāh, W. el → Syria 34°44N 39°57E 128 C3
Miyake-Jima Japan 34°5N 139°30E 113 G9
Miyako Japan 39°40N 141°59E 112 E10
Miyako-Jima Japan 24°45N 125°20E 113 M2
Miyako-Rettō Japan 24°24N 125°0E 113 M2
Miyakojima Japan 24°48N 125°17E 113 M2
Miyakonojō Japan 31°40N 131°5E 113 J5
Miyān Rahan Iran 34°34N 47°26E 105 E12
Miyani India 21°50N 69°26E 124 J3
Miyanoura-Dake
Japan 30°20N 130°31E 113 J5
Miyazaki Japan 31°56N 131°30E 113 J5
Miyazaki □ Japan 32°30N 131°30E 113 H5
Miyazu Japan 35°35N 135°10E 113 G7
Miyet, Bahr el = Dead Sea
Asia 31°30N 35°30E 130 D4
Miyi China 26°47N 102°9E 116 D4
Miyoshi Japan 34°48N 132°51E 113 G6
Miyun China 40°28N 116°50E 114 D9
Miyun Shuiku China 40°30N 117°0E 115 D9
Mizdah Libya 31°30N 13°0E 135 B8
Mizen Hd. Cork, Ireland 51°27N 9°50W 64 E2
Mizen Hd. Wicklow, Ireland 52°51N 6°4W 64 D5
Mizhhirya Ukraine 48°32N 23°30E 81 B8
Mizhi China 37°47N 110°12E 114 F6
Mizil Romania 44°59N 26°29E 81 F11
Mizoram □ India 23°30N 92°40E 123 H18
Mizpe Ramon Israel 30°34N 34°49E 130 E3
Mizuho Antarctica 70°30S 41°0E 55 D5
Mizusawa = Ōshū
Japan 39°8N 141°8E 112 E10
Mjällby Sweden 56°3N 14°40E 63 H8
Mjöbäck Sweden 57°28N 12°53E 63 G6
Mjölby Sweden 58°20N 15°10E 63 F9

Mjörn Sweden 57°55N 12°25E 63 G6
Mjøsa Norway 60°40N 11°0E 60 F14
Mkata Tanzania 5°45S 38°20E 142 D4
Mkhaya ⌂ Swaziland 26°34S 31°45E 145 C5
Mkhuze ⌂ S. Africa 29°27S 29°30E 145 C4
Mkoani Tanzania 5°22S 39°39E 142 D4
Mkokotoni Tanzania 5°55S 39°15E 142 D4
Mkomazi Tanzania 4°40S 38°7E 142 C4
Mkomazi → S. Africa 30°12S 30°50E 145 D5
Mkomazi ⌂ Tanzania 4°4S 30°2E 142 C3
Mkulwe Tanzania 8°37S 32°20E 143 D3
Mkumbi, Ras Tanzania 7°38S 39°55E 142 D4
Mkushi Zambia 14°25S 29°15E 143 E2
Mkushi River Zambia 13°32S 29°45E 143 E2
Mkuze S. Africa 27°10S 32°0E 145 C5
Mladá Boleslav Czech Rep. 50°27N 14°53E 78 A7
Mladenovac Serbia 44°28N 20°44E 96 B4
Mlala Hills Tanzania 6°50S 31°40E 142 D3
Mlange = Mulanje, Mt. Malawi 16°2S 35°33E 143 F4
Mlava → Serbia 44°45N 21°13E 96 B5
Mława Poland 53°9N 20°25E 83 E7
Mlawula ⌂ Swaziland 26°12S 32°2E 145 C5
Mlinište Bos.-H. 44°15N 16°50E 93 D13
Mljet Croatia 42°43N 17°30E 93 F14
Mljet ⌂ Croatia 42°45N 17°25E 93 F14
Mljetski Kanal Croatia 42°48N 17°35E 93 F14
Mlynary Poland 54°12N 19°46E 82 D6
Mmabatho S. Africa 25°49S 25°30E 144 C4
Mme Cameroon 6°18N 10°14E 139 D7
Mnichovo Hradiště Czech Rep. 50°32N 14°59E 78 A7
Mo i Rana Norway 66°20N 14°7E 60 C16
Moa Australia 10°11S 142°16E 150 a
Moa Cuba 20°40N 74°56W 183 B4
Moa Indonesia 8°0S 128°0E 119 F7
Moa → S. Leone 6°59N 11°36W 138 D2
Moab U.S.A. 38°35N 109°33W 168 G9
Moaco → Brazil 7°41S 68°18W 188 B4
Moala Fiji 18°36S 179°53E 154 a
Moama Australia 36°7S 144°46E 151 F3
Moamba Mozam. 25°36S 32°15E 145 C5
Moapa U.S.A. 36°40N 114°37W 171 J12
Moate Ireland 53°24N 7°44W 64 C4
Moba Dem. Rep. of the Congo 7°0S 29°48E 142 D2
Mobārakābād Iran 28°24N 53°20E 129 D7
Mobaye C.A.R. 4°25N 21°5E 140 D4
Moberly U.S.A. 39°25N 92°26W 172 F7
Moberly Lake Canada 55°50N 121°44W 162 B4
Mobile U.S.A. 30°41N 88°3W 177 F10
Mobile B. U.S.A. 30°30N 88°0W 177 F11
Mobridge U.S.A. 45°32N 100°26W 172 C3
Moc Chau Vietnam 20°50N 104°38E 120 B5
Moc Hoa Vietnam 10°46N 105°56E 121 G5
Mocabe Kasari Dem. Rep. of the Congo 9°58S 26°12E 143 D2
Moçambique = Mozambique ■ Africa 19°0S 35°0E 143 F4
Moçambique Mozam. 15°3S 40°42E 143 F5
Mocanaqua U.S.A. 41°9N 76°8W 175 E8
Moce Fiji 18°40S 178°29W 154 a
Mocha, I. Chile 38°22S 73°56W 192 A2
Mochima △ Venezuela 10°30N 64°5W 183 D7
Mochos Greece 35°16N 25°27E 101 D7
Mochudi Botswana 24°27S 26°7E 144 B4
Mocimboa da Praia Mozam. 11°25S 40°20E 143 E5
Mociu Romania 46°46N 24°3E 81 D9
Möckeln Sweden 56°40N 14°15E 63 H8
Mockfjärd Sweden 60°30N 14°57E 62 D8
Moclips U.S.A. 47°14N 124°13W 170 C2
Mocoa Colombia 1°7N 76°35W 186 C3
Mococa Brazil 21°28S 47°0W 191 A6
Mocorito Mexico 25°29N 107°55W 180 B3
Moctezuma Mexico 29°48N 109°42W 180 B3
Moctezuma → Mexico 21°59N 98°34W 181 C5
Mocuba Mozam. 16°54S 36°57E 143 F4
Modane France 45°12N 6°40E 73 C10
Modasa India 23°30N 73°21E 124 H5
Modder → S. Africa 29°2S 24°37E 144 C3
Modderrivier S. Africa 29°2S 24°38E 144 C3
Módena Italy 44°40N 10°55E 92 D7
Modena U.S.A. 37°48N 113°56W 169 H7
Modesto U.S.A. 37°39N 121°0W 170 H6
Módica Italy 36°52N 14°46E 95 F7
Modimolle S. Africa 24°42S 28°22E 145 B4
Modjadjiskloof S. Africa 23°42S 30°10E 145 B5
Mödling Austria 48°5N 16°17E 79 C9
Modoc U.S.A. 33°44N 82°13W 178 B7
Modra Slovak Rep. 48°19N 17°20E 79 C10
Modriča Bos.-H. 44°57N 18°17E 80 F3
Moe Australia 38°12S 146°19E 153 E7
Moebase Mozam. 17°3S 38°41E 143 F4
Moëlan-sur-Mer France 47°49N 3°38W 70 E3
Moengo Suriname 5°45N 54°20W 187 B8
Moenjodaro = Mohenjodaro Pakistan 27°19N 68°7E 124 F3
Moerewa N.Z. 35°8S 174°1E 154 B3
Moers Germany 51°27N 6°36E 76 D2
Moffat U.K. 55°21N 3°27W 65 F5
Moga India 30°48N 75°8E 124 D6
Mogadishu = Muqdisho Somalia 2°2N 45°25E 131 G4
Mogador = Essaouira Morocco 31°32N 9°42W 136 B2
Mogadouro Portugal 41°22N 6°47W 88 D4
Mogalakwena → S. Africa 22°38S 28°40E 145 B4
Mogami-Gawa → Japan 38°45N 140°0E 112 E10
Mogán Canary Is. 27°53N 15°43W 100 G4
Mogaung Burma 25°20N 97°0E 123 G20
Mogente = Moixent Spain 38°52N 0°45W 91 G4
Mogi-Mirim Brazil 22°29S 47°0W 187 H9
Mogielnica Poland 51°42N 20°41E 83 G7
Mogilev = Mahilyow Belarus 53°55N 30°18E 75 B16
Mogilev-Podolskiy = Mohyliv-Podilskyy Ukraine 48°26N 27°48E 81 B12
Mogilno Poland 52°39N 17°55E 83 F4
Mogincual Mozam. 15°35S 40°25E 143 F5
Mogliano Véneto Italy 45°33N 12°14E 93 C9
Mogocha Russia 53°40N 119°50E 107 D12
Mogoditshane Botswana 24°37S 25°51E 144 B4
Mogok Burma 23°0N 96°40E 123 H20
Mogollon Rim U.S.A. 34°10N 110°50W 169 J8
Mógoro Italy 39°41N 8°47E 94 C1
Mograt Sudan 19°28N 33°16E 137 D3
Moguer Spain 37°15N 6°52W 89 H4
Mogumber Australia 31°2S 116°3E 149 F2
Mogwadi → S. Africa 23°4S 29°36E 145 B4
Mohács Hungary 45°58N 18°41E 80 E3
Mohaka → N.Z. 39°7S 177°12E 154 F6
Mohala India 20°35N 80°44E 126 D5
Mohales Hoek Lesotho 30°7S 27°26E 144 D4
Mohali = Ajitgarh India 30°47N 76°41E 124 D7
Mohall U.S.A. 48°46N 101°31W 172 A3
Moḩammadābād Iran 37°52N 59°5E 129 B8
Mohammadia Algeria 35°33N 0°3E 136 A4
Mohammedia Morocco 33°44N 7°21W 136 B2
Mohana India 19°27N 84°16E 126 E7
Mohana → India 24°43N 85°0E 125 G11
Mohanlalganj India 26°41N 80°58E 125 F9
Mohave, L. U.S.A. 35°12N 114°34W 171 K12
Mohawk → U.S.A. 42°47N 73°41W 175 D11
Moheda Sweden 57°1N 14°35E 63 G8
Mohéli Comoros Is. 12°20S 43°40E 141 a
Mohenjodaro Pakistan 27°19N 68°7E 124 F3
Moher, Cliffs of Ireland 52°58N 9°27W 64 D2
Mohicanville Res. U.S.A. 40°45N 82°9W 174 F2
Möhne → Germany 51°29N 7°57E 76 D3
Mohns Ridge Arctic 72°30N 5°0W 54 B7
Mohoro Tanzania 8°6S 39°8E 142 D4
Mohsenābād Iran 36°40N 59°35E 129 B8
Mohyliv-Podilskyy Ukraine 48°26N 27°48E 81 B12
Moidart, L. U.K. 56°47N 5°52W 65 E3
Moinabad India 17°44N 77°16E 126 F3
Moinești Romania 46°28N 26°31E 81 D11
Moira → Canada 44°21N 77°24W 174 B7
Moirans France 45°20N 5°33E 73 C9
Moirans-en-Montagne France 46°26N 5°43E 71 F12
Moisaküla Estonia 58°3N 25°12E 84 C3
Moisie Canada 50°12N 66°1W 165 B6
Moisie → Canada 50°14N 66°5W 165 B6
Moissac France 44°7N 1°5E 72 D5
Moita Portugal 38°38N 8°58W 89 G2
Moixent Spain 38°52N 0°45W 91 G4
Möja Sweden 59°26N 18°55E 62 E12
Mojácar Spain 37°6N 1°55W 91 H3
Mojados Spain 41°26N 4°40W 88 D6
Mojave U.S.A. 35°3N 118°10W 171 K8
Mojave ⌂ U.S.A. 35°7N 115°32W 171 K11
Mojave Desert U.S.A. 35°0N 116°30W 171 L10
Moji das Cruzes Brazil 23°31S 46°11W 191 A6
Moji-Guaçu → Brazil 20°53S 48°10W 191 A6
Mojiang China 23°37N 101°35E 116 F3
Mojkovac Montenegro 42°58N 19°35E 96 D3
Mojo Bolivia 21°48S 65°33W 190 A2
Mojokerto Indonesia 7°28S 112°26E 119 G15
Mokai N.Z. 38°32S 175°56E 154 E4
Mokala △ S. Africa 29°10S 24°10E 144 C3
Mokambo Dem. Rep. of the Congo 12°25S 28°20E 143 E2
Mokameh India 25°24N 85°55E 125 G11
Mokau N.Z. 38°42S 174°39E 154 E3
Mokau → N.Z. 38°35S 174°35E 154 E3
Mokelumne → U.S.A. 38°13N 121°28W 170 G5
Mokelumne Hill U.S.A. 38°18N 120°43W 170 G6
Mokhotlong Lesotho 29°22S 29°2E 145 C4
Mokihinui → N.Z. 41°33S 171°58E 155 B6
Möklinta Sweden 60°4N 16°33E 62 D10
Moknine Tunisia 35°35N 10°58E 136 A6
Mokoan, L. Australia 36°27S 146°5E 153 D7
Mokokchung India 26°15N 94°30E 123 F19
Mokolo Cameroon 10°49N 13°54E 139 C7
Mokolo → S. Africa 23°14S 27°43E 145 B4
Mokopane S. Africa 24°10S 28°55E 145 B4
Mokpo S. Korea 34°50N 126°25E 115 G14
Mokra Gora Europe 42°50N 20°30E 96 D4
Mokronog Slovenia 45°57N 15°9E 93 C12
Moksha → Russia 54°45N 41°53E 86 C6
Mokshan Russia 53°25N 44°35E 86 D7
Mokwa Nigeria 9°19N 5°0E 139 D6
Mol Belgium 51°11N 5°5E 69 C5
Mola di Bari Italy 41°4N 17°5E 95 A10
Molai Greece 36°49N 22°56E 98 E4
Molakalmuru India 14°55N 76°50E 127 G3
Molaly Kazakhstan 45°27N 78°18E 109 C9
Molara Italy 40°52N 9°43E 94 B2
Molat Croatia 44°15N 14°50E 93 D11
Molchanovo Russia 57°40N 83°50E 106 D9
Mold U.K. 53°9N 3°8W 66 D4
Moldava nad Bodvou Slovak Rep. 48°38N 21°0E 79 C14
Moldavia = Moldova ■ Europe 47°0N 28°0E 81 C13
Moldavia Romania 46°30N 27°0E 81 D12
Molde Norway 62°45N 7°9E 60 E12
Moldova ■ Europe 47°0N 28°0E 81 C13
Moldova Nouă Romania 44°45N 21°41E 80 F6
Moldoveanu, Vf. Romania 45°36N 24°45E 81 E9
Moldovița Romania 47°41N 25°32E 81 C10
Mole → U.K. 51°24N 0°21W 67 F7
Mole △ Ghana 9°43N 1°44W 139 D4
Molepolole Botswana 24°28S 25°28E 144 B4
Molesworth N.Z. 42°5S 173°16E 155 C8
Molfetta Italy 41°12N 16°36E 95 A9
Molina de Aragón Spain 40°46N 1°52W 90 E3
Molina de Segura Spain 38°3N 1°12W 91 G3
Moline U.S.A. 41°30N 90°31W 172 E8
Molinella Italy 44°37N 11°40E 93 D8
Molino U.S.A. 30°43N 87°20W 179 E2
Molinos Argentina 25°28S 66°15W 190 B2
Moliro Dem. Rep. of the Congo 8°12S 30°30E 142 D3
Moliterno Italy 40°14N 15°52E 95 B8
Molivos = Mithimna Greece 39°20N 26°12E 99 B8
Molkom Sweden 59°37N 13°44E 62 E7
Mölle Sweden 56°17N 12°31E 63 H6
Molledo Spain 43°8N 4°6W 88 B6
Mollendo Peru 17°0S 72°0W 188 D3
Mollerin, L. Australia 30°30S 117°35E 149 F2
Mollerussa Spain 41°37N 0°54E 90 D5
Mollina Spain 37°8N 4°38W 89 H6
Mölln Germany 53°39N 10°41E 76 B6
Mölltorp Sweden 58°30N 14°26E 63 F8
Mölndal Sweden 57°40N 12°3E 63 G5
Mölnlycke Sweden 57°40N 12°8E 63 G5
Molo Kenya 0°15S 35°44E 142 C4
Molochansk Ukraine 47°15N 35°35E 85 J8
Molochnoye, Ozero Ukraine 46°30N 35°20E 85 J8
Molodechno = Maladzyechna Belarus 54°20N 26°50E 75 A14
Molodezhnaya Antarctica 67°40S 45°51E 55 C9
Molodove Ukraine 46°13N 29°39E 81 D14
Moloka'i U.S.A. 21°8N 157°0W 167 L8
Molokai Fracture Zone Pac. Oc. 28°0N 125°0W 157 E15
Molong Australia 33°5S 148°54E 153 B8
Molopo → Africa 28°30S 20°12E 144 C3
Molos Greece 38°47N 22°37E 98 C4
Molsheim France 48°33N 7°29E 71 D14
Molson L. Canada 54°22N 96°40W 163 C9
Molteno S. Africa 31°22S 26°22E 144 D4
Molu Indonesia 6°45S 131°40E 119 F8
Molucca Sea Indonesia 0°0 125°0E 119 E6
Moluccas = Maluku Indonesia 1°0S 127°0E 119 E7
Moma Dem. Rep. of the Congo 1°35S 23°52E 142 C1
Moma Mozam. 16°47S 39°4E 143 F4
Momba Australia 30°58S 143°30E 152 A5
Mombaça Brazil 5°43S 39°45W 189 B3
Mombasa Kenya 4°3S 39°40E 142 C4
Mombetsu Japan 44°21N 143°22E 112 B11
Mombuey Spain 42°3N 6°20W 88 C4
Momchilgrad Bulgaria 41°33N 25°23E 97 E9
Momi Dem. Rep. of the Congo 1°42S 27°0E 142 C2
Mompós Colombia 9°14N 74°26W 186 B4
Møn Denmark 54°57N 12°20E 63 K6
Mon □ Burma 16°0N 97°30E 123 L20
Mona, Canal de la = Mona Passage W. Indies 18°30N 67°45W 183 C6
Mona, Isla Puerto Rico 18°5N 67°54W 183 C6
Mona, Pta. Costa Rica 9°37N 82°36W 182 E3
Mona Passage W. Indies 18°30N 67°45W 183 C6
Monaca U.S.A. 40°41N 80°17W 174 F4
Monaco ■ Europe 43°46N 7°23E 73 E11
Monadhliath Mts. U.K. 57°10N 4°4W 65 D4
Monadnock, Mt. U.S.A. 42°52N 72°7W 175 D12
Monaghan Ireland 54°15N 6°57W 64 B5
Monaghan □ Ireland 54°11N 6°56W 64 B5
Monahans U.S.A. 31°36N 102°54W 176 F3
Monapo Mozam. 14°56S 40°19E 143 E5
Monar, L. U.K. 57°26N 5°8W 65 D3
Monaragala Sri Lanka 6°52N 81°22E 127 L5
Monarch Mt. Canada 51°55N 125°57W 162 C3
Monashee Mts. Canada 51°0N 118°43W 162 C5
Monasterevin Ireland 53°8N 7°4W 64 C4
Monastir = Bitola Macedonia 41°1N 21°20E 96 E5
Monastir Tunisia 35°50N 10°49E 136 A6
Monastir □ Tunisia 35°37N 10°45E 136 A6
Monbetsu = Hidaka Japan 42°30N 142°10E 112 C11
Moncalieri Italy 45°0N 7°41E 92 D4
Moncalvo Italy 45°3N 8°16E 92 C5
Monção Portugal 42°4N 8°27W 88 C2
Moncarapacho Portugal 37°5N 7°46W 89 H3
Moncayo, Sierra del Spain 41°48N 1°50W 90 D3
Monchegorsk Russia 67°54N 32°58E 60 C25
Mönchengladbach Germany 51°11N 6°27E 76 D2
Monchique Portugal 37°19N 8°38W 89 H2
Moncks Corner U.S.A. 33°12N 80°1W 178 B9
Monclova Mexico 26°54N 101°25W 180 B4
Moncontour France 48°22N 2°38W 70 D4
Moncton Canada 46°7N 64°51W 165 C7
Mondariz Spain 42°14N 8°27W 88 C2
Mondego → Portugal 40°9N 8°52W 88 E2
Mondego, C. Portugal 40°11N 8°54W 88 E2
Mondeodo Indonesia 3°34S 122°9E 119 E6
Mondeville France 49°10N 0°18W 70 C6
Mondlo S. Africa 27°59S 30°43E 145 C5
Mondolfo Italy 43°45N 13°6E 93 E10
Mondoñedo Spain 43°25N 7°23W 88 B3
Mondovì Italy 44°23N 7°49E 92 D4
Mondragon = Arrasate Spain 43°4N 2°30W 90 B2
Mondragone Italy 41°7N 13°53E 94 A6
Mondrain I. Australia 34°9S 122°14E 149 F3
Moneague Jamaica 18°16N 77°7W 182 a
Monemvasia Greece 36°41N 23°3E 98 E5
Moneron, Ostrov Russia 46°15N 141°16E 112 A10
Monessen U.S.A. 40°9N 79°54W 174 F5
Monesterio Spain 38°6N 6°15W 89 G4
Monestier-de-Clermont France 44°55N 5°38E 73 D9
Monett U.S.A. 36°55N 93°55W 172 G7
Moneymore U.K. 54°41N 6°40W 64 B5
Monfalcone Italy 45°49N 13°32E 93 C10
Monflanquin France 44°32N 0°47E 72 D4
Monforte Portugal 39°6N 7°25W 89 F3
Monforte de Lemos Spain 42°31N 7°33W 88 C3
Monfragüe ⌂ Spain 39°48N 5°52W 88 F5
Mong Hpayak Burma 20°52N 99°55E 120 B2
Mong Hsat Shan, Burma 21°54N 98°30E 116 G2
Mong Hsat Shan, Burma 20°31N 99°15E 120 B2
Mong Kung Burma 21°35N 97°35E 123 J20
Mong Nai Burma 20°32N 97°46E 123 J20
Mong Ping Burma 21°22N 99°2E 116 G2
Mong Tai = Shan □ Burma 21°30N 98°30E 123 J21
Mong Ton Burma 20°17N 98°45E 123 J21
Mong Yai Burma 22°21N 98°3E 123 H21
Mong Yang Burma 21°50N 99°41E 120 B2
Mongalla South Sudan 5°8N 31°42E 135 G12
Mongers, L. Australia 29°25S 117°5E 149 E2
Monghyr = Munger India 25°23N 86°30E 125 G12
Mongibello = Etna Italy 37°50N 14°55E 95 E7
Mongo Chad 12°14N 18°43E 135 F9
Mongo → S. Leone 9°35N 12°10W 138 D2
Mongolia ■ Asia 47°0N 103°0E 110 B9
Mongolia, Plateau of Asia 45°0N 105°0E 102 D12
Mongonu Nigeria 12°40N 13°32E 139 C7
Mongu Zambia 15°16S 23°12E 141 H4
Môngua Angola 16°43S 15°20E 144 A2
Moniac U.S.A. 30°31N 82°14W 178 E7
Monifieth U.K. 56°30N 2°48W 65 E6
Monistrol-sur-Loire France 45°17N 4°11E 73 C8
Monkey Bay Malawi 14°7S 35°1E 143 E4
Monkey Mia Australia 25°48S 113°43E 149 E1
Monkey River Belize 16°22N 88°29W 181 D7
Mońki Poland 53°23N 22°48E 82 E9
Monkland Canada 45°11N 74°52W 175 A10
Monkoto Dem. Rep. of the Congo 1°38S 20°35E 140 E4
Monkton Canada 43°35N 81°5W 174 C3
Monmouth U.K. 51°48N 2°42W 67 F5
Monmouth Ill., U.S.A. 40°55N 90°39W 172 E8
Monmouth Oreg., U.S.A. 44°51N 123°14W 168 D2
Monmouthshire □ U.K. 51°48N 2°54W 67 F5
Mono → Togo 6°17N 1°51E 139 D5
Mono, Pta. Nic. 12°0N 83°30W 182 D3
Mono L. U.S.A. 38°1N 119°1W 170 H7
Monolith U.S.A. 35°7N 118°22W 171 K8
Monolithos Greece 36°7N 27°45E 101 C9
Monongahela U.S.A. 40°12N 79°56W 174 F5
Monópoli Italy 40°57N 17°18E 95 B10
Monor Hungary 47°21N 19°27E 80 C4
Monos I. Trin. & Tob. 10°42N 61°44W 187 K15
Monóvar Spain 38°28N 0°53W 91 G4
Monowai N.Z. 45°53S 167°31E 155 F2
Monowai, L. N.Z. 45°53S 167°25E 155 F2
Monreal del Campo Spain 40°47N 1°20W 90 E3
Monreale Italy 38°5N 13°17E 94 D6
Monroe Ga., U.S.A. 33°47N 83°43W 178 B6
Monroe La., U.S.A. 32°30N 92°7W 176 E8
Monroe Mich., U.S.A. 41°55N 83°24W 173 E12
Monroe N.C., U.S.A. 34°59N 80°33W 177 D14
Monroe N.Y., U.S.A. 41°20N 74°11W 175 E10
Monroe Utah, U.S.A. 38°38N 112°7W 168 G7
Monroe Wash., U.S.A. 47°51N 121°58W 170 C5
Monroe Wis., U.S.A. 42°36N 89°38W 172 D9
Monroe, L. U.S.A. 28°50N 81°19W 179 G8
Monroe City U.S.A. 39°39N 91°44W 172 F8
Monroeton U.S.A. 41°43N 76°29W 175 E8
Monroeville Ala., U.S.A. 31°31N 87°20W 177 F11
Monroeville Pa., U.S.A. 40°26N 79°45W 174 F5
Monrovia Liberia 6°18N 10°47W 138 D2
Mons Belgium 50°27N 3°58E 69 D3
Møns Klint Denmark 54°57N 12°33E 63 K6
Monsaraz Portugal 38°28N 7°22W 89 G3
Monse Indonesia 4°7S 123°15E 119 E6
Monsefú Peru 6°52S 79°52W 188 B2
Monségur France 44°38N 0°4E 72 D4
Monsélice Italy 45°14N 11°45E 93 C8
Mönsterås Sweden 57°3N 16°26E 63 G10
Mont Cenis, Col du France 45°15N 6°55E 73 C10
Mont-de-Marsan France 43°54N 0°31W 72 E3
Mont-Joli Canada 48°37N 68°10W 165 C6
Mont-Laurier Canada 46°35N 75°30W 164 C4
Mont-Louis Canada 49°15N 65°44W 165 C6
Mont Peko △ Ivory C. 9°5N 7°15W 138 D3
Mont-roig del Camp Spain 41°5N 0°58E 90 D5
Mont-St-Michel, Le France 48°40N 1°30W 70 D5
Mont Sangbé △ Ivory C. 8°0N 7°10W 138 D3
Mont-Tremblant ⌂ Canada 46°30N 74°30W 164 C5
Montabaur Germany 50°25N 7°50E 76 E3
Montagnac France 43°29N 3°28E 72 E7
Montagnana Italy 45°14N 11°28E 93 C8
Montagne de Reims ⌂ France 49°8N 4°0E 71 C11
Montagnes □ Ivory C. 6°54N 7°50W 138 D3
Montagu S. Africa 33°45S 20°8E 144 D3
Montagu I. Antarctica 58°25S 26°20W 55 B1
Montague Canada 46°10N 62°39W 165 C7
Montague, I. Mexico 31°45N 114°48W 180 A2
Montague I. Australia 36°16S 150°13E 153 D9
Montague I. U.S.A. 60°0N 147°30W 166 D10
Montague Ra. Australia 27°15S 119°30E 149 E2
Montague Sd. Australia 14°28S 125°20E 148 B4
Montaigu France 46°59N 1°18W 70 F5
Montalbán Spain 40°50N 0°45W 90 E4
Montalbano Iónico Italy 40°17N 16°34E 95 B9
Montalbo Spain 39°53N 2°42W 90 F2
Montalcino Italy 43°3N 11°29E 93 E8
Montalegre Portugal 41°49N 7°47W 88 D3
Montalto Italy 38°10N 15°55E 95 D8
Montalto di Castro Italy 42°21N 11°37E 93 F8
Montalto Uffugo Italy 39°24N 16°9E 95 C9
Montalvo U.S.A. 34°15N 119°12W 171 L7
Montamarta Spain 41°39N 5°49W 88 D5
Montana Bulgaria 43°27N 23°16E 96 C7
Montaña Peru 6°0S 73°0W 188 B3
Montana □ Bulgaria 43°30N 23°10E 96 C7
Montana □ U.S.A. 47°0N 110°0W 168 C9
Montaña Clara, I. Canary Is. 29°17N 13°33W 100 E6
Montañas de Malaga ⌂ Spain 36°48N 4°32W 89 J6
Montánchez Spain 39°15N 6°8W 89 F4
Montargil Portugal 39°5N 8°10W 89 F2
Montargis France 47°59N 2°43E 71 E9
Montauban France 44°2N 1°21E 72 D5
Montauk U.S.A. 41°3N 71°57W 175 E13
Montauk Pt. U.S.A. 41°4N 71°51W 175 E13
Montbard France 47°38N 4°20E 71 E11
Montbarrey France 47°1N 5°39E 71 E12
Montbéliard France 47°31N 6°48E 71 E13
Montblanc Spain 41°23N 1°4E 90 D6
Montbrison France 45°36N 4°3E 73 C8
Montcalm, Pic de France 42°40N 1°25E 72 F5
Montceau-les-Mines France 46°40N 4°23E 71 F11
Montcenis France 46°47N 4°23E 73 B8
Montchanin France 46°45N 4°28E 73 B8
Montclair U.S.A. 40°49N 74°12W 175 F10
Montcornet France 49°40N 4°1E 71 C11
Montcuq France 44°21N 1°13E 72 D5
Montdidier France 49°38N 2°35E 71 C9
Monte Albán Mexico 17°2N 96°46W 181 D5
Monte Alegre Brazil 2°0S 54°0W 187 D8
Monte Alegre de Goiás Brazil 13°14S 47°10W 189 C1
Monte Alegre do Piauí Brazil 9°46S 45°18W 189 B1
Monte Azul Brazil 15°9S 42°53W 189 D2
Monte-Carlo Monaco 43°44N 7°25E 73 E11
Monte Carmelo Brazil 18°43S 47°29W 189 D1
Monte Caseros Argentina 30°10S 57°50W 190 C4
Monte Comán Argentina 34°40S 67°53W 190 C2
Monte Cristi Dom. Rep. 19°52N 71°39W 183 C5
Monte Cucco ⌂ Italy 43°22N 12°43E 93 E9
Monte Dinero Argentina 52°18S 68°33W 192 D3
Monte León Argentina 50°15S 69°0W 192 D3
Monte Lindo → Paraguay 23°56S 57°12W 190 A4
Monte Pascoal △ Brazil 16°51S 39°21W 189 D3
Monte Patria Chile 30°42S 70°58W 190 C1
Monte Quemado Argentina 25°53S 62°41W 190 B3
Monte Redondo Portugal 39°53N 8°50W 88 F2
Monte Rio U.S.A. 38°28N 123°0W 170 G4
Monte San Giovanni Campano Italy 41°38N 13°31E 94 A6
Monte San Savino Italy 43°20N 11°43E 93 E8
Monte Sant' Ángelo Italy 41°42N 15°59E 93 G12
Monte Santu, C. di Italy 40°5N 9°44E 94 B2
Monte Subasio ⌂ Italy 43°5N 12°40E 93 E9
Monte Vista U.S.A. 37°35N 106°9W 169 H10
Monteagudo Argentina 27°14S 54°8W 191 B5
Montealegre del Castillo Spain 38°48N 1°17W 91 G3
Montebello Canada 45°40N 74°55W 164 C5
Montebello Iónico Italy 37°59N 15°45E 95 E8
Montebello Is. Australia 20°30S 115°45E 148 D2
Montebelluna Italy 45°47N 12°3E 93 C9
Montebourg France 49°30N 1°20W 70 C5
Montecarlo Argentina 26°34S 54°47W 191 B5
Montecastrilli Italy 42°39N 12°29E 93 F9
Montecatini Terme Italy 43°53N 10°46E 92 E7
Montecito U.S.A. 34°26N 119°40W 171 L7
Montecristo Italy 42°20N 10°19E 92 F7
Montefalco Italy 42°54N 12°39E 93 F9
Montefiascone Italy 42°32N 12°2E 93 F9
Montefrío Spain 37°20N 4°0W 89 H7
Montegiórgio Italy 43°6N 13°33E 93 E10
Montego Bay Jamaica 18°28N 77°55W 182 a
Montehermoso Spain 40°5N 6°21W 88 E4
Monteiro Brazil 7°48S 37°2W 189 B3
Montejicar Spain 37°33N 3°30W 89 H7
Montélimar France 44°33N 4°45E 73 D8
Montella Italy 40°51N 15°1E 95 B8
Montellano Spain 36°59N 5°36W 89 J5
Montello U.S.A. 43°48N 89°20W 172 D9
Montemayor, Meseta de Argentina 44°20S 66°10W 192 B3
Montemor-o-Novo Portugal 38°40N 8°12W 89 G2
Montemor-o-Velho Portugal 40°11N 8°40W 88 E2
Montemorelos Mexico 25°12N 99°49W 181 B5
Montendre France 45°16N 0°26W 72 C3
Montenegro Brazil 29°39S 51°29W 191 B5
Montenegro ■ Europe 42°40N 19°20E 96 D3
Montenero di Bisáccia Italy 41°57N 14°47E 93 G11
Montepuez Mozam. 13°8S 38°59E 143 E4
Montepuez → Mozam. 12°32S 40°27E 143 E5
Montepulciano Italy 43°5N 11°47E 93 E8
Montereale Italy 42°31N 13°15E 93 F10
Montereau-Faut-Yonne France 48°22N 2°57E 71 D9
Monterey U.S.A. 36°37N 121°55W 170 J5
Monterey B. U.S.A. 36°45N 122°0W 170 J5
Montería Colombia 8°46N 75°53W 186 B3
Monteros Argentina 27°11S 65°30W 190 B2
Monterotondo Italy 42°3N 12°37E 93 F9
Monterrey Mexico 25°40N 100°19W 180 B4
Montes Altos Brazil 5°50S 47°4W 189 B1
Montes Azules ⌂ Mexico 16°21N 91°3W 181 D6
Montes Claros Brazil 16°30S 43°50W 189 D2
Montesano U.S.A. 46°59N 123°36W 170 D3
Montesano sulla Marcellana Italy 40°16N 15°42E 95 B8
Montesárchio Italy 41°4N 14°38E 95 A7
Montescaglioso Italy 40°33N 16°40E 95 B9
Montesilvano Italy 42°29N 14°8E 93 F11
Montesinho ⌂ Portugal 41°54N 6°52W 88 D4
Montevarchi Italy 43°31N 11°34E 93 E8
Montevideo Uruguay 34°50S 56°11W 191 C4
Montevideo U.S.A. 44°57N 95°43W 172 C6
Montezuma Ga., U.S.A. 32°18N 84°2W 178 C5
Montezuma Iowa, U.S.A. 41°35N 92°32W 172 E7
Montezuma Castle ⌂ U.S.A. 34°39N 111°45W 169 J8
Montfaucon France 47°6N 1°7W 70 E5
Montfaucon-d'Argonne France 49°16N 5°8E 71 C12
Montfaucon-en-Velay France 45°11N 4°20E 73 C8
Montfort-le-Gesnois France 48°3N 0°25E 70 D7
Montfort-sur-Meu France 48°9N 1°58W 70 D5
Montgenèvre France 44°56N 6°43E 73 D10
Montgó ⌂ Spain 38°48N 0°7W 91 G5
Montgomery U.K. 52°34N 3°8W 67 E4
Montgomery Ala., U.S.A. 32°23N 86°19W 178 C3
Montgomery Pa., U.S.A. 41°10N 76°53W 174 E8
Montgomery W. Va., U.S.A. 38°11N 81°19W 173 F13
Montgomery City U.S.A. 38°59N 91°30W 172 F8
Montguyon France 45°12N 0°12W 72 C3
Monthermé France 49°52N 4°44E 71 C11
Monthey Switz. 46°15N 6°56E 77 J2
Monthois France 49°19N 4°43E 71 C11
Monti Italy 40°49N 9°19E 94 B2
Monti Lucrétili ⌂ Italy 42°5N 12°50E 93 F9
Monti Picentini ⌂ Italy 40°45N 15°2E 95 B8
Monti Sibillini △ Italy 42°55N 13°15E 93 F10
Monti Simbruini ⌂ Italy 41°55N 13°13E 93 G10
Monticelli d'Ongina Italy 45°5N 9°56E 92 C6
Monticello Ark., U.S.A. 33°38N 91°47W 176 E9
Monticello Fla., U.S.A. 30°33N 83°52W 178 E6
Monticello Ga., U.S.A. 33°18N 83°40W 178 B6
Monticello Ind., U.S.A. 40°45N 86°46W 172 E10
Monticello Iowa, U.S.A. 42°15N 91°12W 172 D8
Monticello Ky., U.S.A. 36°50N 84°51W 173 G11
Monticello Minn., U.S.A. 45°18N 93°48W 172 C7
Monticello Miss., U.S.A. 31°33N 90°7W 177 F9
Monticello N.Y., U.S.A. 41°39N 74°42W 175 E10
Monticello Utah, U.S.A. 37°52N 109°21W 169 H9
Montichiari Italy 45°25N 10°23E 92 C7
Montier-en-Der France 48°30N 4°45E 71 D11
Montignac France 45°4N 1°10E 72 C5
Montigny-les-Metz France 49°7N 6°10E 71 C13
Montigny-sur-Aube France 47°57N 4°45E 71 E11
Montijo Portugal 38°41N 8°54W 89 G2
Montijo Spain 38°52N 6°39W 89 G4
Montilla Spain 37°36N 4°40W 89 H6
Montivilliers France 49°33N 0°12E 70 C7
Montluçon France 46°22N 2°36E 71 F9
Montmagny Canada 46°58N 70°34W 165 C5
Montmarault France 46°19N 2°57E 71 F9
Montmartre Canada 50°14N 103°27W 163 C8
Montmédy France 49°30N 5°20E 71 C12
Montmélian France 45°30N 6°4E 73 C10
Montmirail France 48°51N 3°30E 71 D10
Montmoreau-St-Cybard France 45°23N 0°8E 72 C4
Montmorillon France 46°26N 0°50E 72 B4
Montmort-Lucy France 48°55N 3°49E 71 D10
Monto Australia 24°52S 151°6E 150 C5
Montoire-sur-le-Loir France 47°45N 0°52E 70 E7
Montongbuwoh Indonesia 8°33S 116°4E 119 K19
Montório al Vomano Italy 42°35N 13°38E 93 F10
Montoro Spain 38°1N 4°27W 89 G6
Montour Falls U.S.A. 42°21N 76°51W 174 D8
Montoursville U.S.A. 41°15N 76°55W 174 E8
Montpelier Idaho, U.S.A. 42°19N 111°18W 168 E8
Montpelier Vt., U.S.A. 44°16N 72°35W 175 B12
Montpellier France 43°37N 3°52E 72 E7
Montpezat-de-Quercy France 44°15N 1°30E 72 D5
Montpon-Ménestérol France 45°0N 0°11E 72 D4
Montréal Canada 45°30N 73°33W 175 A11
Montréal Aude, France 43°13N 2°8E 72 E6
Montréal Gers, France 43°56N 0°11E 72 E4
Montreal → Canada 47°14N 84°39W 164 C3
Montréal L. Canada 54°20N 105°45W 163 C7
Montreal Lake Canada 54°3N 105°46W 163 C7
Montredon-Labessonnié France 43°45N 2°18E 72 E6
Montrésor France 47°10N 1°10E 70 E8
Montret France 46°40N 5°7E 71 F12
Montreuil Pas-de-Calais, France 50°27N 1°45E 71 B8
Montreuil Seine-St-Denis, France 48°51N 2°27E 71 D9
Montreuil-Bellay France 47°8N 0°9W 70 E6
Montreux Switz. 46°26N 6°55E 77 J2
Montrevel-en-Bresse France 46°21N 5°8E 71 F12
Montrichard France 47°20N 1°10E 70 E8
Montrose U.K. 56°44N 2°27W 65 E6
Montrose Colo., U.S.A. 38°29N 107°53W 168 G10
Montrose Pa., U.S.A. 41°50N 75°53W 175 E9
Monts, Pte. des Canada 49°20N 67°12W 165 C6
Montsalvy France 44°41N 2°30E 72 D6
Montsant, Serra de Spain 41°17N 1°0E 90 D6
Montsauche-les-Settons France 47°13N 4°2E 71 E11
Montsec, Serra del Spain 42°0N 0°45E 90 C5
Montseny ⌂ Spain 41°43N 2°22E 90 D7
Montserrat Spain 41°36N 1°49E 90 D6
Montserrat ☑ W. Indies 16°40N 62°10W 183 C7
Montuenga Spain 41°3N 4°38W 88 D6
Montuiri Spain 39°34N 2°59E 100 B9
Monywa Burma 22°7N 95°11E 123 H19
Monza Italy 45°35N 9°16E 92 C6
Monza e Brianza □ Italy 45°30N 9°15E 92 C6
Monze Zambia 16°17S 27°29E 143 F2
Monze, C. Pakistan 24°47N 66°37E 124 G2
Monzón Spain 41°52N 0°10E 90 D5
Mooers U.S.A. 44°58N 73°35W 175 B11
Mooi → S. Africa 28°45S 30°34E 145 C5
Mooi River S. Africa 29°13S 29°50E 145 C4
Mookgopong S. Africa 24°31S 28°44E 145 B4
Moomba Australia 28°6S 140°12E 151 A3
Moonah → Australia 22°3S 138°33E 150 C2
Moonda, L. Australia 25°52S 140°25E 150 D3
Moonie Australia 27°46S 150°20E 151 D5
Moonie → Australia 29°19S 148°43E 151 D4
Moonta Australia 34°6S 137°32E 152 C2
Moora Australia 30°37S 115°58E 149 F2
Moorcroft U.S.A. 44°16N 104°57W 168 D11
Moore → Australia 31°22S 115°30E 149 F2
Moore, L. Australia 29°50S 117°35E 149 E2
Moore Falls Canada 44°48N 78°48W 174 B6
Moore Haven U.S.A. 26°50N 81°6W 179 J8
Moore Park Australia 24°43S 152°17E 150 C5
Moore Res. U.S.A. 44°20N 71°53W 175 B13
Moore River △ Australia 31°7S 115°39E 149 F2
Moorefield U.S.A. 39°4N 78°58W 173 F14
Moorfoot Hills U.K. 55°44N 3°8W 65 F5
Moorhead U.S.A. 46°53N 96°45W 172 B5
Moormerland Germany 53°20N 7°20E 76 B3
Moornanyah L. Australia 33°15S 143°42E 152 B5
Mooroopna Australia 36°25S 145°22E 153 D6
Moorpark U.S.A. 34°17N 118°53W 171 L8
Moorreesburg S. Africa 33°6S 18°38E 144 D2
Moorrinya △ Australia 21°42S 144°58E 150 C3
Moosburg Germany 48°27N 11°56E 77 G7
Moose → Canada 51°20N 80°25W 164 B3
Moose → U.S.A. 43°38N 75°24W 175 C9
Moose Creek Canada 45°15N 74°58W 175 A10
Moose Factory Canada 51°16N 80°32W 164 B3
Moose Jaw Canada 50°24N 105°30W 163 C7
Moose Jaw → Canada 50°34N 105°18W 163 C7
Moose Lake Canada 53°46N 100°8W 163 C8
Moose Lake U.S.A. 46°27N 92°46W 172 B7
Moose Mountain ⌂ Canada 49°48N 102°25W 163 D8
Moosehead L. U.S.A. 45°38N 69°40W 173 C19
Mooselookmeguntic L. U.S.A. 44°55N 70°49W 175 B14
Moosilauke, Mt. U.S.A. 44°3N 71°40W 175 B13
Moosomin Canada 50°9N 101°40W 163 C8
Moosonee Canada 51°17N 80°39W 164 B3
Moosup U.S.A. 41°43N 71°53W 175 E13

Mootwingee △ Australia 31°10S 142°30E 152 A5
Mopane S. Africa 22°37S 29°52E 145 B4
Mopeia Velha Mozam. 17°30S 35°40E 143 F4
Mopipi Botswana 21°6S 24°55E 144 B3
Mopoi C.A.R. 5°6N 26°54E 142 A2
Mopti Mali 14°30N 4°0W 138 C4
Mopti □ Mali 14°40N 4°0W 138 C4
Moqor Afghan. 32°50N 67°42E 124 C2
Moquegua Peru 17°15S 70°46W 188 D3
Moquegua □ Peru 16°50S 70°55W 188 D3
Mór Hungary 47°25N 18°12E 80 C3
Mora Cameroon 11°2N 14°7E 139 C7
Móra Portugal 38°55N 8°10W 89 G2
Mora Spain 39°41N 3°46W 89 F7
Mora Sweden 61°2N 14°38E 62 C8
Mora Minn., U.S.A. 45°53N 93°18W 172 C7
Mora N. Mex., U.S.A. 35°58N 105°20W 169 J11
Mora de Rubielos Spain 40°15N 0°45W 90 E4
Móra d'Ebre Spain 41°6N 0°38E 90 D5
Móra la Nova Spain 41°7N 0°39E 90 D5
Morača → Montenegro 42°20N 19°9E 96 D3
Morada Nova Brazil 5°7S 38°23W 189 B3
Morada Nova de Minas Brazil 18°37S 45°22W 189 D1
Moradabad India 28°50N 78°50E 125 E8
Morafenobe Madag. 17°50S 44°53E 141 H8
Morąg Poland 53°55N 19°56E 82 E6
Moral de Calatrava Spain 38°51N 3°33W 89 G7
Moraleda, Canal Chile 44°30S 73°30W 192 B2
Moraleja Spain 40°6N 6°43W 88 E4
Moramanga Madag. 18°56S 48°12E 141 H9
Moran Kans., U.S.A. 37°55N 95°10W 172 G6
Moran Wyo., U.S.A. 43°50N 110°31W 168 E8
Moranbah Australia 22°1S 148°6E 150 C4
Morang = Biratnagar Nepal 26°27N 87°17E 125 F12
Morano Cálabro Italy 39°50N 16°8E 95 C9
Morant Bay Jamaica 17°53N 76°25W 182 a
Morant Cays Jamaica 17°22N 76°0W 182 C4
Morant Pt. Jamaica 17°55N 76°12W 182 a
Morar India 26°14N 78°14E 124 F8
Morar, L. U.K. 56°57N 5°40W 65 E3
Moratalla Spain 38°14N 1°49W 91 G3
Moratuwa Sri Lanka 6°45N 79°55E 127 L4
Morava → Slovak Rep. 48°10N 16°59E 79 C9
Moravia U.S.A. 42°43N 76°25W 175 D8
Moravian Hts. = Českomoravská Vrchovina Czech Rep. 49°30N 15°40E 78 B8
Moravica → Serbia 43°52N 20°8E 96 C4
Moravița Romania 45°17N 21°14E 80 E6
Moravská Třebová Czech Rep. 49°45N 16°40E 79 B9
Moravské Budějovice Czech Rep. 49°4N 15°49E 78 B8
Moravskoslezský □ Czech Rep. 49°55N 17°58E 79 B10
Morawa Australia 29°13S 116°0E 149 E2
Morawhanna Guyana 8°30N 59°40W 186 B7
Moray □ U.K. 57°31N 3°18W 65 D5
Moray Firth U.K. 57°40N 3°52W 65 D5
Morbach Germany 49°48N 7°6E 77 F3
Morbegno Italy 46°8N 9°34E 92 B6
Morbi India 22°50N 70°42E 124 H4
Morbihan □ France 47°55N 2°50W 70 E4
Mörbylånga Sweden 56°32N 16°22E 63 H10
Morcenx France 44°3N 0°55W 72 D3
Morcone Italy 41°20N 14°40E 95 A7
Mordelles France 48°5N 1°52W 70 D5
Morden Canada 49°15N 98°10W 163 D9
Mordoğan Turkey 38°30N 26°37E 99 C8
Mordovian Republic = Mordvinia □ Russia 54°20N 44°30E 86 C7
Mordovo Russia 52°6N 40°50E 86 D5
Mordvinia □ Russia 54°20N 44°30E 86 C7
Mordy Poland 52°13N 22°31E 83 F9
Moreau → U.S.A. 45°18N 100°43W 172 C3
Morebeng S. Africa 23°30S 29°55E 145 B4
Morecambe U.K. 54°5N 2°52W 66 C5
Morecambe B. U.K. 54°7N 3°0W 66 C5
Moree Australia 29°28S 149°54E 151 D4
Morehead U.S.A. 38°11N 83°26W 173 F12
Morehead City U.S.A. 34°43N 76°43W 177 D16
Morel → India 26°13N 76°36E 124 F7
Moreland U.S.A. 33°17N 84°46W 178 B5
Morelia Mexico 19°42N 101°7W 180 D4
Morella Australia 23°0S 143°52E 150 C3
Morella Spain 40°35N 0°5W 90 E4
Morelos Mexico 26°42N 107°40W 180 B3
Morelos □ Mexico 18°45N 99°0W 181 D5
Moremi ⌂ Botswana 19°18S 23°10E 144 A3
Morena India 26°30N 78°4E 124 F8
Morena, Sierra Spain 38°20N 4°0W 89 G7
Moreni Romania 44°59N 25°36E 81 F10
Moreno Bolivia 11°9S 66°15W 188 C4
Moreno Valley U.S.A. 33°56N 117°14W 171 M10
Moresby I. Canada 52°30N 131°40W 162 C2
Morestel France 45°40N 5°28E 73 C9
Moreton I. Australia 27°10S 153°25E 151 D5
Moreton Island △ Australia 27°2S 153°24E 151 D5
Moreuil France 49°46N 2°30E 71 C9
Morez France 46°31N 6°2E 71 F13
Morgan Australia 34°2S 139°35E 152 C3
Morgan Ga., U.S.A. 31°32N 84°36W 178 D5
Morgan Utah, U.S.A. 41°2N 111°41W 168 F8
Morgan City U.S.A. 29°42N 91°12W 176 G9
Morgan Hill U.S.A. 37°8N 121°39W 170 H5
Morganfield U.S.A. 37°41N 87°55W 172 G10
Morgan's Port U.S.A. 29°40N 95°0W 176 G7
Morganton U.S.A. 35°45N 81°41W 177 D14
Morgantown U.S.A. 39°38N 79°57W 173 F14
Morgenzon S. Africa 26°45S 29°36E 145 C4
Morges Switz. 46°31N 6°29E 77 J2
Morghak Iran 29°7N 57°54E 129 D8
Morgongåva Sweden 59°57N 16°58E 62 E10
Morhange France 48°55N 6°38E 71 D13
Morhar → India 25°29N 85°11E 125 G11
Mori China 43°49N 90°11E 109 D12
Mori Japan 42°6N 140°35E 112 C10
Moriarty U.S.A. 34°59N 106°3W 169 J10
Moribaya Guinea 9°53N 9°32W 138 D3
Morice L. Canada 53°50N 127°40W 162 C3
Moriki Nigeria 12°52N 6°30E 139 C6
Morinville Canada 53°49N 113°41W 162 C6
Morioka Japan 39°45N 141°8E 112 E10
Moris Mexico 28°10N 108°32W 180 B3
Morisset Australia 33°6S 151°30E 153 B9
Morlaàs France 43°21N 0°18W 72 E3
Morlaix France 48°36N 3°52W 70 D3
Mörlunda Sweden 57°19N 15°52E 63 G9
Mormanno Italy 39°53N 15°59E 95 C8
Mormant France 48°37N 2°52E 71 D9
Mormugao = Marmagao India 15°25N 73°56E 127 G1
Mornington Australia 38°15S 145°5E 153 E6
Mornington, I. Chile 49°50S 75°30W 192 C1
Mornington I. Australia 16°30S 139°30E 150 B2
Mornington Peninsula △ Australia 38°28S 144°53E 153 E6
Mornos → Greece 38°25N 21°50E 98 C3
Moro Pakistan 26°40N 68°0E 124 F2
Moro → Pakistan 29°42N 67°22E 124 E2
Moro G. Phil. 6°30N 123°0E 119 C6
Morocco ■ N. Afr. 32°0N 5°50W 134 B4
Morococha Peru 11°40S 76°5W 188 C2
Morogoro Tanzania 6°50S 37°40E 142 D4
Morogoro □ Tanzania 8°0S 37°0E 142 D4
Moroleón Mexico 20°8N 101°12W 180 C4
Morombe Madag. 21°45S 43°22E 141 J8
Moron Argentina 34°39S 58°37W 190 C4
Morón Cuba 22°8N 78°39W 182 B4
Mörön Mongolia 49°38N 100°9E 110 B9
Morón de Almazán Spain 41°29N 2°27W 90 D2
Morón de la Frontera Spain 37°6N 5°28W 89 H5
Morona → Peru 4°40S 77°10W 186 D3
Morondava Madag. 20°17S 44°17E 141 J8
Morondo Ivory C. 8°57N 6°47W 138 D3
Morongo Valley U.S.A. 34°3N 116°37W 171 L10
Moroni Comoros Is. 11°40S 43°16E 141 a
Moroni U.S.A. 39°32N 111°35W 168 G8
Moronou Ivory C. 6°16N 4°59W 138 D4
Morotai Indonesia 2°10N 128°30E 119 D7
Moroto Uganda 2°28N 34°42E 142 B3
Moroto, Mt. Uganda 2°30N 34°43E 142 B3
Morozov Bulgaria 42°30N 25°10E 97 D9
Morozovsk Russia 48°25N 41°50E 87 F5
Morpeth Canada 42°23N 81°50W 174 D3
Morpeth U.K. 55°10N 1°41W 66 B6
Morphou Cyprus 35°12N 32°59E 101 D11
Morphou Bay Cyprus 35°15N 32°50E 101 D11
Morrilton U.S.A. 35°9N 92°44W 176 D8
Morrinhos Ceará, Brazil 3°14S 40°7W 189 A2
Morrinhos Minas Gerais, Brazil 17°45S 49°10W 187 G9
Morrinsville N.Z. 37°40S 175°32E 154 D4
Morris Canada 49°25N 97°22W 163 D9
Morris Ill., U.S.A. 41°22N 88°26W 172 E9
Morris Minn., U.S.A. 45°35N 95°55W 172 C6
Morris N.Y., U.S.A. 42°33N 75°15W 175 D9
Morris Pa., U.S.A. 41°35N 77°17W 174 E7
Morris, Mt. Australia 26°9S 131°4E 149 E5
Morris Jesup, Kap Greenland 83°40N 34°0W 57 A7
Morrisburg Canada 44°55N 75°7W 175 B9
Morristown Ariz., U.S.A. 33°51N 112°37W 169 K7
Morristown N.J., U.S.A. 40°48N 74°29W 175 F10
Morristown N.Y., U.S.A. 44°35N 75°39W 175 B9
Morristown Tenn., U.S.A. 36°13N 83°18W 177 C13
Morrisville N.Y., U.S.A. 42°53N 75°35W 175 D9
Morrisville Pa., U.S.A. 40°13N 74°47W 175 F10
Morrisville Vt., U.S.A. 44°34N 72°36W 175 B12
Morro, Pta. Chile 27°6S 71°0W 190 B1
Morro Bay U.S.A. 35°22N 120°51W 170 K6
Morro Chico Chile 52°2S 71°26W 192 D2
Morro del Jable Canary Is. 28°3N 14°23W 100 F5
Morro do Chapéu Brazil 11°33S 41°9W 189 C2
Morro Jable, Pta. de Canary Is. 28°2N 14°20W 100 F5
Morrocoy △ Venezuela 10°48N 68°13W 183 D6
Morros Brazil 2°52S 44°3W 189 A2
Morrosquillo, G. de Colombia 9°35N 75°40W 182 E4
Mörrum Sweden 56°12N 14°45E 63 H8
Morrumbene Mozam. 23°31S 35°16E 145 B6
Mörrumsån → Sweden 56°10N 14°45E 63 H8
Mors Denmark 56°50N 8°45E 63 H2
Morshansk Russia 53°28N 41°50E 86 D5
Morsi India 21°21N 78°0E 126 D4
Mörsil Sweden 63°19N 13°40E 62 A7
Mortagne → France 48°33N 6°27E 71 D13
Mortagne-au-Perche France 48°31N 0°33E 70 D7
Mortagne-sur-Gironde France 45°28N 0°47W 72 C3
Mortagne-sur-Sèvre France 47°0N 0°59W 70 F6
Mortain France 48°40N 0°57W 70 D6
Mortara Italy 45°15N 8°44E 92 C5
Morteau France 47°3N 6°35E 71 E13
Morteros Argentina 30°50S 62°0W 190 C3
Mortlach Canada 50°27N 106°4W 163 C7
Mortlake Australia 38°5S 142°50E 152 E5
Morton Tex., U.S.A. 33°44N 102°46W 176 E3
Morton Wash., U.S.A. 46°34N 122°17W 170 D4
Morton △ Australia 35°0S 150°12E 153 C9
Moruga Trin. & Tob. 10°4N 61°16W 187 K15
Morundah Australia 34°57S 146°19E 153 C7
Moruya Australia 35°58S 150°3E 153 D9
Morvan France 47°5N 4°3E 71 E11
Morvan ⌂ France 47°12N 4°3E 71 E11
Morven Australia 26°22S 147°5E 151 D4
Morven N.Z. 44°50S 171°6E 155 E6
Morven U.S.A. 30°57N 83°30W 178 E6
Morvern U.K. 56°38N 5°44W 65 E3
Morwell Australia 38°10S 146°22E 153 E7
Morwell △ Australia 38°14S 146°23E 153 F7
Moryń Poland 52°51N 14°22E 83 F1
Morzine France 46°11N 6°42E 71 F13
Mosakahiken = Moose Lake Canada 53°46N 100°8W 163 C8
Mosalsk Russia 54°30N 34°55E 84 E8
Mosbach Germany 49°21N 9°9E 77 F5
Moščenice Croatia 45°17N 14°16E 93 C11
Mosciano Sant' Ángelo Italy 42°42N 13°52E 93 F10
Moscos Is. Burma 14°0N 97°30E 120 F1
Moscow = Moskva Russia 55°45N 37°37E 84 E9
Moscow Idaho, U.S.A. 46°44N 117°0W 168 C5
Moscow Pa., U.S.A. 41°20N 75°31W 175 E9
Moscow Domodedovo Int. ✈ (DME) Russia 55°24N 37°54E 84 E9
Mosel → Europe 50°22N 7°36E 71 B14
Moselle = Mosel → Europe 50°22N 7°36E 71 B14
Moselle □ France 48°59N 6°33E 71 D13
Moses Lake U.S.A. 47°8N 119°17W 168 C4
Mosgiel N.Z. 45°53S 170°21E 155 F5
Moshaweng → S. Africa 26°35S 22°50E 144 C3
Moshchnyy, Ostrov Russia 60°1N 27°50E 84 B4
Moshi Tanzania 3°22S 37°18E 142 C4
Moshi → Nigeria 9°18N 4°38E 139 D5
Moshupa Botswana 24°46S 25°29E 144 B4
Mosi-oa-Tunya = Victoria Falls Zimbabwe 17°58S 25°52E 143 F2
Mosina Poland 52°15N 16°50E 83 F3
Mosjøen Norway 65°51N 13°12E 60 D15
Moskenesøya Norway 67°58N 13°0E 60 C15
Moskenstraumen Norway 67°47N 12°45E 60 C15
Moskva Russia 55°45N 37°37E 84 E9
Moskva □ Russia 56°20N 37°20E 84 D9
Moskva → Russia 55°5N 38°51E 84 E10
Moslavačka Gora Croatia 45°40N 16°37E 93 C13
Mosomane Botswana 24°2S 26°19E 144 B4
Mosonmagyaróvár Hungary 47°52N 17°18E 80 C2
Mošorin Serbia 45°19N 20°4E 80 E5
Mospyne Ukraine 47°52N 38°0E 85 J9
Mosquera Colombia 2°35N 78°24W 186 C3
Mosquero U.S.A. 35°47N 103°58W 169 J12
Mosqueruela Spain 40°21N 0°27W 90 E4
Mosquitia Honduras 15°20N 84°10W 182 C3
Mosquito Creek L. U.S.A. 41°18N 80°46W 174 E4
Mosquito L. Canada 62°35N 103°20W 163 A8
Mosquitos, G. de los Panama 9°15N 81°10W 182 E3
Moss Norway 59°27N 10°40E 61 G14
Moss Vale Australia 34°32S 150°25E 153 C9
Mossaka Congo 1°15S 16°45E 140 E3
Mossbank Canada 49°56N 105°56W 163 D7
Mossburn N.Z. 45°41S 168°15E 155 F3
Mosselbaai S. Africa 34°11S 22°8E 144 D3
Mossendjo Congo 2°55S 12°42E 140 E2
Mossgiel Australia 33°15S 144°5E 152 B6
Mössingen Germany 48°24N 9°4E 77 G5
Mossman Australia 16°21S 145°15E 150 B4
Mossoró Brazil 5°10S 37°15W 189 B3
Mossuril Mozam. 14°58S 40°42E 143 E5
Mossy Head U.S.A. 30°45N 86°19W 179 E3
Mossy Point Australia 35°50S 150°11E 153 C9
Most Czech Rep. 50°31N 13°38E 78 A6
Mosta Malta 35°55N 14°26E 101 D1
Mostaganem Algeria 35°54N 0°5E 136 A4
Mostaganem □ Algeria 35°40N 0°15E 136 A4
Mostar Bos.-H. 43°22N 17°50E 80 G2
Mostardas Brazil 31°2S 50°51W 191 C5
Mostiska = Mostyska Ukraine 49°48N 23°4E 83 J10
Móstoles Spain 40°19N 3°53W 88 E7
Mosty = Masty Belarus 53°27N 24°38E 75 B13
Mostyska Ukraine 49°48N 23°4E 83 J10
Mosul = Al Mawşil Iraq 36°15N 43°5E 105 D10
Mota del Cuervo Spain 39°30N 2°52W 91 F2
Mota del Marqués Spain 41°38N 5°11W 88 D5
Motagua → Guatemala 15°44N 88°14W 182 C2
Motala Sweden 58°32N 15°1E 63 F9
Motaze Mozam. 24°48S 32°52E 145 B5
Moţca Romania 47°15N 26°37E 81 C11
Moth India 25°43N 78°57E 125 G8
Motherwell U.K. 55°47N 3°58W 65 F5
Motihari India 26°30N 84°55E 125 F11
Motilla del Palancar Spain 39°34N 1°55W 91 F3
Motiti I. N.Z. 37°38S 176°25E 154 D5
Motnik Slovenia 46°14N 14°54E 93 B11
Motovun Croatia 45°20N 13°50E 93 C10
Motozintla de Mendoza Mexico 15°22N 92°14W 181 D6
Motril Spain 36°31N 3°37W 89 J7
Motru Romania 44°48N 22°59E 80 F7
Motru → Romania 44°32N 23°31E 81 F8
Mott U.S.A. 46°23N 102°20W 172 B2
Mottama, G. of Burma 16°5N 96°30E 123 L20
Móttola Italy 40°38N 17°2E 95 B10
Motu → N.Z. 37°52S 177°36E 154 D6
Motueka N.Z. 41°7S 173°1E 155 B8
Motueka → N.Z. 41°5S 173°1E 155 B8
Motul Mexico 21°6N 89°17W 181 C7
Mouchalagane → Canada 50°56N 68°41W 165 B6
Mouding China 25°20N 101°28E 116 E3
Moudjeria Mauritania 17°50N 12°28W 138 B2
Moudon Switz. 46°40N 6°49E 77 J2
Moudros Greece 39°50N 25°18E 99 B7
Mougins France 43°36N 7°0E 73 E10
Mouhoun = Black Volta → Africa 8°41N 1°33W 138 D4
Mouila Gabon 1°50S 11°0E 140 E2
Moulamein Australia 35°3S 144°1E 152 C6
Moule à Chique, C. St. Lucia 13°43N 60°57W 183 f
Mouliana Greece 35°10N 25°59E 101 D7
Moulins France 46°35N 3°19E 71 F10
Moulmein = Mawlamyine Burma 16°30N 97°40E 123 L20
Moulouya, O. → Morocco 35°5N 2°25W 136 A3
Moultrie U.S.A. 31°11N 83°47W 178 D6
Moultrie, L. U.S.A. 33°20N 80°5W 178 B9
Mound City Mo., U.S.A. 40°7N 95°14W 172 E6
Mound City S. Dak., U.S.A. 45°44N 100°4W 172 C3
Moundou Chad 8°40N 16°10E 135 G9
Moundsville U.S.A. 39°55N 80°44W 174 G4
Moung Cambodia 12°46N 103°27E 120 F4
Mount Airy U.S.A. 36°31N 80°37W 177 C14
Mount Albert Canada 44°8N 79°19W 174 B5
Mount Aspiring △ N.Z. 44°19S 168°47E 155 E3
Mount Barker S. Austral., Australia 35°5S 138°52E 152 C3
Mount Barker W. Austral., Australia 34°38S 117°40E 149 F2
Mount Barnett Roadhouse Australia 16°39S 125°57E 148 C4
Mount Beauty Australia 36°47S 147°10E 153 D7
Mount Brydges Canada 42°54N 81°29W 174 D3
Mount Buffalo △ Australia 36°43S 146°46E 153 D7
Mount Burr Australia 37°34S 140°26E 151 F3
Mount Carleton ⌂ Canada 47°25N 66°55W 165 C6
Mount Carmel = Ha Karmel △ Israel 32°45N 35°5E 130 C4
Mount Carmel Ill., U.S.A. 38°25N 87°46W 172 F10
Mount Carmel Pa., U.S.A. 40°47N 76°26W 175 F8
Mount Clemens U.S.A. 42°35N 82°53W 174 D2
Mount Cook N.Z. 43°44S 170°5E 155 D5
Mount Cook △ N.Z. 43°35S 170°15E 155 D5
Mount Coolon Australia 21°25S 147°25E 150 C4
Mount Darwin Zimbabwe 16°47S 31°38E 143 F3
Mount Desert I. U.S.A. 44°21N 68°20W 173 C19
Mount Dora U.S.A. 28°48N 81°38W 179 G8
Mount Ebenezer Australia 25°6S 132°34E 149 E5
Mount Eccles △ Australia 38°5S 141°54E 152 E4
Mount Edziza ⌂ Canada 57°30N 130°45W 162 B2
Mount Elgon ⌂ E. Afr. 1°4N 34°42E 142 B3
Mount Field △ Australia 42°39S 146°35E 151 G4
Mount Fletcher S. Africa 30°40S 28°30E 145 D4
Mount Forest Canada 43°59N 80°43W 174 C4
Mount Frankland △ Australia 31°47S 116°37E 149 F2
Mount Frederick ✪ Australia 19°39S 129°18E 148 C4
Mount Gambier Australia 37°50S 140°46E 152 D4
Mount Garnet Australia 17°37S 145°6E 150 B4
Mount Holly U.S.A. 39°59N 74°47W 175 G10
Mount Holly Springs U.S.A. 40°7N 77°12W 174 F7
Mount Hope N.S.W., Australia 32°51S 145°51E 153 B6
Mount Hope S. Austral., Australia 34°7S 135°23E 151 E2
Mount Isa Australia 20°42S 139°26E 150 C2
Mount James ✪ Australia 24°51S 116°54E 149 D2
Mount Jewett U.S.A. 41°44N 78°39W 174 E6
Mount Kaputar △ Australia 30°16S 150°10E 151 E5
Mount Kenya △ Kenya 0°7S 37°21E 142 C4
Mount Kisco U.S.A. 41°12N 73°44W 175 E11
Mount Laguna U.S.A. 32°52N 116°25W 171 N10
Mount Larcom Australia 23°48S 150°59E 150 C5
Mount Lofty Ranges Australia 34°35S 139°5E 152 C3
Mount Magnet Australia 28°2S 117°47E 149 E2
Mount Manara Australia 32°29S 143°58E 152 B5
Mount Maunganui N.Z. 37°40S 176°14E 154 D5
Mount Molloy Australia 16°42S 145°20E 150 B4
Mount Morgan Australia 23°40S 150°25E 150 C5
Mount Morris U.S.A. 42°44N 77°52W 174 D7
Mount Pearl Canada 47°31N 52°47W 165 C9
Mount Penn U.S.A. 40°20N 75°54W 175 F9
Mount Perry Australia 25°13S 151°42E 151 D5
Mount Pleasant Iowa, U.S.A. 40°58N 91°33W 172 E8
Mount Pleasant Mich., U.S.A. 43°36N 84°46W 173 D11
Mount Pleasant Pa., U.S.A. 40°9N 79°33W 174 F5
Mount Pleasant S.C., U.S.A. 32°47N 79°52W 178 C10
Mount Pleasant Tenn., U.S.A. 35°32N 87°12W 177 D11
Mount Pleasant Tex., U.S.A. 33°9N 94°58W 176 E7
Mount Pleasant Utah, U.S.A. 39°33N 111°27W 168 G8
Mount Pocono U.S.A. 41°7N 75°22W 175 E9
Mount Rainier △ U.S.A. 46°55N 121°50W 170 D5
Mount Remarkable △ Australia 32°47S 138°3E 152 B3
Mount Revelstoke △ Canada 51°5N 118°30W 162 C5
Mount Robson ⌂ Canada 53°0N 119°0W 162 C5
Mount St. Helens ⌂ U.S.A. 46°14N 122°11W 170 D4
Mount Selinda Zimbabwe 20°24S 32°43E 145 B5
Mount Shasta U.S.A. 41°19N 122°19W 168 F2
Mount Signal U.S.A. 32°39N 115°37W 171 N11
Mount Somers N.Z. 43°45S 171°27E 155 D6
Mount Sterling Ill., U.S.A. 39°59N 90°45W 172 F8
Mount Sterling Ky., U.S.A. 38°4N 83°56W 173 F12
Mount Surprise Australia 18°10S 144°17E 150 B3
Mount Union U.S.A. 40°23N 77°53W 174 F7
Mount Upton U.S.A. 42°26N 75°23W 175 D9
Mount Vernon Ga., U.S.A. 32°11N 82°36W 178 C7
Mount Vernon Ill., U.S.A. 38°19N 88°55W 172 F9
Mount Vernon Ind., U.S.A. 37°56N 87°54W 167 H22
Mount Vernon N.Y., U.S.A. 40°54N 73°49W 175 F11
Mount Vernon Ohio, U.S.A. 40°23N 82°29W 174 F2
Mount Vernon Wash., U.S.A. 48°25N 122°20W 170 B4
Mount Victor Australia 32°11S 139°44E 152 B3
Mount Wellington N.Z. 36°55S 174°52E 154 C3
Mount William △ Australia 40°56S 148°14E 151 G4
Mounta, Akra Greece 38°3N 20°47E 98 C2
Mountain Ash U.K. 51°40N 3°23W 67 F4
Mountain Center U.S.A. 33°42N 116°44W 171 M10
Mountain City Nev., U.S.A. 41°50N 115°58W 168 F6
Mountain City Tenn., U.S.A. 36°29N 81°48W 177 C14
Mountain Dale U.S.A. 41°41N 74°32W 175 E10
Mountain Grove U.S.A. 37°8N 92°16W 172 G7
Mountain Home Ark., U.S.A. 36°20N 92°23W 176 C8
Mountain Home Idaho, U.S.A. 43°8N 115°41W 168 E6
Mountain Iron U.S.A. 47°32N 92°37W 172 B7
Mountain Pass U.S.A. 35°29N 115°35W 171 K11
Mountain View Ark., U.S.A. 35°52N 92°7W 176 D8
Mountain View Calif., U.S.A. 37°23N 122°7W 170 H4
Mountain Zebra △ S. Africa 32°14S 25°27E 144 D4
Mountainair U.S.A. 34°31N 106°15W 169 J10
Mountbellew Ireland 53°28N 8°31W 64 C3
Mountlake Terrace U.S.A. 47°47N 122°18W 170 C4
Mountmellick Ireland 53°7N 7°20W 64 C4
Mountrath Ireland 53°0N 7°28W 64 D4
Moura Australia 24°35S 149°58E 150 C4
Moura Brazil 1°32S 61°38W 186 D6
Moura Portugal 38°7N 7°30W 89 G3
Mourão Portugal 38°22N 7°22W 89 G3
Mourdi, Dépression du Chad 18°10N 23°0E 135 E10
Mourdiah Mali 14°35N 7°25W 138 C3
Mourenx France 43°22N 0°38W 72 E3
Mouri Ghana 5°6N 1°14W 139 D4
Mourilyan Australia 17°35S 146°3E 150 B4
Mourmelon-le-Grand France 49°8N 4°22E 71 C11
Mourne → U.K. 54°52N 7°26W 64 B4
Mourne Mts. U.K. 54°10N 6°0W 64 B5
Mournies Greece 35°29N 24°1E 101 D6
Mouscron Belgium 50°45N 3°12E 69 D3
Moussoro Chad 13°41N 16°35E 135 F9
Mouthe France 46°44N 6°12E 71 F13
Moutier Switz. 47°16N 7°21E 77 H3
Moûtiers France 45°29N 6°32E 73 C10
Moutong Indonesia 0°28N 121°13E 119 D6
Mouy France 49°18N 2°20E 71 C9
Mouydir, Monts du Algeria 25°30N 4°10E 136 C4
Mouzaki Greece 39°25N 21°37E 98 B3
Mouzon France 49°36N 5°3E 71 C12
Movas Mexico 28°10N 109°25W 180 B3
Moville Ireland 55°11N 7°3W 64 A4
Mowandjum Australia 17°22S 123°40E 148 C3
Moxotó → Brazil 9°19S 38°14W 189 B3
Moy → Ireland 54°8N 9°8W 64 B2
Moya Comoros Is. 12°18S 44°18E 141 a
Moyale Ethiopia 3°34N 39°5E 142 B4
Moyale Kenya 3°30N 39°4E 142 B4
Moyamba S. Leone 8°4N 12°30W 138 D2
Moyen Atlas Morocco 33°0N 5°0W 136 B3
Moyo Indonesia 8°10S 117°40E 118 F5
Moyobamba Peru 6°0S 77°0W 188 B2
Moyowosi ⌂ Tanzania 3°50S 31°0E 142 C3
Møysalen △ Norway 68°32N 15°29E 60 B16
Moyu China 37°15N 79°44E 109 E9
Moyyero → Russia 68°44N 103°42E 107 C11
Moyynqum Zhambyl, Kazakhstan 44°17N 72°57E 109 D8
Moyynqum Zhambyl, Kazakhstan 44°12N 71°0E 109 D8
Moyynty Kazakhstan 47°10N 73°18E 109 C8
Mozambique = Moçambique Mozam. 15°3S 40°42E 143 F5
Mozambique ■ Africa 19°0S 35°0E 143 F4
Mozambique Basin Ind. Oc. 30°0S 40°0E 146 G2
Mozambique Chan. Africa 17°30S 42°30E 145 A7
Mozdok Russia 43°45N 44°48E 87 J7
Mozdūrān Iran 36°9N 60°35E 129 B9
Mozhaysk Russia 55°30N 36°2E 84 E9
Mozhga Russia 56°26N 52°15E 86 B11
Mozhnābād Iran 34°7N 60°6E 129 C9
Mozirje Slovenia 46°22N 14°58E 93 B11
Mozyr = Mazyr Belarus 51°59N 29°15E 75 B15
Mpanda Tanzania 6°23S 31°1E 142 D3
Mpésoba Mali 12°31N 5°39W 138 C3
Mphoeng Zimbabwe 21°10S 27°51E 143 G2
Mpika Zambia 11°51S 31°25E 143 E3
Mpulungu Zambia 8°51S 31°5E 143 D3
Mpumalanga S. Africa 29°50S 30°33E 145 C5
Mpumalanga □ S. Africa 26°0S 30°0E 145 C5
Mpwapwa Tanzania 6°23S 36°30E 142 D4
Mqanduli S. Africa 31°49S 28°45E 145 D4
Mqinvartsveri = Kazbek Russia 42°42N 44°30E 87 J7
Mrągowo Poland 53°52N 21°18E 82 E8
Mramor Serbia 43°20N 21°45E 96 C5
Mrimina Morocco 29°50N 7°9W 136 C2
Mrkonjić Grad Bos.-H. 44°26N 17°4E 80 F2
Mrkopalj Croatia 45°21N 14°52E 93 C11
Mrocza Poland 53°16N 17°35E 83 E4
Msaken Tunisia 35°49N 10°33E 136 A6
Msambansovu Zimbabwe 15°50S 30°3E 143 F3
M'sila Algeria 35°46N 4°30E 136 A4
M'sila □ Algeria 35°20N 4°20E 136 A4
Msoro Zambia 13°35S 31°50E 143 E3
Msta → Russia 58°25N 31°20E 84 C6
Mstislavl = Mstsislaw Belarus 54°0N 31°50E 75 A16
Mstsislaw Belarus 54°0N 31°50E 75 A16
Mszana Dolna Poland 49°41N 20°5E 83 J7
Mszczonów Poland 51°58N 20°33E 83 G7
Mtama Tanzania 10°17S 39°21E 143 E4
Mtamvuna = Mthamvuna → S. Africa 31°6S 30°12E 145 D5
Mthamvuna → S. Africa 31°6S 30°12E 145 D5
Mthatha S. Africa 31°36S 28°49E 145 D4
Mtilikwe → Zimbabwe 21°9S 31°30E 143 G3
Mtirala △ Georgia 41°50N 42°2E 87 K6
Mtito Andei Kenya 2°41S 38°10E 142 C4
Mtsensk Russia 53°17N 36°36E 84 F9
Mtskheta Georgia 41°52N 44°45E 87 K7
Mtubatuba S. Africa 28°30S 32°8E 145 C5
Mtwalume S. Africa 30°30S 30°38E 145 D5
Mtwara □ Tanzania 10°20S 39°0E 143 E4
Mtwara-Mikindani Tanzania 10°20S 40°20E 143 E5
Mu Gia, Deo Vietnam 17°40N 105°47E 120 D5
Mu Ko Chang △ Thailand 11°59N 102°22E 121 G4
Mu Ko Surin Thailand 9°30N 97°55E 121 H1
Mu Us Shamo China 39°0N 109°0E 114 E5
Muang Beng Laos 20°23N 101°46E 116 G3
Muang Chiang Rai = Chiang Rai Thailand 19°52N 99°50E 116 H2
Muang Et Laos 20°49N 104°1E 120 B5
Muang Hiam Laos 20°5N 103°22E 120 B4
Muang Hongsa Laos 19°43N 101°20E 120 C3
Muang Houn Laos 20°8N 101°23E 116 G3
Muang Kau Laos 15°6N 105°47E 120 E5
Muang Khao Laos 19°38N 103°32E 120 C4
Muang Khong Laos 14°7N 105°51E 120 E5
Muang Khoua Laos 21°5N 102°31E 116 G4
Muang Liap Laos 18°29N 101°40E 120 C3
Muang Mai Thailand 8°5N 98°21E 121 a
Muang May Laos 14°49N 106°56E 120 E6
Muang Na Mo Laos 21°3N 101°49E 116 G3
Muang Ngeun Laos 20°36N 101°3E 116 G3
Muang Ngoi Laos 20°43N 102°41E 116 G4
Muang Nong Laos 16°22N 106°30E 120 D6
Muang Ou Neua Laos 22°18N 101°48E 116 F3
Muang Ou Tay Laos 22°7N 101°48E 116 F3
Muang Pak Beng Laos 19°54N 101°8E 116 H3
Muang Phalane Laos 16°39N 105°34E 120 D5
Muang Phiang Laos 19°6N 101°32E 120 C3
Muang Phine Laos 16°32N 106°2E 120 D6
Muang Phonhong Laos 18°30N 102°25E 120 C4
Muang Saiapoun Laos 18°24N 101°31E 120 C3
Muang Sing Laos 21°11N 101°9E 116 G3
Muang Son Laos 20°27N 103°19E 120 B4
Muang Soui Laos 19°33N 102°52E 120 C4
Muang Va Laos 21°53N 102°19E 116 G4
Muang Va Laos 18°18N 101°20E 120 C3
Muang Xai Laos 20°42N 101°59E 116 G3
Muang Xamteu Laos 19°59N 104°38E 120 C5
Muar Malaysia 2°3N 102°34E 121 L4
Muarabungo Indonesia 1°28S 102°52E 118 E2
Muaraenim Indonesia 3°40S 103°50E 118 E2
Muarajuloi Indonesia 0°12S 114°3E 118 E4
Muarakaman Indonesia 0°2S 116°45E 118 E5
Muaratebo Indonesia 1°30S 102°26E 118 E2
Muaratembesi Indonesia 1°42S 103°8E 118 E2
Muarateweh Indonesia 0°58S 114°52E 118 E4
Mubarakpur India 26°6N 83°18E 125 F10
Mubarraz = Al Mubarraz Si. Arabia 25°30N 49°40E 129 E6
Mubende Uganda 0°33N 31°22E 142 B3
Mubi Nigeria 10°18N 13°16E 139 C7
Mucajaí → Brazil 2°25N 60°52W 186 C6
Muchachos, Roque de los Canary Is. 28°44N 17°52W 100 F2
Mücheln Germany 51°17N 11°47E 76 D7
Muchinga □ Zambia 12°0S 31°30E 143 E3
Muchinga Mts. Zambia 11°30S 31°30E 143 E3
Muchkapskiy Russia 51°52N 42°28E 86 E6
Muchuan China 28°57N 103°55E 116 C5
Muck U.K. 56°50N 6°15W 65 E2
Muckadilla Australia 26°35S 148°23E 151 D4
Muckalee Cr. → U.S.A. 31°38N 84°9W 178 D5
Muckaty ✪ Australia 18°37S 133°52E 150 B1
Muckle Flugga U.K. 60°51N 0°54W 65 A8
Mucugê Brazil 13°0S 41°23W 189 C2
Mucur Turkey 39°3N 34°22E 104 C6
Mucuri Brazil 18°0S 39°36W 189 D3
Mucurici Brazil 18°6S 40°31W 189 D2
Mucusso Angola 18°1S 21°25E 144 A3
Muda Canary Is. 28°34N 13°57W 100 F6
Mudanjiang China 44°38N 129°30E 115 B15
Mudanya Turkey 40°25N 28°50E 97 F12
Muddebihal India 16°20N 76°8E 127 F3
Muddus △ Sweden 66°58N 20°15E 60 C19
Muddy Cr. → U.S.A. 38°24N 110°42W 168 G8
Mudgee Australia 32°32S 149°31E 153 B8
Mudhol Karnataka, India 16°21N 75°17E 127 F2
Mudhol Telangana, India 18°58N 77°55E 126 E3
Mudigere India 13°8N 75°38E 127 H2
Mudjatik → Canada 56°1N 107°36W 163 B7
Mudukulattur India 9°21N 78°31E 127 K4
Mudumu △ Namibia 18°5S 23°29E 144 A3
Mudurnu Turkey 40°27N 31°12E 104 B4
Muecate Mozam. 14°55S 39°40E 143 E4
Mueda Mozam. 11°36S 39°28E 143 E4
Mueller Ranges Australia 18°18S 126°46E 148 C4
Muende Mozam. 14°28S 33°0E 143 E3
Muerto, Mar Mexico 16°10N 94°10W 181 D6
Mufu Shan China 29°20N 114°30E 117 C10
Mufulira Zambia 12°32S 28°15E 143 E2
Mufumbiro Range Africa 1°25S 29°30E 142 C2
Mugardos Spain 43°27N 8°15W 88 B2
Muge → Portugal 39°8N 8°44W 89 F2
Múggia Italy 45°36N 13°46E 93 C10
Mughal Sarai India 25°18N 83°7E 125 G10
Mughalzhar Taūy Kazakhstan 49°0N 58°40E 108 C5
Mughayrā' Si. Arabia 29°17N 37°41E 128 D3
Mugi Japan 33°40N 134°25E 113 H7
Mugia = Muxía Spain 43°3N 9°10W 88 B1
Mugila, Mts. Dem. Rep. of the Congo 7°0S 28°50E 142 D2
Muğla Turkey 37°15N 28°22E 99 D10
Muğla □ Turkey 37°15N 28°0E 99 D10
Mŭglizh Bulgaria 42°37N 25°32E 97 D9
Mugodzhary = Mughalzhar Taūy Kazakhstan 49°0N 58°40E 108 C5
Mugu Nepal 29°45N 82°30E 125 E10
Mugu Karnali → Nepal 29°38N 81°51E 125 E9
Muhala Dem. Rep. of the Congo 5°40S 28°43E 142 D2
Muhammad, Râs Egypt 27°44N 34°16E 128 E2
Muhammad Qol Sudan 20°53N 37°9E 137 C4
Muhammadabad India 26°4N 83°25E 125 F10
Muḩāyil Si. Arabia 18°33N 42°3E 131 D3
Muhesi → Tanzania 7°0S 35°20E 142 D4
Mühlacker Germany 48°57N 8°51E 77 G4
Mühldorf Germany 48°14N 12°32E 77 G8
Mühlhausen Germany 51°12N 10°27E 76 D6
Mühlig Hofmann fjell Antarctica 72°30S 5°0E 55 D3
Mühlviertel Austria 48°30N 14°10E 78 C7
Muhos Finland 64°47N 25°59E 60 D21
Muhu Estonia 58°36N 23°11E 84 C2

Muhutwe Tanzania 1°35S 31°45E 142 C3
Mui Wo China 22°16N 114°0E 111 a
Muileann gCearr, An = Mullingar Ireland 53°31N 7°21W 64 C4
Muine Bheag = Bagenalstown Ireland 52°42N 6°58W 64 D5
Muineachán = Monaghan Ireland 54°15N 6°57W 64 B5
Muir, L. Australia 34°30S 116°40E 149 F2
Muir of Ord U.K. 57°32N 4°28W 65 D4
Mujeres, I. Mexico 21°13N 86°43W 182 B2
Muka, Tanjung Malaysia 5°28N 100°11E 121 c
Mukacheve Ukraine 48°27N 22°45E 80 B7
Mukachevo = Mukacheve Ukraine 48°27N 22°45E 80 B7
Mukah Malaysia 2°55N 112°5E 118 D4
Mukandwara India 24°49N 75°59E 124 G6
Mukawwa, Geziret Egypt 23°55N 35°53E 137 C4
Mukawwar Sudan 20°50N 37°17E 137 C4
Mukdahan Thailand 16°32N 104°43E 120 D5
Mukdahan △ Thailand 16°26N 104°45E 120 D5
Mukden = Shenyang China 41°48N 123°27E 115 D12
Mukerian India 31°57N 75°37E 124 D6
Mukhavyets → Belarus 52°5N 23°39E 83 F10
Mukher India 18°42N 77°22E 126 E3
Mukhtolovo Russia 55°29N 43°15E 86 C6
Mukinbudin Australia 30°55S 118°5E 149 F2
Mukishi Dem. Rep. of the Congo 8°30S 24°44E 143 D1
Muko Phetra △ Thailand 6°57N 99°33E 121 J2
Mukomuko Indonesia 2°30S 101°10E 118 E2
Mukomwenze Dem. Rep. of the Congo 6°49S 27°15E 142 D2
Mukono Uganda 0°21N 32°45E 142 B3
Muktinath Nepal 28°49N 83°53E 125 E10
Muktsar India 30°30N 74°30E 124 D6
Mukur = Moqor Afghan. 32°50N 67°42E 124 C2
Mukutuwa → Canada 53°10N 97°24W 163 C9
Mukwela Zambia 17°0S 26°40E 143 F2
Mul India 20°4N 79°40E 126 D4
Mula Spain 38°3N 1°33W 91 G3
Mula → India 18°34N 74°21E 126 E2
Mula → Pakistan 27°57N 67°36E 124 F2
Mulange Dem. Rep. of the Congo 3°40S 27°10E 142 C2
Mulanje, Mt. Malawi 16°2S 35°33E 143 F4
Mulbagal India 13°10N 78°24E 127 H4
Mulberry U.S.A. 27°54N 81°59W 179 H8
Mulchatna → U.S.A. 59°40N 157°7W 166 D8
Mulchén Chile 37°45S 72°20W 190 D1
Mulde → Germany 51°53N 12°15E 76 D8
Mule Creek Junction U.S.A. 43°23N 104°13W 168 E11
Muleba Tanzania 1°50S 31°37E 142 C3
Mulegé Mexico 26°53N 111°59W 180 B2
Muleshoe U.S.A. 34°13N 102°43W 176 D3
Mulgrave Canada 45°38N 61°31W 165 C7
Mulgrave I. = Badu Australia 10°7S 142°11E 150 a
Mulhacén Spain 37°4N 3°20W 89 H7
Mülheim Germany 51°25N 6°54E 76 D2
Mulhouse France 47°40N 7°20E 71 E14
Muli China 27°52N 101°8E 116 D3
Muling China 44°35N 130°10E 115 B16
Mulki India 13°6N 74°48E 127 H2
Mull U.K. 56°25N 5°56W 65 E3
Mull, Sound of U.K. 56°30N 5°50W 65 E3
Mullach Íde = Malahide Ireland 53°26N 6°9W 64 C5
Mullaittivu Sri Lanka 9°15N 80°49E 127 K5
Mullen U.S.A. 42°3N 101°1W 172 D3
Mullengudgery Australia 31°43S 147°23E 151 B4
Mullens U.S.A. 37°35N 81°23W 173 G13
Muller, Pegunungan Indonesia 0°30N 113°30E 118 D4
Mullet Pen. Ireland 54°13N 10°2W 64 B1
Mullewa Australia 28°29S 115°30E 149 E2
Müllheim Germany 47°47N 7°36E 77 H3
Mulligan → Australia 25°0S 139°0E 150 D2
Mullingar Ireland 53°31N 7°21W 64 C4
Mullins U.S.A. 34°12N 79°15W 177 D15
Mullsjö Sweden 57°56N 13°55E 63 G7
Mullumbimby Australia 28°30S 153°30E 151 D5
Mulobezi Zambia 16°45S 25°7E 143 F2
Mulonga Plain Zambia 16°20S 22°40E 141 H4
Mulroy B. Ireland 55°15N 7°46W 64 A4
Mulshi L. India 18°30N 73°48E 126 E1
Multai India 21°50N 78°21E 126 D4
Multan Pakistan 30°15N 71°36E 124 D4
Mulug India 18°11N 79°57E 126 E4
Mulumbe, Mts. Dem. Rep. of the Congo 8°40S 27°30E 143 D2
Mulungushi Dam Zambia 14°48S 28°48E 143 E2
Mulurulu L. Australia 33°15S 143°20E 152 B5
Mulvane U.S.A. 37°29N 97°15W 172 G5
Mulwad Sudan 18°45N 30°39E 137 D3
Mulwala Australia 35°59S 146°0E 153 C7
Mulwala, L. Australia 35°59S 146°1E 151 C4
Mumbai India 18°56N 72°50E 126 E1
Mumbwa Zambia 15°0S 27°0E 143 F2
Mumias Kenya 0°20N 34°29E 142 C4
Mummel Gulf △ Australia 31°17S 151°51E 153 A9
Mumra Russia 45°45N 47°41E 87 H8
Mun → Thailand 15°19N 105°30E 120 E5
Muna Indonesia 5°0S 122°30E 119 F6
Munabao India 25°45N 70°17E 124 G4
Munamagi Estonia 57°43N 27°4E 84 D4
Munaung Burma 18°45N 93°40E 123 K18
Munaung I. = Cheduba I. Burma 18°45N 93°40E 123 K18
Muncan Indonesia 8°34S 115°11E 119 K18
Muncar Indonesia 8°26S 114°20E 119 J17
Münchberg Germany 50°11N 11°47E 77 E7
Müncheberg Germany 52°30N 14°9E 76 C10
München Germany 48°8N 11°34E 77 G7
München Franz Josef Strauss ✕ (MUC) Germany 48°21N 11°47E 77 G7
Munchen-Gladbach = Mönchengladbach Germany 51°11N 6°27E 76 D2
Muncho Lake Canada 59°0N 125°50W 162 B3
Munch'ŏn N. Korea 39°14N 127°19E 115 E14
Muncie U.S.A. 40°12N 85°23W 173 E11
Muncoonie L. West Australia 25°12S 138°40E 150 D2
Mundabbera Australia 25°36S 151°18E 151 D5
Mundakayam India 9°30N 76°50E 127 K3
Mundal Sri Lanka 7°48N 79°48E 127 L4
Munday U.S.A. 33°27N 99°38W 176 E5
Mundemba Cameroon 4°57N 8°52E 139 E6
Münden Germany 51°25N 9°38E 76 D5
Münden △ Germany 51°28N 9°42E 76 D5
Mundiwindi Australia 23°47S 120°9E 148 D3
Mundo → Spain 38°30N 2°15W 91 G2
Mundo Novo Brazil 11°50S 40°29W 189 C2
Mundra India 22°54N 69°48E 124 H3
Mundrabilla Australia 31°52S 127°51E 149 F4
Munera Spain 39°2N 2°29W 91 F2
Muneru → India 16°45N 80°3E 126 F5
Mungallala Australia 26°28S 147°34E 151 D4
Mungallala Cr. → Australia 28°53S 147°5E 151 D4
Mungana Australia 17°8S 144°27E 150 B3
Mungaoli India 24°24N 78°7E 124 G8
Mungari Mozam. 17°12S 33°30E 143 F3
Mungbere Dem. Rep. of the Congo 2°36N 28°28E 142 B2
Mungeli India 22°4N 81°41E 125 H9
Munger India 25°23N 86°30E 125 G12
Mungerannie Australia 28°1S 138°39E 151 A2
Mungilli ✪ Australia 25°14S 124°17E 149 E3
Mungkan Kandju △ Australia 13°35S 142°52E 150 A3
Mungkarta ✪ Australia 20°22S 134°2E 150 C1
Mungo, L. Australia 33°45S 143°0E 152 B5
Mungo △ Australia 33°44S 143°6E 152 B5
Munich = München Germany 48°8N 11°34E 77 G7
Munising U.S.A. 46°25N 86°40W 172 B10
Munka-Ljungby Sweden 56°16N 12°58E 63 H6
Munkebo Denmark 55°27N 10°34E 63 J4
Munkedal Sweden 58°28N 11°40E 63 F5
Munkfors Sweden 59°47N 13°30E 62 E7
Munku-Sardyk Russia 51°45N 100°20E 107 D11
Münnerstadt Germany 50°14N 10°12E 77 E6
Munnsville U.S.A. 42°58N 75°35W 175 D9
Muñoz Gamero, Pen. Chile 52°30S 73°5W 192 D2
Munroe L. Canada 59°13N 98°35W 163 B9
Munsan S. Korea 37°51N 126°48E 115 F14
Munson U.S.A. 30°52N 86°52W 179 E3
Munster France 48°2N 7°8E 71 D14
Münster Niedersachsen, Germany 52°58N 10°5E 76 C6
Münster Nordrhein-Westfalen, Germany 51°58N 7°37E 76 D3
Munster □ Ireland 52°18N 8°44W 64 D3
Muntadgin Australia 31°45S 118°33E 149 F2
Muntele Mare, Vf. Romania 46°30N 23°12E 81 D8
Muntok Indonesia 2°5S 105°10E 118 E3
Munzur Dağları Turkey 39°30N 39°10E 105 C8
Muong Nhie Vietnam 22°12N 102°28E 116 F4
Muong Sen Vietnam 19°24N 104°8E 120 C5
Muong Te Vietnam 22°24N 102°49E 116 F4
Muong Xia Vietnam 20°19N 104°50E 120 B5
Muonio Finland 67°57N 23°40E 60 C20
Muonio älv = Muonionjoki → Finland 67°11N 23°34E 60 C20
Muonioälven = Muonionjoki → Finland 67°11N 23°34E 60 C20
Muonionjoki → Finland 67°11N 23°34E 60 C20
Mupa → Mozam. 18°58S 35°54E 143 F4
Muping China 37°22N 121°36E 115 F11
Muqdisho Somalia 2°2N 45°25E 131 G4
Mur → Austria 46°18N 16°52E 79 E9
Mûr-de-Bretagne France 48°12N 3°0W 70 D4
Muradiye Manisa, Turkey 38°39N 27°21E 99 C9
Muradiye Van, Turkey 39°0N 43°44E 105 C10
Murakami Japan 38°14N 139°29E 112 E9
Muralag = Prince of Wales I. Australia 10°40S 142°10E 150 A3
Murallón, Cerro Chile 49°48S 73°30W 192 C2
Muranda Rwanda 1°52S 29°20E 142 C2
Murang'a Kenya 0°45S 37°9E 142 C4
Murashi Russia 59°30N 49°0E 106 D5
Murat France 45°7N 2°53E 72 C6
Murat → Turkey 38°46N 40°0E 105 C9
Murat Dağı Turkey 38°55N 29°43E 99 C11
Muratlı Turkey 41°10N 27°29E 97 E11
Murato France 42°35N 9°20E 73 F13
Murau Austria 47°6N 14°10E 78 D7
Murava Belarus 52°39N 24°15E 83 F11
Muravera Italy 39°25N 9°34E 94 C2
Murayama Japan 38°30N 140°25E 112 E10
Murça Portugal 41°24N 7°28W 88 D3
Murchison N.Z. 41°49S 172°21E 155 B7
Murchison → Australia 27°45S 114°0E 149 E1
Murchison, Mt. Antarctica 73°25S 166°20E 55 D11
Murchison, Mt. N.Z. 43°0S 171°22E 155 D6
Murchison Falls Uganda 2°15N 31°30E 142 B3
Murchison Falls △ Uganda 2°17N 31°48E 142 B3
Murchison Mts. N.Z. 45°13S 167°23E 155 F2
Murchison Ra. Australia 20°0S 134°10E 150 C1
Murchison Rapids Malawi 15°55S 34°35E 143 F3
Murchison Roadhouse Australia 27°39S 116°14E 149 E2
Murcia Spain 38°5N 1°10W 91 G3
Murcia □ Spain 37°50N 1°30W 91 H3
Murdo U.S.A. 43°53N 100°43W 172 D3
Murdoch Pt. Australia 14°37S 144°55E 150 A3
Mürefte Turkey 40°40N 27°14E 97 F11
Mureş □ Romania 46°45N 24°40E 81 D9
Mureş → Romania 46°15N 20°13E 80 D5
Mureşul = Mureş → Romania 46°15N 20°13E 80 D5
Muret France 43°30N 1°20E 72 E5
Murewa Zimbabwe 17°39S 31°47E 145 A5
Murfreesboro N.C., U.S.A. 36°27N 77°6W 177 C16
Murfreesboro Tenn., U.S.A. 35°51N 86°24W 177 D11
Murgab Tajikistan 38°10N 74°2E 109 E8
Murgap Turkmenistan 38°18N 61°12E 129 B9
Murgenella Australia 11°34S 132°56E 148 B5
Murgeni Romania 46°12N 28°1E 81 D13
Murgha Kibzai Pakistan 30°44N 69°25E 124 D3
Murghob = Murgap Tajikistan 38°10N 74°2E 109 E8
Murgon Australia 26°15S 151°54E 151 D5
Muri India 23°22N 85°52E 125 H11
Muria Indonesia 6°36S 110°53E 119 G14
Muriaé Brazil 21°8S 42°23W 191 A7
Murias de Paredes Spain 42°52N 6°11W 88 C4
Murici Brazil 9°19S 35°56W 189 B3
Muriel Mine Zimbabwe 17°14S 30°40E 143 F3
Müritz Germany 53°25N 12°42E 76 B8
Müritz △ Germany 53°22N 12°55E 76 B8
Muriwai Beach N.Z. 36°50S 174°26E 154 C3
Murliganj India 25°54N 86°59E 125 G12
Murmansk Russia 68°57N 33°10E 60 B25
Murmashi Russia 68°47N 32°42E 60 B25
Murnau Germany 47°40N 11°12E 77 H7
Muro France 42°34N 8°54E 73 F12
Muro Spain 39°44N 3°3E 100 B10
Muro, C. di France 41°44N 8°37E 73 G12
Muro de Alcoy Spain 38°46N 0°26W 91 G4
Muro Lucano Italy 40°45N 15°29E 95 B8
Murom Russia 55°35N 42°3E 86 C6
Muroran Japan 42°25N 141°0E 112 C10
Muros Spain 42°45N 9°5W 88 C1
Muros e Noya, Ría de → Spain 42°45N 9°0W 88 C1
Muroto Japan 33°18N 134°9E 113 H7
Muroto-Misaki Japan 33°15N 134°10E 113 H7
Murovani Kurylivtsi Ukraine 48°44N 27°31E 81 B12
Murowana Goślina Poland 52°35N 17°0E 83 F3
Murphy U.S.A. 43°13N 116°33W 168 E5
Murphys U.S.A. 38°8N 120°28W 170 G6
Murrat Sudan 18°51N 29°33E 137 D2
Murrat Wells Sudan 21°3N 32°55E 137 C3
Murray Australia 9°56S 144°2E 150 a
Murray Ky., U.S.A. 36°37N 88°19W 172 G9
Murray Utah, U.S.A. 40°40N 111°53W 168 F8
Murray → Australia 35°20S 139°22E 152 C3
Murray, L. U.S.A. 34°3N 81°13W 178 A8
Murray Bridge Australia 35°6S 139°14E 152 C3
Murray Fracture Zone Pac. Oc. 35°0N 130°0W 157 D14
Murray Harbour Canada 46°0N 62°28W 165 C7
Murray River △ Australia 34°23S 140°32E 151 E3
Murray-Sunset △ Australia 34°45S 141°30E 152 C4
Murraysburg S. Africa 31°58S 23°47E 144 D3
Murree Pakistan 33°56N 73°28E 124 C5
Murrieta U.S.A. 33°33N 117°13W 171 M9
Murro di Porco, Capo Italy 37°0N 15°20E 95 F8
Murrumbateman Australia 34°58S 149°0E 153 C8
Murrumbidgee → Australia 34°43S 143°12E 152 C5
Murrumburrah Australia 34°32S 148°22E 153 C8
Murrurundi Australia 31°42S 150°51E 153 A9
Murshid Sudan 21°40N 31°10E 137 C3
Murshidabad India 24°11N 88°19E 125 G13
Murska Sobota Slovenia 46°39N 16°12E 93 B13
Murtazapur India 20°40N 77°25E 126 D3
Murtle L. Canada 52°8N 119°38W 162 C5
Murtoa Australia 36°35S 142°28E 152 D5
Murtosa Portugal 40°44N 8°40W 88 E2
Muru → Brazil 8°9S 70°45W 188 B3
Murud India 18°19N 72°58E 126 E1
Murungu Tanzania 4°12S 31°10E 142 C3
Murupara N.Z. 38°28S 176°42E 154 E5
Mururoa French Polynesia 21°52S 138°55W 157 K14
Murwara India 23°46N 80°28E 125 H9
Murwillumbah Australia 28°18S 153°27E 151 D5
Mürz → Austria 47°30N 15°25E 78 D8
Murzūq Libya 25°53N 13°57E 135 C8
Murzūq, Idehān Libya 24°50N 13°51E 135 D8
Mürzzuschlag Austria 47°36N 15°41E 78 D8
Muş Turkey 38°45N 41°30E 105 C9
Muş □ Turkey 38°45N 41°30E 105 C9
Mûsa, Gebel Egypt 28°33N 33°59E 128 D2
Musa Khel Pakistan 30°59N 69°52E 124 D3
Mūsa Qal'eh Afghan. 32°20N 64°50E 122 C4
Musafirkhana India 26°22N 81°48E 125 F9
Musala Bulgaria 42°13N 23°37E 96 D7
Musala Indonesia 1°41N 98°28E 118 D1
Musan N. Korea 42°12N 129°12E 115 C15
Musangu Dem. Rep. of the Congo 10°28S 23°55E 143 E1
Musasa Tanzania 3°25S 31°30E 142 C3
Muscat = Masqat Oman 23°37N 58°36E 131 C6
Muscatine U.S.A. 41°25N 91°3W 172 E8
Muscle Shoals U.S.A. 34°45N 87°40W 177 D11
Musengezi = Unsengedsi → Zimbabwe 15°43S 31°14E 143 F3
Musgrave Harbour Canada 49°27N 53°58W 165 C9
Musgrave Ranges Australia 26°0S 132°0E 149 E5
Mushie Dem. Rep. of the Congo 2°56S 16°55E 140 E3
Mushin Nigeria 6°31N 3°21E 139 D5
Musi → India 16°41N 79°40E 126 F4
Musi → Indonesia 2°20S 104°56E 118 E2
Musina S. Africa 22°20S 30°5E 145 B5
Musiri India 10°56N 78°27E 127 J4
Muskauer Park Europe 51°34N 14°43E 76 D10
Muskeg → Canada 60°20N 123°20W 162 A4
Muskegon U.S.A. 43°14N 86°16W 172 D10
Muskegon → U.S.A. 43°14N 86°21W 172 D10
Muskegon Heights U.S.A. 43°12N 86°16W 172 D10
Muskogee U.S.A. 35°45N 95°22W 176 D7
Muskoka, L. Canada 45°0N 79°25W 174 B5
Muskoka Falls Canada 44°59N 79°17W 174 B5
Muskwa → Canada 58°47N 122°48W 162 B4
Muslimīyah Syria 36°19N 37°12E 128 B3
Musmar Sudan 18°13N 35°40E 137 D4
Musofu Zambia 13°30S 29°0E 143 E2
Musoma Tanzania 1°30S 33°48E 142 C3
Musquaro, L. Canada 50°38N 61°5W 165 B7
Musquodoboit Harbour Canada 44°50N 63°9W 165 D7
Musselburgh U.K. 55°57N 3°2W 65 F5
Musselshell → U.S.A. 47°21N 107°57W 168 C10
Mussende Angola 10°32S 16°5E 140 G3
Mussidan France 45°2N 0°22E 72 C4
Mussomeli Italy 37°35N 13°45E 94 E6
Mussoorie India 30°27N 78°6E 124 D8
Mussuco Angola 17°2S 19°3E 144 A2
Mustafakemalpaşa Turkey 40°2N 28°24E 97 F12
Mustang Nepal 29°10N 83°55E 125 E10
Musters, L. Argentina 45°20S 69°25W 192 C3
Musudan N. Korea 40°50N 129°43E 115 D15
Muswellbrook Australia 32°16S 150°56E 153 B9
Muszyna Poland 49°22N 20°55E 83 J7
Mût Egypt 25°28N 28°58E 137 B2
Mut Turkey 36°40N 33°28E 104 D5
Mutanda Mozam. 21°0S 33°34E 145 B5
Mutanda Zambia 12°24S 26°13E 143 E2
Mutare Zimbabwe 18°58S 32°38E 143 F3
Mutawintji △ Australia 31°10S 142°30E 151 E3
Mutha Kenya 1°48S 38°26E 142 C4
Muting Indonesia 7°23S 140°20E 119 F10
Mutirikwe Dam Zimbabwe 20°15S 31°0E 143 G3
Mutki = Mirtağ Turkey 38°23N 41°56E 128 B4
Mutoko Zimbabwe 17°24S 32°13E 145 A5
Mutomo Kenya 1°51S 38°12E 142 C4
Mutoray Russia 60°56N 101°0E 107 C11
Mutsamudu Comoros Is. 12°10S 44°25E 141 a
Mutshatsha Dem. Rep. of the Congo 10°35S 24°20E 143 E1
Mutsu Japan 41°5N 140°55E 112 D10
Mutsu-Wan Japan 41°5N 140°55E 112 D10
Muttaburra Australia 22°38S 144°29E 150 C3
Muttalip Turkey 39°50N 30°32E 99 B12
Mutton I. Ireland 52°49N 9°32W 64 D2
Muttukuru India 14°16N 80°6E 127 G5
Mutuáli Mozam. 14°55S 37°0E 143 E4
Mutum Biyu Nigeria 8°40N 10°50E 139 D7
Mutumba Burundi 3°25S 29°21E 142 C2
Mutur Sri Lanka 8°27N 81°16E 127 K5
Muweilih Egypt 30°42N 34°19E 130 E3
Muxía Spain 43°3N 9°10W 88 B1
Muy Muy Nic. 12°39N 85°36W 182 D2
Muyinga Burundi 3°14S 30°33E 142 C3
Mŭynoq Uzbekistan 43°44N 59°10E 108 D5
Muyunkum, Peski = Moyynqum Kazakhstan 44°12N 71°0E 109 D8
Muz Tag China 36°25N 87°25E 109 E11
Muzaffarabad Pakistan 34°25N 73°30E 125 B5
Muzaffargarh Pakistan 30°5N 71°14E 124 D4
Muzaffarnagar India 29°26N 77°40E 124 E7
Muzaffarpur India 26°7N 85°23E 125 F11
Muzafirpur Pakistan 30°58N 69°9E 124 D3
Mużakowski, Park = Muskauer Park Europe 51°34N 14°43E 76 D10
Muzhi Russia 65°25N 64°40E 106 C7
Muzillac France 47°35N 2°30W 70 E4
Muztagh-Ata China 38°17N 75°7E 109 E9
Muzūra Egypt 28°53N 30°48E 137 F7
Mvuma Zimbabwe 19°16S 30°30E 143 F3
Mvurwi Zimbabwe 17°0S 30°57E 143 F3
Mwabvi △ Malawi 16°42S 35°0E 143 F3
Mwadui Tanzania 3°26S 33°32E 142 C3
Mwali = Mohéli Comoros Is. 12°20S 43°40E 141 a
Mwambo Tanzania 10°30S 40°22E 143 E5
Mwandi Zambia 17°30S 24°51E 143 F1
Mwanza Dem. Rep. of the Congo 7°55S 26°43E 142 D2
Mwanza Tanzania 2°30S 32°58E 142 C3
Mwanza Zambia 16°58S 24°28E 143 F1
Mwanza □ Tanzania 2°0S 33°0E 142 C3
Mwaya Tanzania 9°32S 33°55E 143 D3
Mweelrea Ireland 53°39N 9°49W 64 C2
Mweka Dem. Rep. of the Congo 4°50S 21°34E 140 E4
Mwene-Ditu Dem. Rep. of the Congo 6°35S 22°27E 140 F4
Mwenezi Zimbabwe 21°15S 30°48E 143 G3
Mwenezi → Mozam. 22°40S 31°50E 143 G3
Mwenga Dem. Rep. of the Congo 3°1S 28°28E 142 C2
Mweru, L. Zambia 9°0S 28°40E 143 D2
Mweru Wantipa △ Zambia 8°39S 29°25E 143 D2
Mweza Range Zimbabwe 21°0S 30°0E 143 G3
Mwilambwe Dem. Rep. of the Congo 8°7S 25°5E 142 D2
Mwimbi Tanzania 8°38S 31°39E 143 D3
Mwingi Kenya 0°56S 38°4E 142 C4
Mwinilunga Zambia 11°43S 24°25E 143 E1
My Son Vietnam 15°48N 108°7E 120 E7
My Tho Vietnam 10°29N 106°23E 121 G6
Mya, O. → Algeria 30°46N 4°54E 136 B4
Myajlar India 26°15N 70°20E 124 F4
Myakka → U.S.A. 26°56N 82°11W 179 J7
Myall Lakes △ Australia 32°25S 152°30E 153 B10
Myanaung Burma 18°18N 95°22E 123 K19
Myanmar = Burma ■ Asia 21°0N 96°30E 123 J20
Myaungmya Burma 16°30N 94°40E 123 L19
Mycenæ = Mykenes Greece 37°43N 22°46E 98 D4
Myedna Belarus 51°52N 23°42E 83 G10
Myeik = Mergui Burma 12°26N 98°34E 120 F2
Myeik Kyunzu Burma 11°30N 97°30E 121 G1
Myerstown U.S.A. 40°22N 76°19W 175 F8
Myingyan Burma 21°30N 95°20E 123 J19
Myitkyina Burma 25°24N 97°26E 123 G20
Myjava Slovak Rep. 48°41N 17°37E 79 C10
Mykenes Greece 37°43N 22°46E 98 D4
Mykhaylivka Ukraine 47°12N 35°15E 85 J8
Mykines Færoe Is. 62°7N 7°35W 60 E9
Mykolayiv Ukraine 46°58N 32°0E 85 J7
Mykolayiv □ Ukraine 47°20N 31°55E 85 J6
Mykonos Greece 37°30N 25°25E 99 D7
Mylius Erichsen Land Greenland 81°30N 27°0W 57 A8
Mymensingh Bangla. 24°45N 90°24E 123 G17
Mynydd Du U.K. 51°52N 3°50W 67 F4
Mýrdalsjökull Iceland 63°40N 19°6W 60 E4
Myrhorod Ukraine 49°58N 33°37E 85 H7
Myrina Greece 39°53N 25°4E 99 B7
Myrtle Beach U.S.A. 33°42N 78°53W 177 E15
Myrtle Creek U.S.A. 43°1N 123°17W 168 E2
Myrtle Grove U.S.A. 30°23N 87°17W 179 E2
Myrtle Point U.S.A. 43°4N 124°8W 168 E1
Myrtleford Australia 36°34S 146°44E 153 D7
Myrtoan Sea = Mirtoo Sea Greece 37°0N 23°20E 98 D5
Myrtou Cyprus 35°18N 33°4E 101 D12
Myrviken Sweden 62°58N 14°20E 62 B8
Mysia Turkey 39°50N 27°0E 97 G11
Myślenice Poland 49°51N 19°57E 83 J6
Myślibórz Poland 52°55N 14°50E 83 F1
Mysłowice Poland 50°15N 19°12E 83 H6
Mysore = Karnataka □ India 13°15N 77°0E 127 H3
Mysore = Mysuru India 12°17N 76°41E 127 H3
Mystic U.S.A. 41°21N 71°58W 175 E13
Mystras Greece 37°4N 22°22E 98 D4
Mysuru India 12°17N 76°41E 127 H3
Myszków Poland 50°45N 19°22E 83 H6
Myszyniec Poland 53°23N 21°21E 82 E8
Mytilene = Mitilini Greece 39°6N 26°35E 99 B8
Mytishchi Russia 55°50N 37°50E 84 E9
Mývatn Iceland 65°36N 17°0W 60 D5
M'zab, Oued → Algeria 32°15N 5°0E 136 B5
M'Zab Valley = M'zab, Oued → Algeria 32°15N 5°0E 136 B5
Mže → Czech Rep. 49°46N 13°24E 78 B6
Mzimba Malawi 11°55S 33°39E 143 E3
Mzimkulu → S. Africa 30°44S 30°28E 145 D5
Mzimvubu → S. Africa 31°38S 29°33E 145 D4
Mzuzu Malawi 11°30S 33°55E 143 E3

N

Na Clocha Liatha = Greystones Ireland 53°9N 6°5W 64 C5
Na Haeo △ Thailand 17°31N 100°58E 120 D3
Na Hearadh = Harris U.K. 57°50N 6°55W 65 D2
Na Hearadh, Caolas = Harris, Sd. of U.K. 57°44N 7°6W 65 D1
Na Noi Thailand 18°19N 100°43E 120 C3
Na Phao Laos 17°35N 105°44E 120 D5
Na Sam Vietnam 22°3N 106°37E 116 F6
Na Sceirí = Skerries Ireland 53°35N 6°8W 64 C5
Na Thon Thailand 9°32N 99°56E 121 b
Naab → Germany 49°1N 12°2E 77 F8
Naama Algeria 33°16N 0°19E 136 B4
Naama □ Algeria 33°15N 0°45E 136 B4
Naantali Finland 60°29N 22°2E 84 B1
Naas Ireland 53°12N 6°40W 64 C5
Nababeep S. Africa 29°36S 17°46E 144 C2
Nabadwip = Navadwip India 23°34N 88°20E 125 H13
Nabawa Australia 28°30S 114°48E 149 E1
Nabberu, L. Australia 25°50S 120°30E 149 E3
Nabburg Germany 49°27N 12°11E 77 F8
Naberezhnyye Chelny Russia 55°42N 52°19E 86 C11
Nabeul Tunisia 36°30N 10°44E 136 A6
Nabeul □ Tunisia 36°30N 10°40E 136 A6
Nabha India 30°26N 76°14E 124 D7
Nabīd Iran 29°40N 57°38E 129 D8
Nabire Indonesia 3°15S 135°26E 119 E9
Nabisar Pakistan 25°8N 69°40E 124 G3
Nabisipi → Canada 50°14N 62°13W 165 B7
Nabiswera Uganda 1°27N 32°15E 142 B3
Nāblus = Nābulus West Bank 32°14N 35°15E 130 C4
Naboomspruit S. Africa 24°32S 28°40E 145 B4
Nabou Burkina Faso 11°25N 2°50W 138 C4
Nabouwalu Fiji 17°0S 178°45E 154 a
Nābulus West Bank 32°14N 35°15E 130 C4
Nacala Mozam. 14°32S 40°34E 143 E5
Nacaome Honduras 13°31N 87°30W 182 D2
Nacaroa Mozam. 14°22S 39°56E 143 E4
Naches U.S.A. 46°44N 120°42W 168 C3
Naches → U.S.A. 46°38N 120°31W 170 D6
Nachicapau, L. Canada 56°40N 68°5W 165 A6
Nachingwea Tanzania 10°23S 38°49E 143 E4
Nachna India 27°34N 71°41E 124 F4
Náchod Czech Rep. 50°25N 16°8E 78 A9
Nachuge India 10°47N 92°21E 127 J11
Nacimiento, L. U.S.A. 35°46N 120°53W 170 K6
Nacka Sweden 59°19N 18°10E 62 E12
Nackara Australia 32°48S 139°12E 152 B3
Naco Mexico 31°19N 109°56W 180 A3
Nacogdoches U.S.A. 31°36N 94°39W 176 F7
Nácori Chico Mexico 29°40N 108°57W 180 B3
Nacozari de García Mexico 30°25N 109°38W 180 A3
Nacula Fiji 16°54S 177°27E 154 a
Nada = Danzhou China 19°31N 109°33E 117 a
Nådendal = Naantali Finland 60°29N 22°2E 84 B1
Nadi Fiji 17°42S 177°20E 154 a
Nadi Sudan 18°40N 33°41E 137 D3
Nadiad India 22°41N 72°56E 124 H5
Nădlac Romania 46°10N 20°50E 80 D5
Nador Morocco 35°14N 2°58W 136 A3
Nadur Malta 36°2N 14°18E 101 C1
Nadūshan Iran 32°2N 53°35E 129 C7
Nadvirna Ukraine 48°37N 24°30E 81 B9
Nadvornaya = Nadvirna Ukraine 48°37N 24°30E 81 B9
Nadym Russia 65°35N 72°42E 106 C8
Nadym → Russia 66°12N 72°0E 106 C8
Nærbø Norway 58°40N 5°39E 61 G11
Næstved Denmark 55°13N 11°44E 63 J5
Nafada Nigeria 11°8N 11°20E 139 C7
Nafarroa = Navarra □ Spain 42°40N 1°40W 90 C3
Nafpaktos Greece 38°24N 21°50E 98 C3
Nafplio Greece 37°33N 22°50E 98 D4
Naft-e Safīd Iran 31°40N 49°17E 129 D6
Naftshahr Iran 34°0N 45°30E 105 E11
Nafud Desert = An Nafūd Si. Arabia 28°15N 41°0E 128 D4
Nag Hammâdi Egypt 26°2N 32°18E 137 B3
Naga Phil. 13°38N 123°15E 119 B6
Naga, Kreb en Africa 24°12N 6°0W 136 D2
Nagagami Canada 50°23N 84°20W 164 B3
Nagahama Japan 35°23N 136°16E 113 G8
Nagai Japan 38°6N 140°2E 112 E10
Nagaland □ India 26°0N 94°30E 123 G19
Nagambie Australia 36°47S 145°10E 153 D6
Nagano Japan 36°40N 138°10E 113 F9
Nagano □ Japan 36°15N 138°0E 113 F9
Nagaoka Japan 37°27N 138°51E 113 F9
Nagaon India 26°20N 92°50E 123 F18
Nagappattinam India 10°46N 79°51E 127 J4
Nagar → Bangla. 24°27N 89°12E 125 G13
Nagar Karnul India 16°29N 78°20E 127 F4
Nagar Parkar Pakistan 24°28N 70°46E 124 G4
Nagaram India 18°21N 80°26E 126 E5
Nagarhole △ India 12°0N 76°10E 127 J3
Nagari Hills India 13°3N 79°45E 127 H4
Nagarjuna Sagar India 16°30N 79°13E 127 F4
Nagasaki Japan 32°47N 129°50E 113 H4
Nagasaki □ Japan 32°50N 129°40E 113 H4
Nagato Japan 34°19N 131°5E 113 G5
Nagaur India 27°15N 73°45E 124 F5
Nagbhir India 20°34N 79°55E 126 D4
Nagda India 23°27N 75°25E 124 H6
Nagercoil India 8°12N 77°26E 127 K3
Nagina India 29°30N 78°30E 125 E8
Nagīneh Iran 34°20N 57°15E 129 C8
Nagir Pakistan 36°12N 74°42E 125 A6
Naglarby Sweden 60°25N 15°34E 62 D9
Nagles Mts. Ireland 52°8N 8°30W 64 D3
Nagod India 24°34N 80°36E 125 G9
Nagold Germany 48°32N 8°43E 77 G4
Nagold → Germany 48°52N 8°42E 77 G4
Nagoorin Australia 24°17S 151°15E 150 C5
Nagorno-Karabakh □ Azerbaijan 39°55N 46°45E 105 C12
Nagornyy Russia 55°58N 124°57E 107 D13
Nagoya Japan 35°10N 136°50E 113 G8
Nagoya ✕ (NGO) Japan 34°53N 136°45E 113 G8
Nagpur India 21°8N 79°10E 126 D4
Nagqu China 31°29N 92°3E 110 E7
Nagua Dom. Rep. 19°23N 69°50W 183 C6
Naguabo Puerto Rico 18°13N 65°44W 183 d
Nagurunguru ✪ Australia 16°45S 129°45E 148 C4
Nagyatád Hungary 46°14N 17°22E 80 D2
Nagyecsed Hungary 47°53N 22°24E 80 C7
Nagykálló Hungary 47°53N 21°51E 80 C6
Nagykanizsa Hungary 46°28N 17°0E 80 D2
Nagykáta Hungary 47°25N 19°45E 80 C4
Nagykőrös Hungary 47°5N 19°48E 80 C4
Naha Japan 26°13N 127°42E 113 L3
Nahan India 30°33N 77°18E 124 D7
Nahanni △ Canada 61°36N 125°41W 162 A4
Nahanni Butte Canada 61°2N 123°31W 162 A4
Nahargarh Mad. P., India 24°10N 75°14E 124 G6
Nahargarh Raj., India 24°55N 76°50E 124 G7
Nahariyya Israel 33°1N 35°5E 104 F6
Nahāvand Iran 34°10N 48°22E 105 E13
Nahe → Germany 49°58N 7°54E 77 F3
Nahirne Ukraine 45°26N 28°27E 81 E13
Nahîya, W. → Egypt 28°55N 31°0E 137 F7
Nahuel Huapi, L. Argentina 41°0S 71°32W 192 B2
Nahuel Huapi △ Argentina 41°3S 71°59W 192 B2
Nahuelbuta △ Chile 37°44S 72°57W 190 D1
Nahunta U.S.A. 31°12N 81°59W 178 D8
Nai Yong Thailand 8°14N 98°22E 121 a
Naicá Mexico 27°53N 105°31W 180 B3
Naicam Canada 52°30N 104°30W 163 C8
Naikoon △ Canada 53°55N 131°55W 162 C2
Naikul India 21°20N 84°58E 126 D7
Naila Germany 50°19N 11°42E 77 E7
Naimisharanya India 27°21N 80°30E 125 F9
Naimona'nyi Feng China 30°26N 81°18E 125 D9
Nain Canada 56°34N 61°40W 165 A7
Nā'īn Iran 32°54N 53°0E 129 C7
Naini Tal India 29°30N 79°30E 125 E8
Nainpur India 22°30N 80°10E 125 H9
Naintré France 46°46N 0°29E 70 F7
Nainwa India 25°46N 75°51E 124 G6
Naipu Romania 44°12N 25°47E 81 F10
Nairai Fiji 17°49S 179°15E 154 a
Nairn U.K. 57°35N 3°53W 65 D5
Nairobi Kenya 1°17S 36°48E 142 C4
Nairobi △ Kenya 1°22S 36°50E 142 C4
Naissaar Estonia 59°34N 24°29E 84 C3
Naitaba Fiji 17°0S 179°16W 154 a
Naivasha Kenya 0°40S 36°30E 142 C4
Naivasha, L. Kenya 0°48S 36°20E 142 C4
Najac France 44°14N 1°58E 72 D5
Najaf = An Najaf Iraq 32°3N 44°15E 105 G11
Najafābād Iran 32°40N 51°15E 129 C6
Najd Si. Arabia 26°30N 42°0E 131 B3
Nájera Spain 42°26N 2°48W 90 C2
Najerilla → Spain 42°32N 2°48W 90 C2
Najibabad India 29°40N 78°20E 124 E8
Najin N. Korea 42°12N 130°15E 115 C16
Najmah Si. Arabia 26°42N 50°6E 129 E6
Najrān Si. Arabia 17°34N 44°18E 131 D3
Naju S. Korea 35°3N 126°43E 115 G14
Nakadōri-Shima Japan 32°57N 129°4E 113 H4
Nakalagba Dem. Rep. of the Congo 2°50N 27°58E 142 B2
Nakambé = White Volta → Ghana 9°10N 1°15W 139 D4
Nakaminato Japan 36°21N 140°36E 113 F10
Nakamura = Shimanto Japan 32°59N 132°56E 113 H6
Nakano Japan 36°45N 138°22E 113 F9
Nakano-Shima Japan 29°51N 129°52E 113 K4
Nakashibetsu Japan 43°33N 144°59E 112 C12
Nakfa Eritrea 16°40N 38°32E 131 D2
Nakha Yai, Ko Thailand 8°3N 98°28E 121 a
Nakhichevan = Naxçıvan Azerbaijan 39°12N 45°15E 105 C11
Nakhichevan Rep. = Naxçıvan □ Azerbaijan 39°25N 45°26E 105 C11
Nakhl Egypt 29°55N 33°43E 130 F2
Nakhl-e Taqī Iran 27°28N 52°36E 129 E7
Nakhodka Russia 42°53N 132°54E 112 C6
Nakhon Nayok Thailand 14°12N 101°13E 120 E3
Nakhon Pathom Thailand 13°49N 100°3E 120 F3
Nakhon Phanom Thailand 17°23N 104°43E 120 D5
Nakhon Ratchasima Thailand 14°59N 102°12E 120 E4
Nakhon Sawan Thailand 15°35N 100°10E 120 E3
Nakhon Si Thammarat Thailand 8°29N 100°0E 121 H3
Nakhon Thai Thailand 17°5N 100°44E 120 D3
Nakhtarana India 23°20N 69°15E 124 H3
Nakina Canada 50°10N 86°40W 164 B2
Naklo nad Notecią Poland 53°9N 17°38E 83 E4
Nako Burkina Faso 10°40N 3°4W 138 C4
Nakodar India 31°8N 75°31E 124 D6
Nakskov Denmark 54°50N 11°6E 63 K5

Naktong → *S. Korea* 35°7N 128°57E **115** G15
Nakuru *Kenya* 0°15S 36°4E **142** C4
Nakuru, L. *Kenya* 0°23S 36°5E **142** C4
Nakusp *Canada* 50°20N 117°45W **162** C5
Nal *Pakistan* 27°40N 66°12E **124** F2
Nal → *Pakistan* 25°20N 65°30E **124** G1
Nalázi *Mozam.* 24°3S 33°20E **145** B5
Nalchik *Russia* 43°30N 43°33E **87** J6
Nałęczów *Poland* 51°17N 22°9E **83** G9
Nalerigu *Ghana* 10°35N 0°25W **139** C4
Nalgonda *India* 17°6N 79°15E **126** F4
Nalhati *India* 24°17N 87°52E **125** G12
Naliya *India* 23°16N 68°50E **124** H3
Nallamalai Hills *India* 15°30N 78°50E **127** G4
Nallıhan *Turkey* 40°11N 31°20E **104** B4
Nalón → *Spain* 43°32N 6°4W **88** B4
Nalubaale Dam *Uganda* 0°30N 33°5E **142** B3
Nalumasortoq *Greenland* 60°23N 44°28W **57** E6
Nam Can *Vietnam* 8°46N 104°59E **121** H5
Nam-ch'on *N. Korea* 38°15N 126°26E **115** E14
Nam Co *China* 30°30N 90°45E **110** E7
Nam Dinh *Vietnam* 20°25N 106°5E **116** G6
Nam Du, Quan Dao *Vietnam* 9°41N 104°21E **121** H5
Nam Hka → *Burma* 21°34N 95°41E **116** G2
Nam Loi → *Burma* 21°3N 98°27E **116** G3
Nam Nao △ *Thailand* 16°44N 101°32E **120** D3
Nam Ngum Res. *Laos* 18°35N 102°34E **120** C4
Nam Phan *Vietnam* 10°30N 106°0E **121** G6
Nam Phong *Thailand* 16°42N 102°52E **120** D4
Nam Theun Res. *Laos* 17°51N 105°3E **120** D5
Nam Tok *Thailand* 14°21N 99°4E **120** E2
Nam Un Res. *Thailand* 17°13N 103°44E **120** D4
Namacunde *Angola* 17°18S 15°50E **144** A2
Namacurra *Mozam.* 17°30S 36°50E **145** A6
Namadgi △ *Australia* 35°42S 149°0E **153** C8
Namak, Daryācheh-ye *Iran* 34°30N 52°0E **129** C7
Namak, Kavir-e *Iran* 34°30N 57°30E **129** C8
Namakkal *India* 11°13N 78°13E **127** J4
Namakzār, Daryācheh-ye *Iran* 34°0N 60°30E **129** C9
Namaland *Namibia* 26°0S 17°0E **144** B2
Namanga *Kenya* 2°33S 36°47E **142** C4
Namangan *Uzbekistan* 41°0N 71°40E **109** D8
Namangan □ *Uzbekistan* 41°0N 71°15E **109** D8
Namapa *Mozam.* 13°43S 39°50E **143** E4
Namaqua △ *S. Africa* 30°0S 17°30E **144** D2
Namaqualand *S. Africa* 30°0S 17°25E **144** D2
Namasagali *Uganda* 1°2N 33°0E **142** B3
Namber *Indonesia* 1°2S 134°49E **119** E8
Nambour *Australia* 26°32S 152°58E **151** D5
Nambouwalu = Nabouwalu *Fiji* 17°0S 178°45E **154** a
Nambucca Heads *Australia* 30°37S 153°0E **153** A10
Nambung △ *Australia* 30°30S 115°5E **149** F2
Namcha Barwa *China* 29°40N 95°10E **110** F8
Namche Bazar *Nepal* 27°51N 86°47E **125** F12
Namchonjŏm = Nam-ch'on *N. Korea* 38°15N 126°26E **115** E14
Namecunda *Mozam.* 14°54S 37°37E **143** E4
Namenalala *Fiji* 17°8S 179°9E **154** a
Nameponda *Mozam.* 15°50S 39°50E **143** F4
Náměšť nad Oslavou *Czech Rep.* 49°12N 16°10E **79** B9
Námestovo *Slovak Rep.* 49°24N 19°25E **79** B12
Nametil *Mozam.* 15°40S 39°21E **143** F4
Namew L. *Canada* 54°14N 101°56W **163** C8
Namgia *India* 31°48N 78°40E **125** D8
Namhkam *Burma* 23°50N 97°41E **116** E1
Namialo *Mozam.* 14°55S 39°59E **143** E4
Namib Desert *Namibia* 22°30S 15°0E **144** B2
Namib-Naukluft ⌓ *Namibia* 24°40S 15°16E **144** B2
Namibe *Angola* 15°7S 12°11E **141** H2
Namibe □ *Angola* 16°35S 12°30E **144** A1
Namibia ■ *Africa* 22°0S 18°9E **144** B2
Namibia Abyssal Plain *Atl. Oc.* 30°0S 5°30E **56** J12
Namibwoestyn = Namib Desert *Namibia* 22°30S 15°0E **144** B2
Namīn *Iran* 38°25N 48°30E **105** C13
Naminüs = Lubango *Angola* 14°55S 13°30E **141** G2
Naminüs = Lüderitz *Namibia* 26°41S 15°8E **144** C2
Namjeju *S. Korea* 33°14N 126°33E **115** H14
Namlea *Indonesia* 3°18S 127°5E **119** E7
Namoi → *Australia* 30°12S 149°30E **153** A9
Namous, O. en → *Algeria* 31°0N 0°15W **136** B3
Nampa *U.S.A.* 43°34N 116°34W **168** E5
Nampala *Mali* 15°20N 5°30W **138** B3
Namp'o *N. Korea* 38°52N 125°10E **115** E13
Nampō-Shotō *Japan* 32°0N 140°0E **113** J10
Nampula *Mozam.* 15°6S 39°15E **143** F4
Namrole *Indonesia* 3°46S 126°46E **119** E7
Namse Shankou *China* 30°0N 82°25E **125** E10
Namsen → *Norway* 64°28N 11°37E **60** D14
Namsos *Norway* 64°29N 11°30E **60** D14
Namtok Chạt Trakan △ *Thailand* 17°17N 100°40E **120** D3
Namtok Huay Yang △ *Thailand* 11°35N 99°30E **121** G2
Namtok Mae Surin △ *Thailand* 18°55N 98°2E **120** C2
Namtok Ngao △ *Thailand* 9°58N 98°46E **121** H2
Namtok Phlew △ *Thailand* 12°32N 102°13E **120** F4
Namtok Yong △ *Thailand* 8°15N 98°45E **121** H2
Namtsy *Russia* 62°43N 129°37E **107** C13
Namtu *Burma* 23°5N 97°28E **123** H20
Namtumbo *Tanzania* 10°30S 36°4E **143** E4
Namu *Canada* 51°52N 127°50W **162** C3
Namuka-i-Lau *Fiji* 18°53S 178°37W **154** a
Namur *Belgium* 50°27N 4°52E **69** D4
Namur □ *Belgium* 50°17N 5°0E **69** D4
Namuruputh *Kenya* 4°34N 35°57E **142** B4
Namutoni *Namibia* 18°49S 16°55E **144** A2
Namwala *Zambia* 15°44S 26°30E **143** F2
Namwon *S. Korea* 35°23N 127°23E **115** G14
Namyang *N. Korea* 42°57N 129°52E **115** C15
Namyit I. *S. China Sea* 10°11N 114°22E **118** C4
Namysłów *Poland* 51°6N 17°42E **83** G4
Nan *Thailand* 18°48N 100°46E **120** C3
Nan → *Thailand* 15°42N 100°9E **120** E3
Nan Ling *China* 25°0N 112°30E **117** E9
Nan Xian *China* 29°20N 112°22E **117** C9
Nana *Romania* 44°17N 26°34E **81** F11
Nana Kru *Liberia* 4°55N 8°45W **138** E3
Nanaimo *Canada* 49°10N 124°0W **162** D4
Nänäkuli *U.S.A.* 21°24N 158°9W **167** L8
Nanam *N. Korea* 41°44N 129°40E **115** D15
Nan'an *China* 24°59N 118°21E **117** E12
Nanango *Australia* 26°40S 152°0E **151** D5
Nan'ao *China* 23°28N 117°5E **117** F11
Nanao *Japan* 37°0N 137°0E **113** F8
Nanbu *China* 31°18N 106°3E **116** B6
Nanchang *China* 28°42N 115°55E **117** C10
Nancheng *China* 27°33N 116°35E **117** D11
Nanching = Nanjing *China* 32°2N 118°47E **117** A12
Nanchong *China* 30°43N 106°2E **116** B6
Nanchuan *China* 29°9N 107°6E **116** C6
Nancowry *India* 7°59N 93°32E **127** L11
Nancy *France* 48°42N 6°12E **71** D13
Nanda Devi *India* 30°23N 79°59E **125** D8
Nanda Devi △ *India* 30°30N 79°50E **125** D8
Nanda Kot *India* 30°17N 80°5E **125** D9
Nandan = Minamiawaji *Japan* 34°10N 134°42E **113** G7
Nandan *China* 24°58N 107°29E **116** E6
Nanded *India* 19°10N 77°20E **126** E3
Nandewar Ra. *Australia* 30°15S 150°35E **151** E5
Nandgaon *India* 20°19N 74°39E **126** D2
Nandi = Nadi *Fiji* 17°42S 177°20E **154** a
Nandi *Zimbabwe* 20°58S 31°44E **143** G3
Nandi □ *Kenya* 0°10N 35°10E **142** B4
Nandigama *India* 16°47N 80°18E **126** F5
Nandigram *India* 22°1N 87°58E **125** H12
Nandikotkur *India* 15°52N 78°18E **127** G4
Nandura *India* 20°52N 76°25E **126** D3
Nandurbar *India* 21°20N 74°15E **126** D2
Nandyal *India* 15°30N 78°30E **127** G4
Nanfeng *Guangdong, China* 23°45N 111°47E **117** F8
Nanfeng *Jiangxi, China* 27°12N 116°28E **117** D11
Nang Rong *Thailand* 14°38N 102°48E **120** E4
Nanga-Eboko *Cameroon* 4°41N 12°22E **139** E7
Nanga Parbat *Pakistan* 35°10N 74°35E **125** B6
Nangade *Mozam.* 11°5S 39°36E **143** E4
Nangapinoh *Indonesia* 0°20S 111°44E **118** E4
Nangar △ *Australia* 33°23S 148°3E **153** B8
Nangarhār □ *Afghan.* 34°20N 70°0E **122** B7
Nangatayap *Indonesia* 1°32S 110°34E **118** E4
Nangbéto, L. de *Togo* 7°26N 1°25E **139** D5
Nangeya Mts. *Uganda* 3°30N 33°30E **142** B3
Nangis *France* 48°33N 3°1E **71** D10
Nangong *China* 37°23N 115°22E **114** F8
Nanguneri *India* 8°29N 77°40E **127** K3
Nangwarry *Australia* 37°33S 140°48E **152** D4
Nanhua *China* 25°13N 101°21E **116** E3
Nanhuang *China* 36°58N 121°48E **115** F11
Nanhui *China* 31°5N 121°44E **117** B13
Nanisivik *Canada* 73°2N 84°33W **161** C15
Nanjangud *India* 12°6N 76°43E **127** H3
Nanji Shan *China* 27°27N 121°4E **117** D13
Nanjian *China* 25°2N 100°25E **116** E3
Nanjiang *China* 32°28N 106°51E **116** A6
Nanjing *Fujian, China* 24°25N 117°20E **117** E11
Nanjing *Jiangsu, China* 32°2N 118°47E **117** A12
Nanjirinji *Tanzania* 9°41S 39°5E **143** D4
Nankana Sahib *Pakistan* 31°27N 73°38E **124** D5
Nankang *China* 25°40N 114°45E **117** E10
Nanking = Nanjing *China* 32°2N 118°47E **117** A12
Nankoku *Japan* 33°39N 133°44E **113** H6
Nanlang *China* 22°30N 113°32E **111** a
Nanling *China* 30°55N 118°20E **117** B12
Nannial *India* 19°4N 79°38E **126** E4
Nanning *China* 22°48N 108°20E **116** F7
Nannup *Australia* 33°59S 115°48E **149** F2
Nanortalik *Greenland* 60°10N 45°17W **57** E6
Nanpan Jiang → *China* 25°10N 106°5E **116** E6
Nanpara *India* 27°52N 81°33E **125** F9
Nanping *Fujian, China* 26°38N 118°10E **117** D12
Nanping *Henan, China* 29°55N 112°3E **117** C9
Nanri Dao *China* 25°15N 119°25E **117** E12
Nansei-Shotō = Ryūkyū-Rettō *Japan* 26°0N 126°0E **113** M3
Nansen Basin *Arctic* 84°0N 50°0E **54** A10
Nansen Land *Greenland* 83°0N 43°0W **57** A6
Nansen Sd. *Canada* 81°0N 91°0W **161** A13
Nansha *China* 22°45N 113°34E **111** a
Nansha Port *China* 22°40N 113°40E **111** a
Nanshan *China* 18°19N 109°10E **117** a
Nanshan I. *S. China Sea* 10°45N 115°49E **118** B5
Nansio *Tanzania* 2°3S 33°4E **142** C3
Nant *France* 44°1N 3°18E **72** D7
Nantawarrinna ⚙ *Australia* 30°49S 138°58E **151** B2
Nanterre *France* 48°53N 2°12E **71** D9
Nantes *France* 47°12N 1°33W **70** E5
Nantiat *France* 46°1N 1°11E **72** B5
Nanticoke *U.S.A.* 41°12N 76°0W **175** E8
Nanton *Canada* 50°21N 113°46W **162** C6
Nantong *China* 32°1N 120°52E **117** A13
Nantou *China* 22°32N 113°55E **111** a
Nant'ou *Taiwan* 23°55N 120°41E **117** F13
Nantua *France* 46°10N 5°35E **71** F12
Nantucket *U.S.A.* 41°17N 70°6W **173** E18
Nantucket I. *U.S.A.* 41°16N 70°5W **173** E18
Nantulo *Mozam.* 12°32S 38°45E **143** E4
Nantwich *U.K.* 53°4N 2°31W **66** D5
Nanty Glo *U.S.A.* 40°28N 78°50W **174** F6
Nanuku Passage *Fiji* 16°45S 179°15W **154** a
Nanuque *Brazil* 17°50S 40°21W **189** D2
Nanusa, Kepulauan *Indonesia* 4°45N 127°1E **119** D7
Nanutarra Roadhouse *Australia* 22°32S 115°30E **148** D2
Nanxi *China* 28°54N 104°59E **116** C5
Nanxiong *China* 25°6N 114°15E **117** E10
Nanyang *China* 33°11N 112°30E **114** H7
Nanyi Hu *China* 31°5N 119°0E **117** B12
Nanyuan *China* 39°47N 116°24E **114** E9
Nanyuki *Kenya* 0°2N 37°4E **142** B4
Nanzhang *China* 31°45N 111°50E **117** B8
Nanzhao *China* 33°30N 112°20E **114** H7
Nao, C. de la *Spain* 38°44N 0°14E **91** G5
Naococane, L. *Canada* 52°50N 70°45W **165** B5
Naoussa *Cyclades, Greece* 37°7N 25°14E **99** D7
Naoussa *Imathia, Greece* 40°42N 22°9E **96** F6
Naozhou Dao *China* 20°55N 110°20E **117** G8
Napa *U.S.A.* 38°18N 122°17W **170** G4
Napa → *U.S.A.* 38°10N 122°19W **170** G4
Napanee *Canada* 44°15N 77°0W **174** B8
Napanoch *U.S.A.* 41°44N 74°22W **175** E10
Nape *Laos* 18°18N 105°6E **120** C5
Nape Pass = Keo Neua, Deo *Vietnam* 18°23N 105°10E **120** C5
Napier *N.Z.* 39°30S 176°56E **154** F5
Napier Broome B. *Australia* 14°2S 126°37E **148** B4
Napier Pen. *Australia* 12°4S 135°43E **150** A2
Napierville *Canada* 45°11N 73°25W **175** A11
Naples = Nápoli *Italy* 40°50N 14°15E **95** B7
Naples *U.S.A.* 26°8N 81°48W **179** J8
Naples Park *U.S.A.* 26°17N 81°46W **179** J8
Napo *China* 23°22N 105°50E **116** F5
Napo → *Peru* 3°20S 72°40W **186** D4
Napoleon *N. Dak., U.S.A.* 46°30N 99°46W **172** B4
Napoleon *Ohio, U.S.A.* 41°23N 84°8W **173** E11
Nápoli *Italy* 40°50N 14°15E **95** B7
Nápoli, G. di *Italy* 40°43N 14°10E **95** B7
Nápoli Capodichino ✈ **(NAP)** *Italy* 40°53N 14°16E **95** B7
Napopo *Dem. Rep. of the Congo* 4°15N 28°0E **142** B2
Napperby *Australia* 33°9S 138°7E **152** B3
Naqadeh *Iran* 36°57N 45°23E **105** D11
Naqb, Ra's an *Jordan* 29°48N 35°44E **130** F4
Naqqāsh *Iran* 35°40N 49°6E **129** C6
När *Sweden* 57°15N 18°35E **63** G10
Nara *Japan* 34°40N 135°49E **113** G7
Nara *Mali* 15°10N 7°20W **138** B3
Nara □ *Japan* 34°30N 136°0E **113** G8
Nara Canal *Pakistan* 24°30N 69°20E **124** G3
Nara Visa *U.S.A.* 35°37N 103°6W **169** J12
Naracoorte *Australia* 36°58S 140°45E **152** D4
Naradhan *Australia* 33°34S 146°17E **153** B7
Naraini *India* 25°11N 80°29E **125** G9
Naranjos *Mexico* 21°21N 97°41W **181** C5
Narasannapeta *India* 18°25N 84°3E **126** E7
Narasapur *India* 16°26N 81°40E **127** F5
Narasaraopet *India* 16°14N 80°4E **127** F5
Narathiwat *Thailand* 6°30N 101°48E **121** J3
Narayanapatnam *India* 18°53N 83°10E **126** E6
Narayangadh = Bharatpur *Nepal* 27°34N 84°10E **125** F11
Narayanganj *Bangla.* 23°40N 90°33E **123** H17
Narayanpet *India* 16°45N 77°30E **126** F3
Narberth *U.K.* 51°47N 4°44W **67** F3
Narbonne *France* 43°11N 3°0E **72** E7
Narcea → *Spain* 43°33N 6°44W **88** B4
Narcondam I. *India* 13°20N 94°16E **127** H12
Nardīn *Iran* 37°3N 55°59E **129** B7
Nardò *Italy* 40°11N 18°2E **95** B11
Narembeen *Australia* 32°7S 118°24E **149** F2
Nares Abyssal Plain *Atl. Oc.* 22°0N 67°0W **56** D5
Nares Str. *Arctic* 80°0N 70°0W **57** B3
Naretha *Australia* 31°0S 124°45E **149** F3
Narew → *Poland* 52°26N 20°41E **83** F7
Nari → *Pakistan* 28°0N 67°40E **124** F2
Narin *Afghan.* 36°5N 69°0E **122** A6
Narita *Japan* 35°47N 140°19E **113** G10
Nariva Swamp *Trin. & Tob.* 10°26N 61°4W **187** K15
Närke *Sweden* 59°10N 15°0E **62** E8
Narmada → *India* 21°38N 72°36E **124** J5
Narmada Canal *India* 22°20N 73°45E **126** C1
Narman *Turkey* 40°26N 41°57E **105** B9
Narnaul *India* 28°5N 76°11E **124** E7
Narni *Italy* 42°30N 12°30E **93** F9
Naro *Ghana* 10°22N 2°27W **138** C4
Naro Fominsk *Russia* 55°23N 36°43E **84** E9
Narochanski △ *Belarus* 54°55N 26°50E **84** E4
Narodnaya *Russia* 65°5N 59°58E **58** B17
Narok *Kenya* 1°55S 35°52E **142** C4
Narok □ *Kenya* 1°15S 35°40E **142** C4
Narón *Spain* 43°32N 8°9W **88** B2
Narooma *Australia* 36°14S 150°4E **153** D9
Narowal *Pakistan* 32°6N 74°52E **124** C6
Narrabri *Australia* 30°19S 149°46E **151** E4
Narran → *Australia* 28°37S 148°12E **151** D4
Narrandera *Australia* 34°42S 146°31E **153** C7
Narrogin *Australia* 32°58S 117°14E **149** F2
Narromine *Australia* 32°12S 148°12E **153** B8
Narrow Hills ⌓ *Canada* 54°0N 104°37W **163** C8
Narsampet *India* 17°57N 79°58E **126** F4
Narsaq *Greenland* 60°57N 46°4W **57** E6
Narsimhapur *India* 22°54N 79°14E **125** H8
Narsinghgarh *India* 23°45N 76°40E **124** H7
Narsinghpur *India* 20°28N 85°5E **126** D7
Narsipatnam *India* 17°40N 82°37E **126** F6
Nartes, L. e *Albania* 40°32N 19°25E **96** F3
Nartkala *Russia* 43°33N 43°51E **87** J6
Narutō = Sanmu *Japan* 34°11N 134°37E **113** G7
Narva *Estonia* 59°23N 28°12E **84** C5
Narva → *Russia* 59°27N 28°2E **84** C4
Narva Bay = Narva Laht *Estonia* 59°35N 27°35E **61** G22
Narva Laht *Estonia* 59°35N 27°35E **61** G22
Narvik *Norway* 68°28N 17°26E **60** B17
Narvskoye Vdkhr. *Russia* 59°18N 28°14E **84** C5
Narwana *India* 29°39N 76°6E **124** E7
Narwiański △ *Poland* 52°5N 22°53E **83** F9
Narwinbi ⚙ *Australia* 16°7S 136°17E **150** B2
Naryan-Mar *Russia* 67°42N 53°12E **106** C6
Narym *Russia* 59°0N 81°30E **106** D9
Naryn *Kyrgyzstan* 41°26N 75°58E **109** D9
Naryn □ *Kyrgyzstan* 41°26N 75°58E **109** D9
Naryn → *Uzbekistan* 40°52N 71°36E **109** D8
Naryn Qum *Kazakhstan* 47°30N 49°0E **87** G9
Nás, An = Naas *Ireland* 53°12N 6°40W **64** C5
Nasa *Norway* 66°29N 15°23E **60** C16
Nasarawa *Nigeria* 8°32N 7°41E **139** D6
Nasarawa □ *Nigeria* 8°30N 8°20E **139** D6
Nasau *Fiji* 17°19S 179°27E **154** a
Năsăud *Romania* 47°19N 24°29E **81** C9
Nasca *Peru* 14°50S 74°57W **188** C3
Nasca Ridge *Pac. Oc.* 20°0S 80°0W **157** K19
Naseby *N.Z.* 45°1S 170°10E **155** F5
Naselle *U.S.A.* 46°22N 123°49W **170** D3
Naser, Buheirat en *Egypt* 23°0N 32°30E **137** C3
Nashik = Nasik *India* 19°58N 73°50E **126** E1
Nashua *Mont., U.S.A.* 48°8N 106°22W **168** B10
Nashua *N.H., U.S.A.* 42°45N 71°28W **175** D13
Nashville *Ark., U.S.A.* 33°57N 93°51W **176** E8
Nashville *Ga., U.S.A.* 31°12N 83°15W **178** D6
Nashville *Tenn., U.S.A.* 36°10N 86°47W **177** C11
Našice *Croatia* 45°32N 18°4E **80** E3
Nasielsk *Poland* 52°35N 20°50E **83** F7
Nasik *India* 19°58N 73°50E **126** E1
Nasirabad *India* 26°15N 74°45E **124** F6
Nasirabad *Pakistan* 28°23N 68°24E **124** E3
Nasiri = Ahvāz *Iran* 31°20N 48°40E **129** D6
Nasiriyah = An Nāşirīyah *Iraq* 31°0N 46°15E **128** D5
Naskaupi → *Canada* 53°47N 60°51W **165** B7
Naso *Italy* 38°7N 14°47E **95** D7
Naşrābād *Iran* 34°8N 51°26E **129** C6
Naşriān-e Pā'īn *Iran* 32°52N 46°52E **128** C5
Nass → *Canada* 55°0N 129°40W **162** C3
Nassau *Bahamas* 25°5N 77°20W **182** A4
Nassau *U.S.A.* 42°31N 73°37W **175** D11
Nassau, B. *Chile* 55°20S 68°0W **192** E3
Nasser, L. = Naser, Buheirat en *Egypt* 23°0N 32°30E **137** C3
Nassian *Ivory C.* 8°28N 3°28W **138** D4
Nässjö *Sweden* 57°39N 14°42E **63** G8
Nastapoka → *Canada* 56°55N 76°33W **164** A4
Nastapoka, Is. *Canada* 56°55N 76°50W **164** A4
Näsum *Sweden* 56°10N 14°29E **63** H8
Nasushiobara *Japan* 36°58N 140°3E **113** F10
Näsviken *Sweden* 61°46N 16°52E **62** C10
Nata *Botswana* 20°12S 26°12E **144** B4
Nata → *Botswana* 20°14S 26°10E **144** B4
Natal *Brazil* 5°47S 35°13W **189** B3
Natal *Indonesia* 0°35N 99°7E **118** D1
Natal Drakensberg = uKhahlamba Drakensberg ⌓ *S. Africa* 29°27S 29°30E **145** C4
Natalinci *Serbia* 44°15N 20°49E **80** F5
Naţanz *Iran* 33°30N 51°55E **129** C6
Natashquan *Canada* 50°14N 61°46W **165** B7
Natashquan → *Canada* 50°7N 61°50W **165** B7
Natchez *U.S.A.* 31°34N 91°24W **176** F9
Natchitoches *U.S.A.* 31°46N 93°5W **176** F8
Natewa B. *Fiji* 16°35S 179°40E **154** a
Nathalia *Australia* 36°1S 145°13E **153** D6
Nathdwara *India* 24°55N 73°50E **124** G5
Nati, Pta. *Spain* 40°3N 3°50E **100** A10
Natimuk *Australia* 36°42S 142°0E **152** D5
Nation → *Canada* 55°30N 123°32W **162** B4
National City *U.S.A.* 32°40N 117°5W **171** N9
Natitingou *Benin* 10°20N 1°26E **139** C5
Natividad, I. *Mexico* 27°52N 115°11W **180** B1
Natividade *Brazil* 11°43S 47°47W **189** C1
Natkyizin *Burma* 14°57N 97°59E **120** E1
Natron, L. *Tanzania* 2°20S 36°0E **142** C4
Natrona Heights *U.S.A.* 40°37N 79°44W **174** F5
Natrûn, W. el → *Egypt* 30°25N 30°13E **137** E7
Nattai △ *Australia* 34°12S 150°22E **153** C9
Nättraby *Sweden* 56°13N 15°31E **63** H9
Natuashish *Canada* 55°55N 61°8W **165** A7
Natukanaoka Pan *Namibia* 18°40S 15°45E **144** A2
Natuna Besar, Kepulauan *Indonesia* 4°0N 108°15E **118** D3
Natuna Is. = Natuna Besar, Kepulauan *Indonesia* 4°0N 108°15E **118** D3
Natuna Selatan, Kepulauan *Indonesia* 2°45N 109°0E **118** D3
Natural Bridge *U.S.A.* 44°5N 75°30W **175** B9
Natural Bridges ⌓ *U.S.A.* 37°36N 110°0W **169** H9
Naturaliste, C. *Tas., Australia* 40°50S 148°15E **151** G4
Naturaliste, C. *W. Austral., Australia* 33°32S 115°0E **149** F2
Naturaliste Plateau *Ind. Oc.* 34°0S 112°0E **156** L3
Nau Qala *Afghan.* 34°5N 68°5E **124** B3
Naucelle *France* 44°13N 2°20E **72** D6
Nauders *Austria* 46°54N 10°30E **78** E3
Nauen *Germany* 52°36N 12°52E **76** C8
Naugatuck *U.S.A.* 41°30N 73°3W **175** E11
Naujaat = Repulse Bay *Canada* 66°30N 86°30W **161** D14
Naujoji Akmenė *Lithuania* 56°19N 22°54E **82** B9
Naumburg *Germany* 51°9N 11°47E **76** D7
Naupada *India* 18°34N 84°18E **126** E7
Nauru ■ *Pac. Oc.* 1°0S 166°0E **147** B9
Naushahra = Nowshera *Pakistan* 34°0N 72°0E **122** C8
Naushahro *Pakistan* 26°50N 68°7E **124** F3
Naushon I. *U.S.A.* 41°29N 70°45W **175** E14
Nausori *Fiji* 18°2S 178°32E **154** a
Nauta *Peru* 4°31S 73°35W **186** D4
Nautanwa *India* 27°20N 83°25E **125** F10
Naute ⌓ *Namibia* 26°55S 17°57E **144** C2
Nautla *Mexico* 20°13N 96°47W **181** C5
Nava *Mexico* 28°25N 100°45W **180** B4
Nava *Spain* 43°21N 5°31W **88** B5
Nava del Rey *Spain* 41°22N 5°6W **88** D5
Navadwip *India* 23°34N 88°20E **125** H13
Navahermosa *Spain* 39°41N 4°28W **89** F6
Navahrudak *Belarus* 53°40N 25°50E **75** B13
Navajo Res. *U.S.A.* 36°48N 107°36W **169** H10
Navalcarnero *Spain* 40°17N 4°5W **88** E6
Navalgund *India* 15°34N 75°22E **127** G2
Navalmoral de la Mata *Spain* 39°52N 5°33W **88** F5
Navalvillar de Pela *Spain* 39°9N 5°24W **89** F5
Navan *Ireland* 53°39N 6°41W **64** C5
Navapolatsk *Belarus* 55°32N 28°37E **84** E5
Navarin, Mys *Russia* 62°15N 179°5E **107** C18
Navarino, I. *Chile* 55°0S 67°40W **192** E3
Navarra □ *Spain* 42°40N 1°40W **90** C3
Navarre *Fla., U.S.A.* 30°24N 86°52W **179** E3
Navarre *Ohio, U.S.A.* 40°43N 81°31W **174** F3
Navarro → *U.S.A.* 39°11N 123°45W **170** F3
Navas de San Juan *Spain* 38°30N 3°19W **89** G7
Navasota *U.S.A.* 30°23N 96°5W **176** F6
Navassa I. *W. Indies* 18°30N 75°0W **183** C5
Nävekvarn *Sweden* 58°38N 16°49E **63** F10
Naver → *U.K.* 58°32N 4°14W **65** C4
Navi Mumbai *India* 19°5N 73°0E **126** E1
Navia *Spain* 43°35N 6°42W **88** B4
Navia → *Spain* 43°15N 6°50W **88** B4
Navia de Suarna = A Pobre *Spain* 42°58N 7°3W **88** C3
Navibandar *India* 21°26N 69°48E **124** J3
Navidad *Chile* 33°57S 71°50W **190** C1
Naviraí *Brazil* 23°8S 54°13W **191** A5
Naviti *Fiji* 17°7S 177°15E **154** a
Navlakhi *India* 22°58N 70°28E **124** H4
Navlya *Russia* 52°53N 34°30E **85** F8
Năvodari *Romania* 44°19N 28°36E **81** F13
Navoiy *Uzbekistan* 40°9N 65°22E **108** D7
Navojoa *Mexico* 27°6N 109°26W **180** B3
Navolato *Mexico* 24°47N 107°42W **180** C3
Navrongo *Ghana* 10°51N 1°3W **139** C4
Navsari *India* 20°57N 72°59E **126** D1
Navua *Fiji* 18°12S 178°11E **154** a
Nawa Kot *Pakistan* 28°21N 71°24E **124** E4
Nawab Khan *Pakistan* 30°17N 69°12E **124** D3
Nawabganj *Ut. P., India* 26°56N 81°14E **125** F9
Nawabganj *Ut. P., India* 28°32N 79°40E **125** E8
Nawabshah *Pakistan* 26°15N 68°25E **124** F3
Nawada *India* 24°50N 85°33E **125** G11
Nawakot *Nepal* 27°55N 85°10E **125** F11
Nawalgarh *India* 27°50N 75°15E **124** F6
Nawanshahr *India* 32°33N 74°48E **125** C6
Nawapara *India* 20°46N 82°33E **126** D6
Nawar, Dasht-i- *Afghan.* 33°52N 68°0E **124** C3
Nawāsīf, Ḩarrat *Si. Arabia* 21°20N 42°10E **137** C5
Nawi *Sudan* 18°32N 30°50E **137** D3
Nawoiy = Navoiy *Uzbekistan* 40°9N 65°22E **108** D7
Naxçıvan *Azerbaijan* 39°12N 45°15E **105** C11
Naxçıvan □ *Azerbaijan* 39°25N 45°26E **105** C11
Naxos *Greece* 37°8N 25°25E **99** D7
Nay *France* 43°10N 0°18W **72** E3
Nay, Mui *Vietnam* 12°54N 109°26E **120** F7
Nāy Band *Būshehr, Iran* 27°20N 52°40E **129** E7
Nāy Band *Khorāsān, Iran* 32°20N 57°34E **129** C8
Nay Pyi Taw = Naypyidaw *Burma* 19°44N 96°12E **110** H8
Nayagarh *India* 20°8N 85°6E **126** D7
Nayakhan *Russia* 61°56N 159°0E **107** C16
Nayarit □ *Mexico* 22°0N 105°0W **180** C4
Nayau *Fiji* 18°6S 178°10E **154** a
Nayé *Senegal* 14°28N 12°12W **138** C2
Nayong *China* 26°50N 105°20E **116** D5
Nayoro *Japan* 44°21N 142°28E **112** B11
Naypyidaw *Burma* 19°44N 96°12E **110** H8
Nayudupeta *India* 13°54N 79°54E **127** H4
Nayyāl, W. → *Si. Arabia* 28°35N 39°4E **128** D3
Nazar Kahrīzī *Iran* 37°20N 46°45E **105** D12
Nazaré *Bahia, Brazil* 13°2S 39°0W **189** C3
Nazaré *Tocantins, Brazil* 6°23S 47°40W **189** B1
Nazaré *Portugal* 39°36N 9°4W **89** F1
Nazareth = Nazerat *Israel* 32°42N 35°17E **130** C4
Nazareth *U.S.A.* 40°44N 75°19W **175** F9
Nazarovo *Russia* 57°2N 90°40E **107** D10
Nazas *Mexico* 25°14N 104°8W **180** B4
Nazas → *Mexico* 25°12N 104°12W **180** B4
Nazca = Nasca *Peru* 14°50S 74°57W **188** C3
Naze, The *U.K.* 51°53N 1°18E **67** F9
Nazerat *Israel* 32°42N 35°17E **130** C4
Nāzīk *Iran* 39°1N 45°4E **105** C11
Nazilli *Turkey* 37°55N 28°15E **99** D10
Nazinon = Red Volta → *Africa* 10°34N 0°30W **139** C4
Nazko *Canada* 53°1N 123°37W **162** C4
Nazko → *Canada* 53°7N 123°34W **162** C4
Nāzlu *Iran* 37°41N 45°0E **105** D11
Nazret *Ethiopia* 8°32N 39°22E **131** F2
Nchanga *Zambia* 12°30S 27°49E **143** E2
Ncheu *Malawi* 14°50S 34°47E **143** E3
Ndala *Tanzania* 4°45S 33°15E **142** C3
Ndalatando *Angola* 9°12S 14°48E **140** F2
Ndali *Benin* 9°50N 2°46E **139** D5
Ndareda *Tanzania* 4°12S 35°30E **142** C4
Ndélé *C.A.R.* 8°25N 20°36E **140** C4
Ndiael ⌓ *Senegal* 16°15N 16°0W **138** B1
Ndikinimeki *Cameroon* 4°46N 10°50E **139** E7
N'Dioum *Senegal* 16°31N 14°39W **138** B2
Ndjamena *Chad* 12°10N 15°0E **135** F8
Ndola *Zambia* 13°0S 28°34E **143** E2
Ndomo ⌓ *S. Africa* 26°52S 32°15E **145** C5
Ndoto Mts. *Kenya* 2°0N 37°0E **142** B4
Nduguti *Tanzania* 4°18S 34°41E **142** C3
Nea Alikarnassos *Greece* 35°19N 25°11E **99** F7
Nea Anchialos *Greece* 39°16N 22°49E **98** B4
Nea Artaki *Greece* 38°31N 23°38E **98** C5
Nea Epidavros *Greece* 37°40N 23°7E **98** D5
Nea Ionia *Greece* 39°21N 22°56E **98** B4
Nea Kalikratia *Greece* 40°21N 23°3E **96** F7
Nea Makri *Greece* 38°5N 23°59E **98** C5
Nea Moudania *Greece* 40°15N 23°17E **96** F7
Nea Peramos *Attiki, Greece* 38°0N 23°26E **98** C5
Nea Peramos *Kavala, Greece* 40°50N 24°18E **97** F8
Nea Visa *Greece* 41°34N 26°33E **97** E10
Nea Zichni *Greece* 41°2N 23°49E **96** E7
Neagh, Lough *U.K.* 54°37N 6°25W **64** B5
Neah Bay *U.S.A.* 48°22N 124°37W **170** B2
Neale, L. *Australia* 24°15S 130°0E **148** D5
Neales → *Australia* 28°8S 136°47E **151** D2
Neamţ □ *Romania* 47°0N 26°20E **81** C11
Neapoli *Kozani, Greece* 40°20N 21°24E **96** F5
Neapoli *Kriti, Greece* 35°15N 25°37E **101** D7
Neapoli *Lakonia, Greece* 36°27N 23°8E **98** E5
Near Is. *U.S.A.* 52°30N 174°0E **166** E2
Neath *U.K.* 51°39N 3°48W **67** F4
Neath Port Talbot □ *U.K.* 51°42N 3°45W **67** F4
Nebbi *Uganda* 2°28N 31°6E **142** B3
Nebbou *Burkina Faso* 11°9N 1°51W **139** C4
Nebine Cr. → *Australia* 29°27S 146°56E **151** D4
Nebitdag = Balkanabat *Turkmenistan* 39°30N 54°22E **129** B7
Nebka *Algeria* 27°28N 3°12W **136** C3
Nebo *Australia* 21°42S 148°42E **150** C4
Nebolchy *Russia* 59°8N 33°18E **84** C7
Nebraska □ *U.S.A.* 41°30N 99°30W **172** E4
Nebraska City *U.S.A.* 40°41N 95°52W **172** E6
Nébrodi, Monti *Italy* 37°54N 14°35E **95** E7
Necedah *U.S.A.* 44°2N 90°4W **172** C8
Nechako → *Canada* 53°55N 122°42W **162** C4
Neches → *U.S.A.* 29°58N 93°51W **176** G8
Neckar → *Germany* 49°27N 8°29E **77** F4
Neckartal-Odenwald ⌓ *Germany* 49°30N 9°5E **77** F5
Necker I. *U.S.A.* 23°35N 164°42W **167** L7
Necochea *Argentina* 38°30S 58°50W **190** D4
Nectar Brook *Australia* 32°43S 137°57E **152** B2
Neda *Spain* 43°30N 8°9W **88** B2
Neda → *Greece* 37°25N 21°45E **98** D3
Nedelino *Bulgaria* 41°27N 25°3E **97** E9
Nedelišće *Croatia* 46°23N 16°22E **93** B13
Nederland = Netherlands ■ *Europe* 52°0N 5°30E **69** C5
Nedoboyivtsi *Ukraine* 48°26N 26°21E **81** B11
Nedroma *Algeria* 35°1N 1°45W **136** A3
Needles *Canada* 49°53N 118°7W **162** D5
Needles *U.S.A.* 34°51N 114°37W **171** L12
Needles, The *U.K.* 50°39N 1°35W **67** G6
Needles Pt. *N.Z.* 36°3S 175°25E **154** C4
Neembucú □ *Paraguay* 27°0S 58°0W **190** B4
Neemuch = Nimach *India* 24°30N 74°56E **124** G6
Neenah *U.S.A.* 44°11N 88°28W **172** C9
Neepawa *Canada* 50°15N 99°30W **163** C9
Neeses *U.S.A.* 33°33N 81°7W **178** B8
Nefta *Tunisia* 33°53N 7°50E **136** B5
Neftçala *Azerbaijan* 39°19N 49°12E **105** C13
Neftegorsk *Krasnodar, Russia* 44°25N 39°45E **87** H4
Neftegorsk *Sakhalin, Russia* 53°1N 142°58E **107** D15
Neftekumsk *Russia* 44°46N 44°50E **87** H7
Nefteyugansk *Russia* 61°5N 72°42E **106** C8
Nefyn *U.K.* 52°56N 4°31W **66** E3
Négala *Mali* 12°52N 8°30W **138** C3
Negapatam = Nagappattinam *India* 10°46N 79°51E **127** J4
Negara *Indonesia* 8°22S 114°37E **119** J17
Negaunee *U.S.A.* 46°30N 87°36W **172** B10
Negele *Ethiopia* 5°20N 39°36E **131** F2
Negeri Sembilan □ *Malaysia* 2°45N 102°10E **121** L4
Negev Desert = Hanegev *Israel* 30°50N 35°0E **130** E4
Negoiul, Vf. *Romania* 45°38N 24°35E **81** E9
Negombo *Sri Lanka* 7°12N 79°50E **127** L4
Negotin *Serbia* 44°16N 22°37E **96** B6
Negotino *Macedonia* 41°29N 22°7E **96** E6
Negra, Peña *Spain* 42°11N 6°30W **88** C4
Negra, Pta. *Mauritania* 22°54N 16°18W **134** D2
Negra, Pta. *Peru* 6°6S 81°10W **188** B1
Negrais, C. = Maudin Sun *Burma* 16°0N 94°30E **123** M19
Negrești *Romania* 46°50N 27°30E **81** D12
Negrești-Oaș *Romania* 47°52N 23°26E **81** C8
Negril *Jamaica* 18°22N 78°20W **182** a
Négrine *Algeria* 34°30N 7°30E **136** B5
Negro → *Argentina* 41°2S 62°47W **192** B4
Negro → *Brazil* 3°0S 60°0W **186** D7
Negro → *Uruguay* 33°24S 58°22W **190** C4
Negro, C. = Tarf, Ras *Morocco* 35°40N 5°11W **136** A2
Negros *Phil.* 9°30N 122°40E **119** C6
Negru Vodă *Romania* 43°47N 28°21E **81** G13
Neguac *Canada* 47°15N 65°5W **165** C6
Nehalem → *U.S.A.* 45°40N 123°56W **170** E3
Nehāvand *Iran* 35°56N 49°31E **129** C6
Nehbandān *Iran* 31°35N 60°5E **129** D9
Nehe *China* 48°29N 124°50E **111** B13
Nehoiu *Romania* 45°24N 26°20E **81** E11
Nei Mongol Zizhiqu □ *China* 42°0N 112°0E **114** D7
Neiges, Piton des *Réunion* 21°5S 55°29E **141** c
Neijiang *China* 29°35N 104°55E **116** C5
Neilingding Dao *China* 22°25N 113°48E **111** a
Neill I. *India* 11°50N 93°3E **127** J11
Neillsville *U.S.A.* 44°34N 90°36W **172** C8
Neilton *U.S.A.* 47°25N 123°53W **170** C3
Neiqiu *China* 37°15N 114°30E **114** F8
Neiva *Colombia* 2°56N 75°18W **186** C3
Neixiang *China* 33°10N 111°52E **114** H6
Nejanilini L. *Canada* 59°33N 97°48W **163** B9
Nejd = Najd *Si. Arabia* 26°30N 42°0E **131** B3
Nekā *Iran* 36°39N 53°19E **129** B7
Nekemte *Ethiopia* 9°4N 36°30E **131** F2
Nêkheb *Egypt* 25°10N 32°48E **137** B3
Neksø *Denmark* 55°4N 15°8E **63** J9
Nelamangala *India* 13°6N 77°24E **127** H3
Nelas *Portugal* 40°32N 7°52W **88** E3
Nelia *Australia* 20°39S 142°12E **150** C3
Nelidovo *Russia* 56°13N 32°49E **84** D7
Neligh *U.S.A.* 42°8N 98°2W **172** D4
Nelkan *Russia* 57°40N 136°4E **107** D14
Nellikuppam *India* 11°46N 79°43E **127** J4
Nellore *India* 14°27N 79°59E **127** G4
Nelson *Canada* 49°30N 117°20W **162** D5
Nelson *N.Z.* 41°18S 173°16E **155** B8
Nelson *U.K.* 53°50N 2°13W **66** D5
Nelson *Ariz., U.S.A.* 35°31N 113°19W **169** J7
Nelson *Nev., U.S.A.* 35°42N 114°49W **171** K12
Nelson □ *N.Z.* 41°20S 173°20E **155** B8
Nelson → *Canada* 54°33N 98°2W **163** C9
Nelson, C. *Australia* 38°26S 141°32E **152** E4
Nelson, Estrecho *Chile* 51°30S 75°0W **192** D2
Nelson Bay *Australia* 32°43S 152°9E **153** B10
Nelson Forks *Canada* 59°30N 124°0W **162** B4
Nelson House *Canada* 55°47N 98°51W **163** B9
Nelson L. *Canada* 55°48N 100°7W **163** B8
Nelson Lakes △ *N.Z.* 41°55S 172°44E **155** B7
Nelspoort *S. Africa* 32°7S 23°0E **144** D3
Nelspruit = Mbombela *S. Africa* 25°29S 30°59E **145** C5
Néma *Mauritania* 16°40N 7°15W **138** B3
Neman = Nemunas → *Lithuania* 55°25N 21°10E **82** C8
Neman *Russia* 55°2N 22°2E **82** C9
Nembe *Nigeria* 4°32N 6°24E **139** E6
Nembrala *Indonesia* 10°53S 122°50E **148** B3
Nemea *Greece* 37°49N 22°40E **98** D4
Nemeiben L. *Canada* 55°20N 105°20W **163** B7
Nemërçkë, Mal *Albania* 40°15N 20°15E **96** F4
Nemira, Vf. *Romania* 46°17N 26°19E **81** D11
Nemiscau *Canada* 51°18N 76°54W **164** B4
Nemiscau, L. *Canada* 51°25N 76°40W **164** B4
Nemours *France* 48°16N 2°40E **71** D9
Nemrut Daği △ *Turkey* 38°0N 38°55E **105** C8
Nemšová *Slovak Rep.* 48°58N 18°7E **79** C11
Nemunas → *Lithuania* 55°25N 21°10E **82** C8
Nemuro *Japan* 43°20N 145°35E **112** C12
Nemuro-Kaikyō *Japan* 43°30N 145°30E **112** C12
Nemyriv *Ukraine* 50°7N 23°27E **83** H10
Nen Jiang → *China* 45°28N 124°30E **115** B13
Nenagh *Ireland* 52°52N 8°11W **64** D3
Nenana *U.S.A.* 64°34N 149°5W **166** C10
Nenasi *Malaysia* 3°9N 103°23E **121** L4
Nene → *U.K.* 52°49N 0°11E **67** E8
Nenita *Greece* 38°14N 26°6E **99** C8
Nenjiang *China* 49°10N 125°10E **111** B14
Neno *Malawi* 15°25S 34°40E **143** F3
Neo Chori *Greece* 38°25N 21°17E **98** C3
Neochori *Greece* 39°4N 21°0E **98** B2
Neodesha *U.S.A.* 37°25N 95°41W **172** G6
Neon Petritsi *Greece* 41°16N 23°15E **96** E7
Neópolis *Brazil* 10°18S 36°35W **189** C3
Neora Valley △ *India* 27°0N 88°45E **125** F13
Neos Marmaras *Greece* 40°6N 23°47E **96** F7

Neosho U.S.A. 36°52N 94°22W 172 G6
Neosho → U.S.A. 36°48N 95°18W 176 C7
Nepal ■ Asia 28°0N 84°30E 125 F11
Nepalganj Nepal 28°5N 81°40E 125 E9
Nepalganj Road India 28°1N 81°41E 125 E9
Nepean B. Australia 35°42S 137°37E 152 C2
Nephi U.S.A. 39°43N 111°50W 168 G8
Nephin Ireland 54°1N 9°22W 64 B2
Nephin Beg Range Ireland 54°0N 9°40W 64 C2
Nepi Italy 42°14N 12°21E 93 F9
Nepomuk Czech Rep. 49°29N 13°35E 78 B6
Neptune U.S.A. 40°13N 74°2W 175 F10
Neptune Is. Australia 35°17S 136°10E 152 C2
Neqāb Iran 36°42N 57°25E 129 B8
Nera → Italy 42°26N 12°24E 93 F9
Nera → Romania 44°48N 21°25E 80 F6
Nérac France 44°8N 0°21E 72 D4
Nerang Australia 27°58S 153°20E 151 D5
Neratovice Czech Rep. 50°16N 14°31E 78 A7
Nerchinsk Russia 52°0N 116°39E 107 D12
Nereju Romania 45°43N 26°43E 81 E11
Nerekhta Russia 57°26N 40°38E 84 D11
Neresnytsya Ukraine 48°7N 23°46E 81 B8
Néret, L. Canada 54°45N 70°44W 165 B5
Neretvanski Kanal Croatia 43°7N 17°10E 93 E14
Neringa Lithuania 55°20N 21°5E 82 C8
Neris → Lithuania 55°8N 24°16E 84 E3
Nerja Spain 36°43N 3°55W 89 J7
Nerl → Russia 56°11N 40°34E 84 D11
Nerpio Spain 38°11N 2°16W 91 G2
Nerva Spain 37°42N 6°30W 89 H4
Nervi Italy 44°23N 9°2E 92 D6
Neryungri Russia 57°38N 124°28E 107 D13
Nescopeck U.S.A. 41°3N 76°12W 175 E8
Nesebūr Bulgaria 42°41N 27°46E 97 D11
Neskantaga Canada 52°14N 87°53W 164 B2
Neskaupstaður Iceland 65°9N 13°42W 60 D7
Ness, L. U.K. 57°15N 4°32W 65 D4
Ness City U.S.A. 38°27N 99°54W 172 F4
Nessebar = Nesebūr Bulgaria 42°41N 27°46E 97 D11
Nesterov = Zhovkva Ukraine 50°4N 23°58E 75 C12
Nesterov Russia 54°38N 22°41E 82 D9
Nestorio Greece 40°24N 21°5E 96 F5
Nestos → Europe 40°54N 24°49E 97 F8
Nesvady Slovak Rep. 47°56N 18°7E 79 D11
Nesvizh = Nyasvizh Belarus 53°14N 26°38E 75 B14
Netanya Israel 32°20N 34°51E 130 C3
Netarhat India 23°29N 84°16E 125 H11
Nete → Belgium 51°7N 4°14E 69 C4
Netherdale Australia 21°10S 148°33E 150 b
Netherlands ■ Europe 52°0N 5°30E 69 C5
Netherlands Antilles = ABC Islands W. Indies 12°15N 69°0W 183 D6
Neto → Italy 39°12N 17°9E 95 C10
Netrang India 21°39N 73°21E 124 J5
Nettancourt France 48°51N 4°57E 71 D11
Nettilling L. Canada 66°30N 71°0W 161 D17
Nettuno Italy 41°27N 12°39E 94 A5
Netzahualcóyotl, Presa Mexico 17°8N 93°35W 181 D6
Neu-Isenburg Germany 50°3N 8°42E 77 E4
Neu-Ulm Germany 48°22N 10°0E 77 G6
Neubrandenburg Germany 53°33N 13°15E 76 B9
Neubukow Germany 54°2N 11°39E 76 A7
Neuburg Germany 48°44N 11°11E 77 G7
Neuchâtel Switz. 47°0N 6°55E 77 J2
Neuchâtel □ Switz. 47°0N 6°55E 77 J2
Neuchâtel, Lac de Switz. 46°53N 6°50E 77 J2
Neudau Austria 47°11N 16°6E 78 D9
Neuenhagen Germany 52°32N 13°38E 76 C9
Neuenhaus Germany 52°30N 6°58E 76 C2
Neuf-Brisach France 48°1N 7°30E 71 D14
Neufahrn Bayern, Germany 48°41N 12°11E 77 G8
Neufahrn Bayern, Germany 48°18N 11°40E 77 G7
Neufchâteau Belgium 49°50N 5°25E 69 E5
Neufchâteau France 48°21N 5°40E 71 D12
Neufchâtel-en-Bray France 49°44N 1°26E 70 C8
Neufchâtel-sur-Aisne France 49°26N 4°1E 71 C11
Neuhaus Germany 53°17N 10°56E 76 B6
Neuillé-Pont-Pierre France 47°33N 0°33E 70 E7
Neuilly-St-Front France 49°10N 3°15E 71 C10
Neukalen Germany 53°49N 12°46E 76 B8
Neumarkt Germany 49°26N 11°27E 77 F7
Neumayer Antarctica 71°0S 68°30W 55 D17
Neumünster Germany 54°4N 9°58E 76 A5
Neung-sur-Beuvron France 47°30N 1°50E 71 E8
Neunkirchen Austria 47°43N 16°4E 78 D9
Neunkirchen Germany 49°20N 7°9E 77 F3
Neuquén Argentina 38°55S 68°0W 192 A3
Neuquén □ Argentina 38°0S 69°50W 190 D2
Neuquén → Argentina 38°59S 68°0W 192 A3
Neuruppin Germany 52°55N 12°48E 76 C8
Neusäss Germany 48°24N 10°50E 77 G6
Neuse → U.S.A. 35°6N 76°29W 177 D16
Neusiedl Austria 47°57N 16°50E 79 D9
Neusiedler See Austria 47°50N 16°47E 79 D9
Neusiedler See-Seewinkel △ Austria 47°50N 16°45E 79 D9
Neuss Germany 51°11N 6°42E 76 D2
Neussargues-Moissac France 45°9N 3°0E 72 C7
Neustadt Bayern, Germany 49°44N 12°10E 77 F8
Neustadt Bayern, Germany 48°48N 11°46E 77 G7
Neustadt Bayern, Germany 49°34N 10°37E 77 F6
Neustadt Bayern, Germany 50°19N 11°7E 77 E7
Neustadt Brandenburg, Germany 52°50N 12°27E 76 C8
Neustadt Hessen, Germany 50°51N 9°9E 76 E5
Neustadt Sachsen, Germany 51°2N 14°12E 76 D10
Neustadt Schleswig-Holstein, Germany 54°6N 10°49E 76 A6
Neustadt Thüringen, Germany 50°45N 11°43E 76 E7
Neustadt am Rübenberge Germany 52°30N 9°30E 76 C5
Neustadt an der Weinstrasse Germany 49°21N 8°10E 77 F4
Neustrelitz Germany 53°21N 13°4E 76 B9
Neuvic France 45°23N 2°16E 72 C6
Neuville-sur-Saône France 45°52N 4°51E 73 C8
Neuvy-le-Roi France 47°36N 0°36E 70 E7
Neuvy-St-Sépulchre France 46°35N 1°48E 71 F8
Neuvy-sur-Barangeon France 47°20N 2°15E 71 E9
Neuwerk Germany 53°55N 8°30E 76 B4
Neuwied Germany 50°26N 7°29E 76 E3
Neva → Russia 59°56N 30°20E 84 C6
Nevada Iowa, U.S.A. 42°1N 93°27W 172 D7
Nevada Mo., U.S.A. 37°51N 94°22W 172 G6
Nevada □ U.S.A. 39°0N 117°0W 168 G5
Nevada City U.S.A. 39°16N 121°1W 170 F6
Nevado, Cerro Argentina 35°30S 68°32W 190 D2
Nevado de Colima = Volcán de Colima △ Mexico 19°30N 103°40W 180 D4
Nevado de Tres Cruces △ Chile 27°13S 69°5W 190 B2
Nevasa India 19°34N 75°0E 126 E2
Nevel Russia 56°0N 29°55E 84 D5
Nevelsk Russia 46°40N 141°51E 107 E15
Nevers France 47°0N 3°9E 71 F10
Nevertire Australia 31°50S 147°44E 153 A7
Nevesinje Bos.-H. 43°14N 18°6E 96 C2
Neville Canada 49°58N 107°39W 163 D7
Nevinnomyssk Russia 44°40N 42°0E 87 H6
Nevis St. Kitts & Nevis 17°0N 62°30W 183 C7
Nevrokop = Gotse Delchev Bulgaria 41°36N 23°46E 96 E7
Nevşehir Turkey 38°33N 34°40E 104 C6
Nevşehir □ Turkey 38°50N 34°40E 104 C6
Nevskoye Russia 54°32N 22°39E 82 D9
New → U.S.A. 38°10N 81°12W 173 F13
New Aiyansh Canada 55°12N 129°4W 162 B3
New Albany Ind., U.S.A. 38°18N 85°49W 173 F11
New Albany Miss., U.S.A. 34°29N 89°0W 177 D10
New Albany Pa., U.S.A. 41°36N 76°27W 175 E8
New Amsterdam Guyana 6°15N 57°36W 186 B7
New Atlas = Akhali Atoni Georgia 43°7N 40°50E 87 J5
New Baltimore U.S.A. 42°41N 82°44W 174 D2
New Bedford U.S.A. 41°38N 70°56W 175 E14
New Berlin N.Y., U.S.A. 42°37N 75°20W 175 D9
New Berlin Pa., U.S.A. 40°50N 76°57W 174 F8
New Bern U.S.A. 35°7N 77°3W 177 D16
New Bethlehem U.S.A. 41°0N 79°20W 174 F5
New Bight Bahamas 24°19N 75°24W 183 B4
New Bloomfield U.S.A. 40°25N 77°11W 174 F7
New Boston U.S.A. 33°28N 94°25W 176 E7
New Braunfels U.S.A. 29°42N 98°8W 176 G5
New Brighton N.Z. 43°29S 172°43E 155 D7
New Brighton U.S.A. 40°42N 80°19W 174 F4
New Britain Papua N. G. 5°50S 150°20E 147 B8
New Britain U.S.A. 41°40N 72°47W 175 E12
New Brockton U.S.A. 31°23N 85°56W 178 D4
New Brunswick U.S.A. 40°30N 74°27W 175 F10
New Brunswick □ Canada 46°50N 66°30W 165 C6
New Bussa Nigeria 9°53N 4°31E 139 D5
New Caledonia ⊠ Pac. Oc. 21°0S 165°0E 147 D9
New Caledonia Trough Pac. Oc. 30°0S 165°0E 156 L8
New Castile = Castilla-La Mancha □ Spain 39°30N 3°30W 89 F7
New Castle Ind., U.S.A. 39°55N 85°22W 173 F11
New Castle Pa., U.S.A. 41°0N 80°21W 174 F4
New Chitose ✈ (CTS) Japan 42°46N 141°41E 112 C10
New City U.S.A. 41°9N 73°59W 175 E11
New Concord U.S.A. 39°59N 81°54W 174 G3
New Cumberland U.S.A. 40°30N 80°36W 174 F4
New Cuyama U.S.A. 34°57N 119°38W 171 L7
New Delhi India 28°36N 77°11E 124 E7
New Denver Canada 50°0N 117°25W 162 D5
New Don Pedro Res. U.S.A. 37°43N 120°24W 170 H6
New Ellenton U.S.A. 33°28N 81°41W 178 B8
New England U.S.A. 43°0N 71°0W 167 G25
New England N. Dak., U.S.A. 46°32N 102°52W 172 B2
New England △ Australia 30°25S 152°30E 153 A10
New England Ra. Australia 30°20S 151°45E 151 E5
New England Seamounts Atl. Oc. 38°0N 63°0W 56 C5
New Forest △ U.K. 50°53N 1°34W 67 G6
New Galloway U.K. 55°5N 4°9W 65 F4
New Glasgow Canada 45°35N 62°36W 165 C7
New Guinea Oceania 4°0S 136°0E 147 B6
New Hamburg Canada 43°23N 80°42W 174 C4
New Hampshire □ U.S.A. 44°0N 71°30W 175 C13
New Hampton U.S.A. 43°3N 92°19W 172 D7
New Hanover S. Africa 29°22S 30°31E 145 C5
New Hartford U.S.A. 43°4N 75°18W 175 C9
New Haven Conn., U.S.A. 41°18N 72°55W 175 E12
New Haven Mich., U.S.A. 42°44N 82°48W 174 D2
New Haven N.Y., U.S.A. 43°28N 76°18W 175 C8
New Hazelton Canada 55°20N 127°30W 162 B3
New Hebrides = Vanuatu ■ Pac. Oc. 15°0S 168°0E 147 C9
New Holland U.S.A. 40°6N 76°5W 175 F8
New Iberia U.S.A. 30°1N 91°49W 176 F9
New Ireland Papua N. G. 3°20S 151°50E 147 B8
New Jersey □ U.S.A. 40°0N 74°30W 173 F16
New Kensington U.S.A. 40°34N 79°46W 174 F5
New Lexington U.S.A. 39°43N 82°13W 173 F12
New Liskeard Canada 47°31N 79°41W 164 C4
New London Conn., U.S.A. 41°22N 72°6W 175 E12
New London Ohio, U.S.A. 41°5N 82°24W 174 E2
New London Wis., U.S.A. 44°23N 88°45W 172 C9
New Madrid U.S.A. 36°36N 89°32W 172 G9
New Martinsville U.S.A. 39°39N 80°52W 173 F13
New Meadows U.S.A. 44°58N 116°18W 168 D5
New Melones L. U.S.A. 37°57N 120°31W 170 H6
New Mexico □ U.S.A. 34°30N 106°0W 169 J11
New Milford Conn., U.S.A. 41°35N 73°25W 175 E11
New Milford Pa., U.S.A. 41°52N 75°44W 175 E9
New Mumbai = Navi Mumbai India 19°5N 73°0E 126 E1
New Norcia Australia 30°57S 116°13E 149 F2
New Norfolk Australia 42°46S 147°2E 151 G4
New Orleans U.S.A. 29°57N 90°4W 177 G9
New Philadelphia U.S.A. 40°30N 81°27W 174 F3
New Plymouth N.Z. 39°4S 174°5E 154 F3
New Plymouth U.S.A. 43°58N 116°49W 168 E5
New Port Richey U.S.A. 28°16N 82°43W 179 G7
New Providence Bahamas 25°25N 77°35W 182 A4
New Quay U.K. 52°13N 4°21W 67 E3
New Radnor U.K. 52°15N 3°9W 67 E4
New Richmond Canada 48°15N 65°45W 165 C6
New Richmond U.S.A. 45°7N 92°32W 172 C7
New River Gorge ⌂ U.S.A. 37°53N 81°5W 173 G13
New Roads U.S.A. 30°42N 91°26W 176 F9
New Rochelle U.S.A. 40°55N 73°46W 175 F11
New Rockford U.S.A. 47°41N 99°8W 172 B4
New Romney U.K. 50°59N 0°57E 67 G8
New Ross Ireland 52°23N 6°57W 64 D5
New Salem U.S.A. 46°51N 101°25W 172 B3
New Scone = Scone U.K. 56°25N 3°24W 65 E5
New Siberian I. = Novaya Sibir, Ostrov Russia 75°10N 150°0E 107 B16
New Siberian Is. = Novosibirskiye Ostrova Russia 75°0N 142°0E 107 B15
New Smyrna Beach U.S.A. 29°1N 80°56W 179 F9
New South Wales □ Australia 33°0S 146°0E 153 B7
New Tecumseth = Alliston Canada 44°9N 79°52W 174 B5
New Town U.S.A. 47°59N 102°30W 172 B2
New Ulm U.S.A. 44°19N 94°28W 172 C6
New Waterford Canada 46°13N 60°4W 165 C7
New Westminster Canada 49°13N 122°55W 170 A4
New York U.S.A. 40°43N 74°0W 175 F11
New York □ U.S.A. 43°0N 75°0W 175 D9
New York J.F. Kennedy Int. ✈ (JFK) U.S.A. 40°38N 73°47W 175 F11
New Zealand ■ Oceania 40°0S 176°0E 154 G5
Newaj → India 24°24N 76°49E 124 G7
Newala Tanzania 10°58S 39°18E 143 E4
Newark Del., U.S.A. 39°41N 75°46W 173 F16
Newark N.J., U.S.A. 40°44N 74°10W 175 F10
Newark N.Y., U.S.A. 43°3N 77°6W 174 C7
Newark Ohio, U.S.A. 40°3N 82°24W 174 F2
Newark Liberty Int. ✈ (EWR) U.S.A. 40°42N 74°10W 175 F10
Newark-on-Trent U.K. 53°5N 0°48W 66 D7
Newark Valley U.S.A. 42°14N 76°11W 175 D8
Newberg U.S.A. 45°18N 122°58W 168 D2
Newberry Fla., U.S.A. 29°39N 82°37W 179 F7
Newberry Mich., U.S.A. 46°21N 85°30W 173 B11
Newberry S.C., U.S.A. 34°17N 81°37W 177 D14
Newberry Springs U.S.A. 34°50N 116°41W 171 L10
Newboro L. Canada 44°38N 76°20W 175 B8
Newbridge Ireland 53°11N 6°48W 64 C5
Newburgh Canada 44°19N 76°52W 174 B8
Newburgh U.S.A. 41°30N 74°1W 175 E10
Newbury U.K. 51°24N 1°20W 67 F6
Newbury N.H., U.S.A. 43°19N 72°3W 175 B12
Newbury Vt., U.S.A. 44°5N 72°4W 175 B12
Newburyport U.S.A. 42°49N 70°53W 175 D14
Newcastle Australia 33°0S 151°46E 153 B9
Newcastle N.B., Canada 47°1N 65°38W 165 C6
Newcastle Ont., Canada 43°55N 78°35W 164 D4
Newcastle Ireland 52°27N 9°3W 64 D2
Newcastle S. Africa 27°45S 29°58E 145 C4
Newcastle U.K. 54°13N 5°54W 64 B6
Newcastle Calif., U.S.A. 38°53N 121°8W 170 G5
Newcastle Wyo., U.S.A. 43°50N 104°11W 168 E11
Newcastle Emlyn U.K. 52°2N 4°28W 67 E3
Newcastle Ra. Australia 15°45S 130°15E 148 C5
Newcastle-under-Lyme U.K. 53°1N 2°14W 66 D5
Newcastle-upon-Tyne U.K. 54°58N 1°36W 66 C6
Newcastle Waters Australia 17°30S 133°28E 150 B1
Newcomb U.S.A. 43°58N 74°10W 175 C10
Newcomerstown U.S.A. 40°16N 81°36W 174 F3
Newdegate Australia 33°6S 119°0E 149 F2
Newell Australia 16°20S 145°16E 150 B4
Newell U.S.A. 44°43N 103°25W 172 C2
Newenham, C. U.S.A. 58°39N 162°11W 166 D7
Newfane U.S.A. 43°17N 78°43W 174 C6
Newfield U.S.A. 42°18N 76°33W 175 D8
Newfound L. U.S.A. 43°40N 71°47W 175 C13
Newfoundland Canada 49°0N 55°0W 165 C8
Newfoundland U.S.A. 41°18N 75°19W 175 E9
Newfoundland & Labrador □ Canada 52°0N 58°0W 165 B8
Newhaven U.K. 50°47N 0°3E 67 G8
Newington U.S.A. 32°35N 81°30W 178 C8
Newkirk U.S.A. 36°53N 97°3W 176 C6
Newlyn U.K. 50°6N 5°34W 67 G2
Newman Australia 23°18S 119°45E 148 D2
Newman U.S.A. 37°19N 121°1W 170 H5
Newmarket Canada 44°3N 79°28W 174 B5
Newmarket Ireland 52°13N 9°0W 64 D2
Newmarket U.K. 52°15N 0°25E 67 E8
Newmarket U.S.A. 43°5N 70°56W 175 C14
Newnan U.S.A. 33°23N 84°48W 178 B5
Newport Ireland 53°53N 9°33W 64 C2
Newport I. of W., U.K. 50°42N 1°17W 67 G6
Newport Newport, U.K. 51°35N 3°0W 67 F5
Newport Ark., U.S.A. 35°37N 91°16W 176 D9
Newport Fla., U.S.A. 30°11N 84°10W 178 E5
Newport Ky., U.S.A. 39°5N 84°29W 173 F11
Newport N.H., U.S.A. 43°22N 72°10W 175 C12
Newport N.Y., U.S.A. 43°11N 75°1W 175 C9
Newport Oreg., U.S.A. 44°39N 124°3W 168 D1
Newport Pa., U.S.A. 40°29N 77°8W 174 F7
Newport R.I., U.S.A. 41°29N 71°19W 175 E13
Newport Tenn., U.S.A. 35°58N 83°11W 177 D13
Newport Vt., U.S.A. 44°56N 72°13W 175 B12
Newport Wash., U.S.A. 48°11N 117°3W 168 B5
Newport □ U.K. 51°33N 3°1W 67 F4
Newport Beach U.S.A. 33°37N 117°56W 171 M9
Newport News U.S.A. 36°58N 76°25W 173 G15
Newport Pagnell U.K. 52°5N 0°43W 67 E7
Newquay U.K. 50°25N 5°6W 67 G2
Newry U.K. 54°11N 6°21W 64 B5
Newry Islands △ Australia 20°51S 148°56E 150 b
Newton Ga., U.S.A. 31°19N 84°20W 178 D5
Newton Ill., U.S.A. 38°59N 88°10W 172 F9
Newton Iowa, U.S.A. 41°42N 93°3W 172 E7
Newton Kans., U.S.A. 38°3N 97°21W 172 F5
Newton Mass., U.S.A. 42°21N 71°12W 175 D13
Newton Miss., U.S.A. 32°19N 89°10W 177 E10
Newton N.C., U.S.A. 35°40N 81°13W 177 D14
Newton N.J., U.S.A. 41°3N 74°45W 175 E10
Newton Tex., U.S.A. 30°51N 93°46W 176 F8
Newton Abbot U.K. 50°32N 3°37W 67 G4
Newton Aycliffe U.K. 54°37N 1°34W 66 C6
Newton Falls N.Y., U.S.A. 44°12N 74°59W 175 B10
Newton Falls Ohio, U.S.A. 41°11N 80°59W 174 E4
Newton Stewart U.K. 54°57N 4°30W 65 G4
Newtonmore U.K. 57°4N 4°8W 65 D4
Newtontoppen Svalbard 79°0N 17°30E 57 B12
Newtown U.K. 52°31N 3°19W 67 E4
Newtownabbey U.K. 54°40N 5°56W 64 B6
Newtownards U.K. 54°36N 5°42W 64 B6
Newtownbarry = Bunclody Ireland 52°39N 6°40W 64 D5
Newtownstewart U.K. 54°43N 7°23W 64 B4
Newville U.S.A. 40°10N 77°24W 174 F7
Nexon France 45°41N 1°11E 72 C5
Neya Russia 58°21N 43°49E 86 A6
Neyrīz Iran 29°15N 54°19E 129 D7
Neyshābūr Iran 36°10N 58°50E 129 B8
Neyveli India 11°32N 79°29E 127 J4
Neyyattinkara India 8°26N 77°5E 127 K3
Nezhin = Nizhyn Ukraine 51°5N 31°55E 85 G6
Nezperce U.S.A. 46°14N 116°14W 168 C5
Nezvysko Ukraine 48°46N 25°15E 81 B10
Nga, Laem Thailand 7°55N 98°27E 121 a
Ngaanyatjarra ◎ Australia 22°40S 127°0E 148 D4
Ngabang Indonesia 0°23N 109°55E 118 D3
Ngabordamlu, Tanjung Indonesia 6°56S 134°11E 119 F8
N'Gage Angola 7°46S 15°15E 140 F3
Ngala Nigeria 12°20N 14°11E 139 C7
Ngaliwurru Nungali ◎ Australia 15°42S 130°4E 148 C5
Ngalurrtju ◎ Australia 22°44S 132°5E 148 D5
Ngambé Centre, Cameroon 5°48N 11°29E 139 D7
Ngambé Littoral, Cameroon 4°21N 10°40E 139 E7
Ngami Depression Botswana 20°30S 22°46E 144 B3
Ngamo Zimbabwe 19°3S 27°32E 143 F2
Ngamring China 29°14N 87°10E 110 F6
Nganbéto, L. de Togo 6°12N 1°25E 139 D5
Nganglong Kangri China 33°0N 81°0E 125 C9
Ngao Thailand 18°46N 99°59E 120 C2
Ngaoundéré Cameroon 7°15N 13°35E 140 C2
Ngapara N.Z. 44°57S 170°46E 155 E5
Ngara Tanzania 2°29S 30°40E 142 C3
Ngarluma ◎ Australia 21°30S 118°30E 148 D2
Ngaruawahia N.Z. 37°42S 175°11E 154 D4
Ngaruroro → N.Z. 39°34S 176°55E 154 F5
Ngatapa N.Z. 38°32S 177°45E 154 E6
Ngauruhoe, Mt. N.Z. 39°13S 175°45E 154 F4
Ngawi Indonesia 7°24S 111°26E 119 G14
Ngcobo S. Africa 31°37S 28°0E 145 D4
Ngerulmud = Melekeok Palau 7°27N 134°38E 156 G5
Nghia Lo Vietnam 21°33N 104°28E 116 G5
Ngoma Malawi 13°8S 33°45E 143 E3
Ngomahura Zimbabwe 20°26S 30°43E 143 G3
Ngomba Tanzania 8°20S 32°53E 143 D3
Ngomeni, Ras Kenya 2°59S 40°14E 142 C5
Ngong Kenya 1°22S 36°39E 142 C4
Ngongotaha N.Z. 38°5S 176°12E 154 E5
Ngoring Hu China 34°55N 97°5E 110 E8
Ngorkou Mali 15°40N 3°41W 138 B4
Ngorongoro Tanzania 3°11S 35°32E 142 C4
Ngorongoro ⌂ Tanzania 2°40S 35°30E 142 C4
Ngozi Burundi 2°54S 29°50E 142 C2
Ngudu Tanzania 2°58S 33°25E 142 C3
Nguigmi Niger 14°20N 13°20E 135 F8
Nguila Cameroon 4°41N 11°43E 139 E7
Nguiu Australia 11°46S 130°38E 148 B5
Ngukurr Australia 14°44S 134°44E 150 A1
Ngum → Laos 18°31N 102°32E 120 C4
Ngundu Zimbabwe 18°11S 31°15E 143 F3
Ngunga Tanzania 3°37S 33°37E 142 C3
Nguru Nigeria 12°56N 10°29E 139 C7
Nguru Mts. Tanzania 6°0S 37°30E 142 D4
Ngusi Malawi 14°0S 34°50E 143 E3
Nguyen Binh Vietnam 22°39N 105°56E 116 F5
Ngwaketse □ Botswana 25°0S 25°0E 144 C3
Nha Bang Vietnam 10°37N 105°0E 121 G5
Nha Trang Vietnam 12°16N 109°10E 121 F7
Nhacoongo Mozam. 24°18S 35°14E 145 B6
Nhamaabué Mozam. 17°25S 35°5E 143 F4
Nhamundá → Brazil 2°12S 56°41W 187 D7
Nhangulaze, L. Mozam. 24°0S 34°30E 145 B5
Nharnuwangga, Wajarri and Ngarlawangga ◎ Australia 24°50S 118°0E 149 D2
Nhill Australia 36°18S 141°40E 152 D4
Nho Quan Vietnam 20°18N 105°45E 116 G5
Nhulunbuy Australia 12°10S 137°20E 150 A2
Nia-nia Dem. Rep. of the Congo 1°30N 27°40E 142 B2
Niafounké Mali 16°0N 4°5W 138 B4
Niagara Falls Canada 43°7N 79°5W 174 C5
Niagara Falls U.S.A. 43°5N 79°4W 174 C6
Niagara-on-the-Lake Canada 43°15N 79°4W 174 C5
Niah Malaysia 3°58N 113°46E 118 D4
Niamey Niger 13°27N 2°6E 139 C5
Niamtougou Togo 9°46N 1°6E 139 D5
Niandan-Koro Guinea 11°5N 9°15W 138 C3
Nianforando Guinea 9°37N 10°36W 138 D2
Niangara Dem. Rep. of the Congo 3°42N 27°50E 142 B2
Niangay, L. Mali 15°50N 3°0W 138 B4
Niangbo Ivory C. 8°49N 5°10W 138 D3
Niangoloko Burkina Faso 10°15N 4°55W 138 C4
Niantic U.S.A. 41°20N 72°11W 175 E12
Nias Indonesia 1°0N 97°30E 118 D1
Niassa □ Mozam. 13°30S 36°0E 143 E4
Niassa, L. = Malawi, L. Africa 12°30S 34°30E 143 E3
Niassa ⌂ Mozam. 12°4S 36°57E 143 E4
Nibāk Si. Arabia 24°25N 50°50E 129 E7
Nibe Denmark 56°59N 9°38E 63 H3
Nicaragua ■ Cent. Amer. 11°40N 85°30W 182 D2
Nicaragua, L. de Nic. 12°0N 85°30W 182 D2
Nicastro Italy 38°59N 16°19E 95 D9
Nice France 43°42N 7°14E 73 E11
Nice-Côte-d'Azur ✈ (NCE) France 43°41N 7°12E 73 E11
Niceville U.S.A. 30°31N 86°30W 179 E3
Nichicun, L. Canada 53°5N 71°0W 165 B5
Nichinan Japan 31°38N 131°23E 113 J5
Nicholás, Canal Caribbean 23°30N 80°5W 182 B3
Nicholas Channel = Nicholás, Canal Caribbean 23°30N 80°5W 182 B3
Nicholasville U.S.A. 37°53N 84°34W 173 G11
Nicholls U.S.A. 31°31N 82°38W 178 D7
Nichols U.S.A. 42°1N 76°22W 175 D8
Nicholson Australia 18°2S 128°54E 148 C4
Nicholson U.S.A. 41°37N 75°47W 175 E9
Nicholson → Australia 17°31S 139°36E 150 B2
Nicholson L. Canada 62°40N 102°40W 163 A8
Nicholson Ra. Australia 27°15S 116°45E 149 E2
Nicholville U.S.A. 44°41N 74°39W 175 B10
Nicobar Is. Ind. Oc. 8°0N 93°30E 127 L11
Nicola Canada 50°12N 120°40W 162 C4
Nicolls Town Bahamas 25°8N 78°0W 182 A4
Nicosia Cyprus 35°10N 33°25E 101 D12
Nicosia Italy 37°45N 14°24E 95 E7
Nicótera Italy 38°33N 15°56E 95 D8
Nicoya Costa Rica 10°9N 85°27W 182 D2
Nicoya, G. de Costa Rica 10°0N 85°0W 182 E3
Nicoya, Pen. de Costa Rica 9°45N 85°40W 182 E2
Nida Lithuania 55°20N 21°4E 82 C8
Nidd → U.K. 53°59N 1°23W 66 D6
Nidda Germany 50°23N 9°1E 77 E5
Nidda → Germany 50°17N 8°48E 77 E4
Nidwalden □ Switz. 46°50N 8°25E 77 J4
Nidzica Poland 53°25N 20°28E 83 E7
Niebüll Germany 54°46N 8°48E 76 A4
Nied → Germany 49°23N 6°40E 71 C13
Niederaula Germany 50°47N 9°36E 76 E5
Niederbayern □ Germany 48°40N 12°50E 77 G8
Niederbronn-les-Bains France 48°57N 7°39E 71 D14
Niedere Tauern Austria 47°20N 14°0E 78 D7
Niederlausitz Germany 51°42N 13°59E 76 D9
Niederösterreich □ Austria 48°25N 15°40E 78 C8
Niedersachsen □ Germany 52°50N 9°0E 76 C4
Niedersächsisches Wattenmeer △ Germany 53°45N 7°30E 76 B3
Niekerkshoop S. Africa 29°19S 22°51E 144 C3
Niellé Ivory C. 10°5N 5°38W 138 C3
Niemba Dem. Rep. of the Congo 5°58S 28°24E 142 D2
Niemen = Nemunas → Lithuania 55°25N 21°10E 82 C8
Niemodlin Poland 50°38N 17°38E 83 H4
Niemur Australia 35°17S 144°9E 152 C6
Nienburg Germany 52°39N 9°13E 76 C5
Niepołomice Poland 50°3N 20°13E 83 H7
Niers → Germany 51°43N 5°57E 76 D1
Niesky Germany 51°17N 14°49E 76 D10
Nieszawa Poland 52°52N 18°50E 83 F5
Nieu Bethesda S. Africa 31°51S 24°34E 144 D3
Nieuw Amsterdam Suriname 5°53N 55°5W 187 B7
Nieuw Nickerie Suriname 6°0N 56°59W 187 B7
Nieuwoudtville S. Africa 31°23S 19°7E 144 D2
Nieuwpoort Belgium 51°8N 2°45E 69 C2
Nieves, Pico de las Canary Is. 27°57N 15°35W 100 G4
Nièvre □ France 47°10N 3°40E 71 E10
Niga Mali 13°38N 5°27W 138 C3
Niğde Turkey 37°58N 34°40E 104 D6
Niğde □ Turkey 38°0N 34°30E 104 D6
Nigel S. Africa 26°27S 28°25E 145 C4
Niger □ Nigeria 10°0N 5°30E 139 C6
Niger ■ W. Afr. 17°30N 10°0E 139 B7
Niger → W. Afr. 5°33N 6°33E 139 D6
Niger Delta Africa 5°0N 6°0E 139 E6
Nigeria ■ W. Afr. 8°30N 8°0E 139 D6
Nighasin India 28°14N 80°52E 125 E9
Nightcaps N.Z. 45°57S 168°2E 155 F3
Nigrita Greece 40°56N 23°29E 96 F7
Nihoa U.S.A. 23°6N 161°58W 167 L7
Nihon = Japan ■ Asia 36°0N 136°0E 113 G8
Nii-Jima Japan 34°20N 139°15E 113 G9
Niigata Japan 37°58N 139°0E 112 F9
Niigata □ Japan 37°15N 138°45E 113 F9
Niihama Japan 33°55N 133°16E 113 H6
Ni'ihau U.S.A. 21°54N 160°9W 167 L7
Niimi Japan 34°59N 133°28E 113 G6
Niitsu Japan 37°48N 139°7E 112 F9
Nijar Spain 36°53N 2°15W 91 J2
Nijil Jordan 30°32N 35°33E 130 E4
Nijkerk Neths. 52°13N 5°30E 69 B5
Nijmegen Neths. 51°50N 5°52E 69 C5
Nijverdal Neths. 52°22N 6°28E 69 B6
Nīk Pey Iran 36°50N 48°10E 105 D13
Nikaweratiya Sri Lanka 7°45N 80°7E 127 L5
Nike Nigeria 6°26N 7°29E 139 D6
Nikel Russia 69°24N 30°13E 60 B24
Nikiniki Indonesia 9°49S 124°30E 148 A3
Nikisiani Greece 40°57N 24°9E 97 F8
Nikiti Greece 40°13N 23°43E 96 F7
Nikki Benin 9°58N 3°12E 139 D5
Nikkō Japan 36°45N 139°35E 113 F9
Nikkō ⌂ Japan 36°56N 139°37E 113 F9
Nikolayev = Mykolayiv Ukraine 46°58N 32°0E 85 J7
Nikolayevsk Russia 50°0N 45°35E 86 E7
Nikolayevsk-na-Amur Russia 53°8N 140°44E 107 D15
Nikolsk Russia 53°49N 46°4E 86 D8
Nikolskoye Russia 55°12N 166°0E 107 D17
Nikopol Bulgaria 43°43N 24°54E 97 C8
Nikopol Ukraine 47°35N 34°25E 85 J8
Nikopolis Greece 39°5N 20°43E 98 B2
Niksar Turkey 40°31N 37°2E 104 B7
Nīkshahr Iran 26°15N 60°10E 129 E9
Nikšić Montenegro 42°50N 18°57E 96 D2
Nîl, Nahr en → Africa 30°10N 31°6E 137 E7
Nîl el Abyad → Sudan 15°38N 32°31E 135 E12
Nîl el Azraq → Sudan 15°38N 32°31E 135 E12
Nila Indonesia 6°44S 129°31E 119 F7
Nilakkottai India 10°10N 77°52E 127 J3
Niland U.S.A. 33°14N 115°31W 171 M11
Nilanga India 18°6N 76°46E 126 E3
Nile = Nîl, Nahr en → Africa 30°10N 31°6E 137 E7
Nile Delta Egypt 31°40N 31°0E 137 E7
Niles Mich., U.S.A. 41°50N 86°15W 172 E10
Niles Ohio, U.S.A. 41°11N 80°46W 174 E4
Nileshwar India 12°15N 75°6E 127 H2
Nilgiri Hills India 11°30N 76°30E 127 J3
Nilo Peçanha Brazil 13°37S 39°6W 189 C3
Nilüfer → Turkey 40°18N 28°27E 97 F12
Nim Ka Thana India 27°44N 75°48E 124 F6
Nimach India 24°30N 74°56E 124 G6
Nimba, Mt. Africa 7°39N 8°25W 138 D3
Nimbahera India 24°37N 74°45E 124 G6
Nîmes France 43°50N 4°23E 73 E8
Nimfaíon, Ákra = Pines, Ákra Greece 40°5N 24°20E 97 F8
Nimmitabel Australia 36°29S 149°15E 153 D8
Nin Croatia 44°16N 15°12E 93 D12
Nīnawá Iraq 36°25N 43°10E 105 D10
Nīnawá □ Iraq 36°15N 43°0E 128 B4
Nindigully Australia 28°21S 148°50E 151 D4
Nine Degree Channel India 9°0N 73°0E 127 K1
Ninepin Group China 22°16N 114°21E 111 a
Ninety Mile Beach N.Z. 34°48S 173°0E 154 A2
Ninety Mile Beach, The Australia 38°15S 147°24E 153 E7
Ninety Six U.S.A. 34°11N 82°1W 178 A7
Ninetyeast Ridge Ind. Oc. 1°0S 90°0E 146 E7
Nineveh = Nīnawá Iraq 36°25N 43°10E 105 D10
Ning Xian China 35°30N 107°58E 114 G4
Ningaloo Marine ⌂ Australia 22°23S 113°32E 148 D1
Ning'an China 44°22N 129°20E 115 B15
Ningbo China 29°51N 121°28E 117 C13
Ningcheng China 41°32N 119°53E 115 D10
Ningde China 26°38N 119°23E 117 D12
Ningdu China 26°25N 115°59E 117 D10
Ninggang China 26°42N 113°55E 117 D9
Ningguo China 30°35N 119°0E 117 B12
Ninghai China 29°15N 121°27E 117 C13
Ninghua China 26°14N 116°45E 117 D11
Ningi Nigeria 10°55N 9°30E 139 C6
Ningjin China 37°35N 114°57E 114 F8
Ningjing Shan China 31°0N 98°20E 116 C2
Ninglang China 27°20N 100°55E 116 D3
Ningling China 34°25N 115°22E 114 G8
Ningming China 22°8N 107°4E 116 F6
Ningnan China 27°5N 102°36E 116 D4
Ningpo = Ningbo China 29°51N 121°28E 117 C13
Ningqiang China 32°47N 106°15E 114 H4
Ningshan China 33°21N 108°21E 116 A7
Ningsia Hui A.R. = Ningxia Huizu Zizhiqu □ China 38°0N 106°0E 114 F4
Ningwu China 39°0N 112°18E 114 E7
Ningxia Huizu Zizhiqu □ China 38°0N 106°0E 114 F4
Ningxiang China 28°15N 112°30E 117 C9
Ningyang China 35°47N 116°45E 114 G9
Ningyuan China 25°37N 111°57E 117 E8
Ninh Binh Vietnam 20°15N 105°55E 116 G5
Ninh Giang Vietnam 20°44N 106°24E 120 B6
Ninh Hoa Vietnam 12°30N 109°7E 120 F7
Ninh Ma Vietnam 12°48N 109°21E 120 F7
Nini-Suhien ⌂ Ghana 5°20N 2°34W 138 D4
Ninove Belgium 50°51N 4°2E 69 D4
Nioaque Brazil 21°5S 55°50W 191 A4
Niobrara U.S.A. 42°45N 98°2W 172 D4
Niobrara → U.S.A. 42°46N 98°3W 172 D4
Niokolo-Koba ⌂ Senegal 13°3N 13°2W 138 C2
Niono Mali 14°15N 6°0W 138 C3
Nionsamoridougou Guinea 8°45N 8°50W 138 D3
Nioro du Rip Senegal 13°40N 15°50W 138 C1
Nioro du Sahel Mali 15°15N 9°30W 138 B3
Niort France 46°19N 0°29W 72 B3
Nipani India 16°20N 74°25E 127 F2
Nipawin Canada 53°20N 104°0W 163 C8
Nipfjället Sweden 61°59N 12°50E 62 C6
Nipigon Canada 49°0N 88°17W 164 C2
Nipigon, L. Canada 49°50N 88°30W 164 C2
Nipishish L. Canada 54°12N 60°45W 165 B7
Nipissing, L. Canada 46°20N 80°0W 164 C4
Nipomo U.S.A. 35°3N 120°29W 171 K6
Nippon = Japan ■ Asia 36°0N 136°0E 113 G8
Nipton U.S.A. 35°28N 115°16W 171 K11
Niquelândia Brazil 14°33S 48°23W 189 C1
Nīr Iran 38°2N 47°59E 105 C12
Nira → India 17°58N 75°8E 126 F2
Nirasaki Japan 35°42N 138°27E 113 G9
Nirmal India 19°3N 78°20E 126 E4
Nirmali India 26°20N 86°35E 125 F12
Niš Serbia 43°19N 21°58E 96 C5
Nisa Portugal 39°30N 7°41W 89 F3
Nisa Turkmenistan 37°59N 58°11E 129 B8
Nişāb Si. Arabia 29°11N 44°43E 128 D5
Nişāb Yemen 14°25N 46°29E 131 E4
Nišava → Serbia 43°20N 21°46E 96 C5
Niscemi Italy 37°9N 14°23E 95 E7
Nishinomiya Japan 34°45N 135°20E 113 G7
Nishino'omote Japan 30°43N 130°59E 113 J5
Nishiwaki Japan 34°59N 134°58E 113 G7
Niška Banja Serbia 43°18N 22°1E 96 C6
Niskibi → Canada 56°29N 88°9W 164 A2
Nisko Poland 50°35N 22°7E 83 H9
Nisporeni Moldova 47°4N 28°10E 81 C13
Nisqually → U.S.A. 47°7N 122°42W 170 C4
Nissáki Greece 39°43N 19°52E 101 A3
Nissan → Sweden 56°40N 12°51E 63 H6
Nissiros Greece 36°35N 27°12E 99 E9

Nissum Bredning Denmark 56°40N 8°20E 63 H2
Nissum Fjord Denmark 56°20N 8°11E 63 H2
Nistru = Dniester → Europe 46°18N 30°17E 75 E16
Nisutlin → Canada 60°14N 132°34W 162 A2
Nitchequon Canada 53°10N 70°58W 165 B5
Niterói Brazil 22°53S 43°7W 191 A7
Nith → Canada 43°12N 80°23W 174 C4
Nith → U.K. 55°14N 3°33W 65 F5
Nitmiluk △ Australia 14°6S 132°15E 148 B5
Nitra Slovak Rep. 48°19N 18°4E 79 C11
Nitra → Slovak Rep. 47°46N 18°10E 79 D11
Nitriansky □ Slovak Rep. 48°10N 18°30E 79 C11
Nittenau Germany 49°12N 12°16E 77 F8
Niue ⊠ Pac. Oc. 19°2S 169°54W 157 J11
Niulan Jiang → China 27°30N 103°5E 116 D4
Niut Indonesia 0°55N 109°54E 118 D4
Niutou Shan China 29°5N 121°59E 117 C13
Niuzhuang China 40°58N 122°28E 115 D12
Nivala Finland 63°56N 24°57E 60 E21
Nivelles Belgium 50°35N 4°20E 69 D4
Nivernais France 47°15N 3°30E 71 E10
Niverville Canada 49°36N 97°3W 163 D9
Niwas India 23°3N 80°26E 125 H9
Nixa U.S.A. 37°3N 93°18W 172 G7
Nixon U.S.A. 29°16N 97°46W 176 G6
Nizam Sagar India 18°10N 77°58E 126 E3
Nizamabad India 18°45N 78°7E 126 E4
Nizamghat India 28°20N 95°45E 123 E19
Nizhne-Kolymsk Russia 68°34N 160°55E 107 C17
Nizhne-Svirskiy ⌂ Russia 60°30N 32°55E 84 B7
Nizhnegorskiy = Nyzhnohirskyy Ukraine 45°27N 34°38E 85 K8
Nizhnekamsk Russia 55°38N 51°49E 86 C10
Nizhneudinsk Russia 54°54N 99°3E 107 D10
Nizhnevartovsk Russia 60°56N 76°38E 106 C8
Nizhniy Bestyakh Russia 61°57N 129°54E 107 C13
Nizhniy Chir Russia 48°22N 43°5E 87 F6
Nizhniy Lomov Russia 53°34N 43°38E 86 D6
Nizhniy Novgorod Russia 56°20N 44°0E 86 B7
Nizhniy Novgorod □ Russia 56°30N 44°20E 86 B7
Nizhniy Tagil Russia 57°55N 59°57E 106 D6
Nizhyn Ukraine 51°5N 31°55E 85 G6
Nizina Mazowiecka Poland 52°30N 21°0E 83 F8
Nizip Turkey 37°5N 37°50E 104 D7
Nízké Tatry Slovak Rep. 48°55N 19°30E 79 C12
Nízké Tatry △ Slovak Rep. 48°55N 19°37E 79 C12
Nízký Jeseník Czech Rep. 49°50N 17°30E 79 B10
Nizwá Oman 22°56N 57°32E 131 C6
Nizza Monferrato Italy 44°46N 8°21E 92 D5
Njakwa Malawi 11°1S 33°56E 143 E3
Njazidja = Grande Comore Comoros Is. 11°35S 43°20E 141 a
Njegoš Montenegro 42°53N 18°45E 96 D2
Njeru Uganda 0°27N 33°10E 142 B3
Njinjo Tanzania 8°48S 38°54E 143 D4
Njombe Tanzania 9°20S 34°50E 143 D3
Njombe □ Tanzania 9°10S 34°50E 143 D3
Njombe → Tanzania 6°56S 35°6E 142 D4
Njurundabommen Sweden 62°15N 17°25E 62 B11
Nkambe Cameroon 6°35N 10°40E 139 D7
Nkana Zambia 12°50S 28°8E 143 E2
Nkandla S. Africa 28°37S 31°5E 145 C5
Nkawkaw Ghana 6°36N 0°49W 139 D4
Nkayi Zimbabwe 19°41S 29°20E 143 F2
Nkhotakota Malawi 12°56S 34°15E 143 E3
Nkhotakota ⌂ Malawi 12°50S 34°0E 143 E3
Nkondwe Tanzania 5°51S 30°51E 142 D3
Nkongsamba Cameroon 4°55N 9°55E 139 E6
Nkoteng Cameroon 4°31N 12°2E 139 E7
Nkurenkuru Namibia 17°42S 18°32E 144 A2
Nkwanta Ghana 6°10N 2°10W 138 D4
Nmai → Burma 25°30N 97°25E 116 F2
Noakhali Bangla. 22°48N 91°10E 123 H17
Nobel Canada 45°25N 80°6W 174 A4
Nobeoka Japan 32°36N 131°41E 113 H5
Noblejas Spain 39°58N 3°26W 88 F7
Noblesville U.S.A. 40°3N 86°1W 172 E10
Noboribetsu Japan 42°24N 141°6E 112 C10
Nocatee U.S.A. 27°10N 81°53W 179 H8
Noccundra Australia 27°50S 142°36E 151 D3
Noce → Italy 46°9N 11°4E 92 B8
Nocera Inferiore Italy 40°44N 14°38E 95 B7
Nocera Umbra Italy 43°5N 12°47E 93 E9
Noci Italy 40°48N 17°7E 95 B10
Nocona U.S.A. 33°47N 97°44W 176 E6
Nocrich Romania 45°55N 24°26E 81 E9
Noda Japan 35°56N 139°52E 113 G9
Nogales Mexico 31°19N 110°56W 180 A2
Nogales U.S.A. 31°21N 110°56W 169 L8
Nogaro France 43°45N 0°2W 72 E3
Nogat → Poland 54°17N 19°17E 82 D6
Nōgata Japan 33°48N 130°44E 113 H5
Nogent France 48°1N 5°20E 71 D12
Nogent-le-Rotrou France 48°20N 0°50E 70 D7
Nogent-sur-Seine France 48°30N 3°30E 71 D10
Noggerup Australia 33°32S 116°5E 149 F2
Noginsk Russia 64°30N 90°50E 107 C10
Nogliki Russia 51°50N 143°10E 107 D15
Nogoa → Australia 23°40S 147°55E 150 C4
Nogoyá Argentina 32°24S 59°48W 190 C4
Nógrád □ Hungary 48°0N 19°30E 80 C4
Noguera Pallaresa → Spain 41°55N 0°55E 90 D5
Noguera Ribagorçana → Spain 41°40N 0°43E 90 D5
Nohar India 29°11N 74°49E 124 E6
Nohfelden Germany 49°35N 7°7E 77 F3
Nohta India 23°40N 79°34E 125 H8
Noia Spain 42°48N 8°53W 88 C2
Noida India 28°36N 77°19E 124 E7
Noire, Montagne France 43°28N 2°18E 72 E6
Noires, Mts. France 48°11N 3°40W 70 D3
Noirétable France 45°48N 3°46E 72 C7
Noirmoutier, Î. de France 46°58N 2°10W 70 F4
Noirmoutier-en-l'Île France 47°0N 2°14W 70 F4
Nojane Botswana 23°15S 20°14E 144 B3
Nojima-Zaki Japan 34°54N 139°53E 113 G9
Nok Kundi Pakistan 28°50N 62°45E 122 E3
Nok Ta Phao, Ko Thailand 9°23N 99°40E 121 b
Nokaneng Botswana 19°40S 22°17E 144 A3
Nokia Finland 61°30N 23°30E 84 B2
Nokomis Canada 51°35N 105°0W 163 C8
Nokomis U.S.A. 27°7N 82°27W 179 H7
Nokomis L. Canada 57°0N 103°0W 163 B8
Nola C.A.R. 3°35N 16°4E 140 D3
Nola Italy 40°55N 14°33E 95 B7
Nolay France 46°58N 4°35E 71 F11
Noli, C. di Italy 44°12N 8°25E 92 D5
Nolinsk Russia 57°28N 49°57E 86 B9
Noma U.S.A. 30°59N 85°37W 178 E4
Noma Omuramba → Namibia 18°52S 20°53E 144 A3
Nombre de Dios Panama 9°34N 79°28W 182 E4
Nome U.S.A. 64°30N 165°25W 166 C6
Nomgon Mongolia 42°50N 105°13E 114 C3
Nomo-Zaki Japan 32°35N 129°44E 113 H4
Nonacho L. Canada 61°42N 109°40W 163 A7
Nonancourt France 48°47N 1°11E 70 D8
Nonda Australia 20°40S 142°28E 150 C3
None Italy 44°56N 7°32E 92 D4
Nong Chang Thailand 15°23N 99°51E 120 E2
Nong Han Res. Thailand 17°11N 104°9E 120 D5
Nong Het Laos 19°29N 103°59E 120 C4
Nong Khai Thailand 17°50N 102°46E 120 D4
Nong'an China 44°25N 125°5E 115 B13
Nongoma S. Africa 27°58S 31°35E 145 C5
Nongsa Indonesia 1°11N 104°8E 121 d
Nonoava Mexico 27°28N 106°44W 180 B3
Nonsan S. Korea 36°12N 127°5E 115 F14
Nonthaburi Thailand 13°50N 100°29E 120 F3
Nontron France 45°31N 0°40E 72 C4
Nonza France 42°47N 9°21E 73 F13
Noonamah Australia 12°40S 131°4E 148 B5
Noondie, L. Australia 28°30S 119°30E 149 E2
Noonkanbah ☼ Australia 18°30S 124°50E 148 C3
Noord Brabant □ Neths. 51°40N 5°0E 69 C5
Noord Holland □ Neths. 52°30N 4°45E 69 B4
Noordbeveland Neths. 51°35N 3°50E 69 C3
Noordoostpolder Neths. 52°45N 5°45E 69 B5
Noordwijk Neths. 52°14N 4°26E 69 B4
Noosa Heads Australia 26°25S 153°6E 151 D5
Nootka I. Canada 49°32N 126°42W 162 D3
Nopiming ⌂ Canada 50°30N 95°37W 163 C9
Nora Sweden 59°32N 15°2E 62 E9
Noralee Canada 53°59N 126°26W 162 C3
Noranda = Rouyn-Noranda Canada 48°20N 79°0W 164 C4
Norberg Sweden 60°4N 15°56E 62 D9
Nórcia Italy 42°48N 13°5E 93 F10
Norco U.S.A. 33°56N 117°33W 171 M9
Norcross U.S.A. 33°56N 84°13W 178 B5
Nord □ Cameroon 8°30N 14°0E 139 D7
Nord □ France 50°15N 3°30E 71 B10
Nord-Kivu □ Dem. Rep. of the Congo 1°0S 29°0E 142 C2
Nord-Ostsee-Kanal Germany 54°12N 9°32E 76 A5
Nord-Ouest □ Cameroon 6°20N 10°30E 139 D7
Nord-Pas-de-Calais □ France 50°30N 2°50E 71 B9
Nordaustlandet Svalbard 79°14N 23°0E 54 B9
Nordborg Denmark 55°5N 9°50E 63 J3
Nordby Denmark 55°27N 8°24E 63 J2
Norddeich Germany 53°36N 7°9E 76 B3
Nordegg Canada 52°29N 116°5W 162 C5
Norden Germany 53°35N 7°12E 76 B3
Nordenham Germany 53°30N 8°30E 76 B4
Norderney Germany 53°42N 7°9E 76 B3
Norderstedt Germany 53°42N 10°1E 76 B6
Nordfjord Norway 61°55N 5°30E 60 F11
Nordfriesische Inseln Germany 54°40N 8°20E 76 A4
Nordhausen Germany 51°30N 10°47E 76 D6
Nordhorn Germany 52°26N 7°4E 76 C3
Norðoyar Færoe Is. 62°17N 6°35W 60 E9
Nördinge-Nol Sweden 57°56N 12°5E 63 G6
Nordingrå Sweden 62°56N 18°17E 62 B12
Nordjylland □ Denmark 57°0N 9°30E 63 G3
Nordkapp Norway 71°10N 25°50E 60 A21
Nordkapp Svalbard 80°31N 20°0E 54 A9
Nordkinn Norway 71°8N 27°40E 60 A22
Nordkinnhalvøya Norway 70°55N 27°40E 60 A22
Nördlicher Teutoburger Wald-Wiehengebirge ⌂ Germany 52°18N 8°10E 76 C4
Nördlingen Germany 48°48N 10°30E 77 G6
Nordostrundingen Greenland 81°22N 11°40W 57 A9
Nordre Strømfjord Greenland 67°10N 53°35W 57 D5
Nordrhein-Westfalen □ Germany 51°45N 7°30E 76 D3
Nordstrand Germany 54°30N 8°52E 76 A4
Nordvik Russia 74°2N 111°32E 107 B12
Nore → Ireland 52°25N 6°58W 64 D4
Noreland Canada 44°43N 78°48W 174 B6
Norfolk = Simcoe Canada 42°50N 80°23W 174 D4
Norfolk N.Y., U.S.A. 44°48N 74°59W 175 B10
Norfolk Nebr., U.S.A. 42°2N 97°25W 172 D5
Norfolk Va., U.S.A. 36°50N 76°17W 173 G15
Norfolk □ U.K. 52°39N 0°54E 67 E8
Norfolk Broads △ U.K. 52°45N 1°30E 67 E9
Norfolk I. Pac. Oc. 28°58S 168°3E 147 D9
Norfolk Ridge Pac. Oc. 29°0S 168°0E 156 K8
Norfork L. U.S.A. 36°15N 92°14W 176 C8
Norge = Norway ■ Europe 63°0N 11°0E 60 E14
Norilsk Russia 69°20N 88°6E 107 C9
Norma, Mt. Australia 20°55S 140°42E 150 C3
Normal U.S.A. 40°31N 88°59W 172 E9
Norman U.S.A. 35°13N 97°26W 176 D6
Norman → Australia 19°18S 141°51E 150 B3
Norman Park U.S.A. 31°16N 83°41W 178 D6
Norman Wells Canada 65°17N 126°51W 160 D6
Normanby N.Z. 39°32S 174°18E 154 F3
Normanby → Australia 14°23S 144°10E 150 A3
Normandie-Maine ⌂ France 48°30N 0°20W 70 D6
Normandin Canada 48°49N 72°31W 164 C5
Normanhurst, Mt. Australia 25°4S 122°30E 149 E3
Normanton Australia 17°40S 141°10E 150 B3
Normanville Australia 35°27S 138°18E 152 C3
Normétal Canada 49°0N 79°22W 164 C4
Norquay Canada 51°53N 102°5W 163 C8
Norquinco Argentina 41°51S 70°55W 192 B2
Norra Kvill △ Sweden 57°46N 15°35E 63 G9
Norra Ulvön Sweden 63°3N 18°40E 62 A12
Norrahammar Sweden 57°43N 14°7E 63 G8
Norrbottens län □ Sweden 66°50N 20°0E 60 C19
Norrdellen Sweden 61°53N 16°43E 62 C10
Nørre Aaby Denmark 55°27N 9°52E 63 J3
Nørre Alslev Denmark 54°54N 11°52E 63 K5
Nørresundby Denmark 57°5N 9°52E 63 G3
Norrhult-Klavreström Sweden 57°7N 15°10E 63 G9
Norris Point Canada 49°31N 57°53W 165 C8
Norristown Ga., U.S.A. 32°30N 82°30W 178 C7
Norristown Pa., U.S.A. 40°7N 75°21W 175 F9
Norrköping Sweden 58°37N 16°11E 63 F10
Norrland Sweden 62°15N 15°45E 60 E16
Norrsundet Sweden 60°56N 17°8E 62 D11
Norrtälje Sweden 59°46N 18°42E 62 E12
Norseman Australia 32°8S 121°43E 149 F3
Norsewood N.Z. 40°3S 176°13E 154 G5
Norsk Russia 52°30N 130°5E 107 D14
Norte, Pta. Argentina 42°5S 63°46W 192 B4
Norte, Pta. del Canary Is. 27°51N 17°57W 100 G2
Norte, Serra do Brazil 11°20S 59°0W 186 F7
North U.S.A. 33°37N 81°6W 178 B8
North, C. Canada 47°2N 60°20W 165 C7
North Adams U.S.A. 42°42N 73°7W 175 D11
North America 40°0N 100°0W 158 F10
North Andaman I. India 13°15N 92°55E 127 H11
North Arm Canada 62°0N 114°30W 162 A5
North Augusta U.S.A. 33°30N 81°59W 178 B8
North Australian Basin Ind. Oc. 14°30S 116°30E 146 F10
North Ayrshire □ U.K. 55°45N 4°44W 65 F4
North Bass I. U.S.A. 41°40N 82°56W 174 E2
North Battleford Canada 52°50N 108°17W 163 C7
North Bay Canada 46°20N 79°30W 164 C4
North Belcher Is. Canada 56°50N 79°50W 164 A4
North Bend Oreg., U.S.A. 43°24N 124°14W 168 E1
North Bend Pa., U.S.A. 41°20N 77°42W 174 E7
North Bend Wash., U.S.A. 47°30N 121°47W 170 C5
North Bennington U.S.A. 42°56N 73°15W 175 D11
North Berwick U.K. 56°4N 2°42W 65 E6
North Berwick U.S.A. 43°18N 70°44W 175 C14
North Brother I. India 10°59N 92°40E 127 J11
North Bruce Canada 44°22N 81°26W 174 B3
North C. Canada 47°5N 64°0W 165 C7
North C. N.Z. 34°23S 173°4E 154 A2
North Canadian → U.S.A. 35°22N 95°37W 176 D7
North Canton U.S.A. 40°53N 81°24W 174 F3
North Cape = Nordkapp Norway 71°10N 25°50E 60 A21
North Caribou L. Canada 52°50N 90°40W 164 B1
North Carolina □ U.S.A. 35°30N 80°0W 177 D15
North Cascades △ U.S.A. 48°45N 121°10W 168 B3
North Channel Canada 46°0N 83°0W 164 C3
North Channel U.K. 55°13N 5°52W 65 F3
North Charleston U.S.A. 32°53N 79°58W 178 C10
North Chicago U.S.A. 42°19N 87°51W 172 D10
North Collins U.S.A. 42°35N 78°56W 174 D6
North Creek U.S.A. 43°42N 73°59W 175 C11
North Dakota □ U.S.A. 47°30N 100°15W 172 B3
North Downs U.K. 51°19N 0°21E 67 F8
North East U.S.A. 42°13N 79°50W 174 D5
North East □ Botswana 20°45S 27°30E 145 B4
North East Frontier Agency = Arunachal Pradesh □ India 28°0N 95°0E 123 F19
North East Lincolnshire □ U.K. 53°34N 0°2W 66 D7
North Esk → U.K. 56°46N 2°24W 65 E6
North European Plain Europe 55°0N 25°0E 58 E10
North Foreland U.K. 51°22N 1°28E 67 F9
North Fork U.S.A. 37°14N 119°21W 170 H7
North Fork American → U.S.A. 38°57N 120°59W 170 G5
North Fork Edisto → U.S.A. 33°16N 80°54W 178 B9
North Fork Feather → U.S.A. 38°33N 121°30W 170 F5
North Fork Grand → U.S.A. 45°47N 102°16W 172 C2
North Fork Red → U.S.A. 34°24N 99°14W 176 D5
North Fort Myers U.S.A. 26°41N 81°53W 179 J8
North Frisian Is. = Nordfriesische Inseln Germany 54°40N 8°20E 76 A4
North Gower Canada 45°8N 75°43W 175 A9
North Hd. Australia 30°14S 114°59E 149 F1
North Henik L. Canada 61°45N 97°40W 163 A9
North Highlands U.S.A. 38°40N 121°23W 170 G5
North Horr Kenya 3°20N 37°8E 142 B4
North I. India 10°8N 72°20E 127 J1
North I. Kenya 4°5N 36°5E 142 B4
North I. N.Z. 38°0S 175°0E 154 E4
North I. Seychelles 4°25S 55°13E 141 b
North Kingsville U.S.A. 41°54N 80°42W 174 E4
North Kitui ⌂ Kenya 0°15S 38°29E 142 C4
North Knife → Canada 58°53N 94°45W 163 B10
North Koel → India 24°45N 83°50E 125 G10
North Korea ■ Asia 40°0N 127°0E 115 E14
North L. Australia 33°30S 143°5E 152 B5
North Lakhimpur India 27°14N 94°7E 123 F19
North Lanarkshire □ U.K. 55°52N 3°56W 65 F5
North Las Vegas U.S.A. 36°11N 115°7W 171 J11
North Lincolnshire □ U.K. 53°36N 0°30W 66 D7
North Little Rock U.S.A. 34°45N 92°16W 176 D8
North Loup → U.S.A. 41°17N 98°24W 172 E4
North Luangwa △ Zambia 11°49S 32°9E 143 E3
North Magnetic Pole Arctic 85°9N 149°0W 54 A1
North Mankato U.S.A. 44°10N 94°2W 172 C6
North Miami U.S.A. 25°53N 80°11W 179 K9
North Miami Beach U.S.A. 25°55N 80°9W 179 K9
North Minch U.K. 58°5N 5°55W 65 C3
North Moose L. Canada 54°4N 100°12W 163 C8
North Myrtle Beach U.S.A. 33°48N 78°42W 177 E15
North Nahanni → Canada 62°15N 123°20W 162 A4
North Naples U.S.A. 26°12N 81°48W 179 J8
North New River Canal U.S.A. 26°30N 80°30W 179 J9
North Olmsted U.S.A. 41°25N 81°56W 174 E3
North Ossetia-Alaniya □ Russia 43°30N 44°30E 87 J7
North Pagai, I. = Pagai Utara, Pulau Indonesia 2°35S 100°0E 118 E2
North Palisade U.S.A. 37°6N 118°31W 170 H8
North Paravar India 10°13N 76°14E 127 J3
North Platte U.S.A. 41°8N 100°46W 172 E3
North Platte → U.S.A. 41°7N 100°42W 172 E3
North Point U.S.A. 27°4N 82°10W 179 H7
North Pole Arctic 90°0N 0°0 54 A
North Portal Canada 49°0N 102°33W 163 D8
North Powder U.S.A. 45°2N 117°55W 168 D5
North Pt. Barbados 13°20N 59°37W 183 g
North Pt. Trin. & Tob. 11°21N 60°31W 187 J16
North Pt. U.S.A. 45°2N 83°16W 174 A1
North Reef I. India 13°5N 92°43E 127 H11
North Rhine Westphalia = Nordrhein-Westfalen □ Germany 51°45N 7°30E 76 D3
North River Canada 53°49N 57°6W 165 B8
North Rona Atl. Oc. 59°7N 5°49W 68 B4
North Ronaldsay U.K. 59°22N 2°26W 65 B6
North Saskatchewan → Canada 53°15N 105°5W 163 C7
North Sea Europe 56°0N 4°0E 58 D6
North Seal → Canada 58°50N 98°7W 163 B9
North Sentinel I. India 11°33N 92°15E 127 J11
North Shields Australia 34°38S 135°52E 152 C1
North Slope U.S.A. 69°15N 152°0W 166 B9
North Somerset □ U.K. 51°24N 2°45W 67 F5
North Sydney Canada 46°12N 60°15W 165 C7
North Syracuse U.S.A. 43°8N 76°7W 175 C8
North Taranaki Bight N.Z. 38°50S 174°15E 154 E3
North Thompson → Canada 50°40N 120°20W 162 C4
North Tonawanda U.S.A. 43°2N 78°53W 174 C6
North Troy U.S.A. 45°0N 72°24W 175 B12
North Twin I. Canada 53°20N 80°0W 164 B4
North Tyne → U.K. 55°0N 2°8W 66 B5
North Uist U.K. 57°40N 7°15W 65 D1
North Vancouver Canada 49°19N 123°4W 170 A3
North Vernon U.S.A. 39°0N 85°38W 173 F11
North Wabasca L. Canada 56°0N 113°55W 162 B6
North Walsham U.K. 52°50N 1°22E 66 E9
North West = Severo-Zapadnyy □ Russia 65°0N 40°0E 106 C4
North West □ Botswana 19°5S 22°30E 144 A3
North-West □ S. Africa 27°0S 25°0E 144 C4
North West C. Australia 21°45S 114°9E 148 D1
North West Christmas I. Ridge Pac. Oc. 6°30N 165°0W 157 F11
North West Frontier = Khyber Pakhtunkhwa □ Pakistan 34°0N 72°0E 124 B5
North West Highlands U.K. 57°33N 4°58W 65 D4
North West River Canada 53°30N 60°10W 165 B7
North Western □ Zambia 13°30S 25°30E 143 E2
North Wildwood U.S.A. 39°0N 74°48W 173 F16
North York Moors U.K. 54°23N 0°53W 66 C7
North York Moors △ U.K. 54°27N 0°51W 66 C7
North Yorkshire □ U.K. 54°15N 1°25W 66 C6
Northallerton U.K. 54°20N 1°26W 66 C6
Northam Australia 31°35S 116°42E 149 F2
Northam S. Africa 24°56S 27°18E 144 B4
Northampton Australia 28°27S 114°33E 149 E1
Northampton U.K. 52°15N 0°53W 67 E7
Northampton Mass., U.S.A. 42°19N 72°38W 175 D12
Northampton Pa., U.S.A. 40°41N 75°30W 175 F9
Northamptonshire □ U.K. 52°16N 0°55W 67 E7
Northbridge U.S.A. 42°9N 71°39W 175 D13
Northbrook Canada 44°44N 77°9W 174 B7
Northcliffe Australia 34°39S 116°7E 149 F2
Northeast Pacific Basin Pac. Oc. 32°0N 145°0W 157 D13
Northeast Providence Channel W. Indies 26°0N 76°0W 182 A4
Northeim Germany 51°42N 10°0E 76 D6
Northern = Limpopo □ S. Africa 24°5S 29°0E 145 B4
Northern □ Ghana 9°30N 1°0W 139 D4
Northern □ Malawi 11°0S 34°0E 143 E3
Northern □ S. Leone 9°15N 11°30W 138 D2
Northern □ Zambia 10°30S 30°30E 143 E3
Northern Aral Sea Kazakhstan 46°20N 60°30E 108 C6
Northern Areas = Gilgit-Baltistan □ Pakistan 36°30N 73°0E 125 A5
Northern Cape □ S. Africa 30°0S 20°0E 144 C3
Northern Circars India 17°30N 82°30E 126 F6
Northern Dvina = Dvina, Severnaya → Russia 64°32N 40°30E 58 C14
Northern Indian L. Canada 57°20N 97°20W 163 B9
Northern Ireland □ U.K. 54°45N 7°0W 64 B5
Northern Lau Group Fiji 17°30S 178°59W 154 a
Northern Light L. Canada 48°15N 90°39W 164 C1
Northern Marianas ⊠ Pac. Oc. 17°0N 145°0E 156 F6
Northern Province □ S. Africa 24°0S 29°0E 145 B4
Northern Range Trin. & Tob. 10°46N 61°15W 187 K15
Northern Sporades = Voreios Sporades Greece 39°15N 23°30E 98 B5
Northern Territory □ Australia 20°0S 133°0E 148 D5
Northfield Minn., U.S.A. 44°27N 93°9W 172 C7
Northfield Vt., U.S.A. 44°9N 72°40W 175 B12
Northgate Canada 49°0N 102°16W 163 D8
Northland □ N.Z. 35°30S 173°30E 154 B2
Northome U.S.A. 47°52N 94°17W 172 B6
Northport Ala., U.S.A. 33°14N 87°35W 177 E11
Northport N.Y., U.S.A. 40°54N 73°21W 175 F11
Northport Wash., U.S.A. 48°55N 117°48W 168 B5
Northumberland □ U.K. 55°12N 2°0W 66 B6
Northumberland, C. Australia 38°5S 140°40E 152 E4
Northumberland Is. Australia 21°30S 149°50E 150 C4
Northumberland Str. Canada 46°20N 64°0W 165 C7
Northville Canada 43°10N 81°56W 174 C3
Northville U.S.A. 43°13N 74°11W 175 C10
Northwest Atlantic Mid-Ocean Canyon Atl. Oc. 54°0N 48°0W 56 A7
Northwest Pacific Basin Pac. Oc. 32°0N 165°0E 156 D8
Northwest Providence Channel W. Indies 26°0N 78°0W 182 A4
Northwest Territories □ Canada 63°0N 118°0W 160 E8
Northwich U.K. 53°15N 2°31W 66 D5
Northwood Iowa, U.S.A. 43°27N 93°13W 172 D7
Northwood N. Dak., U.S.A. 47°44N 97°34W 172 B5
Norton U.S.A. 39°50N 99°53W 172 F4
Norton Zimbabwe 17°52S 30°40E 143 F3
Norton Sd. U.S.A. 63°50N 164°0W 166 C7
Nortorf Germany 54°10N 9°50E 76 A5
Norwalk Calif., U.S.A. 33°54N 118°4W 171 M8
Norwalk Conn., U.S.A. 41°7N 73°22W 175 E11
Norwalk Iowa, U.S.A. 41°29N 93°41W 172 E7
Norwalk Ohio, U.S.A. 41°15N 82°37W 174 E2
Norway Maine, U.S.A. 44°13N 70°32W 173 C18
Norway Mich., U.S.A. 45°47N 87°55W 172 C10
Norway ■ Europe 63°0N 11°0E 60 E14
Norway House Canada 53°59N 97°50W 163 C9
Norwegian B. Canada 77°30N 90°0W 161 B14
Norwegian Basin Atl. Oc. 68°0N 2°0W 54 C7
Norwegian Sea Atl. Oc. 66°0N 1°0E 58 B6
Norwich Canada 42°59N 80°36W 174 D4
Norwich U.K. 52°38N 1°18E 67 E9
Norwich Conn., U.S.A. 41°31N 72°5W 175 E12
Norwich N.Y., U.S.A. 42°32N 75°32W 175 D9
Norwood Canada 44°23N 77°59W 174 B7
Norwood U.S.A. 44°45N 75°0W 175 B10
Nosappu-Misaki Japan 45°26N 141°38E 112 C12
Noshiro Japan 40°12N 140°0E 112 D10
Nosivka Ukraine 50°50N 31°37E 85 G6
Nosovka = Nosivka Ukraine 50°50N 31°37E 85 G6
Noşratābād Iran 29°55N 60°0E 129 D8
Noss Hd. U.K. 58°28N 3°3W 65 C5
Nossa Senhora da Glória Brazil 10°14S 37°25W 189 C3
Nossa Senhora das Dores Brazil 10°29S 37°13W 189 C3
Nossa Senhora do Socorro Brazil 10°52S 37°7W 189 C3
Nossebro Sweden 58°12N 12°43E 63 F6
Nossob → S. Africa 26°55S 20°45E 144 C3
Nossombougou Mali 13°5N 7°55W 138 C3
Nosy Varika Madag. 20°35S 48°32E 141 J9
Notasulga U.S.A. 32°34N 85°41W 178 C4
Noteć → Poland 52°44N 15°26E 83 F2
Notikewin → Canada 57°2N 117°38W 162 B5
Notios Aigaio □ Greece 36°52N 25°34E 99 E7
Notios Aiyaion = Notio Aigaio □ Greece 36°52N 25°34E 99 E7
Notios Evvoïkos Kolpos Greece 38°20N 24°0E 98 C5
Noto Italy 36°53N 15°4E 95 F8
Noto, G. di Italy 36°50N 15°12E 95 F8
Noto, Val di Italy 37°14N 14°31E 95 F7
Noto-Hantō Japan 37°15N 136°40E 113 F8
Notodden Norway 59°35N 9°17E 61 G13
Notre Dame B. Canada 49°45N 55°30W 165 C8
Notre-Dame-de-Koartac = Quaqtaq Canada 60°55N 69°40W 161 E18
Notre-Dame-des-Bois Canada 45°24N 71°4W 175 A13
Notre-Dame-d'Ivugivic = Ivujivik Canada 62°24N 77°55W 161 E16
Notre-Dame-du-Nord Canada 47°36N 79°30W 164 C4
Notsé Togo 7°0N 1°17E 139 D5
Nottawasaga B. Canada 44°35N 80°15W 174 B4
Nottaway → Canada 51°22N 78°55W 164 B4
Nottingham U.K. 52°58N 1°10W 66 E6
Nottingham, City of □ U.K. 52°58N 1°10W 66 E6
Nottingham I. Canada 63°20N 77°55W 161 E16
Nottinghamshire □ U.K. 53°10N 1°3W 66 D6
Nottoway → U.S.A. 36°33N 76°55W 173 G15
Notwane → Botswana 23°35S 26°58E 144 B4
Nouâdhibou Mauritania 20°54N 17°0W 134 D2
Nouâdhibou, Râs Mauritania 20°50N 17°0W 134 D2
Nouakchott Mauritania 18°9N 15°58W 138 B1
Nouâmghâr Mauritania 19°20N 16°20W 138 B1
Nouméa N. Cal. 22°17S 166°30E 147 D9
Nouna Burkina Faso 12°45N 3°52W 138 C4
Noupoort S. Africa 31°10S 24°57E 144 D3
Nouveau Comptoir = Wemindji Canada 53°0N 78°49W 164 B4
Nouvelle Amsterdam, Î. Ind. Oc. 38°30S 77°30E 146 H6
Nouvelle-Calédonie = New Caledonia ⊠ Pac. Oc. 21°0S 165°0E 147 D9
Nouzonville France 49°48N 4°44E 71 C11
Nová Baňa Slovak Rep. 48°28N 18°39E 79 C11
Nová Bystřice Czech Rep. 49°2N 15°8E 78 B8
Nova Cruz Brazil 6°28S 35°25W 189 B3
Nova Era Brazil 19°45S 43°3W 189 D2
Nova Esperança Brazil 23°8S 52°24W 191 A5
Nova Friburgo Brazil 22°16S 42°30W 191 A7
Nova Gorica Slovenia 45°57N 13°39E 93 C10
Nova Gradiška Croatia 45°17N 17°28E 80 E2
Nova Iguaçu Brazil 22°45S 43°28W 191 A7
Nova Iorque Brazil 7°0S 44°5W 189 B2
Nova Kakhovka Ukraine 46°42N 33°27E 85 J7
Nova Lamego Guinea-Biss. 12°19N 14°11W 138 C2
Nova Lusitânia Mozam. 19°50S 34°34E 143 F3
Nova Mambone Mozam. 21°0S 35°3E 145 B6
Nova Odesa Ukraine 47°19N 31°47E 85 J6
Nová Paka Czech Rep. 50°29N 15°30E 78 A8
Nova Pavova Serbia 44°56N 20°14E 80 F5
Nova Ponte Brazil 19°8S 47°41W 189 D1
Nova Russas Brazil 4°42S 40°34W 189 A2
Nova Scotia □ Canada 45°10N 63°0W 165 C7
Nova Siri Italy 40°10N 16°35E 95 B9
Nova Sofala Mozam. 20°7S 34°42E 145 B5
Nova Ushytsya Ukraine 48°50N 27°17E 81 B12
Nova Varoš Serbia 43°29N 19°48E 96 C3
Nova Venécia Brazil 18°45S 40°24W 189 D2
Nova Zagora Bulgaria 42°32N 26°1E 97 D10
Novaci Macedonia 41°5N 21°29E 96 E5
Novaci Romania 45°10N 23°42E 81 E8
Novaféltria Italy 43°53N 12°17E 93 E9
Novar Canada 45°27N 79°15W 174 A5
Novara Italy 45°28N 8°38E 92 C5
Novato U.S.A. 38°6N 122°35W 170 G4
Novaya Kakhovka = Nova Kakhovka Ukraine 46°42N 33°27E 85 J7
Novaya Kazanka = Zhangaqala Kazakhstan 48°56N 49°36E 87 F9
Novaya Ladoga Russia 60°7N 32°16E 84 B7
Novaya Lyalya Russia 59°4N 60°45E 106 D7
Novaya Sibir, Ostrov Russia 75°10N 150°0E 107 B16
Novaya Zemlya Russia 75°0N 56°0E 106 B6
Nové Město na Moravě Czech Rep. 49°34N 16°5E 78 B9
Nové Město nad Metují Czech Rep. 50°20N 16°10E 79 A9
Nové Město nad Váhom Slovak Rep. 48°45N 17°50E 79 C10
Nové Zámky Slovak Rep. 48°2N 18°8E 79 C11
Novelda Spain 38°24N 0°45W 91 G4
Novellara Italy 44°51N 10°44E 92 D7
Noventa Vicentina Italy 45°17N 11°32E 93 C8
Novgorod = Velikiy Novgorod Russia 58°30N 31°25E 84 C6
Novgorod □ Russia 58°50N 32°30E 84 C7
Novgorod-Severskiy = Novhorod-Siverskyy Ukraine 52°2N 33°10E 85 G7
Novhorod-Siverskyy Ukraine 52°2N 33°10E 85 G7
Novi Bečej Serbia 45°36N 20°10E 80 E5
Novi Grad Bos.-H. 45°2N 16°22E 93 C13
Novi Iskar Bulgaria 42°48N 23°21E 96 D7
Novi Kneževac Serbia 46°4N 20°8E 80 D5
Novi Lígure Italy 44°46N 8°47E 92 D5
Novi Pazar Bulgaria 43°25N 27°15E 97 C11
Novi Pazar Serbia 43°12N 20°28E 96 C4
Novi Sad Serbia 45°18N 19°52E 80 E4
Novi Slankamen Serbia 45°8N 20°15E 80 E5
Novi Travnik Bos.-H. 44°10N 17°40E 80 F2
Novi Vinodolski Croatia 45°10N 14°48E 93 C11
Novigrad Istra, Croatia 45°19N 13°33E 93 C10
Novigrad Zadar, Croatia 44°10N 15°32E 93 D12
Novigradsko More Croatia 44°12N 15°33E 93 D12
Novo Acôrdo Brazil 10°10S 46°48W 189 C1
Novo Cruzeiro Brazil 17°29S 41°53W 189 D2
Novo Hamburgo Brazil 29°37S 51°7W 191 B5
Novo Ivanivka Ukraine 45°55N 29°5E 81 E14
Novo Mesto Slovenia 45°47N 15°12E 93 C12
Novo Miloševo Serbia 45°42N 20°20E 80 E5
Novoaleksandrovsk Russia 45°29N 41°17E 87 H5
Novoaleksandrovskaya = Novoaleksandrovsk Russia 45°29N 41°17E 87 H5
Novoaltaysk Russia 53°30N 84°0E 109 B10
Novoannínskiy Russia 50°32N 42°39E 86 E6
Novoazovsk Ukraine 47°15N 38°4E 85 J10
Novocheboksarsk Russia 56°5N 47°27E 86 B8
Novocherkassk Russia 47°27N 40°15E 87 G5
Novodevichye Russia 53°37N 48°50E 86 D9
Novodvinsk Russia 64°25N 40°42E 106 C5
Novogrudok = Navahrudak Belarus 53°40N 25°50E 75 B13
Novohrad-Volynskyy Ukraine 50°34N 27°35E 75 C14
Novokachalinsk Russia 45°5N 132°0E 112 B5
Novokhopersk Russia 51°5N 41°39E 86 E5
Novokuybyshevsk Russia 53°7N 49°58E 86 D9
Novokuznetsk Russia 53°45N 87°10E 109 B11
Novolazarevskaya Antarctica 71°0S 12°0E 55 D3
Novomoskovsk Russia 54°5N 38°15E 84 E10
Novomoskovsk Ukraine 48°33N 35°17E 85 H8
Novomyrhorod Ukraine 48°45N 31°33E 85 H6
Novopolotsk = Navapolatsk Belarus 55°32N 28°37E 84 E5
Novorossiysk Russia 44°43N 37°46E 85 K9
Novorybnoye Russia 72°50N 105°50E 107 B11
Novorzhev Russia 57°3N 29°25E 84 D5
Novosej Albania 41°56N 20°35E 96 E4
Novoselytsya Ukraine 48°14N 26°15E 81 B11
Novoshakhtinsk Russia 47°46N 39°58E 85 J10
Novosibirsk Russia 55°0N 83°5E 109 B10
Novosibirskiye Ostrova Russia 75°0N 142°0E 107 B15
Novosibirskoye Vdkhr. Russia 54°35N 82°35E 109 B10
Novosil Russia 52°59N 37°2E 85 F9
Novosokolniki Russia 56°20N 30°2E 84 D6
Novotitarovskaya Russia 45°17N 39°2E 87 H4
Novotroitsk Russia 51°10N 58°15E 108 B5
Novotroitskoye = Töle Bī Kazakhstan 43°42N 73°46E 109 D8
Novoukrayinka Ukraine 48°25N 31°30E 85 H6
Novoulyanovsk Russia 54°8N 48°24E 86 C9
Novouzensk Russia 50°32N 48°17E 86 E9
Novovolynsk Ukraine 50°45N 24°4E 83 H11
Novovoronezh Russia 51°19N 39°13E 85 G10
Novoyavoriske Ukraine 49°53N 23°33E 83 J10
Novozybkov Russia 52°30N 32°0E 85 F6
Novska Croatia 45°19N 17°0E 93 C14
Nový Bor Czech Rep. 50°46N 14°35E 78 A7

Novy Bug = Novyy Buh Ukraine 47°34N 32°29E 85 J7
Nový Bydžov Czech Rep. 50°14N 15°29E 78 A8
Novy Dvor Belarus 52°50N 24°21E 83 F11
Novy Dwór Mazowiecki Poland 52°26N 20°44E 83 F7
Nový Jičín Czech Rep. 49°30N 18°2E 79 B11
Novyy Buh Ukraine 47°34N 32°29E 85 J7
Novyy Oskol Russia 50°44N 37°55E 85 G9
Novyy Port Russia 67°40N 72°30E 106 C8
Novyy Urengoy Russia 65°48N 76°52E 106 C8
Nowa Deba Poland 50°26N 21°41E 83 H8
Nowa Nowa Australia 37°44S 148°3E 153 D8
Nowa Ruda Poland 50°35N 16°30E 83 H3
Nowa Sarzyna Poland 50°21N 22°21E 83 H9
Nowa Sól Poland 51°48N 15°44E 83 G2
Nowata U.S.A. 36°42N 95°38W 176 C7
Nowbarān Iran 35°8N 49°42E 129 C6
Nowe Poland 53°41N 18°44E 82 E5
Nowe Miasteczko Poland 51°42N 15°42E 83 G2
Nowe Miasto Poland 51°38N 20°34E 83 G7
Nowe Miasto Lubawskie Poland 53°27N 19°33E 82 E6
Nowe Skalmierzyce Poland 51°43N 18°0E 83 G4
Nowe Warpno Poland 53°42N 14°18E 82 E1
Nowendoc Australia 31°32S 151°44E 153 A9
Nowendoc △ Australia 31°33S 151°45E 153 A9
Nowghāb Iran 33°53N 59°4E 129 C8
Nowgong = Nagaon India 26°20N 92°50E 123 F18
Nowgong India 25°4N 79°27E 125 G8
Nowogard Poland 53°41N 15°10E 82 E2
Nowogród Poland 53°14N 21°53E 83 E8
Nowogród Bobrzanski Poland 51°48N 15°15E 83 G2
Nowogrodziec Poland 51°12N 15°24E 83 G2
Nowra Australia 34°53S 150°35E 153 C9
Nowrangapur India 19°14N 82°33E 126 E6
Nowshera Pakistan 34°0N 72°0E 122 C8
Nowy Dwór Gdański Poland 54°13N 19°7E 82 D6
Nowy Sącz Poland 49°40N 20°41E 83 J7
Nowy Staw Poland 54°13N 19°2E 82 D6
Nowy Targ Poland 49°29N 20°2E 83 J7
Nowy Tomyśl Poland 52°19N 16°10E 83 F3
Nowy Wiśnicz Poland 49°55N 20°28E 83 J7
Noxen U.S.A. 41°25N 76°4W 175 E8
Noyabr'sk Russia 64°34N 76°21E 106 C8
Noyant France 47°30N 0°6E 70 E7
Noyers France 47°40N 4°0E 71 E10
Noyon France 49°34N 2°59E 71 C9
Noyon Mongolia 43°2N 102°4E 114 C2
Nozay France 47°34N 1°38W 70 E5
Nqutu S. Africa 28°13S 30°32E 145 C5
Nsa, O. en → Algeria 32°28N 5°24E 136 B5
Nsanje Malawi 16°55S 35°12E 143 F4
Nsawam Ghana 5°50N 0°24W 139 D4
Nseluka Zambia 9°58S 31°16E 143 D3
Nsomba Zambia 10°45S 29°51E 143 E2
Nsukka Nigeria 6°51N 7°29E 139 D6
Ntaria ✿ Australia 24°0S 132°41E 148 D5
Ntui Cameroon 4°27N 11°38E 139 E7
Ntungamo Uganda 0°56S 30°17E 142 C3
Nu Jiang → China 29°58N 97°25E 116 E2
Nu Shan China 26°0N 99°20E 116 E2
Nuba Mts. = Nubah, Jibalan Sudan 12°0N 31°0E 135 F12
Nubah, Jibalan Sudan 12°0N 31°0E 135 F12
Nubia Africa 21°0N 32°0E 132 D7
Nubian Desert = Nûbîya, Es Sahrâ en Sudan 21°30N 33°30E 137 C3
Nûbîya, Es Sahrâ en Sudan 21°30N 33°30E 137 C3
Nubledo Spain 43°31N 5°52W 88 B5
Nuboai Indonesia 2°10S 136°30E 119 E9
Nubra → India 34°35N 77°35E 125 B7
Nucet Romania 46°28N 22°35E 80 D7
Nueces → U.S.A. 27°51N 97°30W 176 H6
Nueltin L. Canada 60°30N 99°30W 163 A9
Nuestra Señora del Rosario de Caá-Catí Argentina 27°45S 57°36W 190 B4
Nueva, I. Chile 55°13S 66°30W 192 E3
Nueva Carteya Spain 37°35N 4°28W 89 H6
Nueva Ciudad Guerrero Mexico 26°34N 99°12W 181 B5
Nueva Gerona Cuba 21°53N 82°49W 182 B3
Nueva Imperial Chile 38°45S 72°58W 192 A2
Nueva Palmira Uruguay 33°52S 58°20W 190 C4
Nueva Rosita Mexico 27°57N 101°13W 180 B4
Nueva San Salvador El Salv. 13°40N 89°18W 182 D2
Nueva Tabarca Spain 38°17N 0°30W 91 G4
Nuéve de Julio Argentina 35°30S 61°0W 190 D3
Nuevitas Cuba 21°30N 77°20W 182 B4
Nuevo, G. Argentina 43°0S 64°30W 192 B4
Nuevo Casas Grandes Mexico 30°25N 107°55W 180 A3
Nuevo Laredo Mexico 27°30N 99°31W 181 B5
Nuevo León □ Mexico 25°20N 100°0W 180 C5
Nuevo Mundo, Cerro Bolivia 21°55S 66°53W 188 E4
Nuevo Rocafuerte Ecuador 0°55S 75°27W 186 D3
Nugget Pt. N.Z. 46°27S 169°50E 155 G4
Nugrus, Gebel Egypt 24°47N 34°35E 137 C3
Nuhaka N.Z. 39°3S 177°45E 154 F6
Nuits-St-Georges France 47°10N 4°56E 71 E11
Nukey Bluff Australia 32°26S 135°29E 151 E2
Nukhayb Iraq 32°4N 42°3E 105 F10
Nukheila Sudan 19°1N 26°21E 137 D2
Nuku Hiva French Polynesia 8°54S 140°6W 157 H13
Nuku'alofa Tonga 21°10S 175°12W 147 D11
Nukus Uzbekistan 42°27N 59°41E 108 D5
Nulato U.S.A. 64°43N 158°6W 166 C8
Nules Spain 39°51N 0°9W 90 F4
Nullagine Australia 21°53S 120°7E 148 D3
Nullagine → Australia 21°20S 120°20E 148 D3
Nullarbor Australia 31°28S 130°55E 149 F5
Nullarbor △ Australia 32°39S 130°0E 149 F2
Nullarbor Plain Australia 31°10S 129°0E 149 F4
Numalla, L. Australia 28°43S 144°20E 151 D3
Numan Nigeria 9°29N 12°3E 139 D7
Numata Japan 36°45N 139°4E 113 F9
Numaykoos Lake ⌓ Canada 57°52N 95°58W 163 B9
Numazu Japan 35°7N 138°51E 113 G9
Numbulwar Australia 14°15S 135°45E 150 A2
Numfoor Indonesia 1°0S 134°50E 119 E8
Numurkah Australia 36°5S 145°26E 153 D6
Nunaksaluk I. Canada 55°49N 60°20W 165 A7
Nunap Isua Greenland 59°48N 43°55W 57 F6
Nunatsiavut Canada 55°30N 62°0W 165 A7
Nunavik Canada 56°30N 71°0W 161 F17
Nunavik Greenland 71°50N 54°25W 57 C5
Nunavut □ Canada 66°0N 85°0W 161 D15
Nunda U.S.A. 42°35N 77°56W 174 D7
Nuneaton U.K. 52°32N 1°27W 67 E6
Nungarin Australia 31°12S 118°6E 149 F2
Nungo Mozam. 13°23S 37°43E 143 E4
Nungwe Tanzania 2°48S 32°2E 142 C3
Nunivak I. U.S.A. 60°10N 166°30W 166 C6
Nunkun India 33°57N 76°2E 125 C7
Núoro Italy 40°20N 9°20E 94 B2
Nuozhadu Dam China 22°39N 100°25E 116 F3
Nūr Iran 36°33N 52°1E 129 B7
Nura → Kazakhstan 50°30N 69°59E 109 B7
Nūrābād Hormozgān, Iran 27°47N 57°12E 129 E8
Nūrābād Lorestān, Iran 34°4N 47°58E 105 E12
Nure → Italy 45°3N 9°49E 92 C6
Nuremberg = Nürnberg Germany 49°27N 11°3E 77 F7
Nuri Mexico 28°5N 109°22W 180 B3
Nuri Sudan 18°29N 31°59E 137 D3
Nuriootpa Australia 34°27S 139°0E 152 C3
Nuristān □ Afghan. 35°20N 71°0E 109 E8
Nurlat Russia 54°29N 50°45E 86 C10
Nurmes Finland 63°33N 29°10E 60 E23
Nürnberg Germany 49°27N 11°3E 77 F7
Nurpur Pakistan 31°53N 71°54E 124 D4
Nurra, La Italy 40°45N 8°15E 94 B1
Nurran, L. = Terewah, L. Australia 29°52S 147°35E 151 D4
Nurrari Lakes Australia 29°1S 130°5E 149 E5
Nurri Italy 39°43N 9°14E 94 C2
Nürtingen Germany 48°37N 9°19E 77 G5
Nurzec → Poland 52°37N 22°25E 83 F9
Nus Italy 45°45N 7°28E 92 C4
Nusa Dua Indonesia 8°48S 115°14E 119 K18
Nusa Tenggara Barat □ Indonesia 8°50S 117°30E 118 F5
Nusa Tenggara Timur □ Indonesia 9°30S 122°0E 119 F6
Nusaybin Turkey 37°3N 41°10E 105 D9
Nuşeirat Gaza Strip 31°27N 34°24E 130 D3
Nushki Pakistan 29°35N 66°0E 124 E2
Nuuk Greenland 64°10N 51°35W 57 E5
Nuussauq Greenland 74°8N 57°3W 57 C5
Nuwakot Nepal 28°10N 83°55E 125 E10
Nuwara Eliya Sri Lanka 6°58N 80°48E 127 L5
Nuwayb'ī, W. an → Si. Arabia 29°18N 34°57E 130 F3
Nuweiba' Egypt 28°59N 34°39E 128 D2
Nuwerus S. Africa 31°8S 18°24E 144 D2
Nuweveldberge S. Africa 32°10S 21°45E 144 D3
Nuyts, Pt. Australia 35°4S 116°38E 149 G2
Nuyts Arch. Australia 32°35S 133°20E 151 E1
Nxai Pan △ Botswana 19°50S 24°46E 144 A3
Nxaunxau Botswana 18°57S 21°4E 144 A3
Ny-Ålesund Svalbard 78°55N 11°56E 57 B12
Nyaake Liberia 4°52N 7°37W 138 E3
Nyabing Australia 33°33S 118°9E 149 F2
Nyack U.S.A. 41°5N 73°55W 175 E11
Nyagan Russia 62°30N 65°38E 106 C7
Nyah West Australia 35°16S 143°21E 152 C5
Nyahanga Tanzania 2°20S 33°37E 142 C3
Nyahua Tanzania 5°25S 33°23E 142 D3
Nyahururu Kenya 0°2N 36°27E 142 B4
Nyainqêntanglha Shan China 30°0N 90°0E 110 F7
Nyakanazi Tanzania 3°2S 31°10E 142 C3
Nyakrom Ghana 5°40N 0°50W 139 D4
Nyâlâ Sudan 12°2N 24°58E 135 F10
Nyalam China 28°32N 86°4E 110 F6
Nyamandhlovu Zimbabwe 19°55S 28°16E 143 F2
Nyambiti Tanzania 2°48S 33°27E 142 C3
Nyamira Kenya 0°36S 34°52E 142 B4
Nyamwaga Tanzania 1°27S 34°33E 142 C3
Nyandekwa Tanzania 3°57S 32°32E 142 C3
Nyandoma Russia 61°40N 40°12E 84 B11
Nyandrua □ Kenya 0°30S 36°35E 142 C4
Nyanga △ Zimbabwe 18°17S 32°46E 143 F3
Nyangana Namibia 18°0S 20°40E 144 A3
Nyanguge Tanzania 2°30S 33°12E 142 C3
Nyanji Zambia 14°25S 31°46E 143 E3
Nyankpala Ghana 9°21N 0°58W 139 D4
Nyanza Rwanda 2°20S 29°42E 142 C2
Nyanza-Lac Burundi 4°21S 29°36E 142 C2
Nyasa, L. = Malawi, L. Africa 12°30S 34°30E 143 E3
Nyasvizh Belarus 53°14N 26°38E 75 B14
Nyaungdon = Yandoon Burma 17°0N 95°40E 123 L19
Nyazura Zimbabwe 18°40S 32°16E 143 F3
Nyazwidzi → Zimbabwe 20°0S 31°17E 143 G3
Nyborg Denmark 55°18N 10°47E 63 J4
Nybro Sweden 56°44N 15°55E 63 H9
Nyda Russia 66°40N 72°58E 106 C8
Nyeboe Land Greenland 82°0N 57°0W 57 A5
Nyeri Kenya 0°23S 36°56E 142 C4
Nyhammar Sweden 60°17N 14°58E 62 D8
Nyika △ Malawi 10°30S 33°53E 143 E3
Nyimba Zambia 14°33S 30°50E 143 E3
Nyinahin Ghana 6°43N 2°3W 138 D4
Nyingchi China 29°32N 94°25E 110 F7
Nyíradony Hungary 47°41N 21°55E 80 C6
Nyiragongo Dem. Rep. of the Congo 1°30S 29°15E 142 C2
Nyirbátor Hungary 47°49N 22°9E 80 C7
Nyíregyháza Hungary 47°58N 21°47E 80 C6
Nyiru, Mt. Kenya 2°8N 36°50E 142 B4
Nykarleby = Uusikaarlepyy Finland 63°32N 22°31E 60 E20
Nykøbing Nordjylland, Denmark 56°48N 8°51E 63 H2
Nykøbing Sjælland, Denmark 54°56N 11°52E 63 K5
Nykøbing Sjælland, Denmark 55°55N 11°40E 63 J5
Nyköping Sweden 58°45N 17°1E 63 F11
Nykroppa Sweden 59°37N 14°18E 62 E8
Nykvarn Sweden 59°11N 17°25E 62 E11
Nyland Sweden 63°1N 17°45E 62 A11
Nylstroom = Modimolle S. Africa 24°42S 28°22E 145 B4
Nymagee Australia 32°7S 146°20E 153 B7
Nymboida △ Australia 29°38S 152°26E 151 D5
Nymburk Czech Rep. 50°10N 15°1E 78 A8
Nynäshamn Sweden 58°54N 17°57E 63 F11
Nyngan Australia 31°30S 147°8E 153 A7
Nyoma Rap India 33°10N 78°40E 125 C8
Nyoman = Nemunas → Lithuania 55°25N 21°10E 82 C8
Nyon Switz. 46°23N 6°14E 77 J2
Nyong → Cameroon 3°17N 9°54E 139 E6
Nyons France 44°22N 5°10E 73 D9
Nyou Burkina Faso 12°42N 2°1W 139 C4
Nýrsko Czech Rep. 49°18N 13°9E 78 B6
Nysa Poland 50°30N 17°22E 83 H4
Nysa → Europe 52°4N 14°46E 76 C10
Nysa Kłodzka → Poland 50°49N 17°40E 83 H4
Nysäter Sweden 59°17N 12°47E 62 E6
Nyslott = Savonlinna Finland 61°52N 28°53E 84 B5
Nyssa U.S.A. 43°53N 117°0W 168 E5
Nystad = Uusikaupunki Finland 60°47N 21°25E 84 B1
Nysted Denmark 54°40N 11°44E 63 K5
Nyunzu Dem. Rep. of the Congo 5°57S 27°58E 142 D2
Nyurba Russia 63°17N 118°28E 107 C12
Nyzhankovychi Ukraine 49°40N 22°49E 83 J9
Nyzhnohirskyy Ukraine 45°27N 34°38E 85 K8
Nyzhny Vorota Ukraine 48°46N 23°6E 80 B8
Nzébéla Guinea 8°9N 9°7W 138 D3
Nzega Tanzania 4°10S 33°12E 142 C3
Nzérékoré Guinea 7°49N 8°48W 138 D3
Nzeto Angola 7°10S 12°52E 140 F2
Nzilo, Chutes de Dem. Rep. of the Congo 10°18S 25°27E 143 E2
N'zo → Ivory C. 6°15N 7°3W 138 D3
N'zo ⌓ Ivory C. 6°15N 7°15W 138 D3
Nzubuka Tanzania 4°45S 32°50E 142 C3
Nzwani = Anjouan Comoros Is. 12°15S 44°20E 141 a

O

O Barco Spain 42°23N 6°58W 88 C4
O Carballiño Spain 42°26N 8°5W 88 C2
O Castro de Ferreira Spain 42°31N 7°37W 88 C3
O Convento Spain 42°28N 8°41W 88 C2
O Corgo Spain 42°56N 7°25W 88 C3
O Pedrouzo Spain 42°56N 8°20W 88 C2
O Pino = O Pedrouzo Spain 42°56N 8°20W 88 C2
O Porriño Spain 42°10N 8°37W 88 C2
O Real Spain 43°20N 8°19W 88 B2
O Seixo Spain 41°59N 8°46W 88 D2
Ō-Shima Hokkaidō, Japan 41°30N 139°22E 112 D9
Ō-Shima Shizuoka, Japan 34°44N 139°24E 113 G9
O.R. Tambo Int. ✈ (JNB) S. Africa 26°8S 28°15E 145 C4
Oa, Mull of U.K. 55°35N 6°20W 65 F2
Oacoma U.S.A. 43°48N 99°24W 172 D4
Oahe, L. U.S.A. 44°27N 100°24W 172 C3
Oahe Dam U.S.A. 44°27N 100°24W 172 C3
O'ahu U.S.A. 21°28N 157°58W 167 L8
Oak Harbor U.S.A. 48°18N 122°39W 170 B4
Oak Hill Fla., U.S.A. 28°52N 80°51W 179 G9
Oak Hill W. Va., U.S.A. 37°59N 81°9W 173 G13
Oak Island U.S.A. 33°55N 78°10W 177 E15
Oak Park U.S.A. 32°22N 82°19W 178 C7
Oak Ridge U.S.A. 36°1N 84°16W 177 C12
Oak View U.S.A. 34°24N 119°18W 171 L7
Oakan-Dake Japan 43°27N 144°10E 112 C12
Oakbank Australia 33°4S 140°33E 152 B4
Oakdale Calif., U.S.A. 37°46N 120°51W 170 H6
Oakdale La., U.S.A. 30°49N 92°40W 176 F8
Oakes U.S.A. 46°8N 98°6W 172 B4
Oakesdale U.S.A. 47°8N 117°15W 168 C5
Oakey Australia 27°25S 151°43E 151 D5
Oakfield Ga., U.S.A. 31°47N 83°58W 178 D6
Oakfield N.Y., U.S.A. 43°4N 78°16W 174 C6
Oakham U.K. 52°40N 0°43W 67 E7
Oakhurst U.S.A. 37°19N 119°40W 170 H7
Oakland Calif., U.S.A. 37°48N 122°18W 170 H4
Oakland Pa., U.S.A. 41°57N 75°36W 175 E9
Oakland Park U.S.A. 26°10N 80°7W 179 J9
Oaklands Australia 35°34S 146°10E 153 C7
Oakley Idaho, U.S.A. 42°15N 113°53W 168 E7
Oakley Kans., U.S.A. 39°8N 100°51W 172 F3
Oakover → Australia 21°0S 120°40E 148 D3
Oakridge U.S.A. 43°45N 122°28W 168 E2
Oaks, The Australia 34°3S 150°34E 153 C9
Oakville Canada 43°27N 79°41W 174 C5
Oakville U.S.A. 46°51N 123°14W 170 D3
Oamaru N.Z. 45°5S 170°59E 155 F5
Oancea Romania 45°21N 27°42E 81 E12
Oasis Calif., U.S.A. 37°29N 117°55W 170 H9
Oasis Calif., U.S.A. 33°28N 116°6W 171 M10
Oates Land Antarctica 69°0S 160°0E 55 C11
Oatman U.S.A. 35°1N 114°19W 171 K12
Oaxaca Mexico 17°3N 96°43W 181 D5
Oaxaca □ Mexico 17°0N 96°30W 181 D5
Ob → Russia 66°45N 69°30E 106 C7
Oba Canada 49°4N 84°7W 164 C3
Obala Cameroon 4°9N 11°32E 139 E7
Obama Japan 35°30N 135°45E 113 G7
Oban Nigeria 5°17N 8°33E 139 D6
Oban U.K. 56°25N 5°29W 65 E3
Obbia = Hobyo Somalia 5°25N 48°30E 131 F4
Oberá Argentina 27°21S 55°2W 191 B4
Oberammergau Germany 47°36N 11°4E 77 H7
Oberasbach Germany 49°25N 10°57E 77 F6
Oberbayern □ Germany 48°5N 11°50E 77 G7
Oberdrauburg Austria 46°44N 12°58E 78 E5
Obere Donau ⌓ Germany 48°5N 9°0E 77 G5
Oberer Bayerischer Wald ⌓ Germany 49°15N 12°40E 77 F8
Oberfranken □ Germany 50°10N 11°20E 77 E7
Oberhausen Germany 51°28N 6°51E 76 D2
Oberkirch Germany 48°31N 8°4E 77 G4
Oberlausitz Germany 51°16N 14°18E 76 D10
Oberlin Kans., U.S.A. 39°49N 100°32W 172 F3
Oberlin La., U.S.A. 30°37N 92°46W 176 F8
Oberlin Ohio, U.S.A. 41°18N 82°13W 174 E2
Obernai France 48°28N 7°30E 71 D14
Oberndorf Germany 48°17N 8°34E 77 G4
Oberon Australia 33°45S 149°52E 153 B8
Oberösterreich □ Austria 48°10N 14°0E 78 C7
Oberpfalz □ Germany 49°20N 12°10E 77 F8
Oberpfälzer Wald Germany 49°30N 12°30E 77 F8
Oberpfälzer Wald ⌓ Germany 49°40N 12°20E 77 F8
Oberstdorf Germany 47°24N 10°15E 77 H6
Obertyn Ukraine 48°42N 25°10E 81 B10
Oberursel Germany 50°11N 8°35E 77 E4
Oberwart Austria 47°17N 16°12E 79 D9
Obi, Kepulauan Indonesia 1°23S 127°45E 119 E7
Obiaruku Nigeria 5°51N 6°9E 139 D6
Óbidos Brazil 1°50S 55°30W 187 D7
Óbidos Portugal 39°19N 9°10W 89 F1
Obihiro Japan 42°56N 143°12E 112 C11
Obilatu Indonesia 1°25S 127°20E 119 E7
Obilnoye Russia 47°32N 44°30E 87 G7
Obing Germany 48°0N 12°24E 77 G8
Objat France 45°16N 1°24E 72 C5
Obluchye Russia 49°1N 131°4E 107 E14
Obninsk Russia 55°8N 36°37E 84 E9
Obo C.A.R. 5°20N 26°32E 142 A2
Obodivka Ukraine 48°24N 29°15E 81 B14
Oborniki Poland 52°39N 16°50E 83 F3
Oborniki Śląskie Poland 51°17N 16°53E 83 G3
Oboyan Russia 51°15N 36°21E 85 G9
Obozerskaya = Obozerskiy Russia 63°34N 40°21E 106 C5
Obozerskiy Russia 63°34N 40°21E 106 C5
Obrenovac Serbia 44°40N 20°11E 96 B4
O'Brien U.S.A. 30°2N 82°57W 178 E7
Obrovac Croatia 44°11N 15°41E 93 D12
Obruk Turkey 38°7N 33°12E 104 C5
Obrzycko Poland 52°42N 16°32E 83 F3
Observatory Inlet Canada 55°10N 129°54W 162 B3
Obshchi Syrt Russia 52°0N 53°0E 58 E16
Obskaya Guba Russia 69°0N 73°0E 106 C8
Obuasi Ghana 6°17N 1°40W 139 D4
Obubra Nigeria 6°8N 8°20E 139 D6
Obudu Nigeria 6°38N 9°5E 139 D6
Obwalden □ Switz. 46°55N 8°15E 77 J4
Obzor Bulgaria 42°50N 27°52E 97 D11
Ocala U.S.A. 29°11N 82°8W 179 F7
Ocampo Chihuahua, Mexico 28°11N 108°23W 180 B3
Ocampo Tamaulipas, Mexico 22°50N 99°20W 181 C5
Ocaña Spain 39°55N 3°30W 88 F7
Occidental, Cordillera Colombia 5°0N 76°0W 186 C3
Occidental, Cordillera Peru 14°0S 74°0W 188 C3
Occidental, Grand Erg Algeria 30°20N 1°0E 136 B4
Ocean City Md., U.S.A. 38°20N 75°5W 173 F16
Ocean City N.J., U.S.A. 39°17N 74°35W 173 F16
Ocean City Wash., U.S.A. 47°4N 124°10W 170 C2
Ocean Falls Canada 52°18N 127°48W 162 C3
Ocean I. = Banaba Kiribati 0°45S 169°50E 156 H8
Ocean Park U.S.A. 46°30N 124°3W 170 D2
Oceano U.S.A. 35°6N 120°37W 171 K6
Oceanport U.S.A. 40°19N 74°3W 175 F10
Oceanside U.S.A. 33°12N 117°23W 171 M9
Ochagavía Spain 42°55N 1°5W 90 C3
Ochakiv Ukraine 46°37N 31°33E 85 J6
Ochamchire Georgia 42°46N 41°32E 87 J5
Ochi, Oros Greece 38°5N 24°25E 98 C6
Ochil Hills U.K. 56°14N 3°40W 65 E5
Ochlocknee U.S.A. 30°58N 84°3W 178 E5
Ochlockonee → U.S.A. 29°59N 84°26W 178 F5
Ocho Rios Jamaica 18°24N 77°6W 182 a
Ochopee U.S.A. 25°54N 81°18W 179 K8
Ochsenfurt Germany 49°40N 10°4E 77 F6
Ochsenhausen Germany 48°4N 9°57E 77 G5
Ocilla U.S.A. 31°36N 83°15W 178 D6
Ockelbo Sweden 60°54N 16°45E 62 D10
Ocmulgee → U.S.A. 31°58N 82°33W 178 D7
Ocmulgee ⌓ U.S.A. 32°49N 83°37W 178 C6
Ocna Mureş Romania 46°23N 23°55E 81 D8
Ocna Sibiului Romania 45°52N 24°2E 81 E9
Ocnele Mari Romania 45°8N 24°18E 81 E9
Ocniţa Moldova 48°25N 27°30E 81 B12
Ocoee U.S.A. 28°34N 81°32W 179 G8
Ocoña Peru 16°26S 73°8W 188 D3
Ocoña → Peru 16°28S 73°8W 188 D3
Oconee → U.S.A. 31°58N 82°33W 178 D7
Oconee, L. U.S.A. 33°28N 83°15W 178 B6
Oconomowoc U.S.A. 43°7N 88°30W 172 D9
Oconto U.S.A. 44°53N 87°52W 172 C10
Oconto Falls U.S.A. 44°52N 88°9W 172 C9
Ocosingo Mexico 16°53N 92°6W 181 D6
Ocotal Nic. 13°41N 86°31W 182 D2
Ocotlán Jalisco, Mexico 20°21N 102°46W 180 C4
Ocotlán Oaxaca, Mexico 16°48N 96°40W 181 D5
Ocreza → Portugal 39°32N 7°50W 89 F3
Ócsa Hungary 47°17N 19°15E 80 C4
Oda Ghana 5°50N 0°51W 139 D4
Ōda Japan 35°11N 132°30E 113 G6
Oda, J. Sudan 20°21N 36°39E 137 C4
Ódáðahraun Iceland 65°5N 17°0W 60 D5
Ŏdaejin N. Korea 41°34N 129°40E 112 D4
Ödåkra Sweden 56°7N 12°45E 63 H6
Odate Japan 40°16N 140°34E 112 D10
Odawara Japan 35°20N 139°6E 113 G9
Odda Norway 60°3N 6°35E 61 F12
Odder Denmark 55°58N 10°10E 63 J4
Odei → Canada 56°6N 96°54W 163 B9
Odemira Portugal 37°35N 8°40W 89 H2
Ödemiş Turkey 38°15N 28°0E 99 C9
Odendaalsrus S. Africa 27°48S 26°45E 144 C4
Odensbacken Sweden 59°10N 15°32E 62 E9
Odense Denmark 55°22N 10°23E 63 J4
Odenwald Germany 49°35N 9°0E 77 F5
Oder → Europe 53°33N 14°38E 76 B10
Oder-Havel Kanal Germany 52°52N 14°2E 76 C10
Oderzo Italy 45°47N 12°29E 93 C9
Odesa Ukraine 46°30N 30°45E 85 J6
Odesa □ Ukraine 47°20N 29°55E 85 J5
Ödeshög Sweden 58°14N 14°39E 63 F8
Odessa = Odesa Ukraine 46°30N 30°45E 85 J6
Odessa Canada 44°17N 76°43W 175 B8
Odessa Tex., U.S.A. 31°52N 102°23W 176 F3
Odessa Wash., U.S.A. 47°20N 118°41W 168 C4
Odiakwe Botswana 20°12S 25°17E 144 B4
Odiel → Spain 37°10N 6°55W 89 H4
Odienné Ivory C. 9°30N 7°34W 138 D3
Odintsovo Russia 55°40N 37°16E 84 E9
Odisha □ India 20°0N 84°0E 126 E7
Odobeşti Romania 45°43N 27°4E 81 E12
Odolanów Poland 51°34N 17°40E 83 G4
O'Donnell U.S.A. 32°58N 101°50W 176 E4
O'Donnell Pt. Canada 45°5N 80°5W 174 A4
Odorheiu Secuiesc Romania 46°21N 25°21E 81 D10
Odoyevo Russia 53°56N 36°42E 84 F9
Odra = Oder → Europe 53°33N 14°38E 76 B10
Odra → Spain 42°14N 4°17W 88 C6
Odum U.S.A. 31°40N 82°2W 178 D7
Odžaci Serbia 45°30N 19°17E 80 E4
Odžak Bos.-H. 45°3N 18°18E 80 E3
Odzi Zimbabwe 19°0S 32°20E 145 A5
Odzi → Zimbabwe 19°45S 32°23E 145 A5
Oebisfelde Germany 52°27N 10°57E 76 C6
Oecussi = Pante Macassar E. Timor 9°30S 123°58E 119 F6
Oeiras Brazil 7°0S 42°8W 189 B2
Oeiras Portugal 38°41N 9°18W 89 G1
Oelrichs U.S.A. 43°11N 103°14W 172 D2
Oelsnitz Germany 50°24N 12°10E 77 E8
Oelwein U.S.A. 42°41N 91°55W 172 D8
Oeno I. Pac. Oc. 24°0S 131°0W 157 K14
Oenpelli = Gunbalanya Australia 12°20S 133°4E 148 B5
Oetz Austria 47°13N 10°53E 78 D3
Of Turkey 40°59N 40°23E 105 B9
Ofanto → Italy 41°22N 16°13E 95 A9
Offa Nigeria 8°13N 4°42E 139 D5
Offaly □ Ireland 53°15N 7°30W 64 C4
Offenbach Germany 50°6N 8°44E 77 E4
Offenburg Germany 48°28N 7°56E 77 G3
Officer Cr. → Australia 27°46S 132°30E 149 E5
Offida Italy 42°56N 13°41E 93 F10
Ofidousa Greece 36°33N 26°8E 99 E8
Ofotfjorden Norway 68°27N 17°0E 60 B17
Ōfunato Japan 39°4N 141°43E 112 E10
Oga Japan 39°55N 139°50E 112 E9
Oga-Hantō Japan 39°58N 139°47E 112 E9
Ogaden Ethiopia 7°30N 45°30E 131 F3
Ōgaki Japan 35°21N 136°37E 113 G8
Ogallala U.S.A. 41°8N 101°43W 172 E3
Ogasawara Gunto Pac. Oc. 27°0N 142°0E 156 E6
Ogbomosho Nigeria 8°1N 4°11E 139 D5
Ogden U.S.A. 41°13N 111°58W 168 F8
Ogdensburg U.S.A. 44°42N 75°30W 175 B9
Ogea Driki Fiji 19°12S 178°27W 154 a
Ogea Levu Fiji 19°8S 178°24W 154 a
Ogeechee → U.S.A. 31°50N 81°3W 178 D8
Ogilby U.S.A. 32°49N 114°50W 171 N12
Oglat Beraber Algeria 30°15N 3°34W 136 B3
Oglethorpe U.S.A. 32°18N 84°4W 178 C5
Ogliastra □ Italy 39°50N 9°35E 94 C2
Óglio → Italy 45°2N 10°39E 92 C7
Óglio Nord ⌓ Italy 45°22N 9°54E 92 C6
Óglio Sud ⌓ Italy 45°7N 10°24E 92 C7
Ogmore Australia 22°37S 149°35E 150 C4
Ognon → France 47°16N 5°28E 71 E12
Ogoja Nigeria 6°38N 8°39E 139 D6
Ogoki Canada 51°38N 85°58W 164 B2
Ogoki → Canada 51°38N 85°57W 164 B2
Ogoki L. Canada 50°50N 87°10W 164 B2
Ogoki Res. Canada 50°45N 88°15W 164 B2
Ogooué → Gabon 1°0S 9°0E 140 E1
Ogosta → Bulgaria 43°48N 23°55E 96 C7
Ogou → Togo 7°50N 1°19E 139 D5
Ogowe = Ogooué → Gabon 1°0S 9°0E 140 E1
Ograźden Macedonia 41°30N 22°50E 96 E6
Ogre Latvia 56°49N 24°36E 84 D3
Ogulin Croatia 45°16N 15°16E 93 C12
Ogun □ Nigeria 7°0N 3°0E 139 D5
Ogurja Ada Turkmenistan 38°55N 53°2E 129 B7
Oguta Nigeria 5°44N 6°44E 139 D6
Oğuzeli Turkey 36°57N 37°30E 104 D7
Ogwashi-Uku Nigeria 6°15N 6°30E 139 D6
Ogwe Nigeria 5°0N 7°14E 139 E6
Ohai N.Z. 45°55S 168°0E 155 F3
Ohakune N.Z. 39°24S 175°24E 154 F4
Ohanet Algeria 28°44N 8°46E 136 C5
Ohangwena □ Namibia 17°30S 17°0E 144 A2
Ohata Japan 41°24N 141°10E 112 D10
Ohatchee U.S.A. 33°47N 86°0W 178 B4
Ohau, L. N.Z. 44°15S 169°53E 155 E4
Ohaupo N.Z. 37°56S 175°20E 154 D4
Ohio □ U.S.A. 40°15N 82°45W 174 F2
Ohio → U.S.A. 36°59N 89°8W 172 G9
Ohiwa Harbour N.Z. 37°59S 177°10E 154 D6
Ohře → Czech Rep. 50°30N 14°10E 78 A7
Ohre → Germany 52°18N 11°46E 76 C7
Ohrid Macedonia 41°8N 20°52E 96 E4
Ohridsko Jezero Macedonia 41°8N 20°52E 96 E4
Ohrigstad S. Africa 24°39S 30°36E 145 B5
Öhringen Germany 49°12N 9°31E 77 F5
Ohura N.Z. 38°51S 174°59E 154 E3
Oi Qu → China 28°37N 98°16E 116 C2
Oiapoque Brazil 3°50N 51°50W 187 C8
Oikou China 38°35N 117°42E 115 E9
Oil City U.S.A. 41°26N 79°42W 174 E5
Oil Springs Canada 42°47N 82°7W 174 D2
Oildale U.S.A. 35°25N 119°1W 171 K7
Oinousa = Inousses Greece 38°33N 26°14E 99 C8
Oise □ France 49°28N 2°30E 71 C9
Oise → France 49°0N 2°4E 71 C9
Oistins Barbados 13°4N 59°33W 183 g
Oistins B. Barbados 13°4N 59°33W 183 g
Ōita Japan 33°14N 131°36E 113 H5
Ōita □ Japan 33°15N 131°30E 113 H5
Oiticica Brazil 5°3S 41°5W 189 B2
Ojai U.S.A. 34°27N 119°15W 171 L7
Ojcowski △ Poland 50°15N 19°50E 83 H6
Ojhar India 20°6N 73°56E 126 D1
Ojinaga Mexico 29°34N 104°25W 180 B4
Ojiya Japan 37°18N 138°48E 113 F9
Ojo Caliente Mexico 22°34N 102°15W 180 C4
Ojo de Liebre, L. Mexico 27°45N 114°15W 180 B2
Ojos del Salado, Cerro Argentina 27°0S 68°40W 190 B2
Oka Nigeria 7°9N 3°38E 139 D5
Oka → Russia 56°20N 43°59E 86 B7
Okaba Indonesia 8°6S 139°42E 119 F9
Okahandja Namibia 22°0S 16°59E 144 B2
Okahukura N.Z. 38°48S 175°14E 154 E4
Okaihau N.Z. 35°19S 173°47E 154 B2
Okakarara Namibia 20°35S 17°27E 144 B2
Okanagan L. Canada 50°0N 119°30W 162 D5
Okandja Gabon 0°35S 13°45E 140 E2
Okanogan U.S.A. 48°22N 119°35W 168 B4
Okanogan → U.S.A. 48°6N 119°44W 168 B4
Okanogan Range N. Amer. 49°0N 119°55W 162 D5
Okány Hungary 46°52N 21°21E 80 D6
Okapi ⌓ Dem. Rep. of the Congo 2°30N 27°20E 142 B2
Okaputa Namibia 20°5S 17°0E 144 B2
Okara Pakistan 30°50N 73°31E 124 D5
Okarito N.Z. 43°15S 170°9E 155 D5
Okarukambe = Steinhausen Namibia 21°49S 18°20E 144 B2
Okato N.Z. 39°12S 173°53E 154 F2
Okaukuejo Namibia 19°10S 16°0E 144 A2
Okavango = Cubango → Africa 18°50S 22°25E 144 A3
Okavango Delta Botswana 18°45S 22°45E 144 A3
Okavango Swamp = Okavango Delta Botswana 18°45S 22°45E 144 A3
Okaya Japan 36°5N 138°10E 113 F9
Okayama Japan 34°40N 133°54E 113 G6
Okayama □ Japan 35°0N 133°50E 113 G6
Okazaki Japan 34°57N 137°10E 113 G8
Oke-Iho Nigeria 8°1N 3°18E 139 D5
Okęcie, Warszawa ✈ (WAW) Poland 52°9N 20°59E 83 F7
Okeechobee U.S.A. 27°15N 80°50W 179 H9
Okeechobee, L. U.S.A. 27°0N 80°50W 179 J9
Okefenokee ⌓ U.S.A. 30°45N 82°18W 178 E7
Okefenokee Swamp U.S.A. 30°40N 82°20W 178 E7
Okehampton U.K. 50°44N 4°0W 67 G4
Okene Nigeria 7°32N 6°11E 139 D6
Oker → Germany 52°32N 10°22E 76 C6
Okha India 22°27N 69°4E 124 H3
Okha Russia 53°40N 143°0E 107 D15
Okhotsk Russia 59°20N 143°10E 107 D15
Okhotsk, Sea of Asia 55°0N 145°0E 107 D15
Okhotskiy Perevoz Russia 61°52N 135°35E 107 C14
Okhtyrka Ukraine 50°25N 35°0E 85 G8
Oki-Shotō Japan 36°5N 133°15E 113 F6
Okiep S. Africa 29°39S 17°53E 144 C2
Okigwi Nigeria 5°52N 7°20E 139 D6
Okija Nigeria 5°54N 6°55E 139 D6
Okinawa Japan 26°19N 127°46E 113 L3
Okinawa □ Japan 26°40N 128°0E 113 L4
Okinawa-Guntō Japan 26°40N 128°0E 113 L4
Okinawa-Jima Japan 26°32N 128°0E 113 L4
Okino-erabu-Shima Japan 27°21N 128°33E 113 L4
Okitipupa Nigeria 6°31N 4°50E 139 D5
Oklahoma □ U.S.A. 35°20N 97°30W 176 D6
Oklahoma City U.S.A. 35°30N 97°30W 176 D6
Oklawaha → U.S.A. 29°28N 81°41W 179 F8
Okmulgee U.S.A. 35°37N 95°58W 176 D7
Oknitsa = Ocniţa Moldova 48°25N 27°30E 81 B12
Oko, W. → Sudan 21°15N 35°56E 137 C4
Okolo Uganda 2°37N 31°8E 142 B3
Okolona U.S.A. 34°0N 88°45W 177 E10
Okombahe Namibia 21°23S 15°22E 144 B2
Okonek Poland 53°32N 16°51E 82 E3
Okotoks Canada 50°43N 113°58W 162 C6
Okrika Nigeria 4°40N 7°10E 139 E6
Oktyabrsk = Qandyaghash Kazakhstan 49°28N 57°25E 108 C5
Oktyabrsk Russia 53°11N 48°40E 86 D9
Oktyabrskiy = Aktsyabrski Belarus 52°38N 28°53E 75 B15
Oktyabrskiy Bashkortostan, Russia 54°28N 53°28E 108 B4
Oktyabrskiy Kamchatka, Russia 52°39N 156°14E 107 D16
Oktyabrskiy Rostov, Russia 47°30N 40°4E 87 G5
Oktyabrskoy Revolyutsii, Ostrov Russia 79°30N 97°0E 107 B10
Oktyabrskoye = Zhovtneve Ukraine 46°54N 32°3E 85 J7
Okulovka Russia 58°25N 33°19E 84 C7
Okuru N.Z. 43°55S 168°55E 155 D3
Okushiri-Tō Japan 42°15N 139°30E 112 C9
Okuta Nigeria 9°14N 3°12E 139 D5
Okwa → Botswana 22°30S 23°0E 144 B3
Ola Russia 59°35N 151°17E 107 D16
Ola U.S.A. 35°2N 93°13W 176 D8
Ólafsfjörður Iceland 66°4N 18°39W 60 C4
Ólafsvík Iceland 64°53N 23°43W 60 D2
Olaine Latvia 56°48N 23°59E 82 B10
Olancha U.S.A. 36°17N 118°1W 171 J8
Olancha Pk. U.S.A. 36°16N 118°7W 171 J8
Olanchito Honduras 15°30N 86°30W 182 C2
Öland Sweden 56°45N 16°38E 63 H10
Ölands norra udde Sweden 57°22N 17°5E 63 G11
Ölands södra udde Sweden 56°12N 16°23E 63 H10
Olanta U.S.A. 33°56N 79°56W 178 B10
Olar U.S.A. 33°11N 81°11W 178 B8
Olargues France 43°34N 2°53E 72 E6
Olary Australia 32°18S 140°19E 152 B4
Olascoaga Argentina 35°15S 60°39W 190 D3
Olathe U.S.A. 38°53N 94°49W 172 F6
Olavarría Argentina 36°55S 60°20W 190 D3
Oława Poland 50°57N 17°20E 83 H4
Olbernhau Germany 50°40N 13°19E 76 E9
Ólbia Italy 40°55N 9°31E 94 B2
Ólbia, G. di Italy 40°55N 9°39E 94 B2
Olching Germany 48°12N 11°21E 77 G7
Olcott U.S.A. 43°20N 78°42W 174 C6
Old Bahama Chan. = Bahama, Canal Viejo de W. Indies 22°10N 77°30W 182 B4
Old Baldy Pk. = San Antonio, Mt. U.S.A. 34°17N 117°38W 171 L9
Old Bar Australia 31°58S 152°35E 153 A10
Old Bridge U.S.A. 40°25N 74°22W 175 F10
Old Castile = Castilla y Leon □ Spain 42°0N 5°0W 88 D6
Old Crow Canada 67°30N 139°55W 160 D4
Old Dale U.S.A. 34°8N 115°47W 171 L11
Old Forge N.Y., U.S.A. 43°43N 74°58W 175 C10
Old Forge Pa., U.S.A. 41°22N 75°45W 175 E9
Old Mapoon ✿ Australia 11°5S 142°22E 150 A3
Old Perlican Canada 48°5N 53°1W 165 C9
Old Shinyanga Tanzania 3°33S 33°27E 142 C3
Old Speck Mt. U.S.A. 44°34N 70°57W 175 B14
Old Town Fla., U.S.A. 29°36N 82°59W 179 F7

Old Town Maine, U.S.A. 44°56N 68°39W 173 C19
Old Washington U.S.A. 40°2N 81°27W 174 F3
Old Wives L. Canada 50°5N 106°0W 163 C7
Oldbury U.K. 51°38N 2°33W 67 F5
Oldcastle Ireland 53°46N 7°10W 64 C4
Oldeani Tanzania 3°22S 35°35E 142 C4
Oldenburg Niedersachsen, Germany 53°9N 8°13E 76 B4
Oldenburg Schleswig-Holstein, Germany 54°17N 10°52E 76 A6
Oldenzaal Neths. 52°19N 6°53E 69 B6
Oldham U.K. 53°33N 2°7W 66 D5
Oldman → Canada 49°57N 111°42W 162 D6
Oldmeldrum U.K. 57°20N 2°19W 65 D6
Olds Canada 51°50N 114°10W 162 C6
Oldsmar U.S.A. 28°2N 82°39W 179 G7
Olduvai Gorge Tanzania 2°57S 35°23E 142 C4
Öldziyt Mongolia 44°40N 109°1E 114 B5
Ole Rømer Land Greenland 74°10N 24°30W 57 C8
Olean U.S.A. 42°5N 78°26W 174 D6
Oleby Sweden 60°8N 13°2E 62 D7
Olecko Poland 54°2N 22°31E 82 D9
Oléggio Italy 45°36N 8°38E 92 C5
Oleiros = O Real Spain 43°20N 8°19W 88 B2
Oleiros Portugal 39°56N 7°56W 88 F3
Olekma → Russia 60°22N 120°42E 107 C13
Olekminsk Russia 60°25N 120°30E 107 C13
Oleksandrivka Ukraine 48°55N 32°20E 85 H7
Oleksandriya Kirovohrad, Ukraine 48°42N 33°3E 85 H7
Oleksandriya Rivne, Ukraine 50°37N 26°19E 75 C14
Olema U.S.A. 38°3N 122°47W 170 G4
Olenegorsk Russia 68°9N 33°18E 60 B25
Olenek Russia 68°28N 112°18E 107 C12
Olenek → Russia 73°0N 120°10E 107 B13
Olenino Russia 56°15N 33°30E 84 D7
Oléron, Î. d' France 45°55N 1°15W 72 C2
Olesk Ukraine 51°6N 24°11E 83 G11
Oleśnica Poland 51°13N 17°22E 83 G4
Olesno Poland 50°51N 18°26E 83 H5
Olevsk Ukraine 51°12N 27°39E 75 C14
Olga, L. Canada 49°47N 77°15W 164 C4
Olgas, The = Kata Tjuta Australia 25°20S 130°50E 149 E5
Ölgiy Mongolia 48°56N 89°57E 109 C11
Ølgod Denmark 55°49N 8°36E 63 J2
Olhão Portugal 37°3N 7°48W 89 H3
Olhopil Ukraine 48°12N 29°30E 81 B14
Olhovatka Russia 54°30N 22°18E 82 D9
Olib Croatia 44°23N 14°44E 93 D11
Oliena Italy 40°16N 9°24E 94 B2
Oliete Spain 41°1N 0°41W 90 D4
Olifants = Elefantes → Africa 24°10S 32°40E 145 B5
Olifants → Namibia 25°30S 19°30E 144 B2
Olifantshoek S. Africa 27°57S 22°42E 144 C3
Ólimbos Greece 35°44N 27°11E 99 F9
Ólimbos, Óros = Olymbos Oros Greece 40°6N 22°23E 96 F6
Olímpia Brazil 20°44S 48°54W 191 A6
Olimpos-Beydaglari △ Turkey 36°36N 30°30E 99 E12
Olinda Brazil 8°1S 34°51W 189 B4
Olite Spain 42°29N 1°40W 90 C3
Oliva Argentina 32°0S 63°38W 190 C3
Oliva Spain 38°58N 0°9W 91 G4
Oliva de la Frontera Spain 38°17N 6°54W 89 G4
Olivares, Cerro los Argentina 30°18S 69°55W 190 C2
Olivares de Júcar Spain 39°46N 2°20W 90 F2
Olive Branch U.S.A. 34°57N 89°49W 177 D10
Olivehurst U.S.A. 39°6N 121°34W 170 F5
Oliveira Brazil 20°39S 44°50W 189 E2
Oliveira de Azeméis Portugal 40°49N 8°29W 88 E2
Oliveira do Douro Portugal 41°5N 8°2W 88 D2
Oliveira dos Brejinhos Brazil 12°19S 42°54W 189 C2
Olivenza Spain 38°41N 7°9W 89 G3
Oliver Canada 49°13N 119°37W 162 D5
Oliver L. Canada 56°56N 103°22W 163 B8
Olivet France 47°51N 1°55E 71 E8
Olivine Ra. N.Z. 44°15S 168°30E 155 E3
Olkhovka Russia 49°48N 44°32E 86 F7
Olkusz Poland 50°18N 19°33E 83 H6
Ollachea Peru 13°49S 70°29W 188 C3
Ollagüe Chile 21°15S 68°10W 190 A2
Olmaliq Uzbekistan 40°50N 69°35E 109 D7
Olmedo Spain 41°20N 4°43W 88 D6
Olmeto France 41°43N 8°55E 73 G12
Olmos Peru 5°59S 79°46W 188 B2
Olney Ill., U.S.A. 38°44N 88°5W 172 F9
Olney Tex., U.S.A. 33°22N 98°45W 176 E5
Olofström Sweden 56°17N 14°32E 63 H8
Oloitokitok Kenya 2°56S 37°30E 142 C4
Oloma Cameroon 3°29N 11°19E 139 E7
Olomane → Canada 50°14N 60°37W 165 B7
Olomouc Czech Rep. 49°38N 17°12E 79 B10
Olomoucký □ Czech Rep. 49°45N 17°5E 79 B10
Olonets Russia 61°0N 32°54E 84 B7
Olongapo Phil. 14°50N 120°18E 119 B6
Olonkinbyen Norway 70°55N 8°43W 57 C10
Olonne-sur-Mer France 46°32N 1°47W 72 B2
Oloron, Gave d' → France 43°33N 1°5W 72 E2
Oloron-Ste-Marie France 43°11N 0°38W 72 E3
Olosenga = Swains I. Amer. Samoa 11°11S 171°4W 157 J11
Olot Spain 42°11N 2°30E 90 C7
Olovo Bos.-H. 44°8N 18°35E 80 F3
Olovyannaya Russia 50°58N 115°35E 107 D12
Oloy → Russia 66°29N 159°29E 107 C16
Olsberg Germany 51°21N 8°31E 76 D4
Olshammar Sweden 58°45N 14°48E 62 F8
Olshanka Ukraine 48°16N 30°58E 85 H6
Olshany Ukraine 50°3N 35°53E 85 G8
Olsztyn Poland 53°48N 20°29E 82 E7
Olsztynek Poland 53°34N 20°19E 82 E7
Olt □ Romania 44°20N 24°30E 81 F9
Olt → Romania 43°43N 24°51E 81 G9
Olten Switz. 47°21N 7°53E 77 H3
Olteniţa Romania 44°7N 26°42E 81 F11
Olton U.S.A. 34°11N 102°8W 176 D3
Oltu Turkey 40°35N 41°58E 105 B9
Oluan Pi Taiwan 21°53N 120°51E 117 G13
Olula del Rio Spain 37°21N 2°18W 91 H2
Olur Turkey 40°49N 42°8E 105 B10
Olustee U.S.A. 30°12N 82°26W 178 E7
Olvega Spain 41°47N 2°0W 90 D2
Olvera Spain 36°55N 5°18W 89 J5
Olymbos Cyprus 35°21N 33°45E 101 D12
Olymbos Oros Greece 40°6N 22°23E 96 F6
Olympia Greece 37°39N 21°39E 98 D3
Olympia U.S.A. 47°3N 122°53W 170 D4
Olympic △ U.S.A. 47°45N 123°43W 170 C3
Olympic Dam Australia 30°30S 136°55E 152 A2
Olympic Mts. U.S.A. 47°55N 123°45W 170 C3
Olympus Cyprus 34°56N 32°52E 101 E11
Olympus, Mt. = Olymbos Oros Greece 40°6N 22°23E 96 F6
Olympus, Mt. = Uludağ Turkey 40°4N 29°13E 97 F13
Olympus, Mt. U.S.A. 47°48N 123°43W 170 C3
Olyphant U.S.A. 41°27N 75°36W 175 E9
Olyutorskiy, Mys Russia 59°55N 170°27E 107 D18
Om → Russia 54°59N 73°22E 109 B8
Om Koi Thailand 17°48N 98°22E 120 D2
Ōma Japan 41°45N 141°5E 112 D10
Ōmachi Japan 36°30N 137°50E 113 F8
Omae-Zaki Japan 34°36N 138°14E 113 G9
Ōmagari = Daisen Japan 39°27N 140°29E 112 E10
Omagh U.K. 54°36N 7°19W 64 B4
Omagh □ U.K. 54°35N 7°15W 64 B4
Omaha U.S.A. 41°17N 95°58W 172 E6
Omaheke □ Namibia 21°30S 19°0E 144 B2
Omak U.S.A. 48°25N 119°31W 168 B4
Omalos Greece 35°19N 23°55E 101 D5
Omalur India 11°44N 78°4E 127 J4
Oman ■ Asia 23°0N 58°0E 131 C6
Oman, G. of Asia 24°30N 58°30E 129 E8
Omapere N.Z. 35°37S 173°25E 154 B2
Omaruru Namibia 21°26S 16°0E 144 B2
Omaruru → Namibia 22°7S 14°15E 144 B1
Omate Peru 16°45S 71°0W 188 D3
Ombai, Selat Indonesia 8°30S 124°50E 119 F6
Omboué Gabon 1°35S 9°15E 140 E1
Ombrone → Italy 42°42N 11°5E 92 F8
Omdurmân Sudan 15°40N 32°28E 135 E12
Omegna Italy 45°53N 8°24E 92 C5
Omemee Canada 44°18N 78°33W 174 B6
Omeo Australia 37°6S 147°36E 153 D7
Omeonga Dem. Rep. of the Congo 3°40S 24°22E 142 C1
Ometepe, I. de Nic. 11°32N 85°35W 182 D2
Ometepec Mexico 16°41N 98°25W 181 D5
Ominato Japan 41°17N 141°10E 112 D10
Omineca → Canada 56°3N 124°16W 162 B4
Omineca Mts. Canada 56°30N 125°30W 162 B3
Omiš Croatia 43°28N 16°40E 93 E13
Omišalj Croatia 45°13N 14°32E 93 C11
Omitara Namibia 22°16S 18°2E 144 B2
Ōmiya = Saitama Japan 35°54N 139°38E 113 G9
Omme Å → Denmark 55°56N 8°32E 63 J2
Ommen Neths. 52°31N 6°26E 69 B6
Ömnögovĭ □ Mongolia 43°15N 104°0E 114 C3
Omo → Ethiopia 6°25N 36°10E 131 F2
Omodeo, L. Italy 40°8N 8°56E 94 B1
Omodhos Cyprus 34°51N 32°48E 101 E11
Omoko Nigeria 5°19N 6°40E 139 D6
Omolon → Russia 68°42N 158°36E 107 C16
Omono-Gawa → Japan 39°46N 140°3E 112 E10
Ompha Canada 45°0N 76°50W 175 B8
Omsk Russia 55°0N 73°12E 109 B8
Omsukchan Russia 62°32N 155°48E 107 C16
Ōmu Japan 44°34N 142°58E 112 B11
Omul, Vf. Romania 45°27N 25°29E 81 E10
Omulew → Poland 53°5N 21°33E 83 E8
Ōmura Japan 32°56N 129°57E 113 H4
Omuramba Omatako → Namibia 17°45S 20°25E 144 A2
Omuramba Ovambo → Namibia 18°45S 16°59E 144 A2
Omurtag Bulgaria 43°8N 26°26E 97 C10
Omusati □ Namibia 18°30S 15°0E 144 A1
Ōmuta Japan 33°5N 130°26E 113 H5
Omuthiya Namibia 17°43S 16°13E 144 A2
Oña Spain 42°43N 3°25W 88 C7
Ona U.S.A. 27°29N 81°55W 179 H8
Onaga U.S.A. 39°29N 96°10W 172 F5
Onalaska U.S.A. 43°53N 91°14W 172 D8
Onancock U.S.A. 37°43N 75°45W 173 G16
Onangue, L. Gabon 0°57S 10°4E 140 E2
Onaping L. Canada 47°3N 81°30W 164 C3
Oñati Spain 43°3N 2°25W 90 B2
Onavas Mexico 28°31N 109°35W 180 B3
Onawa U.S.A. 42°2N 96°6W 172 D5
Oncócua Angola 16°30S 13°25E 144 A1
Onda Spain 39°55N 0°17W 90 F4
Ondangwa Namibia 17°57S 16°4E 144 A2
Ondarroa Spain 43°19N 2°25W 90 B2
Ondas → Brazil 12°8S 44°55W 189 C2
Ondava → Slovak Rep. 48°27N 21°48E 79 C14
Ondjiva Angola 16°48S 15°50E 144 A2
Ondo Nigeria 7°4N 4°47E 139 D5
Ondo □ Nigeria 6°45N 5°0E 139 D6
Öndörhaan Mongolia 47°19N 110°39E 111 B11
Öndverðarnes Iceland 64°52N 24°0W 60 D2
One Arm Point Australia 16°26S 123°3E 148 C3
One Arm Point ☼ Australia 16°31S 122°53E 148 C3
One Tree Australia 34°11S 144°43E 151 E3
Oneata Fiji 18°26S 178°25W 154 a
Oneco U.S.A. 27°25N 82°31W 179 H7
Onega Russia 64°0N 38°10E 106 C4
Onega → Russia 63°58N 38°2E 58 C13
Onega, L. = Onezhskoye Ozero Russia 61°44N 35°22E 84 B8
Onehunga N.Z. 36°55S 174°48E 154 C3
Oneida N.Y., U.S.A. 43°6N 75°39W 175 C9
Oneida L. U.S.A. 43°12N 75°54W 175 C9
O'Neill U.S.A. 42°27N 98°39W 172 D4
Onekotan, Ostrov Russia 49°25N 154°45E 107 E16
Onema Dem. Rep. of the Congo 4°35S 24°30E 142 C1
Oneonta U.S.A. 42°27N 75°4W 175 D9
Onerahi N.Z. 35°45S 174°22E 154 B3
Oneşti Romania 46°17N 26°47E 81 D11
Onezhskoye Ozero Russia 61°44N 35°22E 84 B8
Ongarue N.Z. 38°42S 175°19E 154 E4
Ongea Levu = Ogea Levu Fiji 19°8S 178°24W 154 a
Ongers → S. Africa 31°4S 23°13E 144 D3
Ongerup Australia 33°58S 118°28E 149 F2
Ongi Mongolia 45°27N 103°54E 114 B2
Ongjin N. Korea 37°56N 125°21E 115 F13
Ongkharak Thailand 14°8N 101°1E 120 E3
Ongniud Qi China 43°0N 118°38E 115 C10
Ongoka Dem. Rep. of the Congo 1°20S 26°0E 142 C2
Ongole India 15°33N 80°2E 127 G5
Ongon = Havirga Mongolia 45°41N 113°5E 114 B7
Ongtüstik Qazaqstan □ Kazakhstan 43°0N 68°0E 109 D7
Ongwediva Namibia 17°47S 15°46E 144 A2
Oni Georgia 42°33N 43°26E 87 J6
Onida U.S.A. 44°42N 100°4W 172 C3
Onilahy → Madag. 23°34S 43°45E 141 J8
Onitsha Nigeria 6°6N 6°42E 139 D6
Onne Nigeria 4°47N 7°9E 139 E6
Ono Fiji 18°55S 178°29E 154 a
Onoda Japan 33°59N 131°11E 113 G5
Onoke, L. N.Z. 41°22S 175°8E 154 H4
Ons, I. de Spain 42°23N 8°55W 88 C2
Onsala Sweden 57°26N 12°0E 63 G6
Onslow Australia 21°40S 115°12E 148 D2
Onslow B. U.S.A. 34°20N 77°15W 177 D16
Ontake-San Japan 35°53N 137°29E 113 G8
Ontario Calif., U.S.A. 34°4N 117°39W 171 L9
Ontario Oreg., U.S.A. 44°2N 116°58W 168 D5
Ontario □ Canada 48°0N 83°0W 164 B2
Ontario, L. N. Amer. 43°20N 78°0W 174 C7
Ontinyent Spain 38°50N 0°35W 91 G4
Ontonagon U.S.A. 46°52N 89°19W 172 B9
Ontur Spain 38°38N 1°29W 91 G3
Onyx U.S.A. 35°41N 118°14W 171 K8
Oodaaq Greenland 83°40N 30°40W 57 A8
Oodnadatta Australia 27°33S 135°30E 151 D2
Ooldea Australia 30°27S 131°50E 149 F5
Oombulgurri Australia 15°15S 127°45E 148 C4
Oombulgurri ☼ Australia 15°10S 127°50E 148 C4
Oorindi Australia 20°40S 141°1E 150 C3
Oost-Vlaanderen □ Belgium 51°5N 3°50E 69 C3
Oostende Belgium 51°15N 2°54E 69 C2
Oosterhout Neths. 51°39N 4°47E 69 C4
Oosterschelde → Neths. 51°33N 4°0E 69 C4
Oosterwolde Neths. 53°0N 6°17E 69 B6
Oosteschelde △ Neths. 51°40N 3°40E 69 C3
Oostvaardersplassen ⌓ Neths. 52°27N 5°22E 69 B5
Ootacamund = Udagamandalam India 11°30N 76°44E 127 J3
Ootha Australia 33°6S 147°29E 153 B7
Ootsa L. Canada 53°50N 126°2W 162 C3
Ooty = Udagamandalam India 11°30N 76°44E 127 J3
Op Luang △ Thailand 18°12N 98°32E 120 C2
Opaka Bulgaria 43°28N 26°10E 97 C10
Opala Dem. Rep. of the Congo 0°40S 24°20E 142 C1
Opâle, Côte d' France 50°30N 1°30E 70 B8
Opalenica Poland 52°18N 16°24E 83 F3
Opan Bulgaria 42°13N 25°41E 97 D9
Opanake Sri Lanka 6°35N 80°40E 127 L5
Opapa N.Z. 39°47S 176°42E 154 F5
Opasatika Canada 49°30N 82°50W 164 C3
Opasquia ⌓ Canada 53°33N 93°5W 164 B1
Opatija Croatia 45°21N 14°17E 93 C11
Opatów Poland 50°50N 21°27E 83 H8
Opava Czech Rep. 49°57N 17°58E 79 B10
Opelika U.S.A. 32°39N 85°23W 178 C4
Opelousas U.S.A. 30°32N 92°5W 176 F8
Opémisca, L. Canada 49°56N 74°52W 164 C5
Opheim U.S.A. 48°51N 106°24W 168 B10
Ophthalmia Ra. Australia 23°15S 119°30E 148 D2
Opi Nigeria 6°36N 7°28E 139 D6
Opinaca → Canada 52°15N 78°2W 164 B4
Opinaca, Rés. Canada 52°39N 76°20W 164 B4
Opinnagau → Canada 54°12N 82°25W 164 B3
Opiscotéo, L. Canada 53°10N 68°10W 165 B6
Opobo Nigeria 4°35N 7°34E 139 E6
Opochka Russia 56°42N 28°45E 84 D5
Opoczno Poland 51°22N 20°18E 83 G7
Opole Poland 50°42N 17°58E 83 H4
Opole Lubelskie Poland 51°9N 21°58E 83 G8
Opolskie □ Poland 50°30N 18°0E 83 H5
Oponono L. Namibia 18°8S 15°45E 144 A2
Opornyy = Borankul Kazakhstan 46°11N 54°25E 108 C4
Oporto = Porto Portugal 41°8N 8°40W 88 D2
Opotiki N.Z. 38°1S 177°19E 154 E6
Opp U.S.A. 31°17N 86°16W 178 D3
Oppdal Norway 62°35N 9°41E 60 E13
Óppido Mamertina Italy 38°16N 15°59E 95 D8
Opportunity U.S.A. 47°39N 117°15W 168 C5
Oprişor Romania 44°17N 23°5E 80 F8
Oprtalj Croatia 45°23N 13°50E 93 C10
Opua N.Z. 35°19S 174°9E 154 B3
Opunake N.Z. 39°26S 173°52E 154 F2
Opuwo Namibia 18°3S 13°45E 144 A1
Opuzen Croatia 43°1N 17°34E 93 E14
Or → Kazakhstan 51°11N 58°32E 108 B5
Or, Côte d' France 47°10N 4°50E 71 E11
Ora Cyprus 34°51N 33°12E 101 E12
Oracle U.S.A. 32°37N 110°46W 169 K8
Oradea Romania 47°2N 21°58E 80 C6
Öræfajökull Iceland 64°2N 16°39W 60 D5
Orahovac = Rahovec Kosovo 42°24N 20°40E 96 D4
Orahovica Croatia 45°35N 17°52E 80 E2
Orai India 25°58N 79°30E 125 G8
Oraiokastro Greece 40°44N 22°55E 96 F6
Oraison France 43°55N 5°55E 73 E9
Oral = Zhayyq → Kazakhstan 47°0N 51°48E 108 C4
Oral Kazakhstan 51°20N 51°20E 86 E10
Oran Algeria 35°45N 0°39W 136 A3
Oran □ Algeria 35°0N 0°45W 136 A3
Orange Australia 33°15S 149°7E 153 B8
Orange France 44°8N 4°47E 73 D8
Orange Calif., U.S.A. 33°47N 117°51W 171 M9
Orange Mass., U.S.A. 42°35N 72°19W 175 D12
Orange Tex., U.S.A. 30°6N 93°44W 176 F8
Orange Va., U.S.A. 38°15N 78°7W 173 F14
Orange → S. Africa 28°41S 16°28E 144 C2
Orange, C. Brazil 4°20N 51°30W 187 C8
Orange City U.S.A. 28°57N 81°18W 179 G8
Orange Cove U.S.A. 36°38N 119°19W 170 J7
Orange Free State = Free State □ S. Africa 28°30S 27°0E 144 C4
Orange Grove U.S.A. 27°58N 97°56W 176 H6
Orange L. U.S.A. 29°25N 82°13W 179 F7
Orange Park U.S.A. 30°10N 81°42W 178 E8
Orange Walk Belize 18°6N 88°33W 181 D7
Orangeburg U.S.A. 33°30N 80°52W 178 B9
Orangeville Canada 43°55N 80°5W 174 C4
Orango Guinea-Biss. 11°5N 16°0W 138 C1
Orani Italy 40°15N 9°11E 94 B2
Oranienburg Germany 52°45N 13°14E 76 C9
Oranje = Orange → S. Africa 28°41S 16°28E 144 C2
Oranjemund Namibia 28°38S 16°29E 144 C2
Oranjerivier S. Africa 29°40S 24°12E 144 C3
Oranjestad Aruba 12°32N 70°2W 183 D5
Orapa Botswana 21°15S 25°30E 141 J5
Oras Phil. 12°9N 125°28E 119 B7
Orašje Bos.-H. 45°1N 18°42E 80 E3
Orăştie Romania 45°50N 23°10E 81 E8
Orava → Slovak Rep. 49°9N 19°8E 79 B12
Orava, Vodna nádrž Slovak Rep. 49°25N 19°35E 79 B12
Oravița Romania 45°2N 21°43E 80 E6
Orawia N.Z. 46°1S 167°50E 155 G2
Orb → France 43°15N 3°18E 72 E7
Orba → Italy 44°53N 8°37E 92 D5
Ørbæk Denmark 55°17N 10°39E 63 J4
Orbe Switz. 46°43N 6°32E 77 J2
Orbec France 49°1N 0°23E 70 C7
Orbetello Italy 42°27N 11°13E 93 F8
Órbigo → Spain 42°5N 5°42W 88 C5
Orbisonia U.S.A. 40°15N 77°54W 174 F7
Orbost Australia 37°40S 148°29E 153 D8
Örbyhus Sweden 60°15N 17°43E 62 D11
Orcadas Antarctica 60°44S 44°37W 55 C18
Orcas I. U.S.A. 48°42N 122°56W 170 B4
Orce Spain 37°44N 2°28W 91 H2
Orce → Spain 37°44N 2°28W 91 H2
Orchard City U.S.A. 38°50N 107°58W 168 G10
Orchard Homes U.S.A. 46°55N 114°4W 168 C6
Orchid I. = Lan Yü Taiwan 22°4N 121°25E 117 F13
Orchies France 50°28N 3°14E 71 B10
Orchila, I. Venezuela 11°48N 66°10W 183 D6
Orchilla, Pta. Canary Is. 27°42N 18°10W 100 G1
Órcia → Italy 42°58N 11°21E 93 F8
Orco → Italy 45°10N 7°52E 92 C4
Orcopampa Peru 15°20S 72°23W 188 D3
Orcutt U.S.A. 34°52N 120°27W 171 L6
Ord U.S.A. 41°36N 98°56W 172 E4
Ord → Australia 15°33S 128°15E 148 C4
Ord, Mt. Australia 17°20S 125°34E 148 C4
Ord Mts. U.S.A. 34°39N 116°45W 171 L10
Ordenes = Ordes Spain 43°5N 8°29W 88 B2
Orderville U.S.A. 37°17N 112°38W 169 H7
Ordes Spain 43°5N 8°29W 88 B2
Ordesa y Monte Perido △ Spain 42°40N 0°10W 90 C4
Ording = Sankt Peter-Ording Germany 54°20N 8°36E 76 A4
Ordos = Mu Us Shamo China 39°0N 109°0E 114 E5
Ordos China 39°50N 110°0E 114 E6
Ordu Turkey 40°55N 37°53E 104 B7
Ordu □ Turkey 41°0N 37°50E 104 B7
Ordubad Azerbaijan 38°54N 46°1E 105 C12
Orduña Álava, Spain 42°58N 2°58W 90 C2
Orduña Granada, Spain 37°20N 3°30W 89 H7
Ordway U.S.A. 38°13N 103°46W 168 G12
Ordzhonikidze = Denisovka Kazakhstan 52°27N 61°39E 108 B6
Ordzhonikidze Ukraine 47°39N 34°3E 85 J8
Ore Dem. Rep. of the Congo 3°17N 29°30E 142 B2
Ore Mts. = Erzgebirge Germany 50°27N 12°55E 76 E8
Orebić Croatia 43°0N 17°11E 93 F14
Örebro Sweden 59°20N 15°18E 62 E9
Örebro □ Sweden 59°27N 15°0E 62 E8
Orecchiella ⌓ Italy 44°16N 10°22E 92 D7
Oregon U.S.A. 42°1N 89°20W 172 D9
Oregon □ U.S.A. 44°0N 121°0W 168 E3
Oregon City U.S.A. 45°21N 122°36W 170 E4
Oregon Dunes ⌓ U.S.A. 43°40N 124°10W 168 E1
Öregrund Sweden 60°21N 18°30E 62 D12
Öregrundsgrepen Sweden 60°25N 18°15E 62 D12
Orekhov = Orikhiv Ukraine 47°30N 35°48E 85 J8
Orekhovo-Zuyevo Russia 55°50N 38°55E 84 E10
Orel Russia 52°57N 36°3E 85 F9
Orel □ Russia 52°30N 36°40E 85 F9
Orellana, Canal de Spain 39°2N 6°0W 89 F5
Orellana, Embalse de Spain 39°5N 5°10W 89 F5
Orellana la Vieja Spain 39°1N 5°32W 89 F5
Orem U.S.A. 40°19N 111°42W 168 F8
Ören Turkey 37°3N 27°57E 99 D9
Orenburg Russia 51°45N 55°6E 108 B5
Örencik Turkey 39°16N 29°33E 99 B11
Orense = Ourense Spain 42°19N 7°55W 88 C3
Orepuki N.Z. 46°19S 167°46E 155 G2
Orestes Pereyra Mexico 26°30N 105°39W 180 B3
Orestiada Greece 41°30N 26°33E 97 E10
Øresund Europe 55°45N 12°40E 63 J6
Oreti → N.Z. 46°28S 168°14E 155 G3
Orfanos Kolpos Greece 40°33N 24°0E 96 F7
Orford Ness U.K. 52°5N 1°35E 67 E9
Organ Pipe Cactus ⌓ U.S.A. 32°0N 112°52W 169 K7
Organos, Pta. de los Canary Is. 28°12N 17°17W 100 F2
Organyà Spain 42°13N 1°20E 90 C6
Orgaz Spain 39°39N 3°53W 89 F7
Orgeyev = Orhei Moldova 47°24N 28°50E 81 C13
Orgiva Spain 36°53N 3°24W 89 J7
Orhaneli Turkey 39°54N 28°59E 97 G12
Orhaneli → Turkey 39°50N 28°55E 97 G12
Orhangazi Turkey 40°29N 29°18E 97 F13
Orhei Moldova 47°24N 28°50E 81 C13
Orhon Gol → Mongolia 50°21N 106°0E 110 A10
Ória Italy 40°30N 17°38E 95 B10
Oriental □ Morocco 33°0N 2°0W 136 B3
Oriental, Cordillera Colombia 6°0N 73°0W 186 B4
Oriental, Grand Erg Algeria 30°0N 6°30E 136 B5
Orientale □ Dem. Rep. of the Congo 2°20N 26°0E 142 B2
Oriente Argentina 38°44S 60°37W 190 D3
Orihuela Spain 38°7N 0°55W 91 G4
Orihuela del Tremedal Spain 40°33N 1°39W 90 E3
Orikhiv Ukraine 47°30N 35°48E 85 J8
Orikum Albania 40°20N 19°26E 96 F3
Oril → Ukraine 48°40N 34°39E 85 H8
Orillia Canada 44°40N 79°24W 174 B5
Orinoco → Venezuela 9°15N 61°30W 186 B6
Orion Canada 49°27N 110°49W 163 D6
Orion U.S.A. 31°58N 86°0W 178 D4
Oriskany U.S.A. 43°10N 75°20W 175 C9
Orissa = Odisha □ India 20°0N 84°0E 126 E7
Orissaare Estonia 58°34N 23°5E 84 C2
Oristano Italy 39°54N 8°36E 94 C1
Oristano, G. di Italy 39°50N 8°29E 94 C1
Orizaba Mexico 18°51N 97°6W 181 D5
Orizaba, Pico de Mexico 18°58N 97°15W 181 D5
Orizare Bulgaria 42°44N 27°39E 97 D11
Orizona Brazil 17°3S 48°18W 189 D1
Orjen Bos.-H. 42°35N 18°34E 96 D2
Orjiva = Orgiva Spain 36°53N 3°24W 89 J7
Orkanger Norway 63°18N 9°52E 60 E13
Örkelljunga Sweden 56°17N 13°17E 63 H7
Örken Sweden 57°6N 15°1E 63 G9
Örkény Hungary 47°9N 19°26E 80 C4
Orkhon = Orhon Gol → Mongolia 50°21N 106°0E 110 A10
Orkla → Norway 63°18N 9°51E 60 E13
Orkney S. Africa 26°58S 26°40E 144 C4
Orkney □ U.K. 59°2N 3°13W 65 B5
Orkney Is. U.K. 59°0N 3°0W 65 B6
Orland U.S.A. 39°45N 122°12W 170 F4
Orlando U.S.A. 28°32N 81°22W 179 G8
Orlando, C. d' Italy 38°10N 14°43E 95 D7
Orlando Int. ✈ (MCO) U.S.A. 28°26N 81°19W 179 G8
Orléanais France 48°0N 2°0E 71 E9
Orléans France 47°54N 1°52E 71 E8
Orleans U.S.A. 44°49N 72°12W 175 B12
Orléans, Î. d' Canada 46°54N 70°58W 165 C5
Orlice → Czech Rep. 50°13N 15°50E 78 A8
Orlivka Ukraine 45°19N 28°27E 81 E13
Orlov Slovak Rep. 49°17N 20°51E 79 B13
Orlov Gay Russia 50°56N 48°19E 86 E9
Orlová Czech Rep. 49°51N 18°26E 79 B11
Orlovat Serbia 45°14N 20°33E 80 E5
Orlovskoye Polesye △ Russia 58°30N 35°30E 84 F8
Orly, Paris ✈ (ORY) France 48°44N 2°23E 71 D9
Ormara Pakistan 25°16N 64°33E 122 G4
Ormea Italy 44°9N 7°54E 92 D4
Ormília Greece 40°16N 23°39E 96 F7
Ormoc Phil. 11°0N 124°37E 119 B6
Ormond N.Z. 38°33S 177°56E 154 E6
Ormond Beach U.S.A. 29°17N 81°3W 179 F8
Ormond-by-the-Sea U.S.A. 29°21N 81°4W 179 F8
Ormondville N.Z. 40°5S 176°19E 154 G5
Ormož Slovenia 46°25N 16°10E 93 B13
Ormskirk U.K. 53°35N 2°54W 66 D5
Ormstown Canada 45°8N 74°0W 175 A11
Ornans France 47°7N 6°10E 71 E13
Orne □ France 48°40N 0°5E 70 D7
Orne → France 49°18N 0°15W 70 C6
Orneta Poland 54°8N 20°9E 82 D7
Ornö Sweden 59°4N 18°24E 62 E12
Örnsköldsvik Sweden 63°17N 18°40E 62 A12
Oro N. Korea 40°1N 127°27E 115 D14
Oro → Mexico 25°35N 105°2W 180 B3
Oro Grande U.S.A. 34°36N 117°20W 171 L9
Oro Valley U.S.A. 32°26N 110°58W 169 K8
Orobie, Alpi Italy 46°7N 10°0E 92 B6
Orobie Bergamasche ⌓ Italy 46°0N 9°45E 92 C6
Orobie Valtellinesi ⌓ Italy 46°5N 9°45E 92 B6
Orocué Colombia 4°48N 71°20W 186 C4
Orodara Burkina Faso 11°0N 4°55W 138 C4
Orodo Nigeria 5°34N 7°4E 139 D6
Orofino U.S.A. 46°29N 116°15W 168 C5
Orohena, Mt. Tahiti 17°37S 149°28W 155 b
Orol Dengizi = Aral Sea Asia 45°0N 58°20E 108 C5
Oromocto Canada 45°54N 66°29W 165 C6
Oron Nigeria 4°48N 8°14E 139 E6
Orono Canada 43°59N 78°37W 174 C6
Orono U.S.A. 44°53N 68°40W 173 C19
Oronsay U.K. 56°1N 6°15W 65 E2
Oropesa Spain 39°57N 5°10W 88 F5
Oroquieta Phil. 8°32N 123°44E 119 C6
Orós Brazil 6°15S 38°55W 189 B3
Orosei Italy 40°23N 9°42E 94 B2
Orosei, G. di Italy 40°15N 9°44E 94 B2
Orosháza Hungary 46°32N 20°42E 80 D5
Oroszlány Hungary 47°29N 18°19E 80 C3
Orotukan Russia 62°16N 151°42E 107 C16
Oroville Calif., U.S.A. 39°31N 121°33W 170 F5
Oroville Wash., U.S.A. 48°56N 119°26W 168 B4
Oroville, L. U.S.A. 39°33N 121°29W 170 F5
Orrefors Sweden 56°50N 15°45E 63 H9
Orroroo Australia 32°43S 138°38E 152 B3
Orrviken Sweden 63°6N 14°26E 62 A8
Orrville U.S.A. 40°50N 81°46W 174 F3
Orsa Sweden 61°7N 14°37E 62 C8
Orsara di Púglia Italy 41°17N 15°16E 95 A8
Orsasjön Sweden 61°7N 14°37E 62 C8
Orsha Belarus 54°30N 30°25E 84 E6
Örsjö Sweden 56°42N 15°45E 63 H9
Orsk Russia 51°12N 58°34E 108 B5
Orşova Romania 44°41N 22°25E 80 F7
Ørsted Denmark 56°30N 10°20E 63 H4
Örsundsbro Sweden 59°44N 17°18E 62 E11
Orta Turkey 40°38N 33°6E 104 B5
Orta, L. d' Italy 45°49N 8°24E 92 C5
Orta Nova Italy 41°19N 15°42E 95 A8
Ortaca Turkey 36°49N 28°45E 99 E10
Ortakent Turkey 37°5N 27°21E 99 D9
Ortaklar Turkey 37°53N 27°30E 99 D9
Ortaköy Çorum, Turkey 40°16N 35°15E 104 B6
Ortaköy Niğde, Turkey 38°44N 34°3E 104 C6
Orte Italy 42°27N 12°23E 93 F9
Ortegal, C. Spain 43°43N 7°52W 88 B3
Orthez France 43°29N 0°48W 72 E3
Ortigueira Spain 43°40N 7°50W 88 B3
Ortigueira, Ria de Spain 43°44N 7°45W 88 B3
Orting U.S.A. 47°6N 122°12W 170 C4
Ortisei Italy 46°34N 11°40E 93 B8
Ortles Italy 46°31N 10°33E 92 B7
Ortón → Bolivia 10°50S 67°0W 188 C4
Ortona Italy 42°21N 14°24E 93 F11
Ortonville U.S.A. 45°19N 96°27W 172 C5
Orūmīyeh Iran 37°40N 45°0E 105 D11
Orūmīyeh, Daryācheh-ye Iran 37°50N 45°30E 105 D11
Orune Italy 40°24N 9°22E 94 B2
Oruro Bolivia 18°0S 67°9W 188 D4
Oruro □ Bolivia 18°40S 67°30W 188 D4
Orust Sweden 58°10N 11°40E 63 F5
Oruzgān □ Afghan. 33°0N 66°0E 122 C5
Orvault France 47°17N 1°38W 70 E5
Orvieto Italy 42°43N 12°7E 93 F9
Orwell N.Y., U.S.A. 43°35N 75°50W 175 C9
Orwell Ohio, U.S.A. 41°32N 80°52W 174 E4
Orwell → U.K. 51°59N 1°18E 67 F9
Orwigsburg U.S.A. 40°38N 76°6W 175 F8
Oryakhovo Bulgaria 43°40N 23°57E 96 C7
Orynyn Ukraine 48°46N 26°24E 81 B11
Oryol = Orel Russia 52°57N 36°3E 85 F9
Orzinuovi Italy 45°24N 9°55E 92 C6
Orzyc → Poland 52°46N 21°14E 83 F8
Orzysz Poland 53°50N 21°58E 82 E8
Osa → Poland 53°33N 18°46E 82 E5
Osa, Pen. de Costa Rica 8°0N 84°0W 182 E3
Osage U.S.A. 43°17N 92°49W 172 D7
Osage → U.S.A. 38°36N 91°57W 172 F8
Osage City U.S.A. 38°38N 95°50W 172 F6
Ōsaka Japan 34°42N 135°30E 113 G7
Osakarovka Kazakhstan 50°33N 72°34E 109 B8
Ōsaki Japan 38°34N 140°58E 112 E10
Osawatomie U.S.A. 38°31N 94°57W 172 F6
Osborn Plateau Ind. Oc. 14°45S 87°0E 146 F7
Osborne U.S.A. 39°26N 98°42W 172 F4
Osby Sweden 56°23N 13°59E 63 H7
Osceola Ark., U.S.A. 35°42N 89°58W 177 D10
Osceola Iowa, U.S.A. 41°2N 93°46W 172 E7
Oschatz Germany 51°17N 13°6E 76 D9
Oschersleben Germany 52°2N 11°14E 76 C7
Öschiri Italy 40°43N 9°6E 94 B2
Oscoda U.S.A. 44°26N 83°20W 174 B1
Osečina Serbia 44°23N 19°34E 96 B3
Ösel = Saaremaa Estonia 58°30N 22°30E 84 C2
Osery Russia 54°52N 38°28E 84 E10
Osgoode Canada 45°8N 75°36W 175 A9
Osh Kyrgyzstan 40°37N 72°49E 109 D8
Osh □ Kyrgyzstan 40°0N 73°0E 109 E8
Oshakati Namibia 17°45S 15°40E 141 H3
Oshana □ Namibia 17°50S 15°40E 144 A2
Oshawa Canada 43°50N 78°50W 174 C6
Oshigambo Namibia 17°45S 16°5E 144 A2
Oshika-Hantō Japan 38°20N 141°30E 112 E10
Oshikoto □ Namibia 18°30S 17°0E 144 A2
Oshivelo Namibia 18°37S 17°10E 144 A2
Oshkosh Nebr., U.S.A. 41°24N 102°21W 172 E2
Oshkosh Wis., U.S.A. 44°1N 88°33W 172 C9
Oshmyany = Ashmyany Belarus 54°26N 25°52E 75 A13
Oshnovīyeh Iran 37°2N 45°6E 105 D11
Oshogbo Nigeria 7°48N 4°37E 139 D5
Oshtorīnān Iran 34°1N 48°38E 105 E13
Ōshū Japan 39°8N 141°8E 112 E10
Oshwe Dem. Rep. of the Congo 3°25S 19°28E 140 E3
Osi Nigeria 8°8N 5°14E 139 D6
Osieczna Poland 51°55N 16°40E 83 G3
Osijek Croatia 45°34N 18°41E 80 E3
Ósilo Italy 40°45N 8°40E 94 B1
Ósimo Italy 43°28N 13°30E 93 E10
Osintorf Belarus 54°40N 30°39E 84 E6
Osipovichi = Asipovichy Belarus 53°19N 28°33E 75 B15
Osiyan India 26°43N 72°55E 124 F5
Osizweni S. Africa 27°49S 30°7E 145 C5
Oskaloosa U.S.A. 41°18N 92°39W 172 E7
Oskarshamn Sweden 57°15N 16°27E 63 G10
Oskarström Sweden 56°48N 12°58E 63 H6
Oskélanéo Canada 48°5N 75°15W 164 C4
Öskemen Kazakhstan 50°0N 82°36E 109 C10
Oskol → Ukraine 49°6N 37°25E 85 H9
Oskū Iran 37°54N 46°8E 105 D12
Oslo Norway 59°54N 10°43E 61 G14
Oslofjorden Norway 59°20N 10°35E 61 G14
Osmanabad India 18°5N 76°10E 126 E3
Osmancık Turkey 40°58N 34°47E 104 B6
Osmaniye Turkey 37°5N 36°10E 104 D7
Osmanlı Turkey 41°35N 26°51E 97 E10
Osmannagar India 18°32N 79°20E 126 E4
Ösmo Sweden 58°58N 17°55E 62 F11
Osnabrück Germany 52°17N 8°3E 76 C4
Ośno Lubuskie Poland 52°28N 14°51E 83 F1
Osoblaha Czech Rep. 50°17N 17°44E 79 A10
Osogbo = Oshogbo Nigeria 7°48N 4°37E 139 D5
Osogovska Planina Macedonia 42°10N 22°30E 96 D6
Osor Italy 44°42N 14°24E 93 D11
Osório Brazil 29°53S 50°17W 191 B5
Osorno Chile 40°25S 73°0W 192 B2
Osorno Spain 42°24N 4°22W 88 C6
Osorno □ Chile 40°34S 73°9W 192 B2
Osorno, Vol. Chile 41°0S 72°30W 192 B2
Osoyoos Canada 49°0N 119°30W 162 D5
Osøyro Norway 60°9N 5°30E 60 F11
Ospika → Canada 56°20N 124°0W 162 B4
Osprey U.S.A. 27°12N 82°29W 179 H7
Osprey Reef Australia 13°52S 146°36E 150 A4
Oss Neths. 51°46N 5°32E 69 C5
Ossa, Mt. Australia 41°52S 146°3E 151 G4
Ossa, Oros Greece 39°47N 22°42E 98 B4
Ossa de Montiel Spain 38°58N 2°45W 91 G2
Ossabaw I. U.S.A. 31°50N 81°5W 178 D8
Ossabaw Sd. U.S.A. 31°50N 81°6W 178 D8
Osse → France 44°7N 0°17E 72 D4
Osse → Nigeria 6°10N 5°20E 139 D6
Ossi Italy 40°40N 8°35E 94 B1
Ossining U.S.A. 41°10N 73°55W 175 E11
Ossipee U.S.A. 43°41N 71°7W 175 C13
Ossokmanuan L. Canada 53°25N 65°0W 165 B7
Ossora Russia 59°20N 163°13E 107 D17
Ostashkov Russia 57°4N 33°2E 84 D7
Östavall Sweden 62°26N 15°29E 62 B9
Oste → Germany 53°49N 9°2E 76 B5
Ostend = Oostende Belgium 51°15N 2°54E 69 C2
Ostend N.Z. 36°48S 175°2E 154 C4
Oster Ukraine 50°57N 30°53E 75 C16

Österbotten = Pohjanmaa □ Finland 62°58N 22°50E 60 E20
Osterburg Germany 52°47N 11°45E 76 C7
Osterburg U.S.A. 40°16N 78°31W 174 F6
Osterburken Germany 49°25N 9°26E 77 F5
Österbybruk Sweden 60°13N 17°55E 62 D11
Österbymo Sweden 57°49N 15°15E 63 G9
Österdalälven → Sweden 60°30N 15°7E 62 C7
Østerdalen Norway 61°40N 10°50E 62 C4
Österfärnebo Sweden 60°19N 16°48E 62 D10
Österforse Sweden 63°9N 17°3E 62 A11
Östergötland □ Sweden 58°35N 15°45E 63 F9
Osterholz-Scharmbeck Germany 53°13N 8°47E 76 B4
Østerild Denmark 57°2N 8°51E 63 G2
Östermyra = Seinäjoki Finland 62°40N 22°51E 60 E20
Osterode Germany 51°43N 10°15E 76 D6
Österreich = Austria ■ Europe 47°0N 14°0E 78 E7
Östersund Sweden 63°10N 14°38E 62 A8
Östervåla Sweden 60°11N 17°11E 62 D11
Ostfriesische Inseln Germany 53°42N 7°0E 76 B3
Ostfriesland Germany 53°20N 7°30E 76 B3
Östhammar Sweden 60°16N 18°22E 62 D12
Óstia, Lido di Italy 41°43N 12°17E 93 G9
Ostíglia Italy 45°4N 11°8E 93 C8
Östmark Sweden 60°17N 12°45E 62 D6
Östra Husby Sweden 58°35N 16°33E 63 F10
Ostrava Czech Rep. 49°51N 18°18E 79 B11
Ostróda Poland 53°42N 19°58E 82 E6
Ostrogozhsk Russia 50°55N 39°7E 85 G10
Ostroh Ukraine 50°20N 26°30E 75 C14
Ostrołęka Poland 53°4N 21°32E 83 E8
Ostrov Bulgaria 43°40N 24°9E 97 C8
Ostrov Czech Rep. 50°18N 12°57E 78 A5
Ostrov Romania 44°6N 27°24E 81 F12
Ostrov Russia 57°25N 28°20E 84 D5
Ostrów Lubelski Poland 51°29N 22°51E 83 G9
Ostrów Mazowiecka Poland 52°50N 21°51E 83 F8
Ostrów Wielkopolski Poland 51°36N 17°44E 83 G4
Ostrowiec-Świętokrzyski Poland 50°55N 21°22E 83 H8
Ostrožac Bos.-H. 43°43N 17°49E 80 G2
Ostrzeszów Poland 51°25N 17°52E 83 G4
Ostseebad Kühlungsborn Germany 54°8N 11°44E 76 A7
Osttirol □ Austria 46°50N 12°30E 78 E5
Ostuni Italy 40°44N 17°35E 95 B10
Osum → Albania 40°40N 20°10E 96 F4
Osŭm → Bulgaria 43°40N 24°50E 97 C8
Ōsumi-Kaikyō Japan 30°55N 131°0E 113 J5
Ōsumi-Shotō Japan 30°30N 130°0E 113 J5
Osun □ Nigeria 7°30N 4°30E 139 D5
Osuna Spain 37°14N 5°8W 89 H5
Oswegatchie → U.S.A. 44°42N 75°30W 175 B9
Oswego U.S.A. 43°27N 76°31W 175 C8
Oswego → U.S.A. 43°27N 76°30W 175 C8
Oswestry U.K. 52°52N 3°3W 66 E4
Oświęcim Poland 50°2N 19°11E 83 H6
Otaci Moldova 48°27N 27°47E 81 B12
Otago □ N.Z. 45°15S 170°0E 155 F5
Otago Harbour N.Z. 45°47S 170°42E 155 F5
Otago Pen. N.Z. 45°48S 170°39E 155 F5
Otaheite B. Trin. & Tob. 10°15N 61°30W 187 K15
Otahuhu N.Z. 36°56S 174°51E 154 C3
Ōtake Japan 34°12N 132°13E 113 G6
Otaki N.Z. 40°45S 175°10E 154 G4
Otane N.Z. 39°54S 176°39E 154 F5
Otaru Japan 43°10N 141°0E 112 C10
Otaru-Wan = Ishikari-Wan Japan 43°25N 141°1E 112 C10
Otautau N.Z. 46°9S 168°1E 155 G3
Otava → Czech Rep. 49°26N 14°12E 78 B7
Otavalo Ecuador 0°13N 78°20W 186 C3
Otavi Namibia 19°40S 17°24E 144 A2
Ōtawara Japan 36°50N 140°5E 113 F10
Otchinjau Angola 16°30S 13°56E 144 A1
Otego U.S.A. 42°23N 75°10W 175 D9
Otelec Romania 45°36N 20°50E 80 E5
Otelnuk, L. Canada 56°9N 68°12W 165 A6
Oţelu Roşu Romania 45°32N 22°22E 80 E7
Otero de Rey = Outeiro de Rei Spain 43°6N 7°36W 88 B3
Othello U.S.A. 46°50N 119°10W 168 C4
Othoni Greece 39°52N 19°22E 98 B1
Othris, Oros Greece 39°2N 22°37E 98 B4
Oti → Africa 7°48N 0°8E 139 D5
Oti ⌓ Togo 10°40N 0°35E 139 C5
Otira N.Z. 42°49S 171°35E 155 C6
Otira Gorge N.Z. 42°53S 171°33E 155 C6
Otish, Mts. Canada 52°22N 70°30W 165 B5
Otishi △ Peru 11°40S 73°59W 188 C3
Otjinene Namibia 21°8S 18°46E 144 B2
Otjiwarongo Namibia 20°30S 16°33E 144 B2
Otjozondjupa □ Namibia 21°0S 17°0E 144 B2
Otmuchów Poland 50°28N 17°10E 83 H4
Otočac Croatia 44°53N 15°12E 93 D12
Otoineppu Japan 44°44N 142°16E 112 B11
Otok Croatia 43°42N 16°44E 93 E13
Otopeni, Bucureşti ✕ (OTP) Romania 44°30N 26°11E 81 F11
Otorohanga N.Z. 38°12S 175°14E 154 E4
Otoskwin → Canada 52°13N 88°6W 164 B2
Otra → Norway 58°9N 8°1E 61 G13
Otradny Russia 53°22N 51°21E 86 D10
Otranto Italy 40°9N 18°28E 95 B11
Otranto, C. d' Italy 40°7N 18°30E 95 B11
Otranto, Str. of Italy 40°15N 18°40E 95 B11
Otrokovice Czech Rep. 49°12N 17°32E 79 B10
Otse S. Africa 25°2S 25°45E 144 C4
Otsego L. U.S.A. 42°45N 74°53W 175 D10
Ōtsu Japan 35°0N 135°50E 113 G7
Ōtsuki Japan 35°36N 138°57E 113 G9
Ottapalam India 10°46N 76°23E 127 J3
Ottawa = Outaouais → Canada 45°27N 74°8W 164 C5
Ottawa Canada 45°26N 75°42W 175 A9
Ottawa Ill., U.S.A. 41°21N 88°51W 172 E9
Ottawa Kans., U.S.A. 38°37N 95°16W 172 F6
Ottawa Is. Canada 59°35N 80°10W 161 F15
Ottélé Cameroon 3°38N 11°19E 139 E7
Ottensheim Austria 48°21N 14°12E 78 C7
Otter Cr. → U.S.A. 44°13N 73°17W 175 B11
Otter Creek U.S.A. 29°19N 82°46W 179 F7
Otter Lake Canada 45°17N 79°56W 174 A5
Otterbäcken Sweden 58°57N 14°3E 63 F8
Otterndorf Germany 53°48N 8°53E 76 B4
Otterup Denmark 55°30N 10°22E 63 J4
Otterville Canada 42°55N 80°36W 174 D4
Ottery St. Mary U.K. 50°44N 3°17W 67 G4
Otto Beit Bridge Zimbabwe 15°59S 28°56E 143 F2
Ottosdal S. Africa 26°46S 25°59E 144 C4
Ottumwa U.S.A. 41°1N 92°25W 172 E7
Otukpa Nigeria 7°9N 7°41E 139 D6
Oturkpo Nigeria 7°16N 8°8E 139 D6
Otway, B. Chile 53°30S 74°0W 192 D2
Otway, C. Australia 38°52S 143°30E 152 E5
Otway, Seno de Chile 53°0S 71°30W 192 D2
Otway △ Australia 38°47S 143°34E 152 E5
Otwock Poland 52°5N 21°20E 83 F8
Otyniya Ukraine 48°44N 24°51E 81 B9
Ötztaler Ache → Austria 47°14N 10°50E 78 D3
Ötztaler Alpen Austria 46°56N 11°0E 78 E3
Ou → Laos 20°4N 102°13E 120 B4
Ou-Sammyaku Japan 39°20N 140°35E 112 E10
Ouachita → U.S.A. 31°38N 91°49W 176 F9
Ouachita, L. U.S.A. 34°34N 93°12W 176 D8
Ouachita Mts. U.S.A. 34°30N 94°30W 176 D7
Ouagadougou Burkina Faso 12°25N 1°30W 139 C4
Ouahigouya Burkina Faso 13°31N 2°25W 138 C4
Ouahran = Oran Algeria 35°45N 0°39W 136 A3
Oualâta Mauritania 17°20N 6°55W 138 B3
Ouallam Niger 14°23N 2°10E 139 C5
Ouallene Algeria 24°41N 1°11E 136 D4
Ouarâne Mauritania 21°0N 10°30W 134 D3
Ouargaye Burkina Faso 11°40N 0°5E 139 C5
Ouargla Algeria 31°59N 5°16E 136 B5
Ouargla □ Algeria 30°30N 6°10E 136 B5
Ouarkoye Burkina Faso 12°5N 3°40W 138 C4
Ouarkziz, Jebel Algeria 28°50N 8°0W 136 C2
Ouarra → C.A.R. 5°5N 24°26E 140 C4
Ouarzazate Morocco 30°55N 6°50W 136 B2
Ouassouas Mali 16°10N 1°23E 139 B5
Ouatagouna Mali 15°11N 0°43E 139 B5
Oubangi → Dem. Rep. of the Congo 0°30S 17°50E 140 E3
Oubarakai, O. → Algeria 27°20N 9°0E 136 C5
Ouche → France 47°6N 5°16E 71 E12
Ouddorp Neths. 51°50N 3°57E 69 C3
Oude Rijn → Neths. 52°12N 4°24E 69 B4
Oudeïka Mali 17°30N 1°40W 139 B4
Oudenaarde Belgium 50°50N 3°37E 69 D3
Oudon → France 47°41N 0°53W 70 E6
Oudtshoorn S. Africa 33°35S 22°14E 144 D3
Oued Zem Morocco 32°52N 6°34W 136 B2
Ouella Niger 14°48N 3°38E 139 C5
Ouellé Ivory C. 7°26N 4°1W 138 D4
Ouémé → Benin 6°30N 2°30E 139 D5
Ouenza Algeria 35°57N 8°4E 136 A5
Ouessa Burkina Faso 11°4N 2°47W 138 C4
Ouessant, Î. d' France 48°28N 5°6W 70 D1
Ouesso Congo 1°37N 16°5E 140 D3
Ouest □ Cameroon 5°30N 10°30E 139 D7
Ouest, Pte. de l' Canada 49°52N 64°40W 165 C7
Ouezzane Morocco 34°51N 5°35W 136 B2
Ougarou Burkina Faso 12°10N 0°58E 139 C5
Oughter, L. Ireland 54°1N 7°28W 64 B4
Oughterard Ireland 53°26N 9°18W 64 C2
Ouidah Benin 6°25N 2°0E 139 D5
Ouidi Niger 14°10N 13°0E 139 C7
Ouistreham France 49°17N 0°18W 70 C6
Oujda Morocco 34°41N 1°55W 136 B3
Oujeft Mauritania 20°2N 13°0W 138 A2
Oulad-Teïma Morocco 30°24N 9°12W 136 B2
Oulainen Finland 64°17N 24°47E 60 D21
Oulanka △ Finland 66°26N 29°25E 60 C23
Ould Yenjé Mauritania 15°38N 12°16W 138 B2
Ouled Djellal Algeria 34°28N 5°2E 136 B5
Ouled Naïl, Mts. des Algeria 34°30N 3°30E 136 B4
Oullins France 45°43N 4°49E 73 C8
Oulmès Morocco 33°17N 6°0W 136 B2
Oulu Finland 65°1N 25°29E 60 D21
Oulujärvi Finland 64°25N 27°15E 60 D22
Oulujoki → Finland 65°1N 25°30E 60 D21
Oulx Italy 45°2N 6°50E 92 C3
Oum Chalouba Chad 15°48N 20°46E 135 E10
Oum-el-Bouaghi Algeria 35°55N 7°6E 136 A5
Oum-el-Bouaghi □ Algeria 35°50N 7°5E 136 A5
Oum el Ksi Algeria 29°4N 6°59W 136 C2
Oum-er-Rbia, O. → Morocco 33°19N 8°21W 136 B2
Oum Hadjer Chad 13°18N 19°41E 135 F9
Oumé Ivory C. 6°21N 5°27W 138 D3
Ounane, Dj. Algeria 25°4N 7°19E 136 C5
Ounasjoki → Finland 66°31N 25°40E 60 C21
Ounguati Namibia 22°0S 15°46E 144 B2
Ounianga Kébir Chad 19°4N 20°29E 135 E10
Our → Lux. 49°55N 6°5E 69 E6
Oura, Akra Greece 38°10N 26°2E 99 C8
Ouranoupoli Greece 40°20N 23°59E 96 F7
Ourârene Niger 19°30N 7°10E 139 B6
Ouray U.S.A. 38°1N 107°40W 169 G10
Ourcq → France 49°1N 3°1E 71 C10
Ourém Portugal 39°40N 8°35W 88 F2
Ourense Spain 42°19N 7°55W 88 C3
Ourense □ Spain 42°15N 7°51W 88 C3
Ouricuri Brazil 7°53S 40°5W 189 B2
Ourinhos Brazil 23°0S 49°54W 191 A6
Ourique Portugal 37°38N 8°16W 89 H2
Ouro Fino Brazil 22°16S 46°25W 191 A6
Ouro-Ndia Mali 15°8N 4°35W 138 B4
Ouro Prêto Brazil 20°20S 43°30W 191 A7
Ouro Sogui Senegal 15°36N 13°19W 138 B2
Oursi Burkina Faso 14°41N 0°27W 139 C4
Ourthe → Belgium 50°29N 5°35E 69 D5
Ouse → E. Sussex, U.K. 50°47N 0°4E 67 G8
Ouse → N. Yorks., U.K. 53°44N 0°55W 66 D7
Oust France 42°52N 1°13E 72 F5
Oust → France 47°35N 2°6W 70 E4
Outamba-Kilimi △ S. Leone 9°50N 12°40W 138 D2
Outaouais → Canada 45°27N 74°8W 164 C5
Outapi Namibia 17°30S 15°0E 144 A2
Outardes → Canada 49°24N 69°30W 165 C6
Outat Oulad el Haj Morocco 33°22N 3°42W 136 B3
Outeiro de Rei Spain 43°6N 7°36W 88 B3
Outer Hebrides U.K. 57°30N 7°15W 65 D1
Outes = A Serra de Outes Spain 42°52N 8°55W 88 C2
Outjo Namibia 20°5S 16°7E 144 B2
Outlook Canada 51°30N 107°0W 163 C7
Outokumpu Finland 62°43N 29°1E 60 E23
Outreau France 50°40N 1°36E 71 B8
Ouvèze → France 43°59N 4°51E 73 E8
Ouyen Australia 35°1S 142°22E 152 C5
Ouzouer-le-Marché France 47°54N 1°32E 71 E8
Ovada Italy 44°38N 8°38E 92 D5
Ovalau Fiji 17°40S 178°48E 154 a
Ovalle Chile 30°33S 71°18W 190 C1
Ovamboland Namibia 18°30S 16°0E 144 A2
Ovanåker Sweden 61°22N 15°53E 62 C9
Ovar Portugal 40°51N 8°40W 88 E2
Overath Germany 50°56N 7°17E 76 E3
Overflakkee Neths. 51°44N 4°10E 69 C4
Overijssel □ Neths. 52°25N 6°35E 69 B6
Overland Park U.S.A. 38°58N 94°40W 172 F6
Overlander Roadhouse Australia 26°19S 114°28E 149 E1
Overton U.S.A. 36°33N 114°27W 171 J12
Övertorneå Sweden 66°23N 23°38E 60 C20
Överum Sweden 58°0N 16°20E 63 F10
Ovid U.S.A. 42°41N 76°49W 175 D8
Ovidiopol Ukraine 46°15N 30°30E 85 J6
Ovidiu Romania 44°16N 28°34E 81 F13
Oviedo Spain 43°25N 5°50W 88 B5
Oviedo U.S.A. 28°40N 81°13W 179 G8
Oviksfjällen Sweden 63°0N 13°49E 62 A7
Ovīšrags Latvia 57°33N 21°44E 82 A8
Ovoot Mongolia 45°21N 113°45E 114 B7
Övör Hangay □ Mongolia 45°0N 102°30E 114 B2
Ovoro Nigeria 5°26N 7°16E 139 D6
Øvre Anárjohka △ Norway 68°30N 24°40E 60 B21
Øvre Årdal Norway 61°19N 7°48E 60 F12
Øvre Dividal △ Norway 68°43N 19°50E 60 B18
Övre Fryken Sweden 60°0N 13°7E 62 E7
Øvre Pasvik ⌓ Norway 69°6N 28°54E 60 B23
Ovruch Ukraine 51°25N 28°45E 75 C15
Owaka N.Z. 46°27S 169°40E 155 G4
Owambo = Ovamboland Namibia 18°30S 16°0E 144 A2
Owasco L. U.S.A. 42°50N 76°31W 175 D8
Owase Japan 34°7N 136°12E 113 G8
Owatonna U.S.A. 44°5N 93°14W 172 C7
Owbeh Afghan. 34°28N 63°10E 122 B3
Owego U.S.A. 42°6N 76°16W 175 D8
Owen Australia 34°15S 138°32E 152 C3
Owen, Mt. N.Z. 41°35S 172°33E 155 B7
Owen Falls Dam = Nalubaale Dam Uganda 0°30N 33°5E 142 B3
Owen Sound Canada 44°35N 80°55W 174 B4
Owen Stanley Ra. Papua N. G. 8°30S 147°0E 147 B7
Oweniny → Ireland 54°8N 9°34W 64 B2
Owens → U.S.A. 36°32N 117°59W 170 J9
Owens L. U.S.A. 36°26N 117°57W 171 J9
Owensboro U.S.A. 37°46N 87°7W 172 G10
Owerri Nigeria 5°29N 7°0E 139 D6
Owhango N.Z. 39°0S 175°23E 154 F4
Owl → Canada 57°51N 92°44W 163 B10
Owo Nigeria 7°10N 5°39E 139 D6
Owosso U.S.A. 43°0N 84°10W 173 D11
Owyhee U.S.A. 41°57N 116°6W 168 F5
Owyhee → U.S.A. 43°49N 117°2W 168 E5
Owyhee, L. U.S.A. 43°38N 117°14W 168 E5
Ox Mts. = Slieve Gamph Ireland 54°6N 9°0W 64 B3
Oxapampa Peru 10°33S 75°26W 188 C2
Öxarfjörður Iceland 66°15N 16°45W 60 C5
Oxbow Canada 49°14N 102°10W 163 D8
Oxelösund Sweden 58°43N 17°5E 63 F11
Oxford N.Z. 43°18S 172°11E 155 D7
Oxford U.K. 51°46N 1°15W 67 F6
Oxford Ala., U.S.A. 33°36N 85°51W 178 B4
Oxford Mass., U.S.A. 42°7N 71°52W 175 D13
Oxford Miss., U.S.A. 34°22N 89°31W 177 D10
Oxford N.C., U.S.A. 36°19N 78°35W 177 C15
Oxford N.Y., U.S.A. 42°27N 75°36W 175 D9
Oxford Ohio, U.S.A. 39°31N 84°45W 173 F11
Oxford L. Canada 54°51N 95°37W 163 C9
Oxfordshire □ U.K. 51°48N 1°16W 67 F6
Oxia Greece 38°18N 21°6E 98 C3
Oxie Sweden 55°33N 13°6E 63 J7
Oxilithos Greece 38°35N 24°7E 98 C6
Oxley Australia 34°11S 144°6E 152 C6
Oxley Wild Rivers △ Australia 30°57S 152°12E 153 A10
Oxnard U.S.A. 34°12N 119°11W 171 L7
Oxsjövålen Sweden 62°34N 13°57E 62 B7
Oxus = Amudarya → Uzbekistan 43°58N 59°34E 108 D5
Oya Malaysia 2°55N 111°55E 118 D4
Oyama Japan 36°18N 139°48E 113 F9
Oyambre ⌓ Spain 43°22N 4°21W 88 B6
Oyem Gabon 1°34N 11°31E 140 D2
Oyen Canada 51°22N 110°28W 163 C6
Oykel → U.K. 57°56N 4°26W 65 D4
Oymyakon Russia 63°25N 142°44E 107 C15
Oyo Nigeria 7°46N 3°56E 139 D5
Oyo Sudan 21°58N 36°10E 137 C4
Oyo □ Nigeria 8°15N 3°30E 139 D5
Oyón Peru 10°37S 76°47W 188 C2
Oyonnax France 46°16N 5°40E 71 F12
Ōyūbari Japan 43°1N 142°5E 112 C11
Oyyl → Kazakhstan 49°4N 54°40E 108 C4
Özalp Turkey 38°39N 43°59E 105 C10
Ozamiz Phil. 8°15N 123°50E 119 C6
Ozar = Ojhar India 20°6N 73°56E 126 D1
Ozark Ala., U.S.A. 31°28N 85°39W 178 D4
Ozark Ark., U.S.A. 35°29N 93°50W 176 D8
Ozark Mo., U.S.A. 37°1N 93°12W 172 G7
Ozark Plateau U.S.A. 37°20N 91°40W 172 G8
Ozarks, L. of the U.S.A. 38°12N 92°38W 172 F7
Ożarów Poland 50°53N 21°40E 83 H8
Ózd Hungary 48°14N 20°15E 80 B5
Ozernovskiy Russia 51°30N 156°31E 107 D16
Ozernoye Russia 51°46N 51°28E 86 E10
Ozersk Russia 54°25N 22°0E 82 D8
Ozette, L. U.S.A. 48°6N 124°38W 170 B2
Ozieri Italy 40°35N 9°0E 94 B2
Ozimek Poland 50°41N 18°11E 83 H5
Ozinki Russia 51°15N 49°50E 86 E9
Ozona U.S.A. 30°43N 101°12W 176 F4
Ozorków Poland 51°57N 19°16E 83 G6
Ozren Bos.-H. 43°55N 18°29E 80 G3
Ozuluama Mexico 21°40N 97°51W 181 C5
Ozun Romania 45°47N 25°50E 81 E10
Ozurgeti Georgia 41°55N 42°0E 87 K5

P

Pa Burkina Faso 11°33N 3°19W 138 C4
Pa-an Burma 16°51N 97°40E 123 L20
Pa Mong Dam Thailand 18°0N 102°22E 120 D4
Pa Sak → Thailand 15°30N 101°0E 120 E3
Paamiut Greenland 62°0N 49°43W 57 E6
Paanayarvi △ Russia 66°16N 30°10E 60 C24
Paar → Germany 48°46N 11°36E 77 G7
Paarl S. Africa 33°45S 18°56E 144 D2
Pab Hills Pakistan 26°30N 66°45E 124 F2
Pabaidh = Pabbay U.K. 57°46N 7°14W 65 D1
Pabbay U.K. 57°46N 7°14W 65 D1
Pabianice Poland 51°40N 19°20E 83 G6
Pabna Bangla. 24°1N 89°18E 123 G16
Pabo Uganda 3°1N 32°10E 142 B3
Pacaipampa Peru 5°35S 79°39W 188 B2
Pacaja → Brazil 1°56S 50°50W 187 D8
Pacajus Brazil 4°10S 38°31W 189 A3
Pacaraima, Sa. S. Amer. 4°0N 62°30W 186 C6
Pacarán Peru 12°50S 76°3W 188 C2
Pacaraos Peru 11°12S 76°42W 188 C2
Pacasmayo Peru 7°20S 79°35W 188 B2
Pace U.S.A. 30°36N 87°10W 179 E2
Paceco Italy 37°59N 12°33E 94 E5
Pachacamac Peru 12°14S 77°53W 188 C2
Pachia Greece 36°17N 25°50E 99 E7
Pachino Italy 36°43N 15°5E 95 F8
Pachitea → Peru 8°46S 74°33W 188 B3
Pachiza Peru 7°16S 76°46W 188 B2
Pachmarhi India 22°28N 78°26E 125 H8
Pachnes Greece 35°16N 24°4E 101 D6
Pachora India 20°38N 75°29E 126 D2
Pachpadra India 25°58N 72°10E 124 G5
Pachuca Mexico 20°7N 98°44W 181 C5
Pacific Antarctic Ridge Pac. Oc. 43°0S 115°0W 55 B13
Pacific Grove U.S.A. 36°38N 121°56W 170 J5
Pacific Ocean 10°0N 140°0W 157 G14
Pacific Rim △ Canada 48°40N 124°45W 170 B2
Pacifica U.S.A. 37°37N 122°27W 170 H4
Pacitan Indonesia 8°12S 111°7E 119 H14
Packsaddle Australia 30°36S 141°58E 152 A4
Packwood U.S.A. 46°36N 121°40W 170 D5
Pacov Czech Rep. 49°27N 15°0E 78 B8
Pacuí → Brazil 16°46S 45°1W 189 D1
Pacy-sur-Eure France 49°1N 1°23E 70 C8
Padaido, Kepulauan Indonesia 1°15S 136°30E 119 E9
Padampur India 20°59N 83°4E 126 D6
Padang Riau, Indonesia 1°30N 102°30E 121 M4
Padang Sumatera Barat, Indonesia 1°0S 100°20E 118 E2
Padang Endau Malaysia 2°40N 103°38E 121 L4
Padangpanjang Indonesia 0°40S 100°20E 118 E2
Padangsidempuan Indonesia 1°30N 99°15E 118 D1
Padborg Denmark 54°49N 9°21E 63 K3
Paddle Prairie Canada 57°57N 117°29W 162 B5
Paderborn Germany 51°42N 8°45E 76 D4
Paderoo India 18°5N 82°40E 126 E6
Padeş, Vf. Romania 45°40N 22°22E 80 E7
Padina Romania 44°50N 27°8E 81 F12
Padjelanta △ Sweden 67°20N 16°35E 60 C17
Padma India 24°12N 85°22E 125 G11
Pádova Italy 45°25N 11°53E 93 C8
Padra India 22°15N 73°7E 124 H5
Padrauna India 26°54N 83°59E 125 F10
Padre I. U.S.A. 27°10N 97°25W 176 H6
Padre Island ⌓ U.S.A. 27°0N 97°25W 176 H6
Padrón Spain 42°41N 8°39W 88 C2
Padstow U.K. 50°33N 4°58W 67 G3
Padthaway Australia 36°36S 140°31E 152 D4
Padua = Pádova Italy 45°25N 11°53E 93 C8
Paducah Ky., U.S.A. 37°5N 88°37W 172 G9
Paducah Tex., U.S.A. 34°1N 100°18W 176 D4
Padukka Sri Lanka 6°50N 80°5E 127 L5
Padul Spain 37°1N 3°38W 89 H7
Padwa India 18°27N 82°47E 126 E6
Paea Tahiti 17°41S 149°35W 155 b
Paekakariki N.Z. 40°59S 174°58E 154 G3
Paektu-san N. Korea 41°59N 128°4E 115 D15
Paengaroa N.Z. 37°49S 176°29E 154 D5
Paeroa N.Z. 37°23S 175°41E 154 D4
Paesana Italy 44°41N 7°16E 92 D4
Pafúri Mozam. 22°28S 31°17E 145 B5
Pag Croatia 44°25N 15°3E 93 D12
Paga Ghana 11°1N 1°8W 139 C4
Pagadian Phil. 7°55N 123°30E 119 C6
Pagai Selatan, Pulau Indonesia 3°0S 100°15E 118 E2
Pagai Utara, Pulau Indonesia 2°35S 100°0E 118 E2
Pagalu = Annobón Atl. Oc. 1°25S 5°36E 133 G4
Pagara India 24°22N 80°1E 125 G9
Pagasa I. = Thitu I. S. China Sea 11°3N 114°17E 118 B4
Pagastikos Kolpos Greece 39°15N 23°0E 98 B5
Pagatan Indonesia 3°33S 115°59E 118 E5
Page U.S.A. 36°57N 111°27W 169 H8
Pagėgiai Lithuania 55°9N 21°54E 82 C8
Paget, Mt. S. Georgia 54°26S 36°31W 184 H6
Paget I. India 13°26N 92°50E 127 H11
Pagosa Springs U.S.A. 37°16N 107°1W 169 H10
Pagri China 27°45N 89°10E 110 F6
Pagwa River Canada 50°2N 85°14W 164 B2
Pāhala U.S.A. 19°12N 155°29W 167 M8
Pahang □ Malaysia 3°30N 102°45E 121 L4
Pahang → Malaysia 3°30N 103°9E 121 L4
Pahia Pt. N.Z. 46°20S 167°41E 155 G2
Pahiatua N.Z. 40°27S 175°50E 154 G4
Pahokee U.S.A. 26°50N 80°40W 179 J9
Pahrump U.S.A. 36°12N 115°59W 171 J11
Pahute Mesa U.S.A. 37°20N 116°45W 170 H10
Pai Thailand 19°19N 98°27E 120 C2
Paicines U.S.A. 36°44N 121°17W 170 J5
Paide Estonia 58°53N 25°33E 84 C3
Paignton U.K. 50°26N 3°35W 67 G4
Paihia N.Z. 35°17S 174°6E 154 B3
Paiho Taiwan 23°21N 120°25E 117 F13
Paiján Peru 7°42S 79°20W 188 B2
Päijänne Finland 61°30N 25°30E 84 B3
Pailani India 25°45N 80°26E 125 G9
Pailin Cambodia 12°46N 102°36E 120 F4
Paimpol France 48°48N 3°4W 70 D3
Painan Indonesia 1°21S 100°34E 118 E2
Paine Grande, Cerro Chile 50°59S 73°4W 192 D2
Painesville U.S.A. 41°43N 81°15W 174 E3
Paint Hills = Wemindji Canada 53°0N 78°49W 164 B4
Paint L. Canada 55°28N 97°57W 163 B9
Painted Desert U.S.A. 36°0N 111°0W 169 H8
Paintsville U.S.A. 37°49N 82°48W 173 G12
País Vasco □ Spain 42°50N 2°45W 90 C2
Paisley Canada 44°18N 81°16W 174 B3
Paisley U.K. 55°50N 4°25W 65 F4
Paisley U.S.A. 42°42N 120°32W 168 E3
Paita Peru 5°11S 81°9W 188 B1
Paithan India 19°29N 75°23E 126 E2
Paiva → Portugal 41°4N 8°16W 88 D2
Paizhou China 30°12N 113°55E 117 B9
Pajares Spain 43°1N 5°46W 88 B5
Pajares, Puerto de Spain 42°58N 5°46W 88 C5
Pajęczno Poland 51°10N 19°0E 83 G5
Pak Lay Laos 18°15N 101°27E 120 C3
Pak Ou Laos 20°3N 102°12E 120 B4
Pak Phanang Thailand 8°21N 100°12E 121 H3
Pak Sane Laos 18°22N 103°39E 120 C4
Pak Song Laos 15°11N 106°14E 120 E6
Pak Suang Laos 19°58N 102°15E 116 H4
Pak Tam Chung China 22°24N 114°19E 111 a
Pak Thong Chai Thailand 14°43N 102°1E 120 E4
Pakala India 13°29N 79°8E 127 H4
Pakaur India 24°38N 87°51E 125 G12
Pakch'ŏn N. Korea 39°44N 125°35E 115 E13
Pakenham Australia 38°6S 145°30E 153 E6
Pakenham Canada 45°18N 76°18W 175 A8
Pakhuis S. Africa 32°9S 19°5E 144 D2
Pakistan ■ Asia 30°0N 70°0E 124 E4
Pakkading Laos 18°19N 103°59E 120 C4
Paklenica △ Croatia 44°20N 15°39E 93 D12
Pakokku Burma 21°20N 95°0E 123 J19
Pakość Poland 52°48N 18°6E 83 F5
Pakowki L. Canada 49°20N 111°0W 163 D6
Pakpattan Pakistan 30°25N 73°27E 124 D5
Pakrac Croatia 45°27N 17°12E 80 E2
Pakruojis Lithuania 55°58N 23°52E 82 C10
Paks Hungary 46°38N 18°55E 80 D3
Paktīā □ Afghan. 33°30N 69°15E 122 C6
Paktīkā □ Afghan. 32°30N 69°0E 122 C6
Pakwach Uganda 2°28N 31°27E 142 B3
Pakxe Laos 15°5N 105°52E 120 E5
Pal Lahara India 21°27N 85°11E 125 J11
Pala Chad 9°25N 15°5E 135 G9
Pala Dem. Rep. of the Congo 6°45S 29°30E 142 D2
Pala U.S.A. 33°22N 117°5W 171 M9
Palabek Uganda 3°22N 32°33E 142 B3
Palacios U.S.A. 28°42N 96°13W 176 G6
Palafrugell Spain 41°55N 3°10E 90 D8
Palagiano Italy 40°35N 17°2E 95 B10
Palagonia Italy 37°19N 14°45E 95 E7
Palagruža Croatia 42°24N 16°15E 93 F13
Palaiseau France 48°42N 2°14E 71 D9
Palakkad India 10°46N 76°42E 127 J3
Palakol India 16°31N 81°46E 127 F5
Palalankwe India 10°52N 92°29E 127 J11
Palam India 19°0N 77°0E 126 E3
Palamas Greece 39°26N 22°4E 98 B4
Palamós Spain 41°50N 3°10E 90 D8
Palampur India 32°10N 76°30E 124 C7
Palamut Turkey 38°59N 27°41E 99 C9
Palana Australia 39°45S 147°55E 151 F4
Palana Russia 59°10N 159°59E 107 D16
Palanan Phil. 17°8N 122°29E 119 A6
Palanan Pt. Phil. 17°17N 122°30E 119 A6
Palandri Pakistan 33°42N 73°40E 125 C5
Palanga Lithuania 55°58N 21°3E 82 C8
Palangkaraya Indonesia 2°16S 113°56E 118 E4
Palani India 10°30N 77°30E 127 J3
Palani Hills India 10°14N 77°33E 127 J3
Palanpur India 24°10N 72°25E 124 G5
Palapye Botswana 22°30S 27°7E 144 B4
Palar → India 12°27N 80°13E 127 H5
Palas Pakistan 35°4N 73°14E 125 B5
Palas de Rei Spain 42°52N 7°52W 88 C3
Palasponga India 21°47N 85°34E 125 J11
Palatka Russia 60°6N 150°54E 107 C16
Palatka U.S.A. 29°39N 81°38W 178 F8
Palau Italy 41°11N 9°23E 94 A2
Palau ■ Palau 7°30N 134°30E 156 G5
Palauk Burma 13°10N 98°40E 120 F2
Palaw Burma 12°58N 98°39E 120 F2
Palawan Phil. 9°30N 118°30E 118 C5
Palayankottai India 8°45N 77°45E 127 K3
Palazzo, Pte. France 42°28N 8°30E 73 F12
Palazzo San Gervásio Italy 40°56N 15°59E 95 B8
Palazzolo Acréide Italy 37°4N 14°54E 95 E7
Palca Chile 19°7S 69°9W 188 D4
Paldiski Estonia 59°23N 24°9E 84 C3
Pale Bos.-H. 43°50N 18°38E 80 G3
Palekastro Greece 35°12N 26°15E 101 D8
Paleleh Indonesia 1°10N 121°50E 119 D6
Palembang Indonesia 3°0S 104°50E 118 E2
Palena → Chile 43°50S 73°50W 192 B2
Palena, L. Chile 43°55S 71°40W 192 B2
Palencia Spain 42°1N 4°34W 88 C6
Palencia □ Spain 42°31N 4°33W 88 C6
Palenque Mexico 17°29N 92°1W 181 D6
Paleochora Greece 35°16N 23°39E 101 D5
Paleokastritsa Greece 39°40N 19°41E 101 A3
Paleometokho Cyprus 35°7N 33°11E 101 D12
Paleopoli Greece 37°49N 24°49E 98 D6
Palermo Italy 38°7N 13°22E 94 D6
Palermo U.S.A. 39°26N 121°33W 170 F5
Palermo ✕ (PMO) Italy 38°11N 13°5E 94 D6
Paleros Greece 38°47N 20°53E 98 C2
Palestina Chile 23°50S 69°47W 190 A2
Palestine Asia 32°0N 35°0E 130 D4
Palestine U.S.A. 31°46N 95°38W 176 F7
Palestrina Italy 41°50N 12°53E 93 G9
Paletwa Burma 21°10N 92°50E 123 J18
Palghat = Palakkad India 10°46N 76°42E 127 J3
Palgrave, Mt. Australia 23°22S 115°58E 148 D2
Palhoça Brazil 27°38S 48°40W 191 B6
Pali India 25°50N 73°20E 124 G5
Pali-Aike △ Chile 52°6S 69°44W 192 D3
Palikir Micronesia 6°55N 158°9E 156 G7
Palinuro Italy 40°2N 15°17E 95 B8
Palinuro, C. Italy 40°2N 15°16E 95 B8
Paliouri, Akra Greece 39°57N 23°45E 96 G7
Palisades Res. U.S.A. 43°20N 111°12W 168 E8
Paliseul Belgium 49°54N 5°8E 69 E5
Palitana India 21°32N 71°49E 124 J4
Palizada Mexico 18°15N 92°5W 181 D6
Palk Bay Asia 9°30N 79°15E 127 K4
Palk Strait Asia 10°0N 79°45E 127 K4
Palkānah Iraq 35°49N 44°26E 128 C5
Palkonda India 18°36N 83°48E 126 E6
Palkonda Ra. India 13°50N 79°20E 127 H4
Palkot India 22°53N 84°39E 125 H11
Pallanza = Verbánia Italy 45°56N 8°33E 92 C5
Pallarenda Australia 19°12S 146°46E 150 B4
Pallas-Yllästunturi △ Finland 68°8N 24°15E 60 B21
Pallasovka Russia 50°4N 47°0E 86 E8
Palleru → India 16°45N 80°2E 126 F5
Pallës, Bishti i Albania 41°24N 19°24E 96 E3
Pallinup → Australia 34°27S 118°50E 149 F2
Pallisa Uganda 1°12N 33°43E 142 B3
Palliser, C. N.Z. 41°37S 175°14E 154 H4
Palliser B. N.Z. 41°26S 175°5E 154 H4
Pallu India 28°59N 74°14E 124 E6
Palm Bay U.S.A. 28°2N 80°35W 179 G9
Palm Beach U.S.A. 26°43N 80°2W 179 J9
Palm Coast U.S.A. 29°35N 81°12W 179 F8
Palm Desert U.S.A. 33°43N 116°22W 171 M10
Palm-Grove △ Australia 24°57S 149°21E 150 C4
Palm Harbor U.S.A. 28°5N 82°46W 179 G7
Palm Is. Australia 18°40S 146°35E 150 B4
Palm Springs U.S.A. 33°50N 116°33W 171 M10
Palm Valley U.S.A. 30°11N 81°23W 178 E8
Palma Mozam. 10°46S 40°29E 143 E5
Palma → Brazil 12°33S 47°52W 189 C1
Palma, B. de Spain 39°30N 2°39E 100 B9
Palma de Mallorca Spain 39°35N 2°39E 100 B9
Palma de Mallorca ✕ (PMI) Spain 39°34N 2°43E 91 F7
Palma del Río Spain 37°43N 5°17W 89 H5
Palma di Montechiaro Italy 37°11N 13°46E 94 E6
Palma Nova = Palmanova Spain 39°32N 2°34E 100 B9
Palma Soriano Cuba 20°15N 76°0W 182 B4
Palmaner India 13°12N 78°45E 127 H4
Palmanova Spain 39°32N 2°34E 100 B9
Palmares Brazil 8°41S 35°28W 189 B3
Palmarola Italy 40°56N 12°51E 94 B5
Palmas Paraná, Brazil 26°29S 52°0W 191 B5
Palmas Tocantins, Brazil 10°13S 48°16W 189 C1
Pálmas, C. Liberia 4°27N 7°46W 138 E3
Pálmas, G. di Italy 39°0N 8°30E 94 D1
Palmas de Monte Alto Brazil 14°16S 43°10W 189 C2
Palmdale Calif., U.S.A. 34°35N 118°7W 171 L8
Palmdale Fla., U.S.A. 26°57N 81°19W 179 J8
Palmeira das Missões Brazil 27°55S 53°17W 191 B5
Palmeira dos Índios Brazil 9°25S 36°37W 189 B3
Palmeirais Brazil 6°0S 43°0W 189 B2
Palmeiras Brazil 12°31S 41°34W 189 C2
Palmeiras → Brazil 12°22S 47°8W 189 C1
Palmela Portugal 38°32N 8°57W 89 G2
Palmer Antarctica 64°35S 65°0W 55 C17
Palmer U.S.A. 61°36N 149°7W 160 E2
Palmer → Australia 16°0S 142°26E 150 B3
Palmer Arch. Antarctica 64°15S 65°0W 55 C17
Palmer Lake U.S.A. 39°7N 104°55W 168 G11
Palmer Land Antarctica 73°0S 63°0W 55 D18
Palmerston Australia 12°31S 130°59E 148 B5
Palmerston Canada 43°50N 80°51W 174 C4
Palmerston N.Z. 45°29S 170°43E 155 F5
Palmerston North N.Z. 40°21S 175°39E 154 G4
Palmerton U.S.A. 40°48N 75°37W 175 F9
Palmetto Fla., U.S.A. 27°31N 82°34W 179 H7
Palmetto Ga., U.S.A. 33°31N 84°40W 178 B5
Palmi Italy 38°21N 15°51E 95 D8
Palmira Argentina 32°59S 68°34W 190 C2
Palmira Colombia 3°32N 76°16W 186 C3
Palmyra = Tudmur Syria 34°36N 38°15E 105 E8
Palmyra Mo., U.S.A. 39°48N 91°32W 172 F8
Palmyra N.J., U.S.A. 40°0N 75°1W 175 F9
Palmyra N.Y., U.S.A. 43°5N 77°18W 174 C7
Palmyra Pa., U.S.A. 40°18N 76°36W 175 F8
Palmyra Is. Pac. Oc. 5°52N 162°5W 157 G11
Palmyras Pt. India 20°46N 87°1E 126 D8
Palo Alto U.S.A. 37°27N 122°10W 170 H4
Palo Seco Trin. & Tob. 10°4N 61°36W 187 K15
Palo Verde U.S.A. 33°26N 114°44W 171 M12
Palo Verde △ Costa Rica 10°21N 85°21W 182 D2
Palomar Mt. U.S.A. 33°22N 116°50W 171 M10
Palopo Indonesia 3°0S 120°16E 119 E6
Palos, C. de Spain 37°38N 0°40W 91 H4
Palos de la Frontera Spain 37°14N 6°53W 89 H4
Palos Verdes, Pt. U.S.A. 33°46N 118°25W 171 M8
Palos Verdes Estates U.S.A. 33°48N 118°23W 171 M8
Palpa Peru 14°30S 75°15W 188 C2
Pålsboda Sweden 59°3N 15°22E 62 E9
Palu Indonesia 1°0S 119°52E 119 E5
Palu Turkey 38°45N 40°0E 105 C9
Paluke Liberia 5°2N 8°5W 138 D3
Paluma Ra. Australia 19°9S 146°22E 150 B4
Paluzza Italy 46°32N 13°1E 93 B10
Palwal India 28°8N 77°19E 124 E7
Pama Burkina Faso 11°19N 0°44E 139 C5
Pama ⌓ Burkina Faso 11°27N 0°46E 139 C5
Pamanukan Indonesia 6°16S 107°49E 119 G12
Pamban I. India 9°15N 79°20E 127 K4
Pamekasan Indonesia 7°10S 113°28E 119 G15
Pamenang Indonesia 8°24S 116°6E 119 J19
Pamiers France 43°7N 1°39E 72 E5
Pamir Tajikistan 37°40N 73°0E 109 E8
Pamlico → U.S.A. 35°20N 76°28W 177 D16
Pamlico Sd. U.S.A. 35°20N 76°0W 177 D17
Pampa U.S.A. 35°32N 100°58W 176 D4
Pampa de Agma Argentina 43°45S 69°40W 192 B3
Pampa de las Salinas Argentina 32°1S 66°58W 190 C2
Pampa Hermosa Peru 7°7S 75°4W 188 B2
Pampanua Indonesia 4°16S 120°8E 119 E6
Pampas Argentina 35°0S 63°0W 190 D3
Pampas Peru 12°20S 74°50W 188 C3
Pampas → Peru 13°24S 73°12W 188 C3
Pamphylia Turkey 37°0N 31°20E 104 D4

Pegnitz → Germany 49°30N 10°59E 77 F6
Pego Spain 38°51N 0°8W 91 G4
Pegu = Bago Burma 17°20N 96°29E 123 L20
Pegu Yoma Burma 19°0N 96°0E 123 K20
Pehčevo Macedonia 41°41N 22°55E 96 E6
Pehlivanköy Turkey 41°20N 26°55E 97 E10
Pehuajó Argentina 35°45S 62°0W 190 D3
Pei Xian China 34°44N 116°55E 114 G9
Peikang Taiwan 23°34N 120°18E 117 F13
Peine Chile 23°45S 68°8W 190 A2
Peine Germany 52°19N 10°14E 76 C6
Peip'ing = Beijing China 39°53N 116°21E 114 E9
Peipus, L. = Chudskoye, Ozero Russia 58°13N 27°30E 84 C4
Peissenberg Germany 47°48N 11°4E 77 H7
Peitz Germany 51°51N 14°24E 76 D10
Peixe Brazil 12°0S 48°40W 189 C1
Peixe → Brazil 21°31S 51°58W 187 H8
Pejë Kosovo 42°40N 20°17E 96 D4
Pek → Serbia 44°45N 21°29E 96 B5
Pekalongan Indonesia 6°53S 109°40E 118 F3
Pekan Malaysia 3°30N 103°25E 121 L4
Pekan Nenas Malaysia 1°31N 103°31E 121 d
Pekanbaru Indonesia 0°30N 101°15E 118 D2
Pekin U.S.A. 40°35N 89°40W 172 E9
Peking = Beijing China 39°53N 116°21E 114 E9
Pekutatan Indonesia 8°25S 114°49E 119 J17
Pela Greece 40°46N 22°23E 96 F6
Pelabuhan Ratu, Teluk Indonesia 7°5S 106°30E 119 G12
Pélagos = Kira Panagia Greece 39°17N 24°4E 98 B6
Pelaihari Indonesia 3°55S 114°45E 118 E4
Pelat, Mt. France 44°16N 6°42E 73 D10
Pelczyce Poland 53°3N 15°16E 83 E2
Peleaga, Vf. Romania 45°22N 22°55E 80 E7
Pelechuco Bolivia 14°48S 69°4W 188 C4
Pelée, Mt. Martinique 14°48N 61°10W 182 c
Pelee, Pt. Canada 41°54N 82°31W 164 D3
Pelee I. Canada 41°47N 82°40W 174 E2
Pelejo Peru 6°10S 75°49W 188 B2
Pelekech Kenya 3°52N 35°8E 142 B4
Peleng Indonesia 1°20S 123°30E 119 E6
Pelentong Malaysia 1°32N 103°49E 121 d
Pélézi Ivory C. 7°17N 6°54W 138 D3
Pelham U.S.A. 31°8N 84°9W 178 D5
Pelhřimov Czech Rep. 49°24N 15°12E 78 B8
Pelican U.S.A. 57°58N 136°14W 162 B1
Pelican L. Canada 52°28N 100°20W 163 C8
Pelican Narrows Canada 55°10N 102°56W 163 B8
Pelion U.S.A. 33°46N 81°15W 178 B8
Pelister △ Macedonia 41°0N 21°10E 96 F5
Pelješac Croatia 42°55N 17°25E 93 F14
Pelkosenniemi Finland 67°6N 27°28E 60 C22
Pell City U.S.A. 33°35N 86°17W 178 B3
Pella Greece 40°52N 22°0E 96 F6
Pella S. Africa 29°1S 19°6E 144 C2
Pella U.S.A. 41°25N 92°55W 172 E7
Pello Finland 66°47N 23°59E 60 C20
Pellworm Germany 54°31N 8°39E 76 A4
Pelly → Canada 62°47N 137°19W 162 A1
Pelly Bay Canada 68°38N 89°50W 161 D14
Peloponnesos □ Greece 37°10N 22°0E 98 D4
Peloritani, Monti Italy 38°3N 15°20E 95 D8
Pelorus → N.Z. 41°16S 173°45E 155 B8
Pelorus Sd. N.Z. 40°59S 173°59E 155 A8
Pelotas Brazil 31°42S 52°23W 191 C5
Pelotas → Brazil 27°28S 51°55W 191 B5
Pelovo Bulgaria 43°26N 24°17E 97 C8
Pelplin Poland 53°55N 18°42E 82 E5
Pelvoux, Massif du France 44°52N 6°20E 73 D10
Pemalang Indonesia 6°53S 109°23E 119 G13
Pemanggil, Pulau Malaysia 2°37N 104°21E 121 L5
Pematangsiantar Indonesia 2°57N 99°5E 118 D1
Pemba Mozam. 12°58S 40°30E 143 E5
Pemba Zambia 16°30S 27°28E 143 F2
Pemba Channel Tanzania 5°0S 39°37E 142 D4
Pemba I. Tanzania 5°0S 39°45E 142 D4
Pemberton Australia 34°30S 116°0E 149 F2
Pemberton Canada 50°25N 122°50W 162 C4
Pembina → Canada 54°45N 114°17W 162 C6
Pembroke Canada 45°50N 77°7W 164 C4
Pembroke U.K. 51°41N 4°55W 67 F3
Pembroke U.S.A. 32°8N 81°37W 178 C8
Pembroke Pines U.S.A. 26°0N 80°13W 179 J9
Pembrokeshire □ U.K. 51°52N 4°56W 67 F3
Pembrokeshire Coast △ U.K. 51°50N 5°2W 67 F2
Pen India 18°45N 73°5E 126 E1
Pen-y-bont ar Ogwr = Bridgend U.K. 51°30N 3°34W 67 F4
Pen-y-Ghent U.K. 54°10N 2°14W 66 C5
Peña, Sierra de la Spain 42°32N 0°45W 90 C4
Peña de Francia, Sierra de la Spain 40°32N 6°10W 88 E4
Penafiel Portugal 41°12N 8°17W 88 D2
Peñafiel Spain 41°35N 4°7W 88 D6
Peñaflor Spain 37°43N 5°21W 89 H5
Penal Trin. & Tob. 10°9N 61°29W 187 K15
Peñalara Spain 40°51N 3°57W 88 E7
Penalva Brazil 3°18S 45°10W 189 A1
Penamacôr Portugal 40°10N 7°10W 88 E3
Penang = Pinang Malaysia 5°25N 100°15E 121 c
Penápolis Brazil 21°30S 50°0W 191 A6
Peñaranda de Bracamonte Spain 40°53N 5°13W 88 E5
Peñarroya Spain 40°25N 0°40W 90 E4
Peñarroya-Pueblonuevo Spain 38°19N 5°16W 89 G5
Penarth U.K. 51°26N 3°11W 67 F4
Peñas, C. de Spain 43°42N 5°52W 88 B5
Peñas, G. de Chile 47°0S 75°0W 192 C2
Peñas de San Pedro Spain 38°44N 2°0W 91 G3
Peñas del Chache Canary Is. 29°6N 13°33W 100 E6
Peñausende Spain 41°17N 5°52W 88 D5
Pench → India 21°17N 79°10E 126 D4
Pench △ India 21°45N 79°20E 125 J8
Pench'i = Benxi China 41°20N 123°48E 115 D12
Pend Oreille → U.S.A. 49°4N 117°37W 168 B5
Pend Oreille, L. U.S.A. 48°10N 116°21W 168 B5
Pendalofos Greece 40°14N 21°12E 96 F5
Pendembu Eastern, S. Leone 8°10N 10°42W 138 D2
Pendembu Northern, S. Leone 9°7N 11°14W 138 D2
Pendências Brazil 5°15S 36°43W 189 B3
Pender B. Australia 16°45S 122°42E 148 C3
Pendik Turkey 40°53N 29°13E 97 F13
Pendjari → Benin 10°55N 0°50E 139 C5
Pendjari △ Benin 11°15N 1°32E 139 C5
Pendleton U.S.A. 45°40N 118°47W 168 D4
Pendra India 22°46N 81°57E 125 H9
Pendzhikent = Panjakent Tajikistan 39°29N 67°37E 109 E7
Peneda-Gerês △ Portugal 41°57N 8°15W 88 D2
Penedo Brazil 10°15S 36°36W 189 C3
Penelokan Indonesia 8°17S 115°22E 119 J18
Penetanguishene Canada 44°50N 79°55W 174 B5
Penfield U.S.A. 41°13N 78°35W 174 E6
Penfro = Pembroke U.K. 51°41N 4°55W 67 F3
Peng Chau China 22°17N 114°2E 111 a
Peng'an China 31°2N 106°22E 116 B6
Penganga → India 19°53N 79°9E 126 E4
Penge Kasai-Or., Dem. Rep. of the Congo 5°30S 24°33E 142 D1
Penge Sud-Kivu, Dem. Rep. of the Congo 4°27S 28°25E 142 C2
P'enghu Ch'üntou Taiwan 23°34N 119°30E 117 F12
Penglai China 37°48N 120°42E 115 F11
Pengshan China 30°14N 103°58E 116 B4
Pengshui China 29°17N 108°12E 116 C7
Penguin Australia 41°8S 146°6E 151 G4
Pengxi China 30°44N 105°45E 116 B5
Pengze China 29°52N 116°32E 117 C11
Pengzhou China 31°4N 103°32E 116 B4
Penhalonga Zimbabwe 18°52S 32°40E 143 F3
Peniche Portugal 39°19N 9°22W 89 F1
Penicuik U.K. 55°50N 3°13W 65 F5
Penida, Nusa Indonesia 8°45S 115°30E 118 F5
Peninnes, Alpes = Pennine, Alpi Alps 46°4N 7°30E 77 J3
Peninsular Malaysia □ Malaysia 4°0N 102°0E 121 L4
Peñíscola Spain 40°22N 0°24E 90 E5
Penitente, Serra do Brazil 8°45S 46°20W 189 B1
Penjwin Iraq 35°37N 45°56E 105 E11
Penkridge U.K. 52°44N 2°6W 66 E5
Penmarch France 47°49N 4°21W 70 E2
Penmarch, Pte. de France 47°48N 4°22W 70 E2
Penn Hills U.S.A. 40°28N 79°52W 174 F5
Penn Yan U.S.A. 42°40N 77°3W 174 D7
Penna, Punta della Italy 42°10N 14°43E 93 F11
Pennant Canada 50°32N 108°14W 163 C7
Penne Italy 42°27N 13°55E 93 F10
Penner → India 14°35N 80°10E 127 G5
Penneshaw Australia 35°44S 137°56E 152 C2
Pennine, Alpi Alps 46°4N 7°30E 77 J3
Pennines U.K. 54°45N 2°27W 66 C5
Pennington U.S.A. 39°15N 121°47W 170 F5
Pennington → Nigeria 4°45N 5°35E 139 E6
Pennino, Mte. Italy 43°6N 12°53E 93 E9
Pennsburg U.S.A. 40°23N 75°29W 175 F9
Pennsylvania □ U.S.A. 40°45N 77°30W 173 E15
Penny Canada 53°51N 121°20W 162 C4
Peno Russia 57°2N 32°49E 84 D7
Penobscot → U.S.A. 44°30N 68°48W 173 C19
Penobscot B. U.S.A. 44°35N 68°50W 173 C19
Penola Australia 37°25S 140°48E 152 D4
Penong Australia 31°56S 133°1E 149 F5
Penonomé Panama 8°31N 80°21W 182 E3
Penrhyn Cook Is. 9°0S 158°0W 157 H12
Penrith Australia 33°43S 150°38E 153 B9
Penrith U.K. 54°40N 2°45W 66 C5
Penryn U.K. 50°9N 5°7W 67 G2
Pensacola U.S.A. 30°25N 87°13W 179 E2
Pensacola B. U.S.A. 30°25N 87°5W 179 E2
Pensacola Mts. Antarctica 84°0S 40°0W 55 E1
Pense Canada 50°25N 104°59W 163 C8
Penshurst Australia 37°49S 142°20E 152 D5
Pentadaktylos Cyprus 35°20N 33°20E 101 D12
Pentecostes Brazil 3°48S 39°17W 189 A3
Penticton Canada 49°30N 119°38W 162 D5
Pentland Australia 20°32S 145°25E 150 C4
Pentland Firth U.K. 58°43N 3°10W 65 C5
Pentland Hills U.K. 55°48N 3°25W 65 F5
Penukonda India 14°5N 77°38E 127 G3
Penza Russia 53°15N 45°5E 86 D7
Penza □ Russia 52°50N 44°50E 86 D7
Penzance U.K. 50°7N 5°33W 67 G2
Penzberg Germany 47°45N 11°22E 77 H7
Penzhino Russia 63°30N 167°55E 107 C17
Penzhinskaya Guba Russia 61°30N 163°0E 107 C17
Penzlin Germany 53°30N 13°5E 76 B9
Peoria Ariz., U.S.A. 33°43N 112°14W 169 K7
Peoria Ill., U.S.A. 40°42N 89°36W 172 E9
Pepacton Res. U.S.A. 42°5N 74°58W 175 D10
Pepani → S. Africa 25°49S 22°47E 144 C3
Pepel S. Leone 8°40N 13°5W 138 D2
Peqin Albania 41°3N 19°44E 96 E3
Pera Hd. Australia 12°55S 141°37E 150 A3
Perabumulih Indonesia 3°27S 104°15E 118 E2
Perachora Greece 38°2N 22°56E 98 C4
Perak □ Malaysia 5°0N 101°0E 121 K3
Perak → Malaysia 4°0N 100°50E 121 K3
Perales del Alfambra Spain 40°38N 1°0W 90 E4
Perales del Puerto Spain 40°10N 6°40W 88 E4
Peralta Spain 42°20N 1°48W 90 C3
Perama Epiros, Greece 39°42N 20°51E 98 B2
Perama Kerkyra, Greece 39°34N 19°54E 101 A3
Perama Kriti, Greece 35°20N 24°40E 101 D6
Perämeri △ Finland 65°35N 24°22E 60 D21
Perancak Indonesia 8°24S 114°37E 119 J17
Peräpohjola Finland 66°16N 26°10E 60 C22
Perast Montenegro 42°31N 18°47E 96 D2
Percé Canada 48°31N 64°13W 165 C7
Perche France 48°31N 1°1E 70 D8
Perche ⌂ France 48°24N 0°46E 70 D7
Perchtoldsdorf Austria 48°7N 16°17E 79 C9
Percival Lakes Australia 21°25S 125°0E 148 D4
Percy France 48°55N 1°11W 70 D5
Percy Is. Australia 21°39S 150°16E 150 C5
Perdido → Argentina 42°55S 67°0W 192 B3
Perdido, Mte. Spain 42°40N 0°5E 90 C5
Perdu, Mt. = Perdido, Mte. Spain 42°40N 0°5E 90 C5
Perechyn Ukraine 48°44N 22°28E 80 B7
Perehinske Ukraine 48°49N 24°11E 81 B9
Pereira Colombia 4°49N 75°43W 186 C3
Perejil Spain 35°55N 5°25W 89 K5
Perelazovskiy Russia 49°8N 42°35E 87 F6
Peremul Par India 11°10N 72°4E 127 J1
Perené → Peru 11°9S 74°14W 188 C3
Perenjori Australia 29°26S 116°16E 149 E2
Peresecina Moldova 47°16N 28°46E 81 C13
Pereslavl-Zalesskiy Russia 56°45N 38°50E 84 D10
Peretu Romania 44°3N 25°5E 81 F10
Pereyaslav-Khmelnytskyy Ukraine 50°3N 31°28E 85 G6
Pereyma Ukraine 48°4N 29°30E 81 B14
Pérez, I. Mexico 22°24N 89°42W 181 C7
Perg Austria 48°15N 14°38E 78 C7
Pergamino Argentina 33°52S 60°30W 190 C3
Pergamon Turkey 39°8N 27°11E 99 B9
Pergau → Malaysia 5°23N 102°2E 121 K3
Pérgine Valsugana Italy 46°4N 11°14E 93 B8
Pérgola Italy 43°34N 12°50E 93 E9
Perham U.S.A. 46°36N 95°34W 172 B6
Perhentian, Kepulauan Malaysia 5°54N 102°42E 121 K4
Peri → Turkey 38°53N 39°52E 105 C8
Periam Romania 46°2N 20°52E 80 D5
Péribonka → Canada 48°45N 72°5W 165 C5
Péribonka, L. Canada 50°1N 71°10W 165 B5
Péribonka, La Centrale de Canada 49°30N 71°10W 165 C5
Perico Argentina 24°20S 65°5W 190 A2
Pericos Mexico 25°3N 107°42W 180 B3
Périers France 49°11N 1°25W 70 C5
Périgord France 45°0N 0°40E 72 D4
Périgord-Limousin ⌂ France 45°40N 0°50E 72 C4
Périgueux France 45°10N 0°42E 72 C4
Perijá, Sierra de Colombia 9°30N 73°3W 186 B4
Perijá △ Venezuela 9°30N 72°55W 183 E5
Peringat Malaysia 6°2N 102°17E 121 J4
Perisher Valley Australia 36°27S 148°25E 153 D8
Peristera Greece 39°15N 23°58E 98 B5
Peristerona → Cyprus 35°8N 33°5E 101 D12
Perito Moreno Argentina 46°36S 70°56W 192 C2
Perito Moreno △ Argentina 47°49S 72°17W 192 C2
Peritoró Brazil 4°20S 44°18W 189 A2
Perivol = Dragovishtitsa Bulgaria 42°22N 22°39E 96 D6
Periyakulam India 10°5N 77°30E 127 J3
Periyar → India 10°15N 76°10E 127 J3
Periyar, L. India 9°25N 77°10E 127 K3
Periyar △ India 9°25N 77°10E 127 K3
Perkasie U.S.A. 40°22N 75°18W 175 F9
Perković Croatia 43°41N 16°10E 93 E13
Perlas, Arch. de las Panama 8°41N 79°7W 182 E4
Perlas, Punta de Nic. 12°30N 83°30W 182 D3
Perleberg Germany 53°5N 11°52E 76 B7
Perlez Serbia 45°11N 20°22E 80 E5
Perlis □ Malaysia 6°30N 100°15E 121 J2
Perm Russia 58°0N 56°10E 106 D6
Përmet Albania 40°15N 20°21E 96 F4
Pernambuco = Recife Brazil 8°0S 35°0W 189 B4
Pernambuco □ Brazil 8°0S 37°0W 189 B3
Pernambuco Abyssal Plain Atl. Oc. 5°0S 24°0W 56 G9
Pernatty Lagoon Australia 31°30S 137°12E 152 A2
Pernik Bulgaria 42°35N 23°2E 96 D7
Pernik □ Bulgaria 42°35N 23°2E 96 D7
Peron Is. Australia 13°9S 130°4E 148 B5
Peron Pen. Australia 26°0S 113°10E 149 E1
Péronne France 49°55N 2°57E 71 C9
Perosa Argentina Italy 44°58N 7°10E 92 D4
Perow Canada 54°35N 126°10W 162 C3
Perpignan France 42°42N 2°53E 72 F6
Perrine U.S.A. 25°36N 80°21W 179 K9
Perris U.S.A. 33°47N 117°14W 171 M9
Perros-Guirec France 48°49N 3°28W 70 D3
Perry Fla., U.S.A. 30°7N 83°35W 178 E6
Perry Ga., U.S.A. 32°28N 83°44W 178 C6
Perry Iowa, U.S.A. 41°51N 94°6W 172 E6
Perry N.Y., U.S.A. 42°42N 78°0W 174 D7
Perry Okla., U.S.A. 36°17N 97°14W 176 C6
Perryton U.S.A. 36°24N 100°48W 176 C4
Perryville U.S.A. 37°43N 89°52W 172 G9
Persan France 49°9N 2°16E 71 C9
Persberg Sweden 59°47N 14°15E 62 E8
Perşembe Turkey 41°5N 37°46E 104 B7
Persepolis Iran 29°55N 52°50E 129 D7
Pershotravensk Ukraine 50°13N 27°40E 75 C14
Persia = Iran ■ Asia 33°0N 53°0E 129 C7
Persian Gulf Asia 27°0N 50°0E 129 E6
Perstorp Sweden 56°10N 13°25E 63 H7
Pertek Turkey 38°51N 39°19E 105 C8
Perth Australia 31°57S 115°52E 149 F2
Perth Canada 44°55N 76°15W 175 B8
Perth U.K. 56°24N 3°26W 65 E5
Perth & Kinross □ U.K. 56°45N 3°55W 65 E5
Perth Amboy U.S.A. 40°30N 74°15W 175 F10
Perth-Andover Canada 46°44N 67°42W 165 C6
Perth Basin Ind. Oc. 30°0S 108°0E 156 L2
Pertuis France 43°42N 5°30E 73 E9
Pertusato, C. France 41°21N 9°11E 73 G13
Peru Ind., U.S.A. 40°45N 86°4W 172 E10
Peru N.Y., U.S.A. 44°35N 73°32W 175 B11
Peru ■ S. Amer. 4°0S 75°0W 186 D4
Peru Basin Pac. Oc. 20°0S 95°0W 157 J18
Peru-Chile Trench Pac. Oc. 20°0S 72°0W 186 G3
Perúgia Italy 43°7N 12°23E 93 E9
Perušić Croatia 44°40N 15°22E 93 D12
Pervomaysk Russia 54°56N 43°58E 86 C6
Pervomaysk Ukraine 48°10N 30°46E 85 H6
Pervomayskiy Kazakhstan 50°16N 82°0E 109 B10
Pervouralsk Russia 56°59N 59°59E 106 D6
Pésaro Italy 43°54N 12°55E 93 E9
Pésaro e Urbino □ Italy 43°45N 12°40E 93 E9
Pescadores = P'enghu Ch'üntou Taiwan 23°34N 119°30E 117 F12
Pescara Italy 42°28N 14°13E 93 F11
Pescara → Italy 42°28N 14°13E 93 F11
Peschanokopskoye Russia 46°14N 41°4E 87 G5
Péscia Italy 43°54N 10°41E 92 E7
Pescina Italy 42°2N 13°39E 93 F10
Peshawar Pakistan 34°2N 71°37E 124 B4
Peshkopi Albania 41°41N 20°25E 96 E4
Peshtera Bulgaria 42°2N 24°18E 97 D8
Peshtigo U.S.A. 45°3N 87°45W 172 C10
Peski Russia 51°14N 42°29E 86 E6
Peski Turkmenistan 38°11N 62°59E 108 E6
Pêso da Régua Portugal 41°10N 7°47W 88 D3
Pesqueira Brazil 8°20S 36°42W 189 B3
Pessac France 44°48N 0°37W 72 D3
Pest □ Hungary 47°29N 19°5E 80 C4
Pestovo Russia 58°33N 35°42E 84 C8
Pestravka Russia 52°28N 49°57E 86 D9
Petah Tiqwa Israel 32°6N 34°53E 130 C3
Petalidi Greece 36°57N 21°55E 98 E3
Petalii Greece 38°0N 24°15E 98 D6
Petaling Jaya Malaysia 3°4N 101°42E 121 L3
Petaloudes Greece 36°18N 28°5E 101 C10
Petaluma U.S.A. 38°14N 122°39W 170 G4
Pétange Lux. 49°33N 5°55E 69 E5
Petaro Pakistan 25°31N 68°18E 124 G3
Petas Greece 39°10N 21°2E 98 B3
Petatlán Mexico 17°31N 101°16W 180 D4
Petauke Zambia 14°14S 31°20E 143 E3
Petawawa Canada 45°54N 77°17W 164 C4
Petén Itzá, L. Guatemala 16°58N 89°50W 182 C2
Peter I. Br. Virgin Is. 18°22N 64°35W 183 e
Peter I. Øy Antarctica 69°0S 91°0W 55 C16
Peter Pond L. Canada 55°55N 108°44W 163 B7
Peterbell Canada 48°36N 83°21W 164 C3
Peterborough Australia 32°58S 138°51E 152 B3
Peterborough Canada 44°20N 78°20W 174 B6
Peterborough U.K. 52°35N 0°15W 67 E7
Peterborough U.S.A. 42°53N 71°57W 175 D13
Peterborough □ U.K. 52°35N 0°15W 67 E7
Peterculter U.K. 57°6N 2°16W 65 D6
Peterhead U.K. 57°31N 1°48W 65 D7
Peterlee U.K. 54°47N 1°20W 66 C6
Petermann ✪ Australia 24°58S 130°0E 149 E4
Petermann Bjerg Greenland 73°7N 28°25W 57 C8
Petermann Gletscher Greenland 80°30N 60°0W 57 A4
Petermann Ranges Australia 26°0S 130°30E 149 E5
Petersburg Alaska, U.S.A. 56°48N 132°58W 160 F5
Petersburg Pa., U.S.A. 40°34N 78°3W 174 F6
Petersburg Va., U.S.A. 37°14N 77°24W 173 G15
Petersburg W. Va., U.S.A. 39°1N 79°5W 173 F14
Petersfield U.K. 51°1N 0°56W 67 F7
Petershagen Germany 52°23N 8°58E 76 C4
Petilia Policastro Italy 39°7N 16°48E 95 C9
Petín de Aragón Spain 42°28N 1°6W 90 C3
Petit-Canal Guadeloupe 16°25N 61°31W 182 b
Petit-Goâve Haiti 18°27N 72°51W 183 C5
Petit Lac Manicouagan Canada 51°25N 67°40W 165 B6
Petit-Mécatina → Canada 50°40N 59°30W 165 B8
Petit-Mécatina, Î. du Canada 50°30N 59°25W 165 B8
Petit Piton St. Lucia 13°51N 61°5W 183 f
Petit-Saguenay Canada 48°15N 70°4W 165 C5
Petit Saint Bernard, Col du Italy 45°40N 6°52E 73 C10
Petitcodiac Canada 45°57N 65°11W 165 C6
Petite Terre, Îles de la Guadeloupe 16°13N 61°9W 182 b
Petitot → Canada 60°14N 123°29W 162 A4
Petitsikapau L. Canada 54°37N 66°25W 165 B6
Petlad India 22°30N 72°45E 124 H5
Peto Mexico 20°8N 88°55W 181 C7
Petone N.Z. 41°13S 174°53E 154 H3
Petorca Chile 32°15S 70°56W 190 C1
Petoskey U.S.A. 45°22N 84°57W 173 C11
Petra Jordan 30°20N 35°22E 130 E4
Petra Spain 39°37N 3°6E 100 B10
Petra, Ostrov Russia 76°15N 118°30E 107 B12
Petra Velikogo, Zaliv Russia 42°40N 132°0E 112 C6
Petre, Pt. Canada 43°50N 77°9W 174 C7
Petrel = Petrer Spain 38°30N 0°46W 91 G4
Petrella, Monte Italy 41°18N 13°40E 94 A6
Petrer Spain 38°30N 0°46W 91 G4
Petreto-Bicchisano France 41°47N 8°58E 73 G12
Petrich Bulgaria 41°24N 23°13E 96 E7
Petrified Forest △ U.S.A. 35°0N 109°30W 169 J9
Petrijanec Croatia 46°23N 16°17E 93 B13
Petrikov = Pyetrikaw Belarus 52°11N 28°29E 75 B15
Petrila Romania 45°29N 23°29E 81 E8
Petrinja Croatia 45°28N 16°18E 93 C13
Petrodvorets Russia 59°52N 29°54E 84 C5
Petrolândia Brazil 9°5S 38°20W 189 B3
Petrolia Canada 42°54N 82°9W 174 D2
Petrolina Brazil 9°24S 40°30W 189 B2
Petropavl Kazakhstan 54°53N 69°13E 109 B7
Petropavlovsk = Petropavl Kazakhstan 54°53N 69°13E 109 B7
Petropavlovsk-Kamchatskiy Russia 53°3N 158°43E 107 D16
Petropavlovskiy = Akhtubinsk Russia 48°13N 46°7E 87 F8
Petrópolis Brazil 22°33S 43°9W 191 A7
Petroşani Romania 45°28N 23°20E 81 E8
Petrova Gora Croatia 45°15N 15°45E 93 C12
Petrovac Montenegro 42°13N 18°57E 96 D2
Petrovac Serbia 44°22N 21°26E 96 B5
Petrovaradin Serbia 45°16N 19°55E 80 E4
Petrovsk Russia 52°22N 45°19E 86 D7
Petrovsk-Zabaykalskiy Russia 51°20N 108°55E 107 D11
Petrovskaya Russia 45°25N 37°58E 85 K9
Petrozavodsk Russia 61°41N 34°20E 84 B8
Petrus Steyn S. Africa 27°38S 28°8E 145 C4
Petrusburg S. Africa 29°4S 25°26E 144 C4
Petukhovo Russia 55°6N 67°58E 109 B7
Petzeck Austria 46°57N 12°48E 78 E5
Peumo Chile 34°21S 71°12W 190 C1
Peureulak Indonesia 4°48N 97°45E 118 D1
Pevek Russia 69°41N 171°19E 107 C18
Peyrehorade France 43°34N 1°7W 72 E2
Peyruis France 44°1N 5°56E 73 D9
Pézenas France 43°28N 3°24E 72 E7
Pezinok Slovak Rep. 48°17N 17°17E 79 C10
Pfaffenhofen Germany 48°31N 11°31E 77 G7
Pfälzerwald ⌂ Germany 49°18N 9°55E 77 F5
Pfarrkirchen Germany 48°25N 12°56E 77 G8
Pfeffenhausen Germany 48°39N 11°58E 77 G7
Pforzheim Germany 48°52N 8°41E 77 G4
Pfullendorf Germany 47°55N 9°15E 77 H5
Pfungstadt Germany 49°48N 8°35E 77 F4
Pha Taem △ Thailand 15°32N 105°30E 120 E5
Phaestos Greece 35°2N 24°50E 101 D6
Phagwara India 31°10N 75°40E 124 D6
Phala Botswana 23°45S 26°50E 144 B4
Phalaborwa S. Africa 23°57S 31°7E 145 B5
Phalera = Phulera India 26°52N 75°16E 124 F6
Phalodi India 27°12N 72°24E 124 F5
Phalsbourg France 48°46N 7°15E 71 D14
Phaltan India 17°59N 74°26E 126 F2
Phaluai, Ko Thailand 9°32N 99°41E 121 b
Phan Thailand 19°28N 99°43E 120 C2
Phan Rang -Thap Cham Vietnam 11°34N 109°0E 121 G7
Phan Ri Cua Vietnam 11°16N 108°40E 121 G7
Phan Si Pan Vietnam 22°18N 103°46E 120 A4
Phan Thiet Vietnam 11°1N 108°9E 121 G7
Phan Thiet, Vinh Vietnam 10°53N 108°5E 121 G7
Phan Wa, Laem Thailand 7°47N 98°25E 121 a
Phanae Greece 38°8N 25°57E 99 C7
Phanat Nikhom Thailand 13°27N 101°11E 120 F3
Phangan, Ko Thailand 9°45N 100°0E 121 H3
Phangnga Thailand 8°28N 98°30E 121 H2
Phangnga, Ao Thailand 8°16N 98°33E 121 a
Phanom Sarakham Thailand 13°45N 101°21E 120 F3
Phaphund India 26°36N 79°28E 125 F8
Pharenda India 27°5N 83°17E 125 F10
Pharr U.S.A. 26°12N 98°11W 176 H5
Phatthalung Thailand 7°39N 100°6E 121 J3
Phayam, Ko Thailand 9°44N 98°25E 121 H2
Phayao Thailand 19°11N 99°55E 120 C2
Phelps U.S.A. 42°58N 77°3W 174 D7
Phelps L. Canada 59°15N 103°15W 163 B8
Phenix City U.S.A. 32°28N 85°1W 178 C4
Phet Buri = Phetchaburi Thailand 13°1N 99°55E 120 F2
Phetchabun Thailand 16°25N 101°8E 120 D3
Phetchabun, Thiu Khao Thailand 16°0N 101°20E 120 E3
Phetchaburi Thailand 13°1N 99°55E 120 F2
Phi Phi, Ko Thailand 7°45N 98°46E 121 J2
Phiafay Laos 14°48N 106°0E 120 E6
Phibun Mangsahan Thailand 15°14N 105°14E 120 E5
Phichai Thailand 17°22N 100°10E 120 D3
Phichit Thailand 16°26N 100°22E 120 D3
Philadelphia Miss., U.S.A. 32°46N 89°7W 177 E10
Philadelphia N.Y., U.S.A. 44°9N 75°43W 175 B9
Philadelphia Pa., U.S.A. 39°57N 75°9W 175 G9
Philadelphia Int. ✕ (PHL) U.S.A. 39°51N 75°18W 175 G9
Philip U.S.A. 44°2N 101°40W 172 C3
Philip Smith Mts. U.S.A. 68°0N 148°0W 166 B10
Philipi Greece 41°1N 24°16E 97 E8
Philippeville Belgium 50°12N 4°33E 69 D4
Philippi U.S.A. 39°9N 80°3W 173 F13
Philippi L. Australia 24°20S 138°55E 150 C2
Philippine Basin Pac. Oc. 17°0N 132°0E 156 F5
Philippine Sea Pac. Oc. 18°0N 125°0E 156 F4
Philippine Trench = Mindanao Trench Pac. Oc. 12°0N 126°6E 119 B7
Philippines ■ Asia 12°0N 123°0E 119 B6
Philippolis S. Africa 30°15S 25°16E 144 D4
Philippopolis = Plovdiv Bulgaria 42°8N 24°44E 97 D8
Philipsburg Canada 45°2N 73°5W 175 A11
Philipsburg Mont., U.S.A. 46°20N 113°18W 168 C7
Philipsburg Pa., U.S.A. 40°54N 78°13W 174 F6
Philipstown = Daingean Ireland 53°18N 7°17W 64 C4
Philipstown S. Africa 30°28S 24°30E 144 D3
Phillip I. Australia 38°30S 145°12E 153 E6
Phillips U.S.A. 45°42N 90°24W 172 C8
Phillipsburg Ga., U.S.A. 31°25N 83°30W 178 D6
Phillipsburg Kans., U.S.A. 39°45N 99°19W 172 F4
Phillipsburg N.J., U.S.A. 40°42N 75°12W 175 F9
Philmont U.S.A. 42°15N 73°39W 175 D11
Philomath Ga., U.S.A. 33°44N 82°59W 178 B7
Philomath Oreg., U.S.A. 44°32N 123°22W 168 D2
Phimai Thailand 15°13N 102°30E 120 E4
Phitsanulok Thailand 16°50N 100°12E 120 D3
Phnom Kulen △ Cambodia 13°38N 104°15E 120 F5
Phnom Penh Cambodia 11°33N 104°55E 121 G5
Phnum Penh = Phnom Penh Cambodia 11°33N 104°55E 121 G5
Pho, Laem Thailand 6°55N 101°19E 121 J3
Phocis = Fokida Greece 38°30N 22°15E 98 C4
Phoenicia U.S.A. 42°5N 74°14W 175 D10
Phoenix Mauritius 20°17S 57°30E 141 d
Phoenix Ariz., U.S.A. 33°26N 112°4W 169 K7
Phoenix N.Y., U.S.A. 43°14N 76°18W 175 C8
Phoenix Is. Kiribati 3°30S 172°0W 156 H10
Phoenix Sky Harbour Int. ✕ (PHX) U.S.A. 33°26N 112°5W 169 K7
Phoenixville U.S.A. 40°8N 75°31W 175 F9
Phon Thailand 15°49N 102°36E 120 E4
Phong → Thailand 16°23N 102°56E 120 D4
Phong Nha -Ke Bang △ Vietnam 17°30N 106°10E 120 D6
Phong Saly Laos 21°42N 102°9E 116 G4
Phong Tho Vietnam 22°32N 103°21E 120 A4
Phonsavan Laos 19°27N 103°10E 120 C4
Phonum Thailand 8°49N 98°48E 121 H2
Phosphate Hill Australia 21°53S 139°58E 150 C2
Photharam Thailand 13°41N 99°51E 120 F2
Phra Nakhon Si Ayutthaya Thailand 14°25N 100°30E 120 E3
Phra Pradaeng Thailand 13°39N 100°33E 120 F3
Phra Thong, Ko Thailand 9°5N 98°17E 121 H2
Phrae Thailand 18°7N 100°9E 120 C3
Phrom Phiram Thailand 17°2N 100°12E 120 D3
Phrom Thep, Laem Thailand 7°45N 98°19E 121 a
Phrygia Turkey 38°40N 30°0E 104 C4
Phthiotis = Fthiotida Greece 38°50N 22°25E 98 C4
Phu Bia Laos 19°10N 103°0E 120 C4
Phu Chong -Na Yoi △ Thailand 14°25N 105°30E 120 E5
Phu Hin Rong Kla △ Thailand 17°0N 100°59E 120 D3
Phu Kao -Phu Phan Kham △ Thailand 16°53N 102°31E 120 D4
Phu Kradung △ Thailand 17°2N 101°44E 120 D3
Phu Loi Laos 20°14N 103°14E 120 B4
Phu Luang △ Thailand 17°15N 101°29E 120 D3
Phu Ly Vietnam 20°35N 105°50E 116 G5
Phu My Vietnam 14°15N 109°5E 120 E7
Phu Pha Man △ Thailand 16°44N 101°50E 120 D3
Phu Phan △ Thailand 17°0N 103°56E 120 D4
Phu Quoc, Dao Vietnam 10°20N 104°0E 121 G4
Phu Sa Dok Bua △ Thailand 16°11N 104°45E 120 D5
Phu Sang △ Thailand 19°35N 100°19E 120 C3
Phu Tho Vietnam 21°24N 105°13E 116 G5
Phu Wiang △ Thailand 16°39N 102°23E 120 D4
Phuc Yen Vietnam 21°16N 105°45E 116 G5
Phuket Thailand 7°53N 98°24E 121 a
Phuket, Ko Thailand 8°0N 98°22E 121 a
Phul India 30°19N 75°14E 124 D6
Phulad India 25°38N 73°49E 124 G5
Phulbani India 20°28N 84°14E 126 D7
Phulchari Bangla. 25°11N 89°37E 125 G13
Phulera India 26°52N 75°16E 124 F6
Phulpur India 25°31N 82°49E 125 G10
Phumphin Thailand 9°7N 99°12E 121 H2
Phuntsholing Bhutan 26°51N 89°23E 125 F13
Phuphrabat Thailand 17°40N 102°45E 120 D4
Phuthaditjhaba S. Africa 28°29S 28°48E 145 C4
Phyu = Pyu Burma 18°30N 96°28E 123 K20
Pia ✪ Australia 27°7S 116°23E 149 E2
Piaçabuçu Brazil 10°24S 36°25W 189 C3
Piacenza Italy 45°1N 9°40E 92 C6
Piai, Tanjung Malaysia 1°17N 103°30E 121 d
Piako → N.Z. 37°12S 175°30E 154 D4
Pian Cr. → Australia 30°2S 148°12E 151 E4
Pian-Upe ⌂ Uganda 1°44N 34°20E 142 B3
Piana France 42°15N 8°34E 73 F12
Pianella Italy 42°24N 14°2E 93 F11
Piangil Australia 35°5S 143°20E 152 C5
Pianosa Puglia, Italy 42°12N 15°44E 93 F12
Pianosa Toscana, Italy 42°35N 10°5E 92 F7
Piao'ertun China 41°50N 123°47E 115 D12
Piapot Canada 49°59N 109°8W 163 D7
Pias Portugal 38°1N 7°29W 89 G3
Piaseczno Poland 52°5N 21°2E 83 F8
Piaski Poland 51°8N 22°52E 83 G9
Piastów Poland 52°12N 20°48E 83 F7
Piatã Brazil 13°9S 41°48W 189 C2
Piatra Romania 43°51N 25°9E 81 G10
Piatra Craiului △ Romania 45°30N 25°12E 81 E10
Piatra Neamţ Romania 46°56N 26°21E 81 D11
Piatra Olt Romania 44°22N 24°16E 81 F9
Piauí □ Brazil 7°0S 43°0W 189 B2
Piauí → Brazil 6°38S 42°42W 189 B2
Piave → Italy 45°32N 12°44E 93 C9
Piazza Ármerina Italy 37°21N 14°20E 95 E7
Pibor Post South Sudan 6°47N 33°3E 135 G12
Pic St-Loup France 43°47N 3°48E 72 E7
Pica Chile 20°35S 69°25W 188 E4
Picardie □ France 49°50N 3°0E 71 C10
Picardie, Plaine de France 50°0N 2°0E 71 C9
Picardy = Picardie □ France 49°50N 3°0E 71 C10
Picayune U.S.A. 30°32N 89°41W 177 F10
Picerno Italy 40°38N 15°38E 95 B8
Pichhor India 25°58N 78°20E 125 G8
Pichilemu Chile 34°22S 72°0W 190 C1
Pichor India 25°11N 78°11E 124 G8
Pickerel L. Canada 48°40N 91°25W 164 C1
Pickering U.K. 54°15N 0°46W 66 C7
Pickering, Vale of U.K. 54°14N 0°45W 66 C7
Pickle Lake Canada 51°30N 90°12W 164 B1
Pickwick L. U.S.A. 35°4N 88°15W 177 D10
Pico Azores 38°28N 28°20W 134 a
Pico Bonito △ Honduras 15°34N 86°48W 182 C2
Pico Truncado Argentina 46°40S 68°0W 192 C3
Picos Brazil 7°5S 41°28W 189 B2
Picos, Pta. dos Spain 41°52N 8°53W 88 D2
Picos de Europa △ Spain 43°14N 4°59W 88 B6
Picota Peru 6°54S 76°24W 188 B2
Picton Australia 34°12S 150°34E 153 C9
Picton Canada 44°1N 77°9W 174 B7
Picton N.Z. 41°18S 174°3E 155 B9
Picton, I. Chile 55°2S 66°57W 192 E3
Pictou Canada 45°41N 62°42W 165 C7
Picture Butte Canada 49°55N 112°45W 162 D6
Pictured Rocks ⌂ U.S.A. 46°30N 86°30W 172 B10
Picuí Brazil 6°31S 36°21W 189 B3
Picún Leufú Argentina 39°30S 69°5W 192 A3
Pidbuzh Ukraine 49°19N 23°14E 83 J10
Pidurutalagala Sri Lanka 7°10N 80°50E 127 L5
Piechowice Poland 50°51N 15°36E 83 H2
Piedimonte Matese Italy 41°22N 14°22E 95 A7
Piedmont = Piemonte □ Italy 45°0N 8°0E 92 D5
Piedmont Ala., U.S.A. 33°55N 85°37W 178 B4
Piedmont S.C., U.S.A. 34°42N 82°28W 158 F11
Piedra → Spain 41°18N 1°47W 90 D3
Piedra del Águila Argentina 40°2S 70°4W 192 B2
Piedra del Águila, Embalse Argentina 40°15S 70°7W 192 B2
Piedrabuena Spain 39°0N 4°10W 89 G6
Piedrahita Spain 40°28N 5°23W 88 E5
Piedralaves Spain 40°19N 4°42W 88 E6
Piedras, R. de las → Peru 12°30S 69°15W 188 C4
Piedras Blancas Spain 43°33N 5°58W 88 B5
Piedras Negras Mexico 28°42N 100°31W 180 B4
Piekary Śląskie Poland 50°24N 18°57E 83 H5

Pomézia Italy 41°40N 12°30E 94 A5
Pomichna Ukraine 48°13N 31°36E 85 H6
Pomona Australia 26°22S 152°52E 151 D5
Pomona U.S.A. 34°4N 117°45W 171 L9
Pomona Park U.S.A. 29°30N 81°36W 179 F8
Pomorie Bulgaria 42°32N 27°41E 97 D11
Pomorskie □ Poland 54°30N 18°0E 82 D5
Pomorskie, Pojezierze Poland 53°40N 16°37E 82 E3
Pomos Cyprus 35°9N 32°33E 101 D11
Pomos, C. Cyprus 35°10N 32°33E 101 D11
Pompano Beach U.S.A. 26°14N 80°7W 179 J9
Pompei Italy 40°45N 14°30E 95 B7
Pompey France 48°46N 6°6E 71 D13
Pompeys Pillar U.S.A. 45°59N 107°57W 168 D10
Pompeys Pillar ⌂ U.S.A. 46°0N 108°0W 168 D10
Pompton Lakes U.S.A. 41°0N 74°17W 175 F10
Ponape = Pohnpei Micronesia 6°55N 158°10E 156 G7
Ponask L. Canada 54°0N 92°41W 164 B1
Ponca U.S.A. 42°34N 96°43W 172 D5
Ponca City U.S.A. 36°42N 97°5W 176 C6
Ponce Puerto Rico 18°1N 66°37W 183 d
Ponce de Leon U.S.A. 30°44N 85°56W 178 E4
Ponce de Leon B. U.S.A. 25°15N 81°10W 179 K8
Ponchatoula U.S.A. 30°26N 90°26W 177 F9
Poncheville, L. Canada 50°10N 76°55W 164 B4
Pond U.S.A. 35°43N 119°20W 171 K7
Pond Inlet Canada 72°40N 77°0W 161 C16
Pondicherry = Puducherry India 11°59N 79°50E 127 J4
Ponds, I. of Canada 53°27N 55°52W 165 B8
Ponferrada Spain 42°32N 6°35W 88 C4
Poniatowa Poland 51°11N 22°3E 83 G9
Poniec Poland 51°48N 16°50E 83 G3
Ponikva Slovenia 46°16N 15°26E 93 B12
Ponnaiyar → India 11°50N 79°45E 127 J4
Ponnani India 10°45N 75°59E 127 J2
Ponneri India 13°20N 80°15E 127 H5
Ponnuru India 16°5N 80°34E 127 F5
Ponoka Canada 52°42N 113°40W 162 C6
Ponorogo Indonesia 7°52S 111°27E 119 G14
Pons = Ponts Spain 41°55N 1°12E 90 D6
Pons France 45°35N 0°34W 72 C3
Ponsul → Portugal 39°40N 7°31W 88 F3
Pont-à-Mousson France 48°54N 6°1E 71 D13
Pont-Audemer France 49°21N 0°30E 70 C7
Pont-Aven France 47°51N 3°47W 70 E3
Pont Canavese Italy 45°25N 7°36E 92 C4
Pont-d'Ain France 46°3N 5°21E 71 F12
Pont-de-Roide France 47°23N 6°45E 71 E13
Pont-de-Salars France 44°18N 2°44E 72 D6
Pont-de-Vaux France 46°26N 4°56E 71 F11
Pont-de-Veyle France 46°17N 4°53E 71 F11
Pont-du-Château France 45°47N 3°15E 71 G10
Pont du Gard France 43°57N 4°32E 73 E8
Pont-l'Abbé France 47°52N 4°15W 70 E2
Pont-l'Évêque France 49°18N 0°11E 70 C7
Pont-St-Esprit France 44°16N 4°40E 73 D8
Pont-St-Martin Italy 45°36N 7°48E 92 C4
Pont-Ste-Maxence France 49°18N 2°36E 71 C9
Pont-sur-Yonne France 48°18N 3°10E 71 D10
Ponta Delgada Azores 37°44N 25°40W 134 a
Ponta do Sol Madeira 32°42N 17°7W 100 D2
Ponta Grossa Brazil 25°7S 50°10W 191 B5
Ponta Porã Brazil 22°20S 55°35W 191 A4
Pontacq France 43°11N 0°8W 72 E3
Pontailler-sur-Saône France 47°13N 5°25E 71 E12
Pontal → Brazil 9°8S 40°12W 189 B2
Pontardawe U.K. 51°43N 3°51W 67 F3
Pontarlier France 46°54N 6°20E 71 F13
Pontassieve Italy 43°46N 11°26E 93 E8
Pontaumur France 45°52N 2°40E 72 C6
Pontcharra France 45°26N 6°1E 73 C10
Pontchartrain, L. U.S.A. 30°5N 90°5W 177 F9
Pontchâteau France 47°25N 2°5W 70 E4
Ponte Alta, Serra do Brazil 19°42S 47°40W 189 D1
Ponte Alta do Norte Brazil 10°45S 47°34W 189 C1
Ponte da Barca Portugal 41°48N 8°25W 88 D2
Ponte de Lima Portugal 41°46N 8°35W 88 D2
Ponte de Sor Portugal 39°17N 8°1W 89 F2
Ponte dell'Ólio Italy 44°52N 9°39E 92 D6
Ponte di Legno Italy 46°16N 10°31E 92 B7
Ponte do Pungué Mozam. 19°30S 34°33E 143 F3
Ponte-Leccia France 42°28N 9°13E 73 F13
Ponte nelle Alpi Italy 46°11N 12°16E 93 B9
Ponte Nova Brazil 20°25S 42°54W 189 E2
Ponte Vedra Beach U.S.A. 30°15N 81°23W 178 E8
Ponteareas Spain 42°10N 8°28W 88 C2
Pontebba Italy 46°30N 13°18E 93 B10
Ponteceso Spain 43°15N 8°54W 88 B2
Pontecorvo Italy 41°27N 13°40E 94 A6
Pontedeume Spain 43°24N 8°10W 88 B2
Ponteix Canada 49°46N 107°29W 163 D7
Pontevedra Spain 42°26N 8°40W 88 C2
Pontevedra □ Spain 42°25N 8°39W 88 C2
Pontevedra, R. de → Spain 42°22N 8°45W 88 C2
Pontevico Italy 45°16N 10°5E 92 C7
Pontiac Ill., U.S.A. 40°53N 88°38W 172 E9
Pontiac Mich., U.S.A. 42°38N 83°18W 173 D12
Pontian Kechil Malaysia 1°29N 103°23E 121 d
Pontianak Indonesia 0°3S 109°15E 118 E3
Pontine Is. = Ponziane, Ísole Italy 40°55N 12°57E 94 B5
Pontine Mts. = Kuzey Anadolu Dağları Turkey 41°0N 36°45E 104 B7
Pontínia Italy 41°25N 13°2E 94 A6
Pontivy France 48°5N 2°58W 70 D4
Pontoise France 49°3N 2°5E 71 C9
Ponton → Canada 58°27N 116°11W 162 B5
Pontorson France 48°34N 1°30W 70 D5
Pontrémoli Italy 44°22N 9°53E 92 D6
Pontrieux France 48°42N 3°10W 70 D3
Ponts Spain 41°55N 1°12E 90 D6
Pontypool Canada 44°6N 78°38W 174 B6
Pontypool U.K. 51°42N 3°2W 67 F4
Pontypridd U.K. 51°36N 3°20W 67 F4
Ponza Italy 40°54N 12°58E 94 B5
Ponziane, Ísole Italy 40°55N 12°57E 94 B5
Poochera Australia 32°43S 134°51E 151 E1
Poole U.K. 50°43N 1°59W 67 G6
Poole □ U.K. 50°43N 1°59W 67 G6
Pooler U.S.A. 32°7N 81°15W 178 C8
Poona = Pune India 18°29N 73°57E 126 E1
Poonamallee India 13°3N 80°10E 127 H5
Pooncarie Australia 33°22S 142°31E 152 B5
Poopelloe L. Australia 31°40S 144°0E 152 A6
Poopó Bolivia 18°23S 66°59W 188 D4
Poopó, L. de Bolivia 18°30S 67°35W 188 D4
Poor Knights Is. N.Z. 35°29S 174°43E 154 B3
Popayán Colombia 2°27N 76°36W 186 C3
Poperinge Belgium 50°51N 2°42E 69 D2
Popiltah L. Australia 33°10S 141°42E 152 B4
Popina Bulgaria 44°7N 26°57E 97 B10
Popio L. Australia 33°10S 141°52E 152 B4
Poplar U.S.A. 48°7N 105°12W 168 B11
Poplar → Canada 53°0N 97°19W 163 C9
Poplar Bluff U.S.A. 36°46N 90°24W 172 G8
Poplarville U.S.A. 30°51N 89°32W 177 F10
Popocatépetl, Volcán Mexico 19°2N 98°38W 181 D5
Popokabaka Dem. Rep. of the Congo 5°41S 16°40E 140 F3
Pópoli Italy 42°10N 13°50E 93 F10
Popovača Croatia 45°30N 16°41E 93 C13
Popovo Bulgaria 43°21N 26°18E 97 C10
Poppberg Germany 49°26N 11°37E 77 F7
Poppi Italy 43°43N 11°46E 93 E8
Poprad Slovak Rep. 49°3N 20°18E 79 B13
Poprad → Slovak Rep. 49°38N 20°42E 79 B13
Porali → Pakistan 25°58N 66°26E 124 G2
Porangaba Brazil 8°48S 70°36W 188 B3
Porangahau N.Z. 40°17S 176°37E 154 G5
Porbandar India 21°44N 69°43E 124 J3
Porcher I. Canada 53°50N 130°30W 162 C2
Porcos → Brazil 12°42S 45°7W 189 C1
Porcuna Spain 37°52N 4°11W 89 H6
Porcupine → Canada 59°11N 104°46W 163 B8
Porcupine → U.S.A. 66°34N 145°19W 160 D2
Porcupine Abyssal Plain Atl. Oc. 48°0N 8°0W 56 B10
Porcupine Gorge △ Australia 20°22S 144°26E 150 C3
Pordenone Italy 45°57N 12°39E 93 C9
Pordim Bulgaria 43°23N 24°51E 97 C8
Poreč Croatia 45°14N 13°36E 93 C10
Poretskoye Russia 55°9N 46°21E 86 C8
Pori Finland 61°29N 21°48E 84 B1
Pori Greece 35°58N 23°13E 98 F5
Porkhov Russia 57°45N 29°38E 84 D5
Porlamar Venezuela 10°57N 63°51W 186 A6
Porlezza Italy 46°2N 9°7E 92 B6
Porma → Spain 42°49N 5°28W 88 C5
Pormpuraaw Australia 14°59S 141°26E 150 A3
Pormpuraaw ✪ Australia 14°55S 141°47E 150 A3
Pornic France 47°7N 2°5W 70 E4
Poronaysk Russia 49°13N 143°0E 111 B17
Poros Greece 37°30N 23°30E 98 D5
Poroshiri-Dake Japan 42°41N 142°52E 112 C11
Poroszló Hungary 47°39N 20°40E 80 C5
Poroto Mts. Tanzania 9°0S 33°30E 143 D3
Porpoise B. Antarctica 66°0S 127°0E 55 C9
Porquerolles, Î. de France 43°0N 6°13E 73 F10
Porrentruy Switz. 47°25N 7°6E 77 H3
Porreres Spain 39°31N 3°2E 100 B10
Porsangerfjorden Norway 70°40N 25°40E 60 A21
Porsgrunn Norway 59°10N 9°40E 61 G13
Port Adelaide Australia 34°50S 138°30E 152 C3
Port Alberni Canada 49°14N 124°50W 162 D4
Port Albert Australia 38°42S 146°42E 153 E7
Port Alfred S. Africa 33°36S 26°55E 144 D4
Port Alice Canada 50°20N 127°25W 162 C3
Port Allegany U.S.A. 41°48N 78°17W 174 E6
Port Allen U.S.A. 30°27N 91°12W 176 F9
Port Alma Australia 23°38S 150°53E 150 C5
Port Alma Canada 42°10N 82°14W 174 D2
Port Angeles U.S.A. 48°7N 123°27W 170 B3
Port Antonio Jamaica 18°10N 76°26W 182 a
Port Aransas U.S.A. 27°50N 97°4W 176 H6
Port Arthur Australia 43°7S 147°50E 151 G4
Port Arthur U.S.A. 29°54N 93°56W 176 G8
Port au Choix Canada 50°43N 57°22W 165 B8
Port au Port B. Canada 48°40N 58°50W 165 C8
Port-au-Prince Haiti 18°40N 72°20W 183 C5
Port Augusta Australia 32°30S 137°50E 152 B2
Port Austin U.S.A. 44°3N 83°1W 174 B2
Port-aux-Français Kerguelen 49°21S 70°13E 146 J6
Port Blair India 11°40N 92°45E 127 J11
Port Blandford Canada 48°20N 54°10W 165 C9
Port-Bouët Ivory C. 5°16N 3°57W 138 D4
Port Bradshaw Australia 12°30S 137°20E 150 A2
Port Broughton Australia 33°37S 137°56E 152 B2
Port Bruce Canada 42°39N 81°0W 174 D4
Port Burwell Canada 42°40N 80°48W 174 D4
Port Campbell Australia 38°37S 143°1E 152 E5
Port Campbell India 11°56N 92°37E 127 J11
Port Campbell △ Australia 38°8S 143°6E 152 E5
Port Canning India 22°23N 88°40E 125 H13
Port Carling Canada 45°7N 79°35W 174 A5
Port-Cartier Canada 50°2N 66°50W 165 B6
Port Chalmers N.Z. 45°49S 170°30E 155 F5
Port Charles N.Z. 36°33S 175°30E 154 C4
Port Charlotte U.S.A. 26°59N 82°6W 179 J7
Port Chester U.S.A. 41°0N 73°40W 175 F11
Port Clements Canada 53°40N 132°10W 162 C2
Port Clinton U.S.A. 41°31N 82°56W 173 E12
Port Colborne Canada 42°50N 79°10W 174 D5
Port Coquitlam Canada 49°15N 122°45W 170 A4
Port Cornwallis India 13°17N 93°5E 127 H11
Port Credit Canada 43°33N 79°35W 174 C5
Port-Cros △ France 43°0N 6°24E 73 F10
Port Curtis Australia 23°57S 151°20E 150 C5
Port d'Alcúdia Spain 39°50N 3°7E 100 B10
Port Dalhousie Canada 43°13N 79°16W 174 C5
Port d'Andratx Spain 39°32N 2°23E 100 B9
Port Darwin Australia 12°24S 130°45E 148 B5
Port Darwin Falk. Is. 51°50S 59°0W 192 D5
Port Davey Australia 43°16S 145°55E 151 G4
Port-de-Bouc France 43°24N 4°59E 73 E8
Port-de-Paix Haiti 19°50N 72°50W 183 C5
Port de Pollença Spain 39°54N 3°4E 100 B10
Port de Sóller Spain 39°48N 2°42E 100 B9
Port Dickson Malaysia 2°30N 101°49E 121 L3
Port Douglas Australia 16°30S 145°30E 150 B4
Port Dover Canada 42°47N 80°12W 174 D4
Port Edward Canada 54°12N 130°10W 162 C2
Port Elgin Canada 44°25N 81°25W 174 B3
Port Elizabeth S. Africa 33°58S 25°40E 144 D4
Port Ellen U.K. 55°38N 6°11W 65 F2
Port Elliot Australia 35°32S 138°41E 152 C3
Port-en-Bessin-Huppain France 49°21N 0°45W 70 C6
Port Erin I. of Man 54°5N 4°45W 66 C3
Port Essington Australia 11°15S 132°10E 148 B5
Port Ewen U.S.A. 41°54N 73°59W 175 E11
Port Fairy Australia 38°22S 142°12E 152 E5
Port Fitzroy N.Z. 36°8S 175°20E 154 C4
Port Fouâd = Bûr Fuad Egypt 31°15N 32°20E 137 E8
Port Gamble U.S.A. 47°51N 122°34W 170 C4
Port-Gentil Gabon 0°40S 8°50E 140 E1
Port Germein Australia 33°1S 138°1E 152 B3
Port Ghalib Egypt 25°20N 34°50E 128 E2
Port Gibson U.S.A. 31°58N 90°59W 176 F9
Port Glasgow U.K. 55°56N 4°41W 65 F4
Port Harcourt Nigeria 4°40N 7°10E 139 E6
Port Hardy Canada 50°41N 127°30W 162 C3
Port Harrison = Inukjuak Canada 58°25N 78°15W 161 F16
Port Hawkesbury Canada 45°36N 61°22W 165 C7
Port Hedland Australia 20°25S 118°35E 148 D2
Port Henry U.S.A. 44°3N 73°28W 175 B11
Port Hood Canada 46°0N 61°32W 165 C7
Port Hope Canada 43°56N 78°20W 174 C6
Port Hope U.S.A. 43°57N 82°43W 174 C2
Port Hope Simpson Canada 52°33N 56°18W 165 B8
Port Hueneme U.S.A. 34°7N 119°12W 171 L7
Port Huron U.S.A. 42°58N 82°26W 174 D2
Port Iliç = Liman Azerbaijan 38°53N 48°47E 105 C13
Port Jefferson U.S.A. 40°57N 73°3W 175 F11
Port Jervis U.S.A. 41°22N 74°41W 175 E10
Port-Joinville France 46°45N 2°23W 70 F4
Port Katon Russia 46°52N 38°46E 85 J10
Port Kavkaz Russia 45°20N 36°40E 85 K9
Port Kembla Australia 34°52S 150°49E 153 C9
Port Kenny Australia 33°10S 134°41E 151 E1
Port Klang Malaysia 3°0N 101°35E 121 L3
Port-la-Nouvelle France 43°1N 3°3E 72 E7
Port Láirge = Waterford Ireland 52°15N 7°8W 64 D4
Port Lavaca U.S.A. 28°37N 96°38W 176 G6
Port Leyden U.S.A. 43°35N 75°21W 175 C9
Port Lincoln Australia 34°42S 135°52E 152 C1
Port Loko S. Leone 8°48N 12°46W 138 D2
Port Louis France 47°42N 3°22W 70 E3
Port-Louis Guadeloupe 16°28N 61°32W 182 b
Port Louis Mauritius 20°10S 57°30E 141 d
Port MacDonnell Australia 38°5S 140°48E 152 E4
Port McNeill Canada 50°35N 127°6W 162 C3
Port Macquarie Australia 31°25S 152°25E 153 A10
Port Maria Jamaica 18°22N 76°54W 182 a
Port Mathurin Rodrigues 19°41S 63°25E 146 F5
Port Matilda U.S.A. 40°48N 78°3W 174 F6
Port Mayaca U.S.A. 26°59N 80°36W 179 J9
Port McNicoll Canada 44°44N 79°48W 174 B5
Port Mellon Canada 49°32N 123°31W 162 D4
Port-Menier Canada 49°51N 64°15W 165 C7
Port Moody Canada 49°17N 122°51W 170 A4
Port Morant Jamaica 17°54N 76°19W 182 a
Port Moresby Papua N. G. 9°24S 147°8E 147 B7
Port Muhammed Bin Qasim = Port Qasim Pakistan 24°46N 67°20E 124 G2
Port Musgrave Australia 11°55S 141°50E 150 A3
Port-Navalo France 47°34N 2°54W 70 E4
Port Neches U.S.A. 30°0N 93°59W 176 G8
Port Nicholson N.Z. 41°20S 174°52E 154 H3
Port Nolloth S. Africa 29°17S 16°52E 144 C2
Port Nouveau-Québec = Kangiqsualujjuaq Canada 58°30N 65°59W 161 F18
Port of Climax Canada 49°10N 108°20W 163 D7
Port of Coronach Canada 49°7N 105°31W 163 D7
Port of Spain Trin. & Tob. 10°40N 61°31W 183 D7
Port Orange U.S.A. 29°9N 80°59W 179 F9
Port Orchard U.S.A. 47°32N 122°38W 170 C4
Port Orford U.S.A. 42°45N 124°30W 168 E1
Port Pegasus N.Z. 47°12S 167°41E 155 H2
Port Perry Canada 44°6N 78°56W 174 B6
Port Phillip B. Australia 38°10S 144°50E 153 E6
Port Pirie Australia 33°10S 138°1E 152 B3
Port Qasim Pakistan 24°46N 67°20E 124 G2
Port Renfrew Canada 48°30N 124°20W 170 B2
Port Roper Australia 14°45S 135°25E 150 A2
Port Rowan Canada 42°40N 80°30W 174 D4
Port Royal Sd. U.S.A. 32°15N 80°40W 178 C9
Port Safaga = Bûr Safâga Egypt 26°43N 33°57E 128 E2
Port Said = Bûr Sa'îd Egypt 31°16N 32°18E 137 E8
Port St. Joe U.S.A. 29°49N 85°18W 178 F4
Port St. John U.S.A. 28°29N 80°47W 179 G9
Port St. Johns = Umzimvubu S. Africa 31°38S 29°33E 145 D4
Port-St-Louis-du-Rhône France 43°23N 4°49E 73 E8
Port St. Lucie U.S.A. 27°18N 80°21W 179 H9
Port-Ste-Marie France 44°15N 0°25E 72 D4
Port Salerno U.S.A. 27°9N 80°12W 179 H9
Port Sanilac U.S.A. 43°26N 82°33W 174 C2
Port Severn Canada 44°48N 79°43W 174 B5
Port Shepstone S. Africa 30°44S 30°28E 145 D5
Port Simpson Canada 54°30N 130°20W 162 C2
Port Stanley = Stanley Falk. Is. 51°40S 59°51W 192 D5
Port Stanley Canada 42°40N 81°10W 174 D3
Port Sudan = Bûr Sûdân Sudan 19°32N 37°9E 137 D4
Port Sulphur U.S.A. 29°29N 89°42W 177 G10
Port-sur-Saône France 47°42N 6°2E 71 E13
Port Talbot U.K. 51°35N 3°47W 67 F4
Port Taufiq = Bûr Taufiq Egypt 29°54N 32°32E 137 F8
Port Townsend U.S.A. 48°7N 122°45W 170 B4
Port-Vendres France 42°32N 3°8E 72 F7
Port Victoria Australia 34°30S 137°29E 152 C2
Port Vila Vanuatu 17°45S 168°18E 147 C9
Port Vladimir Russia 69°25N 33°6E 60 B25
Port Wakefield Australia 34°12S 138°10E 152 C3
Port Washington U.S.A. 43°23N 87°53W 172 D10
Port Wentworth U.S.A. 32°9N 81°10W 178 C8
Porta Orientalis Romania 45°6N 22°18E 75 F12
Portacloy Ireland 54°20N 9°46W 64 B2
Portadown U.K. 54°25N 6°27W 64 B5
Portaferry U.K. 54°23N 5°33W 64 B6
Portage Pa., U.S.A. 40°23N 78°41W 174 F6
Portage Wis., U.S.A. 43°33N 89°28W 172 D9
Portage la Prairie Canada 49°58N 98°18W 163 D9
Portageville U.S.A. 36°26N 89°42W 172 G9
Portal U.S.A. 32°33N 81°56W 178 C8
Portalegre Portugal 39°19N 7°25W 89 F3
Portalegre □ Portugal 39°20N 7°40W 89 F3
Portales U.S.A. 34°11N 103°20W 169 J12
Portarlington Ireland 53°9N 7°14W 64 C4
Portbou Spain 42°25N 3°9E 90 C8
Porteirinha Brazil 15°44S 43°2W 189 D2
Portel Portugal 38°19N 7°41W 89 G3
Portela, Lisboa ✕ (LIS) Portugal 38°46N 9°8W 89 G1
Porter L. N.W.T., Canada 61°41N 108°5W 163 A7
Porter L. Sask., Canada 56°20N 107°20W 163 B7
Porterville S. Africa 33°0S 19°0E 144 D2
Porterville U.S.A. 36°4N 119°1W 170 J8
Portes-lès-Valence France 44°52N 4°54E 73 D8
Porth Tywyn = Burry Port U.K. 51°41N 4°15W 67 F3
Porthcawl U.K. 51°29N 3°42W 67 F4
Porthill U.S.A. 48°59N 116°30W 168 B5
Porthmadog U.K. 52°55N 4°8W 66 E3
Portile de Fier Europe 44°44N 22°30E 80 F7
Portimão Portugal 37°8N 8°32W 89 H2
Portishead U.K. 51°29N 2°46W 67 F5
Portiţei, Gura Romania 44°41N 29°0E 81 F14
Portknockie U.K. 57°42N 2°51W 65 D6
Portland N.S.W., Australia 33°20S 150°0E 153 B9
Portland Vic., Australia 38°20S 141°35E 152 E4
Portland Canada 44°42N 76°12W 175 B8
Portland Conn., U.S.A. 41°34N 72°38W 175 E12
Portland Fla., U.S.A. 30°31N 86°12W 178 E3
Portland Maine, U.S.A. 43°39N 70°16W 173 D18
Portland Mich., U.S.A. 42°52N 84°54W 173 D11
Portland Oreg., U.S.A. 45°32N 122°37W 170 E4
Portland Pa., U.S.A. 40°55N 75°6W 175 F9
Portland Tex., U.S.A. 27°53N 97°20W 176 H6
Portland, I. of U.K. 50°33N 2°26W 67 G5
Portland B. Australia 38°15S 141°45E 152 E4
Portland Bight Jamaica 17°52N 77°5W 182 a
Portland Bill U.K. 50°31N 2°28W 67 G5
Portland Canal U.S.A. 55°56N 130°0W 162 B2
Portland I. N.Z. 39°20S 177°51E 154 F6
Portland Int. ✕ (PDX) U.S.A. 45°35N 122°36W 170 E4
Portland Pt. Jamaica 17°42N 77°11W 182 a
Portlaoise Ireland 53°2N 7°18W 64 C4
Portmadoc = Porthmadog U.K. 52°55N 4°8W 66 E3
Portmore Jamaica 17°53N 76°53W 182 a
Porto Brazil 3°54S 42°42W 189 A2
Porto France 42°16N 8°42E 73 F12
Porto Portugal 41°8N 8°40W 88 D2
Porto □ Portugal 41°8N 8°20W 88 D2
Porto, G. de France 42°17N 8°34E 73 F12
Porto Acre Brazil 9°34S 67°31W 188 B4
Pôrto Alegre Brazil 30°5S 51°10W 191 C5
Porto Azzurro Italy 42°46N 10°24E 92 F7
Porto Cervo Italy 41°8N 9°33E 94 A2
Porto Colom Spain 39°26N 3°15E 100 B10
Porto Cristo Spain 39°33N 3°20E 100 B10
Pôrto da Fôlha Brazil 9°55S 37°17W 189 B3
Porto de Moz Brazil 1°41S 52°13W 187 D8
Porto de Pedras Brazil 9°10S 35°17W 189 B3
Porto Empédocle Italy 37°17N 13°32E 94 E6
Porto Esperança Brazil 19°37S 57°29W 186 G7
Porto Franco Brazil 6°20S 47°24W 189 B1
Porto Inglês = Vila do Maio C. Verde Is. 15°21N 23°10W 134 b
Porto Mendes Brazil 24°30S 54°15W 191 A5
Porto Moniz Madeira 32°52N 17°11W 100 D2
Porto Murtinho Brazil 21°45S 57°55W 186 H7
Porto Nacional Brazil 10°40S 48°30W 189 C1
Porto-Novo Benin 6°23N 2°42E 139 D5
Porto Primavera, Represa Brazil 22°10S 52°45W 191 A5
Porto San Giórgio Italy 43°11N 13°48E 93 E10
Porto Santo, I. de Madeira 33°45N 16°25W 134 B2
Porto Sant' Elpídio Italy 43°15N 13°43E 93 E10
Porto Santo Stéfano Italy 42°26N 11°7E 92 F8
Porto São José Brazil 22°43S 53°10W 191 A5
Porto Seguro Brazil 16°26S 39°5W 189 D3
Porto Tolle Italy 44°56N 12°22E 93 D9
Porto Tórres Italy 40°50N 8°24E 94 B1
Porto União Brazil 26°10S 51°10W 191 B5
Porto-Vecchio France 41°35N 9°16E 73 G13
Porto Velho Brazil 8°46S 63°54W 186 E6
Porto Viro Italy 45°1N 12°13E 93 C9
Porto Walter Brazil 8°15S 72°40W 188 B3
Portobelo Panama 9°35N 79°42W 182 E4
Portoferráio Italy 42°48N 10°20E 92 F7
Portofino Italy 44°18N 9°12E 92 D6
Portogruaro Italy 45°47N 12°50E 93 C9
Portola U.S.A. 39°49N 120°28W 170 F6
Portomaggiore Italy 44°42N 11°48E 93 D8
Portopetro Spain 39°22N 3°13E 100 B10
Portoscuso Italy 39°12N 8°24E 94 C1
Portovénere Italy 44°3N 9°51E 92 D6
Portoviejo Ecuador 1°7S 80°28W 186 D2
Portpatrick U.K. 54°51N 5°7W 65 G3
Portree U.K. 57°25N 6°12W 65 D2
Portrush U.K. 55°12N 6°40W 64 A5
Portsmouth Dominica 15°34N 61°27W 183 C7
Portsmouth U.K. 50°48N 1°6W 67 G6
Portsmouth N.H., U.S.A. 43°5N 70°45W 175 C14
Portsmouth Ohio, U.S.A. 38°44N 82°57W 173 F12
Portsmouth R.I., U.S.A. 41°36N 71°15W 175 E13
Portsmouth Va., U.S.A. 36°58N 76°23W 173 G15
Portsmouth □ U.K. 50°48N 1°6W 67 G6
Portsoy U.K. 57°41N 2°41W 65 D6
Portstewart U.K. 55°11N 6°43W 64 A5
Porttipahdan tekojärvi Finland 68°5N 26°40E 60 B22
Portugal ■ Europe 40°0N 8°0W 88 F3
Portugalete Spain 43°19N 3°4W 90 B1
Portumna Ireland 53°6N 8°14W 64 C3
Portville U.S.A. 42°3N 78°20W 174 D6
Poruma Australia 10°2S 143°4E 150 a
Porvenir Bolivia 11°10S 68°50W 188 C4
Porvenir Chile 53°10S 70°16W 192 D2
Porvoo Finland 60°24N 25°40E 84 B3
Porzuna Spain 39°9N 4°9W 89 F6
Posada Italy 40°38N 9°43E 94 B2
Posada → Italy 40°39N 9°45E 94 B2
Posadas Argentina 27°30S 55°50W 191 B4
Posadas Spain 37°47N 5°11W 89 H5
Poschiavo Switz. 46°19N 10°4E 77 J6
Posets Spain 42°39N 0°25E 90 C5
Posht-e Badam Iran 33°2N 55°23E 129 C7
Posidium Greece 35°30N 27°10E 99 F9
Poso Indonesia 1°20S 120°55E 119 E6
Poso, Danau Indonesia 1°52S 120°35E 119 E6
Posof Turkey 41°30N 42°43E 105 B10
Pospelikha Russia 51°57N 81°46E 109 B10
Posse Brazil 14°4S 46°18W 189 C1
Possession I. Antarctica 72°4S 172°0E 55 D11
Pössneck Germany 50°42N 11°35E 76 E7
Possum Kingdom L. U.S.A. 32°52N 98°26W 176 E5
Post U.S.A. 33°12N 101°23W 176 E4
Post Falls U.S.A. 47°43N 116°57W 168 C5
Postavy = Pastavy Belarus 55°4N 26°50E 84 E4
Poste-de-la-Baleine = Kuujjuarapik Canada 55°20N 77°35W 164 A4
Postmasburg S. Africa 28°18S 23°5E 144 C3
Postojna Slovenia 45°46N 14°12E 93 C11
Poston U.S.A. 34°0N 114°24W 171 M12
Postville Canada 54°54N 59°47W 165 B8
Posyet Russia 42°39N 130°48E 112 C5
Potamos Antikythira, Greece 35°52N 23°15E 98 F5
Potamos Kythira, Greece 36°15N 22°58E 98 E4
Potchefstroom S. Africa 26°41S 27°7E 144 C4
Potcoava Romania 44°30N 24°39E 81 F9
Poté Brazil 17°49S 41°49W 189 D2
Poteau U.S.A. 35°3N 94°37W 176 D7
Poteet U.S.A. 29°2N 98°35W 176 G5
Potenza Italy 40°38N 15°48E 95 B8
Potenza → Italy 43°25N 13°40E 93 E10
Potenza Picena Italy 43°22N 13°37E 93 E10
Poteriteri, L. N.Z. 46°5S 167°10E 155 G2
Potgietersrus = Mokopane S. Africa 24°10S 28°55E 145 B4
Poti Georgia 42°10N 41°38E 87 J5
Potiraguá Brazil 15°36S 39°53W 189 D3
Potiskum Nigeria 11°39N 11°2E 139 C7
Potlogi Romania 44°34N 25°34E 81 F10
Potomac → U.S.A. 38°0N 76°23W 173 F14
Potosí Bolivia 19°38S 65°50W 186 G5
Potosi Mt. U.S.A. 35°57N 115°29W 171 K11
Pototan Phil. 10°54N 122°38E 119 B6
Potrerillos Chile 26°30S 69°30W 190 B2
Potsdam Germany 52°23N 13°3E 76 C9
Potsdam U.S.A. 44°40N 74°59W 175 B10
Pottangi India 18°34N 82°58E 126 E6
Pottenstein Germany 49°46N 11°24E 77 F7
Pottersville U.S.A. 43°43N 73°50W 175 C11
Pottstown U.S.A. 40°15N 75°39W 175 F9
Pottsville U.S.A. 40°41N 76°12W 175 F8
Pottuvil Sri Lanka 6°55N 81°50E 127 L5
P'otzu Taiwan 23°28N 120°15E 117 F13
Pouancé France 47°44N 1°10W 70 E5
Pouce Coupé Canada 55°40N 120°10W 162 B4
Poughkeepsie U.S.A. 41°42N 73°56W 175 E11
Pouilly-sur-Loire France 47°17N 2°57E 71 E9
Poulan U.S.A. 31°31N 83°47W 178 D6
Poulaphouca Res. Ireland 53°8N 6°30W 64 C5
Poulsbo U.S.A. 47°44N 122°38W 170 C4
Poultney U.S.A. 43°31N 73°14W 175 C11
Poulton-le-Fylde U.K. 53°51N 2°58W 66 D5
Pouso Alegre Brazil 22°14S 45°57W 191 A6
Pout Senegal 14°45N 17°0W 138 C1
Pouthisat Cambodia 12°34N 103°50E 120 F4
Pouytenga Burkina Faso 12°15N 0°25W 139 C4
Pouzauges France 46°47N 0°50W 70 F6
Považská Bystrica Slovak Rep. 49°8N 18°27E 79 B11
Poverty B. N.Z. 38°43S 178°2E 154 E7
Poverty Point Nat. Monument ⌂ U.S.A. 32°39N 91°24W 176 E9
Povlen Serbia 44°9N 19°44E 96 B3
Póvoa de Lanhosa Portugal 41°33N 8°15W 88 D2
Póvoa de Santa Iria Portugal 38°51N 9°4W 89 G1
Póvoa de Varzim Portugal 41°25N 8°46W 88 D2
Povorino Russia 51°12N 42°5E 86 E6
Povorotnyy, Mys Russia 42°40N 133°2E 112 C6
Povungnituk = Puvirnituq Canada 60°2N 77°10W 161 E16
Powassan Canada 46°5N 79°25W 164 C4
Poway U.S.A. 32°58N 117°2W 171 N9
Powder → U.S.A. 46°45N 105°26W 168 C11
Powder River U.S.A. 43°2N 106°59W 168 E10
Powder Springs U.S.A. 33°52N 84°41W 178 B5
Powell U.S.A. 44°45N 108°46W 168 D9
Powell, L. U.S.A. 36°57N 111°29W 169 H8
Powell River Canada 49°50N 124°35W 162 D4
Powelton U.S.A. 33°26N 82°52W 178 B7
Powers U.S.A. 45°41N 87°32W 172 C10
Pownal U.S.A. 42°45N 73°14W 175 D11
Powys □ U.K. 52°20N 3°20W 67 E4
Poyang Hu China 29°5N 116°20E 117 C11
Poyarkovo Russia 49°36N 128°41E 107 E13
Poysdorf Austria 48°40N 16°37E 79 C9
Poza de la Sal Spain 42°35N 3°31W 88 C7
Poza Rica Mexico 20°33N 97°27W 181 C5
Pozantı Turkey 37°25N 34°50E 104 D6
Požarevac Serbia 44°35N 21°18E 96 B5
Pozazal, Puerto Spain 42°56N 4°10W 88 C6
Požega Croatia 45°20N 17°40E 80 E2
Požega Serbia 43°53N 20°2E 96 C4
Poznań Poland 52°25N 16°55E 83 F3
Poznań ✕ (POZ) Poland 52°26N 16°45E 83 F3
Pozo U.S.A. 35°20N 120°24W 171 K6
Pozo Alcón Spain 37°42N 2°56W 89 H8
Pozo Almonte Chile 20°10S 69°50W 188 E4
Pozo Colorado Paraguay 23°30S 58°45W 190 A4
Pozo Negro Canary Is. 28°19N 13°55W 100 F6
Pozoblanco Spain 38°23N 4°51W 89 G6
Pozuzo Peru 10°5S 75°35W 188 C2
Pozzallo Italy 36°43N 14°51E 95 F7
Pozzomaggiore Italy 40°24N 8°39E 94 B1
Pozzuoli Italy 40°49N 14°7E 95 B7
Pra → Ghana 5°1N 1°37W 139 D4
Prabuty Poland 53°47N 19°15E 82 E6
Prača Bos.-H. 43°47N 18°43E 80 G3
Prachatice Czech Rep. 49°1N 14°0E 78 B6
Prachin Buri Thailand 14°0N 101°25E 120 F3
Prachuap Khirikhan Thailand 11°49N 99°48E 121 G2
Pradelles France 44°46N 3°52E 72 D7
Prades France 42°38N 2°23E 72 F6
Prado Brazil 17°20S 39°13W 189 D3
Prado del Rey Spain 36°48N 5°33W 89 J5
Præstø Denmark 55°8N 12°2E 63 J6
Pragersko Slovenia 46°27N 15°42E 93 B12
Prague = Praha Czech Rep. 50°4N 14°25E 78 A7
Praha Czech Rep. 50°4N 14°25E 78 A7
Praha ✕ (PRG) Czech Rep. 50°6N 14°16E 78 A7
Prahecq France 46°19N 0°26W 72 B3
Prahita → India 19°0N 79°55E 126 E4
Prahova □ Romania 45°10N 26°0E 81 E10
Prahova → Romania 44°50N 25°50E 81 F10
Prahovo Serbia 44°18N 22°39E 96 B6
Praia C. Verde Is. 15°2N 23°34W 134 b
Praia a Mare Italy 39°50N 15°45E 95 C8
Praid Romania 46°32N 25°10E 81 D10
Prainha Brazil 1°45S 53°30W 187 D8
Prainha Nova Brazil 7°10S 60°30W 186 E6
Prairie Australia 20°50S 144°35E 150 C3
Prairie City U.S.A. 44°28N 118°43W 168 D4
Prairie Dog Town Fork Red → U.S.A. 34°34N 99°58W 176 D5
Prairie du Chien U.S.A. 43°3N 91°9W 172 D8
Prairies, L. of the Canada 51°16N 101°32W 163 C8
Pramanda Greece 39°32N 21°8E 98 B3
Prambanan △ Indonesia 7°45S 110°28E 119 G14
Prampram Ghana 5°43N 0°8E 139 D5
Pran Buri Thailand 12°23N 99°55E 120 F2
Prang Ghana 8°1N 0°56W 139 D4
Prapat Indonesia 2°41N 98°58E 118 D1
Praslin Seychelles 4°18S 55°45E 141 b
Prasonisi, Akra Greece 35°42N 27°46E 101 D9
Praszka Poland 51°5N 18°31E 83 G5
Prata Brazil 19°25S 48°54W 187 G9
Pratabpur India 23°28N 83°15E 125 H10
Pratapgarh Raj., India 24°2N 74°40E 124 G6
Pratapgarh Ut. P., India 25°56N 81°59E 125 G9
Pratas I. = Dongsha Dao S. China Sea 20°45N 116°43E 111 G12
Prato Italy 43°53N 11°6E 92 E8
Prátola Peligna Italy 42°6N 13°52E 93 F10
Prats-de-Mollo-la-Preste France 42°25N 2°27E 72 F6
Pratt U.S.A. 37°39N 98°44W 172 G4
Prattville U.S.A. 32°28N 86°29W 177 E11
Pravara → India 19°35N 74°45E 126 E2
Pravdinsk Kaliningrad, Russia 54°27N 21°1E 82 D8
Pravdinsk Nizhniy Novgorod, Russia 56°29N 43°28E 86 B6
Pravets Bulgaria 42°53N 23°55E 96 D7
Pravia Spain 43°30N 6°12W 88 B4
Praya Indonesia 8°39S 116°17E 118 F5
Prayag = Allahabad India 25°25N 81°58E 125 G9
Pre-delta △ Argentina 32°10S 60°40W 190 C3
Pré-en-Pail France 48°28N 0°12W 70 D6
Preah Seihanu = Kampong Saom Cambodia 10°38N 103°30E 121 G4
Preah Vihear Cambodia 14°23N 104°41E 120 E5
Preble U.S.A. 42°44N 76°8W 175 D8
Precipice △ Australia 25°18S 150°5E 151 D5
Precordillera Argentina 30°0S 69°1W 190 C2
Predáppio Italy 44°6N 11°59E 93 D8
Predazzo Italy 46°19N 11°36E 93 B8
Predeal Romania 45°30N 25°34E 81 E10
Predejane Serbia 42°51N 22°9E 96 D6
Preeceville Canada 51°57N 102°40W 163 C8
Preetz Germany 54°14N 10°18E 76 A6
Pregolya → Russia 54°41N 20°22E 82 D7
Pregrada Croatia 46°11N 15°45E 93 B12
Preili Latvia 56°18N 26°43E 84 D4
Preko Croatia 44°7N 15°10E 93 D12
Prelog Croatia 46°18N 16°32E 93 B13
Premer Australia 31°29S 149°56E 153 A8
Prémery France 47°10N 3°18E 71 E10
Premià de Mar Spain 41°29N 2°22E 90 D7
Premont U.S.A. 27°22N 98°7W 176 H5
Premuda Croatia 44°20N 14°36E 93 D11
Prentice U.S.A. 45°33N 90°17W 172 C8
Prenzlau Germany 53°19N 13°50E 76 B9
Preobrazheniye Russia 42°54N 133°54E 112 C6
Preparis I. = Pariparit Kyun Burma 14°52N 93°41E 127 G11
Preparis North Channel Ind. Oc. 15°27N 94°5E 127 G11
Preparis South Channel Ind. Oc. 14°33N 93°30E 127 G11
Přerov Czech Rep. 49°28N 17°27E 79 B10
Prescott Canada 44°45N 75°30W 175 B9
Prescott Ariz., U.S.A. 34°33N 112°28W 169 J7
Prescott Ark., U.S.A. 33°48N 93°23W 176 E8
Prescott Valley U.S.A. 34°40N 112°18W 169 J7
Preservation Inlet N.Z. 46°8S 166°35E 155 G1
Preševo Serbia 42°19N 21°39E 96 D5
Presho U.S.A. 43°54N 100°3W 172 D3
Presicce Italy 39°54N 18°16E 95 C11
Presidencia de la Plaza Argentina 27°0S 59°50W 190 B4
Presidencia Roque Saenz Peña Argentina 26°45S 60°30W 190 B3
Presidente Dutra Brazil 5°15S 44°30W 189 B2
Presidente Epitácio Brazil 21°56S 52°6W 187 H8
Presidente Hayes □ Paraguay 24°0S 59°0W 190 A4
Presidente Prudente Brazil 22°5S 51°25W 191 A5
Presidente Ríos, L. Chile 46°28S 74°25W 192 C2
Presidio U.S.A. 29°34N 104°22W 176 G2
Preslav Bulgaria 43°10N 26°52E 97 C10

Preslavska Planina Bulgaria 43°10N 26°45E 97 C10
Prešov Slovak Rep. 49°0N 21°15E 79 B14
Prešovský □ Slovak Rep. 49°10N 21°0E 79 B13
Prespa Bulgaria 41°44N 24°55E 97 E8
Prespa, L. = Prespansko Jezero Macedonia 40°55N 21°0E 96 F5
Prespa △ Greece 40°48N 21°4E 96 F5
Prespansko Jezero Macedonia 40°55N 21°0E 96 F5
Presque I. U.S.A. 42°10N 80°6W 174 D4
Presque Isle U.S.A. 46°41N 68°1W 173 B19
Prestatyn U.K. 53°20N 3°24W 66 D4
Prestea Ghana 5°22N 2°7W 138 D4
Presteigne U.K. 52°17N 3°0W 67 E5
Přeštice Czech Rep. 49°34N 13°20E 78 B6
Preston Canada 43°23N 80°21W 174 C4
Preston U.K. 53°46N 2°42W 66 D5
Preston Ga., U.S.A. 32°4N 84°32W 178 C5
Preston Idaho, U.S.A. 42°6N 111°53W 168 E8
Preston Minn., U.S.A. 43°40N 92°5W 172 D7
Preston, C. Australia 20°51S 116°12E 148 D2
Prestonsburg U.S.A. 37°40N 82°47W 173 G12
Prestranda Norway 59°6N 9°4E 62 E3
Prestwick U.K. 55°29N 4°37W 65 F4
Prêto → Brazil 11°21S 43°52W 189 C2
Pretoria S. Africa 25°44S 28°12E 145 C4
Preuilly-sur-Claise France 46°51N 0°56E 70 F7
Preveza Greece 38°57N 20°45E 98 C2
Prey Veng Cambodia 11°35N 105°29E 121 G5
Priazovskoye Ukraine 46°44N 35°40E 85 J8
Pribaykalsky △ Russia 52°30N 106°0E 107 D11
Pribilof Is. U.S.A. 57°0N 170°0W 166 D6
Priboj Serbia 43°35N 19°32E 96 C3
Příbram Czech Rep. 49°41N 14°2E 78 B7
Price U.S.A. 39°36N 110°49W 168 G8
Price, C. India 13°34N 93°3E 127 H11
Price I. Canada 52°23N 128°41W 162 C3
Prichard U.S.A. 30°44N 88°5W 177 F10
Priego Spain 40°26N 2°21W 90 E2
Priego de Córdoba Spain 37°27N 4°12W 89 H6
Priekule Latvia 56°26N 21°35E 82 B8
Priekule Lithuania 55°33N 21°19E 82 C8
Prielbrusye △ Russia 43°20N 42°37E 87 J6
Prien Germany 47°51N 12°20E 77 H8
Prienai Lithuania 54°38N 23°57E 82 D10
Prieska S. Africa 29°40S 22°42E 144 C3
Priest L. U.S.A. 48°35N 116°52W 168 B5
Priest River U.S.A. 48°11N 116°55W 168 B5
Priest Valley U.S.A. 36°10N 120°39W 170 J6
Prievidza Slovak Rep. 48°46N 18°36E 79 C11
Prignitz Germany 53°6N 11°45E 76 B7
Prijedor Bos.-H. 44°58N 16°41E 93 D13
Prijepolje Serbia 43°27N 19°40E 96 C3
Prikaspiyskaya Nizmennost = Caspian Depression Eurasia 47°0N 48°0E 87 G9
Prikro Ivory C. 7°40N 3°59W 138 D4
Prikubanskaya Nizmennost Russia 45°39N 38°33E 87 H4
Prilep Macedonia 41°21N 21°32E 96 E5
Priluki = Pryluky Ukraine 50°30N 32°24E 85 G7
Prime Hd. Antarctica 63°12S 48°57W 55 C18
Prime Seal I. Australia 40°3S 147°43E 151 G4
Primeira Cruz Brazil 2°30S 43°26W 189 A2
Primo Tapia Mexico 32°16N 116°54W 171 N10
Primorsk Kaliningrad, Russia 54°44N 20°0E 82 D6
Primorsk St. Petersburg, Russia 60°22N 28°37E 84 B5
Primorskiy Kray □ Russia 45°0N 135°0E 112 B7
Primorsko Bulgaria 42°15N 27°44E 97 D11
Primorsko-Akhtarsk Russia 46°2N 38°10E 85 J10
Primrose L. Canada 54°55N 109°45W 163 C7
Prince Albert Canada 53°15N 105°50W 163 C7
Prince Albert S. Africa 33°12S 22°2E 144 D3
Prince Albert △ Canada 54°0N 106°25W 163 C7
Prince Albert Mts. Antarctica 76°0S 161°30E 55 D11
Prince Albert Pen. Canada 72°30N 116°0W 160 C8
Prince Albert Sd. Canada 70°25N 115°0W 160 C9
Prince Alfred, C. Canada 74°20N 124°40W 54 B1
Prince Charles I. Canada 67°47N 76°12W 161 D16
Prince Charles Mts. Antarctica 72°0S 67°0E 55 D6
Prince Edward Fracture Zone Ind. Oc. 46°0S 35°0E 55 A4
Prince Edward I. □ Canada 46°20N 63°20W 165 C7
Prince Edward Is. Ind. Oc. 46°35S 38°0E 146 J2
Prince George Canada 53°55N 122°50W 162 C4
Prince of Wales, C. U.S.A. 65°36N 168°5W 166 B6
Prince of Wales I. Australia 10°40S 142°10E 150 A3
Prince of Wales I. Canada 73°0N 99°0W 160 C12
Prince of Wales I. U.S.A. 55°47N 132°50W 160 F5
Prince of Wales Icefield Canada 78°15N 79°0W 161 B16
Prince of Wales Str. Canada 73°0N 117°0W 160 C8
Prince Patrick I. Canada 77°0N 120°0W 161 B8
Prince Regent Inlet Canada 73°0N 90°0W 161 C14
Prince Rupert Canada 54°20N 130°20W 162 C2
Prince William Sd. U.S.A. 60°40N 147°0W 160 E2
Princes Town Trin. & Tob. 10°16N 61°23W 187 K15
Princesa Isabel Brazil 7°44S 38°0W 189 B3
Princess Charlotte B. Australia 14°25S 144°0E 150 A3
Princess Elizabeth Trough S. Ocean 64°10S 83°0E 55 C7
Princess May Ranges Australia 15°30S 125°30E 148 C4
Princess Royal I. Canada 53°0N 128°40W 162 C3
Princeton Canada 49°27N 120°30W 162 D4
Princeton Calif., U.S.A. 39°24N 122°1W 170 F4
Princeton Ill., U.S.A. 41°23N 89°28W 172 E9
Princeton Ind., U.S.A. 38°21N 87°34W 172 F10
Princeton Ky., U.S.A. 37°7N 87°53W 172 G10
Princeton Mo., U.S.A. 40°24N 93°35W 172 E7
Princeton N.J., U.S.A. 40°21N 74°39W 175 F10
Princeton W. Va., U.S.A. 37°22N 81°6W 173 G13
Príncipe São Tomé & Príncipe 1°37N 7°25E 132 F4
Principe da Beira Brazil 12°20S 64°30W 186 F6
Prineville U.S.A. 44°18N 120°51W 168 D3
Prins Christian Sund Greenland 60°4N 43°10W 57 E6
Prins Harald Kyst Antarctica 70°0S 35°1E 55 D4
Prins Karls Forland Svalbard 78°30N 11°0E 57 B12
Prinsesse Astrid Kyst Antarctica 70°45S 12°30E 55 D3
Prinsesse Ragnhild Kyst Antarctica 70°15S 27°30E 55 D4
Prinzapolca Nic. 13°20N 83°35W 182 D3
Prior, C. Spain 43°34N 8°17W 88 B2
Priozersk Russia 61°2N 30°7E 84 B6
Pripet = Prypyat → Europe 51°20N 30°15E 75 C16
Pripet Marshes Europe 52°10N 27°10E 75 B15
Pripyat Marshes = Pripet Marshes Europe 52°10N 27°10E 75 B15
Pripyats = Prypyat → Europe 51°20N 30°15E 75 C16
Prishtinë Kosovo 42°40N 21°13E 96 D5
Prislop, Pasul Romania 47°37N 24°48E 81 C9
Pristen Russia 51°15N 36°44E 85 G9
Priština = Prishtinë Kosovo 42°40N 21°13E 96 D5
Pritzwalk Germany 53°9N 12°10E 76 B8
Privas France 44°45N 4°37E 73 D8
Priverno Italy 41°28N 13°11E 94 A6
Privolzhsk Russia 57°23N 41°16E 86 B5
Privolzhskaya Vozvyshennost Russia 51°0N 46°0E 86 E7
Privolzhskiy Russia 51°25N 46°3E 86 E8
Privolzhskiy □ Russia 56°0N 50°0E 106 D6
Privolzhye Russia 52°52N 48°33E 86 D9
Priyutnoye Russia 46°12N 43°40E 87 G6
Prizren Kosovo 42°13N 20°45E 96 D4
Prizzi Italy 37°43N 13°26E 94 E6
Prnjavor Bos.-H. 44°52N 17°43E 80 F2
Probolinggo Indonesia 7°46S 113°13E 119 G15
Prochowice Poland 51°17N 16°20E 83 G3
Proctor U.S.A. 43°40N 73°2W 175 C11
Proddatur India 14°45N 78°30E 127 G4
Prodhromos Cyprus 34°57N 32°50E 101 E11
Proença-a-Nova Portugal 39°45N 7°54W 88 F3
Profilia Greece 36°5N 27°51E 101 C9
Profondeville Belgium 50°23N 4°52E 69 D4
Progreso Coahuila, Mexico 27°28N 100°59W 180 B4
Progreso Yucatán, Mexico 21°20N 89°40W 181 C7
Progress Antarctica 66°22S 76°22E 55 C12
Progress Russia 49°45N 129°37E 107 E13
Prokhladnyy Russia 43°50N 44°2E 87 J7
Prokhorovka Russia 51°2N 36°44E 86 E3
Prokletije Albania 42°30N 19°45E 96 D3
Prokopyevsk Russia 54°0N 86°45E 109 B11
Prokuplje Serbia 43°16N 21°36E 96 C5
Proletarsk Russia 46°42N 41°50E 87 G5
Prome = Pye Burma 18°49N 95°13E 123 K19
Prophet → Canada 58°48N 122°40W 162 B4
Prophet River Canada 58°6N 122°43W 162 B4
Propriá Brazil 10°13S 36°51W 189 C3
Propriano France 41°41N 8°52E 73 G12
Proserpine Australia 20°21S 148°36E 150 b
Prosna → Poland 52°6N 17°44E 83 F4
Prospect U.S.A. 43°18N 75°9W 175 C9
Prosperity U.S.A. 30°51N 85°56W 178 E4
Prosser U.S.A. 46°12N 119°46W 168 C4
Prostějov Czech Rep. 49°30N 17°9E 79 B10
Prostki Poland 53°42N 22°25E 82 E9
Proston Australia 26°8S 151°32E 151 D5
Proszowice Poland 50°13N 20°16E 83 H7
Proti Greece 37°5N 21°32E 98 D3
Provadiya Bulgaria 43°12N 27°30E 97 C11
Provadiyska → Bulgaria 43°12N 27°42E 97 C11
Provence France 43°40N 5°46E 73 E9
Provence-Alpes-Côte d'Azur □ France 44°0N 6°15E 73 D10
Providence Ky., U.S.A. 37°24N 87°46W 172 G10
Providence R.I., U.S.A. 41°49N 71°24W 175 E13
Providence, C. N.Z. 45°59S 166°29E 155 F1
Providence Bay Canada 45°41N 82°15W 164 C3
Providence Mts. U.S.A. 35°10N 115°15W 171 K11
Providencia, I. de Caribbean 13°25N 81°26W 182 D3
Provideniya Russia 64°23N 173°18W 107 C19
Provincetown U.S.A. 42°3N 70°11W 173 D18
Provins France 48°33N 3°15E 71 D10
Provo U.S.A. 40°14N 111°39W 168 F8
Provost Canada 52°25N 110°20W 163 C6
Prozor Bos.-H. 43°50N 17°34E 80 G2
Prrenjas Albania 41°4N 20°32E 96 E4
Prudhoe Bay U.S.A. 70°18N 148°22W 166 A10
Prudhoe I. Australia 21°19S 149°41E 150 C4
Prud'homme Canada 52°20N 105°54W 163 C7
Prudnik Poland 50°20N 17°38E 83 H4
Prüm Germany 50°12N 6°25E 77 E2
Prundu Romania 44°6N 26°14E 81 F11
Prundu Bârgăului Romania 47°13N 24°46E 81 C9
Pruszcz Gdański Poland 54°17N 18°40E 82 D5
Pruszków Poland 52°9N 20°49E 83 F7
Prut → Romania 45°28N 28°10E 81 E13
Pruzhany Belarus 52°33N 24°28E 75 B13
Prvić Croatia 44°55N 14°47E 93 D11
Prydz B. Antarctica 69°0S 74°0E 55 C6
Pryluky Ukraine 50°30N 32°24E 85 G7
Prymorske Ukraine 46°48N 36°20E 85 J9
Pryor U.S.A. 36°19N 95°19W 176 C7
Prypyat → Europe 51°20N 30°15E 75 C16
Prypyatsky △ Belarus 52°0N 28°0E 75 C14
Przasnysz Poland 53°2N 20°54E 83 E7
Przedbórz Poland 51°6N 19°53E 83 G6
Przedecz Poland 52°20N 18°53E 83 F5
Przemków Poland 51°31N 15°48E 83 G2
Przemyśl Poland 49°50N 22°45E 83 J9
Przeworsk Poland 50°6N 22°32E 83 H9
Przewóz Poland 51°28N 14°57E 83 G1
Przhevalsk = Karakol Kyrgyzstan 42°30N 78°20E 109 D9
Przysucha Poland 51°22N 20°38E 83 G7
Psachna Greece 38°34N 23°35E 98 C5
Psara Greece 38°37N 25°38E 99 C7
Psathoura Greece 39°30N 24°12E 98 B6
Pserimos Greece 36°56N 27°8E 99 E9
Psiloritis, Oros Greece 35°15N 24°45E 101 D6
Psira Greece 35°12N 25°52E 101 D7
Pskem → Uzbekistan 41°38N 70°1E 109 D7
Pskov Russia 57°50N 28°25E 84 D5
Pskov □ Russia 57°20N 29°0E 84 D5
Pskovskoye, Ozero Russia 58°0N 27°58E 84 D5
Psol → Ukraine 49°10N 33°37E 85 H7
Psunj Croatia 45°25N 17°19E 80 E2
Pteleos Greece 39°3N 22°57E 98 B4
Ptich = Ptsich → Belarus 52°9N 28°52E 75 B15
Ptichia = Vidos Greece 39°38N 19°55E 101 A3
Ptolemaida Greece 40°30N 21°43E 96 F5
Ptsich → Belarus 52°9N 28°52E 75 B15
Ptuj Slovenia 46°28N 15°50E 93 B12
Ptujska Gora Slovenia 46°23N 15°47E 93 B12
Pu Xian China 36°24N 111°6E 114 F6
Pua Thailand 19°11N 100°55E 120 C3
Puán Argentina 37°30S 62°45W 190 D3
Pu'an China 25°46N 104°57E 116 E5
Pubei China 22°16N 109°31E 116 F7
Pucallpa Peru 8°25S 74°30W 188 B3
Pucará Cajamarca, Peru 6°0S 79°7W 188 B2
Pucará Puno, Peru 15°5S 70°24W 188 D3
Pucarani Bolivia 16°23S 68°30W 188 D4
Pucheng China 27°59N 118°31E 117 D12
Pucheni Romania 45°12N 25°17E 81 E10
Puchheim Germany 48°9N 11°21E 77 G7
Puch'on = Bucheon S. Korea 37°28N 126°45E 115 F14
Púchov Slovak Rep. 49°8N 18°20E 79 B11
Pucioasa Romania 45°5N 25°25E 81 E10
Pučišća Croatia 43°22N 16°43E 93 E13
Puck Poland 54°45N 18°23E 82 D5
Pucka, Zatoka Poland 54°30N 18°40E 82 D5
Puçol Spain 39°37N 0°18W 91 F4
Pudasjärvi Finland 65°23N 26°53E 60 D22
Puding China 26°18N 105°44E 116 D5
Pudozh Russia 61°48N 36°32E 84 B9
Pudu = Suizhou China 31°42N 113°24E 117 B9
Puducherry India 11°59N 79°50E 127 J4
Pudukkottai India 10°28N 78°47E 127 J4
Puebla Mexico 19°3N 98°12W 181 D5
Puebla □ Mexico 18°50N 98°0W 181 D5
Puebla de Alcocer Spain 38°59N 5°14W 89 G5
Puebla de Don Fadrique Spain 37°58N 2°25W 91 H2
Puebla de Don Rodrigo Spain 39°5N 4°37W 89 F6
Puebla de Guzmán Spain 37°37N 7°15W 89 H3
Puebla de la Calzada Spain 38°54N 6°37W 89 G4
Puebla de Sanabria Spain 42°4N 6°38W 88 C4
Puebla de Trives = Pobra de Trives Spain 42°20N 7°10W 88 C3
Pueblo U.S.A. 38°16N 104°37W 168 G11
Puelches Argentina 38°5S 65°51W 190 D2
Puelén Argentina 37°32S 67°38W 190 D2
Puente Alto Chile 33°32S 70°35W 190 C1
Puente-Genil Spain 37°22N 4°47W 89 H6
Puente la Reina Spain 42°40N 1°49W 90 C3
Puente San Miguel Spain 43°21N 4°5W 88 B6
Puenteareas = Ponteareas Spain 42°10N 8°28W 88 C2
Puentedeume = Pontedeume Spain 43°24N 8°10W 88 B2
Puentes de García Rodríguez = As Pontes de García Rodríguez Spain 43°27N 7°50W 88 B3
Pu'er China 23°0N 101°15E 116 F3
Puerca, Pta. Puerto Rico 18°13N 65°36W 183 d
Puerco → U.S.A. 34°22N 107°50W 169 J10
Puerto Acosta Bolivia 15°32S 69°15W 188 D4
Puerto Aisén Chile 45°27S 73°0W 192 C2
Puerto Ángel Mexico 15°40N 96°29W 181 D5
Puerto Arista Mexico 15°56N 93°48W 181 D6
Puerto Armuelles Panama 8°20N 82°51W 182 E3
Puerto Ayacucho Venezuela 5°40N 67°35W 186 B5
Puerto Barrios Guatemala 15°40N 88°32W 182 C2
Puerto Bermejo Argentina 26°55S 58°34W 190 B4
Puerto Bermúdez Peru 10°20S 74°58W 188 C3
Puerto Bolívar Ecuador 3°19S 79°55W 186 D3
Puerto Cabello Venezuela 10°28N 68°1W 186 A5
Puerto Cabezas Nic. 14°0N 83°30W 182 D3
Puerto Cabo Gracias á Dios Nic. 15°0N 83°10W 182 D3
Puerto Carreño Colombia 6°12N 67°22W 186 B5
Puerto Castilla Honduras 16°0N 86°0W 182 C2
Puerto Chicama Peru 7°45S 79°20W 188 B2
Puerto Cisnes Chile 44°45S 72°42W 192 B2
Puerto Coig Argentina 50°54S 69°15W 192 D3
Puerto Cortés Honduras 15°51N 88°0W 182 C2
Puerto Cumarebo Venezuela 11°29N 69°30W 186 A5
Puerto de Alcudia = Port d'Alcúdia Spain 39°50N 3°7E 100 B10
Puerto de Cabrera Spain 39°8N 2°56E 100 B9
Puerto de la Cruz Canary Is. 28°24N 16°32W 100 F3
Puerto de los Angeles △ Mexico 23°39N 105°45W 180 C3
Puerto de Mazarrón Spain 37°34N 1°15W 91 H3
Puerto de Sóller = Port de Sóller Spain 39°48N 2°42E 100 B9
Puerto de Somosierra Spain 41°9N 3°35W 88 D7
Puerto del Carmen Canary Is. 28°55N 13°38W 100 F6
Puerto del Rosario Canary Is. 28°30N 13°52W 100 F6
Puerto Deseado Argentina 47°55S 66°0W 192 C3
Puerto Escondido Mexico 15°50N 97°3W 181 D5
Puerto Heath Bolivia 12°34S 68°39W 188 C4
Puerto Inca Peru 9°22S 74°54W 188 B3
Puerto Inírida Colombia 3°53N 67°52W 186 C5
Puerto Juárez Mexico 21°11N 86°49W 181 C7
Puerto La Cruz Venezuela 10°13N 64°38W 186 A6
Puerto Leguízamo Colombia 0°12S 74°46W 186 D4
Puerto Lempira Honduras 15°16N 83°46W 182 C3
Puerto Libertad Mexico 29°55N 112°43W 180 B2
Puerto Limón Colombia 3°23N 73°30W 186 C4
Puerto Lobos Argentina 42°0S 65°3W 192 B3
Puerto Lumbreras Spain 37°34N 1°48W 91 H3
Puerto Madryn Argentina 42°48S 65°4W 192 B3
Puerto Maldonado Peru 12°30S 69°10W 188 C4
Puerto Manatí Cuba 21°22N 76°50W 182 B4
Puerto Montt Chile 41°28S 73°0W 192 B2
Puerto Morazán Nic. 12°51N 87°11W 182 D2
Puerto Morelos Mexico 20°50N 86°52W 181 C7
Puerto Natales Chile 51°45S 72°15W 192 D2
Puerto Oscuro Chile 31°24S 71°35W 190 C1
Puerto Padre Cuba 21°13N 76°35W 182 B4
Puerto Páez Venezuela 6°13N 67°28W 186 B5
Puerto Peñasco Mexico 31°20N 113°33W 180 A2
Puerto Pinasco Paraguay 22°36S 57°50W 190 A4
Puerto Pirámides Argentina 42°35S 64°20W 192 B4
Puerto Plata Dom. Rep. 19°48N 70°45W 183 C5
Puerto Pollensa = Port de Pollença Spain 39°54N 3°4E 100 B10
Puerto Portillo Peru 9°45S 72°42W 188 B3
Puerto Princesa Phil. 9°46N 118°45E 119 C5
Puerto Quepos Costa Rica 9°29N 84°6W 182 E3
Puerto Real Spain 36°33N 6°12W 89 J4
Puerto Rico Bolivia 11°5S 67°38W 188 C4
Puerto Rico Canary Is. 27°47N 15°42W 100 G4
Puerto Rico ☒ W. Indies 18°15N 66°45W 183 d
Puerto Rico Trench Atl. Oc. 19°50N 66°0W 183 C6
Puerto Saavedra Chile 38°47S 73°24W 192 A2
Puerto San Julián Argentina 49°15S 67°45W 192 C3
Puerto Santa Cruz Argentina 50°0S 68°32W 192 D3
Puerto Sastre Paraguay 22°2S 57°55W 190 A4
Puerto Serrano Spain 36°56N 5°33W 89 J5
Puerto Suárez Bolivia 18°58S 57°52W 186 G7
Puerto Supe Peru 11°0S 77°30W 188 C2
Puerto Vallarta Mexico 20°37N 105°15W 180 C3
Puerto Varas Chile 41°19S 72°59W 192 B2
Puerto Wilches Colombia 7°21N 73°54W 186 B4
Puerto Williams Chile 54°56S 67°37W 192 D3
Puertollano Spain 38°43N 4°7W 89 G6
Pueu Tahiti 17°44S 149°13W 155 b
Pueyrredón, L. Argentina 47°20S 72°0W 192 C2
Püez Odle △ Italy 46°37N 11°48E 93 B8
Puffin I. Ireland 51°50N 10°24W 64 E1
Pugachev Russia 52°0N 48°49E 86 D9
Pugal India 28°30N 72°48E 124 E5
Puge China 27°20N 102°31E 116 D4
Puge Tanzania 4°45S 33°11E 142 C3
Puget Sound U.S.A. 47°50N 122°30W 170 C4
Puget-Théniers France 43°58N 6°53E 73 E10
Púglia □ Italy 41°15N 16°15E 95 A9
Pugŏdong N. Korea 42°5N 130°0E 115 C16
Pugu Tanzania 6°55S 39°4E 142 D4
Pūgūnzī Iran 25°49N 59°10E 129 E8
Puha N.Z. 38°30S 177°50E 154 E6
Pui Romania 45°30N 23°4E 80 E8
Puica Peru 15°0S 72°33W 188 D3
Puieşti Romania 46°25N 27°33E 81 D12
Puig Major Spain 39°48N 2°47E 100 B9
Puigcerdà Spain 42°24N 1°50E 90 C6
Puigmal Spain 42°23N 2°7E 90 C7
Puigpunyent Spain 39°38N 2°32E 100 B9
Puijiang China 30°14N 103°30E 116 B4
Puisaye, Collines de la France 47°37N 3°20E 71 E10
Puiseaux France 48°11N 2°30E 71 D9
Pujehun S. Leone 7°23N 11°45W 138 D2
Pujiang China 29°29N 119°54E 117 C12
Pujols France 44°48N 0°2W 72 D3
Pujon-ho N. Korea 40°35N 127°35E 115 D14
Pukaki, L. N.Z. 44°4S 170°1E 155 E5
Pukapuka Cook Is. 10°53S 165°49W 157 J11
Pukaskwa △ Canada 48°20N 86°0W 164 C2
Pukatawagan Canada 55°45N 101°20W 163 B8
Pukchin N. Korea 40°12N 125°45E 115 D13
Pukch'ŏng N. Korea 40°14N 128°19E 115 D15
Pukë Albania 42°2N 19°53E 96 D3
Pukearuhe N.Z. 38°55S 174°31E 154 E3
Pukekohe N.Z. 37°12S 174°55E 154 D3
Puketeraki Ra. N.Z. 42°58S 172°13E 155 C7
Puketoi Ra. N.Z. 40°30S 176°5E 154 G5
Pukeuri N.Z. 45°4S 171°2E 155 F6
Pukhrayan India 26°14N 79°51E 125 F8
Puksubaek-san N. Korea 40°42N 127°45E 115 D14
Pula Croatia 44°54N 13°57E 93 D10
Pula Italy 39°1N 9°0E 94 C1
Pulacayo Bolivia 20°25S 66°41W 188 E4
Pulandian China 39°25N 121°58E 115 E11
Pulaski N.Y., U.S.A. 43°34N 76°8W 175 C8
Pulaski Tenn., U.S.A. 35°12N 87°2W 177 D11
Pulaski Va., U.S.A. 37°3N 80°47W 173 G13
Pulau → Indonesia 5°50S 138°15E 119 F9
Pulau Gili Indonesia 8°21S 116°1E 119 J19
Puławy Poland 51°23N 21°59E 83 G8
Pulga U.S.A. 39°48N 121°29W 170 F5
Pulgaon India 20°44N 78°21E 126 D4
Pulicat India 13°25N 80°19E 127 H5
Pulicat L. India 13°40N 80°15E 127 H5
Pulivendla India 14°25N 78°14E 127 G4
Puliyangudi India 9°11N 77°24E 127 K3
Pullman U.S.A. 46°44N 117°10W 168 C5
Pulog, Mt. Phil. 16°40N 120°50E 119 A6
Pulpí Spain 37°24N 1°44W 91 H3
Pułtusk Poland 52°43N 21°6E 83 F8
Pülümür Turkey 39°30N 39°51E 105 C8
Pumlumon Fawr U.K. 52°28N 3°46W 67 E4
Puná, I. Ecuador 2°55S 80°5W 186 D2
Punaauia Tahiti 17°37S 149°34W 155 b
Punakha Dzong Bhutan 27°42N 89°52E 123 F16
Punalur India 9°0N 76°56E 127 K3
Punasar India 27°6N 73°6E 124 F5
Punata Bolivia 17°32S 65°50W 186 G5
Punch India 33°48N 74°4E 125 C6
Punch → Pakistan 33°12N 73°40E 124 C5
Punda Maria S. Africa 22°40S 31°5E 145 B5
Pune India 18°29N 73°57E 126 E1
P'ungsan N. Korea 40°50N 128°9E 115 D15
Pungue, Ponte de Mozam. 19°0S 34°0E 143 F3
Puning China 23°20N 116°12E 117 F11
Punjab □ India 31°0N 76°0E 124 D7
Punjab □ Pakistan 32°0N 72°30E 124 E6
Puno Peru 15°55S 70°3W 188 D3
Puno □ Peru 15°0S 70°0W 188 C3
Punpun → India 25°31N 85°18E 125 G11
Punta, Cerro de Puerto Rico 18°10N 66°37W 183 d
Punta Alta Argentina 38°53S 62°4W 192 A4
Punta Arenas Chile 53°10S 71°0W 192 D2
Punta Coles Peru 17°43S 71°23W 188 D3
Punta de Bombón Peru 17°10S 71°48W 188 D3
Punta del Díaz Chile 28°0S 70°45W 190 B1
Punta del Hidalgo Canary Is. 28°33N 16°19W 100 F3
Punta Delgado Argentina 42°43S 63°38W 192 B4
Punta Gorda Belize 16°10N 88°45W 181 D7
Punta Gorda U.S.A. 26°56N 82°3W 179 J7
Punta Prieta Mexico 28°58N 114°17W 180 B2
Punta Prima Spain 39°48N 4°16E 100 B11
Punta Umbría Spain 37°10N 6°56W 89 H4
Puntarenas Costa Rica 10°0N 84°50W 182 E3
Puntland Somalia 9°0N 50°0E 131 F4
Punto Fijo Venezuela 11°50N 70°13W 186 A4
Punxsutawney U.S.A. 40°57N 78°59W 174 F6
Pupuan Indonesia 8°19S 115°0E 119 J18
Puqi China 29°40N 113°50E 117 C9
Puquio Peru 14°45S 74°10W 188 C3
Pur → Russia 67°31N 77°55E 106 C8
Puracé, Vol. Colombia 2°21N 76°23W 186 C3
Puračić Bos.-H. 44°33N 18°28E 80 F3
Puralia = Puruliya India 23°17N 86°24E 125 H12
Puranpur India 28°31N 80°9E 125 E9
Purbalingga Indonesia 7°23S 109°21E 119 G13
Purbeck, Isle of U.K. 50°39N 1°59W 67 G5
Purcell U.S.A. 35°1N 97°22W 176 D6
Purcell Mts. Canada 49°55N 116°15W 162 D5
Purdy Canada 45°19N 77°44W 174 A7
Puri India 19°50N 85°58E 126 E7
Purmerend Neths. 52°32N 4°58E 69 B4
Purna → India 19°6N 77°2E 126 E3
Purnia India 25°45N 87°31E 125 G12
Purnululu △ Australia 17°20S 128°20E 148 C4
Pursat = Pouthisat Cambodia 12°34N 103°50E 120 F4
Purukcahu Indonesia 0°35S 114°35E 118 E4
Puruliya India 23°17N 86°24E 125 H12
Purus → Brazil 3°42S 61°28W 186 D6
Puruvesi Finland 61°50N 29°30E 84 B5
Purvis U.S.A. 31°9N 89°25W 177 F10
Pŭrvomay Bulgaria 42°8N 25°17E 97 D9
Purwa India 26°28N 80°47E 125 F9
Purwakarta Indonesia 6°35S 107°29E 119 G12
Purwo, Tanjung Indonesia 8°44S 114°21E 119 K18
Purwodadi Indonesia 7°7S 110°55E 119 G14
Purwokerto Indonesia 7°25S 109°14E 119 G13
Puryŏng N. Korea 42°5N 129°43E 115 C15
Pus → India 19°55N 77°55E 126 E3
Pusa India 25°59N 85°41E 125 G11
Pusad India 19°56N 77°36E 126 E3
Pusan = Busan S. Korea 35°5N 129°0E 115 G15
Pushkin Russia 59°45N 30°25E 84 C6
Pushkino Moskva, Russia 56°2N 37°49E 84 D9
Pushkino Saratov, Russia 51°16N 47°0E 86 E8
Püspökladány Hungary 47°19N 21°6E 80 C6
Pustoshka Russia 56°20N 29°30E 84 D5
Puszczykowo Poland 52°18N 16°49E 83 F3
Put-in-Bay U.S.A. 41°39N 82°49W 174 E2
Putahow L. Canada 59°54N 100°40W 163 B8
Putao Burma 27°28N 97°30E 123 F20
Putaruru N.Z. 38°2S 175°50E 154 E4
Putbus Germany 54°22N 13°28E 76 A9
Puteran Indonesia 7°5S 114°0E 119 G15
Putian China 25°23N 119°0E 117 E12
Putignano Italy 40°51N 17°7E 95 B10
Putina Peru 14°55S 69°55W 188 C4
Puting, Tanjung Indonesia 3°31S 111°46E 118 E4
Putlitz Germany 53°15N 12°2E 76 B8
Putna Romania 47°50N 25°33E 81 C10
Putna → Romania 45°42N 27°26E 81 E12
Putnam U.S.A. 41°55N 71°55W 175 E13
Putney U.S.A. 31°29N 84°8W 178 D5
Putnok Hungary 48°18N 20°26E 80 B5
Putorana, Gory Russia 69°0N 95°0E 107 C10
Putorino N.Z. 39°4S 176°58E 154 F5
Putrajaya Malaysia 2°55N 101°40E 121 L3
Putre Chile 18°12S 69°35W 188 D4
Puttalam Sri Lanka 8°1N 79°55E 127 K5
Puttalam Lagoon Sri Lanka 8°15N 79°45E 127 K4
Puttgarden Germany 54°30N 11°10E 76 A7
Püttlingen Germany 49°17N 6°53E 77 F2
Puttur Andhra Pradesh, India 13°27N 79°33E 127 H4
Puttur Karnataka, India 12°46N 75°12E 127 H2
Putty Australia 32°57S 150°42E 153 B9
Putumayo → S. Amer. 3°7S 67°58W 186 D5
Putuo China 29°56N 122°20E 117 C14
Putussibau Indonesia 0°50N 112°56E 118 D4
Pututahi N.Z. 38°39S 177°53E 154 E6
Putyla Ukraine 48°0N 25°5E 81 B10
Puvirnituq Canada 60°2N 77°10W 161 E16
Puy-de-Dôme France 45°46N 2°57E 72 C6
Puy-de-Dôme □ France 45°40N 3°5E 72 C7
Puy-l'Évêque France 44°31N 1°9E 72 D5
Puyallup U.S.A. 47°12N 122°18W 170 C4
Puyang China 35°40N 115°1E 114 G8
Puyehue Chile 40°40S 72°37W 192 B2
Puyehue △ Chile 40°27S 72°29W 192 B2
Puylaurens France 43°35N 2°0E 72 E6
Puysegur Pt. N.Z. 46°9S 166°37E 155 G1
Pūzeh Rīg Iran 27°20N 58°40E 129 E8
Puzhaykove Ukraine 48°7N 29°50E 81 B14
Pwani □ Tanzania 7°0S 39°0E 142 D4
Pweto Dem. Rep. of the Congo 8°25S 28°51E 143 D2
Pwllheli U.K. 52°53N 4°25W 66 E3
Pyana → Russia 55°43N 46°1E 86 C8
Pyaozero, Ozero Russia 66°5N 30°58E 60 C24
Pyapon Burma 16°20N 95°40E 123 L19
Pyasina → Russia 73°30N 87°0E 107 B9
Pyatigorsk Russia 44°2N 43°6E 87 H6
Pyatykhatky Ukraine 48°28N 33°38E 85 H7
Pyay = Pye Burma 18°49N 95°13E 123 K19
Pydna Greece 40°20N 22°34E 96 F6
Pye Burma 18°49N 95°13E 123 K19
Pyeongchang S. Korea 37°22N 128°23E 115 F15
Pyeongtaek S. Korea 37°1N 127°4E 115 F14
Pyetrikaw Belarus 52°11N 28°29E 75 B15
Pyhäjoki → Finland 64°28N 24°14E 60 D21
Pyhätunturi △ Finland 66°58N 27°5E 60 C22
Pyin-U-Lwin Burma 22°2N 96°28E 120 A1
Pyinmana Burma 19°45N 96°12E 123 K20
Pyla, C. Cyprus 34°56N 33°51E 101 E12
Pymatuning Res. U.S.A. 41°30N 80°28W 174 E4
Pyŏktong N. Korea 40°50N 125°50E 115 D13
P'yŏnggang N. Korea 38°24N 127°17E 115 E14
P'yŏngsong N. Korea 39°14N 125°52E 115 E13
P'yŏngyang N. Korea 39°0N 125°30E 115 E13
Pyote U.S.A. 31°32N 103°8W 176 F3
Pyramid L. U.S.A. 40°1N 119°35W 168 F4
Pyramid Pk. U.S.A. 36°25N 116°37W 171 J10
Pyramids Egypt 29°58N 31°9E 137 F7
Pyrénées Europe 42°45N 0°18E 72 F4
Pyrénées △ France 42°52N 0°10W 72 F3
Pyrénées-Atlantiques □ France 43°10N 0°50W 72 E3
Pyrénées-Orientales □ France 42°35N 2°26E 72 F6
Pyryatyn Ukraine 50°15N 32°25E 85 G7
Pyrzyce Poland 53°10N 14°55E 83 E1
Pyskowice Poland 50°24N 18°38E 83 H5
Pytalovo Russia 57°5N 27°55E 84 D4
Pyu Burma 18°30N 96°28E 123 K20
Pyzdry Poland 52°11N 17°42E 83 F4

Q

Qaanaaq Greenland 77°30N 69°10W 57 B4
Qaasuitsup □ Greenland 74°0N 52°0W 57 C5
Qäbälä Azerbaijan 40°58N 47°47E 87 K8
Qabanbay Kazakhstan 45°50N 80°37E 109 C10
Qabirri → Azerbaijan 41°3N 46°17E 87 K8
Qachasnek S. Africa 30°6S 28°42E 145 D4
Qādisīyah, Buhayrat al Iraq 34°20N 42°12E 105 E10
Qa'el Jafr Jordan 30°20N 36°25E 130 E5
Qa'emābād Iran 31°44N 60°2E 129 D9
Qā'emshahr Iran 36°30N 52°53E 129 B7
Qagan Nur Jilin, China 45°15N 124°18E 115 B13
Qagan Nur Nei Monggol Zizhiqu, China 43°30N 114°55E 114 C8
Qahar Youyi Zhongqi China 41°12N 112°40E 114 D7
Qahremānshahr = Kermānshāh Iran 34°23N 47°0E 105 E12
Qaidam Pendi China 37°0N 95°0E 110 D8
Qaiyara Iraq 35°48N 43°17E 105 E10
Qajarīyeh Iran 31°1N 48°22E 129 D6
Qala, Ras il Malta 36°2N 14°20E 101 C1
Qala-i-Jadid = Spīn Būldak Afghan. 31°1N 66°25E 124 D2
Qala Point = Qala, Ras il Malta 36°2N 14°20E 101 C1
Qala Viala Pakistan 30°49N 67°17E 124 D2
Qala Yangi Afghan. 34°20N 66°30E 124 B2
Qalaikhum = Kalaikhum Tajikistan 38°28N 70°46E 109 E8
Qal'at al Akhḑar Si. Arabia 28°4N 37°9E 128 E3
Qal'at Bīshah Si. Arabia 20°0N 42°36E 137 C5
Qal'at Dīzah Iraq 36°11N 45°7E 105 D11
Qal'at Şāliḩ Iraq 31°31N 47°16E 128 D5
Qal'at Sukkar Iraq 31°51N 46°5E 105 G12
Qal'eh-ye Now Afghan. 35°0N 63°5E 108 F6
Qalyûb Egypt 30°12N 31°11E 137 E7
Qamani'tuaq = Baker Lake Canada 64°20N 96°3W 160 E12
Qamdo China 31°15N 97°6E 116 B1
Qamea Fiji 16°45S 179°45W 154 a
Qamruddin Karez Pakistan 31°45N 68°20E 124 D3
Qandahār = Kandahār Afghan. 31°32N 65°43E 122 D4
Qandahār = Kandahār □ Afghan. 31°0N 65°0E 122 D4
Qandyaghash Kazakhstan 49°28N 57°25E 108 C5
Qapān Iran 37°40N 55°47E 129 B7
Qapqal China 43°48N 81°5E 109 D10
Qapshaghay Kazakhstan 43°51N 77°14E 109 D9
Qapshaghay Bögeni Kazakhstan 43°45N 77°50E 109 D9
Qaqortoq Greenland 60°43N 46°0W 57 E6
Qâra Egypt 29°38N 26°30E 137 B2
Qara Dāgh Iraq 35°18N 45°18E 105 E11
Qara Qash → China 35°0N 78°30E 125 B8
Qarabalyq Kazakhstan 53°45N 62°2E 108 B6
Qarabutaq Kazakhstan 50°0N 60°14E 108 C6
Qaraçala Azerbaijan 39°45N 48°53E 87 L9
Qaraçuxar Azerbaijan 40°25N 50°1E 87 K10
Qaraghandy Kazakhstan 49°50N 73°10E 109 C8
Qaraghayly Kazakhstan 49°26N 76°0E 108 C8
Qārah Si. Arabia 29°55N 40°3E 128 D4
Qarah Āghāj Iran 37°8N 46°58E 105 D12
Qaraoba Kazakhstan 47°6N 56°15E 108 C5
Qaraqaya Oyysy Kazakhstan 43°27N 51°45E 108 D4
Qaraqosh Iraq 36°16N 43°22E 105 D10
Qarataū Ongtüstik Qazaqstan, Kazakhstan 43°30N 69°30E 109 D7
Qarataū Zhambyl, Kazakhstan 43°10N 70°28E 109 D8
Qarazhal Kazakhstan 48°2N 70°49E 108 C8
Qarchak Iran 35°25N 51°34E 129 C6
Qardho Somalia 9°30N 49°6E 131 F4
Qareh → Iran 39°25N 47°22E 105 C12
Qareh Tekān Iran 36°38N 49°29E 129 B6
Qarnein U.A.E. 24°56N 52°52E 129 E7

Qarokŭl = Karakul, Ozero
Tajikistan 39°5N 73°25E 109 E8
Qarqan He → China 39°30N 88°30E 109 E11
Qarqaraly Kazakhstan 49°26N 75°30E 109 C9
Qarshi Uzbekistan 38°53N 65°48E 109 E7
Qartabā Lebanon 34°4N 35°50E 130 A4
Qārūh Kuwait 28°49N 48°46E 129 D6
Qaryat al Gharab Iraq 31°27N 44°48E 128 D5
Qaryat al 'Ulyā
Si. Arabia 27°33N 47°42E 128 E5
Qarynzharyq Oyysy
Kazakhstan 42°55N 54°25E 108 D4
Qashqadaryo □
Uzbekistan 38°35N 66°0E 109 E7
Qasigiannguit
Greenland 68°50N 51°18W 57 D5
Qasr 'Amra Jordan 31°48N 36°35E 128 D3
Qaşr-e Qand Iran 26°15N 60°45E 129 E9
Qaşr-e Shīrīn Iran 34°31N 45°35E 105 E11
Qasr Farâfra Egypt 27°0N 28°1E 137 B2
Qasuittuq = Resolute
Canada 74°42N 94°54W 161 C13
Qatanā Syria 33°26N 36°4E 130 B5
Qatar ■ Asia 25°30N 51°15E 129 E6
Qatlīsh Iran 37°50N 57°19E 129 B8
Qattâra Egypt 30°12N 27°3E 137 A2
Qattâra, Munkhafed el
Egypt 29°30N 27°30E 137 B2
Qattâra Depression = Qattâra,
Munkhafed el Egypt 29°30N 27°30E 137 B2
Qawām al Ḥamzah = Al Ḥamzah
Iraq 31°43N 44°58E 128 D5
Qāyen Iran 33°40N 59°10E 129 C8
Qaynar Kazakhstan 49°12N 77°22E 109 C9
Qazaly Kazakhstan 45°45N 62°6E 108 C6
Qazaqstan = Kazakhstan ■
Asia 50°0N 70°0E 109 C8
Qazaqtyng Usaqshogylyghy
Kazakhstan 50°0N 72°0E 109 C8
Qazax Azerbaijan 41°5N 45°21E 87 K7
Qazımämmäd Azerbaijan 40°3N 49°0E 87 K9
Qazvīn Iran 36°15N 50°0E 129 B6
Qazvīn □ Iran 36°20N 50°0E 129 B6
Qazyghurt Kazakhstan 41°45N 69°23E 109 D7
Qena Egypt 26°10N 32°43E 137 B3
Qena, W. → Egypt 26°12N 32°44E 137 B3
Qeqertarsuaq Qaasuitsup,
Greenland 69°45N 53°30W 57 D5
Qeqertarsuaq Qaasuitsup,
Greenland 69°15N 53°38W 57 D5
Qeqertarsuatsiaat
Greenland 63°5N 50°45W 57 E5
Qeqqata □ Greenland 66°30N 48°0W 57 D6
Qeshlāq Iran 34°55N 46°28E 105 E12
Qeshm Iran 26°55N 56°10E 129 E8
Qeydār Iran 36°6N 48°35E 105 D13
Qeys Iran 26°32N 53°58E 129 E7
Qezel Owzen → Iran 36°45N 49°22E 129 B6
Qezi'ot Israel 30°52N 34°26E 130 E3
Qi Xian China 34°40N 114°48E 114 G8
Qian Gorlos China 45°5N 124°42E 115 B13
Qian Hai China 22°32N 113°54E 111 a
Qian Xian China 34°31N 108°15E 114 G5
Qian'an China 40°0N 118°41E 115 E10
Qiancheng China 27°12N 109°50E 116 D7
Qianjiang Guangxi Zhuangzu,
China 23°38N 108°58E 116 F7
Qianjiang Hubei, China 30°24N 112°55E 117 B9
Qianjiang Sichuan,
China 29°33N 108°47E 116 C7
Qianjin China 47°34N 133°4E 111 B15
Qianshan Anhui,
China 30°37N 116°35E 117 B11
Qianshan Guangdong,
China 22°15N 113°31E 111 a
Qianwei China 29°13N 103°56E 116 C4
Qianxi China 27°3N 106°3E 116 D6
Qianyang Hunan,
China 27°18N 110°10E 117 D8
Qianyang Shaanxi,
China 34°40N 107°8E 114 G4
Qianyang Zhejiang,
China 30°11N 119°25E 117 B12
Qi'ao China 22°25N 113°39E 111 a
Qi'ao Dao China 22°25N 113°38E 111 a
Qiaocun China 39°56N 112°55E 114 E7
Qiaojia China 26°56N 102°58E 116 D4
Qichun China 30°18N 115°25E 117 B10
Qidong Hunan, China 26°49N 112°7E 117 D9
Qidong Jiangsu, China 31°48N 121°38E 117 B13
Qiemo China 38°8N 85°32E 109 E11
Qijiang China 28°57N 106°35E 116 C6
Qijiaojing China 43°28N 91°36E 109 D12
Qikiqtaaluk = Baffin I.
Canada 68°0N 75°0W 161 D17
Qikiqtarjuaq Canada 67°33N 63°0W 161 D19
Qila Saifullāh Pakistan 30°45N 68°17E 124 D3
Qilian Shan China 38°30N 96°0E 110 D8
Qimen China 29°50N 117°42E 117 C11
Qin He → China 35°1N 113°22E 114 G7
Qin Jiang → Guangxi Zhuangzu,
China 21°53N 108°35E 116 F7
Qin Jiang → Jiangxi,
China 26°15N 115°55E 117 D10
Qin Ling = Qinling Shandi
China 33°50N 108°10E 114 H5
Qin'an China 34°48N 105°40E 114 G3
Qing Xian China 38°35N 116°45E 114 E9
Qingcheng China 37°15N 117°40E 115 F9
Qingcheng Shan
China 30°58N 103°31E 116 B4
Qingchuan China 32°36N 105°9E 114 H3
Qingdao China 36°5N 120°20E 115 F11
Qingfeng China 35°52N 115°8E 114 G8
Qinghai □ China 36°0N 98°0E 110 D8
Qinghai Hu China 36°40N 100°10E 110 D9
Qinghe China 46°37N 90°25E 109 C12
Qinghecheng China 41°28N 124°15E 115 D13
Qinghemen China 41°48N 121°25E 115 D11
Qingjian China 37°8N 110°8E 114 F6
Qingjiang = Huaiyin
China 33°30N 119°2E 115 H10
Qingliu China 26°11N 116°48E 117 D11
Qinglong China 25°49N 105°12E 116 E5
Qingping China 26°39N 107°47E 116 D6
Qingshui China 34°48N 106°8E 114 G4
Qingshuihe China 39°55N 111°35E 114 E6
Qingtian China 28°12N 120°15E 117 C13
Qingtongxia China 38°2N 106°3E 114 E4
Qingtongxia Shuiku
China 37°50N 105°58E 114 F3
Qingxi China 27°8N 108°43E 116 D7
Qingxu China 37°34N 112°22E 114 F7
Qingyang Anhui,
China 30°38N 117°50E 117 B11
Qingyang Gansu, China 36°2N 107°55E 114 F4
Qingyi Jiang → China 29°32N 103°44E 116 C4
Qingyuan Guangdong,
China 23°40N 112°59E 117 F9
Qingyuan Liaoning,
China 42°10N 124°55E 115 C13
Qingyuan Zhejiang,
China 27°36N 119°3E 117 D12
Qingyun China 37°45N 117°20E 115 F9
Qingzhen China 26°31N 106°25E 116 D6
Qinhuangdao China 39°56N 119°30E 115 E10
Qinling Shandi China 33°50N 108°10E 114 H5
Qinshui China 35°40N 112°8E 114 G7
Qinyang = Jiyuan
China 35°7N 112°57E 114 G7
Qinyang China 35°5N 112°56E 114 G7
Qinyuan China 36°29N 112°20E 114 F7
Qinzhou China 21°58N 108°38E 116 G7
Qionghai China 19°15N 110°26E 117 a
Qionglai China 30°25N 103°31E 116 B4
Qionglai Shan China 31°0N 102°30E 116 B4
Qiongshan China 19°51N 110°26E 117 a
Qiongzhou Haixia
China 20°10N 110°15E 117 a
Qiqihar China 47°26N 124°0E 111 B13
Qira China 37°0N 80°48E 109 E10
Qirāiya, W. → Egypt 30°27N 34°0E 130 E3
Qiryat Ata Israel 32°47N 35°6E 130 C4
Qiryat Gat Israel 31°32N 34°46E 130 D3
Qiryat Mal'akhi Israel 31°44N 34°44E 130 D3
Qiryat Shemona Israel 33°13N 35°35E 130 B4
Qiryat Yam Israel 32°51N 35°4E 130 C4
Qishan China 34°25N 107°38E 114 G4
Qitai China 44°2N 89°35E 109 D11
Qitaihe China 45°48N 130°51E 112 B5
Qiubei China 24°2N 104°12E 116 E5
Qixia China 37°17N 120°52E 115 F11
Qiying China 26°35N 111°50E 117 D8
Qızılağac Körfäzi
Azerbaijan 39°9N 49°0E 105 C13
Qobda Kazakhstan 50°55N 54°31E 108 B4
Qods Iran 35°45N 51°15E 129 C6
Qojūr Iran 36°12N 47°55E 128 B5
Qom Iran 34°40N 51°0E 129 C6
Qom □ Iran 34°40N 51°0E 129 C6
Qomolangma Feng = Everest, Mt.
Nepal 28°5N 86°58E 125 E12
Qomsheh Iran 32°0N 51°55E 129 D6
Qong Muztag China 35°42N 82°22E 109 E10
Qoqek = Tacheng
China 46°40N 82°58E 109 C10
Qo'qon Uzbekistan 40°31N 70°56E 109 D8
Qorako'l Uzbekistan 39°32N 63°50E 108 E6
Qoraqalpog'istan □
Uzbekistan 43°0N 58°0E 108 D5
Qorghalzhyn
Kazakhstan 50°25N 69°11E 109 B7
Qorveh Iran 35°10N 47°48E 105 E12
Qosshaghyl Kazakhstan 46°40N 54°0E 108 C4
Qostanay Kazakhstan 53°10N 63°35E 108 B6
Qotanqaraghay
Kazakhstan 49°10N 85°36E 109 C11
Qoṭūr Iran 38°28N 44°25E 105 C11
Qu Jiang → China 30°1N 106°24E 116 B6
Qu Xian China 30°48N 106°58E 116 B6
Quabbin Res. U.S.A. 42°20N 72°20W 175 D12
Quairading Australia 32°0S 117°21E 149 F2
Quakenbrück Germany 52°41N 7°57E 76 C3
Quakertown U.S.A. 40°26N 75°21W 175 F9
Qualicum Beach
Canada 49°22N 124°26W 162 D4
Quambatook Australia 35°49S 143°34E 152 C5
Quambone Australia 30°57S 147°53E 153 A7
Quamby Australia 20°22S 140°17E 150 C3
Quan Long = Ca Mau
Vietnam 9°7N 105°8E 121 H5
Quanah U.S.A. 34°18N 99°44W 176 D5
Quandialla Australia 34°1S 147°47E 153 C7
Quang Ngai Vietnam 15°13N 108°58E 120 E7
Quang Tri Vietnam 16°45N 107°13E 120 D6
Quang Yen Vietnam 20°56N 106°52E 116 G6
Quannan China 24°45N 114°33E 117 E10
Quantock Hills U.K. 51°8N 3°10W 67 F4
Quanyang China 42°21N 127°32E 115 C14
Quanzhou Fujian,
China 24°55N 118°34E 117 E12
Quanzhou Guangxi Zhuangzu,
China 25°57N 111°5E 117 E8
Qu'Appelle →
Canada 50°33N 103°53W 163 C8
Quaqtaq Canada 60°55N 69°40W 161 E18
Quarai Brazil 30°15S 56°20W 190 C4
Quarré-les-Tombes
France 47°21N 4°0E 71 E11
Quarteira Portugal 37°4N 8°6W 89 H2
Quartu Sant'Élena Italy 39°15N 9°10E 94 C2
Quartzsite U.S.A. 33°40N 114°13W 171 M12
Quatre Bornes Mauritius 20°15S 57°28E 141 d
Quatsino Sd. Canada 50°25N 127°58W 162 C3
Quba Azerbaijan 41°21N 48°32E 87 K9
Qūchān Iran 37°10N 58°27E 129 B8
Queanbeyan Australia 35°17S 149°14E 153 C8
Québec Canada 46°52N 71°13W 165 C5
Québec □ Canada 48°0N 74°0W 164 B6
Quebo Guinea-Biss. 11°20N 14°56W 138 C2
Quebrada del Condorito △
Argentina 31°49S 64°40W 190 C3
Quedlinburg Germany 51°47N 11°8E 76 D7
Queen Alexandra Ra.
Antarctica 85°0S 170°0E 55 E11
Queen Charlotte B.
Falk. Is. 51°50S 60°40W 192 D4
Queen Charlotte City
Canada 53°15N 132°2W 162 C2
Queen Charlotte Is. = Haida Gwaii
Canada 53°20N 132°10W 162 C2
Queen Charlotte Sd.
Canada 51°0N 128°0W 162 C3
Queen Charlotte Sd.
N.Z. 41°10S 174°15E 155 B9
Queen Charlotte Strait
Canada 50°45N 127°10W 162 C3
Queen Elizabeth △ Uganda 0°0 30°0E 142 C3
Queen Elizabeth Is.
Canada 76°0N 95°0W 161 B13
Queen Elizabeth Land
Antarctica 85°0S 60°0W 55 E17
Queen Mary Land
Antarctica 70°0S 95°0E 55 D7
Queen Maud G.
Canada 68°15N 102°30W 160 D11
Queen Maud Land = Dronning
Maud Land Antarctica 72°30S 12°0E 55 D3
Queen Maud Mts.
Antarctica 86°0S 160°0W 55 E12
Queens Channel
Australia 15°0S 129°30E 148 C4
Queenscliff Australia 38°16S 144°39E 152 E6
Queensland U.S.A. 31°46N 83°14W 178 D6
Queensland □ Australia 22°0S 142°0E 150 C3
Queenstown Australia 42°4S 145°35E 151 G4
Queenstown N.Z. 45°1S 168°40E 155 F3
Queenstown Singapore 1°18N 103°48E 121 d
Queenstown S. Africa 31°52S 26°52E 144 D4
Queets U.S.A. 47°32N 124°19W 170 C2
Queguay Grande →
Uruguay 32°9S 58°9W 190 C4
Queimadas Brazil 11°0S 39°38W 189 C3
Quelimane Mozam. 17°53S 36°58E 143 F4
Quellón Chile 43°7S 73°37W 192 B2
Quelpart = Jeju-do
S. Korea 33°29N 126°34E 115 H14
Queluz Portugal 38°45N 9°14W 89 G1
Quemado N. Mex.,
U.S.A. 34°20N 108°30W 169 J9
Quemado Tex., U.S.A. 28°56N 100°37W 176 G4
Quemoy = Chinmen
Taiwan 24°26N 118°19E 117 E12
Quemú-Quemú
Argentina 36°3S 63°36W 190 D3
Quepem India 15°13N 74°3E 127 G2
Quequén Argentina 38°30S 58°30W 190 D4
Querco Peru 13°50S 74°52W 188 C3
Querétaro Mexico 20°36N 100°23W 180 C4
Querétaro □ Mexico 21°0N 99°55W 180 C5
Querfurt Germany 51°23N 11°35E 76 D7
Quérigut France 42°42N 2°6E 72 F6
Querqueville France 49°40N 1°42W 70 C5
Quesada Spain 37°51N 3°4W 89 H7
Queshan China 32°55N 114°2E 117 A10
Quesnel Canada 53°0N 122°30W 162 C4
Quesnel → Canada 52°58N 122°29W 162 C4
Quesnel L. Canada 52°30N 121°20W 162 C4
Questa U.S.A. 36°42N 105°36W 169 H11
Questembert France 47°40N 2°28W 70 E4
Quetico △ Canada 48°30N 91°45W 164 C1
Quetrequile Argentina 41°33S 69°22W 192 B3
Quetta Pakistan 30°15N 66°55E 124 D2
Quetzaltenango
Guatemala 14°50N 91°30W 182 D1
Queulat △ Chile 44°29S 72°24W 192 B2
Queyras △ France 44°45N 6°50E 73 D10
Quezon City Phil. 14°37N 121°2E 119 B6
Qufār Si. Arabia 27°26N 41°37E 128 E4
Qufu China 35°36N 116°58E 114 G9
Qui Nhon Vietnam 13°40N 109°13E 120 F7
Quibala Angola 10°46S 14°59E 140 G2
Quibaxe Angola 8°24S 14°27E 140 F2
Quibdó Colombia 5°42N 76°40W 186 B3
Quiberon France 47°29N 3°9W 70 E3
Quiberon, Presqu'île de
France 47°30N 3°8W 70 E3
Quickborn Germany 53°42N 9°52E 76 B5
Quiet L. Canada 61°5N 133°5W 162 A2
Quiindy Paraguay 25°58S 57°14W 190 B4
Quilá Mexico 24°23N 107°13W 180 C3
Quilán, C. Chile 43°15S 74°30W 192 B2
Quilcene U.S.A. 47°49N 122°53W 170 C4
Quilimarí Chile 32°5S 71°30W 190 C1
Quilino Argentina 30°14S 64°29W 190 C3
Quillabamba Peru 12°50S 72°50W 188 C3
Quillagua Chile 21°40S 69°40W 190 A2
Quillan France 42°53N 2°10E 72 F6
Quillota Chile 32°54S 71°16W 190 C1
Quilmes Argentina 34°43S 58°15W 190 C4
Quilon = Kollam India 8°50N 76°38E 127 K3
Quilpie Australia 26°35S 144°11E 151 D3
Quilpué Chile 33°5S 71°33W 190 C1
Quilua Mozam. 16°17S 39°54E 143 F4
Quime Bolivia 17°2S 67°15W 188 D4
Quimili Argentina 27°40S 62°30W 190 B3
Quimper France 48°0N 4°9W 70 E2
Quimperlé France 47°53N 3°33W 70 E3
Quinault → U.S.A. 47°21N 124°18W 170 C2
Quince Mil Peru 13°15S 70°40W 188 C3
Quincy Calif., U.S.A. 39°56N 120°57W 170 F6
Quincy Fla., U.S.A. 30°35N 84°34W 178 E5
Quincy Ill., U.S.A. 39°56N 91°23W 172 F8
Quincy Mass., U.S.A. 42°14N 71°0W 175 D14
Quincy Wash., U.S.A. 47°14N 119°51W 168 C4
Quines Argentina 32°13S 65°48W 190 C2
Quinga Mozam. 15°49S 40°15E 143 F5
Quingey France 47°7N 5°52E 71 E12
Quinhámel
Guinea-Biss. 11°53N 15°51W 138 C1
Quintana de la Serena
Spain 38°45N 5°40W 89 G5
Quintana Roo □
Mexico 19°40N 88°30W 181 D7
Quintana Roo △ Quintana Roo,
Mexico 20°15N 87°45W 181 C7
Quintanar de la Orden
Spain 39°36N 3°5W 89 F7
Quintanar de la Sierra
Spain 41°57N 2°55W 90 D2
Quintanar del Rey Spain 39°21N 1°56W 91 F3
Quintero Chile 32°45S 71°30W 190 C1
Quintin France 48°26N 2°56W 70 D4
Quinto Spain 41°25N 0°32W 90 D4
Quípar → Spain 38°15N 1°40W 91 G3
Quirihue Chile 36°15S 72°35W 190 D1
Quirimbas △ Mozam. 12°30S 40°15E 143 E5
Quirindi Australia 31°28S 150°40E 153 A9
Quirinópolis Brazil 18°32S 50°30W 187 G8
Quiroga Spain 42°28N 7°18W 88 C3
Quiruvilca Peru 8°1S 78°19W 188 B2
Quissac France 43°55N 4°0E 73 E8
Quissanga Mozam. 12°24S 40°28E 143 E5
Quissico Mozam. 24°42S 34°44E 145 B5
Quitilipi Argentina 26°50S 60°13W 190 B3
Quitman U.S.A. 30°47N 83°34W 178 E6
Quito Ecuador 0°15S 78°35W 186 D3
Quitralco △ Chile 45°43S 73°25W 192 C2
Quixadá Brazil 4°55S 39°0W 189 A3
Quixaxe Mozam. 15°17S 40°4E 143 F5
Quixeramobim Brazil 5°12S 39°17W 189 B3
Qujing China 25°32N 103°41E 116 E4
Qulan Kazakhstan 42°55N 72°43E 106 E8
Qul'ân, Jazâ'ir Egypt 24°22N 35°31E 128 E2
Qulsary Kazakhstan 46°59N 54°1E 108 C4
Qumbu S. Africa 31°10S 28°48E 145 D4
Quneitra = Al Qunayṭirah
Syria 33°5N 35°45E 130 B4
Qŭnghirot Uzbekistan 43°2N 58°50E 108 D5
Qu'nyido China 31°15N 98°6E 116 B2
Quoin I. Australia 14°54S 129°32E 148 B4
Quoin Pt. S. Africa 34°46S 19°37E 144 D2
Quorn Australia 32°25S 138°5E 152 B3
Qŭrghonteppa
Tajikistan 37°50N 68°47E 109 E7
Qurimbas △ Mozam. 12°20S 40°10E 143 E5
Qurnat as Sawdā'
Lebanon 34°18N 36°6E 130 A5
Quryq Kazakhstan 43°12N 51°39E 108 D4
Qûs Egypt 25°55N 32°50E 137 B3
Qusar Azerbaijan 41°25N 48°26E 87 K9
Quşaybā' Si. Arabia 26°53N 43°35E 128 E4
Qusaybah Iraq 34°24N 40°59E 105 E9
Quseir Egypt 26°7N 34°16E 128 E2
Quseir Amra = Qasr 'Amra
Jordan 31°48N 36°35E 128 D3
Qūshchī Iran 37°59N 45°3E 105 D11
Qusmuryn Kazakhstan 52°27N 64°36E 108 B6
Qusmuryn Köli
Kazakhstan 52°41N 64°48E 108 B6
Qutang Gorge = Qutang Xia
China 31°0N 109°40E 116 B7
Qutang Xia China 31°0N 109°40E 116 B7
Quthing Lesotho 30°25S 27°36E 145 D4
Qūṭīābād Iran 35°47N 48°30E 105 E13
Quttinirpaaq = Ellesmere I.
Canada 79°30N 80°0W 161 B16
Quttinirpaaq △
Canada 82°13N 72°13W 161 A17
Quwo China 35°38N 111°25E 114 G6
Quyang China 38°35N 114°40E 114 E8
Quynh Nhai Vietnam 21°49N 103°33E 120 B4
Quyon Canada 45°31N 76°14W 175 A8
Quzhou China 28°57N 118°54E 117 C12
Quzi China 36°20N 107°20E 114 F4
Qvareli Georgia 41°57N 45°47E 87 K7
Qyzylorda Kazakhstan 44°48N 65°28E 108 D7
Qyzylorda □ Kazakhstan 45°0N 65°0E 108 D6
Qyzylzhar Kazakhstan 48°17N 69°38E 109 C7

R

Ra, Ko Thailand 9°13N 98°16E 121 H2
Raab Austria 48°21N 13°39E 78 C6
Raahe Finland 64°40N 24°28E 60 D21
Raalte Neths. 52°23N 6°16E 69 B6
Raas Indonesia 7°8S 114°33E 119 G16
Raasay U.K. 57°25N 6°4W 65 D2
Raasay, Sd. of U.K. 57°30N 6°8W 65 D2
Raasepori Finland 60°0N 23°26E 84 B2
Rab Croatia 44°45N 14°45E 93 D11
Rába → Hungary 47°38N 17°38E 80 C2
Raba → Poland 50°8N 20°30E 83 H7
Rabaçal → Portugal 41°30N 7°12W 88 D3
Rabah Nigeria 13°5N 5°30E 139 C6
Rabai Kenya 3°50S 39°31E 142 C4
Rabastens France 43°50N 1°43E 72 E5
Rabastens-de-Bigorre
France 43°23N 0°9E 72 E4
Rabat = Victoria Malta 36°3N 14°14E 101 C1
Rabat Malta 35°53N 14°24E 101 D1
Rabat Morocco 34°2N 6°48W 136 B2
Rabat □ Morocco 34°10N 6°45W 136 B2
Rabaul Papua N. G. 4°24S 152°18E 147 B8
Rabbit Flat Australia 20°11S 130°1E 148 D5
Rabbit Lake Mine
Canada 58°4N 104°5W 163 B8
Rabi Fiji 16°30S 179°59W 154 a
Rābigh Si. Arabia 22°50N 39°5E 131 C2
Rabka Poland 49°37N 19°59E 83 J6
Răbniţa = Rîbniţa
Moldova 47°45N 29°0E 81 C14
Rābor Iran 29°17N 56°55E 129 D8
Rabwah = Chenab Nagar
Pakistan 31°45N 72°55E 124 D5
Rača Serbia 44°14N 21°0E 96 B4
Răcăciuni Romania 46°20N 26°59E 81 D11
Răcășdia Romania 44°59N 21°36E 80 F6
Racconigi Italy 44°46N 7°46E 92 D4
Race, C. Canada 46°40N 53°5W 165 C9
Race Pond U.S.A. 31°1N 82°8W 178 D7
Rach Gia Vietnam 10°5N 105°5E 121 G5
Rach Soi Vietnam 9°57N 105°7E 121 H5
Racha Noi, Ko Thailand 7°30N 98°19E 121 J2
Racha Yai, Ko Thailand 7°36N 98°21E 121 J2
Rachid Mauritania 18°45N 11°35W 138 B2
Raciąż Poland 52°46N 20°10E 83 F7
Racibórz Poland 50°7N 18°18E 83 H5
Racichy Belarus 53°44N 23°42E 82 E10
Racine U.S.A. 42°44N 87°47W 172 D10
Rackerby U.S.A. 39°26N 121°22W 170 F5
Råda Sweden 60°0N 13°36E 62 E7
Radan Serbia 42°59N 21°29E 96 D5
Rădăuţi Romania 47°50N 25°59E 81 C10
Rădăuţi-Prut Romania 48°14N 26°48E 81 B11
Radbuza → Czech Rep. 49°45N 13°22E 78 B6
Radcliff U.S.A. 37°51N 85°57W 173 G11
Radeberg Germany 51°7N 13°53E 76 D9
Radebeul Germany 51°6N 13°39E 76 D9
Radeče Slovenia 46°5N 15°14E 93 B12
Radekhiv Ukraine 50°25N 24°32E 75 C13
Radekhov = Radekhiv
Ukraine 50°25N 24°32E 75 C13
Radenthein Austria 46°48N 13°43E 78 E6
Radew → Poland 54°2N 15°52E 82 D2
Radford U.S.A. 37°8N 80°34W 173 G13
Radhanpur India 23°50N 71°38E 124 H4
Radhwa, Jabal
Si. Arabia 24°34N 38°18E 128 E3
Radika → Macedonia 41°38N 20°37E 96 E4
Radisson Qué., Canada 53°47N 77°37W 164 B4
Radisson Sask.,
Canada 52°30N 107°20W 163 C7
Radium Hot Springs
Canada 50°35N 116°2W 162 C5
Radlje ob Dravi
Slovenia 46°38N 15°13E 93 B12
Radnevo Bulgaria 42°17N 25°58E 97 D9
Radnice Czech Rep. 49°51N 13°35E 78 B6
Radnor Forest U.K. 52°17N 3°10W 67 E4
Radolfzell Germany 47°39N 8°59E 77 H4
Radom Poland 51°23N 21°12E 83 G8
Radomir Bulgaria 42°37N 22°59E 96 D6
Radomka → Poland 51°43N 21°28E 83 G8
Radomsko Poland 51°5N 19°28E 83 G6
Radomyshl Ukraine 50°30N 29°12E 75 C15
Radomyśl Wielki Poland 50°14N 21°15E 83 H8
Radoszyce Poland 51°4N 20°15E 83 G7
Radoviš Macedonia 41°38N 22°28E 96 E6
Radovljica Slovenia 46°22N 14°12E 93 B11
Radstadt Austria 47°24N 13°28E 78 D6
Radstock, C. Australia 33°12S 134°20E 151 E1
Răducăneni Romania 46°58N 27°54E 81 D12
Raduša Macedonia 42°7N 21°15E 96 D5
Raduzhnyy Russia 62°5N 77°28E 106 C8
Radvanichy Belarus 52°1N 24°0E 83 F11
Radviliškis Lithuania 55°49N 23°33E 82 C10
Radville Canada 49°30N 104°15W 163 D8
Raḍwá, J. Si. Arabia 24°34N 38°18E 137 C4
Radymno Poland 49°59N 22°52E 83 J9
Radzanów Poland 52°56N 20°8E 83 F7
Radziejów Poland 52°40N 18°30E 83 F5
Radzyń Chełmiński
Poland 53°23N 18°55E 82 E5
Radzyń Podlaski Poland 51°47N 22°37E 83 G9
Rae = Behchoko
Canada 62°50N 116°3W 162 A5
Rae Bareli India 26°18N 81°20E 125 F9
Rae Isthmus Canada 66°40N 87°30W 161 D14
Raeren Belgium 50°41N 6°7E 69 D6
Raeside, L. Australia 29°20S 122°0E 149 E3
Raetihi N.Z. 39°25S 175°17E 154 F4
Rafaela Argentina 31°10S 61°30W 190 C3
Rafah Gaza Strip 31°18N 34°14E 130 D3
Rafai C.A.R. 4°59N 23°58E 142 B1
Raffadali Italy 37°24N 13°32E 94 E6
Rafḥā Si. Arabia 29°35N 43°35E 128 D4
Rafina Greece 38°2N 24°0E 98 C6
Rafsanjān Iran 30°30N 56°5E 129 D8
Raft Pt. Australia 16°4S 124°26E 148 C3
Raga South Sudan 8°28N 25°41E 135 G11
Ragachow Belarus 53°8N 30°5E 75 B16
Ragama Sri Lanka 7°0N 79°50E 122 R11
Ragged, Mt. Australia 33°27S 123°25E 149 F3
Ragged Pt. Barbados 13°10N 59°26W 183 g
Raghunathpalli India 22°14N 84°48E 125 H11
Raghunathpur India 23°33N 86°40E 125 H12
Raglan N.Z. 37°55S 174°55E 154 D3
Raglan Harbour N.Z. 37°47S 174°50E 154 D3
Ragland U.S.A. 33°45N 86°9W 178 B3
Ragusa Italy 36°55N 14°44E 95 F7
Raha Indonesia 4°55S 123°0E 119 E6
Rahaeng = Tak Thailand 16°52N 99°8E 120 D2
Rahat Israel 31°24N 34°45E 130 D3
Rahat, Ḥarrat Si. Arabia 23°0N 40°5E 137 C5
Rahatgarh India 23°47N 78°22E 125 H8
Rahden Germany 52°26N 8°36E 76 C4
Rahimyar Khan
Pakistan 28°30N 70°25E 124 E4
Rāhjerd Iran 34°22N 50°22E 129 C6
Rahole △ Kenya 0°5N 38°57E 142 B4
Rahon India 31°3N 76°7E 124 D7
Rahotu N.Z. 39°20S 173°49E 154 F2
Rahovec Kosovo 42°24N 20°40E 96 D4
Rahuri India 19°23N 74°39E 126 E2
Rai, Hon Vietnam 9°48N 104°38E 121 H5
Raiatéa, Î.
French Polynesia 16°50S 151°25W 157 J12
Raichur India 16°10N 77°20E 127 F3
Raiford U.S.A. 30°4N 82°14W 178 E7
Raiganj India 25°37N 88°10E 125 G13
Raigarh India 21°56N 83°25E 126 D6
Raighar India 19°51N 82°6E 126 E6
Raijua Indonesia 10°37S 121°36E 119 F6
Raikot India 30°41N 75°42E 124 D6
Railton Australia 41°25S 146°28E 151 G4
Rainbow Bridge △
U.S.A. 37°5N 110°58W 169 H8
Rainbow City U.S.A. 33°57N 86°5W 178 B3
Rainbow Lake Canada 58°30N 119°23W 162 B5
Rainier U.S.A. 46°53N 122°41W 170 D4
Rainier, Mt. U.S.A. 46°52N 121°46W 170 D5
Rainy L. Canada 48°42N 93°10W 163 D10
Rainy River Canada 48°43N 94°29W 163 D10
Raippaluoto Finland 63°13N 21°14E 60 E19
Raipur India 21°17N 81°45E 126 D5
Rairakhol India 21°4N 84°21E 126 D7
Ra'is Si. Arabia 23°33N 38°43E 137 C4
Raisen India 23°20N 77°48E 124 H8
Raisio Finland 60°28N 22°11E 84 B2
Raj Nandgaon India 21°5N 81°5E 126 D5
Raj Nilgiri India 21°28N 86°46E 125 J12
Raja, Ujung Indonesia 3°40N 96°25E 118 D1
Raja Ampat, Kepulauan
Indonesia 0°30S 130°0E 119 E8
Rajahmundry India 17°1N 81°48E 126 F5
Rajaji △ India 30°10N 78°20E 124 D8
Rajampet India 14°11N 79°10E 127 G4
Rajang → Malaysia 2°30N 112°0E 118 D4
Rajanpur Pakistan 29°6N 70°19E 124 E4
Rajapalaiyam India 9°25N 77°35E 127 K3
Rajapur India 16°40N 73°31E 126 F1
Rajasthan □ India 26°45N 73°30E 124 F5
Rajasthan Canal = Indira Gandhi
Canal India 28°0N 72°0E 124 F5
Rajauri India 33°25N 74°21E 125 C6
Rajendranagar India 17°18N 78°27E 126 F4
Rajgarh Mad. P., India 24°2N 76°45E 124 G7
Rajgarh Raj., India 27°14N 76°38E 124 F7
Rajgarh Raj., India 28°40N 75°25E 124 E6
Rajghat Dam India 24°45N 78°20E 126 B4
Rajgir India 25°2N 85°25E 125 G11
Rajgród Poland 53°42N 22°42E 82 E9
Rajim India 20°58N 81°53E 126 D5
Rajkot India 22°15N 70°56E 124 H4
Rajmahal Hills India 24°30N 87°30E 125 G12
Rajpipla India 21°50N 73°30E 126 D1
Rajpur India 22°18N 74°21E 124 H6
Rajpura India 30°25N 76°32E 124 D7
Rajsamand = Kankroli
India 25°4N 73°53E 124 G5
Rajshahi Bangla. 24°22N 88°39E 123 G16
Rajshahi □ Bangla. 25°0N 89°0E 125 G13
Rajula India 21°3N 71°26E 124 J4
Rajur India 20°7N 78°55E 126 D4
Rajura India 19°47N 79°22E 126 E4
Rakaia N.Z. 43°45S 172°1E 155 D7
Rakaia → N.Z. 43°36S 172°15E 155 D7
Rakan, Ra's Qatar 26°10N 51°20E 129 E6
Rakaposhi Pakistan 36°10N 74°25E 125 A6
Rakata, Pulau
Indonesia 6°10S 105°20E 119 G11
Rakbah, Sahl Si. Arabia 22°15N 41°0E 137 C5
Rakhine □ Burma 19°0N 94°15E 123 K18
Rakhiv Ukraine 48°3N 24°12E 81 B9
Rakhni Pakistan 30°4N 69°56E 124 D3
Rakhni → Pakistan 29°31N 69°36E 124 E3
Rakhny-Lisovi Ukraine 48°47N 28°29E 81 B13
Rakiraki Fiji 17°22S 178°11E 154 a
Rakitnoye Russia 45°36N 134°17E 112 B7
Rakitnoye Russia 50°57N 35°56E 85 G8
Rakitovo Bulgaria 41°59N 24°5E 97 E8
Rakiura = Stewart I.
N.Z. 46°58S 167°54E 155 G2
Rakoniewice Poland 52°10N 16°16E 83 F3
Rakops Botswana 21°1S 24°28E 144 B3
Rakovica Croatia 44°59N 15°38E 93 D12
Rakovník Czech Rep. 50°6N 13°42E 78 A6
Rakovski Bulgaria 42°21N 24°57E 97 D8
Rakvere Estonia 59°20N 26°25E 84 C4
Raleigh Fla., U.S.A. 29°25N 82°32W 179 F7
Raleigh N.C., U.S.A. 35°47N 78°39W 177 D15
Ralik Chain Pac. Oc. 8°0N 168°0E 156 G8
Ralja Serbia 44°33N 20°34E 96 B4
Rälla Sweden 56°40N 16°30E 63 H10
Ralls U.S.A. 33°41N 101°24W 176 E4
Ralston U.S.A. 41°30N 76°57W 174 E8
Ram → Canada 62°1N 123°41W 162 A4
Rām Allāh West Bank 31°55N 35°10E 130 D4
Rama Nic. 12°9N 84°15W 182 D3
Ramacca Italy 37°23N 14°42E 95 E7
Ramachandrapuram
India 16°50N 82°4E 126 F6
Ramagiri Udayagiri
India 19°5N 84°18E 126 E7
Ramagundam India 18°55N 79°15E 126 E4
Ramakona India 21°43N 78°50E 125 J8
Ramalho, Serra do
Brazil 13°45S 44°0W 189 C2
Rāmallāh = Rām Allāh
West Bank 31°55N 35°10E 130 D4
Raman Thailand 6°29N 101°18E 121 J3
Ramanathapuram India 9°25N 78°55E 127 K4
Ramanujganj India 23°48N 83°42E 125 H10
Ramas C. India 15°5N 73°55E 127 G1
Ramat Gan Israel 32°4N 34°48E 130 C3
Ramatlhabama
S. Africa 25°37S 25°33E 144 C4
Ramban India 33°14N 75°12E 125 C6
Rambervillers France 48°20N 6°38E 71 D13
Rambi = Rabi Fiji 16°30S 179°59W 154 a
Rambipuji Indonesia 8°12S 113°37E 119 H15
Rambouillet France 48°39N 1°50E 71 D8
Ramdurg India 15°58N 75°22E 127 G2
Rame Hd. Australia 37°47S 149°30E 153 D8
Ramechhap Nepal 27°25N 86°10E 125 F12
Ramenskoye Russia 55°32N 38°15E 84 E10
Ramer U.S.A. 32°3N 86°13W 178 C3
Rameswaram India 9°17N 79°18E 127 K4
Ramganga → India 27°5N 79°58E 125 F8
Ramgarh Jharkhand,
India 23°40N 85°35E 125 H11
Ramgarh Raj., India 27°16N 75°14E 124 F6
Ramgarh Raj., India 27°30N 70°36E 124 F4
Rāmhormoz Iran 31°15N 49°35E 129 D6
Ramiān Iran 37°3N 55°16E 129 B7
Ramingining Australia 12°19S 135°3E 150 A2
Ramla Israel 31°55N 34°52E 130 D3
Ramm = Rum Jordan 29°39N 35°26E 130 F4
Ramm, Jabal Jordan 29°35N 35°24E 130 F4
Râmna → Romania 45°36N 27°3E 81 E12
Ramnad = Ramanathapuram
India 9°25N 78°55E 127 K4
Ramnagar Jammu & Kashmir,
India 32°47N 75°18E 125 C6
Ramnagar Uttarakhand,
India 29°24N 79°7E 125 E8
Ramnäs Sweden 59°46N 16°12E 62 E10
Râmnicu Sărat Romania 45°26N 27°3E 81 E12
Râmnicu Vâlcea Romania 45°9N 24°21E 81 E9
Ramnous Greece 38°12N 24°3E 98 C6
Ramon Russia 51°55N 39°21E 85 G10
Ramona U.S.A. 33°2N 116°52W 171 M10
Ramonville-St-Agne
France 43°33N 1°28E 72 E5
Ramore Canada 48°30N 80°25W 164 C3
Ramos → Nigeria 5°8N 5°22E 139 D6
Ramotswa Botswana 24°50S 25°52E 144 B4
Rampur H.P., India 31°26N 77°43E 124 D7
Rampur Mad. P., India 23°25N 73°53E 124 H5
Rampur Odisha, India 21°48N 83°58E 126 D6
Rampur Ut. P., India 28°50N 79°5E 125 E8
Rampur Hat India 24°10N 87°50E 125 G12
Rampura India 24°30N 75°27E 124 G6
Ramrama Tola India 21°52N 79°55E 125 J8
Ramree I. Burma 19°0N 93°40E 123 K19
Rāmsar Iran 36°53N 50°41E 129 B6
Ramsey I. of Man 54°20N 4°22W 66 C3
Ramsey U.S.A. 41°4N 74°9W 175 E10
Ramsey L. Canada 47°13N 82°15W 164 C3
Ramsgate U.K. 51°20N 1°25E 67 F9
Ramsjö Sweden 62°11N 15°37E 62 B9
Ramstein Germany 49°27N 7°32E 77 F3
Ramtek India 21°20N 79°15E 126 D4
Ramu Kenya 3°55N 41°10E 142 B5
Ramvik Sweden 62°49N 17°51E 62 B11
Rana Pratap Sagar Dam
India 24°58N 75°38E 124 G6
Ranaghat India 23°15N 88°35E 125 H13
Ranahu Pakistan 25°55N 69°45E 124 G3
Ranau Malaysia 6°2N 116°40E 118 C5
Rancagua Chile 34°10S 70°50W 190 C1
Rance → France 48°34N 1°59W 70 D5
Rancheria → Canada 60°13N 129°7W 162 A3
Ranchester U.S.A. 44°54N 107°10W 168 D10
Ranchi India 23°19N 85°27E 125 H11
Rancho Cordova
U.S.A. 38°36N 121°18W 170 G5
Rancho Cucamonga
U.S.A. 34°10N 117°30W 171 L9
Ranco, L. Chile 40°15S 72°25W 192 B2
Rand Australia 35°33S 146°32E 153 C7
Randalstown U.K. 54°45N 6°19W 64 B5
Randan France 46°2N 3°21E 71 F10
Randazzo Italy 37°53N 14°57E 95 E7
Rander India 21°14N 72°47E 126 D1
Randers Denmark 56°29N 10°1E 63 H4
Randers Fjord Denmark 56°37N 10°20E 63 H4
Randfontein S. Africa 26°8S 27°45E 145 C4
Randle U.S.A. 46°32N 121°57W 170 D5
Randolph Mass.,
U.S.A. 42°10N 71°2W 175 D13
Randolph N.Y., U.S.A. 42°10N 78°59W 174 D6
Randolph Utah,
U.S.A. 41°40N 111°11W 168 F8
Randolph Vt., U.S.A. 43°55N 72°40W 175 C12
Randsburg U.S.A. 35°22N 117°39W 171 K9
Råneälven → Sweden 65°50N 22°20E 60 D20
Ranfurly N.Z. 45°7S 170°6E 155 F5
Rangae Thailand 6°19N 101°44E 121 J3
Rangataua N.Z. 39°26S 175°28E 154 F4

Rangaunu B. N.Z. 34°51S 173°15E 154 A2
Range, The Zimbabwe 19°2S 31°2E 143 F3
Rangeley U.S.A. 44°58N 70°39W 175 B14
Rangeley L. U.S.A. 44°55N 70°43W 175 B14
Rangely U.S.A. 40°5N 108°48W 168 F9
Ranger U.S.A. 32°28N 98°41W 176 E5
Rangia India 26°28N 91°38E 123 F17
Rangiora N.Z. 43°19S 172°36E 155 D7
Rangitaiki N.Z. 38°52S 176°24E 154 E5
Rangitaiki → N.Z. 37°54S 176°49E 154 D5
Rangitata → N.Z. 43°45S 171°15E 155 D6
Rangitikei → N.Z. 40°17S 175°15E 154 G4
Rangitoto ke te tonga = D'Urville I. N.Z. 40°50S 173°55E 155 A8
Rangitoto Ra. N.Z. 38°25S 175°35E 154 E4
Rangkasbitung Indonesia 6°21S 106°15E 119 G12
Rangoon = Yangôn Burma 16°45N 96°20E 123 L20
Rangpur Bangla. 25°42N 89°22E 123 G16
Rangsang Indonesia 1°20N 103°5E 121 M4
Rani-ki-Vav India 23°51N 72°6E 124 H4
Ranibennur India 14°35N 75°30E 127 G2
Raniganj Paschimbanga, India 23°40N 87°5E 123 H15
Raniganj Ut. P., India 27°3N 82°13E 125 F9
Ranikhet India 29°39N 79°25E 125 E8
Ranippettai India 12°56N 79°23E 127 H4
Raniwara India 24°50N 72°10E 124 G5
Rāniyah Iraq 36°15N 44°53E 105 D11
Ranka India 23°59N 83°47E 125 H10
Ranken → Australia 20°31S 137°36E 150 C2
Rankin U.S.A. 31°13N 101°56W 176 F4
Rankin Inlet Canada 62°30N 93°0W 160 E13
Rankins Springs Australia 33°49S 146°14E 153 B7
Rankweil Austria 47°17N 9°39E 78 D2
Rannoch, L. U.K. 56°41N 4°20W 65 E4
Rannoch Moor U.K. 56°38N 4°48W 65 E4
Ranohira Madag. 22°29S 45°24E 141 J9
Ranong Thailand 9°56N 98°40E 121 H2
Ranpur India 20°5N 85°20E 126 D7
Rānsa Iran 33°39N 48°18E 129 C6
Ransiki Indonesia 1°30S 134°10E 119 E8
Rantau Abang Malaysia 4°52N 103°24E 121 K4
Rantauprapat Indonesia 2°15N 99°50E 118 D1
Rantemario Indonesia 3°15S 119°57E 119 E5
Ranthambore △ India 26°10N 76°30E 124 F7
Rantoul U.S.A. 40°19N 88°9W 172 E9
Ranum Denmark 56°54N 9°14E 63 H3
Ranyah, W. → Si. Arabia 21°18N 43°20E 137 C5
Raohe China 46°47N 134°0E 112 A7
Raon l'Étape France 48°24N 6°50E 71 D13
Raoping China 23°42N 117°1E 117 F11
Raoui, Erg er Algeria 29°0N 2°0W 136 C3
Raoyang China 38°15N 115°45E 114 E8
Rap, Ko Thailand 9°19N 99°58E 121 b
Rapa French Polynesia 27°35S 144°20W 157 K13
Rapa Nui = Pascua, I. de Chile 27°7S 109°23W 157 K17
Rapallo Italy 44°21N 9°14E 92 D6
Rapar India 23°34N 70°38E 124 H4
Rāpch Iran 25°40N 59°15E 129 E8
Rapel, Lago Chile 34°20S 71°14W 190 C1
Raper, C. Canada 69°44N 67°6W 161 D18
Rapid City U.S.A. 44°5N 103°14W 172 C2
Rapid River U.S.A. 45°55N 86°58W 172 C10
Rapla Estonia 59°1N 24°52E 84 C3
Rapti → India 26°18N 83°41E 125 F10
Raquette → U.S.A. 45°0N 74°42W 175 B10
Raquette Lake U.S.A. 43°49N 74°40W 175 C10
Rara △ Nepal 29°30N 82°10E 125 E10
Rarotonga Cook Is. 21°30S 160°0W 157 K12
Ra's al 'Ayn Syria 36°45N 40°12E 105 D9
Ra's Al Khair Si. Arabia 27°27N 49°18E 129 E6
Ra's al Khaymah U.A.E. 25°50N 55°59E 129 E7
Ra's aţ Tib Tunisia 37°1N 11°2E 136 A6
Râs el Ma Algeria 34°26N 0°50W 136 B3
Râs el Mâ Mali 16°35N 4°30W 138 B4
Râs el Oued Algeria 35°57N 5°2E 136 A5
Râs Ghârib Egypt 28°6N 33°18E 137 F8
Râs Muhammad △ Egypt 27°45N 34°16E 137 B3
Râs Sudr Egypt 29°40N 32°42E 137 F8
Rasa, Pta. B. Aires, Argentina 36°20S 56°41W 190 D4
Rasa, Pta. Rio Negro, Argentina 40°50S 62°15W 192 B4
Rasca, Pta. de la Canary Is. 27°59N 16°41W 100 G3
Rășcani Moldova 47°58N 27°33E 81 C12
Raseiniai Lithuania 55°25N 23°5E 82 C10
Rashîd Egypt 31°21N 30°22E 137 E7
Rashîd, Masabb Egypt 31°22N 30°17E 137 E7
Rashmi India 25°4N 74°22E 124 G6
Rasht Iran 37°20N 49°40E 105 D13
Rasi Salai Thailand 15°20N 104°9E 120 E5
Rasipuram India 11°30N 78°15E 127 J4
Raška Serbia 43°19N 20°39E 96 C4
Raskot Nepal 29°14N 81°39E 125 E9
Râsnov Romania 45°35N 25°27E 81 E10
Rason L. Australia 28°45S 124°25E 149 E3
Rașova Romania 44°15N 27°55E 81 F12
Rasovo Bulgaria 43°42N 23°17E 96 C7
Rasra India 25°50N 83°50E 125 G10
Rasskazovo Russia 52°35N 41°50E 86 D5
Rast Romania 43°53N 23°16E 81 G8
Rastatt Germany 48°50N 8°11E 77 G4
Rastede Germany 53°15N 8°12E 76 B4
Răstolița Romania 46°59N 24°58E 81 D9
Rasua Garhi Nepal 28°17N 85°23E 125 E11
Rasul Pakistan 32°42N 73°34E 124 C5
Raszków Poland 51°43N 17°40E 83 G4
Rat → Canada 49°35N 97°10W 163 D9
Rat Buri = Ratchaburi Thailand 13°30N 99°54E 120 F2
Rat Islands U.S.A. 52°0N 178°0E 166 E3
Rat L. Canada 56°10N 99°40W 163 B9
Ratak Chain Pac. Oc. 1°0N 170°0E 156 G8
Rätan Sweden 62°29N 14°33E 62 B8
Ratangarh India 28°5N 74°35E 124 E6
Raţāwī Iraq 30°38N 47°13E 128 D5
Ratcatchers L. Australia 32°30S 143°12E 152 B5
Ratchaburi Thailand 13°30N 99°54E 120 F2
Rath India 25°36N 79°37E 125 G8
Rath Luirc = Charleville Ireland 52°21N 8°40W 64 D3
Rathangan Ireland 53°14N 7°0W 64 C4
Rathdrum Ireland 52°56N 6°14W 64 D5
Rathenow Germany 52°37N 12°19E 76 C8
Rathkeale Ireland 52°32N 8°56W 64 D3
Rathlin I. U.K. 55°18N 6°14W 64 A5
Rathmelton Ireland 55°2N 7°39W 64 A4
Ratibor = Racibórz Poland 50°7N 18°18E 83 H5
Rätikon Austria 47°0N 9°55E 78 D2
Ratingen Germany 51°18N 6°52E 76 D2
Ratlam India 23°20N 75°0E 124 H6
Ratmanova, Ostrov Russia 65°46N 169°6W 166 B6
Ratnagiri India 16°57N 73°18E 126 F1
Ratnapura Sri Lanka 6°40N 80°20E 127 L5
Ratodero Pakistan 27°48N 68°18E 124 F3
Raton U.S.A. 36°54N 104°24W 169 H11
Rattaphum Thailand 7°8N 100°16E 121 J3
Ratten Austria 47°28N 15°44E 78 D8
Rattray Hd. U.K. 57°38N 1°50W 65 D7
Rättvik Sweden 60°52N 15°7E 62 D9
Ratz, Mt. Canada 57°23N 132°12W 162 B2
Ratzeburg Germany 53°40N 10°46E 76 B6
Raub Malaysia 3°47N 101°52E 121 L3
Rauch Argentina 36°45S 59°5W 190 D4
Raudales Mexico 17°27N 93°39W 181 D6
Raufarhöfn Iceland 66°27N 15°57W 60 C6
Raufoss Norway 60°44N 10°37E 60 F14
Raukumara Ra. N.Z. 38°5S 177°55E 154 E6
Raul Soares Brazil 20°5S 42°22W 189 E2
Rauma Finland 61°10N 21°30E 84 B1
Raumo = Rauma Finland 61°10N 21°30E 84 B1
Raung, Gunung Indonesia 8°8S 114°3E 119 J17
Raurkela India 22°14N 84°50E 125 H11
Rausu-Dake Japan 44°4N 145°7E 112 B12
Răut → Moldova 47°15N 29°9E 81 C14
Rava-Ruska Ukraine 50°15N 23°42E 83 H10
Rava Russkaya = Rava-Ruska Ukraine 50°15N 23°42E 83 H10
Ravalli U.S.A. 47°17N 114°11W 168 C6
Ravānsar Iran 34°43N 46°40E 105 E12
Ravanusa Italy 37°16N 13°58E 94 E6
Rāvar Iran 31°20N 56°51E 129 D8
Ravena U.S.A. 42°28N 73°49W 175 D11
Ravenel U.S.A. 32°46N 80°15W 178 C9
Ravenna Italy 44°25N 12°12E 93 D9
Ravenna Nebr., U.S.A. 41°1N 98°55W 172 E4
Ravenna Ohio, U.S.A. 41°9N 81°15W 174 E3
Ravensburg Germany 47°46N 9°36E 77 H5
Ravenshoe Australia 17°37S 145°29E 150 B4
Ravensthorpe Australia 33°35S 120°2E 149 F3
Ravenswood Australia 20°6S 146°54E 150 C4
Ravenswood U.S.A. 38°57N 81°46W 173 F13
Ravensworth Australia 32°26S 151°4E 153 B9
Raver India 21°15N 76°2E 126 D3
Ravi → Pakistan 30°35N 71°49E 124 D4
Ravna Gora Croatia 45°24N 14°50E 93 C11
Ravna Reka Serbia 44°1N 21°35E 96 B5
Ravne na Koroškem Slovenia 46°36N 14°59E 93 B11
Rawa Mazowiecka Poland 51°46N 20°12E 83 G7
Rawalpindi Pakistan 33°38N 73°8E 124 C5
Rawang Malaysia 3°20N 101°35E 121 L3
Rawene N.Z. 35°25S 173°32E 154 B2
Rawi, Ko Thailand 6°33N 99°14E 121 J2
Rawicz Poland 51°36N 16°52E 83 G3
Rawka → Poland 52°9N 20°8E 83 F7
Rawlinna Australia 30°58S 125°28E 149 F4
Rawlins U.S.A. 41°47N 107°14W 168 F10
Rawlinson Ra. Australia 24°40S 128°30E 149 D4
Rawson Argentina 43°15S 65°5W 192 B3
Raxaul India 26°59N 84°51E 125 F11
Ray U.S.A. 48°21N 103°10W 172 A2
Ray, C. Canada 47°33N 59°15W 165 C8
Ray City U.S.A. 31°5N 83°11W 178 D6
Ray Mts. U.S.A. 66°0N 152°0W 166 B9
Raya Ring, Ko Thailand 8°18N 98°29E 121 a
Rayachoti India 14°4N 78°50E 127 G4
Rayadurg India 14°40N 76°50E 127 G3
Rayagada India 19°15N 83°20E 126 E6
Raychikhinsk Russia 49°46N 129°25E 107 E13
Rāyen Iran 29°34N 57°26E 129 D8
Rayle U.S.A. 33°48N 82°54W 178 B7
Rayleigh U.K. 51°36N 0°37E 67 F8
Raymond Canada 49°30N 112°35W 162 D6
Raymond Calif., U.S.A. 37°13N 119°54W 170 H7
Raymond N.H., U.S.A. 43°2N 71°11W 175 C13
Raymond Wash., U.S.A. 46°41N 123°44W 170 D3
Raymond Terrace Australia 32°45S 151°44E 153 B9
Raymondville U.S.A. 26°29N 97°47W 176 H6
Raymore Canada 51°25N 104°31W 163 C8
Rayón Mexico 29°43N 110°35W 180 B2
Rayong Thailand 12°40N 101°20E 120 F3
Raystown L. U.S.A. 40°25N 78°5W 174 F6
Rayville U.S.A. 32°29N 91°46W 176 E9
Raz, Pte. du France 48°2N 4°47W 70 D2
Razan Iran 35°23N 49°2E 105 E13
Ražanj Serbia 43°40N 21°31E 96 C5
Razāzah, Buḩayrat ar Iraq 32°40N 43°35E 105 F10
Razdelna Bulgaria 43°13N 27°41E 97 C11
Razdel'naya = Rozdilna Ukraine 46°50N 30°2E 81 D15
Razdolnoye Russia 43°30N 131°52E 112 C5
Razdolnoye Ukraine 45°46N 33°29E 85 K7
Razeh Iran 32°47N 48°9E 129 C6
Razgrad Bulgaria 43°33N 26°34E 97 C10
Razgrad □ Bulgaria 43°33N 26°34E 97 C10
Razim, Lacul Romania 44°50N 29°0E 81 F14
Razlog Bulgaria 41°53N 23°28E 96 E7
Razmak Pakistan 32°45N 69°50E 124 C3
Răznas Ezers △ Latvia 56°30N 27°30E 84 D4
Razzaza, L. = Razāzah, Buḩayrat ar Iraq 32°40N 43°35E 105 F10
Re, Cu Lao Vietnam 15°22N 109°8E 120 E7
Ré, Î. de France 46°12N 1°30W 72 B2
Reading U.K. 51°27N 0°58W 67 F7
Reading U.S.A. 40°20N 75°56W 175 F9
Reading □ U.K. 51°27N 0°58W 67 F7
Real, Cordillera Bolivia 17°0S 67°10W 188 D4
Realicó Argentina 35°0S 64°15W 190 D3
Réalmont France 43°48N 2°10E 72 E6
Ream Cambodia 10°34N 103°39E 121 G4
Ream △ Cambodia 10°30N 103°45E 121 G4
Reay Forest U.K. 58°22N 4°55W 65 C4
Rebais France 48°50N 3°10E 71 D10
Rebecca, L. Australia 30°0S 122°15E 149 F3
Rebi Indonesia 6°23S 134°7E 119 F8
Rebiana, Sahrā' Libya 24°30N 21°0E 135 D10
Reboly Russia 63°49N 30°47E 60 E24
Rebun-Tō Japan 45°23N 141°2E 112 B10
Recanati Italy 43°24N 13°32E 93 E10
Recaş Romania 45°46N 21°30E 80 E6
Recco Italy 44°22N 9°9E 92 D6
Recherche, Arch. of the Australia 34°15S 122°50E 149 F3
Rechna Doab Pakistan 31°35N 73°30E 124 D5
Rechytsa Belarus 52°21N 30°24E 75 B16
Recife Brazil 8°0S 35°0W 189 B4
Recife Seychelles 4°36S 55°42E 141 b
Recklinghausen Germany 51°37N 7°12E 76 D3
Reckong Peo India 31°32N 78°16E 124 D8
Reconquista Argentina 29°10S 59°45W 190 B4
Recreo Argentina 29°25S 65°10W 190 B2
Recuay Peru 9°43S 77°28W 188 B2
Recz Poland 53°16N 15°31E 83 E2
Red = Hong → Asia 20°16N 106°34E 120 B5
Red → U.S.A. 31°1N 91°45W 176 F9
Red Bank U.S.A. 40°21N 74°5W 175 F10
Red Bay Canada 51°44N 56°25W 165 B8
Red Bluff U.S.A. 40°11N 122°15W 168 F2
Red Bluff Res. U.S.A. 31°54N 103°55W 169 L12
Red Cliffs Australia 34°19S 142°11E 152 C5
Red Cloud U.S.A. 40°5N 98°32W 172 E4
Red Creek U.S.A. 43°14N 76°45W 175 C8
Red Deer Canada 52°20N 113°50W 162 C6
Red Deer → Alta., Canada 50°58N 110°0W 163 C7
Red Deer → Man., Canada 52°53N 101°1W 163 C8
Red Deer L. Canada 52°55N 101°20W 163 C8
Red Hook U.S.A. 41°55N 73°53W 175 E11
Red Indian L. Canada 48°35N 57°0W 165 C8
Red L. Canada 51°3N 93°49W 163 C10
Red Lake Canada 51°3N 93°49W 163 C10
Red Lake Falls U.S.A. 47°53N 96°16W 172 B5
Red Lake Road Canada 49°59N 93°25W 163 C10
Red Lodge U.S.A. 45°11N 109°15W 168 D9
Red Mountain U.S.A. 35°37N 117°38W 171 K9
Red Oak U.S.A. 41°1N 95°14W 172 E6
Red River of the North → N. Amer. 49°0N 97°15W 172 A5
Red Rock Canada 48°55N 88°15W 164 C2
Red Rock, L. U.S.A. 41°22N 92°59W 172 E7
Red Rocks Pt. Australia 32°13S 127°32E 149 F4
Red Sea Asia 25°0N 36°0E 131 C2
Red Slate Mt. U.S.A. 37°31N 118°52W 170 H8
Red Sucker L. Canada 54°9N 93°40W 164 B1
Red Tower Pass = Turnu Roşu, P. Romania 45°33N 24°17E 81 E9
Red Volta → Africa 10°34N 0°30W 139 C4
Red Wing U.S.A. 44°34N 92°31W 172 C7
Reda Poland 54°40N 18°19E 82 D5
Redang, Pulau Malaysia 5°49N 103°2E 121 K4
Redange Lux. 49°46N 5°52E 69 E5
Redcar U.K. 54°37N 1°4W 66 C6
Redcar & Cleveland □ U.K. 54°29N 1°0W 66 C7
Redcliff Canada 50°10N 110°50W 168 A8
Redcliffe Australia 27°12S 153°6E 151 D5
Redcliffe, Mt. Australia 28°30S 121°30E 149 E3
Reddersburg S. Africa 29°41S 26°10E 144 C4
Reddick U.S.A. 29°22N 82°12W 179 F7
Redding U.S.A. 40°35N 122°24W 168 F2
Redditch U.K. 52°18N 1°55W 67 E6
Redenção Brazil 4°13S 38°43W 189 A3
Redfield U.S.A. 44°53N 98°31W 172 C4
Redford U.S.A. 44°38N 73°48W 175 B11
Redhead Trin. & Tob. 10°44N 60°58W 187 K16
Redkino Russia 56°39N 36°16E 84 D9
Redlands U.S.A. 34°4N 117°11W 171 M9
Redmond Oreg., U.S.A. 44°17N 121°11W 168 D3
Redmond Wash., U.S.A. 47°40N 122°7W 170 C4
Redon France 47°40N 2°6W 70 E4
Redonda Antigua & B. 16°58N 62°19W 183 C7
Redondela Spain 42°15N 8°38W 88 C2
Redondo Portugal 38°39N 7°37W 89 G3
Redondo Beach U.S.A. 33°50N 118°23W 171 M8
Redoubt Volcano U.S.A. 60°29N 152°45W 166 C9
Redruth U.K. 50°14N 5°14W 67 G2
Redvers Canada 49°35N 101°40W 163 D8
Redwater Canada 53°55N 113°6W 162 C6
Redwood U.S.A. 44°18N 75°48W 175 B9
Redwood △ U.S.A. 41°40N 124°5W 168 F1
Redwood City U.S.A. 37°30N 122°15W 170 H4
Redwood Falls U.S.A. 44°32N 95°7W 172 C6
Ree, L. Ireland 53°35N 8°0W 64 C3
Reed City U.S.A. 43°53N 85°31W 173 D11
Reed L. Canada 54°38N 100°30W 163 C8
Reedley U.S.A. 36°36N 119°27W 170 J7
Reedsburg U.S.A. 43°32N 90°0W 172 D8
Reedsport U.S.A. 43°42N 124°6W 168 E1
Reedsville U.S.A. 40°39N 77°35W 174 F7
Reedy Creek Australia 36°58S 140°2E 152 D4
Reefton N.Z. 42°6S 171°51E 155 C6
Rees Germany 51°46N 6°24E 76 D2
Reese → U.S.A. 40°48N 117°4W 168 F5
Refahiye Turkey 39°54N 38°47E 105 C8
Refteele Sweden 57°11N 13°35E 63 G7
Refugio U.S.A. 28°18N 97°17W 176 G6
Rega → Poland 54°10N 15°18E 82 D2
Regalbuto Italy 37°39N 14°38E 95 E7
Regana, C. de Spain 39°25N 2°43E 100 B9
Regen Germany 48°58N 13°8E 77 G9
Regen → Germany 49°1N 12°6E 77 F8
Regeneração Brazil 6°15S 42°41W 189 B2
Regensburg Germany 49°1N 12°6E 77 F8
Regenstauf Germany 49°7N 12°8E 77 F8
Reggâne = Zaouiet Reggâne Algeria 26°32N 0°3E 136 C4
Reggello Italy 43°41N 11°32E 93 E8
Réggio di Calábria Italy 38°6N 15°39E 95 D8
Réggio nell'Emília Italy 44°43N 10°36E 92 D7
Reghin Romania 46°46N 24°42E 81 D9
Regina Canada 50°27N 104°35W 163 C8
Regina Beach Canada 50°47N 105°0W 163 C8
Register U.S.A. 32°22N 81°53W 178 C8
Registro Brazil 24°29S 47°49W 191 A6
Reguengos de Monsaraz Portugal 38°25N 7°32W 89 G3
Rehar → India 23°55N 82°40E 125 H10
Rehli India 23°38N 79°5E 125 H8
Rehoboth Namibia 23°15S 17°4E 144 B2
Rehovot Israel 31°54N 34°48E 130 D3
Rei, Costa Italy 39°15N 9°40E 94 C2
Reichenbach Germany 50°37N 12°17E 76 E8
Reid Australia 30°49S 128°26E 149 F4
Reidsville Ga., U.S.A. 32°6N 82°7W 178 C7
Reidsville N.C., U.S.A. 36°21N 79°40W 177 C15
Reigate U.K. 51°14N 0°12W 67 F7
Reillo Spain 39°54N 1°53W 90 F3
Reims France 49°15N 4°1E 71 C11
Reina Adelaida, Arch. Chile 52°20S 74°0W 192 D2
Reina Sofia, Tenerife ✕ (TFS) Canary Is. 28°3N 16°33W 100 F3
Reinbek Germany 53°30N 10°16E 76 B6
Reindeer → Canada 55°36N 103°11W 163 B8
Reindeer I. Canada 52°30N 98°0W 163 C9
Reindeer L. Canada 57°15N 102°15W 163 B8
Reinga, C. N.Z. 34°25S 172°43E 154 A1
Reinheimen △ Norway 62°10N 7°45E 60 E12
Reinosa Spain 43°2N 4°15W 88 B6
Reitz S. Africa 27°48S 28°29E 145 C4
Reivilo S. Africa 27°36S 24°8E 144 C3
Rejmyre Sweden 58°50N 15°55E 63 F9
Rejowiec Fabryczny Poland 51°5N 23°17E 83 G10
Reka → Slovenia 45°40N 14°0E 93 C11
Rekovac Serbia 43°51N 21°3E 96 C5
Reliance Canada 63°0N 109°20W 163 A7
Relizane Algeria 35°44N 0°31E 136 A4
Relizane □ Algeria 35°45N 0°55E 136 A4
Remad, Oued → Algeria 33°28N 1°20W 136 B3
Rémalard France 48°26N 0°47E 70 D7
Remanso Brazil 9°41S 42°4W 189 B2
Remarkable, Mt. Australia 32°48S 138°10E 152 B3
Remarkables, The N.Z. 45°10S 168°50E 155 F3
Rembang Indonesia 6°42S 111°21E 119 G14
Rembert U.S.A. 34°6N 80°32W 178 A9
Remchi Algeria 35°2N 1°26W 136 A3
Remedios Panama 8°15N 81°50W 182 E3
Remeshk Iran 26°55N 58°50E 129 E8
Remetea Romania 46°45N 25°29E 81 D10
Remich Lux. 49°32N 6°22E 69 E6
Remiremont France 48°2N 6°36E 71 D13
Remontnoye Russia 46°34N 43°37E 87 G6
Remoulins France 43°55N 4°35E 73 E8
Remscheid Germany 51°11N 7°12E 76 D3
Ren Xian China 37°8N 114°40E 114 F8
Rendang Indonesia 8°26S 115°25E 119 J18
Rende Italy 39°20N 16°11E 95 C9
Rendina Greece 39°4N 21°58E 98 B3
Rendsburg Germany 54°17N 9°39E 76 A5
René-Levasseur, Î. Canada 51°20N 68°40W 165 B6
Renfrew Canada 45°30N 76°40W 175 A8
Renfrewshire □ U.K. 55°49N 4°38W 65 F4
Renfroe U.S.A. 32°14N 84°43W 178 C5
Rengat Indonesia 0°30S 102°45E 118 E2
Rengo Chile 34°24S 70°50W 190 C1
Renhua China 25°5N 113°40E 117 E9
Renhuai China 27°48N 106°24E 116 D6
Reni = Taranagar India 28°43N 74°50E 124 E6
Reni Ukraine 45°28N 28°15E 81 E13
Renigunta India 13°38N 79°30E 127 H4
Renland Greenland 71°10N 26°30W 57 C8
Renmark Australia 34°11S 140°43E 152 C4
Rennell Sd. Canada 53°23N 132°35W 162 C2
Renner Springs Australia 18°20S 133°47E 150 B1
Rennes France 48°7N 1°41W 70 D5
Rennick Glacier Antarctica 70°30S 161°45E 55 D11
Rennie L. Canada 61°32N 105°35W 163 A7
Reno U.S.A. 39°31N 119°48W 170 F7
Reno → Italy 44°38N 12°16E 93 D9
Renovo U.S.A. 41°20N 77°45W 174 E7
Renqiu China 38°43N 116°5E 114 E9
Rens Denmark 54°54N 9°5E 63 K3
Renshou China 29°59N 104°9E 116 C5
Rensselaer Ind., U.S.A. 40°57N 87°9W 172 E10
Rensselaer N.Y., U.S.A. 42°38N 73°45W 175 D11
Renton U.S.A. 47°28N 122°12W 170 C4
Renukoot India 24°12N 83°2E 125 G10
Renwick N.Z. 41°30S 173°51E 155 B8
Réo Burkina Faso 12°28N 2°35W 138 C4
Reocín = Puente San Miguel Spain 43°21N 4°5W 88 B6
Reotipur India 25°33N 83°45E 125 G10
Repalle India 16°2N 80°45E 127 F5
Répcelak Hungary 47°24N 17°1E 80 C2
Republic Mo., U.S.A. 37°7N 93°29W 172 G7
Republic Wash., U.S.A. 48°39N 118°44W 168 B4
Republican → U.S.A. 39°4N 96°48W 172 F5
Republika Srpska □ Bos.-H. 44°56N 17°11E 93 D14
Repulse B. Australia 20°35S 148°46E 150 b
Repulse Bay Canada 66°30N 86°30W 161 D14
Requena Peru 5°5S 73°52W 188 B3
Requena Spain 39°30N 1°4W 91 F3
Réquista France 44°1N 2°32E 72 D6
Reşadiye Muğla, Turkey 36°45N 27°39E 99 E9
Reşadiye Tokat, Turkey 40°23N 37°20E 104 B7
Reşadiye Yarımadası Turkey 36°40N 27°45E 99 E9
Resavica Serbia 44°4N 21°31E 96 B5
Resen Macedonia 41°5N 21°0E 96 E5
Reserve U.S.A. 33°43N 108°45W 169 K9
Resht = Rasht Iran 37°20N 49°40E 105 D13
Resistencia Argentina 27°30S 59°0W 190 B4
Reşiţa Romania 45°18N 21°53E 80 E6
Resko Poland 53°47N 15°25E 82 E2
Reso = Raisio Finland 60°28N 22°11E 84 B2
Resolute Canada 74°42N 94°54W 161 C13
Resolution I. Canada 61°30N 65°0W 161 E19
Resolution I. N.Z. 45°40S 166°40E 155 F1
Resplandes Brazil 6°17S 45°13W 189 B1
Resplendor Brazil 19°20S 41°15W 189 D2
Ressano Garcia Mozam. 25°25S 32°0E 145 C5
Reston Canada 49°33N 101°6W 163 D8
Reszel Poland 54°4N 21°10E 82 D8
Retalhuleu Guatemala 14°33N 91°46W 182 D1
Retenue, L. de Dem. Rep. of the Congo 11°0S 27°0E 143 E2
Retezat, Munţii Romania 45°25N 23°0E 80 E8
Retezat △ Romania 45°23N 22°56E 80 E7
Retford U.K. 53°19N 0°56W 66 D7
Rethel France 49°30N 4°20E 71 C11
Rethem Germany 52°47N 9°22E 76 C5
Rethimno Greece 35°18N 24°30E 101 D6
Reti Pakistan 28°5N 69°48E 124 E3
Retiche, Alpi Switz. 46°30N 10°0E 77 J6
Retiers France 47°55N 1°23W 70 E5
Retortillo Spain 40°48N 6°21W 88 E4
Retournac France 45°12N 4°2E 73 C8
Rétság Hungary 47°58N 19°10E 80 C4
Réunion ☒ Ind. Oc. 21°0S 56°0E 141 c
Reus Spain 41°10N 1°5E 90 D6
Reuterstadt Stavenhagen Germany 53°42N 12°54E 76 B8
Reutlingen Germany 48°29N 9°12E 77 G5
Reutte Austria 47°29N 10°42E 78 D3
Reval = Tallinn Estonia 59°22N 24°48E 84 C3
Revel France 43°28N 2°1E 72 E6
Revelganj India 25°50N 84°40E 125 G11
Revelstoke Canada 51°0N 118°10W 162 C5
Reventazón Peru 6°10S 80°58W 188 B1
Revigny-sur-Ornain France 48°49N 4°59E 71 D11
Revillagigedo, Is. de Pac. Oc. 18°40N 112°0W 180 D2
Revin France 49°55N 4°39E 71 C11
Revúca Slovak Rep. 48°41N 20°7E 79 C13
Revuè → Mozam. 19°50S 34°0E 143 F3
Rewa India 24°33N 81°25E 125 G9
Rewari India 28°15N 76°40E 124 E7
Rexburg U.S.A. 43°49N 111°47W 168 E8
Rey Iran 35°35N 51°25E 108 E4
Rey, I. del Panama 8°20N 78°30W 182 E4
Rey, L. del Mexico 27°1N 103°26W 180 B4
Rey Malabo Eq. Guin. 3°45N 8°50E 139 E6
Reyðarfjörður Iceland 65°2N 14°13W 60 D6
Reyes Bolivia 14°19S 67°23W 188 C4
Reyes, Pt. U.S.A. 38°0N 123°0W 170 H3
Reyhanlı Turkey 36°16N 36°35E 104 D7
Reykjahlíð Iceland 65°40N 16°55W 60 D5
Reykjanes Iceland 63°48N 22°40W 60 E2
Reykjanes Ridge Atl. Oc. 59°0N 31°0W 56 A8
Reykjavík Iceland 64°10N 21°57W 60 D3
Reynolds U.S.A. 32°33N 84°6W 178 C5
Reynolds Ra. Australia 22°30S 133°0E 148 D5
Reynoldsville Ga., U.S.A. 30°51N 84°47W 178 E5
Reynoldsville Pa., U.S.A. 41°6N 78°53W 174 E6
Reynosa Mexico 26°7N 98°18W 181 B5
Rēzekne Latvia 56°30N 27°17E 84 D4
Rezina Moldova 47°45N 28°58E 81 C13
Rezovo Bulgaria 42°0N 28°0E 97 D12
Rezvān Iran 27°34N 56°6E 129 E8
Rezvānshahr Iran 37°32N 49°7E 105 D13
Rgotina Serbia 44°1N 22°17E 96 B6
Rharbi, Zahrez Algeria 34°50N 2°55E 136 B4
Rharis, O. → Algeria 26°0N 5°4E 136 C5
Rhayader U.K. 52°18N 3°29W 67 E4
Rheda-Wiedenbrück Germany 51°50N 8°20E 76 D4
Rhede Germany 51°50N 6°42E 76 D2
Rhein → Europe 51°52N 6°2E 69 C6
Rhein-Main-Donau-Kanal Germany 49°1N 11°27E 77 F7
Rhein-Ruhr, Düsseldorf ✕ (DUS) Germany 51°17N 6°46E 76 D2
Rhein-Taunus △ Germany 50°10N 8°10E 77 E4
Rhein-Westerwald △ Germany 50°32N 7°20E 76 E3
Rheinbach Germany 50°38N 6°57E 76 E2
Rheine Germany 52°17N 7°26E 76 C3
Rheinfelden Germany 47°33N 7°47E 77 H3
Rheinland-Pfalz □ Germany 50°0N 7°0E 77 E2
Rheinsberg Germany 53°6N 12°54E 76 B8
Rheris, Oued → Morocco 30°50N 4°34W 136 B3
Rhin = Rhein → Europe 51°52N 6°2E 69 C6
Rhine = Rhein → Europe 51°52N 6°2E 69 C6
Rhine U.S.A. 31°59N 83°12W 178 D6
Rhinebeck U.S.A. 41°56N 73°55W 175 E11
Rhineland-Palatinate = Rheinland-Pfalz □ Germany 50°0N 7°0E 77 E2
Rhinelander U.S.A. 45°38N 89°25W 172 C9
Rhinns Pt. U.K. 55°40N 6°29W 65 F2
Rhino Camp Uganda 3°0N 31°22E 142 B3
Rhir, Cap Morocco 30°38N 9°54W 136 B2
Rho Italy 45°31N 9°2E 92 C6
Rhode Island □ U.S.A. 41°40N 71°30W 175 E13
Rhodes Greece 36°15N 28°10E 101 C10
Rhodes ✕ (RHO) Greece 36°23N 28°12E 99 E10
Rhodope Mts. = Rodopi Planina Bulgaria 41°40N 24°20E 97 E8
Rhön Germany 50°24N 9°58E 76 E5
Rhondda U.K. 51°39N 3°31W 67 F4
Rhondda Cynon Taff □ U.K. 51°42N 3°27W 67 F4
Rhône □ France 45°54N 4°35E 73 C8
Rhône → France 43°28N 4°42E 73 E8
Rhône-Alpes □ France 45°40N 6°0E 73 C9
Rhum = Rùm U.K. 57°0N 6°20W 65 E2
Rhydaman = Ammanford U.K. 51°48N 3°59W 67 F4
Rhyl U.K. 53°20N 3°29W 66 D4
Ri-Aba Eq. Guin. 3°28N 8°40E 139 E6
Ria Formosa △ Portugal 37°1N 7°48W 89 H3
Riachão Brazil 7°20S 46°37W 189 B1
Riacho de Santana Brazil 13°37S 42°57W 189 C2
Riang, Laem Thailand 8°7N 98°27E 121 a
Riaño Spain 42°59N 4°59W 88 C5
Rians France 43°37N 5°44E 73 E9
Riansáres → Spain 39°32N 3°18W 89 F7
Riasi India 33°10N 74°50E 125 C6
Riau □ Indonesia 0°0 102°35E 118 E2
Riau, Kepulauan □ Indonesia 0°30N 104°20E 118 D2
Riau Arch. = Riau, Kepulauan □ Indonesia 0°30N 104°20E 118 D2
Riaza Spain 41°18N 3°30W 88 D7
Riaza → Spain 41°42N 3°55W 88 D7
Riba de Saelices Spain 40°55N 2°17W 90 E2
Riba-roja de Túria Spain 39°33N 0°34W 91 F4
Ribadavia Spain 42°17N 8°8W 88 C2
Ribadeo Spain 43°35N 7°5W 88 B3
Ribadesella Spain 43°30N 5°7W 88 B5
Ribado Nigeria 9°16N 12°47E 139 D7
Ribamar Brazil 2°33S 44°3W 189 A2
Ribao Cameroon 6°32N 11°30E 139 D7
Ribas = Ribes de Freser Spain 42°19N 2°15E 90 C7
Ribas do Rio Pardo Brazil 20°27S 53°46W 187 H8
Ribauè Mozam. 14°57S 38°17E 143 E4
Ribble → U.K. 53°52N 2°25W 66 D5
Ribe Denmark 55°19N 8°44E 63 J2
Ribeauvillé France 48°10N 7°20E 71 D14
Ribécourt-Dreslincourt France 49°30N 2°55E 71 C9
Ribeira Spain 42°36N 8°58W 88 C2
Ribeira Brava Madeira 32°41N 17°4W 100 D2
Ribeira do Pombal Brazil 10°50S 38°32W 189 C3
Ribeira Grande C. Verde Is. 17°0N 25°4W 134 b
Ribeirão Prêto Brazil 21°10S 47°50W 191 A6
Ribeiro Gonçalves Brazil 7°32S 45°14W 189 B1
Ribemont France 49°47N 3°27E 71 C10
Ribera Italy 37°30N 13°16E 94 E6
Ribérac France 45°15N 0°20E 72 C4
Riberalta Bolivia 11°0S 66°0W 186 F5
Ribes de Freser Spain 42°19N 2°15E 90 C7
Ribnica Slovenia 45°45N 14°45E 93 C11
Rîbniţa Moldova 47°45N 29°0E 81 C14
Ribnitz-Damgarten Germany 54°15N 12°27E 76 A8
Říčany Czech Rep. 50°0N 14°40E 78 B7
Riccarton N.Z. 43°32S 172°37E 155 D7
Riccia Italy 41°30N 14°50E 95 A7
Riccione Italy 43°59N 12°39E 93 E9
Rice U.S.A. 34°5N 114°51W 171 L12
Rice L. Canada 44°12N 78°10W 174 B6
Rice Lake U.S.A. 45°30N 91°44W 172 C8
Riceboro U.S.A. 31°44N 81°26W 178 D8
Rich, C. Canada 44°43N 80°38W 174 B4
Richard Toll Senegal 16°25N 15°42W 138 B1
Richards Bay S. Africa 28°48S 32°6E 145 C5
Richardson → Canada 58°25N 111°14W 163 B6
Richardson Lakes U.S.A. 44°46N 70°58W 173 C18
Richardson Mts. N.Z. 44°49S 168°34E 155 E3
Richardson Springs U.S.A. 39°51N 121°46W 170 F5
Riche, C. Australia 34°36S 118°47E 149 F2
Richelieu France 47°1N 0°20E 70 E7
Richey U.S.A. 47°39N 105°4W 168 C11
Richfield U.S.A. 38°46N 112°5W 168 G7
Richfield Springs U.S.A. 42°51N 74°59W 175 D10
Richford U.S.A. 45°0N 72°40W 175 B12
Richibucto Canada 46°42N 64°54W 165 C7
Richland Ga., U.S.A. 32°5N 84°40W 178 C5
Richland Wash., U.S.A. 46°17N 119°18W 168 C4
Richland Center U.S.A. 43°21N 90°23W 172 D8
Richlands U.S.A. 37°6N 81°48W 173 G13
Richmond N.S.W., Australia 33°35S 150°42E 153 B9
Richmond Queens., Australia 20°43S 143°8E 150 C3
Richmond N.Z. 41°20S 173°12E 155 B8
Richmond U.K. 54°25N 1°43W 66 C6
Richmond Calif., U.S.A. 37°56N 122°21W 170 H4
Richmond Ind., U.S.A. 39°50N 84°53W 173 F11
Richmond Ky., U.S.A. 37°45N 84°18W 173 G11
Richmond Mich., U.S.A. 42°49N 82°45W 174 D2
Richmond Mo., U.S.A. 39°17N 93°58W 172 F7
Richmond Tex., U.S.A. 29°35N 95°46W 176 G7
Richmond Utah, U.S.A. 41°56N 111°48W 168 F8
Richmond Va., U.S.A. 37°33N 77°27W 173 G15
Richmond Vt., U.S.A. 44°24N 72°59W 175 B12
Richmond, Mt. N.Z. 41°32S 173°22E 155 B8
Richmond Hill Canada 43°52N 79°27W 174 C5
Richmond Hill U.S.A. 31°56N 81°18W 178 D8
Richmond Ra. Australia 29°0S 152°45E 151 D5
Richmond Ra. N.Z. 41°32S 173°22E 155 B8
Richmondville U.S.A. 42°38N 74°33W 175 D10
Richtersveld △ S. Africa 28°15S 17°10E 144 C2
Richville U.S.A. 44°25N 75°23W 175 B9
Richwood U.S.A. 38°14N 80°32W 173 F13
Ricla Spain 41°31N 1°24W 90 D3
Ridder Kazakhstan 50°20N 83°30E 109 B10
Riddlesburg U.S.A. 40°9N 78°15W 174 F6
Rideau → Canada 45°27N 75°42W 175 A9
Ridge Spring U.S.A. 33°51N 81°40W 178 B8
Ridgecrest U.S.A. 35°38N 117°40W 171 K9
Ridgefield Conn., U.S.A. 41°17N 73°30W 175 E11
Ridgefield Wash., U.S.A. 45°49N 122°45W 170 E4
Ridgeland Miss., U.S.A. 32°26N 90°8W 177 E9
Ridgeland S.C., U.S.A. 32°29N 80°59W 178 C9
Ridgetown Canada 42°26N 81°52W 174 D3
Ridgeville U.S.A. 33°6N 80°19W 178 B9
Ridgewood U.S.A. 40°59N 74°7W 175 F10
Ridgway U.S.A. 41°25N 78°44W 174 E6
Riding Mountain △ Canada 50°50N 100°0W 163 C9
Ridley, Mt. Australia 33°12S 122°7E 149 F3
Riebeek-Oos S. Africa 33°10S 26°10E 144 D4
Ried Austria 48°14N 13°30E 78 C6
Riedlingen Germany 48°9N 9°28E 77 G5
Riedstadt Germany 49°45N 8°30E 77 F4
Rienza → Italy 46°49N 11°47E 93 B8
Riesa Germany 51°17N 13°17E 76 D9
Riesco, I. Chile 52°55S 72°40W 192 D2
Riesi Italy 37°17N 14°5E 95 E7
Riet → S. Africa 29°0S 23°54E 144 C3
Rietavas Lithuania 55°44N 21°56E 82 C8
Rietbron S. Africa 32°54S 23°10E 144 D3
Rietfontein Namibia 21°58S 20°58E 144 B3
Rieti Italy 42°24N 12°51E 93 F9
Rieupeyroux France 44°19N 2°12E 72 D6
Riez France 43°49N 6°6E 73 E10
Rif = Er Rif Morocco 35°1N 4°1W 136 A3
Riffe L. U.S.A. 46°32N 122°26W 170 D4
Rifle U.S.A. 39°32N 107°47W 168 G10
Rift Valley Africa 7°0N 30°0E 132 G7
Rīga Latvia 56°53N 24°8E 82 B11
Rīga ✕ (RIX) Latvia 56°54N 23°59E 82 B10
Riga, G. of Latvia 57°40N 23°45E 82 A10
Rigacikun Nigeria 10°40N 7°28E 139 C6
Rīgān Iran 28°37N 58°58E 129 D8
Rīgas Jūras Līcis = Riga, G. of Latvia 57°40N 23°45E 82 A10
Rigaud Canada 45°29N 74°18W 175 A10

Rigby *U.S.A.* 43°40N 111°55W **168** E8
Rīgestān *Afghan.* 30°15N 65°0E **122** D4
Riggins *U.S.A.* 45°25N 116°19W **168** D5
Rignac *France* 44°25N 2°16E **72** D6
Rigolet *Canada* 54°10N 58°23W **165** B8
Rigu *Ghana* 9°59N 0°48W **139** D4
Rihand Dam *India* 24°9N 83°2E **125** G10
Riihimäki *Finland* 60°45N 24°48E **84** B3
Riiser-Larsen-halvøya
Antarctica 68°0S 35°0E **55** C4
Riiser-Larsen Ice Shelf
S. Ocean 74°0S 19°0W **55** D2
Riiser-Larsen Sea *S. Ocean* 67°30S 22°0E **55** C4
Riisitunturi △ *Finland* 66°27N 28°27E **60** C23
Rijau *Nigeria* 11°8N 5°17E **139** C6
Rijeka *Croatia* 45°20N 14°21E **93** C11
Rijeka Crnojevića
Montenegro 42°24N 19°1E **96** D3
Rijssen *Neths.* 52°19N 6°31E **69** B6
Rika → *Ukraine* 48°11N 23°16E **81** B8
Rikuchū-Kaigan △
Japan 39°20N 142°0E **112** E11
Rikuzentakata *Japan* 39°0N 141°40E **112** E10
Rila *Bulgaria* 42°7N 23°7E **96** D7
Rila Planina *Bulgaria* 42°10N 23°20E **96** D7
Riley *U.S.A.* 43°32N 119°28W **168** E4
Rima → *Nigeria* 13°4N 5°10E **139** C6
Rimah, Wadi ar →
Si. Arabia 26°5N 41°30E **128** E4
Rimau, Pulau *Malaysia* 5°15N 100°16E **121** c
Rimavská Sobota
Slovak Rep. 48°22N 20°2E **79** C13
Rimbey *Canada* 52°35N 114°15W **162** C6
Rimbo *Sweden* 59°44N 18°21E **62** E12
Rimersburg *U.S.A.* 41°3N 79°30W **174** E5
Rimforsa *Sweden* 58°6N 15°43E **63** F9
Rímini *Italy* 44°3N 12°33E **93** D9
Rimouski *Canada* 48°27N 68°30W **165** C6
Rimrock *U.S.A.* 46°40N 121°7W **170** D5
Rinca *Indonesia* 8°45S 119°35E **119** F5
Rincon *U.S.A.* 32°18N 81°14W **178** C8
Rincón de Anchuras = Anchuras
Spain 39°29N 4°50W **89** F6
Rincón de la Victoria
Spain 36°43N 4°18W **89** J6
Rincón de Romos
Mexico 22°14N 102°18W **180** C4
Rinconada *Argentina* 22°26S 66°10W **190** A2
Rind → *India* 25°53N 80°33E **125** G9
Ringarum *Sweden* 58°21N 16°26E **63** F10
Ringas *India* 27°21N 75°34E **124** F6
Ringe *Denmark* 55°13N 10°28E **63** J4
Ringgold Is. *Fiji* 16°15S 179°25W **154** a
Ringim *Nigeria* 12°13N 9°10E **139** C6
Ringkøbing *Denmark* 56°5N 8°15E **63** H2
Ringkøbing Fjord *Denmark* 56°0N 8°15E **63** H2
Ringsjön *Sweden* 55°55N 13°30E **63** J7
Ringsted *Denmark* 55°25N 11°46E **63** J5
Ringvassøya *Norway* 69°56N 19°15E **60** B18
Ringwood *U.S.A.* 41°7N 74°15W **175** E10
Rinia *Greece* 37°23N 25°13E **99** D7
Rinjani, Gunung
Indonesia 8°24S 116°28E **118** F5
Rinteln *Germany* 52°10N 9°8E **76** C5
Rinyirru △ *Australia* 15°24S 144°26E **150** B3
Río, Punta del *Spain* 36°49N 2°24W **91** J2
Rio Branco *Brazil* 9°58S 67°49W **188** B4
Río Branco *Uruguay* 32°40S 53°40W **191** C5
Río Bravo *Mexico* 25°59N 98°6W **181** B5
Rio Bravo △ *N. Amer.* 29°2N 102°45W **180** B4
Río Bravo del Norte →
Mexico 25°57N 97°9W **181** B5
Rio Brilhante *Brazil* 21°48S 54°33W **191** A5
Río Bueno *Chile* 40°19S 72°58W **192** B2
Rio Claro *Brazil* 22°19S 47°35W **191** A6
Rio Claro *Trin. & Tob.* 10°20N 61°10W **183** D7
Río Colorado *Argentina* 39°0S 64°0W **192** A4
Río Cuarto *Argentina* 33°10S 64°25W **190** C3
Rio das Pedras *Mozam.* 23°8S 35°28E **145** B6
Rio de Contas *Brazil* 13°36S 41°48W **189** C2
Rio de Janeiro *Brazil* 22°54S 43°12W **191** A7
Rio de Janeiro □ *Brazil* 22°50S 43°0W **191** A7
Rio do Prado *Brazil* 16°35S 40°34W **189** D2
Rio do Sul *Brazil* 27°13S 49°37W **191** B6
Río Dulce △ *Guatemala* 15°43N 88°50W **182** C2
Río Gallegos *Argentina* 51°35S 69°15W **192** D3
Río Grande *Argentina* 53°50S 67°45W **192** D3
Río Grande *Bolivia* 20°51S 67°17W **188** E4
Rio Grande *Brazil* 32°0S 52°20W **191** C5
Río Grande *Mexico* 23°50N 103°2W **180** C4
Río Grande *Puerto Rico* 18°23N 65°50W **183** d
Rio Grande → *N. Amer.* 25°58N 97°9W **176** J6
Rio Grande City *U.S.A.* 26°23N 98°49W **176** H5
Río Grande de Santiago →
Mexico 21°36N 105°26W **180** C3
Rio Grande do Norte □
Brazil 5°40S 36°0W **189** B3
Rio Grande do Sul □
Brazil 30°0S 53°0W **191** C5
Rio Grande Rise *Atl. Oc.* 31°0S 35°0W **56** K8
Río Hato *Panama* 8°22N 80°10W **182** E3
Río Lagartos *Mexico* 21°36N 88°10W **181** C7
Rio Largo *Brazil* 9°28S 35°50W **189** B3
Rio Maior *Portugal* 39°19N 8°57W **89** F2
Rio Marina *Italy* 42°49N 10°25E **92** F7
Río Mayo *Argentina* 45°40S 70°15W **192** C2
Río Mulatos *Bolivia* 19°40S 66°50W **188** D4
Río Muni □ *Eq. Guin.* 1°30N 10°0E **140** D2
Rio Negro *Brazil* 26°0S 49°55W **191** B6
Río Negro *Chile* 40°47S 73°14W **192** B2
Rio Pardo *Brazil* 30°0S 52°30W **191** C5
Río Pico *Argentina* 44°0S 70°22W **192** B2
Río Pilcomayo △
Argentina 25°5S 58°5W **190** B4
Río Plátano ⌓ *Honduras* 15°45N 85°0W **182** C3
Rio Rancho *U.S.A.* 35°14N 106°41W **169** J10
Río Real *Brazil* 11°28S 37°56W **189** C3
Río Segundo *Argentina* 31°40S 63°59W **190** C3
Río Simpson △ *Chile* 45°27S 73°30W **192** C2
Río Tercero *Argentina* 32°15S 64°8W **190** C3
Rio Tinto *Brazil* 6°48S 35°5W **189** B3
Rio Tinto *Portugal* 41°11N 8°34W **88** D2
Río Turbio *Argentina* 51°32S 72°18W **192** D2
Rio Verde *Brazil* 17°50S 51°0W **187** G8
Río Verde *Mexico* 21°56N 99°59W **181** C5
Rio Vista *U.S.A.* 38°10N 121°42W **170** G5
Riobamba *Ecuador* 1°50S 78°45W **186** D3
Ríohacha *Colombia* 11°33N 72°55W **186** A4
Rioja *Peru* 6°11S 77°5W **188** B2
Riom *France* 45°54N 3°7E **72** C7
Riom-ès-Montagnes
France 45°17N 2°39E **72** C6
Rion-des-Landes *France* 43°55N 0°56W **72** E3
Rionero in Vúlture *Italy* 40°55N 15°40E **95** B8
Rioni → *Georgia* 42°14N 41°44E **87** J5
Riós *Spain* 41°58N 7°16W **88** D3
Riosucio *Colombia* 7°27N 77°7W **186** B3
Riou L. *Canada* 59°7N 106°25W **163** B7
Rioz *France* 47°26N 6°5E **71** E13
Ripatransone *Italy* 42°59N 13°46E **93** F10
Ripley *Canada* 44°4N 81°35W **174** B3
Ripley *Calif., U.S.A.* 33°32N 114°39W **171** M12
Ripley *N.Y., U.S.A.* 42°16N 79°43W **174** D5
Ripley *Tenn., U.S.A.* 35°45N 89°32W **177** D10
Ripley *W. Va., U.S.A.* 38°49N 81°43W **173** F13
Ripoll *Spain* 42°15N 2°13E **90** C7
Ripon *U.K.* 54°9N 1°31W **66** C6
Ripon *Calif., U.S.A.* 37°44N 121°7W **170** H5
Ripon *Wis., U.S.A.* 43°51N 88°50W **172** D9
Riposto *Italy* 37°44N 15°12E **95** E8
Risan *Montenegro* 42°32N 18°42E **96** D2
Riscle *France* 43°39N 0°5W **72** E3
Rishā', W. ar →
Si. Arabia 25°33N 44°5E **128** E5
Rishikesh *India* 30°7N 78°19E **124** D8
Rishiri-Rebun-Sarobetsu △
Japan 45°26N 141°30E **112** B10
Rishiri-Tō *Japan* 45°11N 141°15E **112** B10
Rishon le Ziyyon *Israel* 31°58N 34°48E **130** D3
Risle → *France* 49°26N 0°23E **70** C7
Risnjak △ *Croatia* 45°25N 14°36E **93** C11
Rison *U.S.A.* 33°58N 92°11W **176** E8
Risør *Norway* 58°43N 9°13E **61** G13
Rissani *Morocco* 31°18N 4°12W **136** B3
Rita Blanca Cr. →
U.S.A. 35°40N 102°29W **176** D3
Ritchie's Arch. *India* 12°14N 93°10E **127** H11
Riti *Nigeria* 7°57N 9°41E **139** D6
Ritter, Mt. *U.S.A.* 37°41N 119°12W **170** H7
Rittman *U.S.A.* 40°58N 81°47W **174** F3
Ritzville *U.S.A.* 47°8N 118°23W **168** C4
Riva del Garda *Italy* 45°53N 10°50E **92** C7
Riva Lígure *Italy* 43°50N 7°50E **92** E4
Rivadavia *B. Aires, Argentina* 35°29S 62°59W **190** D3
Rivadavia *Mendoza, Argentina* 33°13S 68°30W **190** C2
Rivadavia *Salta, Argentina* 24°5S 62°54W **190** A3
Rivadavia *Chile* 29°57S 70°35W **190** B1
Rivarolo Canavese *Italy* 45°19N 7°43E **92** C4
Rivas *Nic.* 11°30N 85°50W **182** D2
Rivash *Iran* 35°28N 58°26E **129** C8
Rive-de-Gier *France* 45°32N 4°37E **73** C8
River Cess *Liberia* 5°30N 9°32W **138** D3
River Jordan *Canada* 48°26N 124°3W **170** B2
Rivera *Argentina* 37°12S 63°14W **190** D3
Rivera *Uruguay* 31°0S 55°50W **191** C4
Riverbank *U.S.A.* 37°44N 120°56W **170** H6
Riverdale *Calif., U.S.A.* 36°26N 119°52W **170** J7
Riverdale *Ga., U.S.A.* 33°34N 84°25W **178** B5
Riverhead *U.S.A.* 40°55N 72°40W **175** F12
Riverhurst *Canada* 50°55N 106°50W **163** C7
Rivers *Canada* 50°2N 100°14W **163** C8
Rivers □ *Nigeria* 4°30N 7°10E **139** E6
Rivers Inlet *Canada* 51°42N 127°15W **162** C3
Riversdale *Canada* 44°5N 81°20W **174** B3
Riversdale *N.Z.* 45°54S 168°44E **155** F3
Riversdale *S. Africa* 34°7S 21°15E **144** D3
Riverside *U.S.A.* 33°59N 117°22W **171** M9
Riversleigh *Australia* 19°5S 138°40E **150** B2
Riverton *Australia* 34°10S 138°46E **152** C3
Riverton *Canada* 51°1N 97°0W **163** C9
Riverton *N.Z.* 46°21S 168°0E **155** G3
Riverton *U.S.A.* 43°2N 108°23W **168** E9
Riverview *Fla., U.S.A.* 27°52N 82°20W **179** H7
Riverview *Fla., U.S.A.* 30°32N 87°12W **179** E2
Rives *France* 45°21N 5°31E **73** C9
Rivesaltes *France* 42°47N 2°50E **72** F6
Riviera = Azur, Côte d'
France 43°25N 7°10E **73** E11
Riviera *U.S.A.* 35°4N 114°35W **171** K12
Riviera Beach *U.S.A.* 26°47N 80°3W **179** J9
Riviera di Levante *Italy* 44°15N 9°30E **92** D6
Riviera di Ponente *Italy* 44°10N 8°20E **92** D5
Rivière-au-Renard
Canada 48°59N 64°23W **165** C7
Rivière-du-Loup
Canada 47°50N 69°30W **165** C6
Rivière-Pentecôte
Canada 49°57N 67°1W **165** C6
Rivière-Pilote
Martinique 14°26N 60°53W **182** c
Rivière St-Paul *Canada* 51°28N 57°45W **165** B8
Rivière-Salée *Martinique* 14°31N 61°0W **182** c
Rivne *Odesa, Ukraine* 46°1N 29°10E **81** D14
Rivne *Rivne, Ukraine* 50°40N 26°10E **75** C14
Rivne □ *Ukraine* 51°15N 26°30E **75** C14
Rivoli *Italy* 45°3N 7°31E **92** C4
Rivoli B. *Australia* 37°32S 140°3E **152** D4
Riwaka *N.Z.* 41°5S 172°59E **155** B7
Rixheim *France* 47°40N 7°24E **71** E14
Riyadh = Ar Riyāḍ
Si. Arabia 24°41N 46°42E **128** E5
Riza *Greece* 40°31N 23°15E **96** F7
Rize *Turkey* 41°0N 40°30E **105** B9
Rize □ *Turkey* 41°0N 40°30E **105** B9
Rizhao *China* 35°25N 119°30E **115** G10
Rizokarpaso *Cyprus* 35°36N 34°23E **101** D13
Rizzuto, C. *Italy* 38°53N 17°5E **95** D10
Rjukan *Norway* 59°54N 8°33E **61** G13
Rkîz, L. *Mauritania* 16°50N 15°23W **138** B1
Ro *Greece* 36°9N 29°33E **99** E11
Roa *Spain* 41°41N 3°56W **88** D7
Road Town *Br. Virgin Is.* 18°27N 64°37W **183** e
Roan Plateau *U.S.A.* 39°20N 109°20W **168** G9
Roanne *France* 46°3N 4°4E **71** F11
Roanoke *Ala., U.S.A.* 33°9N 85°22W **178** B4
Roanoke *Va., U.S.A.* 37°16N 79°56W **173** G14
Roanoke → *U.S.A.* 35°57N 76°42W **177** D16
Roanoke I. *U.S.A.* 35°53N 75°39W **177** D17
Roanoke Rapids
U.S.A. 36°28N 77°40W **177** C16
Roatán *Honduras* 16°18N 86°35W **182** C2
Robāt *Iran* 34°16N 46°47E **105** E12
Robāt Sang *Iran* 35°35N 59°10E **129** C8
Robāṭkarīm *Iran* 35°25N 50°59E **129** C6
Robben I. *S. Africa* 33°46S 18°22E **144** D2
Robbins I. *Australia* 40°42S 145°0E **151** G4
Róbbio *Italy* 45°17N 8°35E **92** C5
Robe *Australia* 37°11S 139°45E **152** D3
Robe → *Australia* 21°42S 116°15E **148** D2
Röbel *Germany* 53°22N 12°35E **76** B8
Robert Bourassa, Rés.
Canada 53°40N 76°55W **164** B4
Robert Lee *U.S.A.* 31°54N 100°29W **176** F4
Roberta *U.S.A.* 32°43N 84°1W **178** C5
Robertsdale *U.S.A.* 40°11N 78°6W **174** F6
Robertsganj *India* 24°44N 83°4E **125** G10
Robertson *S. Africa* 33°46S 19°50E **144** D2
Robertson I. *Antarctica* 65°15S 59°30W **55** C18
Robertson Ra. *Australia* 23°15S 121°0E **148** D3
Robertsport *Liberia* 6°45N 11°26W **138** D2
Robertstown *Australia* 33°58S 139°5E **152** B3
Roberval *Canada* 48°32N 72°15W **165** C5
Robeson Chan. *N. Amer.* 82°0N 61°30W **57** A4
Robesonia *U.S.A.* 40°21N 76°8W **175** F8
Robinson *U.S.A.* 39°0N 87°44W **172** F10
Robinson → *Australia* 16°3S 137°16E **150** B2
Robinson Crusoe I.
Pac. Oc. 33°38S 78°52W **184** F2
Robinson Ra. *Australia* 25°40S 119°0E **149** E2
Robinvale *Australia* 34°40S 142°45E **152** C5
Robledo *Spain* 38°46N 2°26W **91** G2
Roblin *Canada* 51°14N 101°21W **163** C8
Roboré *Bolivia* 18°10S 59°45W **186** G7
Robson, Mt. *Canada* 53°10N 119°10W **162** C5
Robstown *U.S.A.* 27°47N 97°40W **176** H6
Roca, C. da *Portugal* 38°40N 9°31W **89** G1
Roca Partida, I. *Mexico* 19°1N 112°2W **180** D2
Rocamadour *France* 44°48N 1°37E **72** D5
Rocas, Atol das *Brazil* 4°0S 34°1W **187** D12
Rocca San Casciano *Italy* 44°3N 11°50E **93** D8
Roccadáspide *Italy* 40°27N 15°10E **95** B8
Roccastrada *Italy* 43°0N 11°10E **93** F8
Roccella Iónica *Italy* 38°19N 16°24E **95** D9
Rocciamelone, Mte. *Italy* 45°12N 7°5E **73** C11
Rocha *Uruguay* 34°30S 54°25W **191** C5
Rochdale *U.K.* 53°38N 2°9W **66** D5
Roche Melon = Rocciamelone, Mte. *Italy* 45°12N 7°5E **73** C11
Rochechouart *France* 45°50N 0°49E **72** C4
Rochefort *Belgium* 50°9N 5°12E **69** D5
Rochefort *France* 45°56N 0°57W **72** C3
Rochefort-en-Terre
France 47°42N 2°22W **70** E4
Rochelle *Ga., U.S.A.* 31°57N 83°27W **178** D6
Rochelle *Ill., U.S.A.* 41°56N 89°4W **172** E9
Rocher River *Canada* 61°23N 112°44W **162** A6
Rocheservière *France* 46°57N 1°30W **70** F5
Rochester *Australia* 36°22S 144°41E **152** D6
Rochester *U.K.* 51°23N 0°31E **67** F8
Rochester *Ind., U.S.A.* 41°4N 86°13W **172** E10
Rochester *Minn., U.S.A.* 44°1N 92°28W **172** C7
Rochester *N.H., U.S.A.* 43°18N 70°59W **175** C14
Rochester *N.Y., U.S.A.* 43°10N 77°37W **174** C7
Rociu *Romania* 44°43N 25°2E **81** F10
Rock → *Canada* 60°7N 127°7W **162** A3
Rock, The *Australia* 35°15S 147°2E **153** C7
Rock Creek *U.S.A.* 41°40N 80°52W **174** E4
Rock Falls *U.S.A.* 41°47N 89°41W **172** E9
Rock Flat *Australia* 36°21S 149°13E **153** D8
Rock Hill *U.S.A.* 34°56N 81°1W **177** D14
Rock Island *U.S.A.* 41°30N 90°34W **172** E8
Rock Port *U.S.A.* 40°25N 95°31W **172** E6
Rock Rapids *U.S.A.* 43°26N 96°10W **172** D5
Rock Sound *Bahamas* 24°54N 76°12W **182** B4
Rock Springs *Mont., U.S.A.* 46°49N 106°15W **168** C10
Rock Springs *Wyo., U.S.A.* 41°35N 109°14W **168** F9
Rock Valley *U.S.A.* 43°12N 96°18W **172** D5
Rockall *Atl. Oc.* 57°37N 13°42W **58** D3
Rockall Trough *Atl. Oc.* 57°0N 12°0W **56** A10
Rockdale *Tex., U.S.A.* 30°39N 97°0W **176** F6
Rockdale *Wash., U.S.A.* 47°22N 121°28W **170** C5
Rockeby = Mungkan Kandju △
Australia 13°35S 142°52E **150** A3
Rockefeller Plateau
Antarctica 76°0S 130°0W **55** E14
Rockford *Ala., U.S.A.* 32°53N 86°13W **178** C3
Rockford *Ill., U.S.A.* 42°16N 89°6W **172** D9
Rockglen *Canada* 49°11N 105°57W **163** D7
Rockhampton
Australia 23°22S 150°32E **150** C5
Rockingham *Australia* 32°15S 115°38E **149** F2
Rockingham *N.C., U.S.A.* 34°57N 79°46W **177** D15
Rockingham *Vt., U.S.A.* 43°11N 72°29W **175** C12
Rockingham B.
Australia 18°5S 146°10E **150** B4
Rocklake *U.S.A.* 48°47N 99°15W **172** A4
Rockland *Canada* 45°33N 75°17W **175** A9
Rockland *Idaho, U.S.A.* 42°34N 112°53W **168** E7
Rockland *Maine, U.S.A.* 44°6N 69°7W **173** C19
Rockland *Mich., U.S.A.* 46°44N 89°11W **172** B9
Rocklands Reservoir
Australia 37°15S 142°5E **152** D5
Rockledge *U.S.A.* 28°20N 80°43W **179** G9
Rocklin *U.S.A.* 38°48N 121°14W **170** G5
Rockly B. *Trin. & Tob.* 11°9N 60°46W **187** J16
Rockmart *U.S.A.* 34°1N 85°3W **178** A4
Rockport *Mass., U.S.A.* 42°39N 70°37W **175** D14
Rockport *Tex., U.S.A.* 28°2N 97°3W **176** G6
Rocksprings *U.S.A.* 30°1N 100°13W **176** F4
Rockville *Conn., U.S.A.* 41°52N 72°28W **175** E12
Rockville *Md., U.S.A.* 39°5N 77°9W **173** F15
Rockwall *U.S.A.* 32°56N 96°28W **176** E6
Rockwell City *U.S.A.* 42°24N 94°38W **172** D6
Rockwood *Canada* 43°37N 80°8W **174** C4
Rockwood *Maine, U.S.A.* 45°41N 69°45W **173** C19
Rockwood *Tenn., U.S.A.* 35°52N 84°41W **177** D12
Rocky Ford *U.S.A.* 38°3N 103°43W **168** G12
Rocky Gully *Australia* 34°30S 116°57E **149** F2
Rocky Harbour
Canada 49°36N 57°55W **165** C8
Rocky Island L. *Canada* 46°55N 83°0W **164** C3
Rocky Lane *Canada* 58°31N 116°22W **162** B5
Rocky Mount *U.S.A.* 35°57N 77°48W **177** D16
Rocky Mountain △
U.S.A. 40°25N 105°45W **168** F11
Rocky Mountain House
Canada 52°22N 114°55W **162** C6
Rocky Mts. *N. Amer.* 49°0N 115°0W **168** B6
Rocky Point *Namibia* 19°3S 12°30E **144** A2
Rocroi *France* 49°55N 4°30E **71** C11
Rod *Pakistan* 28°10N 63°5E **122** E3
Roda *Greece* 39°48N 19°46E **101** A3
Rødby *Denmark* 54°41N 11°23E **63** K5
Rødbyhavn *Denmark* 54°39N 11°22E **63** K5
Roddickton *Canada* 50°51N 56°8W **165** B8
Rødding *Denmark* 55°23N 9°3E **63** J3
Rödeby *Sweden* 56°15N 15°37E **63** H9
Rødekro *Denmark* 55°4N 9°20E **63** J3
Rodenkirchen *Germany* 53°23N 8°26E **76** B4
Rodez *France* 44°21N 2°33E **72** D6
Ródhos = Rhodes
Greece 36°15N 28°10E **101** C10
Rodi Gargánico *Italy* 41°55N 15°53E **93** G12
Rodia *Greece* 35°22N 25°1E **101** D7
Rodina *Kazakhstan* 50°16N 66°53E **109** B7
Rodna *Romania* 47°25N 24°50E **81** C9
Rodna ✪ *Australia* 23°45S 132°4E **148** D5
Rodnei, Munții *Romania* 47°35N 24°35E **81** C9
Rodney *Canada* 42°34N 81°41W **174** D3
Rodney, C. *N.Z.* 36°17S 174°50E **154** C3
Rodniki *Russia* 57°7N 41°47E **86** B5
Rodolivos *Greece* 40°55N 24°0E **96** F7
Rodonit, Kepi i *Albania* 41°35N 19°27E **96** E3
Rodopi *Greece* 41°5N 25°30E **97** E9
Rodopi Planina *Bulgaria* 41°40N 24°20E **97** E8
Rodopos *Greece* 35°34N 23°45E **101** D5
Rodrigues *Ind. Oc.* 19°45S 63°20E **146** F5
Roe → *U.K.* 55°6N 6°59W **64** A5
Roebling *U.S.A.* 40°7N 74°47W **175** F10
Roebourne *Australia* 20°44S 117°9E **148** D2
Roebuck B. *Australia* 18°5S 122°20E **148** C3
Roebuck Roadhouse
Australia 17°59S 122°36E **148** C3
Roermond *Neths.* 51°12N 6°0E **69** C6
Roes Welcome Sd.
Canada 65°0N 87°0W **161** E14
Roeselare *Belgium* 50°57N 3°7E **69** D3
Rogachev = Ragachow
Belarus 53°8N 30°5E **75** B16
Rogačica *Serbia* 44°4N 19°40E **96** B3
Rogagua, L. *Bolivia* 13°43S 66°50W **188** C4
Rogaška Slatina
Slovenia 46°15N 15°42E **93** B12
Rogatec *Slovenia* 46°15N 15°46E **93** B12
Rogatica *Bos.-H.* 43°47N 19°0E **80** G4
Rogatyn *Ukraine* 49°24N 24°36E **75** D13
Rogen *Sweden* 62°20N 12°20E **62** B6
Rogers *U.S.A.* 36°20N 94°7W **176** C7
Rogers City *U.S.A.* 45°25N 83°49W **173** C12
Rogersville *Canada* 46°44N 65°26W **165** C6
Roggan → *Canada* 54°24N 79°25W **164** B4
Roggan L. *Canada* 54°8N 77°50W **164** B4
Roggeveen Basin
Pac. Oc. 31°30S 95°30W **157** L18
Roggeveldberge
S. Africa 32°10S 20°10E **144** D3
Roggiano Gravina *Italy* 39°37N 16°9E **95** C9
Rogliano *France* 42°57N 9°30E **73** F13
Rogliano *Italy* 39°10N 16°19E **95** C9
Rogoaguado, L. *Bolivia* 13°0S 65°30W **186** F5
Rogojampi *Indonesia* 8°19S 114°17E **119** J17
Rogoźno *Poland* 52°45N 16°59E **83** F3
Rogue → *U.S.A.* 42°26N 124°26W **168** E1
Roha *India* 18°26N 73°7E **126** E1
Rohan *France* 48°4N 2°45W **70** D4
Rohnert Park *U.S.A.* 38°16N 122°40W **170** G4
Rohri *Pakistan* 27°45N 68°51E **124** F3
Rohri Canal *Pakistan* 26°15N 68°27E **124** F3
Rohtak *India* 28°55N 76°43E **124** E7
Roi Et *Thailand* 16°4N 103°40E **120** D4
Roja *Latvia* 57°29N 22°43E **82** A9
Rojas *Argentina* 34°10S 60°45W **190** C3
Rojiște *Romania* 44°4N 23°56E **81** F8
Rojo, C. *Mexico* 21°33N 97°20W **181** C5
Rokan → *Indonesia* 2°0N 100°50E **118** D2
Rokel → *S. Leone* 8°30N 12°48W **138** D2
Rokiškis *Lithuania* 55°55N 25°35E **84** E3
Rokua △ *Finland* 64°30N 26°15E **60** D22
Rokycany *Czech Rep.* 49°43N 13°35E **78** B6
Rolândia *Brazil* 23°18S 51°23W **191** A5
Rolla *Mo., U.S.A.* 37°57N 91°46W **172** G8
Rolla *N. Dak., U.S.A.* 48°52N 99°37W **172** A4
Rolleston *Australia* 24°28S 148°35E **150** C4
Rolleston *N.Z.* 43°35S 172°24E **155** D7
Rollingstone *Australia* 19°2S 146°24E **150** B4
Roma *Australia* 26°32S 148°49E **151** D4
Roma *Italy* 41°54N 12°28E **93** G9
Roma *Sweden* 57°32N 18°26E **63** G12
Roma Fiumicino ✕ **(FCO)**
Italy 41°48N 12°15E **93** G9
Roma-Los Saenz *U.S.A.* 26°24N 99°1W **176** H5
Romain, C. *U.S.A.* 33°0N 79°22W **177** E15
Romaine → *Canada* 50°18N 63°47W **165** B7
Roman *Bulgaria* 43°8N 23°57E **96** C7
Roman *Romania* 46°57N 26°55E **81** D11
Roman-Kosh, Gora
Ukraine 44°37N 34°15E **85** K8
Romanche → *France* 45°5N 5°43E **73** C9
Romang *Indonesia* 7°30S 127°20E **119** F7
Români *Egypt* 30°59N 32°38E **130** E1
Romania ■ *Europe* 46°0N 25°0E **81** D10
Romanija *Bos.-H.* 43°50N 18°45E **80** G3
Romano, C. *U.S.A.* 25°51N 81°41W **179** K8
Romano, Cayo *Cuba* 22°0N 77°30W **182** B4
Romans-sur-Isère *France* 45°3N 5°3E **73** C9
Romanshorn *Switz.* 47°33N 9°22E **77** H5
Romanzof C. *U.S.A.* 61°49N 166°6W **166** C6
Romblon *Phil.* 12°33N 122°17E **119** B6
Rome = Roma *Italy* 41°54N 12°28E **93** G9
Rome *Ga., U.S.A.* 34°15N 85°10W **177** D12
Rome *N.Y., U.S.A.* 43°13N 75°27W **175** C9
Rome *Pa., U.S.A.* 41°51N 76°21W **175** E8
Rometta *Italy* 38°10N 15°25E **95** D8
Romilly-sur-Seine
France 48°31N 3°44E **71** D10
Romiton *Uzbekistan* 39°56N 64°23E **108** E6
Rommani *Morocco* 33°31N 6°40W **136** B2
Romney *U.S.A.* 39°21N 78°45W **173** F14
Romney Marsh *U.K.* 51°2N 0°54E **67** F8
Romny *Ukraine* 50°48N 33°28E **85** G7
Rømø *Denmark* 55°10N 8°30E **63** J2
Romodan *Ukraine* 49°55N 33°15E **85** H7
Romodanovo *Russia* 54°26N 45°23E **86** C7
Romont *Switz.* 46°42N 6°54E **77** J2
Romorantin-Lanthenay
France 47°21N 1°45E **71** E8
Rompin → *Malaysia* 2°49N 103°29E **121** L4
Romsdalen *Norway* 62°25N 7°52E **60** E12
Romsey *U.K.* 51°0N 1°29W **67** G6
Ron *India* 15°40N 75°44E **127** G2
Ron *Vietnam* 17°53N 106°27E **120** D6
Rona *U.K.* 57°34N 5°59W **65** D3
Ronan *U.S.A.* 47°32N 114°6W **168** C6
Roncador, Cayos
Caribbean 13°32N 80°4W **182** D3
Roncador, Serra do
Brazil 12°30S 52°30W **187** F8
Ronciglione *Italy* 42°17N 12°13E **93** F9
Ronco → *Italy* 44°24N 12°12E **93** D9
Ronda *Spain* 36°46N 5°12W **89** J5
Ronda, Serranía de *Spain* 36°44N 5°3W **89** J5
Rondane *Norway* 61°57N 9°50E **60** F13
Rondônia □ *Brazil* 11°0S 63°0W **186** F6
Rondonópolis *Brazil* 16°28S 54°38W **187** G8
Rondu *Pakistan* 35°32N 75°10E **125** B6
Rong, Koh *Cambodia* 10°45N 103°15E **121** G4
Rong Jiang → *China* 24°35N 109°20E **116** E7
Rong Xian *China* 22°50N 110°31E **117** F8
Rong'an *China* 25°14N 109°22E **116** E7
Rongchang *China* 29°20N 105°32E **116** C5
Rongcheng *China* 37°9N 122°23E **115** F12
Ronge, L. la *Canada* 55°6N 105°17W **163** B7
Rongjiang *China* 25°57N 108°28E **116** E7
Rongotea *N.Z.* 40°19S 175°25E **154** G4
Rongshui *China* 25°5N 109°12E **116** E7
Rongxian *China* 29°23N 104°22E **116** C5
Rønne *Denmark* 55°6N 14°43E **63** J8
Ronne Ice Shelf
Antarctica 77°30S 60°0W **55** D18
Ronneby *Sweden* 56°12N 15°17E **63** H9
Ronnebyån → *Sweden* 56°11N 15°18E **63** H9
Rönneshytta *Sweden* 58°56N 15°2E **63** F9
Ronsard, C. *Australia* 24°46S 113°10E **149** D1
Ronse *Belgium* 50°45N 3°35E **69** D3
Roodepoort *S. Africa* 26°11S 27°54E **145** C4
Roof Butte *U.S.A.* 36°28N 109°5W **169** H9
Rooiboklaagte →
Namibia 20°50S 21°0E **144** B3
Rooniu, Mt. *Tahiti* 17°49S 149°12W **155** b
Roopville *U.S.A.* 33°27N 85°8W **178** B4
Roorkee *India* 29°52N 77°59E **124** E7
Roosendaal *Neths.* 51°32N 4°29E **69** C4
Roosevelt *U.S.A.* 40°18N 109°59W **168** F9
Roosevelt → *Brazil* 7°35S 60°20W **186** E6
Roosevelt, Mt. *Canada* 58°26N 125°20W **162** B3
Roosevelt I. *Antarctica* 79°30S 162°0W **55** D12
Ropczyce *Poland* 50°4N 21°38E **83** H8
Roper → *Australia* 14°43S 135°27E **150** A2
Roper Bar *Australia* 14°44S 134°44E **150** A1
Roper River = St. Vidgeon's ✪
Australia 14°47S 134°53E **150** A1
Roque Pérez *Argentina* 35°25S 59°24W **190** D4
Roquefort *France* 44°2N 0°20W **72** D3
Roquemaure *France* 44°3N 4°48E **73** D8
Roquetas de Mar *Spain* 36°46N 2°36W **91** J2
Roquetes *Spain* 40°50N 0°30E **90** E5
Roquevaire *France* 43°20N 5°36E **73** E9
Roraima □ *Brazil* 2°0N 61°30W **186** C6
Roraima, Mt. *Venezuela* 5°10N 60°40W **186** B6
Røros *Norway* 62°35N 11°23E **60** E14
Rorschach *Switz.* 47°28N 9°28E **77** H5
Ros Comáin = Roscommon
Ireland 53°38N 8°11W **64** C3
Ros Mhic Thriúin = New Ross
Ireland 52°23N 6°57W **64** D5
Rosa *Zambia* 9°33S 31°15E **143** D3
Rosa, C. *Algeria* 37°0N 8°16E **136** A5
Rosa, Monte *Europe* 45°57N 7°53E **92** C4
Rosal de la Frontera
Spain 37°59N 7°13W **89** H3
Rosalia *U.S.A.* 47°14N 117°22W **168** C5
Rosamond *U.S.A.* 34°52N 118°10W **171** L8
Rosans *France* 44°24N 5°29E **73** D9
Rosario *Argentina* 33°0S 60°40W **190** C3
Rosário *Brazil* 3°0S 44°15W **189** A2
Rosario *Mexico* 22°58N 105°53W **180** C3
Rosario *Paraguay* 24°30S 57°35W **190** A4
Rosario de la Frontera
Argentina 25°50S 65°0W **190** B3
Rosario de Lerma
Argentina 24°59S 65°35W **190** A2
Rosario del Tala
Argentina 32°20S 59°10W **190** C4
Rosário do Sul *Brazil* 30°15S 54°55W **191** C5
Rosarito *Baja Calif., Mexico* 32°20N 117°2W **171** N9
Rosarito *Baja Calif., Mexico* 28°38N 114°1W **180** B2
Rosarno *Italy* 38°29N 15°58E **95** D8
Rosas = Roses *Spain* 42°19N 3°10E **90** C8
Roscoe *U.S.A.* 41°56N 74°55W **175** E10
Roscoff *France* 48°44N 3°58W **70** D3
Roscommon *Ireland* 53°38N 8°11W **64** C3
Roscommon □ *Ireland* 53°49N 8°23W **64** C3
Roscrea *Ireland* 52°57N 7°49W **64** D4
Rose → *Australia* 14°16S 135°45E **150** A2
Rose, L. *Bahamas* 21°0N 73°30W **183** B5
Rose Belle *Mauritius* 20°24S 57°36E **141** d
Rose Blanche *Canada* 47°38N 58°45W **165** C8
Rose Hill *Mauritius* 20°14S 57°27E **141** d
Rose Pt. *Canada* 54°11N 131°39W **162** C2
Rose Valley *Canada* 52°19N 103°49W **163** C8
Roseau *Dominica* 15°17N 61°24W **183** C7
Roseau *U.S.A.* 48°51N 95°46W **172** A6
Rosebery *Australia* 41°46S 145°33E **151** G4
Rosebud *Australia* 38°21S 144°54E **152** E6
Rosebud *S. Dak., U.S.A.* 43°14N 100°51W **172** D3
Rosebud *Tex., U.S.A.* 31°4N 96°59W **176** F6
Roseburg *U.S.A.* 43°13N 123°20W **168** E2
Rosedale *U.S.A.* 33°51N 91°2W **177** E9
Rosehearty *U.K.* 57°42N 2°7W **65** D6
Roseires Res. *Sudan* 11°51N 34°23E **135** F12
Roseland *U.S.A.* 38°25N 122°43W **170** G4
Rosemary *Canada* 50°46N 112°5W **162** C6
Rosenberg *U.S.A.* 29°34N 95°49W **176** G7
Rosendaël *France* 51°3N 2°24E **71** A9
Rosenheim *Germany* 47°51N 12°7E **77** H8
Roses *Spain* 42°19N 3°10E **90** C8
Roses, G. de *Spain* 42°10N 3°15E **90** C8
Roseto degli Abruzzi
Italy 42°41N 14°1E **93** F11
Rosetown *Canada* 51°35N 107°59W **163** C7
Rosetta = Rashîd *Egypt* 31°21N 30°22E **137** E7
Roseville *Calif., U.S.A.* 38°45N 121°17W **170** G5
Roseville *Mich., U.S.A.* 42°30N 82°56W **174** D2
Roseville *Pa., U.S.A.* 41°51N 76°57W **175** E8
Rosewood *Australia* 27°38S 152°36E **151** D5
Roshkhvär *Iran* 34°58N 59°37E **129** C8
Rosières-en-Santerre
France 49°49N 2°42E **71** C9
Rosignano Maríttimo
Italy 43°24N 10°28E **92** E7
Rosignol *Guyana* 6°15N 57°30W **186** B7
Roșiori de Vede *Romania* 44°9N 25°0E **81** F10
Rositsa *Bulgaria* 43°57N 27°57E **97** C11
Rositsa → *Bulgaria* 43°10N 25°30E **97** C9
Roskilde *Denmark* 55°38N 12°3E **63** J6
Roskovec *Albania* 40°44N 19°43E **96** F3
Roslavl *Russia* 53°57N 32°55E **84** F7
Rosmaninhal *Portugal* 39°44N 7°5W **88** F3
Rosmead *S. Africa* 31°29S 25°8E **144** D4
Røsnæs *Denmark* 55°44N 10°55E **63** J4
Rosolini *Italy* 36°49N 14°57E **95** F7
Rosporden *France* 47°57N 3°50W **70** E3
Ross *Australia* 42°2S 147°30E **151** G4
Ross *N.Z.* 42°53S 170°49E **155** C5
Ross Béthio *Mauritania* 16°15N 16°8W **138** B1
Ross Dependency
Antarctica 76°0S 170°0W **55** D12
Ross I. *Antarctica* 77°30S 168°0E **55** D11
Ross Ice Shelf *Antarctica* 80°0S 180°0E **55** E12
Ross L. *U.S.A.* 48°44N 121°4W **168** B3
Ross-on-Wye *U.K.* 51°54N 2°34W **67** F5
Ross River *Australia* 23°44S 134°30E **150** C1
Ross River *Canada* 62°30N 131°30W **162** A2
Ross Sea *Antarctica* 74°0S 178°0E **55** D11
Rossall Pt. *U.K.* 53°55N 3°3W **66** D4
Rossan Pt. *Ireland* 54°42N 8°47W **64** B3
Rossano *Italy* 39°36N 16°39E **95** C9
Rossburn *Canada* 50°40N 100°49W **163** C8
Rosseau *Canada* 45°16N 79°39W **174** A5
Rosseau, L. *Canada* 45°10N 79°35W **174** A5
Rosses, The *Ireland* 55°2N 8°20W **64** A3
Rossignol, L. *Canada* 52°43N 73°40W **164** B5
Rossignol L. *Canada* 44°12N 65°10W **165** D6
Rossiya = Russia ■
Eurasia 62°0N 105°0E **107** C11
Rossland *Canada* 49°6N 117°50W **162** D5
Rosslare *Ireland* 52°17N 6°24W **64** D5
Rosslare Europort = Rosslare Harbour *Ireland* 52°15N 6°20W **64** D5
Rosslare Harbour *Ireland* 52°15N 6°20W **64** D5
Rosslau *Germany* 51°52N 12°15E **76** D8
Rossmore *Canada* 44°8N 77°23W **174** B7
Rosso *Mauritania* 16°40N 15°45W **138** B1
Rosso, C. *France* 42°13N 8°32E **73** F12
Rossosh *Russia* 50°15N 39°28E **85** G10
Røssvatnet *Norway* 65°45N 14°5E **60** D16
Røst *Norway* 67°32N 12°10E **60** C15
Rosthern *Canada* 52°40N 106°20W **163** C7
Rostock *Germany* 54°5N 12°8E **76** A8
Rostov *Don, Russia* 47°15N 39°45E **85** J10
Rostov *Yaroslavl, Russia* 57°14N 39°25E **84** D10
Rostov □ *Russia* 48°50N 41°10E **87** F5
Rostrenen *France* 48°14N 3°21W **70** D3
Roswell *Ga., U.S.A.* 34°2N 84°22W **178** A5
Roswell *N. Mex., U.S.A.* 33°24N 104°32W **169** K11
Rota *Spain* 36°37N 6°20W **89** J4
Rotan *U.S.A.* 32°51N 100°28W **176** E4
Rote *Indonesia* 10°50S 123°0E **119** F6
Rotenburg *Hessen, Germany* 50°59N 9°44E **76** E5
Rotenburg *Niedersachsen, Germany* 53°6N 9°25E **76** B5
Roth *Germany* 49°15N 11°5E **77** F7
Rothaargebirge *Germany* 51°2N 8°13E **76** D4
Rothaargebirge ⌓
Germany 51°0N 8°15E **76** E4
Rothenburg ob der Tauber
Germany 49°23N 10°11E **77** F6
Rother → *U.K.* 50°59N 0°45E **67** G8
Rothera *Antarctica* 67°34S 68°8W **55** C17
Rotherham *U.K.* 53°26N 1°20W **66** D6
Rothes *U.K.* 57°32N 3°13W **65** D5
Rothesay *Canada* 45°23N 66°0W **165** C6
Rothesay *U.K.* 55°50N 5°3W **65** F3
Roti = Rote *Indonesia* 10°50S 123°0E **119** F6
Rotja, Pta. *Spain* 38°38N 1°35E **91** G6
Roto *Australia* 33°0S 145°30E **153** B6
Rotoaira, L. *N.Z.* 39°3S 175°45E **154** F4
Rotoehu, L. *N.Z.* 38°1S 176°32E **154** E5
Rotoiti, L. *Bay of Plenty, N.Z.* 38°2S 176°26E **154** E5
Rotoiti, L. *W. Coast, N.Z.* 41°51S 172°49E **155** B7
Rotoma, L. *N.Z.* 38°2S 176°35E **154** E5
Rotondo, Mte. *France* 42°14N 9°8E **73** F13
Rotoroa, L. *N.Z.* 41°55S 172°39E **155** B7
Rotorua *N.Z.* 38°9S 176°16E **154** E5
Rotorua, L. *N.Z.* 38°5S 176°18E **154** E5
Rott → *Germany* 48°27N 13°25E **77** G9
Rottenburg *Germany* 48°28N 8°55E **77** G4
Rottenmann *Austria* 47°31N 14°22E **78** D7
Rotterdam *Neths.* 51°55N 4°30E **69** C4
Rotterdam *U.S.A.* 42°48N 74°1W **175** D10
Rottne *Sweden* 57°1N 14°54E **63** G8
Rottnest I. *Australia* 32°0S 115°27E **149** F2
Rottumeroog *Neths.* 53°33N 6°34E **69** A6
Rottweil *Germany* 48°9N 8°37E **77** G4
Rotuma *Fiji* 12°25S 177°5E **147** C10
Roubaix *France* 50°40N 3°10E **71** B10
Roudnice nad Labem
Czech Rep. 50°25N 14°15E **78** A7
Rouen *France* 49°27N 1°4E **70** C8
Rouergue *France* 44°15N 2°0E **72** D5
Rough Ridge *N.Z.* 45°10S 169°55E **155** F4
Rouillac *France* 45°47N 0°4W **72** C3
Rouissat *Algeria* 31°55N 5°20E **136** B5
Rouleau *Canada* 50°10N 104°56W **163** C8
Roulpmaulpma ✪
Australia 23°52S 133°0E **148** D5
Round I. *Mauritius* 19°51S 57°45E **141** d
Round Mountain
U.S.A. 38°43N 117°4W **168** G5
Round Mt. *Australia* 30°26S 152°16E **153** A10
Round Rock *U.S.A.* 30°31N 97°41W **176** F6
Roundup *U.S.A.* 46°27N 108°33W **168** C9
Rousay *U.K.* 59°10N 3°2W **65** B5
Rouses Point *U.S.A.* 44°59N 73°22W **175** B11
Rouseville *U.S.A.* 41°28N 79°42W **174** E5
Rousse = Ruse *Bulgaria* 43°48N 25°59E **97** C9
Roussenski Lom △
Bulgaria 43°40N 26°10E **97** C10
Roussillon *Isère, France* 45°24N 4°49E **73** C8
Roussillon *Pyrénées-Or., France* 42°30N 2°35E **72** F6
Rouxville *S. Africa* 30°25S 26°50E **144** D4
Rouyn-Noranda *Canada* 48°20N 79°0W **164** C4
Rovaniemi *Finland* 66°29N 25°41E **60** C21
Rovato *Italy* 45°34N 10°0E **92** C7
Rovenki *Ukraine* 48°5N 39°21E **85** H10
Rovereto *Italy* 45°53N 11°3E **92** C8
Rovigo *Italy* 45°4N 11°47E **93** C8
Rovinj *Croatia* 45°5N 13°40E **93** C10
Rovno = Rivne *Ukraine* 50°40N 26°10E **75** C14

Rovnoye Russia 50°52N 46°3E 86 E8
Rovuma = Ruvuma → Tanzania 10°29S 40°28E 143 E5
Row'ān Iran 35°8N 48°51E 129 C6
Rowena Australia 29°48S 148°55E 151 D4
Rowley I. Canada 69°6N 77°52W 161 D16
Rowley Shoals Australia 17°30S 119°0E 148 C2
Roxa Guinea-Biss. 11°15N 15°45W 138 C1
Roxas Phil. 11°36N 122°49E 119 B6
Roxboro U.S.A. 36°24N 78°59W 177 C15
Roxborough Trin. & Tob. 11°15N 60°35W 187 J16
Roxburgh N.Z. 45°33S 169°19E 155 F4
Roxbury N.Y., U.S.A. 42°17N 74°33W 175 D10
Roxbury Pa., U.S.A. 40°6N 77°39W 174 F7
Roxby Downs Australia 30°43S 136°46E 151 E2
Roxen Sweden 58°30N 15°40E 63 F9
Roy Mont., U.S.A. 47°20N 108°58W 168 C9
Roy N. Mex., U.S.A. 35°57N 104°12W 169 J11
Roy Utah, U.S.A. 41°10N 112°2W 168 F7
Roy Hill Australia 22°41S 119°57E 148 D3
Royal △ Australia 34°5S 151°5E 153 C9
Royal Bardia △ Nepal 28°20N 81°20E 125 E9
Royal Canal Ireland 53°30N 7°13W 64 C4
Royal Chitawan △ Nepal 26°30N 84°30E 125 F11
Royal Geographical Society Is. Canada 68°56N 100°15W 160 D11
Royal Leamington Spa U.K. 52°18N 1°31W 67 E6
Royal Natal △ S. Africa 28°43S 28°51E 145 C4
Royal Palm Beach U.S.A. 26°42N 80°14W 179 J9
Royal Tunbridge Wells U.K. 51°7N 0°16E 67 F8
Royale, Isle U.S.A. 48°0N 88°54W 172 B9
Royalla Australia 35°30S 149°9E 153 C8
Royan France 45°37N 1°2W 72 C2
Roye France 49°42N 2°48E 71 C9
Royston U.K. 52°3N 0°0 67 E7
Rožaj Montenegro 42°50N 20°11E 96 D4
Różan Poland 52°52N 21°25E 83 F8
Rozay-en-Brie France 48°41N 2°58E 71 D9
Rozdilna Ukraine 46°50N 30°2E 81 D15
Rozhnyativ Ukraine 48°56N 24°9E 81 B9
Rozhyshche Ukraine 50°54N 25°15E 75 C13
Rožmitál pod Třemšínem Czech Rep. 49°36N 13°53E 78 B6
Rožňava Slovak Rep. 48°37N 20°35E 79 C13
Rozogi Poland 53°28N 21°19E 82 E8
Rozoy-sur-Serre France 49°40N 4°8E 71 C11
Roztoczański △ Poland 50°37N 23°0E 83 H10
Rozzano Italy 45°22N 9°10E 92 C6
Rrëshen Albania 41°47N 19°49E 96 E3
Rrogozhine Albania 41°4N 19°50E 96 E3
Rtanj Serbia 43°45N 21°50E 96 C5
Rtem, O. er → Algeria 33°29N 5°38E 136 B5
Rtishchevo Russia 52°18N 43°46E 86 D6
Rúa = A Rúa Spain 42°24N 7°6W 88 C3
Ruacaná Namibia 17°27S 14°21E 144 A1
Ruaha △ Tanzania 7°41S 34°30E 142 D3
Ruahine Ra. N.Z. 39°55S 176°2E 154 F5
Ruamahanga → N.Z. 41°24S 175°8E 154 H4
Ruapehu N.Z. 39°17S 175°35E 154 F4
Ruapuke I. N.Z. 46°46S 168°31E 155 G3
Ruâq, W. → Egypt 30°0N 33°49E 130 F2
Ruatoria N.Z. 37°55S 178°20E 154 D7
Ruawai N.Z. 36°8S 173°59E 154 C2
Rub' al Khālī Si. Arabia 19°0N 48°0E 131 D4
Rubeho Mts. Tanzania 6°50S 36°25E 142 D4
Rubezhnoye = Rubizhne Ukraine 49°6N 38°25E 85 H10
Rubh a' Mhail U.K. 55°56N 6°8W 65 F2
Rubha Hunish U.K. 57°42N 6°20W 65 D2
Rubha Robhanais = Lewis, Butt of U.K. 58°31N 6°16W 65 C2
Rubí Spain 41°29N 2°2E 90 D7
Rubicon → U.S.A. 38°53N 121°4W 170 G5
Rubicone → Italy 44°8N 12°28E 93 D9
Rubik Albania 41°46N 19°47E 96 E3
Rubino Ivory C. 6°4N 4°18W 138 D4
Rubio Venezuela 7°43N 72°22W 186 B4
Rubizhne Ukraine 49°6N 38°25E 85 H10
Rubondo △ Tanzania 2°18S 31°58E 142 C3
Rubtsovsk Russia 51°30N 81°10E 109 B10
Ruby L. U.S.A. 40°10N 115°28W 168 F6
Ruby Mts. U.S.A. 40°30N 115°20W 168 F6
Rubyvale Australia 23°25S 147°42E 150 C4
Rucheng China 25°33N 113°38E 117 E9
Ruciane-Nida Poland 53°40N 21°32E 82 E8
Rūd Sar Iran 37°8N 50°18E 129 B6
Ruda Sweden 57°6N 16°7E 63 G10
Ruda Śląska Poland 50°16N 18°50E 83 H5
Rudall Australia 33°43S 136°17E 152 B2
Rudall → Australia 22°34S 122°13E 148 D3
Rudall River △ Australia 22°38S 122°30E 148 D3
Rudbar Iran 36°48N 49°23E 129 B6
Rüdersdorf Germany 52°27N 13°47E 76 C9
Rudewa Tanzania 10°7S 34°40E 143 E3
Rudkøbing Denmark 54°56N 10°41E 63 K4
Rudky Ukraine 49°38N 23°29E 83 J10
Rudna Poland 51°30N 16°17E 83 G3
Rudnik Bulgaria 42°36N 27°30E 97 D11
Rudnik Poland 50°26N 22°15E 83 H9
Rudnik Serbia 44°7N 20°35E 96 B4
Rudnya Russia 54°55N 31°7E 84 E6
Rudnytsa Ukraine 48°16N 28°54E 81 B13
Rudnyy Kazakhstan 52°57N 63°7E 108 B6
Rudo Bos.-H. 43°41N 19°23E 80 G4
Rudolfa, Ostrov Russia 81°45N 58°30E 106 A6
Rudolstadt Germany 50°44N 11°19E 76 E7
Rudong China 32°20N 121°12E 117 A13
Rudozem Bulgaria 41°29N 24°51E 97 E8
Rudrapur India 28°59N 79°24E 125 E8
Rudyard U.S.A. 46°14N 84°36W 173 B11
Rue France 50°15N 1°40E 71 B8
Ruenya → Africa 16°24S 33°48E 143 F3
Rufflin U.S.A. 33°0N 80°49W 178 B9
Ruffling Pt. Br. Virgin Is. 18°44N 64°27W 183 e
Rufiji → Tanzania 7°50S 39°15E 142 D4
Rufino Argentina 34°20S 62°50W 190 C3
Rufisque Senegal 14°40N 17°15W 138 C1
Rufunsa Zambia 15°4S 29°34E 143 F2
Rugao China 32°23N 120°31E 117 A13
Rugby U.K. 52°23N 1°16W 67 E6
Rugby U.S.A. 48°22N 100°0W 172 A4
Rügen Germany 54°22N 13°24E 76 A9
Rügen ⌓ Germany 54°25N 13°25E 76 A9
Rugles France 48°50N 0°40E 70 D7
Ruhengeri Rwanda 1°30S 29°36E 142 C2
Ruhla Germany 50°54N 10°23E 76 E6
Ruhland Germany 51°27N 13°51E 76 D9
Ruhnu Estonia 57°48N 23°15E 82 A10
Ruhr → Germany 51°27N 6°43E 76 D2
Ruhuhu → Tanzania 10°31S 34°34E 143 E3
Rui Barbosa Brazil 12°18S 40°27W 189 C2
Rui'an China 27°47N 120°40E 117 D13
Ruichang China 29°40N 115°39E 117 C10
Ruidoso U.S.A. 33°20N 105°41W 169 K11
Ruijin China 25°48N 116°0E 117 E10
Ruili China 24°6N 97°46E 116 E1
Ruiru Kenya 1°9S 36°58E 142 C4
Ruivo, Pico Madeira 32°45N 16°56W 100 D3
Ruj Bulgaria 42°52N 22°34E 96 D6
Rujen Macedonia 42°9N 22°30E 96 D6
Rujm Tal'at al Jamā'ah Jordan 30°24N 35°30E 130 E4
Ruk Pakistan 27°50N 68°42E 124 F3
Rukhla Pakistan 32°27N 71°57E 124 C4
Ruki → Dem. Rep. of the Congo 0°5N 18°17E 140 E3
Rukumkot Nepal 28°37N 82°37E 125 E10
Rukwa □ Tanzania 7°0S 31°30E 142 D3
Rukwa, L. Tanzania 8°0S 32°20E 142 D3
Rulenge Burundi 2°43S 30°37E 142 C3
Rulhieres, C. Australia 13°56S 127°22E 148 B4
Rum Jordan 29°39N 35°26E 130 F4
Rùm U.K. 57°0N 6°20W 65 E2
Rum Cay Bahamas 23°40N 74°58W 183 B5
Rum Jungle Australia 13°0S 130°59E 148 B5
Ruma Serbia 45°0N 19°50E 80 E4
Ruma △ Kenya 0°39S 34°18E 142 C3
Rumāḥ Si. Arabia 25°29N 47°10E 128 E5
Rumania = Romania ■ Europe 46°0N 25°0E 81 D10
Rumaylah Iraq 30°47N 47°37E 128 D5
Rumaylah, 'Urūq ar Si. Arabia 22°0N 48°30E 131 C4
Rumbek South Sudan 6°54N 29°37E 135 G11
Rumburk Czech Rep. 50°57N 14°32E 78 A7
Rumford U.S.A. 44°33N 70°33W 175 B14
Rumia Poland 54°37N 18°25E 82 D5
Rumilly France 45°53N 5°56E 73 C9
Rumoi Japan 43°56N 141°39E 112 C10
Rumonge Burundi 3°59S 29°26E 142 C2
Rumphi Malawi 11°1S 33°52E 143 E3
Rumson U.S.A. 40°23N 74°0W 175 F11
Rumuruti Kenya 0°17N 36°32E 142 B4
Runan China 33°0N 114°30E 117 A10
Runanga N.Z. 42°25S 171°15E 155 C6
Runaway, C. N.Z. 37°32S 177°59E 154 D6
Runaway Bay Jamaica 18°27N 77°20W 182 a
Runcorn U.K. 53°21N 2°44W 66 D5
Rundu Namibia 17°52S 19°43E 144 A2
Rungwa Tanzania 6°55S 33°32E 142 D3
Rungwa → Tanzania 7°36S 31°50E 142 D3
Rungwa ⌓ Tanzania 6°53S 34°2E 142 D3
Rungwe Tanzania 9°11S 33°32E 143 D3
Rungwe, Mt. Tanzania 9°8S 33°40E 140 F6
Runka Nigeria 12°28N 7°20E 139 C6
Runn Sweden 60°30N 15°40E 62 D9
Runton Ra. Australia 23°31S 123°6E 148 D3
Ruo Shui → China 41°0N 100°16E 110 C9
Ruokolahti Finland 61°17N 28°50E 84 B5
Ruoqiang China 38°55N 88°10E 109 E11
Rupa India 27°15N 92°21E 123 F18
Rupar India 31°2N 76°38E 124 D7
Rupat Indonesia 1°45N 101°40E 118 D2
Rupea Romania 46°2N 25°13E 81 D10
Rupen → India 23°28N 71°31E 124 H4
Rupert U.S.A. 42°37N 113°41W 168 E7
Rupert → Canada 51°29N 78°45W 164 B4
Rupert B. Canada 51°35N 79°0W 164 B4
Rupert House = Waskaganish Canada 51°30N 78°40W 164 B4
Rupnagar = Rupar India 31°2N 76°38E 124 D7
Rupsa India 21°37N 87°1E 125 J12
Rur → Germany 51°11N 5°59E 76 D1
Rurrenabaque Bolivia 14°30S 67°32W 188 C4
Rus → Spain 39°30N 2°30W 91 F2
Rusambo Zimbabwe 16°30S 32°4E 143 F3
Rusape Zimbabwe 18°35S 32°8E 143 F3
Ruschuk = Ruse Bulgaria 43°48N 25°59E 97 C9
Ruse Bulgaria 43°48N 25°59E 97 C9
Ruse □ Bulgaria 43°35N 25°40E 97 C9
Ruşeţu Romania 44°57N 27°14E 81 F12
Rush Ireland 53°31N 6°6W 64 C5
Rushan China 36°56N 121°30E 115 F11
Rushden U.K. 52°18N 0°35W 67 E7
Rushikulya → India 19°23N 85°5E 126 E7
Rushmore, Mt. U.S.A. 43°53N 103°28W 172 D2
Rushville Ill., U.S.A. 40°7N 90°34W 172 E8
Rushville Ind., U.S.A. 39°37N 85°27W 173 F11
Rushville Nebr., U.S.A. 42°43N 102°28W 172 D2
Rushworth Australia 36°32S 145°1E 153 D6
Ruskin U.S.A. 27°43N 82°26W 179 H7
Russas Brazil 4°55S 37°50W 189 A3
Russell Canada 50°50N 101°20W 163 C8
Russell N.Z. 35°16S 174°10E 154 B3
Russell Fla., U.S.A. 30°3N 81°45W 178 E8
Russell Kans., U.S.A. 38°54N 98°52W 172 F4
Russell N.Y., U.S.A. 44°27N 75°9W 175 B9
Russell Pa., U.S.A. 41°56N 79°8W 174 E5
Russell Cave ⌓ U.S.A. 34°59N 85°49W 177 D12
Russell L. Man., Canada 56°15N 101°30W 163 B8
Russell L. N.W.T., Canada 63°5N 115°44W 162 A5
Russellkonda India 19°57N 84°42E 126 E7
Russellville Ala., U.S.A. 34°30N 87°44W 177 D11
Russellville Ark., U.S.A. 35°17N 93°8W 176 D8
Russellville Ky., U.S.A. 36°51N 86°53W 172 G10
Rüsselsheim Germany 49°59N 8°23E 77 F4
Russi Italy 44°22N 12°2E 93 D9
Russia ■ Eurasia 62°0N 105°0E 107 C11
Russian → U.S.A. 38°27N 123°8W 170 G3
Russkaya Arktika △ Russia 73°40N 55°55E 106 B6
Russkiy, Ostrov Russia 43°0N 131°50E 112 C5
Russkiy Sever △ Russia 59°57N 38°34E 84 B10
Rust Austria 47°49N 16°42E 79 D9
Rustam Shahr Pakistan 26°58N 66°6E 124 F2
Rustavi Georgia 41°30N 45°0E 87 K7
Rustenburg S. Africa 25°41S 27°14E 144 C4
Ruston U.S.A. 32°32N 92°38W 176 E8
Rutana Burundi 3°55S 30°0E 142 C3
Rute Spain 37°19N 4°23W 89 H6
Ruteng Indonesia 8°35S 120°30E 119 F6
Rutenga Zimbabwe 21°15S 30°44E 143 G3
Ruth U.S.A. 43°42N 82°45W 174 C2
Rutherford U.S.A. 38°26N 122°24W 170 G4
Rutherglen Australia 36°5S 146°29E 153 D7
Rutland U.S.A. 43°37N 72°58W 175 C12
Rutland □ U.K. 52°38N 0°40W 67 E7
Rutland I. India 11°25N 92°10E 127 J11
Rutland Water U.K. 52°39N 0°38W 67 E7
Rutledge U.S.A. 33°38N 83°37W 178 B6
Rutledge → Canada 61°4N 112°0W 163 A6
Rutledge L. Canada 61°33N 110°47W 163 A6
Rutog China 33°27N 79°42E 109 F9
Rutqa, W. → Syria 34°30N 41°3E 105 E9
Rutshuru Dem. Rep. of the Congo 1°13S 29°25E 142 C2
Ruvo di Púglia Italy 41°7N 16°29E 95 A9
Ruvu Tanzania 6°49S 38°43E 142 D4
Ruvu → Tanzania 6°23S 38°52E 142 D4
Ruvuba △ Burundi 3°3S 29°33E 142 C2
Ruvuma □ Tanzania 10°20S 36°0E 143 E4
Ruvuma → Tanzania 10°29S 40°28E 143 E5
Ruwais U.A.E. 24°5N 52°50E 129 E7
Ruwenzori Africa 0°30N 29°55E 142 B2
Ruwenzori △ Uganda 0°20N 30°0E 142 B2
Ruya → Zimbabwe 16°27S 32°5E 145 A5
Ruyang China 34°9N 112°27E 114 G7
Ruyigi Burundi 3°29S 30°15E 142 C3
Ruyuan China 24°46N 113°16E 117 E9
Rūzaevka Kazakhstan 52°49N 66°56E 109 B7
Ruzayevka Russia 54°4N 45°0E 86 C7
Růzhevo Konare Bulgaria 42°23N 24°46E 97 D8
Ruzhou China 34°11N 112°52E 114 G7
Ružomberok Slovak Rep. 49°3N 19°17E 79 B12
Ruzyně, Praha ✕ (PRG) Czech Rep. 50°6N 14°16E 78 A7
Rwanda ■ Africa 2°0S 30°0E 142 C3
Ryakhovo Bulgaria 43°58N 26°18E 97 C10
Ryan, L. U.K. 55°0N 5°2W 65 G3
Ryazan Russia 54°40N 39°40E 84 E10
Ryazan □ Russia 54°5N 39°30E 86 C4
Ryazhsk Russia 53°45N 40°3E 84 F11
Rybachiy Russia 55°10N 20°50E 82 C7
Rybachiy Poluostrov Russia 69°43N 32°0E 60 B25
Rybachye = Balykchy Kyrgyzstan 42°26N 76°12E 109 D9
Rybinsk Russia 58°5N 38°50E 84 C10
Rybinskoye Vdkhr. Russia 58°30N 38°25E 84 C10
Rybnik Poland 50°6N 18°32E 83 H5
Rybnitsa = Rîbniţa Moldova 47°45N 29°0E 81 C14
Rybnoye Russia 54°45N 39°30E 84 E10
Rychnov nad Kněžnou Czech Rep. 50°10N 16°17E 79 A9
Rychwał Poland 52°4N 18°10E 83 F5
Rycroft Canada 55°45N 118°40W 162 B5
Ryd Sweden 56°27N 14°42E 63 H8
Rydaholm Sweden 56°59N 14°18E 63 H8
Ryde U.K. 50°43N 1°9W 67 G6
Ryderwood U.S.A. 46°23N 123°3W 170 D3
Rydzyna Poland 51°47N 16°39E 83 G3
Rye U.K. 50°57N 0°45E 67 G8
Rye → U.K. 54°11N 0°44W 66 C7
Rye Bay U.K. 50°52N 0°49E 67 G8
Rye Patch Res. U.S.A. 40°28N 118°19W 168 F4
Ryegate U.S.A. 46°18N 109°15W 168 C9
Ryki Poland 51°38N 21°56E 83 G8
Ryley Canada 53°17N 112°26W 162 C6
Rylsk Russia 51°36N 34°43E 85 G8
Rylstone Australia 32°46S 149°58E 153 B8
Rymanów Poland 49°35N 21°51E 83 J8
Ryn Poland 53°57N 21°34E 82 E8
Ryn Peski = Naryn Qum Kazakhstan 47°30N 49°0E 87 G9
Ryōtsu Japan 38°5N 138°26E 112 E9
Rypin Poland 53°3N 19°25E 83 E6
Ryssby Sweden 56°52N 14°10E 63 H8
Rysy Europe 49°10N 20°4E 79 B13
Ryūgasaki Japan 35°54N 140°11E 113 G10
Ryukyu Is. = Ryūkyū-Rettō Japan 26°0N 126°0E 113 M3
Ryūkyū-Rettō Japan 26°0N 126°0E 113 M3
Rzepin Poland 52°20N 14°49E 83 F1
Rzeszów Poland 50°5N 21°58E 83 H8
Rzhev Russia 56°20N 34°20E 84 D8

S

Sa Cabaneta Spain 39°37N 2°45E 100 B9
Sa Canal Spain 38°51N 1°23E 100 C7
Sa Conillera Spain 38°59N 1°13E 100 C7
Sa Dec Vietnam 10°20N 105°46E 121 G5
Sa Dragonera Spain 39°35N 2°19E 100 B9
Sa Kaeo Thailand 13°49N 102°4E 120 F4
Sa Mesquida Spain 39°55N 4°16E 100 B11
Sa Pa Vietnam 22°20N 103°47E 120 A4
Sa Pobla Spain 39°46N 3°1E 90 F8
Sa Savina Spain 38°44N 1°25E 100 C7
Sa'ādat Shahr Iran 30°10N 53°5E 129 D7
Sa'ādatābād Hormozgān, Iran 28°3N 55°53E 129 D7
Sa'ādatābād Kermān, Iran 29°40N 55°51E 129 D7
Saale → Germany 51°56N 11°54E 76 D7
Saaler Bodden Germany 54°20N 12°27E 76 A8
Saalfeld Germany 50°38N 11°21E 76 E7
Saalfelden Austria 47°25N 12°51E 78 D5
Saane → Switz. 47°8N 7°10E 77 H3
Saanich Canada 48°29N 123°26W 170 B3
Saar → Europe 49°41N 6°32E 69 E6
Saar-Hunsrück ⌓ Germany 49°30N 6°50E 77 F2
Saarbrücken Germany 49°14N 6°59E 77 F2
Saarburg Germany 49°36N 6°32E 77 F2
Saaremaa Estonia 58°30N 22°30E 84 C2
Saarijärvi Finland 62°43N 25°16E 60 E21
Saarland □ Germany 49°20N 7°0E 77 F2
Saarlouis Germany 49°18N 6°45E 77 F2
Saatlı Azerbaijan 39°55N 48°22E 105 C13
Sab 'Ābar Syria 33°46N 37°41E 104 F7
Saba W. Indies 17°38N 63°14W 183 C7
Šabac Serbia 44°48N 19°42E 96 B3
Sabadell Spain 41°28N 2°7E 90 D7
Sabah □ Malaysia 6°0N 117°0E 118 C5
Sabak Bernam Malaysia 3°46N 100°58E 121 L3
Sabalān, Kūhhā-ye Iran 38°15N 47°45E 105 C12
Sabalana, Kepulauan Indonesia 6°45S 118°50E 119 F5
Sabana de la Mar Dom. Rep. 19°7N 69°24W 183 C6
Sábanalarga Colombia 10°38N 74°55W 186 A4
Sabang Indonesia 5°50N 95°15E 118 C1
Şabanözü Turkey 40°28N 33°16E 104 B5
Săbăoani Romania 47°1N 26°51E 81 C11
Sabari → India 17°35N 81°16E 126 F5
Sabarmati → India 22°18N 72°22E 124 H5
Sabattis U.S.A. 44°6N 74°40W 175 B10
Sabáudia Italy 41°18N 13°1E 94 A6
Sabaya Bolivia 19°1S 68°23W 188 D4
Saberania Indonesia 2°5S 138°18E 119 E9
Sabhā Libya 27°9N 14°29E 135 C8
Sabi → India 28°29N 76°44E 124 E7
Sabidana, J. Sudan 18°4N 36°50E 137 D4
Sabie S. Africa 25°10S 30°48E 145 C5
Sabinal U.S.A. 29°19N 99°28W 176 G5
Sabiñánigo Spain 42°31N 0°22W 90 C4
Sabinar, Punta del Spain 36°43N 2°44W 91 J2
Sabinas Mexico 27°51N 101°7W 180 B4
Sabinas → Mexico 27°37N 100°42W 180 B4
Sabinas Hidalgo Mexico 26°30N 100°10W 180 B4
Sabine → U.S.A. 29°59N 93°47W 176 G8
Sabine L. U.S.A. 29°53N 93°51W 176 G8
Sabine Pass U.S.A. 29°44N 93°54W 176 G8
Sabinópolis Brazil 18°40S 43°6W 189 D2
Sabinov Slovak Rep. 49°6N 21°5E 79 B14
Sabirabad Azerbaijan 40°5N 48°30E 87 K9
Sablayan Phil. 12°50N 120°50E 119 B6
Sable Canada 55°30N 68°21W 165 A6
Sable, C. Canada 43°29N 65°38W 165 D6
Sable, C. U.S.A. 25°9N 81°8W 179 K8
Sable I. Canada 44°0N 60°0W 165 D8
Sablé-sur-Sarthe France 47°50N 0°20W 70 E6
Saboeiro Brazil 6°32S 39°54W 189 B3
Sabonkafi Niger 14°40N 8°45E 139 C6
Sabor → Portugal 41°10N 7°7W 88 D3
Sabou Burkina Faso 12°1N 2°15W 138 C4
Sabres France 44°9N 0°43W 72 D3
Sabrina Coast Antarctica 68°0S 120°0E 55 C9
Sabugal Portugal 40°20N 7°5W 88 E3
Sabulubek Indonesia 1°36S 98°40E 118 E1
Sabuncu Turkey 39°33N 30°12E 99 B12
Sabzevār Iran 36°15N 57°40E 129 B8
Sabzvārān = Jiroft Iran 28°45N 57°50E 129 D8
Sac City U.S.A. 42°25N 95°0W 172 D6
Sacedón Spain 40°29N 2°41W 90 E2
Săcele Romania 45°37N 25°41E 81 E10
Sacheon S. Korea 35°0N 128°6E 115 G15
Sachigo → Canada 55°6N 88°58W 164 A2
Sachigo, L. Canada 53°50N 92°12W 164 B1
Sachimbo Angola 9°14S 20°16E 140 F4
Sachin India 21°5N 72°53E 126 D1
Sachkhere Georgia 42°25N 43°28E 87 J6
Sachsen □ Germany 50°55N 13°10E 76 E9
Sachsen-Anhalt □ Germany 52°0N 12°0E 76 D7
Sächsische Schweiz △ Germany 50°55N 14°10E 76 E10
Sacile Italy 45°57N 12°30E 93 C9
Sackets Harbor U.S.A. 43°57N 76°7W 175 C8
Sackville Canada 45°54N 64°22W 165 C7
Saco Maine, U.S.A. 43°30N 70°27W 175 C14
Saco Mont., U.S.A. 48°28N 107°21W 168 B10
Sacramento Brazil 19°53S 47°27W 189 D1
Sacramento U.S.A. 38°35N 121°29W 170 G5
Sacramento → U.S.A. 38°3N 121°56W 170 G5
Sacramento Mts. U.S.A. 32°30N 105°30W 169 K11
Sacramento Valley U.S.A. 39°30N 122°0W 170 G5
Sacratif, C. Spain 36°42N 3°28W 89 J7
Săcueni Romania 47°20N 22°5E 80 C7
Sada Spain 43°22N 8°15W 88 B2
Sada-Misaki Japan 33°20N 132°5E 113 H6
Sădaba Spain 42°19N 1°12W 90 C3
Sadabad India 27°27N 78°3E 124 F8
Şa'dah Yemen 16°15N 43°37E 131 D3
Sadani Tanzania 5°58S 38°35E 142 D4
Sadani △ Tanzania 6°3S 38°47E 142 D4
Sadao Thailand 6°38N 100°26E 121 J3
Sadaseopet India 17°38N 77°59E 126 F3
Sadd el Aali Egypt 23°54N 32°54E 137 C3
Saddle Mt. U.S.A. 45°58N 123°41W 170 E3
Saddle Pk. India 13°9N 93°1E 127 H11
Sade Nigeria 11°22N 10°45E 139 C7
Sadimi Dem. Rep. of the Congo 9°25S 23°32E 143 D1
Sadiola Mali 13°50N 11°40W 138 C2
Sa'dīyah, Hawr as Iraq 32°15N 46°30E 105 F12
Sado Japan 38°0N 138°25E 112 F9
Sado → Portugal 38°29N 8°55W 89 G2
Sadon Russia 42°52N 43°58E 87 J6
Sadovoye Russia 47°47N 44°31E 87 G7
Sadra India 23°21N 72°43E 124 H5
Sadrazamköy = Liveras Cyprus 35°23N 32°57E 101 D11
Sadri India 25°11N 73°26E 124 G5
Sæby Denmark 57°21N 10°30E 63 G4
Saegertown U.S.A. 41°43N 80°9W 174 E4
Saelices Spain 39°55N 2°49W 90 F2
Safaalan Turkey 41°26N 28°6E 97 E12
Şafājah Si. Arabia 26°25N 39°0E 128 E3
Šafárikovo = Tornal'a Slovak Rep. 48°25N 20°20E 79 C13
Säffle Sweden 59°8N 12°55E 62 E6
Safford U.S.A. 32°50N 109°43W 169 K9
Saffron Walden U.K. 52°1N 0°16E 67 E8
Safi Morocco 32°18N 9°20W 136 B2
Şafīābād Iran 36°45N 57°58E 129 B8
Safīd Dasht Iran 33°27N 48°11E 129 C6
Safīd Kūh Afghan. 34°45N 63°0E 108 F6
Safīd Rūd → Iran 37°23N 50°11E 129 B6
Safipur India 26°44N 80°21E 125 F9
Şāfītā Syria 34°48N 36°7E 104 E7
Safonovo Russia 55°4N 33°16E 84 E7
Safranbolu Turkey 41°15N 32°41E 104 B5
Saft Rashîn Egypt 28°58N 30°55E 137 F7
Şafwān Iraq 30°7N 47°43E 128 D5
Sag Harbor U.S.A. 41°0N 72°18W 175 F12
Saga Japan 33°15N 130°16E 113 H5
Saga □ Japan 33°15N 130°20E 113 H5
Sagae Japan 38°22N 140°17E 112 E10
Sagaing Burma 21°52N 95°59E 123 J19
Sagala Mali 14°9N 6°38W 138 C3
Sagamore U.S.A. 40°46N 79°14W 174 F5
Saganaga L. Canada 48°14N 90°52W 172 A8
Saganthit Kyun Burma 11°56N 98°29E 121 G2
Sagar Karnataka, India 16°38N 76°48E 126 F3
Sagar Karnataka, India 14°14N 75°6E 127 G2
Sagar Mad. P., India 23°50N 78°44E 125 H8
Sagara, L. Tanzania 5°20S 31°0E 142 D3
Sagarejo Georgia 41°44N 45°19E 87 K7
Sagarmatha = Everest, Mt. Nepal 28°5N 86°58E 125 E12
Sagarmatha △ Nepal 27°55N 86°45E 125 F12
Saginaw U.S.A. 43°26N 83°56W 173 D12
Saginaw B. U.S.A. 43°50N 83°40W 173 D12
Sagleipie Liberia 7°0N 8°52W 138 D3
Saglouc = Salluit Canada 62°14N 75°38W 161 E16
Sagone France 42°7N 8°42E 73 F12
Sagone, G. de France 42°4N 8°40E 73 F12
Sagres Portugal 37°0N 8°58W 89 J2
Sagua la Grande Cuba 22°50N 80°10W 182 B3
Saguache U.S.A. 38°5N 106°8W 168 G10
Saguaro △ U.S.A. 32°12N 110°38W 169 K8
Saguenay → Canada 48°22N 71°0W 165 C5
Sagunt Spain 39°42N 0°18W 90 F4
Sagunto = Sagunt Spain 39°42N 0°18W 90 F4
Sagwara India 23°41N 74°1E 124 H6
Sahaba Sudan 18°57N 30°25E 137 D3
Sahagún Spain 42°18N 5°2W 88 C5
Saḥam al Jawlān Syria 32°45N 35°55E 130 C4
Sahand, Kūh-e Iran 37°44N 46°27E 105 D12
Sahara Africa 23°0N 5°0E 134 D6
Saharan Atlas = Saharien, Atlas Algeria 33°30N 1°0E 136 B4
Saharan Seamounts Atl. Oc. 25°30N 19°50W 56 D10
Saharanpur India 29°58N 77°33E 124 E7
Saharien, Atlas Algeria 33°30N 1°0E 136 B4
Saharsa India 25°53N 86°36E 125 G12
Sahaswan India 28°5N 78°45E 125 E8
Saheira, W. el → Egypt 30°5N 33°25E 130 E2
Sahel Africa 16°0N 5°0E 134 E5
Sahel, Canal du Mali 14°20N 6°0W 138 C3
Sahibganj India 25°12N 87°40E 125 G12
Sāḥilīyah Iraq 33°43N 42°42E 105 F10
Sahiwal Pakistan 30°45N 73°8E 124 D5
Şahneh Iran 34°29N 47°41E 105 E12
Sahrawi = Western Sahara ■ Africa 25°0N 13°0W 134 D3
Sahuaripa Mexico 29°3N 109°14W 180 B3
Sahuarita U.S.A. 31°57N 110°58W 169 L8
Sahuayo de Díaz Mexico 20°4N 102°43W 180 C4
Šahy Slovak Rep. 48°4N 18°55E 79 C11
Sai → India 25°39N 82°47E 125 G10
Sai Buri Thailand 6°43N 101°45E 121 J3
Sai Kung China 22°23N 114°16E 111 a
Sai Thong △ Thailand 15°56N 101°10E 120 E3
Sai Yok △ Thailand 14°25N 98°40E 120 E2
Saibai I. Australia 9°25S 142°40E 150 a
Sa'id Bundas South Sudan 8°24N 24°48E 135 G10
Saïda Algeria 34°50N 0°11E 136 B4
Saïda □ Algeria 34°40N 0°20E 136 B4
Sa'īdābād = Sīrjān Iran 29°30N 55°45E 129 D7
Sa'īdābād Iran 36°8N 54°11E 129 B7
Saïdia Morocco 35°5N 2°14W 136 A3
Saidpur Bangla. 25°48N 89°0E 123 G16
Saidpur India 25°33N 83°11E 125 G10
Saidu Sharif Pakistan 34°43N 72°24E 125 B5
Saignes France 45°20N 2°31E 72 C6
Saigō Japan 36°12N 133°20E 113 F6
Saigon = Thanh Pho Ho Chi Minh Vietnam 10°58N 106°40E 121 G6
Saijō Japan 33°55N 133°11E 113 H6
Saikai △ Japan 33°12N 129°36E 113 H4
Saikhoa Ghat India 27°50N 95°40E 123 F19
Saiki Japan 32°58N 131°51E 113 H5
Sailana India 23°28N 74°55E 124 H6
Saillans France 44°42N 5°12E 73 D9
Sailolof Indonesia 1°15S 130°46E 119 E8
Sailu India 19°28N 76°28E 126 E3
Saimaa Finland 61°15N 28°15E 84 B5
Saimbeyli Turkey 37°59N 36°6E 104 D7
Saimen = Saimaa Finland 61°15N 28°15E 84 B5
Şa'in Dezh Iran 36°40N 46°25E 105 D12
St. Abb's Head U.K. 55°55N 2°8W 65 F6
St-Affrique France 43°57N 2°53E 72 E6
St-Agrève France 45°0N 4°23E 73 C8
St-Aignan France 47°16N 1°22E 70 E8
St. Alban's Canada 47°51N 55°50W 165 C8
St. Albans U.K. 51°45N 0°19W 67 F7
St. Albans Vt., U.S.A. 44°49N 73°5W 175 B11
St. Albans W. Va., U.S.A. 38°23N 81°50W 173 F13
St. Alban's Head U.K. 50°34N 2°4W 67 G5
St. Albert Canada 53°37N 113°32W 162 C6
St-Amand-en-Puisaye France 47°32N 3°5E 71 E10
St-Amand-les-Eaux France 50°27N 3°25E 71 B10
St-Amand-Montrond France 46°43N 2°30E 71 F9
St-Amarin France 47°54N 7°2E 71 E14
St-Amour France 46°26N 5°21E 71 F12
St-André Réunion 20°57S 55°39E 141 c
St-André-de-Cubzac France 44°59N 0°26W 72 D3
St-André-les-Alpes France 43°58N 6°30E 73 E10
St. Andrew Sd. U.S.A. 30°58N 81°25W 178 E8
St. Andrew's Canada 47°45N 59°15W 165 C8
St. Andrews N.Z. 44°33S 171°10E 155 E6
St. Andrews U.K. 56°20N 2°47W 65 E6
St. Andrews U.S.A. 32°47N 80°0W 178 C9
St-Anicet Canada 45°8N 74°22W 175 A10
St. Annes Canada 49°40N 96°39W 163 D9
St. Anns B. Canada 46°22N 60°25W 165 C7
St. Ann's Bay Jamaica 18°26N 77°12W 182 a
St. Anthony Canada 51°22N 55°35W 165 B8
St. Anthony U.S.A. 43°58N 111°41W 168 E8
St-Antoine Canada 46°22N 64°45W 165 C7
St-Antonin-Noble-Val France 44°10N 1°45E 72 D5
St. Arnaud Australia 36°40S 143°16E 152 D5
St. Arnaud Ra. N.Z. 42°1S 172°53E 155 C7
St-Astier France 45°8N 0°31E 72 C4
St-Aubin-du-Cormier France 48°15N 1°26W 70 D5
St-Augustin Canada 51°13N 58°38W 165 B8
St-Augustin → Canada 51°16N 58°40W 165 B8
St. Augustine U.S.A. 29°54N 81°19W 178 F8
St. Augustine Beach U.S.A. 29°51N 81°16W 178 F8
St-Aulaye France 45°12N 0°9E 72 C4
St. Austell U.K. 50°20N 4°47W 67 G3
St-Avold France 49°6N 6°43E 71 C13
St. Barbe Canada 51°12N 56°46W 165 B8
St-Barthélemy ☒ W. Indies 17°50N 62°50W 183 C7
St. Barts = St-Barthélemy ☒ W. Indies 17°50N 62°50W 183 C7
St. Bathans N.Z. 44°53S 169°50E 155 E4
St. Bathan's, Mt. N.Z. 44°45S 169°45E 155 E4
St-Béat France 42°55N 0°41E 72 F4
St. Bees Hd. U.K. 54°31N 3°38W 66 C4
St. Bees I. Australia 20°56S 149°26E 150 b
St-Benoît Réunion 21°2S 55°43E 141 c
St-Benoît-du-Sault France 46°26N 1°24E 72 B5
St-Bonnet-en-Champsaur France 44°40N 6°5E 73 D10
St-Brevin-les-Pins France 47°14N 2°10W 70 E4
St-Brice-en-Coglès France 48°25N 1°22W 70 D5
St. Bride's Canada 46°56N 54°10W 165 C9
St. Brides B. U.K. 51°49N 5°9W 67 F2
St-Brieuc France 48°30N 2°46W 70 D4
St-Calais France 47°55N 0°45E 70 E7
St-Cast-le-Guildo France 48°37N 2°18W 70 D4
St. Catharines Canada 43°10N 79°15W 174 C5
St. Catherines I. U.S.A. 31°40N 81°10W 178 D8
St. Catherine's Pt. U.K. 50°34N 1°18W 67 G6
St-Céré France 44°51N 1°54E 72 D5
St-Cergue Switz. 46°27N 6°10E 77 J2
St-Cernin France 45°5N 2°25E 72 C6
St-Chamond France 45°28N 4°31E 73 C8
St. Charles Ill., U.S.A. 41°54N 88°19W 172 E9
St. Charles Md., U.S.A. 38°36N 76°56W 173 F15
St. Charles Mo., U.S.A. 38°47N 90°29W 172 F8
St. Charles Va., U.S.A. 36°48N 83°4W 173 G12
St-Chély-d'Apcher France 44°48N 3°17E 72 D7
St-Chinian France 43°25N 2°56E 72 E6
St. Christopher-Nevis = St. Kitts & Nevis ■ W. Indies 17°20N 62°40W 183 C7
St-Ciers-sur-Gironde France 45°17N 0°37W 72 C3
St. Clair Ga., U.S.A. 33°9N 82°13W 178 B7
St. Clair Mich., U.S.A. 42°50N 82°30W 174 D2
St. Clair Pa., U.S.A. 40°43N 76°12W 175 F8
St. Clair → U.S.A. 42°38N 82°31W 174 D2
St. Clair, L. Australia 37°20S 139°55E 152 D3
St. Clair, L. N. Amer. 42°27N 82°39W 174 D2
St. Clairsville U.S.A. 40°5N 80°54W 174 F4
St-Claud France 45°54N 0°28E 72 C4
St. Claude Canada 49°40N 98°20W 163 D9
St-Claude France 46°22N 5°52E 71 F12
St. Clears U.K. 51°49N 4°31W 67 F3
St-Clet Canada 45°21N 74°13W 175 A10
St. Cloud Fla., U.S.A. 28°15N 81°17W 179 G8
St. Cloud Minn., U.S.A. 45°34N 94°10W 172 C6
St. Cricq, C. Australia 25°17S 113°6E 149 E1
St. Croix U.S. Virgin Is. 17°45N 64°45W 183 C7
St. Croix → U.S.A. 44°45N 92°48W 172 C7
St. Croix Falls U.S.A. 45°24N 92°38W 172 C7
St-Cyprien France 42°37N 3°2E 72 F7
St-Cyr-sur-Mer France 43°11N 5°43E 73 E9
St. David's Canada 48°12N 58°52W 165 C8
St. David's U.K. 51°53N 5°16W 67 F2
St. David's Head U.K. 51°54N 5°19W 67 F2
St-Denis France 48°56N 2°20E 71 D9
St-Denis Réunion 20°52S 55°27E 141 c
St-Denis ✕ (RUN) Réunion 20°53S 55°32E 141 c
St-Dié-des-Vosges France 48°17N 6°56E 71 D13
St-Dizier France 48°38N 4°58E 71 D11
St-Égrève France 45°14N 5°41E 73 C9
St. Elias, Mt. U.S.A. 60°18N 140°56W 160 E3
St. Elias Mts. N. Amer. 60°33N 139°28W 162 A1
St-Éloy-les-Mines France 46°10N 2°51E 71 F9
St-Émilion France 44°53N 0°9W 72 D3
St-Étienne France 45°27N 4°22E 73 C8
St-Étienne-de-Tinée France 44°16N 6°56E 73 D10
St-Étienne-du-Rouvray France 49°23N 1°6E 70 C8
St. Eugène Canada 45°30N 74°28W 175 A10
St. Eustatius W. Indies 17°20N 63°0W 183 C7
St-Exupery, Lyon ✕ (LYS) France 45°44N 5°2E 73 C9
St-Fargeau France 47°39N 3°4E 71 E10
St-Félicien Canada 48°40N 72°25W 164 C5
St-Florent France 42°41N 9°18E 73 F13
St-Florent, G. de France 42°47N 9°12E 73 F13
St-Florent-sur-Cher France 46°59N 2°15E 71 F9
St-Florentin France 48°0N 3°45E 71 E10
St-Flour France 45°2N 3°6E 72 C7
St. Francis U.S.A. 39°47N 101°48W 172 F3
St. Francis → U.S.A. 34°38N 90°36W 177 D9
St. Francis, C. S. Africa 34°14S 24°49E 144 D3
St. Francisville U.S.A. 30°47N 91°23W 176 F9
St-François, L. Canada 45°10N 74°22W 175 A10
St-Fulgent France 46°50N 1°10W 70 F5
St-Gabriel Canada 46°17N 73°24W 164 C5
St. Gallen = Sankt Gallen Switz. 47°26N 9°22E 77 H5
St-Galmier France 45°35N 4°19E 71 G11
St-Gaudens France 43°6N 0°44E 72 E4
St-Gaultier France 46°39N 1°26E 70 F8
St-Gengoux-le-National France 46°37N 4°40E 71 F11
St-Geniez-d'Olt France 44°27N 2°58E 72 D6
St. George Australia 28°1S 148°30E 151 D4
St. George N.B., Canada 45°11N 66°50W 165 C6
St. George Ont., Canada 43°15N 80°15W 174 C4
St. George Ga., U.S.A. 30°31N 82°2W 178 E7
St. George S.C., U.S.A. 33°11N 80°35W 178 B9
St. George Utah, U.S.A. 37°6N 113°35W 169 H7
St. George, C. Canada 48°30N 59°16W 165 C8
St. George, C. U.S.A. 29°40N 85°5W 178 F4
St. George I. Alaska, U.S.A. 56°35N 169°35W 166 D6
St. George I. Fla., U.S.A. 29°35N 84°55W 178 F5
St. George Ra. Australia 18°40S 125°0E 148 C4
St. George's Canada 48°26N 58°31W 165 C8
St-Georges Canada 46°8N 70°40W 165 C5
St. George's Grenada 12°5N 61°43W 183 D7
St. George's B. Canada 48°24N 58°53W 165 C8

St. Georges Basin N.S.W., Australia 35°7S 150°36E 153 C9
St. Georges Basin W. Austral., Australia 15°23S 125°2E 148 C4
St. George's Channel Europe 52°0N 6°0W 64 E6
St. George's Channel India 7°15N 93°43E 127 L11
St. Georges Hd. Australia 35°12S 150°42E 153 C9
St-Georges-lès-Baillargeaux France 46°41N 0°22E 72 B4
St-Germain-de-Calberte France 44°13N 3°48E 72 D7
St-Germain-en-Laye France 48°53N 2°4E 71 D9
St-Germain-Lembron France 45°27N 3°14E 72 C7
St-Gervais-d'Auvergne France 46°4N 2°50E 71 F9
St-Gervais-les-Bains France 45°53N 6°42E 73 C10
St-Gildas, Pte. de France 47°8N 2°14W 70 E4
St-Gilles France 43°40N 4°26E 73 E8
St-Girons France 42°59N 1°8E 72 F5
St. Gotthard P. = San Gottardo, P. del Switz. 46°33N 8°33E 77 J4
St. Helena Atl. Oc. 15°58S 5°42W 132 H3
St. Helena U.S.A. 38°30N 122°28W 170 G4
St. Helena, Mt. U.S.A. 38°40N 122°36W 170 G4
St. Helena B. S. Africa 32°40S 18°10E 144 D2
St. Helena Sd. U.S.A. 32°15N 80°25W 178 C9
St. Helens Australia 41°20S 148°15E 151 G4
St. Helens U.K. 53°27N 2°44W 66 D5
St. Helens U.S.A. 45°52N 122°48W 170 E4
St. Helens, Mt. U.S.A. 46°12N 122°12W 170 D4
St. Helier U.K. 49°10N 2°7W 67 H5
St-Herblain France 47°13N 1°40W 70 E5
St-Hilaire-du-Harcouët France 48°35N 1°5W 70 D5
St-Hillaire-de-Riez France 46°43N 1°57W 72 B2
St-Hippolyte France 47°19N 6°50E 71 E13
St-Hippolyte-du-Fort France 43°58N 3°52E 72 E7
St-Honoré-les-Bains France 46°54N 3°50E 71 F10
St-Hubert Canada 45°29N 73°25W 175 A11
St-Hyacinthe Canada 45°40N 72°58W 164 C5
St. Ignace U.S.A. 45°52N 84°44W 173 C11
St. Ignace I. Canada 48°45N 88°0W 164 C2
St. Ignatius U.S.A. 47°19N 114°6W 168 C6
St-Imier Switz. 47°9N 6°58E 77 H2
St. Ives Cambs., U.K. 52°20N 0°4W 67 E7
St. Ives Corn., U.K. 50°12N 5°30W 67 G2
St-James France 48°31N 1°20W 70 D5
St. James U.S.A. 43°59N 94°38W 172 D6
St-Jean → Canada 50°17N 64°20W 165 B7
St-Jean, L. Canada 48°40N 72°0W 165 C5
St-Jean-d'Angély France 45°57N 0°31W 72 C3
St-Jean-de-Braye France 47°53N 1°58E 71 E8
St-Jean-de-Luz France 43°23N 1°39W 72 E2
St-Jean-de-Maurienne France 45°16N 6°21E 73 C10
St-Jean-de-Monts France 46°47N 2°4W 70 F4
St-Jean-du-Gard France 44°7N 3°52E 72 D7
St-Jean-en-Royans France 45°1N 5°18E 73 C9
St-Jean-Pied-de-Port France 43°10N 1°14W 72 E2
St-Jean-Port-Joli Canada 47°15N 70°13W 165 C5
St-Jean-sur-Richelieu Canada 45°20N 73°20W 175 A11
St-Jérôme Canada 45°47N 74°0W 164 C5
St. John Canada 45°20N 66°8W 165 C6
St. John U.S.A. 38°0N 98°46W 172 F4
St. John → Liberia 6°40N 9°10W 138 D2
St. John → N. Amer. 45°12N 66°5W 173 C20
St. John, C. Canada 50°0N 55°32W 165 C8
St. John I. U.S. Virgin Is. 18°20N 64°42W 183 e
St. John's Antigua & B. 17°6N 61°51W 183 C7
St. John's Canada 47°35N 52°40W 165 C9
St. Johns Ariz., U.S.A. 34°30N 109°22W 169 J9
St. Johns Mich., U.S.A. 43°0N 84°33W 173 D11
St. Johns → U.S.A. 30°24N 81°24W 178 E8
St. John's Pt. Ireland 54°34N 8°27W 64 B3
St. Johnsbury U.S.A. 44°25N 72°1W 175 B12
St. Johnsville U.S.A. 43°0N 74°43W 175 C10
St. Joseph Canada 43°24N 81°42W 174 C3
St-Joseph Martinique 14°39N 61°4W 182 c
St-Joseph Réunion 21°22S 55°37E 141 c
St. Joseph La., U.S.A. 31°55N 91°14W 176 F9
St. Joseph Mo., U.S.A. 39°46N 94°50W 172 F6
St. Joseph → U.S.A. 42°7N 86°29W 172 D10
St. Joseph, I. Canada 46°12N 83°58W 164 C3
St. Joseph, L. Canada 51°10N 90°35W 164 B1
St. Joseph Pt. U.S.A. 29°52N 85°24W 178 F4
St-Juéry France 43°57N 2°12E 72 E6
St-Julien-Chapteuil France 45°2N 4°4E 73 C8
St-Julien-de-Vouvantes France 47°38N 1°13W 70 E5
St-Julien-en-Genevois France 46°9N 6°5E 71 F13
St-Junien France 45°53N 0°55E 72 C4
St-Just-en-Chaussée France 49°30N 2°25E 71 C9
St-Just-en-Chevalet France 45°55N 3°50E 72 C7
St. Kilda N.Z. 45°53S 170°31E 155 F5
St. Kilda U.K. 57°49N 8°34W 68 C2
St. Kitts & Nevis ■ W. Indies 17°20N 62°40W 183 C7
St. Laurent Canada 50°25N 97°58W 163 C9
St-Laurent-de-la-Salanque France 42°46N 2°59E 72 F6
St-Laurent-du-Pont France 45°23N 5°45E 73 C9
St-Laurent-en-Grandvaux France 46°35N 5°58E 71 F12
St-Laurent-Médoc France 45°8N 0°49W 72 C3
St. Lawrence Australia 22°16S 149°31E 150 C4
St. Lawrence Canada 46°54N 55°23W 165 C8
St. Lawrence → Canada 49°30N 66°0W 165 C6
St. Lawrence, Gulf of Canada 48°25N 62°0W 165 C7
St. Lawrence I. U.S.A. 63°30N 170°30W 166 C5
St. Lawrence Islands △ Canada 44°27N 75°52W 175 B9
St. Léonard Canada 47°12N 67°58W 165 C6
St-Léonard-de-Noblat France 45°49N 1°29E 72 C5
St-Leu Réunion 21°9S 55°18E 141 c
St. Lewis → Canada 52°26N 56°11W 165 B8
St-Lô France 49°7N 1°5W 70 C5
St-Louis France 47°30N 7°34E 71 E14
St-Louis Guadeloupe 15°56N 61°19W 182 b
St-Louis Réunion 21°16S 55°25E 141 c
St-Louis Senegal 16°8N 16°27W 138 B1
St. Louis U.S.A. 38°37N 90°11W 172 F8
St-Louis □ Senegal 16°20N 15°0W 138 B2
St. Louis → U.S.A. 46°44N 92°9W 172 B7
St-Loup-sur-Semouse France 47°53N 6°16E 71 E13
St-Luc Canada 45°22N 73°18W 175 A11
St. Lucia ■ W. Indies 14°0N 60°57W 183 f
St. Lucia, L. S. Africa 28°5S 32°30E 145 C5
St. Lucia ⌂ S. Africa 28°6S 32°27E 145 C5
St. Lucia Channel W. Indies 14°15N 61°0W 183 D7
St. Lucie U.S.A. 27°29N 80°20W 179 H9
St. Lucie Canal U.S.A. 27°10N 80°18W 179 H9
St. Maarten ☑ W. Indies 18°2N 63°5W 183 C7
St. Magnus B. U.K. 60°25N 1°35W 65 A7
St-Maixent-l'École France 46°24N 0°12W 72 B3
St-Malo France 48°39N 2°1W 70 D4
St-Malo, G. de France 48°50N 2°30W 70 D4
St-Mandrier-sur-Mer France 43°4N 5°57E 73 E9
St-Marc Haiti 19°10N 72°41W 183 C5
St-Marcellin France 45°9N 5°20E 73 C9
St-Marcouf, Îs. France 49°30N 1°10W 70 C5
St. Maries U.S.A. 47°19N 116°35W 168 C5
St. Marks U.S.A. 30°9N 84°12W 178 E5
St-Martin ☑ W. Indies 18°5N 63°5W 183 C7
St-Martin, C. Martinique 14°52N 61°14W 182 c
St. Martin, L. Canada 51°40N 98°30W 163 C9
St-Martin-de-Crau France 43°38N 4°48E 73 E8
St-Martin-de-Ré France 46°12N 1°21W 72 B2
St-Martin-d'Hères France 45°9N 5°45E 73 C9
St-Martin-Vésubie France 44°4N 7°15E 73 D11
St. Martins Barbados 13°5N 59°28W 183 g
St-Martory France 43°9N 0°56E 72 E4
St. Mary Is. India 13°20N 74°35E 127 H2
St. Mary Pk. Australia 31°32S 138°34E 152 A3
St. Marys Australia 41°35S 148°11E 151 G4
St. Marys Canada 43°20N 81°10W 174 C3
St. Mary's Corn., U.K. 49°55N 6°18W 67 H1
St. Mary's Orkney, U.K. 58°54N 2°54W 65 C6
St. Marys Ga., U.S.A. 30°44N 81°33W 178 E8
St. Marys Pa., U.S.A. 41°26N 78°34W 174 E6
St. Marys → U.S.A. 30°43N 81°27W 178 E8
St. Mary's, C. Canada 46°50N 54°12W 165 C9
St. Mary's B. Canada 46°50N 53°50W 165 C9
St. Mary's Bay Canada 44°25N 66°10W 165 D6
St-Mathieu, Pte. France 48°20N 4°45W 70 D2
St. Matthew I. U.S.A. 60°24N 172°42W 166 C5
St. Matthews U.S.A. 33°40N 80°46W 178 B9
St-Maurice → Canada 46°21N 72°31W 164 C5
St. Mawes U.K. 50°10N 5°2W 67 G2
St-Maximin-la-Ste-Baume France 43°27N 5°52E 73 E9
St-Médard-en-Jalles France 44°53N 0°43W 72 D3
St-Méen-le-Grand France 48°11N 2°12W 70 D4
St-Mihiel France 48°54N 5°32E 71 D12
St-Nazaire France 47°17N 2°12W 70 E4
St. Neots U.K. 52°14N 0°15W 67 E7
St-Nicolas-de-Port France 48°38N 6°18E 71 D13
St-Omer France 50°45N 2°15E 71 B9
St-Palais-sur-Mer France 45°38N 1°5W 72 C2
St-Pamphile Canada 46°58N 69°48W 165 C6
St-Pardoux-la-Rivière France 45°29N 0°45E 72 C4
St-Pascal Canada 47°32N 69°48W 165 C6
St. Paul Canada 54°0N 111°17W 162 C6
St-Paul Réunion 20°59S 55°17E 141 c
St. Paul Minn., U.S.A. 44°56N 93°5W 172 C7
St. Paul Nebr., U.S.A. 41°13N 98°27W 172 E4
St-Paul → Canada 51°27N 57°42W 165 B8
St. Paul → Liberia 6°25N 10°48W 138 D2
St. Paul, Î. Ind. Oc. 38°55S 77°34E 146 H6
St-Paul-de-Fenouillet France 42°48N 2°30E 72 F6
St. Paul I. Canada 47°12N 60°9W 165 C7
St. Paul I. U.S.A. 57°10N 170°15W 166 D5
St-Paul-lès-Dax France 43°44N 1°3W 72 E2
St-Paul-sur-Ubaye France 44°31N 6°45E 73 D10
St-Péray France 44°57N 4°50E 73 D8
St. Pete Beach U.S.A. 27°43N 82°44W 179 H7
St. Peter U.S.A. 44°20N 93°57W 172 C7
St. Peter Port U.K. 49°26N 2°33W 67 H5
St. Peters N.S., Canada 45°40N 60°53W 165 C7
St. Peters P.E.I., Canada 46°25N 62°35W 165 C7
St. Petersburg = Sankt-Peterburg Russia 59°55N 30°20E 84 C6
St. Petersburg U.S.A. 27°46N 82°40W 179 H7
St-Philbert-de-Grand-Lieu France 47°2N 1°39W 70 E5
St-Phillippe Réunion 21°21S 55°44E 141 c
St-Pie Canada 45°30N 72°54W 175 A12
St-Pierre Martinique 14°45N 61°10W 182 c
St-Pierre Réunion 21°19S 55°28E 141 c
St-Pierre St-P. & M. 46°46N 56°12W 165 C8
St-Pierre, L. Canada 46°12N 72°52W 164 C5
St-Pierre-d'Oléron France 45°57N 1°19W 72 C2
St-Pierre-en-Port France 49°48N 0°30E 70 C7
St-Pierre-et-Miquelon ☑ N. Amer. 46°55N 56°10W 165 C8
St-Pierre-le-Moûtier France 46°47N 3°7E 71 F10
St-Pierre-sur-Dives France 49°2N 0°1W 70 C6
St-Pol-de-Léon France 48°41N 4°0W 70 D3
St-Pol-sur-Mer France 51°1N 2°20E 71 A9
St-Pol-sur-Ternoise France 50°23N 2°20E 71 B9
St-Pons France 43°30N 2°45E 72 E6
St-Pourçain-sur-Sioule France 46°18N 3°18E 71 F10
St-Priest France 45°42N 4°57E 73 C8
St-Quay-Portrieux France 48°39N 2°51W 70 D4
St-Quentin Canada 47°30N 67°23W 165 C6
St-Quentin France 49°50N 3°16E 71 C10
St-Rambert-d'Albon France 45°17N 4°49E 73 C8
St-Raphaël France 43°25N 6°46E 73 E10
St. Regis U.S.A. 47°18N 115°6W 168 C6
St. Regis Falls U.S.A. 44°40N 74°32W 175 B10
St-Renan France 48°26N 4°37W 70 D2
St-Saëns France 49°41N 1°16E 70 C8
St-Savin France 46°34N 0°53E 72 B4
St-Savinien France 45°53N 0°42W 72 C3
St-Seine-l'Abbaye France 47°26N 4°47E 71 E11
St-Sernin-sur-Rance France 43°54N 2°35E 72 E6
St-Sever France 43°45N 0°35W 72 E3
St-Siméon Canada 47°51N 69°54W 165 C6
St. Simons I. U.S.A. 31°12N 81°15W 178 D8
St. Simons Island U.S.A. 31°9N 81°22W 178 D8
St. Stephen Canada 45°16N 67°17W 165 C6
St. Stephen U.S.A. 33°24N 79°55W 178 B10
St-Sulpice France 43°46N 1°41E 72 E5
St-Sulpice-Laurière France 46°3N 1°29E 72 B5
St-Sulpice-les-Feuilles France 46°19N 1°21E 72 B5
St-Syprien = St-Cyprien France 42°37N 3°2E 72 F7
St. Teresa U.S.A. 29°55N 84°27W 178 F5
St-Thégonnec France 48°31N 3°57W 70 D3
St. Thomas Canada 42°45N 81°10W 174 D3
St. Thomas I. U.S. Virgin Is. 18°20N 64°55W 183 e
St-Tite Canada 46°45N 72°34W 164 C5
St-Trond = Sint-Truiden Belgium 50°48N 5°10E 69 D5
St-Tropez France 43°17N 6°38E 73 E10
St-Vaast-la-Hougue France 49°35N 1°17W 70 C5
St-Valery-en-Caux France 49°52N 0°43E 70 C7
St-Valéry-sur-Somme France 50°11N 1°38E 71 B8
St-Vallier France 46°38N 4°22E 71 F11
St-Vallier-de-Thiey France 43°42N 6°51E 73 E10
St-Varent France 46°53N 0°13W 70 F6
St-Vaury France 46°12N 1°46E 72 B5
St. Vidgeon's ✪ Australia 14°47S 134°53E 150 A1
St. Vincent = São Vicente C. Verde Is. 17°0N 25°0W 134 b
St. Vincent Italy 45°45N 7°39E 92 C4
St. Vincent, G. Australia 35°0S 138°0E 152 C3
St. Vincent & the Grenadines ■ W. Indies 13°0N 61°10W 183 D7
St-Vincent-de-Tyrosse France 43°39N 1°19W 72 E2
St. Vincent I. U.S.A. 29°42N 85°3W 179 F4
St. Vincent Passage W. Indies 13°30N 61°0W 183 D7
St-Vith Belgium 50°17N 6°9E 69 D6
St-Vivien-de-Médoc France 45°25N 1°2W 72 C2
St. Walburg Canada 53°39N 109°12W 163 C7
St-Yrieix-la-Perche France 45°31N 1°12E 72 C5
Saintala India 20°26N 83°20E 126 D6
Ste-Adresse France 49°31N 0°5E 70 C7
Ste-Agathe-des-Monts Canada 46°3N 74°17W 164 C5
Ste-Anne Guadeloupe 16°13N 61°24W 182 b
Ste-Anne Seychelles 4°36S 55°31E 141 b
Ste-Anne, L. Canada 50°0N 67°42W 165 B6
Ste-Anne-des-Monts Canada 49°8N 66°30W 165 C6
Ste-Croix Switz. 46°49N 6°34E 77 J2
Ste-Enimie France 44°22N 3°26E 72 D7
Ste-Foy-la-Grande France 44°50N 0°13E 72 D4
Ste. Genevieve U.S.A. 37°59N 90°2W 172 G8
Ste-Hermine France 46°32N 1°4W 72 B2
Ste-Livrade-sur-Lot France 44°24N 0°36E 72 D4
Ste-Marguerite → Canada 50°9N 66°36W 165 B6
Ste-Marie Canada 46°26N 71°0W 165 C5
Ste-Marie Martinique 14°48N 61°1W 182 c
Ste-Marie Réunion 20°53S 55°33E 141 c
Ste-Marie, Ile = Boraha, Nosy Madag. 16°50S 49°55E 141 H9
Ste-Marie-aux-Mines France 48°15N 7°12E 71 D14
Ste-Maure-de-Touraine France 47°7N 0°37E 70 E7
Ste-Maxime France 43°19N 6°39E 73 E10
Ste-Menehould France 49°5N 4°54E 71 C11
Ste-Mère-Église France 49°24N 1°19W 70 C5
Ste-Rose Guadeloupe 16°20N 61°45W 182 b
Ste-Rose Réunion 21°8S 55°45E 141 c
Ste. Rose du Lac Canada 51°4N 99°30W 163 C9
Ste-Savine France 48°18N 4°3E 71 D11
Ste-Sigolène France 45°15N 4°14E 73 C8
Saintes France 45°45N 0°37W 72 C3
Saintes, Îs. des Guadeloupe 15°50N 61°35W 182 b
Stes-Maries-de-la-Mer France 43°26N 4°26E 73 E8
Saintfield U.K. 54°28N 5°49W 64 B6
Saintonge France 45°40N 0°50W 72 C3
Saipal Nepal 29°50N 81°40E 125 E9
Saipan N. Marianas 15°12N 145°45E 156 F6
Sairang India 23°50N 92°45E 123 H18
Sairecábur, Cerro Bolivia 22°43S 67°54W 190 A2
Sāitah Si. Arabia 16°36N 42°56E 131 D3
Saitama Japan 35°54N 139°38E 113 G9
Saitama □ Japan 36°25N 139°30E 113 F9
Saiteli = Kadınhanı Turkey 38°14N 32°13E 104 C5
Saiţi Moldova 46°30N 29°24E 81 D14
Saiyid Pakistan 33°7N 73°2E 124 C5
Saja-Besaya △ Spain 43°10N 4°9W 88 B6
Sajama Bolivia 18°7S 69°0W 188 D4
Sajama, Nevado Bolivia 18°6S 68°54W 188 D4
Sajan Serbia 45°50N 20°20E 80 E5
Sajó → Hungary 47°56N 21°7E 80 C6
Sajószentpéter Hungary 48°12N 20°44E 80 B5
Sajum India 33°20N 79°0E 125 C8
Sak → S. Africa 30°52S 20°25E 144 D3
Saka Kenya 0°9S 39°20E 142 B4
Sakaba Nigeria 11°4N 5°35E 139 C6
Sakai Japan 34°34N 135°27E 113 G7
Sakaide Japan 34°19N 133°50E 113 G6
Sakaiminato Japan 35°38N 133°11E 113 G6
Sakākah Si. Arabia 30°0N 40°8E 128 D4
Sakakawea, L. U.S.A. 47°30N 101°25W 172 B3
Sakami → Canada 53°40N 76°40W 164 B4
Sakami, L. Canada 53°15N 77°0W 164 B4
Sâkâne, 'Erg i-n Mali 20°30N 1°30W 139 A4
Sakania Dem. Rep. of the Congo 12°43S 28°30E 143 E2
Sakartvelo = Georgia ■ Asia 42°0N 43°0E 87 J6
Sakarya Turkey 40°48N 30°25E 104 B4
Sakarya □ Turkey 40°45N 30°25E 104 B4
Sakarya → Turkey 41°7N 30°39E 104 B4
Sakashima-Guntō Japan 24°46N 124°0E 113 M2
Sakassou Ivory C. 7°29N 5°19W 138 D3
Sakata Japan 38°55N 139°50E 112 E9
Sakchu N. Korea 40°23N 125°2E 115 D13
Sakété Benin 6°40N 2°45E 139 D5
Sakha □ Russia 66°0N 130°0E 107 C14
Sakhalin Russia 51°0N 143°0E 107 D15
Sakhalinskiy Zaliv Russia 54°0N 141°0E 107 D15
Sakhi Gopal India 19°58N 85°50E 126 E7
Şaki Azerbaijan 41°10N 47°5E 87 K8
Šakiai Lithuania 54°59N 23°2E 82 D10
Sakmara → Russia 51°46N 55°1E 108 B5
Sakoli India 21°5N 79°59E 126 D4
Sakon Nakhon Thailand 17°10N 104°9E 120 D5
Sakrand Pakistan 26°10N 68°15E 124 F3
Sakri Maharashtra, India 26°13N 86°5E 125 F12
Sakri Maharashtra, India 21°2N 74°20E 126 D2
Sakrivier S. Africa 30°54S 20°28E 144 D3
Sakskøbing Denmark 54°49N 11°39E 63 K5
Sakti India 22°2N 82°58E 125 H10
Sakuma Japan 35°3N 137°49E 113 G8
Sakurai Japan 34°30N 135°51E 113 G7
Saky Ukraine 45°9N 33°34E 85 K7
Sal C. Verde Is. 16°45N 22°55W 134 b
Sal → Russia 47°31N 40°45E 87 G5
Sal Rei C. Verde Is. 16°11N 22°53W 134 b
Šal'a Slovak Rep. 48°10N 17°50E 79 C10
Sala Sweden 59°58N 16°35E 62 E10
Sala Consilina Italy 40°23N 15°36E 95 B8
Sala-y-Gómez Pac. Oc. 26°28S 105°28W 157 K17
Sala-y-Gómez Ridge Pac. Oc. 25°0S 98°0W 157 K18
Salaberry-de-Valleyfield Canada 45°15N 74°8W 175 A10
Salacgrīva Latvia 57°45N 24°21E 82 A11
Salada, L. Mexico 32°20N 115°40W 169 K6
Saladas Argentina 28°15S 58°40W 190 B4
Saladillo Argentina 35°40S 59°55W 190 D4
Salado → B. Aires, Argentina 35°44S 57°22W 190 D4
Salado → La Pampa, Argentina 37°30S 67°0W 192 A3
Salado → Río Negro, Argentina 41°34S 65°3W 192 B3
Salado → Santa Fe, Argentina 31°40S 60°41W 190 C3
Salado → Mexico 26°52N 99°19W 176 H5
Salaga Ghana 8°31N 0°31W 139 D4
Şalāh Syria 32°40N 36°45E 130 C5
Şalāḩ ad Dīn □ Iraq 34°35N 43°35E 128 C4
Sălaj □ Romania 47°15N 23°0E 80 C8
Salakos Greece 36°17N 27°57E 101 C9
Salala Liberia 6°42N 10°7W 138 D2
Salala Sudan 21°17N 36°16E 137 C4
Şalālah Oman 16°56N 53°59E 131 D5
Salamajärvi △ Finland 63°12N 24°50E 60 E21
Salamanca Chile 31°46S 70°59W 190 C1
Salamanca Spain 40°58N 5°39W 88 E5
Salamanca U.S.A. 42°10N 78°43W 174 D6
Salamanca □ Spain 40°57N 5°40W 88 E5
Salamatābād Iran 35°39N 47°50E 128 C5
Salamina Greece 37°56N 23°30E 98 D5
Salamis Cyprus 35°11N 33°54E 101 D12
Salar de Atacama Chile 23°30S 68°25W 190 A2
Salar de Uyuni Bolivia 20°30S 67°45W 188 E4
Sălard Romania 47°12N 22°3E 80 C7
Salas Spain 43°25N 6°15W 88 B4
Salas de los Infantes Spain 42°2N 3°17W 88 C7
Salatiga Indonesia 7°19S 110°30E 119 G14
Salavat Russia 53°21N 55°55E 108 B5
Salaverry Peru 8°15S 79°0W 188 B2
Salawati Indonesia 1°7S 130°52E 119 E8
Salawin △ Thailand 18°18N 97°40E 120 C1
Salaya India 22°19N 69°35E 124 H3
Salayar Indonesia 6°7S 120°30E 119 F6
Salazar → Spain 42°40N 1°20W 90 C3
Salbris France 47°25N 2°3E 71 E9
S'Albufera Spain 39°47N 3°7E 100 B10
Salcantay, Nevado Peru 13°19S 72°33W 188 C3
Salcia Romania 43°56N 24°55E 81 G9
Sălciua Romania 46°24N 23°26E 81 D8
Salcombe U.K. 50°14N 3°47W 67 G4
Saldaña Spain 42°32N 4°48W 88 C6
Saldanha S. Africa 33°0S 17°58E 144 D2
Saldanha B. S. Africa 33°6S 18°0E 144 D2
Saldus Latvia 56°38N 22°30E 82 B9
Sale Australia 38°6S 147°6E 153 E7
Sale Italy 44°59N 8°48E 92 D5
Salé Morocco 34°3N 6°48W 136 B2
Sale U.K. 53°26N 2°19W 66 D5
Sale City U.S.A. 31°16N 84°1W 178 D5
Salekhard Russia 66°30N 66°35E 106 C7
Salem India 11°40N 78°11E 127 J4
Salem Fla., U.S.A. 29°53N 83°25W 178 F6
Salem Ill., U.S.A. 38°38N 88°57W 172 F9
Salem Ind., U.S.A. 38°36N 86°6W 172 F10
Salem Mass., U.S.A. 42°31N 70°53W 175 D14
Salem Mo., U.S.A. 37°39N 91°32W 172 G8
Salem N.H., U.S.A. 42°45N 71°12W 175 D13
Salem N.J., U.S.A. 39°34N 75°28W 173 F16
Salem N.Y., U.S.A. 43°10N 73°20W 175 C11
Salem Ohio, U.S.A. 40°54N 80°52W 174 F4
Salem Oreg., U.S.A. 44°56N 123°2W 168 D2
Salem S. Dak., U.S.A. 43°44N 97°23W 172 D5
Salem Va., U.S.A. 37°18N 80°3W 173 G13
Salemi Italy 37°49N 12°48E 94 E5
Sälen Sweden 61°20N 13°10E 62 C7
Salernes France 43°34N 6°15E 73 E10
Salerno Italy 40°41N 14°47E 95 B7
Salerno, G. di Italy 40°32N 14°42E 95 B7
Salford U.K. 53°30N 2°18W 66 D5
Salgótarján Hungary 48°5N 19°47E 80 B4
Salgueiro Brazil 8°4S 39°6W 189 B3
Salher India 20°40N 73°55E 126 D1
Salhyr → Ukraine 45°38N 35°1E 85 K8
Salibabu Indonesia 3°51N 126°40E 119 D7
Salibea = Salybia Trin. & Tob. 10°43N 61°2W 187 K15
Salida U.S.A. 38°32N 106°0W 168 G11
Salies-de-Béarn France 43°28N 0°56W 72 E3
Salihli Turkey 38°28N 28°8E 104 C3
Salihorsk Belarus 52°51N 27°27E 75 B14
Salima Malawi 13°47S 34°28E 141 G6
Salina Italy 38°34N 14°50E 95 D7
Salina Kans., U.S.A. 38°50N 97°37W 172 F5
Salina Utah, U.S.A. 38°58N 111°51W 168 G8
Salina Cruz Mexico 16°10N 95°12W 181 D5
Salina di Margherita di Savóia ⌂ Italy 41°23N 16°4E 95 A9
Salinas Brazil 16°10S 42°10W 189 D2
Salinas Ecuador 2°10S 80°58W 186 D2
Salinas U.S.A. 36°40N 121°39W 170 J5
Salinas → Guatemala 16°28N 90°31W 181 D6
Salinas → U.S.A. 36°45N 121°48W 170 J5
Salinas, B. de Nic. 11°4N 85°45W 182 D2
Salinas, Pampa de las Argentina 31°58S 66°42W 190 C2
Salinas Ambargasta Argentina 29°0S 65°0W 190 B3
Salinas de Hidalgo Mexico 22°38N 101°43W 180 C4
Salinas Grandes Argentina 30°0S 65°0W 190 C3
Salinas Pueblo Missions ⌂ U.S.A. 34°6N 106°4W 169 J10
Salinas Valley U.S.A. 36°15N 121°15W 170 J5
Saline → Ark., U.S.A. 33°10N 92°8W 176 E8
Saline → Kans., U.S.A. 38°52N 97°30W 172 F5
Saline di Trapani e Paceco ⌂ Italy 37°59N 12°28E 94 E5
Salines, C. de ses Spain 39°16N 3°4E 100 B10
Salinópolis Brazil 0°40S 47°20W 187 D9
Salins-les-Bains France 46°58N 5°52E 71 F12
Salir Portugal 37°14N 8°2W 89 H2
Salisbury Australia 34°46S 138°38E 152 C3
Salisbury U.K. 51°4N 1°47W 67 F6
Salisbury Md., U.S.A. 38°22N 75°36W 173 F16
Salisbury N.C., U.S.A. 35°40N 80°29W 177 D14
Salisbury I. Canada 63°30N 77°0W 161 E16
Salisbury Plain U.K. 51°14N 1°55W 67 F6
Sălişte Romania 45°45N 23°56E 81 E8
Salitre → Brazil 9°29S 40°39W 189 B2
Salkehatchie → U.S.A. 32°37N 80°53W 178 C9
Şalkhad Syria 32°29N 36°43E 130 C5
Salkove Ukraine 48°15N 29°59E 81 B14
Salla Finland 66°50N 28°49E 60 C23
Sallanches France 45°55N 6°38E 73 C10
Sallent Spain 41°49N 1°54E 90 D6
Salles France 44°33N 0°52W 72 D3
Salles-Curan France 44°11N 2°48E 72 D6
Salling Denmark 56°40N 8°55E 63 H2
Salliq = Coral Harbour Canada 64°8N 83°10W 161 E15
Sallisaw U.S.A. 35°28N 94°47W 176 D7
Sallom Sudan 19°17N 37°6E 137 D4
Salluit Canada 62°14N 75°38W 161 E16
Sallyana Nepal 28°22N 82°10E 125 E10
Salmān Pak Iraq 33°6N 44°34E 105 G11
Salmās Iran 38°11N 44°47E 105 C11
Salmerón Spain 40°33N 2°29W 90 E2
Salmo Canada 49°10N 117°20W 162 D5
Salmon U.S.A. 45°11N 113°54W 168 D7
Salmon → Canada 54°3N 122°40W 162 C4
Salmon → U.S.A. 45°51N 116°47W 168 D5
Salmon Arm Canada 50°40N 119°15W 162 C5
Salmon Gums Australia 32°59S 121°38E 149 F3
Salmon Pt. Canada 43°52N 77°15W 174 C7
Salmon River Mts. U.S.A. 44°50N 115°30W 168 D6
Salmon River Res. U.S.A. 43°32N 75°55W 175 C9
Salo Finland 60°22N 23°10E 84 B2
Salò Italy 45°36N 10°31E 92 C7
Salobreña Spain 36°44N 3°35W 89 J7
Salome U.S.A. 33°47N 113°37W 171 M13
Salon India 26°2N 81°27E 125 F9
Salon-de-Provence France 43°39N 5°6E 73 E9
Salonica = Thessaloniki Greece 40°38N 22°58E 96 F6
Salonta Romania 46°49N 21°42E 80 D6
Salor → Spain 39°39N 7°3W 89 F3
Salou Spain 41°4N 1°8E 90 D6
Salou, C. de Spain 41°3N 1°10E 90 D6
Saloum → Senegal 13°50N 16°45W 138 C1
Salpausselkä Finland 61°3N 26°15E 84 B4
Salsacate Argentina 31°20S 65°5W 190 C2
Salses France 42°50N 2°55E 72 F6
Salsette I. India 19°2N 72°53E 126 E1
Salsk Russia 46°28N 41°30E 87 G5
Salso → Italy 37°6N 13°57E 94 E6
Salsomaggiore Terme Italy 44°49N 9°59E 92 D6
Salt Spain 41°59N 2°47E 90 D7
Salt → Canada 60°0N 112°25W 162 B6
Salt → U.S.A. 33°23N 112°19W 169 K7
Salt Fork Red → U.S.A. 34°27N 99°21W 176 D5
Salt L. Australia 30°6S 142°8E 151 E3
Salt Lake City U.S.A. 40°45N 111°53W 168 F8
Salt Lake City Int. ✈ (SLC) U.S.A. 40°47N 111°58W 168 F7
Salt Range Pakistan 32°30N 72°25E 124 C5
Salt Springs U.S.A. 29°21N 81°44W 179 F8
Salta Argentina 24°57S 65°25W 190 A2
Salta □ Argentina 24°48S 65°30W 190 A2
Saltara Italy 43°45N 12°50E 93 E9
Saltash U.K. 50°24N 4°14W 67 G3
Saltburn-by-the-Sea U.K. 54°35N 0°58W 66 C7
Saltcoats U.K. 55°38N 4°47W 65 F4
Saltee Is. Ireland 52°7N 6°37W 64 D5
Salters U.S.A. 33°36N 79°51W 178 B10
Saltfjellet Norway 66°40N 15°15E 60 C16
Saltfjellet-Svartisen △ Norway 66°45N 15°10E 60 C16
Saltfjorden Norway 67°15N 14°10E 60 C16
Saltholm Denmark 55°38N 12°43E 63 J6
Saltillo Mexico 25°25N 101°0W 180 B4
Salto Argentina 34°20S 60°15W 190 C3
Salto Uruguay 31°27S 57°50W 190 C4
Salto da Divisa Brazil 16°0S 39°57W 189 D3
Salto del Guaíra Paraguay 24°3S 54°17W 191 A5
Salton City U.S.A. 33°18N 115°57W 171 M11
Salton Sea U.S.A. 33°15N 115°45W 171 M11
Saltpond Ghana 5°15N 1°3W 139 D4
Saltsburg U.S.A. 40°29N 79°27W 174 F5
Saltsjöbaden Sweden 59°15N 18°20E 62 E12
Saluda U.S.A. 34°0N 81°46W 178 A8
Saluda → U.S.A. 34°1N 81°4W 178 A8
Salue Timpaus, Selat Indonesia 1°50S 123°50E 119 E6
Salûm Egypt 31°31N 25°7E 137 A2
Salûm, Khâlig el Egypt 31°35N 25°24E 137 A2
Salur India 18°27N 83°18E 126 E6
Saluzzo Italy 44°39N 7°29E 92 D4
Salvación, B. Chile 50°50S 75°10W 192 D1
Salvador Brazil 13°0S 38°30W 189 C3
Salvador Canada 52°10N 109°32W 163 C7
Salvador, El ■ Cent. Amer. 13°50N 89°0W 182 D2
Salvador, L. U.S.A. 29°43N 90°15W 177 G9
Salvaterra de Magos Portugal 39°1N 8°47W 89 F2
Sálvora, I. de Spain 42°30N 8°58W 88 C2
Salween → Burma 16°31N 97°37E 123 L20
Salyan Azerbaijan 39°33N 48°59E 105 C13
Salybia Trin. & Tob. 10°43N 61°2W 187 K15
Salza → Austria 47°40N 14°43E 78 D7
Salzach → Austria 48°12N 12°56E 78 C5
Salzburg Austria 47°48N 13°2E 78 D6
Salzburg □ Austria 47°15N 13°0E 78 D6
Salzgitter Germany 52°9N 10°19E 76 C6
Salzkotten Germany 51°40N 8°37E 76 D4
Salzwedel Germany 52°52N 11°10E 76 C7
Sam India 26°50N 70°31E 124 F4
Sam Neua Laos 20°29N 104°5E 116 G5
Sam Ngao Thailand 17°18N 99°0E 120 D2
Sam Rayburn Res. U.S.A. 31°4N 94°5W 176 F7
Sam Rong, Laem Thailand 9°35N 100°4E 121 b
Sam Son Vietnam 19°44N 105°54E 120 C5
Sama de Langreo = Langreo Spain 43°18N 5°40W 88 B5
Šamac Bos.-H. 45°3N 18°29E 80 E3
Samagaltay Russia 50°36N 95°3E 109 B13
Samales Group Phil. 6°0N 122°0E 119 C6
Samalga Pass U.S.A. 52°50N 169°0W 166 E6
Samalkot India 17°3N 82°13E 126 F6
Samâlût Egypt 28°20N 30°42E 137 F7
Samana India 30°10N 76°13E 124 D7
Samana Cays Bahamas 23°3N 73°45W 183 B5
Samandağ Turkey 36°5N 35°59E 104 D6
Samandıra Turkey 40°59N 29°13E 97 F13
Samanga Tanzania 8°20S 39°13E 143 D4
Samangān □ Afghan. 36°15N 68°3E 109 E7
Samangwa Dem. Rep. of the Congo 4°23S 24°10E 142 C1
Samani Japan 42°7N 142°56E 112 C11
Samanli Dağları Turkey 40°32N 29°10E 97 F13
Samar Phil. 12°0N 125°0E 119 B7
Samara Russia 53°8N 50°6E 86 D10
Samara → Russia 53°10N 50°4E 86 D10
Samara → Ukraine 48°28N 35°7E 85 H8
Samaria △ Greece 35°17N 23°58E 101 D5
Samarinda Indonesia 0°30S 117°9E 118 E5
Samarkand = Samarqand Uzbekistan 39°40N 66°55E 109 E7
Samarqand Uzbekistan 39°40N 66°55E 109 E7
Samarqand □ Uzbekistan 39°35N 66°35E 109 E7
Sāmarrā' Iraq 34°12N 43°52E 105 E10
Samarskaya Luka △ Russia 53°30N 49°30E 86 D9
Samastipur India 25°50N 85°50E 125 G11
Şamaxı Azerbaijan 40°38N 48°37E 87 K9
Samba Dem. Rep. of the Congo 4°38S 26°22E 142 C2
Samba India 32°32N 75°10E 125 C6
Sambaíba Brazil 7°8S 45°21W 189 B1
Sambalpur India 21°28N 84°4E 126 D7
Sambar, Tanjung Indonesia 2°59S 110°19E 118 E4
Sambas Indonesia 1°20N 109°20E 118 D3
Sambawizi Zimbabwe 18°24S 26°13E 143 F2
Sambhajinagar = Aurangabad India 19°50N 75°23E 126 E2
Sambhal India 28°35N 78°37E 125 E8
Sambhar India 26°52N 75°6E 124 F6
Sambhar L. India 26°55N 75°12E 124 F6
Sambir Ukraine 49°30N 23°10E 83 J10
Sambor Cambodia 12°46N 106°0E 120 F6
Sambor Prei Kuk Cambodia 12°46N 105°58E 120 F5
Samborombón, B. Argentina 36°5S 57°20W 190 D4
Sambuca di Sicilia Italy 37°39N 13°7E 94 E6
Samburu □ Kenya 1°10N 36°40E 142 B4
Samburu ⌂ Kenya 0°37N 37°31E 142 B4
Samcheok S. Korea 37°26N 129°10E 115 F15
Same Tanzania 4°2S 37°38E 142 C4
Samer France 50°38N 1°44E 71 B8
Samet, Ko Thailand 12°34N 101°27E 120 F3
Samfya Zambia 11°22S 29°31E 143 E2
Sami Greece 38°15N 20°39E 98 C2
Şämkir Azerbaijan 40°50N 46°0E 87 K8
Samland = Zemlandskiy Poluostrov Russia 54°50N 20°20E 82 D7
Şamlı Turkey 39°48N 27°51E 99 B9
Sammanturai Sri Lanka 7°36N 81°39E 127 L5
Samnah Si. Arabia 25°10N 37°15E 128 E3
Samo Alto Chile 30°22S 71°0W 190 C1
Samoa ■ Pac. Oc. 14°0S 172°0W 147 C11
Samobor Croatia 45°47N 15°44E 93 C12
Samoëns France 46°5N 6°45E 71 F13
Samokov Bulgaria 42°18N 23°35E 96 D7
Šamorín Slovak Rep. 48°2N 17°19E 79 C10
Samorogouan Burkina Faso 11°21N 4°57W 138 C4
Samos Greece 37°45N 26°50E 99 D8
Samoš Serbia 45°13N 20°46E 80 E5
Samos Spain 42°44N 7°20W 88 C3
Samoset U.S.A. 27°28N 82°33W 179 H7
Samothráki = Mathraki Greece 39°48N 19°31E 101 A3
Samothraki Greece 40°28N 25°28E 97 F9
Samoylovka Russia 51°12N 43°43E 86 E6
Sampa Ghana 8°0N 2°36W 138 D4
Sampacho Argentina 33°20S 64°50W 190 C3
Sampalan Indonesia 8°41S 115°34E 119 K18
Sampang Indonesia 7°11S 113°13E 119 G15
Samper de Calanda Spain 41°11N 0°28W 90 D4
Sampéyre Italy 44°34N 7°11E 92 D4
Sampit Indonesia 2°34S 113°0E 118 E4
Sampit, Teluk Indonesia 3°5S 113°3E 118 E4
Samrong Cambodia 14°15N 103°30E 120 E4
Samsø Denmark 55°50N 10°35E 63 J4
Samsø Bælt Denmark 55°45N 10°45E 63 J4
Samson U.S.A. 31°7N 86°3W 178 D3
Samsun Turkey 41°15N 36°22E 104 B7

Samsun □ *Turkey* 41°10N 36°10E 104 B7
Samtredia *Georgia* 42°7N 42°24E 87 J6
Samui, Ko *Thailand* 9°30N 100°0E 121 b
Samur → *Russia* 41°53N 48°32E 87 K9
Samurskiy Khrebet *Russia* 41°55N 47°11E 87 K8
Samusole *Dem. Rep. of the Congo* 10°2S 24°0E 143 E1
Samut Prakan *Thailand* 13°40N 100°36E 120 F3
Samut Sakhon *Thailand* 13°32N 100°17E 120 F3
Samut Songkhram *Thailand* 13°24N 100°1E 120 F3
Samwari *Pakistan* 28°30N 66°46E 124 E2
San *Mali* 13°15N 4°57W 138 C4
San → *Cambodia* 13°32N 105°57E 120 F5
San → *Poland* 50°45N 21°51E 83 H8
San Adrián *Spain* 42°20N 1°56W 90 C3
San Adrián, C. de *Spain* 43°21N 8°50W 88 B2
San Agustin, C. *Phil.* 6°20N 126°13E 119 C7
San Agustín de Valle Fértil *Argentina* 30°35S 67°30W 190 C2
San Ambrosio *Pac. Oc.* 26°28S 79°53W 184 F3
San Andreas *U.S.A.* 38°12N 120°41W 170 G6
San Andrés, I. de *Caribbean* 12°42N 81°46W 182 D3
San Andrés del Rabanedo *Spain* 42°37N 5°36W 88 C5
San Andres Mts. *U.S.A.* 33°0N 106°30W 169 K10
San Andrés Tuxtla *Mexico* 18°27N 95°13W 181 D5
San Angelo *U.S.A.* 31°28N 100°26W 176 F4
San Anselmo *U.S.A.* 37°59N 122°34W 170 H4
San Antonio *Belize* 16°15N 89°2W 181 D7
San Antonio *Chile* 33°40S 71°40W 190 C1
San Antonio *N. Mex., U.S.A.* 33°55N 106°52W 169 K10
San Antonio *Tex., U.S.A.* 29°25N 98°29W 176 G5
San Antonio → *U.S.A.* 28°30N 96°54W 176 G6
San Antonio, C. *Argentina* 36°15S 56°40W 190 D4
San Antonio, C. de *Cuba* 21°50N 84°57W 182 B3
San Antonio, C. de *Spain* 38°48N 0°12E 91 G5
San Antonio, Mt. *U.S.A.* 34°17N 117°38W 171 L9
San Antonio de los Baños *Cuba* 22°54N 82°31W 182 B3
San Antonio de los Cobres *Argentina* 24°10S 66°17W 190 A2
San Antonio Oeste *Argentina* 40°40S 65°0W 192 B4
San Arcángelo *Italy* 40°14N 16°14E 95 B9
San Ardo *U.S.A.* 36°1N 120°54W 170 J6
San Augustín *Canary Is.* 27°47N 15°32W 100 G4
San Augustine *U.S.A.* 31°32N 94°7W 176 F7
San Bartolomé *Canary Is.* 28°59N 13°37W 100 F6
San Bartolomé de Tirajana *Canary Is.* 27°54N 15°34W 100 G4
San Bartolomeo in Galdo *Italy* 41°24N 15°1E 95 A8
San Benedetto del Tronto *Italy* 42°57N 13°53E 93 F10
San Benedetto Po *Italy* 45°2N 10°55E 92 C7
San Benedicto, I. *Mexico* 19°18N 110°49W 180 D2
San Benito *U.S.A.* 26°8N 97°38W 176 H6
San Benito → *U.S.A.* 36°53N 121°34W 170 J5
San Benito Mt. *U.S.A.* 36°22N 120°37W 170 J6
San Bernardino *U.S.A.* 34°7N 117°19W 171 L9
San Bernardino Mts. *U.S.A.* 34°10N 116°45W 171 L10
San Bernardino Str. *Phil.* 12°30N 124°10E 119 B7
San Bernardo *Chile* 33°40S 70°50W 190 C1
San Bernardo, I. de *Colombia* 9°45N 75°50W 186 B3
San Blas *Mexico* 26°5N 108°46W 180 B3
San Blas, Arch. de *Panama* 9°50N 78°31W 182 E4
San Blas, C. *U.S.A.* 29°40N 85°21W 178 F4
San Bonifacio *Italy* 45°24N 11°16E 93 C8
San Borja *Bolivia* 14°50S 66°52W 188 C4
San Buenaventura = Ventura *U.S.A.* 34°17N 119°18W 171 L7
San Buenaventura *Bolivia* 14°28S 67°35W 188 C4
San Buenaventura *Mexico* 27°5N 101°32W 180 B4
San Carlos = Sant Carles *Spain* 39°3N 1°34E 100 B8
San Carlos *Argentina* 33°50S 69°0W 190 C2
San Carlos *Chile* 36°10S 72°0W 190 D1
San Carlos *Baja Calif. S., Mexico* 24°47N 112°7W 180 C2
San Carlos *Coahuila, Mexico* 29°1N 100°51W 180 B4
San Carlos *Nic.* 11°12N 84°50W 182 D3
San Carlos *Phil.* 10°29N 123°25E 119 B6
San Carlos *Uruguay* 34°46S 54°58W 191 C5
San Carlos *U.S.A.* 33°21N 110°27W 169 K8
San Carlos *Venezuela* 9°40N 68°36W 186 B5
San Carlos de Bariloche *Argentina* 41°10S 71°25W 192 B2
San Carlos de Bolívar *Argentina* 36°15S 61°6W 190 D3
San Carlos de la Rápita = Sant Carles de la Ràpita *Spain* 40°37N 0°35E 90 E5
San Carlos del Zulia *Venezuela* 9°1N 71°55W 186 B4
San Carlos L. *U.S.A.* 33°11N 110°32W 169 K8
San Carlos Park *U.S.A.* 26°28N 81°49W 179 J8
San Cataldo *Italy* 37°29N 13°59E 94 E6
San Celoni = Sant Celoni *Spain* 41°42N 2°30E 90 D7
San Clemente *Chile* 35°30S 71°29W 190 D1
San Clemente *Spain* 39°24N 2°25W 89 F2
San Clemente *U.S.A.* 33°26N 117°37W 171 M9
San Clemente I. *U.S.A.* 32°53N 118°29W 171 N8
San Cristóbal = Es Migjorn Gran *Spain* 39°57N 4°3E 100 B11
San Cristóbal *Argentina* 30°20S 61°10W 190 C3
San Cristóbal *Dom. Rep.* 18°25N 70°6W 183 C5
San Cristóbal *Solomon Is.* 10°30S 161°0E 147 C9
San Cristóbal *Venezuela* 7°46N 72°14W 186 B4
San Cristóbal de La Laguna *Canary Is.* 28°28N 16°18W 100 F3
San Cristóbal de las Casas *Mexico* 16°45N 92°38W 181 D6
San Damiano d'Asti *Italy* 44°50N 8°4E 92 D5
San Daniele del Friuli *Italy* 46°9N 13°1E 93 B10
San Diego *Calif., U.S.A.* 32°42N 117°9W 171 N9
San Diego *Tex., U.S.A.* 27°46N 98°14W 176 H5
San Diego, C. *Argentina* 54°40S 65°10W 192 D3
San Diego de la Unión *Mexico* 21°28N 100°52W 180 C4
San Diego Int. ✈ (SAN) *U.S.A.* 32°44N 117°11W 171 N9
San Dimitri, Ras *Malta* 36°4N 14°11E 101 C1
San Dimitri Point = San Dimitri, Ras *Malta* 36°4N 14°11E 101 C1
San Donà di Piave *Italy* 45°38N 12°34E 93 C9
San Estanislao *Paraguay* 24°39S 56°26W 190 A4
San Esteban de Gormaz *Spain* 41°34N 3°13W 90 D1
San Felice Circeo *Italy* 41°14N 13°5E 94 A6
San Felice sul Panaro *Italy* 44°50N 11°8E 93 D8
San Felipe *Chile* 32°43S 70°42W 190 C1
San Felipe *Mexico* 31°1N 114°52W 180 A2
San Felipe *Venezuela* 10°20N 68°44W 186 A5
San Felipe → *U.S.A.* 33°10N 115°49W 171 M11
San Félix *Chile* 28°56S 70°28W 190 B1
San Félix *Pac. Oc.* 26°23S 80°0W 184 F2
San Fernando = Sant Ferran *Spain* 38°42N 1°28E 100 C7
San Fernando *Chile* 34°30S 71°0W 190 C1
San Fernando *Mexico* 24°51N 98°10W 181 C5
San Fernando *La Union, Phil.* 16°40N 120°23E 119 A6
San Fernando *Pampanga, Phil.* 15°5N 120°37E 119 A6
San Fernando *Spain* 36°28N 6°17W 89 J4
San Fernando *Trin. & Tob.* 10°16N 61°28W 183 D7
San Fernando *U.S.A.* 34°17N 118°26W 171 L8
San Fernando de Apure *Venezuela* 7°54N 67°15W 186 B5
San Fernando de Atabapo *Venezuela* 4°3N 67°42W 186 C5
San Fernando di Púglia *Italy* 41°18N 16°5E 95 A9
San Francisco *Argentina* 31°30S 62°5W 190 C3
San Francisco *Peru* 12°36S 73°49W 188 C3
San Francisco *U.S.A.* 37°46N 122°23W 170 H4
San Francisco → *U.S.A.* 32°59N 109°22W 169 K9
San Francisco, C. de *Colombia* 6°18N 77°29W 184 C3
San Francisco, Paso de *S. Amer.* 27°0S 68°0W 190 B2
San Francisco de Macorís *Dom. Rep.* 19°19N 70°15W 183 C5
San Francisco del Monte de Oro *Argentina* 32°36S 66°8W 190 C2
San Francisco del Oro *Mexico* 26°52N 105°51W 180 B3
San Francisco Int. ✈ (SFO) *U.S.A.* 37°37N 122°22W 170 H4
San Francisco Javier = Sant Francesc de Formentera *Spain* 38°42N 1°26E 100 C7
San Fratello *Italy* 38°1N 14°36E 95 D7
San Gabriel *Chile* 33°47S 70°15W 190 C1
San Gabriel Chilac *Mexico* 18°19N 97°21W 181 D5
San Gabriel Mts. *U.S.A.* 34°17N 117°38W 171 L9
San Gavino Monreale *Italy* 39°33N 8°47E 94 C1
San German *Puerto Rico* 18°4N 67°4W 183 d
San Gimignano *Italy* 43°28N 11°2E 92 E8
San Giórgio di Nogaro *Italy* 45°50N 13°13E 93 C10
San Giórgio Iónico *Italy* 40°27N 17°23E 95 B10
San Giovanni Bianco *Italy* 45°52N 9°39E 92 C6
San Giovanni in Fiore *Italy* 39°15N 16°42E 95 C9
San Giovanni in Persiceto *Italy* 44°38N 11°11E 93 D8
San Giovanni Rotondo *Italy* 41°42N 15°44E 93 G12
San Giovanni Valdarno *Italy* 43°34N 11°32E 93 E8
San Giuliano Terme *Italy* 43°46N 10°26E 92 E7
San Gorgonio Mt. *U.S.A.* 34°6N 116°50W 171 L10
San Gottardo, P. del *Switz.* 46°33N 8°33E 77 J4
San Gregorio *Uruguay* 32°37S 55°40W 191 C4
San Gregorio *U.S.A.* 37°20N 122°23W 170 H4
San Guillermo △ *Argentina* 27°50S 69°45W 190 B2
San Guiseppe Jato *Italy* 37°57N 13°11E 94 E6
San Ignacio *Belize* 17°10N 89°5W 181 D7
San Ignacio *Bolivia* 16°20S 60°55W 186 G6
San Ignacio *Mexico* 27°27N 112°51W 180 B2
San Ignacio *Paraguay* 26°52S 57°3W 190 B4
San Ignacio *Peru* 5°8S 78°59W 188 B2
San Ignacio, L. *Mexico* 26°54N 113°13W 180 B2
San Ildefonso, C. *Phil.* 16°0N 122°1E 119 A6
San Isidro *Argentina* 34°29S 58°31W 190 C4
San Jacinto *U.S.A.* 33°47N 116°57W 171 M10
San Jaime = Sant Jaume *Spain* 39°54N 4°4E 100 B11
San Javier *Misiones, Argentina* 27°55S 55°5W 191 B4
San Javier *Santa Fe, Argentina* 30°40S 59°55W 190 C4
San Javier *Bolivia* 16°18S 62°30W 186 G6
San Javier *Chile* 35°40S 71°45W 190 D1
San Javier *Spain* 37°49N 0°50W 91 H4
San Jerónimo Taviche *Mexico* 16°44N 96°35W 181 D5
San Joaquin *U.S.A.* 36°36N 120°11W 170 J6
San Joaquin → *U.S.A.* 38°4N 121°51W 170 G5
San Joaquin Valley *U.S.A.* 37°20N 121°0W 170 J6
San Jon *U.S.A.* 35°6N 103°20W 169 J12
San Jordi = Sant Jordi *Spain* 39°33N 2°46E 100 B9
San Jorge *Argentina* 31°54S 61°50W 190 C3
San Jorge, B. *Mexico* 31°20N 113°20W 180 A2
San Jorge, G. *Argentina* 46°0S 66°0W 192 C3
San José = San Josep *Spain* 38°55N 1°18E 100 C7
San José *Argentina* 32°12S 58°15W 190 C4
San José *Costa Rica* 9°55N 84°2W 182 E3
San José *Guatemala* 14°0N 90°50W 182 D1
San Jose *Mind. Occ., Phil.* 12°27N 121°4E 119 B6
San Jose *Nueva Ecija, Phil.* 15°45N 120°55E 119 A6
San Jose *U.S.A.* 37°20N 121°53W 170 H5
San Jose → *U.S.A.* 34°25N 106°45W 169 J10
San José, G. *Argentina* 42°20S 64°18W 192 B4
San José, I. *Mexico* 25°0N 110°38W 180 C2
San Jose de Buenavista *Phil.* 10°45N 121°56E 119 B6
San José de Chiquitos *Bolivia* 17°53S 60°50W 186 G6
San José de Feliciano *Argentina* 30°26S 58°46W 190 C4
San José de Jáchal *Argentina* 30°15S 68°46W 190 C2
San José de Mayo *Uruguay* 34°27S 56°40W 190 C4
San José de Uchapiamonas *Bolivia* 14°13S 68°5W 188 C4
San José del Cabo *Mexico* 23°3N 109°41W 180 C3
San José del Guaviare *Colombia* 2°35N 72°38W 186 C4
San Josep *Spain* 38°55N 1°18E 100 C7
San Juan *Argentina* 31°30S 68°30W 190 C2
San Juan *Peru* 15°22S 75°7W 188 D2
San Juan *Puerto Rico* 18°28N 66°7W 183 d
San Juan *Trin. & Tob.* 10°39N 61°29W 187 K15
San Juan □ *Argentina* 31°9S 69°0W 190 C2
San Juan → *Argentina* 32°20S 67°25W 190 C2
San Juan → *Nic.* 10°56N 83°42W 182 D3
San Juan → *U.S.A.* 37°16N 110°26W 169 H8
San Juan, C. *Argentina* 54°44S 63°44W 192 D4
San Juan Bautista = Sant Joan de Labritja *Spain* 39°5N 1°31E 100 B8
San Juan Bautista *Paraguay* 26°37S 57°6W 190 B4
San Juan Bautista *U.S.A.* 36°51N 121°32W 170 J5
San Juan Capistrano *U.S.A.* 33°30N 117°40W 171 M9
San Juan Cr. → *U.S.A.* 35°40N 120°22W 170 J5
San Juan de Guadelupe *Mexico* 24°38N 102°44W 180 C4
San Juan de la Costa *Mexico* 24°20N 110°41W 180 C2
San Juan de los Lagos *Mexico* 21°15N 102°18W 180 C4
San Juan de los Morros *Venezuela* 9°55N 67°21W 186 B5
San Juan del Norte *Nic.* 10°58N 83°40W 182 D3
San Juan del Norte, B. de *Nic.* 11°0N 83°40W 182 D3
San Juan del Río *Mexico* 20°23N 100°0W 181 C5
San Juan del Sur *Nic.* 11°20N 85°51W 182 D2
San Juan I. *U.S.A.* 48°32N 123°5W 170 B3
San Juan Island ⌓ *U.S.A.* 48°35N 123°8W 170 B4
San Juan Mts. *U.S.A.* 37°30N 107°0W 169 H10
San Just, Sierra de *Spain* 40°45N 0°49W 90 E4
San Justo *Argentina* 30°47S 60°30W 190 C3
San Kamphaeng *Thailand* 18°45N 99°8E 120 C2
San Lázaro, C. *Mexico* 24°50N 112°18W 180 C2
San Leandro *U.S.A.* 37°42N 122°9W 170 H4
San Leonardo de Yagüe *Spain* 41°51N 3°5W 90 D1
San Lorenzo = Sant Llorenç des Cardassar *Spain* 39°37N 3°17E 100 B10
San Lorenzo *Argentina* 32°45S 60°45W 190 C3
San Lorenzo *Ecuador* 1°15N 78°50W 186 C3
San Lorenzo *Paraguay* 25°20S 57°32W 190 B4
San Lorenzo → *Mexico* 24°15N 107°24W 180 C3
San Lorenzo, I. *Mexico* 28°38N 112°51W 180 B2
San Lorenzo, I. *Peru* 12°7S 77°15W 188 C2
San Lorenzo, Mte. *Argentina* 47°40S 72°20W 192 C2
San Lorenzo de la Parrilla *Spain* 39°51N 2°22W 90 F2
San Lorenzo de Morunys = Sant Llorenç de Morunys *Spain* 42°8N 1°35E 90 C6
San Lucas = Cabo San Lucas *Mexico* 22°53N 109°54W 180 C3
San Lucas *Bolivia* 20°5S 65°7W 186 H5
San Lucas *Mexico* 27°10N 112°14W 180 B2
San Lucas *U.S.A.* 36°8N 121°1W 170 J5
San Lucas, C. *Mexico* 22°52N 109°53W 180 C3
San Lúcido *Italy* 39°18N 16°3E 95 C9
San Luis *Argentina* 33°20S 66°20W 190 C2
San Luis *Cuba* 22°17N 83°46W 182 B3
San Luis *Guatemala* 16°14N 89°27W 182 C2
San Luis *Ariz., U.S.A.* 32°29N 114°47W 169 K6
San Luis *Colo., U.S.A.* 37°12N 105°25W 169 H11
San Luis □ *Argentina* 34°0S 66°0W 190 C2
San Luis, I. *Mexico* 29°58N 114°26W 180 B2
San Luis, Sierra de *Argentina* 32°30S 66°10W 190 C2
San Luis de la Paz *Mexico* 21°18N 100°31W 180 C4
San Luis Obispo *U.S.A.* 35°17N 120°40W 171 K6
San Luis Potosí *Mexico* 22°9N 100°59W 180 C4
San Luis Potosí □ *Mexico* 23°0N 101°0W 180 C4
San Luis Res. *U.S.A.* 37°4N 121°5W 170 H5
San Luis Río Colorado *Mexico* 32°29N 114°58W 180 A2
San Manuel *U.S.A.* 32°36N 110°38W 169 K8
San Marco, C. *Italy* 39°51N 8°26E 94 C1
San Marco Argentano *Italy* 39°33N 16°7E 95 C9
San Marco in Lámis *Italy* 41°43N 15°38E 93 G12
San Marcos *Calif., U.S.A.* 33°9N 117°10W 171 M9
San Marcos *Tex., U.S.A.* 29°53N 97°56W 176 G6
San Marcos, I. *Mexico* 27°13N 112°6W 180 B2
San Marino *San Marino* 43°55N 12°30E 93 E9
San Marino ■ *Europe* 43°56N 12°25E 93 E9
San Martín *Antarctica* 68°11S 67°0W 55 C17
San Martín *Argentina* 33°5S 68°28W 190 C2
San Martín □ *Peru* 7°0S 76°50W 188 B2
San Martín → *Bolivia* 13°8S 63°43W 186 F6
San Martín, L. *Argentina* 48°50S 72°50W 192 C2
San Martín de la Vega *Spain* 40°13N 3°34W 88 E7
San Martín de los Andes *Argentina* 40°10S 71°20W 192 B2
San Martín de Valdeiglesias *Spain* 40°21N 4°24W 88 E6
San Mateo = Sant Mateu *Baleares, Spain* 39°3N 1°23E 100 B7
San Mateo = Sant Mateu *Valencia, Spain* 40°28N 0°10E 90 E5
San Mateo *U.S.A.* 37°34N 122°19W 170 H4
San Matías *Bolivia* 16°25S 58°20W 186 G7
San Matías, G. *Argentina* 41°30S 64°0W 192 B4
San Miguel = Sant Miquel *Spain* 39°3N 1°26E 100 B7
San Miguel *Brazil* 28°35S 54°33W 191 B5
San Miguel *El Salv.* 13°30N 88°12W 182 D2
San Miguel *Panama* 8°27N 78°55W 182 E4
San Miguel *U.S.A.* 35°45N 120°42W 170 K6
San Miguel → *Bolivia* 13°52S 63°56W 186 F6
San Miguel de Huachi *Bolivia* 15°40S 67°15W 188 D4
San Miguel de Tucumán *Argentina* 26°50S 65°20W 190 B2
San Miguel del Monte *Argentina* 35°23S 58°50W 190 D4
San Miguel I. *U.S.A.* 34°2N 120°23W 171 L6
San Millán de la Cogolla *Spain* 42°19N 2°51W 90 C2
San Miniato *Italy* 43°41N 10°51E 92 E7
San Nicandro Gargánico *Italy* 41°50N 15°34E 93 G12
San Nicolás *Canary Is.* 27°58N 15°47W 100 G4
San Nicolás de los Arroyos *Argentina* 33°25S 60°10W 190 C3
San Nicolas I. *U.S.A.* 33°15N 119°30W 171 M7
San Onofre *U.S.A.* 33°22N 117°34W 171 M9
San Pablo *Bolivia* 21°43S 66°38W 190 A2
San Pablo *U.S.A.* 37°58N 122°21W 170 H4
San Páolo di Civitate *Italy* 41°44N 15°15E 93 G12
San Pedro *B. Aires, Argentina* 33°40S 59°40W 190 C4
San Pedro *Misiones, Argentina* 26°30S 54°10W 191 B5
San Pedro *Chile* 33°54S 71°28W 190 C1
San Pedro *Ivory C.* 4°50N 6°33W 138 E3
San Pedro *Mexico* 23°55N 110°17W 180 C2
San Pedro *Peru* 14°49S 74°5W 188 C3
San Pedro □ *Paraguay* 24°0S 57°0W 190 A4
San Pedro → *Chihuahua, Mexico* 28°21N 105°25W 180 B3
San Pedro → *Nayarit, Mexico* 21°45N 105°30W 180 C3
San Pedro → *U.S.A.* 32°59N 110°47W 169 K8
San Pedro, Pta. *Chile* 25°30S 70°38W 190 B1
San Pedro, Sierra de *Spain* 39°18N 6°40W 89 F4
San Pedro Channel *U.S.A.* 33°30N 118°25W 171 M8
San Pedro de Atacama *Chile* 22°55S 68°15W 190 A2
San Pedro de Jujuy *Argentina* 24°12S 64°55W 190 A3
San Pedro de las Colonias *Mexico* 25°45N 102°59W 180 B4
San Pedro de Lloc *Peru* 7°15S 79°28W 188 B2
San Pedro de Macorís *Dom. Rep.* 18°30N 69°18W 183 C6
San Pedro del Norte *Nic.* 13°4N 84°33W 182 D3
San Pedro del Paraná *Paraguay* 26°43S 56°13W 190 B4
San Pedro del Pinatar *Spain* 37°50N 0°50W 91 H4
San Pedro Mártir, Sa. de *Mexico* 30°45N 115°13W 180 A1
San Pedro Ocampo = Melchor Ocampo *Mexico* 24°51N 101°39W 180 C4
San Pedro Pochutla *Mexico* 15°44N 96°28W 181 D5
San Pedro Sula *Honduras* 15°30N 88°0W 182 C2
San Pedro Tututepec *Mexico* 16°9N 97°38W 181 D5
San Pietro *Italy* 39°8N 8°17E 94 C1
San Pietro Vernótico *Italy* 40°29N 18°0E 95 B11
San Rafael *Argentina* 34°40S 68°21W 190 C2
San Rafael *Calif., U.S.A.* 37°58N 122°32W 170 H4
San Rafael *N. Mex., U.S.A.* 35°7N 107°53W 169 J10
San Rafael Mt. *U.S.A.* 34°41N 119°52W 171 L7
San Rafael Mts. *U.S.A.* 34°40N 119°50W 171 L7
San Ramón de la Nueva Orán *Argentina* 23°10S 64°20W 190 A3
San Remo *Italy* 43°49N 7°46E 92 E4
San Roque *Argentina* 28°25S 58°45W 190 B4
San Roque *Spain* 36°17N 5°21W 89 J5
San Rosendo *Chile* 37°16S 72°43W 190 D1
San Saba *U.S.A.* 31°12N 98°43W 176 F5
San Salvador *El Salv.* 13°40N 89°10W 182 D2
San Salvador de Jujuy *Argentina* 24°10S 64°48W 190 A3
San Salvador I. *Bahamas* 24°0N 74°30W 183 B5
San Salvo *Italy* 42°3N 14°44E 93 F11
San Sebastián = Donostia-San Sebastián *Spain* 43°17N 1°58W 90 B3
San Sebastián *Argentina* 53°10S 68°30W 192 D3
San Sebastián *Puerto Rico* 18°20N 66°59W 183 d
San Sebastián de la Gomera *Canary Is.* 28°5N 17°7W 100 F2
San Serra = Son Serra *Spain* 39°43N 3°13E 100 B10
San Serverino Marche *Italy* 43°13N 13°10E 93 E10
San Severo *Italy* 41°41N 15°23E 93 G12
San Simeon *U.S.A.* 35°39N 121°11W 170 K5
San Simon *U.S.A.* 32°16N 109°14W 169 K9
San Stéfano di Cadore *Italy* 46°34N 12°33E 93 B9
San Stino di Livenza *Italy* 45°44N 12°41E 93 C9
San Telmo = Sant Elm *Spain* 39°35N 2°21E 100 B9
San Telmo *Mexico* 30°58N 116°6W 180 A1
San Teodoro *Italy* 40°46N 9°40E 94 B2
San Tiburcio *Mexico* 24°8N 101°32W 180 C4
San Valentin, Mte. *Chile* 46°30S 73°30W 192 C2
San Vicente de Alcántara *Spain* 39°22N 7°8W 89 F3
San Vicente de Cañete *Peru* 13°8S 76°30W 188 C2
San Vicente de la Barquera *Spain* 43°23N 4°29W 88 B6
San Vicenzo *Spain* 42°58N 8°46W 88 C2
San Vincenzo *Italy* 43°6N 10°32E 92 E7
San Vito *Costa Rica* 8°50N 82°58W 182 E3
San Vito *Italy* 39°26N 9°32E 94 C2
San Vito, C. *Italy* 38°11N 12°41E 94 D5
San Vito al Tagliamento *Italy* 45°54N 12°52E 93 C9
San Vito Chietino *Italy* 42°18N 14°27E 93 F11
San Vito dei Normanni *Italy* 40°39N 17°42E 95 B10
Sana' = Şan'ā' *Yemen* 15°27N 44°12E 131 D3
Sana *Peru* 6°54S 79°36W 188 B2
Şan'ā' *Yemen* 15°27N 44°12E 131 D3
Sana → *Bos.-H.* 45°3N 16°23E 93 C13
Sanaa = Şan'ā' *Yemen* 15°27N 44°12E 131 D3
Sanaba *Burkina Faso* 12°25N 3°47W 138 C4
Sanae IV *Antarctica* 70°20S 9°0W 55 D2
Şanāfīr *Si. Arabia* 27°56N 34°42E 137 B3
Sanaga → *Cameroon* 3°35N 9°38E 139 E6
Sanak I. *U.S.A.* 54°25N 162°40W 166 E7
Sanalona, Presa *Mexico* 24°49N 107°7W 180 C3
Sanana *Indonesia* 2°4S 125°58E 119 E7
Sanand *India* 22°59N 72°25E 124 H5
Sanandaj *Iran* 35°18N 47°1E 105 E12
Sanandita *Bolivia* 21°40S 63°45W 190 A3
Sanary-sur-Mer *France* 43°7N 5°49E 73 E9
Sanawad *India* 22°11N 76°5E 124 H7
Sancellas = Sencelles *Spain* 39°39N 2°54E 100 B9
Sancergues *France* 47°10N 2°54E 71 E9
Sancerre *France* 47°20N 2°50E 71 E9
Sancerrois, Collines du *France* 47°20N 2°40E 71 E9
Sancha He → *China* 26°48N 106°7E 116 D6
Sanchahe *China* 44°50N 126°2E 115 B14
Sánchez *Dom. Rep.* 19°15N 69°36W 183 C6
Sanchi *India* 23°28N 77°44E 124 H7
Sanchor *India* 24°45N 71°55E 124 G4
Sancoins *France* 46°47N 2°55E 71 F9
Sancti Spíritus *Cuba* 21°52N 79°33W 182 B4
Sancy, Puy de *France* 45°32N 2°50E 72 C6
Sand = Polokwane → *S. Africa* 22°25S 30°5E 145 B5
Sand Hills *U.S.A.* 42°10N 101°30W 172 D3
Sand Lakes ⌓ *Canada* 57°51N 98°32W 163 B9
Sand Springs *U.S.A.* 36°9N 96°7W 176 C6
Sanda *Japan* 34°53N 135°14E 113 G7
Sandakan *Malaysia* 5°53N 118°4E 118 C5
Sandalwood *Australia* 34°55S 140°9E 152 C4
Sandan = Sambor *Cambodia* 12°46N 106°0E 120 F6
Sandanski *Bulgaria* 41°35N 23°16E 96 E7
Sandaré *Mali* 14°40N 10°15W 138 C2
Sandared *Sweden* 57°43N 12°47E 63 G6
Sandarne *Sweden* 61°16N 17°9E 62 C11
Sanday *U.K.* 59°16N 2°31W 65 B6
Sande *Norway* 59°36N 10°12E 62 E4
Sandefjord *Norway* 59°10N 10°15E 61 G14
Sanders *U.S.A.* 35°13N 109°20W 169 J9
Sanderson *Fla., U.S.A.* 30°15N 82°16W 178 E7
Sanderson *Tex., U.S.A.* 30°9N 102°24W 176 F3
Sandersville *U.S.A.* 32°59N 82°48W 178 C7
Sandfire Roadhouse *Australia* 19°45S 121°15E 148 C3
Sandfly L. *Canada* 55°43N 106°6W 163 B7
Sandfontein *Namibia* 23°48S 19°1E 144 B2
Sandhammaren *Sweden* 55°23N 14°14E 63 J8
Sandheads, The *India* 21°10N 88°20E 125 J13
Sandia *Peru* 14°10S 69°30W 188 C4
Sandıklı *Turkey* 38°28N 30°17E 99 C12
Sandila *India* 27°5N 80°31E 125 F9
Sandnes *Norway* 58°50N 5°45E 61 G11
Sandnessjøen *Norway* 66°2N 12°38E 60 C15
Sandoa *Dem. Rep. of the Congo* 9°41S 23°0E 140 F4
Sandomierz *Poland* 50°40N 21°43E 83 H8
Sândominic *Romania* 46°35N 25°47E 81 D10
Sandover → *Australia* 21°43S 136°32E 150 C2
Sandoway = Thandwe *Burma* 18°20N 94°30E 123 K19
Sandoy *Færoe Is.* 61°52N 6°46W 60 F9
Sandpoint *U.S.A.* 48°17N 116°33W 168 B5
Sandray *U.K.* 56°53N 7°31W 65 E1
Sandringham *U.K.* 52°51N 0°31E 66 E8
Sandstone *Australia* 27°59S 119°16E 149 E2
Sandu *China* 26°0N 107°52E 116 E6
Sandur *India* 15°6N 76°33E 127 F3
Sandusky *Mich., U.S.A.* 43°25N 82°50W 174 C2
Sandusky *Ohio, U.S.A.* 41°27N 82°42W 174 E2
Sandveld *Namibia* 21°25S 20°0E 144 B3
Sandvig *Denmark* 55°18N 14°47E 63 J8
Sandviken *Sweden* 60°38N 16°46E 62 D10
Sandwich, C. *Australia* 18°14S 146°18E 150 B4
Sandwich B. *Canada* 53°40N 57°15W 165 B8
Sandwich B. *Namibia* 23°25S 14°20E 144 B1
Sandy *Oreg., U.S.A.* 45°24N 122°16W 170 E4
Sandy *Pa., U.S.A.* 41°6N 78°46W 174 E6
Sandy *Utah, U.S.A.* 40°32N 111°50W 168 F8
Sandy Bay *Canada* 55°31N 102°19W 163 B8
Sandy Bight *Australia* 33°50S 123°20E 149 F3
Sandy C. *Queens., Australia* 24°42S 153°15E 150 C5
Sandy C. *Tas., Australia* 41°25S 144°45E 151 G3
Sandy Cay *Bahamas* 23°13N 75°18W 183 B4
Sandy Cr. → *Australia* 31°54S 145°18E 151 B4
Sandy Cr. → *U.S.A.* 41°51N 109°47W 168 F9
Sandy Creek *U.S.A.* 43°38N 76°5W 175 C8
Sandy L. *Canada* 53°2N 93°0W 164 B1
Sandy Lake *Canada* 53°0N 93°15W 164 B1
Sandy Point *India* 10°32N 92°22E 127 J11
Sandy Springs *U.S.A.* 33°56N 84°23W 178 B5
Sandy Valley *U.S.A.* 35°49N 115°38W 171 K11
Sånfjället △ *Sweden* 62°17N 13°35E 62 B7
Sanford *Fla., U.S.A.* 28°48N 81°16W 179 G8
Sanford *Maine, U.S.A.* 43°27N 70°47W 175 C14
Sanford *N.C., U.S.A.* 35°29N 79°10W 177 D15
Sanford → *Australia* 27°22S 115°53E 149 E2
Sanford, Mt. *U.S.A.* 62°13N 144°8W 160 E3
Sang-i-Masha *Afghan.* 33°8N 67°27E 124 C2
Sanga *Mozam.* 12°22S 35°21E 143 E4
Sanga → *Congo* 1°5S 17°0E 140 E3
Sangamner *India* 19°37N 74°15E 126 E2
Sangān *Iran* 34°23N 60°15E 129 C9
Sanganeb Atoll △ *Sudan* 19°33N 37°11E 137 D4
Sangar *Afghan.* 32°56N 65°30E 124 C1
Sangar *Russia* 64°2N 127°31E 107 C13
Sangar Sarai *Afghan.* 34°27N 70°35E 124 B4
Sangareddi *India* 17°38N 78°7E 126 F4
Sangaredi *Guinea* 11°7N 13°52W 138 C2
Sangarh → *Pakistan* 30°43N 70°44E 124 D4
Sangasso *Mali* 12°5N 5°35W 138 C3
Sangatte *France* 50°56N 1°44E 71 B8
Sangāw *Iraq* 35°17N 45°10E 105 E11
Sangay *Ecuador* 2°0S 78°20W 186 D3
Sangbé *Cameroon* 6°3N 12°28E 139 D7
Sange *Dem. Rep. of the Congo* 6°58S 28°21E 142 D2
Sangeang *Indonesia* 8°12S 119°6E 119 F5
Sângeorz-Băi *Romania* 47°22N 24°41E 81 C9
Sanger *U.S.A.* 36°42N 119°33W 170 J7
Sângera *Moldova* 46°55N 28°58E 81 D13
Sangerhausen *Germany* 51°28N 11°18E 76 D7
Sanggan He → *China* 38°12N 117°15E 114 E9
Sanggau *Indonesia* 0°5N 110°30E 118 D4
Sanghar *Pakistan* 26°2N 68°57E 124 F3
Sangihe, Kepulauan *Indonesia* 3°0N 125°30E 119 D7
Sangihe, Pulau *Indonesia* 3°35N 125°30E 119 D7
Sangiran △ *Indonesia* 7°27S 110°50E 119 G14
Sangju *S. Korea* 36°25N 128°10E 115 F15
Sangkapura *Indonesia* 5°52S 112°40E 118 F4
Sangkha *Thailand* 14°37N 103°52E 120 E4
Sangkhla Buri *Thailand* 14°57N 98°28E 120 E2
Sangkulirang *Indonesia* 0°59N 117°58E 118 D5
Sangla *Pakistan* 31°43N 73°23E 124 D5
Sangli *India* 16°55N 74°33E 126 F2
Sangmélima *Cameroon* 2°57N 12°1E 139 E7
Sango *Zimbabwe* 18°44S 31°44E 143 F3
Sangod *India* 24°55N 76°17E 124 G7
Sangole *India* 17°26N 75°12E 126 F2
Sangre de Cristo Mts. *U.S.A.* 37°30N 105°20W 169 H11
Sangre Grande *Trin. & Tob.* 10°35N 61°8W 187 K15
Sangro → *Italy* 42°14N 14°32E 93 F11
Sangrur *India* 30°14N 75°50E 124 D6
Sangudo *Canada* 53°50N 114°54W 162 C6
Sangue → *Brazil* 11°1S 58°39W 186 F7
Sangüesa *Spain* 42°37N 1°17W 90 C3
Sanguinaires, Îs. *France* 41°51N 8°36E 73 G12
Sangzhi *China* 29°25N 110°12E 117 C8
Sanhala *Ivory C.* 10°3N 6°51W 138 C3
Sanibel *U.S.A.* 26°27N 82°1W 179 J7
Sanibel I. *U.S.A.* 26°26N 82°6W 179 J7
Sanikiluaq *Canada* 56°32N 79°14W 164 A4
Sanin-Kaigan △ *Japan* 35°39N 134°37E 113 G7
Sanirajak = Hall Beach *Canada* 68°46N 81°12W 161 D15
Sanjawi *Pakistan* 30°17N 68°21E 124 D3
Sanje *Uganda* 0°49S 31°30E 142 C3
Sanjiang *China* 25°48N 109°37E 116 E7
Sanjo *Japan* 37°37N 138°57E 112 F9
Sankarankovil *India* 9°10N 77°35E 127 K3
Sankeshwar *India* 16°23N 74°32E 127 F2
Sankh → *India* 22°15N 84°48E 125 H11
Sankt Andrä *Austria* 46°46N 14°50E 78 E7
Sankt Anton *Austria* 47°8N 10°16E 77 H6
Sankt Augustin *Germany* 50°45N 7°10E 76 E3
Sankt Blasien *Germany* 47°47N 8°7E 77 H4
Sankt Gallen *Switz.* 47°26N 9°22E 77 H5
Sankt Gallen □ *Switz.* 47°25N 9°22E 77 H5
Sankt Goar *Germany* 50°12N 7°43E 77 E3
Sankt Ingbert *Germany* 49°16N 7°6E 77 F3
Sankt Johann im Pongau *Austria* 47°22N 13°12E 78 D6
Sankt Johann in Tirol *Austria* 47°30N 12°25E 78 D5
Sankt Michel = Mikkeli *Finland* 61°43N 27°15E 84 B4
Sankt Moritz *Switz.* 46°30N 9°51E 77 J5
Sankt Peter-Ording *Germany* 54°20N 8°36E 76 A4
Sankt-Peterburg *Russia* 59°55N 30°20E 84 C6
Sankt Pölten *Austria* 48°12N 15°38E 78 C8
Sankt Ulrich = Ortisei *Italy* 46°34N 11°40E 93 B8
Sankt Valentin *Austria* 48°11N 14°33E 78 C7
Sankt Veit an der Glan *Austria* 46°47N 14°22E 78 E7
Sankt Wendel *Germany* 49°27N 7°9E 77 F3
Sankt Wolfgang *Austria* 47°43N 13°27E 78 D6
Sankuru → *Dem. Rep. of the Congo* 4°17S 20°25E 140 E4
Sanliurfa *Turkey* 37°12N 38°50E 105 D8
Sanliurfa □ *Turkey* 37°0N 39°0E 105 D8
Sanlúcar de Barrameda *Spain* 36°46N 6°21W 89 J4
Sanluri *Italy* 39°34N 8°54E 94 C1
Sânmartin *Romania* 46°19N 25°58E 81 D10
Sanmen *China* 29°5N 121°35E 117 C13
Sanmenxia *China* 34°47N 111°12E 114 G6
Sanming *China* 26°15N 117°40E 117 D11
Sanmu *Japan* 34°11N 134°37E 113 G7
Sanndraigh = Sandray *U.K.* 56°53N 7°31W 65 E1
Sânnicolau Mare *Romania* 46°5N 20°39E 80 D5
Sannieshof *S. Africa* 26°30S 25°47E 144 C4
Sannīn, J. *Lebanon* 33°57N 35°52E 130 B4
Sanniquellie *Liberia* 7°19N 8°38W 138 D3
Sannûr, W. → *Egypt* 28°59N 31°3E 137 F7
Sano *Japan* 36°19N 139°35E 113 F9
Sanok *Poland* 49°35N 22°10E 83 J9
Sanqingshan △ *China* 28°54N 118°3E 117 C12
Sanquhar *U.K.* 55°22N 3°54W 65 F5

Sanremo = San Remo Italy 43°49N 7°46E 92 E4
Sans Souci Trin. & Tob. 10°50N 61°0W 187 K16
Sansanding Mali 13°48N 6°0W 138 C3
Sansané Niger 13°50N 1°36E 139 C5
Sansepolcro Italy 43°34N 12°8E 93 E9
Sansha China 26°58N 120°12E 117 D13
Sanshui China 23°10N 112°56E 117 F9
Sanski Most Bos.-H. 44°46N 16°40E 93 D13
Sansui China 26°58N 108°39E 116 D7
Sant Antoni de Portmany Spain 38°59N 1°19E 100 C7
Sant Boi de Llobregat Spain 41°20N 2°2E 90 D7
Sant Carles Spain 39°3N 1°34E 100 B8
Sant Carles de la Ràpita Spain 40°37N 0°35E 90 E5
Sant Celoni Spain 41°42N 2°30E 90 D7
Sant Elm Spain 39°35N 2°21E 100 B9
Sant Feliu de Guíxols Spain 41°45N 3°1E 90 D8
Sant Feliu de Llobregat Spain 41°22N 2°2E 90 D7
Sant Ferran Spain 38°42N 1°28E 100 C7
Sant Francesc de Formentera Spain 38°42N 1°26E 100 C7
Sant Jaume Spain 39°54N 4°4E 100 B11
Sant Joan Spain 39°36N 3°4E 100 B10
Sant Joan d'Alacant Spain 38°24N 0°26W 91 G4
Sant Joan de Labritja Spain 39°5N 1°31E 100 B8
Sant Jordi Ibiza, Spain 38°53N 1°24E 100 C7
Sant Jordi Mallorca, Spain 39°33N 2°46E 100 B9
Sant Jordi, G. de Spain 40°53N 1°2E 90 E6
Sant Llorenç de Morunys Spain 42°8N 1°35E 90 C6
Sant Llorenç del Munt y l'Obac △ Spain 41°39N 1°55W 90 D3
Sant Llorenç des Cardassar Spain 39°37N 3°17E 100 B10
Sant Mateu Baleares, Spain 39°3N 1°23E 100 B7
Sant Mateu Valencia, Spain 40°28N 0°10E 90 E5
Sant Miquel Spain 39°3N 1°26E 100 B7
Sant Pere de Ribes Spain 41°16N 1°46E 90 D6
Sant Salvador Spain 39°27N 3°11E 100 B10
Sant Vicent del Raspeig Spain 38°24N 0°31W 91 G4
Santa Peru 8°59S 78°40W 188 B2
Sant' Ágata Militello Italy 38°2N 14°8E 95 D7
Santa Agnés Spain 39°3N 1°21E 100 B7
Santa Ana Beni, Bolivia 13°50S 65°40W 186 F5
Santa Ana La Paz, Bolivia 15°31S 67°30W 188 D4
Santa Ana El Salv. 14°0N 89°31W 182 D2
Santa Ana Mexico 30°33N 111°7W 180 A2
Santa Ana U.S.A. 33°46N 117°52W 171 M9
Santa Ana de los Ríos de Cuenca = Cuenca Ecuador 2°50S 79°9W 186 D3
Santa Bárbara Chile 37°40S 72°1W 190 D1
Santa Bárbara Honduras 14°53N 88°14W 182 D2
Santa Bárbara Mexico 26°48N 105°49W 180 B3
Santa Bárbara Spain 40°42N 0°29E 90 E5
Santa Barbara U.S.A. 34°25N 119°42W 171 L7
Santa Bárbara, Mt. Spain 37°23N 2°50W 91 H2
Santa Barbara Channel U.S.A. 34°15N 120°0W 171 L7
Santa Barbara I. U.S.A. 33°29N 119°2W 171 M7
Santa Catalina, Gulf of U.S.A. 33°10N 117°50W 171 N9
Santa Catalina, I. Mexico 25°40N 110°47W 180 B2
Santa Cataliña de Armada Spain 43°2N 8°49W 88 B2
Santa Catalina I. U.S.A. 33°23N 118°25W 171 M8
Santa Catarina □ Brazil 27°25S 48°30W 191 B6
Santa Catarina, I. de Brazil 27°30S 48°40W 191 B6
Santa Caterina di Pittinuri Italy 40°6N 8°27E 94 B1
Santa Caterina Villarmosa Italy 37°35N 14°2E 95 E7
Santa Cecília Brazil 26°56S 50°18W 191 B5
Santa Clara Cuba 22°20N 80°0W 182 B4
Santa Clara Calif., U.S.A. 37°21N 121°57W 170 H5
Santa Clara N.Y., U.S.A. 44°38N 74°27W 175 B10
Santa Clara Utah, U.S.A. 37°8N 113°39W 169 H7
Santa Clara → Mexico 29°51N 107°6W 180 A3
Santa Clara de Olimar Uruguay 32°50S 54°54W 191 C5
Santa Clara Valley U.S.A. 36°50N 121°30W 170 J5
Santa Clarita U.S.A. 34°24N 118°33W 171 L8
Santa Clotilde Peru 2°33S 73°45W 186 D4
Santa Coloma de Farners Spain 41°50N 2°39E 90 D7
Santa Coloma de Gramenet Spain 41°27N 2°13E 90 D7
Santa Comba = Santa Cataliña de Armada Spain 43°2N 8°49W 88 B2
Santa Croce Camerina Italy 36°50N 14°31E 95 F7
Santa Croce di Magliano Italy 41°42N 14°59E 93 G11
Santa Cruz Bolivia 17°43S 63°10W 186 G6
Santa Cruz Brazil 6°13S 36°1W 189 B3
Santa Cruz Chile 34°38S 71°27W 190 C1
Santa Cruz Costa Rica 10°15N 85°35W 182 D2
Santa Cruz Madeira 32°42N 16°46W 100 D3
Santa Cruz Peru 5°40S 75°56W 188 B2
Santa Cruz Phil. 14°20N 121°24E 119 B6
Santa Cruz U.S.A. 36°58N 122°1W 170 J4
Santa Cruz □ Argentina 49°0S 70°0W 192 C3
Santa Cruz → Argentina 50°10S 68°20W 192 D3
Santa Cruz Cabrália Brazil 16°17S 39°2W 189 D3
Santa Cruz de la Palma Canary Is. 28°41N 17°46W 100 F2
Santa Cruz de la Palma ✕ (SPC) Canary Is. 28°40N 17°45W 100 F2
Santa Cruz de Mompox = Mompós Colombia 9°14N 74°26W 186 B4
Santa Cruz de Mudela Spain 38°39N 3°28W 89 G7
Santa Cruz de Tenerife Canary Is. 28°28N 16°15W 100 F3
Santa Cruz del Norte Cuba 23°9N 81°55W 182 B3
Santa Cruz del Retamar Spain 40°8N 4°14W 88 E6
Santa Cruz del Sur Cuba 20°44N 78°0W 182 B4
Santa Cruz do Rio Pardo Brazil 22°54S 49°37W 191 A6
Santa Cruz do Sul Brazil 29°42S 52°25W 191 B5
Santa Cruz I. U.S.A. 34°1N 119°43W 171 M7
Santa Cruz Is. Solomon Is. 10°30S 166°0E 147 C9
Santa Cruz Mts. Jamaica 17°58N 77°43W 182 a
Santa Elena Argentina 30°58S 59°47W 190 C4
Santa Elena, C. Costa Rica 10°54N 85°56W 182 D2
Sant' Eufémia, G. di Italy 38°51N 16°4E 95 D9
Santa Eulària des Riu Spain 38°59N 1°32E 100 C8
Santa Fé Argentina 31°35S 60°41W 190 C3
Santa Fé Spain 37°11N 3°43W 89 H7
Santa Fe U.S.A. 35°41N 105°57W 169 J11
Santa Fé □ Argentina 31°50S 60°55W 190 C3
Santa Fé do Sul Brazil 20°13S 50°56W 187 H8
Santa Filomena Brazil 9°6S 45°50W 189 B1
Santa Fiora Italy 42°50N 11°35E 93 F8
Santa Gertrudis Spain 39°0N 1°26E 100 C7
Santa Giulia France 41°32N 9°17E 73 G13
Santa Giustina Italy 46°10N 12°5E 93 B9
Santa Helena Brazil 2°14S 45°18W 189 A1
Santa Inês Bahia, Brazil 13°17S 39°48W 189 C3
Santa Inês Maranhão, Brazil 3°39S 45°20W 189 A1
Santa Inés Spain 38°32N 5°37W 89 G5
Santa Inés, I. Chile 54°0S 73°0W 192 D2
Santa Isabel Argentina 36°10S 66°54W 190 D2
Santa Isabel do Morro Brazil 11°34S 50°40W 187 F8
Santa Lucía Corrientes, Argentina 28°58S 59°5W 190 B4
Santa Lucía San Juan, Argentina 31°30S 68°30W 190 C2
Santa Lucía Spain 37°35N 0°58W 91 H4
Santa Lucía Uruguay 34°27S 56°24W 190 C4
Santa Lucia Range U.S.A. 36°0N 121°20W 170 K5
Santa Luzia Brazil 19°47S 43°52W 189 D2
Santa Luzia C. Verde Is. 16°50N 24°35W 134 b
Santa Margalida Spain 39°42N 3°6E 100 B10
Santa Margarita Argentina 38°28S 61°35W 190 D3
Santa Margarita U.S.A. 35°23N 120°37W 170 K6
Santa Margarita → U.S.A. 33°13N 117°23W 171 M9
Santa Margarita, I. Mexico 24°27N 111°50W 180 C2
Santa Margherita Italy 38°58N 8°58E 94 D1
Santa Margherita Ligure Italy 44°20N 9°11E 92 D6
Santa María Argentina 26°40S 66°0W 190 B2
Santa Maria Azores 36°58N 25°6W 134 a
Santa Maria Brazil 29°40S 53°48W 191 B5
Santa Maria C. Verde Is. 16°31N 22°53W 134 b
Santa Maria U.S.A. 34°57N 120°26W 171 L6
Santa María → Mexico 31°0N 107°14W 180 A3
Santa María, B. de Mexico 25°4N 108°6W 180 B3
Santa Maria, C. de Portugal 36°58N 7°53W 89 J3
Santa María, Vol. Guatemala 14°45N 91°33W 182 D1
Santa Maria Cápua Vétere Italy 41°5N 14°15E 95 A7
Santa Maria da Feira Portugal 40°55N 8°35W 88 E2
Santa Maria da Vitória Brazil 13°24S 44°12W 189 C2
Santa María de Guadalupe = Guadalupe Spain 39°27N 5°17W 89 F5
Santa María del Camí Spain 39°38N 2°47E 100 B9
Santa Maria di Léuca, C. Italy 39°47N 18°22E 95 C11
Santa Maria do Suaçuí Brazil 18°12S 42°25W 189 D2
Santa María la Real de Nieva Spain 41°4N 4°24W 88 D6
Santa Marinella Italy 42°2N 11°52E 93 F8
Santa Marta Colombia 11°15N 74°13W 186 A4
Santa Marta, Sierra Nevada de Colombia 10°55N 73°50W 186 A4
Santa Marta de Tormes Spain 40°57N 5°38W 88 E5
Santa Marta Grande, C. Brazil 28°43S 48°50W 191 B6
Santa Maura = Lefkada Greece 38°40N 20°43E 98 C2
Santa Monica U.S.A. 34°1N 118°29W 171 M8
Santa Monica Mts. △ U.S.A. 34°4N 118°44W 171 L8
Santa Olalla Spain 40°2N 4°25W 88 E6
Santa Olalla del Cala Spain 37°54N 6°14W 89 H4
Santa Paula U.S.A. 34°21N 119°4W 171 L7
Santa Pola Spain 38°13N 0°35W 91 G4
Santa Ponça Spain 39°30N 2°28E 100 B9
Santa Quitéria Brazil 4°20S 40°10W 189 A2
Santa Rita Brazil 7°8S 34°58W 189 B4
Santa Rita de Cássia Brazil 11°0S 44°32W 189 C2
Santa Rosa La Pampa, Argentina 36°40S 64°17W 190 D3
Santa Rosa San Luis, Argentina 32°21S 65°10W 190 C2
Santa Rosa Beni, Bolivia 14°10S 66°53W 188 C4
Santa Rosa Pando, Bolivia 10°36S 67°20W 188 C4
Santa Rosa Brazil 27°52S 54°29W 191 B5
Santa Rosa Puno, Peru 14°30S 70°50W 188 C3
Santa Rosa San Martín, Peru 6°41S 76°37W 188 B2
Santa Rosa Calif., U.S.A. 38°26N 122°43W 170 G4
Santa Rosa N. Mex., U.S.A. 34°57N 104°41W 169 J11
Santa Rosa and San Jacinto Mts. △ U.S.A. 33°28N 116°20W 171 M10
Santa Rosa Beach U.S.A. 30°22N 86°14W 178 E3
Santa Rosa de Copán Honduras 14°47N 88°46W 182 D2
Santa Rosa de Río Primero Argentina 31°8S 63°20W 190 C3
Santa Rosa del Sara Bolivia 17°7S 63°35W 186 G6
Santa Rosa I. Calif., U.S.A. 33°58N 120°6W 171 M6
Santa Rosa I. Fla., U.S.A. 30°20N 86°50W 179 E3
Santa Rosa Range U.S.A. 41°45N 117°40W 168 F5
Santa Rosalía Mexico 27°19N 112°17W 180 B2
Santa Sylvina Argentina 27°50S 61°10W 190 B3
Santa Tecla = Nueva San Salvador El Salv. 13°40N 89°18W 182 D2
Santa Teresa Argentina 33°25S 60°47W 190 C3
Santa Teresa Australia 24°8S 134°22E 150 C1
Santa Teresa Brazil 19°55S 40°36W 189 D2
Santa Teresa Mexico 25°17N 97°51W 181 B5
Santa Teresa △ Uruguay 33°57S 53°31W 191 C5
Santa Teresa di Riva Italy 37°57N 15°22E 95 E8
Santa Teresa Gallura Italy 41°14N 9°11E 94 A2
Santa Teresita Argentina 36°32S 56°41W 190 D4
Santa Uxía de Ribeira = Ribeira Spain 42°36N 8°58W 88 C2
Santa Vitória do Palmar Brazil 33°32S 53°25W 191 C5
Santa Ynez → U.S.A. 34°41N 120°36W 171 L6
Santa Ynez Mts. U.S.A. 34°30N 120°0W 171 L6
Santa Ysabel U.S.A. 33°7N 116°40W 171 M10
Santadi Italy 39°5N 8°43E 94 C1
Santaella Spain 37°34N 4°51W 89 H6
Santai China 31°5N 104°58E 116 B5
Santaluz Brazil 11°15S 39°22W 189 C3
Santana Brazil 13°2S 44°5W 189 C2
Santana Madeira 32°48N 16°52W 100 D3
Sântana Romania 46°20N 21°30E 80 D6
Santana, Coxilha de Brazil 30°50S 55°35W 191 C4
Santana do Ipanema Brazil 9°22S 37°14W 189 B3
Santana do Livramento Brazil 30°55S 55°30W 191 C4
Santander Spain 43°27N 3°51W 88 B7
Santander Jiménez Mexico 24°13N 98°28W 181 C5
Santanilla, Is. Honduras 17°22N 83°57W 182 C3
Santanyí Spain 39°20N 3°5E 100 B10
Santaquin U.S.A. 39°59N 111°47W 168 G8
Santarcángelo di Romagna Italy 44°4N 12°26E 93 D9
Santarém Brazil 2°25S 54°42W 187 D8
Santarém Portugal 39°12N 8°42W 89 F2
Santarém □ Portugal 39°10N 8°40W 89 F2
Santaren Channel W. Indies 24°0N 79°30W 182 B4
Santee U.S.A. 32°50N 116°58W 171 N10
Santee → U.S.A. 33°7N 79°17W 177 E15
Santéramo in Colle Italy 40°49N 16°45E 95 B9
Santerno → Italy 44°34N 11°58E 93 D8
Santhià Italy 45°22N 8°10E 92 C5
Santi-Quaranta = Sarandë Albania 39°52N 19°55E 96 G3
Santiago = Río Grande de Santiago → Mexico 21°36N 105°26W 180 C3
Santiago = São Tiago C. Verde Is. 15°0N 23°40W 134 b
Santiago Brazil 29°11S 54°52W 191 B5
Santiago Canary Is. 28°2N 17°12W 100 F2
Santiago Chile 33°26S 70°40W 190 C1
Santiago Panama 8°0N 81°0W 182 E3
Santiago Peru 14°11S 75°43W 188 C2
Santiago Phil. 16°41N 121°33E 119 A6
Santiago → Peru 4°27S 77°38W 186 D3
Santiago, C. Chile 50°46S 75°27W 192 D1
Santiago, Punta de Eq. Guin. 3°12N 8°40E 139 E6
Santiago de Chuco Peru 8°9S 78°11W 188 B2
Santiago de Compostela Spain 42°52N 8°37W 88 C2
Santiago de Cuba Cuba 20°0N 75°49W 182 C4
Santiago de los Caballeros Dom. Rep. 19°30N 70°40W 183 C5
Santiago del Estero Argentina 27°50S 64°15W 190 B3
Santiago del Estero □ Argentina 27°40S 63°15W 190 B3
Santiago del Teide Canary Is. 28°17N 16°48W 100 F3
Santiago do Cacém Portugal 38°1N 8°42W 89 G2
Santiago Ixcuintla Mexico 21°49N 105°13W 180 C3
Santiago Jamiltepec Mexico 16°17N 97°49W 181 D5
Santiago Papasquiaro Mexico 25°3N 105°25W 180 C3
Santiago Pinotepa Nacional Mexico 16°19N 98°1W 181 D5
Santiaguillo, L. de Mexico 24°48N 104°48W 180 C4
Santiguila Mali 12°42N 7°25W 138 C3
Santillana del Mar Spain 43°24N 4°6W 88 B6
Santisteban del Puerto Spain 38°17N 3°15W 89 G7
Santo → Peru 8°56S 78°37W 188 B2
Santo Amaro Brazil 12°30S 38°43W 189 C3
Santo Anastácio Brazil 21°58S 51°39W 191 A5
Santo André Brazil 23°39S 46°29W 191 A6
Santo Ângelo Brazil 28°15S 54°15W 191 B5
Sant' Ángelo Lodigiano Italy 45°14N 9°25E 92 C6
Santo Antão C. Verde Is. 16°52N 25°10W 134 b
Sant' Antíoco Italy 39°4N 8°27E 94 C1
Santo Antônio de Jesus Brazil 12°58S 39°16W 189 C3
Santo Antônio do Içá Brazil 3°5S 67°57W 186 D5
Santo Antônio do Leverger Brazil 15°52S 56°5W 187 G7
Santo Domingo Dom. Rep. 18°30N 69°59W 183 C6
Santo Domingo Mexico 25°29N 111°55W 180 B2
Santo Domingo Nic. 12°14N 84°59W 182 D3
Santo Domingo, Cay Bahamas 21°25N 75°45W 182 B4
Santo Domingo de la Calzada Spain 42°26N 2°57W 90 C2
Santo Domingo de los Colorados Ecuador 0°15S 79°9W 186 D3
Santo Domingo Pueblo U.S.A. 35°31N 106°22W 169 J10
Santo Domingo Tehuantepec = Tehuantepec Mexico 16°21N 95°13W 181 D5
Sant' Egidio alla Vibrata Italy 42°49N 13°42E 93 F10
Santo Stéfano di Camastro Italy 38°1N 14°22E 95 D7
Santo Tirso Portugal 41°21N 8°28W 88 D2
Santo Tomás Mexico 31°33N 116°24W 180 A1
Santo Tomás Peru 14°26S 72°8W 188 C3
Santo Tomé Argentina 28°40S 56°5W 191 B4
Santo Tomé de Guayana = Ciudad Guayana Venezuela 8°0N 62°30W 186 B6
Santomera Spain 38°4N 1°3W 91 G3
Santoña Spain 43°29N 3°27W 88 B7
Santorini Greece 36°23N 25°27E 99 E7
Santos Brazil 24°0S 46°20W 191 A6
Santos, Sierra de los Spain 38°7N 5°12W 89 G5
Santos Dumont Brazil 22°55S 43°10W 191 A7
Santuario de Aves Laguna Colorada △ Bolivia 22°10S 67°45W 190 A2
Sanuki Japan 34°19N 134°10E 113 G7
Sanur Indonesia 8°41S 115°15E 119 K18
Sanwer India 22°59N 75°50E 124 H6
Sanxenxo Spain 42°24N 8°49W 88 C2
Sanxia Shuiku China 30°3N 107°58E 116 B6
Sanxiang China 22°21N 113°25E 111 a
Sanya China 18°14N 109°29E 117 a
Sanyuan China 34°35N 108°58E 114 G5
São Bartolomeu de Messines Portugal 37°15N 8°17W 89 H2
São Benedito Brazil 4°3S 40°53W 189 A2
São Bento Brazil 2°42S 44°50W 189 A2
São Bento do Norte Brazil 5°4S 36°2W 189 B3
São Bernado do Campo Brazil 23°45S 46°34W 191 A6
São Borja Brazil 28°39S 56°0W 191 B4
São Brás de Alportel Portugal 37°8N 7°37W 89 H3
São Caitano Brazil 8°21S 36°6W 189 B3
São Carlos Brazil 22°0S 47°50W 191 A6
São Cristóvão Brazil 11°1S 37°15W 189 C3
São Domingos Brazil 13°25S 46°19W 189 C1
São Domingos Guinea-Biss. 12°19N 16°13W 138 C1
São Domingos do Maranhão Brazil 5°42S 44°22W 189 B2
São Filipe C. Verde Is. 15°2N 24°30W 134 b
São Francisco Brazil 16°0S 44°50W 189 D2
São Francisco → Brazil 10°30S 36°24W 189 C3
São Francisco do Maranhão Brazil 6°15S 42°52W 189 B2
São Francisco do Sul Brazil 26°15S 48°36W 191 B6
São Gabriel Brazil 30°20S 54°20W 191 C5
São Gabriel da Palha Brazil 18°47S 40°39W 189 D2
São Gonçalo Brazil 22°48S 43°5W 191 A7
São Gotardo Brazil 19°19S 46°3W 189 D1
Sao Hill Tanzania 8°20S 35°12E 143 D4
São João Guinea-Biss. 11°32N 15°25W 138 C1
São João da Boa Vista Brazil 22°0S 46°52W 191 A6
São João da Madeira Portugal 40°54N 8°30W 88 E2
São João da Pesqueira Portugal 41°8N 7°24W 88 D3
São João da Ponte Brazil 15°56S 44°1W 189 D2
São João del Rei Brazil 21°8S 44°15W 191 A7
São João do Araguaia Brazil 5°23S 48°46W 187 E9
São João do Paraíso Brazil 15°19S 42°1W 189 D2
São João do Piauí Brazil 8°21S 42°15W 189 B2
São João dos Patos Brazil 6°30S 43°42W 189 B2
São Joaquim Brazil 28°18S 49°56W 191 B6
São Joaquim △ Brazil 28°12S 49°37W 191 B6
São Joaquim da Barra Brazil 20°35S 47°53W 189 E1
São Jorge Azores 38°38N 28°3W 134 a
São Jorge, Pta. de Madeira 32°50N 16°53W 100 D3
São José Brazil 27°38S 48°39W 191 B5
São José da Laje Brazil 9°1S 36°3W 189 B3
São José de Mipibu Brazil 6°5S 35°15W 189 B3
São José do Norte Brazil 32°1S 52°3W 191 C5
São José do Peixe Brazil 7°24S 42°34W 189 B2
São José do Rio Preto Brazil 20°50S 49°20W 191 A6
São José dos Campos Brazil 23°7S 45°52W 191 A6
São Leopoldo Brazil 29°50S 51°10W 191 B5
São Lourenço Brazil 22°7S 45°3W 191 A6
São Lourenço → Brazil 17°53S 57°27W 187 G7
São Lourenço, Pta. de Madeira 32°44N 16°39W 100 D3
São Lourenço do Sul Brazil 31°22S 51°58W 191 C5
São Luís Brazil 2°39S 44°15W 189 A2
São Luís do Curu Brazil 3°40S 39°14W 189 A3
São Luís Gonzaga Brazil 28°25S 55°0W 191 B5
São Marcos → Brazil 18°15S 47°37W 189 D1
São Marcos, B. de Brazil 2°0S 44°0W 189 A2
São Martinho da Cortiça Portugal 40°18N 8°8W 88 E2
São Mateus Brazil 18°44S 39°50W 189 D3
São Mateus → Brazil 18°35S 39°44W 189 D3
São Mateus do Sul Brazil 25°52S 50°23W 191 B5
São Miguel Azores 37°47N 25°30W 134 a
São Miguel do Oeste Brazil 26°45S 53°34W 191 B5
São Miguel dos Campos Brazil 9°47S 36°5W 189 B3
São Nicolau C. Verde Is. 16°20N 24°20W 134 b
São Nicolau → Brazil 5°45S 42°2W 189 B2
São Paulo Atl. Oc. 0°56N 29°22W 56 F9
São Paulo Brazil 23°32S 46°38W 191 A6
São Paulo □ Brazil 22°0S 49°0W 191 A6
São Paulo de Olivença Brazil 3°27S 68°48W 186 D5
São Pedro Atl. Oc. 0°56N 29°22W 56 F9
São Pedro do Sul Portugal 40°46N 8°4W 88 E2
São Rafael Brazil 5°47S 36°55W 189 B3
São Raimundo das Mangabeiras Brazil 7°1S 45°29W 189 B1
São Raimundo Nonato Brazil 9°1S 42°42W 189 B2
São Romão Brazil 16°22S 45°4W 189 D1
São Roque Madeira 32°46N 16°48W 100 D3
São Roque, C. de Brazil 5°30S 35°16W 189 B3
São Sebastião, I. de Brazil 23°50S 45°18W 191 A6
São Sebastião do Paraíso Brazil 20°54S 46°59W 191 A6
São Teotónio Portugal 37°30N 8°42W 89 H2
São Tiago C. Verde Is. 15°0N 23°40W 134 b
São Tomé Brazil 5°58S 36°4W 189 B3
São Tomé São Tomé & Príncipe 0°10N 6°39E 132 F4
São Tomé, C. de Brazil 22°0S 40°59W 189 E2
São Tomé & Príncipe ■ Africa 0°12N 6°39E 133 F4
São Vicente Brazil 23°57S 46°23W 191 A6
São Vicente C. Verde Is. 17°0N 25°0W 134 b
São Vicente Madeira 32°48N 17°3W 100 D3
São Vicente, C. de Portugal 37°0N 9°0W 89 H1
Saona, I. Dom. Rep. 18°10N 68°40W 183 C6
Saône → France 45°44N 4°50E 71 G11
Saône-et-Loire □ France 46°30N 4°50E 71 F11
Saonek Indonesia 0°22S 130°55E 119 E8
Saoura, O. → Algeria 29°0N 0°55W 136 C3
Sapam, Ao Thailand 8°0N 98°26E 121 a
Sapanca Turkey 40°41N 30°16E 104 B4
Sapão → Brazil 11°1S 45°32W 189 C1
Saparua Indonesia 3°33S 128°40E 119 E7
Sapé Brazil 7°6S 35°13W 189 B3
Sape Indonesia 8°34S 118°59E 119 F5
Sapele Nigeria 5°50N 5°40E 139 D6
Sapelo I. U.S.A. 31°25N 81°12W 178 D8
Sapelo Sound U.S.A. 31°30N 81°10W 178 D8
Sapes Greece 41°2N 25°43E 97 E9
Şaphane Turkey 39°1N 29°13E 99 B11
Sapi △ Zimbabwe 15°48S 29°42E 143 F2
Sapienza Greece 36°45N 21°43E 98 E3
Sapo △ Liberia 5°15N 8°30W 138 D3
Sapone Burkina Faso 12°3N 1°35W 139 C4
Saposoa Peru 6°55S 76°45W 188 B2
Sapotskina Belarus 53°49N 23°40E 82 E10
Sapouy Burkina Faso 11°34N 1°44W 139 C4
Sapozhok Russia 53°59N 40°41E 86 D5
Sapphire Australia 23°28S 147°43E 150 C4
Sappho U.S.A. 48°4N 124°16W 170 B2
Sapporo Japan 43°0N 141°21E 112 C10
Sapporo New Chitose ✕ (CTS) Japan 42°46N 141°41E 112 C10
Sapri Italy 40°4N 15°38E 95 B8
Sapt Kosi → Nepal 26°32N 86°56E 125 F12
Sapudi Indonesia 7°6S 114°20E 119 G16
Sapulpa U.S.A. 35°59N 96°5W 176 D6
Saqqez Iran 36°15N 46°20E 105 D12
Sar Dasht Āzarbāyjān-e Gharbī, Iran 36°9N 45°28E 105 D11
Sar Dasht Khuzestān, Iran 32°32N 48°52E 129 C6
Sar-e Pol Afghan. 36°10N 66°0E 109 E7
Sar-e Pol □ Afghan. 36°20N 65°50E 109 E7
Sar Gachīneh = Yāsūj Iran 30°31N 51°31E 129 D6
Sar Planina Macedonia 42°0N 21°0E 96 E4
Sara Burkina Faso 11°40N 3°53W 138 C4
Šara △ Serbia 42°12N 21°0E 96 D5
Sara Buri = Saraburi Thailand 14°30N 100°55E 120 E3
Sarāb Iran 37°55N 47°40E 105 D12
Sarābādī Iraq 33°1N 44°48E 128 C5
Sarābleh Iran 33°44N 46°34E 105 F12
Saraburi Thailand 14°30N 100°55E 120 E3
Saradiya India 21°34N 70°2E 124 J4
Saraféré Mali 15°50N 3°40W 138 B4
Saragossa = Zaragoza Spain 41°39N 0°53W 90 D4
Saraguro Ecuador 3°35S 79°16W 186 D3
Sarahs Turkmenistan 36°32N 61°13E 129 B9
Sarai Naurang Pakistan 32°50N 70°47E 124 C4
Saraikela India 22°42N 85°56E 125 H11
Saraipali India 21°20N 82°59E 126 D6
Saraiu Romania 44°43N 28°10E 81 F13
Sarajevo Bos.-H. 43°52N 18°26E 80 G3
Sarakhs = Sarahs Turkmenistan 36°32N 61°13E 129 B9
Sarakhs Iran 36°32N 61°9E 108 E6
Saran, Gunung Indonesia 0°30S 111°25E 118 E4
Saranac Lake U.S.A. 44°20N 74°10W 175 B10
Saranac Lakes U.S.A. 44°20N 74°28W 175 B10
Saranda Tanzania 5°45S 34°59E 142 D3
Sarandë Albania 39°52N 19°55E 96 G3
Sarandí del Yí Uruguay 33°18S 55°38W 191 C4
Sarandí Grande Uruguay 33°44S 56°20W 190 C4
Sarangani B. Phil. 6°0N 125°13E 119 C7
Sarangani Is. Phil. 5°25N 125°25E 119 C7
Sarangarh India 21°30N 83°5E 126 D6
Saransk Russia 54°10N 45°10E 86 C7
Sarapul Russia 56°28N 53°48E 106 D6
Sarasota U.S.A. 27°20N 82°32W 179 H7
Sarata Ukraine 46°1N 29°40E 81 D14
Sarata → Ukraine 45°51N 29°41E 81 E14
Saratoga Calif., U.S.A. 37°16N 122°2W 170 H4
Saratoga Wyo., U.S.A. 41°27N 106°49W 168 F10
Saratoga △ U.S.A. 43°0N 73°38W 175 D11
Saratoga L. U.S.A. 43°1N 73°44W 175 C11
Saratoga Springs U.S.A. 43°5N 73°47W 175 C11
Saratok Malaysia 1°55N 111°17E 118 D4
Saratov Russia 51°30N 46°2E 86 E7
Saratov □ Russia 51°50N 46°20E 86 E8
Saratovskoye Vdkhr. Russia 53°10N 48°35E 86 D9
Sarāvān Iran 27°25N 62°15E 129 E9
Saravane Laos 15°43N 106°25E 120 E6
Sarawak □ Malaysia 2°0N 113°0E 118 D4
Saray Tekirdağ, Turkey 41°26N 27°55E 97 E11
Saray Van, Turkey 38°38N 44°9E 105 C11
Saraya Senegal 12°50N 11°45W 138 C2
Saraycık Turkey 39°1N 29°49E 99 B11
Sarayköy Turkey 37°55N 28°54E 99 D10
Saraylar Turkey 40°39N 27°40E 97 F11
Sarayönü Turkey 38°16N 32°24E 104 C5
Sarbāz Iran 26°38N 61°19E 129 E9
Sarbīsheh Iran 32°30N 59°40E 129 C8
Sárbogárd Hungary 46°50N 18°40E 80 D3
Sarca → Italy 45°52N 10°52E 92 C7
Sarcelles France 49°1N 2°23E 71 D9
Sarda → India 27°21N 81°23E 125 F9
Sardar Sarovar Dam India 21°50N 73°50E 126 D1
Sardarshahr India 28°30N 74°29E 124 E6
Sardegna □ Italy 40°0N 9°0E 94 B1
Sardhana India 29°9N 77°39E 124 E7
Sardina, Pta. Canary Is. 28°9N 15°44W 100 F4
Sardinia = Sardegna □ Italy 40°0N 9°0E 94 B1
Sardis Turkey 38°28N 27°58E 99 C10
Sardis U.S.A. 32°58N 81°46W 178 C8
Sārdūīyeh = Dar Mazār Iran 29°14N 57°20E 129 D8
Sarek △ Sweden 67°22N 17°35E 60 C17
Saren Indonesia 8°26S 115°34E 119 J18
S'Arenal Spain 39°30N 2°45E 100 B9
Sarentino Italy 46°38N 11°21E 93 B8
Sarera, G. of Indonesia 2°0S 135°0E 147 B6
Saréyamou Mali 16°7N 3°10W 138 B4
Sargasso Sea Atl. Oc. 27°0N 72°0W 158 G13
Sargent U.S.A. 33°26N 84°52W 178 B5
Sargodha Pakistan 32°10N 72°40E 124 C5
Sarh Chad 9°5N 18°23E 135 G9
Sarhala Ivory C. 8°22N 6°8W 138 D3
Sarhro, Jebel Morocco 31°6N 5°0W 136 B3
Sārī Iran 36°30N 53°4E 129 B7
Sari d'Orcino France 42°3N 8°49E 73 F12
Saria Greece 35°54N 27°17E 99 F9
Saria India 21°38N 83°22E 125 J10
Sariab Pakistan 30°6N 66°59E 124 D2
Sarıbeyler Turkey 39°24N 27°35E 99 B9
Sarıgöl Turkey 38°14N 28°41E 104 C3
Sarıkamiş Turkey 40°22N 42°35E 105 B10
Sarıkaya Turkey 39°29N 35°22E 104 C6
Sarikei Malaysia 2°8N 111°30E 118 D4
Sarıköy Turkey 40°12N 27°37E 97 F11
Sarila India 25°46N 79°41E 125 G8
Sarina Australia 21°22S 149°13E 150 C4
Sariñena Spain 41°47N 0°10W 90 D4
Sarıoğlan Turkey 39°5N 35°59E 104 C6
Sarita U.S.A. 27°13N 97°47W 176 H6
Sariwŏn N. Korea 38°31N 125°46E 115 E13
Sarıyar Barajı Turkey 40°2N 31°33E 104 B4
Sarıyer Turkey 41°10N 29°3E 97 E13
Sarız Turkey 38°28N 36°30E 104 C7
Sarju → India 27°21N 81°23E 125 F9
Sark U.K. 49°25N 2°22W 67 H5
Sarkad Hungary 46°47N 21°23E 80 D6
Sarkari Tala India 27°39N 70°52E 124 F4
Şarkışla Turkey 39°21N 36°25E 104 C7
Şarköy Turkey 40°36N 27°6E 97 F11
Sarlat-la-Canéda France 44°54N 1°13E 72 D5
Sărmăşag Romania 47°21N 22°50E 80 C7
Sărmaşu Romania 46°45N 24°13E 81 D9
Sarmi Indonesia 1°49S 138°44E 119 E9
Sarmiento Argentina 45°35S 69°5W 192 C3
Sarmiento, Mt. Chile 54°27S 70°50W 192 D2
Sarmizegetusa Romania 45°31N 22°47E 80 E7
Särna Sweden 61°41N 13°8E 62 C7
Sarnano Italy 43°2N 13°18E 93 E10
Sarnen Switz. 46°53N 8°13E 77 J4
Sarnia Canada 42°58N 82°23W 174 D2
Sarno Italy 40°49N 14°37E 95 B7
Sarnthein = Sarentino Italy 46°38N 11°21E 93 B8
Särö Sweden 57°31N 11°57E 63 G5
Sarolangun Indonesia 2°19S 102°42E 118 E2
Saronikos Kolpos Greece 37°45N 23°45E 98 D5
Saronno Italy 45°38N 9°2E 92 C6
Saros Körfezi Turkey 40°30N 26°15E 97 F10
Sárospatak Hungary 48°18N 21°33E 80 B6
Sarov Russia 54°55N 43°19E 86 C6
Sarpsborg Norway 59°16N 11°7E 61 G14
Sarqan Kazakhstan 45°24N 79°55E 109 C9
Sarracín Spain 42°15N 3°45W 88 C7
Sarralbe France 49°0N 7°1E 71 D14
Sarre = Saar → Europe 49°41N 6°32E 69 E6
Sarre Italy 45°40N 7°15E 92 C4
Sarre-Union France 48°57N 7°4E 71 D14
Sarrebourg France 48°43N 7°3E 71 D14
Sarreguemines France 49°5N 7°4E 71 C14
Sarria Spain 42°49N 7°29W 88 C3
Sarrión Spain 40°9N 0°49W 90 E4
Sarro Mali 13°40N 5°15W 138 C3
Sarroch Italy 39°4N 9°1E 94 C2
Sarsing Iraq 37°2N 43°20E 105 D10
Sarstedt Germany 52°14N 9°52E 76 C5
Sartell U.S.A. 45°37N 94°12W 172 C6
Sartène France 41°38N 8°58E 73 G12
Sarthe □ France 48°10N 0°10E 70 D7
Sarthe → France 47°33N 0°31W 70 E6
Sartilly France 48°45N 1°28W 70 D5
Saruhanlı Turkey 38°44N 27°36E 99 C9
Sărulești Romania 44°25N 26°39E 81 F11
Saruna → Pakistan 26°31N 67°7E 124 F2
Sarur Azerbaijan 39°22N 45°5E 105 C11
Sárvár Hungary 47°15N 16°56E 80 C1
Sarvar India 26°4N 75°0E 124 F6
Sarvestān Iran 29°20N 53°10E 129 D7
Särvfjället Sweden 62°42N 13°30E 62 B7
Sárviz → Hungary 46°24N 18°41E 80 D3
Sary-Tash Kyrgyzstan 39°44N 73°15E 109 E8
Sarych, Mys Ukraine 44°25N 33°45E 85 K7
Sarysik-Atyraū Qumy Kazakhstan 45°30N 76°0E 109 C9
Sarykamyshskoye, Ozero = Sarygamysh Köli Turkmenistan 41°56N 57°25E 108 D5
Sarykemer Kazakhstan 43°0N 71°30E 109 D8
Sarykenggir → Kazakhstan 48°22N 67°59E 109 C7
Saryköl Kazakhstan 53°20N 65°12E 108 B7
Sarykolskiy Khrebet Tajikistan 38°30N 74°30E 109 E8
Saryözek Kazakhstan 44°22N 77°59E 109 D9
Sarygamysh Köli Turkmenistan 41°56N 57°25E 108 D5

Saryshaghan Kazakhstan 46°12N 73°38E 109 C8
Sarysū → Kazakhstan 45°12N 66°36E 109 C7
Sarzana Italy 44°7N 9°58E 92 D6
Sarzeau France 47°31N 2°48W 70 E4
Sasan Gir India 21°10N 70°36E 124 J4
Sasaram India 24°57N 84°5E 125 G11
Sasebo Japan 33°10N 129°43E 113 H4
Saser Kangri India 34°50N 77°50E 125 B7
Saskatchewan □ Canada 54°40N 106°0W 163 C7
Saskatchewan → Canada 53°37N 100°40W 163 C8
Saskatoon Canada 52°10N 106°38W 163 C7
Saskylakh Russia 71°55N 114°1E 107 B12
Saslaya △ Nic. 13°45N 85°4W 182 D2
Sasolburg S. Africa 26°46S 27°49E 145 C4
Sason Turkey 38°19N 41°24E 105 C9
Sasovo Russia 54°25N 41°55E 86 C5
Sassandra Ivory C. 4°55N 6°8W 138 E3
Sassandra → Ivory C. 4°58N 6°5W 138 E3
Sassandra-Marahoué □ Ivory C. 6°58N 6°26W 138 D3
Sássari Italy 40°43N 8°34E 94 B1
Sassie Australia 10°2S 142°51E 150 a
Sassnitz Germany 54°29N 13°39E 76 A9
Sasso Marconi Italy 44°24N 11°15E 93 D8
Sassocorvaro Italy 43°47N 12°30E 93 E9
Sassoferrato Italy 43°26N 12°51E 93 E9
Sassuolo Italy 44°33N 10°47E 92 D7
Sástago Spain 41°19N 0°21W 90 D4
Sastamala Finland 61°20N 22°54E 84 B2
Sastown Liberia 4°45N 8°27W 138 E3
Sasvad India 18°20N 74°2E 126 E2
Sasyk, Ozero Ukraine 45°45N 29°40E 81 E14
Sasyqköl Kazakhstan 46°35N 81°0E 109 C10
Sata-Misaki Japan 31°0N 130°40E 113 J5
Satadougou Mali 12°25N 11°25W 138 C2
Satakunta □ Finland 61°45N 23°0E 60 F20
Satama-Soukoura Ivory C. 7°55N 4°27W 138 D4
Satara India 17°44N 73°58E 126 F1
Satara S. Africa 24°29S 31°47E 145 B5
Sātbaev Kazakhstan 48°10N 67°31E 109 C7
Satbarwa India 23°55N 84°16E 125 H11
Satellite Beach U.S.A. 28°10N 80°36W 179 G9
Säter Sweden 60°21N 15°45E 62 D9
Satevó Mexico 27°57N 106°7W 180 B3
Satilla → U.S.A. 30°59N 81°29W 178 E8
Satipo Peru 11°15S 74°25W 188 C3
Satka Russia 55°3N 59°1E 108 A5
Satluj = Sutlej → Pakistan 29°23N 71°3E 124 E4
Satmala Hills Maharashtra, India 20°15N 74°40E 126 D2
Satmala Hills Telangana, India 19°45N 78°45E 126 E4
Satna India 24°35N 80°50E 125 G9
Šator Bos.-H. 44°11N 16°37E 93 D13
Sátoraljaújhely Hungary 48°25N 21°41E 80 B6
Satpura △ India 22°40N 78°15E 124 H8
Satpura Ra. India 21°25N 76°10E 126 D3
Satrup Germany 54°41N 9°36E 76 A5
Satsuma-Sendai Japan 31°50N 130°20E 113 J5
Satsunan-Shotō Japan 30°0N 130°0E 113 K5
Sattahip Thailand 12°41N 100°54E 120 F3
Sattenapalle India 16°25N 80°6E 127 F5
Satu Mare Romania 47°46N 22°55E 80 C7
Satu Mare □ Romania 47°45N 23°0E 80 C8
Satui Indonesia 3°50S 115°27E 118 E5
Satun Thailand 6°43N 100°2E 121 J3
Saturnina → Brazil 12°15S 58°10W 186 F7
Sauce Argentina 30°5S 58°46W 190 C4
Sauceda Mexico 25°46N 101°19W 180 B4
Saucillo Mexico 28°1N 105°17W 180 B3
Sauda Norway 59°40N 6°20E 61 G12
Saúde Brazil 10°56S 40°24W 189 C2
Sauðárkrókur Iceland 65°45N 19°40W 60 D4
Saudi Arabia ■ Asia 26°0N 44°0E 128 B3
Sauerland Germany 51°12N 7°59E 74 C4
Saugeen → Canada 44°30N 81°22W 174 B3
Saugerties U.S.A. 42°5N 73°57W 175 D11
Saugues France 44°58N 3°32E 72 D7
Saugus U.S.A. 34°25N 118°32W 171 L8
Saujon France 45°41N 0°55W 72 C3
Sauk Centre U.S.A. 45°44N 94°57W 172 C6
Sauk Rapids U.S.A. 45°35N 94°10W 172 C6
Saulgau Germany 48°1N 9°29E 77 G5
Saulieu France 47°17N 4°14E 71 E11
Sault France 44°6N 5°24E 73 D9
Sault Ste. Marie Canada 46°30N 84°20W 164 C3
Sault Ste. Marie U.S.A. 46°30N 84°21W 173 B11
Saūmalkol Kazakhstan 53°17N 68°6E 109 B7
Saumlaki Indonesia 7°55S 131°20E 119 F8
Saumur France 47°15N 0°5W 70 E6
Saundatti India 15°47N 75°7E 127 G2
Saunders, C. N.Z. 45°53S 170°45E 155 F5
Saunders I. Antarctica 57°48S 26°28W 55 B1
Saunders Pt. Australia 27°52S 125°38E 149 E4
Sauri Nigeria 11°42N 6°44E 139 C6
Saurimo Angola 9°40S 20°12E 140 F4
Sausalito U.S.A. 37°51N 122°29W 170 H4
Sauvage, Côte France 45°50N 1°30W 72 C2
Sauveterre-de-Béarn France 43°24N 0°57W 72 E3
Sauzé-Vaussais France 46°8N 0°8E 72 B4
Savá Honduras 15°32N 86°15W 182 C2
Sava Italy 40°24N 17°33E 95 B10
Sava → Serbia 44°50N 20°26E 80 F5
Savage U.S.A. 47°27N 104°21W 168 C11
Savage I. = Niue ☒ Pac. Oc. 19°2S 169°54W 157 J11
Savage River Australia 41°31S 145°14E 151 G4
Savai'i Samoa 13°28S 172°24W 147 C11
Savalou Benin 7°57N 1°58E 139 D5
Savane Mozam. 19°37S 35°8E 143 F4
Savanes □ Ivory C. 9°30N 6°0W 138 D3
Savanna U.S.A. 42°5N 90°8W 172 D8
Savanna-la-Mar Jamaica 18°10N 78°10W 182 a
Savannah Ga., U.S.A. 32°5N 81°6W 178 C8
Savannah Mo., U.S.A. 39°56N 94°50W 172 F6
Savannah Tenn., U.S.A. 35°14N 88°15W 177 D10
Savannah → U.S.A. 32°2N 80°53W 178 C9
Savannah Beach = Tybee Island U.S.A. 32°1N 80°51W 178 C9
Savannakhet Laos 16°30N 104°49E 120 D5
Savant L. Canada 50°16N 90°44W 164 B1
Savant Lake Canada 50°14N 90°40W 164 B1
Savantvadi India 15°55N 73°54E 127 G1
Savanur India 14°59N 75°21E 127 G2
Savarkundla = Kundla India 21°21N 71°25E 124 J4
Săvârşin Romania 46°1N 22°14E 80 D7
Savaştepe Turkey 39°22N 27°42E 99 B9
Savda India 21°9N 75°56E 126 D2
Savé Benin 8°2N 2°29E 139 D5
Save → France 43°47N 1°17E 72 E5
Save → Mozam. 21°16S 34°0E 145 B5
Sāveh Iran 35°2N 50°20E 129 C6
Savelugu Ghana 9°38N 0°54W 139 D4
Savenay France 47°20N 1°55W 70 E5
Săveni Romania 47°57N 26°52E 81 C11
Saverdun France 43°14N 1°34E 72 E5
Saverne France 48°43N 7°20E 71 D14
Savigliano Italy 44°38N 7°40E 92 D4
Savigny-sur-Braye France 47°53N 0°49E 70 E7
Sàvio → Italy 44°19N 12°20E 93 D9
Šavnik Montenegro 42°59N 19°10E 96 D3
Savo Finland 62°45N 27°30E 60 E22
Savoie □ France 45°26N 6°25E 73 C10
Savolax = Savo Finland 62°45N 27°30E 60 E22
Savona Italy 44°17N 8°30E 92 D5
Savona U.S.A. 42°17N 77°13W 174 D7
Savonlinna Finland 61°52N 28°53E 84 B5
Savoy = Savoie □ France 45°26N 6°25E 73 C10
Şavşat Turkey 41°15N 42°20E 105 B10
Sävsjö Sweden 57°20N 14°40E 63 G8
Savur Turkey 37°34N 40°53E 128 B4
Savusavu Fiji 16°34S 179°15E 154 a
Savusavu B. Fiji 16°45S 179°15E 154 a
Savuti Botswana 18°37S 24°5E 144 A3
Sawahlunto Indonesia 0°40S 100°52E 118 E2
Sawai Indonesia 3°0S 129°5E 119 E7
Sawai Madhopur India 26°0N 76°25E 124 G7
Sawaleke Fiji 17°59S 179°18E 154 a
Sawang Daen Din Thailand 17°28N 103°28E 120 D4
Sawankhalok Thailand 17°19N 99°50E 120 D2
Sawara Japan 35°55N 140°30E 113 G10
Sawatch Range U.S.A. 39°0N 106°30W 168 G10
Sawel Mt. U.K. 54°50N 7°2W 64 B4
Sawi Thailand 10°14N 99°5E 121 G2
Sawla Ghana 9°17N 2°25W 138 D4
Sawmills Zimbabwe 19°30S 28°2E 143 F2
Sawtell Australia 30°19S 153°6E 153 A10
Sawtooth ⌂ U.S.A. 44°0N 114°50W 168 D6
Sawtooth Range U.S.A. 44°3N 114°58W 168 D6
Sawu Indonesia 10°35S 121°50E 119 F6
Sawu Sea Indonesia 9°30S 121°50E 119 F6
Saxby → Australia 18°25S 140°53E 150 B3
Saxmundham U.K. 52°13N 1°30E 67 E9
Saxon Switzerland = Sächsische Schweiz ⌂ Germany 50°55N 14°10E 76 E10
Saxony = Sachsen □ Germany 50°55N 13°10E 76 E9
Saxony, Lower = Niedersachsen □ Germany 52°50N 9°0E 76 C4
Saxton U.S.A. 40°13N 78°15W 174 F6
Say Mali 13°50N 4°57W 138 C4
Say Niger 13°8N 2°22E 139 C5
Saya Nigeria 9°30N 3°18E 139 D5
Sayabec Canada 48°35N 67°41W 165 C6
Sayaboury Laos 19°15N 101°45E 120 C3
Sayán Peru 11°8S 77°12W 188 C2
Sayan, Vostochnyy Russia 54°0N 96°0E 107 D10
Sayan, Zapadnyy Russia 52°30N 94°0E 109 B12
Sayano-Shushenskoye Vdkhr. Russia 52°50N 91°22E 109 B12
Sayanogorsk Russia 53°5N 91°23E 107 D10
Saydā Lebanon 33°35N 35°25E 130 B4
Sayhandulaan = Öldziyt Mongolia 44°40N 109°1E 114 B5
Sayhūt Yemen 15°12N 51°10E 131 D5
Saykhin Kazakhstan 48°50N 46°47E 87 F8
Saylac Somalia 11°21N 43°30E 131 E3
Saynshand = Buyant-Uhaa Mongolia 44°55N 110°11E 114 B6
Sayre Okla., U.S.A. 35°18N 99°38W 176 D5
Sayre Pa., U.S.A. 41°59N 76°32W 175 E8
Sayreville U.S.A. 40°28N 74°22W 175 F10
Sayula Mexico 19°52N 103°36W 180 D4
Say'ūn Yemen 15°56N 48°47E 131 D4
Sayward Canada 50°21N 125°55W 162 C3
Sazanit Albania 40°30N 19°20E 96 F3
Sázava → Czech Rep. 49°53N 14°24E 78 B7
Sazin Pakistan 35°35N 73°30E 125 B5
Sazlika → Bulgaria 41°59N 25°50E 97 E9
Sbeïtla Tunisia 35°12N 9°7E 136 A5
Scaër France 48°2N 3°42W 70 D3
Scafell Pike U.K. 54°27N 3°14W 66 C4
Scalea Italy 39°49N 15°47E 95 C8
Scalloway U.K. 60°9N 1°17W 65 A7
Scalpay U.K. 57°18N 6°0W 65 D3
Scandia Canada 50°20N 112°2W 162 C6
Scandiano Italy 44°36N 10°43E 92 D7
Scandicci Italy 43°45N 11°11E 93 E8
Scandinavia Europe 64°0N 12°0E 60 E15
Scansano Italy 42°41N 11°20E 93 F8
Scapa Flow U.K. 58°53N 3°3W 65 C5
Scappoose U.S.A. 45°45N 122°53W 170 E4
Scarámia, Capo Italy 36°47N 14°29E 95 F7
Scarba U.K. 56°11N 5°43W 65 E3
Scarborough Trin. & Tob. 11°11N 60°42W 183 D7
Scarborough U.K. 54°17N 0°24W 66 C7
Scargill N.Z. 42°56S 172°58E 155 C7
Scarriff I. Ireland 51°44N 10°15W 64 E1
Scarp U.K. 58°1N 7°8W 65 C1
Scarpe-Escaut ⌂ France 50°26N 3°23E 71 B10
Scarsdale Australia 37°41S 143°39E 152 D5
Scebeli = Shabeelle → Somalia 2°0N 44°0E 131 G3
Šćedro Croatia 43°6N 16°43E 93 E13
Schaal See Germany 53°36N 10°55E 76 B6
Schaalsee ⌂ Germany 53°40N 10°59E 76 B6
Schaffhausen Switz. 47°42N 8°39E 77 H4
Schagen Neths. 52°49N 4°48E 69 B4
Schaghticoke U.S.A. 42°54N 73°35W 175 D11
Schärding Austria 48°27N 13°27E 78 C6
Scharhörn Germany 53°57N 8°24E 76 B4
Scheessel Germany 53°10N 9°29E 76 B5
Schefferville Canada 54°48N 66°50W 165 B6
Scheibbs Austria 48°1N 15°9E 78 C8
Schelde → Belgium 51°15N 4°16E 69 C4
Schell Creek Ra. U.S.A. 39°25N 114°40W 168 G6
Schellsburg U.S.A. 40°3N 78°39W 174 F6
Schenectady U.S.A. 42°49N 73°57W 175 D11
Schenevus U.S.A. 42°33N 74°50W 175 D10
Scherfede Germany 51°32N 9°2E 76 D5
Schesslitz Germany 49°58N 11°1E 77 F7
Schiedam Neths. 51°55N 4°25E 69 C4
Schiermonnikoog Neths. 53°30N 6°15E 69 A6
Schiermonnikoog △ Neths. 53°30N 6°15E 69 A6
Schiltigheim France 48°35N 7°45E 71 D14
Schinousa Greece 36°53N 25°31E 99 E7
Schio Italy 45°43N 11°21E 93 C8
Schiphol, Amsterdam ✕ (AMS) Neths. 52°18N 4°45E 69 B4
Schiza Greece 36°41N 21°40E 98 E3
Schladming Austria 47°23N 13°41E 78 D6
Schlanders = Silandro Italy 46°38N 10°46E 92 B7
Schlei → Germany 54°40N 10°0E 76 A5
Schleiden Germany 50°31N 6°28E 76 E2
Schleiz Germany 50°35N 11°49E 76 E7
Schleswig Germany 54°31N 9°34E 76 A5
Schleswig-Holstein □ Germany 54°30N 9°30E 76 A5
Schlüchtern Germany 50°20N 9°32E 77 E5
Schmalkalden Germany 50°44N 10°26E 76 E6
Schmölln Germany 50°54N 12°19E 76 E8
Schneeberg Austria 47°47N 15°48E 78 D8
Schneeberg Germany 50°35N 12°38E 76 E8
Schneverdingen Germany 53°7N 9°48E 76 B5
Schœlcher Martinique 14°36N 61°7W 182 c
Schoharie U.S.A. 42°40N 74°19W 175 D10
Schoharie Cr. → U.S.A. 42°57N 74°18W 175 D10
Schokland Neths. 52°38N 5°46E 69 B5
Scholls U.S.A. 45°24N 122°56W 170 E4
Schönberg Mecklenburg-Vorpommern, Germany 53°52N 10°56E 76 B6
Schönberg Schleswig-Holstein, Germany 54°23N 10°21E 76 A6
Schönbuch ⌂ Germany 48°35N 9°2E 77 G5
Schönebeck Germany 52°2N 11°44E 76 C7
Schöngau Germany 47°47N 10°53E 77 H6
Schöningen Germany 52°8N 10°56E 76 C6
Schopfheim Germany 47°38N 7°50E 77 H3
Schorndorf Germany 48°47N 9°32E 77 G5
Schortens Germany 53°31N 7°56E 76 B3
Schouten I. Australia 42°20S 148°20E 151 G4
Schouten Is. = Supiori Indonesia 1°0S 136°0E 119 E9
Schouwen Neths. 51°43N 3°45E 69 C3
Schramberg Germany 48°13N 8°22E 77 G4
Schrankogel Austria 47°3N 11°7E 78 D4
Schreiber Canada 48°45N 87°20W 164 C2
Schrems Austria 48°47N 15°4E 78 C8
Schrobenhausen Germany 48°34N 11°16E 77 G7
Schroffenstein Namibia 27°11S 18°42E 144 C2
Schroon Lake U.S.A. 43°50N 73°46W 175 C11
Schruns Austria 47°5N 9°56E 78 D2
Schuler Canada 50°20N 110°6W 163 C6
Schumacher Canada 48°30N 81°16W 164 C3
Schurz U.S.A. 38°57N 118°49W 168 G4
Schuyler U.S.A. 41°27N 97°4W 172 E5
Schuylerville U.S.A. 43°6N 73°35W 175 C11
Schuylkill → U.S.A. 39°53N 75°12W 175 G9
Schuylkill Haven U.S.A. 40°37N 76°11W 175 F8
Schwabach Germany 49°19N 11°2E 77 F7
Schwaben □ Germany 48°15N 10°30E 77 G6
Schwäbisch-Fränkischer Wald ⌂ Germany 49°0N 9°30E 77 G5
Schwäbisch Gmünd Germany 48°48N 9°47E 77 G5
Schwäbisch Hall Germany 49°6N 9°44E 77 F5
Schwäbische Alb Germany 48°20N 9°30E 77 G5
Schwabmünchen Germany 48°10N 10°46E 77 G6
Schwalmstadt Germany 50°55N 9°10E 76 E5
Schwandorf Germany 49°20N 12°7E 77 F8
Schwaner, Pegunungan Indonesia 1°0S 112°30E 118 E4
Schwanewede Germany 53°14N 8°35E 76 B4
Schwarmstedt Germany 52°39N 9°38E 76 C5
Schwarze Elster → Germany 51°48N 12°50E 76 D8
Schwarzenberg Germany 50°32N 12°47E 76 E8
Schwarzrand Namibia 25°37S 16°50E 144 C2
Schwarzwald Germany 48°30N 8°20E 77 G4
Schwatka Mts. U.S.A. 67°20N 156°30W 166 B8
Schwaz Austria 47°20N 11°44E 78 D4
Schwechat Austria 48°8N 16°28E 79 C9
Schwechat, Wien ✕ (VIE) Austria 48°7N 16°35E 79 C9
Schwedt Germany 53°3N 14°16E 76 B10
Schweinfurt Germany 50°3N 10°14E 77 E6
Schweiz = Switzerland ■ Europe 46°30N 8°0E 77 J4
Schweizer-Reneke S. Africa 27°11S 25°18E 144 C4
Schwenningen = Villingen-Schwenningen Germany 48°3N 8°26E 77 G4
Schwerin Germany 53°36N 11°22E 76 B7
Schweriner See Germany 53°43N 11°28E 76 B7
Schwetzingen Germany 49°23N 8°35E 77 F4
Schwyz Switz. 47°2N 8°39E 77 H4
Schwyz □ Switz. 47°2N 8°39E 77 H4
Sciacca Italy 37°31N 13°3E 94 E6
Scicli Italy 36°47N 14°42E 95 F7
Sciliar-Catinaccio ⌂ Italy 46°28N 11°35E 93 B8
Scilla Italy 38°15N 15°43E 95 D8
Scilly, Isles of U.K. 49°56N 6°22W 67 H1
Ścinawa Poland 51°25N 16°26E 83 G3
Scione Greece 39°57N 23°36E 96 G7
Scioto → U.S.A. 38°44N 83°1W 173 F12
Scituate U.S.A. 42°12N 70°44W 175 D14
Scobey U.S.A. 48°47N 105°25W 168 B11
Scone Australia 32°5S 150°52E 153 B9
Scone U.K. 56°25N 3°24W 65 E5
Scordia Italy 37°18N 14°51E 95 E7
Scoresby Sund Greenland 70°28N 21°46W 57 C8
Scoresbysund = Ittoqqortoormiit Greenland 70°20N 23°0W 57 C8
Scornicești Romania 44°34N 24°33E 81 F9
Scotia Calif., U.S.A. 40°29N 124°6W 168 F1
Scotia N.Y., U.S.A. 42°50N 73°58W 175 D11
Scotia Sea Antarctica 56°5S 56°0W 55 B18
Scotland Canada 43°1N 80°22W 174 C4
Scotland □ U.K. 57°0N 4°0W 65 E5
Scott Antarctica 77°50S 166°45E 55 D11
Scott, C. Australia 13°30S 129°49E 148 B4
Scott City U.S.A. 38°29N 100°54W 172 F3
Scott Glacier Antarctica 66°15S 100°5E 55 C8
Scott I. Antarctica 67°0S 179°0E 55 C11
Scott Is. Canada 50°48N 128°40W 162 C3
Scott L. Canada 59°55N 106°18W 163 B7
Scott Reef Australia 14°0S 121°50E 148 B3
Scottburgh S. Africa 30°15S 30°47E 145 D5
Scottdale U.S.A. 40°6N 79°35W 174 F5
Scottish Borders □ U.K. 55°35N 2°50W 65 F6
Scotts Head Australia 30°45S 153°0E 153 A10
Scotts Valley U.S.A. 37°3N 122°1W 170 H4
Scottsbluff U.S.A. 41°52N 103°40W 172 E2
Scottsboro U.S.A. 34°40N 86°2W 177 D11
Scottsburg U.S.A. 38°41N 85°47W 173 F11
Scottsdale Australia 41°9S 147°31E 151 G4
Scottsdale U.S.A. 33°40N 111°53W 169 K8
Scottsville Ky., U.S.A. 36°45N 86°11W 172 G10
Scottsville N.Y., U.S.A. 43°2N 77°47W 174 C7
Scottville U.S.A. 43°58N 86°17W 172 D10
Scranton U.S.A. 41°25N 75°40W 175 E9
Screven U.S.A. 31°29N 82°1W 178 D7
Scugog, L. Canada 44°10N 78°55W 174 B6
Sculeni Moldova 47°20N 27°37E 81 C12
Scunthorpe U.K. 53°36N 0°39W 66 D7
Scuol Schuls Switz. 46°48N 10°17E 77 J6
Scutari = Shkodër Albania 42°4N 19°32E 96 D3
Scutari = Üsküdar Turkey 41°1N 29°0E 97 F13
Sea Is. U.S.A. 31°30N 81°7W 178 D9
Sea Lake Australia 35°28S 142°55E 152 C5
Seabra Brazil 12°25S 41°46W 189 C2
Seabrook, L. Australia 30°55S 119°40E 149 F2
Seaford U.K. 50°47N 0°7E 67 G8
Seaford U.S.A. 38°39N 75°37W 173 F16
Seaforth Australia 20°55S 148°57E 150 b
Seaforth Canada 43°35N 81°25W 174 C3
Seaforth, L. U.K. 57°52N 6°36W 65 D2
Seagraves U.S.A. 32°57N 102°34W 176 E3
Seaham U.K. 54°50N 1°20W 66 C6
Seal → Canada 59°4N 94°48W 163 B10
Seal L. Canada 54°20N 61°30W 165 B7
Seale U.S.A. 32°18N 85°10W 178 C4
Sealy U.S.A. 29°47N 96°9W 176 G6
Searchlight U.S.A. 35°28N 114°55W 171 K12
Searcy U.S.A. 35°15N 91°44W 176 D9
Searles L. U.S.A. 35°44N 117°21W 171 K9
Seascale U.K. 54°24N 3°29W 66 C4
Seaside Calif., U.S.A. 36°37N 121°50W 170 J5
Seaside Oreg., U.S.A. 46°0N 123°56W 170 E3
Seaspray Australia 38°25S 147°15E 153 E7
Seattle U.S.A. 47°36N 122°19W 170 C4
Seattle-Tacoma Int. ✕ (SEA) U.S.A. 47°27N 122°18W 170 C4
Seaward Kaikoura Ra. N.Z. 42°10S 173°44E 155 C8
Seba Indonesia 10°29S 121°50E 148 B3
Sebago L. U.S.A. 43°52N 70°34W 175 C14
Sebago Lake U.S.A. 43°51N 70°34W 175 C14
Sebastian U.S.A. 27°49N 80°28W 179 H9
Sebastián Vizcaíno, B. Mexico 28°0N 114°30W 180 B2
Sebastopol = Sevastopol Ukraine 44°35N 33°30E 85 K7
Sebastopol U.S.A. 38°24N 122°49W 170 G4
Sebba Burkina Faso 13°35N 0°32E 139 C5
Sebdou Algeria 34°38N 1°19W 136 B3
Sébékoro Mali 12°58N 9°0W 138 C3
Seben Turkey 40°24N 31°34E 104 B4
Sebeş Romania 45°58N 23°34E 81 E8
Sebeşului, Munţii Romania 45°36N 23°40E 81 E8
Sebewaing U.S.A. 43°44N 83°27W 173 D12
Sebezh Russia 56°14N 28°22E 84 D5
Sebezhsky △ Russia 56°16N 28°30E 84 D5
Sebha = Sabhā Libya 27°9N 14°29E 135 C8
Sébi Mali 15°50N 4°12W 138 B4
Şebinkarahisar Turkey 40°22N 38°28E 105 B8
Sebino, L. di = Iseo, L. d' Italy 45°43N 10°4E 92 C7
Sebiş Romania 46°23N 22°13E 80 D7
Sebnitz Germany 50°58N 14°15E 76 E10
Sebou, Oued → Morocco 34°16N 6°40W 136 B2
Sebring Fla., U.S.A. 27°30N 81°27W 179 H8
Sebring Ohio, U.S.A. 40°55N 81°2W 174 F3
Sebringville Canada 43°24N 81°4W 174 C3
Sebta = Ceuta N. Afr. 35°52N 5°18W 134 A4
Sebuku Indonesia 3°30S 116°25E 118 E5
Sečanj Serbia 45°25N 20°47E 80 E5
Secchia → Italy 45°4N 11°0E 92 C8
Sechelt Canada 49°25N 123°42W 162 D4
Sechura Peru 5°39S 80°50W 188 B1
Sechura, Desierto de Peru 6°0S 80°30W 188 B1
Seclin France 50°33N 3°2E 71 B10
Secondigny France 46°37N 0°26W 70 F6
Sečovce Slovak Rep. 48°42N 21°40E 79 C14
Secretary I. N.Z. 45°15S 166°56E 155 F1
Secunderabad India 17°28N 78°30E 126 F4
Security U.S.A. 38°45N 104°45W 168 G11
Sedalia U.S.A. 38°42N 93°14W 172 F7
Sedam India 17°11N 77°17E 126 E3
Sedan Australia 34°34S 139°19E 152 C3
Sedan France 49°43N 4°57E 71 C11
Sedan U.S.A. 37°8N 96°11W 172 G5
Sedano Spain 42°43N 3°49W 88 C7
Sedbergh U.K. 54°20N 2°31W 66 C5
Seddon N.Z. 41°40S 174°7E 155 B9
Seddonville N.Z. 41°33S 172°1E 155 B7
Sedé Boqér Israel 30°52N 34°47E 130 E3
Sedeh Fārs, Iran 30°45N 52°11E 129 D7
Sedeh Khorāsān, Iran 33°20N 59°14E 129 C8
Sederot Israel 31°32N 34°37E 130 D3
Sédhiou Senegal 12°44N 15°30W 138 C1
Sedico Italy 46°8N 12°6E 93 B9
Sedlčany Czech Rep. 49°40N 14°25E 78 B7
Sedley Canada 50°10N 104°0W 163 C8
Sedona U.S.A. 34°52N 111°46W 169 J8
Sedova, Pik Russia 73°29N 54°58E 106 B6
Sedrata Algeria 36°7N 7°31E 136 A5
Sedro-Woolley U.S.A. 48°30N 122°14W 170 B4
Šeduva Lithuania 55°45N 23°45E 82 C10
Sędziszów Poland 50°35N 20°4E 83 H7
Sędziszów Małapolski Poland 50°5N 21°45E 83 H8
Seebad Ahlbeck Germany 53°56N 14°10E 76 B10
Seefeld in Tirol Austria 47°19N 11°13E 78 D4
Seehausen Germany 52°54N 11°45E 76 C7
Seeheim Namibia 26°50S 17°45E 144 C2
Seeheim-Jugenheim Germany 49°49N 8°40E 77 F4
Seeis Namibia 22°29S 17°39E 144 B2
Seekoei → S. Africa 30°18S 25°1E 144 D4
Seeley's Bay Canada 44°29N 76°14W 175 B8
Seelow Germany 52°32N 14°23E 76 C10
Seemandhra = Andhra Pradesh □ India 18°0N 79°0E 126 F4
Sées France 48°38N 0°10E 70 D7
Seesen Germany 51°54N 10°10E 76 D6
Seevetal Germany 53°26N 10°1E 76 B6
Seewinkel = Neusiedler See-Seewinkel △ Austria 47°50N 16°45E 79 D9
Şefaatli Turkey 39°30N 34°45E 104 C6
Seferihisar Turkey 38°10N 26°50E 99 C8
Séféto Mali 14°8N 9°49W 138 C3
Sefophe Botswana 22°11S 27°58E 145 B4
Sefrou Morocco 33°52N 4°52W 136 B3
Sefton N.Z. 43°15S 172°41E 155 D7
Sefwi Bekwai Ghana 6°10N 2°25W 138 D4
Segamat Malaysia 2°30N 102°50E 121 L4
Şegarcea Romania 44°6N 23°43E 81 F8
Ségbana Benin 10°55N 3°42E 139 C5
Segbwema S. Leone 8°0N 11°0W 138 D2
Segersta Sweden 61°16N 16°39E 62 C10
Segesta Italy 37°56N 12°50E 94 E5
Seget Indonesia 1°24S 130°58E 119 E8
Segueur, O. → Algeria 32°14N 1°48E 136 B4
Segmon Sweden 59°17N 13°3E 62 E7
Segonzac France 45°36N 0°14W 72 C3
Segorbe Spain 39°50N 0°30W 90 F4
Ségou Mali 13°30N 6°16W 138 C3
Ségou □ Mali 14°0N 6°0W 138 C3
Segovia = Coco → Cent. Amer. 15°0N 83°8W 182 D3
Segovia Spain 40°57N 4°10W 88 E6
Segovia □ Spain 40°55N 4°10W 88 E6
Segré France 47°40N 0°52W 70 E6
Segre → Spain 41°40N 0°43E 90 D5
Seguam I. U.S.A. 52°19N 172°30W 166 E5
Séguéla Ivory C. 7°55N 6°40W 138 D3
Séguélon Ivory C. 9°13N 7°7W 138 D3
Séguénéga Burkina Faso 13°25N 1°58W 139 C4
Seguin U.S.A. 29°34N 97°58W 176 G6
Segundo → Argentina 30°53S 62°44W 190 C3
Segura → Spain 38°3N 0°44W 91 G4
Segura, Sierra de Spain 38°5N 2°45W 91 G2
Seh Konj, Kūh-e Iran 30°6N 57°30E 129 D8
Seh Qal'eh Iran 33°40N 58°24E 129 C8
Sehitwa Botswana 20°30S 22°30E 144 B3
Sehlabathebe △ Lesotho 29°53S 29°7E 145 C4
Sehore India 23°10N 77°5E 124 H7
Sehwan Pakistan 26°28N 67°53E 124 F2
Seia Portugal 40°25N 7°42W 88 E3
Şeica Mare Romania 46°1N 24°7E 81 D9
Seikan Tunnel Japan 41°28N 140°10E 112 D10
Seil U.K. 56°18N 5°38W 65 E3
Seiland Norway 70°25N 23°15E 60 A20
Seilhac France 45°22N 1°43E 72 C5
Seiling U.S.A. 36°9N 98°56W 176 C5
Seille → Moselle, France 49°7N 6°11E 71 C13
Seille → Saône-et-Loire, France 46°31N 4°57E 71 F11
Sein, Î. de France 48°2N 4°52W 70 D2
Seinäjoki Finland 62°40N 22°51E 60 E20
Seine → France 49°26N 0°26E 70 C7
Seine, B. de la France 49°40N 0°40W 70 C6
Seine-et-Marne □ France 48°45N 3°0E 71 D10
Seine-Maritime □ France 49°40N 1°0E 70 C7
Seine-St-Denis □ France 48°58N 2°24E 71 D9
Seini Romania 47°44N 23°21E 81 C8
Seirijai Lithuania 54°14N 23°49E 82 D10
Seistan = Sīstān Asia 30°50N 61°0E 129 D9
Seistan, Daryācheh-ye = Sīstān, Daryācheh-ye Iran 31°0N 61°0E 129 D9
Seitseminen △ Finland 61°55N 23°25E 60 F20
Sejerø Denmark 55°54N 11°9E 63 J5
Sejerø Bugt Denmark 55°53N 11°15E 63 J5
Sejny Poland 54°6N 23°21E 82 D10
Sejong S. Korea 36°35N 127°15E 115 F14
Sekayu Indonesia 2°51S 103°51E 118 E2
Seke Tanzania 3°20S 33°31E 142 C3
Sekenke Tanzania 4°18S 34°11E 142 C3
Sekhira Tunisia 34°20N 10°5E 136 B6
Seki Turkey 36°48N 29°33E 99 E11
Sekondi-Takoradi Ghana 4°58N 1°45W 138 E4
Sekseūil Kazakhstan 47°5N 61°9E 108 C6
Seksna Russia 59°13N 38°30E 84 C10
Sekudai Malaysia 1°32N 103°39E 121 d
Sekuma Botswana 24°36S 23°50E 144 B3
Selah U.S.A. 46°39N 120°32W 168 C3
Selama Malaysia 5°12N 100°42E 121 K3
Selangor □ Malaysia 3°10N 101°30E 121 L3
Selârgius Italy 39°16N 9°10E 94 C2
Selaru Indonesia 8°9S 131°0E 119 F8
Selatan, Selat Malaysia 5°15N 100°20E 121 c
Selawik L. U.S.A. 66°30N 160°45W 166 B7
Selb Germany 50°10N 12°7E 77 E8
Selby U.K. 53°47N 1°5W 66 D6
Selby U.S.A. 45°31N 100°2W 172 C3
Selca Croatia 43°20N 16°50E 93 E13
Selçuk Turkey 37°56N 27°22E 99 D9
Selden U.S.A. 39°33N 100°34W 172 F3
Sele → Italy 40°29N 14°56E 95 B7
Selebi-Phikwe Botswana 21°58S 27°48E 145 B4
Selemdzha → Russia 51°42N 128°53E 107 D13
Selendi Manisa, Turkey 38°43N 28°50E 99 C10
Selendi Manisa, Turkey 38°46N 27°53E 99 C9
Selenga = Selenge Mörön → Asia 52°16N 106°16E 110 A10
Selenge Mörön → Asia 52°16N 106°16E 110 A10
Selenicë Albania 40°33N 19°39E 96 F3
Selenter See Germany 54°18N 10°26E 76 A6
Sélestat France 48°16N 7°26E 71 D14
Seletan, Tanjung Indonesia 4°10S 114°40E 118 E4
Selevac Serbia 44°28N 20°52E 96 B4
Sélibabi Mauritania 15°10N 12°15W 138 B2
Seliger, Ozero Russia 57°15N 33°0E 84 D7
Seligman U.S.A. 35°20N 112°53W 169 J7
Şelim Turkey 40°30N 42°46E 105 B10
Selîma Sudan 21°22N 29°19E 137 C2
Selimiye Turkey 37°24N 27°40E 99 D9
Selinda Spillway → Botswana 18°35S 23°10E 144 A3
Sélingué, L. de Mali 11°37N 8°14W 138 C3
Selinsgrove U.S.A. 40°48N 76°52W 174 F8
Selizharovo Russia 56°51N 33°27E 84 D7
Selkirk Man., Canada 50°10N 96°55W 163 C9
Selkirk Ont., Canada 42°49N 79°56W 174 D5
Selkirk U.K. 55°33N 2°50W 65 F6
Selkirk I. = Horse I. Canada 53°20N 99°6W 163 C9
Selkirk Mts. Canada 51°15N 117°40W 160 G8
Sellafield U.K. 54°25N 3°29W 66 C4
Sellia Greece 35°12N 24°23E 101 D6
Sellières France 46°50N 5°32E 71 F12
Sells U.S.A. 31°55N 111°53W 169 L8
Sellye Hungary 45°52N 17°51E 80 E2
Selma Ala., U.S.A. 32°25N 87°1W 177 E11
Selma Calif., U.S.A. 36°34N 119°37W 170 J7
Selma N.C., U.S.A. 35°32N 78°17W 177 D15
Selmer U.S.A. 35°10N 88°36W 177 D10
Selongey France 47°36N 5°11E 71 E12
Selouane Morocco 35°7N 2°57W 136 A3
Selous ⌂ Tanzania 8°37S 37°42E 143 D4
Selowandoma Falls Zimbabwe 21°15S 31°50E 143 G3
Selpele Indonesia 0°1S 130°5E 119 E8
Selsey Bill U.K. 50°43N 0°47W 67 G7
Seltso Russia 53°22N 34°4E 84 F8
Seltz France 48°54N 8°4E 71 D15
Selu Indonesia 7°32S 130°55E 119 F8
Sélune → France 48°38N 1°22W 70 D5
Selva = La Selva del Camp Spain 41°13N 1°8E 90 D6
Selva Argentina 29°50S 62°0W 190 B3
Selva Spain 39°46N 2°54E 100 B9
Selva Lancandona = Montes Azules ⌂ Mexico 16°21N 91°3W 181 D6
Selvagens, Ilhas Madeira 30°5N 15°55W 134 B2
Selvas Brazil 6°30S 67°0W 188 B4
Selwyn L. Canada 60°0N 104°30W 163 B8
Selwyn Mts. Canada 63°0N 130°0W 160 E5
Selwyn Ra. Australia 21°10S 140°0E 150 C3
Selyatyn Ukraine 47°50N 25°12E 81 C10
Seman → Albania 40°47N 19°30E 96 F3
Semarang Indonesia 7°0S 110°26E 118 F4
Semarapura = Klungkung Indonesia 8°32S 115°24E 119 K18
Sembabule Uganda 0°4S 31°25E 142 C3
Sembawang Singapore 1°27N 103°50E 121 d
Sembung Indonesia 8°28S 115°11E 119 J18
Şemdinli Turkey 37°18N 44°35E 105 D11
Sémé Senegal 15°4N 13°41W 138 B2
Semenic-Cheile Caraşului ⌂ Romania 45°8N 22°5E 80 E7
Semenivka Chernihiv, Ukraine 52°8N 32°36E 85 F7
Semenivka Kremenchuk, Ukraine 49°37N 33°10E 85 H7
Semenov Russia 56°43N 44°30E 86 B7
Semeru Indonesia 8°4S 112°55E 119 H15
Semey Kazakhstan 50°30N 80°10E 109 B10
Semikarakorsk Russia 47°31N 40°48E 87 G5
Semiluki Russia 51°41N 39°2E 85 G10
Seminoe Res. U.S.A. 42°9N 106°55W 168 E10
Seminole Fla., U.S.A. 27°50N 82°47W 179 H7
Seminole Okla., U.S.A. 35°14N 96°41W 176 D6
Seminole Tex., U.S.A. 32°43N 102°39W 176 E3
Seminole, L. U.S.A. 30°43N 84°52W 178 E5
Seminole Draw → U.S.A. 32°27N 102°20W 176 E3
Semipalatinsk = Semey Kazakhstan 50°30N 80°10E 109 B10
Semirara Is. Phil. 12°0N 121°20E 119 B6
Semisopochnoi I. U.S.A. 51°55N 179°36E 166 E3
Semitau Indonesia 0°29N 111°57E 118 D4
Semliki △ Uganda 0°49N 30°4E 142 B3
Semmering P. Austria 47°41N 15°45E 78 D8
Semnān Iran 35°40N 53°23E 129 C7
Semnān □ Iran 36°0N 54°0E 129 C7
Semporna Malaysia 4°30N 118°33E 119 D5
Semuda Indonesia 2°51S 112°58E 118 E4
Semur-en-Auxois France 47°30N 4°20E 71 E11
Sen → Cambodia 12°32N 104°28E 120 F5
Sena Bolivia 11°32S 67°11W 188 C4
Sena Iran 28°27N 51°36E 129 D6
Sena Mozam. 17°25S 35°0E 143 F4
Sena → Bolivia 11°31S 67°11W 188 C4
Sena Madureira Brazil 9°5S 68°45W 188 B4
Senador Pompeu Brazil 5°40S 39°20W 189 B3
Senaki Georgia 42°15N 42°1E 87 J6
Senang, Pulau Singapore 1°11N 103°52E 121 d
Senanga Zambia 16°7S 23°16E 141 H4
Senatobia U.S.A. 34°37N 89°58W 177 D10
Sencelles Spain 39°39N 2°54E 100 B9
Sendai = Satsuma-Sendai Japan 31°50N 130°20E 113 J5
Sendai Japan 38°15N 140°53E 112 E10
Sendai-Wan Japan 38°15N 141°0E 112 E10
Senden Bayern, Germany 48°19N 10°4E 77 G6
Senden Nordrhein-Westfalen, Germany 51°52N 7°22E 76 D3
Sendhwa India 21°41N 75°6E 124 J6
Sendurjana India 21°32N 78°17E 126 D4
Sene → Ghana 7°30N 0°33W 139 D4
Senec Slovak Rep. 48°12N 17°23E 79 C10
Seneca U.S.A. 34°41N 82°57W 177 D13
Seneca Falls U.S.A. 42°55N 76°48W 175 D8
Seneca L. U.S.A. 42°40N 76°54W 174 D8
Senecaville L. U.S.A. 39°55N 81°25W 174 G3
Senegal ■ W. Afr. 14°30N 14°30W 138 C2
Sénégal → W. Afr. 15°48N 16°32W 138 B1
Senegambia Africa 12°45N 12°0W 132 E2
Senekal S. Africa 28°20S 27°36E 145 C4
Senftenberg Germany 51°32N 14°0E 76 D10
Senga Hill Zambia 9°19S 31°11E 143 D3
Senge Khambab = Indus → Pakistan 24°20N 67°47E 124 G2
Sengerema Tanzania 2°42S 32°35E 142 C3
Senggigi Indonesia 8°29S 116°2E 119 J19
Sengiley Russia 53°58N 48°46E 86 D9
Sengua → Zimbabwe 17°7S 28°5E 143 F2
Senguerr → Argentina 45°35S 68°50W 192 C3
Senhor-do-Bonfim Brazil 10°30S 40°10W 189 C2
Senica Slovak Rep. 48°41N 17°25E 79 C10
Senigállia Italy 43°43N 13°13E 93 E10
Senio → Italy 44°35N 12°15E 93 D9
Senirkent Turkey 38°6N 30°33E 99 C12
Senise Italy 40°9N 16°17E 95 B9
Senj Croatia 45°0N 14°58E 93 D11

Senja Norway 69°25N 17°30E 60 B17
Senkaku-Shotō E. China Sea 25°45N 123°30E 113 M1
Senlis France 49°13N 2°35E 71 C9
Senmonorom Cambodia 12°27N 107°12E 120 F6
Senneterre Canada 48°25N 77°15W 164 C4
Senno Belarus 54°45N 29°43E 84 E5
Sénnori Italy 40°47N 8°35E 94 B1
Seno Laos 16°35N 104°50E 120 D5
Senoia U.S.A. 33°18N 84°33W 178 B5
Senonches France 48°34N 1°2E 70 D8
Senorbì Italy 39°32N 9°8E 94 C2
Senožeče Slovenia 45°43N 14°3E 93 C11
Senqu = Orange → S. Africa 28°41S 16°28E 144 C2
Sens France 48°11N 3°15E 71 D10
Senta Serbia 45°55N 20°3E 80 E5
Sentery = Lubao Dem. Rep. of the Congo 5°17S 25°42E 142 D2
Sentinel U.S.A. 32°52N 113°13W 169 K7
Šentjur Slovenia 46°14N 15°24E 93 B12
Sentosa Singapore 1°16N 103°50E 121 d
Senwabarana S. Africa 23°17S 29°7E 145 B4
Senya Beraku Ghana 5°28N 0°31W 139 D4
Seo de Urgel = La Seu d'Urgell Spain 42°22N 1°23E 90 C6
Seogwipo S. Korea 33°13N 126°34E 115 H14
Seohara India 29°15N 78°33E 125 E8
Seonath → India 21°44N 82°28E 125 J10
Seondha India 26°9N 78°48E 125 F8
Seongnam S. Korea 37°26N 127°8E 115 F14
Seoni India 22°5N 79°30E 125 H8
Seoni Malwa India 22°27N 77°28E 124 H8
Seonsan S. Korea 36°14N 128°17E 115 F15
Seoriuarayan India 21°45N 82°34E 126 D6
Seosan S. Korea 36°47N 126°27E 115 F14
Seoul S. Korea 37°31N 126°58E 115 F14
Sepang Malaysia 2°49N 101°44E 121 L3
Separation Pt. N.Z. 40°47S 172°59E 155 A7
Sepīdān Iran 30°20N 52°5E 129 D7
Sepo-ri N. Korea 38°57N 127°25E 115 E14
Sępólno Krajeńskie Poland 53°26N 17°30E 82 E4
Sepone Laos 16°45N 106°13E 120 D6
Sępopol Poland 54°16N 21°2E 82 D8
Sept-Îles Canada 50°13N 66°22W 165 B6
Septemvri Bulgaria 42°13N 24°6E 97 D8
Sepúlveda Spain 41°18N 3°45W 88 D7
Sequeros Spain 40°31N 6°2W 88 E4
Sequim U.S.A. 48°5N 123°6W 170 B3
Sequoia △ U.S.A. 36°30N 118°30W 170 J8
Serafimovich Russia 49°36N 42°43E 86 F6
Seraing Belgium 50°35N 5°32E 69 D5
Serakhis → Cyprus 35°13N 32°55E 101 D11
Seram Indonesia 3°10S 129°0E 119 E7
Seram Sea Indonesia 2°30S 128°30E 119 E7
Serampore = Shrirampur India 22°44N 88°21E 125 H13
Serang Indonesia 6°8S 106°10E 119 G12
Serangoon Singapore 1°23N 103°54E 121 d
Serasan Indonesia 2°29N 109°4E 118 D3
Seravezza Italy 43°59N 10°13E 92 E7
Şerbettar Turkey 41°27N 26°46E 97 E10
Serbia ■ Europe 43°20N 20°0E 96 C4
Şercaia Romania 45°49N 25°9E 81 E10
Serdar Turkmenistan 39°4N 56°23E 129 B8
Serdobsk Russia 52°28N 44°10E 86 D7
Serebryansk Kazakhstan 49°41N 83°17E 109 C10
Sered' Slovak Rep. 48°17N 17°44E 79 C10
Seredka Russia 58°12N 28°10E 84 C5
Serednye Ukraine 48°32N 22°30E 80 B7
Şereflikoçhisar Turkey 38°56N 33°32E 104 C5
Seregno Italy 45°39N 9°12E 92 C6
Seremban Malaysia 2°43N 101°53E 121 L3
Serengeti △ Tanzania 2°11S 35°0E 142 C3
Serengeti Plain Tanzania 2°40S 35°0E 142 C4
Serenje Zambia 13°14S 30°15E 143 E3
Seret → Ukraine 48°37N 25°52E 81 B10
Sereth = Siret → Romania 45°24N 28°1E 81 E12
Sergach Russia 55°30N 45°30E 86 C7
Sergeevka Kazakhstan 53°52N 67°24E 109 B7
Sergen Turkey 41°41N 27°42E 97 E11
Sergeya Kirova, Ostrova Russia 77°30N 89°0E 107 B10
Sergino Russia 62°25N 65°12E 106 C7
Sergipe □ Brazil 10°30S 37°30W 189 C3
Sergiyev Posad Russia 56°20N 38°10E 84 D10
Serhetabat Turkmenistan 35°20N 62°18E 129 C9
Seria Brunei 4°37N 114°23E 118 D4
Serian Malaysia 1°10N 110°31E 118 D4
Seriate Italy 45°41N 9°43E 92 C6
Sericho Kenya 1°5N 39°5E 142 B4
Sérifontaine France 49°20N 1°45E 71 C8
Serifos Greece 37°9N 24°30E 98 D6
Sérignan France 43°17N 3°17E 72 E7
Sérigny → Canada 56°47N 66°0W 165 A6
Serik Turkey 36°55N 31°7E 104 D4
Seringapatam Reef Australia 13°38S 122°5E 148 B3
Serinhisar Turkey 37°36N 29°18E 99 D11
Seririt Indonesia 8°12S 114°56E 119 J17
Serishābād Iran 35°14N 47°36E 105 E12
Serkout Algeria 23°56N 6°47E 136 D5
Sermaize-les-Bains France 48°47N 4°54E 71 D11
Sermata Indonesia 8°15S 128°50E 119 F7
Sermersooq □ Greenland 68°0N 40°0W 57 D7
Sermersuaq Greenland 79°30N 62°0W 57 B4
Sérmide Italy 45°0N 11°18E 93 D8
Sernovodsk Russia 53°58N 51°16E 86 D10
Sernur Russia 56°52N 49°2E 86 B9
Serock Poland 52°31N 21°4E 83 F8
Serón Spain 37°20N 2°29W 91 H2
Serós Spain 41°27N 0°24E 90 D5
Serouenout Algeria 24°18N 7°25E 136 D5
Serov Russia 59°29N 60°35E 106 D7
Serowe Botswana 22°25S 26°43E 144 B4
Serpa Portugal 37°57N 7°38W 89 H3
Serpeddì, Pta. Italy 39°22N 9°18E 94 C2
Serpentara Italy 39°8N 9°36E 94 C2
Serpentine Lakes Australia 28°30S 129°10E 149 E4
Serpent's Mouth = Sierpe, Bocas de la Venezuela 10°0N 61°30W 187 L15
Serpis → Spain 38°59N 0°9W 91 G4
Serpneve Ukraine 46°18N 29°1E 81 D14
Serpukhov Russia 54°55N 37°28E 84 E9
Serra Brazil 20°7S 40°18W 189 E2
Serra da Canastra △ Brazil 20°3S 46°50W 189 E1
Serra da Capivara △ Brazil 8°42S 42°15W 189 B2
Serra da Estrela ⌂ Portugal 40°27N 7°33W 88 E3
Serra das Confusões △ Brazil 8°50S 43°50W 189 B2
Serra de Mesa, Barragem de Brazil 14°30S 48°30W 189 C1
Serra do Cipó △ Brazil 19°14S 43°23W 189 D2
Serra do Divisor △ Brazil 8°3S 73°29W 188 B3
Serra do Navio Brazil 0°59N 52°3W 187 C8
Serra do Salitre Brazil 19°6S 46°41W 189 D1
Serra San Bruno Italy 38°35N 16°20E 95 D9
Serra Talhada Brazil 7°59S 38°18W 189 B3
Serradilla Spain 39°50N 6°9W 88 F4
Serramanna Italy 39°25N 8°55E 94 C1
Serranía San Luís △ Paraguay 22°35S 57°22W 190 A4
Serranía San Rafael △ Paraguay 26°30S 56°0W 191 B4
Serras d'Aire e Candeeiros ⌂ Portugal 39°31N 8°49W 89 F2
Serrat, C. Tunisia 37°14N 9°10E 136 A5
Serravalle Scrivia Italy 44°43N 8°51E 92 D5
Serre-Ponçon, L. de France 44°22N 6°20E 73 D10
Serrejón Spain 39°49N 5°48W 88 F5
Serres France 44°26N 5°43E 73 D9
Serres Greece 41°5N 23°31E 96 E7
Serrezuela Argentina 30°40S 65°20W 190 C2
Serrinha Brazil 11°39S 39°0W 189 C3
Serrita Brazil 7°56S 39°19W 189 B3
Sersale Italy 39°1N 16°43E 95 C9
Sertã Portugal 39°48N 8°6W 88 F2
Sertânia Brazil 8°5S 37°20W 189 B3
Sertanópolis Brazil 23°4S 51°2W 191 A5
Sêrtar China 32°20N 100°41E 116 A3
Serua Indonesia 6°18S 130°1E 119 F8
Serui Indonesia 1°53S 136°10E 119 E9
Serule Botswana 21°57S 27°20E 144 B4
Servia Greece 40°11N 22°0E 96 F6
Serzedelo Portugal 41°24N 8°14W 88 D2
Ses Salines Spain 39°21N 3°3E 100 B10
Sese Is. Uganda 0°20S 32°20E 142 C3
Sesepe Indonesia 1°30S 127°59E 119 E7
Sesfontein Namibia 19°7S 13°39E 144 A1
Sesheke Zambia 17°29S 24°13E 144 A3
Sésia → Italy 45°5N 8°37E 92 C5
Sesimbra Portugal 38°28N 9°6W 89 G1
S'Espalmador Spain 38°47N 1°26E 100 C7
S'Espardell Spain 38°48N 1°29E 100 C7
S'Estanyol Spain 39°22N 2°54E 100 B9
Sestao Spain 43°18N 3°0W 90 B2
Sesto Calende Italy 45°44N 8°37E 92 C5
Sesto San Giovanni Italy 45°31N 9°13E 92 C6
Sestri Levante Italy 44°16N 9°24E 92 D6
Sestriere Italy 44°57N 6°53E 92 D3
Sestroretsk Russia 60°5N 29°58E 84 B6
Sestrunj Croatia 44°10N 15°0E 93 D11
Sestu Italy 39°18N 9°5E 94 C2
Setana Japan 42°26N 139°51E 112 C9
Sète France 43°25N 3°42E 72 E7
Sete Cidades △ Brazil 4°0S 41°37W 189 A2
Sete Lagoas Brazil 19°27S 44°16W 189 D2
Seti → Nepal 28°59N 81°8E 125 E9
Sétif Algeria 36°9N 5°26E 136 A5
Sétif □ Algeria 36°10N 5°0E 136 A5
Seto Japan 35°14N 137°6E 113 G8
Setonaikai Japan 34°20N 133°30E 113 G6
Setonaikai △ Japan 34°15N 133°15E 113 G6
Settat Morocco 33°0N 7°40W 136 B2
Séttimo Torinese Italy 45°9N 7°46E 92 C4
Setting L. Canada 55°0N 98°38W 163 C9
Settle U.K. 54°5N 2°16W 66 C5
Settlement, The Br. Virgin Is. 18°43N 64°22W 183 e
Settlers S. Africa 25°2S 28°30E 145 C4
Setúbal Portugal 38°30N 8°58W 89 G2
Setúbal □ Portugal 38°25N 8°35W 89 G2
Setúbal, B. de Portugal 38°40N 8°56W 89 G2
Seugne → France 45°42N 0°32W 72 C3
Seul, Lac Canada 50°20N 92°30W 164 B1
Seurre France 47°0N 5°8E 71 F12
Sevan Armenia 40°33N 44°56E 87 K7
Sevan, Ozero = Sevana Lich Armenia 40°30N 45°20E 87 K7
Sevana Lich Armenia 40°30N 45°20E 87 K7
Sevastopol Ukraine 44°35N 33°30E 85 K7
Seven Sisters Canada 54°56N 128°10W 162 C3
Sever → Spain 39°40N 7°32W 89 F3
Sévérac-le-Château France 44°20N 3°5E 72 D7
Severn → Canada 56°2N 87°36W 164 A2
Severn → U.K. 51°35N 2°40W 67 F5
Severnaya Zemlya Russia 79°0N 100°0E 107 B11
Severno Kosovo Kosovo 43°29N 21°27E 96 C4
Severo-Kurilsk Russia 50°40N 156°8E 107 D16
Severo-Yeniseyskiy Russia 60°22N 93°1E 107 C10
Severo-Zapadnyy □ Russia 65°0N 40°0E 106 C4
Severobaykalsk Russia 55°39N 109°19E 107 D11
Severočeský □ Czech Rep. 50°30N 14°0E 78 A7
Severodonetsk = Syeverodonetsk Ukraine 48°58N 38°35E 85 H10
Severodvinsk Russia 64°27N 39°58E 106 C4
Severomoravský □ Czech Rep. 49°38N 17°40E 79 B10
Severomorsk Russia 69°5N 33°27E 60 B25
Seversk Russia 56°36N 84°49E 106 D9
Sevier → U.S.A. 39°4N 113°6W 168 G7
Sevier Desert U.S.A. 39°40N 112°45W 168 G7
Sevier L. U.S.A. 38°54N 113°9W 168 G7
Sevilla Spain 37°23N 5°58W 89 H5
Sevilla □ Spain 37°25N 5°30W 89 H5
Seville = Sevilla Spain 37°23N 5°58W 89 H5
Seville Fla., U.S.A. 29°19N 81°30W 179 F8
Seville Ga., U.S.A. 31°58N 83°36W 178 D6
Sevlievo Bulgaria 43°2N 25°6E 97 C9
Sevnica Slovenia 46°2N 15°19E 93 B12
Sèvre-Nantaise → France 47°12N 1°33W 70 E5
Sèvre-Niortaise → France 46°28N 0°50W 72 B3
Sevsk Russia 52°10N 34°30E 85 F8
Sewa → S. Leone 7°20N 12°10W 138 D2
Sewani India 28°58N 75°39E 124 E6
Seward Alaska, U.S.A. 60°7N 149°27W 160 E2
Seward Nebr., U.S.A. 40°55N 97°6W 172 E5
Seward Pa., U.S.A. 40°25N 79°1W 174 F5
Seward Peninsula U.S.A. 65°30N 166°0W 166 B6
Sewell Chile 34°10S 70°23W 190 C1
Sewer Indonesia 5°53S 134°40E 119 F8
Sewickley U.S.A. 40°32N 80°12W 174 F4
Sexsmith Canada 55°21N 118°47W 162 B5
Seychelles ■ Ind. Oc. 5°0S 56°0E 141 b
Seyðisfjörður Iceland 65°16N 13°57W 60 D7
Seydişehir Turkey 37°25N 31°51E 104 D4
Seydvān Iran 38°34N 45°2E 105 C11
Seyhan → Turkey 36°43N 34°53E 104 D6
Seyhan Barajı Turkey 37°2N 35°18E 104 D6
Seyitgazi Turkey 39°27N 30°43E 99 B12
Seyitömer Turkey 39°34N 29°52E 99 B11
Seym → Ukraine 51°27N 32°34E 85 G7
Seymen Turkey 41°6N 27°57E 97 E11
Seymour Australia 37°2S 145°10E 153 D6
Seymour S. Africa 32°33S 26°46E 145 D4
Seymour Conn., U.S.A. 41°24N 73°4W 175 E11
Seymour Ind., U.S.A. 38°58N 85°53W 173 F11
Seymour Tex., U.S.A. 33°35N 99°16W 176 E5
Seyne France 44°21N 6°22E 73 D10
Seyssel France 45°57N 5°50E 73 C9
Sežana Slovenia 45°43N 13°41E 93 C10
Sézanne France 48°40N 3°40E 71 D10
Sezze Italy 41°30N 13°3E 94 A6
Sfântu Gheorghe Covasna, Romania 45°52N 25°48E 81 E10
Sfântu Gheorghe Tulcea, Romania 44°53N 29°36E 81 F14
Sfântu Gheorghe, Braţul → Romania 44°51N 29°36E 81 F14
Sfax Tunisia 34°49N 10°48E 136 B6
Sfax □ Tunisia 34°40N 10°20E 136 B6
Sha Tau Kok China 22°33N 114°13E 111 a
Sha Tin China 22°23N 114°12E 111 a
Sha Xi → China 26°35N 118°0E 117 D12
Sha Xian China 26°23N 117°45E 117 D11
Shaanxi □ China 35°0N 109°0E 114 G5
Shaba = Katanga □ Dem. Rep. of the Congo 8°0S 25°0E 142 D2
Shaba ⌂ Kenya 0°38N 37°48E 142 B4
Shabeelle → Somalia 2°0N 44°0E 131 G3
Shabestar Iran 38°11N 45°41E 105 C11
Shabla Bulgaria 43°31N 28°32E 97 C12
Shabogamo L. Canada 53°15N 66°30W 165 B6
Shabunda Dem. Rep. of the Congo 2°40S 27°16E 142 C2
Shache China 38°20N 77°10E 109 E9
Shackleton Fracture Zone S. Ocean 60°0S 60°0W 55 B18
Shackleton Ice Shelf Antarctica 66°0S 100°0E 55 C8
Shackleton Inlet Antarctica 83°0S 160°0E 55 E11
Shādegān Iran 30°40N 48°38E 129 D6
Shadi China 26°7N 114°47E 117 D10
Shadi India 33°24N 77°14E 125 C7
Shadrinsk Russia 56°5N 63°32E 106 D7
Shady Dale U.S.A. 33°24N 83°36W 178 B6
Shady Grove U.S.A. 30°17N 83°38W 178 E6
Shadyside U.S.A. 39°58N 80°45W 174 G4
Shaffa Nigeria 10°30N 12°6E 139 C7
Shafter U.S.A. 35°30N 119°16W 171 K7
Shaftesbury U.K. 51°0N 2°11W 67 F5
Shaftsbury U.S.A. 43°0N 73°11W 175 D11
Shag Pt. N.Z. 45°29S 170°52E 155 F5
Shag Rocks Atl. Oc. 53°0S 41°0W 56 M7
Shagamu Nigeria 6°51N 3°39E 139 D5
Shagram Pakistan 36°24N 72°20E 125 A5
Shah Alam Malaysia 3°5N 101°32E 121 L3
Shah Alizai Pakistan 29°25N 66°33E 124 E2
Shah Bunder Pakistan 24°13N 67°56E 124 G2
Shahabad Karnataka, India 17°10N 76°54E 126 F3
Shahabad Punjab, India 30°10N 76°55E 124 D7
Shahabad Raj., India 25°15N 77°11E 124 G7
Shahabad Ut. P., India 27°36N 79°56E 125 F8
Shahada India 21°33N 74°30E 126 D2
Shahadpur Pakistan 25°55N 68°35E 124 G3
Shahapur India 15°50N 74°34E 127 G2
Shahbā' Syria 32°52N 36°38E 130 C5
Shahdād Iran 30°30N 57°40E 129 D8
Shahdād, Namakzār-e Iran 30°20N 58°20E 129 D8
Shahdadkot Pakistan 27°50N 67°55E 124 F2
Shahdol India 23°19N 81°26E 125 H9
Shahe China 37°0N 114°32E 114 F8
Shahganj India 26°3N 82°44E 125 F10
Shahgarh India 27°15N 69°50E 124 F3
Shahid Rajaee Port = Bandar Shāhid Rajaee Iran 27°7N 56°4E 129 E8
Shāhīn Shahr Iran 32°49N 51°32E 129 C6
Shahjahanpur India 27°54N 79°57E 125 F8
Shahpur = Salmās Iran 38°11N 44°47E 105 C11
Shahpur Karnataka, India 16°40N 76°48E 126 F3
Shahpur Mad. P., India 22°12N 77°58E 124 H7
Shahpur Baluchistan, Pakistan 28°46N 68°27E 124 E3
Shahpur Punjab, Pakistan 32°17N 72°26E 124 C5
Shahpur Chakar Pakistan 26°9N 68°39E 124 F3
Shahpura Mad. P., India 23°10N 80°45E 125 H9
Shahpura Raj., India 25°38N 74°56E 124 G6
Shahr-e Bābak Iran 30°7N 55°9E 129 D7
Shahr-e Kord Iran 32°15N 50°55E 129 C6
Shahr-I Sokhta Iran 30°34N 61°21E 129 D9
Shāhrakht Iran 33°38N 60°16E 129 C9
Shahrezā = Qomsheh Iran 32°0N 51°55E 129 D6
Shahrig Pakistan 30°15N 67°40E 124 D2
Shahrisabz Uzbekistan 39°3N 66°50E 109 E7
Shāhrud = Emāmrūd Iran 36°30N 55°0E 129 B7
Shahukou China 40°20N 112°18E 114 D7
Shaikhabad Afghan. 34°2N 68°45E 124 B3
Shajapur India 23°27N 76°21E 124 H7
Shajing China 22°44N 113°48E 111 a
Shakargarh Pakistan 32°17N 75°10E 124 C6
Shakawe Botswana 18°28S 21°49E 144 A3
Shaker Heights U.S.A. 41°28N 81°32W 174 E3
Shakhrisyabz = Shahrisabz Uzbekistan 39°3N 66°50E 109 E7
Shakhtersk Russia 49°10N 142°8E 107 E15
Shakhtinsk Kazakhstan 49°42N 72°35E 109 C8
Shakhty Russia 47°40N 40°16E 87 G5
Shakhunya Russia 57°40N 46°46E 86 B8
Shaki Nigeria 8°41N 3°21E 139 D5
Shākir Egypt 27°30N 33°59E 137 B3
Shakotan-Hantō Japan 43°10N 140°30E 112 C10
Shaksam Valley Asia 36°0N 76°20E 125 A7
Shali Russia 43°9N 45°55E 87 J7
Shalkar Köli Kazakhstan 50°35N 51°47E 86 E10
Shallow Lake Canada 44°36N 81°5W 174 B3
Shalqar Kazakhstan 47°48N 59°39E 108 C5
Shalqar Köli Kazakhstan 50°33N 51°40E 108 B4
Shalskiy Russia 61°48N 35°58E 84 B8
Shaluli Shan China 30°40N 99°55E 116 B2
Shām Iran 26°39N 57°21E 129 E8
Shām, Bādiyat ash Asia 32°0N 40°0E 128 C3
Shamāl Sīnî □ Egypt 30°30N 33°30E 130 E2
Shamattawa Canada 55°51N 92°5W 164 A1
Shamattawa → Canada 55°1N 85°23W 164 A2
Shamīl Iran 27°30N 56°55E 129 E8
Shamkhor = Şämkir Azerbaijan 40°50N 46°0E 87 K8
Shāmkūh Iran 35°47N 57°50E 129 C8
Shamli India 29°32N 77°18E 124 E7
Shammar, Jabal Si. Arabia 27°40N 41°0E 128 E4
Shamo = Gobi Asia 44°0N 110°0E 114 C6
Shamo, L. Ethiopia 5°45N 37°30E 131 F2
Shamokin U.S.A. 40°47N 76°34W 175 F8
Shamrock Canada 45°23N 76°50W 175 A8
Shamrock U.S.A. 35°13N 100°15W 176 D4
Shamva Zimbabwe 17°20S 31°32E 143 F3
Shan □ Burma 21°30N 98°30E 123 J21
Shan Xian China 34°50N 116°5E 114 G9
Shanchengzhen China 42°20N 125°20E 115 C13
Shāndak Iran 28°28N 60°27E 129 D9
Shandan China 38°45N 101°15E 110 D9
Shandon U.S.A. 35°39N 120°23W 170 K6
Shandong □ China 36°0N 118°0E 115 G10
Shandong Bandao China 37°0N 121°0E 115 F11
Shandur Pass Pakistan 36°4N 72°31E 125 A5
Shang Xian = Shangzhou China 33°50N 109°58E 114 H5
Shangalowe Dem. Rep. of the Congo 10°50S 26°30E 143 E2
Shangani Zimbabwe 19°41S 29°20E 145 A4
Shangani → Zimbabwe 18°41S 27°10E 143 F2
Shangbancheng China 40°50N 118°1E 115 D10
Shangcheng China 31°47N 115°26E 117 B10
Shangchuan Dao China 21°40N 112°50E 117 G9
Shangdu China 41°30N 113°30E 114 D7
Shanggao China 28°17N 114°55E 117 C10
Shanghai China 31°15N 121°26E 117 B13
Shanghai Shi □ China 31°0N 121°30E 117 B13
Shanghang China 25°2N 116°23E 117 E11
Shanghe China 37°20N 117°10E 115 F9
Shanglin China 23°27N 108°33E 116 F7
Shangnan China 33°32N 110°50E 114 H6
Shangqiu China 34°26N 115°36E 114 G8
Shangrao China 28°25N 117°59E 117 C11
Shangri-La = Zhongdian China 27°48N 99°42E 116 D2
Shangshui China 33°32N 114°35E 114 H8
Shangsi China 22°8N 107°58E 116 F6
Shangyi China 41°4N 113°57E 114 D7
Shangyou China 25°48N 114°32E 117 E10
Shangyu China 30°3N 120°52E 117 B13
Shangzhi China 45°22N 127°56E 115 B14
Shangzhou China 33°50N 109°58E 114 H5
Shanhetun China 44°33N 127°15E 115 B14
Shani Nigeria 10°14N 12°2E 139 C7
Shānidar Iraq 36°48N 44°14E 105 D11
Shanklin U.K. 50°38N 1°11W 67 G6
Shannon N.Z. 40°33S 175°25E 154 G4
Shannon → Ireland 52°35N 9°30W 64 D2
Shannon ✕ (SNN) Ireland 52°42N 8°57W 64 D3
Shannon, Mouth of the Ireland 52°30N 9°55W 64 D2
Shannon △ Australia 34°35S 116°25E 149 F2
Shannon Ø Greenland 75°10N 18°30W 57 B9
Shannonbridge Ireland 53°17N 8°3W 64 C3
Shannontown U.S.A. 33°53N 80°21W 178 B9
Shanshan China 42°52N 90°10E 109 D12
Shansi = Shanxi □ China 37°0N 112°0E 114 F7
Shantar, Ostrov Bolshoy Russia 55°9N 137°40E 107 D14
Shantipur India 23°17N 88°25E 125 H13
Shantou China 23°18N 116°40E 117 F11
Shantung = Shandong □ China 36°0N 118°0E 115 G10
Shanwei China 22°48N 115°22E 117 F10
Shanxi □ China 37°0N 112°0E 114 F7
Shanyang China 33°31N 109°55E 114 H5
Shanyin China 39°25N 112°56E 114 E7
Shaodong China 27°15N 111°43E 117 D8
Shaoguan China 24°48N 113°35E 117 E9
Shaoshan China 27°55N 112°33E 117 D9
Shaowu China 27°22N 117°28E 117 D11
Shaoxing China 30°0N 120°35E 117 C13
Shaoyang China 27°14N 111°25E 117 D8
Shap U.K. 54°32N 2°40W 66 C5
Shapinsay U.K. 59°3N 2°51W 65 B6
Shaqlāwah Iraq 36°23N 44°20E 105 D11
Shaqra' Si. Arabia 25°15N 45°16E 128 E5
Shar Kazakhstan 49°35N 81°2E 109 C10
Sharafkhāneh Iran 38°11N 45°29E 105 C11
Sharashova Belarus 52°34N 24°12E 83 F11
Sharavati → India 14°20N 74°25E 127 G2
Sharbaqty Kazakhstan 51°23N 78°17E 109 B9
Sharbot Lake Canada 44°46N 76°41W 175 B8
Shardara, Step Kazakhstan 42°20N 68°0E 109 D7
Sharhorod Ukraine 48°45N 28°5E 81 B13
Shari Japan 43°55N 144°40E 112 C12
Sharjah = Ash Shāriqah U.A.E. 25°23N 55°26E 129 E7
Shark B. Australia 25°30S 113°32E 149 E1
Shark Bay △ Australia 25°30S 113°30E 149 E1
Sharm el Sheikh Egypt 27°53N 34°18E 137 B3
Sharon Canada 44°6N 79°26W 174 B5
Sharon Mass., U.S.A. 42°7N 71°11W 175 D13
Sharon Pa., U.S.A. 41°14N 80°31W 174 E4
Sharon Springs Kans., U.S.A. 38°54N 101°45W 172 F3
Sharon Springs N.Y., U.S.A. 42°48N 74°37W 175 D10
Sharp Pt. Australia 10°58S 142°43E 150 A3
Sharpe L. Canada 54°24N 93°40W 164 B1
Sharpes U.S.A. 28°26N 80°46W 179 G9
Sharpsville U.S.A. 41°15N 80°29W 174 E4
Sharqi, Al Jabal ash Lebanon 33°40N 36°10E 130 B5
Sharqiya, Es Sahrâ esh Egypt 27°30N 32°30E 137 B3
Sharr Kosovo 42°5N 20°41E 96 D4
Sharya Russia 58°22N 45°20E 86 A7
Shashemene Ethiopia 7°13N 38°33E 131 F2
Shashi Botswana 21°15S 27°27E 145 B4
Shashi → Africa 21°14S 29°20E 143 G2
Shasta, Mt. U.S.A. 41°25N 122°12W 168 F2
Shasta L. U.S.A. 40°43N 122°25W 168 F2
Shatsk Russia 54°5N 41°45E 86 C5
Shatsk Ukraine 51°29N 23°55E 83 G10
Shatsky Rise Pac. Oc. 34°0N 157°0E 156 D7
Shatskyy ⌂ Ukraine 51°30N 23°52E 83 G10
Shatt al Arab Asia 29°57N 48°34E 129 D6
Shatura Russia 55°33N 39°21E 84 E10
Shaumyani = Shulaveri Georgia 41°22N 44°45E 87 K7
Shaunavon Canada 49°35N 108°25W 163 D7
Shaver L. U.S.A. 37°9N 119°18W 170 H7
Shaw → Australia 20°21S 119°17E 148 D2
Shaw I. Australia 20°30S 149°2E 150 b
Shawanaga Canada 45°31N 80°17W 174 A4
Shawangunk Mts. U.S.A. 41°35N 74°30W 175 E10
Shawano U.S.A. 44°47N 88°36W 172 C9
Shawinigan Canada 46°35N 72°50W 164 C5
Shawmari, J. ash Jordan 30°35N 36°35E 130 E5
Shawnee Ga., U.S.A. 32°29N 81°25W 178 C8
Shawnee Okla., U.S.A. 35°20N 96°55W 176 D6
Shay Gap Australia 20°30S 120°10E 148 D3
Shayang China 30°42N 112°29E 117 B9
Shaybārā Si. Arabia 25°26N 36°47E 128 E3
Shayib el Banat, Gebel Egypt 26°59N 33°29E 137 B3
Shaykh, J. ash Lebanon 33°25N 35°50E 130 B4
Shaykh Miskīn Syria 32°49N 36°9E 130 C5
Shaykh Sa'd Iraq 32°34N 46°17E 105 F12
Shaykh 'Uthmān Yemen 12°52N 44°59E 131 E3
Shāzand Iran 33°56N 49°24E 129 C6
Shazud Tajikistan 37°45N 72°25E 109 E8
Shchekino Russia 54°1N 37°34E 84 E9
Shchigry Russia 51°55N 36°58E 85 G9
Shchors Ukraine 51°48N 31°56E 85 G6
Shchūchīnsk Kazakhstan 52°56N 70°12E 109 B8
She Xian Anhui, China 29°50N 118°25E 117 C12
She Xian Hebei, China 36°30N 113°40E 114 F7
Shebekino Russia 50°28N 36°54E 85 G9
Shebele = Shabeelle → Somalia 2°0N 44°0E 131 G3
Sheberghān Afghan. 36°40N 65°45E 109 E7
Sheboygan U.S.A. 43°46N 87°45W 172 D10
Shebshi Mts. Nigeria 8°30N 12°0E 139 D7
Shediac Canada 46°14N 64°32W 165 C7
Sheelin, L. Ireland 53°48N 7°20W 64 C4
Sheenjek → U.S.A. 66°45N 144°33W 166 B11
Sheep Haven Ireland 55°11N 7°52W 64 A4
Sheep Range U.S.A. 36°35N 115°15W 171 J11
Sheerness U.K. 51°26N 0°47E 67 F8
Sheet Harbour Canada 44°56N 62°31W 165 D7
Sheffield N.Z. 43°23S 172°1E 155 D7
Sheffield U.K. 53°23N 1°28W 66 D6
Sheffield Ala., U.S.A. 34°46N 87°41W 177 D11
Sheffield Mass., U.S.A. 42°5N 73°21W 175 D11
Sheffield Pa., U.S.A. 41°42N 79°3W 174 E5
Shegaon India 20°48N 76°47E 126 D3
Shehong China 30°54N 105°18E 116 B5
Shehuen → Argentina 49°35S 69°34W 192 C3
Sheikh Zayed Canal Egypt 23°30N 30°15E 137 C3
Sheikhpura India 25°9N 85°53E 125 G11
Shekhupura Pakistan 31°42N 73°58E 124 D5
Sheki = Şaki Azerbaijan 41°10N 47°5E 87 K8
Shekou China 22°30N 113°55E 111 a
Shelburne N.S., Canada 43°47N 65°20W 165 D6
Shelburne Ont., Canada 44°4N 80°15W 174 B4
Shelburne U.S.A. 44°23N 73°14W 175 B11
Shelburne B. Australia 11°50S 142°50E 150 A3
Shelburne Falls U.S.A. 42°36N 72°45W 175 D12
Shelby Mich., U.S.A. 43°37N 86°22W 172 D10
Shelby Miss., U.S.A. 33°57N 90°46W 177 E9
Shelby Mont., U.S.A. 48°30N 111°51W 168 B8
Shelby N.C., U.S.A. 35°17N 81°32W 177 D14
Shelby Ohio, U.S.A. 40°53N 82°40W 174 F2
Shelbyville Ill., U.S.A. 39°24N 88°48W 172 F9
Shelbyville Ind., U.S.A. 39°31N 85°47W 173 F11
Shelbyville Ky., U.S.A. 38°13N 85°14W 173 F11
Shelbyville Tenn., U.S.A. 35°29N 86°28W 177 D11
Sheldon Iowa, U.S.A. 43°11N 95°51W 172 D6
Sheldon S.C., U.S.A. 32°36N 80°48W 178 C9
Sheldrake Canada 50°20N 64°51W 165 B7
Shelek Kazakhstan 43°33N 78°17E 109 D9
Shelikhova, Zaliv Russia 59°30N 157°0E 107 D16
Shelikof Strait U.S.A. 57°30N 155°0W 166 D9
Shell Lakes Australia 29°20S 127°30E 149 E4
Shellbrook Canada 53°13N 106°24W 163 C7
Shellharbour Australia 34°31S 150°51E 153 C9
Shellman U.S.A. 31°46N 84°37W 178 D5
Shelon → Russia 58°13N 30°47E 84 C6
Shelter I. U.S.A. 41°4N 72°20W 175 E12
Shelton Conn., U.S.A. 41°19N 73°5W 175 E11
Shelton Wash., U.S.A. 47°13N 123°6W 170 C3
Shemakha = Şamaxı Azerbaijan 40°38N 48°37E 87 K9
Shemonaīkha Kazakhstan 50°37N 81°54E 109 B10
Shëmri Albania 42°7N 20°13E 96 D4
Shemsi Sudan 19°2N 29°57E 137 D2
Shen Xian China 36°15N 115°40E 114 F8
Shenandoah Iowa, U.S.A. 40°46N 95°22W 172 E6
Shenandoah Pa., U.S.A. 40°49N 76°12W 175 F8
Shenandoah Va., U.S.A. 38°29N 78°37W 173 F14
Shenandoah → U.S.A. 39°19N 77°44W 173 F15
Shenandoah △ U.S.A. 38°35N 78°22W 173 F14
Shenchi China 39°8N 112°10E 114 E7
Shencottah India 8°59N 77°18E 127 K3
Shendam Nigeria 8°49N 9°30E 139 D6
Shendî Sudan 16°46N 33°22E 135 E12
Shendurni India 20°39N 75°36E 126 D2
Shenge S. Leone 7°54N 12°55W 138 D2
Shengfang China 39°3N 116°42E 114 E9
Shëngjergj Albania 41°17N 20°10E 96 E4
Shëngjin Albania 41°50N 19°35E 96 E3
Shengzhou China 29°35N 120°50E 117 C13
Shenjingzi China 44°40N 124°30E 115 B13
Shenmu China 38°50N 110°29E 114 E6
Shennongjia China 31°43N 110°44E 117 B8
Shenqiu China 33°25N 115°5E 114 H8
Shensi = Shaanxi □ China 35°0N 109°0E 114 G5
Shenyang China 41°48N 123°27E 115 D12
Shenzhen China 22°32N 114°5E 117 F10
Shenzhen Bao'an Int. ✕ (SZX) China 22°41N 113°49E 111 a
Shenzhen Shuiku China 22°34N 114°8E 111 a
Shenzhen Wan China 22°27N 113°55E 111 a
Sheo India 26°11N 71°15E 124 F4
Sheopur Kalan India 25°40N 76°40E 124 G7
Shepetivka Ukraine 50°10N 27°10E 75 C14
Shepparton Australia 36°23S 145°26E 153 D6
Sheppey, I. of U.K. 51°25N 0°48E 67 F8
Shepton Mallet U.K. 51°11N 2°33W 67 F5
Sheqi China 33°12N 112°57E 114 H7
Sher Qila Pakistan 36°7N 74°2E 125 A6
Sherborne U.K. 50°57N 2°31W 67 G5
Sherbro → S. Leone 7°45N 12°55W 138 D2
Sherbro I. S. Leone 7°30N 12°40W 138 D2
Sherbrooke N.S., Canada 45°8N 61°59W 165 C7
Sherbrooke Qué., Canada 45°28N 71°57W 175 A13
Sherburne U.S.A. 42°41N 75°30W 175 D9
Shereik Sudan 18°44N 33°47E 137 D3
Shergarh India 26°20N 72°18E 124 F5
Sherghati India 24°34N 84°47E 125 G11
Sheridan Ark., U.S.A. 34°19N 92°24W 176 D8
Sheridan Wyo., U.S.A. 44°48N 106°58W 168 D10
Sheringham U.K. 52°56N 1°13E 66 E9
Sherkin I. Ireland 51°28N 9°26W 64 E2
Sherkot India 29°22N 78°35E 125 E8
Sherlovaya Gora Russia 50°34N 116°15E 107 D12
Sherman N.Y., U.S.A. 42°9N 79°35W 174 D5
Sherman Tex., U.S.A. 33°38N 96°36W 176 E6
Sherobod Uzbekistan 37°40N 67°1E 109 E7
Sherpur India 25°34N 83°47E 125 G10
Sherridon Canada 55°8N 101°5W 163 B8
Shertallai = Cherthala India 9°42N 76°20E 127 K3
Sherwood Forest U.K. 53°6N 1°7W 66 D6
Sherwood Park Canada 53°31N 113°19W 162 C6
Sheslay → Canada 58°48N 132°5W 162 B2
Shethanei L. Canada 58°48N 97°50W 163 B9
Shetland □ U.K. 60°30N 1°30W 65 A7
Shetland Is. U.K. 60°30N 1°30W 65 A7
Shetpe Kazakhstan 44°10N 52°7E 108 D4
Shetrunji → India 21°19N 72°7E 124 J5
Sheung Shui China 22°31N 114°7E 111 a
Shevaroy Hills India 11°58N 78°12E 127 J4
Shevchenkovo Ukraine 45°33N 29°20E 81 E14
Shevgaon India 19°21N 75°14E 126 E2
Shevisheh Iran 35°21N 46°40E 105 E12
Shey-Phoksundo △ Nepal 29°30N 82°45E 125 E10
Sheyang China 33°48N 120°29E 115 H11
Sheyenne → U.S.A. 47°2N 96°50W 172 B5
Shiashkotan, Ostrov Russia 48°49N 154°6E 107 E16
Shibām Yemen 15°59N 48°36E 131 D4
Shibata Japan 37°57N 139°20E 112 F9
Shibecha Japan 43°17N 144°36E 112 C12
Shibetsu Hokkaidō, Japan 43°30N 145°10E 112 C12
Shibetsu Hokkaidō, Japan 44°10N 142°23E 112 B11
Shibîn el Kôm Egypt 30°31N 30°55E 137 E7
Shibîn el Qanâtir Egypt 30°19N 31°19E 137 F7
Shibing China 27°2N 108°7E 116 D7
Shibogama L. Canada 53°35N 88°15W 164 B2
Shibushi Japan 31°25N 131°8E 113 J5
Shicheng China 26°22N 116°20E 117 D11
Shickshinny U.S.A. 41°9N 76°9W 175 E8
Shickshock Mts. = Chic-Chocs, Mts. Canada 48°55N 66°0W 165 C6
Shidao China 36°50N 122°25E 115 F12
Shiderti → Kazakhstan 52°32N 74°50E 109 B8
Shidian China 24°40N 99°5E 116 E2
Shido = Sanuki Japan 34°19N 134°10E 113 G7
Shiel, L. U.K. 56°48N 5°34W 65 E3
Shield, C. Australia 13°20S 136°20E 150 A2
Shīeli Kazakhstan 44°20N 66°15E 109 D7
Shifang China 31°8N 104°10E 116 B5
Shiga □ Japan 35°20N 136°0E 113 G8
Shigu China 26°51N 99°56E 116 D2
Shiguaigou China 40°52N 110°15E 114 D6
Shihchiachuangi = Shijiazhuang China 38°2N 114°28E 114 E8
Shihezi China 44°15N 86°2E 109 D11
Shijak Albania 41°21N 19°33E 96 E3
Shijiazhuang China 38°2N 114°28E 114 E8
Shijiu Hu China 31°25N 118°50E 117 B12
Shikarpur India 28°17N 78°7E 124 E8
Shikarpur Pakistan 27°57N 68°39E 124 F3
Shikohabad India 27°6N 78°36E 125 F8
Shikokochūō Japan 34°1N 133°34E 113 G6
Shikoku □ Japan 33°30N 133°30E 113 H6
Shikoku-Sanchi Japan 33°30N 133°30E 113 H6
Shikotan, Ostrov Asia 43°47N 146°44E 107 E15
Shikotsu-Ko Japan 42°45N 141°25E 112 C10
Shikotsu-Tōya △ Japan 44°4N 145°8E 112 C10
Shiliguri India 26°45N 88°25E 123 F16
Shiliu = Changjiang China 19°20N 108°55E 117 a
Shilka Russia 52°0N 115°55E 107 D12
Shilka → Russia 53°20N 121°26E 107 D13
Shillelagh Ireland 52°45N 6°32W 64 D5
Shillington U.S.A. 40°18N 75°58W 175 F9
Shillong India 25°35N 91°53E 123 G17
Shilo West Bank 32°4N 35°18E 130 C4
Shilong China 23°5N 113°52E 117 F9
Shilou China 37°0N 110°48E 114 F6
Shilovo Russia 54°25N 40°57E 86 C5
Shimabara Japan 32°48N 130°20E 113 H5
Shimada Japan 34°49N 138°10E 113 G9
Shimane □ Japan 35°0N 132°30E 113 G6

Shimanovsk Russia 52°15N 127°30E 107 D13
Shimanto Kōchi, Japan 33°12N 133°8E 113 H6
Shimanto Kōchi, Japan 32°59N 132°56E 113 H6
Shimba Hills ⌓ Kenya 4°14S 39°25E 142 C4
Shimbiris Somalia 10°44N 47°14E 131 E4
Shimen China 29°35N 111°20E 117 C8
Shimenjie China 29°29N 116°48E 117 C11
Shimian China 29°17N 102°23E 116 C4
Shimizu Japan 35°0N 138°30E 113 G9
Shimla India 31°2N 77°9E 124 D7
Shimodate Japan 36°20N 139°55E 113 F9
Shimoga = Shivamogga India 13°57N 75°32E 127 H2
Shimokita-Hantō Japan 41°20N 141°0E 112 D10
Shimoni Kenya 4°38S 39°20E 142 C4
Shimonoseki Japan 33°58N 130°55E 113 H5
Shimpuru Rapids Namibia 17°45S 19°55E 144 A2
Shimsha → India 13°15N 77°10E 127 H3
Shimsk Russia 58°15N 30°50E 84 C6
Shin, L. U.K. 58°5N 4°30W 65 C4
Shinan China 22°44N 109°53E 116 F7
Shinano-Gawa → Japan 36°50N 138°30E 113 F9
Shināş Oman 24°46N 56°28E 129 E8
Shīndand Afghan. 33°12N 62°8E 122 C3
Shinglehouse U.S.A. 41°58N 78°12W 174 E6
Shingū Japan 33°40N 135°55E 113 H7
Shingwidzi S. Africa 23°5S 31°25E 145 B5
Shinjō Japan 38°46N 140°18E 112 E10
Shinkafe Nigeria 13°8N 6°29E 139 C6
Shinkolobwe Dem. Rep. of the Congo 11°10S 26°40E 140 G5
Shinshār Syria 34°36N 36°43E 130 A5
Shintuya Peru 12°41S 71°15W 188 C3
Shinyanga Tanzania 3°45S 33°27E 142 C3
Shinyanga □ Tanzania 3°50S 33°30E 142 C3
Shio-no-Misaki Japan 33°25N 135°45E 113 H7
Shiogama Japan 38°19N 141°1E 112 E10
Shiojiri Japan 36°6N 137°58E 113 F8
Shipchenski Prokhod Bulgaria 42°45N 25°15E 97 D9
Shiphoirt, L. = Seaforth, L. U.K. 57°52N 6°36W 65 D2
Shiping China 23°45N 102°23E 116 F4
Shippagan Canada 47°45N 64°45W 165 C7
Shippensburg U.S.A. 40°3N 77°31W 174 F7
Shippenville U.S.A. 41°15N 79°28W 174 E5
Shiprock U.S.A. 36°47N 108°41W 169 H9
Shiqian China 27°32N 108°13E 116 D7
Shiqma, N. → Israel 31°37N 34°30E 130 D3
Shiquan China 33°5N 108°15E 116 A7
Shiquan He = Indus → Pakistan 24°20N 67°47E 124 G2
Shīr Kūh Iran 31°39N 54°3E 129 D7
Shira'awh Qatar 25°2N 52°14E 129 E7
Shirabad = Sherobod Uzbekistan 37°40N 67°1E 109 E7
Shiragami-Misaki Japan 41°24N 140°12E 112 D10
Shirakawa Fukushima, Japan 37°7N 140°13E 113 F10
Shirakawa Gifu, Japan 36°17N 136°56E 113 F8
Shirane-San Gumma, Japan 36°48N 139°22E 113 F9
Shirane-San Yamanashi, Japan 35°42N 138°9E 113 G9
Shiraoi Japan 42°33N 141°21E 112 C10
Shīrāz Iran 29°42N 52°30E 129 D7
Shirbīn Egypt 31°11N 31°32E 137 E7
Shire → Africa 17°42S 35°19E 143 F4
Shiren China 41°57N 126°34E 115 D14
Shiretoko △ Japan 44°15N 145°15E 112 B12
Shiretoko-Misaki Japan 44°21N 145°20E 112 B12
Shirinab → Pakistan 30°15N 66°28E 124 D2
Shiriya-Zaki Japan 41°25N 141°30E 112 D10
Shiroishi Japan 38°0N 140°37E 112 F10
Shirol India 16°47N 74°41E 126 F2
Shiroro Res. Nigeria 9°56N 6°54E 139 D6
Shirpur India 21°21N 74°57E 126 D2
Shirshov Ridge Pac. Oc. 58°0N 170°0E 156 B8
Shīrvān Iran 37°30N 57°50E 129 B8
Shirwa, L. = Chilwa, L. Malawi 15°15S 35°40E 143 F4
Shishaldin Volcano U.S.A. 54°45N 163°58W 166 E7
Shishi China 24°44N 118°37E 117 E12
Shishou China 29°38N 112°22E 117 C9
Shitai China 30°12N 117°25E 117 B11
Shithāthah Iraq 32°34N 43°28E 105 G10
Shivamogga India 13°57N 75°32E 127 H2
Shivpuri India 25°26N 77°42E 124 G7
Shixian China 43°5N 129°50E 115 C15
Shixing China 24°46N 114°5E 117 E10
Shiyan Guangdong, China 22°42N 113°56E 111 a
Shiyan Hubei, China 32°35N 110°45E 117 A8
Shiyan Shuiku China 22°42N 113°54E 111 a
Shiyata Egypt 29°25N 25°7E 137 B2
Shizhu China 29°58N 108°7E 116 C7
Shizong China 24°50N 104°0E 116 E5
Shizuishan China 39°15N 106°50E 114 E4
Shizuoka Japan 34°57N 138°24E 113 G9
Shizuoka □ Japan 35°15N 138°40E 113 G9
Shkhara Georgia 43°0N 43°8E 105 A10
Shklov = Shklow Belarus 54°16N 30°15E 75 A16
Shklow Belarus 54°16N 30°15E 75 A16
Shkodër Albania 42°4N 19°32E 96 D3
Shkumbini → Albania 41°2N 19°31E 96 E3
Shmidta, Ostrov Russia 81°0N 91°0E 107 A10
Shō-Gawa → Japan 36°47N 137°4E 113 F8
Shoal L. Canada 49°33N 95°1W 163 D9
Shoal Lake Canada 50°30N 100°35W 163 C8
Shoalhaven → Australia 34°54S 150°42E 153 C9
Shōdo-Shima Japan 34°30N 134°15E 113 G7
Sholapur = Solapur India 17°43N 75°56E 126 F2
Shōmrōn West Bank 32°15N 35°13E 130 C4
Shonzhy Kazakhstan 43°32N 79°28E 109 D9
Shoranur India 10°46N 76°19E 127 J3
Shorapur India 16°31N 76°48E 127 F3
Shoreham U.S.A. 43°53N 73°18W 175 C11
Shoreham-by-Sea U.K. 50°50N 0°16W 67 G7
Shori → Pakistan 28°29N 69°44E 124 E3
Shorkot Pakistan 30°50N 72°0E 124 D4
Shorkot Road Pakistan 30°47N 72°15E 124 D5
Shorsky △ Russia 52°40N 88°0E 109 B11
Shorter U.S.A. 32°24N 85°57W 178 C4
Shorterville U.S.A. 31°34N 85°6W 178 D4
Shortt's I. India 20°47N 87°4E 126 D8
Shoshone Calif., U.S.A. 35°58N 116°16W 171 K10
Shoshone Idaho, U.S.A. 42°56N 114°25W 168 E6
Shoshone L. U.S.A. 44°22N 110°43W 168 D8
Shoshone Mts. U.S.A. 39°20N 117°25W 168 G5
Shoshong Botswana 22°56S 26°31E 144 B4
Shoshoni U.S.A. 43°14N 108°7W 168 E9
Shostka Ukraine 51°57N 33°32E 85 G7
Shotover → N.Z. 44°59S 168°41E 155 E3
Shou Xian China 32°37N 116°42E 117 A11
Shouchang China 29°18N 119°12E 117 C12
Shouguang China 37°52N 118°45E 115 F10
Shouning China 27°27N 119°31E 117 D12
Shouyang China 37°54N 113°8E 114 F7
Show Low U.S.A. 34°15N 110°2W 169 J8
Showt Iran 39°12N 44°49E 105 C11
Shpola Ukraine 49°1N 31°30E 85 H6
Shpykiv Ukraine 48°47N 28°34E 81 B13
Shqipëria = Albania ■ Europe 41°0N 20°0E 96 E4
Shreveport U.S.A. 32°31N 93°45W 176 E8
Shrewsbury U.K. 52°43N 2°45W 67 E5
Shri Mohangarh India 27°17N 71°18E 124 F4
Shrigonda India 18°37N 74°41E 126 E2
Shrirampur India 22°44N 88°21E 125 H13
Shropshire □ U.K. 52°36N 2°45W 67 E5
Shtërpcë Kosovo 42°14N 21°1E 96 D5
Shū Kazakhstan 43°36N 73°42E 109 D8
Shū → Kazakhstan 45°0N 67°44E 109 D7
Shuangbai China 24°42N 101°38E 116 E3
Shuangcheng China 45°20N 126°15E 115 B14
Shuangfeng China 27°29N 112°11E 117 D9
Shuanggou China 34°2N 117°30E 115 G9
Shuangjiang China 23°26N 99°58E 116 F2
Shuangliao China 43°29N 123°30E 115 C12
Shuangshanzi China 40°20N 119°8E 115 D10
Shuangyang China 43°28N 125°40E 115 C13
Shuangyashan China 46°28N 131°5E 111 B15
Shubarqudyq Kazakhstan 49°13N 56°34E 108 C5
Shubarshī Kazakhstan 48°39N 57°11E 108 C5
Shubrâ el Kheima Egypt 30°4N 31°14E 137 E7
Shubrâ Khit Egypt 31°2N 30°42E 137 E7
Shucheng China 31°28N 116°57E 117 B11
Shugozero Russia 59°54N 34°10E 84 C8
Shuguri Falls Tanzania 8°33S 37°22E 143 D4
Shuiding = Huocheng China 44°0N 80°48E 109 D10
Shuiji China 27°13N 118°20E 117 D12
Shujalpur India 23°18N 76°46E 124 H7
Shukpa Kunzang India 34°22N 78°22E 125 B8
Shulan China 44°28N 127°0E 115 B14
Shulaveri Georgia 41°22N 44°45E 87 K7
Shule China 39°25N 76°3E 109 E9
Shule He → China 40°20N 92°50E 110 C7
Shumagin Is. U.S.A. 55°7N 160°30W 166 D7
Shumanay Uzbekistan 42°38N 58°55E 108 D5
Shumen Bulgaria 43°18N 26°55E 97 C10
Shumerlya Russia 55°30N 46°25E 86 C8
Shumikha Russia 55°10N 63°15E 106 D7
Shunān Japan 34°3N 131°50E 113 G5
Shunchang China 26°54N 117°48E 117 D11
Shunde China 22°42N 113°14E 117 F9
Shungay Kazakhstan 48°30N 46°45E 87 F8
Shungnak U.S.A. 66°52N 157°9W 166 B8
Shuo Xian = Shuozhou China 39°20N 112°33E 114 E7
Shuozhou China 39°20N 112°33E 114 E7
Shuqrā' Yemen 13°22N 45°44E 131 E4
Shūr → Fārs, Iran 28°30N 55°0E 129 D7
Shūr → Kermān, Iran 30°52N 57°37E 129 D8
Shūr → Yazd, Iran 31°45N 55°15E 129 D7
Shūr Āb Iran 34°23N 51°11E 129 C6
Shūr Gaz Iran 29°10N 59°20E 129 D8
Shūrāb Iran 33°43N 56°29E 129 C8
Shūrjestān Iran 31°24N 52°25E 129 D7
Shurugwi Zimbabwe 19°40S 30°0E 143 F3
Shūsf Iran 31°50N 60°5E 129 D9
Shūsh Iran 32°11N 48°15E 105 F13
Shushenskoye Russia 53°19N 91°56E 109 B12
Shushensky Bor △ Russia 52°40N 91°15E 109 B12
Shūshtar Iran 32°0N 48°50E 129 D6
Shuswap L. Canada 50°55N 119°3W 162 C5
Shute Harbour △ Australia 20°17S 148°47E 150 b
Shuya Russia 56°50N 41°28E 86 B5
Shuyang China 34°10N 118°42E 115 G10
Shūzū Iran 29°52N 54°30E 129 D7
Shwebo Burma 22°30N 95°45E 123 H19
Shwegu Burma 24°15N 96°26E 123 G20
Shweli → Burma 23°45N 96°45E 123 H20
Shyamnagar India 13°21N 92°57E 127 H11
Shyghanaq Kazakhstan 45°6N 73°59E 109 C8
Shyghys Qazaqstan □ Kazakhstan 48°30N 82°0E 109 D10
Shymkent Kazakhstan 42°18N 69°36E 109 D7
Shyok India 34°13N 78°12E 125 B8
Shyok → Pakistan 35°13N 75°53E 125 B6
Shyroke Odesa, Ukraine 45°59N 30°5E 81 E15
Shyroke Ternopil, Ukraine 48°13N 23°6E 80 B8
Si Kiang = Xi Jiang → China 22°5N 113°20E 117 F9
Si Lanna △ Thailand 19°17N 99°12E 120 C2
Si Nakarin Res. Thailand 14°35N 99°0E 120 E2
Si-ngan = Xi'an China 34°15N 109°0E 114 G5
Si Phangnga Thailand 9°8N 98°29E 121 H2
Si Prachan Thailand 14°37N 100°9E 120 E3
Si Racha Thailand 13°10N 100°48E 120 F3
Si Sa Ket Thailand 15°8N 104°23E 120 E5
Siachen Glacier Asia 35°20N 77°30E 125 B7
Sīah Cheshmeh Iran 39°3N 44°25E 105 C11
Siahaf → Pakistan 29°3N 68°57E 124 E3
Siahan Range Pakistan 27°30N 64°40E 122 F4
Siak Sri Indrapura Indonesia 0°51N 102°0E 118 D2
Sialkot Pakistan 32°32N 74°30E 124 C6
Siam = Thailand ■ Asia 16°0N 102°0E 120 E4
Sian = Xi'an China 34°15N 109°0E 114 G5
Sian Ka'an ⌓ Mexico 19°35N 87°40W 181 D7
Sianów Poland 54°13N 16°18E 82 D3
Siantan Indonesia 3°10N 106°15E 118 D3
Sīāreh Iran 28°5N 60°14E 129 D9
Siargao I. Phil. 9°52N 126°3E 119 C7
Siasi Phil. 5°34N 120°50E 119 C6
Siatista Greece 40°15N 21°33E 96 F5
Siau Indonesia 2°50N 125°25E 119 D7
Šiauliai Lithuania 55°56N 23°15E 82 C10
Šiauliai □ Lithuania 55°56N 23°19E 82 C10
Siavonga Zambia 16°33S 28°42E 145 A4
Siaya Kenya 0°4N 34°17E 142 B3
Siazan = Siyäzän Azerbaijan 41°3N 49°10E 87 K9
Sibâi, Gebel el Egypt 25°45N 34°10E 128 E2
Sibang Indonesia 8°34S 115°13E 119 K18
Sibay Russia 52°42N 58°39E 108 B5
Sibayi, L. S. Africa 27°20S 32°45E 145 C5
Šibenik Croatia 43°48N 15°54E 93 E12
Siberia = Sibirskiy □ Russia 58°0N 90°0E 107 D10
Siberia Russia 60°0N 100°0E 102 B12
Siberut Indonesia 1°30S 99°0E 118 E1
Sibi Pakistan 29°30N 67°54E 124 E2
Sibiloi △ Kenya 4°0N 36°20E 142 B4
Sibirskiy □ Russia 58°0N 90°0E 107 D10
Sibirtsevo Russia 44°12N 132°26E 112 B5
Sibiti Congo 3°38S 13°19E 140 E2
Sibiu Romania 45°45N 24°9E 81 E9
Sibiu □ Romania 45°50N 24°15E 81 E9
Sibley U.S.A. 43°24N 95°45W 172 D6
Sibo Sweden 61°13N 16°37E 62 C10
Sibolga Indonesia 1°42N 98°45E 118 D1
Siborongborong Indonesia 2°13N 98°58E 121 L2
Sibsagar = Sivasagar India 27°0N 94°36E 123 F19
Sibu Malaysia 2°18N 111°49E 118 D4
Sibuco Phil. 7°20N 122°10E 119 C6
Sibuguey B. Phil. 7°50N 122°45E 119 C6
Sibut C.A.R. 5°46N 19°10E 140 C3
Sibutu Phil. 4°45N 119°30E 119 D5
Sibutu Passage E. Indies 4°50N 120°0E 119 D6
Sibuyan I. Phil. 12°25N 122°40E 119 B6
Sibuyan Sea Phil. 12°30N 122°20E 119 B6
Sic Romania 46°56N 23°53E 81 D8
Sicamous Canada 50°49N 119°0W 162 C5
Sicasica Bolivia 17°22S 67°45W 188 D4
Siccus → Australia 31°55S 139°17E 152 A3
Sichon Thailand 9°0N 99°54E 121 H2
Sichuan □ China 30°30N 103°0E 116 B5
Sichuan Pendi China 31°0N 105°0E 116 B5
Sicilia Italy 37°30N 14°30E 95 E7
Sicily = Sicilia Italy 37°30N 14°30E 95 E7
Sicily, Str. of Medit. S. 37°35N 11°56E 94 E4
Sico → Honduras 15°58N 84°58W 182 C3
Sicuani Peru 14°21S 71°10W 188 C3
Šid Serbia 45°8N 19°14E 80 E4
Sidaouet Niger 18°34N 8°3E 139 B6
Sidari Greece 39°47N 19°41E 101 A3
Siddapur India 14°20N 74°53E 127 G2
Siddhapur India 23°56N 72°25E 124 H5
Siddipet India 18°5N 78°51E 126 E4
Sidensjö Sweden 63°18N 18°17E 62 A12
Sidéradougou Burkina Faso 10°42N 4°12W 138 C4
Siderno Italy 38°16N 16°18E 95 D9
Sideros, Akra Greece 35°19N 26°19E 101 D8
Sidhauli India 27°17N 80°50E 125 F9
Sidhi India 24°25N 81°53E 125 G9
Sîdi Abd el Rahmân Egypt 30°55N 29°44E 137 E6
Sîdi Barrâni Egypt 31°38N 25°58E 137 A2
Sidi-bel-Abbès Algeria 35°13N 0°39W 136 A3
Sidi-bel-Abbès □ Algeria 34°50N 0°30W 136 B3
Sidi Bennour Morocco 32°40N 8°25W 136 B2
Sidi Boubekeur Algeria 35°1N 0°4E 136 A4
Sidi Bouzid Tunisia 35°1N 9°16E 136 B5
Sidi Bouzid □ Tunisia 35°0N 9°30E 136 B5
Sîdi Haneish Egypt 31°10N 27°35E 137 A2
Sidi Ifni Morocco 29°29N 10°12W 134 C3
Sidi Kacem Morocco 34°12N 5°42W 136 B2
Sîdi Omar Egypt 31°24N 24°57E 137 A1
Sidi Slimane Morocco 34°16N 5°56W 136 B2
Sidi Smaïl Morocco 32°50N 8°31W 136 B2
Sidikalang Indonesia 2°45N 98°19E 121 L2
Sidirokastro Greece 41°13N 23°24E 96 E7
Sidlaw Hills U.K. 56°32N 3°2W 65 E5
Sidley, Mt. Antarctica 77°2S 126°2W 55 D14
Sidmouth U.K. 50°40N 3°15W 67 G4
Sidmouth, C. Australia 13°25S 143°36E 150 A3
Sidney Canada 48°39N 123°24W 170 B3
Sidney Mont., U.S.A. 47°43N 104°9W 168 C11
Sidney N.Y., U.S.A. 42°19N 75°24W 175 D9
Sidney Nebr., U.S.A. 41°8N 102°59W 172 E2
Sidney Ohio, U.S.A. 40°17N 84°9W 173 E11
Sidney Lanier, L. U.S.A. 34°10N 84°4W 178 A5
Sido Mali 11°37N 7°29W 138 C3
Sidoarjo Indonesia 7°27S 112°43E 119 G15
Sidon = Saydā Lebanon 33°35N 35°25E 130 B4
Sidra = Surt Libya 31°11N 16°39E 135 B9
Sidra, G. of = Surt, Khalīj Libya 31°40N 18°30E 135 B9
Siedlce Poland 52°10N 22°20E 83 F9
Sieg → Germany 50°46N 7°6E 76 E3
Siegburg Germany 50°47N 7°12E 76 E3
Siegen Germany 50°51N 8°0E 76 E4
Siem Pang Cambodia 14°7N 106°23E 120 E6
Siem Reap = Siemreab Cambodia 13°20N 103°52E 120 F4
Siemiatycze Poland 52°27N 22°53E 83 F9
Siemreab Cambodia 13°20N 103°52E 120 F4
Siena Italy 43°19N 11°21E 93 E8
Sieniawa Poland 50°11N 22°38E 83 H9
Sieradz Poland 51°37N 18°41E 83 G5
Sieraków Poland 52°39N 16°2E 83 F3
Sierck-les-Bains France 49°26N 6°20E 71 C13
Sierning Austria 48°2N 14°18E 78 C7
Sierpc Poland 52°55N 19°43E 83 F6
Sierra, Bocas de la Venezuela 10°0N 61°30W 187 L15
Sierra Blanca U.S.A. 31°11N 105°22W 176 F2
Sierra Blanca Peak U.S.A. 33°23N 105°49W 169 K11
Sierra City U.S.A. 39°34N 120°38W 170 F6
Sierra Colorada Argentina 40°35S 67°50W 192 B3
Sierra de Agalta △ Honduras 15°1N 85°48W 182 C2
Sierra de Andújar ⌓ Spain 38°20N 3°50W 89 G7
Sierra de Aracena y Picos de Aroche ⌓ Spain 37°53N 6°41W 89 H4
Sierra de Bahoruco △ Dom. Rep. 18°10N 71°25W 183 C5
Sierra de Baza ⌓ Spain 37°20N 2°48W 91 H2
Sierra de Castril ⌓ Spain 37°54N 2°50W 91 H2
Sierra de Espuña ⌓ Spain 37°50N 1°31W 91 H3
Sierra de Grazalema ⌓ Spain 36°31N 5°28W 89 J5
Sierra de Gredos ⌓ Spain 40°17N 5°17W 88 E5
Sierra de Guadarrama △ Spain 40°50N 4°0W 88 E6
Sierra de Hornachuelos ⌓ Spain 37°56N 5°14W 89 H5
Sierra de Huétor ⌓ Spain 37°14N 3°30W 89 H7
Sierra de La Culata △ Venezuela 8°45N 71°10W 183 E5
Sierra de Lancandón △ Guatemala 16°59N 90°23W 182 C1
Sierra de las Nieves ⌓ Spain 36°42N 5°0W 89 J6
Sierra de las Quijadas △ Argentina 32°29S 67°5W 190 C2
Sierra de María-Los Vélez ⌓ Spain 37°41N 2°10W 91 H2
Sierra de San Luis △ Venezuela 11°20N 69°43W 183 D6
Sierra de San Pedro Mártir △ Mexico 31°10N 115°30W 180 A1
Sierra de Yeguas Spain 37°7N 4°52W 89 H6
Sierra del São Mamede ⌓ Portugal 39°17N 7°18W 89 F3
Sierra Gorda Chile 22°50S 69°15W 190 A2
Sierra Grande Argentina 41°36S 65°22W 192 B3
Sierra Leone ■ W. Afr. 9°0N 12°0W 138 D2
Sierra Leone Basin Atl. Oc. 5°0N 17°0W 56 F10
Sierra Leone Rise Atl. Oc. 7°0N 22°0W 56 F9
Sierra Madre Mexico 16°0N 93°0W 181 D6
Sierra Madre Occidental Mexico 27°0N 107°0W 180 B3
Sierra Madre Oriental Mexico 25°0N 100°0W 180 C5
Sierra Mágina ⌓ Spain 37°44N 3°28W 89 H7
Sierra Mojada Mexico 27°18N 103°41W 180 B4
Sierra Nevada Spain 37°3N 3°15W 89 H7
Sierra Nevada U.S.A. 39°0N 120°30W 170 H8
Sierra Nevada ⌓ Spain 37°4N 3°7W 89 H7
Sierra Nevada △ Venezuela 8°35N 70°45W 183 E5
Sierra Nevada de Santa Marta △ Colombia 10°56N 73°36W 183 D5
Sierra Norte de Sevilla ⌓ Spain 37°55N 5°46W 89 H5
Sierra Subbéticas ⌓ Spain 37°26N 4°18W 89 H6
Sierra Vista U.S.A. 31°33N 110°18W 169 L8
Sierras de Cardeña y Montoro ⌓ Spain 38°13N 4°15W 89 G6
Sierras de Cazorla, Segura y las Villas ⌓ Spain 37°0N 2°45W 91 J2
Sierraville U.S.A. 39°36N 120°22W 170 F6
Sierre Switz. 46°17N 7°31E 77 J3
Sifié Ivory C. 8°0N 7°5W 138 D3
Sifnos Greece 37°0N 24°45E 98 E6
Sifton Canada 51°21N 100°8W 163 C8
Sifton Pass Canada 57°52N 126°15W 162 B3
Sig Algeria 35°32N 0°12W 136 A3
Sigatoka Fiji 18°8S 177°32E 154 a
Sigean France 43°2N 2°58E 72 E6
Sighetu-Marmaţiei Romania 47°57N 23°52E 81 C8
Sighişoara Romania 46°12N 24°50E 81 D9
Sigiriya Sri Lanka 7°57N 80°45E 127 L5
Sigli Indonesia 5°25N 96°0E 118 C1
Siglufjörður Iceland 66°12N 18°55W 60 C4
Sigmaringen Germany 48°5N 9°12E 77 G5
Signa Italy 43°45N 11°10E 92 E8
Signakhi = Tsnori Georgia 41°40N 45°57E 87 K7
Signal de Botrang Belgium 50°29N 6°4E 69 D6
Signal Pk. U.S.A. 33°20N 114°2W 171 M12
Signy I. Antarctica 60°43S 45°36W 55 C18
Signy-l'Abbaye France 49°40N 4°25E 71 C11
Sigsbee U.S.A. 31°16N 83°52W 178 D6
Sigsbee Deep Gulf of Mexico 25°0N 92°0W 56 D1
Sigsig Ecuador 3°0S 78°50W 186 D3
Sigtuna Sweden 59°36N 17°44E 62 E11
Sigüenza Spain 41°3N 2°40W 90 D2
Siguiri Guinea 11°31N 9°10W 138 C3
Sigulda Latvia 57°10N 24°55E 84 D3
Siguniangshan China 31°15N 103°10E 116 B4
Sihawa India 20°19N 81°55E 126 D5
Sihong China 33°27N 118°16E 115 H10
Sihora India 23°29N 80°6E 125 H9
Sihuas Peru 8°40S 77°40W 188 B2
Sihui China 23°20N 112°40E 117 F9
Siikajoki → Finland 64°50N 24°43E 60 D21
Siilinjärvi Finland 63°4N 27°39E 60 E22
Siirt Turkey 37°57N 41°55E 105 D9
Siirt □ Turkey 37°55N 41°55E 105 D9
Sijarira Ra. = Chizarira Ra. Zimbabwe 17°36S 27°45E 143 F2
Sika India 22°26N 69°47E 124 H3
Sikanni Chief → Canada 57°47N 122°15W 162 B4
Sikao Thailand 7°34N 99°21E 121 J2
Sikar India 27°33N 75°10E 124 F6
Sikasso Mali 11°18N 5°35W 138 C3
Sikasso □ Mali 10°55N 7°0W 138 C3
Sikeston U.S.A. 36°53N 89°35W 172 G9
Sikhote Alin, Khrebet Russia 45°0N 136°0E 112 B8
Sikhote Alin Ra. = Sikhote Alin, Khrebet Russia 45°0N 136°0E 112 B8
Sikia Greece 40°2N 23°56E 96 F7
Sikinos Greece 36°40N 25°8E 99 E7
Sikkim □ India 27°50N 88°30E 123 F16
Siklós Hungary 45°50N 18°19E 80 E3
Sil → Spain 42°27N 7°43W 88 C3
Silacayoapan Mexico 17°30N 98°9W 181 D5
Šilalė Lithuania 55°28N 22°12E 82 C9
Silandro Italy 46°38N 10°46E 92 B7
Silawad India 21°54N 74°54E 124 J6
Silba Croatia 44°24N 14°41E 93 D11
Silchar India 24°49N 92°48E 123 G18
Şile Turkey 41°10N 29°37E 97 E13
Silent Valley △ India 11°10N 76°20E 127 J3
Siler City U.S.A. 35°44N 79°28W 177 D15
Sileru → India 17°49N 81°24E 126 F5
Silesia = Śląsk Poland 51°0N 16°30E 74 C9
Siletitengiz Köli Kazakhstan 53°20N 73°10E 109 B8
Silgarhi Doti Nepal 29°15N 81°0E 125 E9
Silghat India 26°35N 93°0E 123 F18
Silhouette Seychelles 4°29S 55°12E 141 b
Sili Burkina Faso 11°37N 2°30W 138 C4
Siliana Tunisia 36°5N 9°22E 136 A5
Siliana □ Tunisia 36°0N 9°20E 136 A5
Silicon Valley = Santa Clara Valley U.S.A. 36°50N 121°30W 170 J5
Silifke Turkey 36°22N 33°58E 104 D5
Siliguri = Shiliguri India 26°45N 88°25E 123 F16
Siling Co China 31°50N 89°20E 110 E6
Silistea Nouă Romania 44°23N 25°1E 81 F10
Silistra Bulgaria 44°6N 27°19E 97 B11
Silistra □ Bulgaria 44°6N 27°19E 97 B11
Silivri Turkey 41°4N 28°14E 97 E12
Siljan Sweden 60°55N 14°45E 62 D8
Siljansnäs Sweden 60°47N 14°52E 62 D8
Silkeborg Denmark 56°10N 9°32E 63 H3
Silkwood Australia 17°45S 146°2E 150 B4
Silla Spain 39°22N 0°25W 91 F4
Sillajhuay, Cordillera Chile 19°46S 68°40W 188 D4
Sillamäe Estonia 59°24N 27°45E 84 C4
Sillé-le-Guillaume France 48°10N 0°8W 70 D6
Silleda Spain 42°42N 8°14W 88 C2
Sillod India 20°18N 75°39E 126 D2
Silloth U.K. 54°52N 3°23W 66 C4
Sillustani Peru 15°50S 70°7W 188 D3
Silo Greece 41°10N 25°53E 97 E9
Siloam Springs U.S.A. 36°11N 94°32W 176 C7
Silopi Turkey 37°15N 42°27E 105 D10
Siluko Nigeria 6°35N 5°10E 139 D6
Šilutė Lithuania 55°21N 21°33E 82 C8
Silvan Turkey 38°7N 41°2E 105 C9
Silvani India 23°18N 78°25E 125 H8
Silvassa India 20°16N 73°1E 126 D1
Silver City U.S.A. 32°46N 108°17W 169 K9
Silver Cr. → U.S.A. 43°16N 119°13W 168 E4
Silver Creek U.S.A. 42°33N 79°10W 174 D5
Silver L. U.S.A. 38°39N 120°6W 170 G6
Silver Lake Calif., U.S.A. 35°21N 116°7W 171 K10
Silver Lake Oreg., U.S.A. 43°8N 121°3W 168 E3
Silver Springs U.S.A. 29°13N 82°3W 179 F7
Silverdalen Sweden 57°32N 15°45E 63 G9
Silvermine Mts. Ireland 52°47N 8°15W 64 D3
Silverton Australia 31°52S 141°10E 152 A4
Silverton Colo., U.S.A. 37°49N 107°40W 169 H10
Silverton Tex., U.S.A. 34°28N 101°19W 176 D4
Silves Portugal 37°11N 8°26W 89 H2
Silvi Marina Italy 42°34N 14°5E 93 F11
Silvies → U.S.A. 43°34N 119°2W 168 E4
Silvrettahorn Switz. 46°50N 10°6E 92 B7
Silwa Bahari Egypt 24°45N 32°55E 137 C3
Silz Austria 47°16N 10°56E 78 D3
Sim, C. Morocco 31°26N 9°51W 136 B2
Simaltala India 24°43N 86°33E 125 G12
Simanggang = Bandar Sri Aman Malaysia 1°15N 111°32E 118 D4
Simao China 22°47N 101°5E 116 F3
Simão Dias Brazil 10°44S 37°49W 189 C3
Simard, L. Canada 47°40N 78°40W 164 C4
Şimareh → Iran 33°9N 47°41E 105 F12
Simav Turkey 39°4N 28°58E 99 B10
Simav → Turkey 40°23N 28°31E 97 F12
Simav Dağları Turkey 39°10N 28°30E 99 B10
Simba Tanzania 2°10S 37°36E 142 C4
Simbach Germany 48°16N 13°2E 77 G9
Simbirsk = Ulyanovsk Russia 54°20N 48°25E 86 C9
Simbo Tanzania 4°51S 29°41E 142 C2
Simcoe Canada 42°50N 80°23W 174 D4
Simcoe, L. Canada 44°25N 79°20W 174 B5
Simdega India 22°37N 84°31E 125 H11
Simeonovgrad Bulgaria 42°1N 25°50E 97 D9
Simeria Romania 45°51N 23°1E 80 E8
Simeto → Italy 37°24N 15°6E 95 E8
Simeulue Indonesia 2°45N 95°45E 118 D1
Simferopol Ukraine 44°55N 34°3E 85 K8
Simi Greece 36°35N 27°50E 99 E9
Simi Valley U.S.A. 34°16N 118°47W 171 L8
Simikot Nepal 30°0N 81°50E 125 E9
Simineh → Iran 36°59N 45°54E 105 D11
Simitli Bulgaria 41°52N 23°7E 96 E7
Simiyu □ Tanzania 2°55S 34°20E 142 C3
Simla = Shimla India 31°2N 77°9E 124 D7
Simlångsdalen Sweden 56°43N 13°6E 63 H7
Şimleu-Silvaniei Romania 47°17N 22°50E 80 C7
Simlipal △ India 21°45N 86°30E 125 J12
Simmern Germany 49°58N 7°30E 77 F3
Simmie Canada 49°56N 108°6W 163 D7
Simmler U.S.A. 35°21N 119°59W 171 K7
Simnas Lithuania 54°24N 23°39E 82 D10
Simo älv = Simojoki → Finland 65°35N 25°1E 60 D21
Simões Brazil 7°36S 40°49W 189 B2
Simojoki → Finland 65°35N 25°1E 60 D21
Simojovel Mexico 17°12N 92°38W 181 D6
Simonette → Canada 55°9N 118°15W 162 B5
Simonstown S. Africa 34°14S 18°26E 144 D2
Simontornya Hungary 46°45N 18°33E 80 D3
Simpang Empat Malaysia 5°27N 100°29E 121 c
Simplício Mendes Brazil 7°51S 41°54W 189 B2
Simplonpass Switz. 46°15N 8°3E 77 J4
Simplontunnel Switz. 46°15N 8°7E 77 J4
Simpson Desert Australia 25°0S 137°0E 150 D2
Simpson Desert △ Australia 24°59S 138°21E 150 C2
Simpson Pen. Canada 68°34N 88°45W 161 D14
Simrishamn Sweden 55°33N 14°22E 63 J8
Simsbury U.S.A. 41°53N 72°48W 175 E12
Simushir, Ostrov Russia 46°50N 152°30E 107 E16
Sin Cowe I. S. China Sea 9°53N 114°19E 118 C4
Sina → India 17°30N 75°55E 126 F2
Sina Dhago Somalia 5°50N 47°0E 131 F4
Sinabang Indonesia 2°30N 96°24E 118 D1
Sinai = Es Sînâ' Egypt 29°0N 34°0E 130 F2
Sinai, Mt. = Mûsa, Gebel Egypt 28°33N 33°59E 128 D2
Sinaia Romania 45°21N 25°38E 81 E10
Sinaloa □ Mexico 25°0N 107°30W 180 C3
Sinaloa de Leyva Mexico 25°50N 108°14W 180 B3
Sinalunga Italy 43°12N 11°44E 93 E8
Sinan China 27°56N 108°13E 116 D7
Sînandrei Romania 45°52N 21°13E 80 E6
Sinarades Greece 39°34N 19°51E 101 A3
Sincan Turkey 40°0N 32°36E 104 B5
Sincanlı Turkey 38°45N 30°15E 99 C12
Sincelejo Colombia 9°18N 75°24W 186 B3
Sinch'ang N. Korea 40°7N 128°28E 115 D15
Sinch'ŏn N. Korea 38°17N 125°21E 115 E13
Sinclair U.S.A. 41°47N 107°7W 168 F10
Sinclair, L. U.S.A. 33°8N 83°12W 178 B6
Sinclair Mills Canada 54°5N 121°40W 162 C4
Sinclair's B. U.K. 58°31N 3°5W 65 C5
Sinclairville U.S.A. 42°16N 79°16W 174 D5
Sincorá, Serra do Brazil 13°10S 41°20W 189 C2
Sind = Sindh □ Pakistan 26°0N 69°0E 124 G3
Sind → Jammu & Kashmir, India 34°18N 74°45E 125 B6
Sind → Mad. P., India 26°26N 79°13E 125 F8
Sind Sagar Doab Pakistan 32°0N 71°30E 124 D4
Sindal Denmark 57°28N 10°10E 63 G4
Sindangan Phil. 8°10N 123°5E 119 C6
Sindangbarang Indonesia 7°27S 107°1E 119 G12
Sinde Zambia 17°28S 25°51E 143 F2
Sindelfingen Germany 48°42N 9°0E 77 G4
Sindewahi India 20°17N 79°39E 126 D4
Sindgi India 16°55N 76°14E 126 F3
Sindh = Indus → Pakistan 24°20N 67°47E 124 G2
Sindh □ Pakistan 26°0N 69°0E 124 G3
Sindhnur India 15°47N 76°46E 127 F3
Sindhuli Garhi Nepal 27°16N 85°58E 125 F11
Sindi India 20°48N 78°52E 126 D4
Sındırgı Turkey 39°13N 28°10E 99 B10
Sindou Burkina Faso 10°35N 5°4W 138 C3
Sindri India 23°45N 86°42E 125 H12
Sine → Senegal 14°10N 16°28W 138 C1
Sinegorskiy Russia 47°55N 40°52E 87 G5
Sinekli Turkey 41°14N 28°12E 97 E12
Sinelnikovo = Synelnykove Ukraine 48°25N 35°30E 85 H8
Sinendé Benin 10°20N 2°22E 139 C5
Sines Portugal 37°56N 8°51W 89 H2
Sines, C. de Portugal 37°58N 8°53W 89 H2
Sineu Spain 39°38N 3°1E 100 B10
Sinfra Ivory C. 6°35N 5°56W 138 D3
Sing Buri Thailand 14°53N 100°25E 120 E3
Singa Sudan 13°10N 33°57E 135 F12
Singalila △ India 27°10N 88°5E 125 F13
Singanallur India 11°2N 77°1E 127 J3
Singapore ■ Asia 1°17N 103°51E 121 d
Singapore, Straits of Asia 1°15N 104°0E 121 d
Singapore Changi ✕ (SIN) Singapore 1°23N 103°59E 121 M4
Singaraja Indonesia 8°7S 115°6E 118 F5
Singatoka = Sigatoka Fiji 18°8S 177°32E 154 a
Singen Germany 47°45N 8°50E 77 H4
Singida Tanzania 4°49S 34°48E 142 C3
Singida □ Tanzania 6°0S 34°30E 142 D3
Singkang Indonesia 4°8S 120°1E 119 E6
Singkawang Indonesia 1°0N 108°57E 118 D3
Singkep Indonesia 0°30S 104°25E 118 E2
Singkil Indonesia 2°17N 97°49E 121 L1
Singkuang Indonesia 1°3N 98°55E 121 L2
Singleton Australia 32°33S 151°10E 153 B9
Singleton, Mt. N. Terr., Australia 22°0S 130°46E 148 D5
Singleton, Mt. W. Austral., Australia 29°27S 117°15E 149 E2
Singö Sweden 60°12N 18°45E 62 D12
Singoli India 25°0N 75°22E 124 G6
Singora = Songkhla Thailand 7°13N 100°37E 121 J3
Singrauli India 24°7N 82°23E 125 G10
Sinh Ton, Dao = Sin Cowe I. S. China Sea 9°53N 114°19E 118 C4
Sinharaja Sri Lanka 6°25N 80°30E 127 L5
Sinhgarh India 18°22N 73°45E 126 E1
Sinhŭng N. Korea 40°11N 127°34E 115 D14
Sinis Italy 38°55N 8°25E 94 C1
Siniscóla Italy 40°34N 9°41E 94 B2
Sinj Croatia 43°42N 16°39E 93 E13
Sinjai Indonesia 5°7S 120°20E 119 F6
Sinjajevina Montenegro 42°57N 19°22E 96 D3
Sinjār Iraq 36°19N 41°52E 105 D9
Sinjār, Jabal Iraq 36°23N 41°47E 105 D9
Sinkat Sudan 18°55N 36°49E 137 D4
Sinkiang = Xinjiang Uygur Zizhiqu □ China 42°0N 86°0E 109 D11
Sinko Guinea 8°53N 8°16W 138 D3
Sinmak N. Korea 38°25N 126°14E 115 E14
Sinmi-do N. Korea 39°33N 124°53E 115 E13
Sinnai Italy 39°18N 9°13E 94 C2
Sinnamary Fr. Guiana 5°25N 53°0W 187 B8
Sinnar India 19°48N 74°0E 126 E2
Sinni → Italy 40°8N 16°41E 95 B9
Sinnuris Egypt 29°26N 30°31E 137 F7
Sinoie, Lacul Romania 44°35N 28°50E 81 F13
Sinop Turkey 42°1N 35°11E 104 A6
Sinop □ Turkey 42°0N 35°0E 104 B6
Sinor India 21°55N 73°20E 124 J5
Sinp'o N. Korea 40°0N 128°13E 115 E15
Sinsheim Germany 49°15N 8°52E 77 F4
Sinsk Russia 61°8N 126°48E 107 C13
Sint-Hubert Belgium 50°2N 5°23E 69 D5
Sint-Niklaas Belgium 51°10N 4°8E 69 C4
Sint-Truiden Belgium 50°48N 5°10E 69 D5
Sintang Indonesia 0°5N 111°35E 118 D4
Sinton U.S.A. 28°2N 97°31W 176 G6
Sintra Portugal 38°47N 9°25W 89 G1
Sintra-Cascais ⌓ Portugal 38°50N 9°25W 89 G1
Sinŭiju N. Korea 40°5N 124°24E 115 D13
Sinyukha → Ukraine 48°3N 30°51E 85 H6
Sinzig Germany 50°32N 7°14E 76 E3
Sio → Hungary 46°20N 18°53E 80 D3
Siocon Phil. 7°40N 122°10E 119 C6
Siófok Hungary 46°54N 18°3E 80 D3
Sion Switz. 46°14N 7°20E 77 J3
Sion Mills U.K. 54°48N 7°29W 64 B4
tSionainn, An = Shannon → Ireland 52°35N 9°30W 64 D2
Sioux Center U.S.A. 43°5N 96°11W 172 D5
Sioux City U.S.A. 42°30N 96°24W 172 D5
Sioux Falls U.S.A. 43°33N 96°44W 172 D5
Sioux Lookout Canada 50°10N 91°50W 164 B1
Sioux Narrows Canada 49°25N 94°10W 163 D10
Sipadan Malaysia 4°6N 118°38E 119 D5
Šipan Croatia 42°45N 17°52E 96 D1
Siparia Trin. & Tob. 10°8N 61°31W 187 K15
Sipil Daği △ Turkey 38°35N 27°30E 99 C9
Siping China 43°8N 124°21E 115 C13
Sipiwesk L. Canada 55°5N 97°35W 163 B9
Siple I. Antarctica 73°40S 125°10W 55 D14
Šipovo Bos.-H. 44°16N 17°6E 80 F2
Sipra → India 23°55N 75°28E 124 H6

Sipsongpanna = **Xishuangbanna** *China* 22°5N 101°1E **116** F3
Sipur *India* 21°11N 85°9E **126** D7
Sipura *Indonesia* 2°18S 99°40E **118** E1
Siquia → *Nic.* 12°10N 84°20W **182** D3
Siquijor *Phil.* 9°12N 123°35E **119** C6
Siquirres *Costa Rica* 10°6N 83°30W **182** D3
Şīr Abu Nu'ayr *U.A.E.* 25°20N 54°20E **129** E7
Şīr Banī Yās *U.A.E.* 24°19N 52°37E **129** E7
Sir Edward Pellew Group *Australia* 15°40S 137°10E **150** B2
Sir Graham Moore Is. *Australia* 13°53S 126°34E **148** B4
Sir James MacBrien, Mt. *Canada* 62°7N 127°41W **160** E6
Sira *India* 13°41N 76°49E **127** H3
Sira → *Norway* 58°23N 6°34E **61** G12
Siracusa *Italy* 37°4N 15°17E **95** E8
Sirajganj *Bangla.* 24°25N 89°47E **125** G13
Sirakoro *Mali* 12°41N 9°14W **138** C3
Şiran *Turkey* 40°11N 39°7E **105** B8
Sirasso *Ivory C.* 9°16N 6°6W **138** D3
Sirathu *India* 25°39N 81°19E **125** G9
Sīrdān *Iran* 36°39N 49°12E **105** D13
Sirdaryo □ *Uzbekistan* 40°30N 68°45E **109** D7
Siren *U.S.A.* 45°47N 92°24W **172** C7
Sirente-Velino ⌓ *Italy* 42°10N 13°32E **93** F10
Sirer *Spain* 38°56N 1°22E **100** C7
Siret *Romania* 47°55N 26°5E **81** C11
Siret → *Romania* 45°24N 28°1E **81** E12
Sirghāyā *Syria* 33°51N 36°8E **130** B5
Şiria *Romania* 46°16N 21°38E **80** D6
Sirikit Res. *Thailand* 17°45N 100°34E **120** C3
Sirinat △ *Thailand* 8°6N 98°17E **121** a
Sirino, Mte. *Italy* 40°7N 15°50E **95** B8
Sīrjān *Iran* 29°30N 55°45E **129** D7
Sirkali = **Sirkazhi** *India* 11°15N 79°41E **127** J4
Sirkazhi *India* 11°15N 79°41E **127** J4
Sirmans *U.S.A.* 30°21N 83°39W **178** E6
Sirmaur *India* 24°51N 81°23E **125** G9
Sirmilik △ *Canada* 72°50N 80°35W **161** C15
Sirmione *Italy* 45°30N 10°36E **92** C7
Sirna *Greece* 36°22N 26°42E **99** E8
Şirnak *Turkey* 37°32N 42°28E **105** D10
Sirohi *India* 24°52N 72°53E **124** G5
Sironj *India* 24°5N 77°39E **124** G7
Síros = **Ermoupoli** *Greece* 37°28N 24°57E **98** D6
Sirpur *India* 19°29N 79°36E **126** E4
Sirr, Nafud as *Si. Arabia* 25°33N 44°35E **128** E5
Sirretta Pk. *U.S.A.* 35°56N 118°19W **171** K8
Sīrrī *Iran* 25°55N 54°32E **129** E7
Sirsa *India* 29°33N 75°4E **124** E6
Sirsa → *India* 26°51N 79°4E **125** F8
Sirsi *India* 14°40N 74°49E **127** G2
Sirsilla *India* 18°23N 78°50E **126** E4
Sirte = **Surt** *Libya* 31°11N 16°39E **135** B9
Siruela *Spain* 38°58N 5°3W **89** G5
Siruguppa *India* 15°38N 76°54E **127** F3
Sirur *India* 18°50N 74°23E **126** E2
Şirvan *Azerbaijan* 39°59N 48°52E **87** L9
Sirvān → *Iran* 35°4N 46°50E **105** E12
Sisak *Croatia* 45°30N 16°21E **93** C13
Sisante *Spain* 39°25N 2°12W **91** F2
Sisargas, Is. *Spain* 43°21N 8°50W **88** B2
Sishen *S. Africa* 27°47S 22°59E **144** C3
Sishui *China* 35°42N 117°18E **115** G9
Sisian *Armenia* 39°31N 46°1E **105** C12
Sisimiut *Greenland* 66°40N 53°30W **57** D5
Sisipuk L. *Canada* 55°45N 101°50W **163** B8
Sisophon *Cambodia* 13°38N 102°59E **120** F4
Sisseton *U.S.A.* 45°40N 97°3W **172** C5
Sissonne *France* 49°34N 3°51E **71** C10
Sīstān *Asia* 30°50N 61°0E **129** D9
Sīstān, Daryācheh-ye *Iran* 31°0N 61°0E **129** D9
Sīstān va Balūchestān □ *Iran* 27°0N 62°0E **129** E9
Sisteron *France* 44°12N 5°57E **73** D9
Sisters *U.S.A.* 44°18N 121°33W **168** D3
Sisters, The *Seychelles* 4°16S 55°52E **141** b
Siswa Bazar *India* 27°9N 83°46E **125** F10
Sitakili *Mali* 13°7N 11°14W **138** C2
Sitamarhi *India* 26°37N 85°30E **125** F11
Sitapur *India* 27°38N 80°45E **125** F9
Siteki *Swaziland* 26°32S 31°58E **145** C5
Sitges *Spain* 41°17N 1°47E **90** D6
Sithonia *Greece* 40°0N 23°45E **96** F7
Sitia *Greece* 35°13N 26°6E **101** D8
Sítio da Abadia *Brazil* 14°48S 46°16W **189** C1
Sitito-Ozima Ridge *Pac. Oc.* 23°0N 143°0E **156** E6
Sitka *U.S.A.* 57°3N 135°20W **162** B1
Sitkaing = **Sagaing** *Burma* 21°52N 95°59E **123** J19
Sitoti *Botswana* 23°15S 23°40E **144** B3
Sitra *Egypt* 28°40N 26°53E **137** B2
Sittang Myit → *Burma* 17°20N 96°45E **123** L20
Sittard *Neths.* 51°0N 5°52E **69** C5
Sittensen *Germany* 53°17N 9°32E **76** B5
Sittingbourne *U.K.* 51°21N 0°45E **67** F8
Sittoung = **Sittang Myit** → *Burma* 17°20N 96°45E **123** L20
Sittwe *Burma* 20°18N 92°45E **123** J18
Situbondo *Indonesia* 7°42S 113°56E **119** G16
Siuna *Nic.* 13°37N 84°45W **182** D3
Siuri *India* 23°50N 87°34E **125** H12
Siutghiol, Lacul *Romania* 44°15N 28°35E **81** F13
Sivaganga *India* 9°50N 78°28E **127** K4
Sivagiri *India* 9°16N 77°26E **127** K3
Sivakasi *India* 9°24N 77°47E **127** K3
Sīvand *Iran* 30°5N 52°55E **129** D7
Sivas *Turkey* 39°43N 36°58E **104** C7
Sivas □ *Turkey* 39°45N 37°0E **104** C7
Sivasagar *India* 27°0N 94°36E **123** F19
Sivasamudram *India* 12°16N 77°10E **127** H3
Sivaslı *Turkey* 38°31N 29°42E **99** C11
Siverek *Turkey* 37°50N 39°19E **105** D8
Sivrihisar *Turkey* 39°30N 31°35E **104** C4
Sîwa *Egypt* 29°11N 25°31E **137** B2
Sîwa, El Wâhât es *Egypt* 29°10N 25°30E **137** B2
Siwa Oasis = **Sîwa, El Wâhât es** *Egypt* 29°10N 25°30E **137** B2
Siwalik Range *Nepal* 28°0N 83°0E **125** F10
Siwan *India* 26°13N 84°21E **125** F11
Siwana *India* 25°38N 72°25E **124** G5
Six Cross Roads *Barbados* 13°7N 59°28W **183** g
Six-Fours-les-Plages *France* 43°6N 5°49E **73** E9
Sixian *China* 33°30N 117°50E **115** H9
Sixmilebridge *Ireland* 52°44N 8°46W **64** D3
Sixth Cataract *Sudan* 16°20N 32°42E **135** E12
Siyabuswa *S. Africa* 25°7S 29°3E **145** C4
Siyah Kuh, Kavīr-e *Iran* 32°55N 53°55E **129** C7
Siyâl, Jazâ'ir *Egypt* 22°49N 36°12E **137** C4
Siyang *China* 33°42N 118°40E **115** H10
Siyäzän *Azerbaijan* 41°3N 49°10E **87** K9
Siziwang Qi *China* 41°25N 111°40E **114** D6
Sjælland *Denmark* 55°30N 11°30E **63** J5
Sjælland □ *Denmark* 55°30N 11°30E **63** J5
Sjællands Odde *Denmark* 55°58N 11°24E **63** J5
Sjenica *Serbia* 43°16N 20°0E **96** C3
Sjeverni Velebit △ *Croatia* 44°30N 15°15E **93** D12
Sjöbo *Sweden* 55°37N 13°45E **63** J7
Sjötofta *Sweden* 57°22N 13°17E **63** G7
Sjötorp *Sweden* 58°50N 14°0E **63** F8
Sjumen = **Shumen** *Bulgaria* 43°18N 26°55E **97** C10
Sjuntorp *Sweden* 58°12N 12°13E **63** F6
Skadarsko Jezero *Europe* 42°10N 19°20E **96** D3
Skadarsko Jezero △ *Montenegro* 42°10N 19°20E **96** D3
Skadovsk *Ukraine* 46°17N 32°52E **85** J7
Skælskør *Denmark* 55°15N 11°18E **63** J5
Skærbæk *Denmark* 55°9N 8°45E **63** J2
Skaftafell *Iceland* 64°1N 17°0W **60** D5
Skaftafell △ *Iceland* 64°9N 16°50W **60** D5
Skagafjörður *Iceland* 65°54N 19°35W **60** D4
Skagastølstindane *Norway* 61°28N 7°52E **60** F12
Skagaströnd *Iceland* 65°50N 20°19W **60** D3
Skagen *Denmark* 57°43N 10°35E **63** G4
Skagern *Sweden* 59°0N 14°20E **62** E8
Skagerrak *Denmark* 57°30N 9°0E **63** G2
Skagit → *U.S.A.* 48°23N 122°22W **170** B4
Skagway *U.S.A.* 59°28N 135°19W **160** F4
Skala-Podilska *Ukraine* 48°50N 26°15E **81** B11
Skalat *Ukraine* 49°23N 25°55E **75** D13
Skalbmierz *Poland* 50°20N 20°25E **83** H7
Skälderviken *Sweden* 56°22N 12°30E **63** H6
Skalica *Slovak Rep.* 48°50N 17°15E **79** C10
Skallingen *Denmark* 55°32N 8°13E **63** J2
Skalni Dol = **Kamenyak** *Bulgaria* 43°24N 26°57E **97** C10
Skanderborg *Denmark* 56°2N 9°55E **63** H3
Skåne *Sweden* 55°59N 13°30E **63** J7
Skåne □ *Sweden* 56°15N 14°0E **63** H7
Skaneateles *U.S.A.* 42°57N 76°26W **175** D8
Skaneateles L. *U.S.A.* 42°51N 76°22W **175** D8
Skänninge *Sweden* 58°24N 15°5E **63** F9
Skanör med Falsterbo *Sweden* 55°24N 12°50E **63** J6
Skantzoura *Greece* 39°5N 24°6E **98** B6
Skara *Sweden* 58°25N 13°30E **63** F7
Skärblacka *Sweden* 58°35N 15°54E **63** F9
Skardu *Pakistan* 35°20N 75°44E **125** B6
Skåre *Sweden* 59°26N 13°26E **62** E7
Skärhamn *Sweden* 57°59N 11°34E **63** G5
Skarszewy *Poland* 54°4N 18°25E **82** D5
Skarvan og Roltdalen △ *Norway* 63°16N 11°31E **60** E14
Skaryszew *Poland* 51°19N 21°15E **83** G8
Skarżysko-Kamienna *Poland* 51°7N 20°52E **83** G7
Skattkärr *Sweden* 59°25N 13°40E **62** E7
Skattungbyn *Sweden* 61°10N 14°56E **62** C8
Skawina *Poland* 49°59N 19°50E **83** J6
Skebobruk *Sweden* 59°58N 18°36E **62** E12
Skee *Sweden* 58°56N 11°19E **63** F5
Skeena → *Canada* 54°9N 130°5W **162** C2
Skeena Mts. *Canada* 56°40N 128°30W **162** B3
Skegness *U.K.* 53°9N 0°20E **66** D8
Skeleton Coast *Namibia* 20°0S 13°0E **141** J2
Skeleton Coast ⌓ *Namibia* 20°0S 13°20E **144** B1
Skellefteå *Sweden* 64°45N 20°50E **60** D19
Skellefteälven → *Sweden* 64°45N 21°10E **60** D19
Skelleftehamn *Sweden* 64°40N 21°9E **60** D19
Skellig Michael = **Great Skellig** *Ireland* 51°47N 10°33W **64** E1
Skender Vakuf *Bos.-H.* 44°29N 17°22E **80** F2
Skënderaj *Kosovo* 42°45N 20°47E **96** D4
Skerries *Ireland* 53°35N 6°8W **64** C5
Skerries, The *U.K.* 53°25N 4°36W **66** D3
Skhidnytsya *Ukraine* 49°13N 23°20E **83** J10
Ski *Norway* 59°43N 10°52E **61** G14
Skiathos *Greece* 39°12N 23°30E **98** B5
Skibbereen *Ireland* 51°33N 9°16W **64** E2
Skiddaw *U.K.* 54°39N 3°9W **66** C4
Skidegate *Canada* 53°15N 132°1W **162** C2
Skidra *Greece* 40°46N 22°10E **96** F6
Skien *Norway* 59°12N 9°35E **61** G13
Skierniewice *Poland* 51°58N 20°10E **83** G7
Skihist, Mt. *Canada* 50°12N 121°54W **162** C4
Skikda *Algeria* 36°50N 6°58E **136** A5
Skikda □ *Algeria* 36°45N 6°50E **136** A5
Skillingaryd *Sweden* 57°27N 14°5E **63** G8
Skillinge *Sweden* 55°30N 14°16E **63** J8
Skilloura *Cyprus* 35°14N 33°10E **101** D12
Skinari, Akra *Greece* 37°56N 20°42E **98** D2
Skinnskatteberg *Sweden* 59°50N 15°42E **62** E9
Skipton *Australia* 37°39S 143°40E **152** D5
Skipton *U.K.* 53°58N 2°3W **66** D5
Skiring, C. *Senegal* 12°26N 16°46W **138** C1
Skirmish Pt. *Australia* 11°59S 134°17E **150** A1
Skíros = **Skyros** *Greece* 38°55N 24°34E **98** C6
Skivarp *Sweden* 55°26N 13°34E **63** J7
Skive *Denmark* 56°33N 9°2E **63** H3
Skjálfandafljót → *Iceland* 65°59N 17°25W **60** D5
Skjálfandi *Iceland* 66°5N 17°30W **60** C5
Skjern *Denmark* 55°57N 8°30E **63** J2
Skjern Å △ *Denmark* 55°50N 8°30E **63** H2
Škocjanskie Jame *Slovenia* 45°40N 14°0E **93** C10
Skoczów *Poland* 49°49N 18°45E **83** J5
Škofja Loka *Slovenia* 46°9N 14°19E **93** B11
Skoghall *Sweden* 59°20N 13°30E **62** E7
Skogstorp *Sweden* 59°19N 16°29E **62** E10
Skoki *Poland* 52°40N 17°11E **83** F4
Skole *Ukraine* 49°3N 23°30E **75** D12
Skopelos *Greece* 39°9N 23°47E **98** B5
Skopi *Greece* 35°11N 26°2E **101** D8
Skopin *Russia* 53°55N 39°32E **84** F10
Skopje *Macedonia* 42°1N 21°26E **96** D5
Skopje ✈ **(SKP)** *Macedonia* 41°59N 21°29E **96** E5
Skórcz *Poland* 53°47N 18°30E **82** E5
Skørping *Denmark* 56°50N 9°53E **63** H3
Skövde *Sweden* 58°24N 13°50E **63** F7
Skovorodino *Russia* 54°0N 124°0E **107** D13
Skowhegan *U.S.A.* 44°46N 69°43W **173** C19
Skradin *Croatia* 43°52N 15°53E **93** E12
Skrea *Sweden* 56°53N 12°34E **63** H6
Skrunda *Latvia* 56°41N 22°1E **82** B9
Skrwa → *Poland* 52°35N 19°32E **83** F6
Skuleskogen △ *Sweden* 63°6N 18°30E **62** A12
Skull *Ireland* 51°32N 9°34W **64** E2
Skultorp *Sweden* 58°24N 13°51E **63** F7
Skultuna *Sweden* 59°43N 16°25E **62** E10
Skunk → *U.S.A.* 40°42N 91°7W **172** E8
Skuodas *Lithuania* 56°16N 21°33E **82** B8
Skurup *Sweden* 55°28N 13°30E **63** J7
Skutskär *Sweden* 60°37N 17°25E **62** D11
Skvyra *Ukraine* 49°44N 29°40E **75** D15
Skwierzyna *Poland* 52°33N 15°30E **83** F2
Sky Harbour Int., Phoenix ✈ **(PHX)** *U.S.A.* 33°26N 112°5W **169** K7
Skye *U.K.* 57°15N 6°10W **65** D2
Skykomish *U.S.A.* 47°42N 121°22W **168** C3
Skyring, Seno *Chile* 52°35S 72°0W **192** D3
Skyropoula *Greece* 38°50N 24°21E **98** C6
Skyros *Greece* 38°55N 24°34E **98** C6
Skyttorp *Sweden* 60°5N 17°44E **62** D11
Slade Point *Australia* 21°4S 149°13E **150** b
Slade Pt. *Australia* 21°5S 149°13E **150** b
Slættaratindur *Færoe Is.* 62°18N 7°1W **60** E9
Slagelse *Denmark* 55°23N 11°19E **63** J5
Slamet *Indonesia* 7°16S 109°8E **119** G13
Slane *Ireland* 53°42N 6°33W **64** C5
Slaney → *Ireland* 52°26N 6°33W **64** D5
Slangberge *S. Africa* 31°32S 20°48E **144** D3
Slănic *Romania* 45°14N 25°58E **81** E10
Slano *Croatia* 42°48N 17°53E **96** D1
Slantsy *Russia* 59°7N 28°5E **84** C5
Slaný *Czech Rep.* 50°13N 14°6E **78** A7
Śląsk *Poland* 51°0N 16°30E **74** C9
Śląskie □ *Poland* 50°30N 19°0E **83** H6
Slätbaken *Sweden* 58°25N 16°45E **63** F10
Slate Is. *Canada* 48°40N 87°0W **164** C2
Slatina *Croatia* 45°42N 17°45E **80** E2
Slatina *Romania* 44°28N 24°22E **81** F9
Slatina Timiş *Romania* 45°15N 22°17E **80** E7
Slatington *U.S.A.* 40°45N 75°37W **175** F9
Slaton *U.S.A.* 33°26N 101°39W **176** E4
Slave → *Canada* 61°18N 113°39W **162** A6
Slave Coast *W. Afr.* 6°0N 2°30E **139** D5
Slave Lake *Canada* 55°17N 114°43W **162** B6
Slave Pt. *Canada* 61°11N 115°56W **162** A5
Slavgorod *Russia* 53°1N 78°37E **109** B9
Slavinja *Serbia* 43°9N 22°50E **96** C6
Slavkov u Brna *Czech Rep.* 49°10N 16°52E **79** B9
Slavkovský Les ⌓ *Czech Rep.* 50°5N 12°44E **78** A5
Slavonija *Europe* 45°20N 17°40E **80** E2
Slavonski Brod *Croatia* 45°11N 18°1E **80** E3
Slavsk *Russia* 55°3N 21°41E **82** C8
Slavske *Ukraine* 48°51N 23°27E **81** B8
Slavskoye *Russia* 54°30N 20°27E **82** D7
Slavuta *Ukraine* 50°15N 27°2E **75** C14
Slavyanka *Russia* 42°53N 131°21E **112** C5
Slavyanovo *Bulgaria* 43°28N 24°52E **97** C8
Slavyansk = **Slovyansk** *Ukraine* 48°55N 37°36E **85** H9
Slavyansk-na-Kubani *Russia* 45°15N 38°11E **85** K10
Sława *Poland* 51°52N 16°2E **83** G3
Slawharad *Belarus* 53°27N 31°0E **75** B16
Sławno *Poland* 54°20N 16°41E **82** D3
Sławoborze *Poland* 53°55N 15°42E **82** E2
Slea Hd. *Ireland* 52°6N 10°27W **64** D1
Sleaford *U.K.* 53°0N 0°24W **66** D7
Sleaford B. *Australia* 34°55S 135°45E **151** E2
Sleat, Sd. of *U.K.* 57°5N 5°47W **65** D3
Sleeper Is. *Canada* 58°30N 81°0W **161** F15
Sleeping Bear Dunes ⌓ *U.S.A.* 44°50N 86°5W **172** C10
Sleepy Eye *U.S.A.* 44°18N 94°43W **172** C6
Slemon L. *Canada* 63°13N 116°4W **162** A5
Ślesin *Poland* 52°22N 18°14E **83** F5
Slide Mt. *U.S.A.* 42°0N 74°25W **175** E10
Slidell *U.S.A.* 30°17N 89°47W **177** F10
Sliema *Malta* 35°55N 14°30E **101** D2
Slieve Aughty *Ireland* 53°4N 8°30W **64** C3
Slieve Bloom *Ireland* 53°4N 7°40W **64** C4
Slieve Donard *U.K.* 54°11N 5°55W **64** B6
Slieve Gamph *Ireland* 54°6N 9°0W **64** B3
Slieve Gullion *U.K.* 54°7N 6°26W **64** B5
Slieve League *Ireland* 54°40N 8°42W **64** B3
Slieve Mish *Ireland* 52°12N 9°50W **64** D2
Slievenamon *Ireland* 52°25N 7°34W **64** D4
Sligeach = **Sligo** *Ireland* 54°16N 8°28W **64** B3
Sligo *Ireland* 54°16N 8°28W **64** B3
Sligo *U.S.A.* 41°6N 79°29W **174** E5
Sligo □ *Ireland* 54°8N 8°42W **64** B3
Sligo B. *Ireland* 54°18N 8°40W **64** B3
Slippery Rock *U.S.A.* 41°4N 80°3W **174** E4
Slite *Sweden* 57°42N 18°48E **63** G12
Slīteres ⌓ *Latvia* 57°41N 22°21E **82** A9
Sliven *Bulgaria* 42°42N 26°19E **97** D10
Sliven □ *Bulgaria* 42°42N 26°19E **97** D10
Slivnitsa *Bulgaria* 42°50N 23°2E **96** D7
Sljeme *Croatia* 45°57N 15°58E **93** C12
Sloan *U.S.A.* 35°57N 115°13W **171** K11
Sloansville *U.S.A.* 42°45N 74°22W **175** D10
Slobidka *Ukraine* 47°54N 29°21E **81** C14
Slobozia *Moldova* 46°45N 29°42E **81** D14
Slobozia *Argeş, Romania* 44°30N 25°14E **81** F10
Slobozia *Ialomiţa, Romania* 44°34N 27°23E **81** F12
Slocan *Canada* 49°48N 117°28W **162** D5
Slocomb *U.S.A.* 31°7N 85°36W **178** D4
Słomniki *Poland* 50°16N 20°4E **83** H7
Slonim *Belarus* 53°4N 25°19E **75** B13
Slough *U.K.* 51°30N 0°36W **67** F7
Slough □ *U.K.* 51°30N 0°36W **67** F7
Sloughhouse *U.S.A.* 38°26N 121°12W **170** G5
Slovak Rep. ■ *Europe* 48°30N 20°0E **79** C13
Slovakia = **Slovak Rep.** ■ *Europe* 48°30N 20°0E **79** C13
Slovakian Ore Mts. = **Slovenské Rudohorie** *Slovak Rep.* 48°45N 20°0E **79** C12
Slovenia ■ *Europe* 45°58N 14°30E **93** C11
Slovenija = **Slovenia** ■ *Europe* 45°58N 14°30E **93** C11
Slovenj Gradec *Slovenia* 46°31N 15°5E **93** B12
Slovenska = **Slovak Rep.** ■ *Europe* 48°30N 20°0E **79** C13
Slovenska Bistrica *Slovenia* 46°24N 15°35E **93** B12
Slovenské Konjice *Slovenia* 46°20N 15°28E **93** B12
Slovenské Rudohorie *Slovak Rep.* 48°45N 20°0E **79** C12
Slovenský Raj △ *Slovak Rep.* 48°53N 20°25E **79** C13
Slovyansk *Ukraine* 48°55N 37°36E **85** H9
Słowiński △ *Poland* 54°43N 17°26E **82** D4
Słubice *Poland* 52°22N 14°35E **83** F1
Sluch → *Ukraine* 51°37N 26°38E **75** C14
Sluis *Neths.* 51°18N 3°23E **69** C3
Slŭnchev Bryag *Bulgaria* 42°40N 27°41E **97** D11
Slunj *Croatia* 45°6N 15°33E **93** C12
Słupca *Poland* 52°15N 17°52E **83** F4
Słupia → *Poland* 54°35N 16°51E **82** D3
Słupsk *Poland* 54°30N 17°3E **82** D4
Slurry *S. Africa* 25°49S 25°42E **144** C4
Slutsk *Belarus* 53°2N 27°31E **75** B14
Slyne Hd. *Ireland* 53°25N 10°10W **64** C1
Slyudyanka *Russia* 51°40N 103°40E **107** D11
Småland *Sweden* 57°15N 15°25E **63** G9
Smålandsfarvandet *Denmark* 55°10N 11°20E **63** J5
Smålandsstenar *Sweden* 57°10N 13°25E **63** G7
Smalltree L. *Canada* 61°0N 105°0W **163** A8
Smallwood Res. *Canada* 54°5N 64°30W **165** B7
Smarhon *Belarus* 54°20N 26°24E **75** A14
Smarje *Slovenia* 46°15N 15°34E **93** B12
Smartt Syndicate Dam *S. Africa* 30°45S 23°10E **144** D3
Smartville *U.S.A.* 39°13N 121°18W **170** F5
Smeaton *Canada* 53°30N 104°49W **163** C8
Smedby *Sweden* 56°41N 16°13E **63** H10
Smederevo *Serbia* 44°40N 20°57E **96** B4
Smederevska Palanka *Serbia* 44°22N 20°58E **96** B4
Smedjebacken *Sweden* 60°8N 15°25E **62** D9
Smela = **Smila** *Ukraine* 49°15N 31°58E **85** H6
Smeralda, Costa *Italy* 41°5N 9°35E **94** A2
Smerwick Harbour *Ireland* 52°12N 10°23W **64** D1
Smethport *U.S.A.* 41°49N 78°27W **174** E6
Smidovich *Russia* 48°36N 133°49E **107** E14
Śmigiel *Poland* 52°1N 16°32E **83** F3
Smila *Ukraine* 49°15N 31°58E **85** H6
Smilyan *Bulgaria* 41°29N 24°46E **97** E8
Smith *Canada* 55°10N 114°0W **162** B6
Smith Center *U.S.A.* 39°47N 98°47W **172** F4
Smith I. *Canada* 60°45N 78°25W **161** E16
Smith I. *India* 13°20N 93°4E **127** H11
Smith Islands △ *Australia* 20°40S 149°9E **150** b
Smith River ⌓ *U.S.A.* 41°55N 124°0W **168** F2
Smith Sd. *N. Amer.* 78°25N 74°0W **57** B3
Smithburne → *Australia* 17°3S 140°57E **150** B3
Smithers *Canada* 54°45N 127°10W **162** C3
Smithfield *S. Africa* 30°9S 26°30E **145** D4
Smithfield *N.C., U.S.A.* 35°31N 78°21W **177** D15
Smithfield *Utah, U.S.A.* 41°50N 111°50W **168** F8
Smiths *U.S.A.* 32°32N 85°6W **178** C4
Smiths Falls *Canada* 44°55N 76°0W **175** B9
Smithton *Australia* 40°53S 145°6E **151** G4
Smithville *Canada* 43°6N 79°33W **174** C5
Smithville *Ga., U.S.A.* 31°54N 84°15W **178** D5
Smithville *Tex., U.S.A.* 30°1N 97°10W **176** F6
Smoke Creek Desert *U.S.A.* 40°30N 119°40W **168** F4
Smoky → *Canada* 56°10N 117°21W **162** B5
Smoky Bay *Australia* 32°22S 134°13E **151** E1
Smoky Hill → *U.S.A.* 39°4N 96°48W **172** F5
Smoky Hills *U.S.A.* 39°15N 99°30W **172** F4
Smoky Lake *Canada* 54°10N 112°30W **162** C6
Smøla *Norway* 63°23N 8°3E **60** E13
Smolensk *Russia* 54°45N 32°5E **84** E7
Smolensk □ *Russia* 55°20N 33°0E **84** E7
Smolenskoye Poozerye △ *Russia* 55°35N 31°50E **84** E6
Smolikas, Oros *Greece* 40°9N 20°58E **96** F4
Smolník *Slovak Rep.* 48°43N 20°44E **79** C13
Smolny △ *Russia* 54°50N 47°10E **86** C7
Smolyan *Bulgaria* 41°36N 24°38E **97** E8
Smolyan □ *Bulgaria* 41°36N 24°38E **97** E8
Smooth Rock Falls *Canada* 49°17N 81°37W **164** C3
Smoothstone L. *Canada* 54°40N 106°50W **163** C7
Smorgon = **Smarhon** *Belarus* 54°20N 26°24E **75** A14
Smotrych *Ukraine* 48°57N 26°33E **81** B11
Smotrych → *Ukraine* 48°34N 26°39E **81** B11
Smulţi *Romania* 45°57N 27°44E **81** E12
Smyadovo *Bulgaria* 43°2N 27°1E **97** C11
Smygehamn *Sweden* 55°21N 13°22E **63** J7
Smygehuk *Sweden* 55°20N 13°20E **63** J7
Smyley I. *Antarctica* 72°55S 78°0W **55** D17
Smyrna = **İzmir** *Turkey* 38°25N 27°8E **99** C9
Smyrna *Del., U.S.A.* 39°18N 75°36W **173** F16
Smyrna *Ga., U.S.A.* 33°53N 84°31W **178** B5
Snæfell *Iceland* 64°48N 15°34W **60** D6
Snaefell *I. of Man* 54°16N 4°27W **66** C3
Snæfellsjökull *Iceland* 64°49N 23°46W **60** D2
Snake → *U.S.A.* 46°12N 119°2W **168** C4
Snake I. = **Zmiinyi, Ostriv** *Black Sea* 45°15N 30°12E **85** K6
Snake I. *Australia* 38°47S 146°33E **153** E7
Snake Range *U.S.A.* 39°0N 114°20W **168** G6
Snake River Plain *U.S.A.* 42°50N 114°0W **168** E7
Snasahögarna *Sweden* 63°13N 12°21E **62** A6
Snåsavatnet *Norway* 64°12N 12°0E **60** D15
Snedsted *Denmark* 56°55N 8°32E **63** H2
Sneek *Neths.* 53°2N 5°40E **69** A5
Sneem *Ireland* 51°50N 9°54W **64** E2
Sneeuberge *S. Africa* 31°46S 24°20E **144** D3
Snejbjerg *Denmark* 56°8N 8°54E **63** H2
Snelling *Calif., U.S.A.* 37°31N 120°26W **170** H6
Snelling *S.C., U.S.A.* 33°15N 81°27W **178** B8
Snells Beach *N.Z.* 36°25S 174°44E **154** C3
Snezhnoye *Ukraine* 48°0N 38°58E **85** J10
Sněžka *Europe* 50°41N 15°50E **83** A8
Snežnik *Slovenia* 45°36N 14°35E **93** C11
Śniadowo *Poland* 53°2N 22°0E **83** E8
Śniardwy, Jezioro *Poland* 53°48N 21°50E **82** E8
Śnieżka *Europe* 50°44N 15°44E **78** A8
Snigirevka = **Snihurivka** *Ukraine* 47°2N 32°49E **85** J7
Snihurivka *Ukraine* 47°2N 32°49E **85** J7
Snina *Slovak Rep.* 48°58N 22°9E **79** C15
Snizort, L. *U.K.* 57°33N 6°28W **65** D2
Snøhetta *Norway* 62°19N 9°16E **60** E13
Snohomish *U.S.A.* 47°55N 122°6W **170** C4
Snoqualmie *U.S.A.* 47°31N 121°49W **170** C5
Snoqualmie Pass *U.S.A.* 47°25N 121°25W **170** C5
Snoul *Cambodia* 12°4N 106°26E **121** F6
Snover *U.S.A.* 43°27N 82°58W **174** C2
Snow Hill *U.S.A.* 38°11N 75°24W **173** F16
Snow Lake *Canada* 54°52N 100°3W **163** C8
Snow Mt. *Calif., U.S.A.* 39°23N 122°45W **170** F4
Snow Mt. *Maine, U.S.A.* 45°18N 70°48W **175** A14
Snow Shoe *U.S.A.* 41°2N 77°57W **174** E7
Snowbird L. *Canada* 60°45N 103°0W **163** A8
Snowdon *U.K.* 53°4N 4°5W **66** D3
Snowdonia △ *U.K.* 53°7N 3°59W **66** D4
Snowdoun *U.S.A.* 32°15N 86°18W **178** C3
Snowdrift = **Łutsel K'e** *Canada* 62°24N 110°44W **163** A6
Snowdrift → *Canada* 62°24N 110°44W **163** A6
Snowflake *U.S.A.* 34°30N 110°5W **169** J8
Snowshoe Pk. *U.S.A.* 48°13N 115°41W **168** B6
Snowtown *Australia* 33°46S 138°14E **152** B3
Snowville *U.S.A.* 41°58N 112°43W **168** F7
Snowy → *Australia* 37°46S 148°30E **153** D8
Snowy Mt. *U.S.A.* 43°42N 74°23W **175** C10
Snowy Mts. *Australia* 36°30S 148°20E **153** D8
Snowy River △ *Australia* 37°15S 147°29E **153** D7
Snug Corner *Bahamas* 22°33N 73°52W **183** B5
Snug Harbour *Canada* 45°22N 80°17W **174** A4
Snyatyn *Ukraine* 48°27N 25°38E **81** B10
Snyder *Okla., U.S.A.* 34°40N 98°57W **176** D5
Snyder *Tex., U.S.A.* 32°44N 100°55W **176** E4
Soalala *Madag.* 16°6S 45°20E **141** H9
Soan → *Pakistan* 33°1N 71°44E **124** C4
Şoarş *Romania* 45°56N 24°55E **81** E9
Soba *Nigeria* 10°58N 8°4E **139** C6
Sobat → *South Sudan* 9°22N 31°33E **135** G12
Soběslav *Czech Rep.* 49°16N 14°45E **78** B7
Sobhapur *India* 22°47N 78°17E **124** H8
Sobinka *Russia* 56°0N 40°0E **84** E11
Sobótka *Poland* 50°54N 16°44E **83** H3
Sobra *Croatia* 42°44N 17°34E **93** F14
Sobradinho, Represa de *Brazil* 9°30S 42°0W **189** B2
Sobral *Brazil* 3°50S 40°20W **189** A2
Sobrance *Slovak Rep.* 48°45N 22°11E **79** C15
Sobreira Formosa *Portugal* 39°46N 7°51W **88** F3
Soc Giang *Vietnam* 22°54N 106°1E **116** F6
Soc Trang *Vietnam* 9°37N 105°50E **121** H5
Soča → *Europe* 46°20N 13°40E **78** E6
Socastee *U.S.A.* 33°41N 78°59W **177** E15
Sochaczew *Poland* 52°15N 20°13E **83** F7
Soch'e = **Shache** *China* 38°20N 77°10E **109** E9
Sochi *Russia* 43°35N 39°40E **87** J4
Sochi ✈ **(AER)** *Russia* 43°27N 39°57E **87** J4
Sochi △ *Russia* 43°40N 39°35E **87** J4
Sochos *Greece* 40°48N 23°22E **96** F7
Social Circle *U.S.A.* 33°39N 83°43W **178** B6
Société, Îs. de la *French Polynesia* 17°0S 151°0W **157** J12
Society Hill *U.S.A.* 32°26N 85°27W **178** C4
Society Is. = **Société, Îs. de la** *French Polynesia* 17°0S 151°0W **157** J12
Socompa, Portezuelo de *Chile* 24°27S 68°18W **190** A2
Socorro *N. Mex., U.S.A.* 34°4N 106°54W **169** J10
Socorro *Tex., U.S.A.* 31°39N 106°18W **176** F1
Socorro, I. *Mexico* 18°45N 110°58W **180** D2
Socotra *Yemen* 12°30N 54°0E **131** E5
Socovos *Spain* 38°20N 1°58W **91** G3
Socuéllamos *Spain* 39°16N 2°47W **91** F2
Soda L. *U.S.A.* 35°10N 116°4W **171** K10
Soda Plains *India* 35°30N 79°0E **125** B8
Soda Springs *U.S.A.* 42°39N 111°36W **168** E8
Sodankylä *Finland* 67°29N 26°40E **60** C22
Soddy-Daisy *U.S.A.* 35°17N 85°10W **177** D12
Söderala *Sweden* 61°17N 16°55E **62** C10
Söderåsen △ *Sweden* 56°2N 13°13E **63** H7
Söderbärke *Sweden* 60°5N 15°33E **62** D9
Söderfors *Sweden* 60°23N 17°25E **62** D11
Söderhamn *Sweden* 61°18N 17°10E **62** C11
Söderköping *Sweden* 58°31N 16°20E **63** F10
Södermanland *Sweden* 58°56N 16°55E **61** G17
Södermanland □ *Sweden* 59°10N 16°30E **62** E10
Södertälje *Sweden* 59°12N 17°39E **62** E11
Sodiri *Sudan* 14°27N 29°0E **135** F11
Södra Finnskoga *Sweden* 60°42N 12°34E **62** D6
Södra Sandby *Sweden* 55°43N 13°21E **63** J7
Södra Ulvön *Sweden* 62°59N 18°38E **62** B12
Södra Vi *Sweden* 57°45N 15°45E **63** G9
Sodražica *Slovenia* 45°45N 14°39E **93** C11
Sodus *U.S.A.* 43°14N 77°4W **174** C7
Sodwana Bay △ *S. Africa* 27°35S 32°43E **145** C5
Soe *Indonesia* 9°52S 124°17E **148** A3
Soekmekaar = **Morebeng** *S. Africa* 23°30S 29°55E **145** B4
Soest *Germany* 51°34N 8°7E **76** D4
Soest *Neths.* 52°9N 5°19E **69** B5
Sofades *Greece* 39°20N 22°4E **98** B4
Sofala □ *Mozam.* 19°30S 34°30E **145** A5
Sofara *Mali* 13°59N 4°9W **138** C4
Sofia = **Sofiya** *Bulgaria* 42°45N 23°20E **96** D7
Sofia → *Madag.* 15°27S 47°23E **141** H9
Sofievka *Ukraine* 48°6N 33°55E **85** H7
Sofiko *Greece* 37°47N 23°3E **98** D5
Sofiya *Bulgaria* 42°45N 23°20E **96** D7
Sofiya □ *Bulgaria* 42°15N 23°20E **96** D7
Sofiya ✈ **(SOF)** *Bulgaria* 42°46N 23°28E **96** D7
Sofrana *Greece* 36°5N 26°24E **99** E8
Sōfu-Gan *Japan* 29°49N 140°21E **113** K10
Sogakofe *Ghana* 6°2N 0°39E **139** D5
Sogamoso *Colombia* 5°43N 72°56W **186** B4
Sogār *Iran* 25°53N 58°6E **129** E8
Sögel *Germany* 52°50N 7°31E **76** C3
Sogndalsfjøra *Norway* 61°14N 7°5E **60** F12
Søgne *Norway* 58°5N 7°48E **61** G12
Sognefjorden *Norway* 61°10N 5°50E **60** F11
Söğüt *Bilecik, Turkey* 40°2N 30°11E **99** A12
Söğüt *Burdur, Turkey* 37°2N 29°50E **99** D11
Söğüt Dağı *Turkey* 37°50N 29°55E **99** D11
Söğütköy *Turkey* 36°40N 28°8E **99** E10
Soh *Iran* 33°26N 51°27E **129** C6
Sohâg *Egypt* 26°33N 31°43E **137** B3
Sohagpur *India* 22°42N 78°12E **124** H8
Sohar = **Şuḩār** *Oman* 24°20N 56°40E **129** E8
Sohela *India* 21°18N 83°24E **126** D6
Soheuksando *S. Korea* 34°4N 125°7E **115** G13
Sohm Abyssal Plain *Atl. Oc.* 36°0N 55°0W **56** C6
Soignies *Belgium* 50°35N 4°5E **69** D4
Soin *Burkina Faso* 12°47N 3°50W **138** C4
Soissons *France* 49°25N 3°19E **71** C10
Sōja *Japan* 34°40N 133°45E **113** G6
Sojat *India* 25°55N 73°45E **124** G5
Sok → *Russia* 53°24N 50°8E **86** D10
Sokal *Ukraine* 50°31N 24°15E **75** C13
Sokcho *S. Korea* 38°12N 128°36E **115** E15
Söke *Turkey* 37°48N 27°28E **99** D9
Sokelo *Dem. Rep. of the Congo* 9°55S 24°36E **143** D1
Sokhumi *Georgia* 43°0N 41°0E **87** J5
Sokki, Oued In → *Algeria* 29°30N 3°42E **136** C4
Soko Banja *Serbia* 43°40N 21°51E **96** C5
Soko Is. *China* 22°10N 113°54E **111** a
Sokodé *Togo* 9°0N 1°11E **139** D5
Sokol *Russia* 59°30N 40°5E **84** C11
Sokolac *Bos.-H.* 43°56N 18°48E **80** G3
Sokółka *Poland* 53°25N 23°30E **82** E10
Sokolo *Ségou, Mali* 14°53N 6°8W **138** C3
Sokolo *Sikasso, Mali* 10°52N 6°59W **138** C3
Sokolov *Czech Rep.* 50°12N 12°40E **78** A5
Sokołów Małpolski *Poland* 50°12N 22°7E **83** H9
Sokołów Podlaski *Poland* 52°25N 22°15E **83** F9
Sokoły *Poland* 52°59N 22°42E **83** F9
Sokoto *Nigeria* 13°2N 5°16E **139** C6
Sokoto □ *Nigeria* 12°30N 6°0E **139** C6
Sokoto → *Nigeria* 11°20N 4°10E **139** C5
Sokyrnytsya *Ukraine* 48°7N 23°23E **81** B8
Sokyryany *Ukraine* 48°27N 27°25E **81** B12
Sol, Costa del *Spain* 36°30N 4°30W **89** J6
Sol Iletsk *Russia* 51°10N 55°0E **108** B5
Sola → *Poland* 50°4N 19°15E **83** H6
Solai *Kenya* 0°2N 36°12E **142** B4
Solan *India* 30°55N 77°7E **124** D7
Solana Beach *U.S.A.* 32°58N 117°16W **171** N9
Solander I. *N.Z.* 46°34S 166°54E **155** G1
Solapur *India* 17°43N 75°56E **126** F2
Solca *Romania* 47°40N 25°50E **81** C10
Solda Gölü *Turkey* 37°33N 29°42E **99** D11
Soldăneşti *Moldova* 47°49N 28°48E **81** C13
Soldeu *Andorra* 42°35N 1°40E **90** C6
Soldotna *U.S.A.* 60°29N 151°3W **160** E1
Soléa *Cyprus* 35°5N 33°4E **101** D12
Solec Kujawski *Poland* 53°5N 18°14E **83** E5
Soledad *Colombia* 10°55N 74°46W **186** A4
Soledad *U.S.A.* 36°26N 121°20W **170** J5
Soledad *Venezuela* 8°10N 63°34W **186** B6
Solent, The *U.K.* 50°45N 1°25W **67** G6
Solenzara *France* 41°53N 9°23E **73** G13
Solesmes *France* 50°10N 3°30E **71** B10
Solferino *Italy* 45°22N 10°34E **92** C7
Solfonntaggen *Norway* 60°2N 6°57E **61** F12
Solhan *Turkey* 38°57N 41°3E **105** C9
Soligorsk = **Salihorsk** *Belarus* 52°51N 27°27E **75** B14
Solihull *U.K.* 52°26N 1°47W **67** E6
Solikamsk *Russia* 59°38N 56°50E **106** D6
Solimões = **Amazonas** → *S. Amer.* 0°5S 50°0W **187** D8
Solin *Croatia* 43°33N 16°30E **93** E13
Solingen *Germany* 51°10N 7°5E **76** D3
Söll *Austria* 47°30N 12°11E **77** H8
Sollebrunn *Sweden* 58°8N 12°32E **63** F6
Sollefteå *Sweden* 63°12N 17°20E **62** A11
Sollentuna *Sweden* 59°25N 17°56E **62** E11
Sóller *Spain* 39°46N 2°43E **100** B9
Sollerön *Sweden* 60°55N 14°37E **62** D8
Solling *Germany* 51°42N 9°38E **76** D5
Solling-Vogler ⌓ *Germany* 51°45N 9°32E **76** D5
Solnechnogorsk *Russia* 56°10N 36°57E **84** D9
Solo → *Indonesia* 6°47S 112°22E **119** G15
Solofra *Italy* 40°50N 14°51E **95** B7
Sologne *France* 47°40N 1°45E **71** E8
Solok *Indonesia* 0°45S 100°40E **118** E2
Sololá *Guatemala* 14°49N 91°10W **182** D1
Sololo *Kenya* 3°33N 38°39E **142** B4
Solomon, N. Fork → *U.S.A.* 39°29N 98°26W **172** F4
Solomon, S. Fork → *U.S.A.* 39°25N 99°12W **172** F4
Solomon Is. ■ *Pac. Oc.* 6°0S 155°0E **147** B8
Solomon Rise *Pac. Oc.* 1°0N 157°0E **156** G7
Solon *China* 46°32N 121°10E **111** B13
Solon Springs *U.S.A.* 46°22N 91°49W **172** B8
Solonópole *Brazil* 5°44S 39°1W **189** B3
Solor *Indonesia* 8°27S 123°0E **119** F6
Solotcha *Russia* 54°48N 39°53E **84** E10
Solothurn *Switz.* 47°13N 7°32E **77** H3
Solothurn □ *Switz.* 47°18N 7°40E **77** H3
Solotvyn *Ukraine* 48°42N 24°25E **81** B9
Solsona *Spain* 42°0N 1°31E **90** C6
Solt *Hungary* 46°45N 19°1E **80** D4
Šolta *Croatia* 43°24N 16°15E **93** E13
Solţānābād *Khorāsān, Iran* 34°13N 59°58E **129** C8
Solţānābād *Khorāsān, Iran* 36°29N 58°5E **129** B8
Soltāniyeh *Iran* 36°26N 48°47E **105** D13
Soltau *Germany* 52°59N 9°50E **76** C5
Soltsy *Russia* 58°10N 30°30E **84** C6
Soltüstik Qazaqstan □ *Kazakhstan* 54°0N 70°0E **109** B8
Solunska Glava *Macedonia* 41°44N 21°31E **96** E5
Solvang *U.S.A.* 34°36N 120°8W **171** L6
Solvay *U.S.A.* 43°3N 76°13W **175** C8
Sölvesborg *Sweden* 56°5N 14°35E **63** H8
Solway Firth *U.K.* 54°49N 3°35W **66** C4
Solwezi *Zambia* 12°11S 26°21E **143** E2
Sōma *Japan* 37°40N 140°50E **112** F10
Soma *Turkey* 39°10N 27°35E **99** B9
Somabhula *Zimbabwe* 19°42S 29°40E **145** A4
Somali Pen. *Africa* 7°0N 46°0E **132** F8
Somalia ■ *Africa* 7°0N 47°0E **131** F4
Somaliland □ *Somalia* 10°0N 46°0E **131** F4
Sombernon *France* 47°20N 4°40E **71** E11
Sombor *Serbia* 45°46N 19°9E **80** E4
Sombra *Canada* 42°43N 82°29W **174** D2
Sombrerete *Mexico* 23°38N 103°39W **180** C4
Sombrero *Anguilla* 18°37N 63°30W **183** C7

Sombrero Channel India 7°41N 93°35E 127 L11
Şomcuta Mare Romania 47°31N 23°28E 81 C8
Somdari India 25°47N 72°38E 124 G5
Someido ⌓ Spain 43°5N 6°11W 88 B4
Somers U.S.A. 48°5N 114°13W 168 B6
Somerset Ky., U.S.A. 37°5N 84°36W 173 G11
Somerset Mass., U.S.A. 41°47N 71°8W 175 E13
Somerset Pa., U.S.A. 40°1N 79°5W 174 F5
Somerset □ U.K. 51°9N 3°0W 67 F5
Somerset East S. Africa 32°42S 25°35E 144 D4
Somerset I. Canada 73°30N 93°0W 160 C13
Somerset West S. Africa 34°8S 18°50E 144 D2
Somersworth U.S.A. 43°16N 70°52W 175 C14
Somerton U.S.A. 32°36N 114°43W 169 K6
Somerville U.S.A. 40°35N 74°38W 175 F10
Someş ➔ Romania 47°49N 22°43E 80 C7
Someşul Mare ➔ Romania 47°9N 23°55E 81 C8
Somme □ France 49°57N 2°20E 71 C9
Somme ➔ France 50°11N 1°38E 71 B8
Somme, B. de la France 50°14N 1°33E 70 B8
Sommen Jönköping, Sweden 58°12N 14°58E 63 F8
Sommen Östergötland, Sweden 58°0N 15°15E 63 F9
Sommepy-Tahure France 49°15N 4°31E 71 C11
Sömmerda Germany 51°9N 11°7E 76 D7
Sommesous France 48°44N 4°12E 71 D11
Sommières France 43°47N 4°6E 73 E8
Somnath India 20°53N 70°22E 124 J4
Somogy □ Hungary 46°19N 17°30E 80 D2
Somogyszob Hungary 46°18N 17°20E 80 D2
Somosomo Fiji 16°47S 179°58W 154 a
Somosomo Str. Fiji 16°0S 180°0E 154 a
Somoto Nic. 13°28N 86°37W 182 D2
Sompolno Poland 52°26N 18°30E 83 F5
Somport, Túnel de Spain 42°48N 0°31W 90 C4
Somuncurá, Meseta de Argentina 41°30S 67°0W 192 B3
Somvarpet India 12°36N 75°52E 127 H2
Son ➔ India 25°42N 84°52E 125 G11
Son, Laem Thailand 7°59N 98°16E 121 a
Son Ha Vietnam 15°3N 108°34E 120 E7
Son La Vietnam 21°20N 103°50E 116 G4
Son Morrell Spain 39°44N 3°20E 100 B10
Son Rapinya Spain 39°35N 2°37E 100 B9
Son Sardina Spain 39°37N 2°40E 100 B9
Son Serra Spain 39°43N 3°13E 100 B10
Son Servera Spain 39°37N 3°21E 90 F8
Son Tay Vietnam 21°8N 105°30E 116 G5
Son Tinh Vietnam 15°10N 108°40E 120 E7
Soná Panama 8°0N 81°20W 182 E3
Sonamarg India 34°18N 75°21E 125 B6
Sonamukhi India 23°18N 87°27E 125 H12
Sonar ➔ India 24°24N 79°56E 125 G8
Sönch'ŏn N. Korea 39°48N 124°55E 115 E13
Sondags ➔ S. Africa 33°44S 25°51E 144 D4
Sóndalo Italy 46°20N 10°19E 92 B7
Sønder Felding Denmark 55°57N 8°47E 63 J2
Sønder Omme Denmark 55°50N 8°54E 63 J2
Sønderborg Denmark 54°55N 9°49E 63 K3
Sondershausen Germany 51°22N 10°51E 76 D6
Søndre Strømfjord = Kangerlussuaq Greenland 66°59N 50°40W 57 D5
Sóndrio Italy 46°10N 9°52E 92 B6
Sondur ➔ India 20°40N 82°1E 126 D6
Sone Mozam. 17°23S 34°55E 143 F3
Sonepur India 20°55N 83°50E 126 D6
Sonfim Brazil 6°0S 67°52W 188 B4
Song Nigeria 9°49N 12°39E 139 D7
Song Thailand 18°28N 100°11E 120 C3
Song Cau Vietnam 13°27N 109°18E 120 F7
Song-Köl Kyrgyzstan 41°50N 75°12E 109 D9
Song Ma Vietnam 20°56N 103°53E 116 G4
Song Xian China 34°12N 112°8E 114 G7
Songadh India 21°9N 73°33E 126 D1
Songan Indonesia 8°13S 115°24E 119 J18
Songea Tanzania 10°40S 35°40E 143 E4
Songeons France 49°32N 1°50E 71 C8
Songgang China 22°46N 113°50E 111 a
Songhua Hu China 43°35N 126°50E 115 C14
Songhua Jiang ➔ China 47°45N 132°30E 111 B15
Songimvelo ⌓ S. Africa 25°50S 31°2E 145 C5
Songjiang China 31°1N 121°12E 117 B13
Songjianghe China 42°10N 127°29E 115 C14
Sŏngjin = Kimch'aek N. Korea 40°40N 129°10E 115 D15
Songkan China 28°35N 106°52E 116 C6
Songkhla Thailand 7°13N 100°37E 121 J3
Songming China 25°12N 103°2E 116 E4
Songnim N. Korea 38°45N 125°39E 115 E13
Songo Mozam. 15°34S 32°38E 145 A5
Songpan China 32°40N 103°30E 116 A4
Songtao China 28°11N 109°10E 116 C7
Songwe Dem. Rep. of the Congo 3°20S 26°16E 142 C2
Songwe ➔ Africa 9°44S 33°58E 143 D3
Songxi China 27°31N 118°44E 117 D12
Songzi China 30°12N 111°45E 117 B8
Sonhat India 23°29N 82°31E 125 H10
Sonid Youqi China 42°45N 112°48E 114 C7
Sonid Zuoqi China 43°50N 113°42E 114 C7
Sonipat India 29°0N 77°5E 124 E7
Sonkach India 22°59N 76°21E 124 H7
Sonkovo Russia 57°50N 37°5E 84 D9
Sonmiani Pakistan 25°25N 66°40E 124 G2
Sonmiani B. Pakistan 25°15N 66°30E 124 G2
Sonneberg Germany 50°21N 11°10E 77 F7
Sonnino Italy 41°25N 13°14E 94 A6
Sono ➔ Minas Gerais, Brazil 17°2S 45°32W 189 D1
Sono ➔ Tocantins, Brazil 9°58S 48°11W 189 B1
Sonoma U.S.A. 38°18N 122°28W 170 G4
Sonora Calif., U.S.A. 37°59N 120°23W 170 H6
Sonora Tex., U.S.A. 30°34N 100°39W 176 F4
Sonora □ Mexico 29°20N 110°40W 180 B2
Sonora ➔ Mexico 29°5N 110°55W 180 B2
Sonoran Desert U.S.A. 33°40N 113°30W 171 L12
Sonoyta Mexico 31°51N 112°50W 180 A2
Sonqor Iran 34°47N 47°36E 105 E12
Sonseca Spain 39°42N 3°57W 89 F7
Sonsonate El Salv. 13°43N 89°44W 182 D2
Sonstorp Sweden 58°44N 15°38E 63 F9
Sonthofen Germany 47°30N 10°16E 77 H6
Soochow = Suzhou China 31°19N 120°38E 117 B13
Sooke Canada 48°13N 123°43W 170 B3
Soomaa △ Estonia 58°30N 28°5E 84 C3
Soomaaliya = Somalia ■ Africa 7°0N 47°0E 131 F4
Sop Hao Laos 20°33N 104°27E 116 G5
Sop Prap Thailand 17°53N 99°20E 120 D2
Sopchoppy U.S.A. 30°4N 84°29W 178 E5
Sopelana Spain 43°23N 2°58W 90 B2
Soperton U.S.A. 32°23N 82°35W 178 C7
Sopi Indonesia 2°34N 128°28E 119 D7
Sopot Bulgaria 42°39N 24°45E 97 D8
Sopot Poland 54°27N 18°31E 82 D5
Sopot Serbia 44°29N 20°36E 96 B4
Sopotnica Macedonia 41°18N 21°13E 96 E5
Sopron Hungary 47°45N 16°32E 80 C1
Sopur India 34°18N 74°27E 125 B6
Sør-Rondane Antarctica 72°0S 25°0E 55 D4
Sora Italy 41°43N 13°37E 93 G10
Sorab India 14°23N 75°6E 127 G2
Sorada India 19°45N 84°26E 126 E7
Sorah Pakistan 27°13N 68°56E 124 F3
Söråker Sweden 62°30N 17°32E 62 B11
Sorang Kazakhstan 49°46N 72°51E 109 C8
Sorano Italy 42°41N 11°43E 93 F8
Soraon India 25°37N 81°51E 125 G9
Sorata Bolivia 15°50S 68°40W 188 D4
Sorbas Spain 37°6N 2°7W 91 H2
Sörbygden Sweden 62°48N 16°12E 62 B10
Sord = Swords Ireland 53°28N 6°13W 64 C5
Sordellen Sweden 61°48N 16°43E 62 C10
Sore France 44°18N 0°35W 72 D3
Sorel-Tracy Canada 46°0N 73°10W 164 C5
Soresina Italy 45°17N 9°51E 92 C6
Sörforsa Sweden 61°43N 16°58E 62 C10
Sórgono Italy 40°1N 9°6E 94 B2
Sorgues France 44°1N 4°53E 73 D8
Sorgun Turkey 39°46N 35°11E 104 C6
Soria Spain 41°43N 2°32W 90 D2
Soria □ Spain 41°46N 2°28W 90 D2
Soriano Uruguay 33°24S 58°19W 190 C4
Soriano nel Cimino Italy 42°25N 12°14E 93 F9
Sorkh, Kuh-e Iran 35°40N 58°30E 129 C8
Soro Denmark 55°26N 11°32E 63 J5
Soro Guinea 10°9N 9°48W 138 C3
Soroca Moldova 48°8N 28°12E 81 B13
Sorocaba Brazil 23°31S 47°27W 191 A6
Sorochinsk Russia 52°26N 53°10E 108 B4
Soroki = Soroca Moldova 48°8N 28°12E 81 B13
Sorong Indonesia 0°55S 131°15E 119 E8
Soroni Greece 36°21N 28°1E 101 C10
Soroti Uganda 1°43N 33°35E 142 B3
Sørøya Norway 70°40N 22°30E 60 A20
Sørøysundet Norway 70°25N 23°0E 60 A20
Sorraia ➔ Portugal 38°55N 8°53W 89 G2
Sorrell Australia 42°47S 147°34E 151 G4
Sorrento Italy 40°37N 14°22E 95 B7
Sorsele Sweden 65°31N 17°30E 60 D17
Sörsjön Sweden 61°24N 13°5E 62 C7
Sorso Italy 40°48N 8°34E 94 B1
Sorsogon Phil. 13°0N 124°0E 119 B6
Sortavala Russia 61°42N 30°41E 84 B6
Sortino Italy 37°9N 15°2E 95 E8
Sortland Norway 68°42N 15°25E 60 B16
Sortot Sudan 19°30N 30°28E 137 D3
Sørvågen Norway 67°53N 13°1E 60 C15
Sorvizhi Russia 57°52N 48°32E 86 B9
Sos del Rey Católico Spain 42°30N 1°13W 90 C3
Soscumica, L. Canada 50°15N 77°27W 164 B4
Sösdala Sweden 56°2N 13°41E 63 H7
Sosna ➔ Russia 52°42N 38°55E 85 F10
Sosnogorsk Russia 63°37N 53°51E 106 C6
Sosnovka Kirov, Russia 56°17N 51°17E 86 B10
Sosnovka Tambov, Russia 53°13N 41°24E 86 D5
Sosnovyy Bor Russia 59°55N 29°6E 84 C5
Sosnowiec Poland 50°20N 19°10E 83 H6
Sospel France 43°52N 7°27E 73 E11
Sossus Vlei Namibia 24°40S 15°23E 144 B2
Šoštanj Slovenia 46°23N 15°4E 93 B12
Sŏsura N. Korea 42°16N 130°36E 115 C16
Sot ➔ India 27°27N 79°37E 125 F8
Sotavento C. Verde Is. 15°0N 24°0W 134 b
Sotik Kenya 0°41S 35°7E 142 C4
Sotkamo Finland 64°8N 28°23E 60 D23
Soto Spain 43°32N 6°4W 88 B4
Soto la Marina Mexico 23°46N 98°13W 181 C5
Soto la Marina ➔ Mexico 23°45N 97°45W 181 C5
Soto y Amío Spain 42°46N 5°53W 88 C5
Sotouboua Togo 8°34N 0°59E 139 D5
Sotrondio Spain 43°17N 5°36W 88 B5
Sotuta Mexico 20°36N 89°1W 181 C7
Souanké Congo 2°10N 14°3E 140 D2
Soubré Ivory C. 5°50N 6°35W 138 D3
Souda Greece 35°29N 24°4E 101 D6
Soudas, Ormos Greece 35°25N 24°10E 101 D6
Souderton U.S.A. 40°19N 75°19W 175 F9
Soufli Greece 41°12N 26°18E 97 E10
Soufrière Guadeloupe 16°5N 61°40W 182 b
Soufrière St. Lucia 13°51N 61°3W 183 f
Soufrière Bay Dominica 15°13N 61°22W 183 f
Souillac France 44°53N 1°29E 72 D5
Souilly France 49°3N 5°17E 71 C12
Souk-Ahras Algeria 36°23N 7°57E 136 A5
Souk-Ahras □ Algeria 36°10N 7°55E 136 A5
Souk el Arba du Rharb Morocco 34°43N 5°59W 136 B2
Soukhouma Laos 14°38N 105°48E 120 E5
Sŏul = Seoul S. Korea 37°31N 126°58E 115 F14
Soulac-sur-Mer France 45°30N 1°7W 72 C2
Soulougou Burkina Faso 13°1N 0°25E 139 C5
Soultz-sous-Forêts France 48°57N 7°52E 71 D14
Sound, The = Øresund Europe 55°45N 12°40E 63 J6
Sound, The U.K. 50°20N 4°10W 67 G3
Sound I. India 12°58N 92°59E 127 H11
Sounio, Akra Greece 37°37N 24°1E 98 D6
Sour el Ghozlane Algeria 36°10N 3°45E 136 A4
Sources, Mt. aux Lesotho 28°45S 28°50E 145 C4
Soure Brazil 0°35S 48°30W 187 D9
Soure Portugal 40°4N 8°38W 88 E2
Souris Man., Canada 49°40N 100°20W 163 D8
Souris P.E.I., Canada 46°21N 62°15W 165 C7
Souris ➔ N. Amer. 49°40N 99°34W 172 A4
Sourou ➔ Africa 12°45N 3°25W 138 C4
Sourpi Greece 39°6N 22°54E 98 B4
Sous, O. ➔ Morocco 30°27N 9°31W 136 B2
Sous-Massa △ Morocco 30°26N 9°35W 136 B2
Sous-Massa-Drâa □ Morocco 30°45N 6°30W 136 B2
Sousa Brazil 6°45S 38°10W 189 B3
Sousel Portugal 38°57N 7°40W 89 G3
Sousse Tunisia 35°50N 10°38E 136 A6
Sousse □ Tunisia 35°40N 10°30E 136 A6
Soustons France 43°45N 1°19W 72 E2
Sout ➔ S. Africa 31°35S 18°24E 144 D2
South Africa ■ Africa 32°0S 23°0E 144 D3
South America 10°0S 60°0W 184 E5
South Andaman India 11°45N 92°10E 127 J11
South Aulatsivik I. Canada 56°45N 61°30W 165 A7
South Australia □ Australia 32°0S 139°0E 152 B3
South Australian Basin Ind. Oc. 38°0S 126°0E 156 L4
South Ayrshire □ U.K. 55°18N 4°41W 65 F4
South Baldy Pk. U.S.A. 34°6N 107°11W 169 J10
South Bass I. U.S.A. 41°39N 82°49W 174 E2
South Bay U.S.A. 26°40N 80°43W 179 J9
South Bend Ind., U.S.A. 41°41N 86°15W 172 E10
South Bend Wash., U.S.A. 46°40N 123°48W 170 D3
South Boston U.S.A. 36°42N 78°54W 173 G14
South Branch Canada 47°55N 59°2W 165 C8
South Brook Canada 49°26N 56°5W 165 C8
South Brother I. India 10°56N 92°37E 127 J11
South Bruny I. Australia 43°20S 147°15E 151 G4
South Carolina □ U.S.A. 34°0N 81°0W 177 E14
South Charleston U.S.A. 38°22N 81°44W 173 F13
South China Sea Asia 10°0N 113°0E 118 C4
South Congaree U.S.A. 33°53N 81°9W 178 B8
South Cumberland Is. △ Australia 20°42S 149°11E 150 b
South Dakota □ U.S.A. 44°15N 100°0W 172 C4
South Dayton U.S.A. 42°21N 79°3W 174 D5
South Daytona U.S.A. 29°10N 81°0W 179 F8
South Deerfield U.S.A. 42°29N 72°37W 175 D12
South Downs U.K. 50°52N 0°25W 67 G7
South Downs △ U.K. 50°50N 0°50W 67 G7
South Dublin □ Ireland 53°16N 6°24W 64 C5
South East □ Botswana 25°0S 25°40E 144 C4
South East C. Australia 43°40S 146°50E 151 G4
South East Forest △ Australia 37°0S 149°30E 153 D8
South East Is. Australia 34°17S 123°30E 149 F3
South Esk ➔ U.K. 56°43N 2°31W 65 E6
South Fiji Basin Pac. Oc. 26°0S 175°0E 156 K9
South Foreland U.K. 51°8N 1°24E 67 F9
South Fork American ➔ U.S.A. 38°57N 120°59W 170 G5
South Fork Edisto ➔ U.S.A. 33°16N 80°54W 178 B9
South Fork Feather ➔ U.S.A. 39°17N 121°36W 170 F5
South Fork Grand ➔ U.S.A. 45°43N 102°17W 172 C2
South Fork Milk ➔ U.S.A. 48°4N 106°19W 168 B10
South Fork Republican ➔ U.S.A. 40°3N 101°31W 172 E3
South Georgia Antarctica 54°30S 37°0W 55 B1
South Gloucestershire □ U.K. 51°32N 2°28W 67 F5
South Hadley U.S.A. 42°16N 72°35W 175 D12
South Haven U.S.A. 42°24N 86°16W 172 D10
South Henik L. Canada 61°30N 97°20W 163 A9
South Horr Kenya 2°12N 36°56E 142 B4
South I. India 10°3N 72°17E 127 J1
South I. Kenya 2°35N 36°35E 142 B4
South I. N.Z. 44°0S 170°0E 155 E5
South Indian Lake Canada 56°47N 98°56W 163 B9
South Invercargill N.Z. 46°26S 168°23E 155 G3
South Island △ Kenya 2°39N 36°35E 142 B4
South Kitui ⌓ Kenya 1°48S 38°46E 142 C4
South Knife ➔ Canada 58°55N 94°37W 163 B10
South Koel ➔ India 22°32N 85°14E 125 H11
South Korea ■ Asia 36°0N 128°0E 115 G15
South Lake Tahoe U.S.A. 38°57N 119°59W 170 G6
South Lanarkshire □ U.K. 55°37N 3°53W 65 F5
South Loup ➔ U.S.A. 41°4N 98°39W 172 E4
South Luangwa △ Zambia 13°0S 31°20E 143 E3
South Magnetic Pole Antarctica 64°8S 138°8E 55 C9
South Miami U.S.A. 25°42N 80°17W 179 K9
South Milwaukee U.S.A. 42°55N 87°52W 172 D10
South Molton U.K. 51°1N 3°51W 67 F4
South Moose L. Canada 53°49N 100°1W 163 C8
South Nahanni ➔ Canada 61°3N 123°21W 162 A4
South Nation ➔ Canada 45°34N 75°6W 175 A9
South Natuna Is. = Natuna Selatan, Kepulauan Indonesia 2°45N 109°0E 118 D3
South Negril Pt. Jamaica 18°16N 78°22W 182 a
South Newport U.S.A. 31°38N 81°24W 178 D8
South Orkney Is. Antarctica 63°0S 45°0W 55 C18
South Ossetia □ Georgia 42°21N 44°2E 87 J7
South Otselic U.S.A. 42°38N 75°46W 175 D9
South Pagai, I. = Pagai Selatan, Pulau Indonesia 3°0S 100°15E 118 E2
South Paris U.S.A. 44°14N 70°31W 175 B14
South Pittsburg U.S.A. 35°1N 85°42W 177 D12
South Platte ➔ U.S.A. 41°7N 100°42W 172 E3
South Pole Antarctica 90°0S 0°0 55 E
South Ponte Vedra Beach U.S.A. 30°3N 81°20W 178 E8
South Porcupine Canada 48°30N 81°12W 164 C3
South Portland U.S.A. 43°38N 70°15W 173 D18
South Pt. Barbados 13°2N 59°32W 183 g
South Pt. U.S.A. 44°52N 83°19W 174 B1
South River Canada 45°52N 79°23W 164 C4
South River U.S.A. 40°27N 74°23W 175 F10
South Ronaldsay U.K. 58°48N 2°58W 65 C6
South Rukuru ➔ Malawi 10°44S 34°14E 143 E3
South Sandwich Is. Antarctica 57°0S 27°0W 55 B1
South Sandwich Trench Atl. Oc. 56°0S 24°0W 55 B1
South Saskatchewan ➔ Canada 53°15N 105°5W 163 C7
South Seal ➔ Canada 58°48N 98°8W 163 B9
South Sentinel I. India 10°59N 92°14E 127 J11
South Shetland Is. Antarctica 62°0S 59°0W 55 C18
South Shields U.K. 55°0N 1°25W 66 C6
South Sioux City U.S.A. 42°28N 96°24W 172 D5
South Sister U.S.A. 44°4N 121°51W 168 D3
South Sudan ■ Africa 8°0N 30°0E 135 G11
South Taranaki Bight N.Z. 39°40S 174°5E 154 F3
South Tasman Rise S. Ocean 48°0S 146°0E 55 A10
South Thompson ➔ Canada 50°40N 120°20W 162 C4
South Twin I. Canada 53°7N 79°52W 164 B4
South Tyne ➔ U.K. 54°59N 2°8W 66 C5
South Uist U.K. 57°20N 7°15W 65 D1
South Valley U.S.A. 35°1N 106°41W 169 J10
South Venice U.S.A. 27°3N 82°25W 179 H7
South Wellesley Is. Australia 16°58S 139°17E 150 B2
South West C. Australia 43°34S 146°3E 151 G4
South West C. N.Z. 47°17S 167°28E 155 H2
South West Rocks Australia 30°52S 153°3E 153 A10
South Williamsport U.S.A. 41°13N 77°0W 174 E8
South Yorkshire □ U.K. 53°27N 1°36W 66 D6
Southampton Canada 44°30N 81°25W 174 B3
Southampton U.K. 50°54N 1°23W 67 G6
Southampton U.S.A. 40°53N 72°23W 175 F12
Southampton □ U.K. 50°54N 1°23W 67 G6
Southampton I. Canada 64°30N 84°0W 161 E15
Southaven U.S.A. 34°59N 90°0W 177 D9
Southbank Canada 54°2N 125°46W 162 C3
Southbridge N.Z. 43°48S 172°16E 155 D7
Southbridge U.S.A. 42°5N 72°2W 175 D12
Southeast Indian Ridge Ind. Oc. 43°0S 80°0E 146 J10
Southend Canada 56°19N 103°22W 163 B8
Southend-on-Sea U.K. 51°32N 0°44E 67 F8
Southend-on-Sea □ U.K. 51°32N 0°44E 67 F8
Southern = Yuzhnyy □ Russia 44°0N 40°0E 106 E5
Southern □ Malawi 15°0S 35°0E 143 F4
Southern □ S. Leone 8°0N 12°30W 138 D2
Southern □ Zambia 16°20S 26°20E 143 F2
Southern Alps N.Z. 43°41S 170°11E 155 D5
Southern Aral Sea Asia 45°0N 58°0E 108 D5
Southern Cross Australia 31°12S 119°15E 149 F2
Southern Indian L. Canada 57°10N 98°30W 163 B9
Southern Lau Group Fiji 18°40S 178°40W 154 a
Southern Ocean 62°0S 60°0E 55 C6
Southern Pines U.S.A. 35°11N 79°24W 177 D15
Southern Uplands U.K. 55°28N 3°52W 65 F5
Southington U.S.A. 41°36N 72°53W 175 E12
Southland □ N.Z. 45°30S 168°0E 155 F3
Southold U.S.A. 41°4N 72°26W 175 E12
Southport Australia 27°58S 153°25E 151 D5
Southport U.K. 53°39N 3°0W 66 D4
Southport Fla., U.S.A. 30°17N 85°38W 178 E4
Southport N.Y., U.S.A. 42°3N 76°49W 174 D8
Southwest △ Australia 43°8S 146°5E 151 G4
Southwest Pacific Basin Pac. Oc. 40°0S 140°0W 55 A12
Southwold U.K. 52°20N 1°41E 67 E9
Southwood △ Australia 27°48S 150°8E 151 D5
Soutpansberg S. Africa 23°0S 29°30E 145 B4
Souvigny France 46°33N 3°10E 71 F10
Sovata Romania 46°35N 25°3E 81 D10
Soverato Italy 38°41N 16°33E 95 D9
Sovetsk Kaliningrad, Russia 55°6N 21°50E 82 C8
Sovetsk Kirov, Russia 57°38N 48°53E 86 B9
Sovetskaya Gavan Russia 48°58N 140°18E 107 E15
Soviçille Italy 43°17N 11°13E 93 E8
Soweto S. Africa 26°14S 27°52E 145 C4
Sowma'eh Sarā Iran 37°17N 49°18E 105 D13
Sōya-Kaikyō = La Perouse Str. Asia 45°40N 142°0E 112 B11
Sōya-Misaki Japan 45°30N 141°55E 112 B10
Soyaux France 45°39N 0°12E 72 C4
Soyo Angola 6°13S 12°20E 140 F2
Sozaq Kazakhstan 44°8N 68°28E 109 D7
Sozh ➔ Belarus 51°57N 30°48E 75 B16
Sozopol Bulgaria 42°23N 27°42E 97 D11
Spa Belgium 50°29N 5°53E 69 D5
Spaatz I. Antarctica 73°10S 75°0W 55 D17
Spain ■ Europe 39°0N 4°0W 59 H5
Spalding Australia 33°30S 138°37E 152 B3
Spalding U.K. 52°48N 0°9W 66 E7
Spanaway U.S.A. 47°6N 122°26W 170 C4
Spangler U.S.A. 40°39N 78°48W 174 F6
Spanish Canada 46°12N 82°20W 164 C3
Spanish Fork U.S.A. 40°7N 111°39W 168 F8
Spanish Town Br. Virgin Is. 18°26N 64°26W 183 e
Spanish Town Jamaica 18°0N 76°57W 182 a
Sparks Ga., U.S.A. 31°11N 83°26W 178 D6
Sparks Nev., U.S.A. 39°32N 119°45W 170 F7
Sparreholm Sweden 59°4N 16°49E 62 E10
Sparta = Sparti Greece 37°5N 22°25E 98 D4
Sparta Ga., U.S.A. 33°17N 82°58W 178 B7
Sparta Mich., U.S.A. 43°10N 85°42W 173 D11
Sparta N.J., U.S.A. 41°2N 74°38W 175 E10
Sparta Wis., U.S.A. 43°56N 90°49W 172 D8
Spartanburg U.S.A. 34°56N 81°57W 177 D14
Spartel, C. Morocco 35°47N 5°56W 136 A2
Sparti Greece 37°5N 22°25E 98 D4
Spartivento, C. Calabria, Italy 37°55N 16°4E 95 E9
Spartivento, C. Sard., Italy 38°53N 8°50E 94 D1
Sparwood Canada 49°44N 114°53W 162 D6
Spas-Demensk Russia 54°20N 34°0E 84 E7
Spas-Klepiki Russia 55°10N 40°10E 84 E11
Spassk-Dalniy Russia 44°40N 132°48E 112 B6
Spassk-Ryazanskiy Russia 54°24N 40°25E 84 E11
Spatha, Akra Greece 35°42N 23°43E 101 D5
Spatsizi ➔ Canada 57°42N 128°7W 162 B3
Spatsizi Plateau Wilderness ⌓ Canada 57°40N 128°0W 162 B3
Spean ➔ U.K. 56°55N 4°59W 65 E4
Spearfish U.S.A. 44°30N 103°52W 172 C2
Spearman U.S.A. 36°12N 101°12W 176 C4
Speculator U.S.A. 43°30N 74°22W 175 C10
Speed Australia 35°21S 142°27E 152 C5
Speia Moldova 46°59N 29°19E 81 D14
Speightstown Barbados 13°15N 59°39W 183 g
Speke Gulf Tanzania 2°20S 32°50E 142 C3
Spello Italy 42°59N 12°40E 93 F9
Spence Bay = Taloyoak Canada 69°32N 93°32W 160 D13
Spencer Idaho, U.S.A. 44°22N 112°11W 168 D7
Spencer Iowa, U.S.A. 43°9N 95°9W 172 D6
Spencer N.Y., U.S.A. 42°13N 76°30W 175 D8
Spencer Nebr., U.S.A. 42°53N 98°42W 172 D4
Spencer, C. Australia 35°20S 136°53E 152 C2
Spencer B. Namibia 25°30S 14°47E 144 C1
Spencer G. Australia 34°0S 137°20E 152 C2
Spencerville Canada 44°51N 75°33W 175 B9
Spences Bridge Canada 50°25N 121°20W 162 C4
Spennymoor U.K. 54°42N 1°36W 66 C6
Spenser Mts. N.Z. 42°15S 172°45E 155 C7
Spentrup Denmark 56°33N 10°2E 63 H4
Sperchios ➔ Greece 38°57N 22°3E 98 C4
Sperrgebiet △ Namibia 27°38S 15°56E 144 C2
Sperrin Mts. U.K. 54°50N 7°0W 64 B5
Spessart Germany 49°56N 9°18E 77 F5
Spetses Greece 37°15N 23°10E 98 D5
Spey ➔ U.K. 57°40N 3°6W 65 D5
Speyer Germany 49°29N 8°25E 77 F4
Spezand Pakistan 29°59N 67°0E 124 E2
Spezzano Albanese Italy 39°40N 16°19E 95 C9
Spiddle Ireland 53°15N 9°18W 64 C2
Spiekeroog Germany 53°46N 7°42E 76 B3
Spiez Switz. 46°40N 7°40E 77 J3
Spili Greece 35°13N 24°31E 101 D6
Spilimbergo Italy 46°7N 12°54E 93 B9
Spīn Būldak Afghan. 31°1N 66°25E 124 D2
Spinalonga Greece 35°18N 25°44E 101 D7
Spinazzola Italy 40°58N 16°5E 95 B9
Spineni Romania 44°43N 24°37E 81 F9
Spinifex ✪ Australia 28°30S 128°30E 149 E4
Spirit Lake U.S.A. 46°15N 122°9W 170 D4
Spirit River Canada 55°45N 118°50W 162 B5
Spiritwood Canada 53°24N 107°33W 163 C7
Spišská Nová Ves Slovak Rep. 48°58N 20°34E 79 C13
Spišské Podhradie Slovak Rep. 49°0N 20°48E 79 B13
Spital Austria 47°42N 14°18E 78 D7
Spithead U.K. 50°45N 1°10W 67 G6
Spitsbergen = Svalbard Arctic 78°0N 17°0E 57 B12
Spittal an der Drau Austria 46°48N 13°31E 78 E6
Spjelkavik Norway 62°28N 6°22E 60 E12
Split Croatia 43°31N 16°26E 93 E13
Split ✕ (SPU) Croatia 43°33N 16°15E 93 E13
Split L. Canada 56°8N 96°15W 163 B9
Split Lake Canada 56°8N 96°15W 163 B9
Splitski Kanal Croatia 43°31N 16°20E 93 E13
Splügenpass Switz. 46°30N 9°20E 77 J5
Spofford U.S.A. 29°10N 100°25W 176 G4
Spokane U.S.A. 47°40N 117°24W 168 C5
Spoleto Italy 42°44N 12°44E 93 F9
Spooner U.S.A. 45°50N 91°53W 172 C8
Sporyy Navolok, Mys Russia 75°50N 68°40E 106 B7
Sprague U.S.A. 47°18N 117°59W 168 C5
Spratly I. S. China Sea 8°38N 111°55E 118 C4
Spratly Is. S. China Sea 8°20N 112°0E 118 C4
Spray U.S.A. 44°50N 119°48W 168 D4
Spreča ➔ Bos.-H. 44°44N 18°6E 80 F3
Spree ➔ Germany 52°32N 13°12E 76 C9
Spreewald Germany 51°58N 13°51E 76 D9
Spremberg Germany 51°34N 14°22E 76 D10
Sprengisandur Iceland 64°52N 18°7W 60 D4
Spring City U.S.A. 40°11N 75°33W 175 F9
Spring Cr. ➔ U.S.A. 30°54N 84°45W 178 E5
Spring Creek U.S.A. 40°44N 115°35W 168 F6
Spring Garden U.S.A. 39°52N 120°47W 170 F6
Spring Hall Barbados 13°18N 59°36W 183 g
Spring Hill Ala., U.S.A. 31°42N 85°58W 178 D4
Spring Hill Fla., U.S.A. 28°27N 82°41W 179 G7
Spring Mts. U.S.A. 36°0N 115°45W 171 J11
Spring Temple Buddha China 33°46N 112°27E 114 H7
Spring Valley Calif., U.S.A. 32°44N 116°59W 171 N10
Spring Valley Nev., U.S.A. 36°6N 115°14W 171 J11
Springbok S. Africa 29°42S 17°54E 144 C2
Springboro U.S.A. 41°48N 80°22W 174 E4
Springdale Canada 49°30N 56°6W 165 C8
Springdale U.S.A. 36°11N 94°8W 176 C7
Springe Germany 52°13N 9°33E 76 C5
Springer U.S.A. 36°22N 104°36W 169 H11
Springerville U.S.A. 34°8N 109°17W 169 J9
Springfield Canada 42°50N 80°56W 174 D4
Springfield N.Z. 43°19S 171°56E 155 D6
Springfield Colo., U.S.A. 37°24N 102°37W 169 H12
Springfield Fla., U.S.A. 30°10N 85°37W 178 E4
Springfield Ga., U.S.A. 32°22N 81°18W 178 C8
Springfield Ill., U.S.A. 39°48N 89°39W 172 F9
Springfield Mass., U.S.A. 42°6N 72°35W 175 D12
Springfield Mo., U.S.A. 37°13N 93°17W 172 G7
Springfield Ohio, U.S.A. 39°55N 83°49W 173 F12
Springfield Oreg., U.S.A. 44°3N 123°1W 168 D2
Springfield S.C., U.S.A. 33°30N 81°17W 178 B8
Springfield Tenn., U.S.A. 36°31N 86°53W 177 C11
Springfield Vt., U.S.A. 43°18N 72°29W 175 C12
Springfontein S. Africa 30°15S 25°40E 144 D4
Springhill Canada 45°40N 64°4W 165 C7
Springhill U.S.A. 33°0N 93°28W 176 E8
Springhouse Canada 51°56N 122°7W 162 C4
Springlands = Corriverton Guyana 5°55N 57°20W 186 B7
Springs S. Africa 26°13S 28°25E 145 C4
Springsure Australia 24°8S 148°6E 150 C4
Springvale Ga., U.S.A. 31°50N 84°53W 178 D5
Springvale Maine, U.S.A. 43°28N 70°48W 175 C14
Springville Calif., U.S.A. 36°8N 118°49W 170 J8
Springville N.Y., U.S.A. 42°31N 78°40W 174 D6
Springville Utah, U.S.A. 40°10N 111°37W 168 F8
Springwater U.S.A. 42°38N 77°35W 174 D7
Spruce-Creek U.S.A. 40°36N 78°9W 174 F6
Spruce Knob-Seneca Rocks ⌓ U.S.A. 38°50N 79°30W 173 F14
Spruce Mt. U.S.A. 44°12N 72°19W 175 B12
Sprucedale Canada 45°29N 79°28W 174 A5
Spur U.S.A. 33°28N 100°52W 176 E4
Spurn Hd. U.K. 53°35N 0°8E 66 D8
Spuž Montenegro 42°32N 19°10E 96 D3
Spuzzum Canada 49°37N 121°23W 162 D4
Squam L. U.S.A. 43°45N 71°32W 175 C13
Squamish Canada 49°45N 123°10W 162 D4
Square Islands Canada 52°47N 55°47W 165 B8
Squillace, G. di Italy 38°45N 16°50E 95 D9
Squinzano Italy 40°26N 18°2E 95 B11
Squires, Mt. Australia 26°14S 127°28E 149 E4
Srbac Bos.-H. 45°7N 17°30E 80 E2
Srbica = Skënderaj Kosovo 42°45N 20°47E 96 D4
Srbija = Serbia ■ Europe 43°20N 20°0E 96 C4
Srbobran Serbia 45°32N 19°48E 80 E4
Sre Ambel Cambodia 11°8N 103°46E 121 G4
Sre Khtum Cambodia 12°10N 106°52E 121 F6
Sre Umbell = Sre Ambel Cambodia 11°8N 103°46E 121 G4
Srebarna Bulgaria 44°6N 27°4E 97 B11
Srebrenica Bos.-H. 44°6N 19°18E 80 F4
Sredinnyy Khrebet Russia 57°0N 160°0E 107 D17
Sredinnyy Ra. = Sredinnyy Khrebet Russia 57°0N 160°0E 107 D17
Središče Slovenia 46°24N 16°17E 93 B13
Sredna Gora Bulgaria 42°40N 24°20E 97 D8
Srednekolymsk Russia 67°27N 153°40E 107 C16
Sredni Rodopi Bulgaria 41°40N 24°45E 97 E8
Srednogorie Bulgaria 42°43N 24°10E 97 D8
Śrem Poland 52°6N 17°2E 83 F4
Sremska Mitrovica Serbia 44°59N 19°38E 80 F4
Sremski Karlovci Serbia 45°12N 19°56E 80 E4
Srepok ➔ Cambodia 13°33N 106°16E 120 F6
Sretensk Russia 52°10N 117°40E 107 D12
Sri Aman = Bandar Sri Aman Malaysia 1°15N 111°32E 118 D4
Sri Kalahasti India 13°45N 79°44E 127 H4
Sri Lanka ■ Asia 7°30N 80°50E 127 L5
Sri Pada = Adam's Peak Sri Lanka 6°48N 80°30E 127 L5
Sriharikota I. India 13°40N 80°20E 127 H5
Srikakulam India 18°14N 83°58E 126 E6
Srinagar India 34°5N 74°50E 125 B6
Srivardhan India 18°4N 73°3E 126 E1
Srivilliputtur India 9°31N 77°40E 127 K3
Środa Śląska Poland 51°10N 16°36E 83 G3
Środa Wielkopolski Poland 52°15N 17°19E 83 F4
Srono Indonesia 8°24S 114°16E 119 J17
Srpska Crnja Serbia 45°38N 20°44E 80 E5
Srpski Itebej Serbia 45°35N 20°44E 80 E5
Srungavarapukota India 18°7N 83°10E 126 E6
Ssese Is. = Sese Is. Uganda 0°20S 32°20E 142 C3
Staaten ➔ Australia 16°24S 141°17E 150 B3
Staaten River △ Australia 16°15S 142°40E 150 B3
Stabbursdalen △ Norway 70°5N 24°15E 60 A21
Staberhuk Germany 54°23N 11°18E 76 A7
Stade Germany 53°35N 9°29E 76 B5
Stadskanaal Neths. 53°4N 6°55E 69 A6
Stadtallendorf Germany 50°48N 9°1E 76 E5
Stadthagen Germany 52°19N 9°13E 76 C5
Stadtlohn Germany 51°59N 6°55E 76 D2
Stadtroda Germany 50°52N 11°44E 76 E7
Staffa U.K. 56°27N 6°21W 65 E2
Staffanstorp Sweden 55°39N 13°13E 63 J7
Stafford U.K. 52°49N 2°7W 66 E5
Stafford U.S.A. 37°58N 98°36W 172 G4
Stafford, L. U.S.A. 29°20N 82°29W 179 F7
Stafford Springs U.S.A. 41°57N 72°18W 175 E12
Staffordshire □ U.K. 52°53N 2°10W 66 E5
Stagnone Italy 37°53N 12°26E 94 E5
Stagnone di Marsala ⌓ Italy 37°52N 12°26E 94 E5
Staines-upon-Thames U.K. 51°26N 0°29W 67 F7
Stainz Austria 46°53N 15°17E 78 E8
Stakhanov Ukraine 48°35N 38°40E 85 H10
Stalać Serbia 43°43N 21°28E 96 C5
Stalida Greece 35°17N 25°25E 101 D7
Stallarholmen Sweden 59°22N 17°12E 62 E11
Ställdalen Sweden 59°56N 14°56E 62 E8
Stalowa Wola Poland 50°34N 22°3E 83 H9
Stalybridge U.K. 53°28N 2°3W 66 D5
Stamford Australia 21°15S 143°46E 150 C3
Stamford U.K. 52°39N 0°29W 67 E7
Stamford Conn., U.S.A. 41°3N 73°32W 175 E11
Stamford N.Y., U.S.A. 42°25N 74°38W 175 D10
Stamford Tex., U.S.A. 32°57N 99°48W 176 E5
Stampriet Namibia 24°20S 18°28E 144 B2
Stamps U.S.A. 33°22N 93°30W 176 E8
Stančevo = Kalipetrovo Bulgaria 44°5N 27°14E 97 B11
Standerton S. Africa 26°55S 29°7E 145 C4
Standish U.S.A. 43°59N 83°57W 173 D12
Stanford S. Africa 34°26S 19°29E 144 D2
Stanford U.S.A. 47°9N 110°13W 168 C8
Stånga Sweden 57°17N 18°28E 63 G12
Stanger S. Africa 29°27S 31°14E 145 C5
Stängselåsen = Salpausselkä Finland 61°3N 26°15E 84 B4
Stanhope Australia 36°27S 144°59E 153 D6
Stanišić Serbia 45°56N 19°10E 80 E4
Stanislaus ➔ U.S.A. 37°40N 121°14W 170 H5
Stanisławów Poland 52°18N 21°33E 83 F8
Stanley Australia 40°46S 145°19E 151 G4
Stanley China 22°13N 114°12E 111 a
Stanley Falk. Is. 51°40S 59°51W 192 D5
Stanley U.K. 54°53N 1°41W 66 C6
Stanley Idaho, U.S.A. 44°13N 114°56W 168 D6
Stanley N. Dak., U.S.A. 48°19N 102°23W 172 A2
Stanley N.Y., U.S.A. 42°48N 77°6W 174 D7
Stanley Mission Canada 55°25N 104°33W 163 B8

Sumdo China 35°6N 78°41E 125 B8
Sumé Brazil 7°39S 36°55W 189 B3
Sumedang Indonesia 6°52S 107°55E 119 G12
Sümeg Hungary 46°59N 17°20E 80 D2
Šumen = Shumen Bulgaria 43°18N 26°55E 97 C10
Sumenep Indonesia 7°1S 113°52E 119 G15
Sumgait = Sumqayıt Azerbaijan 40°34N 49°38E 87 K9
Summer L. U.S.A. 42°50N 120°45W 168 E3
Summerland Canada 49°32N 119°41W 162 D5
Summerland Key U.S.A. 24°40N 81°27W 179 L8
Summerside Canada 46°24N 63°47W 165 C7
Summersville U.S.A. 38°17N 80°51W 173 F13
Summerton U.S.A. 33°36N 80°20W 178 B9
Summertown U.S.A. 32°45N 82°16W 178 C7
Summerville Ga., U.S.A. 34°29N 85°21W 177 D12
Summerville S.C., U.S.A. 33°1N 80°11W 178 B9
Summit Lake Canada 54°20N 122°40W 162 C4
Summit Peak U.S.A. 37°21N 106°42W 169 H10
Sumner N.Z. 43°35S 172°48E 155 D7
Sumner Iowa, U.S.A. 42°51N 92°6W 172 D7
Sumner Wash., U.S.A. 47°12N 122°14W 170 C4
Sumner, L. N.Z. 42°42S 172°15E 155 C7
Sumoto Japan 34°21N 134°54E 113 G7
Šumperk Czech Rep. 49°59N 16°59E 79 B9
Sumqayıt Azerbaijan 40°34N 49°38E 87 K9
Sumter U.S.A. 33°55N 80°21W 178 B9
Sumxi China 34°35N 80°22E 109 F10
Sumy Ukraine 50°57N 34°50E 85 G8
Sumy □ Ukraine 50°50N 33°50E 85 G7
Sun City S. Africa 25°17S 27°3E 144 C4
Sun City Center U.S.A. 27°43N 82°21W 179 H7
Sun Kosi → Nepal 26°59N 87°8E 125 F12
Sun Lakes U.S.A. 33°10N 111°52W 169 K8
Sun Valley U.S.A. 43°42N 114°21W 168 E6
Sunagawa Japan 43°29N 141°55E 112 C10
Sunan N. Korea 39°15N 125°40E 115 E13
Sunart, L. U.K. 56°42N 5°43W 65 E3
Sunburst U.S.A. 48°53N 111°55W 168 B8
Sunbury Australia 37°35S 144°44E 153 D6
Sunbury U.S.A. 40°52N 76°48W 175 F8
Sunchales Argentina 30°58S 61°35W 190 C3
Suncheon S. Korea 34°52N 127°31E 115 G14
Suncho Corral Argentina 27°55S 63°27W 190 B3
Sunch'on N. Korea 39°25N 125°56E 115 E13
Suncook U.S.A. 43°8N 71°27W 175 C13
Sunda, Selat Indonesia 6°20S 105°30E 118 F3
Sunda Is. Indonesia 5°0S 105°0E 156 H2
Sunda Str. = Sunda, Selat Indonesia 6°20S 105°30E 118 F3
Sunda Trench = Java Trench Ind. Oc. 9°0S 105°0E 118 F3
Sundance Canada 56°32N 94°4W 163 B10
Sundance U.S.A. 44°24N 104°23W 168 D11
Sundar Nagar India 31°32N 76°53E 124 D7
Sundarbans Asia 22°0N 89°0E 123 J16
Sundarbans △ India 22°0N 88°45E 125 J13
Sundargarh India 22°4N 84°5E 126 C7
Sundays = Sondags → S. Africa 33°44S 25°51E 144 D4
Sunderland Canada 44°16N 79°4W 174 B5
Sunderland U.K. 54°55N 1°23W 66 C6
Sundown △ Australia 28°49S 151°38E 151 D5
Sundre Canada 51°49N 114°38W 162 C6
Sunds Denmark 56°13N 9°1E 63 H3
Sundsvall Sweden 62°23N 17°17E 62 B11
Sundsvallsbukten Sweden 62°21N 17°25E 62 B11
Sungai Acheh Malaysia 5°8N 100°30E 121 c
Sungai Kolok Thailand 6°2N 101°58E 121 J3
Sungai Lembing Malaysia 3°55N 103°3E 121 L4
Sungai Petani Malaysia 5°37N 100°30E 121 K3
Sungaigerong Indonesia 2°59S 104°52E 118 E2
Sungailiat Indonesia 1°51S 106°8E 118 E3
Sungaipenuh Indonesia 2°1S 101°20E 118 E2
Sungari = Songhua Jiang → China 47°45N 132°30E 111 B15
Sunghua Chiang = Songhua Jiang → China 47°45N 132°30E 111 B15
Sungurlu Turkey 40°12N 34°21E 104 B6
Sunja Croatia 45°21N 16°35E 93 C13
Sunland Park U.S.A. 31°50N 106°40W 169 L10
Sunnansjö Sweden 60°13N 14°58E 62 D8
Sunndalsøra Norway 62°40N 8°33E 60 E13
Sunne Sweden 59°52N 13°5E 62 E7
Sunnemo Sweden 59°53N 13°44E 62 E7
Sunnyside U.S.A. 46°20N 120°0W 168 C4
Sunnyvale U.S.A. 37°23N 122°2W 170 H4
Sunrise U.S.A. 26°8N 80°14W 179 J9
Sunrise Manor U.S.A. 36°12N 115°4W 171 J11
Suntar Russia 62°15N 117°30E 107 C12
Sunyani Ghana 7°21N 2°22W 138 D4
Suomenselkä Finland 62°52N 24°0E 60 E21
Suomi = Finland ■ Europe 63°0N 27°0E 60 E22
Suomussalmi Finland 64°54N 29°10E 60 D23
Suoyarvi Russia 62°3N 32°20E 84 A7
Supai U.S.A. 36°15N 112°41W 169 H7
Supaul India 26°10N 86°40E 125 F12
Superior Ariz., U.S.A. 33°18N 111°6W 169 K8
Superior Mont., U.S.A. 47°12N 114°53W 168 C6
Superior Nebr., U.S.A. 40°1N 98°4W 172 E4
Superior Wis., U.S.A. 46°44N 92°6W 172 B7
Superior, L. N. Amer. 47°0N 87°0W 164 C2
Supetar Croatia 43°25N 16°32E 93 E13
Suphan Buri Thailand 14°14N 100°10E 120 E3
Suphan Dağı Turkey 38°54N 42°48E 105 C10
Supiori Indonesia 1°0S 136°0E 119 E9
Supraśl Poland 53°13N 23°19E 83 E10
Supraśl → Poland 53°11N 22°57E 83 E9
Supsa Georgia 42°2N 41°49E 87 J5
Supung Shuiku China 40°35N 124°50E 115 D13
Sūq ash Shuyūkh Iraq 30°53N 46°28E 128 D5
Sūq Suwayq Si. Arabia 24°23N 38°27E 128 E3
Suqian China 33°54N 118°8E 115 H10
Suquṭra = Socotra Yemen 12°30N 54°0E 131 E5
Ṣūr Lebanon 33°19N 35°16E 130 B4
Ṣūr Oman 22°34N 59°32E 131 C6
Sur, Pt. U.S.A. 36°18N 121°54W 170 J5
Sura → Russia 56°6N 46°0E 86 C8
Surab Pakistan 28°25N 66°15E 124 E2
Surabaja = Surabaya Indonesia 7°17S 112°45E 118 F4
Surabaya Indonesia 7°17S 112°45E 118 F4
Surahammar Sweden 59°43N 16°13E 62 E10
Suraia Romania 45°40N 27°25E 81 E12
Surakarta Indonesia 7°35S 110°48E 118 F4
Šurany Slovak Rep. 48°6N 18°10E 79 C11
Surat Australia 27°10S 149°6E 151 D4
Surat India 21°12N 72°55E 126 D1
Surat Thani Thailand 9°6N 99°20E 121 H2
Suratgarh India 29°18N 73°55E 124 E5
Surathkal India 12°58N 74°46E 127 H2
Suraxanı = Qaraçuxar Azerbaijan 40°25N 50°1E 87 K10
Suraymilā Si. Arabia 25°7N 46°7E 128 E5
Suraż Poland 52°57N 22°57E 83 F9
Surazh Belarus 55°25N 30°44E 84 E6
Surazh Russia 53°5N 32°27E 85 F7
Surduc Romania 47°15N 23°25E 81 C8
Surduc Pasul Romania 45°21N 23°23E 81 E8
Surdulica Serbia 42°41N 22°11E 96 D6
Surendranagar India 22°45N 71°40E 124 H4
Surf U.S.A. 34°41N 120°36W 171 L6
Surfers Paradise Australia 28°0S 153°25E 151 D5
Surfside U.S.A. 25°52N 80°7W 179 K9
Surgana India 20°34N 73°37E 126 D1
Surgères France 46°7N 0°47W 72 B3
Surgut Russia 61°14N 73°20E 106 C8
Sùria Spain 41°50N 1°45E 90 D6
Suriapet India 17°10N 79°40E 126 F4
Surigao Phil. 9°47N 125°29E 119 C7
Surin Thailand 14°50N 103°34E 120 E4
Surinam = Suriname ■ S. Amer. 4°0N 56°0W 187 C7
Suriname ■ S. Amer. 4°0N 56°0W 187 C7
Suriname → Suriname 5°50N 55°15W 187 B7
Surjagarh India 19°36N 80°25E 126 E5
Sūrmaq Iran 31°3N 52°48E 129 D7
Sürmene Turkey 41°0N 40°1E 105 B9
Surovikino Russia 48°32N 42°55E 87 F6
Surprise U.S.A. 33°38N 112°19W 169 K7
Surrency U.S.A. 31°44N 82°12W 178 D7
Surrey Canada 49°7N 122°45W 170 A4
Surrey □ U.K. 51°15N 0°31W 67 F7
Sursand India 26°39N 85°43E 125 F11
Sursar → India 26°14N 87°3E 125 F12
Sursee Switz. 47°11N 8°6E 77 H4
Sursk Russia 53°3N 45°40E 86 D7
Surskoye Russia 54°30N 46°44E 86 C8
Surt Libya 31°11N 16°39E 135 B9
Surt, Khalīj Libya 31°40N 18°30E 135 B9
Surtanahu Pakistan 26°22N 70°0E 124 F4
Surte Sweden 57°50N 12°1E 63 G6
Surtsey Iceland 63°20N 20°30W 60 E3
Surubim Brazil 7°50S 35°45W 189 B3
Sürüç Turkey 36°58N 38°25E 105 D8
Suruga-Wan Japan 34°45N 138°30E 113 G9
Surxondaryo □ Uzbekistan 38°0N 67°30E 109 E7
Şuşa Azerbaijan 39°46N 46°45E 105 C12
Susa Italy 45°8N 7°3E 92 C4
Suså → Denmark 55°12N 11°42E 63 J5
Sušac Croatia 42°46N 16°30E 93 F13
Sūsah Libya 32°52N 21°59E 135 B10
Susak Croatia 44°30N 14°18E 93 D11
Susaki Japan 33°22N 133°17E 113 H6
Sūsangerd Iran 31°35N 48°6E 105 G13
Susanville U.S.A. 40°25N 120°39W 168 F3
Susch Switz. 46°46N 10°5E 77 J6
Suşehri Turkey 40°10N 38°6E 105 B8
Sušice Czech Rep. 49°17N 13°30E 78 B6
Susleni Moldova 47°25N 28°59E 81 C13
Susner India 23°57N 76°5E 124 H7
Susong China 30°10N 116°5E 117 B11
Susquehanna U.S.A. 41°57N 75°36W 175 E9
Susquehanna → U.S.A. 39°33N 76°5W 175 G8
Susques Argentina 23°35S 66°25W 190 A2
Sussex Canada 45°45N 65°37W 165 C6
Sussex U.S.A. 41°13N 74°37W 175 E10
Sussex, East □ U.K. 51°0N 0°20E 67 G8
Sussex, West □ U.K. 51°0N 0°30W 67 G7
Sussex Inlet Australia 35°10S 150°36E 153 C9
Sustut → Canada 56°20N 127°30W 162 B3
Susuman Russia 62°47N 148°10E 107 C15
Susunu Indonesia 3°7S 133°39E 119 E8
Susurluk Turkey 39°54N 28°8E 99 B10
Susz Poland 53°44N 19°20E 82 E6
Sutay Uul Asia 46°35N 93°38E 110 B7
Sütçüler Turkey 37°29N 30°57E 104 D4
Şuteşti Romania 45°13N 27°27E 81 E12
Sutherland Australia 34°2S 151°4E 153 C9
Sutherland S. Africa 32°24S 20°40E 144 D3
Sutherland U.K. 58°12N 4°50W 65 C4
Sutherland U.S.A. 41°10N 101°8W 172 E3
Sutherland Falls N.Z. 44°48S 167°46E 155 E2
Sutherlin U.S.A. 43°23N 123°19W 168 E2
Suthri India 23°3N 68°55E 124 H3
Sutjeska △ Bos.-H. 43°50N 18°32E 80 G3
Sutlej → Pakistan 29°23N 71°3E 124 E4
Sutter U.S.A. 39°10N 121°45W 170 F5
Sutter Buttes U.S.A. 39°12N 121°49W 170 F5
Sutter Creek U.S.A. 38°24N 120°48W 170 G6
Sutton Canada 45°6N 72°37W 175 A12
Sutton N.Z. 45°34S 170°8E 155 F5
Sutton Nebr., U.S.A. 40°36N 97°52W 172 E5
Sutton W. Va., U.S.A. 38°40N 80°43W 173 F13
Sutton → Canada 55°15N 83°45W 164 A3
Sutton Coldfield U.K. 52°35N 1°49W 67 E6
Sutton in Ashfield U.K. 53°8N 1°16W 66 D6
Sutton L. Canada 54°15N 84°42W 164 B3
Suttor → Australia 21°36S 147°2E 150 C4
Suttsu Japan 42°48N 140°14E 112 C10
Sutwik I. U.S.A. 56°34N 157°12W 166 D8
Suva Fiji 18°6S 178°30E 154 a
Suva Gora Macedonia 41°45N 21°3E 96 E5
Suva Planina Serbia 43°10N 22°5E 96 C6
Suva Reka = Therandë Kosovo 42°21N 20°50E 96 D4
Suvorov Russia 54°7N 36°30E 84 E9
Suvorov Is. = Suwarrow Is. Cook Is. 13°15S 163°5W 157 J11
Suvorove Ukraine 45°35N 28°59E 81 E13
Suvorovo Bulgaria 43°20N 27°35E 97 C11
Suwałki Poland 54°8N 22°59E 82 D9
Suwannaphum Thailand 15°33N 103°47E 120 E4
Suwannee U.S.A. 29°20N 83°9W 179 F6
Suwannee → U.S.A. 29°17N 83°10W 179 F6
Suwannee Sd. U.S.A. 29°20N 83°15W 179 F6
Suwanose-Jima Japan 29°38N 129°43E 113 K4
Suwarrow Is. Cook Is. 13°15S 163°5W 157 J11
Suwayqīyah, Hawr as Iraq 32°40N 46°3E 105 G12
Suweis, Khalîg el Egypt 28°40N 33°0E 137 F8
Suweis, Qanâ es Egypt 31°0N 32°20E 137 E8
Suwon S. Korea 37°17N 127°1E 115 F14
Suzdal Russia 56°29N 40°26E 84 D11
Suzhou Anhui, China 33°41N 116°59E 114 H9
Suzhou Jiangsu, China 31°19N 120°38E 117 B13
Suzu Japan 37°25N 137°17E 113 F8
Suzu-Misaki Japan 37°31N 137°21E 113 F8
Suzuka Japan 34°55N 136°36E 113 G8
Suzun Russia 53°47N 82°18E 109 B10
Suzzara Italy 44°59N 10°45E 92 D7
Svalbard Arctic 78°0N 17°0E 57 B12
Svalbard Radio = Longyearbyen Svalbard 78°13N 15°40E 54 B8
Svalöv Sweden 55°57N 13°8E 63 J7
Svalyava Ukraine 48°33N 22°59E 80 B7
Svaneke Denmark 55°8N 15°8E 63 J9
Svanetii Georgia 42°50N 42°45E 105 A10
Svängsta Sweden 56°16N 14°47E 63 H8
Svanskog Sweden 59°11N 12°33E 62 E6
Svappavaara Sweden 67°40N 21°3E 60 C19
Svärdsjö Sweden 60°45N 15°54E 62 D9
Svartå Sweden 59°8N 14°32E 62 E8
Svartisen Norway 66°40N 13°59E 60 C15
Svartvik Sweden 62°19N 17°24E 62 B11
Svatove Ukraine 49°22N 38°15E 85 H10
Svatovo = Svatove Ukraine 49°22N 38°15E 85 H10
Svay Chek Cambodia 13°48N 102°58E 120 F4
Svay Rieng Cambodia 11°9N 105°45E 121 G5
Svealand Sweden 60°20N 15°0E 62 D9
Svedala Sweden 55°30N 13°15E 63 J7
Sveg Sweden 62°2N 14°21E 62 B8
Svendborg Denmark 55°4N 10°35E 63 J4
Svenljunga Sweden 57°29N 13°5E 63 G7
Svenstavik Sweden 62°45N 14°26E 62 B8
Svenstrup Denmark 56°58N 9°50E 63 H3
Svenyhorodka Ukraine 49°4N 30°56E 85 H6
Sverdlovsk Ukraine 48°5N 39°47E 85 H10
Sverdrup Chan. Canada 79°56N 96°25W 161 B12
Sverdrup Is. Canada 79°0N 97°0W 158 B10
Sverige = Sweden ■ Europe 57°0N 15°0E 61 H16
Sveshtari Bulgaria 43°40N 26°40E 97 C10
Svetac Croatia 43°3N 15°43E 93 E12
Sveti Nikola, Prokhad Europe 43°27N 22°6E 96 C6
Sveti Nikole Macedonia 41°51N 21°56E 96 E5
Sveti Rok Croatia 44°22N 15°39E 93 D12
Svetlaya Russia 46°33N 138°18E 112 A9
Svetlogorsk = Svyetlahorsk Belarus 52°38N 29°46E 75 B15
Svetlogorsk Russia 54°56N 20°10E 82 D7
Svetlograd Russia 45°25N 42°58E 87 H6
Svetlovodsk = Svitlovodsk Ukraine 49°2N 33°13E 85 H7
Svetlyy Kaliningrad, Russia 54°41N 20°8E 82 D7
Svetlyy Orenburg, Russia 50°48N 60°51E 108 B6
Svidník Slovak Rep. 49°20N 21°37E 79 B14
Svilaja Planina Croatia 43°49N 16°31E 93 E13
Svilajnac Serbia 44°15N 21°11E 96 B5
Svilengrad Bulgaria 41°49N 26°12E 97 E10
Svir → Russia 60°30N 32°48E 84 B7
Sviritsa Russia 60°29N 32°51E 84 B7
Svishtov Bulgaria 43°36N 25°23E 97 C9
Svislach Belarus 53°3N 24°2E 83 E11
Svitava → Czech Rep. 49°11N 16°37E 79 B9
Svitavy Czech Rep. 49°47N 16°28E 79 B9
Svitlovodsk Ukraine 49°2N 33°13E 85 H7
Svityaz, Ozero Ukraine 51°30N 23°50E 83 G10
Svizzera = Switzerland ■ Europe 46°30N 8°0E 77 J4
Svobodnyy Russia 51°20N 128°0E 107 D13
Svoge Bulgaria 42°59N 23°23E 96 D7
Svolvær Norway 68°15N 14°34E 60 B16
Svratka → Czech Rep. 49°11N 16°38E 79 B9
Svrljig Serbia 43°25N 22°6E 96 C6
Svyetlahorsk Belarus 52°38N 29°46E 75 B15
Swabian Alps = Schwäbische Alb Germany 48°20N 9°30E 77 G5
Swaffham U.K. 52°39N 0°42E 67 E8
Swains I. Amer. Samoa 11°11S 171°4W 157 J11
Swainsboro U.S.A. 32°36N 82°20W 178 C7
Swakop → Namibia 22°38S 14°36E 144 B2
Swakopmund Namibia 22°37S 14°30E 144 B1
Swale → U.K. 54°5N 1°20W 66 C6
Swamihalli India 14°52N 76°38E 127 G3
Swan → Australia 32°3S 115°45E 149 F2
Swan → Canada 52°30N 100°45W 163 C8
Swan Hill Australia 35°20S 143°33E 152 C5
Swan Hills Canada 54°43N 115°24W 162 C5
Swan Is. = Santanilla, Is. Honduras 17°22N 83°57W 182 C3
Swan L. = Kalajun-Ku'erdening ⌂ China 43°10N 81°50E 109 D10
Swan L. Man., Canada 52°30N 100°40W 163 C8
Swan L. Ont., Canada 54°16N 91°11W 164 B1
Swan Ra. U.S.A. 48°0N 113°45W 168 C7
Swan Reach Australia 34°35S 139°37E 152 C3
Swan River Canada 52°10N 101°16W 163 C8
Swanage U.K. 50°36N 1°58W 67 G6
Swansea N.S.W., Australia 33°3S 151°35E 153 B9
Swansea Tas., Australia 42°8S 148°4E 151 G4
Swansea Canada 43°38N 79°28W 174 C5
Swansea U.K. 51°37N 3°57W 67 F4
Swansea U.S.A. 33°44N 81°6W 178 B8
Swansea □ U.K. 51°38N 4°3W 67 F3
Swartberge S. Africa 33°20S 22°0E 144 D3
Swartmodder S. Africa 28°1S 20°32E 144 C3
Swartnossob → Namibia 23°8S 18°42E 144 B2
Swartruggens S. Africa 25°39S 26°42E 144 C4
Swarzędz Poland 52°25N 17°4E 83 F4
Swastika Canada 48°7N 80°6W 164 C3
Swat → Pakistan 34°40N 72°5E 125 B5
Swatow = Shantou China 23°18N 116°40E 117 F11
Swaziland ■ Africa 26°30S 31°30E 145 C5
Sweden ■ Europe 57°0N 15°0E 61 H16
Swedru Ghana 5°32N 0°41W 139 D4
Sweet Grass U.S.A. 48°59N 111°58W 168 B8
Sweet Home U.S.A. 44°24N 122°44W 168 D2
Sweetwater Nev., U.S.A. 38°27N 119°9W 170 G7
Sweetwater Tenn., U.S.A. 35°36N 84°28W 177 D12
Sweetwater Tex., U.S.A. 32°28N 100°25W 176 E4
Sweetwater → U.S.A. 42°31N 107°2W 168 E10
Swellendam S. Africa 34°1S 20°26E 144 D3
Świdnica Poland 50°50N 16°30E 83 H3
Świdnik Poland 51°13N 22°39E 83 G9
Świdwin Poland 53°47N 15°49E 82 E2
Świebodzice Poland 50°51N 16°20E 83 H3
Świebodzin Poland 52°15N 15°31E 83 F2
Świecie Poland 53°25N 18°30E 82 E5
Świerzawa Poland 51°1N 15°54E 83 G2
Świętokrzyski △ Poland 50°53N 20°59E 83 H7
Świętokrzyskie □ Poland 50°45N 20°45E 83 H7
Świętokrzyskie, Góry Poland 51°0N 20°30E 83 H7
Swift Current Canada 50°20N 107°45W 163 C7
Swift Current → Canada 50°38N 107°44W 163 C7
Swifts Creek Australia 37°15S 147°44E 153 D7
Swilly, L. Ireland 55°12N 7°33W 64 A4
Swindon U.K. 51°34N 1°46W 67 F6
Swindon □ U.K. 51°34N 1°46W 67 F6
Swinemünde = Świnoujście Poland 53°54N 14°16E 82 E1
Swinford Ireland 53°57N 8°58W 64 C3
Świnoujście Poland 53°54N 14°16E 82 E1
Switzerland ■ Europe 46°30N 8°0E 77 J4
Swords Ireland 53°28N 6°13W 64 C5
Swoyerville U.S.A. 41°18N 75°53W 175 E9
Syasstroy Russia 60°9N 32°33E 84 B7
Sychevka Russia 55°59N 34°16E 84 E8
Syców Poland 51°19N 17°40E 83 G4
Syddanmark □ Denmark 55°30N 9°0E 63 J2
Sydenham → Canada 42°33N 82°25W 174 D2
Sydney Australia 33°52S 151°12E 153 B9
Sydney Canada 46°7N 60°7W 165 C7
Sydney L. Canada 50°41N 94°25W 163 C10
Sydney Mines Canada 46°18N 60°15W 165 C7
Sydprøven = Alluitsup Paa Greenland 60°30N 45°35W 57 E6
Sydra, G. of = Surt, Khalīj Libya 31°40N 18°30E 135 B9
Syeverodonetsk Ukraine 48°58N 38°35E 85 H10
Syke Germany 52°55N 8°50E 76 C4
Sykesville U.S.A. 41°3N 78°50W 174 E6
Syktyvkar Russia 61°45N 50°40E 106 C6
Sylacauga U.S.A. 33°10N 86°15W 178 B3
Sylarna Sweden 63°2N 12°13E 60 E15
Sylhet Bangla. 24°54N 91°52E 123 G17
Sylhet □ Bangla. 24°50N 91°50E 123 G17
Sylt Germany 54°54N 8°22E 76 A4
Sylvan Beach U.S.A. 43°12N 75°44W 175 C9
Sylvan Lake Canada 52°20N 114°3W 162 C6
Sylvania Ga., U.S.A. 32°45N 81°38W 178 C8
Sylvania Ohio, U.S.A. 41°43N 83°42W 173 E12
Sylvester U.S.A. 31°32N 83°50W 178 D6
Sym Russia 60°20N 88°18E 106 C9
Synelnykove Ukraine 48°25N 35°30E 85 H8
Synevyr △ Ukraine 48°30N 23°40E 81 B8
Synevyrska Polyana Ukraine 48°35N 23°41E 81 B8
Synnot Ra. Australia 16°30S 125°20E 148 C4
Synyak Ukraine 48°35N 22°51E 80 B7
Syöte △ Finland 65°44N 27°58E 60 D22
Syowa Antarctica 68°50S 12°0E 55 C5
Syracuse Kans., U.S.A. 37°59N 101°45W 172 G3
Syracuse N.Y., U.S.A. 43°3N 76°9W 175 C8
Syracuse Nebr., U.S.A. 40°39N 96°11W 172 E5
Syrdarya → Kazakhstan 46°3N 61°0E 108 C6
Syria ■ Asia 35°0N 38°0E 105 E8
Syrian Desert = Shām, Bādiyat ash Asia 32°0N 40°0E 128 C3
Syros = Ermoupoli Greece 37°28N 24°57E 98 D6
Sysslebäck Sweden 60°44N 12°52E 62 D6
Syzran Russia 53°12N 48°30E 86 D9
Szabolcs-Szatmár-Bereg □ Hungary 48°2N 21°45E 80 B6
Szadek Poland 51°41N 18°59E 83 G5
Szamocin Poland 53°2N 17°7E 83 E4
Szamos → Hungary 48°7N 22°20E 80 B7
Szamotuły Poland 52°37N 16°33E 83 F3
Száraz → Hungary 46°10N 21°15E 80 D6
Szarvas Hungary 46°50N 20°38E 80 D5
Százhalombatta Hungary 47°20N 18°58E 80 C3
Szczawnica Poland 49°26N 20°30E 83 J7
Szczebrzeszyn Poland 50°42N 22°59E 83 H9
Szczecin Poland 53°27N 14°27E 82 E1
Szczecinek Poland 53°43N 16°41E 82 E3
Szczeciński, Zalew = Stettiner Haff Germany 53°47N 14°15E 76 B10
Szczekociny Poland 50°38N 19°48E 83 H6
Szczucin Poland 50°18N 21°4E 83 H8
Szczuczyn Poland 53°36N 22°19E 82 E9
Szczyrk Poland 49°43N 19°2E 83 J6
Szczytna Poland 50°25N 16°28E 83 H3
Szczytno Poland 53°33N 21°0E 82 E7
Szechuan = Sichuan □ China 30°30N 103°0E 116 B5
Szechuan Basin = Sichuan Pendi China 31°0N 105°0E 116 B5
Szécsény Hungary 48°7N 19°30E 80 B4
Szeged Hungary 46°16N 20°10E 80 D5
Szeghalom Hungary 47°1N 21°10E 80 C6
Székesfehérvár Hungary 47°15N 18°25E 80 C3
Szekszárd Hungary 46°22N 18°42E 80 D3
Szendrő Hungary 48°24N 20°41E 80 B5
Szentendre Hungary 47°39N 19°4E 80 C4
Szentes Hungary 46°39N 20°21E 80 D5
Szentgotthárd Hungary 46°58N 16°19E 80 D1
Szentlőrinc Hungary 46°3N 18°1E 80 D3
Szerencs Hungary 48°10N 21°12E 80 B6
Szigetszentmiklós Hungary 47°21N 19°3E 80 C4
Szigetvár Hungary 46°3N 17°46E 80 D2
Szikszó Hungary 48°12N 20°56E 80 B5
Szklarska Poręba Poland 50°50N 15°33E 83 H2
Szkwa → Poland 53°11N 21°43E 83 E8
Szlichtyngowa Poland 51°42N 16°15E 83 G3
Szob Hungary 47°48N 18°53E 80 C3
Szolnok Hungary 47°10N 20°15E 80 C5
Szombathely Hungary 47°14N 16°38E 80 C1
Szprotawa Poland 51°33N 15°35E 83 G2
Sztum Poland 53°55N 19°1E 82 E6
Sztutowo Poland 54°20N 19°15E 82 D6
Szubin Poland 53°1N 17°45E 83 E4
Szydłowiec Poland 51°15N 20°51E 83 G7
Szypliszki Poland 54°17N 23°2E 82 D10

T

Ta Khli Thailand 15°15N 100°21E 120 E3
Ta Lai Vietnam 11°24N 107°23E 121 G6
Ta Phraya △ Thailand 14°11N 102°49E 120 E4
Taal Volcano Phil. 14°7N 120°59E 119 B6
Taamisaari = Raasepori Finland 60°0N 23°26E 84 B2
Tab Hungary 46°44N 18°2E 80 D3
Tabacal Argentina 23°15S 64°15W 190 A3
Tabaco Phil. 13°22N 123°44E 119 B6
Tabagné Ivory C. 7°59N 3°4W 138 D4
Ṭābah Si. Arabia 26°55N 42°38E 128 E4
Tabalos Peru 6°26S 76°37W 188 B2
Tabanan Indonesia 8°32S 115°8E 119 K18
Tabankort Niger 17°44N 0°20E 139 B5
Tabarka Tunisia 36°56N 8°46E 136 A5
Ṭabas Khorāsān, Iran 32°48N 60°12E 129 C9
Ṭabas Yazd, Iran 33°35N 56°55E 129 C8
Tabasará, Serranía de Panama 8°35N 81°40W 182 E3
Tabasco □ Mexico 18°0N 92°40W 181 D6
Tabāsīn Iran 31°12N 57°54E 129 D8
Tabatinga Brazil 4°16S 69°56W 188 A4
Tabatinga, Serra da Brazil 10°30S 44°0W 189 C2
Tabelbala Algeria 29°24N 3°15W 136 C3
Tabelbala, Kahal de Algeria 28°47N 2°0W 136 C3
Tabelembila Algeria 24°43N 4°16E 136 D4
Taber Canada 49°47N 112°8W 162 D6
Taberg Sweden 57°40N 14°5E 63 G8
Tabira Brazil 7°35S 37°33W 189 B3
Tabla Niger 13°46N 3°1E 139 C5
Tablas de Daimiel △ Spain 39°9N 3°40W 89 F7
Tablas I. Phil. 12°25N 122°2E 119 B6
Table, Pte. de la Réunion 21°14S 55°48E 141 c
Table B. Canada 53°40N 56°25W 165 B8
Table B. S. Africa 33°35S 18°25E 144 D2
Table C. N.Z. 39°6S 178°0E 154 F7
Table I. Burma 14°12N 93°22E 127 G11
Table Mountain △ S. Africa 33°58S 18°28E 144 D2
Table Mt. S. Africa 33°58S 18°26E 144 D2
Table Rock L. U.S.A. 36°36N 93°19W 172 G7
Tabletop, Mt. Australia 23°24S 147°11E 150 C4
Tábor Czech Rep. 49°25N 14°39E 78 B7
Tabora Tanzania 5°2S 32°50E 142 D3
Tabora □ Tanzania 5°0S 33°0E 142 D3
Tabou Ivory C. 4°30N 7°20W 138 E3
Tabrīz Iran 38°7N 46°20E 105 C12
Tabuaeran Kiribati 3°51N 159°22W 157 G12
Tabuenca Spain 41°42N 1°33W 90 D3
Tabūk Si. Arabia 28°23N 36°36E 128 D3
Tabūk □ Si. Arabia 27°40N 36°50E 128 E3
Taburno-Camposauro ⌂ Italy 41°8N 14°37E 95 A7
Täby Sweden 59°26N 18°2E 62 E12
Tacámbaro de Codallos Mexico 19°14N 101°28W 180 D4
Tacheng China 46°40N 82°58E 109 C10
Tach'i Taiwan 24°53N 121°17E 117 E13
Tachia Taiwan 24°25N 120°28E 117 E13
Tachilek Burma 20°26N 99°52E 120 B2
Tach'ing Shan = Daqing Shan China 40°40N 111°0E 114 D6
Tachov Czech Rep. 49°47N 12°39E 78 B5
Tácina → Italy 38°57N 16°55E 95 D9
Tacloban Phil. 11°15N 124°58E 119 B6
Tacna Peru 18°0S 70°20W 188 D3
Tacna □ Peru 17°40S 70°20W 188 D3
Tacoma U.S.A. 47°14N 122°26W 170 C4
Tacuarembó Uruguay 31°45S 56°0W 191 C4
Tademaït, Plateau du Algeria 28°30N 2°30E 136 C4
Tādepallegudem India 16°50N 81°30E 126 F5
Tadio, L. Ivory C. 5°10N 5°15W 138 D3
Tadjerdjeri, O. → Algeria 26°0N 8°0E 136 C5
Tadjerouna Algeria 33°31N 2°3E 136 B4
Tadjmout Laghouat, Algeria 33°52N 2°30E 136 B4
Tadjmout Saoura, Algeria 25°37N 3°48E 136 C4
Tadjourah Djibouti 11°50N 42°55E 131 E3
Tadla-Azilal □ Morocco 32°0N 6°30W 136 B2
Tadmor N.Z. 41°27S 172°45E 155 B7
Tadoba △ India 20°30N 78°20E 126 D4
Tadoule L. Canada 58°36N 98°20W 163 B9
Tadoussac Canada 48°11N 69°42W 165 C6
Tadpatri India 14°55N 78°1E 127 G4
Tadrés △ Niger 16°0N 7°0E 139 B6
Tadzhikistan = Tajikistan ■ Asia 38°30N 70°0E 109 E8
Taegu = Daegu S. Korea 35°50N 128°37E 115 G15
Taegwan N. Korea 40°13N 125°12E 115 D13
Taejŏn = Daejeon S. Korea 36°20N 127°28E 115 F14
Taen, Ko Thailand 9°22N 99°57E 121 b
Tafalla Spain 42°30N 1°41W 90 C3
Tafelbaai = Table B. S. Africa 33°35S 18°25E 144 D2
Tafelney, C. Morocco 31°3N 9°51W 136 B2
Tafermaar Indonesia 6°47S 134°10E 119 F8
Taffermit Morocco 29°37N 9°15W 136 C2
Tafí Viejo Argentina 26°43S 65°17W 190 B2
Tafīhān Iran 29°25N 52°39E 129 D7
Tafilalet Morocco 31°20N 4°45W 136 B3
Tafiré Ivory C. 9°4N 5°4W 138 D3
Tafo Ghana 6°15N 0°20W 139 D4
Tafraoute Morocco 29°50N 8°58W 136 C2
Tafresh Iran 34°45N 49°57E 129 C6
Taft Iran 31°45N 54°14E 129 D7
Taft Phil. 11°57N 125°30E 119 B7
Taft U.S.A. 35°8N 119°28W 171 K7
Taftan Pakistan 29°0N 61°30E 122 E2
Taftān, Kūh-e Iran 28°40N 61°0E 129 D9
Tafwap India 7°23N 93°43E 127 L11
Taga Dzong Bhutan 27°5N 89°55E 123 F16
Taganay △ Russia 55°15N 59°48E 108 B5
Taganrog Russia 47°12N 38°50E 85 J10
Taganrogskiy Zaliv Russia 47°0N 38°30E 85 J10
Tagânt □ Mauritania 19°0N 10°0W 138 B3
Tagbilaran Phil. 9°39N 123°51E 119 C6
Tàggia Italy 43°52N 7°51E 92 E4
Taghit Algeria 30°58N 2°0W 136 B3
Tagish Canada 60°19N 134°16W 162 A2
Tagish L. Canada 60°10N 134°20W 162 A2
Tagliacozzo Italy 42°4N 13°14E 93 F10
Tagliamento → Italy 45°38N 13°6E 93 C10
Táglio di Po Italy 45°0N 12°12E 93 D9
Tagomago Spain 39°2N 1°39E 100 B8
Tagourāret Mauritania 17°45N 7°45W 138 B3
Taguatinga Distrito Federal, Brazil 15°51S 48°4W 189 D1
Taguatinga Tocantins, Brazil 12°27S 46°22W 189 C1
Tagum Phil. 7°33N 125°53E 119 C7
Tagus = Tejo → Europe 38°40N 9°24W 89 F2
Tahakopa N.Z. 46°30S 169°23E 155 G4
Tahala Morocco 34°0N 4°28W 136 B3
Tahan, Gunung Malaysia 4°34N 102°17E 121 K4
Tahat Algeria 23°18N 5°33E 136 D5
Tāherī Iran 27°43N 52°20E 129 E7
Tahifet Algeria 22°58N 6°0E 136 D5
Tahiti French Polynesia 17°37S 149°27W 155 b
Tahiti, I. Tahiti 17°37S 149°27W 155 b
Tahlequah U.S.A. 35°55N 94°58W 176 D7
Tahoe, L. U.S.A. 39°6N 120°2W 170 G6
Tahoe City U.S.A. 39°10N 120°9W 170 F6
Tahoka U.S.A. 33°10N 101°48W 176 E4
Taholah U.S.A. 47°21N 124°17W 170 C2
Tahora N.Z. 39°2S 174°49E 154 F3
Tahoua Niger 14°57N 5°16E 139 C6
Tahrūd Iran 29°26N 57°49E 129 D8
Tahsis Canada 49°55N 126°40W 162 D3
Tahta Egypt 26°44N 31°32E 137 B3
Tahtaköprü Turkey 39°57N 29°39E 97 G13
Tahtalı Dağları Turkey 38°20N 36°0E 104 C7
Tahuamanú → Bolivia 11°6S 67°36W 188 C4
Tahulandang Indonesia 2°27N 125°23E 119 D7
Tahuna Indonesia 3°38N 125°30E 119 D7
Taï Ivory C. 5°55N 7°30W 138 D3
Taï △ Ivory C. 5°25N 7°5W 138 D3
Tai Hu China 31°5N 120°10E 117 B13
Tai Mo Shan China 22°25N 114°7E 111 a
Tai O China 22°15N 113°52E 111 a
Tai Pang Wan China 22°33N 114°24E 111 a
Tai Po China 22°27N 114°10E 111 a
Tai Rom Yen △ Thailand 8°45N 99°30E 121 H2
Tai Shan China 36°25N 117°20E 115 F9
Tai Yue Shan = Lantau I. China 22°15N 113°56E 111 a
Tai'an China 36°12N 117°8E 115 F9
Taiarapu, Presqu'île de Tahiti 17°47S 149°14W 155 b
Taibai Shan China 33°57N 107°45E 114 H4
Taibique Canary Is. 27°42N 17°58W 100 G2
Taibus Qi China 41°54N 115°22E 114 D8
Taicang China 31°30N 121°5E 117 B13
T'aichung Taiwan 24°9N 120°37E 117 E13
Taieri → N.Z. 46°3S 170°12E 155 G5
Taigu China 37°28N 112°30E 114 F7
Taihang Shan China 36°0N 113°30E 114 G7
Taihape N.Z. 39°41S 175°48E 154 F4
Taihe Anhui, China 33°20N 115°42E 114 H8
Taihe Jiangxi, China 26°47N 114°52E 117 D10
Taihu China 30°22N 116°20E 117 B11
Taijiang China 26°39N 108°21E 116 D7
Taikang China 34°5N 114°50E 114 G8
Tailem Bend Australia 35°12S 139°29E 152 C3
Tailfingen Germany 48°15N 9°1E 77 G5
T'ailuko Taiwan 24°9N 121°37E 117 E13
Taimyr Peninsula = Taymyr, Poluostrov Russia 75°0N 100°0E 107 B11
Tain U.K. 57°49N 4°4W 65 D4
T'ainan Taiwan 23°0N 120°10E 117 F13
Taining China 26°54N 117°9E 117 D11
Taiobeiras Brazil 15°49S 42°14W 189 D2
Taipa China 22°10N 113°35E 111 a
T'aipei Taiwan 25°4N 121°29E 117 E13
Taiping China 30°15N 118°6E 117 B12
Taiping Malaysia 4°51N 100°44E 121 K3
Taiping Dao = Itu Aba I. S. China Sea 10°23N 114°21E 118 B4
Taipingchuan China 44°23N 123°11E 115 B12
Taipingzhen China 33°35N 111°42E 114 H6
Taipu Brazil 5°37S 35°36W 189 B3
Tairua N.Z. 37°0S 175°51E 154 D4
Taishan China 22°14N 112°41E 117 F9
Taishun China 27°30N 119°42E 117 D12
Taita Hills Kenya 3°25S 38°15E 142 C4
Taita-Taveta □ Kenya 3°20S 38°15E 142 C4
Taitao, C. Chile 45°53S 75°5W 192 C1
Taitao, Pen. de Chile 46°30S 75°0W 192 C2
T'aitung Taiwan 22°43N 121°4E 117 F13
Taivalkoski Finland 65°33N 28°12E 60 D23
Taiwan ■ Asia 23°30N 121°0E 117 F13
Taiwan Strait Asia 24°40N 120°0E 117 E12
Taixing China 32°11N 120°0E 117 A13
Taiyiba Israel 32°36N 35°27E 130 C4
Taiyuan China 37°52N 112°33E 114 F7
Taizhou Jiangsu, China 32°28N 119°55E 117 A12
Taizhou Zhejiang, China 28°40N 121°24E 117 C13
Taizhou Liedao China 28°30N 121°55E 117 C13
Ta'izz Yemen 13°35N 44°2E 131 E3
Taj Mahal India 27°10N 78°2E 124 F8
Tājābād Iran 30°2N 54°24E 129 D7
Tajikistan ■ Asia 38°30N 70°0E 109 E8
Tajima = Minamiaizu Japan 37°12N 139°46E 113 F9
Tajo = Tejo → Europe 38°40N 9°24W 89 F2
Tajrīsh Iran 35°48N 51°25E 129 C6
Tak Thailand 16°52N 99°8E 120 D2
Takāb Iran 36°24N 47°7E 105 D12
Takachiho Japan 32°42N 131°18E 113 H5
Takachu Botswana 22°37S 21°58E 144 B3
Takada Japan 37°7N 138°15E 113 F9
Takahagi Japan 36°43N 140°45E 113 F10
Takaka N.Z. 40°51S 172°50E 155 A7
Takamaka Seychelles 4°50S 55°30E 141 b
Takamatsu Japan 34°20N 134°5E 113 G7
Takaoka Japan 36°47N 137°0E 113 F8
Takapau N.Z. 40°2S 176°21E 154 G5
Takapuna N.Z. 36°47S 174°47E 154 C3
Takasaki Japan 36°20N 139°0E 113 F9
Takatsuki Japan 34°51N 135°37E 113 G7
Takaungu Kenya 3°38S 39°52E 142 C4
Takayama Japan 36°18N 137°11E 113 F8
Take-Shima Japan 30°49N 130°26E 113 J5
Takefu = Echizen Japan 35°50N 136°10E 113 G8
Takengon Indonesia 4°45N 96°50E 118 D1
Takeo Cambodia 10°59N 104°47E 121 G5
Takeo Japan 33°12N 130°1E 113 H5
Tåkern Sweden 58°22N 14°45E 63 F8
Takeshima = Liancourt Rocks Asia 37°15N 131°52E 113 F5
Tākestān Iran 36°0N 49°40E 129 C6

Taketa *Japan* 32°58N 131°24E **113** H5
Takh *India* 33°6N 77°32E **125** C7
Takhār □ *Afghan.* 36°40N 70°0E **109** E7
Takhiyatas *Uzbekistan* 42°20N 59°33E **108** D5
Takhmau *Cambodia* 11°29N 104°57E **121** G5
Takht-e Soleyman *Iran* 36°36N 47°14E **105** D12
Takht-Sulaiman *Pakistan* 31°40N 69°58E **124** D3
Takiéta *Niger* 13°41N 8°32E **139** C6
Takikawa *Japan* 43°33N 141°54E **112** C10
Takla L. *Canada* 55°15N 125°45W **162** B3
Takla Landing *Canada* 55°30N 125°50W **162** B3
Taklamakan *China* 38°0N 83°0E **109** E10
Taklamakan Shamo = Taklamakan *China* 38°0N 83°0E **109** E10
Taksimo *Russia* 56°20N 114°52E **107** D12
Taku → *Canada* 58°30N 133°50W **162** B2
Takua Thung *Thailand* 8°24N 98°27E **121** a
Takum *Nigeria* 7°18N 9°36E **139** D6
Tal Halāl *Iran* 28°54N 55°1E **129** D7
Tala *Uruguay* 34°21S 55°46W **191** C4
Talachyn *Belarus* 54°25N 29°42E **84** E5
Talagang *Pakistan* 32°55N 72°25E **124** C5
Talagante *Chile* 33°40S 70°50W **190** C1
Talahouhait *Algeria* 24°52N 1°5E **136** D4
Talaimannar *Sri Lanka* 9°6N 79°43E **127** K4
Talaïnt *Morocco* 29°41N 9°40W **136** C2
Talak *Niger* 18°0N 5°0E **139** B6
Talamanca, Cordillera de *Cent. Amer.* 9°20N 83°20W **182** E3
Talampaya △ *Argentina* 29°43S 67°42W **190** B2
Talant *France* 47°19N 4°58E **71** E11
Talara *Peru* 4°38S 81°18W **188** A1
Talas *Kyrgyzstan* 42°30N 72°13E **109** D8
Talas *Turkey* 38°41N 35°33E **104** C6
Talas □ *Kyrgyzstan* 42°20N 72°0E **109** D8
Talas → *Kazakhstan* 44°0N 70°20E **109** D8
Talas Ala Too *Kyrgyzstan* 42°15N 72°0E **109** D8
Talasskiy Alatau = Talas Ala Too *Kyrgyzstan* 42°15N 72°0E **109** D8
Talâta *Egypt* 30°36N 32°20E **130** E1
Talata Mafara *Nigeria* 12°38N 6°4E **139** C6
Talaud, Kepulauan *Indonesia* 4°30N 126°50E **119** D7
Talaud Is. = Talaud, Kepulauan *Indonesia* 4°30N 126°50E **119** D7
Talavera de la Reina *Spain* 39°55N 4°46W **88** F6
Talavera la Real *Spain* 38°53N 6°46W **89** G4
Talayan *Phil.* 6°52N 124°24E **119** C6
Talayuela *Spain* 39°59N 5°36W **88** F5
Talbandh *India* 22°3N 86°20E **125** H12
Talbert, Sillon de *France* 48°53N 3°5W **70** D3
Talbot *Australia* 37°10S 143°44E **152** D5
Talbot, C. *Australia* 13°48S 126°43E **148** B4
Talbotton *U.S.A.* 32°41N 84°32W **178** C5
Talbragar → *Australia* 32°12S 148°37E **153** B8
Talca *Chile* 35°28S 71°40W **190** D1
Talcahuano *Chile* 36°40S 73°10W **190** D1
Talcher *India* 21°0N 85°18E **126** D7
Talcho *Niger* 14°44N 3°28E **139** C5
Taldy Kurgan = Taldyqorghan *Kazakhstan* 45°10N 78°45E **109** C9
Taldyqorghan *Kazakhstan* 45°10N 78°45E **109** C9
Tālesh *Iran* 37°58N 48°58E **105** D13
Tālesh, Kūhhā-ye *Iran* 37°42N 48°55E **105** D13
Talgar = Talghar *Kazakhstan* 43°19N 77°15E **109** D9
Talghar *Kazakhstan* 43°19N 77°15E **109** D9
Talguharai *Sudan* 18°19N 35°56E **137** D4
Talguppa *India* 14°13N 74°56E **127** G2
Tali Post *South Sudan* 5°55N 30°44E **135** G12
Taliabu *Indonesia* 1°50S 125°0E **119** E6
Talibon *Phil.* 10°9N 124°20E **119** B6
Talihina *U.S.A.* 34°45N 95°3W **176** D7
Talikota *India* 16°29N 76°17E **127** F3
Talipparamba *India* 12°3N 75°21E **127** H2
Taliwang *Indonesia* 8°50S 116°55E **118** F5
Talkha *Egypt* 31°3N 31°22E **137** E7
Talkot *Nepal* 29°37N 81°19E **125** E9
Tall 'Afar *Iraq* 36°22N 42°27E **105** D10
Tall Kalakh *Syria* 34°41N 36°15E **130** A5
Tall Kayf *Iraq* 36°29N 43°7E **105** D10
Talla *Egypt* 28°5N 30°43E **137** F7
Talladega *U.S.A.* 33°26N 86°6W **178** B3
Tallaganda △ *Australia* 35°29S 149°37E **153** C8
Tallahassee *U.S.A.* 30°27N 84°17W **178** E5
Tallangatta *Australia* 36°15S 147°19E **153** D7
Tallapoosa *U.S.A.* 33°45N 85°17W **178** B4
Tallapoosa → *U.S.A.* 32°30N 86°16W **178** C3
Tallard *France* 44°28N 6°3E **73** D10
Tallarook *Australia* 37°5S 145°6E **153** D6
Tallassee *U.S.A.* 32°32N 85°54W **178** C4
Tällberg *Sweden* 60°51N 15°2E **62** D9
Tallering Pk. *Australia* 28°6S 115°37E **149** E2
Talli *Pakistan* 29°32N 68°8E **124** E3
Tallinn *Estonia* 59°22N 24°48E **84** C3
Tallmadge *U.S.A.* 41°6N 81°27W **174** E3
Tallulah *U.S.A.* 32°25N 91°11W **176** E9
Tălmaciu *Romania* 45°38N 24°19E **81** E9
Talmest *Morocco* 31°48N 9°21W **136** B2
Talmont-St-Hilaire *France* 46°27N 1°37W **72** B2
Talnakh *Russia* 69°29N 88°22E **107** C9
Talne *Ukraine* 48°50N 30°44E **85** H6
Talnoye = Talne *Ukraine* 48°50N 30°44E **85** H6
Taloda *India* 21°34N 74°11E **126** D2
Tālogān *Afghan.* 36°44N 69°33E **109** E7
Talovaya *Russia* 51°6N 40°45E **86** E5
Taloyoak *Canada* 69°32N 93°32W **160** D13
Talpa de Allende *Mexico* 20°23N 104°51W **180** C4
Talparo *Trin. & Tob.* 10°30N 61°17W **187** K15
Talquin, L. *U.S.A.* 30°23N 84°39W **178** E5
Talsi *Latvia* 57°10N 22°30E **82** A9
Talsinnt *Morocco* 32°33N 3°27W **136** B3
Taltal *Chile* 25°23S 70°33W **190** B1
Taltson → *Canada* 61°24N 112°46W **162** A6
Talwood *Australia* 28°29S 149°29E **151** D4
Talyawalka Cr. → *Australia* 32°28S 142°22E **152** B5
Tam Dao △ *Vietnam* 21°45N 105°45E **120** B5
Tam Ky *Vietnam* 15°34N 108°29E **120** E7
Tam Quan *Vietnam* 14°35N 109°3E **120** E7
Tama *U.S.A.* 41°58N 92°35W **172** E7
Tama Abu, Banjaran *Malaysia* 3°50N 115°5E **118** D5
Tamale *Ghana* 9°22N 0°50W **139** D4
Taman *Russia* 45°14N 36°41E **85** K9
Taman Negara △ *Malaysia* 4°38N 102°26E **121** K4
Tamanar *Morocco* 31°1N 9°46W **136** B2
Tamani *Mali* 13°20N 6°50W **138** C3
Tamano *Japan* 34°29N 133°59E **113** G6
Tamanrasset *Algeria* 22°50N 5°30E **136** D5
Tamanrasset □ *Algeria* 23°45N 4°40E **136** D4
Tamaqua *U.S.A.* 40°48N 75°58W **175** F9
Tamar → *U.K.* 50°27N 4°15W **67** G3
Tamarac *U.S.A.* 26°12N 80°15W **179** J9
Tamarin *Mauritius* 20°19S 57°20E **141** d
Tamarinda *Spain* 39°55N 3°49E **100** B10
Tamarite de Litera *Spain* 41°52N 0°25E **90** D5
Tamashima *Japan* 34°32N 133°40E **113** G6
Tamási *Hungary* 46°40N 18°18E **80** D3
Tamaské *Niger* 14°49N 5°43E **139** C6
Tamatave = Toamasina *Madag.* 18°10S 49°25E **141** H9
Tamaulipas □ *Mexico* 24°0N 98°45W **181** C5
Tamaulipas, Sierra de *Mexico* 23°30N 98°20W **181** C5
Tamazula *Mexico* 24°57N 106°57W **180** C3
Tamazunchale *Mexico* 21°16N 98°47W **181** C5
Tamba-Dabatou *Guinea* 11°50N 10°40W **138** C2
Tambach *Kenya* 0°36N 35°31E **142** B4
Tambacounda *Senegal* 13°45N 13°40W **138** C2
Tambacounda □ *Senegal* 14°0N 13°0W **138** C2
Tambaram *India* 12°55N 80°7E **127** H5
Tambelan, Kepulauan *Indonesia* 1°0N 107°30E **118** D3
Tambellup *Australia* 34°4S 117°37E **149** F2
Tambo *Australia* 24°54S 146°14E **150** C4
Tambo *Peru* 12°57S 74°1W **188** C3
Tambo → *Peru* 10°42S 73°47W **188** C3
Tambo de Mora *Peru* 13°30S 76°8W **188** C2
Tambobamba *Peru* 13°54S 72°8W **188** C3
Tambopata → *Peru* 13°21S 69°36W **188** C4
Tambora *Indonesia* 8°12S 118°5E **118** F5
Tamboritha, Mt. *Australia* 37°31S 146°40E **153** D7
Tamboura *C.A.R.* 5°10N 25°12E **142** A2
Tambov *Russia* 52°45N 41°28E **86** D5
Tambov □ *Russia* 52°50N 41°20E **86** D5
Tambre → *Spain* 42°49N 8°53W **88** C2
Tambuku *Indonesia* 7°8S 113°40E **119** G15
Tâmchekket *Mauritania* 17°25N 10°40W **138** B2
Tâmega → *Portugal* 41°5N 8°21W **88** D2
Tamegroute *Morocco* 30°15N 5°39W **136** B2
Tamelelt *Morocco* 31°50N 7°32W **136** B2
Tamenglong *India* 25°0N 93°35E **123** G18
Tamerza *Tunisia* 34°23N 7°58E **136** B5
Tamgué, Massif du *Guinea* 12°0N 12°18W **138** C2
Tamiahua, L. de *Mexico* 21°35N 97°35W **181** C5
Tamiami Canal *U.S.A.* 25°50N 81°0W **179** K8
Tamil Nadu □ *India* 11°0N 77°0E **127** J3
Tamis → *Serbia* 44°51N 20°39E **80** F5
Tamiya *Egypt* 29°29N 30°58E **137** F7
Tamlelt, Plaine de *Morocco* 32°30N 2°20W **136** B3
Tamluk *India* 22°18N 87°58E **125** H12
Tammerfors = Tampere *Finland* 61°30N 23°50E **84** B2
Tämnaren *Sweden* 60°10N 17°25E **62** D11
Tampa *U.S.A.* 27°56N 82°27W **179** H7
Tampa, Tanjung *Indonesia* 8°55S 116°12E **119** K19
Tampa B. *U.S.A.* 27°50N 82°30W **179** H7
Tampa Int. ✈ (TPA) *U.S.A.* 27°59N 82°32W **179** H7
Tampere *Finland* 61°30N 23°50E **84** B2
Tampico *Mexico* 22°13N 97°51W **181** C5
Tampin *Malaysia* 2°28N 102°13E **121** L4
Tampoi *Malaysia* 1°30N 103°39E **121** d
Tamri *Morocco* 30°49N 9°50W **136** B2
Tamsagbulag *Mongolia* 47°14N 117°21E **111** B12
Tamsweg *Austria* 47°7N 13°49E **78** D6
Tamu *Burma* 24°13N 94°12E **123** G19
Tamuja → *Spain* 39°38N 6°29W **89** F4
Tamworth *Australia* 31°7S 150°58E **153** A9
Tamworth *Canada* 44°29N 77°0W **174** B8
Tamworth *U.K.* 52°39N 1°41W **67** E6
Tan An *Vietnam* 10°32N 106°25E **121** G6
Tan Chau *Vietnam* 10°48N 105°12E **121** G5
Tan Hiep *Vietnam* 10°27N 106°21E **121** G6
Tan Iddah *Algeria* 26°33N 9°42E **136** C5
Tan-Tan *Morocco* 28°29N 11°1W **134** C3
Tan Yen *Vietnam* 22°4N 105°3E **120** A5
Tana → *Kenya* 2°32S 40°31E **142** C5
Tana → *Norway* 70°30N 28°14E **60** A23
Tana, L. *Ethiopia* 13°5N 37°30E **131** E2
Tana River □ *Kenya* 1°30S 39°30E **142** C4
Tana River Primate ⌂ *Kenya* 1°55S 40°7E **142** C5
Tanabe *Japan* 33°44N 135°22E **113** H7
Tanafjorden *Norway* 70°45N 28°25E **60** A23
Tanaga I. *U.S.A.* 51°48N 177°53W **166** E4
Tanah Merah *Malaysia* 5°48N 102°9E **121** K4
Tanahbala *Indonesia* 0°30S 98°30E **118** E1
Tanahgrogot *Indonesia* 1°55S 116°15E **118** E5
Tanahjampea *Indonesia* 7°10S 120°35E **119** F6
Tanahmasa *Indonesia* 0°12S 98°39E **118** E1
Tanahmerah *Indonesia* 6°5S 140°16E **119** F10
Tanakpur *India* 29°5N 80°7E **125** E9
Tanamalwila *Sri Lanka* 6°26N 81°8E **127** L5
Tanami Desert *Australia* 18°50S 132°0E **148** C5
Tanana *U.S.A.* 65°10N 152°4W **166** B9
Tanana → *U.S.A.* 65°10N 151°58W **160** D1
Tananarive = Antananarivo *Madag.* 18°55S 47°31E **141** H9
Tanannt *Morocco* 31°54N 6°56W **136** B2
Tănăro → *Italy* 44°55N 8°40E **92** D5
Tancheng *China* 34°25N 118°20E **115** G10
Tanch'ŏn *N. Korea* 40°27N 128°54E **115** D15
Tanda *Ut. P., India* 26°33N 82°35E **125** F10
Tanda *Ut. P., India* 28°57N 78°56E **125** E8
Tanda *Ivory C.* 7°48N 3°10W **138** D4
Tandag *Phil.* 9°4N 126°9E **119** C7
Tandaia *Tanzania* 9°25S 34°15E **143** D3
Tăndărei *Romania* 44°39N 27°40E **81** F12
Tandaué *Angola* 16°58S 18°5E **144** A2
Tandil *Argentina* 37°15S 59°6W **190** D4
Tandil, Sa. del *Argentina* 37°30S 59°0W **190** D4
Tandlianwala *Pakistan* 31°3N 73°9E **124** D5
Tando Adam *Pakistan* 25°45N 68°40E **124** G3
Tando Allahyar *Pakistan* 25°28N 68°43E **124** G3
Tando Bago *Pakistan* 24°47N 68°58E **124** G3
Tando Mohommed Khan *Pakistan* 25°8N 68°32E **124** G3
Tandou L. *Australia* 32°40S 142°5E **152** B5
Tandoureh △ *Iran* 37°50N 59°0E **129** B8
Tandragee *U.K.* 54°21N 6°24W **64** B5
Tandsjöborg *Sweden* 61°42N 14°43E **62** C8
Tandula → *India* 21°6N 81°14E **126** D5
Tandula Tank *India* 20°40N 81°12E **126** D5
Tandur *Telangana, India* 19°11N 79°30E **126** E4
Tandur *Telangana, India* 17°14N 77°35E **126** F3
Tane-ga-Shima *Japan* 30°30N 131°0E **113** J5
Taneatua *N.Z.* 38°4S 177°1E **154** E6
Tanen Tong Dan = Dawna Ra. *Burma* 16°30N 98°30E **120** D2
Tanew → *Poland* 50°29N 22°16E **83** H9
Tanezrouft *Algeria* 23°9N 0°11E **134** D6
Tang, Koh *Cambodia* 10°16N 103°7E **121** G4
Tang, Ra's-e *Iran* 25°21N 59°52E **129** E8
Tang Krasang *Cambodia* 12°34N 105°3E **120** F5
Tanga *Tanzania* 5°5S 39°2E **142** D4
Tanga □ *Tanzania* 5°20S 38°0E **142** D4
Tangalla *Sri Lanka* 6°1N 80°48E **127** L5
Tanganyika, L. *Africa* 6°40S 30°0E **142** D3
Tangasseri *India* 8°53N 76°35E **127** K3
Tangaza *Nigeria* 13°19N 4°55E **139** C5
Tanger *Morocco* 35°50N 5°49W **136** A2
Tanger-Med *Morocco* 35°53N 5°30W **89** K5
Tanger-Tétouan □ *Morocco* 35°50N 5°50W **136** A2
Tangerang *Indonesia* 6°11S 106°37E **119** G12
Tangerhütte *Germany* 52°26N 11°48E **76** C7
Tangermünde *Germany* 52°33N 11°58E **76** C7
Tanggu *China* 39°2N 117°40E **115** E9
Tanggula Shan *China* 32°40N 92°10E **110** E7
Tanggula Shankou *China* 32°42N 92°27E **110** E7
Tanghe *China* 32°47N 112°50E **117** A9
Tanghla Range = Tanggula Shan *China* 32°40N 92°10E **110** E7
Tangi *India* 19°56N 85°24E **126** E7
Tangier = Tanger *Morocco* 35°50N 5°49W **136** A2
Tangjia *China* 22°22N 113°35E **111** a
Tangjia Wan *China* 22°21N 113°36E **111** a
Tangorin *Australia* 21°47S 144°12E **150** C3
Tangra Yumco *China* 31°0N 86°38E **110** E6
Tangshan *China* 39°38N 118°10E **115** E10
Tangtou *China* 35°28N 118°30E **115** G10
Tanguen-Dassouri *Burkina Faso* 12°16N 1°42W **139** C4
Tanguiéta *Benin* 10°35N 1°21E **139** C5
Tangxi *China* 29°3N 119°25E **117** C12
Tangyan He → *China* 28°54N 108°19E **116** C7
Tangyin *China* 35°54N 114°21E **114** G8
Taniantaweng Shan *China* 31°20N 98°0E **116** B2
Tanimbar, Kepulauan *Indonesia* 7°30S 131°30E **119** F8
Tanimbar Is. = Tanimbar, Kepulauan *Indonesia* 7°30S 131°30E **119** F8
Tanintharyi = Taninthayi *Burma* 12°6N 99°3E **121** F2
Taninthayi *Burma* 12°6N 99°3E **121** F2
Tanjay *Phil.* 9°30N 123°5E **119** C6
Tanjore = Thanjavur *India* 10°48N 79°12E **127** J4
Tanjung *Kalimantan Selatan, Indonesia* 2°10S 115°25E **118** E5
Tanjung *Nusa Tenggara Barat, Indonesia* 8°21S 116°9E **119** J19
Tanjung Malim *Malaysia* 3°42N 101°31E **121** L3
Tanjung Pelepas *Malaysia* 1°21N 103°33E **121** d
Tanjung Tokong *Malaysia* 5°28N 100°18E **121** c
Tanjungbalai *Indonesia* 2°55N 99°44E **118** D1
Tanjungbatu *Indonesia* 2°23N 118°3E **118** D5
Tanjungkarang Telukbetung = Bandar Lampung *Indonesia* 5°20S 105°10E **118** F3
Tanjungpandan *Indonesia* 2°43S 107°38E **118** E3
Tanjungpinang *Indonesia* 1°5N 104°30E **118** D2
Tanjungredeb *Indonesia* 2°9N 117°29E **118** D5
Tanjungselor *Indonesia* 2°55N 117°25E **118** D5
Tank *Pakistan* 32°14N 70°25E **124** C4
Tankhala *India* 21°58N 73°47E **126** D1
Tankwa-Karoo △ *S. Africa* 32°14S 19°50E **144** D2
Tännäs *Sweden* 62°26N 12°42E **62** B6
Tannersville *U.S.A.* 41°3N 75°18W **175** E9
Tannis Bugt *Denmark* 57°40N 10°15E **63** G4
Tannu Ola *Asia* 51°0N 94°0E **109** B12
Tannum Sands *Australia* 23°57S 151°22E **150** C5
Tano → *Ghana* 5°7N 2°56W **138** D4
Tanombella *Algeria* 25°30N 5°49E **136** C5
Tanout *Niger* 14°50N 8°55E **139** C6
Tanquinho *Brazil* 11°58S 39°6W **189** C3
Tanshui *Taiwan* 25°10N 121°28E **117** E13
Tansilla *Burkina Faso* 12°25N 4°23W **138** C4
Tansing *Nepal* 27°52N 83°33E **125** F10
Tanta *Egypt* 30°45N 30°57E **137** E7
Tantoyuca *Mexico* 21°21N 98°14W **181** C5
Tantung = Dandong *China* 40°10N 124°20E **115** D13
Tanuku *India* 16°45N 81°44E **126** F5
Tanumshede *Sweden* 58°42N 11°20E **63** F5
Tanunda *Australia* 34°30S 139°0E **152** C3
Tanur *India* 11°1N 75°52E **127** J2
Tanus *France* 44°8N 2°19E **72** D6
Tanzania ■ *Africa* 6°0S 34°0E **142** D3
Tanzhou *China* 22°16N 113°28E **111** a
Tanzilla → *Canada* 58°8N 130°43W **162** B2
Tao, Ko *Thailand* 10°5N 99°52E **121** G2
Tao'an = Taonan *China* 45°22N 122°40E **115** B12
Tao'er He → *China* 45°45N 124°5E **115** B13
Taohua Dao *China* 29°50N 122°20E **117** C14
Taolanaro *Madag.* 25°2S 47°0E **141** K9
Taole *China* 38°48N 106°40E **114** E4
Taonan *China* 45°22N 122°40E **115** B12
Taormina *Italy* 37°51N 15°17E **95** E8
Taos *U.S.A.* 36°24N 105°35W **169** H11
Taoudenni *Mali* 22°40N 3°55W **134** D5
Taoudrart, Adrar *Algeria* 24°25N 2°24E **136** D4
Taounate *Morocco* 34°25N 4°41W **136** B3
Taourirt *Algeria* 26°37N 0°20E **136** C4
Taourirt *Morocco* 34°25N 2°53W **136** B3
Taouz *Morocco* 30°53N 4°0W **136** B3
Taoyuan *China* 28°55N 111°16E **117** C8
T'aoyüan *Taiwan* 25°0N 121°4E **117** E13
Tapa *Estonia* 59°15N 25°50E **61** G21
Tapa Shan = Daba Shan *China* 32°0N 109°0E **116** B7
Tapachula *Mexico* 14°54N 92°17W **181** E6
Tapah *Malaysia* 4°12N 101°15E **121** K3
Tapajós → *Brazil* 2°24S 54°41W **187** D8
Tapaktuan *Indonesia* 3°15N 97°10E **118** D1
Tapanahoni → *Suriname* 4°20N 54°25W **187** C8
Tapanui *N.Z.* 45°56S 169°18E **155** F4
Tapauá → *Brazil* 5°40S 64°21W **186** E6
Tapes *Brazil* 30°40S 51°23W **191** C5
Tapeta *Liberia* 6°29N 8°52W **138** D3
Taphan Hin *Thailand* 16°13N 100°26E **120** D3
Tapia de Casariego *Spain* 43°34N 6°56W **88** B4
Tapirai *Brazil* 19°52S 46°1W **189** D1
Tapirapecó, Serra *Venezuela* 1°10N 65°0W **186** C6
Taplan *Australia* 34°33S 140°52E **152** C4
Taplejung *Nepal* 27°1N 86°16E **125** F12
Tapo-Capara △ *Venezuela* 7°55N 71°15W **183** E5
Tapolca *Hungary* 46°53N 17°29E **80** D2
Tapti → *India* 21°8N 72°41E **126** D1
Tapuae-o-Uenuku *N.Z.* 42°0S 173°39E **155** C8
Tapul Group *Phil.* 5°35N 120°50E **119** C6
Tapurucuará *Brazil* 0°24S 65°2W **186** D5
Ţaqtaq *Iraq* 35°53N 44°35E **105** E11
Taquara *Brazil* 29°36S 50°46W **191** B5
Taquari → *Brazil* 19°15S 57°17W **186** G7
Tara *Australia* 27°17S 150°31E **151** D5
Tara *Canada* 44°28N 81°9W **174** B3
Tara *Russia* 56°55N 74°24E **106** D8
Tara *Zambia* 16°58S 26°45E **143** F2
Tara → *Montenegro* 43°21N 18°51E **96** C2
Tara △ *Serbia* 43°55N 19°30E **96** C3
Taraba □ *Nigeria* 8°0N 10°30E **139** D7
Taraba → *Nigeria* 8°30N 10°15E **139** D7
Tarābulus *Lebanon* 34°31N 35°50E **130** A4
Tarābulus *Libya* 32°49N 13°7E **135** B8
Tarābulus *Libya* 31°0N 13°0E **135** B8
Taraclia *Taraclia, Moldova* 45°54N 28°40E **81** E13
Taraclia *Tighina, Moldova* 46°34N 29°7E **81** D14
Taradale *N.Z.* 39°33S 176°53E **154** F5
Taradehi *India* 23°18N 79°21E **125** H8
Tarajalejo *Canary Is.* 28°12N 14°7W **100** F5
Tarakan *Indonesia* 3°20N 117°35E **118** D5
Tarakit, Mt. *Kenya* 2°2N 35°10E **142** B4
Taralga *Australia* 34°26S 149°52E **153** C8
Tarama-Jima *Japan* 24°39N 124°42E **113** M2
Taramakau → *N.Z.* 42°34S 171°8E **155** C6
Taran, Mys *Russia* 54°56N 19°59E **82** D6
Taranagar *India* 28°43N 74°50E **124** E6
Taranaki □ *N.Z.* 39°25S 174°30E **154** F3
Taranaki, Mt. *N.Z.* 39°17S 174°5E **154** F3
Tarancón *Spain* 40°1N 3°1W **90** E1
Tarangire △ *Tanzania* 4°21S 36°7E **142** C4
Taransay *U.K.* 57°54N 7°0W **65** D1
Táranto *Italy* 40°28N 17°14E **95** B10
Táranto, G. di *Italy* 40°8N 17°20E **95** B10
Tarapacá *Colombia* 2°56S 69°46W **186** D5
Tarapacá □ *Chile* 20°45S 69°30W **190** A2
Tarapoto *Peru* 6°30S 76°20W **188** B2
Tarare *France* 45°54N 4°26E **73** C8
Tararua Ra. *N.Z.* 40°45S 175°25E **154** G4
Tarasaigh = Taransay *U.K.* 57°54N 7°0W **65** D1
Tarascon *France* 43°48N 4°39E **73** E8
Tarascon-sur-Ariège *France* 42°50N 1°36E **72** F5
Tarashcha *Ukraine* 49°30N 30°31E **75** D16
Tarata *Peru* 17°27S 70°2W **188** D3
Tarauacá *Brazil* 8°6S 70°48W **188** B3
Tarauacá → *Brazil* 6°42S 69°48W **188** B4
Taravao *Tahiti* 17°43S 149°18W **155** b
Taravao, Isthme de *Tahiti* 17°43S 149°19W **155** b
Taravo → *France* 41°42N 8°49E **73** G12
Tarawa *Kiribati* 1°30N 173°0E **156** G9
Tarawera *N.Z.* 39°2S 176°36E **154** F5
Tarawera, L. *N.Z.* 38°13S 176°27E **154** E5
Tarawera, Mt. *N.Z.* 38°14S 176°32E **154** E5
Taraz *Kazakhstan* 42°54N 71°22E **109** D8
Tarazona *Spain* 41°55N 1°43W **90** D3
Tarazona de la Mancha *Spain* 39°16N 1°55W **91** F3
Tarbagatay, Khrebet *Kazakhstan* 48°0N 83°0E **109** C10
Tarbat Ness *U.K.* 57°52N 3°47W **65** D5
Tarbela Dam *Pakistan* 34°8N 72°52E **124** B5
Tarbert *Ireland* 52°34N 9°22W **64** D2
Tarbert *Argyll & Bute, U.K.* 55°52N 5°25W **65** F3
Tarbert *W. Isles, U.K.* 57°54N 6°49W **65** D2
Tarbes *France* 43°15N 0°3E **72** E4
Tarboro *U.S.A.* 35°54N 77°32W **177** D16
Tărcău, Munţii *Romania* 46°39N 26°7E **81** D11
Tarcento *Italy* 46°13N 13°13E **93** B10
Tarcoola *Australia* 30°44S 134°36E **151** E1
Tarcoon *Australia* 30°15S 146°43E **151** E4
Tarcutta *Australia* 35°16S 147°44E **153** C7
Tardets-Sorholus *France* 43°8N 0°52W **72** E3
Tardoire → *France* 45°52N 0°14E **72** C4
Taredjerdja *Algeria* 25°12N 2°32E **136** C4
Taree *Australia* 31°50S 152°30E **153** A10
Tarella *Australia* 31°2S 143°2E **152** A5
Tarf, Ras *Morocco* 35°40N 5°11W **136** A2
Tarfa, W. el → *Egypt* 28°25N 30°50E **137** F7
Tarfaya *Morocco* 27°55N 12°55W **134** C3
Târgovişte *Romania* 44°55N 25°27E **81** F10
Târgu Bujor *Romania* 45°52N 27°54E **81** E12
Târgu Cărbuneşti *Romania* 44°57N 23°31E **81** F8
Târgu Frumos *Romania* 47°12N 27°2E **81** C12
Târgu Jiu *Romania* 45°5N 23°19E **81** E8
Târgu Lăpuş *Romania* 47°27N 23°52E **81** C8
Târgu Mureş *Romania* 46°31N 24°38E **81** D9
Târgu Neamţ *Romania* 47°12N 26°25E **81** C11
Târgu Ocna *Romania* 46°16N 26°39E **81** D11
Târgu Secuiesc *Romania* 46°0N 26°10E **81** E11
Târguist *Morocco* 34°59N 4°14W **136** B3
Târguşor *Romania* 44°27N 28°25E **81** F13
Tărhăus, Vf. *Romania* 46°40N 26°8E **81** D11
Tarhbalt *Morocco* 30°39N 5°20W **136** B2
Ţarif *U.A.E.* 24°3N 53°46E **129** E7
Tarifa *Spain* 36°1N 5°36W **89** J5
Tarija *Bolivia* 21°30S 64°40W **190** A3
Tarija □ *Bolivia* 21°30S 63°30W **190** A3
Tariku → *Indonesia* 2°55S 138°26E **119** E9
Tarīm *Yemen* 16°3N 49°0E **131** D4
Tarim Basin = Tarim Pendi *China* 40°0N 84°0E **109** E10
Tarim He → *China* 39°30N 88°30E **109** E11
Tarim Pendi *China* 40°0N 84°0E **109** E10
Taritatu → *Indonesia* 2°54S 138°27E **119** E9
Tarka → *S. Africa* 32°10S 26°0E **144** D4
Tarka La *Bhutan* 27°12N 89°44E **125** F13
Tarkastad *S. Africa* 32°0S 26°16E **144** D4
Tarkhankut, Mys *Ukraine* 45°25N 32°30E **85** K7
Tarko Sale *Russia* 64°55N 77°50E **106** C8
Tarkwa *Ghana* 5°20N 2°0W **138** D4
Tarlac *Phil.* 15°29N 120°35E **119** A6
Tarm *Denmark* 55°56N 8°31E **63** J2
Tarma *Peru* 11°25S 75°45W **188** C2
Tarmiya *Iraq* 33°40N 44°23E **105** G11
Tarn □ *France* 43°49N 2°8E **72** E6
Tarn → *France* 44°5N 1°6E **72** D5
Tarn-et-Garonne □ *France* 44°8N 1°20E **72** D5
Tarna → *Hungary* 47°31N 19°59E **80** C4
Târnava Mare → *Romania* 46°10N 23°43E **81** D8
Târnava Mică → *Romania* 46°9N 23°55E **81** D8
Târnăveni *Romania* 46°19N 24°13E **81** D9
Tarnica *Poland* 49°4N 22°44E **83** J9
Tarnobrzeg *Poland* 50°35N 21°41E **83** H8
Tarnogród *Poland* 50°22N 22°45E **83** H9
Tarnos *France* 43°32N 1°28W **72** E2
Târnova *Moldova* 48°10N 27°40E **81** B12
Târnova *Romania* 45°23N 21°59E **80** E6
Tarnów *Poland* 50°3N 21°0E **83** H8
Tarnowskie Góry *Poland* 50°27N 18°54E **83** H5
Tärnsjö *Sweden* 60°9N 16°56E **62** D10
Táro → *Italy* 45°2N 10°15E **92** C7
Ţārom *Iran* 28°11N 55°46E **129** D7
Taroom *Australia* 25°36S 149°48E **151** D4
Taroudannt *Morocco* 30°30N 8°52W **136** B2
Tarp *Germany* 54°39N 9°24E **76** A5
Tarpeena *Australia* 37°37S 140°47E **152** D4
Tarpon Springs *U.S.A.* 28°9N 82°45W **179** G7
Tarquínia *Italy* 42°15N 11°45E **93** F8
Tarra Bulga △ *Australia* 38°27S 146°31E **153** E7
Tarrafal *C. Verde Is.* 15°18N 23°39W **134** b
Tarragona *Spain* 41°5N 1°17E **90** D6
Tarragona □ *Spain* 41°5N 1°0E **90** D6
Tarraleah *Australia* 42°17S 146°26E **151** G4
Tarrasa = Terrassa *Spain* 41°34N 2°1E **90** D7
Tàrrega *Spain* 41°39N 1°9E **90** D6
Tarrytown *Ga., U.S.A.* 32°19N 82°34W **178** C7
Tarrytown *N.Y., U.S.A.* 41°4N 73°52W **175** E11
Tårs *Denmark* 57°23N 10°7E **63** G4
Tarsus *Turkey* 36°58N 34°55E **104** D6
Tartagal *Argentina* 22°30S 63°50W **190** A3
Tärtär *Azerbaijan* 40°20N 46°58E **87** K8
Tärtär → *Azerbaijan* 40°26N 47°20E **87** K8
Tartas *France* 43°50N 0°49W **72** E3
Tartu *Estonia* 58°20N 26°44E **84** C4
Ţarţūs *Syria* 34°55N 35°55E **104** E6
Ţarţūs □ *Syria* 35°0N 36°0E **104** E7
Tarumirim *Brazil* 19°16S 41°59W **189** D2
Tarumizu *Japan* 31°29N 130°42E **113** J5
Tarussa *Russia* 54°44N 37°10E **84** E9
Tarutao = Ko Tarutao △ *Thailand* 6°31N 99°26E **121** J2
Tarutao, Ko *Thailand* 6°33N 99°40E **121** J2
Tarutung *Indonesia* 2°0N 98°54E **118** D1
Tarutyne *Ukraine* 46°12N 29°9E **81** D14
Tarvísio *Italy* 46°30N 13°35E **93** B10
Tasaret, O. → *Algeria* 26°25N 1°59E **136** C4
Tasbôget *Kazakhstan* 44°46N 65°33E **108** D7
Taseko → *Canada* 52°8N 123°45W **162** C4
Tasgaon *India* 17°2N 74°39E **126** F2
Tash-Kömür *Kyrgyzstan* 41°40N 72°10E **109** D8
Tashauz = Daşoguz *Turkmenistan* 41°49N 59°58E **108** D5
Tashi Chho Dzong = Thimphu *Bhutan* 27°31N 89°45E **123** F16
Ţashk, Daryācheh-ye *Iran* 29°45N 53°35E **129** D7
Tashkent = Toshkent *Uzbekistan* 41°20N 69°10E **109** D7
Tashtagol *Russia* 52°47N 87°53E **109** B11
Tasiilaq *Greenland* 65°40N 37°20W **57** D6
Tasikmalaya *Indonesia* 7°18S 108°12E **119** G13
Tåsinge *Denmark* 55°0N 10°35E **63** J4
Tåsjön *Sweden* 64°15N 15°40E **60** D16
Task *Niger* 14°56N 10°46E **139** C7
Taskan *Russia* 62°59N 150°20E **107** C16
Taşkent *Turkey* 36°55N 32°29E **104** D5
Taşköprü *Turkey* 41°30N 34°15E **104** B6
Tașlâc *Moldova* 47°4N 29°24E **81** C14
Taşliçay *Turkey* 39°38N 43°22E **105** C10
Tasman □ *N.Z.* 41°30S 172°40E **155** B7
Tasman → *N.Z.* 43°48S 170°8E **155** D5
Tasman, Mt. *N.Z.* 43°34S 170°12E **155** D5
Tasman B. *N.Z.* 40°59S 173°25E **155** A8
Tasman Basin *Pac. Oc.* 46°0S 158°0E **156** M7
Tasman Glacier *N.Z.* 43°37S 170°12E **155** D5
Tasman Mts. *N.Z.* 41°3S 172°25E **155** B7
Tasman Pen. *Australia* 43°10S 148°0E **151** G4
Tasman Sea *Pac. Oc.* 36°0S 160°0E **147** E9
Tasmania □ *Australia* 42°0S 146°30E **151** G4
Tasmanian Wilderness World Heritage Area △ *Australia* 43°0S 146°0E **151** G4
Tăşnad *Romania* 47°30N 22°33E **80** C7
Taşova *Turkey* 40°45N 36°19E **104** B7
Tassili n'Ajjer *Algeria* 25°47N 8°1E **136** C5
Tassili n'Ajjer △ *Algeria* 26°5N 6°0E **136** C5
Tassili-oua-n-Ahaggar *Algeria* 20°41N 5°30E **134** D7
Tassili Ti-n-Rerhoh *Algeria* 20°5N 3°55E **139** A5
Tasūj *Iran* 38°18N 45°23E **105** C11
Tat Ton △ *Thailand* 15°57N 102°2E **120** E4
Tata *Hungary* 47°37N 18°19E **80** C3
Tata *Morocco* 29°46N 7°56W **136** C2
Tatabánya *Hungary* 47°32N 18°25E **80** C3
Tataouine *Tunisia* 32°57N 10°29E **136** B6
Tataouine □ *Tunisia* 32°0N 10°0E **136** B6
Tatar Republic = Tatarstan □ *Russia* 55°30N 51°30E **86** C10
Tatarbunary *Ukraine* 45°50N 29°39E **81** E14
Tatarsk *Russia* 55°14N 76°0E **109** A9
Tatarskiy Proliv *Russia* 50°0N 141°0E **107** E15
Tatarstan □ *Russia* 55°30N 51°30E **86** C10
Tatatua, Pte. *Tahiti* 17°44S 149°8W **155** b
Tateyama *Japan* 35°0N 139°50E **113** G9
Tathlina L. *Canada* 60°33N 117°39W **162** A5
Tathra *Australia* 36°44S 149°59E **153** D8
Tatinnai L. *Canada* 60°55N 97°40W **163** A9
Tatla Lake *Canada* 52°0N 124°20W **162** C4
Tatlısu = Akanthou *Cyprus* 35°22N 33°45E **101** D12
Tatlısu *Turkey* 40°24N 27°55E **97** F11
Tatnam, C. *Canada* 57°16N 91°0W **163** B10
Tatra = Tatry *Slovak Rep.* 49°20N 20°0E **79** B13
Tatranský △ *Slovak Rep.* 49°10N 20°0E **79** B13
Tatry *Slovak Rep.* 49°20N 20°0E **79** B13
Tatshenshini → *Canada* 59°28N 137°45W **162** B1
Tatshenshini-Alsek ⌂ *Canada* 59°55N 137°45W **162** B1
Tatsuno *Japan* 34°52N 134°33E **113** G7
Tatta = Thatta *Pakistan* 24°42N 67°55E **124** G2
Tatuí *Brazil* 23°25S 47°53W **191** A6
Tatum *U.S.A.* 33°16N 103°19W **169** K12
Tat'ung = Datong *China* 40°6N 113°18E **114** D7
Tatura *Australia* 36°29S 145°16E **153** D6
Tatvan *Turkey* 38°31N 42°15E **105** C10
Tauá *Brazil* 6°1S 40°26W **189** B2
Taubaté *Brazil* 23°0S 45°36W **191** A6
Tauberbischofsheim *Germany* 49°37N 9°39E **77** F5
Taucha *Germany* 51°23N 12°29E **76** D8
Tauern *Austria* 47°15N 12°40E **74** E7
Tauern-tunnel *Austria* 47°0N 13°12E **78** D6
Taulé *France* 48°37N 3°55W **70** D3
Taumarunui *N.Z.* 38°53S 175°15E **154** E4
Taumaturgo *Brazil* 8°54S 72°51W **188** B3
Taung *S. Africa* 27°33S 24°47E **144** C3
Taungdwingyi *Burma* 20°1N 95°40E **123** J19
Taunggyi *Burma* 20°50N 97°0E **123** J20
Taungoo = Tounggoo *Burma* 19°0N 96°30E **123** K20
Taungup *Burma* 18°51N 94°14E **123** K19
Taunsa *Pakistan* 30°42N 70°39E **124** D4
Taunsa Barrage *Pakistan* 30°42N 70°50E **124** D4
Taunton *U.K.* 51°1N 3°5W **67** F4
Taunton *U.S.A.* 41°54N 71°6W **175** E13
Taunus *Germany* 50°13N 8°34E **77** E4
Taupo *N.Z.* 38°41S 176°7E **154** E5
Taupo, L. *N.Z.* 38°46S 175°55E **154** E4
Tauragė *Lithuania* 55°14N 22°16E **82** C9
Tauragė □ *Lithuania* 55°15N 22°17E **82** C9
Tauranga *N.Z.* 37°42S 176°11E **154** D5
Tauranga Harb. *N.Z.* 37°30S 176°5E **154** D5
Taureau, Rés. *Canada* 46°46N 73°50W **164** C5
Taurianova *Italy* 38°21N 16°1E **95** D9
Taurus Mts. = Toros Dağları *Turkey* 37°0N 32°30E **104** D5
Tauste *Spain* 41°58N 1°18W **90** D3
Tautira *Tahiti* 17°44S 149°9W **155** b
Tauyskaya Guba *Russia* 59°20N 150°20E **107** D16
Tauz = Tovuz *Azerbaijan* 41°0N 45°40E **87** K7
Tavan Bogd Uul *Mongolia* 49°10N 87°49E **109** C11
Tavares *U.S.A.* 28°48N 81°44W **179** G8
Tavas *Turkey* 37°34N 29°4E **99** D11
Tavastehus = Hämeenlinna *Finland* 61°0N 24°28E **84** B3
Tavda *Russia* 58°7N 65°8E **106** D7
Tavda → *Russia* 57°47N 67°18E **106** D7
Taverner B. *Canada* 67°12N 72°25W **161** D17
Tavernes de la Valldigna *Spain* 39°5N 0°13W **91** F4
Tavernier *U.S.A.* 25°1N 80°31W **179** K9
Taveta *Kenya* 3°23S 37°37E **142** C4
Taveuni *Fiji* 16°51S 179°58W **154** a
Taviano *Italy* 39°59N 18°5E **95** C11
Tavignano → *France* 42°7N 9°33E **73** F13
Tavira *Portugal* 37°8N 7°40W **89** H3
Tavistock *Canada* 43°19N 80°50W **174** C4
Tavistock *U.K.* 50°33N 4°9W **67** G3
Tavolara *Italy* 40°54N 9°42E **94** B2
Távora → *Portugal* 41°8N 7°35W **88** D3
Tavoy = Dawei *Burma* 14°2N 98°12E **120** E2
Tavoy Pt. *Burma* 13°32N 98°10E **120** F2
Tavrichanka *Russia* 43°18N 131°59E **112** C5
Tavropos → *Greece* 39°10N 21°45E **98** B3
Tavşanlı *Turkey* 39°32N 29°30E **99** B11
Tavua *Fiji* 17°37S 177°5E **154** a
Tavuki *Fiji* 19°7S 178°8E **154** a
Taw → *U.K.* 51°4N 4°4W **67** F3
Tawa → *India* 22°48N 77°48E **124** H8
Tawa Res. *India* 22°35N 78°5E **126** C4
Tawas City *U.S.A.* 44°16N 83°31W **173** C12
Tawau *Malaysia* 4°20N 117°55E **118** D5
Tawi-tawi I. *Phil.* 5°10N 120°15E **119** C6
Tawu *Taiwan* 22°22N 120°54E **117** F13
Ţāwūq *Iraq* 35°8N 44°26E **105** E11
Taxco *Mexico* 18°33N 99°36W **181** D5
Taxila *Pakistan* 33°42N 72°52E **124** C5
Taxkorgan Tajik Zizhixian *China* 37°49N 75°14E **109** E9
Tay → *U.K.* 56°37N 3°38W **65** E5
Tay, Firth of *U.K.* 56°25N 3°8W **65** E5
Tay, L. *Australia* 32°55S 120°48E **149** F3
Tay, L. *U.K.* 56°32N 4°8W **65** E4
Tay ⌂ *U.K.* 56°43N 3°59W **65** E5
Tay Ninh *Vietnam* 11°20N 106°5E **121** G6
Tayabamba *Peru* 8°15S 77°16W **188** B2
Taygetos Oros *Greece* 37°0N 22°23E **98** D4
Taylakova *Russia* 59°13N 74°0E **106** D8
Taylor *Canada* 56°13N 120°40W **162** B4
Taylor *Fla., U.S.A.* 30°26N 82°18W **178** E7
Taylor *Nebr., U.S.A.* 41°46N 99°23W **172** E4
Taylor *Pa., U.S.A.* 41°23N 75°43W **175** E9
Taylor *Tex., U.S.A.* 30°34N 97°25W **176** F6

Taylor, Mt. *N.Z.* 43°30S 171°20E **155** D6
Taylor, Mt. *U.S.A.* 35°14N 107°37W **169** J10
Taylorville *U.S.A.* 39°33N 89°18W **172** F9
Taymā *Si. Arabia* 27°35N 38°45E **128** E3
Taymyr, Oz. *Russia* 74°20N 102°0E **107** B11
Taymyr, Poluostrov *Russia* 75°0N 100°0E **107** B11
Tayport *U.K.* 56°27N 2°52W **65** E6
Tayrona △ *Colombia* 11°20N 74°2W **183** D5
Tayshet *Russia* 55°58N 98°1E **107** D10
Taytay *Phil.* 10°45N 119°30E **119** B5
Tāyyebād *Iran* 34°45N 60°45E **129** C9
Tāyyebād □ *Iran* 34°44N 60°44E **129** C9
Tayynsha *Kazakhstan* 53°50N 69°45E **109** B7
Taz → *Russia* 67°32N 78°40E **106** C8
Taza *Morocco* 34°16N 4°6W **136** B3
Taza-Al Hoceïma-Taounate □ *Morocco* 34°15N 3°20W **136** B3
Tāza Khurmātū *Iraq* 35°18N 44°20E **105** E11
Taza-Taou □ *Morocco* 34°15N 4°10W **136** B3
Tazawa-Ko *Japan* 39°43N 140°40E **112** E10
Tazenakht *Morocco* 30°35N 7°12W **136** B2
Tazerbo *Libya* 25°45N 21°0E **135** C10
Tazin → *Canada* 59°48N 109°55W **163** B7
Tazin L. *Canada* 59°44N 108°42W **163** B7
Tazoult *Algeria* 35°29N 6°11E **136** A5
Tazovskiy *Russia* 67°30N 78°44E **106** C8
Tazrouk *Algeria* 23°24N 6°15E **136** D5
Tbilisi *Georgia* 41°43N 44°50E **87** K7
Tchad = Chad ■ *Africa* 15°0N 17°15E **135** F8
Tchad, L. *Chad* 13°30N 14°30E **135** F8
Tchaourou *Benin* 8°58N 2°40E **139** D5
Tch'eng-tou = Chengdu *China* 30°38N 104°2E **116** B5
Tchentlo L. *Canada* 55°15N 125°0W **162** B4
Tchetti *Benin* 7°50N 1°40E **139** D5
Tchibanga *Gabon* 2°45S 11°0E **140** E2
Tchien *Liberia* 5°59N 8°15W **138** D3
Tchin Tabaraden *Niger* 15°58N 5°56E **139** B6
Tchogha Zanbil = Choghā Zanbīl *Iran* 32°1N 48°32E **129** C6
Tch'ong-k'ing = Chongqing *China* 29°35N 106°25E **116** C6
Tczew *Poland* 54°8N 18°50E **82** D5
Te Anau *N.Z.* 45°25S 167°43E **155** F2
Te Anau, L. *N.Z.* 45°15S 167°45E **155** F2
Te Araroa *N.Z.* 37°39S 178°25E **154** D7
Te Aroha *N.Z.* 37°32S 175°44E **154** D4
Te Awamutu *N.Z.* 38°1S 175°20E **154** E4
Te Ika a Maui = North I. *N.Z.* 38°0S 175°0E **154** E4
Te Kaha *N.Z.* 37°44S 177°52E **154** D6
Te Karaka *N.Z.* 38°26S 177°53E **154** E6
Te Kauwhata *N.Z.* 37°25S 175°9E **154** D4
Te Kopuru *N.Z.* 36°2S 173°56E **154** C2
Te Kuiti *N.Z.* 38°20S 175°11E **154** E4
Te-n-Dghâmcha, Sebkhet *Mauritania* 18°30N 15°55W **138** B1
Te Puke *N.Z.* 37°46S 176°22E **154** D5
Te Teko *N.Z.* 38°2S 176°48E **154** E5
Te Waewae B. *N.Z.* 46°13S 167°33E **155** G2
Te Wai Pounamu = South I. *N.Z.* 44°0S 170°0E **155** E5
Teaca *Romania* 46°55N 24°30E **81** D9
Teague *U.S.A.* 31°38N 96°17W **176** F6
Teahupoo *Tahiti* 17°50S 149°16W **155** b
Teano *Italy* 41°15N 14°4E **95** A7
Teapa *Mexico* 17°33N 92°57W **181** D6
Teba *Spain* 36°59N 4°55W **89** J6
Tebakang *Malaysia* 1°6N 110°30E **118** D4
Tébarat *Niger* 14°49N 4°27E **139** C5
Teberau → *Malaysia* 1°30N 103°42E **121** d
Teberda *Russia* 43°30N 41°46E **87** J5
Tébessa *Algeria* 35°22N 8°8E **136** A5
Tébessa □ *Algeria* 35°0N 7°50E **136** B5
Tebicuary → *Paraguay* 26°36S 58°16W **190** B4
Tebingtinggi *Riau, Indonesia* 1°0N 102°45E **118** E2
Tebingtinggi *Sumatera Utara, Indonesia* 3°20N 99°9E **118** D1
Tébourba *Tunisia* 36°49N 9°51E **136** A5
Téboursouk *Tunisia* 36°29N 9°10E **136** A5
Tebulos *Georgia* 42°36N 45°17E **87** J7
Tecate *Mexico* 32°34N 116°38W **171** N10
Tecer Dağları *Turkey* 39°27N 37°27E **104** C7
Tech → *France* 42°36N 3°3E **72** F7
Techiman *Ghana* 7°35N 1°58W **138** D4
Techirghiol *Romania* 44°4N 28°32E **81** F13
Tecka *Argentina* 43°29S 70°48W **192** B2
Tecomán *Mexico* 18°55N 103°53W **180** D4
Tecopa *U.S.A.* 35°51N 116°13W **171** K10
Tecoripa *Mexico* 28°37N 109°57W **180** B3
Tecuala *Mexico* 22°23N 105°27W **180** C3
Tecuci *Romania* 45°51N 27°27E **81** E12
Tecumseh *Canada* 42°19N 82°54W **174** D2
Tecumseh *Mich., U.S.A.* 42°0N 83°57W **173** D12
Tecumseh *Okla., U.S.A.* 35°15N 96°56W **176** D6
Tedzhen = Tejen *Turkmenistan* 37°23N 60°31E **108** E6
Tees → *U.K.* 54°37N 1°10W **66** C6
Tees B. *U.K.* 54°40N 1°9W **66** C6
Teeswater *Canada* 43°59N 81°17W **174** C3
Tefé *Brazil* 3°25S 64°50W **186** D6
Tefenni *Turkey* 37°18N 29°45E **99** D11
Tegal *Indonesia* 6°52S 109°8E **118** F3
Tegallalang *Indonesia* 8°27S 115°17E **119** J18
Tegalsari *Indonesia* 8°25S 114°8E **119** J17
Tegel, Berlin ✕ (TXL) *Germany* 52°35N 13°14E **76** C9
Tegernsee *Germany* 47°43N 11°46E **77** H7
Teggiano *Italy* 40°23N 15°32E **95** B8
Tegid, L. = Bala, L. *U.K.* 52°53N 3°37W **66** E4
Tegina *Nigeria* 10°5N 6°11E **139** C6
Tegucigalpa *Honduras* 14°5N 87°14W **182** D2
Teguidda i-n-Tessoum *Niger* 17°25N 6°37E **139** B6
Tehachapi *U.S.A.* 35°8N 118°27W **171** K8
Tehachapi Mts. *U.S.A.* 35°0N 118°30W **171** L8
Tehamiyam *Sudan* 18°20N 36°32E **137** D4
Teheran = Tehrān *Iran* 35°41N 51°25E **129** C6
Téhini *Ivory C.* 9°39N 3°40W **138** D4
Tehoru *Indonesia* 3°23S 129°30E **119** E7
Tehrān *Iran* 35°41N 51°25E **129** C6
Tehrān □ *Iran* 35°30N 51°30E **129** C6
Tehri *India* 30°23N 78°29E **125** D8
Tehuacán *Mexico* 18°27N 97°23W **181** D5
Tehuantepec *Mexico* 16°21N 95°13W **181** D5
Tehuantepec, G. de *Mexico* 15°50N 95°12W **181** D5
Tehuantepec, Istmo de *Mexico* 17°15N 94°30W **181** D6
Teide, Pico del *Canary Is.* 28°15N 16°38W **100** F3
Teifi → *U.K.* 52°5N 4°41W **67** E3
Teigebyen *Norway* 60°12N 11°0E **62** D5
Teign → *U.K.* 50°32N 3°32W **67** G4
Teignmouth *U.K.* 50°33N 3°31W **67** G4
Teinainano = Tarawa *Kiribati* 1°30N 173°0E **156** G9
Teiuş *Romania* 46°12N 23°40E **81** D8
Teixeira *Brazil* 7°13S 37°15W **189** B3
Teixeira Pinto *Guinea-Biss.* 12°3N 16°0W **138** C1
Tejakula *Indonesia* 8°8S 115°20E **119** J18
Tejen *Turkmenistan* 37°23N 60°31E **108** E6
Tejen → *Turkmenistan* 37°24N 60°38E **129** B9
Tejo → *Europe* 38°40N 9°24W **89** F2
Tejon Pass *U.S.A.* 34°49N 118°53W **171** L8
Tekamah *U.S.A.* 41°47N 96°13W **172** E5
Tekapo → *N.Z.* 44°13S 170°21E **155** E5
Tekapo, L. *N.Z.* 43°53S 170°33E **155** D5
Tekax *Mexico* 20°12N 89°17W **181** C7
Teke *Turkey* 41°4N 29°39E **97** E13
Tekeli *Kazakhstan* 44°50N 79°0E **109** D9
Tekeze Dam *Ethiopia* 13°10N 38°45E **131** E2
Tekija *Serbia* 44°42N 22°26E **96** B6
Tekirdağ *Turkey* 40°58N 27°30E **97** F11
Tekirdağ □ *Turkey* 41°0N 27°0E **97** E11
Tekirova *Turkey* 36°30N 30°32E **99** E12
Tekkali *India* 18°37N 84°15E **126** E7
Tekke *Turkey* 40°42N 36°12E **104** B7
Tekman *Turkey* 39°38N 41°29E **105** C9
Tekoa *U.S.A.* 47°14N 117°4W **168** C5
Tekong Besar, Pulau *Singapore* 1°25N 104°3E **121** d
Tel → *India* 20°50N 83°54E **126** D6
Tel Aviv ✕ (TLV) *Israel* 32°5N 34°49E **130** C3
Tel Aviv-Yafo *Israel* 32°4N 34°48E **130** C3
Tel Lakhish *Israel* 31°34N 34°51E **130** D3
Tel Megiddo *Israel* 32°35N 35°11E **130** C4
Tela *Honduras* 15°40N 87°28W **182** C2
Télagh *Algeria* 34°51N 0°32W **136** B3
Telanaipura = Jambi *Indonesia* 1°38S 103°30E **118** E2
Telangana □ *India* 17°30N 78°30E **126** F4
Telašćica △ *Croatia* 43°55N 15°10E **93** E12
Telavi *Georgia* 42°0N 45°30E **87** J7
Telč *Czech Rep.* 49°11N 15°28E **78** B8
Telciu *Romania* 47°25N 24°24E **81** C9
Telde *Canary Is.* 27°59N 15°25W **100** G4
Telegraph Creek *Canada* 58°0N 131°10W **162** B2
Telekhany = Tsyelyakhany *Belarus* 52°30N 25°46E **75** B13
Telemark *Norway* 59°15N 7°40E **61** G12
Télemsès *Niger* 15°37N 4°44E **139** B5
Telén *Argentina* 36°15S 65°31W **190** D2
Teleneşti *Moldova* 47°30N 28°22E **81** C13
Teleng *Iran* 25°47N 61°3E **129** E9
Teleño *Spain* 42°23N 6°22W **88** C4
Teleorman □ *Romania* 44°0N 25°0E **81** G10
Teleorman → *Romania* 43°52N 25°26E **81** G10
Telerhteba, Djebel *Algeria* 24°10N 6°51E **136** D5
Teles Pires → *Brazil* 7°21S 58°3W **186** E7
Telescope Pk. *U.S.A.* 36°10N 117°5W **171** J9
Teletaye *Mali* 16°31N 1°30E **139** B5
Teletskoye, Oz. *Russia* 51°40N 87°30E **109** B11
Telford *U.K.* 52°40N 2°27W **67** E5
Telford and Wrekin □ *U.K.* 52°45N 2°27W **66** E5
Telfs *Austria* 47°19N 11°4E **78** D4
Télimélé *Guinea* 10°54N 13°2W **138** C2
Telkwa *Canada* 54°41N 127°5W **162** C3
Tell City *U.S.A.* 37°57N 86°46W **172** G10
Teller *U.S.A.* 65°16N 166°22W **166** B6
Tellicherry = Thalassery *India* 11°45N 75°30E **127** J2
Telluride *U.S.A.* 37°56N 107°49W **169** H10
Teloloapán *Mexico* 18°21N 99°51W **181** D5
Telpos Iz *Russia* 63°16N 59°13E **58** C17
Telsen *Argentina* 42°30S 66°50W **192** B3
Telšiai *Lithuania* 55°59N 22°14E **82** C9
Telšiai □ *Lithuania* 55°59N 22°15E **82** C9
Teltow *Germany* 52°23N 13°17E **76** C9
Teluk Anson = Teluk Intan *Malaysia* 4°3N 101°0E **121** K3
Teluk Bahang *Malaysia* 5°28N 100°13E **121** c
Teluk Betung = Bandar Lampung *Indonesia* 5°20S 105°10E **118** F3
Teluk Intan *Malaysia* 4°3N 101°0E **121** K3
Teluk Kumbar *Malaysia* 5°18N 100°14E **121** c
Telukbutun *Indonesia* 4°13N 108°12E **118** D3
Telukdalam *Indonesia* 0°33N 97°50E **118** D1
Tema *Ghana* 5°41N 0°0 **139** D5
Temagami, L. *Canada* 47°0N 80°10W **164** C3
Temax *Mexico* 21°9N 88°56W **181** C7
Temba *S. Africa* 25°20S 28°17E **145** C4
Tembagapura *Indonesia* 4°20S 137°0E **119** E9
Tembe *Dem. Rep. of the Congo* 0°16S 28°14E **142** C2
Tembe △ *S. Africa* 26°51S 32°24E **145** C5
Tembleque *Spain* 39°41N 3°30W **88** F7
Temblor Range *U.S.A.* 35°20N 119°50W **171** K7
Teme → *U.K.* 52°11N 2°13W **67** E5
Temecula *U.S.A.* 33°30N 117°9W **171** M9
Temengor, Tasik *Malaysia* 5°24N 101°18E **121** K3
Temerloh *Malaysia* 3°27N 102°25E **121** L4
Teminabuan *Indonesia* 1°26S 132°1E **119** E8
Temir *Kazakhstan* 49°1N 57°14E **108** C5
Temirtau *Kazakhstan* 50°5N 72°56E **109** B8
Temirtau *Russia* 53°10N 87°30E **109** B11
Témiscamie → *Canada* 50°59N 73°5W **165** B5
Témiscaming *Canada* 46°44N 79°5W **164** C4
Témiscamingue, L. *Canada* 47°10N 79°25W **164** C4
Temnikov *Russia* 54°40N 43°11E **86** C6
Temo → *Italy* 40°17N 8°28E **94** B1
Temora *Australia* 34°30S 147°30E **153** C7
Temosachic *Mexico* 28°57N 107°51W **180** B3
Tempe *U.S.A.* 33°24N 111°54W **169** K8
Témpio Pausánia *Italy* 40°54N 9°6E **94** B2
Tempiute *U.S.A.* 37°39N 115°38W **170** H11
Temple *U.S.A.* 31°6N 97°21W **176** F6
Temple B. *Australia* 12°15S 143°3E **150** A3
Temple Terrace *U.S.A.* 28°2N 82°23W **179** G7
Templemore *Ireland* 52°47N 7°51W **64** D4
Templeton *U.S.A.* 35°33N 120°42W **170** K6
Templeton → *Australia* 21°0S 138°40E **150** C2
Templin *Germany* 53°7N 13°28E **76** B9
Tempoal de Sánchez *Mexico* 21°31N 98°23W **181** C5
Temryuk *Russia* 45°15N 37°24E **85** K9
Temska → *Serbia* 43°17N 22°33E **96** C6
Temuco *Chile* 38°45S 72°40W **192** A2
Temuka *N.Z.* 44°14S 171°17E **155** E6
Ten Degree Channel *India* 10°0N 92°30E **127** K11
Ten Thousand Is. *U.S.A.* 25°55N 81°45W **179** K8
Tenabo *Mexico* 20°3N 90°14W **181** C6
Tenaha *U.S.A.* 31°57N 94°15W **176** F7
Tenakee Springs *U.S.A.* 57°47N 135°13W **162** B1
Tenali *India* 16°15N 80°35E **127** F5
Tenancingo *Mexico* 18°58N 99°38W **181** D5
Tenango del Valle *Mexico* 19°7N 99°33W **181** D5
Tenaro, Akra *Greece* 36°22N 22°27E **98** E4
Tenasserim = Taninthayi *Burma* 12°6N 99°3E **121** F2
Tenasserim □ *Burma* 14°0N 98°30E **120** F2
Tenasserim → *Burma* 12°24N 98°37E **120** F2
Tenby *U.K.* 51°40N 4°42W **67** F3
Tenda, Colle di *France* 44°7N 7°36E **73** D11
Tendaho *Ethiopia* 11°48N 40°54E **131** E3
Tende *France* 44°5N 7°35E **73** D11
Tendjedi, Adrar *Algeria* 23°41N 7°32E **136** D5
Tendō *Japan* 38°20N 140°30E **112** E10
Tendrara *Morocco* 33°3N 1°58W **136** B3
Tendrovskaya Kosa *Ukraine* 46°16N 31°35E **85** J6
Tendukhera *India* 23°24N 79°33E **125** H8
Teneguia, Volcán *Canary Is.* 28°28N 17°51W **100** F2
Teneida *Egypt* 25°30N 29°19E **137** B2
Tenenkou *Mali* 14°28N 4°55W **138** C4
Ténéré *Niger* 19°0N 10°30E **139** B7
Ténéré, Erg du *Niger* 17°35N 10°55E **135** E8
Tenerife *Canary Is.* 28°15N 16°35W **100** F3
Tenerife, Pico *Canary Is.* 27°43N 18°1W **100** G1
Tenerife Norte ✕ (TFN) *Canary Is.* 28°28N 16°17W **100** F3
Tenerife Sur ✕ (TFS) *Canary Is.* 28°3N 16°33W **100** F3
Ténès *Algeria* 36°31N 1°14E **136** A4
Teng Xian *Guangxi Zhuangzu, China* 23°21N 110°56E **117** F8
Teng Xian *Shandong, China* 35°5N 117°10E **115** G9
Tengah, Kepulauan *Indonesia* 7°5S 118°15E **118** F5
Tengchong *China* 25°0N 98°28E **116** E2
Tengchowfu = Penglai *China* 37°48N 120°42E **115** F11
Tenggarong *Indonesia* 0°24S 116°58E **118** E5
Tengger Feng *China* 43°12N 86°48E **109** D11
Tengger Shamo *China* 38°0N 104°10E **114** F3
Tenggol, Pulau *Malaysia* 4°48N 103°41E **121** K4
Tengiz Köli *Kazakhstan* 50°30N 69°0E **109** B7
Tengzhou *China* 35°4N 117°9E **115** G9
Tenhult *Sweden* 57°41N 14°20E **63** G8
Teniente Enciso △ *Paraguay* 21°5S 61°8W **190** A3
Tenille *U.S.A.* 29°46N 83°19W **178** F6
Tenino *U.S.A.* 46°51N 122°51W **170** D4
Tenkasi *India* 8°55N 77°20E **127** K3
Tenke *Katanga, Dem. Rep. of the Congo* 11°22S 26°40E **143** E2
Tenke *Katanga, Dem. Rep. of the Congo* 10°32S 26°7E **143** E2
Tenkodogo *Burkina Faso* 11°54N 0°19W **139** C4
Tenna → *Italy* 43°14N 13°47E **93** E10
Tennant Creek *Australia* 19°30S 134°15E **150** B1
Tennessee □ *U.S.A.* 36°0N 86°30W **177** D11
Tennessee → *U.S.A.* 37°4N 88°34W **177** C10
Tennille *U.S.A.* 32°56N 82°48W **178** C7
Teno, Pta. de *Canary Is.* 28°21N 16°55W **100** F3
Tenojoki = Tana → *Norway* 70°30N 28°14E **60** A23
Tenom *Malaysia* 5°4N 115°57E **118** C5
Tenosique *Mexico* 17°29N 91°26W **181** D6
Tenryū-Gawa → *Japan* 35°39N 137°48E **113** G8
Tensift, Oued → *Morocco* 32°3N 9°28W **136** B2
Tenterden *U.K.* 51°4N 0°42E **67** F8
Tenterfield *Australia* 29°0S 152°0E **151** D5
Teo = A Ramallosa *Spain* 42°45N 8°30W **88** C2
Teófilo Otoni *Brazil* 17°50S 41°30W **189** D2
Tepa *Indonesia* 7°52S 129°31E **119** F7
Tepalcatepec → *Mexico* 18°35N 101°59W **180** D4
Tepecik *Bursa, Turkey* 40°7N 28°25E **97** F12
Tepecik *Kütahya, Turkey* 39°32N 29°28E **99** B11
Tepehuanes *Mexico* 25°21N 105°44W **180** B3
Tepelenë *Albania* 40°17N 20°2E **96** F4
Tepetongo *Mexico* 22°28N 103°9W **180** C4
Tepic *Mexico* 21°30N 104°54W **180** C4
Teplá *Czech Rep.* 49°59N 12°52E **78** B5
Teplice *Czech Rep.* 50°40N 13°48E **78** A6
Teplyk *Ukraine* 48°40N 29°44E **81** B14
Tequila *Mexico* 20°54N 103°47W **180** C4
Ter → *Spain* 42°2N 3°12E **90** C8
Ter Apel *Neths.* 52°53N 7°5E **69** B7
Téra *Niger* 14°0N 0°45E **139** C5
Tera → *Spain* 41°54N 5°44W **88** D5
Teraina *Kiribati* 4°43N 160°25W **157** G12
Téramo *Italy* 42°39N 13°42E **93** F10
Terang *Australia* 38°15S 142°55E **152** E5
Terang, Teluk *Indonesia* 8°44S 116°0E **119** K19
Terawhiti, C. *N.Z.* 41°16S 174°38E **154** H3
Terazit, Massif de *Niger* 20°2N 8°30E **139** A6
Tercan *Turkey* 39°47N 40°23E **105** C9
Terceira *Azores* 38°43N 27°13W **134** a
Tercero → *Argentina* 32°58S 61°47W **190** C3
Terdal *India* 16°33N 75°3E **126** F2
Terebovlya *Ukraine* 49°18N 25°44E **75** D13
Teregova *Romania* 45°10N 22°16E **80** E7
Terek → *Russia* 44°0N 47°30E **87** J8
Terengganu □ *Malaysia* 4°55N 103°0E **121** K4
Terepaima △ *Venezuela* 9°58N 69°17W **183** E6
Tereshka → *Russia* 51°48N 46°26E **86** E8
Teresina *Brazil* 5°9S 42°45W **189** B2
Terespol *Poland* 52°5N 23°37E **83** F10
Teressa *India* 8°15N 93°10E **127** K11
Teresva *Ukraine* 48°0N 23°42E **81** B8
Terewah, L. *Australia* 29°52S 147°35E **151** D4
Terges → *Portugal* 37°49N 7°41W **89** H3
Tergnier *France* 49°40N 3°17E **71** C10
Teridgerie Cr. → *Australia* 30°25S 148°50E **153** A8
Terlizzi *Italy* 41°8N 16°32E **95** A9
Termas de Río Hondo *Argentina* 27°29S 64°52W **190** B3
Terme *Turkey* 41°11N 37°0E **104** B7
Términi Imerese *Italy* 37°59N 13°42E **94** E6
Términos, L. de *Mexico* 18°37N 91°33W **181** D6
Termiz *Uzbekistan* 37°15N 67°15E **109** E7
Térmoli *Italy* 42°0N 15°0E **93** F12
Ternate *Indonesia* 0°45N 127°25E **119** D7
Terneuzen *Neths.* 51°20N 3°50E **69** C3
Terney *Russia* 45°3N 136°37E **112** B8
Terni *Italy* 42°34N 12°37E **93** F9
Ternitz *Austria* 47°43N 16°2E **78** D9
Ternivka *Ukraine* 48°32N 29°58E **81** B14
Ternopil *Ukraine* 49°30N 25°40E **75** D13
Ternopil □ *Ukraine* 48°10N 25°10E **75** D13
Ternopol = Ternopil *Ukraine* 49°30N 25°40E **75** D13
Terowie *Australia* 33°8S 138°55E **152** B3
Terpni *Greece* 40°55N 23°26E **96** F7
Terra Bella *U.S.A.* 35°58N 119°3W **171** K7
Terra Nova △ *Canada* 48°33N 53°55W **165** C9
Terrace *Canada* 54°30N 128°35W **162** C3
Terrace Bay *Canada* 48°47N 87°5W **164** C2
Terracina *Italy* 41°17N 13°15E **94** A6
Terralba *Italy* 39°43N 8°39E **94** C1
Terrasini *Italy* 38°10N 13°4E **94** D6
Terrassa *Spain* 41°34N 2°1E **90** D7
Terrasson-la-Villedieu *France* 45°8N 1°18E **72** C5
Terre Haute *U.S.A.* 39°28N 87°25W **172** F10
Terrebonne B. *U.S.A.* 29°5N 90°35W **177** G9
Terrecht *Mali* 20°10N 0°10W **139** B5
Terrenceville *Canada* 47°40N 54°44W **165** C9
Terrick Terrick △ *Australia* 36°8S 144°13E **152** D6
Terry *U.S.A.* 46°47N 105°19W **168** C11
Terryville *U.S.A.* 41°41N 73°3W **175** E11
Terschelling *Neths.* 53°25N 5°20E **69** A5
Tersko-Kumskiy Kanal *Russia* 44°32N 44°38E **87** H7
Tertenía *Italy* 39°42N 9°34E **94** C2
Terter = Tärtär → *Azerbaijan* 40°26N 47°20E **87** K8
Teruel *Spain* 40°22N 1°8W **90** E3
Teruel □ *Spain* 40°48N 1°0W **90** E4
Tervel *Bulgaria* 43°45N 27°28E **97** C11
Tervola *Finland* 66°6N 24°49E **60** C21
Teryaweynya L. *Australia* 32°18S 143°22E **152** B5
Tešanj *Bos.-H.* 44°38N 18°1E **80** F3
Tesha → *Russia* 55°38N 42°9E **86** C6
Teshio *Japan* 44°53N 141°44E **112** B10
Teshio-Gawa → *Japan* 44°53N 141°45E **112** B10
Tešica *Serbia* 43°27N 21°45E **96** C5
Tesiyn Gol → *Mongolia* 50°40N 93°20E **110** A7
Teslić *Bos.-H.* 44°37N 17°54E **80** F2
Teslin *Canada* 60°10N 132°43W **162** A2
Teslin → *Canada* 61°34N 134°35W **162** A2
Teslin L. *Canada* 60°15N 132°57W **162** A2
Tessalit *Mali* 20°12N 1°0E **139** A5
Tessaoua *Niger* 13°47N 7°56E **139** C6
Tessin *Germany* 54°2N 12°26E **76** A8
Tessit *Mali* 15°13N 0°18E **139** B5
Test → *U.K.* 50°56N 1°29W **67** G6
Testa del Gargano *Italy* 41°50N 16°10E **93** G13
Testigos, Is. Los *Venezuela* 11°23N 63°7W **183** D7
Tét *Hungary* 47°30N 17°33E **80** C2
Têt → *France* 42°44N 3°2E **72** F7
Tetachuck L. *Canada* 53°18N 125°55W **162** C3
Tetas, Pta. *Chile* 23°31S 70°38W **190** A1
Tete *Mozam.* 16°13S 33°33E **143** F3
Tete □ *Mozam.* 15°15S 32°40E **143** F3
Teterev → *Ukraine* 51°1N 30°5E **75** C16
Teterow *Germany* 53°46N 12°34E **76** B8
Teteven *Bulgaria* 42°58N 24°17E **97** D8
Tethul → *Canada* 60°35N 112°12W **162** A6
Tetiyev *Ukraine* 49°22N 29°38E **75** D15
Tetlit Zheh = Fort McPherson *Canada* 67°30N 134°55W **160** D5
Teton → *U.S.A.* 47°56N 110°31W **168** C8
Tétouan *Morocco* 35°35N 5°21W **136** A2
Tetovo *Macedonia* 42°1N 20°59E **96** D4
Tetufera, Mt. *Tahiti* 17°40S 149°26W **155** b
Tetyushi *Russia* 54°55N 48°49E **86** C9
Teuco → *Argentina* 25°35S 60°11W **190** B3
Teulada *Italy* 38°58N 8°46E **94** D1
Teulon *Canada* 50°23N 97°16W **163** C9
Teun *Indonesia* 6°59S 129°8E **119** F7
Teuri-Tō *Japan* 44°26N 141°19E **112** B10
Teutoburger Wald *Germany* 52°5N 8°22E **76** C4
Tevere → *Italy* 41°44N 12°14E **93** G9
Tevere △ *Italy* 42°46N 12°14E **93** F9
Teverya *Israel* 32°47N 35°32E **130** C4
Teviot → *U.K.* 55°29N 2°38W **65** F6
Tewantin *Australia* 26°27S 153°3E **151** D5
Tewkesbury *U.K.* 51°59N 2°9W **67** F5
Texada I. *Canada* 49°40N 124°25W **162** D4
Texarkana *Ark., U.S.A.* 33°26N 94°2W **176** E7
Texarkana *Tex., U.S.A.* 33°26N 94°3W **176** E7
Texas *Australia* 28°49S 151°9E **151** D5
Texas □ *U.S.A.* 31°40N 98°30W **176** F5
Texas City *U.S.A.* 29°24N 94°54W **176** G7
Texel *Neths.* 53°5N 4°50E **69** A4
Texline *U.S.A.* 36°23N 103°2W **176** C3
Texoma, L. *U.S.A.* 33°50N 96°34W **176** E6
Teyateyaneng *Lesotho* 29°7S 27°34E **141** K5
Teykovo *Russia* 56°55N 40°30E **84** D11
Teza → *Russia* 56°32N 41°53E **86** B5
Tezin *Afghan.* 34°24N 69°30E **124** B3
Teziutlán *Mexico* 19°49N 97°21W **181** D5
Tezpur *India* 26°40N 92°45E **123** F18
Tezzeron L. *Canada* 54°43N 124°30W **162** C4
Tha-anne → *Canada* 60°31N 94°37W **163** A10
Tha Deua *Laos* 17°57N 102°53E **120** D4
Tha Deua *Laos* 19°26N 101°50E **120** C3
Tha Li *Thailand* 17°37N 101°25E **120** D3
Tha Pla *Thailand* 17°48N 100°32E **120** D3
Tha Rua *Thailand* 14°34N 100°44E **120** E3
Tha Sala *Thailand* 8°40N 99°56E **121** H2
Tha Song Yang *Thailand* 17°34N 97°55E **120** D1
Thaba Putsoa *Lesotho* 29°45S 28°0E **145** C4
Thaba-Tseka *Lesotho* 29°32S 28°36E **145** C4
Thabana Ntlenyana *Lesotho* 29°30S 29°16E **145** C4
Thabazimbi *S. Africa* 24°40S 27°21E **145** B4
Thādiq *Si. Arabia* 25°18N 45°52E **128** E5
Thai Binh *Vietnam* 20°35N 106°1E **116** G6
Thai Muang *Thailand* 8°24N 98°16E **121** H2
Thai Nguyen *Vietnam* 21°35N 105°55E **116** G5
Thailand ■ *Asia* 16°0N 102°0E **120** E4
Thailand, G. of *Asia* 11°30N 101°0E **121** G3
Thakhek *Laos* 17°25N 104°45E **120** D5
Thal *Pakistan* 33°28N 70°33E **124** C4
Thal Desert *Pakistan* 31°10N 71°30E **124** D4
Thala *Tunisia* 35°35N 8°40E **136** A5
Thala La = Hkakabo Razi *Burma* 28°25N 97°23E **116** C1
Thalabarivat *Cambodia* 13°33N 105°57E **120** F5
Thalang = Amphoe Thalang *Thailand* 8°1N 98°20E **121** a
Thalara *Nepal* 29°29N 80°59E **125** E9
Thalassery *India* 11°45N 75°30E **127** J2
Thale Sap Songkhla *Thailand* 7°12N 100°28E **121** J3
Thallon *Australia* 28°39S 148°49E **151** D4
Thalu, Ko *Thailand* 9°26N 99°54E **121** b
Thalwil *Switz.* 47°17N 8°35E **77** H4
Tham Lot *Thailand* 19°34N 98°16E **120** C2
Thamarīt *Oman* 17°39N 54°2E **131** D5
Thames *N.Z.* 37°7S 175°34E **154** D4
Thames → *Canada* 42°20N 82°25W **174** D2
Thames → *U.K.* 51°29N 0°34E **67** F8
Thames → *U.S.A.* 41°18N 72°5W **175** E12
Thames, Firth of *N.Z.* 37°0S 175°25E **154** D4
Thames Estuary *U.K.* 51°29N 0°52E **67** F8
Thamesford *Canada* 43°4N 81°0W **174** C4
Thamesville *Canada* 42°33N 81°59W **174** D3
Than *India* 22°34N 71°11E **124** H4
Than Kyun *Burma* 9°49N 98°4E **121** H1
Than Uyen *Vietnam* 22°0N 103°54E **120** B4
Thana Gazi *India* 27°25N 76°19E **124** F7
Thandla *India* 23°0N 74°34E **124** H6
Thandwe *Burma* 18°20N 94°30E **123** K19
Thane *India* 19°12N 72°59E **126** E1
Thanesar *India* 30°1N 76°52E **124** D7
Thanet, I. of *U.K.* 51°21N 1°20E **67** F9
Thangool *Australia* 24°38S 150°42E **150** C5
Thanh Hoa *Vietnam* 19°48N 105°46E **120** C5
Thanh Hung *Vietnam* 9°55N 105°43E **121** H5
Thanh Pho Ho Chi Minh *Vietnam* 10°58N 106°40E **121** G6
Thanh Thuy *Vietnam* 22°55N 104°51E **120** A5
Thanjavur *India* 10°48N 79°12E **127** J4
Thanlwin = Salween → *Burma* 16°31N 97°37E **123** L20
Thann *France* 47°48N 7°5E **71** E14
Thano Bula Khan *Pakistan* 25°22N 67°50E **124** G2
Thanya Buri *Thailand* 14°1N 100°45E **120** E3
Thaoge → *Botswana* 20°27S 22°36E **144** B3
Thaolintoa L. *Canada* 61°30N 96°25W **163** A9
Thaon-les-Vosges *France* 48°15N 6°24E **71** D13
Thap Lan △ *Thailand* 14°15N 102°16E **120** E4
Thap Sakae *Thailand* 11°30N 99°37E **121** G2
Thap Than *Thailand* 15°27N 99°54E **120** E2
Thar Desert *India* 28°0N 72°0E **124** F5
Tharad *India* 24°30N 71°44E **124** G4
Tharaka-Nithi □ *Kenya* 0°20S 38°0E **142** C4
Thargomindah *Australia* 27°58S 143°46E **151** D3
Tharp Fracture Zone *S. Ocean* 54°0S 135°0W **55** B14
Tharrawaddy *Burma* 17°38N 95°48E **123** L19
Tharthār, Buḩayrat ath *Iraq* 34°0N 43°15E **105** E10
Tharthar, L. = Tharthār, Buḩayrat ath *Iraq* 34°0N 43°15E **105** E10
Tharthār, W. ath → *Iraq* 34°32N 43°4E **105** E10
Thasopoula *Greece* 40°49N 24°45E **97** F8
Thasos *Greece* 40°40N 24°40E **97** F8
That Khe *Vietnam* 22°16N 106°28E **116** F6
Thatcher *Ariz., U.S.A.* 32°51N 109°46W **169** K9
Thatcher *Colo., U.S.A.* 37°33N 104°7W **169** H11
Thaton *Burma* 16°55N 97°22E **123** L20
Thatta *Pakistan* 24°42N 67°55E **124** G2
Thau, Bassin de *France* 43°23N 3°36E **72** E7
Thaungdut *Burma* 24°30N 94°40E **123** G19
Thayawthadangy Kyun *Burma* 12°19N 98°0E **120** F1
Thayer *U.S.A.* 36°31N 91°33W **172** G8
Thayetmyo *Burma* 19°20N 95°10E **123** K19
Thazi *Burma* 21°0N 96°5E **123** J20
Thbeng Meanchey *Cambodia* 13°49N 104°58E **120** F5
The Bahamas ■ *N. Amer.* 24°0N 75°0W **183** B5
The Broads *U.K.* 52°45N 1°30E **66** E9
The Everglades *U.S.A.* 25°50N 81°0W **179** K9
The Gambia ■ *W. Afr.* 13°25N 16°0W **138** C1
The Gulf = Persian Gulf *Asia* 27°0N 50°0E **129** E6
The Hague = 's-Gravenhage *Neths.* 52°7N 4°17E **69** B4
The Pas *Canada* 53°45N 101°15W **163** C8
The Wash *U.K.* 52°58N 0°20E **66** E8
The Weald *U.K.* 51°4N 0°20E **67** F8
Thebes = Thiva *Greece* 38°19N 23°19E **98** C5
Thebes *Egypt* 25°40N 32°35E **137** B3
Thedford *U.S.A.* 41°59N 100°35W **172** E3
Theebine *Australia* 25°57S 152°34E **151** D5
Thekulthili L. *Canada* 61°3N 110°0W **163** A7
Thelon → *Canada* 64°16N 96°4W **163** A8
Thénezay *France* 46°44N 0°2W **70** F6
Thenon *France* 45°9N 1°4E **72** C5
Theodore *Australia* 24°55S 150°3E **150** C5
Theodore *Canada* 51°26N 102°55W **163** C8
Theodore *U.S.A.* 30°33N 88°10W **177** F10
Theodore Roosevelt △ *U.S.A.* 47°0N 103°25W **172** B2
Theodore Roosevelt L. *U.S.A.* 33°40N 111°10W **169** K8
Thepha *Thailand* 6°52N 100°58E **121** J3
Thérain → *France* 49°15N 2°27E **71** C9
Therandë *Kosovo* 42°21N 20°50E **96** D4
Theresa *U.S.A.* 44°13N 75°48W **175** B9
Theressa *U.S.A.* 29°50N 82°4W **178** F7
Thermaïkos Kolpos *Greece* 40°15N 22°45E **96** F6
Thermopolis *U.S.A.* 43°39N 108°13W **168** E9
Thermopylæ *Greece* 38°48N 22°35E **98** C4
Thesprotia *Greece* 39°27N 20°22E **98** B2
Thessalon *Canada* 46°20N 83°30W **164** C3
Thessalonica, Gulf of = Thermaïkos Kolpos *Greece* 40°15N 22°45E **96** F6
Thessaloniki *Greece* 40°38N 22°58E **96** F6
Thessaloniki ✕ (SKG) *Greece* 40°30N 23°0E **96** F7
Thessaly □ *Greece* 39°25N 22°0E **98** B4
Thetford *U.K.* 52°25N 0°45E **67** E8
Thetford Mines *Canada* 46°8N 71°18W **165** C5
Theun → *Laos* 18°19N 104°0E **120** C5
Theunissen *S. Africa* 28°26S 26°43E **144** C4
Thevenard *Australia* 32°9S 133°38E **151** E1
Thiamis → *Greece* 39°15N 20°6E **98** B2
Thiberville *France* 49°8N 0°27E **70** C7
Thibodaux *U.S.A.* 29°48N 90°49W **177** G9
Thicket Portage *Canada* 55°19N 97°42W **163** B9
Thief River Falls *U.S.A.* 48°7N 96°10W **172** A5
Thiel Mts. *Antarctica* 85°15S 91°0W **55** E16
Thiene *Italy* 45°42N 11°29E **93** C8
Thiérache *France* 49°51N 3°45E **71** C10
Thiers *France* 45°52N 3°33E **72** C7
Thiès *Senegal* 14°50N 16°51W **138** C1
Thiès □ *Senegal* 14°45N 16°50W **138** C1
Thiesi *Italy* 40°31N 8°43E **94** B1
Thika *Kenya* 1°1S 37°5E **142** C4
Thille-Boubacar *Senegal* 16°31N 15°5W **138** B1
Thimphu *Bhutan* 27°31N 89°45E **123** F16
Thina → *S. Africa* 31°18S 29°13E **145** D4
Þingvallavatn *Iceland* 64°11N 21°9W **60** D3
Thionville *France* 49°20N 6°10E **71** C13
Thira = Santorini *Greece* 36°23N 25°27E **99** E7
Thirasia *Greece* 36°26N 25°21E **99** E7
Third Cataract *Sudan* 19°42N 30°20E **137** D3
Thirsk *U.K.* 54°14N 1°19W **66** C6
Thiruvananthapuram *India* 8°41N 77°0E **127** K3
Thiruvarur *India* 10°46N 79°38E **127** J4
Thisted *Denmark* 56°58N 8°40E **63** H2
Thistle I. *Australia* 35°0S 136°8E **152** C2
Thithia = Cicia *Fiji* 17°45S 179°18W **154** a
Thitu I. *S. China Sea* 11°3N 114°17E **118** B4
Thiva *Greece* 38°19N 23°19E **98** C5
Thiviers *France* 45°25N 0°54E **72** C4
Thizy *France* 46°2N 4°18E **71** F11
Þjórsá → *Iceland* 63°47N 20°48W **60** E3
Thlewiaza → *Canada* 60°29N 94°40W **163** A10
Thmar Puok *Cambodia* 13°57N 103°4E **120** F4
Tho Chu, Dao *Vietnam* 9°20N 103°28E **121** H4
Tho Vinh *Vietnam* 19°16N 105°42E **120** C5
Thoa → *Canada* 60°31N 109°47W **163** A7
Thoen *Thailand* 17°43N 99°12E **120** D2
Thoeng *Thailand* 19°41N 100°12E **120** C3
Thohoyandou *S. Africa* 22°58S 30°29E **141** J6
Thomas *U.S.A.* 35°45N 98°45W **176** D5
Thomas, L. *Australia* 26°4S 137°58E **151** D2
Thomas Hubbard, C. *Canada* 82°0N 94°25W **161** A13
Thomaston *U.S.A.* 32°53N 84°20W **178** C5
Thomasville *Ala., U.S.A.* 31°55N 87°44W **177** F11
Thomasville *Ga., U.S.A.* 30°50N 83°59W **178** E6
Thomasville *N.C., U.S.A.* 35°53N 80°5W **177** D14
Thompson *Canada* 55°45N 97°52W **163** B9
Thompson *U.S.A.* 41°52N 75°31W **175** E9
Thompson → *Canada* 50°15N 121°24W **162** C4
Thompson → *U.S.A.* 39°46N 93°37W **172** F7
Thompson Falls *U.S.A.* 47°36N 115°21W **168** C6
Thompson Pk. *U.S.A.* 41°0N 123°2W **168** F2
Thompson Sd. *N.Z.* 45°8S 166°46E **155** F1
Thompson Springs *U.S.A.* 38°58N 109°43W **168** G9
Thompsontown *U.S.A.* 40°33N 77°14W **174** F7
Thomson *U.S.A.* 33°28N 82°30W **178** B7
Thomson → *Australia* 25°11S 142°53E **150** C3
Thon Buri *Thailand* 13°45N 100°29E **120** F3
Thônes *France* 45°54N 6°18E **73** C10
Thong Yang *Thailand* 9°28N 99°56E **121** b
Thonon-les-Bains *France* 46°22N 6°29E **71** F13
Thoothukudi = Tuticorin *India* 8°50N 78°12E **127** K4
Thorez *Ukraine* 48°4N 38°34E **85** H10
Þórisvatn *Iceland* 64°20N 18°55W **60** D4
Thornaby on Tees *U.K.* 54°33N 1°18W **66** C6
Thornbury *Canada* 44°34N 80°26W **174** B4
Thornbury *N.Z.* 46°17S 168°9E **155** G3
Thorne *U.K.* 53°37N 0°57W **66** D7
Thornton *Canada* 44°16N 79°43W **174** B5
Thornton *U.S.A.* 39°52N 104°58W **168** G11
Thorold *Canada* 43°7N 79°12W **174** C5
Þórshöfn *Iceland* 66°12N 15°20W **60** C6
Thouarcé *France* 47°17N 0°30W **70** E6
Thouars *France* 47°0N 0°15W **70** F6
Thouet → *France* 47°17N 0°6W **70** E6
Thouin, C. *Australia* 20°20S 118°10E **148** D2
Thousand Islands *U.S.A.* 44°20N 76°0W **175** B9
Thousand Oaks *U.S.A.* 34°10N 118°50W **171** L8
Thrace *Europe* 41°0N 27°0E **97** F10
Thrace, Sea of *Greece* 40°30N 25°0E **97** F8
Thredbo *Australia* 36°31S 148°20E **153** D8
Three Forks *U.S.A.* 45°54N 111°33W **168** D8
Three Gorges Dam *China* 30°45N 111°15E **117** B8
Three Gorges Res. = Sanxia Shuiku *China* 30°3N 107°58E **116** B6
Three Hills *Canada* 51°43N 113°15W **162** C6
Three Hummock I. *Australia* 40°25S 144°55E **151** G3
Three Pagodas Pass *Asia* 15°20N 98°30E **120** E2
Three Points, C. *Ghana* 4°42N 2°6W **138** E4
Three Rivers *Calif., U.S.A.* 36°26N 118°54W **170** J8
Three Rivers *Tex., U.S.A.* 28°28N 98°11W **176** G5
Three Springs *Australia* 29°32S 115°45E **149** E2
Thrissur *India* 10°30N 76°18E **127** J3
Throssell, L. *Australia* 27°33S 124°10E **149** E3
Throssell Ra. *Australia* 22°3S 121°43E **148** D3
Thrushton △ *Australia* 27°47S 147°40E **151** D4
Thu Dau Mot *Vietnam* 10°58N 106°39E **121** G6
Thua → *Kenya* 1°31S 39°30E **142** C4
Thuamal Rampur *India* 19°23N 82°56E **126** E6
Thuan Hoa *Vietnam* 8°58N 105°30E **121** H5

Thubun Lakes Canada 61°30N 112°0W 163 A6
Thueyts France 44°41N 4°9E 73 D8
Thugga = Dougga Tunisia 36°25N 9°13E 136 A5
Thuin Belgium 50°20N 4°17E 69 D4
Thuir France 42°38N 2°45E 72 F6
Thule = Qaanaaq Greenland 77°30N 69°10W 57 B4
Thule Air Base = Uummannaq Greenland 77°33N 68°52W 57 B4
Thun Switz. 46°45N 7°38E 77 J3
Thunder B. U.S.A. 45°0N 83°20W 174 B1
Thunder Bay Canada 48°20N 89°15W 164 C2
Thunderbolt U.S.A. 32°3N 81°4W 178 C8
Thunersee Switz. 46°43N 7°39E 77 J3
Thung Salaeng Luang △ Thailand 16°43N 100°50E 120 D3
Thung Song Thailand 8°10N 99°40E 121 H2
Thungyai △ Thailand 15°20N 98°55E 120 E2
Thunkar Bhutan 27°55N 91°0E 123 F17
Thuong Tra Vietnam 16°2N 107°42E 120 D6
Thur → Switz. 47°32N 9°10E 77 H5
Thurgau □ Switz. 47°34N 9°10E 77 H5
Thüringen □ Germany 51°0N 11°0E 76 D6
Thüringer Wald Germany 50°35N 11°0E 76 E6
Thuringowa △ Australia 19°18S 146°43E 150 B4
Thurles Ireland 52°41N 7°49W 64 D4
Thurn P. Austria 47°20N 12°25E 78 D5
Thurrock □ U.K. 51°31N 0°23E 67 F8
Thursday I. Australia 10°30S 142°3E 150 A3
Thurso Canada 45°36N 75°15W 164 C4
Thurso U.K. 58°36N 3°32W 65 C5
Thurso → U.K. 58°36N 3°32W 65 C5
Thurston I. Antarctica 72°0S 100°0W 55 D16
Thury-Harcourt France 48°59N 0°30W 70 D6
Thutade L. Canada 57°0N 126°55W 162 B3
Thy Denmark 56°52N 8°25E 63 H2
Thy △ Denmark 56°55N 8°25E 63 H2
Thyborøn Denmark 56°42N 8°12E 63 H2
Thyolo Malawi 16°7S 35°5E 143 F4
Ti-n-Amzi → Niger 18°20N 4°32E 139 B5
Ti-n-Barraouene, O. → Africa 18°40N 4°5E 139 B5
Ti-n-Tanetfirt Algeria 24°49N 3°48E 136 D4
Ti-n-Zaouatene Algeria 19°55N 2°55E 139 B5
Ti-Tree Australia 22°5S 133°22E 150 C1
Tiadiaye Senegal 14°25N 16°40W 138 C1
Tiahuanaco Bolivia 16°33S 68°42W 188 D4
Tian Shan Asia 40°30N 76°0E 109 D9
Tianchang China 32°40N 119°0E 117 A12
Tiandeng China 23°6N 107°7E 116 F6
Tiandong China 23°36N 107°8E 116 F6
Tian'e China 25°1N 107°9E 116 E6
Tianguá Brazil 3°44S 40°59W 189 A2
Tianhe China 24°48N 108°40E 116 E7
Tianjin China 39°7N 117°12E 115 E9
Tianjin Shi □ China 39°8N 117°12E 115 E9
Tianjun China 38°0N 98°30E 110 D8
Tiankoura Burkina Faso 10°47N 3°17W 138 C4
Tianlin China 24°21N 106°12E 116 E6
Tianmen China 30°39N 113°9E 117 B9
Tianquan China 30°7N 102°43E 116 B4
Tianshifu China 41°17N 124°22E 115 D13
Tianshui China 34°32N 105°40E 114 G3
Tiantai China 29°10N 121°2E 117 C13
Tianya China 18°18N 109°20E 117 a
Tianyang China 23°42N 106°53E 116 F6
Tianyar Indonesia 8°12S 115°30E 119 J18
Tianzhen China 40°24N 114°5E 114 D8
Tianzhu China 26°54N 109°11E 116 D7
Tianzhuangtai China 40°43N 122°5E 115 D12
Tiarei Tahiti 17°32S 149°20W 155 b
Tiaret Algeria 35°20N 1°21E 136 A4
Tiaret □ Algeria 34°30N 1°30E 136 B4
Tiassalé Ivory C. 5°58N 4°57W 138 D4
Tibagi Brazil 24°30S 50°24W 191 A5
Tibagi → Brazil 22°47S 51°1W 191 A5
Tibastī, Sarīr Libya 22°50N 18°30E 135 D9
Tibati Cameroon 6°22N 12°30E 139 D7
Tiber = Tevere → Italy 41°44N 12°14E 93 G9
Tiber Res. U.S.A. 48°19N 111°6W 168 B8
Tiberias = Teverya Israel 32°47N 35°32E 130 C4
Tiberias, L. = Yam Kinneret Israel 32°45N 35°35E 130 C4
Tibesti Chad 21°0N 17°30E 135 D9
Tibet = Xizang Zizhiqu □ China 32°0N 88°0E 110 E6
Tibet, Plateau of Asia 32°0N 86°0E 102 E10
Tibiri Niger 13°34N 7°4E 139 C6
Ţibleş, Vf. Romania 47°32N 24°15E 81 C9
Ţibleşului, Munţii Romania 47°38N 24°5E 81 C9
Tibni Syria 35°36N 39°50E 105 E8
Tibooburra Australia 29°26S 142°1E 151 D3
Tibrikot Nepal 29°3N 82°48E 125 E10
Tibro Sweden 58°28N 14°10E 63 F8
Tiburón, I. Mexico 29°0N 112°25W 180 B2
Tice U.S.A. 26°40N 81°49W 179 J8
Tichît Mauritania 18°21N 9°29W 138 B3
Ticino □ Switz. 46°20N 8°45E 77 J4
Ticino → Italy 45°9N 9°14E 92 C6
Ticleni Romania 44°53N 23°24E 81 F8
Ticonderoga U.S.A. 43°51N 73°26W 175 C11
Ticul Mexico 20°24N 89°32W 181 C7
Tidaholm Sweden 58°12N 13°58E 63 F7
Tidan Sweden 58°34N 14°1E 63 F8
Tiddim Burma 23°28N 93°45E 123 H18
Tiden India 7°15N 93°33E 127 L11
Tidikelt Algeria 26°58N 1°30E 136 C4
Tidioute U.S.A. 41°41N 79°24W 174 E5
Tidjikja Mauritania 18°29N 11°35W 138 B2
Tidore Indonesia 0°40N 127°25E 119 D7
Tiébissou Ivory C. 7°9N 5°10W 138 D3
Tiefa China 42°28N 123°26E 115 C12
Tiegang Shuiku China 22°37N 113°53E 111 a
Tiel Neths. 51°53N 5°26E 69 C5
Tiel Senegal 14°55N 15°5W 138 C1
Tieli China 46°57N 128°3E 111 B14
Tieling China 42°20N 123°55E 115 C12
Tielt Belgium 51°0N 3°20E 69 C3
Tiemenguan China 41°49N 85°39E 109 D11
Tien Shan = Tian Shan Asia 40°30N 76°0E 109 D9
Tien-tsin = Tianjin China 39°7N 117°12E 115 E9
Tien Yen Vietnam 21°20N 107°24E 120 B6
T'ienching = Tianjin China 39°7N 117°12E 115 E9
Tienen Belgium 50°48N 4°57E 69 D4
Tiénigbé Ivory C. 8°11N 5°43W 138 D3
Tientsin = Tianjin China 39°7N 117°12E 115 E9
Tieri Australia 23°2S 148°21E 150 C4
Tierp Sweden 60°20N 17°30E 62 D11
Tierra Amarilla Chile 27°28S 70°18W 190 B1
Tierra Amarilla U.S.A. 36°42N 106°33W 169 H10
Tierra Colorada Mexico 17°11N 99°32W 181 D5
Tierra de Barros Spain 38°40N 6°30W 89 G4
Tierra de Campos Spain 42°10N 4°50W 88 C6
Tierra del Fuego □ Argentina 54°0S 67°45W 192 D3
Tierra del Fuego, I. Grande de Argentina 54°0S 69°0W 192 D3
Tierra del Fuego △ Argentina 54°50S 68°23W 192 D3
Tiétar → Spain 39°50N 6°1W 88 F4
Tieté → Brazil 20°40S 51°35W 191 A5
Tiffin U.S.A. 41°7N 83°11W 173 E12
Tiflèt Morocco 33°54N 6°20W 136 B2
Tifton U.S.A. 31°27N 83°31W 178 D6
Tifu Indonesia 3°39S 126°24E 119 E7
Tiga Res. Nigeria 11°35N 8°30E 139 C6
Tiger Leaping Gorge = Hutiao Xia China 27°13N 100°9E 116 D3
Tigharghar, Adrar Mali 19°30N 1°13E 139 B5
Tighina = Bendery Moldova 46°50N 29°30E 81 D14
Tigil Russia 57°49N 158°40E 107 D16
Tigiria India 20°29N 85°31E 126 D7
Tignall U.S.A. 33°52N 82°44W 178 B7
Tignish Canada 46°58N 64°2W 165 C7
Tigre → Peru 4°30S 74°10W 188 A3
Tigre → Venezuela 9°20N 62°30W 186 B6
Tigris = Dijlah, Nahr → Asia 31°0N 47°25E 128 D5
Tiguentourine Algeria 27°52N 9°8E 136 C5
Tigveni Romania 45°10N 24°31E 81 E9
Tigyaing Burma 23°45N 96°10E 123 H20
Tîh, Gebel el Egypt 29°32N 33°26E 137 F8
Tihāmah Asia 15°3N 41°55E 131 D3
Tihodaine, Erg de Algeria 25°15N 7°15E 136 C5
Tiilikka △ Finland 63°40N 28°15E 60 E23
Tijara India 27°56N 76°31E 124 F7
Tijuana Mexico 32°32N 117°1W 171 N9
Tikal Guatemala 17°13N 89°24W 182 C2
Tikal △ Guatemala 17°23N 89°34W 182 C2
Tikamgarh India 24°44N 78°50E 125 G8
Tikaré Burkina Faso 13°15N 1°43W 139 C4
Tikchik Lakes U.S.A. 60°0N 159°0W 166 D8
Tikhoretsk Russia 45°56N 40°5E 87 H5
Tikhvin Russia 59°35N 33°30E 84 C7
Tikirarjuaq = Whale Cove Canada 62°10N 92°34W 163 A10
Tikkadouine, Adrar Algeria 24°28N 1°30E 136 D4
Tikmehdāsh Iran 37°16N 46°54E 105 D12
Tiko Cameroon 4°4N 9°20E 139 E6
Tikrīt Iraq 34°35N 43°37E 105 E10
Tiksi Russia 71°40N 128°45E 107 B13
Tilā' al 'Alī Jordan 32°0N 35°52E 130 D4
Tilamuta Indonesia 0°32N 122°23E 119 D6
Tilburg Neths. 51°31N 5°6E 69 C5
Tilbury Canada 42°17N 82°23W 174 D2
Tilbury U.K. 51°27N 0°22E 67 F8
Tilcara Argentina 23°36S 65°23W 190 A2
Tilden U.S.A. 42°3N 97°50W 172 D5
Tilemsi, Vallée du Mali 17°42N 0°15E 139 B5
Tilhar India 28°0N 79°45E 125 F8
Tilia, O. → Algeria 27°32N 0°55E 136 C4
Tilichiki Russia 60°27N 166°5E 107 C17
Tililane Algeria 27°49N 0°6W 136 C3
Tilissos Greece 35°20N 25°1E 101 D7
Till → U.K. 55°41N 2°13W 66 B5
Tillabéri Niger 14°28N 1°28E 139 C5
Tillamook U.S.A. 45°27N 123°51W 168 D2
Tillanchong I. India 8°30N 93°37E 127 K11
Tillberga Sweden 59°40N 16°39E 62 E10
Tillia Niger 16°8N 4°47E 139 B5
Tillman U.S.A. 32°28N 81°6W 178 C8
Tillsonburg Canada 42°53N 80°44W 174 D4
Tillyeria Cyprus 35°6N 32°40E 101 D11
Tilogne Senegal 16°0N 13°40W 138 B2
Tilos Greece 36°27N 27°27E 99 E9
Tilpa Australia 30°57S 144°24E 152 A6
Tilrhemt Algeria 33°9N 3°22E 136 B4
Tilt → U.K. 56°46N 3°51W 65 E5
Tilton U.S.A. 43°27N 71°36W 175 C13
Tiltonsville U.S.A. 40°10N 80°41W 174 F4
Tim Denmark 56°12N 8°19E 63 H2
Tima Egypt 26°54N 31°25E 137 B3
Timanfaya △ Canary Is. 29°0N 13°46W 100 F6
Timaru N.Z. 44°23S 171°14E 155 E6
Timashevo Russia 53°22N 51°9E 86 D10
Timashevsk Russia 45°35N 39°0E 87 H4
Timau Kenya 0°4N 37°15E 142 B4
Timbaki Greece 35°4N 24°45E 101 D6
Timbaúba Brazil 7°31S 35°19W 189 B3
Timbedgha Mauritania 16°17N 8°16W 138 B3
Timber Creek Australia 15°40S 130°29E 148 C5
Timber Lake U.S.A. 45°26N 101°5W 172 C3
Timber Mt. U.S.A. 37°6N 116°28W 170 H10
Timbo Guinea 10°35N 11°50W 138 C2
Timbo Liberia 5°35N 9°45W 138 D3
Timboon Australia 38°30S 142°58E 152 E5
Timbué, Ponta Mozam. 18°47S 36°22E 143 F4
Timbuktu = Tombouctou Mali 16°50N 3°0W 138 B4
Timéiaouine Algeria 20°27N 1°50E 139 A5
Timellouline Algeria 29°22N 8°55E 136 C5
Timétrine Mali 19°19N 0°34W 139 B4
Timétrine, Mts. Mali 19°25N 1°0W 139 B4
Timfi Oros Greece 39°59N 20°45E 98 B2
Timfristos, Oros Greece 38°57N 21°50E 98 C3
Timgad Algeria 35°29N 6°28E 136 A5
Timhadit Morocco 33°15N 5°4W 136 B2
Timi Cyprus 34°44N 32°31E 101 E11
Timia Niger 18°4N 8°40E 139 B6
Timika Indonesia 4°47S 136°32E 119 E9
Timimoun Algeria 29°14N 0°16E 136 C4
Timimoun, Sebkha de Algeria 28°50N 0°46E 136 C4
Timiris, Râs Mauritania 19°21N 16°30W 138 B1
Timiş = Tamis → Serbia 44°51N 20°39E 80 F5
Timiş □ Romania 45°40N 21°30E 80 E6
Timiskaming, L. = Témiscamingue, L. Canada 47°10N 79°25W 164 C4
Timişoara Romania 45°43N 21°15E 80 E6
Timmersdala Sweden 58°32N 13°46E 63 F7
Timmins Canada 48°28N 81°25W 164 C3
Timmonsville U.S.A. 34°8N 79°57W 178 A10
Timok → Serbia 44°10N 22°40E 96 B6
Timoleague Ireland 51°39N 8°46W 64 E3
Timon Brazil 5°8S 42°52W 189 B2
Timor Asia 9°0S 125°0E 119 F7
Timor Leste = East Timor ■ Asia 8°50S 126°0E 119 F7
Timor Sea Ind. Oc. 12°0S 127°0E 148 B4
Timrå Sweden 62°29N 17°18E 62 B11
Timucuan △ U.S.A. 30°28N 81°27W 178 E8
Tin Alkoum Algeria 24°42N 10°17E 136 D6
Tin Atanai Algeria 25°52N 1°37E 136 C4
Tin Can Bay Australia 25°56S 153°0E 151 D5
Tin Ethisane Mali 19°3N 0°52W 139 B4
Tin Gornai Mali 16°38N 0°38W 139 B4
Tin Mt. U.S.A. 36°50N 117°10W 170 J9
Tin Shui Wai China 22°28N 114°0E 111 a
Tina = Thina → S. Africa 31°18S 29°13E 145 D4
Tîna, Khalîg el Egypt 31°10N 32°40E 130 D1
Tinaca Pt. Phil. 5°30N 125°25E 119 C7
Tinajo Canary Is. 29°4N 13°42W 100 E6
Tinca Romania 46°46N 21°58E 80 D6
Tindal Australia 14°31S 132°22E 148 B5
Tindivanam India 12°15N 79°41E 127 H4
Tindouf Algeria 27°42N 8°10W 136 C2
Tindouf □ Algeria 27°25N 5°50W 136 C2
Tinée → France 43°55N 7°11E 73 E11
Tineo Spain 43°21N 6°27W 88 B4
Tinerhir Morocco 31°29N 5°31W 136 B2
Tinfouchi Algeria 28°52N 5°49W 136 C2
Tinfunque △ Paraguay 23°55S 60°17W 190 A3
Ting Jiang → China 24°45N 116°35E 117 E11
Tinggi, Pulau Malaysia 2°18N 104°7E 121 L5
Tingi Mts. S. Leone 8°55N 10°47W 138 D2
Tinglev Denmark 54°57N 9°13E 63 K3
Tingo María Peru 9°10S 75°54W 188 B2
Tingrela Ivory C. 10°27N 6°25W 138 C3
Tingri China 28°34N 86°38E 110 F6
Tingsryd Sweden 56°31N 15°0E 63 H9
Tingstäde Sweden 57°44N 18°37E 63 G12
Tinh Bien Vietnam 10°36N 104°57E 121 G5
Tinharé, I. de Brazil 13°30S 38°58W 189 C3
Tinian N. Marianas 15°0N 145°38E 156 F6
Tinkisso → Guinea 11°21N 9°10W 138 C3
Tinnevelly = Tirunelveli India 8°45N 77°45E 127 K3
Tinogasta Argentina 28°5S 67°32W 190 B2
Tinos Greece 37°33N 25°8E 99 D7
Tiñoso, C. Spain 37°32N 1°6W 91 H3
Tinpahar India 24°59N 87°44E 125 G12
Tinrhert, Plateau du Algeria 29°30N 9°0E 136 C5
Tinta Peru 14°3S 71°20W 188 C3
Tîntâne Mauritania 16°18N 10°10W 138 B2
Tintina Argentina 27°2S 62°45W 190 B3
Tintinara Australia 35°48S 140°2E 152 C4
Tintioulé Guinea 10°13N 9°12W 138 C3
Tinto → Spain 37°12N 6°55W 89 H4
Tinui N.Z. 40°52S 176°5E 154 G5
Tinwald N.Z. 43°55S 171°43E 155 D6
Tiobraid Árann = Tipperary Ireland 52°28N 8°10W 64 D3
Tioga N. Dak., U.S.A. 48°24N 102°56W 172 A2
Tioga Pa., U.S.A. 41°55N 77°8W 174 E7
Tioman, Pulau Malaysia 2°50N 104°10E 121 L5
Tione di Trento Italy 46°2N 10°43E 92 B7
Tionesta U.S.A. 41°30N 79°28W 174 E5
Tiouliline Algeria 27°1N 0°2W 136 C3
Tipaza Algeria 36°35N 2°26E 136 A4
Tipaza □ Algeria 36°35N 2°28E 136 A4
Tipperary Ireland 52°28N 8°10W 64 D3
Tipperary □ Ireland 52°37N 7°55W 64 D4
Tipton Calif., U.S.A. 36°4N 119°19W 170 J7
Tipton Iowa, U.S.A. 41°46N 91°8W 172 E8
Tipton Mt. U.S.A. 35°32N 114°12W 171 K12
Tiptonville U.S.A. 36°23N 89°29W 177 C10
Tiptur India 13°15N 76°26E 127 H3
Tiquina Bolivia 16°13S 68°50W 188 D4
Tiracambu, Serra do Brazil 3°15S 46°30W 189 A1
Tirahart, O. → Algeria 23°45N 3°10E 136 D4
Tirān Iran 32°45N 51°8E 129 C6
Tīrān Si. Arabia 27°57N 34°32E 137 B3
Tiranë Albania 41°18N 19°49E 96 E3
Tiranë ✕ (TIA) Albania 41°57N 19°42E 96 E3
Tirano Italy 46°13N 10°10E 92 B7
Tirari Desert Australia 28°22S 138°7E 151 D2
Tiraspol Moldova 46°55N 29°35E 81 D14
Tiratimine Algeria 25°56N 3°37E 136 C4
Tirau N.Z. 37°58S 175°46E 154 D4
Tirdout Mali 16°7N 1°5W 139 B4
Tire Turkey 38°5N 27°45E 99 C9
Tirebolu Turkey 40°58N 38°45E 105 B8
Tiree U.K. 56°31N 6°55W 65 E2
Tiree, Passage of U.K. 56°30N 6°30W 65 E2
Tîrgovişte = Târgovişte Romania 44°55N 25°27E 81 F10
Tîrgu Jiu = Târgu Jiu Romania 45°5N 23°19E 81 E8
Tîrgu Mureş = Târgu Mureş Romania 46°31N 24°38E 81 D9
Tirich Mir Pakistan 36°15N 71°55E 109 E8
Tiriolo Italy 38°57N 16°30E 95 D9
Tiririca, Serra da Brazil 17°6S 47°6W 189 D1
Tiriro Guinea 10°27N 8°40W 138 C3
Tiritiri o te Moana = Southern Alps N.Z. 43°41S 170°11E 155 D5
Tirna → India 18°4N 76°57E 126 E3
Tirnavos Greece 39°45N 22°18E 98 B4
Tirodi India 21°40N 79°44E 126 D4
Tirol □ Austria 47°3N 10°43E 78 D3
Tiros Brazil 19°0S 45°58W 189 D1
Tirrukkovil Sri Lanka 7°7N 81°51E 127 L5
Tirschenreuth Germany 49°53N 12°19E 77 F8
Tirso → Italy 39°53N 8°32E 94 C1
Tirstrup Denmark 56°18N 10°42E 63 H4
Tirtagangga Indonesia 8°24S 115°35E 119 J18
Tirthahalli India 13°42N 75°14E 127 H2
Tirua Pt. N.Z. 38°25S 174°40E 154 E3
Tiruchchendur India 8°30N 78°11E 127 K4
Tiruchchirappalli India 10°45N 78°45E 127 J4
Tirukkoyilur India 11°57N 79°12E 127 J4
Tirumangalam India 9°49N 77°58E 127 K3
Tirumayam India 10°14N 78°45E 127 J4
Tirunelveli India 8°45N 77°45E 127 K3
Tirupati India 13°39N 79°25E 127 H4
Tiruppattur Tamil Nadu, India 10°8N 78°37E 127 J4
Tiruppattur Tamil Nadu, India 12°30N 78°30E 127 H4
Tiruppur India 11°5N 77°22E 127 J3
Tirur India 10°54N 75°55E 127 J2
Tiruttani India 13°11N 79°58E 127 H4
Tiruturaippundi India 10°32N 79°41E 127 J4
Tiruvadaimarudur India 11°2N 79°27E 127 J4
Tiruvalla India 9°23N 76°34E 127 K3
Tiruvallar India 13°9N 79°57E 127 H4
Tiruvannamalai India 12°15N 79°5E 127 H4
Tiruvettipuram India 12°39N 79°33E 127 H4
Tiruvottiyur India 13°10N 80°22E 127 H5
Tisa India 32°50N 76°9E 124 C7
Tisa → Serbia 45°15N 20°17E 80 E5
Tisdale Canada 52°50N 104°0W 163 C8
Tishomingo U.S.A. 34°14N 96°41W 176 D6
Tisjön Sweden 60°56N 13°0E 62 D7
Tisnaren Sweden 58°58N 15°56E 63 F9
Tišnov Czech Rep. 49°21N 16°25E 79 B9
Tisovec Slovak Rep. 48°41N 19°56E 79 C12
Tissamaharama Sri Lanka 6°17N 81°17E 127 L5
Tissemsilt Algeria 35°35N 1°50E 136 A4
Tissemsilt □ Algeria 35°45N 1°45E 136 A4
Tissint Morocco 29°57N 7°16W 136 C2
Tisza = Tisa → Serbia 45°15N 20°17E 80 E5
Tiszaföldvár Hungary 46°58N 20°14E 80 D5
Tiszafüred Hungary 47°38N 20°50E 80 C5
Tiszalök Hungary 48°1N 21°20E 80 B6
Tiszavasvári Hungary 47°58N 21°18E 80 C6
Tit Ahaggar, Algeria 23°0N 5°10E 136 D5
Tit Tademait, Algeria 27°0N 1°29E 136 C4
Tit-Ary Russia 71°55N 127°2E 107 B13
Titaguas Spain 39°53N 1°6W 90 F3
Titao Burkina Faso 13°45N 2°5W 139 C4
Titel Serbia 45°10N 20°18E 80 E5
Tithwal Pakistan 34°21N 73°50E 125 B5
Titicaca, L. S. Amer. 15°30S 69°30W 188 D4
Titisee Germany 47°54N 8°10E 77 H4
Tititira Hd. N.Z. 43°36S 169°25E 155 D4
Titiwa Nigeria 12°14N 12°53E 139 C7
Titlagarh India 20°15N 83°11E 126 D6
Tito Italy 40°35N 15°40E 95 B8
Titova Korenica Croatia 44°45N 15°41E 93 D12
Titu Romania 44°39N 25°32E 81 F10
Titule Dem. Rep. of the Congo 3°15N 25°31E 142 B2
Titusville Fla., U.S.A. 28°37N 80°49W 179 G9
Titusville Pa., U.S.A. 41°38N 79°41W 174 E5
Tivaouane Senegal 14°56N 16°45W 138 C1
Tivat Montenegro 42°28N 18°43E 96 D2
Tivedens △ Sweden 58°50N 14°35E 63 F8
Tiverton Canada 44°16N 81°32W 174 B3
Tiverton U.K. 50°54N 3°29W 67 G4
Tívoli Italy 41°58N 12°45E 93 G9
Tiwanaku = Tiahuanaco Bolivia 16°33S 68°42W 188 D4
Tiwi ✪ Australia 11°33S 130°42E 148 B5
Tizga Morocco 32°1N 5°9W 136 B2
Ti'zi N'Isli Morocco 32°28N 5°47W 136 B2
Tizi-Ouzou Algeria 36°42N 4°3E 136 A4
Tizi-Ouzou □ Algeria 36°35N 4°5E 136 A4
Tizimín Mexico 21°9N 88°9W 181 C7
Tiznap He → China 38°21N 77°26E 109 E9
Tiznit Morocco 29°48N 9°45W 136 C2
Tjæreborg Denmark 55°28N 8°36E 63 J2
Tjällmo Sweden 58°43N 15°21E 63 F9
Tjeggelvas Sweden 66°37N 17°45E 60 C17
Tjieggelvas = Tjeggelvas Sweden 66°37N 17°45E 60 C17
Tjirebon = Cirebon Indonesia 6°45S 108°32E 118 F3
Tjirrkarli ✪ Australia 26°0S 125°28E 149 E4
Tjluring Indonesia 8°25S 114°13E 119 J17
Tjörn Sweden 58°0N 11°35E 63 F5
Tjukayirla Roadhouse Australia 27°9S 124°34E 149 E3
Tjurabalan ✪ Australia 19°50S 128°0E 148 C4
Tkibuli = Tqibuli Georgia 42°26N 43°0E 87 J6
Tkvarcheli = Tqvarcheli Georgia 42°47N 41°42E 87 J5
Tlacotalpan Mexico 18°37N 95°40W 181 D5
Tlahualilo de Zaragoza Mexico 26°7N 103°27W 180 B4
Tlaquepaque Mexico 20°39N 103°19W 180 C4
Tlaxcala Mexico 19°19N 98°14W 181 D5
Tlaxcala □ Mexico 19°25N 98°10W 181 D5
Tlaxiaco Mexico 17°25N 97°35W 181 D5
Tlemcen Algeria 34°52N 1°21W 136 B3
Tlemcen □ Algeria 34°38N 1°30W 136 B3
Tleta Sidi Bouguedra Morocco 32°16N 9°59W 136 B2
Tlokweng Botswana 24°40S 25°58E 144 B4
Tlumach Ukraine 48°51N 25°0E 81 B10
Tłuszcz Poland 52°25N 21°25E 83 F8
Tlyarata Russia 42°9N 46°26E 87 J8
To Bong Vietnam 12°45N 109°16E 120 F7
Toa Payoh Singapore 1°20N 103°51E 121 d
Toad → Canada 59°25N 124°57W 162 B4
Toad River Canada 58°51N 125°14W 162 B3
Toamasina Madag. 18°10S 49°25E 141 H9
Toay Argentina 36°43S 64°38W 190 D3
Toba China 31°19N 97°42E 116 B1
Toba Japan 34°30N 136°51E 113 G8
Toba, Danau Indonesia 2°30N 98°30E 118 D1
Toba Kakar Pakistan 31°30N 69°0E 124 D3
Toba Tek Singh Pakistan 30°55N 72°25E 124 D5
Tobago Trin. & Tob. 11°10N 60°30W 183 D7
Tobarra Spain 38°37N 1°44W 91 G3
Tobelo Indonesia 1°45N 127°56E 119 D7
Tobercurry Ireland 54°3N 8°44W 64 B3
Tobermory Canada 45°12N 81°40W 174 A3
Tobermory U.K. 56°38N 6°5W 65 E2
Tobi Palau 2°40N 131°10E 119 D8
Tobi-Shima Japan 41°12N 139°34E 112 D9
Tobin, L. Australia 21°45S 125°49E 148 D4
Tobin L. Canada 53°35N 103°30W 163 C8
Toblach = Dobbiaco Italy 46°44N 12°14E 93 B9
Toboali Indonesia 3°0S 106°25E 118 E3
Tobol → Russia 58°10N 68°12E 106 D7
Toboli Indonesia 0°38S 120°5E 119 E6
Tobolsk Russia 58°15N 68°10E 106 D7
Tobor Senegal 12°40N 16°15W 138 C1
Tobruk = Tubruq Libya 32°7N 23°55E 135 B10
Tobyhanna U.S.A. 41°11N 75°25W 175 E9
Tobyl = Tobol → Russia 58°10N 68°12E 106 D7
Tobyl Kazakhstan 52°41N 62°34E 108 B6
Tocache Nuevo Peru 8°9S 76°26W 188 B2
Tocantínia Brazil 9°33S 48°22W 189 B1
Tocantinópolis Brazil 6°20S 47°25W 189 B1
Tocantins □ Brazil 10°0S 48°0W 187 F9
Tocantins → Brazil 1°45S 49°10W 187 D9
Toccoa U.S.A. 34°35N 83°19W 177 D13
Toce → Italy 45°56N 8°29E 92 C5
Tochi → Pakistan 32°49N 70°41E 124 C4
Tochigi Japan 36°25N 139°45E 113 F9
Tochigi □ Japan 36°45N 139°45E 113 F9
Tocina Spain 37°37N 5°44W 89 H5
Töcksfors Sweden 59°31N 11°52E 62 E5
Toco Chile 22°5S 69°35W 188 E4
Toco Trin. & Tob. 10°49N 60°57W 187 K16
Toconao Chile 23°11S 68°1W 190 A2
Tocopilla Chile 22°5S 70°10W 190 A1
Tocumwal Australia 35°51S 145°31E 153 C6
Tocuyo → Venezuela 11°3N 68°23W 186 A5
Todd → Australia 24°52S 135°48E 150 C2
Todeli Indonesia 1°40S 124°29E 119 E6
Todenyang Kenya 4°35N 35°56E 142 B4
Todgarh India 25°42N 73°58E 124 G5
Todi Italy 42°47N 12°24E 93 F9
Todos os Santos, B. de Brazil 12°48S 38°38W 189 C3
Todos Santos Mexico 23°26N 110°13W 180 C2
Todtnau Germany 47°49N 7°56E 77 H3
Toe Hd. U.K. 57°50N 7°8W 65 D1
Toecé Burkina Faso 11°50N 1°16W 139 C4
Toetoes B. N.Z. 46°42S 168°41E 155 G3
Tofield Canada 53°25N 112°40W 162 C6
Tofino Canada 49°11N 125°55W 162 D3
Töfsingdalen △ Sweden 62°10N 12°28E 62 B6
Tōgane Japan 35°33N 140°22E 113 G10
Togba Mauritania 17°26N 10°12W 138 B2
Togian, Kepulauan Indonesia 0°20S 121°50E 119 E6
Togliatti Russia 53°32N 49°24E 86 D9
Togo ■ W. Afr. 8°30N 1°35E 139 D5
Tögrög Mongolia 47°25N 92°13E 109 C12
Togtoh China 40°15N 111°10E 114 D6
Tohma → Turkey 38°29N 38°23E 104 C8
Tōhoku □ Japan 39°50N 141°45E 112 E10
Töhöm Mongolia 44°27N 108°2E 114 B5
Tohopekaliga, East L. U.S.A. 28°18N 81°15W 179 G8
Tohopekaliga, L. U.S.A. 28°12N 81°24W 179 G8
Toibalewe India 10°32N 92°30E 127 J11
Toinya South Sudan 6°17N 29°46E 135 G11
Toiyabe Range U.S.A. 39°30N 117°0W 168 G5
Tojikiston = Tajikistan ■ Asia 38°30N 70°0E 109 E8
Tōjō Japan 34°53N 133°16E 113 G6
Tok U.S.A. 63°20N 142°59W 160 E3
Tokaanu N.Z. 38°58S 175°46E 154 E4
Tokachi-Dake Japan 43°17N 142°5E 112 C11
Tokachi-Gawa → Japan 42°44N 143°42E 112 C11
Tokaj Hungary 48°8N 21°27E 80 B6
Tokala Indonesia 1°30S 121°40E 119 E6
Tōkamachi Japan 37°8N 138°43E 113 F9
Tokanui N.Z. 46°34S 168°56E 155 G3
Tokar Sudan 18°27N 37°56E 137 D4
Tokara-Rettō Japan 29°37N 129°43E 113 K4
Tokarahi N.Z. 44°56S 170°39E 155 E5
Tokashiki-Shima Japan 26°11N 127°21E 113 L3
Tokat Turkey 40°22N 36°35E 104 B7
Tokat □ Turkey 40°15N 36°30E 104 B7
Tŏkch'ŏn N. Korea 39°45N 126°18E 115 E14
Tokdo = Liancourt Rocks Asia 37°15N 131°52E 113 F5
Tokeland U.S.A. 46°42N 123°59W 170 D3
Tokelau Is. ☑ Pac. Oc. 9°0S 171°45W 156 H10
Tokmak Kyrgyzstan 42°49N 75°15E 109 D9
Tokmak Ukraine 47°16N 35°42E 85 J8
Toko Ra. Australia 23°5S 138°20E 150 C2
Tokomaru Bay N.Z. 38°8S 178°22E 154 E7
Tokoro-Gawa → Japan 44°7N 144°5E 112 B12
Tokoroa N.Z. 38°13S 175°50E 154 E4
Toksun China 42°47N 88°38E 109 D11
Toktogul Kyrgyzstan 41°50N 72°50E 109 D8
Tokuno-Shima Japan 27°56N 128°55E 113 L4
Tokushima Japan 34°4N 134°34E 113 G7
Tokushima □ Japan 33°55N 134°0E 113 H7
Tokuyama = Shunan Japan 34°3N 131°50E 113 G5
Tōkyō Japan 35°43N 139°45E 113 G9
Tolaga Bay N.Z. 38°21S 178°20E 154 E7
Tolbo Mongolia 48°25N 90°17E 109 C12
Tolbukhin = Dobrich Bulgaria 43°37N 27°49E 97 C11
Töle Bī Kazakhstan 43°42N 73°46E 109 D8
Toledo Brazil 24°44S 53°45W 191 A5
Toledo Spain 39°50N 4°2W 88 F6
Toledo Ohio, U.S.A. 41°39N 83°33W 173 E12
Toledo Oreg., U.S.A. 44°37N 123°56W 168 D2
Toledo Wash., U.S.A. 46°26N 122°51W 170 D4
Toledo, Montes de Spain 39°33N 4°20W 89 F6
Toledo Bend Res. U.S.A. 31°11N 93°34W 176 F8
Tolentino Italy 43°12N 13°17E 93 E10
Tolfa Italy 42°9N 11°56E 93 F8
Tolga Algeria 34°40N 5°22E 136 B5
Tolga Australia 17°15S 145°29E 150 B4
Toliara Madag. 23°21S 43°40E 141 J8
Tolima Colombia 4°40N 75°19W 186 C3
Tolitoli Indonesia 1°5N 120°50E 119 D6
Tolkmicko Poland 54°19N 19°31E 82 D6
Tollarp Sweden 55°55N 13°58E 63 J7
Tollensesee Germany 53°30N 13°13E 76 B9
Tollhouse U.S.A. 37°1N 119°24W 170 H7
Tolmachevo Russia 58°56N 29°51E 84 C5
Tolmezzo Italy 46°24N 13°1E 93 B10
Tolmin Slovenia 46°11N 13°45E 93 B10
Tolna Hungary 46°25N 18°48E 80 D3
Tolna □ Hungary 46°30N 18°30E 80 D3
Tolo, Teluk Indonesia 2°20S 122°10E 119 E6
Tolo Harbour China 22°25N 114°13E 111 a
Tolochin = Talachyn Belarus 54°25N 29°42E 84 E5
Tolosa Spain 43°8N 2°5W 90 B2
Tolox Spain 36°41N 4°54W 89 J6
Toltén Chile 39°13S 74°14W 192 A2
Toluca Mexico 19°17N 99°40W 181 D5
Tolyatti = Togliatti Russia 53°32N 49°24E 86 D9
Tom Burke S. Africa 23°5S 28°0E 145 B4
Tom Price Australia 22°40S 117°48E 148 D2
Toma Burkina Faso 12°45N 2°53W 138 C4
Tomah U.S.A. 43°59N 90°30W 172 D8
Tomahawk U.S.A. 45°28N 89°44W 172 C9
Tomai Moldova 46°34N 28°19E 81 D13
Tomakomai Japan 42°38N 141°36E 112 C10
Tomales U.S.A. 38°15N 122°53W 170 G4
Tomales B. U.S.A. 38°15N 123°58W 170 G3
Tomanivi Fiji 17°37S 178°1E 154 a
Tomar Portugal 39°36N 8°25W 89 F2
Tomaros, Oros Greece 39°29N 20°48E 98 B2
Tomarza Turkey 38°27N 35°48E 104 C6
Tomás Barrón Bolivia 17°35S 67°31W 188 D4
Tomashevka Belarus 51°33N 23°36E 83 G10
Tomashpil Ukraine 48°32N 28°31E 81 B13
Tomaszów Lubelski Poland 50°27N 23°25E 83 H10
Tomaszów Mazowiecki Poland 51°30N 20°2E 83 G7
Tomatlán Mexico 19°56N 105°15W 180 D3
Tombadonkéa Guinea 11°0N 14°25W 138 C2
Tombador, Serra do Brazil 12°0S 58°0W 186 F7
Tombigbee → U.S.A. 31°8N 87°57W 177 F11
Tombouctou Mali 16°50N 3°0W 138 B4
Tombouctou □ Mali 20°0N 3°0W 138 B4
Tombstone U.S.A. 31°43N 110°4W 169 L8
Tombua Angola 15°55S 11°55E 144 A1
Tomé Chile 36°36S 72°57W 190 D1
Tome Japan 38°40N 141°20E 112 E10
Tomelilla Sweden 55°33N 13°58E 63 J7
Tomelloso Spain 39°10N 3°2W 89 F7
Tomingley Australia 32°26S 148°16E 153 B8
Tomini Indonesia 0°30N 120°30E 119 D6
Tomini, Teluk Indonesia 0°10S 121°0E 119 E6
Tominian Mali 13°17N 4°35W 138 C4
Tomiño = O Seixo Spain 41°59N 8°46W 88 D2
Tomintoul U.K. 57°15N 3°23W 65 D5
Tomislavgrad Bos.-H. 43°42N 17°13E 80 G2
Tomkinson Ranges Australia 26°11S 129°5E 149 E4
Tommot Russia 59°4N 126°20E 107 D13
Tomnop Ta Suos Cambodia 11°20N 104°15E 121 G5
Tomo → Colombia 5°20N 67°48W 186 B5
Toms Place U.S.A. 37°34N 118°41W 170 H8
Toms River U.S.A. 39°58N 74°12W 175 G10
Tomsk Russia 56°30N 85°5E 106 D9
Tomtabacken Sweden 57°30N 14°30E 63 G8
Tomür Feng = Pobedy, Pik Asia 42°0N 79°58E 109 D9
Tona Spain 41°51N 2°14E 90 D7
Tonalá Chiapas, Mexico 16°4N 93°45W 181 D6
Tonalá Jalisco, Mexico 20°37N 103°14W 180 C4
Tonale, Passo del Italy 46°16N 10°35E 92 B7
Tonantins Brazil 2°45S 67°45W 186 D5
Tonasket U.S.A. 48°42N 119°26W 168 B4
Tonawanda U.S.A. 43°1N 78°53W 174 D6
Tonb U.A.E. 26°15N 55°15E 129 E7
Tonbridge U.K. 51°11N 0°17E 67 F8
Tondano Indonesia 1°35N 124°54E 119 D6
Tondela Portugal 40°31N 8°5W 88 E2
Tønder Denmark 54°58N 8°50E 63 K2
Tondi India 9°45N 79°4E 127 K4
Tondi Kiwindi Niger 14°28N 2°2E 139 C5
Tondibi Mali 16°39N 0°14W 139 B4
Tondoro Namibia 17°45S 18°50E 144 A2
Tone → Australia 34°25S 116°25E 149 F2
Tone-Gawa → Japan 35°44N 140°51E 113 F9
Tonekābon Iran 36°45N 51°12E 129 B6
Tong Xian China 39°55N 116°35E 114 E9
Tong-yeong S. Korea 34°50N 128°20E 115 G15
Tonga Cameroon 4°58N 10°42E 139 E7
Tonga ■ Pac. Oc. 19°50S 174°30W 147 C11
Tonga Trench Pac. Oc. 18°0S 173°0W 156 J10
Tongaat S. Africa 29°33S 31°9E 145 C5
Tongala Australia 36°14S 144°56E 153 D6
Tong'an China 24°37N 118°8E 117 E12
Tongareva = Penrhyn Cook Is. 9°0S 158°0W 157 H12
Tongariro, Mt. N.Z. 39°8S 175°38E 154 F4
Tongariro △ N.Z. 39°8S 175°33E 154 F4
Tongatapu Group Tonga 21°0S 175°0W 147 D11
Tongbai China 32°20N 113°23E 117 A9
Tongcheng Anhui, China 31°4N 116°56E 117 B11
Tongcheng Hubei, China 29°15N 113°50E 117 C9
Tongchuan China 35°6N 109°3E 114 G5
Tongdao China 26°10N 109°42E 116 D7
Tongeren Belgium 50°47N 5°28E 69 D5
Tonggu China 28°31N 114°20E 117 C10
Tonggu Jiao China 22°22N 113°37E 111 a
Tongguan China 34°40N 110°25E 114 G6
Tonghai China 24°10N 102°53E 116 E4
Tonghua China 41°42N 125°58E 115 D13
Tongjiang Heilongjiang, China 47°40N 132°27E 111 B15
Tongjiang Sichuan, China 31°58N 107°11E 116 B6
Tongjosŏn-man N. Korea 39°30N 128°0E 115 E15
Tongking, G. of = Tonkin, G. of Asia 20°0N 108°0E 120 C7
Tongliang China 29°50N 106°3E 116 C6
Tongliao China 43°38N 122°18E 115 C12
Tongling China 30°55N 117°48E 117 B11
Tonglu China 29°45N 119°37E 117 C12
Tongnan = Anyue China 30°9N 105°50E 116 B5
Tongoy Chile 30°16S 71°31W 190 C1
Tongren Guizhou, China 27°43N 109°11E 116 D7
Tongren Qinghai, China 35°25N 102°5E 110 D9
Tongres = Tongeren Belgium 50°47N 5°28E 69 D5
Tongsa Dzong Bhutan 27°31N 90°31E 123 F17
Tongshi China 18°50N 109°20E 117 a
Tongue U.K. 58°29N 4°25W 65 C4
Tongue → U.S.A. 46°25N 105°52W 168 C11
Tongwei China 35°0N 105°5E 114 G3
Tongxiang China 30°39N 120°34E 117 B13
Tongxin China 36°59N 105°58E 114 F3
Tongyang N. Korea 39°9N 126°53E 115 E14
Tongyu China 44°45N 123°4E 115 B12

Tongzhou China 32°12N 121°2E 117 A13
Tongzi China 28°9N 106°49E 116 C6
Tonj South Sudan 7°20N 28°44E 135 G11
Tonk India 26°6N 75°54E 124 F6
Tonkawa U.S.A. 36°41N 97°18W 176 C6
Tonkin = Bac Phan
Vietnam 22°0N 105°0E 116 G5
Tonkin, G. of Asia 20°0N 108°0E 120 C7
Tonlé Sap Cambodia 13°0N 104°0E 120 F5
Tonnay-Charente France 45°56N 0°55W 72 C3
Tonneins France 44°23N 0°19E 72 D4
Tonnerre France 47°51N 3°59E 71 E10
Tönning Germany 54°19N 8°56E 76 A4
Tono Japan 39°19N 141°32E 112 E10
Tonopah U.S.A. 38°4N 117°14W 169 G5
Tonosí Panama 7°20N 80°20W 182 E3
Tons → Haryana, India 30°30N 77°39E 124 D7
Tons → Ut. P., India 26°1N 83°33E 125 F10
Tønsberg Norway 59°19N 10°25E 61 G14
Tonto △ U.S.A. 33°39N 111°7W 169 K8
Tonya Turkey 40°53N 39°16E 105 B8
Toobanna Australia 18°42S 146°9E 150 B4
Toodyay Australia 31°34S 116°28E 149 F2
Tooele U.S.A. 40°32N 112°18W 168 F7
Toompine Australia 27°15S 144°19E 151 D3
Toomsboro U.S.A. 32°50N 83°5W 178 C6
Toora Australia 38°39S 146°23E 153 E7
Toora-Khem Russia 52°28N 96°17E 109 B13
Toowoomba Australia 27°32S 151°56E 151 D5
Top Springs Australia 16°37S 131°51E 148 C5
Topalu Romania 44°31N 28°3E 81 F13
Topaz U.S.A. 38°41N 119°30W 170 G7
Topeka U.S.A. 39°3N 95°40W 172 F6
Topl'a → Slovak Rep. 48°45N 21°45E 79 C14
Topley Canada 54°49N 126°18W 162 C3
Toplica → Serbia 43°15N 21°49E 96 C5
Topliţa Romania 46°55N 25°20E 81 D10
Topocalma, Pta. Chile 34°10S 72°2W 190 C1
Topock U.S.A. 34°46N 114°29W 171 L12
Topola Serbia 44°17N 20°41E 96 B4
Topolčani Macedonia 41°14N 21°25E 96 E5
Topol'čany Slovak Rep. 48°35N 18°12E 79 C11
Topolnitsa → Bulgaria 42°11N 24°18E 97 D8
Topolobampo Mexico 25°36N 109°3W 180 B3
Topoloveni Romania 44°49N 25°5E 81 F10
Topolovgrad Bulgaria 42°5N 26°20E 97 D10
Topolvățu Mare
Romania 45°46N 21°41E 80 E6
Topozero, Ozero Russia 65°35N 32°0E 60 D25
Toppenish U.S.A. 46°23N 120°19W 168 C3
Topraisar Romania 44°1N 28°27E 81 F13
Topusko Croatia 45°18N 15°59E 93 C12
Toquepala Peru 17°24S 70°25W 188 D3
Toqyraūyn →
Kazakhstan 46°48N 75°24E 109 C9
Torà Spain 41°49N 1°25E 90 D6
Torata Peru 17°23S 70°1W 188 D3
Torbalı Turkey 38°10N 27°21E 99 C9
Torbat-e Heydārīyeh
Iran 35°15N 59°12E 129 C8
Torbat-e Jām Iran 35°16N 60°35E 129 C9
Torbay Canada 47°40N 52°42W 165 C9
Torbay □ U.K. 50°26N 3°31W 67 G4
Torbjörntorp Sweden 58°12N 13°36E 63 F7
Tordesillas Spain 41°30N 5°0W 88 D6
Töreboda Sweden 58°41N 14°7E 63 F8
Torekov Sweden 56°26N 12°37E 63 H6
Torellò Spain 42°3N 2°16E 90 C7
Toreno Spain 42°42N 6°30W 88 C4
Torfaen □ U.K. 51°43N 3°3W 67 F4
Torgau Germany 51°34N 13°0E 76 D8
Torgelow Germany 53°37N 14°1E 76 B10
Torghay Kazakhstan 49°38N 63°29E 108 C6
Torghay → Kazakhstan 48°1N 62°45E 108 C6
Torghay Ustirti Asia 51°0N 63°0E 108 B6
Torghay Zhylghasy
Kazakhstan 52°0N 64°30E 108 B6
Torhamn Sweden 56°6N 15°50E 63 H9
Torhout Belgium 51°5N 3°7E 69 C3
Torhovytsya Ukraine 48°36N 25°26E 81 B10
Tori-Shima Japan 30°29N 140°19E 113 J10
Torigni-sur-Vire France 49°3N 0°58W 70 C6
Torija Spain 40°44N 3°2W 90 E1
Torilla Pen. Australia 22°29S 150°5E 150 C5
Torino Italy 45°3N 7°40E 92 C4
Torit South Sudan 4°27N 32°31E 135 H12
Torkamān Iran 37°35N 47°23E 105 D12
Torkovichi Russia 58°51N 30°21E 84 C6
Tormac Romania 45°30N 21°30E 80 E6
Tormes → Spain 41°18N 6°29W 88 D4
Tornado Mt. Canada 49°55N 114°40W 162 D6
Tornal'a Slovak Rep. 48°25N 20°20E 79 C13
Torneå = Tornio
Finland 65°50N 24°12E 60 D21
Torneälven → Europe 65°50N 24°12E 60 D21
Torneträsk Sweden 68°24N 19°15E 60 B18
Torngat Mountains Nat. Park △
Canada 59°0N 63°40W 161 F19
Torngat Mts. Canada 59°0N 63°40W 161 F19
Tornio Finland 65°50N 24°12E 60 D21
Tornionjoki = Torneälven →
Europe 65°50N 24°12E 60 D21
Tornquist Argentina 38°8S 62°15W 190 D3
Toro Baleares, Spain 39°59N 4°8E 100 B11
Toro Zamora, Spain 41°35N 5°24W 88 D5
Torö Sweden 58°48N 17°50E 63 F11
Toro, Cerro del Chile 29°10S 69°50W 190 B2
Toro △ Uganda 1°5N 30°22E 142 C3
Toro Pk. U.S.A. 33°34N 116°24W 171 M10
Torodi Niger 13°7N 1°47E 139 C5
Törökszentmiklós
Hungary 47°11N 20°27E 80 C5
Toronto Australia 33°0S 151°30E 153 B9
Toronto Canada 43°39N 79°20W 174 C5
Toronto U.S.A. 40°28N 80°36W 174 F4
Toronto Lester B. Pearson Int. ✕
(YYZ) Canada 43°46N 79°35W 174 C5
Toropets Russia 56°30N 31°40E 84 D6
Tororo Uganda 0°45N 34°12E 142 B3
Toros Dağları Turkey 37°0N 32°30E 104 D5
Torpa India 22°57N 85°6E 125 H11
Torquay Australia 38°20S 144°19E 152 E6
Torquay U.K. 50°27N 3°32W 67 G4
Torquemada Spain 42°2N 4°19W 88 C6
Torrance U.S.A. 33°50N 118°20W 171 M8
Torrão Portugal 38°16N 8°11W 89 G2
Torre Annunziata Italy 40°45N 14°27E 95 B7
Torre de Moncorvo
Portugal 41°12N 7°8W 88 D3
Torre del Campo Spain 37°46N 3°53W 89 H7
Torre del Greco Italy 40°47N 14°22E 95 B7
Torre del Mar Spain 36°44N 4°6W 89 J6
Torre-Pacheco Spain 37°44N 0°57W 91 H4
Torre Péllice Italy 44°49N 7°13E 92 D4
Torreblanca Spain 40°14N 0°12E 90 E5
Torrecampo Spain 38°29N 4°41W 89 G6
Torrecilla en Cameros
Spain 42°15N 2°38W 90 C2
Torredembarra Spain 41°9N 1°24E 90 D6
Torredonjimeno Spain 37°46N 3°57W 89 H7
Torrejón de Ardoz Spain 40°27N 3°29W 88 E7
Torrejoncillo Spain 39°54N 6°28W 88 F4
Torrelaguna Spain 40°50N 3°38W 88 E7
Torrelavega Spain 43°20N 4°5W 88 B6
Torremaggiore Italy 41°41N 15°17E 93 G12
Torremolinos Spain 36°38N 4°30W 89 J6
Torrens, L. Australia 31°0S 137°50E 152 A2
Torrens Cr. →
Australia 22°23S 145°9E 150 C4
Torrens Creek Australia 20°48S 145°3E 150 C4
Torrent Spain 39°27N 0°28W 91 F4
Torrenueva Spain 38°38N 3°22W 89 G7
Torreón Mexico 25°33N 103°26W 180 B4
Torreperogil Spain 38°2N 3°17W 89 G7
Torres Brazil 29°21S 49°44W 191 B5
Torres Mexico 28°46N 110°47W 180 B2
Torres del Paine △
Chile 51°3S 72°58W 192 D2
Torres Novas Portugal 39°27N 8°33W 89 F2
Torres Strait Australia 9°50S 142°20E 150 a
Torres Vedras Portugal 39°5N 9°15W 89 F1
Torrevieja Spain 37°59N 0°42W 91 H4
Torrey U.S.A. 38°18N 111°25W 168 G8
Torridge → U.K. 51°0N 4°13W 67 G3
Torridon, L. U.K. 57°35N 5°50W 65 D3
Torrijos Spain 39°59N 4°18W 88 F6
Tørring Denmark 55°52N 9°29E 63 J3
Torrington Conn.,
U.S.A. 41°48N 73°7W 175 E11
Torrington Wyo.,
U.S.A. 42°4N 104°11W 168 E11
Torroella de Montgrí Spain 42°2N 3°8E 90 C8
Torrox Spain 36°46N 3°57W 89 J7
Torsås Sweden 56°24N 16°0E 63 H9
Torsby Sweden 60°7N 13°0E 62 D6
Torshälla Sweden 59°25N 16°28E 62 E10
Tórshavn Færoe Is. 62°5N 6°56W 60 E9
Torslanda Sweden 57°44N 11°45E 63 G5
Torsö Sweden 58°48N 13°45E 63 F7
Tortola Br. Virgin Is. 18°19N 64°45W 183 e
Tórtoles de Esgueva Spain 41°49N 4°2W 88 D6
Tortolì Italy 39°55N 9°39E 94 C2
Tortona Italy 44°54N 8°52E 92 D5
Tortorici Italy 38°2N 14°49E 95 D7
Tortosa Spain 40°49N 0°31E 90 E5
Tortosa, C. Spain 40°41N 0°52E 90 E5
Tortosendo Portugal 40°15N 7°31W 88 E3
Tortue, Î. de la Haiti 20°5N 72°57W 183 B5
Tortuguero △
Costa Rica 10°31N 83°29W 182 D3
Tortum Turkey 40°19N 41°35E 105 B9
Torūd Iran 35°25N 55°5E 129 C7
Torul Turkey 40°34N 39°18E 105 B8
Toruń Poland 53°2N 18°39E 83 E5
Torun Ukraine 48°40N 23°34E 81 B8
Tory Hill Canada 44°58N 78°16W 174 B6
Tory I. Ireland 55°16N 8°13W 64 A3
Torysa → Slovak Rep. 48°39N 21°21E 79 C14
Torzhok Russia 57°5N 34°55E 84 D8
Torzym Poland 52°19N 15°5E 83 F2
Tosa Japan 33°24N 133°23E 113 H6
Tosa-Shimizu Japan 32°52N 132°58E 113 H6
Tosa-Wan Japan 33°15N 133°30E 113 H6
Toscana □ Italy 43°25N 11°0E 92 E8
Toscano, Arcipelago
Italy 42°30N 10°30E 92 F7
Toshka Egypt 22°30N 31°53E 137 C3
Toshka, Buheirat en
Egypt 22°50N 31°0E 137 C3
Toshkent Uzbekistan 41°20N 69°10E 109 D7
Toshkent □ Uzbekistan 41°0N 69°40E 109 D7
Tosno Russia 59°38N 30°46E 84 C6
Tossa de Mar Spain 41°43N 2°56E 90 D7
Tösse Sweden 58°58N 12°39E 63 F6
Tostado Argentina 29°15S 61°50W 190 B3
Tostedt Germany 53°17N 9°42E 76 B5
Tostón, Pta. de
Canary Is. 28°42N 14°2W 100 F5
Tosu Japan 33°22N 130°31E 113 H5
Tosya Turkey 41°1N 34°2E 104 B6
Toszek Poland 50°27N 18°32E 83 H5
Totana Spain 37°45N 1°30W 91 H3
Totebo Sweden 57°38N 16°12E 63 G10
Toteng Botswana 20°22S 22°58E 144 B3
Tôtes France 49°41N 1°2E 70 C8
Tótkomlós Hungary 46°24N 20°45E 80 D5
Totma Russia 60°0N 42°40E 106 D5
Totnes U.K. 50°26N 3°42W 67 G4
Totness Suriname 5°53N 56°19W 187 B7
Toto Nigeria 8°26N 7°5E 139 D6
Totonicapán
Guatemala 14°58N 91°12W 182 D1
Totoya, I. Fiji 18°57S 179°50W 154 a
Totten Glacier
Antarctica 66°45S 116°10E 55 C8
Tottenham Australia 32°14S 147°21E 153 B7
Tottenham Canada 44°1N 79°49W 174 B5
Tottori Japan 35°30N 134°15E 113 G7
Tottori □ Japan 35°30N 134°12E 113 G7
Touâret Niger 20°17N 7°8E 139 A6
Touat Algeria 27°27N 0°30E 136 C4
Touba Ivory C. 8°22N 7°40W 138 D3
Touba Senegal 14°50N 15°55W 138 C1
Toubkal, Djebel Morocco 31°0N 8°0W 136 B2
Toubkal △ Morocco 31°0N 8°20W 136 B2
Toucy France 47°44N 3°15E 71 E10
Tougan Burkina Faso 13°11N 2°58W 138 C4
Touggourt Algeria 33°6N 6°4E 136 B5
Tougouri Burkina Faso 13°20N 0°30W 139 C4
Tougué Guinea 11°25N 11°50W 138 C2
Toukoto Mali 13°27N 9°52W 138 C3
Toul France 48°40N 5°53E 71 D12
Toulepleu Ivory C. 6°32N 8°24W 138 D3
Touliu Taiwan 23°42N 120°31E 117 F13
Toulon France 43°10N 5°55E 73 E9
Toulouse France 43°37N 1°27E 72 E5
Toulouse Blagnac ✕ (TLS)
France 43°37N 1°22E 72 E5
Toummo Niger 22°45N 14°8E 135 D8
Toumodi Ivory C. 6°32N 5°4W 138 D3
Tounan Taiwan 23°41N 120°28E 117 F13
Tounassine, Hamada
Algeria 28°48N 5°0W 136 C3
Toungoo Burma 19°0N 96°30E 123 K20
Toungo Nigeria 8°20N 12°3E 139 D7
Touques → France 49°22N 0°8E 70 C7
Touraine France 47°20N 0°30E 70 E7
Touran = Tūrān △
Iran 35°45N 56°30E 129 C8
Tourcoing France 50°42N 3°10E 71 B10
Touriñán, C. Spain 43°3N 9°18W 88 B1
Tournai Belgium 50°35N 3°25E 69 D3
Tournan-en-Brie France 48°44N 2°46E 71 D9
Tournay France 43°13N 0°13E 72 E4
Tournon-St-Martin
France 46°45N 0°58E 70 F7
Tournon-sur-Rhône
France 45°4N 4°50E 73 C8
Tournus France 46°35N 4°54E 71 F11
Touros Brazil 5°12S 35°28W 189 B3
Tours France 47°22N 0°40E 70 E7
Toussoro, Mt. C.A.R. 9°7N 23°14E 140 C4
Touws → S. Africa 33°45S 21°11E 144 D3
Touwsrivier S. Africa 33°20S 20°2E 144 D3
Tovarkovskiy Russia 53°40N 38°14E 84 F10
Tovste Ukraine 48°50N 25°44E 81 B10
Tovuz Azerbaijan 41°0N 45°40E 87 K7
Towada Japan 40°37N 141°13E 112 D10
Towada-Hachimantai △
Japan 40°20N 140°55E 112 D10
Towada-Ko Japan 40°28N 140°55E 112 D10
Towanda U.S.A. 41°46N 76°27W 175 E8
Towarri △ Australia 31°50S 150°37E 153 A9
Tower U.S.A. 47°48N 92°17W 172 B7
Towerhill Cr. →
Australia 22°28S 144°35E 150 C3
Towner U.S.A. 48°21N 100°25W 172 A3
Townsend Ga., U.S.A. 31°33N 81°31W 178 D8
Townsend Mont.,
U.S.A. 46°19N 111°31W 168 C8
Townshend I.
Australia 22°10S 150°31E 150 C5
Townsville Australia 19°15S 146°45E 150 B4
Towot South Sudan 6°12N 34°25E 142 A3
Towraghondī Afghan. 35°13N 62°16E 108 E6
Towson U.S.A. 39°24N 76°36W 173 F15
Towuti, Danau
Indonesia 2°45S 121°32E 119 E6
Toxkan He → China 41°8N 80°11E 109 D10
Tōya-Ko Japan 42°35N 140°51E 112 C10
Toyama Japan 36°40N 137°15E 113 F8
Toyama □ Japan 36°45N 137°30E 113 F8
Toyama-Wan Japan 37°0N 137°30E 113 F8
Toyapakeh Indonesia 8°41S 115°29E 119 K18
Toyohashi Japan 34°45N 137°25E 113 G8
Toyokawa Japan 34°48N 137°27E 113 G8
Toyonaka Japan 34°46N 135°28E 113 G7
Toyooka Japan 35°35N 134°48E 113 G7
Toyota Japan 35°3N 137°7E 113 G8
Tozeur Tunisia 33°56N 8°8E 136 B5
Tozeur □ Tunisia 34°0N 8°5E 136 B5
Tqibuli Georgia 42°26N 43°0E 87 J6
Tqvarcheli Georgia 42°47N 41°42E 87 J5
Trá Lí = Tralee Ireland 52°16N 9°42W 64 D2
Trá Mhór = Tramore
Ireland 52°10N 7°10W 64 D4
Tra On Vietnam 9°58N 105°55E 121 H5
Tra Vinh Vietnam 9°50N 106°15E 121 H6
Trabancos → Spain 41°36N 5°15W 88 D5
Traben-Trarbach Germany 49°57N 7°7E 77 F3
Trabzon Turkey 41°0N 39°45E 105 B8
Trabzon □ Turkey 41°10N 39°45E 105 B8
Tracadie Canada 47°30N 64°55W 165 C7
Tracy Canada 46°1N 73°9W 164 C5
Tracy Calif., U.S.A. 37°44N 121°26W 170 H5
Tracy Minn., U.S.A. 44°14N 95°37W 172 C6
Tradate Italy 45°43N 8°54E 92 C5
Trade Town Liberia 5°40N 9°50W 138 D3
Trafalgar Australia 38°14S 146°12E 153 E7
Trafalgar, C. Spain 36°10N 6°2W 89 J4
Tragonhsi Greece 37°27N 25°29E 99 D7
Traian Brăila, Romania 45°11N 27°44E 81 E12
Traian Tulcea, Romania 45°2N 28°15E 81 E13
Traiguén Chile 38°15S 72°41W 192 A2
Trail Canada 49°5N 117°40W 162 D5
Traill Ø Greenland 72°30N 23°0W 57 C8
Trainor L. Canada 60°24N 120°17W 162 A4
Trakai △ Lithuania 54°30N 25°10E 61 J21
Trákhonas Cyprus 35°12N 33°21E 101 D12
Tralee Ireland 52°16N 9°42W 64 D2
Tralee B. Ireland 52°17N 9°55W 64 D2
Tram Chim △ Vietnam 10°43N 105°31E 121 G5
Tramore Ireland 52°10N 7°10W 64 D4
Tramore B. Ireland 52°9N 7°10W 64 D4
Tramuntana, Serra de
Spain 39°48N 2°54E 100 B9
Tran Ninh, Cao Nguyen
Laos 19°30N 103°10E 120 C4
Tranås Sweden 58°3N 14°59E 63 F8
Tranbjerg Denmark 56°6N 10°9E 63 H4
Trancas Argentina 26°11S 65°20W 190 B2
Trancoso Portugal 40°49N 7°21W 88 E3
Tranebjerg Denmark 55°51N 10°36E 63 J4
Tranemo Sweden 57°30N 13°20E 63 G7
Trang Thailand 7°33N 99°38E 121 J2
Trangan Indonesia 6°40S 134°20E 119 F8
Trangie Australia 32°4S 148°0E 153 B8
Trångsviken Sweden 63°19N 13°59E 62 A7
Trani Italy 41°17N 16°25E 95 A9
Tranoroa Madag. 24°42S 45°4E 141 J9
Tranqueras Uruguay 31°13S 55°45W 191 C4
Trans-Nzoia □ Kenya 1°10N 34°55E 142 B3
Transantarctic Mts.
Antarctica 85°0S 170°0W 55 E12
Transcarpathia = Zakarpattya □
Ukraine 48°20N 23°20E 81 B8
Transilvania Romania 46°30N 24°0E 81 D9
Transilvanian Alps = Carpaţii
Meridionali Romania 45°30N 25°0E 81 E9
Transnistria □ Moldova 47°20N 29°15E 81 C14
Transtrand Sweden 61°6N 13°20E 62 C7
Transtrandsfjällen Sweden 61°8N 13°0E 62 C7
Transylvania = Transilvania
Romania 46°30N 24°0E 81 D9
Trápani Italy 38°1N 12°29E 94 D5
Trapper Pk. U.S.A. 45°54N 114°18W 168 D6
Traralgon Australia 38°12S 146°34E 153 E7
Traryd Sweden 56°35N 13°45E 63 H7
Trarza □ Mauritania 18°0N 15°0W 138 B2
Trasacco Italy 41°57N 13°32E 93 G10
Trăscău, Munţii
Romania 46°14N 23°14E 81 D8
Trasimeno, L. Italy 43°8N 12°6E 93 E9
Träslövsläge Sweden 57°4N 12°16E 63 G6
Trasvase Tajo-Segura, Canal de
Spain 40°15N 2°55W 90 E2
Trat Thailand 12°14N 102°33E 121 F4
Tratani → Pakistan 29°19N 68°20E 124 E3
Traun Austria 48°14N 14°15E 78 C7
Traunreut Germany 47°57N 12°36E 77 H8
Traunsee Austria 47°55N 13°50E 78 D6
Traunstein Germany 47°52N 12°37E 77 H8
Travellers L. Australia 33°20S 142°0E 152 B5
Travemünde Germany 53°57N 10°52E 76 B6
Travers, Mt. N.Z. 42°1S 172°45E 155 C7
Traverse City U.S.A. 44°46N 85°38W 173 C11
Travis, L. U.S.A. 30°24N 97°55W 176 F6
Travnik Bos.-H. 44°17N 17°39E 80 F2
Trawbreaga B. Ireland 55°20N 7°25W 64 A4
Trbovlje Slovenia 46°12N 15°5E 93 B12
Treasure Island U.S.A. 27°46N 82°46W 179 H7
Trébbia → Italy 45°4N 9°41E 92 C6
Trebel → Germany 53°54N 13°2E 76 B9
Trébeurden France 48°46N 3°35W 70 D3
Trebević △ Bos.-H. 43°20N 18°45E 80 G3
Třebíč Czech Rep. 49°14N 15°55E 78 B8
Trebinje Bos.-H. 42°44N 18°22E 96 D2
Trebisacce Italy 39°52N 16°32E 95 C9
Trebišnjica → Bos.-H. 42°47N 18°8E 96 D2
Trebišov Slovak Rep. 48°38N 21°41E 79 C14
Trebižat → Bos.-H. 43°15N 17°30E 93 E14
Trebnje Slovenia 45°54N 15°1E 93 C12
Třeboň Czech Rep. 49°1N 14°48E 78 B7
Trebonne Australia 18°37S 146°5E 150 B4
Třeboňsko △ Czech Rep. 49°1N 14°49E 78 B7
Trebujena Spain 36°52N 6°11W 89 J4
Trecate Italy 45°26N 8°44E 92 C5
Trefaldwyn = Montgomery
U.K. 52°34N 3°8W 67 E4
Trefynwy = Monmouth
U.K. 51°48N 2°42W 67 F5
Tregaron U.K. 52°14N 3°56W 67 E4
Tregnago Italy 45°31N 11°10E 93 C8
Tregrosse Is. Australia 17°41S 150°43E 150 B5
Tréguier France 48°47N 3°16W 70 D3
Trégunc France 47°51N 3°51W 70 E3
Treherne Canada 49°38N 98°42W 163 D9
Tréia Italy 43°19N 13°19E 93 E10
Treignac France 45°32N 1°48E 72 C5
Treinta y Tres Uruguay 33°16S 54°17W 191 C5
Treis-karden Germany 50°10N 7°18E 77 E3
Treklyano Bulgaria 42°33N 22°36E 96 D6
Trelawney Zimbabwe 17°30S 30°30E 145 A5
Trélazé France 47°26N 0°30W 70 E6
Trelew Argentina 43°10S 65°20W 192 B3
Trélissac France 45°11N 0°47E 72 C4
Trelleborg Sweden 55°20N 13°10E 63 J7
Tremadog Bay U.K. 52°51N 4°18W 66 E3
Trémiti Italy 42°8N 15°30E 93 F12
Tremonton U.S.A. 41°43N 112°10W 168 F7
Tremp Spain 42°10N 0°52E 90 C5
Trenche → Canada 47°46N 72°53W 164 C5
Trenčiansky □
Slovak Rep. 48°45N 18°20E 79 C11
Trenčín Slovak Rep. 48°52N 18°4E 79 C11
Trenggalek Indonesia 8°3S 111°43E 119 H14
Trenque Lauquen
Argentina 36°5S 62°45W 190 D3
Trent → Canada 44°6N 77°34W 174 B7
Trent → U.K. 53°41N 0°42W 66 D7
Trentino-Alto Adige □
Italy 46°30N 11°20E 93 B8
Trento Italy 46°4N 11°8E 92 B8
Trenton Canada 44°10N 77°34W 174 B7
Trenton Fla., U.S.A. 29°37N 82°49W 179 F7
Trenton Mo., U.S.A. 40°5N 93°37W 172 E7
Trenton N.J., U.S.A. 40°14N 74°46W 175 F10
Trenton Nebr., U.S.A. 40°11N 101°1W 172 E3
Trenton S.C., U.S.A. 33°45N 81°51W 178 B8
Trepassey Canada 46°43N 53°25W 165 C9
Trepuzzi Italy 40°24N 18°4E 95 B11
Tres Arroyos Argentina 38°26S 60°20W 190 D3
Três Corações Brazil 21°44S 45°15W 191 A6
Três Lagoas Brazil 20°50S 51°43W 187 H8
Tres Lagos Argentina 49°35S 71°25W 192 C2
Tres Lomas Argentina 36°27S 62°51W 190 D3
Tres Marías, Represa
Brazil 18°12S 45°15W 189 D1
Tres Montes, C. Chile 46°50S 75°30W 192 C1
Tres Pinos U.S.A. 36°48N 121°19W 170 J5
Três Pontas Brazil 21°23S 45°29W 191 A6
Tres Puentes Chile 27°50S 70°15W 190 B1
Tres Puntas, C. Argentina 47°0S 66°0W 192 C3
Três Rios Brazil 22°6S 43°15W 191 A7
Tres Valles Mexico 18°15N 96°8W 181 D5
Tresco U.K. 49°57N 6°20W 67 H1
Treska → Macedonia 42°0N 21°20E 96 E5
Treskavica Bos.-H. 43°40N 18°20E 80 G3
Trespaderne Spain 42°47N 3°24W 88 C7
Tresticklan △ Sweden 59°0N 11°42E 63 F5
Trets France 43°27N 5°41E 73 E9
Treuchtlingen Germany 48°58N 10°54E 77 G6
Treuenbrietzen Germany 52°5N 12°52E 76 C8
Trevi Italy 42°52N 12°45E 93 F9
Treviglio Italy 45°31N 9°35E 92 C6
Trevinca, Peña Spain 42°15N 6°46W 88 C4
Treviño Spain 42°44N 2°45W 88 C8
Treviso Italy 45°40N 12°15E 93 C9
Trévoux France 45°57N 4°47E 73 C8
Trgovište Serbia 42°20N 22°10E 96 D6
Triabunna Australia 42°30S 147°55E 151 G4
Triangle Zimbabwe 21°2S 31°28E 145 B5
Triaucourt-en-Argonne
France 48°59N 5°2E 71 D12
Tribal Areas □ Pakistan 33°0N 70°0E 124 C4
Tribsees Germany 54°5N 12°44E 76 A8
Tribulation, C. Australia 16°5S 145°29E 150 B4
Tribune U.S.A. 38°28N 101°45W 172 F3
Tricárico Italy 40°37N 16°9E 95 B9
Tricase Italy 39°56N 18°22E 95 C11
Trichinopoly = Tiruchchirappalli
India 10°45N 78°45E 127 J4
Trichonida, L. Greece 38°34N 21°30E 98 C3
Trichur = Thrissur
India 10°30N 76°18E 127 J3
Trichy = Tiruchchirappalli
India 10°45N 78°45E 127 J4
Trida Australia 33°1S 145°1E 153 B6
Trier Germany 49°45N 6°38E 77 F2
Trieste Italy 45°40N 13°46E 93 C10
Trieste, G. di Italy 45°40N 13°35E 93 C10
Trieux → France 48°43N 3°9W 70 D3
Triggiano Italy 41°4N 16°55E 95 A9
Triglav Slovenia 46°21N 13°50E 93 B10
Triglavski △ Slovenia 46°20N 13°50E 93 B10
Trigno → Italy 42°4N 14°48E 93 F11
Trigueros Spain 37°24N 6°50W 89 H4
Trikala Greece 39°34N 21°47E 98 B3
Trikeri Greece 39°6N 23°5E 98 B5
Trikomo Cyprus 35°17N 33°52E 101 D12
Trikora, Puncak
Indonesia 4°15S 138°45E 119 E9
Trilby U.S.A. 28°28N 82°11W 179 G7
Trilj Croatia 43°38N 16°42E 93 E13
Trillo Spain 40°42N 2°35W 90 E2
Trim Ireland 53°33N 6°48W 64 C5
Trimbak India 19°56N 73°33E 126 E1
Trimmu Dam Pakistan 31°10N 72°8E 124 D5
Trincomalee Sri Lanka 8°38N 81°15E 127 K5
Trindade Atl. Oc. 20°20S 29°50W 56 J9
Trindade Brazil 16°40S 49°30W 187 G9
Třinec Czech Rep. 49°41N 18°39E 79 B11
Trinidad Bolivia 14°46S 64°50W 186 F6
Trinidad Cuba 21°48N 80°0W 182 B4
Trinidad Paraguay 27°7S 55°47W 191 B4
Trinidad Trin. & Tob. 10°30N 61°15W 183 D7
Trinidad Uruguay 33°30S 56°50W 190 C4
Trinidad U.S.A. 37°10N 104°31W 169 H11
Trinidad, G. Chile 49°55S 75°25W 192 C1
Trinidad, I. Argentina 39°10S 62°0W 192 A4
Trinidad & Tobago ■
W. Indies 10°30N 61°20W 186 A6
Trinitápoli Italy 41°21N 16°5E 95 A9
Trinity Canada 48°59N 53°55W 165 C9
Trinity U.S.A. 30°57N 95°22W 176 F7
Trinity → Calif.,
U.S.A. 41°11N 123°42W 168 F2
Trinity → Tex., U.S.A. 29°45N 94°43W 176 G7
Trinity B. Canada 48°20N 53°10W 165 C9
Trinity Hills Trin. & Tob. 10°7N 61°7W 187 K15
Trinity Is. U.S.A. 56°33N 154°25W 166 D9
Trinity Range U.S.A. 40°10N 118°40W 168 F4
Trinkat India 8°5N 93°30E 127 K11
Trinkitat Sudan 18°45N 37°51E 137 D4
Trino Italy 45°12N 8°18E 92 C5
Trinway U.S.A. 40°9N 82°1W 174 F2
Triolet Mauritius 20°4S 57°32E 141 d
Trionto, C. Italy 39°37N 16°43E 95 C9
Triora Italy 44°1N 7°46E 92 D4
Tripoli = Tarābulus
Lebanon 34°31N 35°50E 130 A4
Tripoli = Tarābulus
Libya 32°49N 13°7E 135 B8
Tripoli Greece 37°31N 22°25E 98 D4
Tripolitania = Tarābulus
Libya 31°0N 13°0E 135 B8
Tripura □ India 24°0N 92°0E 123 H18
Tripylos Cyprus 34°59N 32°41E 101 E11
Trischen Germany 54°3N 8°40E 76 A4
Tristan da Cunha
Atl. Oc. 37°6S 12°20W 133 K2
Trisul India 30°19N 79°47E 125 D8
Triton I. S. China Sea 15°47N 111°12E 118 A4
Trivandrum =
Thiruvananthapuram
India 8°41N 77°0E 127 K3
Trivento Italy 41°47N 14°33E 93 G11
Trizina Greece 37°25N 23°15E 98 D5
Trnava Slovak Rep. 48°23N 17°35E 79 C10
Trnavský □ Slovak Rep. 48°30N 17°45E 79 C10
Troarn France 49°11N 0°11W 70 C6
Trochu Canada 51°50N 113°13W 162 C6
Trodely I. Canada 52°15N 79°26W 164 B4
Troebratskiy Kazakhstan 54°25N 66°4E 109 B7
Trogir Croatia 43°32N 16°15E 93 E13
Troglav Croatia 43°56N 16°36E 93 E13
Tróia Italy 41°22N 15°18E 95 A8
Troilus, L. Canada 50°50N 74°35W 164 B5
Troina Italy 37°47N 14°36E 95 E7
Trois Fourches, Cap des
Morocco 35°26N 2°58W 136 A3
Trois-Pistoles Canada 48°5N 69°10W 165 C6
Trois-Rivières Canada 46°25N 72°34W 164 C5
Trois-Rivières
Guadeloupe 15°57N 61°40W 182 b
Troisdorf Germany 50°48N 7°11E 76 E3
Troitsk Russia 54°10N 61°35E 108 B6
Troitsko Pechorsk
Russia 62°40N 56°10E 106 C6
Troitskoye Russia 46°26N 44°15E 87 G7
Troll Antarctica 72°0S 2°30E 55 D3
Trölladyngja Iceland 64°54N 17°16W 60 D5
Trollhättan Sweden 58°17N 12°20E 63 F6
Trollheimen Norway 62°46N 9°1E 60 E13
Trombetas → Brazil 1°55S 55°35W 187 D7
Tromelin I. Ind. Oc. 15°52S 54°25E 146 F4
Tromsø Norway 69°40N 18°56E 60 B18
Tron Thailand 17°28N 100°7E 120 D3
Trona U.S.A. 35°46N 117°23W 171 K9
Tronador, Mte.
Argentina 41°10S 71°50W 192 B2
Trøndelag Norway 64°17N 11°50E 60 D14
Trondheim Norway 63°36N 10°25E 60 E14
Trondheimsfjorden
Norway 63°35N 10°30E 60 E14
Trönninge Sweden 56°37N 12°51E 63 H6
Tronto → Italy 42°54N 13°55E 93 F10
Troodos Cyprus 34°55N 32°52E 101 E11
Troon U.K. 55°33N 4°39W 65 F4
Tropea Italy 38°41N 15°54E 95 D8
Tropic U.S.A. 37°37N 112°5W 169 H7
Tropojë Albania 42°23N 20°10E 96 D4
Trosa Sweden 58°54N 17°33E 62 F11
Trostan U.K. 55°3N 6°10W 64 A5
Trostberg Germany 48°1N 12°33E 77 G8
Trostyanets Sumy,
Ukraine 50°33N 34°59E 85 G8
Trostyanets Vinnyts'ka,
Ukraine 48°31N 29°11E 81 B14
Trou Gras Pt. St. Lucia 13°51N 60°53W 183 f
Trout → Canada 61°19N 119°51W 162 A5
Trout L. N.W.T.,
Canada 60°40N 121°14W 162 A4
Trout L. Ont., Canada 51°20N 93°15W 163 C10
Trout Lake Canada 56°30N 114°32W 162 B6
Trout Lake U.S.A. 46°0N 121°32W 170 E5
Trout River Canada 49°29N 58°8W 165 C8
Trout Run U.S.A. 41°23N 77°3W 174 E7
Trouville-sur-Mer France 49°21N 0°5E 70 C7
Trowbridge U.K. 51°18N 2°12W 67 F5
Troy Turkey 39°57N 26°12E 99 B8
Troy Ala., U.S.A. 31°48N 85°58W 178 D4
Troy Kans., U.S.A. 39°47N 95°5W 172 F6
Troy Mo., U.S.A. 38°59N 90°59W 172 F8
Troy Mont., U.S.A. 48°28N 115°53W 168 B6
Troy N.Y., U.S.A. 42°44N 73°41W 175 D11
Troy Ohio, U.S.A. 40°2N 84°12W 173 E11
Troy Pa., U.S.A. 41°47N 76°47W 175 E8
Troyan Bulgaria 42°57N 24°43E 97 D8
Troyes France 48°19N 4°3E 71 D11
Trpanj Croatia 43°1N 17°15E 93 E14
Trstenik Serbia 43°36N 21°0E 96 C5
Trubchevsk Russia 52°33N 33°47E 85 F7
Truchas Pk. U.S.A. 35°58N 105°39W 169 J11
Trucial States = United Arab
Emirates ■ Asia 23°50N 54°0E 129 F7
Truckee U.S.A. 39°20N 120°11W 170 F6
Trudfront Russia 45°56N 47°40E 87 H8
Trudovoye Russia 43°17N 132°5E 112 C6
Trujillo Honduras 16°0N 86°0W 182 C2
Trujillo Peru 8°6S 79°0W 188 B2
Trujillo Spain 39°28N 5°55W 89 F5
Trujillo U.S.A. 35°32N 104°42W 169 J11
Trujillo Venezuela 9°22N 70°38W 186 B4
Truk Micronesia 7°25N 151°46E 156 G7
Trumann U.S.A. 35°41N 90°31W 177 D9
Trumansburg U.S.A. 42°33N 76°40W 175 D8
Trumbull, Mt. U.S.A. 36°25N 113°19W 169 H7
Trŭn Bulgaria 42°51N 22°38E 96 D6
Trun France 48°50N 0°2E 70 D7
Trundle Australia 32°53S 147°35E 153 B7
Trung Lon, Hon Vietnam 8°36N 106°8E 121 H6
Trung Phan Vietnam 17°0N 109°0E 120 D6
Truong Sa, Dao = Spratly I.
S. China Sea 8°38N 111°55E 118 C4
Truro Australia 34°24S 139°9E 152 C3
Truro Canada 45°21N 63°14W 165 C7
Truro U.K. 50°16N 5°4W 67 G2
Truskavets Ukraine 49°17N 23°30E 75 D12
Trŭstenik Bulgaria 43°31N 24°28E 97 C8
Trustrup Denmark 56°20N 10°46E 63 H4
Trutch Canada 57°44N 122°57W 162 B4
Truth or Consequences
U.S.A. 33°8N 107°15W 169 K10
Trutnov Czech Rep. 50°37N 15°54E 78 A8
Truyère → France 44°38N 2°34E 72 D6
Tryavna Bulgaria 42°54N 25°25E 97 D9
Tryonville U.S.A. 41°42N 79°48W 174 E5
Tryphena N.Z. 36°18S 175°28E 154 C4
Trzcianka Poland 53°3N 16°25E 83 E3
Trzciel Poland 52°23N 15°50E 83 F2
Trzcińsko Zdrój Poland 52°58N 14°35E 83 F1
Trzebiatów Poland 54°3N 15°18E 82 D2
Trzebiez Poland 53°38N 14°31E 82 E1
Trzebnica Poland 51°20N 17°1E 83 G4
Trzemeszno Poland 52°33N 17°48E 83 F4
Tržič Slovenia 46°22N 14°18E 93 B11
Tsagaannur Mongolia 49°32N 89°42E 109 C11
Tsagan Aman Russia 47°34N 46°43E 87 G8
Tsala Apopka L.
U.S.A. 28°53N 82°19W 179 G7
Tsamandas Greece 39°46N 20°21E 98 B2
Tsandi Namibia 17°42S 14°50E 144 A1
Tsaratanana Madag. 16°47S 47°39E 141 G9
Tsarevo Bulgaria 42°28N 27°52E 97 D9
Tsaritsani Greece 39°53N 22°14E 98 B4
Tsau Botswana 20°8S 22°22E 144 B3
Tsavo Kenya 2°59S 38°28E 142 C4
Tsavo East △ Kenya 2°44S 38°47E 142 C4
Tsavo West △ Kenya 3°19S 37°57E 142 C4
Tsentralen Balkan △
Bulgaria 42°40N 24°45E 97 D8
Tsentralnyy □ Russia 52°0N 40°0E 106 D4
Tses Namibia 25°58S 18°8E 144 C2
Tsetserleg Mongolia 47°36N 101°32E 110 B9
Tseung Kwan China 22°19N 114°15E 111 a
Tsévié Togo 6°25N 1°20E 139 D5
Tshabong Botswana 26°2S 22°29E 144 C3
Tshane Botswana 24°5S 21°54E 144 B3
Tshela
Dem. Rep. of the Congo 4°57S 13°4E 140 E2
Tshesebe Botswana 21°51S 27°32E 145 B4
Tshibeke
Dem. Rep. of the Congo 2°40S 28°35E 142 C2
Tshibinda
Dem. Rep. of the Congo 2°23S 28°43E 142 C2
Tshikapa
Dem. Rep. of the Congo 6°28S 20°48E 140 F4
Tshilenge
Dem. Rep. of the Congo 6°17S 23°48E 142 D1
Tshinsenda
Dem. Rep. of the Congo 12°20S 28°0E 143 E2
Tshofa
Dem. Rep. of the Congo 5°13S 25°16E 142 D2
Tshwane = Pretoria
S. Africa 25°44S 28°12E 145 C4
Tshwane Botswana 22°24S 22°1E 144 B3
Tsigara Botswana 20°22S 25°54E 144 B4
Tsihombe Madag. 25°10S 45°41E 141 K9
Tsiigehtchic Canada 67°15N 134°0W 160 D5
Ts'il-os △ Canada 51°9N 123°59W 162 C4
Tsimlyansk Russia 47°40N 42°6E 87 G6
Tsimlyansk Res. = Tsimlyanskoye
Vdkhr. Russia 48°0N 43°0E 87 F6
Tsimlyanskoye Vdkhr.
Russia 48°0N 43°0E 87 F6
Tsinan = Jinan China 36°38N 117°1E 114 F9
Tsineng S. Africa 27°5S 23°5E 144 C3
Tsing Yi China 22°21N 114°6E 111 a
Tsinghai = Qinghai □
China 36°0N 98°0E 110 D8
Tsingtao = Qingdao
China 36°5N 120°20E 115 F11
Tsirigo = Kythira Greece 36°8N 23°0E 98 E5
Tsiteli-Tsqaro = Dedoplis Tsqaro
Georgia 41°33N 46°0E 87 K8
Tsitsikamma △ S. Africa 34°3S 23°40E 144 D3
Tsivilsk Russia 55°50N 47°25E 86 C8
Tskhinvali Georgia 42°14N 44°1E 87 J7
Tsna → Russia 54°55N 41°58E 86 C5
Tsnori Georgia 41°40N 45°57E 87 K7
Tso Moriri, L. India 32°50N 78°20E 125 C8
Tsobis Namibia 19°27S 17°30E 144 A2
Tsodilo Hills Botswana 18°49S 21°43E 144 A3
Tsogttsetsiy = Baruunsuu
Mongolia 43°43N 105°35E 114 C3
Tsolo S. Africa 31°18S 28°37E 145 D4
Tsomo S. Africa 32°0S 27°42E 145 D4
Tsu Japan 34°45N 136°25E 113 G8
Tsu L. Canada 60°40N 111°52W 162 A6
Tsuchiura Japan 36°5N 140°15E 113 F10
Tsuen Wan China 22°22N 114°6E 111 a
Tsugaru-Hantō Japan 41°0N 140°30E 112 D10
Tsugaru-Kaikyō
Japan 41°35N 141°0E 112 D10

Tsumeb Namibia 19°9S 17°44E 144 A2
Tsumis Namibia 23°39S 17°29E 144 B2
Tsuruga Japan 35°45N 136°2E 113 G8
Tsurugi-San Japan 33°51N 134°6E 113 H7
Tsuruoka Japan 38°44N 139°50E 112 E9
Tsushima Gifu, Japan 35°10N 136°43E 113 G8
Tsushima Nagasaki, Japan 34°20N 129°20E 113 G4
Tsuyama Japan 35°3N 134°0E 113 G7
Tsvetkovo Ukraine 49°8N 31°33E 85 H6
Tsyelyakhany Belarus 52°30N 25°46E 75 B13
Tua → Portugal 41°13N 7°26W 88 D3
Tuaheni Pt. N.Z. 38°43S 178°4E 154 E7
Tuai N.Z. 38°47S 177°10E 154 E6
Tuaim = Tuam Ireland 53°31N 8°51W 64 C3
Tuakau N.Z. 37°16S 174°59E 154 D3
Tual Indonesia 5°38S 132°44E 119 F8
Tualatin U.S.A. 45°23N 122°45W 170 E4
Tuam Ireland 53°31N 8°51W 64 C3
Tuamarina N.Z. 41°25S 173°59E 155 B8
Tuamotu, Îs. French Polynesia 17°0S 144°0W 157 J13
Tuamotu Arch. = Tuamotu, Îs. French Polynesia 17°0S 144°0W 157 J13
Tuamotu Ridge Pac. Oc. 20°0S 138°0W 157 K14
Tuan Giao Vietnam 21°35N 103°25E 120 B4
Tuanfeng China 30°38N 114°52E 117 B10
Tuanxi China 27°28N 107°8E 116 D6
Tuao Phil. 17°45N 121°22E 119 A6
Tuapse Russia 44°5N 39°10E 87 H4
Tuas Singapore 1°19N 103°39E 121 d
Tuatapere N.Z. 46°8S 167°41E 155 G2
Tuba City U.S.A. 36°8N 111°14W 169 H8
Tuban Indonesia 6°54S 112°3E 119 G15
Tubani Botswana 24°46S 24°18E 144 B3
Tubarão Brazil 28°30S 49°0W 191 B6
Tūbās West Bank 32°20N 35°22E 130 C4
Tubas → Namibia 22°54S 14°35E 144 B2
Tübingen Germany 48°31N 9°4E 77 G5
Tubmanburg = Bomi Liberia 7°1N 10°38W 138 D2
Tubou Fiji 18°13S 178°48W 154 a
Tubruq Libya 32°7N 23°55E 135 B10
Tubuaï, Îs. French Polynesia 25°0S 150°0W 157 K13
Tuc Trung Vietnam 11°1N 107°12E 121 G6
Tucacas Venezuela 10°48N 68°19W 186 A5
Tucano Brazil 10°58S 38°48W 189 C3
T'uch'ang Taiwan 24°35N 121°29E 117 E13
Tuchitua Canada 60°55N 129°13W 162 A3
Tuchodi → Canada 58°17N 123°42W 162 B4
Tuchola Poland 53°33N 17°52E 82 E4
Tuchów Poland 49°54N 21°1E 83 J8
Tuckanarra Australia 27°7S 118°5E 149 E2
Tucker U.S.A. 33°51N 84°13W 178 B5
Tucson U.S.A. 32°13N 110°58W 169 K8
Tucumán □ Argentina 26°48S 66°2W 190 B2
Tucumcari U.S.A. 35°10N 103°44W 169 J12
Tucupita Venezuela 9°2N 62°3W 186 B6
Tucuruí Brazil 3°42S 49°44W 187 D9
Tucuruí, Represa de Brazil 4°0S 49°30W 187 D9
Tuczno Poland 53°13N 16°10E 83 E3
Tudela Spain 42°4N 1°39W 90 C3
Tudmur Syria 34°36N 38°15E 105 E8
Tudor, L. Canada 55°50N 65°25W 165 A6
Tudora Romania 47°31N 26°45E 81 C11
Tuella → Portugal 41°30N 7°12W 88 D3
Tuen Mun China 22°23N 113°57E 111 a
Tufanbeyli Turkey 38°15N 36°13E 104 C7
Tug Hill Plateau U.S.A. 43°45N 75°50W 175 C9
Tugela → S. Africa 29°14S 31°30E 145 C5
Tugela Falls S. Africa 28°42S 29°51E 145 C4
Tuguegarao Phil. 17°35N 121°42E 119 A6
Tugur Russia 53°44N 136°45E 107 D14
Tui Spain 42°3N 8°39W 88 C2
Tuineje Canary Is. 28°19N 14°3W 100 F5
Tukangbesi, Kepulauan Indonesia 6°0S 124°0E 119 F6
Tukarak I. Canada 56°15N 78°45W 164 A4
Tukayyid Iraq 29°47N 45°36E 128 D5
Tûkh Egypt 30°21N 31°12E 137 E7
Tukhlya Ukraine 48°55N 23°28E 81 B8
Tukituki → N.Z. 39°36S 176°56E 154 F5
Tukobo Ghana 5°1N 2°47W 138 D4
Tuktoyaktuk Canada 69°27N 133°2W 160 D5
Tuktut Nogait △ Canada 69°15N 122°0W 160 D7
Tukums Latvia 56°58N 23°10E 82 B10
Tukuyu Tanzania 9°17S 33°35E 143 D3
Tula Hidalgo, Mexico 20°3N 99°21W 181 C5
Tula Tamaulipas, Mexico 23°0N 99°43W 181 C5
Tula Nigeria 9°51N 11°27E 139 D7
Tula Russia 54°13N 37°38E 84 E9
Tula □ Russia 53°45N 37°30E 84 F9
Tulach Mhór = Tullamore Ireland 53°16N 7°31W 64 C4
Tulancingo Mexico 20°5N 98°22W 181 C5
Tulare Serbia 42°48N 21°28E 96 D5
Tulare U.S.A. 36°13N 119°21W 170 J7
Tulare Lake Bed U.S.A. 36°0N 119°48W 170 K7
Tularosa U.S.A. 33°5N 106°1W 169 K10
Tulbagh S. Africa 33°16S 19°6E 144 D2
Tulcán Ecuador 0°48N 77°43W 186 C3
Tulcea Romania 45°13N 28°46E 81 E13
Tulcea □ Romania 45°0N 28°30E 81 E13
Tulchyn Ukraine 48°41N 28°49E 81 B13
Tüledi Araldary Kazakhstan 45°2N 50°16E 87 H10
Tūleh Iran 34°35N 52°33E 129 C7
Tulemalu L. Canada 62°58N 99°25W 163 A9
Tulgheş Romania 46°58N 25°45E 81 D10
Tuli Zimbabwe 21°58S 29°13E 143 G2
Tulia U.S.A. 34°32N 101°46W 176 D4
Tuliszków Poland 52°5N 18°18E 83 F5
Tulita Canada 64°57N 125°30W 160 E6
Ţūlkarm West Bank 32°19N 35°2E 130 C4
Tulla Ireland 52°53N 8°46W 64 D3
Tullahoma U.S.A. 35°22N 86°13W 177 D11
Tullamore Australia 32°39S 147°36E 153 B7
Tullamore Ireland 53°16N 7°31W 64 C4
Tulle France 45°16N 1°46E 72 C5
Tulln an der Donau Austria 48°20N 16°4E 78 C9
Tullow Ireland 52°49N 6°45W 64 D5
Tully Australia 17°56S 145°55E 150 B4
Tully U.S.A. 42°48N 76°7W 175 D8
Tulnici Romania 45°51N 26°38E 81 E11
Tulovo Bulgaria 42°33N 25°32E 97 D9
Tulsa U.S.A. 36°10N 95°55W 176 C7
Tulsequah Canada 58°39N 133°35W 162 B2
Tuluá Colombia 4°6N 76°11W 186 C3
Tuluceşti Romania 45°34N 28°2E 81 E13
Tulum Mexico 20°13N 87°28W 181 C7
Tulun Russia 54°32N 100°35E 107 D11
Tulungagung Indonesia 8°5S 111°54E 119 H14
Tuma Russia 55°10N 40°30E 84 E11
Tuma → Nic. 13°6N 84°35W 182 D3
Tumacacori □ U.S.A. 31°35N 111°6W 169 L8
Tumaco Colombia 1°50N 78°45W 186 C3
Tumakuru India 13°18N 77°6E 127 H3
Tumatumari Guyana 5°20N 58°55W 186 B7
Tumba Sweden 59°12N 17°48E 62 E11
Tumba, L. Dem. Rep. of the Congo 0°50S 18°0E 140 E3
Tumbarumba Australia 35°44S 148°0E 153 C8
Tumbaya Argentina 23°50S 65°26W 190 A2
Tumbes Peru 3°37S 80°27W 188 A1
Tumbes □ Peru 3°50S 80°30W 188 A1
Tumbler Ridge Canada 55°8N 121°0W 162 B4
Tumbwe Dem. Rep. of the Congo 11°25S 27°15E 143 E2
Tumby Bay Australia 34°21S 136°8E 152 C2
Tumd Youqi China 40°30N 110°30E 114 D6
Tumen China 43°0N 129°50E 112 C4
Tumen Jiang → China 42°20N 130°35E 115 C16
Tumeremo Venezuela 7°18N 61°30W 186 B6
Tumiritinga Brazil 18°58S 41°38W 189 D2
Tumkur = Tumakuru India 13°18N 77°6E 127 H3
Tump Pakistan 26°7N 62°16E 122 F3
Tumpat Malaysia 6°11N 102°10E 121 J4
Tumsar India 21°26N 79°45E 126 D4
Tumu Ghana 10°56N 1°56W 138 C4
Tumucumaque, Serra Brazil 2°0N 55°0W 187 C8
Tumupasa Bolivia 14°9S 67°55W 188 C4
Tumut Australia 35°16S 148°13E 153 C8
Tumwater U.S.A. 47°1N 122°54W 170 C4
Tumxuk China 41°22N 79°58E 109 D9
Tun Sweden 58°26N 12°43E 63 F6
Tuna India 22°59N 70°5E 124 H4
Tunapuna Trin. & Tob. 10°38N 61°24W 187 K15
Tunas de Zaza Cuba 21°39N 79°34W 182 B4
Tunbridge Wells = Royal Tunbridge Wells U.K. 51°7N 0°16E 67 F8
Tunçbilek Turkey 39°37N 29°29E 99 B11
Tunceli Turkey 39°6N 39°31E 105 C8
Tunceli □ Turkey 39°5N 39°35E 105 C8
Tunchang China 19°21N 110°5E 117 a
Tuncurry Australia 32°17S 152°29E 153 B10
Tundla India 27°12N 78°17E 124 F8
Tundubai Sudan 18°36N 28°35E 137 D2
Tunduru Tanzania 11°8S 37°25E 143 E4
Tundzha → Bulgaria 41°40N 26°35E 97 E10
Tung Chung China 22°17N 113°57E 111 a
Tung Lung Chau China 22°15N 114°17E 111 a
Tunga → India 15°0N 75°50E 127 G2
Tungabhadra → India 15°57N 78°15E 127 G4
Tungabhadra Dam India 15°0N 75°50E 127 G2
Tungla Nic. 13°24N 84°21W 182 D3
Tungsha Tao = Dongsha Dao S. China Sea 20°45N 116°43E 111 G12
Tungshih Taiwan 24°12N 120°43E 117 E13
Tungsten Canada 61°57N 128°16W 162 A3
Tunguska, Nizhnyaya → Russia 65°48N 88°4E 107 C9
Tunguska, Podkamennaya → Russia 61°50N 90°13E 107 C10
Tuni India 17°22N 82°36E 126 F6
Tunica U.S.A. 34°41N 90°23W 177 D9
Tunis Tunisia 36°50N 10°11E 136 A6
Tunis □ Tunisia 36°46N 10°10E 136 A6
Tunis ✈ (TUN) Tunisia 36°52N 10°14E 94 F3
Tunis, Golfe de Tunisia 37°0N 10°30E 136 A6
Tunisia ■ Africa 33°30N 9°10E 136 B5
Tunja Colombia 5°33N 73°25W 186 B4
Tunkhannock U.S.A. 41°32N 75°57W 175 E9
Tunkinsky △ Russia 51°30N 102°0E 107 D11
Tunliu China 36°13N 112°52E 114 F7
Tunnel Creek △ Australia 17°41S 125°18E 148 C4
Tunnsjøen Norway 64°45N 13°25E 60 D15
Tuno Denmark 55°57N 10°27E 63 J4
Tunungayualok I. Canada 56°0N 61°0W 165 A7
Tunuyán Argentina 33°35S 69°0W 190 C2
Tunuyán → Argentina 33°33S 67°30W 190 C2
Tunxi = Huangshan China 29°42N 118°25E 117 C12
Tuo Jiang → China 28°50N 105°35E 116 C5
Tuolumne U.S.A. 37°58N 120°15W 170 H6
Tuolumne → U.S.A. 37°36N 121°13W 170 H5
Tüp Kyrgyzstan 42°45N 78°20E 109 D9
Tūp Āghāj Iran 36°3N 47°50E 105 D12
Tupã Brazil 21°57S 50°28W 191 A5
Tupaciguara Brazil 18°35S 48°42W 189 D1
Tupelo U.S.A. 34°16N 88°43W 177 D10
Tupik Russia 55°42N 33°22E 84 E7
Tupinambarana, I. Brazil 3°0S 58°0W 186 D7
Tupirama Brazil 8°58S 48°12W 189 B1
Tupiratins Brazil 8°23S 48°8W 189 B1
Tupiza Bolivia 21°30S 65°40W 190 A2
Tupižnica Serbia 43°43N 22°10E 96 C6
Tupman U.S.A. 35°18N 119°21W 171 K7
Tupper Canada 55°32N 120°1W 162 B4
Tupper L. U.S.A. 44°10N 74°32W 175 B10
Tupper Lake U.S.A. 44°14N 74°28W 175 B10
Tüpqarghan Muyis Kazakhstan 44°40N 50°19E 87 H10
Tupungato, Cerro S. Amer. 33°15S 69°50W 190 C2
Tuquan China 45°18N 121°38E 115 B11
Túquerres Colombia 1°5N 77°37W 186 C3
Tura Russia 64°20N 100°17E 107 C11
Turabah Ḥā'il, Si. Arabia 28°20N 43°15E 128 D4
Turabah Makkah, Si. Arabia 21°15N 41°34E 137 C5
Turakina N.Z. 40°3S 175°16E 154 G4
Turakina → N.Z. 40°5S 175°8E 154 G4
Turakirae Hd. N.Z. 41°26S 174°56E 154 H3
Tūrān Iran 35°39N 56°42E 129 C8
Turan Russia 51°55N 94°0E 109 B12
Tūrān △ Iran 35°45N 56°30E 129 C8
Turan Lowland Asia 43°30N 62°0E 108 D6
Turangi N.Z. 38°59S 175°48E 154 E4
Ţurayf Si. Arabia 31°41N 38°39E 128 D3
Turbacz Poland 49°30N 20°8E 83 J7
Turbe Bos.-H. 44°15N 17°35E 80 F2
Turbeville U.S.A. 33°54N 80°1W 178 B9
Turčianske Teplice Slovak Rep. 48°52N 18°52E 79 C11
Turco Bolivia 18°10S 68°11W 188 D4
Turcoaia Romania 45°7N 28°11E 81 E13
Turda Romania 46°34N 23°47E 81 D8
Turek Poland 52°3N 18°30E 83 F5
Turén Venezuela 9°17N 69°6W 186 B5
Turfan = Turpan China 43°58N 89°10E 109 D11
Turfan Basin = Turpan Pendi China 42°40N 89°25E 109 D11
Turfan Depression = Turpan Pendi China 42°40N 89°25E 109 D11
Turgayskaya Stolovaya Strana = Torghay Ustirti Asia 51°0N 63°0E 108 B6
Turgeon → Canada 50°0N 78°56W 164 C4
Tŭrgovishte Bulgaria 43°17N 26°38E 97 C10
Tŭrgovishte □ Bulgaria 43°17N 26°38E 97 C10
Turgut Turkey 37°22N 28°4E 99 D10
Turgutlu Turkey 38°30N 27°43E 99 C9
Turgutreis Turkey 37°2N 27°15E 99 D9
Turgwe → Zimbabwe 21°31S 32°15E 145 B5
Turhal Turkey 40°24N 36°5E 104 B7
Turia → Spain 39°27N 0°19W 91 F4
Turiaçu Brazil 1°40S 45°19W 187 D9
Turiaçu → Brazil 1°36S 45°19W 187 D9
Turiec → Slovak Rep. 49°7N 18°55E 79 B11
Turin = Torino Italy 45°3N 7°40E 92 C4
Turka Ukraine 49°10N 23°2E 83 J10
Turkana □ Kenya 3°10N 35°20E 142 B4
Turkana, L. Africa 3°30N 36°5E 142 B4
Türkeli Turkey 40°30N 27°30E 97 F11
Turkestan = Türkistan Kazakhstan 43°17N 68°16E 109 D7
Turkestan Range Asia 39°35N 69°0E 109 E7
Túrkeve Hungary 47°6N 20°44E 80 C5
Turkey ■ Eurasia 39°0N 36°0E 104 C7
Turkey Creek = Warmun Australia 17°2S 128°12E 148 C4
Turki Russia 52°0N 43°15E 86 D6
Türkistan Kazakhstan 43°17N 68°16E 109 D7
Türkmenabat Turkmenistan 39°6N 63°34E 129 B9
Türkmenbashi Turkmenistan 40°5N 53°5E 129 A7
Turkmenistan ■ Asia 39°0N 59°0E 108 E5
Türkmenli Turkey 39°45N 26°30E 99 B8
Türkoğlu Turkey 37°23N 36°50E 104 D7
Turks & Caicos Is. ☑ W. Indies 21°20N 71°20W 183 B5
Turks Island Passage Turks & Caicos 21°25N 71°19W 183 B5
Turku Finland 60°30N 22°19E 84 B2
Turkwel → Kenya 3°6N 36°6E 142 B4
Turlock U.S.A. 37°30N 120°51W 170 H6
Turnagain Australia 9°34S 142°17E 150 a
Turnagain → Canada 59°12N 127°35W 162 B3
Turnagain, C. N.Z. 40°28S 176°38E 154 G5
Turneffe Is. Belize 17°20N 87°50W 181 D7
Turner U.S.A. 48°51N 108°24W 168 B9
Turner Pt. Australia 11°47S 133°32E 150 A1
Turner Valley Canada 50°40N 114°17W 162 C6
Turners Falls U.S.A. 42°36N 72°33W 175 D12
Turner's Pen. S. Leone 7°22N 12°24W 138 D2
Turnhout Belgium 51°19N 4°57E 69 C4
Türnitz Austria 47°55N 15°29E 78 D8
Turnor L. Canada 56°35N 108°35W 163 B7
Turnov Czech Rep. 50°34N 15°10E 78 A8
Tŭrnovo = Veliko Tŭrnovo Bulgaria 43°5N 25°41E 97 C9
Turnu Măgurele Romania 43°46N 24°56E 81 G9
Turnu Roşu, P. Romania 45°33N 24°17E 81 E9
Turobin Poland 50°50N 22°44E 83 H9
Tuross Head Australia 36°3S 150°8E 153 D9
Turpan China 43°58N 89°10E 109 D11
Turpan Pendi China 42°40N 89°25E 109 D11
Turrawan Australia 30°28S 149°53E 153 A8
Turrës, Kala e Albania 41°10N 19°28E 96 E3
Turriff U.K. 57°32N 2°27W 65 D6
Tursāq Iraq 33°27N 45°47E 105 F11
Tursi Italy 40°15N 16°28E 95 B9
Tursunzoda Tajikistan 38°30N 68°14E 109 E7
Turtle Head I. Australia 10°56S 142°37E 150 A3
Turtle Is. S. Leone 7°40N 13°0W 138 D2
Turtle L. Canada 53°36N 108°38W 163 C7
Turtle Lake U.S.A. 47°31N 100°53W 172 B3
Turtleford Canada 53°23N 108°57W 163 C7
Turua N.Z. 37°14S 175°35E 154 D4
Turuépano △ Venezuela 10°34N 62°43W 183 D7
Turukhansk Russia 65°21N 88°5E 107 C9
Turzovka Slovak Rep. 49°25N 18°35E 79 B11
Tuscaloosa U.S.A. 33°12N 87°34W 177 E11
Tuscánia Italy 42°25N 11°52E 93 F8
Tuscany = Toscana □ Italy 43°25N 11°0E 92 E8
Tuscarawas → U.S.A. 40°24N 81°25W 174 F3
Tuscarora Mt. U.S.A. 40°55N 77°55W 174 F7
Tuscola Ill., U.S.A. 39°48N 88°17W 172 F9
Tuscola Tex., U.S.A. 32°12N 99°48W 176 E5
Tuscumbia U.S.A. 34°44N 87°42W 177 D11
Tuskegee U.S.A. 32°25N 85°42W 178 C4
Tuszyn Poland 51°36N 19°33E 83 G6
Tutak Turkey 39°31N 42°46E 105 C10
Tutayev Russia 57°53N 39°32E 84 D10
Tuticorin India 8°50N 78°12E 127 K4
Tutin Serbia 42°58N 20°20E 96 D4
Tutóia Brazil 2°45S 42°20W 189 A2
Tutong Brunei 4°47N 114°40E 118 D4
Tutova → Romania 46°7N 27°30E 81 D12
Tutrakan Bulgaria 44°2N 26°40E 97 B10
Tuttle Creek L. U.S.A. 39°15N 96°36W 172 F5
Tuttlingen Germany 47°58N 8°48E 77 H4
Tutuala E. Timor 8°25S 127°15E 119 F7
Tutuko, Mt. N.Z. 44°35S 168°1E 155 E3
Tutume Botswana 20°30S 27°5E 141 J5
Tutun Egypt 29°9N 30°46E 137 F7
Tutun Gol → Mongolia 48°30N 104°25E 110 B9
Tuva □ Russia 51°30N 95°0E 109 B12
Tuvalu ■ Pac. Oc. 8°0S 178°0E 147 B10
Tuvuca Fiji 17°40S 178°48W 154 a
Tuxer Alpen Austria 47°10N 11°45E 78 D4
Tuxpan Mexico 20°57N 97°24W 181 C5
Tuxtla Gutiérrez Mexico 16°45N 93°7W 181 D6
Tuy = Tui Spain 42°3N 8°39W 88 C2
Tuy Duc Vietnam 12°15N 107°27E 121 F6
Tuy Phong Vietnam 11°14N 108°43E 121 G7
Tuya L. Canada 59°7N 130°35W 162 B2
Tuyen Hoa Vietnam 17°50N 106°10E 120 D6
Tuyen Quang Vietnam 21°50N 105°10E 116 G5
Tuymazy Russia 54°36N 53°42E 108 B4
Tūysarkān Iran 34°33N 48°27E 105 E13
Tuz Gölü Turkey 38°42N 33°18E 104 C5
Ţūz Khurmātū Iraq 34°56N 44°38E 105 E11
Tuzi Montenegro 42°22N 19°20E 96 D3
Tuzigoot △ U.S.A. 34°46N 112°2W 169 J7
Tuzla Bos.-H. 44°34N 18°41E 80 F3
Tuzlov → Russia 47°17N 39°57E 85 J10
Tuzluca Turkey 40°3N 43°39E 105 B10
Tuzly Ukraine 45°54N 30°6E 81 E15
Tvååker Sweden 57°4N 12°25E 63 G6
Tvardiţa Moldova 46°9N 28°58E 81 D13
Tver Russia 56°55N 35°59E 84 D8
Tver □ Russia 56°50N 35°0E 84 D8
Tvrdošin Slovak Rep. 49°21N 19°35E 79 B12
Tvrdošovce Slovak Rep. 48°6N 18°4E 79 C11
Tvŭrditsa Bulgaria 42°42N 25°53E 97 D9
Twain U.S.A. 40°1N 121°3W 170 E5
Twain Harte U.S.A. 38°2N 120°14W 170 G6
Twardogóra Poland 51°23N 17°28E 83 G4
Twee River Namibia 25°27S 19°27E 144 C2
Tweed Canada 44°29N 77°19W 174 B7
Tweed → U.K. 55°45N 2°0W 65 F6
Tweed Heads Australia 28°10S 153°31E 151 D5
Tweedsmuir △ Canada 53°0N 126°20W 162 C3
Twentynine Palms U.S.A. 34°8N 116°3W 171 L10
Twillingate Canada 49°42N 54°45W 165 C9
Twin Bridges U.S.A. 45°33N 112°20W 168 D7
Twin City U.S.A. 32°35N 82°10W 178 C7
Twin Falls Canada 53°30N 64°32W 165 B7
Twin Falls U.S.A. 42°34N 114°28W 168 E6
Twin Lakes U.S.A. 30°43N 83°13W 178 E6
Twin Valley U.S.A. 47°16N 96°16W 172 B5
Twinsburg U.S.A. 41°19N 81°26W 174 E3
Twistringen Germany 52°48N 8°37E 76 C4
Twitchell Res. U.S.A. 34°59N 120°19W 171 L6
Two Harbors U.S.A. 47°2N 91°40W 172 B8
Two Hills Canada 53°43N 111°52W 162 C6
Two Rivers U.S.A. 44°9N 87°34W 172 C10
Two Rocks Australia 31°30S 115°35E 149 F2
Two Thumb Ra. N.Z. 43°45S 170°44E 155 D5
Twofold B. Australia 37°8S 149°59E 153 D8
Twyfelfontein Namibia 20°34S 14°22E 144 B1
Ty Ty U.S.A. 31°28N 83°39W 178 D6
Tyachiv Ukraine 48°1N 23°35E 75 D12
Tybee Island U.S.A. 32°1N 80°51W 178 C9
Tychy Poland 50°9N 18°59E 83 H5
Tyczyn Poland 49°58N 22°2E 83 J9
Tykocin Poland 53°13N 22°46E 83 E9
Tyler Minn., U.S.A. 44°17N 96°8W 172 C5
Tyler Tex., U.S.A. 32°21N 95°18W 176 E7
Tyligul → Ukraine 47°4N 30°57E 85 J6
Tymanivka Ukraine 48°34N 28°50E 81 B13
Týn nad Vltavou Czech Rep. 49°13N 14°26E 78 B7
Tynda Russia 55°10N 124°43E 107 D13
Tyndall U.S.A. 43°0N 97°50W 172 D5
Tyne → U.K. 54°59N 1°32W 66 C6
Tyne & Wear □ U.K. 55°6N 1°17W 66 B6
Týnec nad Sázavou Czech Rep. 49°50N 14°36E 78 B7
Tynemouth U.K. 55°1N 1°26W 66 B6
Tyre = Sūr Lebanon 33°19N 35°16E 130 B4
Tyresta △ Sweden 59°12N 18°14E 62 E12
Tyrifjorden Norway 60°2N 10°8E 61 F14
Tyringe Sweden 56°9N 13°35E 63 H7
Tyrnyauz Russia 43°21N 42°45E 87 J6
Tyrol = Tirol □ Austria 47°3N 10°43E 78 D3
Tyrone U.S.A. 40°40N 78°14W 174 F6
Tyrone □ U.K. 54°38N 7°11W 64 B4
Tyrrell → Australia 35°26S 142°51E 152 C5
Tyrrell, L. Australia 35°20S 142°50E 152 C5
Tyrrell L. Canada 63°7N 105°27W 163 A7
Tyrrhenian Sea Medit. S. 40°0N 12°30E 58 G8
Tysfjorden Norway 68°7N 16°25E 60 B17
Tysmenytsya Ukraine 48°54N 24°51E 81 B9
Tystberga Sweden 58°51N 17°15E 63 F11
Tytuvėnai Lithuania 55°36N 23°12E 82 C10
Tyub Karagan, Mys = Tüpqarghan Muyis Kazakhstan 44°40N 50°19E 87 H10
Tyuleni, Ostrova = Tüledi Araldary Kazakhstan 45°2N 50°16E 87 H10
Tyuleniy Russia 44°28N 47°30E 87 H8
Tyuleniy, Mys Azerbaijan 40°12N 50°22E 87 K10
Tyumen Russia 57°11N 65°29E 106 D7
Tyup = Tüp Kyrgyzstan 42°45N 78°20E 109 D9
Tywi → U.K. 51°48N 4°21W 67 F3
Tywyn U.K. 52°35N 4°5W 67 E3
Tzaneen S. Africa 23°47S 30°9E 145 B5
Tzermiado Greece 35°12N 25°29E 101 D7
Tzoumérka, Óros = Athamanon Oros Greece 39°30N 21°26E 98 B3
Tzukong = Zigong China 29°15N 104°48E 116 C5

U

U.S.A. = United States of America ■ N. Amer. 37°0N 96°0W 167 H20
U.S. Virgin Is. ☑ W. Indies 18°20N 65°0W 183 e
Uaimh, An = Navan Ireland 53°39N 6°41W 64 C5
Uanle Uen = Wanleweyne Somalia 2°37N 44°54E 131 G3
Uasin Gishu □ Kenya 0°30N 35°15E 142 B4
Uatumã → Brazil 2°26S 57°37W 186 D7
Uauá Brazil 9°50S 39°28W 189 B3
Uaupés Brazil 0°8S 67°5W 186 D5
Uaupés → Brazil 0°2N 67°16W 186 C5
Uaxactún Guatemala 17°25N 89°29W 182 C2
Ub Serbia 44°28N 20°6E 96 B4
Ubá Brazil 21°8S 43°0W 191 A7
Uba Nigeria 10°29N 13°13E 139 C7
Ubaitaba Brazil 14°18S 39°20W 189 C3
Ubajara △ Brazil 3°55S 40°50W 189 A2
Ubangi = Oubangi → Dem. Rep. of the Congo 0°30S 17°50E 140 E3
Ubauro Pakistan 28°15N 69°45E 124 E3
Ubaye → France 44°28N 6°18E 73 D10
Ubayyiḍ, W. al → Iraq 32°34N 43°48E 105 F10
Ube Japan 33°56N 131°15E 113 H5
Úbeda Spain 38°3N 3°23W 89 G7
Uberaba Brazil 19°50S 47°55W 189 D1
Uberlândia Brazil 19°0S 48°20W 189 D1
Überlingen Germany 47°46N 9°10E 77 H5
Ubiaja Nigeria 6°41N 6°22E 139 D6
Ubin, Pulau Singapore 1°24N 103°57E 121 d
Ubly U.S.A. 43°42N 82°55W 174 C2
Ubolratna Res. Thailand 16°45N 102°30E 120 D4
Ubombo S. Africa 27°31S 32°4E 145 C5
Ubon Ratchathani Thailand 15°15N 104°50E 120 E5
Ubondo Dem. Rep. of the Congo 0°55S 25°42E 142 C2
Ubort → Belarus 52°6N 28°30E 75 B15
Ubrique Spain 36°41N 5°27W 89 J5
Ubud Indonesia 8°30S 115°16E 119 J18
Ubundu Dem. Rep. of the Congo 0°22S 25°30E 142 C2
Ucar Azerbaijan 40°31N 47°39E 87 K8
Ucayali → Peru 4°30S 73°30W 188 A3
Uchab Namibia 19°47S 17°42E 144 A2
Uchiura-Wan Japan 42°25N 140°40E 112 C10
Uchiza Peru 8°25S 76°20W 188 B2
Uchquduq Uzbekistan 41°50N 62°50E 108 D6
Uchte Germany 52°30N 8°54E 76 C4
Uchur → Russia 58°48N 130°35E 107 D14
Uckermark Germany 53°5N 13°30E 76 B9
Ucluelet Canada 48°57N 125°32W 162 D3
Uda → Russia 54°42N 135°14E 107 D14
Uda Walawe △ Sri Lanka 6°20N 81°0E 127 L5
Udachnyy Russia 66°25N 112°24E 107 C12
Udagamandalam India 11°30N 76°44E 127 J3
Udainagar India 22°33N 76°13E 124 H7
Udaipur India 24°36N 73°44E 124 G5
Udaipur Garhi Nepal 27°0N 86°35E 125 F12
Udala India 21°35N 86°34E 125 J12
Udayagiri Andhra Pradesh, India 14°52N 79°19E 127 G4
Udayagiri Odisha, India 20°8N 84°23E 126 D7
Udbina Croatia 44°31N 15°47E 93 D12
Uddeholm Sweden 60°1N 13°38E 62 D7
Uddevalla Sweden 58°21N 11°55E 63 F5
Uddheden Sweden 59°57N 12°54E 62 E6
Uddjaure Sweden 65°56N 17°49E 60 D17
Udegeyskaya Legenda △ Russia 45°45N 135°30E 112 B7
Uden Neths. 51°40N 5°37E 69 C5
Udgir India 18°25N 77°5E 126 E3
Udhampur India 33°0N 75°5E 125 C6
Udi Nigeria 6°17N 7°21E 139 D6
Údine Italy 46°3N 13°14E 93 B10
Udintsev Fracture Zone S. Ocean 57°0S 145°0W 55 B13
Udon Thani Thailand 17°29N 102°46E 120 D4
Udong Cambodia 11°48N 104°45E 121 G5
Udskaya Guba Russia 54°50N 135°45E 107 D14
Udu Pt. Fiji 16°9S 179°57W 154 a
Udumalaippettai India 10°35N 77°15E 127 J3
Udupi India 13°25N 74°42E 127 H2
Udva India 20°5N 73°0E 126 D1
Udvoy Balkan Bulgaria 42°50N 26°50E 97 D10
Udzungwa △ Tanzania 7°52S 36°35E 142 D4
Udzungwa Range Tanzania 9°30S 35°10E 143 D4
Ueckermünde Germany 53°44N 14°1E 76 B10
Ueda Japan 36°24N 138°16E 113 F9
Uedineniya, Os. Russia 78°0N 85°0E 54 B12
Uele → Dem. Rep. of the Congo 3°45N 24°45E 140 D4
Uelen Russia 66°10N 170°0W 107 C19
Uelzen Germany 52°57N 10°32E 76 C6
Uetersen Germany 53°40N 9°40E 76 B5
Uetze Germany 52°28N 10°11E 76 C6
Ufa Russia 54°45N 55°55E 108 B5
Ufa → Russia 54°40N 56°0E 108 B5
Uffenheim Germany 49°33N 10°14E 77 F6
Ugab → Namibia 20°55S 13°30E 144 B1
Ugalla → Tanzania 5°8S 30°42E 142 D3
Ugalla River △ Tanzania 5°50S 31°54E 142 D3
Uganda ■ Africa 2°0N 32°0E 142 B3
Ugento Italy 39°56N 18°10E 95 C11
Ugep Nigeria 5°53N 8°2E 139 D6
Ughelli Nigeria 5°33N 6°0E 139 D6
Ugie S. Africa 31°10S 28°13E 145 D4
Ugíjar Spain 36°58N 3°7W 89 J7
Ugine France 45°45N 6°25E 73 C10
Uglegorsk Russia 49°5N 142°2E 107 E15
Uglich Russia 57°33N 38°20E 84 D10
Ugljan Croatia 44°12N 15°10E 93 D12
Ugljane Croatia 43°35N 16°46E 93 E13
Ugolnye Kopi Russia 64°44N 177°42E 107 C18
Ugra → Russia 54°30N 36°7E 84 E9
Ugra △ Russia 54°45N 35°30E 84 E8
Ugŭrchin Bulgaria 43°6N 24°26E 97 C8
Uh → Slovak Rep. 48°37N 22°0E 79 C15
Uherské Hradiště Czech Rep. 49°4N 17°30E 79 B10
Uherský Brod Czech Rep. 49°1N 17°40E 79 B10
Úhlava → Czech Rep. 49°45N 13°24E 78 B6
Uhlenhorst Namibia 23°45S 17°55E 144 B2
Uhniv Ukraine 50°22N 23°45E 83 H10
Uhrichsville U.S.A. 40°24N 81°21W 174 F3
Uibhist a Deas = South Uist U.K. 57°20N 7°15W 65 D1
Uibhist a Tuath = North Uist U.K. 57°40N 7°15W 65 D1
Uig U.K. 57°35N 6°21W 65 D2
Uíge Angola 7°30S 14°40E 140 F2
Uijeongbu S. Korea 37°44N 127°2E 115 F14
Ŭiju N. Korea 40°15N 124°35E 115 D13
Uinta Mts. U.S.A. 40°45N 110°30W 168 F8
Uis Namibia 21°8S 14°49E 144 B1
Uiseong S. Korea 36°21N 128°45E 115 F15
Uitenhage S. Africa 33°40S 25°28E 144 D4
Uithuizen Neths. 53°24N 6°41E 69 A6
Ujazd Poland 50°23N 18°21E 83 H5
Újfehértó Hungary 47°49N 21°41E 80 C6
Ujh → India 32°10N 75°18E 124 C6
Ujhani India 28°0N 79°6E 125 F8
Uji-guntō Japan 31°15N 129°25E 113 J4
Ujjain India 23°9N 75°43E 124 H6
Ujście Poland 53°3N 16°45E 83 E3
Ujście Warty △ Poland 52°35N 14°44E 83 F1
Újszász Hungary 47°19N 20°7E 80 C5
Ujung Kulon △ Indonesia 6°46S 105°19E 119 G11
Ujung Pandang = Makassar Indonesia 5°10S 119°20E 119 F5
Uka Russia 57°50N 162°0E 107 D17
Ukai Sagar India 21°20N 73°43E 126 D1
Ukara I. Tanzania 1°50S 33°0E 142 C3
Uke-Shima Japan 28°2N 129°14E 113 K4
Ukerewe I. Tanzania 2°0S 33°0E 142 C3
uKhahlamba Drakensberg △ S. Africa 29°27S 29°30E 145 C4
Ukholovo Russia 53°47N 40°30E 86 D5
Ukhrul India 25°10N 94°25E 123 G19
Ukhta Russia 63°34N 53°41E 106 C6
Ukiah U.S.A. 39°9N 123°13W 170 F3
Ukkusiksalik △ Canada 65°20N 89°30W 160 D14
Ukmergė Lithuania 55°15N 24°45E 84 E3
Ukraine ■ Europe 49°0N 32°0E 85 H7
Ukwi Botswana 23°29S 20°30E 144 B3
Ula Turkey 37°6N 28°25E 104 D3
Ulaan Nuur Mongolia 44°30N 103°40E 114 B2
Ulaan-Uul Mongolia 46°4N 100°49E 110 B9
Ulaanbaatar Mongolia 47°55N 106°53E 110 B10
Ulaangom Mongolia 50°5N 92°10E 109 B12
Ulaanjirem Mongolia 45°5N 105°30E 114 B3
Ulak I. U.S.A. 51°22N 178°57W 166 E4
Ulamambri Australia 31°19S 149°23E 153 A8
Ulamba Dem. Rep. of the Congo 9°3S 23°38E 143 D1
Ulan Bator = Ulaanbaatar Mongolia 47°55N 106°53E 110 B10
Ulan Erge Russia 46°19N 44°53E 87 G7
Ulan Khol Russia 45°18N 47°4E 87 H8
Ulan Ude Russia 51°45N 107°40E 111 A10
Ulanhad = Chifeng China 42°18N 118°58E 115 C10
Ulanhot = Horqin Youyi Qianqi China 46°5N 122°3E 115 A12
Ulanów Poland 50°30N 22°16E 83 H9
Ulansuhai Nur China 40°53N 108°51E 114 D5
Ulaş Sivas, Turkey 39°26N 37°2E 104 C7
Ulaş Tekirdağ, Turkey 41°14N 27°42E 97 E11
Ulaya Morogoro, Tanzania 7°3S 36°55E 142 D4
Ulaya Tabora, Tanzania 4°25S 33°30E 142 C3
Ulcinj Montenegro 41°58N 19°10E 96 E3
Ulco S. Africa 28°21S 24°15E 144 C3
Ule älv = Oulujoki → Finland 65°1N 25°30E 60 D21
Ule träsk = Oulujärvi Finland 64°25N 27°15E 60 D22
Uleåborg = Oulu Finland 65°1N 25°29E 60 D21
Ulefoss Norway 59°17N 9°16E 61 G13
Ulëz Albania 41°46N 19°54E 96 E3
Ulfborg Denmark 56°16N 8°20E 63 H2
Ulhasnagar India 19°15N 73°10E 126 E1
Uliastay Mongolia 47°56N 97°28E 110 B8
Uljin S. Korea 36°59N 129°24E 115 F15
Uljma Serbia 45°2N 21°10E 80 E6
Ülken Kazakhstan 45°12N 73°58E 109 C8
Ülken Borsyq Qumy Kazakhstan 47°0N 59°11E 108 C5
Ulla → Spain 42°39N 8°44W 88 C2
Ulladulla Australia 35°21S 150°29E 153 C9
Ullal India 12°48N 74°51E 127 H2
Ullapool U.K. 57°54N 5°9W 65 D3
Ullared Sweden 57°8N 12°42E 63 G6
Ulldecona Spain 40°36N 0°20E 90 E5
Ulleungdo S. Korea 37°30N 130°30E 113 F5
Ullswater Canada 45°12N 79°29W 174 A5
Ullswater U.K. 54°34N 2°52W 66 C5
Ulm Germany 48°23N 9°58E 77 G5
Ulmarra Australia 29°37S 153°4E 151 D5
Ulmeni Buzău, Romania 45°4N 26°40E 81 E11
Ulmeni Maramureş, Romania 47°28N 23°18E 81 C8
Ulonguè Mozam. 14°37S 34°19E 143 E3
Ulricehamn Sweden 57°46N 13°26E 63 G7
Ulrika Sweden 58°5N 15°23E 63 F9
Ulsan S. Korea 35°20N 129°15E 115 G15
Ulsta U.K. 60°30N 1°9W 65 A7
Ulster □ U.K. 54°35N 6°30W 64 B5
Ulstrem Bulgaria 42°1N 26°27E 97 D10
Ultima Australia 35°30S 143°18E 152 C5
Ulubat Gölü Turkey 40°9N 28°35E 97 F12
Ulubey Turkey 38°25N 29°18E 99 C11
Uluborlu Turkey 38°4N 30°28E 99 C12
Uluçinar Turkey 36°24N 35°53E 104 D6
Uludağ Turkey 40°4N 29°13E 97 F13
Uludağ △ Turkey 40°5N 29°12E 97 F13
Uludere Turkey 37°28N 42°42E 105 D10
Ulugqat China 39°48N 74°15E 109 E8
Uluguru Mts. Tanzania 7°15S 37°40E 142 D4
Ulukhaktok Canada 70°44N 117°44W 160 C8
Ulukışla = Marathóvounos Cyprus 35°13N 33°37E 101 D12
Ulukışla Turkey 37°33N 34°28E 104 D6
Ulundi S. Africa 28°20S 31°25E 145 C5
Ulungur He → China 47°1N 87°24E 109 C11
Ulungur Hu China 47°20N 87°10E 109 C11
Uluru Australia 25°23S 131°5E 149 E5
Uluru-Kata Tjuta △ Australia 25°19S 131°1E 149 E5
Uluwatu Indonesia 8°50S 115°5E 119 K18
Ulva U.K. 56°29N 6°13W 65 E2
Ulverston U.K. 54°13N 3°5W 66 C4
Ulverstone Australia 41°11S 146°11E 151 G4
Ulya Russia 59°10N 142°0E 107 D15
Ulyanovo Russia 54°50N 22°6E 82 D9
Ulyanovsk Russia 54°20N 48°25E 86 C9
Ulyanovsk □ Russia 54°5N 48°5E 86 C9
Ulyasutay = Uliastay Mongolia 47°56N 97°28E 110 B8
Ulysses Kans., U.S.A. 37°35N 101°22W 172 G3
Ulysses Pa., U.S.A. 41°54N 77°46W 174 E7
Ulysses, Mt. Canada 57°20N 124°5W 162 B4
Ulytau Kazakhstan 48°39N 67°1E 109 C7
Ulyzhylanshyq → Kazakhstan 48°51N 63°46E 108 C6
Umag Croatia 45°26N 13°31E 93 C10
Umala Bolivia 17°25S 68°5W 188 D4
'Umān = Oman ■ Asia 23°0N 58°0E 131 C6
Uman Ukraine 48°40N 30°12E 75 D16
Umaria India 23°35N 80°50E 125 H9
Umarkhed India 19°37N 77°46E 126 E3
Umarkot Pakistan 25°15N 69°40E 124 G3
Umarpada India 21°27N 73°30E 124 J5
Umatilla U.S.A. 45°55N 119°21W 168 D4
Umbagog L. U.S.A. 44°46N 71°3W 175 B13
Umbakumba Australia 13°47S 136°50E 150 A2
Umbértide Italy 43°18N 12°20E 93 E9
Umbrella Mts. N.Z. 45°35S 169°5E 155 F4
Umbria □ Italy 42°53N 12°30E 93 F9
Umeå Sweden 63°45N 20°20E 60 E19

Umeälven → Sweden 63°45N 20°20E 60 E19
Umera Indonesia 0°12S 129°37E 119 E7
Umfuli → Zimbabwe 17°30S 29°23E 143 F2
Umfurudzi ⌓ Zimbabwe 17°6S 31°40E 143 F3
Umgusa Zimbabwe 19°29S 27°52E 143 F2
Umgwenya → Mozam. 25°14S 32°18E 145 C5
Umiujaq Canada 56°33N 76°33W 164 A4
Umka Serbia 44°40N 20°19E 96 B4
Umkomaas S. Africa 30°13S 30°48E 145 D5
Umlazi S. Africa 29°59S 30°54E 141 L6
Umm ad Daraj, J. Jordan 32°18N 35°48E 130 C4
Umm al Khashab Si. Arabia 17°23N 42°32E 137 D5
Umm al Qaywayn U.A.E. 25°30N 55°35E 129 E7
Umm al Qittayn Jordan 32°18N 36°40E 130 C5
Umm al Rasas Jordan 31°30N 35°55E 130 D4
Umm Bāb Qatar 25°12N 50°48E 129 E6
Umm Birkah Si. Arabia 27°44N 36°31E 137 B4
Umm Durman = Omdurmân Sudan 15°40N 32°28E 135 E12
Umm el Fahm Israel 32°31N 35°9E 130 C4
Umm el Ketef, Khalîg Egypt 23°40N 35°35E 128 F2
Umm Keddada Sudan 13°33N 26°35E 135 F11
Umm Lajj Si. Arabia 25°0N 37°23E 128 E3
Umm Qasr Iraq 30°1N 47°58E 128 D5
Umm Ruwaba Sudan 12°50N 31°20E 135 F12
Umm Sa'id Qatar 25°0N 51°33E 129 E6
Umm Tais △ Qatar 26°7N 51°15E 129 E6
Umm Urūmah Si. Arabia 25°43N 36°35E 137 B4
Umm Zehetir Egypt 28°48N 32°31E 137 F8
Umnak I. U.S.A. 53°15N 168°20W 166 E6
Umniati → Zimbabwe 16°49S 28°45E 143 F2
Umpqua → U.S.A. 43°40N 124°12W 168 E1
Umred India 20°51N 79°18E 126 D4
Umreth India 22°41N 73°4E 124 H5
Umri India 19°2N 77°39E 126 E3
Umtata = Mthatha S. Africa 31°36S 28°49E 145 D4
Umuahia Nigeria 5°31N 7°26E 139 D6
Umuarama Brazil 23°45S 53°20W 191 A5
Umurbey Turkey 40°13N 26°36E 97 F10
Umvukwe Ra. Zimbabwe 16°45S 30°45E 143 F3
Umzimvubu S. Africa 31°38S 29°33E 145 D4
Umzingwane → Zimbabwe 22°12S 29°56E 143 G2
Umzinto = eMuziwezinto S. Africa 30°15S 30°45E 145 D5
Una India 20°46N 71°8E 124 J4
Una → Bos.-H. 45°0N 16°20E 93 D13
Unac → Bos.-H. 44°30N 16°9E 93 D13
Unadilla Ga., U.S.A. 32°16N 83°44W 178 C6
Unadilla N.Y., U.S.A. 42°20N 75°19W 175 D9
Unai Brazil 16°23S 46°53W 189 D1
Unalakleet U.S.A. 63°52N 160°47W 166 C7
Unalaska U.S.A. 53°53N 166°32W 166 E6
Unalaska I. U.S.A. 53°35N 166°50W 166 E6
'Unayzah Si. Arabia 26°6N 43°58E 128 E4
'Unayzah, J. Asia 32°12N 39°18E 105 F8
Uncastillo Spain 42°21N 1°8W 90 C3
Uncía Bolivia 18°25S 66°40W 186 G5
Uncompahgre Peak U.S.A. 38°4N 107°28W 168 G10
Uncompahgre Plateau U.S.A. 38°20N 108°15W 168 G9
Undara Volcanic △ Australia 18°14S 144°41E 150 B3
Unden Sweden 58°45N 14°25E 63 F8
Underbool Australia 35°10S 141°51E 152 C4
Undersaker Sweden 63°19N 13°21E 62 A7
Underwood Canada 44°18N 81°29W 174 B3
Unecha Russia 52°50N 32°37E 85 F7
Ungarie Australia 33°38S 146°56E 153 B7
Ungarra Australia 34°12S 136°2E 152 C2
Ungava, Pén. d' Canada 60°0N 74°0W 161 F17
Ungava B. Canada 59°30N 67°30W 161 F18
Ungeny = Ungheni Moldova 47°11N 27°51E 81 C12
Unggi N. Korea 42°16N 130°28E 115 C16
Ungheni Moldova 47°11N 27°51E 81 C12
Unguja = Zanzibar Tanzania 6°12S 39°12E 142 D4
Ungwana B. Kenya 2°45S 40°20E 142 C5
Uni Russia 57°46N 51°31E 86 B10
União Brazil 4°35S 42°52W 189 A2
União da Vitória Brazil 26°13S 51°5W 191 B5
União dos Palmares Brazil 9°10S 36°2W 189 B3
Uničov Czech Rep. 49°46N 17°8E 79 B10
Uniejów Poland 51°59N 18°46E 83 G5
Unije Croatia 44°40N 14°15E 93 D11
Unimak I. U.S.A. 54°45N 164°0W 166 E7
Unimak Pass. U.S.A. 54°15N 164°30W 166 E7
Union Miss., U.S.A. 32°34N 89°7W 177 E10
Union Mo., U.S.A. 38°27N 91°0W 172 F8
Union S.C., U.S.A. 34°43N 81°37W 177 D14
Union City Calif., U.S.A. 37°36N 122°1W 170 H4
Union City Ga., U.S.A. 33°35N 84°33W 178 B5
Union City N.J., U.S.A. 40°45N 74°2W 175 F10
Union City Pa., U.S.A. 41°54N 79°51W 174 E5
Union City Tenn., U.S.A. 36°26N 89°3W 177 C10
Union Dale U.S.A. 41°43N 75°29W 175 E9
Union Gap U.S.A. 46°33N 120°28W 168 C3
Union Park U.S.A. 28°34N 81°17W 179 G8
Union Point U.S.A. 33°37N 83°4W 178 B6
Union Springs Ala., U.S.A. 32°9N 85°43W 178 C4
Union Springs N.Y., U.S.A. 42°50N 76°41W 175 D8
Uniondale S. Africa 33°39S 23°7E 144 D3
Uniontown U.S.A. 39°54N 79°44W 173 F14
Unionville Ga., U.S.A. 31°26N 83°30W 178 D6
Unionville Mo., U.S.A. 40°29N 93°1W 172 E7
Unirea Romania 44°15N 27°35E 81 F12
United Arab Emirates ■ Asia 23°50N 54°0E 129 F7
United Kingdom ■ Europe 53°0N 2°0W 68 E6
United States of America ■ N. Amer. 37°0N 96°0W 167 H20
Unity Canada 52°30N 109°5W 163 C7
Universales, Mtes. Spain 40°18N 1°33W 90 E3
University Park U.S.A. 32°17N 106°45W 169 K10
University Place U.S.A. 47°14N 122°33W 170 C4
Unjha India 23°46N 72°24E 124 H5
Unna Germany 51°32N 7°42E 76 D3
Unnao India 26°35N 80°30E 125 F9
Uno, Ilha Guinea-Biss. 11°15N 16°13W 138 C1
Unsengedsi → Zimbabwe 15°43S 31°14E 143 F3
Unst U.K. 60°44N 0°53W 65 A8
Unstrut → Germany 51°10N 11°48E 76 D7
Unterfranken ☐ Germany 50°0N 10°0E 77 F5
Unterschleissheim Germany 48°17N 11°34E 77 G7
Unuk → Canada 56°5N 131°3W 162 B2
Ünye Turkey 41°5N 37°15E 104 B7
Unzen-Amakusa △ Japan 32°15N 130°10E 113 H5
Unzha Russia 58°0N 44°0E 86 A7
Unzha → Russia 57°49N 43°47E 86 B6
Uong Bi Vietnam 21°2N 106°47E 120 B6
Uotsuri-Shima E. China Sea 25°45N 123°29E 113 M1
Uozu Japan 36°48N 137°24E 113 F8
Upata Venezuela 8°1N 62°24W 186 B6
Upatoi Cr. → U.S.A. 32°22N 84°58W 178 C5
Upemba, L. Dem. Rep. of the Congo 8°30S 26°20E 143 D2
Upemba △ Dem. Rep. of the Congo 9°0S 26°35E 143 D2
Upernavik Greenland 72°49N 56°20W 57 C5
Upington S. Africa 28°25S 21°15E 144 C3
Upleta India 21°46N 70°16E 124 J4
'Upolu Samoa 13°58S 172°0W 147 C11
Upper Alkali L. U.S.A. 41°47N 120°8W 168 F3
Upper Arrow L. Canada 50°30N 117°50W 162 C5
Upper Daly ✪ Australia 14°26S 131°3E 148 B5
Upper Darby U.S.A. 39°55N 75°16W 173 F16
Upper East ☐ Ghana 10°30N 1°0W 139 C4
Upper Foster L. Canada 56°47N 105°20W 163 B7
Upper Hutt N.Z. 41°8S 175°5E 154 H4
Upper Klamath L. U.S.A. 42°25N 121°55W 168 E3
Upper Lake U.S.A. 39°10N 122°54W 170 F4
Upper Liard Canada 60°3N 128°54W 162 A3
Upper Manilla Australia 30°38S 150°40E 153 A9
Upper Manzanilla Trin. & Tob. 10°31N 61°4W 187 K15
Upper Missouri Breaks ⌓ U.S.A. 47°50N 109°55W 168 C9
Upper Musquodoboit Canada 45°10N 62°58W 165 C7
Upper Red L. U.S.A. 48°8N 94°45W 172 A6
Upper Sandusky U.S.A. 40°50N 83°17W 173 E12
Upper Volta = Burkina Faso ■ Africa 12°0N 1°0W 138 C4
Upper West ☐ Ghana 10°30N 2°20W 138 C4
Upphärad Sweden 58°9N 12°19E 63 F6
Uppland Sweden 59°59N 17°48E 62 D12
Upplands-Väsby Sweden 59°31N 17°54E 62 E11
Uppsala Sweden 59°53N 17°38E 62 E11
Uppsala ☐ Sweden 60°0N 17°30E 62 D11
Upshi India 33°48N 77°52E 125 C7
Upton U.S.A. 44°6N 104°38W 168 D11
Uqsuqtuuq = Gjoa Haven Canada 68°38N 95°53W 160 D12
Ur Iraq 30°55N 46°25E 128 D5
Ura-Tyube = Istaravshān Tajikistan 39°55N 69°1E 109 E7
Urad Qianqi China 40°40N 108°30E 114 D5
Urahoro Japan 42°50N 143°40E 112 C11
Urakawa Japan 42°9N 142°47E 112 C11
Ural = Uralskiy ☐ Russia 64°0N 70°0E 106 C7
Ural = Zhayyq → Kazakhstan 47°0N 51°48E 108 C4
Ural Australia 33°21S 146°12E 153 B7
Ural Mts. = Uralskie Gory Eurasia 60°0N 59°0E 58 C17
Uralla Australia 30°37S 151°29E 153 A9
Uralsk = Oral Kazakhstan 51°20N 51°20E 86 E10
Uralskie Gory Eurasia 60°0N 59°0E 58 C17
Uralskiy ☐ Russia 64°0N 70°0E 106 C7
Urambo Tanzania 5°4S 32°0E 142 D3
Urana Australia 35°15S 146°21E 153 C7
Urana, L. Australia 35°16S 146°10E 153 C7
Urandangi Australia 21°32S 138°14E 150 C2
Uranga Australia 30°31S 153°1E 153 A10
Uranium City Canada 59°34N 108°37W 163 B7
Urapuntja = Utopia Australia 22°14S 134°33E 150 C1
Uraricoera → Brazil 3°2N 60°30W 186 C6
Urasoe Japan 26°15N 127°43E 113 L3
Uravakonda India 14°57N 77°12E 127 G3
Urawa = Saitama Japan 35°54N 139°38E 113 G9
Uray Russia 60°5N 65°15E 106 C7
'Uray'irah Si. Arabia 25°57N 48°53E 129 E6
Urbana Ill., U.S.A. 40°7N 88°12W 172 E9
Urbana Ohio, U.S.A. 40°7N 83°45W 173 E12
Urbandale U.S.A. 41°38N 93°43W 172 E7
Urbânia Italy 43°40N 12°31E 93 E9
Urbano Santos Brazil 3°12S 43°23W 189 A2
Urbel → Spain 42°21N 3°40W 88 C7
Urbino Italy 43°43N 12°38E 93 E9
Urbión, Picos de Spain 42°1N 2°52W 90 C2
Urcos Peru 13°40S 71°38W 188 C3
Urdinarrain Argentina 32°37S 58°52W 190 C4
Urdos France 42°51N 0°35W 72 F3
Ure → U.K. 54°5N 1°20W 66 C6
Uren Russia 57°35N 45°55E 86 B7
Urengoy Russia 65°58N 78°22E 106 C8
Ures Mexico 29°26N 110°24W 180 B2
Urewera △ N.Z. 38°29S 177°7E 154 E6
Urfa = Sanliurfa Turkey 37°12N 38°50E 105 D8
Urganch Uzbekistan 41°40N 60°41E 108 D6
Urgench = Urganch Uzbekistan 41°40N 60°41E 108 D6
Ürgüp Turkey 38°38N 34°56E 104 C6
Urho Kekkonen △ Finland 68°20N 27°40E 60 B22
Uri India 34°8N 74°2E 125 B6
Uri ☐ Switz. 46°43N 8°35E 77 J4
Uribia Colombia 11°43N 72°16W 186 A4
Uricani Romania 45°20N 23°9E 80 E8
Uriondo Bolivia 21°41S 64°41W 190 A3
Urique Mexico 27°13N 107°55W 180 B3
Urique → Mexico 26°29N 107°58W 180 B3
Urk Neths. 52°39N 5°36E 69 B5
Urkiola ⌓ Spain 43°6N 1°2W 90 B3
Urla Turkey 38°20N 26°47E 99 C8
Urlaţi Romania 44°59N 26°15E 81 F11
Urmia = Orūmīyeh Iran 37°40N 45°0E 105 D11
Uromi Nigeria 6°42N 6°20E 139 D6
Uroševac = Ferizaj Kosovo 42°23N 21°10E 96 D5
Üroteppa = Istaravshān Tajikistan 39°55N 69°1E 109 E7
Uroyan, Montanas de Puerto Rico 18°12N 66°50W 183 d
Urrampinyi Iltjiltarri ✪ Australia 24°20S 132°10E 148 D5
Urshult Sweden 56°31N 14°50E 63 H8
Uru Uru, L. Bolivia 18°6S 67°8W 188 D4
Uruaçu Brazil 14°30S 49°10W 187 F9
Uruapan Mexico 19°24N 102°3W 180 D4
Urubamba Peru 13°20S 72°10W 188 C3
Urubamba → Peru 10°43S 73°48W 188 C3
Urucará Brazil 2°32S 57°45W 186 D7
Uruçuí Brazil 7°20S 44°28W 189 B2
Uruçuí, Serra do Brazil 9°0S 44°45W 189 B2
Uruçuí Prêto → Brazil 7°20S 44°38W 189 B2
Urucuia → Brazil 16°8S 45°5W 189 D1
Uruguai → Brazil 26°0S 53°30W 191 B5
Uruguaiana Brazil 29°50S 57°0W 190 B4
Uruguay ■ S. Amer. 32°30S 56°30W 190 C4
Uruguay → S. Amer. 34°12S 58°18W 190 C4
Urumchi = Ürümqi China 43°45N 87°45E 109 D11
Ürümqi China 43°45N 87°45E 109 D11
Uruna ✪ Australia 24°3S 133°1E 148 D5
Urup → Russia 45°0N 41°10E 87 H5
Urup, Ostrov Russia 46°0N 151°0E 107 E16
Urus-Martan Russia 43°8N 45°33E 87 J7
Urutaí Brazil 17°28S 48°12W 189 D1
Uryupinsk Russia 50°45N 41°58E 86 E6
Ürzhar Kazakhstan 47°5N 81°38E 109 C10
Urzhum Russia 57°10N 49°56E 86 B9
Urziceni Romania 44°40N 26°42E 81 F11
Usa → Russia 66°16N 59°49E 106 C6
Uşak Turkey 38°43N 29°28E 99 C11
Uşak ☐ Turkey 38°30N 29°15E 99 C11
Usakos Namibia 21°54S 15°31E 144 B2
Usborne, Mt. Falk. Is. 51°40S 59°55W 192 D5
Ušće Serbia 43°30N 20°39E 96 C4
Usedom Germany 53°55N 14°2E 76 B10
Usedom ⌓ Germany 53°55N 14°2E 76 B10
Useless Loop Australia 26°8S 113°23E 149 E1
'Usfān Si. Arabia 21°58N 39°27E 137 C4
Ushakova, Ostrov Russia 82°0N 80°0E 107 A8
Ushakovo Russia 54°37N 20°16E 82 D7
Ushant = Ouessant, Î. d' France 48°28N 5°6W 70 D1
Ūsharal Kazakhstan 46°10N 80°56E 109 C10
Ushashi Tanzania 1°59S 33°57E 142 C3
'Ushayrah Ar Riyāḍ, Si. Arabia 25°35N 45°47E 128 E5
'Ushayrah Makkah, Si. Arabia 21°46N 40°42E 137 C5
Ushibuka Japan 32°11N 130°1E 113 H5
Üshtöbe Kazakhstan 45°16N 78°0E 109 C9
Ushuaia Argentina 54°50S 68°23W 192 D3
Ushumun Russia 52°47N 126°32E 107 D13
Ushytsya → Ukraine 48°35N 27°8E 81 B12
Usinsk Russia 65°57N 57°27E 106 C6
Usk Canada 54°38N 128°26W 162 C3
Usk → U.K. 51°33N 2°58W 67 F5
Uska India 27°12N 83°7E 125 F10
Üsküdar Turkey 41°1N 29°0E 97 F13
Uslar Germany 51°39N 9°38E 76 D5
Usman Russia 52°5N 39°48E 85 F10
Usoke Tanzania 5°8S 32°24E 142 D3
Usolye-Sibirskoye Russia 52°48N 103°40E 107 D11
Usoro Nigeria 5°33N 6°11E 139 D6
Uspallata, P. de Argentina 32°37S 69°22W 190 C2
Ussel France 45°32N 2°18E 72 C6
Usson-du-Poitou France 46°16N 0°31E 72 B4
Ussuriysk Russia 43°48N 131°59E 112 C5
Ussurka Russia 45°12N 133°31E 112 B6
Ust-Buzulukskaya Russia 50°8N 42°11E 86 E6
Ust-Chaun Russia 68°47N 170°30E 107 C18
Ust-Chorna Ukraine 48°19N 23°56E 81 B8
Ust-Donetskiy Russia 47°35N 40°55E 87 G5
Ust-Dzheguta Russia 44°5N 41°58E 87 H5
Ust-Ilimsk Russia 58°3N 102°39E 107 D11
Ust-Ishim Russia 57°45N 71°10E 106 D8
Ust-Kamchatsk Russia 56°10N 162°28E 107 D17
Ust-Kamenogorsk = Öskemen Kazakhstan 50°0N 82°36E 109 C10
Ust-Khayryuzovo Russia 57°15N 156°45E 107 D16
Ust-Kut Russia 56°50N 105°42E 107 D11
Ust-Kuyga Russia 70°1N 135°43E 107 B14
Ust-Labinsk Russia 45°15N 39°41E 87 H4
Ust-Luga Russia 59°35N 28°20E 84 C5
Ust-Maya Russia 60°30N 134°28E 107 C14
Ust-Mil Russia 59°40N 133°11E 107 D14
Ust-Nera Russia 64°35N 143°15E 107 C15
Ust-Nyukzha Russia 56°34N 121°37E 107 D13
Ust-Olenek Russia 73°0N 120°5E 107 B12
Ust-Omchug Russia 61°9N 149°38E 107 C15
Ust-Port Russia 69°40N 84°26E 106 C9
Ust-Tsilma Russia 65°28N 52°11E 106 C6
Ust-Urt = Ustyurt Plateau Asia 44°0N 55°0E 108 D5
Ustaritz France 43°24N 1°27W 72 E2
Ustecký ☐ Czech Rep. 50°30N 14°0E 78 A7
Uster Switz. 47°22N 8°43E 77 H4
Ústí nad Labem Czech Rep. 50°41N 14°3E 78 A7
Ústí nad Orlicí Czech Rep. 49°58N 16°24E 79 B9
Ústica Italy 38°42N 13°11E 94 D6
Ustinov = Izhevsk Russia 56°51N 53°14E 106 D6
Ustka Poland 54°35N 16°55E 82 D3
Ustroń Poland 49°43N 18°48E 83 J5
Ustrzyki Dolne Poland 49°27N 22°40E 83 J9
Ustyluh Ukraine 50°51N 24°10E 83 H11
Ustyurt Plateau Asia 44°0N 55°0E 108 D5
Ustyuzhna Russia 58°50N 36°32E 84 C9
Usu China 44°27N 84°40E 109 D10
Usuki Japan 33°8N 131°49E 113 H5
Usulután El Salv. 13°25N 88°28W 182 D2
Usumacinta → Mexico 18°24N 92°38W 181 D6
Usumbura = Bujumbura Burundi 3°16S 29°18E 142 C2
Usure Tanzania 4°40S 34°22E 142 C3
Usutuo → Mozam. 26°48S 32°7E 145 C5
Uta Indonesia 4°33S 136°0E 119 E9
Utah ☐ U.S.A. 39°20N 111°30W 168 G8
Utah L. U.S.A. 40°12N 111°48W 168 F8
Utansjö Sweden 62°46N 17°55E 62 B11
Utara, Selat Malaysia 5°28N 100°20E 121 c
Utarni India 26°5N 71°58E 124 F4
Utatlan Guatemala 15°2N 91°11W 182 C1
Ute Creek → U.S.A. 35°21N 103°50W 169 J12
Utebo Spain 41°43N 1°0W 90 D3
Utena Lithuania 55°27N 25°40E 84 E3
Utete Tanzania 8°0S 38°45E 142 D4
Uthai Thani Thailand 15°22N 100°3E 120 E3
Uthal Pakistan 25°44N 66°40E 124 G2
Utiariti Brazil 13°0S 58°10W 186 F7
Utica N.Y., U.S.A. 43°6N 75°14W 175 C9
Utica Ohio, U.S.A. 40°14N 82°27W 174 F2
Utiel Spain 39°37N 1°11W 91 F3
Utikuma L. Canada 55°50N 115°30W 162 B5
Utila Honduras 16°6N 86°56W 182 C2
Utinga Brazil 12°6S 41°5W 189 C2
Utkela India 20°6N 83°10E 126 D6
Utlängen Sweden 56°2N 15°48E 63 H9
Utnur India 19°22N 78°46E 126 E4
Utö Sweden 58°56N 18°16E 62 F12
Utopia Australia 22°14S 134°33E 150 C1
Utraula India 27°19N 82°25E 125 F10
Utrecht Neths. 52°5N 5°8E 69 B5
Utrecht S. Africa 27°38S 30°20E 145 C5
Utrecht ☐ Neths. 52°6N 5°7E 69 B5
Utrera Spain 37°12N 5°48W 89 H5
Utsjoki → Finland 69°51N 26°59E 60 B22
Utsunomiya Japan 36°30N 139°50E 113 F9
Uttar Pradesh ☐ India 27°0N 80°0E 125 F9
Uttaradit Thailand 17°36N 100°5E 120 D3
Uttarakhand ☐ India 30°0N 79°30E 125 D8
Utterson Canada 45°12N 79°19W 174 A5
Uttoxeter U.K. 52°54N 1°52W 66 E6
Utuado Puerto Rico 18°16N 66°42W 183 d
Uummannaq Qaasuitsup, Greenland 70°58N 52°17W 54 B5
Uummannaq Qaasuitsup, Greenland 77°33N 68°52W 57 B4
Uummannarsuaq = Nunap Isua Greenland 59°48N 43°55W 57 F6
Uunartoq Qeqertoq Greenland 71°33N 21°47W 57 C8
Uusikaarlepyy Finland 63°32N 22°31E 60 E20
Uusikaupunki Finland 60°47N 21°25E 84 B1
Uva Russia 56°59N 52°13E 86 B11
Uvac → Serbia 43°35N 19°30E 96 C3
Uvalda U.S.A. 32°2N 82°31W 178 C7
Uvalde U.S.A. 29°13N 99°47W 176 G5
Uvarovo Russia 51°59N 42°14E 86 E6
Uvat Russia 59°5N 68°50E 106 D7
Uvinza Tanzania 5°5S 30°24E 142 D3
Uvira Dem. Rep. of the Congo 3°22S 29°3E 142 C2
Uvs ☐ Mongolia 49°38N 93°0E 109 C12
Uvs Nuur Mongolia 50°20N 92°30E 109 B12
'Uwairidh, Ḩarrat al Si. Arabia 26°50N 38°0E 128 E3
Uwajima Japan 33°10N 132°35E 113 H6
Uwanda ⌓ Tanzania 7°46S 32°0E 142 D3
Uweinat, Jebel Sudan 21°54N 24°58E 137 C1
Uxbridge Canada 44°6N 79°7W 174 B5
Uxin Qi China 38°50N 109°5E 114 E5
Uxmal Mexico 20°22N 89°46W 181 C7
Üydzin Mongolia 44°9N 107°0E 114 B4
Uyo Nigeria 5°1N 7°53E 139 D6
Üyüklü Tepe Turkey 37°5N 27°21E 99 D9
Uyûn Mûsa Egypt 29°53N 32°40E 130 F1
Uyuni Bolivia 20°28S 66°47W 188 E4
Uzbekistan ■ Asia 41°30N 65°0E 109 D7
Uzboy → Turkmenistan 39°30N 55°0E 129 B7
Uzen, Mal → Kazakhstan 49°4N 49°44E 87 F9
Uzerche France 45°25N 1°34E 72 C5
Uzès France 44°1N 4°26E 73 D8
Uzh → Ukraine 51°15N 30°12E 75 C16
Uzhgorod = Uzhhorod Ukraine 48°36N 22°18E 80 B7
Uzhhorod Ukraine 48°36N 22°18E 80 B7
Užhok Ukraine 48°59N 22°52E 80 B7
Užice Serbia 43°55N 19°50E 96 C3
Uzlovaya Russia 54°0N 38°5E 84 F10
Üzümlü Turkey 36°44N 29°14E 99 E11
Uzunköprü Turkey 41°16N 26°43E 97 E10
Uzunkuyu Turkey 38°17N 26°33E 99 C8

V

Vaal → S. Africa 29°4S 23°38E 144 C3
Vaal Dam S. Africa 27°0S 28°14E 145 C4
Vaalwater S. Africa 24°15S 28°8E 145 B4
Vaasa Finland 63°6N 21°38E 60 E19
Vabre France 43°42N 2°24E 72 E6
Vác Hungary 47°49N 19°10E 80 C4
Vacaria Brazil 28°31S 50°52W 191 B5
Vacaville U.S.A. 38°21N 121°59W 170 G5
Vaccarès, Étang de France 43°32N 4°34E 73 E8
Vach = Vakh → Russia 60°45N 76°45E 106 C8
Vache, Î. à Haiti 18°2N 73°35W 183 C5
Väckelsång Sweden 56°37N 14°58E 63 H8
Vacoas Mauritius 20°18S 57°29E 141 d
Vada India 19°39N 73°8E 126 E1
Vadakara India 11°35N 75°40E 127 J2
Väddö Sweden 60°0N 18°50E 62 D12
Vadehavet △ Denmark 55°20N 8°30E 63 J2
Väderstad Sweden 58°19N 14°55E 63 F8
Vadnagar India 23°47N 72°40E 124 H5
Vado Ligure Italy 44°17N 8°26E 92 D5
Vadodara India 22°20N 73°10E 124 H5
Vadsø Norway 70°3N 29°50E 60 A23
Vadstena Sweden 58°28N 14°54E 63 F8
Vaduj India 17°36N 74°27E 126 F2
Vaduz Liech. 47°8N 9°31E 77 H5
Vadvetjåkka △ Sweden 68°30N 18°28E 60 B18
Værøy Norway 67°40N 12°40E 60 C15
Vágar Færoe Is. 62°5N 7°15W 60 E9
Vaggeryd Sweden 57°30N 14°10E 63 G8
Vaghia Greece 38°19N 23°11E 98 C5
Vagia, Akra Greece 36°15N 28°11E 101 C10
Vagney France 48°1N 6°43E 71 D13
Vagnhärad Sweden 58°57N 17°33E 63 F11
Vagos Portugal 40°33N 8°42W 88 E2
Vågsfjorden Norway 68°50N 16°50E 60 B17
Váh → Slovak Rep. 47°43N 18°7E 79 D11
Vahsel B. Antarctica 75°0S 35°0W 55 D1
Våhtjer = Gällivare Sweden 67°9N 20°40E 60 C19
Vaï Greece 35°15N 26°18E 101 D8
Vaiaku = Fongafale Tuvalu 8°31S 179°13E 147 B10
Vaigai → India 9°15N 79°10E 127 K4
Vaiges France 48°2N 0°30W 70 D6
Vaihingen Germany 48°54N 8°57E 77 G4
Vaihiria, L. Tahiti 17°40S 149°25W 155 b
Vaijapur India 19°58N 74°45E 126 E2
Vaikam India 9°45N 76°25E 127 K3
Vail U.S.A. 39°40N 106°20W 168 G10
Vailly-sur-Aisne France 49°24N 3°31E 71 C10
Vaippar → India 9°0N 78°25E 127 K4
Vairao Tahiti 17°47S 149°17W 155 b
Vaisali → India 26°28N 78°53E 125 F8
Vaison-la-Romaine France 44°14N 5°4E 73 D9
Vajpur India 21°24N 73°17E 126 D1
Vakarai Sri Lanka 8°8N 81°26E 127 K5
Vakarel Bulgaria 42°35N 23°40E 96 D7
Vakfıkebir Turkey 41°2N 39°17E 105 B8
Vakh → Russia 60°45N 76°45E 106 C8
Vakhsh → Tajikistan 37°6N 68°18E 109 E7
Vakhtan Russia 57°53N 46°47E 86 B8
Vál Hungary 47°22N 18°40E 80 C3
Val Camónica Italy 45°57N 10°17E 92 C7
Val-de-Marne ☐ France 48°45N 2°28E 71 D9
Val-d'Isère France 45°27N 6°59E 73 C10
Val-d'Oise ☐ France 49°5N 2°10E 71 C9
Val-d'Or Canada 48°7N 77°47W 164 C4
Val Grande △ Italy 46°3N 8°25E 92 B5
Val Marie Canada 49°15N 107°45W 163 D7
Val Thorens France 45°20N 6°33E 73 C10
Valaam Russia 61°22N 30°57E 84 B6
Valadares Portugal 41°5N 8°38W 88 D2
Valahia Romania 44°35N 25°0E 81 F9
Valaichenai Sri Lanka 7°54N 81°32E 127 L5
Valais ☐ Switz. 46°12N 7°45E 77 J3
Valais, Alpes du Switz. 46°5N 7°35E 77 J3
Valandovo Macedonia 41°19N 22°34E 96 E6
Valašské Meziříčí Czech Rep. 49°29N 17°59E 79 B10
Valatie U.S.A. 42°24N 73°40W 175 D11
Valaxa Greece 38°50N 24°29E 98 C6
Vålberg Sweden 59°23N 13°11E 62 E7
Valbo Sweden 60°40N 17°0E 62 D10
Valbondione Italy 46°2N 10°1E 92 B7
Valcamonica = Val Camónica Italy 45°57N 10°17E 92 C7
Vâlcani Romania 46°0N 20°26E 80 D5
Vâlcea ☐ Romania 45°0N 24°10E 81 F9
Valcheta Argentina 40°40S 66°8W 192 B3
Valdagno Italy 45°39N 11°18E 93 C8
Valdahon France 47°8N 6°21E 71 E13
Valdai Hills = Valdayskaya Vozvyshennost Russia 57°0N 33°30E 84 D7
Valday Russia 57°58N 33°9E 84 D7
Valdayskaya Vozvyshennost Russia 57°0N 33°30E 84 D7
Valdaysky △ Russia 57°30N 33°0E 84 D7
Valdeazogues → Spain 38°45N 4°55W 89 G6
Valdecañas, Embalse de Spain 39°45N 5°25W 88 F5
Valdemarsvik Sweden 58°14N 16°40E 63 F10
Valdemoro Spain 40°12N 3°40W 88 E7
Valdepeñas Spain 38°43N 3°25W 89 G7
Valderaduey → Spain 41°31N 5°42W 88 D5
Valdérice Italy 38°4N 12°37E 94 D5
Valderrobres Spain 40°53N 0°9E 90 E5
Valdés, Pen. Argentina 42°30S 63°45W 192 B4
Valdez U.S.A. 61°7N 146°16W 160 E2
Valdivia Chile 39°50S 73°14W 192 A2
Valdivia Abyssal Plain S. Ocean 62°30S 70°0E 55 C6
Valdobbiadene Italy 45°54N 12°0E 93 C8
Valdosta U.S.A. 30°50N 83°17W 178 E6
Valdoviño = Aviño Spain 43°36N 8°8W 88 B2
Valdres Norway 61°5N 9°5E 60 F13
Vale Georgia 41°30N 42°58E 87 K6
Vale U.S.A. 43°59N 117°15W 168 E5
Vale of Glamorgan ☐ U.K. 51°28N 3°25W 67 F4
Valea lui Mihai Romania 47°32N 22°11E 80 C7
Valea Mărului Romania 45°49N 27°42E 81 E12
Valemount Canada 52°50N 119°15W 162 C5
Valença Brazil 13°20S 39°5W 189 C3
Valença Portugal 42°1N 8°34W 88 C2
Valença do Piauí Brazil 6°20S 41°45W 189 B2
Valençay France 47°9N 1°34E 71 E8
Valence France 44°57N 4°54E 73 D8
Valence d'Agen France 44°6N 0°53E 72 D4
Valencia Spain 39°27N 0°23W 91 F4
Valencia Trin. & Tob. 10°39N 61°11W 187 K15
Valencia U.S.A. 34°48N 106°43W 169 J10
Valencia Venezuela 10°11N 68°0W 186 A5
Valencia ☐ Spain 39°20N 0°40W 91 F4
Valencia ✈ (VLC) Spain 39°20N 0°26W 91 F4
Valencia, G. de Spain 39°30N 0°20E 91 F5
Valencia de Alcántara Spain 39°25N 7°14W 89 F3
Valencia de Don Juan Spain 42°17N 5°31W 88 C5
Valencia I. Ireland 51°54N 10°22W 64 E1
Valenciennes France 50°20N 3°34E 71 B10
Văleni Romania 44°15N 24°45E 81 F9
Vălenii de Munte Romania 45°11N 26°2E 81 E11
Valensole France 43°50N 5°59E 73 E9
Valentigney France 47°27N 6°51E 71 E13
Valentim, Sa. do Brazil 6°0S 43°30W 189 B2
Valentin Russia 43°8N 134°17E 112 C7
Valentine Nebr., U.S.A. 42°52N 100°33W 172 D3
Valentine Tex., U.S.A. 30°35N 104°30W 176 F2
Valenza Italy 45°1N 8°38E 92 C5
Valera Venezuela 9°19N 70°37W 186 B4
Valga Estonia 57°47N 26°2E 84 D4
Valguarnera Caropepe Italy 37°30N 14°23E 95 E7
Valier U.S.A. 48°18N 112°16W 168 B7
Valinco, G. de France 41°40N 8°52E 73 G12
Valjevo Serbia 44°18N 19°53E 96 B3
Valka Latvia 57°46N 26°3E 84 D3
Valkeakoski Finland 61°16N 24°2E 84 B2
Valkenswaard Neths. 51°21N 5°29E 69 C5
Vall de Uxó = La Vall d'Uixó Spain 39°49N 0°15W 90 F4
Valla Sweden 59°2N 16°20E 62 E10
Valladolid Mexico 20°41N 88°12W 181 C7
Valladolid Spain 41°38N 4°43W 88 D6
Valladolid ☐ Spain 41°38N 4°43W 88 D6
Vallata Italy 41°2N 15°15E 95 A8
Valldemossa Spain 39°43N 2°37E 100 B9
Valle d'Aosta ☐ Italy 45°45N 7°15E 92 C4
Valle de la Pascua Venezuela 9°13N 66°0W 186 B5
Valle de las Palmas Mexico 32°20N 116°43W 171 N10
Valle de Santiago Mexico 20°23N 101°12W 180 C4
Valle de Villaverde Spain 43°15N 3°15W 88 B7
Valle de Zaragoza Mexico 27°25N 105°50W 180 B3
Valle del Ticino ⌓ Italy 45°22N 9°0E 92 C6
Valle Fértil, Sierra del Argentina 30°20S 68°0W 190 C2
Valle Gran Rey Canary Is. 28°5N 17°20W 100 F2
Valle Hermoso Mexico 25°35N 97°40W 181 B5
Valle Nacional Mexico 17°47N 96°18W 181 D5
Valledupar Colombia 10°29N 73°15W 186 A4
Vallée du Bandama ☐ Ivory C. 8°0N 5°0W 138 D3
Vallehermoso Canary Is. 28°10N 17°15W 100 F2
Vallejo U.S.A. 38°7N 122°14W 170 G4
Vallenar Chile 28°30S 70°50W 190 B1
Vallentuna Sweden 59°32N 18°5E 62 E12
Valleraugue France 44°6N 3°39E 72 D7
Vallet France 47°10N 1°15W 70 E5
Valletta Malta 35°54N 14°31E 101 D2
Valley Center U.S.A. 33°13N 117°2W 171 M9
Valley City U.S.A. 46°55N 98°0W 172 B5
Valley Falls Oreg., U.S.A. 42°29N 120°17W 168 E3
Valley Falls R.I., U.S.A. 41°54N 71°24W 175 E13
Valley of Flowers △ India 30°50N 79°40E 125 D8
Valley of the Kings Egypt 25°41N 32°34E 137 B3
Valley Springs U.S.A. 38°12N 120°50W 170 G6
Valley View U.S.A. 40°39N 76°33W 175 F8
Valley Wells U.S.A. 35°27N 115°46W 171 K11
Valleyview Canada 55°5N 117°17W 162 B5
Valli di Comácchio Italy 44°40N 12°15E 93 D9
Vallimanca, Arroyo Argentina 35°40S 59°10W 190 D4
Vallo della Lucánia Italy 40°14N 15°16E 95 B8
Vallon-Pont-d'Arc France 44°24N 4°24E 73 D8
Vallorbe Switz. 46°42N 6°20E 77 J2
Valls Spain 41°18N 1°15E 90 D6
Vallvik Sweden 61°11N 17°10E 62 C11
Valmaseda = Balmaseda Spain 43°11N 3°12W 90 B1
Valmiera Latvia 57°37N 25°29E 84 D3
Valnera Spain 43°9N 3°40W 88 B7
Valognes France 49°30N 1°28W 70 C5
Valona = Vlorë Albania 40°32N 19°28E 96 F3
Valongo Portugal 41°8N 8°30W 88 D2
Valozhyn Belarus 54°3N 26°30E 75 A14
Valpaços Portugal 41°36N 7°17W 88 D3
Valparai India 10°22N 76°58E 127 J3
Valparaíso Chile 33°2S 71°40W 190 C1
Valparaíso Mexico 22°46N 103°34W 180 C4
Valparaiso Fla., U.S.A. 30°29N 86°30W 179 E3
Valparaiso Ind., U.S.A. 41°28N 87°4W 172 E10
Valparaíso ☐ Chile 33°2S 71°40W 190 C1
Valpovo Croatia 45°39N 18°25E 80 E3
Valpoy India 15°32N 74°8E 127 G2
Valréas France 44°24N 5°0E 73 D9
Vals Switz. 46°39N 9°11E 77 J5
Vals → S. Africa 27°23S 26°30E 144 C4
Vals, Tanjung Indonesia 8°26S 137°25E 119 F9
Vals-les-Bains France 44°42N 4°24E 73 D8
Valsad India 20°40N 72°58E 126 D1
Valtellina Italy 46°11N 9°55E 92 B6
Valuyki Russia 50°10N 38°5E 85 G10
Valverde Canary Is. 27°48N 17°55W 100 G2
Valverde del Camino Spain 37°35N 6°47W 89 H4
Valverde del Fresno Spain 40°15N 6°51W 88 E4
Vama Romania 47°34N 25°42E 81 C10
Vambori India 19°17N 74°44E 126 E2
Vamdrup Denmark 55°25N 9°17E 63 J3
Våmhus Sweden 61°7N 14°29E 62 C8
Vamizi, I. Mozam. 11°2S 40°40E 143 E5
Vammala = Sastamala Finland 61°20N 22°54E 84 B2
Vamos Greece 35°24N 24°13E 101 D6
Vamsadhara → India 18°21N 84°8E 126 E7
Van Turkey 38°30N 43°20E 105 C10
Van ☐ Turkey 38°30N 43°20E 105 C10
Van, L. = Van Gölü Turkey 38°30N 43°0E 105 C10
Van Alstyne U.S.A. 33°25N 96°35W 176 E6
Van Blommestein Meer Suriname 4°45N 55°5W 187 C7
Van Buren Canada 47°10N 67°55W 165 C6
Van Buren Ark., U.S.A. 35°26N 94°21W 176 D7
Van Buren Maine, U.S.A. 47°10N 67°58W 173 B20
Van Buren Mo., U.S.A. 37°0N 91°1W 172 G8
Van Canh Vietnam 13°37N 109°0E 120 F7
Van Diemen, C. N. Terr., Australia 11°9S 130°24E 148 B5
Van Diemen, C. Queens., Australia 16°30S 139°46E 150 B2
Van Diemen G. Australia 11°45S 132°0E 148 B5
Van Gölü Turkey 38°30N 43°0E 105 C10
Van Horn U.S.A. 31°3N 104°50W 176 F2
Van Ninh Vietnam 12°42N 109°14E 120 F7
Van Rees, Pegunungan Indonesia 2°35S 138°15E 119 E9
Van Tivu India 8°51N 78°15E 127 K4
Van Wert U.S.A. 40°52N 84°35W 173 E11
Van Yen Vietnam 21°4N 104°42E 116 G5
Van Zylsrus S. Africa 26°52S 22°4E 144 C3
Vanadzor Armenia 40°48N 44°30E 87 K7
Vanavara Russia 60°22N 102°16E 107 C11
Vancouver Canada 49°15N 123°7W 170 A3
Vancouver U.S.A. 45°38N 122°40W 170 E4
Vancouver, C. Australia 35°2S 118°11E 149 G2
Vancouver I. Canada 49°50N 126°0W 170 B2
Vancouver Int. ✈ (YVR) Canada 49°10N 123°10W 170 A3
Vanda = Vantaa Finland 60°18N 24°56E 84 B3
Vandalia Ill., U.S.A. 38°58N 89°6W 172 F9
Vandalia Mo., U.S.A. 39°19N 91°29W 172 F8

Vandavasi India 12°30N 79°30E 127 H4
Vandellòs Spain 41°0N 0°55E 90 E5
Vandeloos B. Sri Lanka 8°0N 81°45E 127 L5
Vandenberg Village U.S.A. 34°43N 120°28W 171 L6
Vanderbijlpark S. Africa 26°42S 27°54E 145 C4
Vandergrift U.S.A. 40°36N 79°34W 174 F5
Vanderhoof Canada 54°0N 124°0W 162 C4
Vanderkloof Dam S. Africa 30°4S 24°40E 144 D3
Vanderlin I. Australia 15°44S 137°2E 150 B2
Vänern Sweden 58°47N 13°30E 63 F7
Vänersborg Sweden 58°26N 12°19E 63 F6
Vang Vieng Laos 18°58N 102°32E 120 C4
Vanga Kenya 4°35S 39°12E 142 C4
Vangaindrano Madag. 23°21S 47°36E 141 J9
Vänge Sweden 59°50N 17°20E 62 E11
Vanguard Canada 49°55N 107°20W 163 D7
Vanino Russia 48°50N 140°5E 107 E15
Vanivilasa Sagara India 13°45N 76°30E 127 H3
Vaniyambadi India 12°46N 78°44E 127 H4
Vânju Mare Romania 44°25N 22°52E 80 F7
Vankleek Hill Canada 45°32N 74°40W 175 A10
Vännäs Sweden 63°58N 19°48E 60 E18
Vannes France 47°40N 2°47W 70 E4
Vannøya Norway 70°6N 19°50E 60 A18
Vanoise, Massif de la France 45°25N 6°40E 73 C10
Vanrhynsdorp S. Africa 31°36S 18°44E 144 D2
Vansada India 20°47N 73°25E 126 D1
Vansbro Sweden 60°32N 14°15E 62 D8
Vansittart B. Australia 14°3S 126°17E 148 B4
Vansittart I. Canada 65°50N 84°0W 161 D15
Vantaa Finland 60°18N 24°56E 84 B3
Vanua Balavu Fiji 17°12S 178°55W 154 a
Vanua Levu Fiji 16°33S 179°15E 154 a
Vanua Vatu Fiji 18°22S 179°15W 154 a
Vanuatu ■ Pac. Oc. 15°0S 168°0E 147 C9
Vanwyksvlei S. Africa 30°18S 21°49E 144 D3
Vapi India 20°22N 72°54E 126 D1
Vapnyarka Ukraine 48°32N 28°45E 81 B13
Var □ France 43°27N 6°18E 73 E10
Var → France 43°39N 7°12E 73 E11
Vara Sweden 58°16N 12°55E 63 F6
Varada → India 15°0N 75°40E 127 G2
Varades France 47°25N 1°1W 70 E5
Varáita → Italy 44°9N 7°53E 92 D4
Varalé Ivory C. 9°40N 3°17W 138 D4
Varallo Italy 45°49N 8°15E 92 C5
Varāmīn Iran 35°20N 51°39E 129 C6
Varāmīn □ Iran 35°18N 51°35E 129 B6
Varanasi India 25°22N 83°0E 125 G10
Varangerfjorden Norway 70°3N 29°25E 60 A23
Varangerhalvøya Norway 70°25N 29°30E 60 A23
Varano, Lago di Italy 41°53N 15°45E 93 G12
Varaždin Croatia 46°20N 16°20E 93 B13
Varazze Italy 44°22N 8°34E 92 D5
Varberg Sweden 57°6N 12°20E 63 G6
Vardak □ Afghan. 34°0N 68°0E 122 B6
Vardar = Axios → Greece 40°57N 22°35E 96 F6
Varde Denmark 55°38N 8°29E 63 J2
Varde Å → Denmark 55°35N 8°19E 63 J2
Vardenis Armenia 40°10N 45°43E 87 K7
Vardø Norway 70°23N 31°5E 60 A24
Varel Germany 53°23N 8°8E 76 B4
Varella, Mui = Nay, Mui Vietnam 12°54N 109°26E 120 F7
Varėna Lithuania 54°12N 24°30E 84 E3
Varennes-sur-Allier France 46°19N 3°24E 71 F10
Varennes-Vauzelles France 47°3N 3°9E 71 E10
Vareš Bos.-H. 44°12N 18°23E 80 F3
Varese Italy 45°48N 8°50E 92 C5
Vârfurile Romania 46°19N 22°31E 80 D7
Vårgårda Sweden 58°2N 12°49E 63 F6
Vargem Bonita Brazil 20°20S 46°22W 189 E1
Vargem Grande Brazil 3°33S 43°56W 189 A2
Varginha Brazil 21°33S 45°25W 191 A6
Vargön Sweden 58°22N 12°20E 63 F6
Varillas Chile 24°0S 70°10W 190 A1
Varkaus Finland 62°19N 27°50E 84 A4
Värmdölandet Sweden 59°20N 18°33E 62 E12
Värmeln Sweden 59°35N 12°54E 62 E6
Värmland □ Sweden 60°0N 13°20E 62 E6
Värmlandsbro Sweden 59°11N 13°0E 62 E7
Varna Bulgaria 43°13N 27°56E 97 C11
Varna □ Bulgaria 43°20N 27°30E 97 C11
Varna → India 16°48N 74°32E 126 F2
Värnamo Sweden 57°10N 14°3E 63 G8
Várnjárga = Varangerhalvøya Norway 70°25N 29°30E 60 A23
Varnsdorf Czech Rep. 50°55N 14°35E 78 A7
Varnville U.S.A. 32°51N 81°5W 178 C8
Várpalota Hungary 47°12N 18°8E 80 C3
Vars Canada 45°21N 75°21W 175 A9
Vars France 44°37N 6°42E 73 D10
Varto Turkey 39°10N 41°27E 105 C9
Varvarin Serbia 43°43N 21°20E 96 C5
Varysburg U.S.A. 42°46N 78°19W 174 D6
Varzaneh Iran 32°25N 52°40E 129 C7
Varzaqān Iran 38°29N 46°40E 105 C12
Várzea Alegre Brazil 6°47S 39°17W 189 B3
Várzea da Palma Brazil 17°36S 44°44W 189 D2
Varzi Italy 44°49N 9°12E 92 D6
Varzo Italy 46°12N 8°15E 92 B5
Varzy France 47°22N 3°20E 71 E10
Vas □ Hungary 47°10N 16°55E 80 C1
Vasa = Vaasa Finland 63°6N 21°38E 60 E19
Vasa Barris → Brazil 11°10S 37°10W 189 C3
Vasai-Virar India 19°28N 72°48E 126 E1
Vásárosnamény Hungary 48°9N 22°19E 80 B7
Vascão → Portugal 37°31N 7°31W 89 H3
Vaşcău Romania 46°28N 22°30E 80 D7
Vascongadas = País Vasco □ Spain 42°50N 2°45W 90 C2
Vashkivtsi Ukraine 48°23N 25°31E 81 B10
Vasht = Khāsh Iran 28°15N 61°15E 129 D9
Vasilevichi Belarus 52°15N 29°50E 75 B16
Vasilika Greece 40°29N 23°8E 96 F7
Vasiliki Greece 38°37N 20°36E 98 C2
Vasiliko Greece 38°25N 23°40E 98 C5
Vasilkov = Vasylkiv Ukraine 50°7N 30°15E 75 C16
Väskinde Sweden 57°40N 18°20E 63 G10
Vaslui Romania 46°38N 27°42E 81 D12
Vaslui □ Romania 46°30N 27°45E 81 D12
Väsman Sweden 60°9N 15°5E 62 D9
Vassar Canada 49°10N 95°55W 163 D9
Vassar U.S.A. 43°22N 83°35W 173 D12
Västerås Sweden 59°37N 16°38E 62 E10
Västerbotten Sweden 64°36N 20°4E 60 D19
Västerdalälven → Sweden 60°30N 15°7E 62 D8
Västergötland Sweden 58°0N 13°10E 63 F7
Västerhaninge Sweden 59°7N 18°6E 62 E12
Västervik Sweden 57°43N 16°33E 63 G10
Västmanland Sweden 59°45N 16°20E 61 G17
Västmanland □ Sweden 59°45N 16°20E 62 E10
Vasto Italy 42°8N 14°40E 93 F11
Västra Götaland □ Sweden 58°0N 13°0E 63 F6
Vasvár Hungary 47°3N 16°47E 80 C1
Vasylivka Ukraine 45°38N 28°50E 81 E13
Vasylkiv Ukraine 50°7N 30°15E 75 C16
Vat Phou Laos 14°51N 105°49E 120 E5
Vatan France 47°4N 1°50E 71 E8
Vatersay U.K. 56°55N 7°32W 65 E1
Vathia Greece 36°29N 22°29E 98 E4
Vati Greece 36°3N 27°53E 101 C9
Vatican City ■ Europe 41°54N 12°27E 93 G9
Vaticano, C. Italy 38°37N 15°50E 95 D8
Vatili Cyprus 35°6N 33°40E 101 D12
Vatin Serbia 45°12N 21°20E 80 E6
Vatiu = Atiu Cook Is. 20°0S 158°10W 157 J12
Vatnajökull Iceland 64°30N 16°48W 60 D5
Vatnajökull △ Iceland 64°24N 16°48W 60 D5
Vätö Sweden 59°50N 19°0E 62 E12
Vatolakkos Greece 35°27N 23°53E 101 D5
Vatra-Dornei Romania 47°22N 25°22E 81 C10
Vatrak → India 23°9N 73°2E 124 H5
Vättern Sweden 58°25N 14°30E 63 F8
Vatu Vara Fiji 17°26S 179°31W 154 a
Vatulele Fiji 18°33S 177°37E 154 a
Vaucluse □ France 43°50N 5°20E 73 E9
Vaucouleurs France 48°37N 5°40E 71 D12
Vaud □ Switz. 46°35N 6°30E 77 J2
Vaudreuil-Dorion Canada 45°23N 74°3W 175 A10
Vaughn Mont., U.S.A. 47°33N 111°33W 168 C8
Vaughn N. Mex., U.S.A. 34°36N 105°13W 169 J11
Vaujours L. Canada 55°27N 74°15W 164 A5
Vaupés = Uaupés → Brazil 0°2N 67°16W 186 C5
Vaupés □ Colombia 1°0N 71°0W 186 C4
Vauvert France 43°42N 4°17E 73 E8
Vauxhall Canada 50°5N 112°9W 162 C6
Vav India 24°22N 71°31E 124 G4
Vavoua Ivory C. 7°23N 6°29W 138 D3
Vavuniya Sri Lanka 8°45N 80°30E 127 K5
Vawkavysk Belarus 53°9N 24°30E 75 B13
Vaxholm Sweden 59°25N 18°20E 62 E12
Växjö Sweden 56°52N 14°50E 63 H8
Våxtorp Sweden 56°25N 13°8E 63 H7
Vayalpad India 13°39N 78°38E 127 H4
Vaygach, Ostrov Russia 70°0N 60°0E 106 C7
Veadeiros Brazil 14°7S 47°31W 189 C1
Veaikevárri = Svappavaara Sweden 67°40N 21°3E 60 C19
Vechelde Germany 52°16N 10°22E 76 C6
Vechta Germany 52°44N 8°17E 76 C4
Vechte → Neths. 52°34N 6°6E 69 B6
Vecsés Hungary 47°26N 19°19E 80 C4
Vedaranniyam India 10°25N 79°50E 127 J4
Veddige Sweden 57°17N 12°20E 63 G6
Vedea → Romania 43°42N 25°41E 81 G10
Vedi Armenia 39°54N 44°43E 105 C11
Vedia Argentina 34°30S 61°31W 190 C3
Vedrette di Ries-Aurina ⌂ Italy 46°54N 12°5E 93 B9
Vedum Sweden 58°11N 13°0E 63 F7
Veendam Neths. 53°5N 6°52E 69 A6
Veenendaal Neths. 52°2N 5°34E 69 B5
Vefsna → Norway 65°48N 13°10E 60 D15
Vega Norway 65°40N 11°55E 60 D14
Vega U.S.A. 35°15N 102°26W 176 D3
Vega Baja Puerto Rico 18°27N 66°23W 183 d
Vegadeo Spain 43°27N 7°4W 88 B3
Vegoritida, L. Greece 40°45N 21°45E 96 F5
Vegreville Canada 53°30N 112°5W 162 C6
Veinge Sweden 56°33N 13°4E 63 H7
Veisiejai Lithuania 54°6N 23°42E 82 D10
Vejbystrand Sweden 56°19N 12°45E 63 H6
Vejen Denmark 55°30N 9°9E 63 J3
Vejer de la Frontera Spain 36°15N 5°59W 89 J5
Vejle Denmark 55°43N 9°30E 63 J3
Vejle Fjord Denmark 55°40N 9°50E 63 J3
Vela Luka Croatia 42°59N 16°44E 93 F13
Velachha India 21°26N 73°1E 126 D1
Velanai I. Sri Lanka 9°45N 79°45E 127 K4
Velas, C. Costa Rica 10°21N 85°52W 182 D2
Velasco, Sierra de Argentina 29°20S 67°10W 190 B2
Velay, Mts. du France 45°0N 3°40E 72 D7
Velbert Germany 51°20N 7°3E 76 D3
Velddrif S. Africa 32°42S 18°11E 144 D2
Velebit Planina Croatia 44°50N 15°20E 93 D12
Velebitski Kanal Croatia 44°45N 14°55E 93 D11
Veleka → Bulgaria 42°4N 27°58E 97 D11
Velencei-tó Hungary 47°13N 18°36E 80 C3
Velenje Slovenia 46°23N 15°8E 93 B12
Veles Macedonia 41°46N 21°47E 96 E5
Velestino Greece 39°23N 22°43E 98 B4
Vélez-Málaga Spain 36°48N 4°5W 89 J6
Vélez Rubio Spain 37°41N 2°5W 91 H2
Velhas → Brazil 17°13S 44°49W 189 D2
Velika Croatia 45°27N 17°40E 80 E2
Velika Gorica Croatia 45°44N 16°5E 93 C13
Velika Kapela Croatia 45°10N 15°5E 93 C12
Velika Kladuša Bos.-H. 45°11N 15°48E 93 C12
Velika Kruša = Krushë e Madhe Kosovo 42°19N 20°39E 96 D4
Velika Morava → Serbia 44°43N 21°3E 96 B5
Velika Plana Serbia 44°20N 21°4E 96 B5
Velikaya → Russia 57°48N 28°10E 84 D5
Velikaya Kema Russia 45°30N 137°12E 112 B8
Velikaya Lepetikha Ukraine 47°2N 33°58E 85 J7
Velike Lašče Slovenia 45°49N 14°45E 93 C11
Veliki Jastrebac Serbia 43°25N 21°30E 96 C5
Veliki Kanal Serbia 45°45N 19°15E 80 E4
Veliki Popović Serbia 44°8N 21°18E 96 B5
Velikiy Novgorod Russia 58°30N 31°25E 84 C6
Velikiye Luki Russia 56°25N 30°32E 84 D6
Veliko Gradište Serbia 44°46N 21°29E 96 B5
Veliko Tŭrnovo Bulgaria 43°5N 25°41E 97 C9
Veliko Tŭrnovo □ Bulgaria 43°5N 25°41E 97 C9
Velikonda Range India 14°45N 79°10E 127 G4
Vélingara Kolda, Senegal 13°12N 14°5W 138 C2
Vélingara Louga, Senegal 15°0N 14°40W 138 B2
Velingrad Bulgaria 42°4N 23°58E 96 D7
Velino, Mte. Italy 42°9N 13°23E 93 F10
Velizh Russia 55°36N 31°11E 84 E6
Vel'ké Kapušany Slovak Rep. 48°34N 22°5E 79 C15
Velké Karlovice Czech Rep. 49°20N 18°17E 79 B11
Velké Meziříčí Czech Rep. 49°21N 16°1E 78 B9
Vel'ký Javorník Slovak Rep. 49°19N 18°22E 79 B11
Vel'ký Krtíš Slovak Rep. 48°12N 19°21E 79 C12
Vel'ký Meder Slovak Rep. 47°52N 17°46E 79 D10
Vel'ký Tribeč Slovak Rep. 48°28N 18°15E 79 C11
Vellar → India 11°30N 79°36E 127 J4
Velletri Italy 41°41N 12°47E 94 A5
Vellinge Sweden 55°29N 13°2E 63 J6
Vellmar Germany 51°22N 9°28E 76 D5
Vellore India 12°57N 79°10E 127 H4
Velopoula Greece 36°55N 23°27E 98 E5
Velsk Russia 61°10N 42°0E 84 B11
Velten Germany 52°42N 13°10E 76 C9
Veluwezoom △ Neths. 52°5N 6°0E 69 B6
Velva U.S.A. 48°4N 100°56W 172 A3
Velvendos Greece 40°15N 22°6E 96 F6
Velyka Mykhaylivka Ukraine 47°4N 29°52E 81 C14
Velyki Luchky Ukraine 48°25N 22°34E 80 B7
Velykyy Bereznyy Ukraine 48°54N 22°28E 80 B7
Velykyy Bychkiv Ukraine 47°58N 24°1E 81 C9
Vemb Denmark 56°21N 8°21E 63 H2
Vembanad L. India 9°36N 76°15E 127 K3
Vemdalen Sweden 62°27N 13°51E 62 B7
Ven Sweden 55°55N 12°45E 63 J6
Venaco France 42°14N 9°11E 73 F13
Venado Mexico 22°56N 101°6W 180 C4
Venado Tuerto Argentina 33°50S 62°0W 190 C3
Venafro Italy 41°29N 14°2E 95 A7
Venarey-les-Laumes France 47°32N 4°26E 71 E11
Venaria Italy 45°8N 7°38E 92 C4
Venčane Serbia 44°24N 20°28E 96 B4
Vence France 43°43N 7°6E 73 E11
Vendas Novas Portugal 38°39N 8°27W 89 G2
Vendée □ France 46°50N 1°35W 70 F5
Vendée → France 46°20N 1°10W 70 F5
Vendéen, Bocage France 46°40N 1°20W 72 B2
Vendeuvre-sur-Barse France 48°14N 4°28E 71 D11
Vendicari ⌂ Italy 36°49N 15°6E 95 F8
Vendôme France 47°47N 1°3E 70 E8
Vendrell = El Vendrell Spain 41°10N 1°30E 90 D6
Vendsyssel Denmark 57°22N 10°0E 63 G4
Vendychany Ukraine 48°38N 27°48E 81 B12
Venelles France 43°35N 5°28E 73 E9
Véneta, L. Italy 45°23N 12°25E 93 C9
Véneto □ Italy 45°30N 12°0E 93 C9
Venev Russia 54°22N 38°17E 84 E10
Venézia Italy 45°27N 12°21E 93 C9
Venézia, G. di Italy 45°15N 13°0E 93 C10
Venézia Lido Italy 45°25N 12°22E 93 C9
Venezuela ■ S. Amer. 8°0N 66°0W 186 B5
Venezuela, G. de Venezuela 11°30N 71°0W 186 A4
Vengurla India 15°53N 73°45E 127 G1
Vengurla Rocks India 15°55N 73°22E 127 G1
Venice = Venézia Italy 45°27N 12°21E 93 C9
Venice U.S.A. 27°6N 82°27W 179 H7
Vénissieux France 45°42N 4°53E 73 C8
Venjan Sweden 60°57N 13°55E 62 D7
Venjansjön Sweden 60°54N 14°0E 62 D8
Venkatagiri India 14°0N 79°35E 127 H4
Venkatapuram India 18°20N 80°30E 126 E5
Venlo Neths. 51°22N 6°11E 69 C6
Vennachar Junction Canada 45°5N 77°14W 174 A7
Vennesla Norway 58°15N 7°59E 61 G12
Venosa Italy 40°58N 15°49E 95 B8
Venray Neths. 51°31N 6°0E 69 C6
Venta Lithuania 56°12N 22°42E 82 B9
Venta → Latvia 57°24N 21°33E 82 A8
Venta de Baños Spain 41°55N 4°30W 88 D6
Venta de Cardeña = Cardeña Spain 38°16N 4°20W 89 G6
Ventana, Sa. de la Argentina 38°0S 62°30W 190 D3
Ventersburg S. Africa 28°7S 27°9E 144 C4
Venterstad S. Africa 30°47S 25°48E 144 D4
Ventimíglia Italy 43°47N 7°36E 92 E4
Ventnor U.K. 50°36N 1°12W 67 G6
Ventotène Italy 40°47N 13°25E 94 B6
Ventoux, Mt. France 44°10N 5°17E 73 D9
Ventspils Latvia 57°25N 21°32E 82 A8
Ventuarí → Venezuela 3°58N 67°2W 186 C5
Ventucopa U.S.A. 34°50N 119°29W 171 L7
Ventura U.S.A. 34°17N 119°18W 171 L7
Venus U.S.A. 27°4N 81°22W 179 H8
Vénus, Pte. Tahiti 17°29S 149°29W 155 b
Venus B. Australia 38°40S 145°42E 153 E6
Venustiano Carranza Mexico 30°25N 115°53W 180 A1
Venustiano Carranza, Presa Mexico 27°30N 100°37W 180 B4
Vera Argentina 29°30S 60°20W 190 B3
Vera Spain 37°15N 1°51W 91 H3
Veracruz Mexico 19°11N 96°8W 181 D5
Veracruz □ Mexico 19°0N 96°15W 181 D5
Veraval India 20°53N 70°27E 124 J4
Verbánia Italy 45°56N 8°33E 92 C5
Verbano, L. di = Maggiore, L. Italy 45°57N 8°39E 92 B5
Verbano Cusio Ossola □ Italy 46°15N 8°20E 92 B5
Verbicaro Italy 39°45N 15°55E 95 C8
Verbier Switz. 46°6N 7°13E 77 J3
Vercelli Italy 45°19N 8°25E 92 C5
Verchovchevo Ukraine 48°32N 34°10E 85 H8
Vercors ⌂ France 45°0N 5°25E 73 D9
Verdalsøra Norway 63°48N 11°30E 60 E14
Verde → Argentina 41°56S 65°5W 192 B3
Verde → Goiás, Brazil 18°1S 50°14W 187 G8
Verde → Mato Grosso do Sul, Brazil 21°25S 52°20W 187 H8
Verde → Chihuahua, Mexico 26°39N 107°11W 180 B3
Verde → Jalisco, Mexico 20°42N 103°14W 180 C4
Verde → Oaxaca, Mexico 15°59N 97°50W 181 D5
Verde → Paraguay 23°9S 57°37W 190 A4
Verde → U.S.A. 33°33N 111°40W 169 K8
Verde, Cay Bahamas 23°0N 75°5W 182 B4
Verde Grande → Brazil 16°13S 43°49W 189 D2
Verde Pequeno → Brazil 14°48S 43°31W 189 C2
Verden Germany 52°55N 9°14E 76 C5
Verdi U.S.A. 39°31N 119°59W 170 F7
Verdikoussa Greece 39°47N 21°59E 98 B3
Verdon → France 43°43N 5°46E 73 E9
Verdon ⌂ France 43°50N 6°5E 73 E10
Verdun France 49°9N 5°24E 71 C12
Verdun-sur-le-Doubs France 46°54N 5°2E 71 F12
Vereeniging S. Africa 26°38S 27°57E 145 C4
Verga, C. Guinea 10°30N 14°10W 138 C2
Vergara = Bergara Spain 43°9N 2°28W 90 B2
Vergara Uruguay 32°56S 53°57W 191 C5
Vergato Italy 44°17N 11°7E 92 D8
Vergemont Cr. → Australia 24°16S 143°16E 150 C3
Vergennes U.S.A. 44°10N 73°15W 175 B11
Vergina = Aigai Greece 40°28N 22°19E 96 F6
Vergt France 45°2N 0°43E 72 C4
Veria Greece 40°34N 22°12E 96 F6
Verín Spain 41°57N 7°27W 88 D3
Verkhnedvinsk = Vyerkhnyadzvinsk Belarus 55°45N 27°58E 84 E4
Verkhnetulomskoye Vdkhr. Russia 68°36N 31°12E 60 B24
Verkhnevilyuysk Russia 63°27N 120°18E 107 C13
Verkhniy Baskunchak Russia 48°14N 46°44E 87 F8
Verkhovye Russia 52°55N 37°15E 85 F9
Verkhovyna Ukraine 48°9N 24°47E 81 B9
Verkhoyansk Russia 67°35N 133°25E 107 C14
Verkhoyansk Ra. = Verkhoyanskiy Khrebet Russia 66°0N 129°0E 107 C13
Verkhoyanskiy Khrebet Russia 66°0N 129°0E 107 C13
Vermeille, Côte France 42°50N 3°20E 72 F7
Vermenton France 47°40N 3°42E 71 E10
Vermilion Canada 53°20N 110°50W 163 C6
Vermilion U.S.A. 41°25N 82°22W 174 E2
Vermilion → Canada 53°22N 110°51W 163 C6
Vermilion B. U.S.A. 29°42N 92°0W 176 G9
Vermilion Bay Canada 49°51N 93°34W 163 D10
Vermilion Cliffs Nat. Monument ⌂ U.S.A. 36°54N 112°5W 169 H8
Vermilion L. U.S.A. 47°53N 92°26W 172 B7
Vermillion U.S.A. 42°47N 96°56W 172 D5
Vermillion → Canada 47°38N 72°56W 164 C5
Vermont □ U.S.A. 44°0N 73°0W 175 C12
Vermosh Albania 42°35N 19°42E 96 D3
Verna U.S.A. 27°23N 82°16W 179 H7
Vernadsky Antarctica 65°0S 64°0W 55 C17
Vernal U.S.A. 40°27N 109°32W 168 F9
Vernalis U.S.A. 37°36N 121°17W 170 H5
Vernazza Italy 44°10N 9°45E 92 D6
Verner Canada 46°25N 80°8W 164 C3
Verneuil-sur-Avre France 48°45N 0°55E 70 D7
Verneukpan S. Africa 30°0S 21°0E 144 D3
Vernier Switz. 46°11N 6°12E 77 J2
Vérnio Italy 44°3N 11°9E 92 D8
Vernon Canada 50°20N 119°15W 162 C5
Vernon France 49°5N 1°30E 70 C8
Vernon U.S.A. 34°9N 99°17W 176 D5
Vernonia U.S.A. 45°52N 123°11W 170 E3
Vero Beach U.S.A. 27°38N 80°24W 179 H9
Véroia = Veria Greece 40°34N 22°12E 96 F6
Véroli Italy 41°41N 13°25E 93 G10
Verona Canada 44°29N 76°42W 175 B8
Verona Italy 45°27N 10°59E 92 C7
Verrès Italy 45°40N 7°42E 92 C4
Versailles France 48°48N 2°7E 71 D9
Versmold Germany 52°2N 8°7E 76 C4
Vert, C. Senegal 14°45N 17°30W 138 C1
Vertou France 47°10N 1°28W 70 E5
Vertus France 48°54N 4°2E 71 D11
Verulam S. Africa 29°38S 31°2E 145 C5
Verviers Belgium 50°37N 5°52E 69 D5
Vervins France 49°50N 3°53E 71 C10
Veržej Slovenia 46°34N 16°13E 93 B13
Verzy France 49°9N 4°10E 71 C11
Vescovato France 42°30N 9°27E 73 F13
Veselí nad Lužnicí Czech Rep. 49°12N 14°43E 78 B7
Veselie Bulgaria 42°18N 27°38E 97 D11
Veselovskoye Vdkhr. Russia 46°58N 41°25E 87 G5
Veshenskaya Russia 49°35N 41°44E 86 F5
Vesle → France 49°23N 3°28E 71 C10
Vesoul France 47°40N 6°11E 71 E13
Vessigebro Sweden 56°58N 12°40E 63 H6
Vesterålen Norway 68°45N 15°0E 60 B16
Vestfjorden Norway 67°55N 14°0E 60 C16
Vestmannaeyjar Iceland 63°27N 20°15W 60 E3
Vestvågøya Norway 68°18N 13°50E 60 B15
Vesuvio Italy 40°49N 14°26E 95 B7
Vesuvius, Mt. = Vesuvio Italy 40°49N 14°26E 95 B7
Vesyegonsk Russia 58°40N 37°16E 84 C9
Veszprém Hungary 47°8N 17°57E 80 C2
Veszprém □ Hungary 47°5N 17°55E 80 C2
Vésztő Hungary 46°55N 21°16E 80 D6
Vetapalem India 15°47N 80°18E 127 G5
Vetlanda Sweden 57°24N 15°3E 63 G9
Vetluga Russia 57°53N 45°45E 86 B7
Vetlugu → Russia 56°36N 46°4E 86 B8
Vetluzhskiy Kostroma, Russia 58°23N 45°26E 86 A7
Vetluzhskiy Nizhniy Novgorod, Russia 57°17N 45°12E 86 B7
Vetovo Bulgaria 43°42N 26°16E 97 C10
Vetralla Italy 42°20N 12°2E 93 F9
Vetren Bulgaria 42°15N 24°3E 97 D8
Vettore, Mte. Italy 42°49N 13°16E 93 F10
Veurne Belgium 51°5N 2°40E 69 C2
Vevey Switz. 46°28N 6°51E 77 J2
Vevi Greece 40°47N 21°38E 96 F5
Veynes France 44°32N 5°49E 73 D9
Veys Iran 31°30N 49°0E 129 D6
Vézelay France 47°27N 3°45E 71 E10
Vézelise France 48°30N 6°5E 71 D13
Vézère → France 44°53N 0°53E 72 D4
Vezhen Bulgaria 42°50N 24°20E 97 D8
Vezirköprü Turkey 41°8N 35°27E 104 B6
Vezzani France 42°10N 9°15E 73 F13
Vi Thanh Vietnam 9°42N 105°26E 121 H5
Viacha Bolivia 16°39S 68°18W 188 D4
Viadana Italy 44°56N 10°31E 92 D7
Viamão Brazil 30°5S 51°0W 191 C5
Viana Brazil 3°13S 44°55W 189 A2
Viana Spain 42°31N 2°22W 90 C2
Viana do Alentejo Portugal 38°17N 7°59W 89 G3
Viana do Bolo Spain 42°11N 7°6W 88 C3
Viana do Castelo Portugal 41°42N 8°50W 88 D2
Viana do Castelo □ Portugal 41°50N 8°30W 88 D2
Vianden Lux. 49°56N 6°12E 69 E6
Viangchan = Vientiane Laos 17°58N 102°36E 120 D4
Vianópolis Brazil 16°40S 48°35W 189 D1
Vianos Greece 35°2N 25°21E 101 D7
Viar → Spain 37°36N 5°50W 89 H5
Viaréggio Italy 43°52N 10°14E 92 E7
Viaur → France 44°8N 1°58E 72 D5
Vibble Sweden 57°37N 18°16E 63 G12
Vibo Valéntia Italy 38°40N 16°6E 95 D9
Viborg Denmark 56°27N 9°23E 63 H3
Vibraye France 48°3N 0°44E 70 D7
Vic Spain 41°58N 2°19E 90 D7
Vic, Étang de France 43°29N 3°50E 72 E7
Vic-en-Bigorre France 43°24N 0°3E 72 E4
Vic-Fezensac France 43°47N 0°19E 72 E4
Vic-le-Comte France 45°39N 3°14E 71 G10
Vic-sur-Cère France 44°59N 2°38E 72 D6
Vicar Spain 36°50N 2°38W 91 J2
Vicente Pérez Rosales △ Chile 41°11S 72°12W 192 B2
Vicenza Italy 45°33N 11°33E 93 C8
Vich = Vic Spain 41°58N 2°19E 90 D7
Vichada → Colombia 4°55N 67°50W 186 C5
Vichuga Russia 57°12N 41°55E 86 B5
Vichy France 46°9N 3°26E 71 F10
Vicksburg Ariz., U.S.A. 33°45N 113°45W 171 M13
Vicksburg Miss., U.S.A. 32°21N 90°53W 177 E9
Vico France 42°10N 8°49E 73 F12
Vico, L. di Italy 42°19N 12°10E 93 F9
Vico del Gargano Italy 41°54N 15°57E 93 G12
Viçosa Brazil 9°28S 36°14W 189 B3
Viçosa do Ceará Brazil 3°34S 41°5W 189 A2
Vicovu de Sus Romania 47°56N 25°41E 81 C10
Victor India 21°0N 71°30E 124 J4
Victor Harbor Australia 35°30S 138°37E 152 C3
Victoria Argentina 32°40S 60°10W 190 C3
Victoria Canada 48°30N 123°25W 170 B3
Victoria Chile 38°13S 72°20W 192 A2
Victoria China 22°17N 114°11E 111 a
Victoria Guinea 10°50N 14°32W 138 C2
Victoria Malta 36°3N 14°14E 101 C1
Victoria Romania 45°44N 24°41E 81 E9
Victoria Seychelles 4°38S 55°28E 141 b
Victoria Kans., U.S.A. 38°52N 99°9W 172 F4
Victoria Tex., U.S.A. 28°48N 97°0W 176 G6
Victoria □ Australia 37°0S 144°0E 152 D6
Victoria → Australia 15°10S 129°40E 148 C4
Victoria, Grand L. Canada 47°31N 77°30W 164 C4
Victoria, L. Africa 1°0S 33°0E 142 C3
Victoria, L. Australia 33°57S 141°15E 152 B4
Victoria, Mt. Burma 21°14N 93°55E 123 J18
Victoria Beach Canada 50°40N 96°35W 163 C9
Victoria de Durango = Durango Mexico 24°3N 104°39W 180 C4
Victoria de las Tunas = Las Tunas Cuba 20°58N 76°59W 182 B4
Victoria Falls Zimbabwe 17°58S 25°52E 143 F2
Victoria Fjord Greenland 82°10N 46°0W 57 A6
Victoria Harbour Canada 44°45N 79°45W 174 B5
Victoria I. Canada 71°0N 111°0W 160 C9
Victoria L. Canada 48°20N 57°27W 165 C8
Victoria Ld. Antarctica 75°0S 160°0E 55 D11
Victoria Nile → Uganda 2°14N 31°26E 142 B3
Victoria Pk. Belize 16°48N 88°37W 181 D7
Victoria Ra. N.Z. 42°12S 172°7E 155 C7
Victoria River Australia 16°25S 131°0E 148 C5
Victoria Str. Canada 69°31N 100°30W 160 D11
Victoria West S. Africa 31°25S 23°4E 144 D3
Victoriaville Canada 46°4N 71°56W 165 C5
Victorica Argentina 36°20S 65°30W 190 D2
Victorville U.S.A. 34°32N 117°18W 171 L9
Vicuña Chile 30°0S 70°50W 190 C1
Vicuña Mackenna Argentina 33°53S 64°25W 190 C3
Vidal U.S.A. 34°7N 114°31W 171 L12
Vidalia U.S.A. 32°13N 82°25W 178 C7
Vidamlya Belarus 52°19N 23°47E 83 F10
Vidauban France 43°25N 6°27E 73 E10
Viddolatno = Vindelälven → Sweden 63°55N 19°50E 60 E18
Videbæk Denmark 56°6N 8°38E 63 H2
Videle Romania 44°17N 25°31E 81 F10
Vidette U.S.A. 33°2N 82°15W 178 B7
Vidigueira Portugal 38°12N 7°48W 89 G3
Vidin Bulgaria 43°59N 22°50E 96 C6
Vidin □ Bulgaria 43°59N 22°50E 96 C6
Vidio, C. Spain 43°35N 6°14W 88 B4
Vidisha India 23°28N 77°53E 124 H7
Vidos Greece 39°38N 19°55E 101 A3
Vidra Romania 45°56N 26°55E 81 E11
Viduša Bos.-H. 42°55N 18°21E 96 D2
Vidzy Belarus 55°23N 26°37E 84 E4
Viechtach Germany 49°4N 12°53E 77 F8
Viedma Argentina 40°50S 63°0W 192 B4
Viedma, L. Argentina 49°30S 72°30W 192 C2
Vieira do Minho Portugal 41°38N 8°8W 88 D2
Vielha Spain 42°43N 0°44E 90 C5
Vielle = Vielha Spain 42°43N 0°44E 90 C5
Vielle St-Girons France 43°56N 1°18W 72 E2
Vielsalm Belgium 50°17N 5°54E 69 D5
Vienenburg Germany 51°57N 10°34E 76 D6
Vieng Pou Kha Laos 20°41N 101°4E 116 G3
Vienna = Wien Austria 48°12N 16°22E 79 C9
Vienna Canada 42°41N 80°48W 174 D4
Vienna Ga., U.S.A. 32°6N 83°47W 178 C6
Vienna Ill., U.S.A. 37°25N 88°54W 172 G9
Vienna Mo., U.S.A. 38°11N 91°57W 172 F8
Vienne France 45°31N 4°53E 73 C8
Vienne □ France 46°30N 0°42E 72 B4
Vienne → France 47°13N 0°5E 70 E7
Vientiane Laos 17°58N 102°36E 120 D4
Vientos, Paso de los Caribbean 20°0N 74°0W 183 C5
Vieques Puerto Rico 18°8N 65°25W 183 d
Vierge Pt. St. Lucia 13°49N 60°53W 183 f
Viernheim Germany 49°31N 8°35E 77 F4
Viersen Germany 51°15N 6°23E 76 D2
Vierwaldstättersee Switz. 47°0N 8°30E 77 J4
Vierzon France 47°13N 2°5E 71 E9
Vieste Italy 41°53N 16°10E 93 G13
Viet Quang Vietnam 22°30N 104°48E 116 F5
Viet Tri Vietnam 21°18N 105°25E 120 B5
Vietnam ■ Asia 19°0N 106°0E 120 C6
Vieux-Boucau-les-Bains France 43°48N 1°23W 72 E2
Vieux Fort St. Lucia 13°46N 60°58W 183 f
Vif France 45°5N 5°41E 73 C9
Vigan Phil. 17°35N 120°28E 119 A6
Vigévano Italy 45°19N 8°51E 92 C5
Vigia Brazil 0°50S 48°5W 187 D9
Viglas, Akra Greece 35°54N 27°51E 101 D9
Vignemale France 42°47N 0°10W 72 F3
Vigneulles-lès-Hattonchâtel France 48°59N 5°43E 71 D12
Vignola Italy 44°29N 11°1E 92 D8
Vigo Spain 42°12N 8°41W 88 C2
Vigo, Ría de Spain 42°15N 8°45W 88 C2
Vigsø Bugt Denmark 57°8N 8°47E 63 G2
Vihiers France 47°10N 0°30W 70 E6
Vihiga Kenya 0°3N 34°44E 142 B3
Vihowa Pakistan 31°8N 70°30E 124 D4
Vihowa → Pakistan 31°8N 70°41E 124 D4
Vijayadurg India 16°30N 73°25E 126 F1
Vijayapura India 16°50N 75°55E 126 F2
Vijayawada India 16°31N 80°39E 126 F5
Vijosë → Albania 40°37N 19°24E 96 F3
Vík Iceland 63°25N 19°1W 60 E4
Vika Sweden 60°57N 14°28E 62 D8
Vikarabad India 17°20N 77°54E 126 E3
Vikarbyn Sweden 60°55N 15°1E 62 D9
Vikeke = Viqueque E. Timor 8°52S 126°23E 119 F7
Viken Skåne, Sweden 56°9N 12°34E 63 H6
Viken Västra Götaland, Sweden 58°39N 14°20E 63 F8
Viking Canada 53°7N 111°50W 162 C6
Vikmanshyttan Sweden 60°18N 15°50E 62 D9
Vikna Norway 64°55N 10°58E 60 D14
Vikos-Aoos △ Greece 40°0N 20°45E 98 B2
Vila Bela da Santissima Trindade Brazil 15°0S 59°57W 186 G7
Vila da Maganja Mozam. 17°18S 37°30E 143 F4
Vila da Ribeira Brava C. Verde Is. 16°32N 24°25W 134 b
Vila de Rei Portugal 39°41N 8°9W 88 F2
Vila do Bispo Portugal 37°5N 8°53W 89 H2
Vila do Conde Portugal 41°21N 8°45W 88 D2
Vila do Maio C. Verde Is. 15°21N 23°10W 134 b
Vila Franca de Xira Portugal 38°57N 8°59W 89 G2
Vila Gamito Mozam. 14°12S 33°0E 143 E3
Vila Gomes da Costa Mozam. 24°20S 33°37E 145 B5
Vila Machado Mozam. 19°15S 34°14E 143 F3
Vila Mouzinho Mozam. 14°48S 34°25E 143 E3
Vila Nova de Famalicão Portugal 41°25N 8°32W 88 D2
Vila Nova de Foz Côa Portugal 41°5N 7°9W 88 D3
Vila Nova de Gaia Portugal 41°8N 8°37W 88 D2
Vila Pouca de Aguiar Portugal 41°30N 7°38W 88 D3
Vila Real Portugal 41°17N 7°48W 88 D3
Vila-Real Spain 39°55N 0°3W 90 F4
Vila Real □ Portugal 41°36N 7°35W 88 D3
Vila Real de Santo António Portugal 37°10N 7°28W 89 H3
Vila-seca Spain 41°7N 1°9E 90 D6
Vila Vasco da Gama Mozam. 14°54S 32°14E 143 E3
Vila Velha Espirito Santo, Brazil 20°20S 40°17W 189 E2
Vila Velha Sergipe, Brazil 11°20S 38°9W 189 C3
Vila Viçosa Portugal 38°45N 7°27W 89 G3
Vilafranca del Maestrat = Villafranca del Cid Spain 40°26N 0°16W 90 E4
Vilafranca del Penedès Spain 41°21N 1°40E 90 D6
Vilagarcía de Arousa Spain 42°34N 8°46W 88 C2
Vilaine → France 47°30N 2°27W 70 E4
Vilanandro, Tanjona Madag. 16°11S 44°27E 141 H8
Vilanculos Mozam. 22°1S 35°17E 145 B6
Vilanova i la Geltrú Spain 41°13N 1°40E 90 D6
Vilar Formoso Portugal 40°38N 6°45W 88 E4
Vilaseca-Salou = Vila-seca Spain 41°7N 1°9E 90 D6
Vilbjerg Denmark 56°12N 8°46E 63 H2
Vilcabamba, Cordillera Peru 13°0S 73°0W 188 C3
Vilcanchos Peru 13°40S 74°25W 188 C3
Vilcheka, Ostrov Russia 80°0N 58°31E 106 B6
Vilcheka, Zemlya Russia 80°30N 60°30E 54 A11
Vilches Spain 38°12N 3°30W 89 G7
Vileyka Belarus 54°30N 26°53E 75 A14
Vilhelmina Sweden 64°35N 16°39E 60 D17
Vilhena Brazil 12°40S 60°5W 186 F6
Viliya = Neris → Lithuania 55°8N 24°16E 84 E3
Viljandi Estonia 58°28N 25°30E 84 C3
Vilkaviškis Lithuania 54°39N 23°2E 82 D10
Vilkija Lithuania 55°3N 23°35E 82 C10
Vilkitskogo, Proliv Russia 78°0N 103°0E 107 B11
Vilkovo = Vylkove Ukraine 45°28N 29°32E 81 E14
Villa Abecia Bolivia 21°0S 68°18W 190 A2
Villa Ana Argentina 28°28S 59°40W 190 B4
Villa Angela Argentina 27°34S 60°45W 190 B3

Villa Bella Bolivia 10°25S 65°22W 186 F5
Villa Cañás Argentina 34°0S 61°35W 190 C3
Villa Constitución Argentina 33°15S 60°20W 190 C3
Villa de Arriaga Mexico 21°56N 101°20W 180 C4
Villa de María Argentina 29°55S 63°43W 190 B3
Villa de Méndez Mexico 25°7N 98°34W 181 B5
Villa del Rio Spain 37°59N 4°17W 89 H6
Villa Dolores Argentina 31°58S 65°15W 190 C2
Villa Gesell Argentina 37°15S 56°55W 190 D4
Villa Guillermina Argentina 28°15S 59°29W 190 B4
Villa Hayes Paraguay 25°5S 57°20W 190 B4
Villa Hidalgo Mexico 24°15N 99°26W 181 C5
Villa Iris Argentina 38°12S 63°12W 190 D3
Villa Las Estrellas = Frei Antarctica 62°30S 58°0W 55 C18
Villa María Argentina 32°20S 63°10W 190 C3
Villa Mazán Argentina 28°40S 66°30W 190 B2
Villa Minozzo Italy 44°22N 10°28E 92 D7
Villa Montes Bolivia 21°10S 63°30W 190 A3
Villa Ocampo Argentina 28°30S 59°20W 190 B4
Villa Ocampo Mexico 26°27N 105°31W 180 B3
Villa Ojo de Agua Argentina 29°30S 63°44W 190 B3
Villa Regina Argentina 39°6S 67°4W 192 A3
Villa Rica U.S.A. 33°44N 84°55W 178 B5
Villa San Giovanni Italy 38°13N 15°38E 95 D8
Villa San Martín Argentina 28°15S 64°9W 190 B3
Villa Santina Italy 46°24N 12°55E 93 B9
Villa Unión Mexico 23°12N 106°14W 180 C3
Villablino Spain 42°57N 6°19W 88 C4
Villacarlos Spain 39°53N 4°17E 100 B11
Villacarriedo Spain 43°14N 3°48W 88 B7
Villacarrillo Spain 38°7N 3°3W 89 G7
Villacastín Spain 40°46N 4°25W 88 E6
Villach Austria 46°37N 13°51E 78 E6
Villacidro Italy 39°27N 8°44E 94 C1
Villada Spain 42°15N 4°59W 88 C6
Villadiego Spain 42°31N 4°1W 88 C6
Villadóssola Italy 46°4N 8°16E 92 B5
Villafeliche Spain 41°10N 1°30W 90 D3
Villafranca Spain 42°17N 1°46W 90 C3
Villafranca de Bonany Spain 39°34N 3°5E 100 B10
Villafranca de los Barros Spain 38°35N 6°18W 89 G4
Villafranca de los Caballeros Spain 39°26N 3°21W 89 F7
Villafranca del Cid Spain 40°26N 0°16W 90 E4
Villafranca del Panadés = Vilafranca del Penedès Spain 41°21N 1°40E 90 D6
Villafranca di Verona Italy 45°21N 10°50E 92 C7
Villafranca Tirrena Italy 38°14N 15°25E 95 D8
Villagrán Mexico 24°29N 99°29W 181 C5
Villaguay Argentina 32°0S 59°0W 190 C4
Villaharta Spain 38°9N 4°54W 89 G6
Villahermosa Mexico 17°59N 92°55W 181 D6
Villahermosa Spain 38°46N 2°52W 91 G2
Villaines-la-Juhel France 48°21N 0°20W 70 D6
Villajoyosa Spain 38°30N 0°12W 91 G4
Villalba Spain 43°22N 7°40W 88 B3
Villalba de Guardo Spain 42°42N 4°49W 88 C6
Villalón de Campos Spain 42°5N 5°4W 88 C5
Villalpando Spain 41°51N 5°25W 88 D5
Villaluenga de la Sagra Spain 40°2N 3°54W 88 E7
Villamanán Spain 42°19N 5°35W 88 C5
Villamartín Spain 36°52N 5°38W 89 J5
Villamayor de Santiago Spain 39°50N 2°59W 90 F2
Villamblard France 45°2N 0°32E 72 C4
Villanova Monteleone Italy 40°30N 8°28E 94 B1
Villanueva U.S.A. 35°16N 105°22W 169 J11
Villanueva de Castellón Spain 39°5N 0°31W 91 F4
Villanueva de Córdoba Spain 38°20N 4°38W 89 G6
Villanueva de la Fuente Spain 38°42N 2°42W 91 G2
Villanueva de la Serena Spain 38°59N 5°50W 89 G5
Villanueva de la Sierra Spain 40°12N 6°24W 88 E4
Villanueva de los Castillejos Spain 37°30N 7°15W 89 H3
Villanueva de los Infantes Spain 38°43N 3°1W 89 G7
Villanueva del Arzobispo Spain 38°10N 3°0W 91 G2
Villanueva del Fresno Spain 38°23N 7°10W 89 G3
Villanueva y Geltrú = Vilanova i la Geltrú Spain 41°13N 1°40E 90 D6
Villaputzu Italy 39°26N 9°34E 94 C2
Villaquilambre Spain 42°39N 5°33W 88 C5
Villar del Arzobispo Spain 39°44N 0°50W 90 F4
Villar del Rey Spain 39°7N 6°50W 89 F4
Villard-de-Lans France 45°3N 5°33E 73 C9
Villarramiel Spain 42°2N 4°55W 88 C6
Villarreal = Vila-Real Spain 39°55N 0°3W 90 F4
Villarrica Chile 39°15S 72°15W 192 A2
Villarrica Paraguay 25°40S 56°30W 190 B4
Villarrica △ Chile 39°24S 71°46W 192 A2
Villarrobledo Spain 39°18N 2°36W 91 F2
Villarroya de la Sierra Spain 41°27N 1°46W 90 D3
Villarrubia de los Ojos Spain 39°14N 3°36W 89 F7
Villars-les-Dombes France 46°0N 5°3E 71 F12
Villasayas Spain 41°24N 2°39W 90 D2
Villaseco de los Gamitos Spain 41°2N 6°7W 88 D4
Villasimius Italy 39°8N 9°31E 94 C2
Villastar Spain 40°17N 1°9W 90 E3
Villatobas Spain 39°54N 3°20W 88 F7
Villavicencio Argentina 32°28S 69°0W 190 C2
Villavicencio Colombia 4°9N 73°37W 186 C4
Villaviciosa Spain 43°32N 5°27W 88 B5
Villazón Bolivia 22°0S 65°35W 190 A2
Ville-Marie Canada 47°20N 79°30W 164 C4
Ville Platte U.S.A. 30°41N 92°17W 176 F8
Villedieu-les-Poêles France 48°50N 1°13W 70 D5
Villefort France 44°28N 3°56E 72 D7
Villefranche-de-Lauragais France 43°25N 1°44E 72 E5
Villefranche-de-Rouergue France 44°21N 2°2E 72 D6
Villefranche-du-Périgord France 44°38N 1°5E 72 D5
Villefranche-sur-Saône France 45°59N 4°43E 73 C8
Villel Spain 40°14N 1°12W 90 E3
Villemur-sur-Tarn France 43°51N 1°31E 72 E5
Villena Spain 38°39N 0°52W 91 G4
Villenauxe-la-Grande France 48°35N 3°33E 71 D10
Villenave-d'Ornon France 44°46N 0°33W 72 D3
Villeneuve-d'Ascq France 50°38N 3°9E 71 B10
Villeneuve-l'Archevêque France 48°14N 3°32E 71 D10
Villeneuve-lès-Avignon France 43°58N 4°49E 73 E8
Villeneuve-sur-Allier France 46°40N 3°13E 71 F10
Villeneuve-sur-Lot France 44°24N 0°42E 72 D4
Villeneuve-sur-Yonne France 48°5N 3°18E 71 D10
Villeréal France 44°38N 0°45E 72 D4
Villers-Bocage France 49°3N 0°40W 70 C6
Villers-Cotterêts France 49°15N 3°4E 71 C10
Villers-sur-Mer France 49°21N 0°2W 70 C6
Villersexel France 47°33N 6°26E 71 E13
Villerupt France 49°28N 5°55E 71 C12
Villeurbanne France 45°46N 4°55E 73 C8
Villiers S. Africa 27°2S 28°36E 145 C4
Villingen-Schwenningen Germany 48°3N 8°26E 77 G4
Villmanstrand = Lappeenranta Finland 61°3N 28°12E 84 B5
Villupuram India 11°59N 79°31E 127 J4
Vilna Canada 54°7N 111°55W 162 C6
Vilnius Lithuania 54°38N 25°19E 84 E3
Vils Austria 47°33N 10°38E 78 D3
Vils → Bayern, Germany 48°37N 13°11E 77 G9
Vils → Bayern, Germany 49°10N 11°57E 77 F7
Vilsandi △ Estonia 58°23N 21°52E 84 C1
Vilsbiburg Germany 48°26N 12°22E 77 G8
Vilshofen Germany 48°37N 13°11E 77 G9
Vilusi Montenegro 42°44N 18°34E 96 D2
Vilvoorde Belgium 50°56N 4°26E 69 D4
Vilyuchinsk Russia 52°55N 158°24E 107 D16
Vilyuy → Russia 64°24N 126°26E 107 C13
Vilyuysk Russia 63°40N 121°35E 107 C13
Vilyuyskoye Vdkhr. Russia 63°0N 112°0E 107 C12
Vimianzo Spain 43°7N 9°2W 88 B1
Vimioso Portugal 41°35N 6°31W 88 D4
Vimmerby Sweden 57°40N 15°55E 63 G9
Vimoutiers France 48°57N 0°10E 70 D7
Vimperk Czech Rep. 49°3N 13°46E 78 B6
Viña del Mar Chile 33°0S 71°30W 190 C1
Vinarós Spain 40°30N 0°27E 90 E5
Vincennes U.S.A. 38°41N 87°32W 172 F10
Vincennes Bay S. Ocean 66°0S 109°0E 55 C8
Vincent U.S.A. 34°33N 118°11W 171 L8
Vinchina Argentina 28°45S 68°15W 190 B2
Vindelälven → Sweden 63°55N 19°50E 60 E18
Vindeln Sweden 64°12N 19°43E 60 D18
Vinderup Denmark 56°29N 8°45E 63 H2
Vindhya Ra. India 22°50N 77°0E 124 H7
Vineland U.S.A. 39°29N 75°2W 173 F16
Vineuil France 47°35N 1°22E 70 E8
Vinga Romania 46°1N 21°14E 80 D6
Vingåker Sweden 59°2N 15°52E 62 E9
Vinh Vietnam 18°45N 105°38E 120 C5
Vinh Long Vietnam 10°16N 105°57E 121 G5
Vinh Moc Vietnam 21°18N 105°1E 120 B5
Vinh Yen Vietnam 21°21N 105°35E 116 G5
Vinhais Portugal 41°50N 7°5W 88 D3
Vinica Croatia 46°20N 16°9E 93 B13
Vinica Macedonia 41°53N 22°30E 96 E6
Vinica Slovenia 45°28N 15°16E 93 C12
Vinita U.S.A. 36°39N 95°9W 176 C7
Vinkovci Croatia 45°19N 18°48E 80 E3
Vinnitsa = Vinnytsya Ukraine 49°15N 28°30E 75 D15
Vinnytsya Ukraine 49°15N 28°30E 75 D15
Vinnytsya □ Ukraine 49°20N 28°15E 75 D15
Vinslöv Sweden 56°7N 13°55E 63 H7
Vinson Massif Antarctica 78°35S 85°25W 55 D16
Vintjärn Sweden 60°50N 16°4E 62 D10
Vinton Calif., U.S.A. 39°48N 120°10W 170 F6
Vinton Iowa, U.S.A. 42°10N 92°1W 172 D7
Vinton La., U.S.A. 30°11N 93°35W 176 F8
Vinţu de Jos Romania 46°0N 23°30E 81 D8
Vinukonda India 16°4N 79°45E 127 F4
Viöl Germany 54°34N 9°11E 76 A5
Violet Town Australia 36°38S 145°42E 153 D6
Violet Valley ✪ Australia 17°10S 127°55E 148 C4
Vioolsdrif S. Africa 28°46S 17°39E 144 C2
Viotia Greece 38°20N 23°0E 98 C5
Vipava Slovenia 45°51N 13°58E 93 C10
Vipiteno Italy 46°54N 11°26E 93 B8
Viqueque E. Timor 8°52S 126°23E 119 F7
Vir Croatia 44°17N 15°3E 93 D12
Virac Phil. 13°30N 124°20E 119 B6
Virachey Cambodia 13°59N 106°49E 120 F6
Virachey △ Cambodia 14°14N 106°55E 120 E6
Virago Sd. Canada 54°0N 132°30W 162 C2
Virajpet = Virarajendrapet India 12°10N 75°50E 127 H2
Viramgam India 23°5N 72°0E 124 H5
Viranşehir Turkey 37°13N 39°45E 105 D8
Virarajendrapet India 12°10N 75°50E 127 H2
Virawah Pakistan 24°31N 70°46E 124 G4
Virbalis Lithuania 54°39N 22°49E 82 D9
Virden Canada 49°50N 100°56W 163 D8
Vire France 48°50N 0°53W 70 D6
Vire → France 49°20N 1°7W 70 C5
Virgem da Lapa Brazil 16°49S 42°21W 189 D2
Virgenes, C. Argentina 52°19S 68°21W 192 D3
Virgin → U.S.A. 36°28N 114°21W 169 H6
Virgin Gorda Br. Virgin Is. 18°30N 64°26W 183 e
Virgin Is. (British) ⊠ W. Indies 18°30N 64°30W 183 e
Virgin Is. (U.S.) ⊠ W. Indies 18°20N 65°0W 183 e
Virgin Islands △ U.S. Virgin Is. 18°21N 64°43W 183 C7
Virginia S. Africa 28°8S 26°55E 144 C4
Virginia U.S.A. 47°31N 92°32W 172 B7
Virginia □ U.S.A. 37°30N 78°45W 173 G14
Virginia Beach U.S.A. 36°49N 76°9W 173 F16
Virginia City Mont., U.S.A. 45°18N 111°56W 168 D8
Virginia City Nev., U.S.A. 39°19N 119°39W 170 F7
Virginia Falls Canada 61°38N 125°42W 162 A3
Virginiatown Canada 48°9N 79°36W 164 C4
Virje Croatia 46°4N 16°59E 93 B13
Viroqua U.S.A. 43°34N 90°53W 172 D8
Virovitica Croatia 45°51N 17°21E 80 E2
Virpazar Montenegro 42°14N 19°6E 96 D3
Virpur India 21°51N 70°42E 124 J4
Virsbo Sweden 59°52N 16°2E 62 E10
Virserum Sweden 57°20N 15°35E 63 G9
Virton Belgium 49°35N 5°32E 69 E5
Virú Peru 8°25S 78°45W 188 B2
Virudhunagar India 9°30N 77°58E 127 K3
Virunga △ Dem. Rep. of the Congo 0°5N 29°38E 142 B2
Vis Croatia 43°4N 16°10E 93 E13
Visalia U.S.A. 36°20N 119°18W 170 J7
Visayan Sea Phil. 11°30N 123°30E 119 B6
Visby Sweden 57°37N 18°18E 63 G12
Viscount Melville Sd. Canada 74°10N 108°0W 161 C10
Visé Belgium 50°44N 5°41E 69 D5
Vise, Ostrov Russia 79°33N 76°50E 106 B8
Višegrad Bos.-H. 43°47N 19°17E 80 G4
Viseu Brazil 1°10S 46°5W 187 D9
Viseu Portugal 40°40N 7°55W 88 E3
Viseu □ Portugal 40°40N 7°55W 88 E3
Vişeu de Sus Romania 47°45N 24°25E 81 C9
Vishakhapatnam India 17°45N 83°20E 126 F6
Vişina Romania 43°52N 24°27E 81 G9
Vişineşti Moldova 46°20N 28°27E 81 D13
Visingsö Sweden 58°2N 14°20E 63 F8
Viskafors Sweden 57°37N 12°50E 63 G6
Viskan → Sweden 57°14N 12°12E 63 G6
Viški Kanal Croatia 43°4N 16°5E 93 E13
Vislanda Sweden 56°46N 14°30E 63 H8
Visnagar India 23°45N 72°32E 124 H5
Višnja Gora Slovenia 45°58N 14°45E 93 C11
Viso, Mte. Italy 44°38N 7°5E 92 D4
Viso del Marqués Spain 38°32N 3°34W 89 G7
Visoko Bos.-H. 43°58N 18°10E 80 G3
Visokoi I. Antarctica 56°43S 27°15W 55 B1
Visp Switz. 46°17N 7°52E 77 J3
Vissefjärda Sweden 56°32N 15°35E 63 H9
Visselhövede Germany 52°59N 9°34E 76 C5
Vissenbjerg Denmark 55°23N 10°7E 63 J4
Vista U.S.A. 33°12N 117°14W 171 M9
Vistonida, L. Greece 41°0N 25°7E 97 E9
Vistonikos, Ormos = Vistonida, L. Greece 41°0N 25°7E 97 E9
Vistula = Wisła → Poland 54°22N 18°55E 82 D5
Vistula Spit Europe 54°25N 19°35E 82 D6
Vit → Bulgaria 43°30N 24°30E 97 C8
Vita India 17°17N 74°33E 126 F2
Vitanje Slovenia 46°25N 15°18E 93 B12
Vitebsk = Vitsyebsk Belarus 55°10N 30°15E 84 E6
Viterbo Italy 42°25N 12°6E 93 F9
Vitez Bos.-H. 44°10N 17°48E 80 F2
Viti Levu Fiji 17°30S 177°30E 154 a
Vitigudino Spain 41°1N 6°26W 88 D4
Vitim Russia 59°28N 112°35E 107 D12
Vitim → Russia 59°26N 112°34E 107 D12
Vitina Bos.-H. 43°17N 17°29E 93 E14
Vitina Greece 37°40N 22°10E 98 D4
Vítkov Czech Rep. 49°46N 17°45E 79 B10
Vitória Brazil 20°20S 40°22W 189 E2
Vitória da Conquista Brazil 14°51S 40°51W 189 C2
Vitória de Santo Antão Brazil 8°10S 35°20W 189 B3
Vitoria-Gasteiz Spain 42°50N 2°41W 90 C2
Vitória Seamount Atl. Oc. 20°0S 44°0W 56 J8
Vitorino Freire Brazil 4°4S 45°10W 189 A1
Vitosha △ Bulgaria 42°36N 23°18E 96 D7
Vitré France 48°8N 1°12W 70 D5
Vitry-le-François France 48°43N 4°33E 71 D11
Vitry-sur-Seine France 48°47N 2°23E 71 D9
Vitsand Sweden 60°20N 13°0E 62 D7
Vitsi, Oros Greece 40°40N 21°25E 96 F5
Vitsyebsk Belarus 55°10N 30°15E 84 E6
Vitsyebsk □ Belarus 55°10N 28°50E 84 E5
Vittaryd Sweden 56°58N 13°57E 63 H7
Vitteaux France 47°24N 4°30E 71 E11
Vittel France 48°12N 5°57E 71 D12
Vittoria Italy 36°57N 14°32E 95 F7
Vittório Véneto Italy 45°59N 12°18E 93 C9
Vittsjö Sweden 56°20N 13°40E 63 H7
Viveiro Spain 43°39N 7°38W 88 B3
Vivian U.S.A. 32°53N 93°59W 176 E8
Viviers France 44°30N 4°40E 73 D8
Vivonne Australia 35°59S 137°9E 152 C2
Vivonne France 46°25N 0°15E 72 B4
Vivonne B. Australia 35°59S 137°9E 152 C2
Viwa Fiji 17°10S 177°58E 154 a
Vizcaíno, Desierto de Mexico 27°30N 113°45W 180 B2
Vizcaíno, Sierra Mexico 27°30N 114°0W 180 B2
Vize Turkey 41°34N 27°45E 97 E11
Vizianagaram India 18°6N 83°30E 126 E6
Vizille France 45°5N 5°46E 73 C9
Viziňada Croatia 45°20N 13°46E 93 C10
Viziru Romania 45°0N 27°43E 81 E12
Vizzini Italy 37°10N 14°45E 95 E7
Vlaardingen Neths. 51°55N 4°21E 69 C4
Vlachiotis Greece 36°52N 22°42E 98 E4
Vlădeasa, Vf. Romania 46°47N 22°50E 80 D7
Vladičin Han Serbia 42°42N 22°1E 96 D6
Vladikavkaz Russia 43°0N 44°35E 87 J7
Vladimir Russia 56°15N 40°30E 84 D11
Vladimir □ Russia 56°5N 40°10E 86 B5
Vladimir Volynskiy = Volodymyr-Volynskyy Ukraine 50°50N 24°18E 75 C13
Vladimirci Serbia 44°36N 19°50E 96 B3
Vladimirovac Serbia 45°1N 20°53E 80 E5
Vladimirovka Russia 48°27N 46°10E 87 F8
Vladimirovo Bulgaria 43°32N 23°22E 96 C7
Vladislavovka Ukraine 45°12N 35°29E 85 K8
Vladivostok Russia 43°10N 131°53E 112 C5
Vlăhiţa Romania 46°21N 25°31E 81 D10
Vlasenica Bos.-H. 44°11N 18°59E 80 F3
Vlašić Bos.-H. 44°19N 17°37E 80 F2
Vlašim Czech Rep. 49°40N 14°53E 78 B7
Vlasinsko Jezero Serbia 42°44N 22°22E 96 D6
Vlasotince Serbia 42°59N 22°7E 96 D6
Vlieland Neths. 53°16N 4°55E 69 A4
Vlissingen Neths. 51°26N 3°34E 69 C3
Vlkolínec Slovak Rep. 49°1N 19°16E 79 B12
Vlorë Albania 40°32N 19°28E 96 F3
Vlorës, Gjiri i Albania 40°29N 19°27E 96 F3
Vltava → Czech Rep. 50°21N 14°30E 78 A7
Vo Dat Vietnam 11°9N 107°31E 121 G6
Vočin Croatia 45°37N 17°33E 80 E2
Vöcklabruck Austria 48°1N 13°39E 78 C6
Vodice Croatia 43°47N 15°47E 93 E12
Vodlozersky △ Russia 62°40N 37°5E 106 C1
Vodňany Czech Rep. 49°9N 14°11E 78 B7
Vodnjan Croatia 44°59N 13°52E 93 D10
Voe U.K. 60°21N 1°16W 65 A7
Vogan Togo 6°23N 1°30E 139 D5
Vogel Pk. Nigeria 8°24N 11°47E 139 D7
Vogelkop = Doberai, Jazirah Indonesia 1°25S 133°0E 119 E8
Vogelsberg Germany 50°31N 9°12E 76 E5
Voghera Italy 44°59N 9°1E 92 D6
Vohibinany Madag. 18°49S 49°4E 141 H9
Vohimarina = Iharana Madag. 13°25S 50°0E 141 G10
Vohimena, Tanjon' i Madag. 25°36S 45°8E 141 K9
Vohipeno Madag. 22°22S 47°51E 141 J9
Voi Kenya 3°25S 38°32E 142 C4
Void-Vacon France 48°40N 5°36E 71 D12
Voineşti Iaşi, Romania 47°5N 27°27E 81 C12
Voineşti Prahova, Romania 45°5N 25°14E 81 E10
Voinjama Liberia 8°25N 9°44W 138 D3
Voiron France 45°22N 5°35E 73 C9
Voisey B. Canada 56°15N 61°50W 165 A7
Voitsberg Austria 47°3N 15°9E 78 D8
Vojens Denmark 55°16N 9°18E 63 J3
Vojmsjön Sweden 65°0N 16°24E 60 D17
Vojnić Croatia 45°19N 15°43E 93 C12
Vojnik Italy 46°18N 15°19E 93 B12
Vojvodina □ Serbia 45°20N 20°0E 80 E5
Vokhtoga Russia 58°46N 41°8E 84 C11
Volary Czech Rep. 48°54N 13°52E 78 C6
Volborg U.S.A. 45°51N 105°41W 168 D11
Volcán de Colima △ Mexico 19°30N 103°40W 180 D4
Volcano Is. = Kazan-Rettō Pac. Oc. 25°0N 141°0E 156 E6
Volcans △ Rwanda 1°30S 29°26E 142 C2
Volcans d'Auvergne ⌂ France 45°20N 2°40E 72 C6
Volchansk = Vovchansk Ukraine 50°17N 36°58E 85 G9
Volchikha Russia 52°2N 80°23E 109 B10
Volchya → Ukraine 48°32N 36°0E 85 H8
Volda Norway 62°9N 6°5E 60 E12
Volga = Privolzhskiy □ Russia 56°0N 50°0E 106 D6
Volga Russia 57°58N 38°16E 84 C10
Volga → Russia 46°0N 48°30E 87 G9
Volga Hts. = Privolzhskaya Vozvyshennost Russia 51°0N 46°0E 86 E7
Volgo-Baltiyskiy Kanal Russia 60°0N 38°0E 84 B9
Volgo-Donskoy Kanal Russia 48°40N 43°37E 87 F7
Volgodonsk Russia 47°33N 42°5E 87 G6
Volgograd Russia 48°40N 44°25E 87 F7
Volgograd □ Russia 49°40N 44°30E 86 F7
Volgogradskoye Vdkhr. Russia 50°0N 45°20E 86 E8
Volgorechensk Russia 57°28N 41°14E 86 B5
Volimes Greece 37°52N 20°39E 98 D2
Volintiri Moldova 46°26N 29°37E 81 D14
Volissos Greece 38°29N 25°54E 99 C7
Volkach Germany 49°52N 10°14E 77 F6
Völkermarkt Austria 46°39N 14°39E 78 E7
Volkhov Russia 59°55N 32°15E 84 C7
Volkhov → Russia 60°8N 32°20E 84 B7
Völklingen Germany 49°15N 6°50E 77 F2
Volkovysk = Vawkavysk Belarus 53°9N 24°30E 75 B13
Volksrust S. Africa 27°24S 29°53E 145 C4
Volnovakha Ukraine 47°35N 37°30E 85 J9
Volochanka Russia 71°0N 94°28E 107 B10
Volodarsk Russia 56°12N 43°15E 86 B6
Volodymyr-Volynskyy Ukraine 50°50N 24°18E 75 C13
Vologda Russia 59°10N 39°45E 84 C10
Vologda □ Russia 60°15N 39°0E 84 B10
Volokolamsk Russia 56°5N 35°57E 84 D8
Volokonovka Russia 50°33N 37°52E 85 G9
Volos Greece 39°24N 22°59E 98 B4
Volosovo Russia 59°27N 29°32E 84 C5
Volovets Ukraine 48°43N 23°11E 81 B8
Volovo Russia 53°35N 38°1E 84 F10
Volozhin = Valozhyn Belarus 54°3N 26°30E 75 A14
Volsk Russia 52°5N 47°22E 86 D8
Volta □ Ghana 7°0N 0°30E 139 D5
Volta → Ghana 5°46N 0°41E 139 D5
Volta, L. Ghana 7°30N 0°0 139 D5
Volta Blanche = White Volta → Ghana 9°10N 1°15W 139 D4
Volta Redonda Brazil 22°31S 44°5W 191 A7
Voltaire, C. Australia 14°16S 125°35E 148 B4
Volterra Italy 43°24N 10°51E 92 E7
Voltri Italy 44°26N 8°45E 92 D5
Volturno → Italy 41°1N 13°55E 94 A6
Volubilis Morocco 34°2N 5°33W 136 B2
Voluntar Romania 44°30N 26°11E 81 F11
Volvi, L. Greece 40°40N 23°34E 96 F7
Volyn □ Ukraine 51°15N 24°30E 75 C13
Volyně Czech Rep. 49°10N 13°53E 78 B6
Volzhsk Russia 55°57N 48°23E 86 C9
Volzhskiy Russia 48°56N 44°46E 87 F7
Vomo Fiji 17°30S 177°15E 154 a
Vonitsa Greece 38°55N 20°53E 98 C2
Vopnafjörður Iceland 65°45N 14°50W 60 D6
Vorarlberg □ Austria 47°20N 10°0E 78 D2
Voras Oros Greece 40°57N 21°45E 96 F5
Vorbasse Denmark 55°39N 9°6E 63 J3
Vorchdorf Austria 48°0N 13°55E 78 C6
Vorderrhein → Switz. 46°49N 9°25E 77 J5
Vordingborg Denmark 55°0N 11°54E 63 K5
Vorë Albania 41°23N 19°40E 96 E3
Voreio Aigaio □ Greece 38°50N 25°30E 99 C7
Voreios Sporades Greece 39°15N 23°30E 98 B5
Voreppe France 45°18N 5°39E 73 C9
Vori Greece 35°4N 24°49E 98 F6
Vorios Evoikos Kolpos Greece 38°45N 23°15E 98 C5
Vorkuta Russia 67°48N 64°20E 106 C7
Vormsi Estonia 59°1N 23°13E 84 C2
Vorona → Russia 51°22N 42°3E 86 E6
Voronezh Russia 51°40N 39°10E 85 G10
Voronezh Ukraine 51°47N 33°28E 85 G7
Voronezh □ Russia 51°30N 39°30E 86 E4
Voronezh → Russia 51°32N 39°10E 85 G10
Vorontsovo-Aleksandrovskoye = Zelenokumsk Russia 44°24N 44°0E 87 H6
Vorpommersche Boddenlandschaft △ Germany 54°25N 12°32E 76 A8
Vorskla → Ukraine 48°50N 34°10E 85 H8
Võrts järv Estonia 58°16N 26°3E 84 C4
Võru Estonia 57°48N 26°54E 84 D4
Vosges France 48°20N 7°10E 71 D14
Vosges □ France 48°12N 6°20E 71 D13
Vosges du Nord ⌂ France 49°0N 7°30E 71 D14
Voskopojë Albania 40°35N 20°33E 96 F4
Voskresensk Russia 55°19N 38°43E 84 E10
Voskresenskoye Russia 56°51N 45°30E 86 B7
Voss Norway 60°38N 6°26E 60 F12
Vostochnyy Port Russia 42°44N 133°4E 112 C6
Vostok Antarctica 78°30S 106°50E 55 D8
Vostok I. Kiribati 10°5S 152°23W 157 J12
Votice Czech Rep. 49°38N 14°39E 78 B7
Vouga → Portugal 40°41N 8°40W 88 E2
Vouillé France 46°38N 0°10E 70 F7
Vouxa, Akra Greece 35°37N 23°32E 101 D5
Vouzela Portugal 40°43N 8°7W 88 E2
Vouziers France 49°22N 4°40E 71 C11
Vovchansk Ukraine 50°17N 36°58E 85 G9
Vowchyn Belarus 52°18N 23°18E 83 F10
Voyageurs △ U.S.A. 48°32N 93°0W 172 A7
Voynitsa Russia 65°10N 30°20E 60 D24
Voyvozh Russia 62°56N 54°56E 106 C6
Vozhe, Ozero Russia 60°45N 39°0E 84 B10
Vozhega Russia 60°29N 40°12E 84 B11
Voznesensk Ukraine 47°35N 31°21E 85 J6
Voznesenye Russia 61°0N 35°28E 84 B8
Vozrozhdeniya I. Asia 45°10N 59°20E 108 C5
Vrå Denmark 57°21N 9°56E 63 G3
Vráble Slovak Rep. 48°15N 18°16E 79 C11
Vraćevšnica Serbia 44°2N 20°34E 96 B4
Vrachneika Greece 38°10N 21°40E 98 C3
Vrancea □ Romania 45°50N 26°45E 81 E11
Vrancei, Munţii Romania 46°0N 26°30E 81 E11
Vrangel Russia 42°43N 133°5E 112 C6
Vrangelya, Ostrov Russia 71°0N 180°0E 107 B18
Vranica Bos.-H. 43°55N 17°50E 80 G2
Vranje Serbia 42°34N 21°54E 96 D5
Vranjska Banja Serbia 42°34N 22°1E 96 D6
Vranov nad Topľou Slovak Rep. 48°53N 21°40E 79 C14
Vransko Slovenia 46°17N 14°58E 93 B11
Vransko Jezero Croatia 43°53N 15°34E 93 E12
Vrapčište Macedonia 41°50N 20°53E 96 E4
Vratsa Bulgaria 43°15N 23°30E 96 C7
Vratsa □ Bulgaria 43°15N 23°30E 96 C7
Vrbas Serbia 45°40N 19°40E 80 E4
Vrbas → Bos.-H. 45°8N 17°29E 80 E2
Vrbnik Croatia 45°4N 14°40E 93 C11
Vrbovec Croatia 45°53N 16°28E 93 C13
Vrbovsko Croatia 45°24N 15°5E 93 C12
Vrchlabí Czech Rep. 50°38N 15°37E 78 A8
Vrede S. Africa 27°24S 29°6E 145 C4
Vredefort S. Africa 27°0S 27°22E 144 C4
Vreden Germany 52°2N 6°50E 76 C2
Vredenburg S. Africa 32°56S 18°0E 144 D2
Vredendal S. Africa 31°41S 18°35E 144 D2
Vretstorp Sweden 59°1N 14°53E 62 E8
Vrgorac Croatia 43°12N 17°20E 93 E14
Vrhnika Slovenia 45°58N 14°15E 93 C11
Vriddhachalam India 11°30N 79°20E 127 J4
Vridi Ivory C. 5°15N 4°3W 138 D4
Vrigstad Sweden 57°22N 14°28E 63 G8
Vrindavan India 27°37N 77°40E 124 F7
Vrisses Greece 35°23N 24°13E 101 D6
Vrnograč Bos.-H. 45°10N 15°57E 93 C12
Vrondados Greece 38°25N 26°7E 99 C8
Vrpolje Croatia 45°13N 18°24E 80 E3
Vršac Serbia 45°8N 21°20E 80 E6
Vrsacki Kanal Serbia 45°15N 21°0E 80 E5
Vrútky Slovak Rep. 49°7N 18°55E 79 B11
Vryburg S. Africa 26°55S 24°45E 144 C3
Vryheid S. Africa 27°45S 30°47E 145 C5
Vsetín Czech Rep. 49°20N 18°0E 79 B11
Vu Liet Vietnam 18°43N 105°23E 120 C5
Vŭcha → Bulgaria 41°20N 24°26E 97 D8
Vučitrn = Vushtrri Kosovo 42°49N 20°59E 96 D4
Vukovar Croatia 45°21N 18°59E 80 E3
Vuktyl Russia 63°52N 57°20E 106 C6
Vulcan Canada 50°25N 113°15W 162 C6
Vulcan Romania 45°23N 23°17E 81 E8
Vulcăneşti Moldova 45°41N 28°18E 81 E13
Vulcano Italy 38°24N 14°58E 95 D7
Vŭlchedruma Bulgaria 43°42N 23°27E 96 C7
Vulkaneshty = Vulcăneşti Moldova 45°41N 28°18E 81 E13
Vunduzi → Mozam. 18°56S 34°1E 143 F3
Vung Tau Vietnam 10°21N 107°4E 121 G6
Vunidawa Fiji 17°50S 178°21E 154 a
Vunisea Fiji 19°3S 178°10E 154 a
Vuntut △ Canada 68°25N 139°41W 160 D4
Vŭrbitsa Bulgaria 42°59N 26°40E 97 D10
Vurshets Bulgaria 43°13N 23°23E 96 C7
Vushtrri Kosovo 42°49N 20°59E 96 D4
Vutcani Romania 46°26N 27°59E 81 D12
Vuzlove Ukraine 48°22N 22°24E 80 B7
Vwaza △ Malawi 10°58S 33°25E 143 E3
Vyara India 21°8N 73°28E 126 D1
Vyartsilya Russia 62°8N 30°45E 84 A6
Vyatka = Kirov Russia 58°35N 49°40E 106 D5
Vyatka → Russia 55°37N 51°28E 86 C10
Vyatskiye Polyany Russia 56°14N 51°5E 86 B10
Vyazemskiy Russia 47°32N 134°45E 107 E14
Vyazma Russia 55°10N 34°15E 84 E8
Vyazniki Russia 56°10N 42°10E 86 B6
Vyborg Russia 60°43N 28°47E 84 B5
Vychegda → Russia 61°18N 46°36E 106 C5
Vychodné Beskydy Europe 49°20N 22°0E 79 B15
Vyerkhnyadzvinsk Belarus 55°45N 27°58E 84 E4
Vyhoda Ukraine 48°56N 23°55E 81 B8
Vyksa Russia 55°19N 42°11E 86 C6
Vylkove Ukraine 45°28N 29°32E 81 E14
Vylok Ukraine 48°6N 22°50E 80 B7
Vynohradiv Ukraine 48°9N 23°2E 80 B8
Vypin India 10°10N 76°15E 127 J3
Vyrnwy, L. U.K. 52°48N 3°31W 66 E4
Vyshkiv Ukraine 48°44N 23°39E 81 B8
Vyshkove Ukraine 48°3N 23°25E 81 B8
Vyshniy Volochek Russia 57°30N 34°30E 84 D8
Vyshzha = imeni 26 Bakinskikh Komissarov Turkmenistan 39°22N 54°10E 129 B7
Vyškov Czech Rep. 49°17N 17°0E 79 B9
Vysočina □ Czech Rep. 49°30N 15°30E 78 B8
Vysokaye Belarus 52°22N 23°22E 83 F10
Vysoké Mýto Czech Rep. 49°58N 16°10E 79 B9
Vysokovsk Russia 56°22N 36°30E 84 D9
Vyšší Brod Czech Rep. 48°37N 14°19E 78 C7
Vytegra Russia 61°0N 36°27E 84 B9
Vyzhnytsya Ukraine 48°15N 25°11E 81 B10
Vyzhnytsya ⌂ Ukraine 48°7N 25°15E 81 B10

W

W du Benin △ Benin 11°57N 2°43E 139 C5
W du Burkina Faso △ Burkina Faso 11°52N 2°50E 139 C5
W du Niger △ Niger 13°31N 2°28E 139 C5
W.A.C. Bennett Dam Canada 56°2N 122°6W 162 B4
Wa Ghana 10°7N 2°25W 138 C4
Waal → Neths. 51°37N 5°0E 69 C5
Waalwijk Neths. 51°42N 5°4E 69 C5
Waanyi-Garawa ✪ Australia 18°2S 137°33E 150 B2
Wabakimi △ Canada 50°43N 89°29W 164 B2
Wabana Canada 47°40N 53°0W 165 C9
Wabasca → Canada 58°22N 115°20W 162 B5
Wabasca-Desmarais Canada 55°57N 113°56W 162 B6
Wabash U.S.A. 40°48N 85°49W 173 E11
Wabash → U.S.A. 37°48N 88°2W 172 G9
Wabasso U.S.A. 27°45N 80°26W 179 H9
Wabigoon L. Canada 49°44N 92°44W 163 D10
Wabowden Canada 54°55N 98°38W 163 C9
Wąbrzeźno Poland 53°16N 18°57E 83 E5
Wabu Hu China 32°20N 116°50E 117 A11
Wabuk Pt. Canada 55°20N 85°5W 164 A2
Wabush Canada 52°55N 66°52W 165 B6
Waccasassa B. U.S.A. 29°10N 82°50W 179 F7
Wachau Austria 48°21N 15°26E 78 C8
Wąchock Poland 51°4N 21°1E 83 G8
Wächtersbach Germany 50°14N 9°17E 77 E5
Wacissa U.S.A. 30°22N 83°59W 178 E6
Waco U.S.A. 31°33N 97°9W 176 F6
Waconichi, L. Canada 50°8N 74°0W 164 B5
Wad Hamid Sudan 16°30N 32°45E 135 E12
Wad Medanî Sudan 14°28N 33°30E 135 F12
Wad Thana Pakistan 27°22N 66°23E 124 F2
Wadayama Japan 35°19N 134°52E 113 G7
Wadbilliga △ Australia 36°25S 149°35E 153 D8
Waddeneilanden Neths. 53°25N 5°10E 69 A5
Waddenzee Neths. 53°6N 5°10E 69 A5
Waddi, Chappal Nigeria 7°2N 11°43E 139 D7
Waddington U.S.A. 44°52N 75°12W 175 B9
Waddington, Mt. Canada 51°23N 125°15W 162 C3
Waddy Pt. Australia 24°58S 153°21E 151 C5
Wadebridge U.K. 50°31N 4°51W 67 G3
Wadena Canada 51°57N 103°47W 163 C8
Wadena U.S.A. 46°26N 95°8W 172 B6
Wädenswil Switz. 47°14N 8°40E 77 H4
Wadern Germany 49°32N 6°53E 77 F2
Wadeye Australia 14°28S 129°52E 148 B4
Wadgaon India 18°44N 73°39E 126 E1
Wadhams Canada 51°30N 127°30W 162 C3
Wadhwan India 22°42N 71°41E 124 H4
Wadi India 17°4N 76°59E 126 F3
Wādī as Sīr Jordan 31°56N 35°49E 130 D4
Wādī Gemâl, J. Egypt 24°35N 35°10E 137 C4
Wadi Halfa Sudan 21°53N 31°19E 137 C3
Wādī Rum △ Jordan 29°30N 35°20E 130 F4
Wadian China 32°42N 112°29E 117 A9
Wadlew Poland 51°31N 19°23E 83 G6
Wadley Ala., U.S.A. 33°7N 85°34W 178 B4
Wadley Ga., U.S.A. 32°52N 82°24W 178 C7
Wadowice Poland 49°52N 19°30E 83 J6
Wadsworth Nev., U.S.A. 39°38N 119°17W 168 G4
Wadsworth Ohio, U.S.A. 41°2N 81°44W 174 E3
Waegwan S. Korea 35°59N 128°23E 115 G15
Wafangdian China 39°38N 121°58E 115 E11
Wafrah Kuwait 28°33N 47°56E 128 D5
Wagait ✪ Australia 13°1S 130°5E 148 B5
Wagener U.S.A. 33°39N 81°22W 178 B8
Wageningen Neths. 51°58N 5°40E 69 C5
Wager B. Canada 65°26N 88°40W 161 D14
Wagga Wagga Australia 35°7S 147°24E 153 C7
Waghai India 20°46N 73°29E 126 D1
Waghete Indonesia 4°10S 135°50E 119 E9
Wagin Australia 33°17S 117°25E 149 F2
Wagner U.S.A. 43°5N 98°18W 172 D4
Wagon Mound U.S.A. 36°1N 104°42W 169 H11
Wagoner U.S.A. 35°58N 95°22W 176 D7
Wagrowiec Poland 52°48N 17°11E 83 F4
Wah Pakistan 33°45N 72°40E 124 C5
Wahai Indonesia 2°48S 129°35E 119 E7
Waharoa N.Z. 37°46S 175°45E 154 D4
Wâḥid Egypt 30°48N 32°21E 130 E1
Wahnai Afghan. 32°40N 65°50E 124 C1
Wahoo U.S.A. 41°13N 96°37W 172 E5
Wahpeton U.S.A. 46°16N 96°36W 172 B5
Wai India 17°56N 73°57E 126 F1
Waialua U.S.A. 21°34N 158°8W 167 L8
Waiapu → N.Z. 37°47S 178°29E 154 D7
Waiau N.Z. 42°39S 173°5E 155 C8
Waiau → Canterbury, N.Z. 42°47S 173°22E 155 C8
Waiau → Southland, N.Z. 46°12S 167°38E 155 G2
Waiawe Ganga → Sri Lanka 6°15N 81°0E 127 L5
Waibeem Indonesia 0°30S 132°59E 119 E8
Waiblingen Germany 48°49N 9°18E 77 G5

Waidhofen an der Thaya *Austria* 48°49N 15°17E 78 C8
Waidhofen an der Ybbs *Austria* 47°57N 14°46E 78 D7
Waigeo *Indonesia* 0°20S 130°40E 119 E8
Waihao → *N.Z.* 44°47S 171°10E 155 E6
Waihao Downs *N.Z.* 44°48S 170°55E 155 E5
Waiheke I. *N.Z.* 36°48S 175°6E 154 C4
Waihi *N.Z.* 37°23S 175°52E 154 D4
Waihi Beach *N.Z.* 37°25S 175°57E 154 D4
Waihola *N.Z.* 46°1S 170°8E 155 G5
Waihola L. *N.Z.* 45°59S 170°8E 155 F5
Waihou → *N.Z.* 37°15S 175°40E 154 D4
Waika *Dem. Rep. of the Congo* 2°22S 25°42E 142 C2
Waikabubak *Indonesia* 9°45S 119°25E 119 F5
Waikaia *N.Z.* 45°44S 168°51E 155 F3
Waikaka *N.Z.* 45°55S 169°1E 155 F4
Waikare, L. *N.Z.* 37°26S 175°13E 154 D4
Waikareiti, L. *N.Z.* 38°43S 177°10E 154 E6
Waikaremoana *N.Z.* 38°42S 177°12E 154 E6
Waikaremoana, L. *N.Z.* 38°49S 177°9E 154 E6
Waikari *N.Z.* 42°58S 172°41E 155 C7
Waikato → *N.Z.* 37°23S 174°43E 154 D3
Waikelo *Indonesia* 9°24S 119°19E 148 A2
Waikerie *Australia* 34°9S 140°0E 152 C4
Waikiekie *N.Z.* 35°57S 174°16E 154 B3
Waikokopu *N.Z.* 39°3S 177°52E 154 F6
Waikouaiti *N.Z.* 45°36S 170°41E 155 F5
Waikouaiti Downs *N.Z.* 45°30S 170°30E 155 F5
Waimakariri → *N.Z.* 43°24S 172°42E 155 D7
Waimangaroa *N.Z.* 41°43S 171°46E 155 B6
Waimarie *N.Z.* 41°35S 171°58E 155 B6
Waimate *N.Z.* 44°45S 171°3E 155 E6
Waimea Plain *N.Z.* 45°55S 168°35E 155 F3
Wainganga → *India* 18°50N 79°55E 126 E4
Waingapu *Indonesia* 9°35S 120°11E 119 F6
Waini → *Guyana* 8°20N 59°50W 186 B7
Wainuiomata *N.Z.* 41°17S 174°56E 154 H3
Wainwright *Canada* 52°50N 110°50W 163 C6
Wainwright *U.S.A.* 70°38N 160°2W 166 A7
Waiotapu *N.Z.* 38°21S 176°25E 154 E5
Waiouru *N.Z.* 39°28S 175°41E 154 F4
Waipa → *N.Z.* 38°16S 175°21E 154 E4
Waipahi *N.Z.* 46°6S 169°15E 155 G4
Waipapa Pt. *N.Z.* 46°40S 168°51E 155 G3
Waipara *N.Z.* 43°3S 172°46E 155 D7
Waipawa *N.Z.* 39°56S 176°38E 154 F5
Waipiro *N.Z.* 38°2S 178°22E 154 E7
Waipiro Bay *N.Z.* 38°1S 178°21E 154 E7
Waipoua Forest *N.Z.* 35°39S 173°33E 154 B2
Waipu *N.Z.* 35°59S 174°29E 154 B3
Waipukurau *N.Z.* 40°1S 176°33E 154 G5
Wairakei *N.Z.* 38°37S 176°6E 154 E5
Wairarapa, L. *N.Z.* 41°14S 175°15E 154 H4
Wairau → *N.Z.* 41°32S 174°7E 155 B9
Wairio *N.Z.* 45°59S 168°3E 155 F3
Wairoa *N.Z.* 39°3S 177°25E 154 F6
Wairoa → *Hawke's Bay, N.Z.* 39°4S 177°25E 154 F6
Wairoa → *Northland, N.Z.* 36°5S 173°59E 154 C2
Waitaki → *N.Z.* 44°56S 171°7E 155 E6
Waitaki Plains *N.Z.* 44°22S 170°0E 155 E5
Waitangi *N.Z.* 35°16S 174°5E 154 B3
Waitara *N.Z.* 38°59S 174°15E 154 E3
Waitara → *N.Z.* 38°59S 174°14E 154 E3
Waitiki Landing *N.Z.* 34°31S 172°50E 154 A1
Waitoa *N.Z.* 37°37S 175°35E 154 D4
Waitomo Caves *N.Z.* 38°16S 175°7E 154 E4
Waitotara *N.Z.* 39°49S 174°44E 154 F3
Waitotara → *N.Z.* 39°51S 174°41E 154 F3
Waitsburg *U.S.A.* 46°16N 118°9W 168 C4
Waiuku *N.Z.* 37°15S 174°45E 154 D3
Wajima *Japan* 37°30N 137°0E 113 F8
Wajir *Kenya* 1°42N 40°5E 142 B5
Wajir □ *Kenya* 1°45N 40°5E 142 B5
Wakasa *Japan* 35°20N 134°24E 113 G7
Wakasa-Wan *Japan* 35°40N 135°30E 113 G7
Wakatipu, L. *N.Z.* 45°5S 168°33E 155 F3
Wakaw *Canada* 52°39N 105°44W 163 C7
Wakaya *Fiji* 17°37S 179°0E 154 a
Wakayama *Japan* 34°15N 135°15E 113 G7
Wakayama □ *Japan* 33°50N 135°30E 113 H7
Wake Forest *U.S.A.* 35°59N 78°30W 177 D15
Wake I. *Pac. Oc.* 19°18N 166°36E 156 F8
WaKeeney *U.S.A.* 39°1N 99°53W 172 F4
Wakefield *Jamaica* 18°26N 77°42W 182 a
Wakefield *N.Z.* 41°24S 173°5E 155 B8
Wakefield *U.K.* 53°41N 1°29W 66 D6
Wakefield *Mass., U.S.A.* 42°30N 71°5W 175 D13
Wakefield *Mich., U.S.A.* 46°29N 89°56W 172 B9
Wakkanai *Japan* 45°28N 141°35E 112 B10
Wakkerstroom *S. Africa* 27°24S 30°10E 145 C5
Wakool *Australia* 35°28S 144°23E 152 C6
Wakool → *Australia* 35°5S 143°33E 152 C5
Wakre *Indonesia* 0°19S 131°5E 119 E8
Wakuach, L. *Canada* 55°34N 67°32W 165 A6
Wakulla *U.S.A.* 30°14N 84°14W 178 E5
Walagunya ✪ *Australia* 23°10S 120°50E 148 D3
Walamba *Zambia* 13°30S 28°42E 143 E2
Wałbrzych *Poland* 50°45N 16°18E 83 H3
Walbury Hill *U.K.* 51°21N 1°28W 67 F6
Walcha *Australia* 30°55S 151°31E 153 A9
Walcheren *Neths.* 51°30N 3°35E 69 C3
Walcott *U.S.A.* 41°46N 106°51W 168 F10
Wałcz *Poland* 53°17N 16°27E 83 E3
Waldbröl *Germany* 50°52N 7°37E 76 E3
Waldburg Ra. *Australia* 24°40S 117°35E 149 D2
Waldeck *Germany* 51°12N 9°4E 76 D5
Walden *Colo., U.S.A.* 40°44N 106°17W 168 F10
Walden *N.Y., U.S.A.* 41°34N 74°11W 175 E10
Waldkirch *Germany* 48°5N 7°58E 77 G3
Waldkirchen *Germany* 48°43N 13°36E 77 G9
Waldkraiburg *Germany* 48°11N 12°24E 77 G8
Waldo *U.S.A.* 29°48N 82°10W 178 F7
Waldport *U.S.A.* 44°26N 124°4W 168 D1
Waldron *U.S.A.* 34°54N 94°5W 176 D7
Waldviertel *Austria* 48°30N 15°30E 78 C8
Walebing *Australia* 30°41S 116°13E 149 F2
Walembele *Ghana* 10°30N 1°58W 138 C4
Walensee *Switz.* 47°7N 9°13E 77 H5
Wales □ *U.K.* 52°19N 4°43W 67 E3
Wales I. *Canada* 68°1N 86°40W 161 D14
Walewale *Ghana* 10°21N 0°50W 139 C4
Walgett *Australia* 30°0S 148°5E 151 E4
Walgreen Coast *Antarctica* 75°15S 105°0W 55 D15
Walhalla *Australia* 37°56S 146°29E 153 D7
Walker *U.S.A.* 47°6N 94°35W 172 B6
Walker, L. *Canada* 50°20N 67°11W 165 B6
Walker L. *Canada* 54°42N 95°57W 163 C9
Walker L. *U.S.A.* 38°42N 118°43W 168 G4
Walkerston *Australia* 21°11S 149°8E 150 b
Walkerton *Canada* 44°10N 81°10W 174 B3
Wall *U.S.A.* 44°0N 102°8W 172 C2
Walla Walla *Australia* 35°45S 146°54E 153 C7
Walla Walla *U.S.A.* 46°4N 118°20W 168 C4
Wallace *Idaho, U.S.A.* 47°28N 115°56W 168 C6
Wallace *N.C., U.S.A.* 34°44N 77°59W 177 D16
Wallaceburg *Canada* 42°34N 82°23W 174 D2
Wallacetown *N.Z.* 46°21S 168°19E 155 G3
Wallachia = Valahia *Romania* 44°35N 25°0E 81 F9
Wallal *Australia* 26°32S 146°7E 151 D4
Wallam Cr. → *Australia* 28°40S 147°20E 151 D4
Wallambin, L. *Australia* 30°57S 117°35E 149 F2
Wallan *Australia* 37°26S 144°59E 153 D6
Wallangarra *Australia* 28°56S 151°58E 151 D5
Wallaroo *Australia* 33°56S 137°39E 152 B2
Wallasey *U.K.* 53°25N 3°2W 66 D4
Walldürn *Germany* 49°34N 9°22E 77 F5
Wallenhorst *Germany* 52°21N 8°1E 76 C4
Wallenpaupack, L. *U.S.A.* 41°25N 75°15W 175 E9
Wallerawang *Australia* 33°25S 150°4E 153 B9
Wallingat △ *Australia* 32°14S 152°25E 153 B10
Wallingford *Conn., U.S.A.* 41°27N 72°50W 175 E12
Wallingford *Vt., U.S.A.* 43°28N 72°58W 175 C12
Wallis & Futuna, Îs. ☒ *Pac. Oc.* 13°18S 176°10W 147 C11
Wallowa *U.S.A.* 45°34N 117°32W 168 D5
Wallowa Mts. *U.S.A.* 45°20N 117°30W 168 D5
Walls *U.K.* 60°14N 1°33W 65 A7
Walls of Jerusalem △ *Australia* 41°56S 146°15E 151 G4
Wallsend *Australia* 32°55S 151°40E 153 B9
Wallula *U.S.A.* 46°5N 118°54W 168 C4
Wallumbilla *Australia* 26°33S 149°9E 151 D4
Walmsley L. *Canada* 63°25N 108°36W 163 A7
Walney, I. of *U.K.* 54°6N 3°15W 66 C4
Walnut Canyon ⌂ *U.S.A.* 35°15N 111°20W 169 J8
Walnut Creek *U.S.A.* 37°54N 122°4W 170 H4
Walnut Grove *U.S.A.* 34°4N 86°18W 178 A3
Walnut Hill *U.S.A.* 30°53N 87°30W 179 E2
Walnut Ridge *U.S.A.* 36°4N 90°57W 177 C9
Walpeup *Australia* 35°7S 142°2E 152 C5
Walpole *Australia* 34°58S 116°44E 149 G2
Walpole *U.S.A.* 42°9N 71°15W 175 D13
Walpole-Nornalup △ *Australia* 35°0S 116°45E 149 G2
Wals *Austria* 47°47N 12°58E 78 D5
Walsall *U.K.* 52°35N 1°58W 67 E6
Walsenburg *U.S.A.* 37°38N 104°47W 169 H11
Walsh *U.S.A.* 37°23N 102°17W 169 H12
Walsh → *Australia* 16°31S 143°42E 150 B3
Walsingham *Canada* 42°40N 80°31W 174 D4
Walsrode *Germany* 52°51N 9°35E 76 C5
Walt Disney World Resort *U.S.A.* 28°22N 81°33W 179 G8
Waltair *India* 17°44N 83°23E 126 F6
Walter F. George Res. *U.S.A.* 31°38N 85°4W 178 D4
Walterboro *U.S.A.* 32°55N 80°40W 178 C9
Walters *U.S.A.* 34°22N 98°19W 176 D5
Waltershausen *Germany* 50°54N 10°33E 76 E6
Waltershausen Gletscher *Greenland* 73°54N 24°25W 57 C8
Waltham *U.S.A.* 42°23N 71°14W 175 D13
Waltman *U.S.A.* 43°4N 107°12W 168 E10
Walton *U.S.A.* 42°10N 75°8W 175 D9
Walton-on-the-Naze *U.K.* 51°51N 1°17E 67 F9
Walvis Bay *Namibia* 23°0S 14°28E 144 B1
Walvis Ridge *Atl. Oc.* 26°0S 5°0E 56 J12
Walvisbaai = Walvis Bay *Namibia* 23°0S 14°28E 144 B1
Walwa *Australia* 35°59S 147°44E 153 C7
Wamba *Dem. Rep. of the Congo* 2°10N 27°57E 142 B2
Wamba *Kenya* 0°58N 37°19E 142 B4
Wamba *Nigeria* 8°57N 8°42E 139 D6
Wambardi ✪ *Australia* 16°2S 130°55E 148 C5
Wamego *U.S.A.* 39°12N 96°18W 172 F5
Wamena *Indonesia* 4°4S 138°57E 119 E9
Wampana Karlantijpa ✪ *Australia* 17°45S 132°10E 148 C5
Wampaya ✪ *Australia* 17°20S 135°0E 150 B2
Wampsville *U.S.A.* 43°4N 75°42W 175 C9
Wamsutter *U.S.A.* 41°40N 107°58W 168 F10
Wamulan *Indonesia* 3°27S 126°7E 119 E7
Wan Tup *Burma* 21°13N 98°42E 116 G2
Wan Xian *China* 38°47N 115°7E 114 E8
Wana *Pakistan* 32°20N 69°32E 124 C3
Wanaaring *Australia* 29°38S 144°9E 151 D3
Wanaka *N.Z.* 44°42S 169°9E 155 E4
Wanaka, L. *N.Z.* 44°33S 169°7E 155 E4
Wan'an *China* 26°26N 114°49E 117 D10
Wanapitei L. *Canada* 46°45N 80°40W 164 C3
Wanbi *Australia* 34°46S 140°17E 152 C4
Wandel Sea = McKinley Sea *Arctic* 82°0N 0°0 57 A11
Wandérama *Ivory C.* 8°37N 4°25W 138 D4
Wandhari *Pakistan* 27°42N 66°48E 124 F2
Wanding *China* 24°5N 98°4E 116 E2
Wandoan *Australia* 26°5S 149°55E 151 D4
Wandur Marine △ *India* 11°30N 92°30E 127 J11
Wanfu *China* 40°8N 122°38E 115 D12
Wang → *Thailand* 17°8N 99°2E 120 D2
Wang Noi *Thailand* 14°13N 100°44E 120 E3
Wang Saphung *Thailand* 17°18N 101°46E 120 D3
Wang Thong *Thailand* 16°50N 100°26E 120 D3
Wanga *Dem. Rep. of the Congo* 2°58N 29°12E 142 B2
Wanganella *Australia* 35°6S 144°49E 153 C6
Wanganui *N.Z.* 39°56S 175°3E 154 F4
Wanganui → *W. Coast, N.Z.* 43°3S 170°26E 155 D5
Wanganui → *Wanganui-Manawatu, N.Z.* 39°55S 175°4E 154 F4
Wangaratta *Australia* 36°21S 146°19E 153 D7
Wangary *Australia* 34°35S 135°29E 151 E2
Wangcang *China* 32°18N 106°20E 116 A6
Wangcheng *China* 28°22N 112°49E 117 C9
Wangcun *China* 36°41N 117°41E 115 F9
Wangdu *China* 38°40N 115°7E 114 E8
Wangen *Germany* 47°41N 9°50E 77 H5
Wangerooge *Germany* 53°47N 7°54E 76 B3
Wangiwangi *Indonesia* 5°22S 123°37E 119 F6
Wangjiang *China* 30°10N 116°42E 117 B11
Wangmo *China* 25°11N 106°5E 116 E6
Wangolodougou *Ivory C.* 9°55N 5°10W 138 D3
Wangqing *China* 43°12N 129°42E 115 C15
Wani *India* 20°5N 78°55E 126 D4
Wanimiyn ✪ *Australia* 15°55S 130°49E 148 C5
Wanjina Wunggurr Wilinggin ✪ *Australia* 16°0S 127°0E 148 C4
Wankaner *India* 22°35N 71°0E 124 H4
Wanless *Canada* 54°11N 101°21W 163 C8
Wanleweyne *Somalia* 2°37N 44°54E 131 G3
Wanneroo *Australia* 31°42S 115°46E 149 F2
Wannian *China* 28°42N 117°4E 117 C11
Wanning *China* 18°48N 110°22E 117 a
Wannoo Billabong Roadhouse *Australia* 27°25S 115°49E 149 E2
Wanon Niwat *Thailand* 17°38N 103°46E 120 D4
Wanqinsha *China* 22°43N 113°33E 111 a
Wanquan *China* 40°50N 114°40E 114 D8
Wanrong *China* 35°25N 110°50E 114 G6
Wanshan *China* 27°30N 109°12E 116 D7
Wanshan Qundao *China* 21°57N 113°45E 111 a
Wansheng *China* 28°57N 106°53E 116 C6
Wanstead *N.Z.* 40°8S 176°30E 154 G5
Wantage *U.K.* 51°35N 1°25W 67 F6
Wanxian *China* 30°42N 108°20E 116 B7
Wanyuan *China* 32°4N 108°3E 116 A7
Wanzai *Guangdong, China* 22°12N 113°31E 111 a
Wanzai *Jiangxi, China* 28°7N 114°30E 117 C10
Wapakoneta *U.S.A.* 40°34N 84°12W 173 E11
Wapato *U.S.A.* 46°27N 120°25W 168 C3
Wapawekka L. *Canada* 54°55N 104°40W 163 C8
Wapikopa L. *Canada* 52°56N 87°53W 164 B2
Wapiti → *Canada* 55°5N 118°18W 162 B5
Wappingers Falls *U.S.A.* 41°36N 73°55W 175 E11
Wapsipinicon → *U.S.A.* 41°44N 90°19W 172 E8
Wapusk △ *Canada* 57°46N 93°22W 163 B10
Warakurna *Australia* 24°59S 128°17E 149 D4
Warangal *India* 17°58N 79°35E 126 F4
Waraseoni *India* 21°45N 80°2E 125 J9
Waratah *Australia* 41°30S 145°30E 151 G4
Waratah B. *Australia* 38°54S 146°5E 153 E7
Warburg *Germany* 51°28N 9°11E 76 D5
Warburton *Vic., Australia* 37°47S 145°42E 153 D6
Warburton *W. Austral., Australia* 26°8S 126°35E 149 E4
Warburton ✪ *Australia* 26°7S 126°34E 149 E4
Warburton → *Australia* 28°4S 137°28E 151 D2
Warburton Groove *Australia* 28°18S 137°8E 151 A2
Warburton Ra. *Australia* 25°55S 126°28E 149 E4
Ward *N.Z.* 41°49S 174°11E 155 B9
Ward → *Australia* 26°28S 146°6E 151 D4
Ward Mt. *U.S.A.* 37°12N 118°54W 170 H8
Wardang I. *Australia* 34°30S 137°20E 152 C2
Warden *S. Africa* 27°50S 29°0E 145 C4
Wardha *India* 20°45N 78°39E 126 D4
Wardha → *India* 19°57N 79°11E 126 E4
Wardsville *Canada* 42°39N 81°45W 174 D3
Ware *U.K.* 51°49N 0°0 67 F8
Ware *U.S.A.* 42°16N 72°14W 175 D12
Waregem *Belgium* 50°53N 3°27E 69 D3
Wareham *U.S.A.* 41°46N 70°43W 175 E14
Waremme *Belgium* 50°43N 5°15E 69 D5
Waren *Germany* 53°31N 12°40E 76 B8
Warendorf *Germany* 51°57N 8°1E 76 D4
Waresboro *U.S.A.* 31°15N 82°29W 178 D7
Warialda *Australia* 29°29S 150°33E 151 D5
Warin Chamrap *Thailand* 15°12N 104°53E 120 E5
Warka *Poland* 51°47N 21°12E 83 G8
Warkopi *Indonesia* 1°12S 134°9E 119 E8
Warkworth *N.Z.* 36°24S 174°41E 154 C3
Warm Springs *Ga., U.S.A.* 32°53N 84°41W 178 C5
Warm Springs *Nev., U.S.A.* 38°10N 116°20W 169 G5
Warman *Canada* 52°19N 106°30W 163 C7
Warmbad = Bela Bela *S. Africa* 24°51S 28°19E 145 B4
Warmbad *Namibia* 28°25S 18°42E 144 C2
Warming I. = Uunartoq Qeqertoq *Greenland* 71°33N 21°47W 57 C8
Warmińsko-Mazurskie □ *Poland* 54°0N 21°0E 82 D8
Warminster *U.K.* 51°12N 2°10W 67 F5
Warminster *U.S.A.* 40°12N 75°6W 175 F9
Warmun *Australia* 17°2S 128°12E 148 C4
Warnemünde *Germany* 54°10N 12°4E 76 A8
Warner Mts. *U.S.A.* 41°40N 120°15W 168 F3
Warner Robins *U.S.A.* 32°37N 83°36W 178 C6
Warnow → *Germany* 54°6N 12°9E 76 A8
Waroona *Australia* 32°50S 115°58E 149 F2
Warora *India* 20°14N 79°1E 126 D4
Warrabah △ *Australia* 30°31S 150°56E 153 A10
Warrabri ✪ *Australia* 21°1S 134°19E 150 C1
Warracknabeal *Australia* 36°9S 142°26E 152 D5
Warragul *Australia* 38°10S 145°58E 153 E6
Warrego → *Australia* 30°24S 145°21E 151 E4
Warrego Ra. *Australia* 24°58S 146°0E 150 C4
Warren *Australia* 31°42S 147°51E 153 A7
Warren *Ark., U.S.A.* 33°37N 92°4W 176 E8
Warren *Mich., U.S.A.* 42°28N 83°1W 173 D12
Warren *Minn., U.S.A.* 48°12N 96°46W 172 A5
Warren *Ohio, U.S.A.* 41°14N 80°49W 174 E4
Warren *Pa., U.S.A.* 41°51N 79°9W 174 E5
Warrenpoint *U.K.* 54°6N 6°15W 64 B5
Warrensburg *Mo., U.S.A.* 38°46N 93°44W 172 F7
Warrensburg *N.Y., U.S.A.* 43°29N 73°46W 175 C11
Warrenton *S. Africa* 28°9S 24°47E 144 C3
Warrenton *Ga., U.S.A.* 33°24N 82°40W 178 B7
Warrenton *Oreg., U.S.A.* 46°10N 123°56W 170 D3
Warrenville *U.S.A.* 33°33N 81°48W 178 B8
Warri *Nigeria* 5°30N 5°41E 139 D6
Warrington *N.Z.* 45°43S 170°35E 155 F5
Warrington *U.K.* 53°24N 2°35W 66 D5
Warrington *U.S.A.* 30°23N 87°17W 179 E2
Warrington □ *U.K.* 53°24N 2°35W 66 D5
Warrnambool *Australia* 38°25S 142°30E 152 E5
Warroad *U.S.A.* 48°54N 95°19W 172 A6
Warrumbungle △ *Australia* 31°18S 149°1E 153 A8
Warruwi *Australia* 11°36S 133°20E 150 A1
Warsak Dam *Pakistan* 34°11N 71°19E 124 B4
Warsaw = Warszawa *Poland* 52°14N 21°0E 83 F8
Warsaw *Ind., U.S.A.* 41°14N 85°51W 173 E11
Warsaw *N.Y., U.S.A.* 42°45N 78°8W 174 D6
Warsaw *Ohio, U.S.A.* 40°20N 82°0W 174 F3
Warsaw Chopin ✈ (WAW) *Poland* 52°9N 20°59E 83 F7
Warstein *Germany* 51°26N 8°22E 76 D4
Warszawa *Poland* 52°14N 21°0E 83 F8
Warta *Poland* 51°43N 18°38E 83 G5
Warta → *Poland* 52°35N 14°39E 83 F1
Warthe = Warta → *Poland* 52°35N 14°39E 83 F1
Warthen *U.S.A.* 33°6N 82°48W 178 B7
Waru *Indonesia* 3°30S 130°36E 119 E8
Warud *India* 21°30N 78°16E 126 D4
Warumungu ✪ *Australia* 19°15S 134°44E 150 B1
Warwick *Australia* 28°10S 152°1E 151 D5
Warwick *U.K.* 52°18N 1°35W 67 E6
Warwick *Ga., U.S.A.* 31°50N 83°57W 178 D6
Warwick *N.Y., U.S.A.* 41°16N 74°22W 175 E10
Warwick *R.I., U.S.A.* 41°42N 71°28W 175 E13
Warwickshire □ *U.K.* 52°14N 1°38W 67 E6
Wasaga Beach *Canada* 44°31N 80°1W 174 B4
Wasagaming *Canada* 50°39N 99°58W 163 C9
Wasatch Ra. *U.S.A.* 40°0N 111°30W 168 F8
Wasbank *S. Africa* 28°15S 30°9E 145 C5
Wasco *Calif., U.S.A.* 35°36N 119°20W 171 K7
Wasco *Oreg., U.S.A.* 45°36N 120°42W 168 D3
Wase *Nigeria* 9°4N 9°54E 139 D6
Waseca *U.S.A.* 44°5N 93°30W 172 C7
Wasekamio L. *Canada* 56°45N 108°45W 163 B7
Wasgomura △ *Sri Lanka* 7°45N 81°0E 127 L5
Wash, The *U.K.* 52°58N 0°20E 66 E8
Washago *Canada* 44°45N 79°20W 174 B5
Washburn *N. Dak., U.S.A.* 47°17N 101°2W 172 B3
Washburn *Wis., U.S.A.* 46°40N 90°54W 172 B8
Washim *India* 20°3N 77°0E 126 D3
Washington *U.K.* 54°55N 1°30W 66 C6
Washington *D.C., U.S.A.* 38°53N 77°2W 173 F15
Washington *Ga., U.S.A.* 33°44N 82°44W 178 B7
Washington *Ind., U.S.A.* 38°40N 87°10W 172 F10
Washington *Iowa, U.S.A.* 41°18N 91°42W 172 E8
Washington *Mo., U.S.A.* 38°33N 91°1W 172 F8
Washington *N.C., U.S.A.* 35°33N 77°3W 177 D16
Washington *N.J., U.S.A.* 40°46N 74°59W 175 F10
Washington *Pa., U.S.A.* 40°10N 80°15W 174 F4
Washington *Utah, U.S.A.* 37°8N 113°31W 169 H7
Washington □ *U.S.A.* 47°30N 120°30W 168 C3
Washington, Mt. *U.S.A.* 44°16N 71°18W 175 B13
Washington Court House *U.S.A.* 39°32N 83°26W 173 F12
Washington Dulles Int. ✈ (IAD) *U.S.A.* 38°57N 77°27W 173 F15
Washington I. *U.S.A.* 45°23N 86°54W 172 C10
Washington Land *Greenland* 80°30N 66°0W 57 A4
Washougal *U.S.A.* 45°35N 122°21W 170 E4
Washpool △ *Australia* 29°22S 152°20E 151 D5
Wasian *Indonesia* 1°47S 133°19E 119 E8
Wasilków *Poland* 53°12N 23°13E 83 E10
Wasilla *U.S.A.* 61°35N 149°26W 160 E2
Wasini Marine ⌂ *Kenya* 4°33S 39°14E 142 C4
Wasior *Indonesia* 2°43S 134°30E 119 E8
Wasiri *Indonesia* 7°30S 126°30E 119 F7
Wāsiţ □ *Iraq* 32°50N 45°50E 105 F11
Waskaganish *Canada* 51°30N 78°40W 164 B4
Waskaiowaka L. *Canada* 56°33N 96°23W 163 B9
Waskesiu Lake *Canada* 53°55N 106°5W 163 C7
Wassaw I. *U.S.A.* 31°53N 80°58W 178 D9
Wassaw Sd. *U.S.A.* 31°55N 80°55W 178 D9
Wasserburg *Germany* 48°3N 12°14E 77 G8
Wasserkuppe *Germany* 50°29N 9°55E 76 E5
Wassy *France* 48°30N 4°58E 71 D11
Wasur △ *Indonesia* 8°41S 140°44E 119 F10
Waswanipi *Canada* 49°40N 76°29W 164 C4
Waswanipi, L. *Canada* 49°35N 76°40W 164 C4
Watagans △ *Australia* 33°0S 151°28E 153 B9
Watampone *Indonesia* 4°29S 120°25E 119 E6
Watamu *Kenya* 3°23S 40°0E 142 C5
Watarrka △ *Australia* 24°20S 131°30E 148 D5
Water Park Pt. *Australia* 22°56S 150°47E 150 C5
Water Valley *U.S.A.* 34°10N 89°38W 177 D10
Waterberg Plateau ⌂ *Namibia* 20°25S 17°18E 144 B2
Waterberge *S. Africa* 24°10S 28°0E 145 B4
Waterbury *Conn., U.S.A.* 41°33N 73°3W 175 E11
Waterbury *Vt., U.S.A.* 44°20N 72°46W 175 B12
Waterbury L. *Canada* 58°10N 104°22W 163 B8
Waterdown *Canada* 43°20N 79°53W 174 C5
Wateree → *U.S.A.* 33°45N 80°37W 178 B9
Waterford *Canada* 42°56N 80°17W 174 D4
Waterford *Ireland* 52°15N 7°8W 64 D4
Waterford *Calif., U.S.A.* 37°38N 120°46W 170 H6
Waterford *Pa., U.S.A.* 41°57N 79°59W 174 E5
Waterford □ *Ireland* 52°10N 7°40W 64 D4
Waterford Harbour *Ireland* 52°8N 6°58W 64 D5
Waterhen L. *Canada* 52°10N 99°40W 163 C9
Waterloo *Belgium* 50°43N 4°25E 69 D4
Waterloo *Ont., Canada* 43°30N 80°32W 174 C4
Waterloo *Qué., Canada* 45°22N 72°32W 175 A12
Waterloo *S. Leone* 8°26N 13°8W 138 D2
Waterloo *Ill., U.S.A.* 38°20N 90°9W 172 F8
Waterloo *Iowa, U.S.A.* 42°30N 92°21W 172 D7
Waterloo *N.Y., U.S.A.* 42°54N 76°52W 174 D8
Watersmeet *U.S.A.* 46°16N 89°11W 172 B9
Waterton Lakes △ *Canada* 48°45N 115°0W 162 D6
Watertown *Conn., U.S.A.* 41°36N 73°7W 175 E11
Watertown *Fla., U.S.A.* 30°11N 82°36W 178 E7
Watertown *N.Y., U.S.A.* 43°59N 75°55W 175 C9
Watertown *S. Dak., U.S.A.* 44°54N 97°7W 172 C5
Watertown *Wis., U.S.A.* 43°12N 88°43W 172 D9
Waterval-Boven = Emgwenya *S. Africa* 25°40S 30°18E 145 C5
Waterville *Canada* 45°16N 71°54W 175 A13
Waterville *Maine, U.S.A.* 44°33N 69°38W 173 C19
Waterville *N.Y., U.S.A.* 42°56N 75°23W 175 D9
Waterville *Pa., U.S.A.* 41°19N 77°21W 174 E7
Waterville *Wash., U.S.A.* 47°39N 120°4W 168 C3
Watervliet *U.S.A.* 42°44N 73°42W 175 D11
Wates *Indonesia* 7°51S 110°10E 119 G14
Watford *Canada* 42°57N 81°53W 174 D3
Watford *U.K.* 51°40N 0°24W 67 F7
Watford City *U.S.A.* 47°48N 103°17W 172 B2
Wathaman → *Canada* 57°16N 102°59W 163 B8
Wathaman L. *Canada* 56°58N 103°44W 163 B8
Watheroo *Australia* 30°15S 116°5E 149 F2
Watheroo △ *Australia* 30°19S 115°48E 149 F2
Wating *China* 35°40N 106°38E 114 G4
Watkins Glen *U.S.A.* 42°23N 76°52W 174 D8
Watkinsville *U.S.A.* 33°52N 83°25W 178 B6
Watling I. = San Salvador I. *Bahamas* 24°0N 74°30W 183 B5
Watonga *U.S.A.* 35°51N 98°25W 176 D5
Watrous *Canada* 51°40N 105°25W 163 C7
Watrous *U.S.A.* 35°48N 104°59W 169 J11
Watsa *Dem. Rep. of the Congo* 3°4N 29°30E 142 B2
Watseka *U.S.A.* 40°47N 87°44W 172 E10
Watson *Canada* 52°10N 104°30W 163 C8
Watson Lake *Canada* 60°6N 128°49W 162 A3
Watsontown *U.S.A.* 41°5N 76°52W 174 E8
Watsonville *U.S.A.* 36°55N 121°45W 170 J5
Wattiwarriganna Cr. → *Australia* 28°57S 136°10E 151 D2
Wattwil *Switz.* 47°18N 9°6E 77 H5
Watuata = Batuata *Indonesia* 6°12S 122°42E 119 F6
Watubela, Kepulauan *Indonesia* 4°28S 131°35E 119 E8
Watubela Is. = Watubela, Kepulauan *Indonesia* 4°28S 131°35E 119 E8
Wau *South Sudan* 7°45N 28°1E 135 G11
Waubamik *Canada* 45°27N 80°1W 174 A4
Waubay *U.S.A.* 45°20N 97°18W 172 C5
Waubra *Australia* 37°21S 143°39E 152 D5
Wauchope *N.S.W., Australia* 31°28S 152°45E 153 A10
Wauchope *N. Terr., Australia* 20°36S 134°15E 150 C1
Wauchula *U.S.A.* 27°33N 81°49W 179 H8
Waukarlycarly, L. *Australia* 21°18S 121°56E 148 D3
Waukeenah *U.S.A.* 30°25N 83°57W 178 E6
Waukegan *U.S.A.* 42°22N 87°50W 172 D10
Waukesha *U.S.A.* 43°1N 88°14W 172 D9
Waukon *U.S.A.* 43°16N 91°29W 172 D8
Waupaca *U.S.A.* 44°21N 89°5W 172 C9
Waupun *U.S.A.* 43°38N 88°44W 172 D9
Waurika *U.S.A.* 34°10N 98°0W 176 D6
Wausau *Fla., U.S.A.* 30°38N 85°35W 178 E4
Wausau *Wis., U.S.A.* 44°58N 89°38W 172 C9
Wautoma *U.S.A.* 44°4N 89°18W 172 C9
Wauwatosa *U.S.A.* 43°2N 88°0W 172 D9
Wave Hill = Kalkarindji *Australia* 17°30S 130°47E 148 C5
Wave Rock ⌂ *Australia* 32°26S 118°53E 149 F2
Waveney → *U.K.* 52°35N 1°39E 67 E9
Waverley *N.Z.* 39°46S 174°37E 154 F3
Waverly *Ala., U.S.A.* 32°44N 85°35W 178 C4
Waverly *Fla., U.S.A.* 27°59N 81°37W 179 H8
Waverly *Ga., U.S.A.* 31°6N 81°43W 178 D8
Waverly *Iowa, U.S.A.* 42°44N 92°29W 172 D7
Waverly *N.Y., U.S.A.* 42°1N 76°32W 175 E8
Waverly Hall *U.S.A.* 32°41N 84°44W 178 C5
Wavre *Belgium* 50°43N 4°38E 69 D4
Wâw = Wau *South Sudan* 7°45N 28°1E 135 G11
Wāw al Kabīr *Libya* 25°20N 16°43E 135 C9
Wawa *Canada* 47°59N 84°47W 164 C3
Wawa *Nigeria* 9°54N 4°27E 139 D5
Wawa *Sudan* 20°30N 30°22E 137 C3
Wawanesa *Canada* 49°36N 99°40W 163 D9
Wawona *U.S.A.* 37°32N 119°39W 170 H7
Waxahachie *U.S.A.* 32°24N 96°51W 176 E6
Waxxari *China* 38°42N 87°19E 109 E11
Way, L. *Australia* 26°45S 120°16E 149 E3
Waya *Fiji* 17°19S 177°10E 154 a
Waycross *U.S.A.* 31°13N 82°21W 178 D7
Wayland *U.S.A.* 42°34N 77°35W 174 D7
Wayne *Nebr., U.S.A.* 42°14N 97°1W 172 D5
Wayne *W. Va., U.S.A.* 38°13N 82°27W 173 F12
Waynesboro *Ga., U.S.A.* 33°6N 82°1W 178 B7
Waynesboro *Miss., U.S.A.* 31°40N 88°39W 177 F10
Waynesboro *Pa., U.S.A.* 39°45N 77°35W 173 F15
Waynesboro *Va., U.S.A.* 38°4N 78°53W 173 F14
Waynesburg *U.S.A.* 39°54N 80°11W 173 F13
Waynesville *U.S.A.* 35°28N 82°58W 177 D13
Waynoka *U.S.A.* 36°35N 98°53W 176 C5
Wayside *U.S.A.* 33°4N 83°37W 178 B6
Wazirabad *Pakistan* 32°30N 74°8E 124 C6
Waziristan *Pakistan* 33°0N 70°0E 124 C4
Wda → *Poland* 53°25N 18°29E 82 E5
We *Indonesia* 5°51N 95°18E 118 C1
Weald, The *U.K.* 51°4N 0°20E 67 F8
Wear → *U.K.* 54°55N 1°23W 66 C6
Weatherford *Okla., U.S.A.* 35°32N 98°43W 176 D5
Weatherford *Tex., U.S.A.* 32°46N 97°48W 176 E6
Weaverville *U.S.A.* 40°44N 122°56W 168 F2
Webb City *U.S.A.* 37°9N 94°28W 172 G6
Webequie *Canada* 52°59N 87°21W 164 B2
Weber *N.Z.* 40°24S 176°20E 154 G5
Webo = Nyaake *Liberia* 4°52N 7°37W 138 E3
Webster *Mass., U.S.A.* 42°3N 71°53W 175 D13
Webster *N.Y., U.S.A.* 43°13N 77°26W 174 C7
Webster *S. Dak., U.S.A.* 45°20N 97°31W 172 C5
Webster City *U.S.A.* 42°28N 93°49W 172 D7
Webster Springs *U.S.A.* 38°29N 80°25W 173 F13
Webuye *Kenya* 0°37N 34°46E 142 B3
Weda *Indonesia* 0°21N 127°50E 119 D7
Weda, Teluk *Indonesia* 0°20N 128°0E 119 D7
Weddell Abyssal Plain *S. Ocean* 65°0S 20°0W 55 C2
Weddell I. *Falk. Is.* 51°50S 61°0W 192 D4
Weddell Sea *Antarctica* 72°30S 40°0W 55 D1
Wedderburn *Australia* 36°26S 143°33E 152 D5
Weddin Mts. △ *Australia* 33°59S 148°0E 153 C8
Wedel *Germany* 53°34N 9°42E 76 B5
Wedemark *Germany* 52°32N 9°43E 76 C5
Wedgeport *Canada* 43°44N 65°59W 165 D6
Wedowee *U.S.A.* 33°19N 85°29W 178 B4
Wedza *Zimbabwe* 18°40S 31°33E 143 F3
Wee Waa *Australia* 30°11S 149°26E 151 E4
Weed *U.S.A.* 41°25N 122°23W 168 F2
Weed Heights *U.S.A.* 38°59N 119°13W 170 G7
Weedsport *U.S.A.* 43°2N 76°33W 175 C8
Weedville *U.S.A.* 41°17N 78°30W 174 E6
Weeki Wachee *U.S.A.* 28°32N 82°35W 179 G7
Weenen *S. Africa* 28°48S 30°7E 145 C5
Weener *Germany* 53°9N 7°20E 76 B3
Weerribben △ *Neths.* 52°47N 5°58E 69 B5
Weert *Neths.* 51°15N 5°43E 69 C5
Węgierska-Górka *Poland* 49°36N 19°7E 83 J6
Węgliniec *Poland* 51°18N 15°10E 83 G2
Węgorzewo *Poland* 54°13N 21°43E 82 D8
Węgorzyno *Poland* 53°32N 15°33E 82 E2
Węgrów *Poland* 52°24N 22°0E 83 F9
Wei He → *Hebei, China* 36°10N 115°45E 114 F8
Wei He → *Shaanxi, China* 34°38N 110°15E 114 G6
Weichang *China* 41°58N 117°49E 115 D9
Weichuan *China* 34°20N 113°59E 114 G7
Weida *Germany* 50°46N 12°2E 76 E8
Weiden *Germany* 49°41N 12°10E 77 F8
Weifang *China* 36°44N 119°7E 115 F10
Weihai *China* 37°30N 122°6E 115 F12
Weihui *China* 35°25N 114°3E 114 G8
Weil *Germany* 47°35N 7°37E 77 H3
Weilburg *Germany* 50°28N 8°17E 76 E4
Weilheim *Germany* 47°50N 11°9E 77 H7
Weimar *Germany* 50°58N 11°19E 76 E7
Weinan *China* 34°31N 109°29E 114 G5
Weingarten *Germany* 49°3N 8°31E 77 F4
Weinheim *Germany* 49°32N 8°39E 77 F4
Weining *China* 26°50N 104°17E 116 D5
Weipa *Australia* 12°40S 141°50E 150 A3
Weir → *Australia* 28°20S 149°50E 151 D4
Weir → *Canada* 56°54N 93°21W 163 B10
Weir, L. *U.S.A.* 29°0N 81°57W 179 F8
Weir River *Canada* 56°49N 94°6W 163 B10
Weirsdale *U.S.A.* 28°59N 81°55W 179 G8
Weirton *U.S.A.* 40°24N 80°35W 174 F4
Weiser *U.S.A.* 44°15N 116°58W 168 D5
Weishan *Shandong, China* 34°47N 117°5E 115 G9
Weishan *Yunnan, China* 25°12N 100°20E 116 E3
Weishan Hu *China* 34°35N 117°14E 115 G9
Weissenburg *Germany* 49°2N 10°58E 77 F6
Weissenfels *Germany* 51°11N 12°0E 76 D7
Weisswasser *Germany* 51°30N 14°38E 76 D10
Weitra *Austria* 48°41N 14°54E 78 C7
Weixi *China* 27°10N 99°10E 116 D2
Weixin *China* 27°48N 105°3E 116 D5
Weiyuan *Gansu, China* 35°7N 104°10E 114 G3
Weiyuan *Sichuan, China* 29°35N 104°36E 116 C5
Weiz *Austria* 47°13N 15°39E 78 D8
Weizhou Dao *China* 21°0N 109°5E 116 G7
Wejherowo *Poland* 54°35N 18°12E 82 D5
Wekusko L. *Canada* 54°40N 99°50W 163 C9
Welch *U.S.A.* 37°26N 81°35W 173 G13
Welford △ *Australia* 25°5S 143°16E 150 D3
Weligama *Sri Lanka* 5°58N 80°25E 127 M5
Welkom *S. Africa* 28°0S 26°46E 144 C4
Welland *Canada* 43°0N 79°15W 174 D5
Welland → *U.K.* 52°51N 0°5W 67 E7
Wellawaya *Sri Lanka* 6°44N 81°6E 127 L5
Wellesley Is. *Australia* 16°42S 139°30E 150 B2
Wellesley Islands ✪ *Australia* 16°32S 139°23E 150 B2
Wellingborough *U.K.* 52°19N 0°41W 67 E7
Wellington *Australia* 32°35S 148°59E 153 B8
Wellington *Canada* 43°57N 77°20W 174 C7
Wellington *N.Z.* 41°19S 174°46E 154 H3
Wellington *S. Africa* 33°38S 19°1E 144 D2
Wellington *Somst., U.K.* 50°58N 3°13W 67 G4
Wellington *Telford & Wrekin, U.K.* 52°42N 2°30W 67 E5
Wellington *Colo., U.S.A.* 40°42N 105°0W 168 F11
Wellington *Fla., U.S.A.* 26°39N 80°15W 179 J9
Wellington *Kans., U.S.A.* 37°16N 97°24W 172 G5
Wellington *Nev., U.S.A.* 38°45N 119°23W 170 G7
Wellington *Ohio, U.S.A.* 41°10N 82°13W 174 E2
Wellington *Tex., U.S.A.* 34°51N 100°13W 176 D4
Wellington □ *N.Z.* 41°0S 175°30E 154 H4
Wellington, I. *Chile* 49°30S 75°0W 192 C2
Wellington, L. *Australia* 38°6S 147°20E 153 E7
Wellington Chan. *Canada* 75°0N 93°0W 161 C13
Wells *U.K.* 51°13N 2°39W 67 F5
Wells *Maine, U.S.A.* 43°20N 70°35W 175 C14
Wells *N.Y., U.S.A.* 43°24N 74°17W 175 C10
Wells *Nev., U.S.A.* 41°7N 114°58W 168 F6
Wells, L. *Australia* 26°44S 123°15E 149 E3
Wells, Mt. *Australia* 17°25S 127°8E 148 C4
Wells Gray ⌂ *Canada* 52°30N 120°15W 162 C4

Wells-next-the-Sea U.K. 52°57N 0°51E 66 E8
Wells River U.S.A. 44°9N 72°4W 175 B12
Wellsboro U.S.A. 41°45N 77°18W 174 E7
Wellsburg U.S.A. 40°16N 80°37W 174 F4
Wellsford N.Z. 36°16S 174°32E 154 C3
Wellsville N.Y., U.S.A. 42°7N 77°57W 174 D7
Wellsville Ohio, U.S.A. 40°36N 80°39W 174 F4
Wellsville Utah, U.S.A. 41°38N 111°56W 168 F8
Wellton U.S.A. 32°40N 114°8W 169 K6
Wels Austria 48°9N 14°1E 78 C7
Welshpool Australia 38°42S 146°26E 153 E7
Welshpool U.K. 52°39N 3°8W 67 E4
Welwyn Garden City U.K. 51°48N 0°12W 67 F7
Wem U.K. 52°52N 2°44W 66 E5
Wembere → Tanzania 4°10S 34°15E 142 C3
Wemindji Canada 53°0N 78°49W 164 B4
Wemyss Canada 44°52N 76°23W 175 B8
Wen Xian Gansu, China 32°43N 104°36E 114 H3
Wen Xian Henan, China 34°55N 113°5E 114 G7
Wenatchee U.S.A. 47°25N 120°19W 168 C3
Wenchang China 19°38N 110°42E 117 a
Wencheng China 27°46N 120°4E 117 D13
Wenchi Ghana 7°46N 2°8W 138 D4
Wenchow = Wenzhou China 28°0N 120°38E 117 D13
Wenchuan China 31°22N 103°35E 116 B4
Wenden U.S.A. 33°49N 113°33W 171 M13
Wendeng China 37°15N 122°5E 115 F12
Wendesi Indonesia 2°30S 134°17E 119 E8
Wendover U.S.A. 40°44N 114°2W 168 F6
Weng'an China 27°5N 107°25E 116 D6
Wengcheng China 24°22N 113°50E 117 E9
Wengen Switz. 46°37N 7°55E 71 F14
Wengyuan China 24°20N 114°9E 117 E10
Wenling China 28°21N 121°20E 117 C13
Wenlock → Australia 12°2S 141°55E 150 A3
Wenshan China 23°20N 104°18E 116 F5
Wenshang China 35°45N 116°30E 114 G9
Wenshui China 37°26N 112°1E 114 F7
Wensleydale U.K. 54°17N 2°0W 66 C6
Wensu China 41°15N 80°10E 109 D10
Wensum → U.K. 52°40N 1°15E 66 E8
Wentworth Australia 34°2S 141°54E 152 C4
Wentzel L. Canada 59°2N 114°28W 162 B6
Wenut Indonesia 3°11S 133°19E 119 E8
Wenxi China 35°20N 111°10E 114 G6
Wenzhou China 28°0N 120°38E 117 D13
Weott U.S.A. 40°20N 123°55W 168 F2
Wepener S. Africa 29°42S 27°3E 144 C4
Werda Botswana 25°24S 23°15E 144 C3
Werdau Germany 50°44N 12°22E 76 E8
Werder Germany 52°23N 12°55E 76 C8
Werdohl Germany 51°15N 7°46E 76 D3
Weri Indonesia 3°10S 132°38E 119 E8
Werneck Germany 49°58N 10°5E 77 F6
Wernigerode Germany 51°50N 10°47E 76 D6
Werra → Germany 51°24N 9°39E 76 D5
Werribee Australia 37°54S 144°40E 152 D6
Werrikimbe △ Australia 31°11S 152°15E 153 A10
Werrimull Australia 34°25S 141°38E 152 C4
Werris Creek Australia 31°18S 150°38E 153 A9
Wertach → Germany 48°22N 10°54E 77 G6
Wertheim Germany 49°45N 9°32E 77 F5
Wertingen Germany 48°33N 10°41E 77 G6
Wesel Germany 51°39N 6°37E 76 D2
Weser → Germany 53°36N 8°28E 76 B4
Weserbergland Germany 52°12N 9°7E 76 C5
Weserbergland Schaumburg Hameln ⌓ Germany 52°8N 9°20E 76 C5
Weslaco U.S.A. 26°10N 97°58W 176 H6
Weslemkoon L. Canada 45°2N 77°25W 174 A7
Wesleyville Canada 49°9N 53°33W 165 C9
Wesleyville U.S.A. 42°9N 80°1W 174 D4
Wessel, C. Australia 10°59S 136°46E 150 A2
Wessel Is. Australia 11°10S 136°45E 150 A2
Wesselburen Germany 54°13N 8°54E 76 A4
Wessex U.K. 51°0N 2°0W 67 F5
Wessington Springs U.S.A. 44°5N 98°34W 172 C4
West U.S.A. 31°48N 97°6W 176 F6
West → U.S.A. 42°52N 72°33W 175 D12
West Allis U.S.A. 43°1N 88°0W 172 D9
West Antarctica Antarctica 80°0S 90°0W 55 D15
West Baines → Australia 15°38S 129°59E 148 C4
West Bank ■ Asia 32°6N 35°13E 130 C4
West Bend U.S.A. 43°25N 88°11W 172 D9
West Bengal = Paschimbanga □ India 23°0N 88°0E 125 H13
West Berkshire □ U.K. 51°25N 1°17W 67 F6
West Beskids = Západné Beskydy Europe 49°30N 19°0E 79 B12
West Branch U.S.A. 44°17N 84°14W 173 C11
West Branch Susquehanna → U.S.A. 40°53N 76°48W 175 F8
West Bromwich U.K. 52°32N 1°59W 67 E6
West Burra U.K. 60°5N 1°21W 65 A7
West Canada Cr. → U.S.A. 43°1N 74°58W 175 C10
West Caroline Basin Pac. Oc. 4°0N 138°0E 156 G5
West Chazy U.S.A. 44°49N 73°28W 175 B11
West Chester U.S.A. 39°58N 75°36W 175 G9
West Coast □ N.Z. 43°15S 170°10E 155 D5
West Coast ⌓ Namibia 21°53S 14°14E 144 B1
West Coast △ S. Africa 33°13S 18°0E 144 D2
West Columbia S.C., U.S.A. 33°59N 81°4W 178 B8
West Columbia Tex., U.S.A. 29°9N 95°39W 176 G7
West Covina U.S.A. 34°4N 117°54W 171 L9
West Des Moines U.S.A. 41°35N 93°43W 172 E7
West Dunbartonshire □ U.K. 55°59N 4°30W 65 F4
West End Bahamas 26°41N 78°58W 182 A4
West Falkland Falk. Is. 51°40S 60°0W 192 D5
West Fargo U.S.A. 46°52N 96°54W 172 B5
West Fiji Basin Pac. Oc. 17°0S 173°0E 156 J9
West Fjord = Vestfjorden Norway 67°55N 14°0E 60 C16
West Fork Trinity → U.S.A. 32°48N 96°54W 176 E6
West Frankfort U.S.A. 37°54N 88°55W 172 G9
West Grand L. U.S.A. 45°14N 67°51W 173 C20
West Green U.S.A. 31°37N 82°44W 178 D7
West Hartford U.S.A. 41°45N 72°44W 175 E12
West Haven U.S.A. 41°17N 72°57W 175 E12
West Hazleton U.S.A. 40°58N 76°0W 175 F9
West Hurley U.S.A. 41°59N 74°7W 175 E10
West I. India 13°35N 92°54E 127 H11
West Ice Shelf Antarctica 67°0S 85°0E 55 C7
West Indies Cent. Amer. 15°0N 65°0W 183 D7
West Jordan U.S.A. 40°36N 111°56W 168 F8
West Kavango □ Namibia 18°0S 18°30E 144 A2
West Lamma Channel China 22°14N 114°4E 111 a
West Linn U.S.A. 45°21N 122°36W 170 E4
West Lorne Canada 42°36N 81°36W 174 D3
West Lothian □ U.K. 55°54N 3°36W 65 F5
West Lunga → Zambia 13°6S 24°39E 143 E1
West MacDonnell △ Australia 23°38S 132°59E 148 D5
West Mariana Basin Pac. Oc. 15°0N 137°0E 156 F5
West Memphis U.S.A. 35°8N 90°10W 177 D9
West Midlands □ U.K. 52°26N 2°0W 67 E6
West Mifflin U.S.A. 40°21N 79°52W 174 F5
West Milford U.S.A. 41°8N 74°22W 175 E10
West Milton U.S.A. 41°1N 76°50W 174 E8
West Monroe U.S.A. 32°31N 92°9W 176 E8
West Newton U.S.A. 40°14N 79°46W 174 F5
West Nicholson Zimbabwe 21°2S 29°20E 143 G2
West Odessa U.S.A. 31°50N 102°30W 176 F3
West Palm Beach U.S.A. 26°43N 80°3W 179 J9
West Palm Beach Canal U.S.A. 26°40N 80°15W 179 J9
West Pensacola U.S.A. 30°25N 87°16W 179 E2
West Plains U.S.A. 36°44N 91°51W 172 G8
West Point Ga., U.S.A. 32°53N 85°11W 178 C4
West Point Miss., U.S.A. 33°36N 88°39W 177 E10
West Point N.Y., U.S.A. 41°24N 73°58W 175 E11
West Point Nebr., U.S.A. 41°51N 96°43W 172 E5
West Point Va., U.S.A. 37°32N 76°48W 173 G15
West Point L. U.S.A. 33°8N 85°0W 178 B4
West Pokot □ Kenya 1°15N 35°10E 142 B4
West Pt. = Ouest, Pte. de l' Canada 49°52N 64°40W 165 C7
West Pt. Australia 35°1S 135°56E 152 C1
West Road → Canada 53°18N 122°53W 162 C4
West Rutland U.S.A. 43°36N 73°3W 175 C11
West Schelde = Westerschelde → Neths. 51°25N 3°25E 69 C3
West Seneca U.S.A. 42°51N 78°48W 174 D6
West Siberian Plain Russia 62°0N 75°0E 102 B9
West Sussex □ U.K. 50°55N 0°30W 67 G7
West-Terschelling Neths. 53°22N 5°13E 69 A5
West Valley City U.S.A. 40°42N 111°58W 168 F8
West Virginia □ U.S.A. 38°45N 80°30W 173 F13
West-Vlaanderen □ Belgium 51°0N 3°0E 69 D2
West Walker → U.S.A. 38°54N 119°9W 170 G7
West Wyalong Australia 33°56S 147°10E 153 B7
West Yellowstone U.S.A. 44°40N 111°6W 168 D8
West Yorkshire □ U.K. 53°45N 1°40W 66 D6
Westall, Pt. Australia 32°55S 134°4E 151 E1
Westbay U.S.A. 30°18N 85°52W 178 E4
Westbrook U.S.A. 43°41N 70°22W 173 D18
Westbury Australia 41°30S 146°51E 151 G4
Westby U.S.A. 48°52N 104°3W 168 B11
Westend U.S.A. 35°42N 117°24W 171 K9
Westerland Germany 54°54N 8°17E 76 A4
Westerly U.S.A. 41°22N 71°50W 175 E13
Western □ Ghana 5°30N 2°30W 138 D4
Western □ S. Leone 8°30N 13°20W 138 D2
Western □ Zambia 15°0S 24°4E 143 F1
Western Australia □ Australia 25°0S 118°0E 149 E2
Western Cape □ S. Africa 34°0S 20°0E 144 D3
Western Dvina = Daugava → Latvia 57°4N 24°3E 84 D3
Western Ghats India 14°0N 75°0E 127 H2
Western Isles = Eilean Siar □ U.K. 57°30N 7°10W 65 D1
Western Sahara ■ Africa 25°0N 13°0W 134 D3
Western Samoa = Samoa ■ Pac. Oc. 14°0S 172°0W 147 C11
Western Sierra Madre = Madre Occidental, Sierra Mexico 27°0N 107°0W 180 B3
Westernport U.S.A. 39°29N 79°3W 173 F14
Westerschelde → Neths. 51°25N 3°25E 69 C3
Westerstede Germany 53°15N 7°55E 76 B3
Westerwald Germany 50°38N 7°56E 76 E3
Westfield Mass., U.S.A. 42°7N 72°45W 175 D12
Westfield N.Y., U.S.A. 42°20N 79°35W 174 D5
Westfield Pa., U.S.A. 41°55N 77°32W 174 E7
Westhill U.K. 57°9N 2°19W 65 D6
Westhope U.S.A. 48°55N 101°1W 172 A3
Westland △ N.Z. 43°16S 170°16E 155 D5
Westland Bight N.Z. 42°55S 170°5E 155 C5
Westlock Canada 54°9N 113°55W 162 C6
Westmar Australia 27°55S 149°44E 151 D4
Westmeath □ Ireland 53°33N 7°34W 64 C4
Westminster Calif., U.S.A. 33°45N 118°0W 171 M8
Westminster Colo., U.S.A. 39°50N 105°2W 168 G11
Westminster Md., U.S.A. 39°34N 76°59W 173 F15
Westmont U.S.A. 40°19N 78°58W 174 F6
Westmoreland Barbados 13°13N 59°37W 183 g
Westmorland U.S.A. 33°2N 115°37W 171 M11
Weston Oreg., U.S.A. 45°49N 118°26W 168 D4
Weston W. Va., U.S.A. 39°2N 80°28W 173 F13
Weston I. Canada 52°33N 79°36W 164 B4
Weston-super-Mare U.K. 51°21N 2°58W 67 F5
Westover U.S.A. 40°45N 78°40W 174 F6
Westport Canada 44°40N 76°25W 175 B8
Westport Ireland 53°48N 9°31W 64 C2
Westport N.Z. 41°46S 171°37E 155 B6
Westport N.Y., U.S.A. 44°11N 73°26W 175 B11
Westport Oreg., U.S.A. 46°8N 123°23W 170 D3
Westport Wash., U.S.A. 46°53N 124°6W 170 D2
Westray Canada 53°36N 101°24W 163 C8
Westray U.K. 59°18N 3°0W 65 B5
Westree Canada 47°26N 81°34W 164 C3
Westville Calif., U.S.A. 39°8N 120°42W 170 F6
Westville Fla., U.S.A. 30°46N 85°51W 178 E4
Westwood U.S.A. 40°18N 121°0W 168 F3
Westwood Lake U.S.A. 25°44N 80°23W 179 K9
Wetar Indonesia 7°48S 126°30E 119 F7
Wetaskiwin Canada 52°55N 113°24W 162 C6
Wete Tanzania 5°4S 39°43E 140 F7
Wetherby U.K. 53°56N 1°23W 66 D6
Wethersfield U.S.A. 41°42N 72°40W 175 E12
Wetteren Belgium 51°0N 3°53E 69 D3
Wetumpka U.S.A. 32°32N 86°13W 178 C3
Wetzlar Germany 50°32N 8°31E 76 E4
Wewahitchka U.S.A. 30°7N 85°12W 178 E4
Wewoka U.S.A. 35°9N 96°30W 176 D6
Wexford Ireland 52°20N 6°28W 64 D5
Wexford □ Ireland 52°20N 6°25W 64 D5
Wexford Harbour Ireland 52°20N 6°25W 64 D5
Weyburn Canada 49°40N 103°50W 163 D8
Weyer Markt Austria 47°51N 14°40E 78 D7
Weyhe Germany 52°58N 8°49E 76 C4
Weymouth Canada 44°30N 66°1W 165 D6
Weymouth U.K. 50°37N 2°28W 67 G5
Weymouth U.S.A. 42°13N 70°58W 175 D14
Weymouth, C. Australia 12°37S 143°27E 150 A3
Wha Ti Canada 63°8N 117°16W 160 E8
Whakaari N.Z. 37°30S 177°13E 154 D6
Whakamaru N.Z. 38°23S 175°50E 154 E4
Whakatane N.Z. 37°57S 177°1E 154 D6
Whakatane → N.Z. 37°57S 177°1E 154 D6
Whale = Baleine → Canada 58°15N 67°40W 165 A6
Whale B. Burma 11°37N 98°38E 121 G2
Whale Cove Canada 62°10N 92°34W 163 A10
Whale Valley = Hitan, W. el Egypt 29°19N 30°10E 137 F7
Whales, B. of Antarctica 78°0S 160°0W 55 D12
Whalsay U.K. 60°22N 0°59W 65 A8
Whangaehu → N.Z. 40°3S 175°6E 154 G4
Whangamata N.Z. 37°12S 175°53E 154 D4
Whangamomona N.Z. 39°8S 174°44E 154 F3
Whanganui △ N.Z. 39°17S 174°53E 154 F3
Whangaparaoa Pen. N.Z. 36°40S 174°45E 154 C3
Whangarei N.Z. 35°43S 174°21E 154 B3
Whangarei Harb. N.Z. 35°45S 174°28E 154 B3
Whangaroa Harb. N.Z. 35°4S 173°46E 154 B2
Whangaruru Harb. N.Z. 35°24S 174°23E 154 B3
Wharanui N.Z. 41°55S 174°6E 155 B9
Wharekauri = Chatham Is. Pac. Oc. 44°0S 176°40W 155 c
Wharfe → U.K. 53°51N 1°9W 66 D6
Wharfedale U.K. 54°6N 2°1W 66 C5
Wharton N.J., U.S.A. 40°54N 74°35W 175 F10
Wharton Pa., U.S.A. 41°31N 78°1W 174 E6
Wharton Tex., U.S.A. 29°19N 96°6W 176 G6
Wharton Basin Ind. Oc. 22°0S 99°0E 146 G9
Whataroa N.Z. 43°18S 170°24E 155 D5
Whataroa → N.Z. 43°7S 170°16E 155 D5
Wheatland Calif., U.S.A. 39°1N 121°25W 170 F5
Wheatland Wyo., U.S.A. 42°3N 104°58W 168 E11
Wheatley Canada 42°6N 82°27W 174 D2
Wheaton Md., U.S.A. 39°3N 77°3W 173 F15
Wheaton Minn., U.S.A. 45°48N 96°30W 172 C5
Wheelbarrow Pk. U.S.A. 37°26N 116°5W 170 H10
Wheeler Oreg., U.S.A. 45°41N 123°53W 168 D2
Wheeler Tex., U.S.A. 35°27N 100°16W 176 D4
Wheeler → Canada 57°2N 67°13W 165 A6
Wheeler L. U.S.A. 34°48N 87°23W 177 D11
Wheeler Pk. N. Mex., U.S.A. 36°34N 105°25W 169 H11
Wheeler Pk. Nev., U.S.A. 38°57N 114°15W 168 G6
Wheeler Ridge U.S.A. 35°0N 118°57W 171 L8
Wheelersburg U.S.A. 38°44N 82°51W 173 F12
Wheeling U.S.A. 40°4N 80°43W 174 F4
Whernside U.K. 54°14N 2°24W 66 C5
Whiddy I. Ireland 51°41N 9°31W 64 E2
Whim Creek Australia 20°50S 117°49E 148 D2
Whiskey Jack L. Canada 58°23N 101°55W 163 B8
Whiskeytown-Shasta-Trinity ⌓ U.S.A. 40°45N 122°15W 168 F2
Whistleduck Cr. → Australia 20°15S 135°18E 150 C2
Whistler Canada 50°7N 122°58W 162 C4
Whitby Canada 43°52N 78°56W 174 C6
Whitby U.K. 54°29N 0°37W 66 C7
Whitcombe Pass N.Z. 43°13S 170°55E 155 D5
White → Ark., U.S.A. 33°57N 91°5W 176 E9
White → Ind., U.S.A. 38°25N 87°45W 172 F10
White → S. Dak., U.S.A. 43°42N 99°27W 172 D4
White → Tex., U.S.A. 33°14N 100°56W 176 E4
White → Utah, U.S.A. 40°4N 109°41W 168 F9
White → Vt., U.S.A. 43°37N 72°20W 175 C12
White → Wash., U.S.A. 47°12N 122°15W 170 C4
White, L. Australia 21°9S 128°56E 148 D4
White B. Canada 50°0N 56°35W 165 C8
White Bird U.S.A. 45°46N 116°18W 168 D5
White Butte U.S.A. 46°23N 103°18W 172 B2
White City Fla., U.S.A. 29°53N 85°13W 178 F4
White City Oreg., U.S.A. 42°26N 122°51W 168 E2
White Cliffs Australia 30°50S 143°10E 152 A5
White Desert = Beida, Es Sahrâ al Egypt 27°50N 28°45E 137 B2
White Hall U.S.A. 39°26N 90°24W 172 F8
White Haven U.S.A. 41°4N 75°47W 175 E9
White Horse, Vale of U.K. 51°37N 1°30W 67 F6
White I. = Whakaari N.Z. 37°30S 177°13E 154 D6
White L. Canada 45°18N 76°31W 175 A8
White L. U.S.A. 29°44N 92°30W 176 G8
White Lake Canada 45°21N 76°29W 175 A8
White Mountain Peak U.S.A. 37°38N 118°15W 170 H8
White Mts. Calif., U.S.A. 37°30N 118°15W 170 H8
White Mts. N.H., U.S.A. 44°15N 71°15W 175 B13
White Mts. △ Australia 20°43S 145°12E 150 C4
White Nile = Nîl el Abyad → Sudan 15°38N 32°31E 135 E12
White Oak U.S.A. 31°2N 81°43W 178 D8
White Otter L. Canada 49°5N 91°55W 164 C1
White Pass U.S.A. 46°38N 121°24W 170 D5
White Plains Ga., U.S.A. 33°28N 83°1W 178 B6
White Plains N.Y., U.S.A. 41°2N 73°46W 175 E11
White River Canada 48°35N 85°20W 164 C2
White River U.S.A. 43°34N 100°45W 172 D3
White Rock Canada 49°2N 122°48W 170 A4
White Rock U.S.A. 35°50N 106°12W 169 J10
White Rocks Nat. Recr. Area ⌓ U.S.A. 43°22N 72°55W 175 C12
White Russia = Belarus ■ Europe 53°30N 27°0E 75 B14
White Sands ⌓ U.S.A. 32°46N 106°20W 169 K10
White Sea = Beloye More Russia 66°30N 38°0E 58 B13
White Springs U.S.A. 30°20N 82°45W 178 E7
White Sulphur Springs Mont., U.S.A. 46°33N 110°54W 168 C8
White Sulphur Springs W. Va., U.S.A. 37°48N 80°18W 173 G13
White Swan U.S.A. 46°23N 120°44W 170 D6
White Volta → Ghana 9°10N 1°15W 139 D4
Whitecliffs N.Z. 43°26S 171°55E 155 D6
Whitecourt Canada 54°10N 115°45W 162 C5
Whiteface Mt. U.S.A. 44°22N 73°54W 175 B11
Whitefield U.S.A. 44°23N 71°37W 175 B13
Whitefish U.S.A. 48°25N 114°20W 168 B6
Whitefish B. U.S.A. 46°40N 84°55W 164 C3
Whitefish L. Canada 62°41N 106°48W 163 A7
Whitefish Pt. U.S.A. 46°45N 84°59W 173 B11
Whitegull, L. = Goélands, L. aux Canada 55°27N 64°17W 165 A7
Whitehall Mich., U.S.A. 43°24N 86°21W 172 D10
Whitehall Mont., U.S.A. 45°52N 112°6W 168 D7
Whitehall N.Y., U.S.A. 43°33N 73°24W 175 C11
Whitehall Wis., U.S.A. 44°22N 91°19W 172 C8
Whitehaven U.K. 54°33N 3°35W 66 C4
Whitehorse Canada 60°43N 135°3W 162 A1
Whitemark Australia 40°7S 148°3E 151 G4
Whiteplains Liberia 6°28N 10°40W 138 D2
Whiteriver U.S.A. 33°50N 109°58W 169 K9
Whitesand → Canada 60°9N 115°45W 162 A5
Whitesands S. Africa 34°23S 20°50E 144 D3
Whitesboro N.Y., U.S.A. 43°7N 75°18W 175 C9
Whitesboro Tex., U.S.A. 33°39N 96°54W 176 E6
Whiteshell ⌓ Canada 50°0N 95°40W 163 D9
Whiteside, Canal Chile 53°55S 70°15W 192 D2
Whiteville U.S.A. 34°20N 78°42W 177 D15
Whitewater U.S.A. 42°50N 88°44W 172 D9
Whitewater B. U.S.A. 25°15N 81°0W 179 K9
Whitewater Baldy U.S.A. 33°20N 108°39W 169 K9
Whitewater L. Canada 50°50N 89°10W 164 B2
Whitewood Australia 21°28S 143°30E 150 C3
Whitewood Canada 50°20N 102°20W 163 C8
Whitfield Australia 36°42S 146°24E 153 D7
Whithorn U.K. 54°44N 4°26W 65 G4
Whitianga N.Z. 36°47S 175°41E 154 C4
Whitman U.S.A. 42°5N 70°56W 175 D14
Whitmore Mts. Antarctica 82°35S 104°30W 55 E15
Whitney Canada 45°31N 78°14W 174 A6
Whitney, Mt. U.S.A. 36°35N 118°18W 170 J8
Whitney Point U.S.A. 42°20N 75°58W 175 D9
Whitstable U.K. 51°21N 1°3E 67 F9
Whitsunday I. Australia 20°15S 149°4E 150 b
Whitsunday Islands △ Australia 20°15S 149°0E 150 b
Whittier Alaska, U.S.A. 60°47N 148°41W 166 C10
Whittier Calif., U.S.A. 33°58N 118°2W 171 M8
Whittlesea Australia 37°27S 145°9E 153 D6
Wholdaia L. Canada 60°43N 104°20W 163 A8
Whyalla Australia 33°2S 137°30E 152 B2
Wiang Kosai △ Thailand 17°54N 99°29E 120 D2
Wiang Sa Thailand 18°34N 100°45E 120 C3
Wiarton Canada 44°40N 81°10W 174 B3
Wiawso Ghana 6°10N 2°25W 138 D4
Wiay U.K. 57°24N 7°13W 65 D1
Wiązów Poland 50°50N 17°10E 83 H4
Wibaux U.S.A. 46°59N 104°11W 168 C11
Wichian Buri Thailand 15°39N 101°7E 120 E3
Wichita U.S.A. 37°42N 97°20W 172 G5
Wichita Falls U.S.A. 33°54N 98°30W 176 E5
Wick U.K. 58°26N 3°5W 65 C5
Wickenburg U.S.A. 33°58N 112°44W 169 K7
Wickepin Australia 32°50S 117°30E 149 F2
Wickham Australia 20°42S 117°11E 148 D2
Wickham, C. Australia 39°35S 143°57E 151 F3
Wickliffe U.S.A. 41°36N 81°28W 174 E3
Wicklow Ireland 52°59N 6°3W 64 D5
Wicklow □ Ireland 52°57N 6°25W 64 D5
Wicklow Hd. Ireland 52°58N 6°0W 64 D6
Wicklow Mts. Ireland 52°58N 6°26W 64 C5
Wicklow Mts. △ Ireland 53°6N 6°21W 64 C5
Widawa Poland 51°27N 18°51E 83 G5
Widawka → Poland 51°27N 18°52E 83 G5
Widgeegoara Cr. → Australia 28°51S 146°34E 151 D4
Widgiemooltha Australia 31°30S 121°34E 149 F3
Widnes U.K. 53°23N 2°45W 66 D5
Więcbork Poland 53°21N 17°30E 83 E4
Wiehengebirge = Nördlicher Teutoburger Wald-Wiehengebirge ⌓ Germany 52°18N 8°10E 76 C4
Wiehl Germany 50°56N 7°34E 76 E3
Wiek Germany 54°37N 13°17E 76 A9
Wielbark Poland 53°24N 20°55E 82 E7
Wieleń Poland 52°53N 16°9E 83 F3
Wielichowo Poland 52°7N 16°22E 83 F3
Wieliczka Poland 50°0N 20°5E 83 J7
Wielkopolski △ Poland 52°18N 16°45E 83 F3
Wielkopolskie □ Poland 52°10N 17°30E 83 F4
Wieluń Poland 51°15N 18°34E 83 G5
Wien Austria 48°12N 16°22E 79 C9
Wien-Schwechat ✕ (VIE) Austria 48°7N 16°35E 79 C9
Wiener Neustadt Austria 47°49N 16°16E 79 D9
Wieprz → Poland 51°34N 21°49E 83 G8
Wieprza → Poland 54°26N 16°25E 82 D3
Wieruszów Poland 51°19N 18°9E 83 G5
Wiesbaden Germany 50°4N 8°14E 77 E4
Wiesental Germany 49°13N 8°31E 77 F4
Wiesloch Germany 49°18N 8°41E 77 F4
Wiesmoor Germany 53°24N 7°47E 76 B3
Wieżyca Poland 54°14N 18°8E 82 D5
Wigan U.K. 53°33N 2°38W 66 D5
Wiggins Colo., U.S.A. 40°14N 104°4W 168 F11
Wiggins Miss., U.S.A. 30°51N 89°8W 177 F10
Wight, I. of U.K. 50°41N 1°17W 67 G6
Wigierski △ Poland 54°5N 23°5E 82 D10
Wigry, Jezioro Poland 54°2N 23°8E 82 D10
Wigston U.K. 52°35N 1°6W 67 E6
Wigton U.K. 54°50N 3°10W 66 C4
Wigtown U.K. 54°53N 4°27W 65 G4
Wigtown B. U.K. 54°46N 4°15W 65 G4
Wik and Wikway People ◎ Australia 13°55S 142°28E 150 A3
Wil Switz. 47°28N 9°3E 77 H5
Wilamowice Poland 49°55N 19°9E 83 J6
Wilber U.S.A. 40°29N 96°58W 172 E5
Wilberforce Canada 45°2N 78°13W 174 A6
Wilberforce, C. Australia 11°54S 136°35E 150 A2
Wilburton U.S.A. 34°55N 95°19W 176 D7
Wilcannia Australia 31°30S 143°26E 152 A5
Wilcox U.S.A. 41°35N 78°41W 174 E6
Wildbad Germany 48°44N 8°33E 77 G4
Wildeshausen Germany 52°54N 8°27E 76 C4
Wildeshauser Geest ⌓ Germany 52°54N 8°30E 76 C4
Wildomar U.S.A. 33°36N 117°16W 171 M9
Wildon Austria 46°52N 15°31E 78 E8
Wildrose U.S.A. 36°14N 117°11W 171 J9
Wildspitze Austria 46°53N 10°53E 78 E3
Wildwood U.S.A. 28°52N 82°2W 179 G7
Wilga → Poland 51°52N 21°18E 83 G8
Wilge → S. Africa 27°3S 28°20E 145 C4
Wilhelm II Coast Antarctica 68°0S 90°0E 55 C7
Wilhelmsburg Austria 48°6N 15°36E 78 C8
Wilhelmshaven Germany 53°31N 8°7E 76 B4
Wilhelmstal Namibia 21°58S 16°21E 144 B2
Wilis Indonesia 7°51S 111°48E 119 G15
Wilkes-Barre U.S.A. 41°15N 75°53W 175 E9
Wilkes Land Antarctica 69°0S 120°0E 55 D9
Wilkie Canada 52°27N 108°42W 163 C7
Wilkins Ice Shelf Antarctica 70°30S 72°0W 55 C17
Wilkinsburg U.S.A. 40°26N 79°52W 174 F5
Wilkinson Lakes Australia 29°40S 132°39E 149 E5
Willacoochee U.S.A. 31°20N 83°3W 178 D6
Willandra △ Australia 33°12S 145°0E 153 B6
Willandra Creek → Australia 33°22S 145°52E 153 B6
Willapa B. U.S.A. 46°40N 124°0W 170 D3
Willapa Hills U.S.A. 46°35N 123°25W 170 D3
Willard U.S.A. 41°3N 82°44W 174 E2
Willare Bridge Roadhouse Australia 17°43S 123°38E 148 C3
Willbriggie Australia 34°28S 146°2E 153 C7
Willcox U.S.A. 32°15N 109°50W 169 K9
Willemstad Curaçao 12°5N 68°55W 183 D6
Willi Willi △ Australia 30°57S 152°27E 153 A10
William → Canada 59°8N 109°19W 163 B7
William, Mt. Australia 37°17S 142°35E 152 D5
William 'Bill' Dannelly Res. U.S.A. 32°6N 87°24W 177 E11
William Creek Australia 28°58S 136°22E 151 D2
Williams Australia 33°2S 116°52E 149 F2
Williams Ariz., U.S.A. 35°15N 112°11W 169 J7
Williams Calif., U.S.A. 39°9N 122°9W 170 F4
Williams Harbour Canada 52°33N 55°47W 165 B8
Williams Lake Canada 52°10N 122°10W 162 C4
Williamsburg Ky., U.S.A. 36°44N 84°10W 173 G11
Williamsburg Pa., U.S.A. 40°28N 78°12W 174 F6
Williamsburg Va., U.S.A. 37°16N 76°43W 173 G15
Williamson N.Y., U.S.A. 43°14N 77°11W 174 C7
Williamson W. Va., U.S.A. 37°41N 82°17W 173 G12
Williamsport U.S.A. 41°15N 77°1W 174 E7
Williamston U.S.A. 35°51N 77°4W 177 D16
Williamstown Australia 37°51S 144°52E 151 F3
Williamstown Ky., U.S.A. 38°38N 84°34W 173 F11
Williamstown Mass., U.S.A. 42°43N 73°12W 175 D11
Williamstown N.Y., U.S.A. 43°26N 75°53W 175 C9
Willimantic U.S.A. 41°43N 72°13W 175 E12
Willingboro U.S.A. 40°3N 74°54W 173 E16
Williston S. Africa 31°20S 20°53E 144 D3
Williston Fla., U.S.A. 29°23N 82°27W 179 F7
Williston N. Dak., U.S.A. 48°9N 103°37W 172 A2
Williston S.C., U.S.A. 33°24N 81°25W 178 B8
Williston L. Canada 56°0N 124°0W 162 B4
Willits U.S.A. 39°25N 123°21W 168 G2
Willmar U.S.A. 45°7N 95°3W 172 C6
Willmore Wilderness ⌓ Canada 53°45N 119°30W 162 C5
Willoughby U.S.A. 41°39N 81°24W 174 E3
Willow Bunch Canada 49°20N 105°35W 163 D7
Willow L. Canada 62°10N 119°8W 162 A5
Willow Tree Australia 31°40S 150°45E 153 A9
Willow Wall, The China 42°10N 122°0E 115 C12
Willowick U.S.A. 41°38N 81°28W 174 E3
Willowlake → Canada 62°42N 123°8W 162 A4
Willowmore S. Africa 33°15S 23°30E 144 D3
Willows U.S.A. 39°31N 122°12W 170 F4
Willowvale = Gatyana S. Africa 32°16S 28°31E 145 D4
Wills, L. Australia 21°25S 128°51E 148 D4
Wills Cr. → Australia 22°43S 140°2E 150 C3
Willsboro U.S.A. 44°21N 73°24W 175 B11
Willunga Australia 35°15S 138°30E 152 C3
Wilma U.S.A. 30°9N 84°58W 178 E5
Wilmette U.S.A. 42°4N 87°42W 172 D10
Wilmington Australia 32°39S 138°7E 152 B3
Wilmington Del., U.S.A. 39°45N 75°33W 173 F16
Wilmington N.C., U.S.A. 34°14N 77°55W 177 D16
Wilmington Ohio, U.S.A. 39°27N 83°50W 173 F12
Wilmington Vt., U.S.A. 42°52N 72°52W 175 D12
Wilmslow U.K. 53°19N 2°13W 66 D5
Wilpattu △ Sri Lanka 8°20N 79°50E 127 K4
Wilpena Australia 31°31S 138°37E 152 A3
Wilpena Cr. → Australia 31°25S 139°29E 152 A3
Wilsall U.S.A. 45°59N 110°38W 168 D8
Wilson N.C., U.S.A. 35°44N 77°55W 177 D16
Wilson N.Y., U.S.A. 43°19N 78°50W 174 C6
Wilson Pa., U.S.A. 40°41N 75°15W 175 F9
Wilson → Australia 16°48S 128°16E 148 C4
Wilson Bluff Australia 31°41S 129°0E 149 F4
Wilson Inlet Australia 35°0S 117°22E 149 G2
Wilsons Promontory Australia 38°59S 146°23E 153 E7
Wilsons Promontory △ Australia 38°59S 146°23E 153 D7
Wilster Germany 53°55N 9°23E 76 B5
Wilton U.S.A. 47°10N 100°47W 172 B3
Wilton → Australia 14°45S 134°33E 150 A1
Wiltshire □ U.K. 51°18N 1°53W 67 F6
Wiltz Lux. 49°57N 5°55E 69 E5
Wiluna Australia 26°36S 120°14E 149 E3
Wimborne Minster U.K. 50°48N 1°59W 67 G6
Wimereux France 50°45N 1°37E 71 B8
Wimmera → Australia 36°8S 141°56E 152 D4
Winam G. Kenya 0°20S 34°15E 142 C3
Winburg S. Africa 28°30S 27°2E 144 C4
Winchelsea Australia 38°10S 144°1E 152 E6
Winchendon U.S.A. 42°41N 72°3W 175 D12
Winchester N.Z. 44°11S 171°17E 155 E6
Winchester U.K. 51°4N 1°18W 67 F6
Winchester Conn., U.S.A. 41°53N 73°9W 175 E11
Winchester Idaho, U.S.A. 46°14N 116°38W 168 C5
Winchester Ind., U.S.A. 40°10N 84°59W 173 E11
Winchester Ky., U.S.A. 37°59N 84°11W 173 G11
Winchester N.H., U.S.A. 42°46N 72°23W 175 D12
Winchester Nev., U.S.A. 36°7N 115°7W 171 J11
Winchester Tenn., U.S.A. 35°11N 86°7W 177 D11
Winchester Va., U.S.A. 39°11N 78°10W 173 F14
Wind → U.S.A. 43°12N 108°12W 168 E9
Wind Cave △ U.S.A. 43°32N 103°17W 172 D2
Wind River Range U.S.A. 43°0N 109°30W 168 E9
Windamere, L. Australia 32°48S 149°51E 153 B8
Windau = Ventspils Latvia 57°25N 21°32E 82 A8
Windber U.S.A. 40°14N 78°50W 174 F6
Winder U.S.A. 34°0N 83°45W 178 A6
Windermere U.K. 54°23N 2°55W 66 C5
Windermere U.S.A. 28°29N 81°32W 179 G8
Windhoek Namibia 22°35S 17°4E 144 B2
Windidda ◎ Australia 26°23S 122°12E 149 E3
Windischgarsten Austria 47°42N 14°21E 78 D7
Windjana Gorge △ Australia 17°51S 125°0E 148 C3
Windom U.S.A. 43°52N 95°7W 172 D6
Windorah Australia 25°24S 142°36E 150 D3
Window Rock U.S.A. 35°41N 109°3W 169 J9
Windrush → U.K. 51°43N 1°24W 67 F6
Windsor Australia 33°37S 150°50E 153 B9
Windsor N.S., Canada 44°59N 64°5W 165 D7
Windsor Ont., Canada 42°18N 83°0W 174 D2
Windsor N.Z. 44°59S 170°49E 155 E5
Windsor U.K. 51°29N 0°36W 67 F7
Windsor Calif., U.S.A. 38°33N 122°49W 170 G4
Windsor Colo., U.S.A. 40°29N 104°54W 168 F11
Windsor Conn., U.S.A. 41°50N 72°39W 175 E12
Windsor Mo., U.S.A. 38°32N 93°31W 172 F7
Windsor N.Y., U.S.A. 42°5N 75°37W 175 D9
Windsor Vt., U.S.A. 43°29N 72°24W 175 C12
Windsor & Maidenhead □ U.K. 51°29N 0°40W 67 F7
Windsorton S. Africa 28°16S 24°44E 144 C3
Windward Is. W. Indies 13°0N 61°0W 183 D7
Windward Passage = Vientos, Paso de los Caribbean 20°0N 74°0W 183 C5
Winefred L. Canada 55°30N 110°30W 163 B6
Winfield U.S.A. 37°15N 96°59W 172 G5
Wingate Mts. Australia 14°25S 130°40E 148 B5
Wingellina = Irrunytju Australia 26°3S 128°56E 149 E4
Wingham Australia 31°48S 152°22E 153 A10
Wingham Canada 43°55N 81°20W 174 C3
Winisk → Canada 55°17N 85°5W 164 A2
Winisk L. Canada 52°55N 87°22W 164 B2
Wink U.S.A. 31°45N 103°9W 176 F3
Winkler Canada 49°10N 97°56W 163 D9
Winklern Austria 46°52N 12°52E 78 E5
Winlock U.S.A. 46°30N 122°56W 170 D4
Winneba Ghana 5°25N 0°36W 139 D4
Winnebago, L. U.S.A. 44°0N 88°26W 172 D9
Winnecke Cr. → Australia 18°35S 131°34E 148 C5
Winnemucca U.S.A. 40°58N 117°44W 168 F5
Winnemucca L. U.S.A. 40°7N 119°21W 168 F4
Winner U.S.A. 43°22N 99°52W 172 D4
Winnett U.S.A. 47°0N 108°21W 168 C9
Winnfield U.S.A. 31°56N 92°38W 176 F8
Winnibigoshish, L. U.S.A. 47°27N 94°13W 172 B6
Winnipeg Canada 49°54N 97°9W 163 D9
Winnipeg → Canada 50°38N 96°19W 163 C9
Winnipeg, L. Canada 52°0N 97°0W 163 C9
Winnipeg Beach Canada 50°30N 96°58W 163 C9
Winnipegosis Canada 51°39N 99°55W 163 C9
Winnipegosis L. Canada 52°30N 100°0W 163 C9
Winnipesaukee, L. U.S.A. 43°38N 71°21W 175 C13

Winnisquam L. U.S.A. 43°33N 71°31W 175 C13
Winnsboro La., U.S.A. 32°10N 91°43W 176 E9
Winnsboro S.C., U.S.A. 34°23N 81°5W 177 D14
Winnsboro Tex., U.S.A. 32°58N 95°17W 176 E7
Winokapau, L. Canada 53°15N 62°50W 165 B7
Winona Minn., U.S.A. 44°3N 91°39W 172 C8
Winona Miss., U.S.A. 33°29N 89°44W 177 E10
Winooski U.S.A. 44°29N 73°11W 175 B11
Winooski → U.S.A. 44°32N 73°17W 175 B11
Winschoten Neths. 53°9N 7°3E 69 A7
Winsen Germany 53°22N 10°13E 76 B6
Winsford U.K. 53°12N 2°31W 66 D5
Winslow = Bainbridge Island U.S.A. 47°38N 122°32W 170 C4
Winslow U.S.A. 35°2N 110°42W 169 J8
Winsted U.S.A. 41°55N 73°4W 175 E11
Winston-Salem U.S.A. 36°6N 80°15W 177 C14
Winter Garden U.S.A. 28°34N 81°35W 179 G8
Winter Haven U.S.A. 28°1N 81°44W 179 G8
Winter Park U.S.A. 28°36N 81°20W 179 G8
Winterberg Germany 51°11N 8°33E 76 D4
Winterhaven U.S.A. 32°44N 114°38W 171 N12
Winters U.S.A. 38°32N 121°58W 170 G5
Winterset U.S.A. 41°20N 94°1W 172 E6
Wintersville U.S.A. 40°23N 80°42W 174 F4
Winterswijk Neths. 51°58N 6°43E 69 C6
Winterthur Switz. 47°30N 8°44E 77 H4
Winthrop U.S.A. 48°28N 120°10W 168 B3
Winton Australia 22°24S 143°3E 150 C3
Winton N.Z. 46°8S 168°20E 155 G3
Wipper → Germany 51°16N 11°12E 76 D7
Wirlyajarrayi ✪ Australia 21°45S 132°35E 148 D5
Wirraminna Australia 31°12S 136°13E 152 A2
Wirrulla Australia 32°24S 134°31E 151 E1
Wisbech U.K. 52°41N 0°9E 67 E8
Wisconsin □ U.S.A. 44°45N 89°30W 172 C9
Wisconsin → U.S.A. 43°0N 91°15W 172 D8
Wisconsin Rapids U.S.A. 44°23N 89°49W 172 C9
Wisdom U.S.A. 45°37N 113°27W 168 D7
Wiseman U.S.A. 67°25N 150°6W 166 B9
Wishaw U.K. 55°46N 3°54W 65 F5
Wishek U.S.A. 46°16N 99°33W 172 B4
Wisła Poland 49°38N 18°53E 83 J5
Wisła → Poland 54°22N 18°55E 82 D5
Wiślany, Zalew Poland 54°20N 19°50E 82 D6
Wisłok → Poland 50°13N 22°32E 83 H9
Wisłoka → Poland 50°27N 21°23E 83 H8
Wismar Germany 53°54N 11°29E 76 B7
Wisner U.S.A. 41°59N 96°55W 172 E5
Wissant France 50°52N 1°40E 71 B8
Wissembourg France 49°2N 7°57E 71 C14
Wisznice Poland 51°48N 23°13E 83 G10
Witbank = eMalahleni S. Africa 25°51S 29°14E 145 C4
Witches Gorge = Wu Xia China 31°2N 110°10E 117 B8
Witdraai S. Africa 26°58S 20°48E 144 C3
Witham U.K. 51°48N 0°40E 67 F8
Witham → U.K. 52°59N 0°2W 66 E7
Withernsea U.K. 53°44N 0°1E 66 D8
Withlacoochee → Fla., U.S.A. 30°24N 83°10W 178 E6
Withlacoochee → Fla., U.S.A. 29°0N 82°45W 179 G7
Witjira △ Australia 26°22S 135°37E 151 D2
Witkowo Poland 52°26N 17°45E 83 F4
Witless Bay Canada 47°17N 52°50W 165 C9
Witney U.K. 51°48N 1°28W 67 F6
Witnica Poland 52°40N 14°54E 83 F1
Witnossob → Namibia 23°55S 18°45E 144 C3
Witriver S. Africa 25°20S 31°0E 145 C5
Wittdün Germany 54°38N 8°23E 76 A4
Wittelsheim France 47°48N 7°14E 71 E14
Witten Germany 51°26N 7°20E 76 D3
Wittenberge Germany 53°0N 11°45E 76 B7
Wittenburg Germany 53°31N 11°4E 76 B7
Wittenoom Australia 22°15S 118°20E 148 D2
Wittingen Germany 52°44N 10°44E 76 C6
Wittlich Germany 49°59N 6°53E 77 F2
Wittmund Germany 53°34N 7°46E 76 B3
Wittow Germany 54°38N 13°20E 76 A9
Wittstock Germany 53°10N 12°28E 76 B8
Witu Kenya 2°23S 40°26E 142 C5
Witvlei Namibia 22°23S 18°32E 144 B2
Witzenhausen Germany 51°20N 9°51E 76 D5
Wiwon N. Korea 40°54N 126°3E 115 D14
Wkra → Poland 52°27N 20°44E 83 F7
Władysławowo Poland 54°48N 18°25E 82 D5
Wleń Poland 51°2N 15°39E 83 G2
Wlingi Indonesia 8°5S 112°25E 119 H15
Włocławek Poland 52°40N 19°3E 83 F6
Włodawa Poland 51°33N 23°31E 83 G10
Włoszczowa Poland 50°50N 19°55E 83 H6
Woburn U.S.A. 42°29N 71°9W 175 D13
Wodian China 32°50N 112°35E 114 H7
Wodonga Australia 36°5S 146°50E 153 D7
Wodzisław Śląski Poland 50°1N 18°26E 83 H5
Wœrth France 48°57N 7°45E 71 D14
Woinbogoin China 32°51N 98°39E 116 A2
Woippy France 49°10N 6°8E 71 C13
Wojcieszow Poland 50°58N 15°55E 83 H2
Wokam Indonesia 5°45S 134°28E 119 F8
Woking U.K. 51°19N 0°34W 67 F7
Wokingham U.K. 51°24N 0°49W 67 F7
Wokingham □ U.K. 51°25N 0°51W 67 F7
Woko △ Australia 31°46S 151°49E 153 A9
Wolbrom Poland 50°24N 19°45E 83 H6
Wołczyn Poland 51°1N 18°3E 83 G5
Woldegk Germany 53°27N 13°34E 76 B9
Wolf → Canada 60°17N 132°33W 162 A2
Wolf Creek U.S.A. 47°0N 112°4W 168 C7
Wolf L. Canada 60°24N 131°40W 162 A2
Wolf Point U.S.A. 48°5N 105°39W 168 B11
Wolfe Creek Crater △ Australia 19°10S 127°47E 148 C4
Wolfe I. Canada 44°7N 76°20W 175 B8
Wolfeboro U.S.A. 43°35N 71°13W 175 C13
Wolfenbüttel Germany 52°10N 10°33E 76 C6
Wolfratshausen Germany 47°54N 11°24E 77 H7
Wolfsberg Austria 46°50N 14°52E 78 E7
Wolfsburg Germany 52°25N 10°48E 76 C6
Wolgast Germany 54°3N 13°44E 76 A9
Wolhusen Switz. 47°4N 8°4E 77 H4
Wolin Poland 53°50N 14°37E 82 E1
Woliński △ Poland 53°57N 14°28E 82 E1
Wollaston, Is. Chile 55°40S 67°30W 192 E3
Wollaston Forland Greenland 74°25N 19°40W 57 C9
Wollaston L. Canada 58°7N 103°10W 163 B8
Wollaston Lake Canada 58°3N 103°33W 163 B8
Wollaston Pen. Canada 69°30N 115°0W 160 D9
Wollemi △ Australia 33°0S 150°30E 153 B9
Wollongong Australia 34°25S 150°54E 153 C9
Wolmaransstad S. Africa 27°12S 25°59E 144 C4
Wolmirstedt Germany 52°14N 11°37E 76 C7
Wołomin Poland 52°19N 21°15E 83 F8
Wołów Poland 51°20N 16°38E 83 G3
Wolseley Australia 36°23S 140°54E 152 D4
Wolseley S. Africa 33°26S 19°7E 144 D2
Wolsey U.S.A. 44°25N 98°28W 172 C4
Wolstenholme, C. Canada 62°35N 77°30W 158 C12
Wolsztyn Poland 52°8N 16°5E 83 F3
Wolvega Neths. 52°52N 6°0E 69 B6
Wolverhampton U.K. 52°35N 2°7W 67 E5
Wondai Australia 26°20S 151°49E 151 D5
Wongalarroo L. Australia 31°32S 144°0E 152 A6
Wongan Hills Australia 30°51S 116°37E 149 F2
Wonju S. Korea 37°22N 127°58E 115 F14
Wonosari Indonesia 7°58S 110°36E 119 G14
Wonosobo Indonesia 7°22S 109°54E 119 G13
Wonowon Canada 56°44N 121°48W 162 B4
Wŏnsan N. Korea 39°11N 127°27E 115 E14
Wonthaggi Australia 38°37S 145°37E 153 E6
Wood Buffalo △ Canada 59°0N 113°41W 162 B6
Wood Is. Australia 16°24S 123°19E 148 C3
Wood L. Canada 55°17N 103°17W 163 B8
Woodah, I. Australia 13°27S 136°10E 150 A2
Woodbine U.S.A. 30°58N 81°44W 178 E8
Woodbourne U.S.A. 41°46N 74°36W 175 E10
Woodbridge Canada 43°47N 79°36W 174 C5
Woodbridge U.K. 52°6N 1°20E 67 E9
Woodburn Australia 29°6S 153°23E 151 A5
Woodburn U.S.A. 45°9N 122°51W 168 D2
Woodbury U.S.A. 32°59N 84°35W 178 C5
Woodenbong Australia 28°24S 152°39E 151 D5
Woodend Australia 37°20S 144°33E 152 D6
Woodford Australia 26°58S 152°47E 151 D5
Woodfords U.S.A. 38°47N 119°50W 170 G7
Woodlake U.S.A. 36°25N 119°6W 170 J7
Woodland Calif., U.S.A. 38°41N 121°46W 170 G5
Woodland Maine, U.S.A. 45°9N 67°25W 173 C20
Woodland Pa., U.S.A. 41°0N 78°21W 174 F6
Woodland Wash., U.S.A. 45°54N 122°45W 170 E4
Woodland Caribou ⌂ Canada 51°0N 94°45W 163 C10
Woodlands Singapore 1°26N 103°46E 121 d
Woodlands, The U.S.A. 30°9N 95°29W 176 F7
Woodonga Australia 36°10S 146°50E 151 F4
Woodridge Canada 49°20N 96°9W 163 D9
Woodroffe, Mt. Australia 26°20S 131°45E 149 E5
Woods, L. Australia 17°50S 133°30E 150 B1
Woods, L. of the N. Amer. 49°15N 94°45W 163 D10
Woods Bay Canada 45°8N 79°59W 174 A5
Woodside S. Austral., Australia 34°58S 138°52E 152 C3
Woodside Vic., Australia 38°31S 146°52E 153 E7
Woodstock N.S.W., Australia 33°45S 148°53E 153 B8
Woodstock Queens., Australia 19°35S 146°50E 150 B4
Woodstock N.B., Canada 46°11N 67°37W 165 C6
Woodstock Ont., Canada 43°10N 80°45W 174 C4
Woodstock U.K. 51°51N 1°20W 67 F6
Woodstock Ill., U.S.A. 42°19N 88°27W 172 D9
Woodstock N.Y., U.S.A. 42°2N 74°7W 175 D10
Woodstock Vt., U.S.A. 43°37N 72°31W 175 C12
Woodsville U.S.A. 44°9N 72°2W 175 B13
Woodview Canada 44°35N 78°8W 174 B6
Woodville N.Z. 40°20S 175°53E 154 G4
Woodville Fla., U.S.A. 30°19N 84°15W 178 E5
Woodville Ga., U.S.A. 33°40N 83°7W 178 B6
Woodville Miss., U.S.A. 31°6N 91°18W 176 F9
Woodville Tex., U.S.A. 30°47N 94°25W 176 F7
Woodward U.S.A. 36°26N 99°24W 176 C5
Woody U.S.A. 35°42N 118°50W 171 K8
Woody → Canada 52°31N 100°51W 163 C8
Woody I. S. China Sea 16°50N 112°20E 118 A4
Woolacombe U.K. 51°10N 4°13W 67 F3
Woolamai, C. Australia 38°30S 145°23E 153 E6
Woolbrook Australia 30°56S 151°25E 153 A9
Wooler U.K. 55°33N 2°1W 66 B5
Woolgoolga Australia 30°6S 153°11E 151 E5
Woomargama △ Australia 35°50S 147°15E 153 C7
Woomera Australia 31°5S 136°50E 152 A2
Woonsocket R.I., U.S.A. 42°0N 71°31W 175 E13
Woonsocket S. Dak., U.S.A. 44°3N 98°17W 172 C4
Wooramel → Australia 25°47S 114°10E 149 E1
Wooramel Roadhouse Australia 25°45S 114°17E 149 E1
Wooroonooran △ Australia 16°25S 146°1E 150 B4
Wooster U.S.A. 40°48N 81°56W 174 F3
Worcester S. Africa 33°39S 19°27E 144 D2
Worcester U.K. 52°11N 2°12W 67 E5
Worcester Mass., U.S.A. 42°16N 71°48W 175 D13
Worcester N.Y., U.S.A. 42°36N 74°45W 175 D10
Worcestershire □ U.K. 52°13N 2°10W 67 E5
Wörgl Austria 47°29N 12°3E 78 D5
Workington U.K. 54°39N 3°33W 66 C4
Worksop U.K. 53°18N 1°7W 66 D6
Workum Neths. 52°59N 5°26E 69 B5
Worland U.S.A. 44°1N 107°57W 168 D10
Wormhout France 50°52N 2°28E 71 B9
Worms Germany 49°37N 8°21E 77 F4
Woroba □ Ivory C. 8°19N 7°5W 138 D3
Worsley Canada 56°31N 119°8W 162 B5
Wörth Germany 49°1N 12°24E 77 F8
Wortham U.S.A. 31°47N 96°28W 176 F6
Wörther See Austria 46°37N 14°10E 78 E7
Worthing Barbados 13°5N 59°35W 183 g
Worthing U.K. 50°49N 0°21W 67 G7
Worthington Minn., U.S.A. 43°37N 95°36W 172 D6
Worthington Pa., U.S.A. 40°50N 79°38W 174 F5
Wosi Indonesia 0°15S 128°0E 119 E7
Wote Kenya 1°47S 37°38E 142 C4
Wotjalum ✪ Australia 16°30S 123°45E 148 C3
Wotjobaluk ✪ Australia 37°0S 142°0E 151 C3
Wou-han = Wuhan China 30°31N 114°18E 117 B10
Wousi = Wuxi China 31°33N 120°18E 117 B13
Wowoni Indonesia 4°5S 123°5E 119 E6
Woy Woy Australia 33°30S 151°19E 153 B9
Wrangel I. = Vrangelya, Ostrov Russia 71°0N 180°0E 107 B18
Wrangell U.S.A. 56°28N 132°23W 162 B2
Wrangell Mts. U.S.A. 61°30N 142°0W 160 E3
Wrath, C. U.K. 58°38N 5°1W 65 C3
Wray U.S.A. 40°5N 102°13W 168 F12
Wrekin, The U.K. 52°41N 2°32W 67 E5
Wrens U.S.A. 33°12N 82°23W 178 B7
Wrexham U.K. 53°3N 3°0W 66 D4
Wrexham □ U.K. 53°1N 2°58W 66 D5
Wriezen Germany 52°42N 14°7E 76 C10
Wright Fla., U.S.A. 30°27N 86°38W 179 E3
Wright Wyo., U.S.A. 43°45N 105°28W 168 E11
Wright Pt. Canada 43°48N 81°44W 174 C3
Wrightmyo India 11°47N 92°43E 127 J11
Wrightson, Mt. U.S.A. 31°42N 110°51W 169 L8
Wrightsville U.S.A. 32°44N 82°43W 178 C7
Wrightwood U.S.A. 34°22N 117°38W 171 L9
Wrigley Canada 63°16N 123°37W 160 E7
Wrocław Poland 51°5N 17°5E 83 G4
Wronki Poland 52°41N 16°21E 83 F3
Września Poland 52°21N 17°36E 83 F4
Wschowa Poland 51°48N 16°20E 83 G3
Wu Jiang → China 29°40N 107°20E 116 C6
Wu Kau Tang China 22°30N 114°14E 111 a
Wu Xia China 31°2N 110°10E 117 B8
Wu'an China 36°40N 114°15E 114 F8
Wubalawun ✪ Australia 15°28S 133°1E 148 C5
Wubin Australia 30°6S 116°37E 149 F2
Wubu China 37°28N 110°42E 114 F6
Wuchang China 44°55N 127°5E 115 B14
Wucheng China 37°12N 116°20E 114 F9
Wuchuan Guangdong, China 21°33N 110°43E 117 G8
Wuchuan Guizhou, China 28°25N 108°3E 116 C7
Wuchuan Nei Monggol Zizhiqu, China 41°5N 111°28E 114 D6
Wuda China 39°29N 106°42E 114 E4
Wudang Shan China 32°23N 111°2E 117 A8
Wudi China 37°40N 117°35E 115 F9
Wuding China 25°24N 102°21E 116 E4
Wuding He → China 37°2N 110°23E 114 F6
Wudinna Australia 33°0S 135°22E 151 E2
Wudongde Dam China 26°20N 102°15E 116 D4
Wudu China 33°22N 104°54E 114 H3
Wufeng China 30°12N 110°42E 117 B8
Wugang China 26°44N 110°35E 117 D8
Wugong Shan China 27°30N 114°0E 117 D9
Wuguishan China 22°25N 113°25E 111 a
Wugullar = Beswick Australia 14°34S 132°53E 148 B5
Wuhai China 39°39N 106°48E 114 E4
Wuhan China 30°31N 114°18E 117 B10
Wuhe China 33°10N 117°50E 115 H9
Wuhsi = Wuxi China 31°33N 120°18E 117 B13
Wuhu China 31°22N 118°21E 117 B12
Wujiang China 31°10N 120°38E 117 B13
Wujiaqu China 44°12N 87°33E 109 D11
Wukari Nigeria 7°51N 9°42E 139 D6
Wulajie China 44°6N 126°33E 115 B14
Wulanbulang China 41°5N 110°55E 114 D6
Wular L. India 34°20N 74°30E 125 B6
Wulehe Ghana 8°39N 0°0 139 D5
Wulff Land Greenland 82°0N 49°0W 57 A6
Wulian China 35°40N 119°12E 115 G10
Wulian Feng China 27°48N 103°36E 116 D4
Wuliang Shan China 24°30N 100°40E 116 E3
Wuliaru Indonesia 7°27S 131°0E 119 F8
Wuling Shan China 30°0N 110°0E 117 C7
Wulingyuan ⌂ China 29°20N 110°30E 117 C8
Wulong China 29°22N 107°43E 116 C6
Wulong △ China 31°8N 103°5E 116 B4
Wulumuchi = Ürümqi China 43°45N 87°45E 109 D11
Wum Cameroon 6°24N 10°2E 139 D7
Wumeng Shan China 26°48N 104°0E 116 D5
Wuming China 23°12N 108°18E 116 F7
Wundanyi Kenya 3°24S 38°22E 142 C4
Wuning China 29°17N 115°5E 117 C10
Wunna → India 20°18N 78°48E 126 D4
Wunnummin L. Canada 52°55N 89°10W 164 B2
Wunsiedel Germany 50°2N 12°0E 77 E8
Wunstorf Germany 52°25N 9°26E 76 C5
Wuntho Burma 23°55N 95°45E 123 H19
Wupatki △ U.S.A. 35°35N 111°20W 169 J8
Wuping China 25°5N 116°5E 117 E11
Wuppertal Germany 51°16N 7°12E 76 D3
Wuppertal S. Africa 32°13S 19°12E 144 D2
Wuqia China 39°40N 75°7E 109 E9
Wuqing China 39°23N 117°4E 115 E9
Wurralibi ✪ Australia 15°43S 137°1E 150 B2
Wurtsboro U.S.A. 41°35N 74°29W 175 E10
Würzburg Germany 49°46N 9°55E 77 F5
Wurzen Germany 51°22N 12°44E 76 D8
Wushan China 34°43N 104°53E 114 G3
Wushi China 41°9N 79°13E 109 D9
Wushishi Nigeria 9°46N 6°7E 139 D6
Wutach → Germany 47°37N 8°15E 77 H4
Wutai China 38°40N 113°12E 114 E7
Wutai Shan China 39°3N 113°32E 114 E7
Wuting = Huimin China 37°27N 117°28E 115 F9
Wutong China 25°24N 110°4E 117 E8
Wutonghaolai China 42°50N 120°5E 115 C11
Wutongqiao China 29°22N 103°50E 116 C4
Wuwei Anhui, China 31°18N 117°54E 117 B11
Wuwei Gansu, China 37°57N 102°34E 110 D9
Wuxi Jiangsu, China 31°33N 120°18E 117 B13
Wuxi Sichuan, China 31°23N 109°35E 116 B7
Wuxiang China 36°49N 112°50E 114 F7
Wuxuan China 23°34N 109°38E 116 F7
Wuxue China 29°52N 115°30E 117 C10
Wuyang China 33°25N 113°35E 114 H7
Wuyi Hebei, China 37°46N 115°56E 114 F8
Wuyi Zhejiang, China 28°52N 119°50E 117 C12
Wuyi Shan China 27°0N 117°0E 117 D11
Wuyishan China 27°45N 118°0E 117 D12
Wuyishan △ China 27°55N 117°54E 117 D11
Wuyo Nigeria 10°23N 11°50E 139 C7
Wuyuan Jiangxi, China 29°15N 117°50E 117 C11
Wuyuan Nei Monggol Zizhiqu, China 41°2N 108°20E 114 D5
Wuzhai China 38°54N 111°48E 114 E6
Wuzhi Shan China 18°45N 109°30E 117 a
Wuzhishan = Tongshi China 18°50N 109°20E 117 a
Wuzhong China 38°2N 106°12E 114 E4
Wuzhou China 23°30N 111°18E 117 F8
Wyaaba Cr. → Australia 16°27S 141°35E 150 B3
Wyalkatchem Australia 31°8S 117°22E 149 F2
Wyalusing U.S.A. 41°40N 76°16W 175 E8
Wyandotte U.S.A. 42°12N 83°9W 173 D12
Wyandra Australia 27°12S 145°56E 151 D4
Wyangala, L. Australia 33°54S 149°0E 153 B8
Wyara, L. Australia 28°42S 144°14E 151 D3
Wycheproof Australia 36°5S 143°17E 152 D5
Wycliffe Well Australia 20°48S 134°14E 150 C1
Wye → U.K. 51°38N 2°40W 67 F5
Wyemandoo Australia 28°28S 118°29E 149 E2
Wyk Germany 54°41N 8°33E 76 A4
Wymondham U.K. 52°35N 1°7E 67 E9
Wymore U.S.A. 40°7N 96°40W 172 E5
Wyndham Australia 15°33S 128°3E 148 C4
Wyndham N.Z. 46°20S 168°51E 155 G3
Wynne U.S.A. 35°14N 90°47W 177 D9
Wynyard Australia 41°5S 145°44E 151 G4
Wynyard Canada 51°45N 104°10W 163 C8
Wyola L. Australia 29°8S 130°17E 149 E5
Wyoming Canada 42°57N 82°7W 174 D2
Wyoming □ U.S.A. 43°0N 107°30W 168 E10
Wyomissing U.S.A. 40°20N 75°59W 175 F9
Wyong Australia 33°14S 151°24E 153 B9
Wyperfeld △ Australia 35°35S 141°42E 152 C4
Wyrzysk Poland 53°10N 17°17E 83 E4
Wyśmierzyce Poland 51°37N 20°50E 83 G7
Wysoka Poland 53°13N 17°2E 83 E4
Wysokie Poland 50°55N 22°40E 83 H9
Wysokie Mazowieckie Poland 52°55N 22°30E 83 F9
Wyszków Poland 52°36N 21°25E 83 F8
Wyszogród Poland 52°23N 20°9E 83 F7
Wytheville U.S.A. 36°57N 81°5W 173 G13
Wyżyna Małopolska Poland 50°45N 20°0E 83 H7

X

Xaafuun Somalia 10°25N 51°16E 131 E5
Xaafuun, Ras Somalia 10°27N 51°24E 131 E5
Xàbia = Jávea Spain 38°48N 0°10E 91 G5
Xaçmaz Azerbaijan 41°31N 48°42E 87 K9
Xai-Xai Mozam. 25°6S 33°31E 145 C5
Xaidulla China 36°28N 77°59E 109 E9
Xaignabouri = Sayabouri Laos 19°15N 101°45E 120 C3
Xainza China 30°58N 88°35E 110 E6
Xalapa Mexico 19°32N 96°55W 181 D5
Xallas → Spain 42°54N 9°8W 88 C1
Xangongo Angola 16°45S 15°5E 144 A2
Xankändi Azerbaijan 39°52N 46°49E 105 C12
Xanlar = Goygöl Azerbaijan 40°37N 46°12E 87 K8
Xanten Germany 51°39N 6°26E 76 D2
Xanthi Greece 41°10N 24°58E 97 E8
Xanthos Turkey 36°19N 29°18E 99 E11
Xanxerê Brazil 26°53S 52°23W 191 B5
Xapuri Brazil 10°35S 68°35W 188 C4
Xar Moron He → China 43°25N 120°35E 115 C11
Xarrë Albania 39°44N 20°3E 96 G4
Xátiva Spain 38°59N 0°32W 91 G4
Xau, L. Botswana 21°15S 24°44E 144 B3
Xavantina Brazil 21°15S 52°48W 191 A5
Xayar China 41°13N 82°48E 109 D10
Xebert China 44°2N 122°0E 115 B12
Xenia U.S.A. 39°41N 83°56W 173 F12
Xeraco Spain 39°2N 0°13W 91 F4
Xeropotamos → Cyprus 34°42N 32°33E 101 E11
Xertigny France 48°3N 6°24E 71 D13
Xhora S. Africa 31°55S 28°38E 145 D4
Xhumo Botswana 21°7S 24°35E 144 B3
Xi Jiang → China 22°5N 113°20E 117 F9
Xi Ujimqin Qi China 44°32N 117°40E 115 B9
Xi Xian Henan, China 32°20N 114°43E 117 A10
Xi Xian Shanxi, China 36°41N 110°58E 114 F6
Xia Xian China 35°8N 111°12E 114 G6
Xiachengzi China 44°40N 130°18E 115 B16
Xiachuan Dao China 21°40N 112°40E 117 G9
Xiaguan China 25°32N 100°16E 110 F9
Xiajiang China 27°30N 115°10E 117 D10
Xiajin China 36°56N 116°0E 114 F9
Xiamen China 24°25N 118°4E 117 E12
Xiamen Gaoqi Int. ✈ (XMN) China 24°33N 118°8E 117 E12
Xi'an China 34°15N 109°0E 114 G5
Xian Xian China 38°12N 116°6E 114 E9
Xian Xianyang Int. ✈ (XIY) China 34°27N 108°45E 114 G5
Xianfeng China 29°40N 109°8E 116 C7
Xiang Jiang → China 28°55N 112°50E 117 C9
Xiang Khouang Laos 19°17N 103°25E 120 C4
Xiangcheng Henan, China 33°50N 113°27E 114 H7
Xiangcheng Sichuan, China 28°53N 99°47E 116 C2
Xiangdu China 23°13N 106°58E 116 F6
Xiangfan China 32°2N 112°8E 117 A9
Xianggang = Hong Kong □ China 22°11N 114°14E 111 a
Xianghuang Qi China 42°2N 113°50E 114 C7
Xiangjiaba Dam China 28°37N 104°17E 116 C5
Xiangning China 35°58N 110°50E 114 G6
Xiangquan China 36°30N 113°1E 114 F7
Xiangquan He = Sutlej → Pakistan 29°23N 71°3E 124 E4
Xiangshan China 29°29N 121°51E 117 C13
Xiangshui China 34°12N 119°33E 115 G10
Xiangtan China 27°51N 112°54E 117 D9
Xiangxiang China 27°43N 112°28E 117 D9
Xiangyin China 28°38N 112°54E 117 C9
Xiangyun China 25°34N 100°35E 116 E3
Xiangzhou China 23°58N 109°40E 116 F7
Xianju China 28°51N 120°44E 117 C13
Xianning China 29°51N 114°16E 117 C10
Xianshui He → China 30°10N 100°59E 116 B3
Xiantao China 30°25N 113°25E 117 B9
Xianyang China 34°20N 108°40E 114 G5
Xianyou China 25°22N 118°38E 117 E12
Xiao Hinggan Ling China 49°0N 127°0E 111 B14
Xiao Xian China 34°15N 116°55E 114 G9
Xiaofeng China 30°35N 119°32E 117 B12
Xiaogan China 30°52N 113°55E 117 B9
Xiaojin China 30°59N 102°21E 116 B4
Xiaolan China 22°38N 113°13E 117 F9
Xiaoshan China 30°12N 120°18E 117 B13
Xiaowan Dam China 24°42N 100°5E 116 E3
Xiaowutai Shan China 39°51N 114°59E 114 E8
Xiaoyi China 37°8N 111°48E 114 F6
Xiapu China 26°54N 119°59E 117 D12
Xiashan = Zhanjiang China 21°15N 110°20E 117 G8
Xiawa China 42°35N 120°38E 115 C11
Xiayi China 34°15N 116°10E 114 G9
Xichang China 27°51N 102°19E 116 D4
Xichong China 30°57N 105°54E 116 B5
Xichou China 23°25N 104°42E 116 F5
Xichuan China 33°0N 111°30E 117 A8
Xide China 28°8N 102°19E 116 C4
Xiemahe' China 31°38N 111°12E 117 B8
Xifei He → China 32°45N 116°40E 117 A11
Xifeng Gansu, China 35°40N 107°40E 114 G4
Xifeng Guizhou, China 27°7N 106°42E 116 D6
Xifeng Liaoning, China 42°42N 124°45E 115 C13
Xifengzhen = Xifeng China 35°40N 107°40E 114 G4
Xigazê China 29°5N 88°45E 110 F6
Xihe China 34°2N 105°20E 114 G3
Xihua China 33°45N 114°30E 114 H8
Xilagani Greece 40°58N 25°28E 97 F9
Xili Shuiku China 22°36N 113°57E 111 a
Xiliao He → China 43°32N 123°35E 115 C12
Xilin China 24°30N 105°6E 116 E5
Xiling Gorge = Xiling Xia China 30°54N 110°48E 117 B8
Xiling Xia China 30°54N 110°48E 117 B8
Xilinhot China 43°52N 116°2E 114 C9
Xilokastro Greece 38°5N 22°38E 98 C4
Xiluodu Dam China 28°12N 103°34E 116 C4
Ximana Mozam. 19°24S 33°58E 143 F3
Xime Guinea-Biss. 11°59N 14°57W 138 C2
Ximeng China 22°50N 99°27E 116 F2
Ximiao China 40°59N 100°12E 110 C9
Xin Jiang → China 28°45N 116°35E 117 C11
Xin Xian = Xinzhou China 38°22N 112°46E 114 E7
Xin'anjiang Shuiku China 29°33N 118°56E 117 C12
Xinavane Mozam. 25°2S 32°47E 145 C5
Xinbin China 41°40N 125°2E 115 D13
Xincai China 32°43N 114°58E 117 A10
Xinchang China 29°28N 120°52E 117 C13
Xincheng Guangxi Zhuangzu, China 24°5N 108°39E 116 E7
Xincheng Jiangxi, China 26°48N 114°6E 117 D10
Xinfeng Guangdong, China 24°5N 114°16E 117 E10
Xinfeng Jiangxi, China 27°7N 116°11E 117 D11
Xinfeng Jiangxi, China 25°27N 114°58E 117 E10
Xinfengjiang Shuiku China 23°52N 114°30E 117 F10
Xing Xian China 38°27N 111°7E 114 E6
Xing'an Guangxi Zhuangzu, China 25°38N 110°40E 117 E8
Xingan Jiangxi, China 27°46N 115°20E 117 D10
Xingcheng China 40°40N 120°45E 115 D11
Xingguo China 26°21N 115°21E 117 D10
Xinghe China 40°55N 113°55E 114 D7
Xinghua China 32°58N 119°48E 117 A12
Xinghua Wan China 25°15N 119°20E 117 E12
Xinglong China 40°25N 117°30E 115 D9
Xingning China 24°3N 115°42E 117 E10
Xingping China 34°20N 108°28E 114 G5
Xingren China 25°24N 105°11E 116 E5
Xingshan China 31°15N 110°45E 117 B8
Xingtai China 37°3N 114°32E 114 F8
Xingu → Brazil 1°30S 51°53W 187 D8
Xingwen China 28°22N 104°50E 116 C5
Xingxingxia China 41°47N 95°0E 110 C7
Xingyang China 34°45N 112°52E 114 G7
Xingyi China 25°3N 104°59E 116 E5
Xinhe Hebei, China 37°30N 115°15E 114 F8
Xinhe Xinjiang Uygur, China 41°33N 82°37E 109 D10
Xinhua China 27°42N 111°13E 117 D8
Xinhuang China 27°21N 109°12E 116 D7
Xinhui China 22°25N 113°0E 117 F9
Xining China 36°34N 101°40E 110 D9
Xinji China 37°55N 115°13E 114 F8
Xinjian China 28°37N 115°46E 117 C10
Xinjiang China 35°34N 111°11E 114 G6
Xinjiang Uygur Zizhiqu □ China 42°0N 86°0E 109 D11
Xinjin = Pulandian China 39°25N 121°58E 115 E11
Xinjin China 30°24N 103°47E 116 B4
Xinkai He → China 43°32N 123°35E 115 C12
Xinken China 22°39N 113°36E 111 a
Xinle China 38°25N 114°40E 114 E8
Xinlitun China 42°0N 122°8E 115 D12
Xinlong China 30°57N 100°12E 116 B3
Xinmi China 34°30N 113°25E 114 G7
Xinmin China 41°59N 122°50E 115 D12
Xinning China 26°28N 110°50E 117 D8
Xinping China 24°5N 101°59E 116 E3
Xinshao China 27°21N 111°26E 117 D8
Xintai China 35°55N 117°45E 115 G9
Xintian China 25°55N 112°13E 117 E9
Xinwan China 22°47N 113°40E 111 a
Xinxiang China 35°18N 113°50E 114 G7
Xinxing China 22°35N 112°15E 117 F9
Xinyang China 32°6N 114°3E 117 A10
Xinye China 32°30N 112°21E 117 A9
Xinyi Guangdong, China 22°25N 111°0E 117 F8
Xinyi Nei Monggol Zizhiqu, China 34°23N 118°21E 115 G10
Xinyu China 27°49N 114°58E 117 D10
Xinzhan China 43°50N 127°18E 115 C14
Xinzheng China 34°20N 113°45E 114 G7
Xinzhou Hainan, China 19°43N 109°17E 117 a
Xinzhou Hubei, China 30°50N 114°48E 117 B10
Xinzhou Shanxi, China 38°22N 112°46E 114 E7
Xinzo de Limia Spain 42°3N 7°47W 88 C3
Xiongyuecheng China 40°12N 122°5E 115 D12
Xiping Henan, China 33°22N 114°5E 114 H8
Xiping Henan, China 33°25N 111°8E 114 H6
Xiping Zhejiang, China 28°16N 119°29E 117 C12
Xique-Xique Brazil 10°50S 42°40W 189 C2
Xirdalan Azerbaijan 40°27N 49°45E 105 B13
Xiruá → Brazil 6°3S 67°50W 188 B4
Xisha Qundao = Paracel Is. S. China Sea 15°50N 112°0E 118 A4
Xishuangbanna China 22°5N 101°1E 116 F3
Xishui Guizhou, China 28°19N 106°9E 116 C6
Xishui Hubei, China 30°30N 115°15E 117 B10
Xitole Guinea-Biss. 11°43N 14°50W 138 C2
Xiu Shui → China 29°13N 116°0E 117 C10
Xiuning China 29°45N 118°10E 117 C12
Xiuren China 24°27N 110°12E 117 E8
Xiushan China 28°25N 108°57E 116 C7
Xiushui China 29°2N 114°33E 117 C10
Xiuwen China 26°49N 106°32E 116 D6
Xiuyan China 40°18N 123°11E 115 D12
Xiva Uzbekistan 41°30N 60°18E 108 D6
Xixabangma Feng China 28°20N 85°40E 125 E11
Xixia China 33°25N 111°29E 114 H6
Xixiang Guangdong, China 22°34N 113°52E 111 a
Xixiang Shaanxi, China 33°0N 107°44E 114 H4
Xixón = Gijón Spain 43°32N 5°42W 88 B5
Xiyang China 37°38N 113°38E 114 F7
Xizang Zizhiqu □ China 32°0N 88°0E 110 E6
Xlendi Malta 36°1N 14°12E 101 C1
Xochob Mexico 19°21N 89°48W 181 D7
Xo'jayli Uzbekistan 42°29N 59°31E 108 D5
Xorazm □ Uzbekistan 43°0N 60°0E 108 D6
Xu Jiang → China 28°0N 116°25E 117 D11
Xuan Loc Vietnam 10°56N 107°14E 121 G6
Xuan'en China 30°0N 109°30E 116 C7
Xuanhan China 31°18N 107°38E 116 B6
Xuanhua China 40°40N 115°2E 114 D8
Xuanwei China 26°15N 103°59E 116 D4
Xuanzhou China 30°56N 118°43E 117 B12
Xuchang China 34°2N 113°48E 114 G7
Xudat Azerbaijan 41°38N 48°41E 87 K9
Xuefeng Shan China 27°5N 110°35E 117 D8
Xuejiaping China 31°39N 110°16E 117 B8
Xun Jiang → China 23°35N 111°30E 117 F8
Xun Xian China 35°42N 114°33E 114 G8
Xundian China 25°36N 103°15E 116 E4
Xunwu China 24°54N 115°37E 117 E10
Xunyang China 32°48N 109°22E 114 H5
Xunyi China 35°8N 108°20E 114 G5
Xupu China 27°53N 110°32E 117 D8
Xúquer → Spain 39°5N 0°10W 91 F4
Xushui China 39°2N 115°40E 114 E8
Xuwen China 20°20N 110°10E 117 G8
Xuyi China 32°55N 118°32E 117 A12
Xuyong China 28°10N 105°22E 116 C5
Xuzhou China 34°18N 117°10E 115 G9
Xylophagou Cyprus 34°54N 33°51E 101 E12

Y

Y Drenewydd = Newtown U.K. 52°31N 3°19W 67 E4
Y Fenni = Abergavenny U.K. 51°49N 3°1W 67 F4
Y Gelli Gandryll = Hay-on-Wye U.K. 52°5N 3°8W 67 E4
Y Trallwng = Welshpool U.K. 52°39N 3°8W 67 E4
Ya Xian = Sanya China 18°14N 109°29E 117 a
Yaamba Australia 23°8S 150°22E 150 C5
Ya'an China 29°58N 103°5E 116 C4
Yaapeet Australia 35°45S 142°3E 152 C5
Yabassi Cameroon 4°30N 9°57E 139 E6
Yabayo Ivory C. 5°56N 6°36W 138 D3
Yablanitsa Bulgaria 43°2N 24°5E 97 C8
Yablonovskiy Russia 44°59N 38°57E 87 H4
Yablonovyy Khrebet Russia 53°0N 114°0E 107 D12
Yablonovyy Ra. = Yablonovyy Khrebet Russia 53°0N 114°0E 107 D12
Yabluniv Ukraine 48°24N 24°57E 81 B9
Yablunytsya Ukraine 48°19N 24°29E 81 B9
Yabrai Shan China 39°40N 103°0E 114 E2
Yabrūd Syria 33°58N 36°39E 130 B5
Yabucoa Puerto Rico 18°3N 65°53W 183 d
Yacambú △ Venezuela 9°42N 69°27W 183 E6
Yacata Fiji 17°15S 179°31W 154 a
Yacheng China 18°22N 109°6E 117 a
Yackandandah Australia 36°18S 146°52E 153 D7
Yacuiba Bolivia 22°0S 63°43W 190 A3
Yacuma → Bolivia 13°38S 65°23W 186 F5
Yacurí △ Ecuador 4°42S 79°20W 188 A2
Yadgir India 16°45N 77°5E 126 F3
Yadkin → U.S.A. 35°23N 80°4W 177 D14
Yadrin Russia 55°57N 46°12E 86 C8
Yadua Fiji 16°49S 178°18E 154 a
Yaeyama-Rettō Japan 24°30N 123°40E 113 M1
Yagaba Ghana 10°14N 1°20W 139 C4
Yagasa Cluster Fiji 18°57S 178°28W 154 a
Yağcılar Turkey 39°25N 28°23E 99 B10
Yagodnoye Russia 62°33N 149°40E 107 C15
Yahila Dem. Rep. of the Congo 0°13N 24°28E 142 B1
Yahk Canada 49°6N 116°10W 162 D5
Yahotyn Ukraine 50°17N 31°46E 85 G6
Yahuma Dem. Rep. of the Congo 1°0N 23°10E 140 D4
Yahyalı Turkey 38°5N 35°2E 104 C6
Yaita Japan 36°48N 139°56E 113 F9
Yaiza Canary Is. 28°57N 13°46W 100 F6
Yajiang China 30°2N 100°57E 116 B3
Yajua Nigeria 11°27N 12°49E 139 C7
Yakeshi China 49°17N 120°44E 111 B13
Yakima U.S.A. 46°36N 120°31W 168 C3
Yakima → U.S.A. 46°15N 119°14W 168 C4
Yakishiri-Jima Japan 44°26N 141°25E 112 B10
Yako Burkina Faso 12°59N 2°15W 138 C4
Yakobi I. U.S.A. 58°0N 136°30W 162 B1
Yakoruda Bulgaria 42°1N 23°39E 96 D7
Yakovlevka Russia 44°26N 133°28E 112 B6

Yaku-Shima Japan 30°20N 130°30E 113 J5
Yakumo Japan 42°15N 140°16E 112 C10
Yakutat U.S.A. 59°33N 139°44W 160 F4
Yakutat B. U.S.A. 59°45N 140°45W 166 D11
Yakutia = Sakha □ Russia 66°0N 130°0E 107 C14
Yakutsk Russia 62°5N 129°50E 107 C13
Yakymivka Ukraine 46°44N 35°0E 85 J8
Yala Thailand 6°33N 101°18E 121 J3
Yala △ Sri Lanka 6°20N 81°30E 127 L5
Yalata Australia 31°59S 132°26E 149 F5
Yalata ✪ Australia 31°35S 132°7E 149 F5
Yalboroo Australia 20°50S 148°40E 150 b
Yale U.S.A. 43°8N 82°48W 174 C2
Yalgorup △ Australia 32°39S 115°38E 149 F2
Yalinga C.A.R. 6°33N 23°10E 140 C4
Yalkabul, Pta. Mexico 21°32N 88°37W 181 C7
Yalleroi Australia 24°3S 145°42E 150 C4
Yalobusha → U.S.A. 33°33N 90°10W 177 E9
Yalong China 18°12N 109°42E 117 a
Yalong Jiang → China 26°40N 101°55E 116 D3
Yalova Turkey 40°41N 29°15E 97 F13
Yalpirakinu ✪ Australia 22°24S 132°15E 148 D5
Yalpuh, Ozero Ukraine 45°30N 28°41E 81 E13
Yalta Ukraine 44°30N 34°10E 85 K8
Yalu Jiang → China 39°55N 124°19E 115 E13
Yalvaç Turkey 38°17N 31°10E 104 C4
Yam Australia 9°54S 142°46E 150 a
Yam Ha Melaḥ = Dead Sea Asia 31°30N 35°30E 130 D4
Yam Kinneret Israel 32°45N 35°35E 130 C4
Yamada = Kama Japan 33°33N 130°49E 113 H5
Yamagata Japan 38°15N 140°15E 112 E10
Yamagata □ Japan 38°30N 140°0E 112 E10
Yamaguchi Japan 34°10N 131°32E 113 G5
Yamaguchi □ Japan 34°20N 131°40E 113 G5
Yamal, Poluostrov Russia 71°0N 70°0E 106 B8
Yamal Pen. = Yamal, Poluostrov Russia 71°0N 70°0E 106 B8
Yamanashi □ Japan 35°40N 138°40E 113 G9
Yamantau, Gora Russia 54°15N 58°6E 108 B5
Yamato Ridge Sea of Japan 39°20N 135°0E 112 E7
Yamba Australia 29°26S 153°23E 151 D5
Yambarran Ra. Australia 15°10S 130°25E 148 C5
Yambéring Guinea 11°50N 12°18W 138 C2
Yambio South Sudan 4°35N 28°16E 135 H11
Yambol Bulgaria 42°30N 26°30E 97 D10
Yambol □ Bulgaria 42°30N 26°30E 97 D10
Yamburg Russia 68°21N 77°8E 106 C8
Yamdena Indonesia 7°45S 131°20E 119 F8
Yame Japan 33°13N 130°35E 113 H5
Yamethin Burma 20°29N 96°18E 123 J20
Yamma Yamma, L. Australia 26°16S 141°20E 151 D3
Yamoussoukro Ivory C. 6°49N 5°17W 138 D3
Yamoussoukro □ Ivory C. 6°47N 5°14W 138 D3
Yampa → U.S.A. 40°32N 108°59W 168 F9
Yampi Sd. Australia 16°8S 123°38E 148 C3
Yampil Moldova 48°15N 28°15E 75 D15
Yampol = Yampil Moldova 48°15N 28°15E 75 D15
Yamrat Nigeria 10°11N 9°55E 139 C6
Yamrukchal = Botev Bulgaria 42°44N 24°52E 97 D8
Yamu, Laem Thailand 7°59N 98°26E 121 a
Yamuna → India 25°30N 81°53E 125 G9
Yamunanagar India 30°7N 77°17E 124 D7
Yamzho Yumco China 28°48N 90°35E 110 F7
Yan Nigeria 10°5N 12°11E 139 C7
Yan Oya → Sri Lanka 9°0N 81°10E 127 K5
Yana → Russia 71°30N 136°0E 107 B14
Yanagawa Japan 33°10N 130°24E 113 H5
Yanai Japan 33°58N 132°7E 113 H6
Yan'an China 36°35N 109°26E 114 F5
Yanbian China 26°47N 101°31E 116 D3
Yanbu 'al Baḥr Si. Arabia 24°5N 38°5E 128 E3
Yanchang China 36°43N 110°1E 114 F6
Yancheng Henan, China 33°35N 114°0E 114 H8
Yancheng Jiangsu, China 33°23N 120°8E 115 H11
Yanchep Australia 31°33S 115°37E 149 F2
Yanchi China 37°48N 107°20E 114 F4
Yanchuan China 36°51N 110°10E 114 F6
Yanco Australia 34°38S 146°27E 153 C7
Yanco Cr. → Australia 35°14S 145°35E 153 C6
Yandang Shan China 28°0N 120°25E 117 D13
Yandeyarra ✪ Australia 21°17S 118°24E 148 D2
Yandicoogina Australia 22°49S 119°12E 148 D2
Yandoon Burma 17°0N 95°40E 123 L19
Yanfeng China 25°52N 101°8E 116 E3
Yanfolila Mali 11°11N 8°9W 138 C3
Yang Xian China 33°15N 107°30E 116 A6
Yang-yang S. Korea 38°4N 128°38E 115 E15
Yang-Yang Senegal 15°30N 15°20W 138 B1
Yangambi Dem. Rep. of the Congo 0°47N 24°24E 142 B1
Yangbi China 25°41N 99°58E 116 E2
Yangcheng China 35°28N 112°22E 114 G7
Yangch'ü = Taiyuan China 37°52N 112°33E 114 F7
Yangchun China 22°11N 111°48E 117 F8
Yanggao China 40°21N 113°55E 114 D7
Yanggu China 36°8N 115°43E 114 F8
Yangiyŭl Uzbekistan 41°0N 69°3E 109 D7
Yangjiang China 21°50N 111°59E 117 G8
Yangliuqing China 39°2N 117°5E 115 E9
Yangôn Burma 16°45N 96°20E 123 L20
Yangping China 31°12N 111°25E 117 B8
Yangpingguan China 32°58N 106°5E 116 A6
Yangquan China 37°58N 113°31E 114 F7
Yangshan Guangdong, China 24°30N 112°40E 117 E9
Yangshan Shanghai, China 30°37N 122°4E 117 B14
Yangshuo China 24°48N 110°29E 117 E8
Yangtse = Chang Jiang → China 31°48N 121°10E 117 B13
Yangtze Kiang = Chang Jiang → China 31°48N 121°10E 117 B13
Yangxin China 29°50N 115°12E 117 C10
Yangyuan China 40°1N 114°10E 114 D8
Yangzhong China 32°22N 119°22E 117 A12
Yangzhou China 32°21N 119°26E 117 A12
Yanhe China 28°31N 108°29E 116 C7
Yanji China 42°59N 129°30E 115 C15
Yanjin China 28°5N 104°18E 116 C5
Yanjing China 29°7N 98°33E 116 C2
Yankari △ Nigeria 9°50N 10°28E 139 D7
Yankton U.S.A. 42°53N 97°23W 172 D5
Yankunytjatjara-Antakirinja ✪ Australia 27°20S 134°30E 151 A1
Yanonge Dem. Rep. of the Congo 0°35N 24°38E 142 B1
Yanqi China 42°5N 86°35E 109 D11
Yanqing China 40°30N 115°58E 114 D8
Yanshan Hebei, China 38°4N 117°22E 115 E9
Yanshan Jiangxi, China 28°15N 117°41E 117 C11
Yanshan Yunnan, China 23°35N 104°20E 116 F5
Yanshou China 45°28N 128°22E 115 B15
Yantabulla Australia 29°21S 145°0E 151 D4
Yantai China 37°34N 121°22E 115 F11
Yantarnyy Russia 54°52N 19°57E 82 D6
Yantian China 22°35N 114°16E 111 a
Yanting China 31°11N 105°24E 116 B5
Yantongshan China 43°17N 126°0E 115 C14
Yantra → Bulgaria 43°40N 25°37E 97 C9
Yanuca Fiji 18°24S 178°0E 154 a
Yanununbeyan △ Australia 35°29S 149°24E 153 C8
Yanwa China 27°35N 98°55E 116 D2
Yanyuan China 27°25N 101°30E 116 D3
Yanzhou China 35°35N 116°49E 114 G9
Yao Xian China 34°55N 108°59E 114 G5
Yao Yai, Ko Thailand 8°7N 98°37E 121 a
Yao'an China 25°31N 101°18E 116 E3
Yaoundé Cameroon 3°50N 11°35E 139 E7
Yaowan China 34°15N 118°3E 115 G10
Yap Pac. Oc. 9°30N 138°10E 156 G5
Yapei Ghana 9°10N 1°10W 139 D4
Yapen Indonesia 1°50S 136°0E 119 E9
Yapen, Selat Indonesia 1°20S 136°10E 119 E9
Yapero Indonesia 4°59S 137°11E 119 E9
Yappar → Australia 18°22S 141°16E 150 B3
Yapuparra ✪ Australia 27°15S 126°20E 149 E4
Yaqaga Fiji 16°35S 178°36E 154 a
Yaqui → Mexico 27°37N 110°39W 180 B2
Yar Çalli = Naberezhnyye Chelny Russia 55°42N 52°19E 86 C11
Yar-Sale Russia 66°50N 70°50E 106 C8
Yaraka Australia 24°53S 144°3E 150 C3
Yaransk Russia 57°22N 47°49E 86 B8
Yarbasan Turkey 38°59N 28°49E 99 C10
Yardımcı Burnu Turkey 36°13N 30°25E 99 E12
Yare → U.K. 52°35N 1°38E 67 E9
Yaremcha Ukraine 48°27N 24°33E 81 B9
Yarensk Russia 62°11N 49°15E 106 C5
Yarīmah Si. Arabia 24°37N 38°35E 137 C4
Yarí → Colombia 0°20S 72°20W 186 D4
Yarkand = Shache China 38°20N 77°10E 109 E9
Yarkant He → China 40°26N 80°59E 109 D10
Yarker Canada 44°23N 76°46W 175 B8
Yarkhun → Pakistan 36°17N 72°30E 125 A5
Yarlung Ziangbo Jiang = Brahmaputra → Asia 23°40N 90°35E 125 H13
Yarmouth Canada 43°50N 66°7W 165 D6
Yarmūk → Syria 32°42N 35°40E 130 C4
Yaroslavl Russia 57°35N 39°55E 84 D10
Yaroslavl □ Russia 59°20N 38°50E 84 C10
Yarqa, W. → Egypt 30°0N 33°49E 130 F2
Yarra Ranges △ Australia 37°40S 146°3E 153 D7
Yarra Yarra Lakes Australia 29°40S 115°45E 149 E2
Yarram Australia 38°29S 146°39E 153 E7
Yarraman Australia 26°50S 152°0E 151 D5
Yarras Australia 31°25S 152°20E 153 A10
Yarrawonga Australia 36°0S 146°0E 153 D7
Yarrie Australia 20°40S 120°12E 148 D3
Yartsevo Sib., Russia 60°20N 90°0E 107 C10
Yartsevo Smolensk, Russia 55°6N 32°43E 84 E7
Yarumal Colombia 6°58N 75°24W 186 B3
Yasawa Fiji 16°47S 177°31E 154 a
Yasawa Group Fiji 17°0S 177°23E 154 a
Yaselda Belarus 52°7N 26°28E 75 B14
Yasen Ukraine 48°45N 24°10E 81 B9
Yashi Nigeria 12°23N 7°54E 139 C6
Yashikera Nigeria 9°44N 3°29E 139 D5
Yashkul Russia 46°11N 45°21E 87 G7
Yasin Pakistan 36°24N 73°23E 125 A5
Yasinovataya Ukraine 48°7N 37°57E 85 H9
Yasinski, L. Canada 53°16N 77°35W 164 B4
Yasinya Ukraine 48°16N 24°21E 81 B9
Yasnyy Russia 51°1N 59°58E 108 B5
Yasothon Thailand 15°50N 104°10E 120 E5
Yass Australia 34°49S 148°54E 153 C8
Yāsūj Iran 30°31N 51°31E 129 D6
Yatağan Turkey 37°20N 28°10E 99 D10
Yatakala Niger 14°50N 0°22E 139 C5
Yates Center U.S.A. 37°53N 95°44W 172 G6
Yates Pt. N.Z. 44°29S 167°49E 155 E2
Yathkyed L. Canada 62°40N 98°0W 163 A9
Yathong Australia 32°37S 145°33E 153 B6
Yatsushiro Japan 32°30N 130°40E 113 H5
Yatta Plateau Kenya 2°0S 38°0E 142 C4
Yauca Peru 15°39S 74°35W 188 D3
Yauco Puerto Rico 18°2N 66°51W 183 d
Yauri Peru 14°47S 71°25W 188 C3
Yauya Peru 8°59S 77°17W 188 B2
Yauyos Peru 12°19S 75°50W 188 C2
Yaval India 21°10N 75°42E 126 D2
Yavari → Peru 4°21S 70°2W 188 A3
Yávaros Mexico 26°42N 109°31W 180 B3
Yavatmal India 20°20N 78°15E 126 D4
Yavero → Peru 12°6S 72°57W 188 C3
Yavne Israel 31°52N 34°45E 130 D3
Yavoriv Ukraine 49°55N 23°20E 75 D12
Yavorov = Yavoriv Ukraine 49°55N 23°20E 75 D12
Yavuzeli Turkey 37°18N 37°24E 104 D7
Yawatahama Japan 33°27N 132°24E 113 H6
Yawri B. S. Leone 8°22N 13°0W 138 D2
Yaxi China 27°33N 106°41E 116 D6
Yaxian = Sanya China 18°14N 109°29E 117 a
Yayladağı Turkey 35°54N 36°3E 104 E7
Yazd Iran 31°55N 54°27E 129 D7
Yazd □ Iran 32°0N 55°0E 129 D7
Yazd-e Khvāst Iran 31°31N 52°7E 129 D7
Yazıköy Turkey 36°40N 27°20E 99 E9
Yazman Pakistan 29°8N 71°45E 124 E4
Yazoo → U.S.A. 32°22N 90°54W 177 E9
Yazoo City U.S.A. 32°51N 90°25W 177 E9
Ybbs Austria 48°12N 15°4E 78 C8
Ybycuí △ Paraguay 26°5S 56°46W 190 B4
Ybytyruzú △ Paraguay 25°51S 56°11W 191 B4
Ye Burma 15°15N 97°15E 120 E1
Ye Xian China 33°35N 113°25E 114 H7
Yea Australia 37°14S 145°26E 153 D6
Yebyu Burma 14°15N 98°13E 120 E2
Yecheng China 37°54N 77°26E 109 E9
Yecheon S. Korea 36°39N 128°27E 115 F15
Yecla Spain 38°35N 1°5W 91 G3
Yécora Mexico 28°20N 108°58W 180 B3
Yedigöller △ Turkey 40°55N 31°55E 104 B4
Yedintsy = Edineţ Moldova 48°9N 27°18E 81 B12
Yedseram → Nigeria 12°30N 14°5E 139 C7
Yefremov Russia 53°8N 38°3E 84 F10
Yeghegnadzor Armenia 39°44N 45°19E 105 C11
Yegorlyk → Russia 46°5N 41°52E 87 G5
Yegorlykskaya Russia 46°35N 40°35E 87 G5
Yegoryevsk Russia 55°27N 38°55E 84 E10
Yegros Paraguay 26°20S 56°25W 190 B4
Yehbuah Indonesia 8°23S 114°45E 119 J17
Yehuda, Midbar Israel 31°35N 35°15E 130 D4
Yei South Sudan 4°9N 30°40E 135 H12
Yeji Ghana 8°13N 0°39W 139 D4
Yejmiadzin = Ejmiatsin Armenia 40°12N 44°19E 87 K7
Yekaterinburg Russia 56°50N 60°30E 106 D7
Yekateriny, Proliv Russia 44°30N 146°30E 107 E15
Yelabuga Russia 55°46N 52°2E 86 C11
Yelan Russia 50°55N 43°43E 86 E6
Yelandur India 12°6N 77°0E 127 H3
Yelarbon Australia 28°33S 150°38E 151 D5
Yelatma Russia 55°0N 41°45E 86 C5
Yelcho, L. Chile 43°18S 72°18W 192 B2
Yelets Russia 52°40N 38°30E 85 F10
Yélimané Mali 15°9N 10°34W 138 B2
Yelin = Lingshui China 18°27N 110°0E 117 a
Yelizavetgrad = Kirovohrad Ukraine 48°35N 32°20E 85 H7
Yelizovo Russia 53°11N 158°23E 107 D16
Yell U.K. 60°35N 1°5W 65 A7
Yell Sd. U.K. 60°33N 1°15W 65 A7
Yellamanchilli = Elamanchili India 17°33N 82°50E 126 F6
Yellandu India 17°39N 80°23E 126 F5
Yellapur India 14°58N 74°43E 127 G2
Yellareddi India 18°12N 78°2E 126 E4
Yellow = Huang He → China 37°55N 118°50E 115 F10
Yellow → U.S.A. 30°30N 87°0W 179 E3
Yellow Sea China 35°0N 123°0E 115 G12
Yellowhead Pass Canada 52°53N 118°25W 162 C5
Yellowknife Canada 62°27N 114°29W 162 A6
Yellowknife → Canada 62°31N 114°19W 162 A6
Yellowstone → U.S.A. 47°59N 103°59W 168 C12
Yellowstone △ U.S.A. 44°40N 110°30W 168 D8
Yellowstone L. U.S.A. 44°27N 110°22W 168 D8
Yelnya Russia 54°35N 33°15E 84 E7
Yelsk Belarus 51°50N 29°10E 75 C15
Yelwa Nigeria 10°49N 4°41E 139 C5
Yemanzhelinsk Russia 54°58N 61°18E 108 B6
Yemassee U.S.A. 32°41N 80°51W 178 C9
Yemen ■ Asia 15°0N 44°0E 131 E3
Yemmiganur India 15°44N 77°29E 127 G3
Yen Bai Vietnam 21°42N 104°52E 116 G5
Yenagoa Nigeria 4°58N 6°16E 139 E6
Yenakiyeve Ukraine 48°15N 38°15E 85 H10
Yenakiyevo = Yenakiyeve Ukraine 48°15N 38°15E 85 H10
Yenangyaung Burma 20°30N 95°0E 123 J19
Yenbo = Yanbu 'al Baḥr Si. Arabia 24°5N 38°5E 128 E3
Yenda Australia 34°13S 146°14E 153 C7
Yende Millimou Guinea 8°55N 10°10W 138 D2
Yendéré Burkina Faso 10°12N 4°59W 138 C4
Yendi Ghana 9°29N 0°1W 139 D4
Yengisar China 38°56N 76°9E 109 E9
Yengo △ Australia 33°0S 150°55E 153 B9
Yéni Niger 13°30N 3°1E 139 C5
Yeni Erenköy = Yialousa Cyprus 35°32N 34°10E 101 D13
Yenbogaziçi = Áyios Seryios Cyprus 35°12N 33°53E 101 D12
Yenice Ankara, Turkey 39°14N 32°42E 104 C5
Yenice Aydın, Turkey 37°49N 28°35E 99 D10
Yenice Çanakkale, Turkey 39°55N 27°17E 99 B9
Yenice Edirne, Turkey 40°42N 26°9E 97 F10
Yenice → Turkey 37°37N 35°33E 104 D6
Yenifoça Turkey 38°44N 26°51E 99 C8
Yenihisar = Didim Turkey 37°22N 27°16E 99 D9
Yeniköy Bursa, Turkey 40°31N 29°22E 97 F13
Yeniköy Çanakkale, Turkey 39°55N 26°10E 99 B8
Yeniköy Kütahya, Turkey 38°52N 29°17E 99 C11
Yenipazar Turkey 37°49N 28°11E 99 D10
Yenişehir Turkey 40°16N 29°38E 97 F13
Yenisey → Russia 71°50N 82°40E 106 B9
Yeniseysk Russia 58°27N 92°13E 107 D10
Yeniseyskiy Zaliv Russia 72°20N 81°0E 106 B9
Yenne France 45°43N 5°44E 73 C9
Yenotayevka Russia 47°15N 47°0E 87 G8
Yenyuka Russia 57°57N 121°15E 107 D13
Yeo → U.K. 51°2N 2°49W 67 G5
Yeo, L. Australia 28°0S 124°30E 149 E3
Yeo I. Canada 45°24N 81°48W 174 A3
Yeola India 20°2N 74°30E 126 D2
Yeon-gi = Sejong S. Korea 36°35N 127°15E 115 F14
Yeong-wol S. Korea 37°11N 128°28E 115 F15
Yeongcheon S. Korea 35°58N 128°56E 115 G15
Yeongdeok S. Korea 36°24N 129°22E 115 F15
Yeongdong S. Korea 36°10N 127°46E 115 F14
Yeongju S. Korea 36°50N 128°40E 115 F15
Yeosu S. Korea 34°47N 127°45E 115 G14
Yeotmal = Yavatmal India 20°20N 78°15E 126 D4
Yeovil U.K. 50°57N 2°38W 67 G5
Yepes Spain 39°55N 3°39W 88 F7
Yeppoon Australia 23°5S 150°47E 150 C5
Yerbent Turkmenistan 39°19N 58°36E 129 B8
Yerbogachen Russia 61°16N 108°0E 107 C11
Yerevan Armenia 40°10N 44°31E 87 K7
Yerington U.S.A. 38°59N 119°10W 168 G4
Yerkesik Turkey 37°7N 28°19E 99 D10
Yerköy Turkey 39°38N 34°28E 104 C6
Yerla → India 16°50N 74°30E 126 F2
Yermo U.S.A. 34°54N 116°50W 171 L10
Yerolakkos Cyprus 35°11N 33°15E 101 D12
Yeropol Russia 65°15N 168°40E 107 C17
Yeroskipos Cyprus 34°46N 32°28E 101 E11
Yershov Russia 51°23N 48°27E 86 E9
Yerupajá, Cerro Peru 10°16S 76°55W 188 C2
Yerushalayim = Jerusalem Israel/West Bank 31°47N 35°10E 130 D4
Yerville France 49°40N 0°53E 70 C7
Yes Tor U.K. 50°41N 4°0W 67 G4
Yesan S. Korea 36°41N 126°51E 115 F14
Yeşilhisar Turkey 38°20N 35°6E 104 C6
Yeşilırmak → Turkey 41°22N 36°37E 104 B7
Yeşilkent Turkey 36°57N 36°12E 104 D7
Yeşilova Turkey 37°31N 29°46E 99 D11
Yeşilyurt Manisa, Turkey 38°22N 28°40E 99 C10
Yeşilyurt Muğla, Turkey 37°10N 28°20E 99 D10
Yesnogorsk Russia 54°32N 37°38E 84 E9
Yeso U.S.A. 34°26N 104°37W 169 J11
Yessentuki Russia 44°5N 42°53E 87 H6
Yessey Russia 68°29N 102°10E 107 C11
Yeste Spain 38°22N 2°19W 91 G2
Yetman Australia 28°56S 150°48E 151 D5
Yeu, Î. d' France 46°42N 2°20W 70 F4
Yevlax Azerbaijan 40°39N 47°7E 87 K8
Yevpatoriya Ukraine 45°15N 33°20E 85 K7
Yeya → Russia 46°40N 38°40E 87 G4
Yeysk Russia 46°40N 38°12E 85 J10
Yezd = Yazd Iran 31°55N 54°27E 129 D7
Yezerishche Belarus 55°50N 30°0E 84 E5
Ygatimi Paraguay 24°5S 55°40W 191 A4
Yhati Paraguay 25°45S 56°35W 190 B4
Yhú Paraguay 25°0S 56°0W 191 B4
Yi → Uruguay 33°7S 57°8W 190 C4
Yi 'Allaq, G. Egypt 30°21N 33°31E 130 E2
Yi He → China 34°10N 118°8E 115 G10
Yi Xian Anhui, China 29°55N 117°57E 117 C11
Yi Xian Hebei, China 39°20N 115°30E 114 E8
Yi Xian Liaoning, China 41°30N 121°22E 115 D11
Yialiás → Cyprus 35°9N 33°44E 101 D12
Yialousa Cyprus 35°32N 34°10E 101 D13
Yibin China 28°45N 104°32E 116 C5
Yichang China 30°40N 111°20E 117 B8
Yicheng Henan, China 31°41N 112°12E 117 B9
Yicheng Shanxi, China 35°42N 111°40E 114 G6
Yichuan China 36°2N 110°10E 114 F6
Yichun Heilongjiang, China 47°44N 128°52E 111 B14
Yichun Jiangxi, China 27°48N 114°22E 117 D10
Yidu China 36°43N 118°28E 115 F10
Yidun China 30°22N 99°21E 116 B2
Yifeng China 28°22N 114°45E 117 C10
Yihuang China 27°30N 116°12E 117 D11
Yijun China 35°28N 109°8E 114 G5
Yıldız Dağları Turkey 41°48N 27°36E 97 E11
Yıldızeli Turkey 39°51N 36°36E 104 C7
Yilehuli Shan China 51°20N 124°20E 111 A13
Yiliang Yunnan, China 27°38N 104°2E 116 D5
Yiliang Yunnan, China 24°56N 103°11E 116 E4
Yılmazköy = Skilloura Cyprus 35°14N 33°10E 101 D12
Yilong China 31°34N 106°23E 116 B6
Yima China 34°44N 111°53E 114 G6
Yimen China 24°40N 102°10E 116 E4
Yimianpo China 45°7N 128°2E 115 B15
Yin Xu China 36°7N 114°18E 114 F8
Yi'nan China 35°31N 118°24E 115 G10
Yinchuan China 38°30N 106°15E 114 E4
Yindarlgooda, L. Australia 30°40S 121°52E 149 F3
Yindjibarndi ✪ Australia 22°0S 118°35E 148 D2
Ying He → China 32°30N 116°30E 117 A11
Ying Xian China 39°32N 113°10E 114 E7
Yingcheng China 30°56N 113°35E 117 B9
Yingde China 24°10N 113°25E 117 E9
Yingjiang China 24°41N 97°55E 116 E1
Yingjing China 29°41N 102°52E 116 C4
Yingkou China 40°37N 122°18E 115 D12
Yingpanshui China 37°26N 104°18E 114 F3
Yingshan Hubei, China 30°41N 115°32E 117 B10
Yingshan Sichuan, China 31°4N 106°35E 116 B6
Yingshang China 32°38N 116°12E 117 A11
Yingtan China 28°12N 117°0E 117 C11
Yingualyalya ✪ Australia 18°49S 129°12E 148 C4
Yining China 43°58N 81°10E 109 D10
Yiningarra ✪ Australia 20°53S 129°27E 148 D4
Yinjiang China 28°1N 108°21E 116 C7
Yinmabin Burma 22°10N 94°55E 123 H19
Yioúra = Giaros Greece 37°32N 24°40E 98 D6
Yipinglang China 25°10N 101°52E 116 E3
Yirga Alem Ethiopia 6°48N 38°22E 131 F2
Yirrkala Australia 12°14S 136°56E 150 A2
Yishan China 24°28N 108°38E 116 E7
Yishui China 35°47N 118°30E 115 G10
Yishun Singapore 1°26N 103°51E 121 d
Yitong China 43°13N 125°20E 115 C13
Yiwu China 29°20N 120°3E 117 C13
Yixing China 31°21N 119°48E 117 B12
Yiyang Henan, China 34°27N 112°10E 114 G7
Yiyang Hunan, China 28°35N 112°18E 117 C9
Yiyang Jiangxi, China 28°22N 117°20E 117 C11
Yizhang China 25°27N 112°57E 117 E9
Yizheng China 32°18N 119°10E 117 A12
Yli-Kitka Finland 66°8N 28°30E 60 C23
Yliki, L. Greece 38°24N 23°15E 98 C5
Ylitornio Finland 66°19N 23°39E 60 C20
Ylivieska Finland 64°4N 24°28E 60 D21
Ymer Ø Greenland 73°9N 24°0W 57 C8
Yngaren Sweden 58°50N 16°35E 63 F10
Ynykchanskiy Russia 60°15N 137°35E 107 C14
Yoakum U.S.A. 29°17N 97°9W 176 G6
Yobe □ Nigeria 12°0N 11°30E 139 C7
Yog Pt. Phil. 14°6N 124°12E 119 B6
Yoğuntaş Turkey 41°50N 27°4E 97 E11
Yogyakarta Indonesia 7°49S 110°22E 118 F4
Yogyakarta □ Indonesia 7°48S 110°22E 119 G14
Yoho △ Canada 51°25N 116°30W 162 C5
Yojoa, L. de Honduras 14°53N 88°0W 182 D2
Yok Don △ Vietnam 12°50N 107°40E 120 F6
Yokadouma Cameroon 3°26N 14°55E 140 D2
Yokkaichi Japan 34°55N 136°38E 113 G8
Yoko Cameroon 5°32N 12°20E 139 D7
Yokohama Japan 35°27N 139°28E 113 G9
Yokosuka Japan 35°20N 139°40E 113 G9
Yokote Japan 39°20N 140°30E 112 E10
Yola Nigeria 9°10N 12°29E 139 D7
Yolaina, Cordillera de Nic. 11°30N 84°0W 182 D3
Yolöten Turkmenistan 37°18N 62°21E 129 B9
Yom → Thailand 15°35N 100°1E 120 E3
Yonago Japan 35°25N 133°19E 113 G6
Yonaguni-Jima Japan 24°27N 123°0E 113 M1
Yŏnan N. Korea 37°55N 126°11E 115 F14
Yonezawa Japan 37°57N 140°4E 112 F10
Yong-in S. Korea 37°14N 127°12E 115 F14
Yong Peng Malaysia 2°0N 103°3E 121 M4
Yong Sata Thailand 7°8N 99°41E 121 J2
Yongamp'o N. Korea 39°56N 124°23E 115 E13
Yong'an China 25°59N 117°25E 117 E11
Yongchang China 38°17N 102°7E 110 D9
Yongcheng China 33°55N 116°20E 114 H9
Yongchuan China 29°17N 105°55E 116 C5
Yongchun China 25°16N 118°20E 117 E12
Yongde China 24°5N 99°25E 116 E2
Yongdeng China 36°38N 103°25E 114 F2
Yongding China 24°43N 116°45E 117 E11
Yongfeng China 27°20N 115°22E 117 D10
Yongfu China 24°59N 109°59E 116 E7
Yonghe China 36°46N 110°38E 114 F6
Yŏnghŭng N. Korea 39°31N 127°18E 115 E14
Yongji Jilin, China 43°33N 126°13E 115 C14
Yongji Shanxi, China 34°52N 110°28E 114 G6
Yongjia China 28°10N 120°45E 117 C13
Yongkang Yunnan, China 24°9N 99°20E 116 E2
Yongkang Zhejiang, China 28°55N 120°2E 117 C13
Yongnian China 36°47N 114°29E 114 F8
Yongning Guangxi Zhuangzu, China 22°44N 108°28E 116 F7
Yongning Ningxia Huizu, China 38°15N 106°14E 114 E4
Yongping China 25°27N 99°38E 116 E2
Yongren China 26°4N 101°40E 116 D3
Yongshan China 28°11N 103°35E 116 C4
Yongsheng China 26°38N 100°46E 116 D3
Yongshun China 29°2N 109°51E 116 C7
Yongtai China 25°49N 118°58E 117 E12
Yongxin = Jinggangshan China 26°58N 114°15E 117 D10
Yongxing China 26°9N 113°8E 117 D9
Yongxing Dao = Woody I. S. China Sea 16°50N 112°20E 118 A4
Yongxiu China 29°2N 115°42E 117 C10
Yongzhou China 26°17N 111°37E 117 D8
Yonibana S. Leone 8°30N 12°19W 138 D2
Yonkers U.S.A. 40°56N 73°52W 175 F11
Yonne □ France 47°50N 3°40E 71 E10
Yonne → France 48°23N 2°58E 71 D9
York Australia 31°52S 116°47E 149 F2
York U.K. 53°58N 1°6W 66 D6
York Ala., U.S.A. 32°29N 88°18W 177 E10
York Nebr., U.S.A. 40°52N 97°36W 172 E5
York Pa., U.S.A. 39°58N 76°44W 173 F15
York, C. Australia 10°42S 142°31E 150 A3
York, City of □ U.K. 53°58N 1°6W 66 D6
York, Kap Greenland 75°55N 66°25W 57 B4
York, Vale of U.K. 54°15N 1°25W 66 C6
York Sd. Australia 15°0S 125°5E 148 C4
Yorke Pen. Australia 34°50S 137°40E 152 C2
Yorketown Australia 35°2S 137°33E 152 C2
Yorkshire Dales △ U.K. 54°12N 2°10W 66 C5
Yorkshire Wolds U.K. 54°8N 0°31W 66 C7
Yorkton Canada 51°11N 102°28W 163 C8
Yorkville Calif., U.S.A. 38°52N 123°13W 170 G3
Yorkville Ga., U.S.A. 33°55N 84°58W 178 B5
Yoro Honduras 15°9N 87°7W 182 C2
Yoron-Jima Japan 27°2N 128°26E 113 L4
Yorosso Mali 12°17N 4°55W 138 C4
Yos Sudarso, Pulau = Dolak, Pulau Indonesia 8°0S 138°30E 119 F9
Yosemite △ U.S.A. 37°45N 119°40W 170 H7
Yosemite Village U.S.A. 37°45N 119°35W 170 H7
Yoshino-Kumano △ Japan 34°12N 135°55E 113 H8
Yoshkar Ola Russia 56°38N 47°55E 86 B8
Yotvata Israel 29°55N 35°2E 130 F4
You Jiang → China 22°50N 108°6E 116 F6
You Xian China 27°1N 113°17E 117 D9
Youbou Canada 48°53N 124°13W 170 B2
Youghal Ireland 51°56N 7°52W 64 E4
Youghal B. Ireland 51°55N 7°49W 64 E4
Youkounkoun Guinea 12°35N 13°11W 138 C2
Young Australia 34°19S 148°18E 153 C8
Young Canada 51°47N 105°45W 163 C7
Young Uruguay 32°44S 57°36W 190 C4
Young I. Antarctica 66°25S 162°24E 55 C11
Young Ra. N.Z. 44°10S 169°30E 155 E4
Younghusband, L. Australia 30°50S 136°5E 152 A2
Younghusband Pen. Australia 36°0S 139°25E 152 D3
Youngstown Canada 51°35N 111°10W 163 C6
Youngstown Fla., U.S.A. 30°22N 85°26W 178 E4
Youngstown N.Y., U.S.A. 43°15N 79°3W 174 C5
Youngstown Ohio, U.S.A. 41°6N 80°39W 174 E4
Youngsville U.S.A. 41°51N 79°19W 174 E5
Youngwood U.S.A. 40°14N 79°34W 174 F5
Youssoufia Morocco 32°16N 8°31W 136 B2
Youxi China 26°10N 118°13E 117 D12
Youyang China 28°47N 108°42E 116 C7
Youyu China 40°10N 112°20E 114 D7
Yozgat Turkey 39°51N 34°47E 104 C6
Yozgat □ Turkey 39°30N 35°0E 104 C6
Ypacaraí △ Paraguay 25°18S 57°19W 190 B4
Ypané → Paraguay 23°29S 57°19W 190 A4
Yport France 49°45N 0°15E 70 C7
Ypres = Ieper Belgium 50°51N 2°53E 69 D2
Yr Wyddgrug = Mold U.K. 53°9N 3°8W 66 D4
Yreka U.S.A. 41°44N 122°38W 168 F2
Yrghyz Kazakhstan 48°37N 61°16E 108 C6
Yrghyz → Kazakhstan 48°6N 62°30E 108 C6
Yssingeaux France 45°9N 4°8E 73 C8
Ystad Sweden 55°26N 13°50E 63 J7
Ystradgynlais U.K. 51°47N 3°46W 67 F4
Ysyk-Köl = Balykchy Kyrgyzstan 42°26N 76°12E 109 D9
Ysyk-Köl Kyrgyzstan 42°25N 77°15E 109 D9
Ysyk-Köl □ Kyrgyzstan 42°0N 78°0E 109 D9
Ythan → U.K. 57°19N 1°59W 65 D7
Ytteran Sweden 63°16N 14°7E 62 A8
Ytterhogdal Sweden 62°12N 14°56E 62 B8
Yttermalung Sweden 60°35N 13°51E 62 D7
Ytyk-Kyuyel Russia 62°30N 133°45E 107 C14
Yu Jiang → China 23°22N 110°3E 116 F7
Yü Shan Taiwan 23°25N 120°52E 117 F13
Yu Xian = Yuzhou China 34°10N 113°28E 114 G7
Yu Xian Hebei, China 39°50N 114°35E 114 E8
Yu Xian Shanxi, China 38°5N 113°20E 114 E7
Yuan Jiang = Hong → Asia 20°16N 106°34E 120 B5
Yuan Jiang → Hunan, China 28°55N 111°50E 117 C8
Yuan Jiang → Yunnan, China 22°20N 103°59E 116 F4
Yuan'an China 31°3N 111°34E 117 B8
Yuanjiang Hunan, China 28°47N 112°21E 117 C9
Yuanjiang Yunnan, China 23°32N 102°0E 116 F4
Yüanli Taiwan 24°27N 120°39E 117 E13
Yüanlin Taiwan 23°58N 120°30E 117 F13
Yuanling China 28°29N 110°22E 117 C8
Yuanmou China 25°42N 101°53E 116 E3
Yuanping China 38°42N 112°46E 114 E7
Yuanqu China 35°18N 111°40E 114 G6
Yuanyang Henan, China 35°3N 113°58E 114 G7
Yuanyang Yunnan, China 23°10N 102°43E 116 F4
Yuba → U.S.A. 39°8N 121°36W 170 F5
Yuba City U.S.A. 39°8N 121°37W 170 F5
Yūbari Japan 43°4N 141°59E 112 C10
Yūbetsu Japan 44°13N 143°50E 112 B11
Yucatán □ Mexico 20°50N 89°0W 181 C7
Yucatán, Canal de Caribbean 22°0N 86°30W 182 B2
Yucatán, Peninsula de Mexico 19°30N 89°0W 158 H11
Yucatan Basin Cent. Amer. 19°0N 86°0W 181 D7
Yucatan Channel = Yucatán, Canal de Caribbean 22°0N 86°30W 182 B2
Yucca U.S.A. 34°52N 114°9W 171 L12
Yucca Valley U.S.A. 34°8N 116°27W 171 L10
Yucheng China 36°55N 116°32E 114 F9
Yuci = Jinzhong China 37°42N 112°46E 114 F7
Yudu China 25°59N 115°30E 117 E10
Yuechi China 30°34N 106°25E 116 B6
Yuen Long China 22°26N 114°2E 111 a
Yuendumu Australia 22°16S 131°49E 148 D5
Yuendumu ✪ Australia 22°21S 131°40E 148 D5
Yueqing China 28°9N 120°59E 117 C13
Yueqing Wan China 28°5N 121°20E 117 C13
Yuexi Anhui, China 30°50N 116°20E 117 B11
Yuexi Sichuan, China 28°37N 102°26E 116 C4
Yueyang China 29°21N 113°5E 117 C9
Yugan China 28°43N 116°37E 117 C11
Yugorenok Russia 59°47N 137°40E 107 D14
Yugyd Va △ Russia 62°25N 58°45E 106 C6
Yuhuan China 28°9N 121°12E 117 C13
Yuhuan Dao China 28°5N 121°15E 117 C13
Yujiang China 28°10N 116°43E 117 C11
Yukhary Askipara Azerbaijan 41°4N 45°1E 105 B11
Yukhnov Russia 54°44N 35°15E 84 E8
Yukon U.S.A. 35°31N 97°45W 176 D6
Yukon → U.S.A. 62°32N 163°54W 166 C7
Yukon Flats U.S.A. 66°40N 145°45W 166 B10
Yukon Territory □ Canada 63°0N 135°0W 160 E5
Yüksekova Turkey 37°34N 44°16E 105 D11
Yukta Russia 63°26N 105°42E 107 C11
Yukuhashi Japan 33°44N 130°59E 113 H5
Yulara Australia 25°10S 130°55E 149 E5
Yule → Australia 20°41S 118°17E 148 D2
Yuleba Australia 26°37S 149°24E 151 D4
Yulee U.S.A. 30°38N 81°36W 178 E8
Yuli China 41°19N 86°15E 109 D11
Yuli Nigeria 9°44N 10°12E 139 D7
Yüli Taiwan 23°20N 121°18E 117 F13
Yulin Guangxi Zhuangzu, China 22°40N 110°8E 117 F8
Yulin Hainan, China 18°10N 109°31E 117 a
Yulin Shaanxi, China 38°20N 109°30E 114 E5
Yulong Xueshan China 27°6N 100°10E 116 D3
Yuma Ariz., U.S.A. 32°43N 114°37W 171 N12
Yuma Colo., U.S.A. 40°8N 102°43W 168 F12
Yuma, B. de Dom. Rep. 18°20N 68°35W 183 C6
Yumali Australia 35°32S 139°45E 152 C3
Yumbe Uganda 3°28N 31°15E 142 B3
Yumbi Dem. Rep. of the Congo 1°12S 26°15E 142 C2
Yumen China 39°50N 97°30E 110 D8
Yumurtalık Turkey 36°45N 35°48E 104 D6
Yun Gui Gaoyuan China 26°0N 104°0E 116 E3
Yun Ling Shan China 27°0N 99°20E 116 D2
Yun Xian Hubei, China 32°50N 110°46E 117 A8
Yun Xian Yunnan, China 24°27N 100°8E 116 E3
Yuna Australia 28°20S 115°0E 149 E2
Yunak Turkey 38°49N 31°43E 104 C4
Yunan China 23°12N 111°30E 117 F8
Yuncheng Henan, China 35°36N 115°57E 114 G8
Yuncheng Shanxi, China 35°2N 111°0E 114 G6
Yunfu China 22°50N 112°5E 117 F9
Yungang Shiku China 40°6N 113°5E 114 D7
Yungas Bolivia 17°0S 66°0W 186 G5
Yungay Chile 37°10S 72°5W 190 D1
Yungay Peru 9°2S 77°45W 188 B2
Yunhe China 28°8N 119°33E 117 C12
Yunkai Dashan China 22°30N 111°0E 117 F8
Yunkanjini ✪ Australia 22°33S 131°6E 148 D5
Yunling Shan China 28°30N 98°50E 110 F8
Yunlong China 25°57N 99°13E 116 E2
Yunmeng China 31°2N 113°43E 117 B9
Yunnan □ China 25°0N 102°0E 116 E4
Yunquera de Henares Spain 40°47N 3°11W 90 E1
Yunt Dağı Turkey 38°56N 27°13E 99 C9
Yunta Australia 32°34S 139°36E 151 E2
Yunxi China 33°0N 110°22E 117 A8
Yunxiao China 23°59N 117°18E 117 F11
Yunyang Chongqing, China 31°2N 108°51E 116 B7
Yunyang Henan, China 33°26N 112°42E 117 A9
Yupanqui Basin Pac. Oc. 19°0S 101°0W 157 J17

Yuping China 27°13N 108°56E 116 D7
Yuqing China 27°13N 107°53E 116 D6
Yuraygir △ Australia 29°45S 153°15E 151 D5
Yurga Russia 55°42N 84°51E 106 D9
Yurihonjō Japan 39°23N 140°3E 112 E10
Yurimaguas Peru 5°55S 76°7W 188 B2
Yurkiyka Ukraine 48°42N 28°35E 81 B13
Yurubí △ Venezuela 10°26N 68°42W 183 D6
Yurungkax He → China 38°5N 80°34E 109 E10
Yuryev-Polskiy Russia 56°30N 39°40E 84 D10
Yuryevets Russia 57°25N 43°2E 86 B6
Yuscarán Honduras 13°58N 86°45W 182 D2
Yūsef, Bahr → Egypt 28°25N 30°35E 137 F7
Yushan China 28°42N 118°10E 117 C12
Yushanzhen China 29°28N 108°22E 116 C7
Yushe China 37°4N 112°58E 114 F7
Yushu Jilin, China 44°43N 126°38E 115 B14
Yushu Qinghai, China 33°5N 96°55E 110 E8
Yusufeli Turkey 40°50N 41°33E 105 B9
Yutai China 35°0N 116°45E 114 G9
Yutian Hebei, China 39°53N 117°45E 115 E9
Yutian Sinkiang-Uigur, China 36°52N 81°42E 109 E10
Yuxarı Qarabağ = Nagorno-Karabakh □ Azerbaijan 39°55N 46°45E 105 C12
Yuxi China 24°30N 102°35E 116 E4
Yuyao China 30°3N 121°10E 117 B13
Yuzawa Japan 39°10N 140°30E 112 E10
Yuzha Russia 56°34N 42°1E 86 B6
Yuzhno-Kurilsk Russia 44°1N 145°51E 107 E15
Yuzhno-Sakhalinsk Russia 46°58N 142°45E 111 B17
Yuzhno-Sukhokumsk Russia 44°40N 45°35E 87 H7
Yuzhnoukrainsk Ukraine 47°49N 31°11E 85 J6
Yuzhnouralsk Russia 54°26N 61°15E 108 B6
Yuzhnyy □ Russia 44°0N 40°0E 106 E5
Yuzhou China 34°10N 113°28E 114 G7
Yvelines □ France 48°40N 1°45E 71 D8
Yverdon-les-Bains Switz. 46°47N 6°39E 77 J2
Yvetot France 49°37N 0°44E 70 C7
Yzeure France 46°33N 3°22E 71 F10

Z

Zaanstad Neths. 52°27N 4°50E 69 B4
Zab, Monts du Algeria 34°55N 5°0E 136 B5
Zāb al Kabīr → Iraq 36°1N 43°24E 105 D10
Zāb aş Şaghīr → Iraq 35°17N 43°29E 105 E10
Žabalj Serbia 45°21N 20°5E 80 E5
Žabari Serbia 44°22N 21°15E 96 B5
Zabarjad Egypt 23°40N 36°12E 137 C4
Zabaykalsk Russia 49°40N 117°25E 107 E12
Zabaykalsky △ Russia 53°40N 109°0E 107 D11
Zabki Poland 52°17N 21°6E 83 F8
Ząbkowice Śląskie Poland 50°35N 16°50E 83 H3
Žabljak Montenegro 43°18N 19°5E 96 C3
Zabłudów Poland 53°0N 23°19E 83 F9
Żabno Poland 50°9N 20°53E 83 H7
Zabol Iran 31°0N 61°32E 129 D9
Zābol □ Afghan. 32°0N 67°0E 122 D5
Zābolī Iran 27°10N 61°35E 129 E9
Zabolotiv Ukraine 48°28N 25°18E 81 B10
Zabolottya Ukraine 51°38N 24°16E 83 G11
Zabré Burkina Faso 11°12N 0°36W 139 C4
Zábřeh Czech Rep. 49°53N 16°52E 79 B9
Zabrze Poland 50°18N 18°50E 83 H5
Zabuzhzhya Ukraine 51°21N 23°42E 83 G10
Zabzuga Ghana 9°20N 0°30E 139 D5
Zacapa Guatemala 14°59N 89°31W 182 D2
Zacapu Mexico 19°50N 101°43W 180 D4
Zacatecas Mexico 22°47N 102°35W 180 C4
Zacatecas □ Mexico 23°0N 103°0W 180 C4
Zacatecoluca El Salv. 13°29N 88°51W 182 D2
Zacharo Greece 37°30N 21°39E 98 D3
Zachary U.S.A. 30°39N 91°9W 176 F9
Zachodnio-Pomorskie □ Poland 53°40N 15°50E 82 E2
Zacoalco de Torres Mexico 20°14N 103°35W 180 C4
Zacualtipán Mexico 20°39N 98°36W 181 C5
Zadar Croatia 44°8N 15°14E 93 D12
Zadawa Nigeria 11°33N 10°19E 139 C7
Zadetkyi Kyun Burma 10°0N 98°25E 121 G2
Zadonsk Russia 52°25N 38°56E 85 F10
Zafarqand Iran 33°11N 52°29E 129 C7
Zafra Spain 38°26N 6°30W 89 G4
Żagań Poland 51°39N 15°22E 83 G2
Zagaoua Chad 15°30N 22°24E 135 E10
Žagarė Lithuania 56°21N 23°15E 82 B10
Zagazig Egypt 30°40N 31°30E 137 E7
Zāgheh Iran 33°30N 48°42E 129 C6
Zaghouan Tunisia 36°23N 10°10E 136 A6
Zaghouan □ Tunisia 36°20N 10°0E 136 A6
Zaglou Algeria 27°17N 0°3W 136 C3
Zagnanado Benin 7°18N 2°28E 139 D5
Zagora Greece 39°27N 23°6E 98 B5
Zagora Morocco 30°22N 5°51W 136 B2
Zagorje ob Savi Slovenia 46°8N 15°0E 93 B11
Zagórów Poland 52°10N 17°54E 83 F4
Zagórz Poland 49°30N 22°14E 83 J9
Zagreb Croatia 45°50N 15°58E 93 C12
Zagreb ✕ (ZAG) Croatia 45°45N 16°4E 93 C13
Zāgros, Kūhhā-ye Iran 33°45N 48°5E 129 C6
Zagros Mts. = Zāgros, Kūhhā-ye Iran 33°45N 48°5E 129 C6
Žagubica Serbia 44°15N 21°47E 96 B5
Zaguinaso Ivory C. 10°1N 6°14W 138 C3
Zagyva → Hungary 47°5N 20°4E 80 C5
Zāhedān Fārs, Iran 28°46N 53°52E 129 D7
Zāhedān Sīstān va Balūchestān, Iran 29°30N 60°50E 129 D9
Zahirabad India 17°43N 77°37E 126 F3
Zahlah Lebanon 33°52N 35°50E 130 B4
Zahna Germany 51°55N 12°49E 76 D8
Záhony Hungary 48°25N 22°11E 80 B7
Zahrān al Janub Si. Arabia 17°40N 43°30E 131 D3
Zainsk Russia 55°18N 52°4E 86 C11
Zaïre = Congo → Africa 6°4S 12°24E 140 F2
Zaječar Serbia 43°53N 22°18E 96 C6
Zaka Zimbabwe 20°20S 31°29E 145 B5
Zakamensk Russia 50°23N 103°17E 107 D11
Zakarpattya □ Ukraine 48°20N 23°20E 81 B8
Zakataly = Zaqatala Azerbaijan 41°38N 46°35E 87 K8
Zakhodnaya Dzvina = Daugava → Latvia 57°4N 24°3E 84 D3
Zākhū Iraq 37°10N 42°50E 105 D10
Zakinthos = Zakynthos Greece 37°47N 20°54E 98 D2
Zakopane Poland 49°18N 19°57E 83 J6
Zakroczym Poland 52°26N 20°38E 83 F7
Zakros Greece 35°6N 26°10E 101 D8
Zakynthos Greece 37°47N 20°54E 98 D2
Zala □ Hungary 46°42N 16°50E 80 D1
Zala → Hungary 46°43N 17°16E 80 D2
Zalaegerszeg Hungary 46°53N 16°47E 80 D1
Zalakomár Hungary 46°33N 17°10E 80 D2
Zalalövő Hungary 46°51N 16°35E 80 D1
Zalamea de la Serena Spain 38°40N 5°38W 89 G5
Zalamea la Real Spain 37°41N 6°38W 89 H4
Zalantun China 48°0N 122°43E 111 B13
Zalari Russia 53°33N 102°30E 107 D11
Zalău Romania 47°12N 23°3E 80 C8
Žalec Slovenia 46°16N 15°10E 93 B12
Zaleshchiki = Zalishchyky Ukraine 48°45N 25°45E 81 B10
Zalesye Russia 54°50N 21°31E 82 D8
Zalewo Poland 53°50N 19°41E 82 E6
Zalingei Sudan 12°51N 23°29E 135 F10
Zalishchyky Ukraine 48°45N 25°45E 81 B10
Zama L. Canada 58°45N 119°5W 162 B5
Zambeke Dem. Rep. of the Congo 2°8N 25°17E 142 B2
Zambeze → Africa 18°35S 36°20E 143 F4
Zambezi = Zambeze → Africa 18°35S 36°20E 143 F4
Zambezi Zambia 13°30S 23°15E 141 G4
Zambezi □ Namibia 18°0S 23°30E 144 A3
Zambezi △ Zimbabwe 17°54S 25°41E 143 F2
Zambezia □ Mozam. 16°15S 37°30E 143 F4
Zambia ■ Africa 15°0S 28°0E 143 E2
Zamboanga Phil. 6°59N 122°3E 119 C6
Zambrów Poland 52°59N 22°14E 83 F9
Zamfara □ Nigeria 12°10N 6°0E 139 C6
Zamfara → Nigeria 12°5N 4°2E 139 C5
Zamora Mexico 19°59N 102°16W 180 D4
Zamora Spain 41°30N 5°45W 88 D5
Zamora □ Spain 41°30N 5°46W 88 D5
Zamość Poland 50°43N 23°15E 83 H10
Zamtang China 32°26N 101°6E 116 A3
Zan Ghana 9°26N 0°17W 139 D4
Záncara → Spain 39°18N 3°18W 91 F1
Zanda China 31°32N 79°50E 110 E4
Zandvoort Neths. 52°22N 4°32E 69 B4
Zanesville U.S.A. 39°56N 82°1W 174 G2
Zangābād Iran 38°26N 46°44E 128 B5
Zangliveri Greece 40°36N 23°15E 96 F7
Zangoza = Sangüesa Spain 42°37N 1°17W 90 C3
Zangue → Mozam. 17°50S 35°21E 143 F4
Zanjān Iran 36°40N 48°35E 105 D13
Zanjān □ Iran 37°20N 49°30E 129 B6
Zanjān → Iran 37°8N 47°47E 129 B6
Zannone Italy 40°58N 13°3E 94 B6
Zante = Zakynthos Greece 37°47N 20°54E 98 D2
Zanthus Australia 31°2S 123°34E 149 F3
Zanzan □ Ivory C. 8°30N 3°30W 138 D4
Zanzibar Tanzania 6°12S 39°12E 142 D4
Zaouatallaz Algeria 24°52N 8°26E 136 D5
Zaouiet El-Kala = Bordj Omar Driss Algeria 28°10N 6°40E 136 C5
Zaouiet Reggâne Algeria 26°32N 0°3E 136 C4
Zaoyang China 32°10N 112°45E 117 A9
Zaozernyy Kazakhstan 53°6N 71°9E 109 B8
Zaozhuang China 34°50N 117°35E 115 G9
Zap Suyu = Zāb al Kabīr → Iraq 36°1N 43°24E 105 D10
Zapadna Morava → Serbia 43°38N 21°30E 96 C5
Zapadnaya Dvina = Daugava → Latvia 57°4N 24°3E 84 D3
Zapadnaya Dvina Russia 56°15N 32°3E 84 D7
Západné Beskydy Europe 49°30N 19°0E 79 B12
Zapadni Rodopi Bulgaria 41°50N 24°0E 96 E7
Západočeský □ Czech Rep. 49°35N 13°0E 78 B6
Zapala Argentina 39°0S 70°5W 192 A2
Zapaleri, Cerro Bolivia 22°49S 67°11W 190 A2
Zapata U.S.A. 26°55N 99°16W 176 H5
Zapatón → Spain 39°0N 6°49W 89 F4
Zapiga Chile 19°40S 69°55W 188 D4
Zapolyarnyy Russia 69°26N 30°51E 60 B24
Zapopán Mexico 20°43N 103°24W 180 C4
Zaporizhzhya Ukraine 47°50N 35°10E 85 J8
Zaporizhzhya □ Ukraine 46°55N 35°50E 85 J8
Zaporozhye = Zaporizhzhya Ukraine 47°50N 35°10E 85 J8
Zaqatala Azerbaijan 41°38N 46°35E 87 K8
Zara Turkey 39°58N 37°43E 104 C7
Zarafshon Uzbekistan 41°34N 64°12E 108 D6
Zaragoza Coahuila, Mexico 28°29N 100°55W 180 B4
Zaragoza Nuevo León, Mexico 23°58N 99°46W 181 C5
Zaragoza Spain 41°39N 0°53W 90 D4
Zaragoza □ Spain 41°35N 1°0W 90 D4
Zarand Kermān, Iran 30°46N 56°34E 129 D8
Zarand Markazī, Iran 35°18N 50°25E 129 C6
Zărandului, Munții Romania 46°14N 22°7E 80 D7
Zaranj Afghan. 30°55N 61°55E 122 D2
Zarasai Lithuania 55°40N 26°20E 84 E4
Zárate Argentina 34°7S 59°0W 190 C4
Zarautz Spain 43°17N 2°10W 90 B2
Zaraysk Russia 54°48N 38°53E 84 E10
Zard, Kūh-e Iran 32°22N 50°4E 129 C6
Zarechniy Russia 56°49N 61°20E 86 D7
Zāreh Iran 35°7N 49°9E 129 C6
Zari Nigeria 13°4N 12°45E 139 C7
Zaria Nigeria 11°0N 7°40E 139 C6
Zarineh → Iran 36°17N 46°26E 105 D12
Zarinsk Russia 53°43N 84°55E 109 B10
Żarki Poland 50°38N 19°23E 83 H6
Zarko Greece 39°38N 22°6E 98 B4
Zarneh Iran 33°55N 46°10E 128 C5
Zărnești Romania 45°33N 25°18E 81 E10
Zaros Greece 35°8N 24°54E 101 D6
Żarów Poland 50°56N 16°29E 83 H3
Zarqā', Nahr az → Jordan 32°10N 35°37E 130 C4
Zarrīn Iran 32°46N 54°37E 129 C7
Zarrīnābād Iran 36°25N 48°17E 105 D13
Zaruma Ecuador 3°40S 79°38W 186 D3
Żary Poland 51°37N 15°10E 83 G2
Zarza de Granadilla Spain 40°14N 6°3W 88 E4
Zarzaïtine Algeria 28°15N 9°34E 136 C5
Zarzis Tunisia 33°31N 11°2E 136 B6
Zas Spain 43°4N 8°53W 88 B2
Zashaghan Kazakhstan 51°11N 51°20E 108 B4
Zaskar → India 34°13N 77°20E 125 B7
Zaskar Mts. India 33°15N 77°30E 125 C7
Zastavna Ukraine 48°31N 25°51E 81 B10
Zastron S. Africa 30°18S 27°7E 144 D4
Žatec Czech Rep. 50°20N 13°32E 78 A6
Zaterechnyy Russia 44°48N 45°11E 87 H7
Zator Poland 49°59N 19°28E 83 J6
Zatyshshya Ukraine 47°20N 29°51E 81 C14
Zavala Bos.-H. 42°50N 17°59E 96 D1
Zavāreh Iran 33°29N 52°28E 129 C7
Zave Zimbabwe 17°6S 30°1E 145 A5
Zavetnoye Russia 47°13N 43°50E 87 G6
Zavidovići Bos.-H. 44°27N 18°10E 80 F3
Zavitinsk Russia 50°10N 129°20E 107 D13
Zavodovski I. Antarctica 56°0S 27°45W 55 B1
Zavolzhsk Russia 57°30N 42°3E 86 B6
Zavolzhye Russia 56°37N 43°26E 86 B6
Zawadzkie Poland 50°37N 18°28E 83 H5
Zawichost Poland 50°48N 21°51E 83 H8
Zawidów Poland 51°1N 15°1E 83 G2
Zawiercie Poland 50°30N 19°24E 83 H6
Zāwiyat al Bayḑā = Al Bayḑā Libya 32°50N 21°44E 135 B10
Zâwyet Shammas Egypt 31°30N 26°37E 137 A2
Zâwyet Um el Rakham Egypt 31°18N 27°1E 137 A2
Zâwyet Ungeîla Egypt 31°23N 26°42E 137 A2
Zāyā Iraq 33°33N 44°13E 128 C5
Zāyandeh → Iran 32°35N 52°0E 129 C7
Zaysan Kazakhstan 47°28N 84°52E 109 C10
Zaysan Köli Kazakhstan 48°0N 83°0E 109 C10
Zayū China 28°48N 97°27E 123 E20
Zázrivá Slovak Rep. 49°16N 19°7E 79 B12
Zbarazh Ukraine 49°43N 25°44E 75 D13
Zbąszyń Poland 52°14N 15°56E 83 F2
Zbąszynek Poland 52°16N 15°51E 83 F2
Zblewo Poland 53°56N 18°19E 82 E5
Zbruch → Ukraine 48°32N 26°27E 81 B11
Žďár nad Sázavou Czech Rep. 49°34N 15°57E 78 B8
Zdolbuniv Ukraine 50°30N 26°15E 75 C14
Ždrelo Serbia 44°16N 21°28E 96 B5
Zduńska Wola Poland 51°37N 18°59E 83 G5
Zduny Poland 51°39N 17°21E 83 G4
Zeballos Canada 49°59N 126°50W 162 D3
Zebediela S. Africa 24°20S 29°17E 145 B4
Zebila Ghana 10°55N 0°30W 139 C4
Zebulon U.S.A. 33°6N 84°21W 178 B5
Zeebrugge Belgium 51°19N 3°12E 69 C3
Zeehan Australia 41°52S 145°25E 151 G4
Zeeland □ Neths. 51°30N 3°50E 69 C3
Zeerust S. Africa 25°31S 26°4E 144 C4
Ẓefat Israel 32°58N 35°29E 130 C4
Zegdou Algeria 29°51N 4°45W 136 C3
Zeggerene, Iracher Mali 16°49N 2°16E 139 B5
Zégoua Mali 10°32N 5°35W 138 C3
Zehak Iran 30°53N 61°42E 129 D9
Zehdenick Germany 52°58N 13°20E 76 C9
Zeil, Mt. Australia 23°30S 132°23E 148 D5
Zeila = Saylac Somalia 11°21N 43°30E 131 E3
Zeist Neths. 52°5N 5°15E 69 B5
Zeitz Germany 51°2N 12°7E 76 D8
Żelechów Poland 51°49N 21°54E 83 G8
Zelena Ukraine 48°3N 24°45E 81 B9
Zelená Hora Czech Rep. 49°34N 15°56E 78 B8
Zelengora Bos.-H. 43°22N 18°30E 96 C2
Zelenodolsk Russia 55°55N 48°30E 86 C9
Zelenogorsk Russia 60°12N 29°43E 84 B5
Zelenograd Russia 56°1N 37°12E 84 D9
Zelenogradsk Russia 54°53N 20°29E 82 D7
Zelenokumsk Russia 44°24N 44°0E 87 H6
Železná Ruda Czech Rep. 49°8N 13°15E 78 B6
Železnik Serbia 44°43N 20°23E 96 B4
Zelfana Algeria 32°27N 4°15E 136 B4
Zelienople U.S.A. 40°48N 80°8W 174 F4
Želiezovce Slovak Rep. 48°3N 18°40E 79 C11
Zelina Croatia 45°57N 16°16E 93 C13
Zell Baden-W., Germany 47°42N 7°52E 77 H3
Zell Rhld-Pfz., Germany 50°1N 7°10E 77 E3
Zell am See Austria 47°19N 12°47E 78 D5
Zella-Mehlis Germany 50°39N 10°40E 76 E6
Zelów Poland 51°28N 19°14E 83 G6
Zeltweg Austria 47°11N 14°45E 78 D7
Žemaitijos △ Lithuania 56°2N 21°55E 82 B8
Zemetchino Russia 53°30N 42°30E 86 D6
Zémio C.A.R. 5°2N 25°5E 142 A2
Zemlandskiy Poluostrov Russia 54°50N 20°20E 82 D7
Zemmora Algeria 35°44N 0°51E 136 A4
Zemoul, O. → Algeria 29°15N 7°0W 136 C2
Zempléni-hegység Hungary 48°25N 21°25E 80 B6
Zemplínska šírava Slovak Rep. 48°48N 22°0E 79 C15
Zempoala Mexico 19°27N 96°23W 181 D5
Zemun Serbia 44°51N 20°25E 96 B4
Zengbé Cameroon 5°46N 13°4E 139 D7
Zengcheng China 23°13N 113°52E 117 F9
Zenica Bos.-H. 44°10N 17°57E 80 F2
Žepče Bos.-H. 44°28N 18°2E 80 F3
Zephyrhills U.S.A. 28°14N 82°11W 179 G7
Zepu China 38°11N 77°16E 109 E9
Zerbst Germany 51°58N 12°5E 76 D8
Zerhamra Algeria 29°58N 2°30W 136 C3
Żerków Poland 52°4N 17°32E 83 F4
Zermatt Switz. 46°2N 7°46E 77 J3
Zernez Switz. 46°42N 10°7E 77 J6
Zernograd Russia 46°52N 40°19E 87 G5
Zerqan Albania 41°27N 20°20E 96 E4
Zestaponi Georgia 42°6N 43°0E 87 J6
Zetel Germany 53°25N 7°58E 76 B3
Zeulenroda-Triebes Germany 50°39N 11°59E 76 E7
Zeven Germany 53°17N 9°16E 76 B5
Zevenaar Neths. 51°56N 6°5E 69 C6
Zévio Italy 45°22N 11°8E 92 C8
Zeya Russia 53°48N 127°14E 107 D13
Zeya → Russia 51°42N 128°53E 107 D13
Zeyskoye Vdkhr. Russia 54°30N 127°30E 107 D13
Zeytinbaği Turkey 40°24N 28°47E 97 F12
Zeytindağ Turkey 38°58N 27°4E 99 C9
Zghartā Lebanon 34°21N 35°53E 130 A4
Zgierz Poland 51°50N 19°27E 83 G6
Zgorzelec Poland 51°10N 15°0E 83 G2
Zgurița Moldova 48°8N 28°1E 81 B13
Zhabinka Belarus 52°13N 24°2E 83 F11
Zhabokrych Ukraine 48°23N 28°59E 81 B13
Zhalaghash Kazakhstan 45°5N 64°40E 108 C6
Zhalpaqtal Kazakhstan 49°42N 49°25E 86 F9
Zhaltyr Kazakhstan 51°37N 69°49E 109 B7
Zhambyl = Taraz Kazakhstan 42°54N 71°22E 109 D8
Zhambyl □ Kazakhstan 44°0N 72°0E 109 D8
Zhanatas Kazakhstan 43°35N 69°35E 109 D7
Zhangaly Kazakhstan 47°1N 50°37E 87 G10
Zhangaözen Kazakhstan 43°18N 52°48E 108 D4
Zhangaqala Kazakhstan 48°56N 49°36E 87 F9
Zhangatas = Zhanatas Kazakhstan 43°35N 69°35E 109 D7
Zhangbei China 41°10N 114°45E 114 D8
Zhangguangcai Ling China 45°0N 129°0E 115 B15
Zhangjiabian China 22°33N 113°28E 111 a
Zhangjiagang China 31°55N 120°30E 117 B13
Zhangjiajie China 29°11N 110°30E 117 C8
Zhangjiakou China 40°48N 114°55E 114 D8
Zhangping China 25°17N 117°23E 117 E11
Zhangpu China 24°8N 117°35E 117 E11
Zhangshu China 28°4N 115°29E 117 C10
Zhangye China 38°50N 100°23E 110 D9
Zhangzhou China 24°30N 117°35E 117 E11
Zhanhua China 37°40N 118°8E 115 F10
Zhanibek Kazakhstan 49°25N 46°50E 86 F8
Zhanjiang China 21°15N 110°20E 117 G8
Zhannetty, Ostrov Russia 76°43N 158°0E 107 B16
Zhanyi China 25°38N 103°48E 116 E4
Zhanyu China 44°30N 122°30E 115 B12
Zhao Xian China 37°43N 114°45E 114 F8
Zhao'an China 23°41N 117°10E 117 F11
Zhaocheng China 36°22N 111°38E 114 F6
Zhaodong China 46°4N 125°59E 111 B13
Zhaojue China 28°1N 102°49E 116 C4
Zhaoping China 24°11N 110°48E 117 E8
Zhaoqing China 23°0N 112°20E 117 F9
Zhaotong China 27°20N 103°44E 116 D4
Zhaoyang Hu China 35°4N 116°47E 114 G9
Zhaoyuan Heilongjiang, China 45°27N 125°0E 115 B13
Zhaoyuan Shandong, China 37°20N 120°23E 115 F11
Zhar, Mali Kosovo 42°20N 21°0E 96 D5
Zhari Namco China 31°6N 85°36E 110 E6
Zharkent Kazakhstan 44°10N 80°0E 109 D10
Zharkovskiy Russia 55°56N 32°19E 84 E7
Zhashkiv Ukraine 49°15N 30°5E 75 D16
Zhashui China 33°40N 109°8E 114 H5
Zhaslyk = Jasliq Uzbekistan 43°58N 57°10E 108 D5
Zhayrang Kazakhstan 48°20N 70°10E 109 C8
Zhayylma Kazakhstan 51°37N 61°33E 108 B6
Zhayyq → Kazakhstan 47°0N 51°48E 108 C4
Zhdanov = Mariupol Ukraine 47°5N 37°31E 85 J9
Zhecheng China 34°7N 115°20E 114 G8
Zhegao China 31°46N 117°45E 117 B11
Zhejiang □ China 29°0N 120°0E 117 C13
Zheleznodorozhnyy Russia 54°22N 21°19E 82 D8
Zheleznogorsk Russia 52°22N 35°23E 85 F8
Zheleznogorsk-Ilimskiy Russia 56°34N 104°8E 107 D11
Zheltyye Vody = Zhovti Vody Ukraine 48°21N 33°31E 85 H7
Zhen'an China 33°27N 109°9E 116 A7
Zhenba China 32°34N 107°58E 116 A6
Zhenfeng China 25°22N 105°40E 116 E5
Zheng'an China 28°32N 107°27E 116 C6
Zhengding China 38°8N 114°32E 114 E8
Zhenghe China 27°20N 118°50E 117 D12
Zhengyang China 32°37N 114°22E 117 A10
Zhengyangguan China 32°30N 116°29E 117 A11
Zhengzhou China 34°45N 113°34E 114 G7
Zhenhai China 29°59N 121°42E 117 C13
Zhenjiang China 32°11N 119°26E 117 A12
Zhenkang China 23°58N 99°0E 116 F2
Zhenlai China 45°50N 123°5E 115 B12
Zhenning China 26°4N 105°45E 116 D5
Zhenping Henan, China 33°10N 112°16E 114 H7
Zhenping Shaanxi, China 31°59N 109°31E 116 B7
Zhenxiong China 27°27N 104°50E 116 D5
Zhenyuan Gansu, China 35°35N 107°30E 114 G4
Zhenyuan Guizhou, China 27°4N 108°21E 116 D7
Zhenyuan Yunnan, China 23°51N 100°59E 116 F3
Zherdevka Russia 51°56N 41°29E 86 E5
Zherebkove Ukraine 47°50N 29°52E 81 C14
Zherong China 27°15N 119°52E 117 D12
Zhetiqara Kazakhstan 52°11N 61°12E 108 B6
Zhezdi Kazakhstan 48°3N 67°3E 109 C7
Zhezqazghan Kazakhstan 47°44N 67°40E 109 C7
Zhicheng China 30°25N 111°27E 117 B8
Zhidan China 36°48N 108°48E 114 F5
Zhigansk Russia 66°48N 123°27E 107 C13
Zhigulevsk Russia 53°28N 49°30E 86 D9
Zhijiang Hubei, China 30°28N 111°45E 117 B8
Zhijiang Hunan, China 27°27N 109°42E 116 D7
Zhijin China 26°37N 105°45E 116 D5
Zhilinda Russia 70°0N 114°20E 107 C12
Zhilino Russia 54°54N 21°54E 82 D8
Zhirnovsk Russia 50°57N 44°49E 86 E7
Zhitomir = Zhytomyr Ukraine 50°20N 28°40E 75 C15
Zhizdra Russia 53°45N 34°40E 84 F8
Zhlobin Belarus 52°55N 30°0E 75 B16
Zhmerynka Ukraine 49°2N 28°2E 75 D15
Zhob Pakistan 31°20N 69°31E 124 D3
Zhob → Pakistan 32°4N 69°50E 124 C3
Zhodzina Belarus 54°5N 28°17E 75 A15
Zhokhova, Ostrov Russia 76°4N 152°40E 107 B16
Zhongba China 29°39N 84°10E 110 F5
Zhongdian China 27°48N 99°42E 116 D2
Zhongdian China 22°48N 107°47E 116 F6
Zhongdong China 24°40N 109°40E 116 E7
Zhongjian Dao = Triton I. S. China Sea 15°47N 111°12E 118 A4
Zhongjiang China 30°53N 104°46E 116 B5
Zhongning China 37°29N 105°40E 114 F3
Zhongsha Qundao = Macclesfield Bank S. China Sea 16°0N 114°30E 118 A4
Zhongshan Antarctica 69°0S 39°50E 55 C6
Zhongshan Guangdong, China 22°26N 113°20E 117 F9
Zhongshan Guangxi Zhuangzu, China 24°29N 111°18E 117 E8
Zhongshankong China 22°35N 113°29E 111 a
Zhongtiao Shan China 35°0N 111°10E 114 G6
Zhongwei China 37°30N 105°12E 114 F3
Zhongxian China 30°18N 107°58E 116 B6
Zhongxiang China 31°12N 112°34E 117 B9
Zhongyang China 37°20N 111°11E 114 F6
Zhorany Ukraine 51°19N 23°58E 83 G10
Zhosaly Kazakhstan 45°29N 64°4E 108 C6
Zhoucun China 36°47N 117°48E 115 F9
Zhoukou China 33°38N 114°38E 114 H8
Zhoukoudian China 39°41N 115°56E 114 E8
Zhouning China 27°12N 119°20E 117 D12
Zhoushan China 30°1N 122°6E 117 B14
Zhoushan Dao China 30°5N 122°10E 117 B14
Zhouzhi China 34°10N 108°12E 114 G5
Zhovkva Ukraine 50°4N 23°58E 75 C12
Zhovti Vody Ukraine 48°21N 33°31E 85 H7
Zhovtneve Lubelskie, Ukraine 50°42N 24°12E 83 H11
Zhovtneve Mykolayiv, Ukraine 46°54N 32°3E 85 J7
Zhu Jiang → China 22°45N 113°37E 117 F9
Zhuanghe China 39°40N 123°0E 115 E12
Zhucheng China 36°0N 119°27E 115 G10
Zhugqu China 33°40N 104°30E 114 H3
Zhuhai China 22°17N 113°34E 117 F9
Zhuji China 29°40N 120°10E 117 C13
Zhujiang Kou China 22°20N 113°45E 111 a
Zhukovka Russia 53°35N 33°50E 84 F7
Zhumadian China 32°59N 114°2E 117 A10
Zhuo Xian = Zhuozhou China 39°28N 115°58E 114 E8
Zhuolu China 40°20N 115°12E 114 D8
Zhuozhou China 39°28N 115°58E 114 E8
Zhuozi China 41°0N 112°25E 114 D7
Zhur Kosovo 42°13N 20°34E 96 D4
Zhushan China 32°15N 110°13E 117 A8
Zhuxi China 32°25N 109°40E 116 A7
Zhuzhou China 27°49N 113°12E 117 D9
Zhvanets Ukraine 48°33N 26°30E 81 B11
Zhympīty Kazakhstan 50°16N 52°35E 108 B4
Zhytomyr Ukraine 50°20N 28°40E 75 C15
Zhytomyr □ Ukraine 50°50N 28°10E 75 C14
Zi Shui → China 28°40N 112°40E 117 C9
Žiar nad Hronom Slovak Rep. 48°35N 18°53E 79 C11
Ziarat Pakistan 30°25N 67°49E 124 D2
Zibo China 36°47N 118°3E 115 F10
Zichang China 37°18N 109°40E 114 F5
Zidarovo Bulgaria 42°20N 27°24E 97 D11
Zidi = Wandhari Pakistan 27°42N 66°48E 124 F2
Ziębice Poland 50°37N 17°2E 83 H4
Zielona Góra Poland 51°57N 15°31E 83 G2
Zierikzee Neths. 51°40N 3°55E 69 C3
Ziesar Germany 52°16N 12°17E 76 C8
Zifta Egypt 30°43N 31°14E 137 E7
Zigong China 29°15N 104°48E 116 C5
Ziguéy Chad 14°43N 15°50E 135 F9
Ziguinchor Senegal 12°35N 16°20W 138 C1
Ziguinchor □ Senegal 12°45N 16°20W 138 C1
Zihuatanejo Mexico 17°39N 101°33W 180 D4
Zijin China 23°33N 115°8E 117 F10
Zile Turkey 40°15N 35°52E 104 B6
Žilina Slovak Rep. 49°12N 18°42E 79 B11
Žilinský □ Slovak Rep. 49°10N 19°0E 79 B12
Zillah Libya 28°30N 17°33E 135 C9
Zillertaler Alpen Austria 47°6N 11°45E 78 D4
Zima Russia 54°0N 102°5E 107 D11
Zimapán Mexico 20°45N 99°21W 181 C5
Zimba Zambia 17°20S 26°11E 143 F2
Zimbabwe Zimbabwe 20°16S 30°54E 143 G3
Zimbabwe ■ Africa 19°0S 30°0E 143 F3
Zimmi S. Leone 7°20N 11°20W 138 D2
Zimnicea Romania 43°40N 25°22E 81 G10
Zimovniki Russia 47°10N 42°25E 87 G6
Zinave △ Mozam. 21°35S 33°40E 145 B5
Zinder Niger 13°48N 9°0E 139 C6
Zinder □ Niger 15°0N 10°30E 139 C7
Zinga Tanzania 9°16S 38°49E 143 D4
Zingaro ⌂ Italy 38°6N 12°53E 94 D5
Zingst Germany 54°26N 12°39E 76 A8
Ziniaré Burkina Faso 12°35N 1°18W 139 C4
Zinnowitz Germany 54°5N 13°54E 76 A9
Zion △ U.S.A. 37°15N 113°5W 169 H7
Zirbitzkogel Austria 47°4N 14°34E 78 D7
Zirc Hungary 47°17N 17°52E 80 C2
Žiri Slovenia 46°5N 14°5E 93 B11
Žirje Croatia 43°39N 15°42E 93 E12
Zirl Austria 47°17N 11°14E 78 D4
Zirndorf Germany 49°27N 10°57E 77 F6
Ziros Greece 35°5N 26°8E 101 D8
Zirreh, Gowd-e Afghan. 29°45N 62°0E 122 E3
Zisterdorf Austria 48°33N 16°45E 79 C9
Zitácuaro Mexico 19°24N 100°22W 180 D4
Žitava → Slovak Rep. 47°52N 18°7E 79 C11
Žitište Serbia 45°30N 20°32E 80 E5
Zitong China 31°37N 105°10E 116 B5
Zitsa Greece 39°47N 20°40E 98 B2
Zittau Germany 50°53N 14°48E 76 E10
Zitundo Mozam. 26°48S 32°47E 145 C5
Živinice Bos.-H. 44°27N 18°36E 80 F3
Ziwa Maghariba = Kagera □ Tanzania 2°0S 31°30E 142 C3
Ziway, L. Ethiopia 8°0N 38°50E 131 F2
Zixi China 27°45N 117°4E 117 D11
Zixing China 25°59N 113°21E 117 E9
Ziyamet = Leonárisso Cyprus 35°28N 34°8E 101 D13
Ziyang Shaanxi, China 32°32N 108°31E 114 H5
Ziyang Sichuan, China 30°6N 104°40E 116 B5
Ziyuan China 26°2N 110°40E 117 D8
Ziyun China 25°45N 106°5E 116 E6
Ziz, Oued → Morocco 31°40N 4°15W 136 B3
Zizhong China 29°48N 104°47E 116 C5
Zizur Mayor Spain 42°47N 1°41W 90 C3
Zlarin Croatia 43°42N 15°49E 93 E12
Zlatar Croatia 46°5N 16°3E 93 B13
Zlatar Serbia 43°25N 19°47E 96 C3
Zlataritsa Bulgaria 43°2N 25°55E 97 C9
Zlaté Moravce Slovak Rep. 48°23N 18°24E 79 C11
Zlatibor Serbia 43°45N 19°43E 96 C3
Zlatitsa Bulgaria 42°41N 24°7E 97 D8
Zlatna Romania 46°8N 23°11E 81 D8
Zlatna Panega Bulgaria 43°5N 24°9E 97 C8
Zlatni Pyasŭtsi Bulgaria 43°17N 28°3E 97 C12
Zlatograd Bulgaria 41°22N 25°7E 97 E9
Zlatoust Russia 55°10N 59°40E 108 A5
Zletovo Macedonia 41°59N 22°17E 96 E6
Zlín Czech Rep. 49°14N 17°40E 79 B10
Zlínský □ Czech Rep. 49°20N 17°40E 79 B10
Złocieniec Poland 53°30N 16°1E 82 E3
Złoczew Poland 51°24N 18°35E 83 G5
Zlot Serbia 44°1N 21°58E 96 B5
Złotoryja Poland 51°8N 15°55E 83 G2
Złotów Poland 53°22N 17°2E 82 E4
Zmeinogorsk Kazakhstan 51°10N 82°13E 109 B10
Żmigród Poland 51°28N 16°53E 83 G3
Zmiinyi, Ostriv Black Sea 45°15N 30°12E 85 K6
Zmiyev Ukraine 49°39N 36°27E 85 H9
Znamenka = Znamyanka Ukraine 48°45N 32°30E 85 H7
Znamensk = Kapustin Yar Russia 48°37N 45°40E 87 F7
Znamensk Russia 54°36N 21°16E 82 D8
Znamyanka Ukraine 48°45N 32°30E 85 H7
Żnin Poland 52°51N 17°44E 83 F4
Znojmo Czech Rep. 48°50N 16°2E 78 C9
Zobeyrī Iran 34°10N 46°40E 128 C5
Zobia Dem. Rep. of the Congo 3°0N 25°59E 142 B2
Zoetermeer Neths. 52°3N 4°30E 69 B4
Zogang China 29°55N 97°42E 116 C1
Zogno Italy 45°48N 9°40E 92 C6
Zohreh → Iran 30°16N 51°15E 129 D6
Zolfo Springs U.S.A. 27°30N 81°48W 179 H8
Zolochiv Ukraine 49°45N 24°51E 75 D13
Zolotonosha Ukraine 49°39N 32°5E 85 H7
Zolotyy Potik Ukraine 48°54N 25°20E 81 B10
Zomba Malawi 15°22S 35°19E 143 F4
Zongo Dem. Rep. of the Congo 4°20N 18°35E 140 D3
Zonguldak Turkey 41°28N 31°50E 104 B4
Zonguldak □ Turkey 41°20N 31°45E 104 B4
Zongyang China 30°42N 117°12E 117 B11
Zonqor Pt. Malta 35°52N 14°34E 101 D2
Zonza France 41°45N 9°11E 73 G13
Zorgo Burkina Faso 12°15N 0°35W 139 C4
Zorita Spain 39°17N 5°39W 89 F5
Zorleni Romania 46°14N 27°44E 81 D12
Zornitsa Bulgaria 42°23N 26°58E 97 D10
Zorritos Peru 3°43S 80°40W 188 A1
Żory Poland 50°3N 18°44E 83 H5
Zorzor Liberia 7°46N 9°28W 138 D3
Zossen Germany 52°13N 13°27E 76 C9
Zou Xiang China 35°30N 116°58E 114 G9
Zouan-Hounien Ivory C. 6°55N 8°15W 138 D3
Zouar Chad 20°30N 16°32E 135 D9
Zouérate = Zouîrât Mauritania 22°44N 12°21W 134 D3
Zouîrât Mauritania 22°44N 12°21W 134 D3
Zourika Niger 19°16N 7°52E 139 B6
Zourma Burkina Faso 11°20N 0°50W 139 C4
Zousfana, O. → Algeria 31°28N 2°17W 136 B3
Zoutkamp Neths. 53°20N 6°18E 69 A6
Zov Tigra △ Russia 43°25N 134°10E 112 C7
Zrenjanin Serbia 45°22N 20°23E 80 E5
Zuba Nigeria 9°11N 7°12E 139 D6
Zubin Potok Kosovo 42°54N 20°41E 96 D4
Zubtsov Russia 56°10N 34°34E 84 D8
Zuénoula Ivory C. 7°34N 6°3W 138 D3
Zuera Spain 41°51N 0°49W 90 D4
Ẓufār Oman 17°40N 54°0E 131 D5
Zug Switz. 47°10N 8°31E 77 H4
Zugdidi Georgia 42°30N 41°55E 87 J5
Zugersee Switz. 47°7N 8°35E 77 H4
Zugspitze Germany 47°25N 10°59E 77 H6
Zuid-Holland □ Neths. 52°0N 4°35E 69 C4
Zuidbeveland Neths. 51°30N 3°50E 69 C3
Zuidhorn Neths. 53°15N 6°23E 69 A6
Zújar Spain 37°34N 2°50W 89 H8
Zújar → Spain 39°1N 5°47W 89 G5
Žukowo Poland 54°21N 18°22E 82 D5
Zula Eritrea 15°17N 39°40E 131 D2
Zülpich Germany 50°41N 6°39E 76 E2
Zumaia Spain 43°19N 2°15W 90 B2
Zumárraga Spain 43°5N 2°19W 90 B2
Zumbo Mozam. 15°35S 30°26E 143 F3
Zummo Nigeria 9°51N 12°59E 139 D7
Zumpango Mexico 19°48N 99°6W 181 D5
Zungeru Nigeria 9°48N 6°8E 139 D6
Zunhua China 40°18N 117°58E 115 D9
Zuni Pueblo U.S.A. 35°4N 108°51W 169 J9
Zunyi China 27°42N 106°53E 116 D6
Zuo Jiang → China 22°50N 108°6E 116 F6
Zuoquan China 37°1N 113°27E 114 F7
Zuozhou China 22°42N 107°27E 116 F6
Županja Croatia 45°4N 18°43E 80 E3
Zurbātīyah Iraq 33°9N 46°3E 105 F12
Zürich Switz. 47°22N 8°32E 77 H4
Zürich □ Switz. 47°26N 8°40E 77 H4
Zürich ✕ (ZRH) Switz. 47°27N 8°32E 77 H4
Zürichsee Switz. 47°18N 8°40E 77 H4
Żuromin Poland 53°4N 19°51E 83 E6
Žut Croatia 43°52N 15°17E 93 E12
Zutphen Neths. 52°9N 6°12E 69 B6
Zuurberg △ S. Africa 33°12S 25°32E 144 D4
Zuwārah Libya 32°58N 12°1E 135 B8
Zūzan Iran 34°22N 59°53E 129 C8
Žužemberk Slovenia 45°52N 14°56E 93 C11
Zvečan Kosovo 42°54N 20°50E 96 D4
Zvenigorodka = Svenyhorodka Ukraine 49°4N 30°56E 85 H6
Zvezdets Bulgaria 42°6N 27°26E 97 D11
Zvishavane Zimbabwe 20°17S 30°2E 143 G3
Zvolen Slovak Rep. 48°33N 19°10E 79 C12
Zvonce Serbia 42°57N 22°34E 96 D6
Zvornik Bos.-H. 44°26N 19°5E 80 F4
Zwedru = Tchien Liberia 5°59N 8°15W 138 D3
Zweibrücken Germany 49°15N 7°21E 77 F3
Zwenkau Germany 51°13N 12°20E 76 D8
Zwettl Austria 48°35N 15°9E 78 C8
Zwickau Germany 50°44N 12°30E 76 E8
Zwierzyniec Poland 50°36N 22°58E 83 H9
Zwiesel Germany 49°1N 13°13E 77 F9
Zwoleń Poland 51°21N 21°36E 83 G8
Zwolle Neths. 52°31N 6°6E 69 B6
Zwolle U.S.A. 31°38N 93°39W 176 F8
Żychlin Poland 52°15N 19°37E 83 F6
Żyrardów Poland 52°3N 20°28E 83 F7
Zyryan Kazakhstan 49°43N 84°20E 109 C10
Zyryanka Russia 65°45N 150°51E 107 C16
Zyryanovsk = Zyryan Kazakhstan 49°43N 84°20E 109 C10
Zyuratkul △ Russia 54°50N 58°56E 108 B5
Żywiec Poland 49°42N 19°10E 83 J6

KEY TO EUROPEAN MAP PAGES

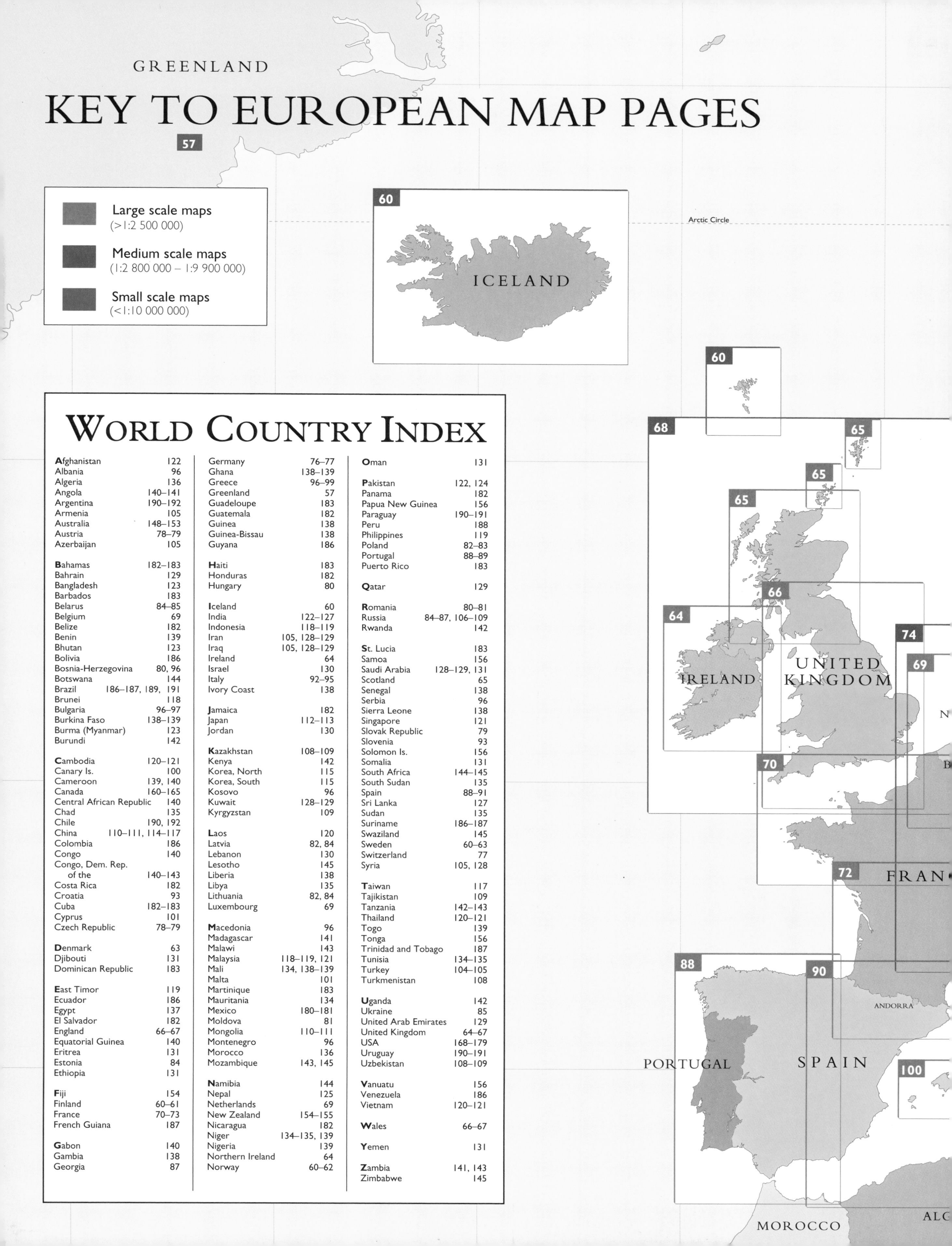
GREENLAND
57
Large scale maps
(>1:2 500 000)
Medium scale maps
(1:2 800 000 – 1:9 900 000)
Small scale maps
(<1:10 000 000)
60
ICELAND
Arctic Circle
60
68
65
65
65
66
64
74
69
IRELAND
UNITED KINGDOM
70
72
FRAN
88
90
ANDORRA
PORTUGAL
SPAIN
100
MOROCCO
ALG

WORLD COUNTRY INDEX

Afghanistan 122
Albania 96
Algeria 136
Angola 140–141
Argentina 190–192
Armenia 105
Australia 148–153
Austria 78–79
Azerbaijan 105

Bahamas 182–183
Bahrain 129
Bangladesh 123
Barbados 183
Belarus 84–85
Belgium 69
Belize 182
Benin 139
Bhutan 123
Bolivia 186
Bosnia-Herzegovina 80, 96
Botswana 144
Brazil 186–187, 189, 191
Brunei 118
Bulgaria 96–97
Burkina Faso 138–139
Burma (Myanmar) 123
Burundi 142

Cambodia 120–121
Canary Is. 100
Cameroon 139, 140
Canada 160–165
Central African Republic 140
Chad 135
Chile 190, 192
China 110–111, 114–117
Colombia 186
Congo 140
Congo, Dem. Rep. of the 140–143
Costa Rica 182
Croatia 93
Cuba 182–183
Cyprus 101
Czech Republic 78–79

Denmark 63
Djibouti 131
Dominican Republic 183

East Timor 119
Ecuador 186
Egypt 137
El Salvador 182
England 66–67
Equatorial Guinea 140
Eritrea 131
Estonia 84
Ethiopia 131

Fiji 154
Finland 60–61
France 70–73
French Guiana 187

Gabon 140
Gambia 138
Georgia 87
Germany 76–77
Ghana 138–139
Greece 96–99
Greenland 57
Guadeloupe 183
Guatemala 182
Guinea 138
Guinea-Bissau 138
Guyana 186

Haiti 183
Honduras 182
Hungary 80

Iceland 60
India 122–127
Indonesia 118–119
Iran 105, 128–129
Iraq 105, 128–129
Ireland 64
Israel 130
Italy 92–95
Ivory Coast 138

Jamaica 182
Japan 112–113
Jordan 130

Kazakhstan 108–109
Kenya 142
Korea, North 115
Korea, South 115
Kosovo 96
Kuwait 128–129
Kyrgyzstan 109

Laos 120
Latvia 82, 84
Lebanon 130
Lesotho 145
Liberia 138
Libya 135
Lithuania 82, 84
Luxembourg 69

Macedonia 96
Madagascar 141
Malawi 143
Malaysia 118–119, 121
Mali 134, 138–139
Malta 101
Martinique 183
Mauritania 134
Mexico 180–181
Moldova 81
Mongolia 110–111
Montenegro 96
Morocco 136
Mozambique 143, 145

Namibia 144
Nepal 125
Netherlands 69
New Zealand 154–155
Nicaragua 182
Niger 134–135, 139
Nigeria 139
Northern Ireland 64
Norway 60–62

Oman 131

Pakistan 122, 124
Panama 182
Papua New Guinea 156
Paraguay 190–191
Peru 188
Philippines 119
Poland 82–83
Portugal 88–89
Puerto Rico 183

Qatar 129

Romania 80–81
Russia 84–87, 106–109
Rwanda 142

St. Lucia 183
Samoa 156
Saudi Arabia 128–129, 131
Scotland 65
Senegal 138
Serbia 96
Sierra Leone 138
Singapore 121
Slovak Republic 79
Slovenia 93
Solomon Is. 156
Somalia 131
South Africa 144–145
South Sudan 135
Spain 88–91
Sri Lanka 127
Sudan 135
Suriname 186–187
Swaziland 145
Sweden 60–63
Switzerland 77
Syria 105, 128

Taiwan 117
Tajikistan 109
Tanzania 142–143
Thailand 120–121
Togo 139
Tonga 156
Trinidad and Tobago 187
Tunisia 134–135
Turkey 104–105
Turkmenistan 108

Uganda 142
Ukraine 85
United Arab Emirates 129
United Kingdom 64–67
USA 168–179
Uruguay 190–191
Uzbekistan 108–109

Vanuatu 156
Venezuela 186
Vietnam 120–121

Wales 66–67

Yemen 131

Zambia 141, 143
Zimbabwe 145